FlexLEX

AF898885

SEILER | SITNER (HG.)

Strafrecht & Strafprozessrecht

Fassung vom 1.9.2025

https://www.flexlex.at/s/28BRwX

Profitieren Sie von den digitalen FlexLex-Vorteilen - so funktioniert's:

Scannen Sie den QR-Code und ...

... nutzen Sie Ihre Sammlung unmittelbar und flexibel auf allen Endgeräten.

... melden Sie sich mit Ihrer **E-Mail-Adresse** an, um die Benachrichtigungsfunktion für Gesetzesänderungen Ihrer Ausgabe zu aktivieren.

... **registrieren** Sie sich kostenlos, um Zugang zu Fassungsvergleich* und Stichtagsabfrage** zu erhalten.

* Diese Funktion ermöglicht es, die Sammlung mit jeweils stichtagsbezogenen Fassungen zu vergleichen. Kontrollieren Sie rasch und unkompliziert, welche Bestimmungen sich seit Erscheinen dieser Sammlung geändert haben.

** Mit der Stichtagsabfrage können Sie Ihre Sammlung zu jedem beliebigen Datum erstellen.

facultas Verlag, Stolberggasse 26, 1050 Wien, Österreich
www.facultas.at, office@facultas.at

Druck: Facultas Verlags- und Buchhandels AG
Softwarekonzeption: T. Schreiber, B. Jungwirth, Fassungsvergleich.at

ISBN (Buch): 9783990714201

Strafrecht & Strafprozessrecht

Inhaltsverzeichnis

Strafgesetzbuch

Bundesgesetz vom 23. Jänner 1974 über die mit gerichtlicher Strafe bedrohten Handlungen (Strafgesetzbuch – StGB)
StF: BGBl. Nr. 60/1974 idF BGBl. I Nr. 50/2025

Inhaltsverzeichnis

Stichwortverzeichnis

Allgemeiner Teil

Erster Abschnitt

Allgemeine Bestimmungen

Keine Strafe ohne Gesetz

§ 1. (1) Eine Strafe oder eine vorbeugende Maßnahme darf nur wegen einer Tat verhängt werden, die unter eine ausdrückliche gesetzliche Strafdrohung fällt und schon zur Zeit ihrer Begehung mit Strafe bedroht war.

(2) Eine schwerere als die zur Zeit der Begehung angedrohte Strafe darf nicht verhängt werden. Eine vorbeugende Maßnahme darf nur angeordnet werden, wenn zur Zeit der Begehung diese vorbeugende Maßnahme oder eine der Art nach vergleichbare Strafe oder vorbeugende Maßnahme vorgesehen war. Durch die Anordnung einer bloß der Art nach vergleichbaren vorbeugenden Maßnahme darf der Täter keiner ungünstigeren Behandlung unterworfen werden, als sie nach dem zur Zeit der Tat geltenden Gesetz zulässig war.

Begehung durch Unterlassung

§ 2. Bedroht das Gesetz die Herbeiführung eines Erfolges mit Strafe, so ist auch strafbar, wer es unterläßt, ihn abzuwenden, obwohl er zufolge einer ihn im besonderen treffenden Verpflichtung durch die Rechtsordnung dazu verhalten ist und die Unterlassung der Erfolgsabwendung einer Verwirklichung des gesetzlichen Tatbildes durch ein Tun gleichzuhalten ist.

Notwehr

§ 3. (1) Nicht rechtswidrig handelt, wer sich nur der Verteidigung bedient, die notwendig ist, um einen gegenwärtigen oder unmittelbar drohenden rechtswidrigen Angriff auf Leben, Gesundheit, körperliche Unversehrtheit, sexuelle Integrität und Selbstbestimmung, Freiheit oder Vermögen von sich oder einem anderen abzuwehren. Die Handlung ist jedoch nicht gerechtfertigt, wenn es offensichtlich ist, daß dem Angegriffenen bloß ein geringer Nachteil droht und die Verteidigung, insbesondere wegen der Schwere der zur Abwehr nötigen Beeinträchtigung des Angreifers, unangemessen ist.

(2) Wer das gerechtfertigte Maß der Verteidigung überschreitet oder sich einer offensichtlich unangemessenen Verteidigung (Abs. 1) bedient, ist, wenn dies lediglich aus Bestürzung, Furcht oder Schrecken geschieht, nur strafbar, wenn die Überschreitung auf Fahrlässigkeit beruht und die fahrlässige Handlung mit Strafe bedroht ist.

Keine Strafe ohne Schuld

§ 4. Strafbar ist nur, wer schuldhaft handelt.

Vorsatz

§ 5. (1) Vorsätzlich handelt, wer einen Sachverhalt verwirklichen will, der einem gesetzlichen Tatbild entspricht; dazu genügt es, daß der Täter diese Verwirklichung ernstlich für möglich hält und sich mit ihr abfindet.

(2) Der Täter handelt absichtlich, wenn es ihm darauf ankommt, den Umstand oder Erfolg zu verwirklichen, für den das Gesetz absichtliches Handeln voraussetzt.

(3) Der Täter handelt wissentlich, wenn er den Umstand oder Erfolg, für den das Gesetz Wissentlichkeit voraussetzt, nicht bloß für möglich hält, sondern sein Vorliegen oder Eintreten für gewiß hält.

Fahrlässigkeit

§ 6. (1) Fahrlässig handelt, wer die Sorgfalt außer acht läßt, zu der er nach den Umständen verpflichtet und nach seinen geistigen und körperlichen Verhältnissen befähigt ist und die ihm zuzumuten ist, und deshalb nicht erkennt, daß er einen Sachverhalt verwirklichen könne, der einem gesetzlichen Tatbild entspricht.

(2) Fahrlässig handelt auch, wer es für möglich hält, daß er einen solchen Sachverhalt verwirkliche, ihn aber nicht herbeiführen will.

(3) Grob fahrlässig handelt, wer ungewöhnlich und auffallend sorgfaltswidrig handelt, sodass der Eintritt eines dem gesetzlichen Tatbild entsprechenden Sachverhaltes als geradezu wahrscheinlich vorhersehbar war.

Strafbarkeit vorsätzlichen und fahrlässigen Handelns

§ 7. (1) Wenn das Gesetz nichts anderes bestimmt, ist nur vorsätzliches Handeln strafbar.

(2) Eine schwerere Strafe, die an eine besondere Folge der Tat geknüpft ist, trifft den Täter nur, wenn er diese Folge wenigstens fahrlässig herbeigeführt hat.

Irrtümliche Annahme eines rechtfertigenden Sachverhaltes

§ 8. Wer irrtümlich einen Sachverhalt annimmt, der die Rechtswidrigkeit der Tat ausschließen würde, kann wegen vorsätzlicher Begehung nicht bestraft werden. Er ist wegen fahrlässiger Begehung zu bestrafen, wenn der Irrtum auf Fahrlässigkeit beruht und die fahrlässige Begehung mit Strafe bedroht ist.

Rechtsirrtum

§ 9. (1) Wer das Unrecht der Tat wegen eines Rechtsirrtums nicht erkennt, handelt nicht schuldhaft, wenn ihm der Irrtum nicht vorzuwerfen ist.

(2) Der Rechtsirrtum ist dann vorzuwerfen, wenn das Unrecht für den Täter wie für jedermann leicht erkennbar war oder wenn sich der Täter mit den ein-

schlägigen Vorschriften nicht bekannt gemacht hat, obwohl er seinem Beruf, seiner Beschäftigung oder sonst den Umständen nach dazu verpflichtet gewesen wäre.

(3) Ist der Irrtum vorzuwerfen, so ist, wenn der Täter vorsätzlich handelt, die für die vorsätzliche Tat vorgesehene Strafdrohung anzuwenden, wenn er fahrlässig handelt, die für die fahrlässige Tat.

Entschuldigender Notstand

§ 10. (1) Wer eine mit Strafe bedrohte Tat begeht, um einen unmittelbar drohenden bedeutenden Nachteil von sich oder einem anderen abzuwenden, ist entschuldigt, wenn der aus der Tat drohende Schaden nicht unverhältnismäßig schwerer wiegt als der Nachteil, den sie abwenden soll, und in der Lage des Täters von einem mit den rechtlich geschützten Werten verbundenen Menschen kein anderes Verhalten zu erwarten war.

(2) Der Täter ist nicht entschuldigt, wenn er sich der Gefahr ohne einen von der Rechtsordnung anerkannten Grund bewußt ausgesetzt hat. Der Täter ist wegen fahrlässiger Begehung zu bestrafen, wenn er die Voraussetzungen, unter denen seine Handlung entschuldigt wäre, in einem Irrtum angenommen hat, der auf Fahrlässigkeit beruhte, und die fahrlässige Begehung mit Strafe bedroht ist.

Zurechnungsunfähigkeit

§ 11. Wer zur Zeit der Tat wegen einer Geisteskrankheit, wegen einer geistigen Behinderung, wegen einer tiefgreifenden Bewußtseinsstörung oder wegen einer anderen schweren, einem dieser Zustände gleichwertigen seelischen Störung unfähig ist, das Unrecht seiner Tat einzusehen oder nach dieser Einsicht zu handeln, handelt nicht schuldhaft.

Behandlung aller Beteiligten als Täter

§ 12. Nicht nur der unmittelbare Täter begeht die strafbare Handlung, sondern auch jeder, der einen anderen dazu bestimmt, sie auszuführen, oder der sonst zu ihrer Ausführung beiträgt.

Selbständige Strafbarkeit der Beteiligten

§ 13. Waren an der Tat mehrere beteiligt, so ist jeder von ihnen nach seiner Schuld zu bestrafen.

Eigenschaften und Verhältnisse des Täters

§ 14. (1) Macht das Gesetz die Strafbarkeit oder die Höhe der Strafe von besonderen persönlichen Eigenschaften oder Verhältnissen des Täters abhängig, die das Unrecht der Tat betreffen, so ist das Gesetz auf alle Beteiligten anzuwenden, wenn diese Eigenschaften oder Verhältnisse auch nur bei einem von ihnen vorliegen. Hängt das Unrecht der Tat jedoch davon ab, daß der Träger der besonderen persönlichen Eigenschaften oder Verhältnisse die Tat unmittelbar ausführt oder sonst in bestimmter Weise an ihr mitwirkt, so muß auch diese Voraussetzung erfüllt sein.

(2) Betreffen die besonderen persönlichen Eigenschaften oder Verhältnisse hingegen ausschließlich die Schuld, so ist das Gesetz nur auf die Beteiligten anzuwenden, bei denen diese Eigenschaften oder Verhältnisse vorliegen.

Strafbarkeit des Versuches

§ 15. (1) Die Strafdrohungen gegen vorsätzliches Handeln gelten nicht nur für die vollendete Tat, sondern auch für den Versuch und für jede Beteiligung an einem Versuch.

(2) Die Tat ist versucht, sobald der Täter seinen Entschluß, sie auszuführen oder einen anderen dazu zu bestimmen (§ 12), durch eine der Ausführung unmittelbar vorangehende Handlung betätigt.

(3) Der Versuch und die Beteiligung daran sind nicht strafbar, wenn die Vollendung der Tat mangels persönlicher Eigenschaften oder Verhältnisse, die das Gesetz beim Handelnden voraussetzt, oder nach der Art der Handlung oder des Gegenstands, an dem die Tat begangen wurde, unter keinen Umständen möglich war.

Rücktritt vom Versuch

§ 16. (1) Der Täter wird wegen des Versuches oder der Beteiligung daran nicht bestraft, wenn er freiwillig die Ausführung aufgibt oder, falls mehrere daran beteiligt sind, verhindert oder wenn er freiwillig den Erfolg abwendet.

(2) Der Täter wird auch straflos, wenn die Ausführung oder der Erfolg ohne sein Zutun unterbleibt, er sich jedoch in Unkenntnis dessen freiwillig und ernstlich bemüht, die Ausführung zu verhindern oder den Erfolg abzuwenden.

Zweiter Abschnitt
Einteilung der strafbaren Handlungen

Einteilung der strafbaren Handlungen

§ 17. (1) Verbrechen sind vorsätzliche Handlungen, die mit lebenslanger oder mit mehr als dreijähriger Freiheitsstrafe bedroht sind.

(2) Alle anderen strafbaren Handlungen sind Vergehen.

Dritter Abschnitt
Strafen, Verfall und vorbeugende Maßnahmen

Freiheitsstrafen

§ 18. (1) Freiheitsstrafen werden auf Lebensdauer oder auf bestimmte Zeit verhängt.

(2) Die zeitliche Freiheitsstrafe beträgt mindestens einen Tag und höchstens zwanzig Jahre.

Geldstrafen

§ 19. (1) Die Geldstrafe ist in Tagessätzen zu bemessen. Sie beträgt mindestens zwei Tagessätze.

(2) Der Tagessatz ist nach den persönlichen Verhältnissen und der wirtschaftlichen Leistungsfähigkeit des Rechtsbrechers im Zeitpunkt des Urteils erster Instanz zu bemessen. Der Tagessatz ist jedoch mindestens mit 4 Euro und höchstens mit 5 000 Euro festzusetzen.

(3) Für den Fall der Uneinbringlichkeit der Geldstrafe ist eine Ersatzfreiheitsstrafe festzusetzen. Ein Tag Ersatzfreiheitsstrafe entspricht dabei zwei Tagessätzen.

(Anm.: Abs. 4 aufgehoben durch BGBl. Nr. 762/1996)

Konfiskation

§ 19a. (1) Gegenstände, die der Täter zur Begehung einer vorsätzlichen Straftat verwendet hat, die von ihm dazu bestimmt worden waren, bei der Begehung dieser Straftat verwendet zu werden, oder die durch diese Handlung hervorgebracht worden sind, sind zu konfiszieren, wenn sie zur Zeit der Entscheidung erster Instanz im Eigentum des Täters stehen.

(1a) Die Konfiskation erstreckt sich auch auf die zur Zeit der Entscheidung erster Instanz im Eigentum des Täters stehenden Ersatzwerte der in Abs. 1 bezeichneten Gegenstände.

(2) Von der Konfiskation ist abzusehen, soweit sie zur Bedeutung der Tat oder zu dem den Täter treffenden Vorwurf außer Verhältnis steht.

Verfall

§ 20. (1) Das Gericht hat Vermögenswerte, die für die Begehung einer mit Strafe bedrohten Handlung oder durch sie erlangt wurden, für verfallen zu erklären.

(2) Der Verfall erstreckt sich auch auf Nutzungen und Ersatzwerte der nach Abs. 1 für verfallen zu erklärenden Vermögenswerte.

(3) Soweit die dem Verfall nach Abs. 1 oder 2 unterliegenden Vermögenswerte nicht sichergestellt oder beschlagnahmt sind (§§ 110 Abs. 1 Z 3, 115 Abs. 1 Z 3 StPO), hat das Gericht einen Geldbetrag für verfallen zu erklären, der den nach Abs. 1 und Abs. 2 erlangten Vermögenswerten entspricht.

(4) Soweit der Umfang der für verfallen zu erklärenden Vermögenswerte nicht oder nur mit unverhältnismäßigem Aufwand ermittelt werden kann, hat das Gericht ihn nach seiner Überzeugung festzusetzen.

Unterbleiben des Verfalls

§ 20a. (1) Der Verfall gegenüber einem Dritten nach § 20 Abs. 2 und 3 ist ausgeschlossen, soweit dieser die Vermögenswerte in Unkenntnis der mit Strafe bedrohten Handlung erworben hat.

(2) Der Verfall ist überdies ausgeschlossen:

1. gegenüber einem Dritten, soweit dieser die Vermögenswerte in Unkenntnis der mit Strafe bedrohten Handlung entgeltlich erworben hat,

2. soweit der Betroffene zivilrechtliche Ansprüche aus der Tat befriedigt oder für sie Sicherheit geleistet hat, oder

3. soweit seine Wirkung durch andere rechtliche Maßnahmen erreicht wird.

(3) Vom Verfall ist abzusehen, soweit der für verfallen zu erklärende Vermögenswert oder die Aussicht auf dessen Einbringung außer Verhältnis zum Verfahrensaufwand steht, den der Verfall oder die Einbringung erfordern würde.

Erweiterter Verfall

§ 20b. (1) Vermögenswerte, die der Verfügungsmacht einer kriminellen Organisation (§ 278a) oder einer terroristischen Vereinigung (§ 278b) unterliegen oder als Mittel der Terrorismusfinanzierung (§ 278d) bereitgestellt oder gesammelt wurden, sind für verfallen zu erklären.

(2) Ist eine rechtswidrige Tat nach den §§ 278 oder 278c, für deren Begehung oder durch die Vermögenswerte erlangt wurden, oder ein solches Verbrechen begangen worden, sind auch jene Vermögenswerte für verfallen zu erklären, die in einem zeitlichen Zusammenhang mit dieser Tat erlangt wurden, sofern die Annahme naheliegt, dass sie aus einer rechtswidrigen Tat stammen und ihre rechtmäßige Herkunft nicht glaubhaft gemacht werden kann.

(2a) Darüber hinaus sind auch Vermögenswerte, die aus einer mit Strafe bedrohten Handlung stammen und in einem Verfahren wegen einer Straftat nach §§ 104, 104a, 165, 207a, 215a Abs. 1 oder 2, 216, 217, 246, 277 bis 280, 302, 304 bis 309 oder nach dem fünfundzwanzigsten Abschnitt, nach § 28a des Suchtmittelgesetzes – SMG, BGBl. I Nr. 112/1997, nach den §§ 39 oder 40 des Finanzstrafgesetzes – FinStrG, BGBl. Nr. 129/1958, oder nach § 114 des Fremdenpolizeigesetzes –FPG, BGBl. I Nr. 100/2005, sichergestellt oder beschlagnahmt wurden, für verfallen zu erklären, wenn der Betroffene nicht wegen dieser Straftat verfolgt oder verurteilt werden kann. Bei der Entscheidung über den Verfall kann das Gericht seine Überzeugung davon, dass der Vermögenswert aus einer mit Strafe bedrohten Handlung stammt, insbesondere auf einen auffallenden Widerspruch zwischen dem Vermögenswert und den rechtmäßigen Einkünften des Betroffenen stützen, wobei insbesondere auch die Umstände des Auffindens des Vermögenswertes, die sonstigen persönlichen und wirtschaftlichen Verhältnisse des Betroffenen sowie die Ermittlungsergebnisse zu der Tat, die Anlass für das Verfahren war, berücksichtigt werden können.

(3) § 20 Abs. 2 bis Abs. 4 StGB gilt entsprechend.

Unterbleiben des erweiterten Verfalls

§ 20c. (1) Der erweiterte Verfall nach § 20b Abs. 1 StGB ist ausgeschlossen, soweit an den betroffenen Vermögenswerten Rechtsansprüche von Personen bestehen, die an der kriminellen Organisation oder terroristischen Vereinigung oder Terrorismusfinanzierung nicht beteiligt sind.

(2) § 20a StGB gilt entsprechend.

Strafrechtliche Unterbringung in einem forensisch-therapeutischen Zentrum

§ 21. (1) Wer eine Tat nach Abs. 3 unter dem maßgeblichen Einfluss einer schwerwiegenden und nachhaltigen psychischen Störung begangen hat und nur deshalb nicht bestraft werden kann, weil er im Zeitpunkt der Tat wegen dieser Störung zurechnungsunfähig (§ 11) war, ist in einem forensisch-therapeutischen Zentrum unterzubringen, wenn nach seiner Person, nach seinem Zustand und nach der Art der Tat mit hoher Wahrscheinlichkeit zu befürchten ist, dass er sonst in absehbarer Zukunft unter dem maßgeblichen Einfluss seiner psychischen Störung eine mit Strafe bedrohte Handlung mit schweren Folgen begehen werde.

(2) Besteht eine solche Befürchtung, so ist in einem forensisch-therapeutischen Zentrum auch unterzubringen, wer, ohne zurechnungsunfähig zu sein, unter dem maßgeblichen Einfluss einer schwerwiegenden und nachhaltigen psychischen Störung eine Tat nach Abs. 3 begangen hat. In diesem Fall ist die Unterbringung zugleich mit der Verhängung der Strafe anzuordnen.

(3) Anlass einer strafrechtlichen Unterbringung können nur Taten sein, die mit mehr als einem Jahr Freiheitsstrafe bedroht sind. Wenn die angedrohte Freiheitsstrafe dieser Tat drei Jahre nicht übersteigt, muss sich die Befürchtung nach Abs. 1 auf eine gegen Leib und Leben gerichtete mit mehr als zwei Jahren Freiheitsstrafe bedrohte Handlung oder auf eine gegen die sexuelle Integrität und Selbstbestimmung gerichtete mit mehr als einem Jahr Freiheitsstrafe bedrohte Handlung beziehen. Als Anlasstaten kommen mit Strafe bedrohte Handlungen gegen fremdes Vermögen nicht in Betracht, es sei denn, sie wurden unter Anwendung von Gewalt gegen eine Person oder unter Drohung mit einer gegenwärtigen Gefahr für Leib oder Leben (§ 89) begangen.

(Anm.: § 21 ff iVm 51, 54 StGB)

Unterbringung in einer Anstalt für entwöhnungsbedürftige Rechtsbrecher

§ 22. (1) Wer dem Mißbrauch eines berauschenden Mittels oder Suchtmittels ergeben ist und wegen einer im Rausch oder sonst im Zusammenhang mit seiner Gewöhnung begangenen strafbaren Handlung oder wegen Begehung einer mit Strafe bedrohten Handlung im Zustand voller Berauschung (§ 287) verurteilt wird, ist vom Gericht in eine Anstalt für entwöhnungsbedürftige Rechtsbrecher einzuweisen, wenn nach seiner Person und nach der Art der Tat zu befürchten ist, daß er sonst im Zusammenhang mit seiner Gewöhnung an berauschende Mittel oder Suchtmittel eine mit Strafe bedrohte Handlung mit schweren Folgen oder doch mit Strafe bedrohte Handlungen mit nicht bloß leichten Folgen begehen werde.

(2) Von der Unterbringung ist abzusehen, wenn der Rechtsbrecher mehr als zwei Jahre in Strafhaft zu verbüßen hat, die Voraussetzungen für seine strafrechtliche Unterbringung in einem forensisch-therapeutischen Zentrum vorliegen oder der Versuch einer Entwöhnung von vornherein aussichtslos scheint.

Unterbringung von gefährlichen Rückfallstätern und gefährlichen terroristischen Straftätern in einer Anstalt für gefährliche Rückfallstäter

§ 23. (1) Wird jemand nach Vollendung des vierundzwanzigsten Lebensjahres zu einer mindestens zweijährigen Freiheitsstrafe verurteilt, so hat das Gericht zugleich seine Unterbringung in einer Anstalt für gefährliche Rückfallstäter anzuordnen,

1. wenn die Verurteilung ausschließlich oder überwiegend wegen einer oder mehrerer vorsätzlicher strafbarer Handlungen gegen Leib und Leben, gegen die Freiheit, gegen fremdes Vermögen unter Anwendung oder Androhung von Gewalt gegen eine Person, gegen die sexuelle Integrität und Selbstbestimmung, nach § 28a des Suchtmittelgesetzes oder wegen einer oder mehrerer vorsätzlicher gemeingefährlicher strafbarer Handlungen erfolgt,

2. wenn er bereits zweimal ausschließlich oder überwiegend wegen Handlungen der in Z 1 genannten Art zu Freiheitsstrafen in der Dauer von jeweils mehr als sechs Monaten verurteilt worden ist und deshalb vor Begehung der nunmehr abgeurteilten Handlungen, jedoch nach Vollendung des neunzehnten Lebensjahres mindestens achtzehn Monate in Strafhaft zugebracht hat und

3. wenn zu befürchten ist, daß er wegen seines Hanges zu strafbaren Handlungen der in Z 1 genannten Art oder weil er seinen Lebensunterhalt überwiegend durch solche strafbare Handlungen zu gewinnen pflegt, sonst weiterhin solche strafbare Handlungen mit schweren Folgen begehen werde.

(1a) Wird jemand nach Vollendung des achtzehnten Lebensjahres zu einer mindestens achtzehnmonatigen Freiheitsstrafe verurteilt, so hat das Gericht zugleich seine Unterbringung in einer Anstalt für gefährliche Rückfallstäter anzuordnen,

1. wenn die Verurteilung ausschließlich oder überwiegend wegen einer oder mehrerer vorsätzlicher strafbarer Handlungen nach den §§ 278b bis 278f erfolgt,

2. wenn er bereits einmal ausschließlich oder überwiegend wegen Handlungen der in Z 1 genannten Art, einer strafbaren Handlung nach den §§ 75, 76, 84 Abs. 4 oder Abs. 5 Z 1 oder 3, 85 Abs. 2, 86 Abs. 2

oder 87 oder wegen einer vorsätzlichen gemeingefährlichen strafbaren Handlung nach Vollendung des 16. Lebensjahres zu einer unbedingten Freiheitsstrafe in der Dauer von mehr als einem Jahr verurteilt worden ist und

3. wenn zu befürchten ist, dass er wegen seines Hanges zu strafbaren Handlungen der in Z 1 genannten Art sonst weiterhin solche strafbare Handlungen mit schweren Folgen begehen werde.

(2) Von der Unterbringung ist abzusehen, wenn die Voraussetzungen für die strafrechtliche Unterbringung in einem forensisch-therapeutischen Zentrum vorliegen.

(3) Die Anhaltung in einem forensisch-therapeutischen Zentrum nach § 21 Abs. 2 oder in einer Anstalt für entwöhnungsbedürftige Rechtsbrecher steht der Strafhaft (Abs. 1 Z 2) insoweit gleich, als die Zeit der Anhaltung auf die Strafe anzurechnen ist.

(4) Eine frühere Strafe bleibt außer Betracht, wenn seit ihrer Verbüßung bis zur folgenden Tat mehr als fünf Jahre vergangen sind. In diese Frist werden Zeiten, in denen der Verurteilte auf behördliche Anordnung angehalten worden ist, nicht eingerechnet. Ist die Strafe nur durch Anrechnung einer Vorhaft verbüßt worden, so beginnt die Frist erst mit Rechtskraft des Urteils.

(5) Ausländische Verurteilungen sind zu berücksichtigen, wenn die Voraussetzungen des § 73 vorliegen und anzunehmen ist, dass der Täter auch von einem inländischen Gericht zu einer Freiheitsstrafe von mehr als sechs Monaten (Abs. 1) beziehungsweise einem Jahr (Abs. 1a) verurteilt worden wäre und im Fall des Abs. 1 die zur Erfüllung der Voraussetzungen des Abs. 1 Z 2 erforderliche Zeit in Strafhaft zugebracht hätte.

Reihenfolge des Vollzugs von Freiheitsstrafen und mit Freiheitsentziehung verbundenen vorbeugenden Maßnahmen

§ 24. (1) Die Unterbringung in einem forensisch-therapeutischen Zentrum oder in einer Anstalt für entwöhnungsbedürftige Rechtsbrecher ist vor einer Freiheitsstrafe zu vollziehen. Die Zeit der Anhaltung ist auf die Strafe anzurechnen. Dies gilt auch dann, wenn die Freiheitsstrafe nicht zugleich mit der Anordnung der Unterbringung verhängt wurde. Wird die Unterbringung vor dem Ablauf der Strafzeit aufgehoben, so ist der Rechtsbrecher in den Strafvollzug zu überstellen, es sei denn, dass ihm der Rest der Strafe bedingt oder unbedingt erlassen wird.

(2) Die Unterbringung in einer Anstalt für gefährliche Rückfallstäter ist nach der Freiheitsstrafe zu vollziehen. Vor der Überstellung des Rechtsbrechers in die Anstalt für gefährliche Rückfallstäter hat das Gericht von Amts wegen zu prüfen, ob die Unterbringung noch notwendig ist.

Dauer der mit Freiheitsentziehung verbundenen vorbeugenden Maßnahmen

§ 25. (1) Vorbeugende Maßnahmen sind auf unbestimmte Zeit anzuordnen. Sie sind so lange zu vollziehen, wie es ihr Zweck erfordert. Die Unterbringung in einer Anstalt für entwöhnungsbedürftige Rechtsbrecher darf jedoch nicht länger als zwei Jahre dauern, die Unterbringung in einer Anstalt für gefährliche Rückfallstäter nicht länger als zehn Jahre.

(2) Über die Aufhebung der vorbeugenden Maßnahme entscheidet das Gericht.

(3) Ob die Unterbringung in einem forensisch-therapeutischen Zentrum oder in einer Anstalt für gefährliche Rückfallstäter noch notwendig ist, hat das Gericht von Amts wegen mindestens alljährlich zu entscheiden.

(4) Ob die Unterbringung in einer Anstalt für entwöhnungsbedürftige Rechtsbrecher aufrechtzuerhalten ist, hat das Gericht von Amts wegen mindestens alle sechs Monate zu entscheiden.

(5) Die Fristen nach Abs. 3 und 4 beginnen mit der letzten Entscheidung erster Instanz.

Einziehung

§ 26. (1) Gegenstände, die der Täter zur Begehung der mit Strafe bedrohten Handlung verwendet hat, die von ihm dazu bestimmt worden waren, bei Begehung dieser Handlung verwendet zu werden, oder die durch diese Handlung hervorgebracht worden sind, sind einzuziehen, wenn dies nach der besonderen Beschaffenheit der Gegenstände geboten erscheint, um der Begehung mit Strafe bedrohter Handlungen entgegenzuwirken.

(2) Von der Einziehung ist abzusehen, wenn der Berechtigte die besondere Beschaffenheit der Gegenstände beseitigt, insbesondere indem er Vorrichtungen oder Kennzeichnungen entfernt oder unbrauchbar macht, die die Begehung mit Strafe bedrohter Handlungen erleichtern. Gegenstände, auf die eine an der strafbaren Handlung nicht beteiligte Person Rechtsansprüche hat, dürfen nur eingezogen werden, wenn die betreffende Person keine Gewähr dafür bietet, daß die Gegenstände nicht zur Begehung strafbarer Handlungen verwendet werden.

(3) Liegen die Voraussetzungen der Einziehung vor, so sind die Gegenstände auch dann einzuziehen, wenn keine bestimmte Person wegen der mit Strafe bedrohten Handlung verfolgt oder verurteilt werden kann.

Amtsverlust und andere Rechtsfolgen der Verurteilung

§ 27. (1) Mit der Verurteilung durch ein inländisches Gericht wegen einer oder mehrerer mit Vorsatz begangener strafbarer Handlungen zu einer Freiheitsstrafe ist bei einem Beamten der Verlust des Amtes verbunden, wenn

1. die verhängte Freiheitsstrafe ein Jahr übersteigt,

2. die nicht bedingt nachgesehene Freiheitsstrafe sechs Monate übersteigt oder

3. die Verurteilung auch oder ausschließlich wegen des Vergehens des Missbrauchs eines Autoritätsverhältnisses (§ 212 StGB) erfolgt ist.

(2) Zieht eine strafgerichtliche Verurteilung nach einem Bundesgesetz eine andere als die im Abs. 1 genannte Rechtsfolge nach sich, so endet die Rechtsfolge, wenn nichts anderes bestimmt ist, soweit sie nicht im Verlust besonderer auf Wahl, Verleihung oder Ernennung beruhender Rechte besteht, nach fünf Jahren. Die Frist beginnt, sobald die Strafe vollstreckt ist und vorbeugende Maßnahmen vollzogen oder weggefallen sind; ist die Strafe nur durch Anrechnung einer Vorhaft verbüßt worden, so beginnt die Frist mit Rechtskraft des Urteils.

Zusammentreffen strafbarer Handlungen

§ 28. (1) Hat jemand durch eine Tat oder durch mehrere selbständige Taten mehrere strafbare Handlungen derselben oder verschiedener Art begangen und wird über diese strafbaren Handlungen gleichzeitig erkannt, so ist, wenn die zusammentreffenden Gesetze nur Freiheitsstrafen oder nur Geldstrafen vorsehen, auf eine einzige Freiheitsstrafe oder Geldstrafe zu erkennen. Diese Strafe ist nach dem Gesetz zu bestimmen, das die höchste Strafe androht. Von der außerordentlichen Strafmilderung abgesehen, darf jedoch keine geringere Strafe als die höchste der in den zusammentreffenden Gesetzen vorgesehenen Mindeststrafen verhängt werden.

(2) Ist in einem der zusammentreffenden Gesetze Freiheitsstrafe, in einem anderen Geldstrafe oder sind auch nur in einem von ihnen Freiheits- und Geldstrafen nebeneinander angedroht, so ist, wenn beide Strafen zwingend vorgeschrieben sind, auf eine Freiheitsstrafe und auf eine Geldstrafe zu erkennen. Ist eine von ihnen nicht zwingend angedroht, so kann sie verhängt werden. Das gleiche gilt für Strafen anderer Art, die neben einer Freiheits- oder einer Geldstrafe angedroht sind. Für die Bestimmung der Freiheitsstrafe und der Geldstrafe gilt Abs. 1.

(3) Wäre nach Abs. 2 auf eine Freiheitsstrafe und auf eine Geldstrafe zu erkennen, so ist, wenn statt der Freiheitsstrafe eine Geldstrafe zu verhängen ist (§ 37), gemäß Abs. 1 nur auf eine Geldstrafe zu erkennen.

(4) Vorbeugende Maßnahmen sind anzuordnen, wenn die Voraussetzungen hiefür auf Grund einer oder mehrerer der mit Strafe bedrohten Handlungen, über die gleichzeitig geurteilt wird, gegeben sind.

Zusammenrechnung der Werte und Schadensbeträge

§ 29. Hängt die Höhe der Strafdrohung von dem ziffernmäßig bestimmten Wert einer Sache, gegen die sich die Handlung richtet, oder von der ziffernmäßig bestimmten Höhe des Schadens ab, den sie verursacht oder auf den sich der Vorsatz des Täters erstreckt, so ist, wenn der Täter mehrere Taten derselben Art begangen hat, die Summe der Werte oder Schadensbeträge maßgebend.

Unzulässigkeit mehrfacher Erhöhung der im Gesetz bestimmten Obergrenze

§ 30. Eine Überschreitung der im Gesetz bestimmten Obergrenze einer Strafdrohung um die Hälfte ist immer nur einmal zulässig, mögen auch verschiedene Gründe, aus denen eine solche Überschreitung zulässig ist (§§ 39, 313), zusammentreffen.

Strafe bei nachträglicher Verurteilung

§ 31. (1) Wird jemand, der bereits zu einer Strafe verurteilt worden ist, wegen einer anderen Tat verurteilt, die nach der Zeit ihrer Begehung schon in dem früheren Verfahren hätte abgeurteilt werden können, so ist eine Zusatzstrafe zu verhängen. Diese darf das Höchstmaß der Strafe nicht übersteigen, die für die nun abzuurteilende Tat angedroht ist. Die Summe der Strafen darf die Strafe nicht übersteigen, die nach den Regeln über die Strafbemessung beim Zusammentreffen strafbarer Handlungen und über die Zusammenrechnung der Werte und Schadensbeträge zulässig wäre.

(2) Einer früheren inländischen Verurteilung steht eine frühere ausländische auch dann gleich, wenn die Voraussetzungen nach § 73 nicht vorliegen.

Nachträgliche Milderung der Strafe und des Verfalls

§ 31a. (1) Wenn nachträglich Umstände eintreten oder bekannt werden, die zu einer milderen Bemessung der Strafe geführt hätten, hat das Gericht die Strafe angemessen zu mildern.

(2) Verschlechtern sich nachträglich die persönlichen Verhältnisse oder die wirtschaftliche Leistungsfähigkeit eines zu einer Geldstrafe Verurteilten nicht bloß unerheblich, so hat das Gericht für die noch aushaftende Geldstrafe die Höhe des Tagessatzes innerhalb der Grenzen des § 19 Abs. 2 neu zu bemessen, es sei denn, daß der Verurteilte die Verschlechterung vorsätzlich, und sei es auch nur durch Unterlassung einer zumutbaren Erwerbstätigkeit, herbeigeführt hat.

(3) Wenn nachträglich Umstände eintreten oder bekannt werden, bei deren Vorliegen im Zeitpunkt des Urteils nicht auf Verfall oder nur auf Verfall geringerer Vermögenswerte zu erkennen gewesen wäre, hat das Gericht die Entscheidung entsprechend zu ändern.

Vierter Abschnitt
Strafbemessung

Allgemeine Grundsätze

§ 32. (1) Grundlage für die Bemessung der Strafe ist die Schuld des Täters.

(2) Bei Bemessung der Strafe hat das Gericht die Erschwerungs- und die Milderungsgründe, soweit sie nicht schon die Strafdrohung bestimmen, gegeneinander abzuwägen und auch auf die Auswirkungen der Strafe und anderer zu erwartender Folgen der Tat auf das künftige Leben des Täters in der Gesellschaft Bedacht zu nehmen. Dabei ist vor allem zu berücksichtigen, inwieweit die Tat auf eine gegenüber rechtlich geschützten Werten ablehnende oder gleichgültige Einstellung des Täters und inwieweit sie auf äußere Umstände oder Beweggründe zurückzuführen ist, durch die sie auch einem mit den rechtlich geschützten Werten verbundenen Menschen naheliegen könnte.

(3) Im allgemeinen ist die Strafe umso strenger zu bemessen, je größer die Schädigung oder Gefährdung ist, die der Täter verschuldet hat oder die er zwar nicht herbeigeführt, aber auf die sich sein Verschulden erstreckt hat, je mehr Pflichten er durch seine Handlung verletzt, je reiflicher er seine Tat überlegt, je sorgfältiger er sie vorbereitet oder je rücksichtsloser er sie ausgeführt hat und je weniger Vorsicht gegen die Tat hat gebraucht werden können.

Besondere Erschwerungsgründe

§ 33. (1) Ein Erschwerungsgrund ist es insbesondere, wenn der Täter

1. mehrere strafbare Handlungen derselben oder verschiedener Art begangen oder die strafbare Handlung durch längere Zeit fortgesetzt hat;

2. schon wegen einer auf der gleichen schädlichen Neigung beruhenden Tat verurteilt worden ist;

3. einen anderen zur strafbaren Handlung verführt hat;

4. der Urheber oder Anstifter einer von mehreren begangenen strafbaren Handlung oder an einer solchen Tat führend beteiligt gewesen ist;

5. aus rassistischen, fremdenfeindlichen oder anderen besonders verwerflichen Beweggründen, insbesondere solchen, die sich gegen eine der in § 283 Abs. 1 Z 1 genannten Gruppen von Personen oder ein Mitglied einer solchen Gruppe ausdrücklich wegen der Zugehörigkeit zu dieser Gruppe richten, gehandelt hat;

5a. aus religiös motivierten extremistischen Beweggründen gehandelt hat;

6. heimtückisch, grausam oder in einer für das Opfer qualvollen Weise gehandelt hat;

7. bei Begehung der Tat die Wehr- oder Hilflosigkeit eines anderen ausgenützt hat;

8. die Tat unter Missbrauch der personenbezogenen Daten einer anderen Person begangen hat, um das Vertrauen eines Dritten zu gewinnen, wodurch dem rechtmäßigen Identitätseigentümer ein Schaden zugefügt wird.

(2) Ein Erschwerungsgrund ist es auch, wenn der Täter eine vorsätzliche strafbare Handlung nach dem ersten bis dritten oder zehnten Abschnitt des Besonderen Teils oder eine sonstige strafbare Handlung unter Anwendung von Gewalt oder gefährlicher Drohung

1. als Volljähriger gegen eine minderjährige Person oder für diese wahrnehmbar gegen eine ihr nahestehende Person

2. gegen eine Angehörige oder einen Angehörigen (§ 72), einschließlich einer früheren Ehefrau, eingetragenen Partnerin oder Lebensgefährtin oder eines früheren Ehemanns, eingetragenen Partners oder Lebensgefährten oder als mit dem Opfer zusammenlebende Person;

3. unter Missbrauch einer Autoritätsstellung;

4. gegen eine aufgrund besonderer Umstände schutzbedürftige Person unter Ausnützung deren besonderer Schutzbedürftigkeit;

5. unter Einsatz eines außergewöhnlich hohen Ausmaßes an Gewalt oder nachdem der Tat eine solche Gewaltanwendung vorausgegangen ist;

6. unter Einsatz oder Drohung mit einer Waffe

begangen hat.

(3) Ein Erschwerungsgrund ist es ferner auch, wenn der Täter einer strafbaren Handlung nach § 165 ein Verpflichteter im Sinne des Art. 2 der Richtlinie (EU) 2015/849 zur Verhinderung der Nutzung des Finanzsystems zum Zwecke der Geldwäsche und der Terrorismusfinanzierung, ABl. Nr. L 141 vom 05.06.2015 S 73, in der Fassung der Richtlinie (EU) 2018/843, ABl. Nr. L 156 vom 19.06.2018 S 43, ist und die Straftat in Ausübung seiner beruflichen Tätigkeit, die unter diese Richtlinie fällt, begangen hat.

Besondere Milderungsgründe

§ 34. (1) Ein Milderungsgrund ist es insbesondere, wenn der Täter

1. die Tat nach Vollendung des achtzehnten, jedoch vor Vollendung des einundzwanzigsten Lebensjahres oder wenn er sie unter dem Einfluß eines abnormen Geisteszustands begangen hat, wenn er schwach an Verstand ist oder wenn seine Erziehung sehr vernachlässigt worden ist;

2. bisher einen ordentlichen Lebenswandel geführt hat und die Tat mit seinem sonstigen Verhalten in auffallendem Widerspruch steht;

3. die Tat aus achtenswerten Beweggründen begangen hat;

4. die Tat unter der Einwirkung eines Dritten oder aus Furcht oder Gehorsam verübt hat;

5. sich lediglich dadurch strafbar gemacht hat, daß er es in einem Fall, in dem das Gesetz die Herbeiführung eines Erfolges mit Strafe bedroht, unterlassen hat, den Erfolg abzuwenden;

6. an einer von mehreren begangenen strafbaren Handlung nur in untergeordneter Weise beteiligt war;

7. die Tat nur aus Unbesonnenheit begangen hat;

8. sich in einer allgemein begreiflichen heftigen Gemütsbewegung zur Tat hat hinreißen lassen;

9. die Tat mehr durch eine besonders verlockende Gelegenheit verleitet als mit vorgefaßter Absicht begangen hat;

10. durch eine nicht auf Arbeitsscheu zurückzuführende drückende Notlage zur Tat bestimmt worden ist;

11. die Tat unter Umständen begangen hat, die einem Schuldausschließungs- oder Rechtfertigungsgrund nahekommen;

12. die Tat in einem die Schuld nicht ausschließenden Rechtsirrtum (§ 9) begangen hat, insbesondere wenn er wegen vorsätzlicher Begehung bestraft wird;

13. trotz Vollendung der Tat keinen Schaden herbeigeführt hat oder es beim Versuch geblieben ist;

14. sich der Zufügung eines größeren Schadens, obwohl ihm dazu die Gelegenheit offenstand, freiwillig enthalten hat oder wenn der Schaden vom Täter oder von einem Dritten für ihn gutgemacht worden ist;

15. sich ernstlich bemüht hat, den verursachten Schaden gutzumachen oder weitere nachteilige Folgen zu verhindern;

16. sich selbst gestellt hat, obwohl er leicht hätte entfliehen können oder es wahrscheinlich war, daß er unentdeckt bleiben werde;

17. ein reumütiges Geständnis abgelegt oder durch seine Aussage wesentlich zur Wahrheitsfindung beigetragen hat;

18. die Tat schon vor längerer Zeit begangen und sich seither wohlverhalten hat;

19. dadurch betroffen ist, daß er oder eine ihm persönlich nahestehende Person durch die Tat oder als deren Folge eine beträchtliche Körperverletzung oder Gesundheitsschädigung oder sonstige gewichtige tatsächliche oder rechtliche Nachteile erlitten hat.

(2) Ein Milderungsgrund ist es auch, wenn das gegen den Täter geführte Verfahren aus einem nicht von ihm oder seinem Verteidiger zu vertretenden Grund unverhältnismäßig lange gedauert hat.

Berauschung

§ 35. Hat der Täter in einem die Zurechnungsfähigkeit nicht ausschließenden Rauschzustand gehandelt, so ist dies nur insoweit mildernd, als die dadurch bedingte Herabsetzung der Zurechnungsfähigkeit nicht durch den Vorwurf aufgewogen wird, den der Genuß oder Gebrauch des berauschenden Mittels den Umständen nach begründet.

Verhängung von Freiheitsstrafen über Personen unter einundzwanzig Jahren

§ 36. Für eine Person, die zur Zeit der Tat das einundzwanzigste Lebensjahr noch nicht vollendet hat, gelten die in § 19 JGG vorgesehenen Strafdrohungen.

Verhängung von Geldstrafen an Stelle von Freiheitsstrafen

§ 37. (1) Ist für eine Tat keine strengere Strafe als Freiheitsstrafe bis zu fünf Jahren angedroht, so ist statt auf eine Freiheitsstrafe von nicht mehr als einem Jahr gleichwohl auf eine Geldstrafe von nicht mehr als 720 Tagessätzen zu erkennen, wenn es nicht der Verurteilung zu einer Freiheitsstrafe bedarf, um den Täter von weiteren strafbaren Handlungen abzuhalten.

(2) Ist für eine Tat eine strengere Freiheitsstrafe als nach Abs. 1, aber keine strengere als eine zehnjährige Freiheitsstrafe, angedroht, so ist die Verhängung einer Geldstrafe von nicht mehr als 720 Tagessätzen an Stelle einer Freiheitsstrafe von nicht mehr als einem Jahr nur zulässig, wenn es nicht der Verurteilung zu einer Freiheitsstrafe bedarf, um den Täter von weiteren strafbaren Handlungen abzuhalten, und die Verhängung einer Geldstrafe genügt, um der Begehung strafbarer Handlungen durch andere entgegenzuwirken.

Anrechnung der Vorhaft

§ 38. (1) Die verwaltungsbehördliche und die gerichtliche Verwahrungshaft und die Untersuchungshaft sind auf Freiheitsstrafen und Geldstrafen anzurechnen, wenn der Täter die Haft

1. in einem Verfahren wegen der Tat, für die er bestraft wird, oder

2. sonst nach der Begehung dieser Tat wegen des Verdachtes einer mit Strafe bedrohten Handlung

erlitten hat, und zwar in beiden Fällen nur soweit die Haft nicht bereits auf eine andere Strafe angerechnet oder der Verhaftete dafür entschädigt worden ist.

(2) Für die Anrechnung der Vorhaft auf eine Geldstrafe ist die Ersatzfreiheitsstrafe maßgebend.

Strafschärfung bei Rückfall

§ 39. (1) Ist der Täter schon zweimal wegen Taten, die auf der gleichen schädlichen Neigung beruhen, zu einer Freiheitsstrafe verurteilt worden und hat er diese Strafen wenigstens zum Teil, wenn auch nur durch Anrechnung einer Vorhaft oder der mit dem Vollzug einer vorbeugenden Maßnahme verbundenen Freiheitsentziehung, verbüßt, so erhöht sich, wenn er nach Vollendung des neunzehnten Lebensjahres neuerlich aus der gleichen schädlichen Neigung eine strafbare

Handlung begeht, das Höchstmaß der angedrohten Freiheitsstrafe oder Geldstrafe um die Hälfte. Doch darf die zeitliche Freiheitsstrafe die Dauer von zwanzig Jahren nicht überschreiten.

(1a) Ist der Täter schon zweimal wegen vorsätzlicher strafbarer Handlungen gegen Leib und Leben, gegen die Freiheit oder gegen die sexuelle Integrität und Selbstbestimmung zu einer Freiheitsstrafe verurteilt worden, so erhöht sich, wenn er nach Vollendung des neunzehnten Lebensjahres neuerlich eine vorsätzliche strafbare Handlung gegen eines dieser Rechtsgüter begeht, das Höchstmaß der angedrohten Freiheitsstrafe oder Geldstrafe um die Hälfte, höchstens jedoch auf zwanzig Jahre.

(2) Eine frühere Strafe bleibt außer Betracht, wenn seit ihrer Verbüßung bis zur folgenden Tat mehr als fünf Jahre, bei einer Verurteilung wegen einer mit zehn oder mehr Jahren Freiheitsstrafe bedrohten strafbaren Handlung mehr als zehn Jahre, vergangen sind. In diese Frist werden Zeiten, in denen der Verurteilte auf behördliche Anordnung angehalten worden ist, nicht eingerechnet. Ist die Strafe bedingt nachgesehen oder *(Anm. 1)* nur durch Anrechnung einer Vorhaft verbüßt worden, so beginnt die Frist erst mit Rechtskraft des Urteils.

(____________________

Anm. 1: Art. 4 Z 4a der Novelle BGBl. I Nr. 105/2019 lautet: „In § 39 Abs. 2 wird im zweiten Satz nach dem Wort „Strafe" die Wendung „bedingt nachgesehen oder" eingefügt." Richtig wäre: „... wird im dritten Satz ...".)

Änderung der Strafdrohung bei bestimmten Gewalttaten

§ 39a. (1) Hat ein Täter eine vorsätzliche strafbare Handlung unter Anwendung von Gewalt oder gefährlicher Drohung

1. als volljährige gegen eine unmündige Person,

2. gegen eine aufgrund besonderer Umstände schutzbedürftige Person unter Ausnützung deren besonderer Schutzbedürftigkeit,

3. unter Einsatz eines außergewöhnlich hohen Ausmaßes an Gewalt oder nachdem der Tat eine solche Gewaltanwendung vorausgegangen ist oder

4. unter Einsatz oder Drohung mit einer Waffe oder

5. mit mindestens einer weiteren Person in verabredeter Verbindung begangen,

so treten die in Abs. 2 genannten Änderungen der Strafdrohung ein, wenn der jeweilige Umstand nicht schon die Strafdrohung bestimmt.

(2) Demnach tritt an die Stelle der Androhung

1. einer Freiheitsstrafe bis zu einem Jahr oder der Androhung einer solchen Freiheitsstrafe oder einer Geldstrafe bis zu 720 Tagessätzen die Androhung einer Freiheitsstrafe von zwei Monaten bis zu einem Jahr,

2. einer Freiheitsstrafe, die kein Mindestmaß vorsieht und deren Höchstmaß ein Jahr übersteigt, die Androhung eines Mindestmaßes von drei Monaten Freiheitsstrafe,

3. einer Freiheitsstrafe, deren Mindestmaß sechs Monate beträgt, die Androhung eines Mindestmaßes von einem Jahr Freiheitsstrafe,

4. einer Freiheitsstrafe, deren Mindestmaß ein Jahr beträgt, die Androhung eines Mindestmaßes von zwei Jahren Freiheitsstrafe.

(3) Die Anwendung des § 39 bleibt hievon unberührt. Bei der Anwendung des § 41 ist von den nach Abs. 2 geänderten Strafdrohungen auszugehen.

Strafbemessung bei nachträglicher Verurteilung

§ 40. Bei nachträglicher Verurteilung ist die Zusatzstrafe innerhalb der im § 31 bestimmten Grenzen so zu bemessen, daß die Summe der Strafen jener Strafe entspricht, die bei gemeinsamer Aburteilung zu verhängen wäre. Wäre bei gemeinsamer Aburteilung keine höhere Strafe als die im früheren Urteil verhängte auszusprechen, so ist von einer Zusatzstrafe abzusehen.

Außerordentliche Strafmilderung bei Überwiegen der Milderungsgründe

§ 41. (1) Überwiegen die Milderungsgründe die Erschwerungsgründe beträchtlich, und besteht begründete Aussicht, daß der Täter auch bei Verhängung einer das gesetzliche Mindestmaß unterschreitenden Freiheitsstrafe keine weiteren strafbaren Handlungen begehen werde, so kann erkannt werden:

1. wenn die Tat mit lebenslanger Freiheitsstrafe bedroht ist oder wenn sie mit Freiheitsstrafe von zehn bis zu zwanzig Jahren oder mit lebenslanger Freiheitsstrafe bedroht ist, auf Freiheitsstrafe nicht unter einem Jahr;

2. wenn die Tat zwar nicht mit lebenslanger Freiheitsstrafe, aber mit Freiheitsstrafe von mindestens zehn Jahren bedroht ist, auf Freiheitsstrafe nicht unter sechs Monaten;

3. wenn die Tat mit Freiheitsstrafe von mindestens fünf Jahren bedroht ist, auf Freiheitsstrafe nicht unter drei Monaten;

4. wann die Tat mit Freiheitsstrafe von mindestens einem Jahr bedroht ist, auf Freiheitsstrafe nicht unter einem Monat;

5. wenn die Tat mit geringerer Freiheitsstrafe bedroht ist, auf Freiheitsstrafe von mindestens einem Tag.

(2) Unter den Voraussetzungen des Abs. 1 Z 3 und 4 muß jedoch auf Freiheitsstrafe von mindestens sechs Monaten erkannt werden, wenn die Tat den Tod eines

Menschen zur Folge gehabt hat (§ 7 Abs. 2), mag dieser Umstand auch schon die Strafdrohung bestimmen.

(3) Die §§ 43 und 43a können auch angewendet werden, wenn auf eine Freiheitsstrafe von mehr als zwei beziehungsweise drei, aber nicht mehr als fünf Jahren erkannt wird oder zu erkennen wäre, sofern die Milderungsgründe die Erschwerungsgründe beträchtlich überwiegen und begründete Aussicht besteht, dass der Täter auch bei Verhängung einer solchen Strafe keine weiteren strafbaren Handlungen begehen werde.

Außerordentliche Strafmilderung bei Zusammenarbeit mit den Strafverfolgungsbehörden

§ 41a. (1) Offenbart der Täter einer nach den §§ 277, 278, 278a oder 278b strafbaren Handlung oder einer strafbaren Handlung, die mit einer solchen Verabredung, Vereinigung oder Organisation im Zusammenhang steht, einer Strafverfolgungsbehörde sein Wissen über Tatsachen, deren Kenntnis wesentlich dazu beiträgt,

1. die aus der Verabredung, Vereinigung oder Organisation entstandene Gefahr zu beseitigen oder erheblich zu vermindern,

2. die Aufklärung einer solchen strafbaren Handlung über seinen eigenen Tatbeitrag hinaus zu fördern oder

3. eine Person auszuforschen, die an einer solchen Verabredung führend teilgenommen hat oder in einer solchen Vereinigung oder Organisation führend tätig war,

so kann ein gesetzliches Mindestmaß der Strafe nach Maßgabe des § 41 unterschritten werden, wenn dies der Bedeutung der geoffenbarten Tatsachen im Verhältnis zur Schuld des Täters entspricht. § 41 Abs. 3 gilt entsprechend.

(2) Abs. 1 gilt für den Beteiligten einer Verabredung, Verbindung *(Anm.: richtig: Vereinigung)* oder Organisation, die nach dem Verbotsgesetz strafbar ist, und für den Täter einer strafbaren Handlung, die mit einer solchen Verabredung, Verbindung *(Anm.: richtig: Vereinigung)* oder Organisation im Zusammenhang steht, entsprechend.

(3) Bezieht sich das Wissen des Täters auf strafbare Handlungen, für die die österreichischen Strafgesetze nicht gelten, so ist Abs. 1 gleichwohl anzuwenden, soweit die Leistung von Rechtshilfe zulässig wäre.

Fünfter Abschnitt

Bedingte Strafnachsicht und bedingte Entlassung, Weisungen und Bewährungshilfe

Bedingte Strafnachsicht

§ 43. (1) Wird ein Rechtsbrecher zu einer zwei Jahre nicht übersteigenden Freiheitsstrafe verurteilt, so hat ihm das Gericht die Strafe unter Bestimmung einer Probezeit von mindestens einem und höchstens drei Jahren bedingt nachzusehen, wenn anzunehmen ist, daß die bloße Androhung der Vollziehung allein oder in Verbindung mit anderen Maßnahmen genügen werde, um ihn von weiteren strafbaren Handlungen abzuhalten, und es nicht der Vollstreckung der Strafe bedarf, um der Begehung strafbarer Handlungen durch andere entgegenzuwirken. Dabei sind insbesondere die Art der Tat, die Person des Rechtsbrechers, der Grad seiner Schuld, sein Vorleben und sein Verhalten nach der Tat zu berücksichtigen.

(2) Wird die Nachsicht nicht widerrufen, so ist die Strafe endgültig nachzusehen. Fristen, deren Lauf beginnt, sobald die Strafe vollstreckt ist, sind in einem solchen Fall ab Rechtskraft des Urteils zu berechnen.

(3) Die bedingte Nachsicht (Abs. 1) einer wegen Vergewaltigung (§ 201) verhängten Strafe ist ausgeschlossen.

Bedingte Nachsicht eines Teiles der Strafe

§ 43a. (1) Wird auf eine Geldstrafe erkannt und treffen die Voraussetzungen des § 43 Abs. 1 auf einen Teil der Strafe zu, so hat das Gericht diesen Teil, höchstens jedoch drei Viertel davon, bedingt nachzusehen.

(2) Wäre auf eine Freiheitsstrafe von mehr als sechs Monaten, aber nicht mehr als zwei Jahren zu erkennen und liegen nicht die Voraussetzungen für eine bedingte Nachsicht der ganzen Strafe vor, so ist an Stelle eines Teiles der Freiheitsstrafe auf eine Geldstrafe bis zu 720 Tagessätzen zu erkennen, wenn im Hinblick darauf der verbleibende Teil der Freiheitsstrafe nach § 43 Abs. 1 bedingt nachgesehen werden kann.

(3) Wird auf eine Freiheitsstrafe von mehr als sechs Monaten, aber nicht mehr als zwei Jahren erkannt und kann, insbesondere im Hinblick auf frühere Verurteilungen des Rechtsbrechers, weder die ganze Strafe bedingt nachgesehen noch nach Abs. 2 vorgegangen werden, so ist unter den Voraussetzungen des § 43 Abs. 1 ein Teil der Strafe bedingt nachzusehen. Der nicht bedingt nachgesehene Teil der Strafe muß mindestens einen Monat und darf nicht mehr als ein Drittel der Strafe betragen.

(4) Wird auf eine Freiheitsstrafe von mehr als zwei, aber nicht mehr als drei Jahren erkannt und besteht eine hohe Wahrscheinlichkeit, daß der Rechtsbrecher keine weiteren strafbaren Handlungen begehen werde, so ist unter den Voraussetzungen des § 43 Abs. 1 ein Teil der Strafe bedingt nachzusehen. Abs. 3 letzter Satz ist anzuwenden.

(Anm.: Abs. 5 aufgehoben durch BGBl. I Nr. 105/1997)

Bedingte Nachsicht bei Zusammentreffen mehrerer Strafen

§ 44. (1) Werden eine Freiheitsstrafe und eine Geldstrafe nebeneinander verhängt, so sind, wenn die Voraussetzungen dafür zutreffen, beide Strafen bedingt nachzusehen. Ist anzunehmen, daß der Vollzug einer dieser Strafen oder eines Teiles einer Strafe genügen werde, so können die §§ 43 und 43a auf jede der beiden Strafen angewendet werden.

(2) Nebenstrafen und Rechtsfolgen der Verurteilung können unabhängig von der Hauptstrafe bedingt nachgesehen werden.

Bedingte Nachsicht von vorbeugenden Maßnahmen

§ 45. *(Anm.: Abs. 1 aufgehoben durch Art. 1 Z 11, BGBl. I Nr. 223/2022)*

(2) Die Unterbringung in einer Anstalt für entwöhnungsbedürftige Rechtsbrecher darf nur zugleich mit der Strafe und nur dann bedingt nachgesehen werden, wenn anzunehmen ist, dass die bloße Androhung der Unterbringung in Verbindung mit einer oder mehreren der in den §§ 50 bis 52 vorgesehenen Maßnahmen genügen werde, um die Gewöhnung des Rechtsbrechers an berauschende Mittel oder Suchtmittel zu überwinden. Die für die bedingte Strafnachsicht bestimmte Probezeit gilt auch für die bedingte Nachsicht der Unterbringung in einer Anstalt für entwöhnungsbedürftige Rechtsbrecher.

(3) § 43 Abs. 2 gilt dem Sinne nach.

(4) Die bedingte Nachsicht anderer vorbeugender Maßnahmen ist unzulässig.

Bedingte Entlassung aus einer Freiheitsstrafe

§ 46. (1) Hat ein Verurteilter die Hälfte der im Urteil verhängten oder im Gnadenweg festgesetzten zeitlichen Freiheitsstrafe oder des nicht bedingt nachgesehenen Teils einer solchen Strafe, mindestens aber drei Monate verbüßt, so ist ihm der Rest der Strafe unter Bestimmung einer Probezeit bedingt nachzusehen, sobald unter Berücksichtigung der Wirkung von Maßnahmen gemäß §§ 50 bis 52 anzunehmen ist, dass der Verurteilte durch die bedingte Entlassung nicht weniger als durch die weitere Verbüßung der Strafe von der Begehung strafbarer Handlungen abgehalten wird.

(2) Hat ein Verurteilter die Hälfte, aber noch nicht zwei Drittel einer Freiheitsstrafe verbüßt, so ist er trotz Vorliegens der Voraussetzungen nach Abs. 1 solange nicht bedingt zu entlassen, als es im Hinblick auf die Schwere der Tat ausnahmsweise des weiteren Vollzuges der Strafe bedarf, um der Begehung strafbarer Handlungen durch andere entgegenzuwirken.

Fassung ab **01.01.2026**

(Anm.: Abs. 2 aufgehoben durch Art. 24 Z 1, BGBl. I Nr. 25/2025)

(Anm.: Abs. 3 aufgehoben durch BGBl. I Nr. 154/2015)

(4) Bei Entscheidungen nach Abs. 1 ist auf den Umstand Bedacht zu nehmen, inwieweit durch den bisherigen Vollzug der Strafe, insbesondere auch durch eine während des Vollzugs begonnene freiwillige Behandlung im Sinne von § 51 Abs. 3, die der Verurteilte in Freiheit fortzusetzen bereit ist, eine Änderung der Verhältnisse, unter denen die Tat begangen wurde, eingetreten ist, oder durch Maßnahmen gemäß §§ 50 bis 52 erreicht werden kann.

(5) Verbüßt ein Verurteilter mehrere Freiheitsstrafen, Strafteile oder Strafreste, so ist ihre Gesamtdauer maßgebend, sofern sie unmittelbar nacheinander verbüßt oder lediglich durch Zeiten unterbrochen werden, in denen er sonst auf behördliche Anordnung angehalten wird. Nach spätestens fünfzehn Jahren ist jedoch in jedem Fall über die bedingte Entlassung zu entscheiden. Wurde auf eine Zusatzstrafe erkannt (§§ 31, 40), so sind auch bei unterbrochenem Vollzug alle Strafen maßgebend, auf die beim Ausspruch der Zusatzstrafe Bedacht zu nehmen war; wurde der Verurteilte aus einer dieser Strafen bedingt entlassen, so ist bei Berechnung des Stichtages (§ 46 Abs. 1 und 2) sowie der noch zu verbüßenden Strafzeit die tatsächlich in Haft zugebrachte Zeit in Abzug zu bringen. Eine frühere Strafe, zu der eine Zusatzstrafe verhängt wurde, hat jedoch außer Betracht zu bleiben, soweit der Verurteilte daraus vor Verbüßung der Hälfte der Strafzeit entlassen wurde.

Fassung ab **01.01.2026**

(5) Verbüßt ein Verurteilter mehrere Freiheitsstrafen, Strafteile oder Strafreste, so ist ihre Gesamtdauer maßgebend, sofern sie unmittelbar nacheinander verbüßt oder lediglich durch Zeiten unterbrochen werden, in denen er sonst auf behördliche Anordnung angehalten wird. Nach spätestens fünfzehn Jahren ist jedoch in jedem Fall über die bedingte Entlassung zu entscheiden. Wurde auf eine Zusatzstrafe erkannt (§§ 31, 40), so sind auch bei unterbrochenem Vollzug alle Strafen maßgebend, auf die beim Ausspruch der Zusatzstrafe Bedacht zu nehmen war; wurde der Verurteilte aus einer dieser Strafen bedingt entlassen, so ist bei Berechnung des Stichtages ~~(§ 46 Abs. 1 und 2)~~ (Abs. 1) sowie der noch zu verbüßenden Strafzeit die tatsächlich in Haft zugebrachte Zeit in Abzug zu bringen. Eine frühere Strafe, zu der eine Zusatzstrafe verhängt wurde, hat jedoch außer Betracht zu bleiben, soweit der Verurteilte daraus vor Verbüßung der Hälfte der Strafzeit entlassen wurde.

(6) Ein zu einer lebenslangen Freiheitsstrafe Verurteilter darf nur bedingt entlassen werden, wenn er mindestens fünfzehn Jahre verbüßt hat und anzunehmen ist, dass er keine weiteren strafbaren Handlungen begehen werde.

Entlassung aus einer mit Freiheitsentziehung verbundenen vorbeugenden Maßnahme

§ 47. (1) Aus einem forensisch-therapeutischen Zentrum sind die Eingewiesenen stets nur unter Bestimmung einer Probezeit bedingt zu entlassen. Aus einer Anstalt für entwöhnungsbedürftige Rechtsbrecher und aus einer Anstalt für gefährliche Rückfallstäter sind die Eingewiesenen unbedingt zu entlassen, wenn die Anhaltezeit (§ 25 Abs. 1) abgelaufen ist oder im Fall der Anhaltung in einer Anstalt für entwöhnungsbedürftige Rechtsbrecher eine Fortsetzung oder Ergänzung der Entwöhnungsbehandlung keinen Erfolg verspräche, sonst unter Bestimmung einer Probezeit nur bedingt.

(2) Die bedingte Entlassung aus einer mit Freiheitsentziehung verbundenen vorbeugenden Maßnahme ist zu verfügen, wenn nach der Aufführung und der Entwicklung des Angehaltenen in der Anstalt, nach seiner Person, seinem Gesundheitszustand, seinem Vorleben und nach seinen Aussichten auf ein redliches Fortkommen anzunehmen ist, daß die Gefährlichkeit, gegen die sich die vorbeugende Maßnahme richtet, nicht mehr besteht.

(3) Wird der Rechtsbrecher aus einem forensisch-therapeutischen Zentrum oder aus einer Anstalt für entwöhnungsbedürftige Rechtsbrecher vor Ablauf der Strafzeit bedingt oder unbedingt entlassen, so ist nach § 24 Abs. 1 letzter Satz vorzugehen.

(4) Die Entscheidung, daß die Überstellung des Rechtsbrechers in die Anstalt für gefährliche Rückfallstäter nicht mehr notwendig ist (§ 24 Abs. 2), steht einer bedingten Entlassung aus der Anstalt für gefährliche Rückfallstäter gleich.

Probezeiten

§ 48. (1) Die Probezeit bei der bedingten Entlassung aus einer Freiheitsstrafe ist mit mindestens einem Jahr und höchstens drei Jahren zu bemessen. Erweist sich die Fortsetzung einer Behandlung im Sinne von § 51 Abs. 3, zu der sich der Verurteilte bereit erklärt hat, als notwendig, um eine bedingte Entlassung rechtfertigen zu können (§ 46 Abs. 4), so ist die Probezeit mit mindestens einem und höchstens fünf Jahren zu bemessen. Übersteigt der bedingt erlassene Strafrest drei Jahre oder erfolgt die bedingte Entlassung aus einer Freiheitsstrafe wegen einer strafbaren Handlung gegen die sexuelle Integrität und Selbstbestimmung von mehr als einem Jahr, so beträgt die Probezeit fünf Jahre. Bei der bedingten Entlassung aus einer lebenslangen Freiheitsstrafe beträgt die Probezeit 10 Jahre.

(2) Die Probezeit bei der Entlassung aus einem forensisch-therapeutischen Zentrum und aus einer Anstalt für gefährliche Rückfallstäter beträgt zehn Jahre, ist die der Unterbringung zugrunde liegende strafbare Handlung aber mit keiner strengeren Strafe als einer Freiheitsstrafe von zehn Jahren bedroht, nur fünf Jahre. Bei der Entlassung aus einer Anstalt für entwöhnungsbedürftige Rechtsbrecher ist die Probezeit mindestens mit einem und höchstens mit fünf Jahren zu bestimmen.

(3) Wird die bedingte Nachsicht des Strafrestes oder die bedingte Entlassung aus einer mit Freiheitsentziehung verbundenen vorbeugenden Maßnahme nicht widerrufen, so ist sie für endgültig zu erklären. Fristen, deren Lauf beginnt, sobald die Strafe vollstreckt oder die vorbeugende Maßnahme vollzogen ist, sind in einem solchen Fall ab der bedingten Entlassung aus der Strafe oder aus der vorbeugenden Maßnahme zu berechnen.

Berechnung der Probezeiten

§ 49. Die Probezeit beginnt mit der Rechtskraft der Entscheidung, mit der die bedingte Nachsicht (§§ 43 bis 45) oder die bedingte Entlassung (§§ 46 und 47) ausgesprochen worden ist. Zeiten, in denen der Verurteilte auf behördliche Anordnung angehalten worden ist, werden in die Probezeit nicht eingerechnet. Wird ein Verurteilter aus dem nicht bedingt nachgesehenen Teil einer Freiheitsstrafe vor Ablauf der für den bedingt nachgesehenen Strafteil bestimmten Probezeit bedingt entlassen, so laufen beide Probezeiten nur gemeinsam ab.

Erteilung von Weisungen und Anordnung der Bewährungshilfe

§ 50. (1) Wird einem Rechtsbrecher die Strafe oder die mit Freiheitsentziehung verbundene vorbeugende Maßnahme bedingt nachgesehen oder wird er aus einer Freiheitsstrafe oder einer mit Freiheitsentziehung verbundenen vorbeugenden Maßnahme bedingt entlassen, so hat das Gericht ihm Weisungen zu erteilen oder Bewährungshilfe anzuordnen, soweit das notwendig oder zweckmäßig ist, um den Rechtsbrecher von weiteren mit Strafe bedrohten Handlungen abzuhalten. Dasselbe gilt, wenn der Ausspruch der Strafe für eine Probezeit vorbehalten wird (§ 13 des Jugendgerichtsgesetzes 1988) oder die Einleitung des Vollzuges einer Freiheitsstrafe, die wegen einer vor Vollendung des einundzwanzigsten Lebensjahres begangenen Tat verhängt worden ist, nach § 6 Abs. 1 Z 2 lit. a des Strafvollzugsgesetzes oder nach § 52 des Jugendgerichtsgesetzes 1988 für die Dauer von mehr als drei Monaten aufgeschoben wird.

(2) Bewährungshilfe ist stets anzuordnen, wenn ein Verurteilter

1. vor Verbüßung von zwei Dritteln einer Freiheitsstrafe (§ 46 Abs. 1),

2. aus einer Freiheitsstrafe wegen einer vor Vollendung des einundzwanzigsten Lebensjahres begangenen Tat,

2a. aus einer Freiheitsstrafe wegen einer strafbaren Handlung gegen die sexuelle Integrität und Selbstbestimmung,

3. aus einer mehr als fünfjährigen Freiheitsstrafe oder

4. aus lebenslanger Freiheitsstrafe

bedingt entlassen wird. In den Fällen der Z 1 bis 2 ist von der Anordnung der Bewährungshilfe nur abzusehen, wenn nach der Art der Tat, der Person des Rechtsbrechers und seiner Entwicklung angenommen werden kann, dass er auch ohne eine solche Anordnung keine weiteren strafbaren Handlungen begehen werde.

(3) Weisungen sowie die Anordnung der Bewährungshilfe gelten für die Dauer des vom Gericht bestimmten Zeitraums, höchstens jedoch bis zum Ende der Probezeit, soweit sie nicht vorher aufgehoben oder

gegenstandslos werden. Im Fall des Abs. 2 Z 3 ist Bewährungshilfe zumindest für das erste Jahr und im Fall der Abs. 2 Z 4 zumindest für die ersten drei Jahre nach der Entlassung anzuordnen.

Weisungen

§ 51. (1) Als Weisungen kommen Gebote und Verbote in Betracht, deren Beachtung geeignet scheint, den Rechtsbrecher von weiteren mit Strafe bedrohten Handlungen abzuhalten. Weisungen, die einen unzumutbaren Eingriff in die Persönlichkeitsrechte oder in die Lebensführung des Rechtsbrechers darstellen würden, sind unzulässig.

(2) Dem Rechtsbrecher kann insbesondere aufgetragen werden, an einem bestimmten Ort, bei einer bestimmten Familie oder in einem bestimmten Heim zu wohnen, eine bestimmte Wohnung, bestimmte Orte oder einen bestimmten Umgang zu meiden, sich alkoholischer Getränke zu enthalten, einen geeigneten, seinen Kenntnissen, Fähigkeiten und Neigungen tunlichst entsprechenden Beruf zu erlernen oder auszuüben, jeden Wechsel seines Aufenthaltsortes oder Arbeitsplatzes anzuzeigen und sich in bestimmten Zeitabständen bei Gericht oder einer anderen Stelle zu melden. Den aus seiner Tat entstandenen Schaden nach Kräften gutzumachen, kann dem Rechtsbrecher auch dann aufgetragen werden, wenn das von Einfluß darauf ist, ob es der Vollstreckung der Strafe bedarf, um der Begehung strafbarer Handlungen durch andere entgegenzuwirken.

(3) Mit seiner Zustimmung kann dem Rechtsbrecher unter den Voraussetzungen des Abs. 1 auch die Weisung erteilt werden, sich einer Entwöhnungsbehandlung, einer psychotherapeutischen oder

einer medizinischen Behandlung zu unterziehen. Die Weisung, sich

einer medizinischen Behandlung zu unterziehen, die einen operativen Eingriff umfaßt, darf jedoch auch mit Zustimmung des Rechtsbrechers nicht erteilt werden.

(4) Das Gericht hat während der Probezeit Weisungen auch nachträglich zu erteilen oder erteilte Weisungen zu ändern oder aufzuheben, soweit dies nach § 50 geboten scheint.

(5) Für Weisungen im Zusammenhang mit der bedingten Nachsicht einer Unterbringung in einer Anstalt für entwöhnungsbedürftige Rechtsbrecher nach § 45 gilt § 179a des Strafvollzugsgesetzes (StVG), BGBl. Nr. 144/1969, sinngemäß.

Bewährungshilfe

§ 52. (1) Ordnet das Gericht die Bewährungshilfe an, so hat der Leiter der zuständigen Geschäftsstelle für Bewährungshilfe dem Rechtsbrecher einen Bewährungshelfer zu bestellen und diesen dem Gericht bekanntzugeben. Der Bewährungshelfer hat sich mit Rat und Tat darum zu bemühen, dem Rechtsbrecher zu einer Lebensführung und Einstellung zu verhelfen, die diesen in Zukunft von der Begehung mit Strafe bedrohter Handlungen abzuhalten vermag. Soweit es dazu nötig ist, hat er ihn auf geeignete Weise bei seinen Bemühungen zu unterstützen, wesentliche Lebensbedürfnisse zu decken, insbesondere Unterkunft und Arbeit zu finden.

(2) Der Bewährungshelfer hat dem Gericht über seine Tätigkeit und seine Wahrnehmungen zu berichten,

1. soweit dies das Gericht verlangt oder es erforderlich oder zweckmäßig ist, um den Zweck der Bewährungshilfe zu erreichen,

2. wenn Anlaß besteht, die Bewährungshilfe aufzuheben,

3. in jedem Fall aber sechs Monate nach Anordnung der Bewährungshilfe sowie bei deren Beendigung,

4. während der gerichtlichen Aufsicht (§ 52a Abs. 2).

(3) Das Gericht hat während der Probezeit die Bewährungshilfe auch nachträglich anzuordnen oder sie aufzuheben, soweit dies nach § 50 geboten erscheint. In den Fällen des § 50 Abs. 2 Z 1 bis 3 ist jedenfalls nach Ablauf eines Jahres seit der Entlassung nach Einholung eines Berichtes des Bewährungshelfers und einer Stellungnahme des Leiters der zuständigen Geschäftsstelle für Bewährungshilfe zu entscheiden, ob die Anordnung der Bewährungshilfe weiterhin notwendig oder zweckmäßig ist.

Gerichtliche Aufsicht bei Sexualstraftätern und sexuell motivierten Gewalttätern

§ 52a. (1) Wird ein Rechtsbrecher, der wegen einer strafbaren Handlung

1. gegen die sexuelle Integrität und Selbstbestimmung oder

2. gegen Leib und Leben oder die Freiheit, wenn diese Handlung begangen wurde, um sich geschlechtlich zu erregen oder zu befriedigen,

zu einer Freiheitsstrafe verurteilt oder gegen den wegen einer solchen Handlung eine mit Freiheitsentziehung verbundene vorbeugende Maßnahme angeordnet worden ist, bedingt entlassen, so ist er für die Dauer der Probezeit unter gerichtliche Aufsicht zu stellen, soweit die Überwachung des Verhaltens des Rechtsbrechers (Abs. 2), insbesondere hinsichtlich der Befolgung einer Weisung gemäß § 51 Abs. 3 oder einer Weisung, bestimmte Tätigkeiten nicht auszuüben, notwendig oder zweckmäßig ist, ihn von weiteren solchen mit Strafe bedrohten Handlungen abzuhalten.

(2) Das Gericht hat während der gerichtlichen Aufsicht das Verhalten des Rechtsbrechers und die Erfüllung der Weisungen mit Unterstützung der Bewährungshilfe, in geeigneten Fällen unter Betrauung der Sicherheitsbehörden oder anderer geeigneter Einrichtungen, zu überwachen. Die mit der Überwachung betrauten Stellen haben dem Gericht über die von ihnen

gesetzten Maßnahmen und ihre Wahrnehmungen zu berichten. Der Bewährungshelfer hat dem Gericht bei Anordnung der gerichtlichen Aufsicht, soweit dies das Gericht verlangt oder es erforderlich oder zweckmäßig ist, in jedem Fall aber in der ersten Hälfte der gerichtlichen Aufsicht mindestens alle drei, in der zweiten Hälfte mindestens alle sechs Monate zu berichten.

(3) Die Organe des öffentlichen Sicherheitsdienstes sind zur Erfüllung der den Sicherheitsbehörden gemäß Abs. 2 übertragenen Aufgaben zur Feststellung der Identität einer Person nach den Vorschriften des Sicherheitspolizeigesetzes ermächtigt, wenn aufgrund bestimmter Tatsachen anzunehmen ist, sie stehe unter gerichtlicher Aufsicht und habe die ihr erteilten Weisungen nicht befolgt oder sonst ein Verhalten gesetzt, das mit den Zwecken der gerichtlichen Aufsicht nicht vereinbar ist.

Gerichtliche Aufsicht bei staatsfeindlichen und terroristischen Strafsachen sowie Völkermord, Verbrechen gegen die Menschlichkeit, Kriegsverbrechen

§ 52b. (1) Wird ein Rechtsbrecher, der

1. wegen einer strafbaren Handlung nach dem Verbotsgesetz oder wegen staatsfeindlicher Verbindung (§ 246), staatsfeindlicher Bewegung (247a) oder religiös motivierter extremistischer Verbindung (§ 247b),

2. wegen terroristischer Vereinigung (§ 278b), terroristischer Straftaten (§ 278c), Terrorismusfinanzierung (§ 278d), Ausbildung für terroristische Zwecke (§ 278e), Anleitung zur Begehung einer terroristischen Straftat (§ 278f), Reisen für terroristische Zwecke (§ 278g) oder Aufforderung zu terroristischen Straftaten und Gutheißung terroristischer Straftaten (§ 282a) („terroristische Strafsachen") oder

3. wegen einer strafbaren Handlung nach dem fünfundzwanzigsten Abschnitt

zu einer Freiheitsstrafe verurteilt oder gegen den wegen einer solchen Handlung eine mit Freiheitsentziehung verbundene vorbeugende Maßnahme angeordnet worden ist, bedingt entlassen, so hat das Gericht für die Dauer der Probezeit gerichtliche Aufsicht anzuordnen, soweit die Überwachung des Verhaltens des Rechtsbrechers, insbesondere hinsichtlich der Befolgung einer Weisung gemäß § 51 Abs. 2 erster Satz oder Abs. 3 oder einer Weisung, bestimmte Tätigkeiten nicht auszuüben, notwendig oder zweckmäßig ist, ihn von weiteren solchen mit Strafe bedrohten Handlungen abzuhalten.

(2) § 52a Abs. 2 und 3 sind sinngemäß anzuwenden.

(3) Vor Ablauf der ersten Hälfte der gerichtlichen Aufsicht hat das Gericht eine Fallkonferenz einzuberufen, um das Verhalten des Rechtsbrechers während gerichtlicher Aufsicht zu beurteilen und jene Maßnahmen festzulegen, die dazu dienen, die Einhaltung von Weisungen sicherzustellen sowie den Verurteilten von der Begehung strafbarer Handlungen abzuhalten. Die Organisationseinheiten gemäß § 1 Abs. 3 Bundesgesetz über die Organisation, Aufgaben und Befugnisse des Verfassungsschutzes (Staatsschutz- und Nachrichtendienst-Gesetz – SNG), BGBl. I Nr. 5/2016, die Koordinationsstelle für Extremismusprävention und Deradikalisierung im Straf- und Maßnahmenvollzug sowie die Bewährungshilfe und gegebenenfalls sonstige Einrichtungen, die in die gerichtliche Aufsicht eingebunden sind, sind daran zu beteiligen. Eine solche Konferenz kann auch zu einem früheren Zeitpunkt oder wiederholt von Amts wegen oder auf Anregung der zur Mitwirkung berechtigten Stellen angeordnet werden und ist jedenfalls drei Monate vor Ablauf der gerichtlichen Aufsicht durchzuführen. Die Teilnehmer einer Fallkonferenz sind ermächtigt, einander personenbezogene Daten zu übermitteln, soweit dies für die Zwecke der Fallkonferenz erforderlich ist. Die Teilnehmer sind zur vertraulichen Behandlung der Daten verpflichtet; darüber sind sie zu informieren.

(4) Dem Rechtsbrecher, der aufgrund einer strafbaren Handlung nach Abs. 1 zu einer mindestens achtzehnmonatigen Freiheitsstrafe verurteilt wurde, kann ferner die Weisung erteilt werden, während gerichtlicher Aufsicht die für eine elektronische Überwachung der Befolgung von Weisungen, die Gebote oder Verbote zum örtlichen Aufenthalt beinhalten, angemessenen, technisch geeigneten Mittel – mit Ausnahme der Dauer des Aufenthaltes in der eigenen Wohnung – ständig am Körper in betriebsbereitem Zustand bei sich zu führen und deren Funktionsfähigkeit nicht zu beeinträchtigen, soweit die elektronische Überwachung unbedingt notwendig ist, um durch die Möglichkeit der Datenverwendung nach Abs. 6 ein weisungsgemäßes Verhalten sicherzustellen und der Rechtsbrecher seine Zustimmung erteilt hat. Das Gericht hat dabei insbesondere die Tatumstände sowie das Umfeld des Rechtsbrechers, die bereits gesetzten Deradikalisierungmaßnahmen sowie sein Verhalten während der Haft oder Maßnahme zu berücksichtigen. Mit der Durchführung der Überwachung hat das Gericht die Überwachungszentrale für den elektronisch überwachten Hausarrest zu beauftragen.

(5) Das Gericht hat die unbedingte Notwendigkeit der elektronischen Überwachung unbeschadet des Abs. 3 zumindest jährlich zu überprüfen. Dabei hat das Gericht die nach Abs. 2 in Verbindung mit § 52a Abs. 2 gewonnen Informationen zu berücksichtigen. Wurde dem Rechtsbrecher eine Weisung zu Deradikalisierungsmaßnahmen erteilt, so ist auch die damit befasste Person oder Stelle im Überprüfungsverfahren beizuziehen. Bei Wegfall der unbedingten Notwendigkeit ist die elektronische Überwachung unverzüglich zu beenden.

(6) Bei einer Weisung nach Abs. 4 werden mit Hilfe der vom Betroffenen mitgeführten technischen Mittel automatisiert Daten über dessen Aufenthaltsort sowie über etwaige Beeinträchtigungen der Datenerhebung erhoben und gespeichert. Unbeschadet des § 76 Abs. 2

StPO dürfen die Daten nur verwendet werden, soweit dies für die folgenden Zwecke erforderlich ist:

1. zur Feststellung eines Verstoßes gegen ein in einer Weisung nach § 51 Abs. 2 oder 3 enthaltenes Gebot oder Verbot zum örtlichen Aufenthalt oder

2. zur Ergreifung von Maßnahmen, die sich an einen Verstoß gegen eine Weisung anschließen können.

(7) Zur Einhaltung der Zweckbindung nach Abs. 6 zweiter Satz hat die Verarbeitung der Daten zur Feststellung von Verstößen nach Abs. 6 Z 1 automatisiert zu erfolgen und sind die Daten gegen unbefugte Kenntnisnahme besonders zu sichern. Diese Daten sind spätestens zwei Wochen nach ihrer Erhebung zu löschen, soweit sie nicht für die in Abs. 6 Z 1 und 2 genannten Zwecke verwendet werden. Bei jedem Abruf der Daten sind zumindest der Zeitpunkt, die abgerufenen Daten und der Bearbeiter zu protokollieren. Die überwachte Person ist über jeden Zugriff auf ihre Daten zu informieren. Die Protokolldaten dürfen nur für die Kontrolle der Zulässigkeit der Abrufe verwendet werden und sind nach zwölf Monaten zu löschen.

(8) Die Kosten der elektronischen Überwachung trägt der Bund.

(9) Die Bundesministerin für Justiz ist ermächtigt, durch Verordnung Richtlinien über die Art und die Durchführung der elektronischen Überwachung zu erlassen.

Widerruf der bedingten Strafnachsicht und der bedingten Entlassung aus einer Freiheitsstrafe

§ 53. (1) Wird der Rechtsbrecher wegen einer während der Probezeit begangenen strafbaren Handlung verurteilt, so hat das Gericht die bedingte Strafnachsicht oder die bedingte Entlassung aus einer Freiheitsstrafe zu widerrufen und die Strafe, den Strafteil oder den Strafrest vollziehen zu lassen, wenn dies in Anbetracht der neuerlichen Verurteilung zusätzlich zu dieser geboten erscheint, um den Rechtsbrecher von weiteren strafbaren Handlungen abzuhalten. Im Fall des Widerrufs der bedingten Entlassung aus einer lebenslangen Freiheitsstrafe steht der Strafrest hinsichtlich der zeitlichen Voraussetzungen für eine abermalige bedingte Entlassung einer Freiheitsstrafe von zehn Jahren gleich. Eine strafbare Handlung, die der Rechtsbrecher in der Zeit zwischen der Entscheidung erster Instanz und der Rechtskraft der Entscheidung über die Gewährung der bedingten Strafnachsicht oder der bedingten Entlassung oder während einer behördlichen Anhaltung, die in die Probezeit nicht einzurechnen ist (§ 49), begangen hat, steht einer in der Probezeit verübten strafbaren Handlung gleich.

(2) Wenn der Rechtsbrecher während des vom Gericht bestimmten Zeitraumes eine Weisung trotz förmlicher Mahnung mutwillig nicht befolgt oder sich beharrlich dem Einfluß des Bewährungshelfers entzieht, hat das Gericht die bedingte Strafnachsicht oder die bedingte Entlassung zu widerrufen und die Strafe oder den Strafrest vollziehen zu lassen, wenn dies nach den Umständen geboten erscheint, um den Rechtsbrecher von der Begehung strafbarer Handlungen abzuhalten. Abs. 1 Satz 2 gilt entsprechend.

(3) Wird in den Fällen der Abs. 1 und 2 die bedingte Strafnachsicht oder Entlassung nicht widerrufen, so kann das Gericht die Probezeit, falls sie kürzer bestimmt war, bis auf höchstens fünf Jahre verlängern; im Falle der bedingten Entlassung aus einer lebenslangen Freiheitsstrafe kann das Gericht die Probezeit bis auf höchstens fünfzehn Jahre verlängern. Zugleich hat es zu prüfen, ob und welche Weisungen neu zu erteilen sind und ob, falls das noch nicht geschehen sein sollte, Bewährungshilfe anzuordnen ist.

(4) Bestehen gegen Ende der ursprünglichen oder verlängerten Probezeit nach bedingter Entlassung aus einer lebenslangen Freiheitsstrafe oder aus einer Freiheitsstrafe wegen einer strafbaren Handlung gegen die sexuelle Integrität und Selbstbestimmung von mehr als fünf Jahren sonst besondere Gründe zur Annahme, dass es einer weiteren Erprobung des Rechtsbrechers bedarf, so kann das Gericht die Probezeit um höchstens drei Jahre verlängern. Eine wiederholte Verlängerung ist zulässig.

(5) Nach Abs. 4 kann auch in den Fällen vorgegangen werden, in denen nach § 52b gerichtliche Aufsicht nach bedingter Entlassung aus einer Freiheitsstrafe von mehr als achtzehn Monaten angeordnet wurde. Vor einer solchen Anordnung ist eine gerichtliche Fallkonferenz nach § 52b Abs. 3 StGB abzuhalten. Die Weisung einer elektronischen Überwachung darf höchstens zehn Jahre aufrechterhalten werden.

Widerruf der bedingten Nachsicht und der bedingten Entlassung bei einer vorbeugenden Maßnahme

§ 54. (1) Die bedingte Nachsicht der Unterbringung in einer Anstalt für entwöhnungsbedürftige Rechtsbrecher und die bedingte Entlassung aus einer der in den §§ 21 bis 23 bezeichneten Anstalten sind unter den im § 53 genannten Voraussetzungen zu widerrufen, wenn sich aus den dort genannten Umständen ergibt, dass die Gefährlichkeit, gegen die sich die vorbeugende Maßnahme richtet, noch besteht.

(2) Wird im Falle des Abs. 1 die bedingte Entlassung aus einer im § 21 bezeichneten Anstalt nicht widerrufen, so kann das Gericht die Probezeit bis auf höchstens fünfzehn Jahre verlängern. Beträgt die Probezeit nur fünf Jahre, so kann sie das Gericht bis auf höchstens zehn Jahre verlängern. Zugleich hat es zu prüfen, ob und welche Weisungen neu zu erteilen sind und ob, falls das noch nicht geschehen sein sollte, Bewährungshilfe anzuordnen ist.

(3) Bestehen gegen Ende der ursprünglichen oder verlängerten Probezeit besondere Gründe zur Annahme, dass es weiterhin der Androhung der Unterbringung bedarf, um die Gefährlichkeit, gegen die sich die vorbeugende Maßnahme richtet, hintanzuhalten, so kann das Gericht die Probezeit um höchstens drei

Jahre verlängern. Eine wiederholte Verlängerung ist zulässig.

(4) Ist im Falle der bedingten Entlassung aus einer Anstalt nach § 21 Abs. 1 dem Rechtsbrecher die Weisung erteilt worden, sich einer medizinischen Behandlung zu unterziehen und besteht Grund zur Annahme, dass der Rechtsbrecher die Weisung nicht befolgt und es deshalb einer stationären Behandlung bedarf, um die Gefährlichkeit, gegen die sich die vorbeugende Maßnahme gerichtet hat, hintanzuhalten, so hat das Gericht die Sicherheitsbehörde zu verständigen, die nach § 9 des Unterbringungsgesetzes vorzugehen hat. Das Gericht ist von den in der Folge getroffenen Maßnahmen zu unterrichten.

(5) Wird jedoch im Falle einer bedingten Entlassung aus einer der in den §§ 21 bis 23 bezeichneten Anstalten wegen einer während der Probezeit (§ 53 Abs. 1) begangenen mit Strafe bedrohten Handlung die vorbeugende Maßnahme neuerlich angeordnet, so wird damit die frühere Anordnung dieser Maßnahme gegenstandslos.

(6) Die bedingte Entlassung aus einer Anstalt für entwöhnungsbedürftige Rechtsbrecher ist nicht zu widerrufen, wenn die Fortsetzung der Behandlung von vornherein aussichtslos scheint.

Widerruf bei nachträglicher Verurteilung

§ 55. (1) Die bedingte Nachsicht einer Strafe, eines Strafteiles und der Unterbringung in einer Anstalt für entwöhnungsbedürftige Rechtsbrecher ist zu widerrufen, wenn eine nachträgliche Verurteilung gemäß § 31 erfolgt und die bedingte Nachsicht bei gemeinsamer Aburteilung nicht gewährt worden wäre.

(2) Wurde die Strafe, ein Strafteil oder die Unterbringung in einer Anstalt für entwöhnungsbedürftige Rechtsbrecher bei der nachträglichen Verurteilung bedingt nachgesehen, so ist diese Nachsicht zu widerrufen, wenn sie bei gleichzeitiger Aburteilung nicht gewährt worden wäre und die Verurteilung, auf die gemäß § 31 Bedacht zu nehmen gewesen wäre, nicht aktenkundig war.

(3) Wird die bedingte Nachsicht nicht widerrufen, so dauert jede der zusammentreffenden Probezeiten bis zum Ablauf der Probezeit, die zuletzt endet, jedoch nicht länger als fünf Jahre.

Widerrufsfristen

§ 56. Die in den §§ 53 bis 55 vorgesehenen Verfügungen kann das Gericht nur in der Probezeit, wegen einer während dieser Zeit begangenen strafbaren Handlung jedoch auch innerhalb von sechs Monaten nach Ablauf der Probezeit oder nach Beendigung eines bei deren Ablauf gegen den Rechtsbrecher anhängigen Strafverfahrens treffen.

Sechster Abschnitt

Verjährung

Verjährung der Strafbarkeit

§ 57. (1) Strafbare Handlungen, die mit Freiheitsstrafe von zehn bis zu zwanzig Jahren oder mit lebenslanger Freiheitsstrafe bedroht sind, sowie strafbare Handlungen nach dem fünfundzwanzigsten Abschnitt verjähren nicht. Nach Ablauf einer Frist von zwanzig Jahren tritt jedoch an die Stelle der angedrohten lebenslangen Freiheitsstrafe eine Freiheitsstrafe von zehn bis zu zwanzig Jahren. Für die Frist gelten Abs. 2 und § 58 entsprechend.

(2) Die Strafbarkeit anderer Taten erlischt durch Verjährung. Die Verjährungsfrist beginnt, sobald die mit Strafe bedrohte Tätigkeit abgeschlossen ist oder das mit Strafe bedrohte Verhalten aufhört.

(3) Die Verjährungsfrist beträgt

zwanzig Jahre,

> wenn die Handlung zwar nicht mit lebenslanger Freiheitsstrafe, aber mit mehr als zehnjähriger Freiheitsstrafe bedroht ist;

zehn Jahre,

> wenn die Handlung mit mehr als fünfjähriger, aber höchstens zehnjähriger Freiheitsstrafe bedroht ist;

fünf Jahre,

> wenn die Handlung mit mehr als einjähriger, aber höchstens fünfjähriger Freiheitsstrafe bedroht ist;

drei Jahre,

> wenn die Handlung mit mehr als sechsmonatiger, aber höchstens einjähriger Freiheitsstrafe bedroht ist;

ein Jahr,

> wenn die Handlung mit nicht mehr als sechsmonatiger Freiheitsstrafe oder nur mit Geldstrafe bedroht ist.

(4) Mit dem Eintritt der Verjährung werden auch der Verfall und vorbeugende Maßnahmen unzulässig.

Verlängerung der Verjährungsfrist

§ 58. (1) Tritt ein zum Tatbild gehörender Erfolg erst ein, nachdem die mit Strafe bedrohte Tätigkeit abgeschlossen worden ist oder das mit Strafe bedrohte Verhalten aufgehört hat, so endet die Verjährungsfrist nicht, bevor sie entweder auch vom Eintritt des Erfolges ab verstrichen ist oder seit dem im § 57 Abs. 2 bezeichneten Zeitpunkt ihr Eineinhalbfaches, mindestens aber drei Jahre abgelaufen sind.

(2) Begeht der Täter während der Verjährungsfrist neuerlich eine mit Strafe bedrohte Handlung, die auf der gleichen schädlichen Neigung beruht, so tritt die

Verjährung nicht ein, bevor auch für diese Tat die Verjährungsfrist abgelaufen ist.

(3) In die Verjährungsfrist werden nicht eingerechnet:

1. die Zeit, während der nach einer gesetzlichen Vorschrift die Verfolgung nicht eingeleitet oder fortgesetzt werden kann, soweit das Bundes-Verfassungsgesetz, BGBl. Nr. 1/1930, und Abs. 4 nichts anderes bestimmen;

2. die Zeit zwischen der erstmaligen Vernehmung als Beschuldigter, der erstmaligen Androhung oder Ausübung von Zwang gegen den Täter wegen der Tat (§§ 93 Abs. 1, 105 Abs. 1 StPO), der ersten staatsanwaltlichen Anordnung oder Antragstellung auf Durchführung oder Bewilligung von im 8. Hauptstück der StPO geregelten Ermittlungsmaßnahmen und Beweisaufnahmen zur Aufklärung des gegen den Täter gerichteten Verdachts, der Anordnung der Fahndung oder Festnahme, des Antrags auf Verhängung der Untersuchungshaft oder der Einbringung der Anklage, einschließlich vergleichbarer Maßnahmen der Europäischen Staatsanwaltschaft, und der rechtskräftigen Beendigung des Verfahrens;

3. die Zeit bis zur Vollendung des 28. Lebensjahres des Opfers einer strafbaren Handlung gegen Leib und Leben, gegen die Freiheit oder gegen die sexuelle Integrität und Selbstbestimmung, wenn das Opfer zur Zeit der Tatbegehung minderjährig war;

4. die Probezeit nach § 203 Abs. 1 StPO, die Fristen zur Zahlung eines Geldbetrages samt allfälliger Schadensgutmachung und zur Erbringung gemeinnütziger Leistungen samt allfälligem Tatfolgenausgleich (§§ 200 Abs. 2 und 3, 201 Abs. 1 und 3 StPO), sowie die Zeit von der Stellung eines Ersuchens der Staatsanwaltschaft gemäß § 204 Abs. 3 StPO bis zur Mitteilung des Konfliktreglers über die Ausgleichsvereinbarungen und ihre Erfüllung (§ 204 Abs. 4 StPO).

(3a) Eine nach den vorstehenden Absätzen eingetretene Hemmung der Verjährung bleibt wirksam, auch wenn durch eine spätere Änderung des Gesetzes die Tat im Zeitpunkt der Hemmung nach dem neuen Recht bereits verjährt gewesen wäre.

(4) Wird die Tat nur auf Verlangen oder mit Ermächtigung eines dazu Berechtigten verfolgt, so wird der Lauf der Verjährung nicht dadurch gehemmt, daß die Verfolgung nicht verlangt oder die Ermächtigung nicht erteilt wird.

Verjährung der Vollstreckbarkeit

§ 59. (1) Die Vollstreckbarkeit einer lebenslangen Freiheitsstrafe, einer Freiheitsstrafe von mehr als zehn Jahren, einer wegen einer strafbaren Handlung nach dem fünfundzwanzigsten Abschnitt verhängten Strafe und einer Unterbringung in einem forensisch-therapeutischen Zentrum oder in einer Anstalt oder für gefährliche Rückfallstäter verjährt nicht.

(2) Die Vollstreckbarkeit anderer Strafen, einer Abschöpfung der Bereicherung, eines Verfalls und vorbeugender Maßnahmen erlischt durch Verjährung. Die Frist für die Verjährung beginnt mit der Rechtskraft der Entscheidung, in der auf die Strafe, den Verfall oder die vorbeugende Maßnahme erkannt worden ist.

(3) Die Frist beträgt

fünfzehn Jahre,

wenn auf Freiheitsstrafe von mehr als einem Jahr, aber nicht mehr als zehn Jahren erkannt worden ist;

zehn Jahre,

wenn auf Freiheitsstrafe von mehr als drei Monaten, aber nicht mehr als einem Jahr oder auf eine Geldstrafe unter Festsetzung einer Ersatzfreiheitsstrafe von mehr als drei Monaten erkannt worden ist;

fünf Jahre

in allen übrigen Fällen.

(4) Ist gleichzeitig auf mehrere Strafen oder vorbeugende Maßnahmen erkannt worden, so richtet sich die Verjährung der Vollstreckbarkeit aller dieser Strafen oder Maßnahmen nach der Strafe oder Maßnahme, für die die längste Verjährungsfrist vorgesehen ist. Sind eine Freiheitsstrafe und eine Geldstrafe gleichzeitig verhängt worden, so ist zur Berechnung der Verjährungsfrist die Ersatzfreiheitsstrafe zur Freiheitsstrafe hinzuzurechnen.

Verlängerung der Frist für die Vollstreckungsverjährung

§ 60. (1) Wird gegen den Verurteilten in der Verjährungsfrist auf eine neue Strafe oder vorbeugende Maßnahme erkannt, so tritt die Verjährung der Vollstreckbarkeit nicht ein, bevor nicht auch die Vollstreckbarkeit dieser Strafe oder vorbeugenden Maßnahme erloschen ist.

(2) In die Verjährungsfrist werden nicht eingerechnet:

1. die Probezeit im Fall einer bedingten Nachsicht der Strafe oder der Unterbringung in einer Anstalt für entwöhnungsbedürftige Rechtsbrecher oder im Fall einer bedingten Entlassung;

2. Zeiten, für die dem Verurteilten ein Aufschub des Vollzuges einer Freiheitsstrafe, es sei denn wegen Vollzugsuntauglichkeit, oder der Zahlung einer Geldstrafe gewährt worden ist;

3. Zeiten, in denen der Verurteilte auf behördliche Anordnung angehalten worden ist;

4. Zeiten, in denen sich der Verurteilte im Ausland aufgehalten hat.

(3) Der Vollzug der Freiheitsstrafe oder der mit Freiheitsentziehung verbundenen vorbeugenden Maßnahme unterbricht die Verjährung. Hört die Unterbre-

chung auf, ohne daß der Verurteilte endgültig entlassen wird, so beginnt die Verjährungsfrist unbeschadet der Bestimmungen des Abs. 2 von neuem zu laufen.

Siebenter Abschnitt
Geltungsbereich

Zeitliche Geltung

§ 61. Die Strafgesetze sind auf Taten anzuwenden, die nach dem Inkrafttreten begangen worden sind. Auf früher begangene Taten sind sie dann anzuwenden, wenn die Gesetze, die zur Zeit der Tat gegolten haben, für den Täter in ihrer Gesamtauswirkung nicht günstiger waren.

Strafbare Handlungen im Inland

§ 62. Die österreichischen Strafgesetze gelten für alle Taten, die im Inland begangen worden sind.

Strafbare Handlungen an Bord österreichischer Schiffe oder Luftfahrzeuge

§ 63. Die österreichischen Strafgesetze gelten auch für Taten, die auf einem österreichischen Schiff oder Luftfahrzeug begangen worden sind, unabhängig davon, wo sich dieses befindet.

Strafbare Handlungen im Ausland, die ohne Rücksicht auf die Gesetze des Tatorts bestraft werden

§ 64. (1) Die österreichischen Strafgesetze gelten unabhängig von den Strafgesetzen des Tatorts für folgende im Ausland begangene Taten:

1. Auskundschaftung eines Geschäfts- oder Betriebsgeheimnisses zugunsten des Auslands (§ 124), Hochverrat (§ 242), Vorbereitung eines Hochverrats (§ 244), staatsfeindliche Verbindungen (§ 246), Angriffe auf oberste Staatsorgane (§§ 249 bis 251), Landesverrat (§§ 252 bis 258) und strafbare Handlungen gegen das Bundesheer (§§ 259 und 260);

2. strafbare Handlungen, die jemand gegen einen österreichischen Beamten (§ 74 Abs. 1 Z 4), einen österreichischen Amtsträger (§ 74 Abs. 1 Z 4a) oder einen österreichischen Schiedsrichter (§ 74 Abs. 1 Z 4c) während oder wegen der Vollziehung seiner Aufgaben und die jemand als österreichischer Beamter, österreichischer Amtsträger oder österreichischer Schiedsrichter begeht;

2a. außer dem Fall der Z 2 strafbare Verletzungen der Amtspflicht, Korruption und verwandte strafbare Handlungen (§§ 302 bis 309), wenn

a) der Täter zur Zeit der Tat Österreicher war oder

b) die Tat zugunsten eines österreichischen Amtsträgers oder österreichischen Schiedsrichters begangen wurde;

3. falsche Beweisaussage (§ 288) und unter Eid abgelegte oder mit einem Eid bekräftigte falsche Beweisaussage vor einer Verwaltungsbehörde (§ 289) in einem Ermittlungsverfahren nach der Strafprozessordnung oder nach der Verordnung (EU) 2017/1939 zur Durchführung einer Verstärkten Zusammenarbeit zur Errichtung der Europäischen Staatsanwaltschaft (EUStA), ABl. Nr. L 283 vom 31.10.2017 S. 1, sowie in einem Verfahren, das bei einem österreichischen Gericht oder einer österreichischen Verwaltungsbehörde anhängig ist;

4. Geldfälschung (§ 232), Weitergabe und Besitz nachgemachten oder verfälschten Geldes (§ 233), die nach § 232 strafbare Fälschung besonders geschützter Wertpapiere (§ 237), kriminelle Organisation (§ 278a) und die nach den §§ 28a, 31a sowie 32 Abs. 3 des Suchtmittelgesetzes strafbaren Handlungen, wenn durch die Tat österreichische Interessen verletzt worden sind oder der Täter nicht ausgeliefert werden kann;

4a. Genitalverstümmelung (§ 85 Abs. 1 Z 2a), erpresserische Entführung (§ 102), Überlieferung an eine ausländische Macht (§ 103), Sklavenhandel (§ 104), Menschenhandel (§ 104a), schwere Nötigung nach § 106 Abs. 1 Z 3, Zwangsheirat (§ 106a), verbotene Adoptionsvermittlung (§ 194), Vergewaltigung (§ 201), geschlechtliche Nötigung (§ 202), sexueller Missbrauch einer wehrlosen oder psychisch beeinträchtigten Person (§ 205), schwerer sexueller Missbrauch von Unmündigen (§ 206), sexueller Missbrauch von Unmündigen (§ 207), bildliches sexualbezogenes Kindesmissbrauchsmaterial und bildliche sexualbezogene Darstellungen minderjähriger Personen nach § 207a Abs. 1, 1a, 2 und 2a, sexueller Missbrauch von Jugendlichen (§ 207b), Missbrauch eines Autoritätsverhältnisses nach § 212 Abs. 1, Förderung der Prostitution und pornographischer Darbietungen Minderjähriger (§ 215a), grenzüberschreitender Prostitutionshandel (§ 217), wenn

a) der Täter oder das Opfer Österreicher ist oder seinen gewöhnlichen Aufenthalt im Inland hat,

b) durch die Tat sonstige österreichische Interessen verletzt worden sind oder

c) der Täter zur Zeit der Tat Ausländer war, sich in Österreich aufhält und nicht ausgeliefert werden kann;

4b. Herstellung und Verbreitung von Massenvernichtungswaffen (§ 177a), wenn der Täter Österreicher ist, in bezug auf die Entwicklung nuklearer oder radiologischer Kampfmittel jedoch nur, soweit die Tat nicht im Auftrag oder unter der Verantwortung einer Vertragspartei des Vertrages über die Nichtweiterverbreitung von Atomwaffen, BGBl. Nr. 258/1970, die Atomwaffenstaat ist, begangen worden ist;

4c. Folter (§ 312a), Verschwindenlassen einer Person (§ 312b) und strafbare Handlungen nach dem fünfundzwanzigsten Abschnitt, wenn

a) der Täter oder das Opfer Österreicher ist,

b) durch die Tat sonstige österreichische Interessen verletzt worden sind oder

c) der Täter zur Zeit der Tat Ausländer war und entweder seinen gewöhnlichen Aufenthalt im Inland hat oder sich in Österreich aufhält und nicht ausgeliefert werden kann.

5. Luftpiraterie (§ 185), damit im Zusammenhang begangene strafbare Handlungen gegen Leib und Leben oder gegen die Freiheit und vorsätzliche Gefährdung der Sicherheit der Luftfahrt (§ 186), wenn

a) die strafbare Handlung gegen ein österreichisches Luftfahrzeug gerichtet ist,

b) das Luftfahrzeug in Österreich landet und der Täter sich noch an Bord befindet,

c) das Luftfahrzeug ohne Besatzung an jemanden vermietet ist, der seinen Geschäftssitz oder in Ermangelung eines solchen Sitzes seinen ständigen Aufenthalt in Österreich hat, oder

d) sich der Täter in Österreich aufhält und nicht ausgeliefert werden kann;

6. sonstige strafbare Handlungen, zu deren Verfolgung Österreich, auch wenn sie im Ausland begangen worden sind, unabhängig von den Strafgesetzen des Tatorts verpflichtet ist;

7. strafbare Handlungen, die ein Österreicher gegen einen Österreicher begeht, wenn beide ihren Wohnsitz oder gewöhnlichen Aufenthalt im Inland haben;

8. Beteiligung (§ 12) an einer strafbaren Handlung, die der unmittelbare Täter im Inland begangen hat, sowie Hehlerei (§ 164) und Geldwäscherei (§ 165) in bezug auf eine im Inland begangene Tat;

9. terroristische Vereinigung (§ 278b) und terroristische Straftaten (§ 278c) sowie damit im Zusammenhang begangene strafbare Handlungen nach den §§ 128 bis 131, 144 und 145 sowie 223 und 224, ferner Terrorismusfinanzierung (§ 278d), Ausbildung für terroristische Zwecke (§ 278e), Anleitung zur Begehung einer terroristischen Straftat (§ 278f), Reisen für terroristische Zwecke (§ 278g) und damit im Zusammenhang begangene strafbare Handlungen nach den §§ 223 und 224 sowie Aufforderung zu terroristischen Straftaten und Gutheißung terroristischer Straftaten (§ 282a), wenn

a) der Täter zur Zeit der Tat Österreicher war oder wenn er die österreichische Staatsbürgerschaft später erworben hat und zur Zeit der Einleitung des Strafverfahrens noch besitzt,

b) der Täter zur Zeit der Tat oder der Einleitung des Strafverfahrens seinen Wohnsitz oder gewöhnlichen Aufenthalt im Inland hatte oder hat,

c) die Tat zugunsten einer juristischen Person mit Sitz in Österreich begangen wurde,

d) die Tat gegen den Nationalrat, den Bundesrat, die Bundesversammlung, die Bundesregierung, einen Landtag, eine Landesregierung, den Verfassungsgerichtshof, den Verwaltungsgerichtshof, den Obersten Gerichtshof, sonst ein Gericht oder eine Behörde oder gegen die Bevölkerung der Republik Österreich begangen wurde,

e) die Tat gegen ein Organ der Europäischen Union oder eine gemäß den Verträgen zur Gründung der Europäischen Gemeinschaften oder dem Vertrag über die Europäische Union geschaffene Einrichtung mit Sitz in der Republik Österreich begangen wurde oder

f) der Täter zur Zeit der Tat Ausländer war, sich in Österreich aufhält und nicht ausgeliefert werden kann;

(Anm.: Z 10 aufgehoben durch Art. 1 Z 4, BGBl. I Nr. 70/2018)

11. Unvertretbare Darstellung wesentlicher Informationen über bestimmte Verbände (§ 163a) und Unvertretbare Berichte von Prüfern bestimmter Verbände (§ 163b), wenn die Hauptniederlassung oder der Sitz des Verbandes im Inland liegt.

(2) Können die im Abs. 1 genannten Strafgesetze bloß deshalb nicht angewendet werden, weil sich die Tat als eine mit strengerer Strafe bedrohte Handlung darstellt, so ist die im Ausland begangene Tat gleichwohl unabhängig von den Strafgesetzen des Tatorts nach den österreichischen Strafgesetzen zu bestrafen.

Strafbare Handlungen im Ausland, die nur bestraft werden, wenn sie nach den Gesetzen des Tatorts mit Strafe bedroht sind

§ 65. (1) Für andere als die in den §§ 63 und 64 bezeichneten Taten, die im Ausland begangen worden sind, gelten, sofern die Taten auch durch die Gesetze des Tatorts mit Strafe bedroht sind, die österreichischen Strafgesetze:

1. wenn der Täter zur Zeit der Tat Österreicher war oder wenn er die österreichische Staatsbürgerschaft später erworben hat und zur Zeit der Einleitung des Strafverfahrens noch besitzt;

2. wenn der Täter zur Zeit der Tat Ausländer war, im Inland betreten wird und aus einem anderen Grund als wegen der Art oder Eigenschaft seiner Tat nicht an das Ausland ausgeliefert werden kann.

(2) Die Strafe ist so zu bestimmen, daß der Täter in der Gesamtauswirkung nicht ungünstiger gestellt ist als nach dem Gesetz des Tatorts.

(3) Besteht am Ort der Tat keine Strafgewalt, so genügt es, wenn die Tat nach den österreichischen Gesetzen strafbar ist.

(4) Die Strafbarkeit entfällt jedoch:

1. wenn die Strafbarkeit der Tat nach den Gesetzen des Tatorts erloschen ist;

2. wenn der Täter von einem Gericht des Staates, in dem die Tat begangen worden ist, rechtskräftig freigesprochen oder sonst außer Verfolgung gesetzt worden ist;

3. wenn der Täter von einem ausländischen Gericht rechtskräftig verurteilt und die Strafe ganz vollstreckt oder, soweit sie nicht vollstreckt wurde, erlassen worden oder ihre Vollstreckbarkeit nach dem ausländischen Recht verjährt ist;

4. solange die Vollstreckung der vom ausländischen Gericht verhängten Strafe ganz oder teilweise ausgesetzt ist.

(5) Nach den österreichischen Gesetzen vorgesehene vorbeugende Maßnahmen sind, wenn die Voraussetzungen hiefür zutreffen, gegen einen Österreicher auch dann anzuordnen, wenn er aus einem der Gründe des vorhergehenden Absatzes im Inland nicht bestraft werden kann.

Erweiterter Geltungsbereich des Verfalls und der Einziehung bei Auslandstaten

§ 65a. Der Verfall und die Einziehung treffen auch im Inland befindliche Vermögenswerte und Gegenstände in Bezug auf Taten, die auch durch die Gesetze des Tatorts mit Strafe bedroht sind, aber nach den §§ 62 bis 65 nicht den österreichischen Strafgesetzen unterliegen.

Anrechnung im Ausland erlittener Strafen

§ 66. Hat der Täter für die Tat, derentwegen er im Inland bestraft wird, schon im Ausland eine Strafe verbüßt, so ist sie auf die im Inland verhängte Strafe anzurechnen.

Zeit und Ort der Tat

§ 67. (1) Eine mit Strafe bedrohte Handlung hat der Täter zu der Zeit begangen, da er gehandelt hat oder hätte handeln sollen; wann der Erfolg eintritt, ist nicht maßgebend.

(2) Eine mit Strafe bedrohte Handlung hat der Täter an jedem Ort begangen, an dem er gehandelt hat oder hätte handeln sollen oder ein dem Tatbild entsprechender Erfolg ganz oder zum Teil eingetreten ist oder nach der Vorstellung des Täters hätte eintreten sollen.

Achter Abschnitt

Begriffsbestimmungen

Zeitberechnung

§ 68. Jahre und Monate sind nach dem Kalender zu berechnen. Zeiträume werden so berechnet, daß der Tag, auf den das Ereignis fällt, mit dem der Zeitraum beginnt, nicht mitgezählt wird. Sie enden mit dem Ablauf des letzten Tages.

Öffentliche Begehung

§ 69. Eine Handlung wird nur dann öffentlich begangen, wenn sie unmittelbar von einem größeren Personenkreis wahrgenommen werden kann.

Gewerbsmäßige Begehung

§ 70. (1) Gewerbsmäßig begeht eine Tat, wer sie in der Absicht ausführt, sich durch ihre wiederkehrende Begehung längere Zeit hindurch ein nicht bloß geringfügiges fortlaufendes Einkommen zu verschaffen, und

1. unter Einsatz besonderer Fähigkeiten oder Mittel handelt, die eine wiederkehrende Begehung nahelegen, oder

2. zwei weitere solche Taten schon im Einzelnen geplant hat oder

3. bereits zwei solche Taten begangen hat oder einmal wegen einer solchen Tat verurteilt worden ist.

(2) Ein nicht bloß geringfügiges fortlaufendes Einkommen ist ein solches, das nach einer jährlichen Durchschnittsbetrachtung monatlich den Betrag von 400 Euro übersteigt.

(3) Eine frühere Tat oder Verurteilung bleibt außer Betracht, wenn seit ihrer Begehung oder Rechtskraft bis zur folgenden Tat mehr als ein Jahr vergangen ist. In diese Frist werden Zeiten, in denen der Täter auf behördliche Anordnung angehalten worden ist, nicht eingerechnet.

Schädliche Neigung

§ 71. Auf der gleichen schädlichen Neigung beruhen mit Strafe bedrohte Handlungen, wenn sie gegen dasselbe Rechtsgut gerichtet oder auf gleichartige verwerfliche Beweggründe oder auf den gleichen Charaktermangel zurückzuführen sind.

Angehörige

§ 72. (1) Unter Angehörigen einer Person sind ihre Verwandten und Verschwägerten in gerader Linie, ihr Ehegatte oder eingetragener Partner und die Geschwister des Ehegatten oder eingetragenen Partners, ihre Geschwister und deren Ehegatten oder eingetragene Partner, Kinder und Enkel, die Geschwister ihrer Eltern und Großeltern, ihre Vettern und Basen, der Vater oder die Mutter ihres Kindes, ihre Wahl- und Pflegeeltern, ihre Wahl- und Pflegekinder, sowie Personen, über die ihnen die Obsorge zusteht oder unter deren Obsorge sie stehen, zu verstehen.

(2) Personen, die miteinander in Lebensgemeinschaft leben, werden wie Angehörige behandelt, Kinder und Enkel einer von ihnen werden wie Angehörige auch der anderen behandelt.

Ausländische Verurteilungen

§ 73. Sofern das Gesetz nicht ausdrücklich auf die Verurteilung durch ein inländisches Gericht abstellt, stehen ausländische Verurteilungen inländischen gleich, wenn sie den Rechtsbrecher wegen einer Tat schuldig sprechen, die auch nach österreichischem Recht gerichtlich strafbar ist, und in einem den Grundsätzen des Art. 6 der europäischen Konvention zum Schutze der Menschenrechte und Grundfreiheiten, BGBl. Nr. 210/1958, entsprechenden Verfahren ergangen sind.

Andere Begriffsbestimmungen

§ 74. (1) Im Sinn dieses Bundesgesetzes ist

1. unmündig: wer das vierzehnte Lebensjahr noch nicht vollendet hat;

(Anm.: Z 2 aufgehoben durch BGBl. I Nr. 19/ 2001)

3. minderjährig: wer das achtzehnte Lebensjahr noch nicht vollendet hat;

4. Beamter: jeder, der bestellt ist, im Namen des Bundes, eines Landes, eines Gemeindeverbandes, einer Gemeinde oder einer anderen Person des öffentlichen Rechtes, ausgenommen einer Kirche oder Religionsgesellschaft, als deren Organ allein oder gemeinsam mit einem anderen Rechtshandlungen vorzunehmen, oder sonst mit Aufgaben der Bundes-, Landes- oder Gemeindeverwaltung betraut ist; als Beamter gilt auch, wer nach einem anderen Bundesgesetz oder auf Grund einer zwischenstaatlichen Vereinbarung bei einem Einsatz im Inland einem österreichischen Beamten gleichgestellt ist;

4a. Amtsträger: jeder, der

(Anm.: lit. a aufgehoben durch BGBl. I Nr. 61/ 2012)

b. für den Bund, ein Land, einen Gemeindeverband, eine Gemeinde, für eine andere Person des öffentlichen Rechts, ausgenommen eine Kirche oder Religionsgesellschaft, für einen anderen Staat oder für eine internationale Organisation Aufgaben der Gesetzgebung, Verwaltung oder Justiz als deren Organ oder Dienstnehmer wahrnimmt, Unionsbeamter (Z 4b) ist oder - für die Zwecke der §§ 168g, 304, 305, 307 und 307a - der öffentliche Aufgaben im Zusammenhang mit der Verwaltung der oder Entscheidungen über die finanziellen Interessen der Europäischen Union in Mitgliedstaaten oder Drittstaaten übertragen bekommen hat und diese Aufgaben wahrnimmt,

c. sonst im Namen der in lit. b genannten Körperschaften befugt ist, in Vollziehung der Gesetze Amtsgeschäfte vorzunehmen, oder

d) als Organ oder Bediensteter eines Unternehmens tätig ist, an dem eine oder mehrere inländische oder ausländische Gebietskörperschaften unmittelbar oder mittelbar mit mindestens 50 vH des Stamm-, Grund- oder Eigenkapitals beteiligt sind, das eine solche Gebietskörperschaft allein oder gemeinsam mit anderen solchen Gebietskörperschaften betreibt oder durch finanzielle oder sonstige wirtschaftliche oder organisatorische Maßnahmen tatsächlich beherrscht, jedenfalls aber jedes Unternehmens, dessen Gebarung der Überprüfung durch den Rechnungshof, dem Rechnungshof gleichartige Einrichtungen der Länder oder einer vergleichbaren internationalen oder ausländischen Kontrolleinrichtung unterliegt.

4b. Unionsbeamter: jeder, der Beamter oder sonstiger Bediensteter im Sinne des Statuts der Beamten der Europäischen Union oder der Beschäftigungsbedingungen für die sonstigen Bediensteten der Europäischen Union ist oder der der Europäischen Union von den Mitgliedstaaten oder von öffentlichen oder privaten Einrichtungen zur Verfügung gestellt wird und dort mit Aufgaben betraut ist, die den Aufgaben der Beamten oder sonstigen Bediensteten der Europäischen Union entsprechen; Unionsbeamte sind auch, soweit das Statut nicht gilt, die Mitglieder der Organe, Einrichtungen und sonstigen Stellen der Europäischen Union, die nach dem Vertrag über die Arbeitsweise der Europäischen Union oder dem Vertrag über die Europäische Union errichtet wurden, und die Bediensteten dieser Einrichtungen;

4c. Schiedsrichter: jeder Entscheidungsträger eines Schiedsgerichtes im Sinne der §§ 577 ff ZPO mit Sitz im Inland oder noch nicht bestimmtem Sitz (österreichischer Schiedsrichter) oder mit Sitz im Ausland;

4d. Kandidat für ein Amt: jeder, der sich in einem Wahlkampf, einem Bewerbungs- oder Auswahlverfahren zu einer Funktion als Amtsträger (Z 4a) oder in einer vergleichbaren Position zur Erlangung einer von ihm angestrebten Funktion als oberstes Vollzugsorgan des Bundes oder eines Bundeslandes oder als Organ zur Kontrolle der Gesetzmäßigkeit der Vollziehung befindet, sofern die Erlangung der Funktion nicht gänzlich unwahrscheinlich ist;

5. gefährliche Drohung: eine Drohung mit einer Verletzung an Körper, Freiheit, Ehre, Vermögen oder des höchstpersönlichen Lebensbereiches durch Zugänglichmachen, Bekanntgeben oder Veröffentlichen von Tatsachen oder Bildaufnahmen, die geeignet ist, dem Bedrohten mit Rücksicht auf die Verhältnisse und seine persönliche Beschaffenheit oder die Wichtigkeit des angedrohten Übels begründete Besorgnisse einzuflößen, ohne Unterschied, ob das angedrohte Übel gegen den Bedrohten selbst, gegen dessen Angehörige oder gegen andere unter seinen Schutz gestellte oder ihm persönlich nahestehende Personen gerichtet ist;

6. Entgelt: jede einer Bewertung in Geld zugängliche Gegenleistung, auch wenn sie einer anderen Person zugute kommen soll als der, der sie angeboten oder gegeben wird;

7. Urkunde: eine Schrift, die errichtet worden ist, um ein Recht oder ein Rechtsverhältnis zu begründen, abzuändern oder aufzuheben oder eine Tatsache von rechtlicher Bedeutung zu beweisen;

8. Computersystem: sowohl einzelne als auch verbundene Vorrichtungen, die der automationsunterstützten Datenverarbeitung dienen;

9. Prostitution: die Vornahme geschlechtlicher Handlungen oder die Duldung geschlechtlicher Handlungen am eigenen Körper gegen Entgelt durch

a) eine minderjährige Person oder

b) eine volljährige Person in der Absicht, sich oder einem Dritten durch die wiederkehrende Vornahme oder Duldung eine fortlaufende Einnahme zu verschaffen;

10. unbares Zahlungsmittel: nichtkörperliche oder körperliche Vorrichtungen, Gegenstände oder Aufzeichnungen oder deren Kombination, ausgenommen gesetzliche Zahlungsmittel, die vor Fälschung oder missbräuchlicher Verwendung geschützt sind und die für sich oder in Verbindung mit einem oder mehreren Verfahren dem Inhaber oder Nutzer ermöglichen, Geld oder monetäre Werte zu übertragen, auch mittels digitaler Tauschmittel;

11. kritische Infrastruktur: Einrichtungen, Anlagen, Systeme oder Teile davon, die eine wesentliche Bedeutung für die Aufrechterhaltung der öffentlichen Sicherheit, die Landesverteidigung oder den Schutz der Zivilbevölkerung gegen Kriegsgefahren, die Funktionsfähigkeit öffentlicher Informations- und Kommunikationstechnologie, die Verhütung oder Bekämpfung von Katastrophen, den öffentlichen Gesundheitsdienst, die öffentliche Versorgung mit Wasser, Energie sowie lebenswichtigen Gütern, das öffentliche Abfallentsorgungs- und Kanalwesen oder den öffentlichen Verkehr haben.

(2) Im Sinne dieses Bundesgesetzes sind Daten sowohl personenbezogene und nicht personenbezogene Daten als auch Programme.

(3) Unter leitenden Angestellten sind Angestellte eines Unternehmens, auf dessen Geschäftsführung ihnen ein maßgeblicher Einfluss zusteht, zu verstehen. Ihnen stehen Geschäftsführer, Mitglieder des Vorstands oder Aufsichtsrats und Prokuristen ohne Angestelltenverhältnis gleich.

Besonderer Teil

Erster Abschnitt

Strafbare Handlungen gegen Leib und Leben

Mord

§ 75. Wer einen anderen tötet, ist mit Freiheitsstrafe von zehn bis zu zwanzig Jahren oder mit lebenslanger Freiheitsstrafe zu bestrafen.

Totschlag

§ 76. Wer sich in einer allgemein begreiflichen heftigen Gemütsbewegung dazu hinreißen läßt, einen anderen zu töten, ist mit Freiheitsstrafe von fünf bis zu zehn Jahren zu bestrafen.

Tötung auf Verlangen

§ 77. Wer einen anderen auf dessen ernstliches und eindringliches Verlangen tötet, ist mit Freiheitsstrafe von sechs Monaten bis zu fünf Jahren zu bestrafen.

Mitwirkung an der Selbsttötung

§ 78. (1) Wer eine andere Person dazu verleitet, sich selbst zu töten, ist mit Freiheitsstrafe von sechs Monaten bis zu fünf Jahren zu bestrafen.

(2) Ebenso ist zu bestrafen, wer

1. einer minderjährigen Person,

2. einer Person aus einem verwerflichen Beweggrund oder

3. einer Person, die nicht an einer Krankheit im Sinne des § 6 Abs. 3 des Sterbeverfügungsgesetzes (StVfG), BGBl. I Nr. 242/2021, leidet oder die nicht gemäß § 7 StVfG ärztlich aufgeklärt wurde,

dazu physisch Hilfe leistet, sich selbst zu töten.

Tötung eines Kindes bei der Geburt

§ 79. Eine Mutter, die das Kind während der Geburt oder solange sie noch unter der Einwirkung des Geburtsvorgangs steht, tötet, ist mit Freiheitsstrafe von sechs Monaten bis zu fünf Jahren zu bestrafen.

Fahrlässige Tötung

§ 80. (1) Wer fahrlässig den Tod eines anderen herbeiführt, ist mit Freiheitsstrafe bis zu einem Jahr oder mit Geldstrafe bis zu 720 Tagessätzen zu bestrafen.

(2) Hat die Tat den Tod mehrerer Menschen zur Folge, so ist der Täter mit Freiheitsstrafe bis zu zwei Jahren zu bestrafen.

Grob fahrlässige Tötung

§ 81. (1) Wer grob fahrlässig (§ 6 Abs. 3) den Tod eines anderen herbeiführt, ist mit Freiheitsstrafe bis zu drei Jahren zu bestrafen.

(2) Ebenso ist zu bestrafen, wer den Tod eines Menschen fahrlässig herbeiführt, nachdem er sich vor der Tat, wenn auch nur fahrlässig, durch Genuss von Alkohol oder den Gebrauch eines anderen berauschenden Mittels in einen die Zurechnungsfähigkeit nicht ausschließenden Rauschzustand versetzt hat, obwohl er vorhergesehen hat oder hätte vorhersehen können, dass ihm eine Tätigkeit bevorstehe, deren Vornahme in diesem Zustand eine Gefahr für das Leben, die Gesundheit oder die körperliche Sicherheit eines anderen herbeizuführen oder zu vergrößern geeignet sei.

(3) Mit Freiheitsstrafe von sechs Monaten bis zu fünf Jahren ist zu bestrafen, wer grob fahrlässig (§ 6 Abs. 3) oder in dem in Abs. 2 bezeichneten Fall den Tod einer größeren Zahl von Menschen herbeiführt.

Aussetzung

§ 82. (1) Wer das Leben eines anderen dadurch gefährdet, daß er ihn in eine hilflose Lage bringt und in dieser Lage im Stich läßt, ist mit Freiheitsstrafe von sechs Monaten bis zu fünf Jahren zu bestrafen.

(2) Ebenso ist zu bestrafen, wer das Leben eines anderen, der unter seiner Obhut steht oder dem er sonst beizustehen verpflichtet ist (§ 2), dadurch gefährdet, daß er ihn in einer hilflosen Lage im Stich läßt.

(3) Hat die Tat den Tod des Gefährdeten zur Folge, so ist der Täter mit Freiheitsstrafe von einem bis zu zehn Jahren zu bestrafen.

Körperverletzung

§ 83. (1) Wer einen anderen am Körper verletzt oder an der Gesundheit schädigt, ist mit Freiheitsstrafe bis zu einem Jahr oder mit Geldstrafe bis zu 720 Tagessätzen zu bestrafen.

(2) Ebenso ist zu bestrafen, wer einen anderen am Körper mißhandelt und dadurch fahrlässig verletzt oder an der Gesundheit schädigt.

(3) Wer eine Körperverletzung nach Abs. 1 oder 2 an einer Person, die

1. mit der Kontrolle der Einhaltung der Beförderungsbedingungen oder der Lenkung eines Beförderungsmittels einer dem öffentlichen Verkehr dienenden Anstalt betraut ist,

2. in einem gesetzlich geregelten Gesundheitsberuf, in einer anerkannten Rettungsorganisation oder in der Verwaltung im Bereich eines solchen Berufes, insbesondere einer Krankenanstalt, oder als Organ der Feuerwehr tätig ist,

während oder wegen der Ausübung ihrer Tätigkeit begeht, ist mit Freiheitsstrafe bis zu zwei Jahren zu bestrafen.

Schwere Körperverletzung

§ 84. (1) Wer einen anderen am Körper misshandelt und dadurch fahrlässig eine länger als vierundzwanzig Tage dauernde Gesundheitsschädigung oder Berufsunfähigkeit oder eine an sich schwere Verletzung oder Gesundheitsschädigung zufügt, ist mit Freiheitsstrafe bis zu drei Jahren zu bestrafen.

(2) Ebenso ist zu bestrafen, wer eine Körperverletzung (§ 83 Abs. 1 oder Abs. 2) an einem Beamten, Zeugen oder Sachverständigen während oder wegen der Vollziehung seiner Aufgaben oder der Erfüllung seiner Pflichten begeht.

(3) Ebenso ist der Täter zu bestrafen, wenn er mindestens drei selbstständige Taten (§ 83 Abs. 1 oder Abs. 2) ohne begreiflichen Anlass und unter Anwendung erheblicher Gewalt begangen hat.

(4) Mit Freiheitsstrafe von sechs Monaten bis zu fünf Jahren ist zu bestrafen, wer einen anderen am Körper verletzt oder an der Gesundheit schädigt und dadurch, wenn auch nur fahrlässig, eine schwere Körperverletzung oder Gesundheitsschädigung (Abs. 1) des anderen herbeiführt.

(5) Ebenso ist zu bestrafen, wer eine Körperverletzung (§ 83 Abs. 1 oder Abs. 2) begeht

1. auf eine Weise, mit der Lebensgefahr verbunden ist,

2. mit mindestens zwei Personen in verabredeter Verbindung oder

3. unter Zufügung besonderer Qualen.

Körperverletzung mit schweren Dauerfolgen

§ 85. (1) Wer einen anderen am Körper misshandelt und dadurch fahrlässig für immer oder für lange Zeit

1. den Verlust oder eine schwere Schädigung der Sprache, des Sehvermögens, des Gehörs oder der Fortpflanzungsfähigkeit,

2. eine erhebliche Verstümmelung oder eine auffallende Verunstaltung,

2a. eine Verstümmelung oder sonstige Verletzung der Genitalien, die geeignet ist, eine nachhaltige Beeinträchtigung des sexuellen Empfindens herbeizuführen, oder

3. ein schweres Leiden, Siechtum oder Berufsunfähigkeit des Geschädigten,

herbeiführt, ist mit Freiheitsstrafe von sechs Monaten bis zu fünf Jahren zu bestrafen.

(2) Mit Freiheitsstrafe von einem bis zu zehn Jahren ist zu bestrafen, wer einen anderen am Körper verletzt oder an der Gesundheit schädigt und dadurch, wenn auch nur fahrlässig, eine schwere Dauerfolge (Abs. 1) beim Verletzten herbeiführt.

Körperverletzung mit tödlichem Ausgang

§ 86. (1) Wer einen anderen am Körper misshandelt und dadurch fahrlässig dessen Tod herbeiführt, ist mit Freiheitsstrafe von einem bis zu zehn Jahren zu bestrafen.

(2) Wer einen anderen am Körper verletzt oder an der Gesundheit schädigt und dadurch fahrlässig dessen Tod herbeiführt, ist mit Freiheitsstrafe von einem bis zu fünfzehn Jahren zu bestrafen.

Absichtliche schwere Körperverletzung

§ 87. (1) Wer einem anderen eine schwere Körperverletzung (§ 84 Abs. 1) absichtlich zufügt, ist mit Freiheitsstrafe von einem bis zu zehn Jahren zu bestrafen.

(1a) Wer die Tat an einem Beamten, Zeugen oder Sachverständigen während oder wegen der Vollziehung seiner Aufgaben oder der Erfüllung seiner Pflichten begeht, ist mit Freiheitsstrafe von zwei bis zu zehn Jahren zu bestrafen.

(2) Zieht die Tat nach Abs. 1 eine schwere Dauerfolge (§ 85) nach sich, so ist der Täter mit Freiheitsstrafe von einem bis zu fünfzehn Jahren, im Falle des Abs. 1a mit Freiheitsstrafe von zwei bis zu fünfzehn Jahren, hat die Tat den Tod des Geschädigten zur Folge, mit Freiheitsstrafe von fünf bis zu fünfzehn Jahren zu bestrafen.

Fahrlässige Körperverletzung

§ 88. (1) Wer fahrlässig einen anderen am Körper verletzt oder an der Gesundheit schädigt, ist mit Freiheitsstrafe bis zu drei Monaten oder mit Geldstrafe bis zu 180 Tagessätzen zu bestrafen.

(2) Handelt der Täter nicht grob fahrlässig (§ 6 Abs. 3) und ist

1. die verletzte Person mit dem Täter in auf- oder absteigender Linie verwandt oder verschwägert oder sein Ehegatte, sein eingetragener Partner, sein Bruder oder seine Schwester oder nach § 72 Abs. 2 wie ein Angehöriger des Täters zu behandeln,

2. aus der Tat keine Gesundheitsschädigung oder Berufsunfähigkeit einer anderen Person von mehr als vierzehntägiger Dauer erfolgt oder

3. der Täter ein Angehöriger eines gesetzlich geregelten Gesundheitsberufes und die Körperverletzung in Ausübung seines Berufes zugefügt worden,

so ist der Täter nach Abs. 1 nicht zu bestrafen.

(3) Wer grob fahrlässig (§ 6 Abs. 3) oder in dem in § 81 Abs. 2 bezeichneten Fall einen anderen am Körper verletzt oder an der Gesundheit schädigt, ist mit Freiheitsstrafe bis zu sechs Monaten oder mit Geldstrafe bis zu 360 Tagessätzen zu bestrafen.

(4) Hat die Tat nach Abs. 1 eine schwere Körperverletzung (§ 84 Abs. 1) zur Folge, so ist der Täter mit Freiheitsstrafe bis zu sechs Monaten oder mit Geldstrafe bis zu 360 Tagessätzen zu bestrafen. Hat die Tat nach Abs. 3 eine schwere Körperverletzung (§ 84 Abs. 1) zur Folge, ist der Täter mit Freiheitsstrafe bis zu zwei Jahren, hat sie jedoch eine schwere Körperverletzung (§ 84 Abs. 1) einer größeren Zahl von Menschen zur Folge, mit Freiheitsstrafe bis zu drei Jahren zu bestrafen.

Gefährdung der körperlichen Sicherheit

§ 89. Wer vorsätzlich, grob fahrlässig (§ 6 Abs. 3) oder fahrlässig unter den in § 81 Abs. 2 umschriebenen Umständen, eine Gefahr für das Leben, die Gesundheit oder die körperliche Sicherheit eines anderen herbeiführt, ist mit Freiheitsstrafe bis zu drei Monaten oder mit Geldstrafe bis zu 180 Tagessätzen zu bestrafen.

Einwilligung des Verletzten

§ 90. (1) Eine Körperverletzung oder Gefährdung der körperlichen Sicherheit ist nicht rechtswidrig, wenn der Verletzte oder Gefährdete in sie einwilligt und die Verletzung oder Gefährdung als solche nicht gegen die guten Sitten verstößt.

(2) Die von einem Arzt an einer Person mit deren Einwilligung vorgenommene Sterilisation ist nicht rechtswidrig, wenn entweder die Person bereits das fünfundzwanzigste Lebensjahr vollendet hat oder der Eingriff aus anderen Gründen nicht gegen die guten Sitten verstößt.

(3) In eine Genitalverstümmelung (§ 85 Abs. 1 Z 2a) kann nicht eingewilligt werden.

Raufhandel

§ 91. (1) Wer an einer Schlägerei tätlich teilnimmt, ist schon wegen dieser Teilnahme mit Freiheitsstrafe bis zu einem Jahr oder mit Geldstrafe bis zu 720 Tagessätzen zu bestrafen, wenn die Schlägerei eine schwere Körperverletzung (§ 84 Abs. 1) eines anderen verursacht, wenn sie aber den Tod eines anderen verursacht, mit Freiheitsstrafe bis zu zwei Jahren.

(2) Wer an einem Angriff mehrerer tätlich teilnimmt, ist schon wegen dieser Teilnahme mit Freiheitsstrafe bis zu sechs Monaten oder mit Geldstrafe bis zu 360 Tagessätzen zu bestrafen, wenn der Angriff eine Körperverletzung eines anderen verursacht, wenn er aber eine schwere Körperverletzung eines anderen verursacht, mit Freiheitsstrafe bis zu einem Jahr oder mit Geldstrafe bis zu 720 Tagessätzen, wenn er den Tod eines anderen verursacht, mit Freiheitsstrafe bis zu zwei Jahren.

(2a) Wer an einer Schlägerei oder einem Angriff mehrerer in einem Sicherheitsbereich bei einer Sportgroßveranstaltung (§ 49a SPG) tätlich teilnimmt, ist schon wegen dieser Teilnahme mit Freiheitsstrafe bis zu einem Jahr oder mit Geldstrafe bis zu 720 Tagessätzen zu bestrafen.

(3) Der Täter, dem aus der Teilnahme kein Vorwurf gemacht werden kann, ist nicht zu bestrafen.

Tätlicher Angriff auf mit bestimmten Aufgaben betraute Bedienstete einer dem öffentlichen Verkehr dienenden Anstalt oder Angehörige des Gesundheits- oder Rettungswesens oder Organe der Feuerwehr

§ 91a. Wer eine Person,

1. die mit der Kontrolle der Einhaltung der Beförderungsbedingungen oder der Lenkung eines Beförderungsmittels einer dem öffentlichen Verkehr dienenden Anstalt betraut ist,

2. in einem gesetzlich geregelten Gesundheitsberuf, für eine anerkannte Rettungsorganisation oder in der Verwaltung im Bereich eines solchen Berufs, insbesondere einer Krankenanstalt, oder als Organ der Feuerwehr tätig ist,

während der Ausübung ihrer Tätigkeit tätlich angreift, ist mit Freiheitsstrafe bis zu sechs Monaten oder mit Geldstrafe bis zu 360 Tagessätzen zu bestrafen.

Quälen oder Vernachlässigen unmündiger, jüngerer oder wehrloser Personen

§ 92. (1) Wer einem anderen, der seiner Fürsorge oder Obhut untersteht und der das achtzehnte Lebensjahr noch nicht vollendet hat oder wegen Gebrechlichkeit, Krankheit oder einer geistigen Behinderung wehrlos ist, körperliche oder seelische Qualen zufügt, ist mit Freiheitsstrafe bis zu drei Jahren zu bestrafen.

(2) Ebenso ist zu bestrafen, wer seine Verpflichtung zur Fürsorge oder Obhut einem solchen Menschen gegenüber gröblich vernachlässigt und dadurch, wenn auch nur fahrlässig, dessen Gesundheit oder dessen körperliche oder geistige Entwicklung beträchtlich schädigt.

(3) Hat die Tat eine Körperverletzung mit schweren Dauerfolgen (§ 85) zur Folge, so ist der Täter mit Freiheitsstrafe von sechs Monaten bis zu fünf Jahren, hat sie den Tod des Geschädigten zur Folge, mit Freiheitsstrafe von einem bis zu zehn Jahren zu bestrafen.

Überanstrengung unmündiger, jüngerer oder schonungsbedürftiger Personen

§ 93. (1) Wer einen anderen, der von ihm abhängig ist oder seiner Fürsorge oder Obhut untersteht und der das achtzehnte Lebensjahr noch nicht vollendet hat oder wegen seines Gesundheitszustandes offensichtlich schonungsbedürftig ist, aus Bosheit oder rücksichtslos überanstrengt und dadurch, wenn auch nur fahrlässig, die Gefahr des Todes oder einer beträchtlichen Körperverletzung oder Gesundheitsschädigung des Überanstrengten herbeiführt, ist mit Freiheitsstrafe bis zu zwei Jahren zu bestrafen.

(2) Hat die Tat eine der im § 92 Abs. 3 genannten Folgen, so sind die dort angedrohten Strafen zu verhängen.

Imstichlassen eines Verletzten

§ 94. (1) Wer es unterläßt, einem anderen, dessen Verletzung am Körper (§ 83) er, wenn auch nicht widerrechtlich, verursacht hat, die erforderliche Hilfe zu leisten, ist mit Freiheitsstrafe bis zu einem Jahr oder mit Geldstrafe bis zu 720 Tagessätzen zu bestrafen.

(2) Hat das Imstichlassen eine schwere Körperverletzung (§ 84 Abs. 1) des Verletzten zur Folge, so ist der Täter mit Freiheitsstrafe bis zu zwei Jahren, hat es seinen Tod zur Folge, mit Freiheitsstrafe bis zu drei Jahren zu bestrafen.

(3) Der Täter ist entschuldigt, wenn ihm die Hilfeleistung nicht zuzumuten ist. Die Hilfeleistung ist insbesondere dann nicht zuzumuten, wenn sie nur unter der Gefahr des Todes oder einer beträchtlichen Körperverletzung oder Gesundheitsschädigung oder unter Verletzung anderer überwiegender Interessen möglich wäre.

(4) Der Täter ist nach Abs. 1 und 2 nicht zu bestrafen, wenn er schon wegen der Verletzung mit der gleichen oder einer strengeren Strafe bedroht ist.

Unterlassung der Hilfeleistung

§ 95. (1) Wer es bei einem Unglücksfall oder einer Gemeingefahr (§ 176) unterläßt, die zur Rettung eines Menschen aus der Gefahr des Todes oder einer beträchtlichen Körperverletzung oder Gesundheitsschädigung offensichtlich erforderliche Hilfe zu leisten, ist mit Freiheitsstrafe bis zu sechs Monaten oder mit Geldstrafe bis zu 360 Tagessätzen, wenn die Unterlassung der Hilfeleistung jedoch den Tod eines Menschen zur Folge hat, mit Freiheitsstrafe bis zu einem Jahr oder mit Geldstrafe bis zu 720 Tagessätzen zu bestrafen, es sei denn, daß die Hilfeleistung dem Täter nicht zuzumuten ist.

(2) Die Hilfeleistung ist insbesondere dann nicht zuzumuten, wenn sie nur unter Gefahr für Leib oder Leben oder unter Verletzung anderer ins Gewicht fallender Interessen möglich wäre.

Zweiter Abschnitt

Schwangerschaftsabbruch

Schwangerschaftsabbruch

§ 96. (1) Wer mit Einwilligung der Schwangeren deren Schwangerschaft abbricht, ist mit Freiheitsstrafe bis zu einem Jahr oder mit Geldstrafe bis zu 720 Tagessätzen, begeht er die Tat gewerbsmäßig, mit Freiheitsstrafe bis zu drei Jahren zu bestrafen.

(2) Ist der unmittelbare Täter kein Arzt, so ist er mit Freiheitsstrafe bis zu drei Jahren, begeht er die Tat gewerbsmäßig oder hat sie den Tod der Schwangeren zur Folge, mit Freiheitsstrafe von sechs Monaten bis zu fünf Jahren zu bestrafen.

(3) Eine Frau, die den Abbruch ihrer Schwangerschaft selbst vornimmt oder durch einen anderen zuläßt, ist mit Freiheitsstrafe bis zu einem Jahr oder mit Geldstrafe bis zu 720 Tagessätzen zu bestrafen.

Straflosigkeit des Schwangerschaftsabbruchs

§ 97. (1) Die Tat ist nach § 96 nicht strafbar,

1. wenn der Schwangerschaftsabbruch innerhalb der ersten drei Monate nach Beginn der Schwangerschaft nach vorhergehender ärztlicher Beratung von einem Arzt vorgenommen wird; oder

2. wenn der Schwangerschaftsabbruch zur Abwendung einer nicht anders abwendbaren ernsten Gefahr für das Leben oder eines schweren Schadens für die körperliche oder seelische Gesundheit der Schwangeren erforderlich ist oder eine ernste Gefahr besteht, daß das Kind geistig oder körperlich schwer geschädigt sein werde, oder die Schwangere zur Zeit der Schwängerung unmündig gewesen ist und in allen diesen Fällen der Abbruch von einem Arzt vorgenommen wird; oder

3. wenn der Schwangerschaftsabbruch zur Rettung der Schwangeren aus einer unmittelbaren, nicht anders abwendbaren Lebensgefahr unter Umständen

vorgenommen wird, unter denen ärztliche Hilfe nicht rechtzeitig zu erlangen ist.

(2) Kein Arzt ist verpflichtet, einen Schwangerschaftsabbruch durchzuführen oder an ihm mitzuwirken, es sei denn, daß der Abbruch ohne Aufschub notwendig ist, um die Schwangere aus einer unmittelbar drohenden, nicht anders abwendbaren Lebensgefahr zu retten. Dies gilt auch für die in gesetzlich geregelten Gesundheitsberufen tätigen Personen.

(3) Niemand darf wegen der Durchführung eines straflosen Schwangerschaftsabbruchs oder der Mitwirkung daran oder wegen der Weigerung, einen solchen Schwangerschaftsabbruch durchzuführen oder daran mitzuwirken, in welcher Art immer benachteiligt werden.

Schwangerschaftsabbruch ohne Einwilligung der Schwangeren

§ 98. (1) Wer ohne Einwilligung der Schwangeren deren Schwangerschaft abbricht, ist mit Freiheitsstrafe bis zu drei Jahren, hat die Tat den Tod der Schwangeren zur Folge, mit Freiheitsstrafe von sechs Monaten bis zu fünf Jahren zu bestrafen.

(2) Der Täter ist nach Abs. 1 nicht zu bestrafen, wenn der Schwangerschaftsabbruch zur Rettung der Schwangeren aus einer unmittelbaren, nicht anders abwendbaren Lebensgefahr unter Umständen vorgenommen wird, unter denen die Einwilligung der Schwangeren nicht rechtzeitig zu erlangen ist.

Dritter Abschnitt

Strafbare Handlungen gegen die Freiheit

Freiheitsentziehung

§ 99. (1) Wer einen anderen widerrechtlich gefangen hält oder ihm auf andere Weise die persönliche Freiheit entzieht, ist mit Freiheitsstrafe bis zu drei Jahren zu bestrafen.

(2) Wer die Freiheitsentziehung länger als einen Monat aufrecht erhält oder sie auf solche Weise, daß sie dem Festgehaltenen besondere Qualen bereitet, oder unter solchen Umständen begeht, daß sie für ihn mit besonders schweren Nachteilen verbunden ist, ist mit Freiheitsstrafe von einem bis zu zehn Jahren zu bestrafen.

Entführung einer geisteskranken oder wehrlosen Person

§ 100. Wer eine geisteskranke oder wehrlose Person in der Absicht entführt, dass sie von ihm oder einem Dritten sexuell missbraucht werde, ist mit Freiheitsstrafe von sechs Monaten bis zu fünf Jahren zu bestrafen.

Entführung einer unmündigen Person

§ 101. Wer eine unmündige Person in der Absicht entführt, dass sie von ihm oder einem Dritten sexuell missbraucht werde, ist mit Freiheitsstrafe von sechs Monaten bis zu fünf Jahren zu bestrafen.

Erpresserische Entführung

§ 102. (1) Wer einen anderen ohne dessen Einwilligung mit Gewalt oder nachdem er die Einwilligung durch gefährliche Drohung oder List erlangt hat, entführt oder sich seiner sonst bemächtigt, um einen Dritten zu einer Handlung, Duldung oder Unterlassung zu nötigen, ist mit Freiheitsstrafe von zehn bis zu zwanzig Jahren zu bestrafen.

(2) Ebenso ist zu bestrafen, wer

1. in der im Abs. 1 genannten Absicht eine unmündige, geisteskranke oder wegen ihres Zustands zum Widerstand unfähige Person entführt oder sich ihrer sonst bemächtigt oder

2. unter Ausnützung einer ohne Nötigungsabsicht vorgenommenen Entführung oder sonstigen Bemächtigung einer Person einen Dritten zu einer Handlung, Duldung oder Unterlassung nötigt.

(3) Hat die Tat den Tod der Person zur Folge, die entführt worden ist oder deren sich der Täter sonst bemächtigt hat, so ist der Täter mit Freiheitsstrafe von zehn bis zu zwanzig Jahren oder mit lebenslanger Freiheitsstrafe zu bestrafen.

(4) Läßt der Täter freiwillig unter Verzicht auf die begehrte Leistung die Person, die entführt worden ist oder deren sich der Täter sonst bemächtigt hat, ohne ernstlichen Schaden in ihren Lebenskreis zurückgelangen, so ist er mit Freiheitsstrafe von sechs Monaten bis zu fünf Jahren zu bestrafen.

Überlieferung an eine ausländische Macht

§ 103. (1) Wer einen anderen ohne dessen Einwilligung mit Gewalt oder nachdem er seine Einwilligung durch gefährliche Drohung oder List erlangt hat, ebenso wer eine unmündige, geisteskranke oder wegen ihres Zustands zum Widerstand unfähige Person einer ausländischen Macht überliefert, ist, wenn der Täter oder der Überlieferte ein Österreicher ist oder sich der Überlieferte zur Zeit der Tat im Inland aufgehalten hat, mit Freiheitsstrafe von zehn bis zu zwanzig Jahren zu bestrafen.

(2) Wird das Opfer durch die Tat keiner erheblichen Gefahr ausgesetzt, so ist der Täter mit Freiheitsstrafe von fünf bis zu zehn Jahren zu bestrafen.

Sklaverei

§ 104. (1) Wer Sklavenhandel treibt oder sonst einer anderen Person in Form von Sklaverei oder einer sklavereiähnlichen Lage die persönliche Freiheit entzieht, ist mit Freiheitsstrafe von zehn bis zu zwanzig Jahren zu bestrafen.

(2) Ebenso ist zu bestrafen, wer bewirkt, daß ein anderer versklavt oder in eine sklavereiähnliche Lage gebracht wird oder daß sich ein anderer in Sklaverei oder eine sklavereiähnliche Lage begibt.

Menschenhandel

§ 104a. (1) Wer eine volljährige Person mit dem Vorsatz, dass sie ausgebeutet werde (Abs. 3), unter Einsatz unlauterer Mittel (Abs. 2) gegen diese Person anwirbt, beherbergt oder sonst aufnimmt, befördert oder einem anderen anbietet oder weitergibt, ist mit Freiheitsstrafe von sechs Monaten bis zu fünf Jahren zu bestrafen.

(2) Unlautere Mittel sind der Einsatz von Gewalt oder gefährlicher Drohung, die Täuschung über Tatsachen, die Ausnützung einer Autoritätsstellung, einer Zwangslage, einer Geisteskrankheit oder eines Zustands, der die Person wehrlos macht, die Einschüchterung und die Gewährung oder Annahme eines Vorteils für die Übergabe der Herrschaft über die Person.

(3) Ausbeutung umfasst die sexuelle Ausbeutung, die Ausbeutung durch Organentnahme, die Ausbeutung der Arbeitskraft, die Ausbeutung zur Bettelei sowie die Ausbeutung zur Begehung mit Strafe bedrohter Handlungen.

(4) Wer die Tat im Rahmen einer kriminellen Vereinigung, unter Anwendung schwerer Gewalt oder so begeht, dass durch die Tat das Leben der Person vorsätzlich oder grob fahrlässig (§ 6 Abs. 3) gefährdet wird oder die Tat einen besonders schweren Nachteil für die Person zur Folge hat, ist mit Freiheitsstrafe von einem bis zu zehn Jahren zu bestrafen.

(5) Mit Freiheitsstrafe von einem bis zu zehn Jahren ist auch zu bestrafen, wer eine minderjährige Person mit dem Vorsatz, dass sie ausgebeutet werde (Abs. 3), anwirbt, beherbergt oder sonst aufnimmt, befördert oder einem anderen anbietet oder weitergibt.

Nötigung

§ 105. (1) Wer einen anderen mit Gewalt oder durch gefährliche Drohung zu einer Handlung, Duldung oder Unterlassung nötigt, ist mit Freiheitsstrafe bis zu einem Jahr oder mit Geldstrafe bis zu 720 Tagessätzen zu bestrafen.

(2) Die Tat ist nicht rechtswidrig, wenn die Anwendung der Gewalt oder Drohung als Mittel zu dem angestrebten Zweck nicht den guten Sitten widerstreitet.

Schwere Nötigung

§ 106. (1) Wer eine Nötigung begeht, indem er

1. mit dem Tod, mit einer erheblichen Verstümmelung oder einer auffallenden Verunstaltung, mit einer Entführung, mit einer Brandstiftung, mit einer Gefährdung durch Kernenergie, ionisierende Strahlen oder Sprengmittel oder mit der Vernichtung der wirtschaftlichen Existenz oder gesellschaftlichen Stellung droht,

2. die genötigte oder eine andere Person, gegen die sich die Gewalt oder gefährliche Drohung richtet, durch diese Mittel längere Zeit hindurch in einen qualvollen Zustand versetzt oder

3. die genötigte Person zur Prostitution oder zur Mitwirkung an einer pornographischen Darbietung (§ 215a Abs. 3) oder sonst zu einer Handlung, Duldung oder Unterlassung veranlasst, die besonders wichtige Interessen der genötigten oder einer dritten Person verletzt,

ist mit Freiheitsstrafe von sechs Monaten bis zu fünf Jahren zu bestrafen.

(2) Hat die Tat den Selbstmord oder einen Selbstmordversuch der genötigten oder einer anderen Person, gegen die sich die Gewalt oder gefährliche Drohung richtet, zur Folge, so ist der Täter mit Freiheitsstrafe von einem bis zu zehn Jahren zu bestrafen.

(3) Ebenso ist zu bestrafen, wer eine Nötigung zur Prostitution oder zur Mitwirkung an einer pornographischen Darbietung gegen eine unmündige Person, im Rahmen einer kriminellen Vereinigung, unter Anwendung schwerer Gewalt oder so begeht, dass durch die Tat das Leben der Person vorsätzlich oder grob fahrlässig (§ 6 Abs. 3) gefährdet wird oder die Tat einen besonders schweren Nachteil für die Person zur Folge hat.

Zwangsheirat

§ 106a. (1) Wer eine Person mit Gewalt oder durch gefährliche Drohung oder Drohung mit dem Abbruch oder Entzug der familiären Kontakte zur Eheschließung oder zur Begründung einer eingetragenen Partnerschaft nötigt, ist mit Freiheitsstrafe von sechs Monaten bis zu fünf Jahren zu bestrafen.

(2) Ebenso ist zu bestrafen, wer eine Person in der Absicht, dass sie in einem anderen Staat als in dem, dessen Staatsangehörigkeit sie besitzt oder in dem sie ihren gewöhnlichen Aufenthalt hat, zur Eheschließung oder zur Begründung einer eingetragenen Partnerschaft gezwungen werde (Abs. 1), durch Täuschung über dieses Vorhaben verleitet oder mit Gewalt oder durch gefährliche Drohung oder Drohung mit dem Abbruch oder Entzug der familiären Kontakte nötigt, sich in einen anderen Staat zu begeben, oder sie mit Gewalt oder unter Ausnützung ihres Irrtums über dieses Vorhaben in einen anderen Staat befördert.

(3) § 106 Abs. 2 gilt sinngemäß.

Gefährliche Drohung

§ 107. (1) Wer einen anderen gefährlich bedroht, um ihn in Furcht und Unruhe zu versetzen, ist mit Freiheitsstrafe bis zu einem Jahr oder mit Geldstrafe bis zu 720 Tagessätzen zu bestrafen.

(2) Wer eine gefährliche Drohung begeht, indem er mit dem Tod, mit einer erheblichen Verstümmelung oder einer auffallenden Verunstaltung, mit einer Entführung, mit einer Brandstiftung, mit einer Gefähr-

dung durch Kernenergie, ionisierende Strahlen oder Sprengmittel oder mit der Vernichtung der wirtschaftlichen Existenz oder gesellschaftlichen Stellung droht oder den Bedrohten oder einen anderen, gegen den sich die Gewalt oder gefährliche Drohung richtet, durch diese Mittel längere Zeit hindurch in einen qualvollen Zustand versetzt, ist mit Freiheitsstrafe bis zu drei Jahren zu bestrafen.

(3) In den im § 106 Abs. 2 genannten Fällen ist die dort vorgesehene Strafe zu verhängen.

(Anm.:Abs. 4 aufgehoben durch BGBl. I Nr. 56/2006)

Beharrliche Verfolgung

§ 107a. (1) Wer eine Person widerrechtlich beharrlich verfolgt (Abs. 2), ist mit Freiheitsstrafe bis zu einem Jahr oder mit Geldstrafe bis zu 720 Tagessätzen zu bestrafen.

(2) Beharrlich verfolgt eine Person, wer in einer Weise, die geeignet ist, sie in ihrer Lebensführung unzumutbar zu beeinträchtigen, eine längere Zeit hindurch fortgesetzt

1. ihre räumliche Nähe aufsucht,

2. im Wege einer Telekommunikation oder unter Verwendung eines sonstigen Kommunikationsmittels oder über Dritte Kontakt zu ihr herstellt,

3. unter Verwendung ihrer personenbezogenen Daten Waren oder Dienstleistungen für sie bestellt,

4. unter Verwendung ihrer personenbezogenen Daten Dritte veranlasst, mit ihr Kontakt aufzunehmen oder

5. Tatsachen oder Bildaufnahmen des höchstpersönlichen Lebensbereiches dieser Person ohne deren Zustimmung veröffentlicht.

(3) Übersteigt der Tatzeitraum nach Abs. 1 ein Jahr oder hat die Tat den Selbstmord oder einen Selbstmordversuch der im Sinn des Abs. 2 verfolgten Person zur Folge, so ist der Täter mit Freiheitsstrafe bis zu drei Jahren zu bestrafen.

Fortgesetzte Gewaltausübung

§ 107b. (1) Wer gegen eine andere Person eine längere Zeit hindurch fortgesetzt Gewalt ausübt, ist mit Freiheitsstrafe bis zu drei Jahren zu bestrafen.

(2) Gewalt im Sinne von Abs. 1 übt aus, wer eine andere Person am Körper misshandelt oder vorsätzliche mit Strafe bedrohte Handlungen gegen Leib und Leben oder gegen die Freiheit mit Ausnahme der strafbaren Handlungen nach §§ 107a, 108 und 110 begeht.

(3) Mit Freiheitsstrafe von sechs Monaten bis zu fünf Jahren ist zu bestrafen, wer durch die Tat eine umfassende Kontrolle des Verhaltens der verletzten Person herstellt oder eine erhebliche Einschränkung der autonomen Lebensführung der verletzten Person bewirkt.

(3a) Mit Freiheitsstrafe von einem bis zu zehn Jahren ist zu bestrafen, wer

1. die Tat gegen eine unmündige oder wegen Gebrechlichkeit, Krankheit oder einer geistigen Behinderung wehrlose Person begeht,

2. eine Tat nach Abs. 3 auf qualvolle Weise begeht oder

3. im Rahmen einer fortgesetzten Gewaltausübung nach Abs. 3 wiederholt Straftaten gegen die sexuelle Selbstbestimmung und Integrität begeht.

(4) Hat eine Tat nach Abs. 3 oder Abs. 3a Z 1 eine Körperverletzung mit schweren Dauerfolgen (§ 85) zur Folge oder wird die Gewalt nach Abs. 3 oder Abs. 3a Z 1 länger als ein Jahr ausgeübt, so ist der Täter mit Freiheitsstrafe von fünf bis zu fünfzehn Jahren, hat sie aber den Tod der verletzten Person zur Folge, mit Freiheitsstrafe von zehn bis zu zwanzig Jahren zu bestrafen.

(5) Der Täter ist nicht nach den vorstehenden Bestimmungen zu bestrafen, wenn die Tat nach einer anderen Bestimmung mit strengerer Strafe bedroht ist.

Fortdauernde Belästigung im Wege einer Telekommunikation oder eines Computersystems

§ 107c. (1) Wer im Wege einer Telekommunikation oder unter Verwendung eines Computersystems in einer Weise, die geeignet ist, eine Person in ihrer Lebensführung unzumutbar zu beeinträchtigen,

1. eine strafbare Handlung gegen die Ehre einer Person für eine größere Zahl von Menschen für eine längere Zeit wahrnehmbar begeht oder

2. eine Tatsache oder Bildaufnahme des höchstpersönlichen Lebensbereiches einer Person ohne deren Zustimmung für eine größere Zahl von Menschen für eine längere Zeit wahrnehmbar macht,

ist mit Freiheitsstrafe bis zu einem Jahr oder mit Geldstrafe bis zu 720 Tagessätzen zu bestrafen.

(2) Hat die Tat den Selbstmord oder einen Selbstmordversuch der im Sinn des Abs. 1 verletzten Person zur Folge, begeht der Täter innerhalb eines ein Jahr übersteigenden Zeitraums fortgesetzt gegen die verletzte Person gerichtete Tathandlungen im Sinne des Abs. 1 oder übersteigt die Dauer der Wahrnehmbarkeit nach Abs. 1 ein Jahr, so ist der Täter mit Freiheitsstrafe bis zu drei Jahren zu bestrafen.

Täuschung

§ 108. (1) Wer einem anderen in seinen Rechten dadurch absichtlich einen Schaden zufügt, daß er ihn oder einen Dritten durch Täuschung über Tatsachen zu einer Handlung, Duldung oder Unterlassung verleitet, die den Schaden herbeiführt, ist mit Freiheitsstrafe bis zu einem Jahr oder mit Geldstrafe bis zu 720 Tagessätzen zu bestrafen.

(2) Hoheitsrechte gelten nicht als Rechte im Sinn des Abs. 1.

(3) Der Täter ist nur mit Ermächtigung des in seinen Rechten Verletzten zu verfolgen.

Hausfriedensbruch

§ 109. (1) Wer den Eintritt in die Wohnstätte eines anderen mit Gewalt oder durch Drohung mit Gewalt erzwingt, ist mit Freiheitsstrafe bis zu einem Jahr oder mit Geldstrafe bis zu 720 Tagessätzen zu bestrafen.

(2) Der Täter ist nur mit Ermächtigung des in seinen Rechten Verletzten zu verfolgen.

(3) Wer auf die im Abs. 1 geschilderte Weise in ein Haus, eine Wohnstätte, einen abgeschlossenen Raum, der zum öffentlichen Dienst bestimmt ist oder zur Ausübung eines Berufes oder Gewerbes dient, oder in einen unmittelbar zu einem Haus gehörenden umfriedeten Raum eindringt, wobei

1. er gegen eine dort befindliche Person oder Sache Gewalt zu üben beabsichtigt,

2. er oder mit seinem Wissen ein anderer Beteiligter (§ 12) eine Waffe oder ein anderes Mittel bei sich führt, um den Widerstand einer Person zu überwinden oder zu verhindern, oder

3. das Eindringen mehrerer Personen erzwungen wird, ist mit Freiheitsstrafe bis zu drei Jahren zu bestrafen.

Eigenmächtige Heilbehandlung

§ 110. (1) Wer einen anderen ohne dessen Einwilligung, wenn auch nach den Regeln der medizinischen Wissenschaft, behandelt, ist mit Freiheitsstrafe bis zu sechs Monaten oder mit Geldstrafe bis zu 360 Tagessätzen zu bestrafen.

(2) Hat der Täter die Einwilligung des Behandelten in der Annahme nicht eingeholt, daß durch den Aufschub der Behandlung das Leben oder die Gesundheit des Behandelten ernstlich gefährdet wäre, so ist er nach Abs. 1 nur zu bestrafen, wenn die vermeintliche Gefahr nicht bestanden hat und er sich dessen bei Aufwendung der nötigen Sorgfalt (§ 6) hätte bewußt sein können.

(3) Der Täter ist nur auf Verlangen des eigenmächtig Behandelten zu verfolgen.

Vierter Abschnitt

Strafbare Handlungen gegen die Ehre

Üble Nachrede

§ 111. (1) Wer einen anderen in einer für einen Dritten wahrnehmbaren Weise einer verächtlichen Eigenschaft oder Gesinnung zeiht oder eines unehrenhaften Verhaltens oder eines gegen die guten Sitten verstoßenden Verhaltens beschuldigt, das geeignet ist, ihn in der öffentlichen Meinung verächtlich zu machen oder herabzusetzen, ist mit Freiheitsstrafe bis zu sechs Monaten oder mit Geldstrafe bis zu 360 Tagessätzen zu bestrafen.

(2) Wer die Tat in einem Druckwerk, im Rundfunk oder sonst auf eine Weise begeht, wodurch die üble Nachrede einer breiten Öffentlichkeit zugänglich wird, ist mit Freiheitsstrafe bis zu einem Jahr oder mit Geldstrafe bis zu 720 Tagessätzen zu bestrafen.

(3) Der Täter ist nicht zu bestrafen, wenn die Behauptung als wahr erwiesen wird. Im Fall des Abs. 1 ist der Täter auch dann nicht zu bestrafen, wenn Umstände erwiesen werden, aus denen sich für den Täter hinreichende Gründe ergeben haben, die Behauptung für wahr zu halten.

Wahrheitsbeweis und Beweis des guten Glaubens

§ 112. Der Wahrheitsbeweis und der Beweis des guten Glaubens sind nur aufzunehmen, wenn sich der Täter auf die Richtigkeit der Behauptung oder auf seinen guten Glauben beruft. Über Tatsachen des Privat- oder Familienlebens und über strafbare Handlungen, die nur auf Verlangen eines Dritten verfolgt werden, sind der Wahrheitsbeweis und der Beweis des guten Glaubens nicht zuzulassen.

Vorwurf einer schon abgetanen gerichtlich strafbaren Handlung

§ 113. Wer einem anderen in einer für einen Dritten wahrnehmbaren Weise eine strafbare Handlung vorwirft, für die die Strafe schon vollzogen oder wenn auch nur bedingt nachgesehen oder nachgelassen oder für die der Ausspruch der Strafe vorläufig aufgeschoben worden ist, ist mit Freiheitsstrafe bis zu drei Monaten oder mit Geldstrafe bis zu 180 Tagessätzen zu bestrafen.

Straflosigkeit wegen Ausübung eines Rechtes oder Nötigung durch besondere Umstände

§ 114. (1) Wird durch eine im § 111 oder im § 113 genannte Handlung eine Rechtspflicht erfüllt oder ein Recht ausgeübt, so ist die Tat gerechtfertigt.

(2) Wer durch besondere Umstände genötigt ist, eine dem § 111 oder dem § 113 entsprechende Behauptung in der Form und auf die Weise vorzubringen, wie es geschieht, ist nicht zu bestrafen, es sei denn, daß die Behauptung unrichtig ist und der Täter sich dessen bei Aufwendung der nötigen Sorgfalt (§ 6) hätte bewußt sein können.

Beleidigung

§ 115. (1) Wer öffentlich oder vor mehreren Leuten einen anderen beschimpft, verspottet, am Körper mißhandelt oder mit einer körperlichen Mißhandlung bedroht, ist, wenn er deswegen nicht nach einer anderen Bestimmung mit strengerer Strafe bedroht ist, mit Freiheitsstrafe bis zu drei Monaten oder mit Geldstrafe bis zu 180 Tagessätzen zu bestrafen.

(2) Eine Handlung wird vor mehreren Leuten begangen, wenn sie in Gegenwart von mehr als zwei vom Täter und vom Angegriffenen verschiedenen Personen begangen wird und diese sie wahrnehmen können.

(3) Wer sich nur durch Entrüstung über das Verhalten eines anderen dazu hinreißen läßt, ihn in einer den Umständen nach entschuldbaren Weise zu beschimpfen, zu verspotten, zu mißhandeln oder mit Mißhandlungen zu bedrohen, ist entschuldigt, wenn seine Entrüstung, insbesondere auch im Hinblick auf die seit ihrem Anlaß verstrichene Zeit, allgemein begreiflich ist.

Öffentliche Beleidigung eines verfassungsmäßigen Vertretungskörpers, des Bundesheeres oder einer Behörde

§ 116. Handlungen nach dem § 111 oder dem § 115 sind auch strafbar, wenn sie gegen den Nationalrat, den Bundesrat, die Bundesversammlung oder einen Landtag, gegen das Bundesheer, eine selbständige Abteilung des Bundesheeres oder gegen eine Behörde gerichtet sind und öffentlich begangen werden. Die Bestimmungen der §§ 111 Abs. 3, 112 und 114 gelten auch für solche strafbare Handlungen.

Berechtigung zur Anklage

§ 117. (1) Die strafbaren Handlungen gegen die Ehre sind nur auf Verlangen des in seiner Ehre Verletzten zu verfolgen. Sie sind jedoch von Amts wegen zu verfolgen, wenn sie gegen den Bundespräsidenten, gegen den Nationalrat, den Bundesrat, die Bundesversammlung oder einen Landtag, gegen das Bundesheer, eine selbständige Abteilung des Bundesheeres oder gegen eine Behörde gerichtet sind. Zur Verfolgung ist die Ermächtigung der beleidigten Person, des beleidigten Vertretungskörpers oder der beleidigten Behörde, zur Verfolgung wegen einer Beleidigung des Bundesheeres oder einer selbständigen Abteilung des Bundesheeres die Ermächtigung des Bundesministers für Landesverteidigung einzuholen.

(2) Wird eine strafbare Handlung gegen die Ehre wider einen Beamten oder wider einen Seelsorger einer im Inland bestehenden Kirche oder Religionsgesellschaft während der Ausübung seines Amtes oder Dienstes begangen, so hat die Staatsanwaltschaft den Täter mit Ermächtigung des Verletzten und der diesem vorgesetzten Stelle zu verfolgen. Das gleiche gilt, wenn eine solche Handlung gegen eine der genannten Personen in Beziehung auf eine ihrer Berufshandlungen in einem Druckwerk, im Rundfunk oder sonst auf eine Weise begangen wird, daß sie einer breiten Öffentlichkeit zugänglich wird.

(3) Der Täter ist wegen einer im § 115 mit Strafe bedrohten Handlung mit Ermächtigung des Verletzten von der Staatsanwaltschaft zu verfolgen, wenn sich die Tat gegen den Verletzten wegen seiner Zugehörigkeit zu einer der im § 283 Abs. 1 bezeichneten Gruppen richtet und entweder in einer Mißhandlung oder Bedrohung mit einer Mißhandlung oder in einer Beschimpfung oder Verspottung besteht, die geeignet ist, den Verletzten in der öffentlichen Meinung verächtlich zu machen oder herabzusetzen.

(4) In den Fällen der Abs. 2 und 3 ist der Verletzte jederzeit berechtigt, sich der Anklage anzuschließen. Verfolgt die Staatsanwaltschaft eine solche strafbare Handlung nicht oder tritt sie von der Verfolgung zurück, so ist der Verletzte selbst zur Anklage berechtigt.

(Anm.: Abs. 5 aufgehoben durch BGBl. I Nr. 98/2009)

Fünfter Abschnitt
Verletzungen der Privatsphäre und bestimmter Berufsgeheimnisse

Verletzung des Briefgeheimnisses und Unterdrückung von Briefen

§ 118. (1) Wer einen nicht zu seiner Kenntnisnahme bestimmten verschlossenen Brief oder ein anderes solches Schriftstück öffnet, ist mit Freiheitsstrafe bis zu drei Monaten oder mit Geldstrafe bis zu 180 Tagessätzen zu bestrafen.

(2) Ebenso ist zu bestrafen, wer, um sich oder einem anderen Unbefugten Kenntnis vom Inhalt eines nicht zu seiner Kenntnisnahme bestimmten Schriftstücks zu verschaffen,

1. ein verschlossenes Behältnis, in dem sich ein solches Schriftstück befindet, öffnet oder

2. ein technisches Mittel anwendet, um seinen Zweck ohne Öffnen des Verschlusses des Schriftstücks oder des Behältnisses (Z. 1) zu erreichen.

(3) Ebenso ist zu bestrafen, wer einen Brief oder ein anderes Schriftstück (Abs. 1) vor Kenntnisnahme durch den Empfänger unterschlägt oder sonst unterdrückt.

(4) Der Täter ist nur auf Verlangen des Verletzten zu verfolgen. Wird die Tat jedoch von einem Beamten in Ausübung seines Amtes oder unter Ausnützung der ihm durch seine Amtstätigkeit gebotenen Gelegenheit begangen, so hat die Staatsanwaltschaft den Täter mit Ermächtigung des Verletzten zu verfolgen.

Widerrechtlicher Zugriff auf ein Computersystem

§ 118a. (1) Wer sich zu einem Computersystem, über das er nicht oder nicht allein verfügen darf, oder zu einem Teil eines solchen durch Überwindung einer spezifischen Sicherheitsvorkehrung im Computersystem in der Absicht Zugang verschafft,

1. sich oder einem anderen Unbefugten Kenntnis von personenbezogenen Daten zu verschaffen, deren Kenntnis schutzwürdige Geheimhaltungsinteressen des Betroffenen verletzt, oder

2. einem anderen durch die Verwendung von im System gespeicherten und nicht für ihn bestimmten Daten, deren Kenntnis er sich verschafft, oder durch

die Verwendung des Computersystems einen Nachteil zuzufügen,

ist mit Freiheitsstrafe bis zu zwei Jahren zu bestrafen.

(2) Wer die Tat in Bezug auf ein Computersystem, das ein wesentlicher Bestandteil der kritischen Infrastruktur (§ 74 Abs. 1 Z 11) ist, begeht, ist mit Freiheitsstrafe bis zu drei Jahren zu bestrafen.

(3) Der Täter ist nur mit Ermächtigung des Verletzten zu verfolgen.

(4) Wer die Tat nach Abs. 1 im Rahmen einer kriminellen Vereinigung begeht, ist mit Freiheitsstrafe bis zu drei Jahren, wer die Tat nach Abs. 2 im Rahmen einer kriminellen Vereinigung begeht, mit Freiheitsstrafe von sechs Monaten bis zu fünf Jahren zu bestrafen.

Verletzung des Telekommunikationsgeheimnisses

§ 119. (1) Wer in der Absicht, sich oder einem anderen Unbefugten vom Inhalt einer im Wege einer Telekommunikation oder eines Computersystems übermittelten und nicht für ihn bestimmten Nachricht Kenntnis zu verschaffen, eine Vorrichtung, die an der Telekommunikationsanlage oder an dem Computersystem angebracht oder sonst empfangsbereit gemacht wurde, benützt, ist mit Freiheitsstrafe bis zu zwei Jahren zu bestrafen.

(2) Der Täter ist nur mit Ermächtigung des Verletzten zu verfolgen.

Missbräuchliches Abfangen von Daten

§ 119a. (1) Wer in der Absicht, sich oder einem anderen Unbefugten von im Wege eines Computersystems übermittelten und nicht für ihn bestimmten Daten Kenntnis zu verschaffen und dadurch, dass er die Daten selbst benützt, einem anderen, für den sie nicht bestimmt sind, zugänglich macht oder veröffentlicht, sich oder einem anderen einen Vermögensvorteil zuzuwenden oder einem anderen einen Nachteil zuzufügen, eine Vorrichtung, die an dem Computersystem angebracht oder sonst empfangsbereit gemacht wurde, benützt oder die elektromagnetische Abstrahlung eines Computersystems auffängt, ist, wenn die Tat nicht nach § 119 mit Strafe bedroht ist, mit Freiheitsstrafe bis zu zwei Jahren zu bestrafen.

(2) Der Täter ist nur mit Ermächtigung des Verletzten zu verfolgen.

Mißbrauch von Tonaufnahme- oder Abhörgeräten

§ 120. (1) Wer ein Tonaufnahmegerät oder ein Abhörgerät benützt, um sich oder einem anderen Unbefugten von einer nicht öffentlichen und nicht zu seiner Kenntnisnahme bestimmten Äußerung eines anderen Kenntnis zu verschaffen, ist mit Freiheitsstrafe bis zu einem Jahr oder mit Geldstrafe bis zu 720 Tagessätzen zu bestrafen.

(2) Ebenso ist zu bestrafen, wer ohne Einverständnis des Sprechenden die Tonaufnahme einer nicht öffentlichen Äußerung eines anderen einem Dritten, für den sie nicht bestimmt ist, zugänglich macht oder eine solche Aufnahme veröffentlicht.

(2a) Wer eine im Wege einer Telekommunikation übermittelte und nicht für ihn bestimmte Nachricht in der Absicht, sich oder einem anderen Unbefugten vom Inhalt dieser Nachricht Kenntnis zu verschaffen, aufzeichnet, einem anderen Unbefugten zugänglich macht oder veröffentlicht, ist, wenn die Tat nicht nach den vorstehenden Bestimmungen oder nach einer anderen Bestimmung mit strengerer Strafe bedroht ist, mit Freiheitsstrafe bis zu drei Monaten oder mit Geldstrafe bis zu 180 Tagessätzen zu bestrafen.

(3) Der Täter ist nur mit Ermächtigung des Verletzten zu verfolgen.

Unbefugte Bildaufnahmen

§ 120a. (1) Wer absichtlich eine Bildaufnahme der Genitalien, der Schamgegend, des Gesäßes, der weiblichen Brust oder der diese Körperstellen bedeckenden Unterwäsche einer anderen Person, die diese Bereiche gegen Anblick geschützt hat oder sich in einer Wohnstätte oder in einem gegen Einblick besonders geschützten Raum befindet, ohne deren Einwilligung herstellt, ist mit Freiheitsstrafe bis zu sechs Monaten oder mit Geldstrafe bis zu 360 Tagessätzen zu bestrafen.

(2) Wer eine Bildaufnahme nach Abs. 1 ohne Einwilligung der abgebildeten Person einem Dritten zugänglich macht oder veröffentlicht, ist, wenn die Tat nicht nach einer anderen Bestimmung mit gleicher oder strengerer Strafe bedroht ist, mit Freiheitsstrafe bis zu zwölf Monaten oder mit Geldstrafe bis zu 720 Tagessätzen zu bestrafen.

(3) Der Täter ist nur mit Ermächtigung der verletzten Person zu verfolgen.

Verletzung von Berufsgeheimnissen

§ 121. (1) Wer ein Geheimnis offenbart oder verwertet, das den Gesundheitszustand einer Person betrifft und das ihm bei berufsmäßiger Ausübung eines gesetzlich geregelten Gesundheitsberufes oder bei berufsmäßiger Beschäftigung mit Aufgaben der Verwaltung einer Krankenanstalt oder eines anderen Gesundheitsdiensteanbieters (§ 2 Z 2 des Gesundheitstelematikgesetzes 2012, BGBl. I Nr. 111/2012) oder mit Aufgaben der Kranken-, der Unfall-, der Lebens- oder der Sozialversicherung ausschließlich kraft seines Berufes anvertraut worden oder zugänglich geworden ist und dessen Offenbarung oder Verwertung geeignet ist, ein berechtigtes Interesse der Person zu verletzen, die seine Tätigkeit in Anspruch genommen hat oder für die sie in Anspruch genommen worden ist, ist mit Freiheitsstrafe bis zu zwei Jahren zu bestrafen.

(1a) Ebenso ist zu bestrafen, wer widerrechtlich von einer Person die Offenbarung (Einsichtnahme oder

Verwertung) von Geheimnissen ihres Gesundheitszustandes in der Absicht verlangt, den Erwerb oder das berufliche Fortkommen dieser oder einer anderen Person für den Fall der Weigerung zu schädigen oder zu gefährden.

(2) Wer die Tat begeht, um sich oder einem anderen einen Vermögensvorteil zuzuwenden oder einem anderen einen Nachteil zuzufügen, ist mit Freiheitsstrafe bis zu drei Jahren zu bestrafen.

(3) Ebenso ist ein von einem Gericht oder einer anderen Behörde für ein bestimmtes Verfahren bestellter Sachverständiger zu bestrafen, der ein Geheimnis offenbart oder verwertet, das ihm ausschließlich kraft seiner Sachverständigentätigkeit anvertraut worden oder zugänglich geworden ist und dessen Offenbarung oder Verwertung geeignet ist, ein berechtigtes Interesse der Person zu verletzen, die seine Tätigkeit in Anspruch genommen hat oder für die sie in Anspruch genommen worden ist.

(4) Den Personen, die eine der in den Abs. 1 und 3 bezeichneten Tätigkeiten ausüben, stehen ihre Hilfskräfte, auch wenn sie nicht berufsmäßig tätig sind, sowie die Personen gleich, die an der Tätigkeit zu Ausbildungszwecken teilnehmen.

(5) Der Täter ist nicht zu bestrafen, wenn die Offenbarung oder Verwertung nach Inhalt und Form durch ein öffentliches oder ein berechtigtes privates Interesse gerechtfertigt ist.

(6) Der Täter ist nur mit Ermächtigung des in seinem Interesse an der Geheimhaltung Verletzten (Abs. 1 und 3) zu verfolgen.

Verletzung eines Geschäfts- oder Betriebsgeheimnisses

§ 122. (1) Wer ein Geschäfts- oder Betriebsgeheimnis (Abs. 3) offenbart oder verwertet, das ihm bei seiner Tätigkeit in Durchführung einer durch Gesetz oder behördlichen Auftrag vorgeschriebenen Aufsicht, Überprüfung oder Erhebung anvertraut oder zugänglich geworden ist, ist mit Freiheitsstrafe bis zu zwei Jahren zu bestrafen.

(2) Wer die Tat begeht, um sich oder einem anderen einen Vermögensvorteil zuzuwenden oder einem anderen einen Nachteil zuzufügen, ist mit Freiheitsstrafe bis zu drei Jahren zu bestrafen.

(3) Unter Abs. 1 fällt nur ein Geschäfts- oder Betriebsgeheimnis, das der Täter kraft Gesetzes zu wahren verpflichtet ist und dessen Offenbarung oder Verwertung geeignet ist, ein berechtigtes Interesse des von der Aufsicht, Überprüfung oder Erhebung Betroffenen zu verletzen.

(4) Der Täter ist nicht zu bestrafen, wenn die Offenbarung oder Verwertung nach Inhalt und Form durch ein öffentliches oder ein berechtigtes privates Interesse gerechtfertigt ist.

(5) Der Täter ist nur mit Ermächtigung des in seinem Interesse an der Geheimhaltung Verletzten (Abs. 3) zu verfolgen.

Auskundschaftung eines Geschäfts- oder Betriebsgeheimnisses

§ 123. (1) Wer ein Geschäfts- oder Betriebsgeheimnis mit dem Vorsatz auskundschaftet, es zu verwerten, einem anderen zur Verwertung zu überlassen oder der Öffentlichkeit preiszugeben, ist mit Freiheitsstrafe bis zu drei Jahren zu bestrafen.

(2) Der Täter ist nur mit Ermächtigung des Verletzten zu verfolgen.

Auskundschaftung eines Geschäfts- oder Betriebsgeheimnisses zugunsten des Auslands

§ 124. (1) Wer ein Geschäfts- oder Betriebsgeheimnis mit dem Vorsatz auskundschaftet, daß es im Ausland verwertet, verwendet oder sonst ausgewertet werde, ist mit Freiheitsstrafe von sechs Monaten bis zu fünf Jahren zu bestrafen.

(2) Ebenso ist zu bestrafen, wer ein Geschäfts- oder Betriebsgeheimnis, zu dessen Wahrung er verpflichtet ist, der Verwertung, Verwendung oder sonstigen Auswertung im Ausland preisgibt.

Sechster Abschnitt

Strafbare Handlungen gegen fremdes Vermögen

Sachbeschädigung

§ 125. Wer eine fremde Sache zerstört, beschädigt, verunstaltet oder unbrauchbar macht, ist mit Freiheitsstrafe bis zu sechs Monaten oder mit Geldstrafe bis zu 360 Tagessätzen zu bestrafen.

Schwere Sachbeschädigung

§ 126. (1) Mit Freiheitsstrafe bis zu zwei Jahren ist zu bestrafen, wer eine Sachbeschädigung begeht

1. an einer Sache, die dem Gottesdienst oder der Verehrung durch eine im Inland bestehende Kirche oder Religionsgesellschaft gewidmet ist,

2. an einem Grab, einer anderen Beisetzungsstätte, einem Grabmal oder an einer Totengedenkstätte, die sich in einem Friedhof oder einem der Religionsübung dienenden Raum befindet,

3. an einem öffentlichen Denkmal oder an einem Gegenstand, der unter Denkmalschutz steht,

4. an einer Sache von allgemein anerkanntem wissenschaftlichem, volkskundlichem, künstlerischem oder geschichtlichem Wert, die sich in einer allgemein zugänglichen Sammlung oder sonst an einem solchen Ort oder in einem öffentlichen Gebäude befindet,

5. an einem wesentlichen Bestandteil der kritischen Infrastruktur (§ 74 Abs. 1 Z 11) oder

(Anm.: Z 6 aufgehoben durch BGBl. I Nr. 154/ 2015)

7. durch die der Täter an der Sache einen 5 000 Euro übersteigenden Schaden herbeiführt.

(2) Wer durch die Tat an der Sache einen 300 000 Euro übersteigenden Schaden herbeiführt, ist mit Freiheitsstrafe von sechs Monaten bis zu fünf Jahren zu bestrafen.

Datenbeschädigung

§ 126a. (1) Wer einen anderen dadurch schädigt, daß er automationsunterstützt verarbeitete, übermittelte oder überlassene Daten, über die er nicht oder nicht allein verfügen darf, verändert, löscht oder sonst unbrauchbar macht oder unterdrückt, ist mit Freiheitsstrafe bis zu sechs Monaten oder mit Geldstrafe bis zu 360 Tagessätzen zu bestrafen.

(2) Wer durch die Tat an den Daten einen 5 000 Euro übersteigenden Schaden herbeiführt, ist mit Freiheitsstrafe bis zu zwei Jahren zu bestrafen.

(3) Wer durch die Tat viele Computersysteme unter Verwendung eines Computerprogramms, eines Computerpasswortes, Zugangscodes oder vergleichbarer Daten, die den Zugriff auf ein Computersystem oder einen Teil davon ermöglichen, sofern diese Mittel nach ihrer besonderen Beschaffenheit ersichtlich dafür geschaffen oder adaptiert wurden, beeinträchtigt, ist mit Freiheitsstrafe bis zu drei Jahren zu bestrafen.

(4) Mit Freiheitsstrafe von sechs Monaten bis zu fünf Jahren ist zu bestrafen, wer

1. durch die Tat einen 300 000 Euro übersteigenden Schaden herbeiführt,

2. durch die Tat wesentliche Bestandteile der kritischen Infrastruktur (§ 74 Abs. 1 Z 11) beeinträchtigt oder

3. die Tat als Mitglied einer kriminellen Vereinigung begeht.

Störung der Funktionsfähigkeit eines Computersystems

§ 126b. (1) Wer die Funktionsfähigkeit eines Computersystems, über das er nicht oder nicht allein verfügen darf, dadurch schwer stört, dass er Daten eingibt oder übermittelt, ist, wenn die Tat nicht nach § 126a mit Strafe bedroht ist, mit Freiheitsstrafe bis zu sechs Monaten oder mit Geldstrafe bis zu 360 Tagessätzen zu bestrafen.

(2) Wer durch die Tat eine längere Zeit andauernde Störung der Funktionsfähigkeit eines Computersystems herbeiführt, ist mit Freiheitsstrafe bis zu zwei Jahren zu bestrafen.

(3) Wer durch die Tat viele Computersysteme unter Verwendung eines Computerprogramms, eines Computerpasswortes, eines Zugangscodes oder vergleichbarer Daten, die den Zugriff auf ein Computersystem oder einen Teil davon ermöglichen, sofern diese Mittel nach ihrer besonderen Beschaffenheit ersichtlich dafür geschaffen oder adaptiert wurden, schwer stört, ist mit Freiheitsstrafe bis zu drei Jahren zu bestrafen.

(4) Mit Freiheitsstrafe von sechs Monaten bis zu fünf Jahren ist zu bestrafen, wer

1. durch die Tat einen 300 000 Euro übersteigenden Schaden herbeiführt,

2. die Tat gegen ein Computersystem verübt, das ein wesentlicher Bestandteil der kritischen Infrastruktur (§ 74 Abs. 1 Z 11) ist, oder

3. die Tat als Mitglied einer kriminellen Vereinigung begeht.

Missbrauch von Computerprogrammen oder Zugangsdaten

§ 126c. (1) Wer

1. ein Computerprogramm, das nach seiner besonderen Beschaffenheit ersichtlich zur Begehung einer Datenbeschädigung (§ 126a), einer Störung der Funktionsfähigkeit eines Computersystems (§ 126b) oder eines betrügerischen Datenverarbeitungsmissbrauchs (§ 148a) geschaffen oder adaptiert worden ist, oder eine vergleichbare solche Vorrichtung oder

2. ein Computerpasswort, einen Zugangscode oder vergleichbare Daten, die den Zugriff auf ein Computersystem oder einen Teil davon ermöglichen,

mit dem Vorsatz herstellt, einführt, vertreibt, veräußert, sonst zugänglich macht, sich verschafft oder besitzt, dass sie zur Begehung einer der in Z 1 genannten strafbaren Handlungen gebraucht werden, ist mit Freiheitsstrafe bis zu sechs Monaten oder mit Geldstrafe bis zu 360 Tagessätzen zu bestrafen.

(1a) Wer die Tat nach Abs. 1 in Bezug auf einen widerrechtlichen Zugriff auf ein Computersystem (§ 118a), eine Verletzung des Telekommunikationsgeheimnisses (§ 119) oder ein missbräuchliches Abfangen von Daten (§ 119a) begeht, ist mit Freiheitsstrafe bis zu zwei Jahren zu bestrafen. Ebenso ist zu bestrafen, wer die Tat nach Abs. 1 in Bezug auf eine Datenbeschädigung nach § 126a Abs. 2 bis Abs. 4, die Störung der Funktionsfähigkeit eines Computersystems nach § 126b Abs. 2 bis Abs. 4 oder einen betrügerischen Datenverarbeitungsmissbrauch nach § 148a Abs. 2 bis Abs. 4 begeht.

(2) Nach Abs. 1 oder Abs. 1a ist nicht zu bestrafen, wer freiwillig verhindert, dass das in Abs. 1 genannte Computerprogramm oder die damit vergleichbare Vorrichtung oder das Passwort, der Zugangscode oder die damit vergleichbaren Daten in der in den §§ 118a, 119, 119a, 126a, 126b oder 148a bezeichneten Weise gebraucht werden. Besteht die Gefahr eines solchen Gebrauches nicht oder ist sie ohne Zutun des Täters beseitigt worden, so ist er nicht zu bestrafen, wenn er sich in Unkenntnis dessen freiwillig und ernstlich bemüht, sie zu beseitigen.

(3) Mit Freiheitsstrafe bis zu drei Jahren ist zu bestrafen, wer die Tat nach Abs. 1 oder Abs. 1a in Bezug auf ein Computerprogramm oder eine damit vergleichbare Vorrichtung oder ein Computerpasswort, einen Zugangscode oder damit vergleichbare Daten begeht, die geeignet sind, eine Beeinträchtigung wesentlicher Bestandteile der kritischen Infrastruktur (§ 74 Abs. 1 Z 11) zu verursachen.

Diebstahl

§ 127. Wer eine fremde bewegliche Sache einem anderen mit dem Vorsatz wegnimmt, sich oder einen Dritten durch deren Zueignung unrechtmäßig zu bereichern, ist mit Freiheitsstrafe bis zu sechs Monaten oder mit Geldstrafe bis zu 360 Tagessätzen zu bestrafen.

Schwerer Diebstahl

§ 128. (1) Mit Freiheitsstrafe bis zu drei Jahren ist zu bestrafen, wer einen Diebstahl begeht

1. während einer Feuersbrunst, einer Überschwemmung oder einer allgemeinen oder doch dem Bestohlenen zugestoßenen Bedrängnis oder unter Ausnützung eines Zustands des Bestohlenen, der ihn hilflos macht,

2. in einem der Religionsübung dienenden Raum oder an einer Sache, die dem Gottesdienst oder der Verehrung durch eine im Inland bestehende Kirche oder Religionsgesellschaft gewidmet ist,

3. an einer Sache von allgemein anerkanntem wissenschaftlichem, volkskundlichem, künstlerischem oder geschichtlichem Wert, die sich in einer allgemein zugänglichen Sammlung oder sonst an einem solchen Ort oder in einem öffentlichen Gebäude befindet,

4. an einem wesentlichen Bestandteil der kritischen Infrastruktur (§ 74 Abs. 1 Z 11) oder

5. an einer Sache, deren Wert 5 000 Euro übersteigt.

(2) Wer eine Sache stiehlt, deren Wert 300 000 Euro übersteigt, ist mit Freiheitsstrafe von einem bis zu zehn Jahren zu bestrafen.

Diebstahl durch Einbruch oder mit Waffen

§ 129. (1) Mit Freiheitsstrafe bis zu drei Jahren ist zu bestrafen, wer einen Diebstahl begeht, indem er zur Ausführung der Tat

1. in ein Gebäude, in ein Transportmittel, einen Lagerplatz oder sonst in einen anderen umschlossenen Raum einbricht, einsteigt, mit einem nachgemachten oder widerrechtlich erlangten Schlüssel, einem anderen nicht zur ordnungsmäßigen Öffnung bestimmten Werkzeug oder einem widerrechtlich erlangten Zugangscode eindringt,

2. ein Behältnis aufbricht oder mit einem der in Z 1 genannten Mittel öffnet,

3. eine Sperrvorrichtung aufbricht oder mit einem der in Z 1 genannten Mittel öffnet oder

4. eine Zugangssperre elektronisch außer Kraft setzt.

(2) Mit Freiheitsstrafe von sechs Monaten bis zu fünf Jahren ist zu bestrafen, wer einen Diebstahl begeht,

1. indem er in eine Wohnstätte auf die in Abs. 1 Z 1 oder 4 genannte Art gelangt oder

2. bei dem er oder mit seinem Wissen ein anderer Beteiligter (§ 12) eine Waffe oder ein anderes Mittel bei sich führt, um den Widerstand einer Person zu überwinden oder zu verhindern.

Gewerbsmäßiger Diebstahl und Diebstahl im Rahmen einer kriminellen Vereinigung

§ 130. (1) Wer einen Diebstahl gewerbsmäßig oder als Mitglied einer kriminellen Vereinigung unter Mitwirkung (§ 12) eines anderen Mitglieds dieser Vereinigung begeht, ist mit Freiheitsstrafe bis zu drei Jahren zu bestrafen.

(2) Wer auf die in Abs. 1 bezeichnete Weise einen schweren Diebstahl nach § 128 Abs. 1 oder einen Diebstahl nach § 129 Abs. 1 begeht, ist mit Freiheitsstrafe von sechs Monaten bis zu fünf Jahren zu bestrafen.

(3) Wer auf die in Abs. 1 bezeichnete Weise einen Diebstahl nach § 129 Abs. 2 begeht, ist mit Freiheitsstrafe von einem bis zu zehn Jahren zu bestrafen.

Räuberischer Diebstahl

§ 131. Wer, bei einem Diebstahl auf frischer Tat betreten, Gewalt gegen eine Person anwendet oder sie mit einer gegenwärtigen Gefahr für Leib oder Leben (§ 89) bedroht, um sich oder einem Dritten die weggenommene Sache zu erhalten, ist mit Freiheitsstrafe von sechs Monaten bis zu fünf Jahren, wenn die Gewaltanwendung jedoch eine Körperverletzung mit schweren Dauerfolgen (§ 85) oder den Tod eines Menschen zur Folge hat, mit Freiheitsstrafe von fünf bis zu fünfzehn Jahren zu bestrafen.

Entziehung von Energie

§ 132. (1) Wer mit dem Vorsatz, sich oder einen Dritten unrechtmäßig zu bereichern, aus einer Anlage, die der Gewinnung, Umformung, Zuführung oder Speicherung von Energie dient, Energie entzieht, ist mit Freiheitsstrafe bis zu sechs Monaten oder mit Geldstrafe bis zu 360 Tagessätzen zu bestrafen.

(2) Wer Energie entzieht, deren Wert 5 000 Euro übersteigt, ist mit Freiheitsstrafe bis zu drei Jahren, wer Energie im Wert von mehr als 300 000 Euro entzieht, mit Freiheitsstrafe von einem bis zu zehn Jahren zu bestrafen.

Veruntreuung

§ 133. (1) Wer ein Gut, das ihm anvertraut worden ist, sich oder einem Dritten mit dem Vorsatz zueignet, sich oder den Dritten dadurch unrechtmäßig zu bereichern, ist mit Freiheitsstrafe bis zu sechs Monaten oder mit Geldstrafe bis zu 360 Tagessätzen zu bestrafen.

(2) Wer ein Gut veruntreut, dessen Wert 5 000 Euro übersteigt, ist mit Freiheitsstrafe bis zu drei Jahren, wer ein Gut im Wert von mehr als 300 000 Euro veruntreut, mit Freiheitsstrafe von einem bis zu zehn Jahren zu bestrafen.

Unterschlagung

§ 134. (1) Wer ein fremdes Gut, das er gefunden hat oder das durch Irrtum oder sonst ohne sein Zutun in seinen Gewahrsam geraten ist, sich oder einem Dritten mit dem Vorsatz zueignet, sich oder den Dritten dadurch unrechtmäßig zu bereichern, ist mit Freiheitsstrafe bis zu sechs Monaten oder mit Geldstrafe bis zu 360 Tagessätzen zu bestrafen.

(2) Ebenso ist zu bestrafen, wer ein fremdes Gut, das er ohne Zueignungsvorsatz in seinen Gewahrsam gebracht hat, unterschlägt.

(3) Wer ein fremdes Gut unterschlägt, dessen Wert 5 000 Euro übersteigt, ist mit Freiheitsstrafe bis zu zwei Jahren, wer ein fremdes Gut im Wert von mehr als 300 000 Euro unterschlägt, mit Freiheitsstrafe von sechs Monaten bis zu fünf Jahren zu bestrafen.

Dauernde Sachentziehung

§ 135. (1) Wer einen anderen dadurch schädigt, daß er eine fremde bewegliche Sache aus dessen Gewahrsam dauernd entzieht, ohne die Sache sich oder einem Dritten zuzueignen, ist mit Freiheitsstrafe bis zu sechs Monaten oder mit Geldstrafe bis zu 360 Tagessätzen zu bestrafen.

(2) Wer die Tat an einer der im § 126 Abs. 1 Z 1 bis 6 genannten Sachen oder an einer Sache begeht, deren Wert 5 000 Euro übersteigt, ist mit Freiheitsstrafe bis zu zwei Jahren, wer die Tat an einer Sache begeht, deren Wert 300 000 Euro übersteigt, mit Freiheitsstrafe von sechs Monaten bis zu fünf Jahren zu bestrafen.

Unbefugter Gebrauch von Fahrzeugen

§ 136. (1) Wer ein Fahrzeug, das zum Antrieb mit Maschinenkraft eingerichtet ist, ohne Einwilligung des Berechtigten in Gebrauch nimmt, ist mit Freiheitsstrafe bis zu sechs Monaten oder mit Geldstrafe bis zu 360 Tagessätzen zu bestrafen.

(2) Wer die Tat begeht, indem er sich die Gewalt über das Fahrzeug durch eine der in den §§ 129 bis 131 geschilderten Handlungen verschafft, ist mit Freiheitsstrafe bis zu zwei Jahren zu bestrafen.

(3) Mit Freiheitsstrafe bis zu zwei Jahren ist der Täter zu bestrafen, wenn der durch die Tat verursachte Schaden am Fahrzeug, an der Ladung oder durch den Verbrauch von Betriebsmitteln insgesamt 5 000 Euro übersteigt; wenn jedoch der Schaden 300 000 Euro übersteigt, ist der Täter mit Freiheitsstrafe bis zu drei Jahren zu bestrafen.

(4) Der Täter ist nicht zu bestrafen, wenn die Berechtigung, über das Fahrzeug zu verfügen, seinem Ehegatten, seinem eingetragenen Partner, einem Verwandten in gerader Linie, seinem Bruder oder seiner Schwester oder einem anderen Angehörigen zusteht, sofern er mit diesem in Hausgemeinschaft lebt, oder wenn ihm das Fahrzeug von seinem dazu berechtigten Dienstgeber anvertraut war. Eine bloß vorübergehende Berechtigung kommt nicht in Betracht. An einer solchen Tat Beteiligte (§ 12) sind ebenfalls nicht zu bestrafen.

Eingriff in fremdes Jagd- oder Fischereirecht

§ 137. Wer unter Verletzung fremden Jagd- oder Fischereirechts dem Wild nachstellt, fischt, Wild oder Fische tötet, verletzt oder sich oder einem Dritten zueignet oder sonst eine Sache, die dem Jagd- oder Fischereirecht eines anderen unterliegt, zerstört, beschädigt oder sich oder einem Dritten zueignet, ist mit Freiheitsstrafe bis zu sechs Monaten oder mit Geldstrafe bis zu 360 Tagessätzen zu bestrafen.

Schwerer Eingriff in fremdes Jagd- oder Fischereirecht

§ 138. Mit Freiheitsstrafe bis zu drei Jahren ist zu bestrafen, wer die Tat

1. an Wild, an Fischen oder an anderen dem fremden Jagd- oder Fischereirecht unterliegenden Sachen in einem 5 000 Euro übersteigenden Wert,

2. in der Schonzeit oder unter Anwendung von Eisen, von Giftködern, einer elektrischen Fanganlage, eines Sprengstoffs, in einer den Wild- oder Fischbestand gefährdenden Weise oder an Wild unter Anwendung von Schlingen,

3. in Begleitung eines Beteiligten (§ 12) begeht und dabei entweder selbst eine Schußwaffe bei sich führt oder weiß, daß der Beteiligte eine Schußwaffe bei sich führt oder

4. gewerbsmäßig

begeht.

Verfolgungsvoraussetzung

§ 139. Begeht der Täter den Eingriff in fremdes Jagdrecht an einem Ort, wo er die Jagd, oder den Eingriff in fremdes Fischereirecht an einem Ort, wo er die Fischerei in beschränktem Umfang ausüben darf, so ist er wegen der nach den §§ 137 und 138 strafbaren Handlungen nur mit Ermächtigung des Jagd- oder Fischereiberechtigten zu verfolgen.

Gewaltanwendung eines Wilderers

§ 140. Wer, bei einem Eingriff in fremdes Jagd- oder Fischereirecht auf frischer Tat betreten, Gewalt gegen eine Person anwendet oder sie mit einer gegenwärtigen Gefahr für Leib oder Leben (§ 89) bedroht, um sich oder einem Dritten die Beute zu erhalten, ist mit Freiheitsstrafe von sechs Monaten bis zu fünf Jahren, wenn die Gewaltanwendung jedoch eine Körperverletzung mit schweren Dauerfolgen (§ 85) oder den Tod eines Menschen zur Folge hat, mit Freiheitsstrafe von fünf bis zu fünfzehn Jahren zu bestrafen.

Entwendung

§ 141. (1) Wer aus Not, aus Unbesonnenheit oder zur Befriedigung eines Gelüstes eine Sache geringen Wertes einem anderen entzieht oder sich oder einem Dritten zueignet, ist, wenn die Tat sonst als Diebstahl, Entziehung von Energie, Veruntreuung, Unterschlagung, dauernde Sachentziehung oder Eingriff in fremdes Jagdrecht oder Fischereirecht strafbar wäre und es sich nicht um einen der Fälle der §§ 129, 131, 138 Z 2 und 3 und 140 handelt, mit Freiheitsstrafe bis zu einem Monat oder mit Geldstrafe bis zu 60 Tagessätzen zu bestrafen.

(2) Der Täter ist nur mit Ermächtigung des Verletzten zu verfolgen.

(3) Wer die Tat zum Nachteil seines Ehegatten, seines eingetragenen Partners, eines Verwandten in gerader Linie, seines Bruders oder seiner Schwester oder zum Nachteil eines anderen Angehörigen begeht, sofern er mit diesem in Hausgemeinschaft lebt, ist nicht zu bestrafen.

(4) Die rechtswidrige Aneignung von Bodenerzeugnissen oder Bodenbestandteilen (wie Baumfrüchte, Waldprodukte, Klaubholz) geringen Wertes ist gerichtlich nicht strafbar.

Raub

§ 142. (1) Wer mit Gewalt gegen eine Person oder durch Drohung mit gegenwärtiger Gefahr für Leib oder Leben (§ 89) einem anderen eine fremde bewegliche Sache mit dem Vorsatz wegnimmt oder abnötigt, durch deren Zueignung sich oder einen Dritten unrechtmäßig zu bereichern, ist mit Freiheitsstrafe von einem bis zu zehn Jahren zu bestrafen.

(2) Wer einen Raub ohne Anwendung erheblicher Gewalt an einer Sache geringen Wertes begeht, ist, wenn die Tat nur unbedeutende Folgen nach sich gezogen hat und es sich um keinen schweren Raub (§ 143) handelt, mit Freiheitsstrafe von sechs Monaten bis zu fünf Jahren zu bestrafen.

Schwerer Raub

§ 143. (1) Wer einen Raub als Mitglied einer kriminellen Vereinigung unter Mitwirkung (§ 12) eines anderen Mitglieds dieser Vereinigung begeht oder wer einen Raub unter Verwendung einer Waffe verübt, ist mit Freiheitsstrafe von einem bis zu fünfzehn Jahren zu bestrafen.

(2) Wird durch die ausgeübte Gewalt jemand schwer verletzt (§ 84 Abs. 1), so ist der Täter mit Freiheitsstrafe von fünf bis zu fünfzehn Jahren zu bestrafen. Hat die Gewaltanwendung jedoch eine Körperverletzung mit schweren Dauerfolgen (§ 85 Abs. 1) zur Folge, so ist der Täter mit Freiheitsstrafe von zehn bis zu zwanzig Jahren, hat sie aber den Tod eines Menschen zur Folge, mit Freiheitsstrafe von zehn bis zu zwanzig Jahren oder mit lebenslanger Freiheitsstrafe zu bestrafen.

Erpressung

§ 144. (1) Wer jemanden mit Gewalt oder durch gefährliche Drohung zu einer Handlung, Duldung oder Unterlassung nötigt, die diesen oder einen anderen am Vermögen schädigt, ist, wenn er mit dem Vorsatz gehandelt hat, durch das Verhalten des Genötigten sich oder einen Dritten unrechtmäßig zu bereichern, mit Freiheitsstrafe von sechs Monaten bis zu fünf Jahren zu bestrafen.

(2) Die Tat ist nicht rechtswidrig, wenn die Anwendung der Gewalt oder Drohung als Mittel zu dem angestrebten Zweck nicht den guten Sitten widerstreitet.

Schwere Erpressung

§ 145. (1) Wer eine Erpressung begeht, indem er

1. mit dem Tod, mit einer erheblichen Verstümmelung oder einer auffallenden Verunstaltung, mit einer Entführung, mit einer Brandstiftung, mit einer Gefährdung durch Kernenergie, ionisierende Strahlen oder Sprengmittel oder mit der Vernichtung der wirtschaftlichen Existenz oder gesellschaftlichen Stellung droht oder

2. den Genötigten oder einen anderen, gegen den sich die Gewalt oder gefährliche Drohung richtet, durch diese Mittel längere Zeit hindurch in einen qualvollen Zustand versetzt,

ist mit Freiheitsstrafe von einem bis zu zehn Jahren zu bestrafen.

(2) Ebenso ist zu bestrafen, wer eine Erpressung

1. gewerbsmäßig begeht oder

2. gegen dieselbe Person längere Zeit hindurch fortsetzt.

(3) Ebenso ist der Täter zu bestrafen, wenn die Tat einen Selbstmord oder Selbstmordversuch des Genötigten oder eines anderen zur Folge hat, gegen den sich die Gewalt oder gefährliche Drohung richtet.

Betrug

§ 146. Wer mit dem Vorsatz, durch das Verhalten des Getäuschten sich oder einen Dritten unrechtmäßig zu bereichern, jemanden durch Täuschung über Tatsachen zu einer Handlung, Duldung oder Unterlassung verleitet, die diesen oder einen anderen am Vermögen schädigt, ist mit Freiheitsstrafe bis zu sechs Monaten oder mit Geldstrafe bis zu 360 Tagessätzen zu bestrafen.

Schwerer Betrug

§ 147. (1) Wer einen Betrug begeht, indem er zur Täuschung

1. eine falsche oder verfälschte Urkunde, ein falsches, verfälschtes oder entfremdetes unbares Zahlungsmittel, ausgespähte Daten eines unbaren Zahlungsmittels, falsche oder verfälschte Daten, ein anderes solches Beweismittel oder ein unrichtiges Meßgerät benützt oder

(Anm.: Z 2 aufgehoben durch BGBl. I Nr. 112/2015)

3. sich fälschlich für einen Beamten ausgibt,

ist mit Freiheitsstrafe bis zu drei Jahren zu bestrafen.

(1a) Ebenso ist zu bestrafen, wer einen Betrug mit mehr als geringem Schaden begeht, indem er über die Anwendung eines verbotenen Wirkstoffs oder einer verbotenen Methode nach der Anlage der Anti-Doping-Konvention, BGBl. Nr. 451/1991, zu Zwecken des Dopings im Sport täuscht.

(2) Ebenso ist zu bestrafen, wer einen Betrug mit einem 5 000 Euro übersteigenden Schaden begeht.

(2a) Wer die Tat nach Abs. 1 Z 1 als Mitglied einer kriminellen Vereinigung begeht, ist mit Freiheitsstrafe von sechs Monaten bis zu fünf Jahren zu bestrafen.

(3) Wer durch die Tat einen 300 000 Euro übersteigenden Schaden herbeiführt, ist mit Freiheitsstrafe von einem bis zu zehn Jahren zu bestrafen.

Gewerbsmäßiger Betrug

§ 148. Wer einen Betrug gewerbsmäßig begeht, ist mit Freiheitsstrafe bis zu drei Jahren, wer jedoch einen schweren Betrug nach § 147 Abs. 1 bis 2 gewerbsmäßig begeht, ist mit Freiheitsstrafe von sechs Monaten bis zu fünf Jahren zu bestrafen.

Betrügerischer Datenverarbeitungsmißbrauch

§ 148a. (1) Wer mit dem Vorsatz, sich oder einen Dritten unrechtmäßig zu bereichern, einen anderen dadurch am Vermögen schädigt, dass er das Ergebnis einer automationsunterstützten Datenverarbeitung durch Gestaltung des Programms, durch Eingabe, Veränderung, Löschung, Unterdrückung oder Übertragung von Daten oder sonst durch Einwirkung auf den Ablauf des Verarbeitungsvorgangs beeinflusst, ist mit Freiheitsstrafe bis zu sechs Monaten oder mit Geldstrafe bis zu 360 Tagessätzen zu bestrafen.

(2) Wer die Tat gewerbsmäßig begeht oder durch die Tat einen 5 000 Euro übersteigenden Schaden herbeiführt, ist mit Freiheitsstrafe bis zu drei Jahren, wer durch die Tat einen 300 000 Euro übersteigenden Schaden herbeiführt, mit Freiheitsstrafe von einem bis zu zehn Jahren zu bestrafen.

(3) Wer die Tat begeht, indem er Daten unrechtmäßig eingibt, verändert, löscht, unterdrückt oder überträgt oder die Funktionsfähigkeit eines Computersystems unrechtmäßig behindert oder stört, ist mit Freiheitsstrafe bis zu drei Jahren zu bestrafen.

(4) Wer die Tat als Mitglied einer kriminellen Vereinigung begeht, ist mit Freiheitsstrafe von sechs Monaten bis zu fünf Jahren zu bestrafen.

Erschleichung einer Leistung

§ 149. (1) Wer die Beförderung durch eine dem öffentlichen Verkehr dienende Anstalt oder den Zutritt zu einer Aufführung, Ausstellung oder einer anderen Veranstaltung oder zu einer Einrichtung durch Täuschung über Tatsachen erschleicht, ohne das festgesetzte Entgelt zu entrichten, ist, wenn das Entgelt nur gering ist, mit Freiheitsstrafe bis zu einem Monat oder mit Geldstrafe bis zu 60 Tagessätzen zu bestrafen.

(2) Wer sich oder einem anderen die nicht in einer Ware bestehende Leistung eines Automaten verschafft, ohne das Entgelt dafür zu entrichten, ist mit Freiheitsstrafe bis zu sechs Monaten oder mit Geldstrafe bis zu 360 Tagessätzen zu bestrafen.

(3) Ist im Falle des Abs. 2 das Entgelt nur gering, so ist der Täter mit Freiheitsstrafe bis zu einem Monat oder mit Geldstrafe bis zu 60 Tagessätzen zu bestrafen.

(4) Der Täter ist nur mit Ermächtigung des Verletzten zu verfolgen.

Notbetrug

§ 150. (1) Wer einen Betrug mit nur geringem Schaden aus Not begeht, ist, wenn es sich nicht um einen der Fälle der §§ 147 und 148 handelt, mit Freiheitsstrafe bis zu einem Monat oder mit Geldstrafe bis zu 60 Tagessätzen zu bestrafen.

(2) Der Täter ist nur mit Ermächtigung des Verletzten zu verfolgen.

(3) Wer die Tat zum Nachteil seines Ehegatten, seines eingetragenen Partners, eines Verwandten in gerader Linie, seines Bruders oder seiner Schwester oder zum Nachteil eines anderen Angehörigen, sofern er mit diesem in Hausgemeinschaft lebt, begeht, ist nicht zu bestrafen.

Versicherungsmißbrauch

§ 151. (1) Wer mit dem Vorsatz, sich oder einem anderen eine Versicherungsleistung zu verschaffen,

1. eine gegen Zerstörung, Beschädigung, Verlust oder Diebstahl versicherte Sache zerstört, beschädigt oder beiseite schafft oder

2. sich oder einen anderen am Körper verletzt oder an der Gesundheit schädigt oder verletzen oder schädigen läßt, ist, wenn die Tat nicht nach den §§ 146, 147 und 148 mit Strafe bedroht ist, mit Freiheitsstrafe bis zu sechs Monaten oder mit Geldstrafe bis zu 360 Tagessätzen zu bestrafen.

(2) Nach Abs. 1 ist nicht zu bestrafen, wer, bevor die Versicherungsleistung erbracht worden ist und bevor

eine Behörde (Abs. 3) von seinem Verschulden erfahren hat, freiwillig von der weiteren Verfolgung seines Vorhabens Abstand nimmt.

(3) Unter einer Behörde im Sinn des Abs. 2 ist eine zur Strafverfolgung berufene Behörde in dieser ihrer Eigenschaft zu verstehen. Ihr stehen zur Strafverfolgung berufene öffentliche Sicherheitsorgane in dieser ihrer Eigenschaft gleich.

Kreditschädigung

§ 152. (1) Wer unrichtige Tatsachen behauptet und dadurch den Kredit, den Erwerb oder das berufliche Fortkommen eines anderen schädigt oder gefährdet, ist mit Freiheitsstrafe bis zu sechs Monaten oder mit Geldstrafe bis zu 360 Tagessätzen zu bestrafen.

(2) Der Täter ist nur auf Verlangen des Verletzten zu verfolgen.

Untreue

§ 153. (1) Wer seine Befugnis, über fremdes Vermögen zu verfügen oder einen anderen zu verpflichten, wissentlich missbraucht und dadurch den anderen am Vermögen schädigt, ist mit Freiheitsstrafe bis zu sechs Monaten oder mit Geldstrafe bis zu 360 Tagessätzen zu bestrafen.

(2) Seine Befugnis missbraucht, wer in unvertretbarer Weise gegen solche Regeln verstößt, die dem Vermögensschutz des wirtschaftlich Berechtigten dienen.

(3) Wer durch die Tat einen 5 000 Euro übersteigenden Schaden herbeiführt, ist mit Freiheitsstrafe bis zu drei Jahren, wer einen 300 000 Euro übersteigenden Schaden herbeiführt, mit Freiheitsstrafe von einem bis zu zehn Jahren zu bestrafen.

Geschenkannahme durch Machthaber

§ 153a. Wer für die Ausübung der ihm durch Gesetz, behördlichen Auftrag oder Rechtsgeschäft eingeräumten Befugnis, über fremdes Vermögen zu verfügen oder einen anderen zu verpflichten, einen nicht bloß geringfügigen Vermögensvorteil angenommen hat und pflichtwidrig nicht abführt, ist mit Freiheitsstrafe bis zu einem Jahr oder mit Geldstrafe bis zu 720 Tagessätzen zu bestrafen.

Förderungsmißbrauch

§ 153b. (1) Wer eine ihm gewährte Förderung mißbräuchlich zu anderen Zwecken als zu jenen verwendet, zu denen sie gewährt wurde, ist mit Freiheitsstrafe bis zu sechs Monaten oder mit Geldstrafe bis zu 360 Tagessätzen zu bestrafen.

(2) Nach Abs. 1 ist auch zu bestrafen, wer die Tat als leitender Angestellter (§ 74 Abs. 3) einer juristischen Person oder einer Personengemeinschaft ohne Rechtspersönlichkeit, der die Förderung gewährt wurde, oder zwar ohne Einverständnis mit demjenigen, dem die Förderung gewährt wurde, aber als dessen leitender Angestellter (§ 74 Abs. 3) begeht.

(3) Wer die Tat in bezug auf einen 5 000 Euro übersteigenden Betrag begeht, ist mit Freiheitsstrafe bis zu zwei Jahren zu bestrafen.

(4) Wer die Tat in bezug auf einen 300 000 Euro übersteigenden Betrag begeht, ist mit Freiheitsstrafe von sechs Monaten bis zu fünf Jahren zu bestrafen.

(5) Eine Förderung ist eine Zuwendung, die zur Verfolgung öffentlicher Interessen aus öffentlichen Haushalten gewährt wird und für die keine angemessene geldwerte Gegenleistung erbracht wird; ausgenommen sind Zuwendungen mit Sozialleistungscharakter und Zuschüsse nach § 12 des Finanz-Verfassungsgesetzes 1948. Öffentliche Haushalte sind die Haushalte der Gebietskörperschaften sowie anderer Personen des öffentlichen Rechts, mit Ausnahme der Kirchen und Religionsgesellschaften.

Vorenthalten von Dienstnehmerbeiträgen zur Sozialversicherung

§ 153c. (1) Wer als Dienstgeber Beiträge eines Dienstnehmers zur Sozialversicherung dem berechtigten Versicherungsträger vorenthält, ist mit Freiheitsstrafe bis zu einem Jahr oder mit Geldstrafe bis zu 720 Tagessätzen zu bestrafen.

(2) Trifft die Pflicht zur Einzahlung der Beiträge eines Dienstnehmers zur Sozialversicherung eine juristische Person oder eine Personengemeinschaft ohne Rechtspersönlichkeit, so ist Abs. 1 auf alle natürlichen Personen anzuwenden, die dem zur Vertretung befugten Organ angehören. Dieses Organ ist berechtigt, die Verantwortung für die Einzahlung dieser Beiträge einzelnen oder mehreren Organmitgliedern aufzuerlegen; ist dies der Fall, findet Abs. 1 nur auf sie Anwendung.

(3) Der Täter ist nicht zu bestrafen, wenn er bis zum Schluss der Verhandlung

1. die ausstehenden Beiträge zur Gänze einzahlt oder

2. sich dem berechtigten Sozialversicherungsträger gegenüber vertraglich zur Nachentrichtung der ausstehenden Beiträge binnen einer bestimmten Zeit verpflichtet.

(4) Die Strafbarkeit lebt wieder auf, wenn der Täter seine nach Abs. 3 Z 2 eingegangene Verpflichtung nicht einhält.

Betrügerisches Anmelden zur Sozialversicherung oder Bauarbeiter-Urlaubs- und Abfertigungskasse

§ 153d. (1) Wer die Anmeldung einer Person zur Sozialversicherung in dem Wissen, dass die in Folge der Anmeldung auflaufenden Sozialversicherungsbeiträge nicht vollständig geleistet werden sollen, vornimmt, vermittelt oder in Auftrag gibt, ist mit Freiheitsstrafe bis zu drei Jahren zu bestrafen, wenn die in Folge der Anmeldung auflaufenden Sozialversicherungsbeiträge nicht vollständig geleistet werden.

(2) Ebenso ist zu bestrafen, wer die Meldung einer Person zur Bauarbeiter-Urlaubs- und Abfertigungs-

kasse in dem Wissen, dass die in Folge der Meldung auflaufenden Zuschläge nach dem Bauarbeiter-Urlaubs- und Abfertigungsgesetz nicht vollständig geleistet werden sollen, vornimmt, vermittelt oder in Auftrag gibt, wenn die in Folge der Meldung auflaufenden Zuschläge nicht vollständig geleistet werden.

(3) Wer die Tat nach Abs. 1 oder Abs. 2 gewerbsmäßig oder in Bezug auf eine größere Zahl von Personen begeht, ist mit Freiheitsstrafe von sechs Monaten bis zu fünf Jahren zu bestrafen.

Organisierte Schwarzarbeit

§ 153e. (1) Wer gewerbsmäßig

1. Personen zur selbstständigen oder unselbstständigen Erwerbstätigkeit ohne die erforderliche Anmeldung zur Sozialversicherung oder ohne die erforderliche Gewerbeberechtigung anwirbt, vermittelt oder überlässt,

2. eine größere Zahl illegal erwerbstätiger Personen (Z 1) beschäftigt oder mit der selbstständigen Durchführung von Arbeiten beauftragt oder

3. in einer Verbindung einer größeren Zahl illegal erwerbstätiger Personen (Z 1) führend tätig ist,

ist mit Freiheitsstrafe bis zu zwei Jahren zu bestrafen.

(2) Nach Abs. 1 ist auch zu bestrafen, wer eine der dort genannten Handlungen als leitender Angestellter (§ 74 Abs. 3) einer juristischen Person oder einer Personengemeinschaft ohne Rechtspersönlichkeit begeht.

Geldwucher

§ 154. (1) Wer die Zwangslage, den Leichtsinn, die Unerfahrenheit oder den Mangel an Urteilsvermögen eines anderen dadurch ausbeutet, daß er sich oder einem Dritten für eine Leistung, die der Befriedigung eines Geldbedürfnisses dient, insbesondere für die Gewährung oder Vermittlung eines Darlehens oder für die Stundung einer Geldforderung oder die Vermittlung einer solchen Stundung einen Vermögensvorteil versprechen oder gewähren läßt, der in auffallendem Mißverhältnis zum Wert der eigenen Leistung steht, ist mit Freiheitsstrafe bis zu drei Jahren zu bestrafen.

(2) Ebenso ist zu bestrafen, wer eine solche Forderung, die auf ihn übergegangen ist, wucherisch verwertet.

(3) Wer Geldwucher gewerbsmäßig begeht, ist mit Freiheitsstrafe von sechs Monaten bis zu fünf Jahren zu bestrafen.

(Anm.: Abs. 4 aufgehoben durch BGBl. I Nr. 112/2015)

Sachwucher

§ 155. (1) Wer außer den Fällen des § 154 gewerbsmäßig die Zwangslage, den Leichtsinn, die Unerfahrenheit oder den Mangel an Urteilsvermögen eines anderen dadurch ausbeutet, daß er sich oder einem Dritten für eine Ware oder eine andere Leistung einen Vermögensvorteil versprechen oder gewähren läßt, der in auffallendem Mißverhältnis zum Wert der eigenen Leistung steht, ist mit Freiheitsstrafe bis zu drei Jahren, wenn er jedoch durch die Tat eine größere Zahl von Menschen schwer geschädigt hat, mit Freiheitsstrafe von sechs Monaten bis zu fünf Jahren zu bestrafen.

(2) Ebenso ist zu bestrafen, wer eine solche Forderung, die auf ihn übergegangen ist, gewerbsmäßig wucherisch verwertet.

(Anm.: Abs. 3 aufgehoben durch BGBl. I Nr. 112/2015)

Betrügerische Krida

§ 156. (1) Wer einen Bestandteil seines Vermögens verheimlicht, beiseite schafft, veräußert oder beschädigt, eine nicht bestehende Verbindlichkeit vorschützt oder anerkennt oder sonst sein Vermögen wirklich oder zum Schein verringert und dadurch die Befriedigung seiner Gläubiger oder wenigstens eines von ihnen vereitelt oder schmälert, ist mit Freiheitsstrafe von sechs Monaten bis zu fünf Jahren zu bestrafen.

(2) Wer durch die Tat einen 300 000 Euro übersteigenden Schaden herbeiführt, ist mit Freiheitsstrafe von einem bis zu zehn Jahren zu bestrafen.

Schädigung fremder Gläubiger

§ 157. Ebenso ist zu bestrafen, wer ohne Einverständnis mit dem Schuldner einen Bestandteil des Vermögens des Schuldners verheimlicht, beiseite schafft, veräußert oder beschädigt oder ein nicht bestehendes Recht gegen das Vermögen des Schuldners geltend macht und dadurch die Befriedigung der Gläubiger oder wenigstens eines von ihnen vereitelt oder schmälert.

Begünstigung eines Gläubigers

§ 158. (1) Wer nach Eintritt seiner Zahlungsunfähigkeit einen Gläubiger begünstigt und dadurch die anderen Gläubiger oder wenigstens einen von ihnen benachteiligt, ist mit Freiheitsstrafe bis zu zwei Jahren zu bestrafen.

(2) Der Gläubiger, der den Schuldner zur Sicherstellung oder Zahlung einer ihm zustehenden Forderung verleitet oder die Sicherstellung oder Zahlung annimmt, ist nach Abs. 1 nicht zu bestrafen.

Grob fahrlässige Beeinträchtigung von Gläubigerinteressen

§ 159. (1) Wer grob fahrlässig (§ 6 Abs. 3) seine Zahlungsunfähigkeit dadurch herbeiführt, dass er kridaträchtig handelt (Abs. 5), ist mit Freiheitsstrafe bis zu einem Jahr oder mit Geldstrafe bis zu 720 Tagessätzen zu bestrafen.

(2) Ebenso ist zu bestrafen, wer in Kenntnis oder fahrlässiger Unkenntnis seiner Zahlungsunfähigkeit

grob fahrlässig (§ 6 Abs. 3) die Befriedigung wenigstens eines seiner Gläubiger dadurch vereitelt oder schmälert, dass er nach Abs. 5 kridaträchtig handelt.

(3) Ebenso ist zu bestrafen, wer grob fahrlässig (§ 6 Abs. 3) seine wirtschaftliche Lage durch kridaträchtiges Handeln (Abs. 5) derart beeinträchtigt, dass Zahlungsunfähigkeit eingetreten wäre, wenn nicht von einer oder mehreren Gebietskörperschaften ohne Verpflichtung hiezu unmittelbar oder mittelbar Zuwendungen erbracht,vergleichbare Maßnahmen getroffen oder Zuwendungen oder vergleichbare Maßnahmen anderer veranlasst worden wären.

(4) Mit Freiheitsstrafe bis zu zwei Jahren ist zu bestrafen, wer

1. im Fall des Abs. 1 einen 1 000 000 Euro übersteigenden Befriedigungsausfall seiner Gläubiger oder wenigstens eines von ihnen bewirkt,

2. im Fall des Abs. 2 einen 1 000 000 Euro übersteigenden zusätzlichen Befriedigungsausfall seiner Gläubiger oder wenigstens eines von ihnen bewirkt oder

3. durch eine der in den Abs. 1 oder 2 mit Strafe bedrohten Handlungen die wirtschaftliche Existenz vieler Menschen schädigt oder im Fall des Abs. 3 geschädigt hätte.

(5) Kridaträchtig handelt, wer entgegen Grundsätzen ordentlichen Wirtschaftens

1. einen bedeutenden Bestandteil seines Vermögens zerstört, beschädigt, unbrauchbar macht, verschleudert oder verschenkt,

2. durch ein außergewöhnlich gewagtes Geschäft, das nicht zu seinem gewöhnlichen Wirtschaftsbetrieb gehört, durch Spiel oder Wette übermäßig hohe Beträge ausgibt,

3. übermäßigen, mit seinen Vermögensverhältnissen oder seiner wirtschaftlichen Leistungsfähigkeit in auffallendem Widerspruch stehenden Aufwand treibt,

4. Geschäftsbücher oder geschäftliche Aufzeichnungen zu führen unterlässt oder so führt, dass ein zeitnaher Überblick über seine wahre Vermögens-, Finanz- und Ertragslage erheblich erschwert wird, oder sonstige geeignete und erforderliche Kontrollmaßnahmen, die ihm einen solchen Überblick verschaffen, unterlässt oder

5. Jahresabschlüsse, zu deren Erstellung er verpflichtet ist, zu erstellen unterlässt oder auf eine solche Weise oder so spät erstellt, dass ein zeitnaher Überblick über seine wahre Vermögens-, Finanz- und Ertragslage erheblich erschwert wird.

Umtriebe während einer Geschäftsaufsicht oder im Insolvenzverfahren

§ 160. (1) Mit Freiheitsstrafe bis zu einem Jahr oder mit Geldstrafe bis zu 720 Tagessätzen ist zu bestrafen:

1. wer eine nicht zu Recht bestehende Forderung oder eine Forderung in einem nicht zu Recht bestehenden Umfang oder Rang geltend macht, um dadurch einen ihm nicht zustehenden Einfluß im Insolvenzverfahren zu erlangen;

2. ein Gläubiger, der für die Ausübung seines Stimmrechts in einem bestimmten Sinn oder für das Unterlassen der Ausübung seines Stimmrechts für sich oder einen Dritten einen Vermögensvorteil annimmt oder sich versprechen läßt, und auch wer einem Gläubiger zu diesem Zweck einen Vermögensvorteil gewährt oder verspricht;

3. ein Gläubiger, der für die Zustimmung zum Abschluss eines Sanierungsplans ohne Zustimmung der übrigen Gläubiger für sich oder einen Dritten einen Sondervorteil annimmt oder sich versprechen läßt, und auch wer einem Gläubiger zu diesem Zweck einen Sondervorteil gewährt oder verspricht.

(2) Ebenso sind eine zur Geschäftsaufsicht bestellte Person, der Insolvenzverwalter und ein Mitglied des Gläubigerausschusses im Insolvenzverfahren zu bestrafen, die für sich oder einen Dritten zum Nachteil der Gläubiger einen ihnen nicht gebührenden Vermögensvorteil annehmen oder sich versprechen lassen.

Gemeinsame Bestimmungen über die Verantwortlichkeit leitender Angestellter

§ 161. (1) Nach den §§ 156, 158, 159 und 162 ist gleich einem Schuldner, nach § 160 gleich einem Gläubiger zu bestrafen, wer eine der dort genannten Handlungen als leitender Angestellter (§ 74 Abs. 3) einer juristischen Person oder einer Personengemeinschaft ohne Rechtspersönlichkeit begeht. Ebenso ist nach den genannten Bestimmungen zu bestrafen, wer zwar ohne Einverständnis mit dem Schuldner oder Gläubiger, aber als dessen leitender Angestellter (§ 74 Abs. 3) handelt.

(2) Nach § 160 Abs. 2 ist auch zu bestrafen, wer eine der dort genannten Handlungen als leitender Angestellter (§ 74 Abs. 3) einer juristischen Person oder einer Personengemeinschaft ohne Rechtspersönlichkeit begeht, der eine der dort bezeichneten Aufgaben übertragen worden ist.

Vollstreckungsvereitelung

§ 162. (1) Ein Schuldner, der einen Bestandteil seines Vermögens verheimlicht, beiseite schafft, veräußert oder beschädigt, eine nicht bestehende Verbindlichkeit vorschützt oder anerkennt oder sonst sein Vermögen wirklich oder zum Schein verringert und dadurch die Befriedigung eines Gläubigers durch Zwangsvollstreckung oder in einem anhängigen Zwangsvollstreckungsverfahren vereitelt oder schmälert, ist mit Freiheitsstrafe bis zu sechs Monaten oder mit Geldstrafe bis zu 360 Tagessätzen zu bestrafen.

(2) Wer durch die Tat einen 5 000 Euro übersteigenden Schaden herbeiführt, ist mit Freiheitsstrafe bis zu drei Jahren zu bestrafen.

Vollstreckungsvereitelung zugunsten eines anderen

§ 163. Ebenso ist zu bestrafen, wer ohne Einverständnis mit dem Schuldner einen Bestandteil des Vermögens des Schuldners verheimlicht, beiseite schafft, veräußert oder beschädigt oder ein nicht bestehendes Recht gegen das Vermögen des Schuldners geltend macht und dadurch die Befriedigung eines Gläubigers durch Zwangsvollstreckung oder in einem anhängigen Zwangsvollstreckungsverfahren vereitelt oder schmälert.

Unvertretbare Darstellung wesentlicher Informationen über bestimmte Verbände

§ 163a. (1) Wer als Entscheidungsträger (§ 2 Abs. 1 Verbandsverantwortlichkeitsgesetz – VbVG, BGBl. I Nr. 151/2005) eines in § 163c angeführten Verbandes oder sonst als von einem Entscheidungsträger mit der Informationsdarstellung Beauftragter in

1. einem Jahres- oder Konzernabschluss, einem Lage- oder Konzernlagebericht oder einem anderen an die Öffentlichkeit, an die Gesellschafter oder die Mitglieder, an ein aufsichtsberechtigtes Organ oder dessen Vorsitzenden gerichteten Bericht,

2. einer öffentlichen Aufforderung zur Beteiligung an dem Verband,

3. einem Vortrag oder einer Auskunft in der Haupt-, General- oder Mitgliederversammlung oder sonst einer Versammlung der Gesellschafter oder Mitglieder des Verbandes,

4. Aufklärungen und Nachweisen (§ 272 Abs. 2 UGB) oder sonstigen Auskünften, die einem Prüfer (§ 163b Abs. 1) zu geben sind, oder

5. einer Anmeldung zum Firmenbuch, die die Leistung von Einlagen auf das Gesellschaftskapital betrifft,

eine die Vermögens-, Finanz- oder Ertragslage des Verbandes betreffende oder für die Beurteilung der künftigen Entwicklung der Vermögens-, Finanz- oder Ertragslage bedeutsame wesentliche Information (§ 189a Z 10 Unternehmensgesetzbuch – UGB, dRGBl. S. 219/1897), einschließlich solcher Umstände, die die Beziehung des Verbandes zu mit ihm verbundenen Unternehmen betreffen, in unvertretbarer Weise falsch oder unvollständig darstellt, ist, wenn dies geeignet ist, einen erheblichen Schaden für den Verband, dessen Gesellschafter, Mitglieder oder Gläubiger oder für Anleger herbeizuführen, mit Freiheitsstrafe bis zu zwei Jahren zu bestrafen.

(2) Ebenso ist zu bestrafen, wer als Entscheidungsträger einen Sonderbericht nicht erstattet, der angesichts der drohenden Gefährdung der Liquidität des Verbandes gesetzlich geboten ist.

(3) Mit Freiheitsstrafe bis zu drei Jahren ist zu bestrafen, wer die Tat nach Abs. 1 oder 2 in Bezug auf einen Verband begeht, dessen übertragbare Wertpapiere zum Handel an einem geregelten Markt eines Mitgliedstaats der Europäischen Union oder eines Vertragsstaats des Abkommens über den Europäischen Wirtschaftsraum im Sinn des Art. 4 Abs. 1 Nr. 21 der Richtlinie 2014/65/EU über Märkte für Finanzinstrumente sowie zur Änderung der Richtlinien 2002/92/EG und 2011/61/EU, ABl. Nr. L 173 vom 12. 6. 2014 S. 349, zugelassen sind.

(4) Wegen Beteiligung (§§ 12, 14) ist nicht zu bestrafen, wer schon nach § 163b mit Strafe bedroht ist.

Unvertretbare Berichte von Prüfern bestimmter Verbände

§ 163b. (1) Wer als Abschlussprüfer, Gründungsprüfer, Sonderprüfer, Verschmelzungsprüfer, Spaltungsprüfer, Revisor, Stiftungsprüfer, Mitglied der Prüfungskommission (§ 40 ORF-Gesetz, BGBl. Nr. 379/1984) oder sonst als aufgrund verbandsrechtlicher Bestimmungen bestellter Prüfer mit vergleichbaren Funktionen eines in § 163c angeführten Verbandes in

1. seinem Prüfungsbericht oder

2. einem Vortrag oder einer Auskunft in der Haupt-, General- oder Mitgliederversammlung oder sonst einer Versammlung der Gesellschafter oder Mitglieder des Verbandes

in unvertretbarer Weise wesentliche Informationen (§ 163a Abs. 1) falsch oder unvollständig darstellt oder verschweigt, dass der Jahres- oder Konzernabschluss, der Lage- oder Konzernlagebericht oder sonst der geprüfte Abschluss, Vertrag oder Bericht wesentliche Informationen (§ 163a Abs. 1) in unvertretbarer Weise falsch oder unvollständig darstellt, ist, wenn dies geeignet ist, einen erheblichen Schaden für den Verband, dessen Gesellschafter, Mitglieder oder Gläubiger oder für Anleger herbeizuführen, mit Freiheitsstrafe bis zu zwei Jahren zu bestrafen.

(2) Ebenso ist zu bestrafen, wer als Prüfer (Abs. 1)

1. in unvertretbarer Weise einen inhaltlich unrichtigen Bestätigungsvermerk erteilt, wenn dies geeignet ist, einen erheblichen Schaden für den Verband, dessen Gesellschafter, Mitglieder oder Gläubiger oder für Anleger herbeizuführen, oder

2. einen Bericht nicht erstattet, der angesichts der drohenden Bestandsgefährdung des Verbandes gesetzlich geboten ist.

(3) Nach Abs. 2 Z 1 ist nicht zu bestrafen, wer schon wegen der falschen oder unvollständigen Darstellung nach Abs. 1 mit Strafe bedroht ist. Nach Abs. 1 ist nicht zu bestrafen, wer schon wegen der Nichterstattung des Berichtes nach Abs. 2 Z 2 mit Strafe bedroht ist.

(4) Wer eine Tat nach Abs. 1 oder 2 als Prüfer eines in § 163a Abs. 3 angeführten Verbandes begeht, ist mit Freiheitsstrafe bis zu drei Jahren zu bestrafen.

(5) Wegen Beteiligung (§§ 12, 14) ist nicht zu bestrafen, wer schon nach § 163a mit Strafe bedroht ist.

Verbände

§ 163c. Die §§ 163a und 163b sind auf folgende Verbände anzuwenden:

1. Gesellschaften mit beschränkter Haftung,

2. Aktiengesellschaften,

3. Europäische Gesellschaften (SE),

4. Genossenschaften,

5. Europäische Genossenschaften (SCE),

6. Versicherungsvereine auf Gegenseitigkeit,

7. große Vereine im Sinne des § 22 Abs. 2 des Vereinsgesetzes 2002, BGBl. I Nr. 66/2002,

8. offene Gesellschaften und Kommanditgesellschaften im Sinne des § 189 Abs. 1 Z 2 lit. a UGB,

9. Sparkassen,

10. Privatstiftungen,

11. die Stiftung nach dem ORF-Gesetz und

12. den in Z 1 bis 11 genannten Verbänden vergleichbare ausländische Verbände, deren übertragbare Wertpapiere zum Handel an einem geregelten Markt im Inland zugelassen sind oder die im Hinblick auf eine Zweigniederlassung im Inland im Firmenbuch eingetragen sind (§ 12 UGB).

Tätige Reue

§ 163d. (1) Nach § 163a ist nicht zu bestrafen, wer freiwillig die falschen Angaben richtig stellt oder die fehlenden Angaben nachträgt,

1. im Fall eines Berichts an ein aufsichtsberechtigtes Organ (Abs. 1 Z 1), bevor die Sitzung des Organs beendet ist,

2. in den Fällen des Abs. 1 Z 2, bevor sich jemand an dem Verband beteiligt hat,

3. in den Fällen des Abs. 1 Z 3, bevor die Haupt-,General- oder Mitgliederversammlung oder sonst die Versammlung der Gesellschafter oder Mitglieder des Verbandes beendet ist,

4. in den Fällen des Abs. 1 Z 4, bevor der betreffende Prüfer seinen Bericht vorgelegt hat, sowie

5. in den Fällen des Abs. 1 Z 5, bevor die Eintragung im Firmenbuch angeordnet worden ist.

(2) Nach § 163b Abs. 1 Z 2 ist nicht zu bestrafen, wer freiwillig die verschwiegenen Angaben nachträgt, bevor die Haupt-,General- oder Mitgliederversammlung oder sonst die Versammlung der Gesellschafter oder Mitglieder des Verbandes beendet ist.

Hehlerei

§ 164. (1) Wer den Täter einer mit Strafe bedrohten Handlung gegen fremdes Vermögen nach der Tat dabei unterstützt, eine Sache, die dieser durch sie erlangt hat, zu verheimlichen oder zu verwerten, ist mit Freiheitsstrafe bis zu sechs Monaten oder mit Geldstrafe bis zu 360 Tagessätzen zu bestrafen.

(2) Ebenso ist zu bestrafen, wer eine solche Sache kauft, sonst an sich bringt oder einem Dritten verschafft.

(3) Wer eine Sache im Wert von mehr als 5 000 Euro verhehlt, ist mit Freiheitsstrafe bis zu zwei Jahren zu bestrafen.

(4) Wer eine Sache im Wert von mehr als 300 000 Euro verhehlt oder wer die Hehlerei gewerbsmäßig betreibt, ist mit Freiheitsstrafe von sechs Monaten bis zu fünf Jahren zu bestrafen. Ebenso ist der Hehler zu bestrafen, wenn die mit Strafe bedrohte Handlung, durch die die Sache erlangt worden ist, aus einem anderen Grund als wegen gewerbsmäßiger Begehung mit einer Freiheitsstrafe bedroht ist, die fünf Jahre erreicht oder übersteigt, und der Hehler die Umstände kennt, die diese Strafdrohung begründen.

(5) Wer eine Tat nach Abs. 1 oder Abs. 2 aus Not, aus Unbesonnenheit oder zur Befriedigung eines Gelüstes in Bezug auf eine Sache geringen Wertes begeht, ist mit Freiheitsstrafe bis zu einem Monat oder mit Geldstrafe bis zu 60 Tagessätzen zu bestrafen, sofern es sich bei der Vortat nicht um einen Diebstahl durch Einbruch oder mit Waffen nach § 129 Abs. 2, einen räuberischen Diebstahl nach § 131, einen schweren Eingriff in fremdes Jagd- oder Fischereirecht nach § 138 Z 2, einen Raub nach § 142, einen schweren Raub nach § 143, eine Erpressung nach § 144 oder eine schwere Erpressung nach § 145 handelt.

(6) Wer eine Tat nach Abs. 5 begeht, ist nur mit Ermächtigung des durch die Vortat Verletzten zu verfolgen.

(7) Wer eine Tat nach Abs. 5 begeht, ist nicht zu bestrafen, wenn die Vortat zum Nachteil seines Ehegatten, seines eingetragenen Partners, eines Verwandten in gerader Linie, seines Bruders oder seiner Schwester oder zum Nachteil eines anderen Angehörigen, sofern er mit diesem in Hausgemeinschaft lebt, begangen wurde.

Geldwäscherei

§ 165. (1) Wer

1. Vermögensbestandteile, die aus einer kriminellen Tätigkeit (Abs. 5) herrühren, mit dem Vorsatz, ihren illegalen Ursprung zu verheimlichen oder zu verschleiern oder eine andere Person, die an einer solchen kriminellen Tätigkeit beteiligt ist, zu unterstützen, damit diese den Rechtsfolgen ihrer Tat entgeht, umwandelt oder einem anderen überträgt, oder

2. die wahre Natur, Herkunft, Lage, Verfügung oder Bewegung von Vermögensbestandteilen, die aus einer kriminellen Tätigkeit (Abs. 5) herrühren, verheimlicht oder verschleiert,

ist mit Freiheitsstrafe von sechs Monaten bis zu fünf Jahren zu bestrafen.

(2) Ebenso ist zu bestrafen, wer Vermögensbestandteile erwirbt, sonst an sich bringt, besitzt, umwandelt, einem anderen überträgt oder sonst verwendet, wenn er zur Zeit des Erlangens weiß, dass sie aus einer kriminellen Tätigkeit (Abs. 5) eines anderen herrühren.

(3) Ebenso ist zu bestrafen, wer Vermögensbestandteile, die der Verfügungsmacht einer kriminellen Organisation (§ 278a) oder einer terroristischen Vereinigung (§ 278b) unterliegen, in deren Auftrag oder Interesse erwirbt, sonst an sich bringt, besitzt, umwandelt, einem anderen überträgt oder sonst verwendet, wenn er zur Zeit des Erlangens von dieser Verfügungsmacht weiß.

(4) Wer die Tat in Bezug auf einen Vermögensbestandteil, dessen Wert 50 000 Euro übersteigt, oder als Mitglied einer kriminellen Vereinigung begeht, die sich zur fortgesetzten Geldwäscherei verbunden hat, ist mit Freiheitsstrafe von einem bis zu zehn Jahren zu bestrafen.

(5) Kriminelle Tätigkeiten sind mit mehr als einjähriger Freiheitsstrafe oder nach den §§ 223, 229, 289, 293, 295 oder den §§ 27 oder 30 des Suchtmittelgesetzes mit Strafe bedrohte Handlungen, wenn sie

1. den österreichischen Strafgesetzen unterliegen und rechtswidrig begangen wurden oder

2. im Ausland begangen wurden, ohne den österreichischen Strafgesetzen zu unterliegen, aber sowohl nach den österreichischen Strafgesetzen als auch – sofern es sich nicht um Taten nach Art. 2 Z 1 lit. a bis e und h der Richtlinie (EU) 2018/1673 über die strafrechtliche Bekämpfung der Geldwäsche, ABl. Nr. L 284 vom 12.11.2018 S 22, und geltendem Unionsrecht handelt – nach den Gesetzen des Tatorts den Tatbestand einer mit gerichtlicher Strafe bedrohten Handlung erfüllen und rechtswidrig begangen wurden. Es ist weder erforderlich, dass der Täter wegen der kriminellen Tätigkeit verurteilt werden kann, noch dass alle Sachverhaltselemente oder alle Umstände im Zusammenhang mit dieser Tätigkeit, wie etwa die Identität des Täters, feststehen.

(6) Vermögensbestandteile sind Vermögenswerte aller Art, ob körperlich oder unkörperlich, beweglich oder unbeweglich, materiell oder immateriell, und Rechtstitel oder Urkunden in jeder – einschließlich elektronischer oder digitaler – Form, die das Eigentumsrecht oder Rechte an solchen Vermögenswerten belegen, weiters Einheiten virtueller Währungen und die auf diese entfallenden Wertzuwächse oder durch diese belegte Rechte, nicht aber bloße Ersparnisse, wie etwa nicht eingetretene Wertverluste, Forderungsverzichte oder ersparte Aus- und Abgaben.

(7) Ein Vermögensbestandteil rührt aus einer kriminellen Tätigkeit (Abs. 5) her, wenn ihn der Täter der kriminellen Tätigkeit durch die Tat erlangt oder für ihre Begehung empfangen hat oder wenn sich in ihm der Wert des ursprünglich erlangten oder empfangenen Vermögensbestandteils verkörpert.

Tätige Reue

§ 165a. (1) Wegen Geldwäscherei ist nicht zu bestrafen, wer freiwillig und bevor die Behörde (§ 151 Abs. 3) von seinem Verschulden erfahren hat, durch Mitteilung an die Behörde oder auf andere Weise die Sicherstellung wesentlicher Vermögensbestandteile, auf die sich die Geldwäscherei bezogen hat, bewirkt.

(2) Wenn ohne Zutun des Täters wesentliche Vermögensbestandteile, auf die sich die Geldwäscherei bezogen hat, sichergestellt werden, ist der Täter nicht zu bestrafen, wenn er sich in Unkenntnis dessen freiwillig und ernstlich um die Sicherstellung bemüht hat.

Begehung im Familienkreis

§ 166. (1) Wer eine Sachbeschädigung, eine Datenbeschädigung, eine Störung der Funktionsfähigkeit eines Computersystems, einen Diebstahl mit Ausnahme der in den §§ 129 Abs. 2 Z 2, 131 genannten Fälle, eine Entziehung von Energie, eine Veruntreuung, eine Unterschlagung, eine dauernde Sachentziehung, einen Eingriff in fremdes Jagd- oder Fischereirecht mit Ausnahme der in den §§ 138 Z 2 und 3, 140 genannten Fälle, einen Betrug, einen betrügerischen Datenverarbeitungsmißbrauch, eine Untreue, eine Geschenkannahme durch Machthaber, eine Hehlerei nach § 164 Abs. 1 bis 4, eine Fälschung unbarer Zahlungsmittel, eine Annahme, eine Weitergabe oder einen Besitz falscher oder verfälschter unbarer Zahlungsmittel, eine Vorbereitung der Fälschung unbarer Zahlungsmittel, eine Entfremdung unbarer Zahlungsmittel, eine Annahme, eine Weitergabe oder einen Besitz entfremdeter unbarer Zahlungsmittel oder ein Ausspähen von Daten eines unbaren Zahlungsmittels zum Nachteil seines Ehegatten, seines eingetragenen Partners, eines Verwandten in gerader Linie, seines Bruders oder seiner Schwester oder zum Nachteil eines anderen Angehörigen begeht, sofern er mit diesem in Hausgemeinschaft lebt, ist mit Freiheitsstrafe bis zu drei Monaten oder mit Geldstrafe bis zu 180 Tagessätzen, wenn die Tat jedoch sonst mit einer Freiheitsstrafe bedroht wäre, die drei Jahre erreicht oder übersteigt, mit Freiheitsstrafe bis zu sechs Monaten oder mit Geldstrafe bis zu 360 Tagessätzen zu bestrafen. Ein Vormund, Kurator oder Sachwalter, der zum Nachteil desjenigen handelt, für den er bestellt worden ist, wird jedoch nicht begünstigt.

(2) Ebenso ist zu bestrafen, wer sich an der Tat bloß zum Vorteil eines anderen beteiligt (§ 12), der zum Verletzten in einer der genannten Beziehungen steht.

(3) Der Täter ist nur auf Verlangen des Verletzten zu verfolgen.

Tätige Reue

§ 167. (1) Die Strafbarkeit wegen Sachbeschädigung, Datenbeschädigung, Störung der Funktionsfähigkeit eines Computersystems, Diebstahls, Entziehung von Energie, Veruntreuung, Unterschlagung, dauernder Sachentziehung, Eingriffs in fremdes Jagd- oder Fischereirecht, Entwendung, Betrugs, betrügerischen Datenverarbeitungsmißbrauchs, Erschleichung einer Leistung, Notbetrugs, Untreue, Geschenkannahme durch Machthaber, Förderungsmißbrauchs, betrügerischen Anmeldens zur Sozialversicherung oder Bauarbeiter- Urlaubs- und Abfertigungskasse, Wuchers, betrügerischer Krida, Schädigung fremder Gläubiger, Begünstigung eines Gläubigers, grob fahrlässiger Beeinträchtigung von Gläubigerinteressen, Vollstreckungsvereitelung und Hehlerei wird durch tätige Reue aufgehoben.

(2) Dem Täter kommt tätige Reue zustatten, wenn er, bevor die Behörde (§ 151 Abs. 3) von seinem Verschulden erfahren hat, wenngleich auf Andringen des Verletzten, so doch ohne hiezu gezwungen zu sein,

1. den ganzen aus seiner Tat entstandenen Schaden gutmacht oder

2. sich vertraglich verpflichtet, dem Verletzten binnen einer bestimmten Zeit solche Schadensgutmachung zu leisten. In letzterem Fall lebt die Strafbarkeit wieder auf, wenn der Täter seine Verpflichtung nicht einhält.

(3) Der Täter ist auch nicht zu bestrafen, wenn er den ganzen aus seiner Tat entstandenen Schaden im Zug einer Selbstanzeige, die der Behörde (§ 151 Abs. 3) sein Verschulden offenbart, durch Erlag bei dieser Behörde gutmacht.

(4) Der Täter, der sich um die Schadensgutmachung ernstlich bemüht hat, ist auch dann nicht zu bestrafen, wenn ein Dritter in seinem Namen oder wenn ein anderer an der Tat Mitwirkender den ganzen aus der Tat entstandenen Schaden unter den im Abs. 2 genannten Voraussetzungen gutmacht.

Glücksspiel

§ 168. (1) Wer ein Spiel, bei dem Gewinn und Verlust ausschließlich oder vorwiegend vom Zufall abhängen oder das ausdrücklich verboten ist, veranstaltet oder eine zur Abhaltung eines solchen Spieles veranstaltete Zusammenkunft fördert, um aus dieser Veranstaltung oder Zusammenkunft sich oder einem anderen einen Vermögensvorteil zuzuwenden, ist mit Freiheitsstrafe bis zu sechs Monaten oder mit Geldstrafe bis zu 360 Tagessätzen zu bestrafen, es sei denn, daß bloß zu gemeinnützigen Zwecken oder bloß zum Zeitvertreib und um geringe Beträge gespielt wird.

(2) Wer sich gewerbsmäßig an einem solchen Spiel beteiligt, ist mit Freiheitsstrafe bis zu sechs Monaten oder mit Geldstrafe bis zu 360 Tagessätzen zu bestrafen.

Ketten- oder Pyramidenspiele

§ 168a. (1) Wer ein Gewinnerwartungssystem, dessen Teilnehmern gegen Einsatz ein Vermögensvorteil unter der Bedingung in Aussicht gestellt wird, daß diesem oder einem damit im Zusammenhang stehenden System unter den gleichen Bedingungen weitere Teilnehmer zugeführt werden, und bei dem die Erlangung des Vermögensvorteils ganz oder teilweise vom bedingungsgemäßen Verhalten jeweils weiterer Teilnehmer abhängt (Ketten- oder Pyramidenspiel),

1. in Gang setzt oder veranstaltet oder

2. durch Zusammenkünfte, Prospekte oder auf eine andere zur Anwerbung vieler Teilnehmer geeignete Weise verbreitet oder

3. sonst die Verbreitung eines solchen Systems gewerbsmäßig fördert,

ist mit Freiheitsstrafe bis zu sechs Monaten oder mit Geldstrafe bis zu 360 Tagessätzen zu bestrafen, es sei denn, daß das System bloß zu gemeinnützigen Zwecken veranstaltet wird oder bloß Einsätze geringen Wertes verlangt werden.

(2) Wer durch die Tat eine größere Zahl von Menschen schwer geschädigt hat, ist mit Freiheitsstrafe bis zu drei Jahren zu bestrafen.

Wettbewerbsbeschränkende Absprachen bei Vergabeverfahren

§ 168b. (1) Wer bei einem Vergabeverfahren einen Teilnahmeantrag stellt, ein Angebot legt oder Verhandlungen führt, die auf einer rechtswidrigen Absprache beruhen, die darauf abzielt, den Auftraggeber zur Annahme eines bestimmten Angebots zu veranlassen, ist mit Freiheitsstrafe bis zu drei Jahren zu bestrafen.

(2) Nach Abs. 1 ist nicht zu bestrafen, wer freiwillig verhindert, dass der Auftraggeber das Angebot annimmt oder dieser seine Leistung erbringt. Wird ohne Zutun des Täters das Angebot nicht angenommen oder die Leistung des Auftraggebers nicht erbracht, so wird er straflos, wenn er sich freiwillig und ernsthaft bemüht, die Annahme des Angebots oder das Erbringen der Leistung zu verhindern.

Ausgabenseitiger Betrug zum Nachteil der finanziellen Interessen der Europäischen Union

§ 168f. (1) Wer in Bezug auf Ausgaben, die nicht in Zusammenhang mit einer Auftragsvergabe (Abs. 5) stehen, Mittel oder Vermögenswerte aus dem Gesamthaushalt der Europäischen Union oder aus den Haushalten, die von der Europäischen Union oder in deren Auftrag verwaltet werden,

1. unter Verwendung oder Vorlage falscher, unrichtiger oder unvollständiger Erklärungen oder Unterlagen oder unter Verletzung einer spezifischen Informationspflicht unrechtmäßig erlangt oder zurückbehält, oder

2. zu anderen Zwecken als jenen, für die sie ursprünglich gewährt wurden, missbräuchlich verwendet,

ist mit Freiheitsstrafe bis zu sechs Monaten oder mit Geldstrafe bis zu 360 Tagessätzen zu bestrafen.

(2) Ebenso ist zu bestrafen, wer einen Betrug zum Nachteil der finanziellen Interessen der Europäischen

Union (Abs. 1) in Bezug auf Ausgaben, die in Zusammenhang mit einer Auftragsvergabe (Abs. 5) stehen, mit dem Vorsatz begeht, sich oder einen Dritten unrechtmäßig zu bereichern.

(3) Wer durch die Tat (Abs. 1 oder 2) einen 5 000 Euro übersteigenden Schaden herbeiführt oder die Tat im Rahmen einer kriminellen Vereinigung begeht, ist mit Freiheitsstrafe bis zu drei Jahren zu bestrafen.

(4) Wer durch die Tat (Abs. 1 oder 2) einen 100 000 Euro übersteigenden Schaden herbeiführt, ist mit Freiheitsstrafe von sechs Monaten bis zu fünf Jahren, wer durch die Tat einen 300 000 Euro übersteigenden Schaden herbeiführt, mit Freiheitsstrafe von einem bis zu zehn Jahren zu bestrafen.

(5) Ausgaben im Zusammenhang mit der Vergabe öffentlicher Aufträge sind alle Ausgaben in Verbindung mit öffentlichen Aufträgen im Sinne des Art. 101 Abs. 1 der Verordnung (EU, Euratom) Nr. 966/2012 über die Haushaltsordnung für den Gesamthaushaltsplan der Union und zur Aufhebung der Verordnung (EG, Euratom) Nr. 1605/2002 des Rates, ABl. L 298 vom 26.10.2012, S. 1.

Missbräuchliche Verwendung von Mitteln und Vermögenswerten zum Nachteil der finanziellen Interessen der Europäischen Union

§ 168g. (1) Wer als Amtsträger unmittelbar oder mittelbar Mittel oder Vermögenswerte verwaltet und diese Mittel entgegen ihrer Zweckbestimmung bindet oder ausbezahlt oder sonstige Vermögenswerte entgegen ihrer Zweckbestimmung zuweist oder verwendet und dadurch die finanziellen Interessen der Union schädigt, ist mit Freiheitsstrafe bis zu sechs Monaten oder mit Geldstrafe bis zu 360 Tagessätzen zu bestrafen.

(2) Wer durch die Tat einen 5 000 Euro übersteigenden Schaden herbeiführt oder die Tat im Rahmen einer kriminellen Vereinigung begeht, ist mit Freiheitsstrafe bis zu drei Jahren zu bestrafen.

(3) Wer durch die Tat einen 100 000 Euro übersteigenden Schaden herbeiführt, ist mit Freiheitsstrafe von sechs Monaten bis zu fünf Jahren, wer durch die Tat einen 300 000 Euro übersteigenden Schaden herbeiführt, mit Freiheitsstrafe von einem bis zu zehn Jahren zu bestrafen.

Siebenter Abschnitt

Gemeingefährliche strafbare Handlungen und strafbare Handlungen gegen die Umwelt

Brandstiftung

§ 169. (1) Wer an einer fremden Sache ohne Einwilligung des Eigentümers eine Feuersbrunst verursacht, ist mit Freiheitsstrafe von einem bis zu zehn Jahren zu bestrafen.

(2) Ebenso ist zu bestrafen, wer an einer eigenen Sache oder an der Sache eines anderen mit dessen Einwilligung eine Feuersbrunst verursacht und dadurch eine Gefahr für Leib oder Leben (§ 89) des anderen oder eines Dritten oder für das Eigentum eines Dritten in großem Ausmaß herbeiführt.

(3) Hat die Tat den Tod eines Menschen oder schwere Körperverletzungen (§ 84 Abs. 1) einer größeren Zahl von Menschen zur Folge oder sind durch die Tat viele Menschen in Not versetzt worden, so ist der Täter mit Freiheitsstrafe von fünf bis zu fünfzehn Jahren, hat sie aber den Tod einer größeren Zahl von Menschen nach sich gezogen, mit Freiheitsstrafe von zehn bis zu zwanzig Jahren zu bestrafen.

Fahrlässige Herbeiführung einer Feuersbrunst

§ 170. (1) Wer eine der im § 169 mit Strafe bedrohten Taten fahrlässig begeht, ist mit Freiheitsstrafe bis zu einem Jahr oder mit Geldstrafe bis zu 720 Tagessätzen zu bestrafen.

(2) Hat die Tat den Tod eines Menschen oder schwere Körperverletzungen (§ 84 Abs. 1) einer größeren Zahl von Menschen zur Folge oder sind durch die Tat viele Menschen in Not versetzt worden, so ist der Täter mit Freiheitsstrafe bis zu drei Jahren, hat sie aber den Tod einer größeren Zahl von Menschen nach sich gezogen, mit Freiheitsstrafe von sechs Monaten bis zu fünf Jahren zu bestrafen.

Vorsätzliche Gefährdung durch Kernenergie oder ionisierende Strahlen

§ 171. (1) Wer bewirkt, daß durch freiwerdende Kernenergie oder sonst durch ionisierende Strahlen eine Gefahr für Leib oder Leben (§ 89) eines anderen oder für fremdes Eigentum in großem Ausmaß entsteht, ist mit Freiheitsstrafe von einem bis zu zehn Jahren zu bestrafen.

(2) Hat die Tat eine der im § 169 Abs. 3 genannten Folgen, so sind die dort angedrohten Strafen zu verhängen.

Fahrlässige Gefährdung durch Kernenergie oder ionisierende Strahlen

§ 172. (1) Wer die im § 171 mit Strafe bedrohte Handlung fahrlässig begeht, ist mit Freiheitsstrafe bis zu einem Jahr oder mit Geldstrafe bis zu 720 Tagessätzen zu bestrafen.

(2) Hat die Tat eine der im § 170 Abs. 2 genannten Folgen, so sind die dort angedrohten Strafen zu verhängen.

Vorsätzliche Gefährdung durch Sprengmittel

§ 173. (1) Wer einen Sprengstoff als Sprengmittel zur Explosion bringt und dadurch eine Gefahr für Leib oder Leben (§ 89) eines anderen oder für fremdes Eigentum in großem Ausmaß herbeiführt, ist mit Freiheitsstrafe von einem bis zu zehn Jahren zu bestrafen.

(2) Hat die Tat eine der im § 169 Abs. 3 genannten Folgen, so sind die dort angedrohten Strafen zu verhängen.

Fahrlässige Gefährdung durch Sprengmittel

§ 174. (1) Wer die im § 173 mit Strafe bedrohte Handlung fahrlässig begeht, ist mit Freiheitsstrafe bis zu einem Jahr oder mit Geldstrafe bis zu 720 Tagessätzen zu bestrafen.

(2) Hat die Tat eine der im § 170 Abs. 2 genannten Folgen, so sind die dort angedrohten Strafen zu verhängen.

Vorbereitung eines Verbrechens durch Kernenergie, ionisierende Strahlen oder Sprengmittel

§ 175. (1) Wer in der Absicht, sich oder einem anderen die Begehung einer nach § 171 oder § 173 mit Strafe bedrohten, wenn auch noch nicht bestimmten Handlung zu ermöglichen, einen Kernbrennstoff, einen radioaktiven Stoff, einen Sprengstoff, einen Bestandteil eines Sprengstoffs oder eine zur Herstellung oder Benutzung eines dieser Stoffe erforderliche Vorrichtung anfertigt, erwirbt oder besitzt, oder einen solchen Stoff einem anderen überläßt, von dem er weiß (§ 5 Abs. 3), daß er ihn zur Vorbereitung einer der genannten mit Strafe bedrohten Handlungen erwirbt, ist mit Freiheitsstrafe von sechs Monaten bis zu fünf Jahren zu bestrafen.

(2) Der Täter ist nicht zu bestrafen, wenn er freiwillig, bevor die Behörde (§ 151 Abs. 3) von seinem Verschulden erfahren hat, den Gegenstand der Behörde übergibt, es ihr ermöglicht, des Gegenstands habhaft zu werden, oder sonst die Gefahr beseitigt, daß von dem Gegenstand zur Begehung einer nach § 171 oder § 173 mit Strafe bedrohten Handlung Gebrauch gemacht wird.

Vorsätzliche Gemeingefährdung

§ 176. (1) Wer anders als durch eine der in den §§ 169, 171 und 173 mit Strafe bedrohten Handlungen eine Gefahr für Leib oder Leben (§ 89) einer größeren Zahl von Menschen oder für fremdes Eigentum in großem Ausmaß herbeiführt, ist mit Freiheitsstrafe von einem bis zu zehn Jahren zu bestrafen.

(2) Hat die Tat eine der im § 169 Abs. 3 genannten Folgen, so sind die dort angedrohten Strafen zu verhängen.

Fahrlässige Gemeingefährdung

§ 177. (1) Wer anders als durch eine der in den §§ 170, 172 und 174 mit Strafe bedrohten Handlungen fahrlässig eine Gefahr für Leib oder Leben (§ 89) einer größeren Zahl von Menschen oder für fremdes Eigentum in großem Ausmaß herbeiführt, ist mit Freiheitsstrafe bis zu einem Jahr oder mit Geldstrafe bis zu 720 Tagessätzen zu bestrafen.

(2) Hat die Tat eine der im § 170 Abs. 2 genannten Folgen, so sind die dort angedrohten Strafen zu verhängen.

Herstellung und Verbreitung von Massenvernichtungswaffen

§ 177a. (1) Wer zur Massenvernichtung bestimmte und geeignete nukleare, radiologische, biologische oder chemische Kampfmittel

1. herstellt, verarbeitet oder zum Zweck der Herstellung entwickelt,

2. in das Inland einführt, aus dem Inland ausführt oder durch das Inland durchführt oder

3. erwirbt, besitzt oder einem anderen überläßt oder verschafft,

ist mit Freiheitsstrafe von einem bis zu zehn Jahren zu bestrafen.

(2) Weiß der Täter, daß die Kampfmittel in ein Gebiet gelangen sollen, in dem ein Krieg oder ein bewaffneter Konflikt ausgebrochen ist oder unmittelbar auszubrechen droht, so ist er mit Freiheitsstrafe von fünf bis zu fünfzehn Jahren, weiß er aber, daß die Kampfmittel zum Einsatz gelangen sollen, mit Freiheitsstrafe von zehn bis zu zwanzig Jahren oder mit lebenslanger Freiheitsstrafe zu bestrafen.

Unerlaubter Umgang mit Kernmaterial, radioaktiven Stoffen oder Strahleneinrichtungen

§ 177b. (1) Wer entgegen einer Rechtsvorschrift oder einem behördlichen Auftrag Kernmaterial herstellt, bearbeitet, verarbeitet, verwendet, besitzt, beseitigt, befördert, in das Inland einführt, aus dem Inland ausführt oder durch das Inland durchführt, ist mit Freiheitsstrafe bis zu drei Jahren zu bestrafen.

(2) Ebenso ist zu bestrafen, wer entgegen einer Rechtsvorschrift oder einem behördlichen Auftrag radioaktive Stoffe oder Strahleneinrichtungen so herstellt, bearbeitet, verarbeitet, verwendet, besitzt, beseitigt, befördert, in das Inland einführt, aus dem Inland ausführt oder durch das Inland durchführt, dass dadurch

1. eine Gefahr für das Leben oder einer schweren Körperverletzung (§ 84 Abs. 1) eines anderen oder sonst für die Gesundheit oder körperliche Sicherheit einer größeren Zahl von Menschen,

2. eine Gefahr für den Tier- oder Pflanzenbestand in erheblichem Ausmaß,

3. eine lange Zeit andauernde Verschlechterung des Zustands eines Gewässers, des Bodens oder der Luft oder

4. ein Beseitigungsaufwand, der 50 000 Euro übersteigt,

entstehen kann.

(3) Wer entgegen einer Rechtsvorschrift oder einem behördlichen Auftrag Kernmaterial oder radioaktive Stoffe herstellt, bearbeitet, verarbeitet, verwendet, besitzt, beseitigt, befördert, in das Inland einführt, aus dem Inland ausführt oder durch das Inland durchführt und dadurch die Gefahr herbeiführt, dass Kernmaterial oder radioaktive Stoffe der Herstellung oder Verarbeitung von zur Massenvernichtung geeigneten nuklearen oder radiologischen Kampfmitteln zugänglich werden, ist mit Freiheitsstrafe von sechs Monaten bis zu fünf Jahren zu bestrafen. Ebenso ist zu bestrafen, wer eine der in Abs. 1 oder Abs. 2 erwähnten Handlungen gewerbsmäßig begeht.

(4) Wird durch eine der im Abs. 1 oder Abs. 2 erwähnten Handlungen die im § 171 Abs. 1 genannte Gefahr herbeigeführt, der Tier- oder Pflanzenbestand erheblich geschädigt oder eine lange Zeit andauernde Verschlechterung des Zustands eines Gewässers, des Bodens oder der Luft bewirkt, so ist der Täter mit Freiheitsstrafe von einem bis zu zehn Jahren zu bestrafen. Hat die Tat eine der im § 169 Abs. 3 genannten Folgen, so sind die dort angedrohten Strafen zu verhängen.

(5) Der Begriff Kernmaterial bezeichnet Ausgangsmaterial und besonderes spaltbares Material sowie Ausrüstung, Technologie und Material, die dem Sicherheitskontrollsystem nach dem Sicherheitskontrollgesetz 1991, BGBl. Nr. 415/1992, unterliegen. Der Begriff radioaktive Stoffe bezeichnet Stoffe, die ein oder mehrere Radionuklide enthalten, sofern deren Aktivität oder Konzentration nach dem Stand der Technik im Zusammenhang mit dem Strahlenschutz nicht außer Acht gelassen werden kann; Gegenstände, die radioaktive Stoffe enthalten oder an deren Oberfläche sich solche Stoffe befinden, stehen radioaktiven Stoffen gleich. Unter Strahleneinrichtungen sind solche Geräte oder Anlagen zu verstehen, die, ohne radioaktive Stoffe zu enthalten, imstande sind, ionisierende Strahlung auszusenden, und deren Betrieb einer Bewilligungspflicht nach dem Strahlenschutzgesetz, BGBl. Nr. 227/1969 in der jeweils geltenden Fassung, unterliegt.

Fahrlässiger unerlaubter Umgang mit Kernmaterial, radioaktiven Stoffen oder Strahleneinrichtungen

§ 177c. (1) Wer fahrlässig entgegen einer Rechtsvorschrift oder einem behördlichen Auftrag eine der im § 177b Abs. 1, 2 oder 3 mit Strafe bedrohten Handlungen begeht, ist mit Freiheitsstrafe bis zu einem Jahr oder mit Geldstrafe bis zu 720 Tagessätzen zu bestrafen.

(2) Wird durch die Tat die im § 171 Abs. 1 genannte Gefahr herbeigeführt, der Tier- oder Pflanzenbestand erheblich geschädigt oder eine lange Zeit andauernde Verschlechterung des Zustands eines Gewässers, des Bodens oder der Luft bewirkt, so ist der Täter mit Freiheitsstrafe bis zu zwei Jahren zu bestrafen. Hat die Tat eine der im § 170 Abs. 2 genannten Folgen, so sind die dort angedrohten Strafen zu verhängen.

Vorsätzlicher unerlaubter Umgang mit Stoffen, die zum Abbau der Ozonschicht beitragen

§ 177d. Wer Stoffe, die zum Abbau der Ozonschicht beitragen, entgegen einer Rechtsvorschrift oder einem behördlichen Auftrag herstellt, einführt, ausführt, in Verkehr setzt oder verwendet, ist mit Freiheitsstrafe bis zu einem Jahr oder mit Geldstrafe bis zu 720 Tagessätzen zu bestrafen.

Grob fahrlässiger unerlaubter Umgang mit Stoffen, die zum Abbau der Ozonschicht beitragen

§ 177e. Wer grob fahrlässig (§ 6 Abs. 3) entgegen einer Rechtsvorschrift oder einem behördlichen Auftrag eine der im § 177d mit Strafe bedrohten Handlungen begeht, ist mit Freiheitsstrafe bis zu sechs Monaten oder mit Geldstrafe bis zu 360 Tagessätzen zu bestrafen.

Vorsätzliche Gefährdung von Menschen durch übertragbare Krankheiten

§ 178. Wer eine Handlung begeht, die geeignet ist, die Gefahr der Verbreitung einer übertragbaren Krankheit unter Menschen herbeizuführen, ist mit Freiheitsstrafe bis zu drei Jahren zu bestrafen, wenn die Krankheit ihrer Art nach zu den wenn auch nur beschränkt anzeige- oder meldepflichtigen Krankheiten gehört.

Fahrlässige Gefährdung von Menschen durch übertragbare Krankheiten

§ 179. Wer die im § 178 mit Strafe bedrohte Handlung fahrlässig begeht, ist mit Freiheitsstrafe bis zu einem Jahr oder mit Geldstrafe bis zu 720 Tagessätzen zu bestrafen.

Vorsätzliche Beeinträchtigung der Umwelt

§ 180. (1) Wer entgegen einer Rechtsvorschrift oder einem behördlichen Auftrag ein Gewässer, den Boden oder die Luft so verunreinigt oder sonst beeinträchtigt, dass dadurch

1. eine Gefahr für das Leben oder einer schweren Körperverletzung (§ 84 Abs. 1) eines anderen oder sonst für die Gesundheit oder körperliche Sicherheit einer größeren Zahl von Menschen,

2. eine Gefahr für den Tier- oder Pflanzenbestand in erheblichem Ausmaß,

3. eine lange Zeit andauernde Verschlechterung des Zustands eines Gewässers, des Bodens oder der Luft oder

4. ein Beseitigungsaufwand oder sonst ein Schaden an einer fremden Sache, an einem unter Denkmalschutz stehenden Gegenstand oder an einem Naturdenkmal, der 50 000 Euro übersteigt,

entstehen kann, ist mit Freiheitsstrafe bis zu drei Jahren zu bestrafen.

(2) Wird durch die Tat der Tier- oder Pflanzenbestand erheblich geschädigt, eine lange Zeit andauernde Verschlechterung des Zustands eines Gewässers, des Bodens oder der Luft bewirkt oder ein Beseitigungsaufwand oder sonst ein Schaden an einer fremden Sache, an einem unter Denkmalschutz stehenden Gegenstand oder an einem Naturdenkmal, der 50 000 Euro übersteigt, herbeigeführt, so ist der Täter mit Freiheitsstrafe von sechs Monaten bis zu fünf Jahren zu bestrafen. Hat die Tat eine der im § 169 Abs. 3 genannten Folgen, so sind die dort angedrohten Strafen zu verhängen.

Fahrlässige Beeinträchtigung der Umwelt

§ 181. (1) Wer fahrlässig entgegen einer Rechtsvorschrift oder einem behördlichen Auftrag eine der im § 180 mit Strafe bedrohten Handlungen begeht, ist mit Freiheitsstrafe bis zu einem Jahr oder mit Geldstrafe bis zu 720 Tagessätzen zu bestrafen.

(2) Wird durch die Tat der Tier- oder Pflanzenbestand erheblich geschädigt, eine lange Zeit andauernde Verschlechterung des Zustands eines Gewässers, des Bodens oder der Luft bewirkt oder ein Beseitigungsaufwand oder sonst ein Schaden an einer fremden Sache, an einem unter Denkmalschutz stehenden Gegenstand oder an einem Naturdenkmal, der 50 000 Euro übersteigt, herbeigeführt, so ist der Täter mit Freiheitsstrafe bis zu zwei Jahren zu bestrafen. Hat die Tat eine der im § 170 Abs. 2 genannten Folgen, so sind die dort angedrohten Strafen zu verhängen.

Schwere Beeinträchtigung durch Lärm

§ 181a. Wer entgegen einer Rechtsvorschrift oder einem behördlichen Auftrag Lärm in einem solchen Ausmaß oder unter solchen Umständen erzeugt, daß die Tat eine nachhaltige und schwere Beeinträchtigung des körperlichen Befindens vieler Menschen nach sich zieht, ist mit Freiheitsstrafe bis zu sechs Monaten oder mit Geldstrafe bis zu 360 Tagessätzen zu bestrafen.

Vorsätzliches umweltgefährdendes Behandeln und Verbringen von Abfällen

§ 181b. (1) Wer entgegen einer Rechtsvorschrift oder einem behördlichen Auftrag Abfälle so sammelt, befördert, verwertet, beseitigt, diese Tätigkeiten betrieblich überwacht oder so kontrolliert, dass dadurch

1. eine Gefahr für das Leben oder einer schweren Körperverletzung (§ 84 Abs. 1) eines anderen oder sonst für die Gesundheit oder körperliche Sicherheit einer größeren Zahl von Menschen,

2. eine Gefahr für den Tier- oder Pflanzenbestand in erheblichem Ausmaß,

3. eine lange Zeit andauernde Verschlechterung des Zustands eines Gewässers, des Bodens oder der Luft oder

4. ein Beseitigungsaufwand, der 50 000 Euro übersteigt,

entstehen kann, ist mit Freiheitsstrafe bis zu zwei Jahren zu bestrafen.

(2) Wird durch die Tat der Tier- oder Pflanzenbestand erheblich geschädigt, eine lange Zeit andauernde Verschlechterung des Zustands eines Gewässers, des Bodens oder der Luft oder einen Beseitigungsaufwand, der 50 000 Euro übersteigt, bewirkt, so ist der Täter mit Freiheitsstrafe bis zu drei Jahren zu bestrafen. Hat die Tat eine der im § 169 Abs. 3 genannten Folgen, so sind die dort angedrohten Strafen zu verhängen.

(3) Wer außer dem Fall des Abs. 2 Abfälle entgegen Art. 2 Nummer 35 der Verordnung 1013/2006/EG über die Verbringung von Abfällen in nicht unerheblicher Menge verbringt, ist mit Freiheitsstrafe bis zu einem Jahr oder mit Geldstrafe bis zu 720 Tagessätzen zu bestrafen.

Fahrlässiges umweltgefährdendes Behandeln und Verbringen von Abfällen

§ 181c. (1) Wer fahrlässig entgegen einer Rechtsvorschrift oder einem behördlichen Auftrag eine der im § 181b mit Strafe bedrohten Handlungen begeht, ist mit Freiheitsstrafe bis zu sechs Monaten oder mit Geldstrafe bis zu 360 Tagessätzen zu bestrafen.

(2) Wird durch die Tat der Tier- oder Pflanzenbestand erheblich geschädigt, eine lange Zeit andauernde Verschlechterung des Zustands eines Gewässers, des Bodens oder der Luft oder ein Beseitigungsaufwand, der 50 000 Euro übersteigt, bewirkt, so ist der Täter mit Freiheitsstrafe bis zu einem Jahr oder mit Geldstrafe bis zu 720 Tagessätzen zu bestrafen. Hat die Tat eine der im § 170 Abs. 2 genannten Folgen, so sind die dort angedrohten Strafen zu verhängen.

(3) Wer außer den Fällen der Abs. 1 und 2 grob fahrlässig (§ 6 Abs. 3) Abfälle entgegen Art. 2 Nummer 35 der Verordnung 1013/2006/EG über die Verbringung von Abfällen in nicht unerheblicher Menge verbringt, ist mit Freiheitsstrafe bis zu sechs Monaten oder mit Geldstrafe bis zu 360 Tagessätzen zu bestrafen.

Vorsätzliches umweltgefährdendes Betreiben von Anlagen

§ 181d. (1) Wer entgegen einer Rechtsvorschrift oder einem behördlichen Auftrag eine Anlage, in der eine gefährliche Tätigkeit durchgeführt wird, so betreibt, dass dadurch

1. eine Gefahr für das Leben oder einer schweren Körperverletzung (§ 84 Abs. 1) eines anderen oder sonst für die Gesundheit oder körperliche Sicherheit einer größeren Zahl von Menschen,

2. eine Gefahr für den Tier- oder Pflanzenbestand in erheblichem Ausmaß,

3. eine lange Zeit andauernde Verschlechterung des Zustands eines Gewässers, des Bodens oder der Luft oder

4. ein Beseitigungsaufwand, der 50 000 Euro übersteigt,

entstehen kann, ist mit Freiheitsstrafe bis zu zwei Jahren zu bestrafen.

(2) Wird durch die Tat der Tier- oder Pflanzenbestand erheblich geschädigt, eine lange Zeit andauernde Verschlechterung des Zustands eines Gewässers, des Bodens oder der Luft oder ein Beseitigungsaufwand, der 50 000 Euro übersteigt, bewirkt, so ist der Täter mit Freiheitsstrafe bis zu drei Jahren zu bestrafen. Hat die Tat eine der im § 169 Abs. 3 genannten Folgen, so sind die dort angedrohten Strafen zu verhängen.

Grob fahrlässiges umweltgefährdendes Betreiben von Anlagen

§ 181e. (1) Wer grob fahrlässig (§ 6 Abs. 3) entgegen einer Rechtsvorschrift oder einem behördlichen Auftrag die im § 181d Abs. 1 mit Strafe bedrohte Handlung begeht, ist mit Freiheitsstrafe bis zu sechs Monaten oder mit Geldstrafe bis zu 360 Tagessätzen zu bestrafen.

(2) Wird durch die Tat der Tier- oder Pflanzenbestand erheblich geschädigt, eine lange Zeit andauernde Verschlechterung des Zustands eines Gewässers, des Bodens oder der Luft oder ein Beseitigungsaufwand, der 50 000 Euro übersteigt, bewirkt, so ist der Täter mit Freiheitsstrafe bis zu einem Jahr oder mit Geldstrafe bis zu 720 Tagessätzen zu bestrafen. Hat die Tat eine der im § 170 Abs. 2 genannten Folgen, so sind die dort angedrohten Strafen zu verhängen.

Vorsätzliche Schädigung des Tier- oder Pflanzenbestandes

§ 181f. (1) Wer Exemplare einer geschützten wildlebenden Tierart entgegen einer Rechtsvorschrift oder einem behördlichen Auftrag tötet, besitzt oder deren Entwicklungsformen zerstört oder aus der Natur entnimmt oder Exemplare einer geschützten wildlebenden Pflanzenart zerstört, besitzt oder aus der Natur entnimmt, ist mit Freiheitsstrafe bis zu zwei Jahren zu betrafen, es sei denn, dass die Handlung eine nur unerhebliche Menge der Exemplare betrifft und auf den Erhaltungszustand der Art nur unerhebliche Auswirkungen hat.

(2) Geschützte wildlebende Tierarten sind die in Anhang IV lit. a) der Richtlinie 92/43/EWG zur Erhaltung der natürlichen Lebensräume sowie der wildlebenden Tiere und Pflanzen oder des Anhangs I der Richtlinie 2009/147/EG über die Erhaltung der wildlebenden Vogelarten aufgezählten Arten; geschützte wildlebende Pflanzenarten sind die in Anhang IV lit. b) der Richtlinie 92/43/EWG zur Erhaltung der natürlichen Lebensräume sowie der wildlebenden Tiere und Pflanzen aufgezählten Arten.

Grob fahrlässige Schädigung des Tier- oder Pflanzenbestandes

§ 181g. Wer grob fahrlässig (§ 6 Abs. 3) entgegen einer Rechtsvorschrift oder einem behördlichen Auftrag eine der im § 181f mit Strafe bedrohten Handlungen begeht, ist mit Freiheitsstrafe bis zu einem Jahr oder mit Geldstrafe bis zu 720 Tagessätzen zu bestrafen.

Vorsätzliche Schädigung von Lebensräumen in geschützten Gebieten

§ 181h. (1) Wer entgegen einer Rechtsvorschrift oder einem behördlichen Auftrag einen Lebensraum innerhalb eines geschützten Gebiets erheblich schädigt, ist mit Freiheitsstrafe bis zu zwei Jahren zu bestrafen.

(2) Lebensraum innerhalb eines geschützten Gebiets ist jeder Lebensraum einer Art, für die ein Gebiet durch Gesetz oder Verordnung zu einem Schutzgebiet gemäß Art. 4 Abs. 2 oder Anhang I der Richtlinie 2009/147/EG über die Erhaltung der wildlebenden Vogelarten erklärt wurde oder jeder natürliche Lebensraum oder Lebensraum einer Art, für die ein Gebiet durch Gesetz oder Verordnung zu einem besonderen Schutzgebiet gemäß Art. 4 Abs. 4 der Richtlinie 92/43/EWG zur Erhaltung der natürlichen Lebensräume sowie der wildlebenden Tiere und Pflanzen erklärt wurde.

Grob fahrlässige Schädigung von Lebensräumen in geschützten Gebieten

§ 181i. Wer grob fahrlässig (§ 6 Abs. 3) entgegen einer Rechtsvorschrift oder einem behördlichen Auftrag die im § 181h mit Strafe bedrohte Handlung begeht, ist mit Freiheitsstrafe bis zu einem Jahr oder mit Geldstrafe bis zu 720 Tagessätzen zu bestrafen.

Andere Gefährdungen des Tier- oder Pflanzenbestandes

§ 182. (1) Wer eine Handlung begeht, die geeignet ist,

1. die Gefahr der Verbreitung einer Seuche unter Tieren herbeizuführen oder

2. die Gefahr der Verbreitung eines für den Tier- oder Pflanzenbestand gefährlichen Krankheitserregers oder Schädlings herbeizuführen,

ist mit Freiheitsstrafe bis zu zwei Jahren zu bestrafen.

(2) Ebenso ist zu bestrafen, wer entgegen einer Rechtsvorschrift oder einem behördlichen Auftrag auf andere als die im § 180 bezeichnete Weise eine Gefahr für den Tier- oder Pflanzenbestand in erheblichem Ausmaß herbeiführt.

Fahrlässige Gefährdung des Tier- oder Pflanzenbestandes

§ 183. Wer eine der im § 182 mit Strafe bedrohten Handlungen fahrlässig begeht, ist mit Freiheitsstrafe bis zu sechs Monaten oder mit Geldstrafe bis zu 360 Tagessätzen zu bestrafen.

Irrtum über Rechtsvorschriften und behördliche Aufträge

§ 183a. (1) Hat sich der Täter in den Fällen der §§ 180, 181a, 181b, 181d, 181f, 181h und 182 mit einer Rechtsvorschrift oder einem behördlichen Auftrag nicht bekannt gemacht, obwohl er seinem Beruf, seiner Beschäftigung oder sonst den Umständen nach dazu verpflichtet gewesen wäre, oder ist ihm ein Irrtum über die Rechtsvorschrift oder den behördlichen Auftrag sonst vorzuwerfen, so ist er, wenn er im übrigen vorsätzlich handelt, gleichwohl nach diesen Bestimmungen zu bestrafen.

(2) Abs. 1 gilt in den Fällen der §§ 181, 181c Abs. 1 und 2 und 183 entsprechend, wenn der Täter fahrlässig handelt, in den Fällen der §§ 181c Abs. 3, 181e, 181g und 181i, wenn er grob fahrlässig (§ 6 Abs. 3) handelt.

Tätige Reue

§ 183b. (1) Wegen einer der in den §§ 180, 181 und 181b bis 183 mit Strafe bedrohten Handlungen ist nicht zu bestrafen, wer freiwillig und bevor die Behörde (§ 151 Abs. 3) von seinem Verschulden erfahren hat, die von ihm herbeigeführten Gefahren, Verunreinigungen und sonstigen Beeinträchtigungen beseitigt, sofern es nicht schon zu einer Schädigung eines Menschen oder des Tier- oder Pflanzenbestandes gekommen ist.

(2) § 167 Abs. 4 ist dem Sinne nach anzuwenden.

Kurpfuscherei

§ 184. Wer, ohne die zur Ausübung des ärztlichen Berufes erforderliche Ausbildung erhalten zu haben, eine Tätigkeit, die den Ärzten vorbehalten ist, in bezug auf eine größere Zahl von Menschen gewerbsmäßig ausübt, ist mit Freiheitsstrafe bis zu drei Monaten oder mit Geldstrafe bis zu 180 Tagessätzen zu bestrafen.

Luftpiraterie

§ 185. (1) Wer unter Ausnutzung der besonderen Verhältnisse des Luftverkehrs mit Gewalt oder durch gefährliche Drohung gegen eine an Bord des Luftfahrzeuges befindliche Person oder gegen eine Person, die auf den Kurs des Luftfahrzeuges oder auf die Sicherheit an Bord Einfluß nehmen kann, ein Luftfahrzeug in seine Gewalt oder unter seine Kontrolle bringt oder die Herrschaft darüber ausübt, ist mit Freiheitsstrafe von einem bis zu zehn Jahren zu bestrafen.

(2) Hat die Tat den Tod eines Menschen oder schwere Körperverletzungen (§ 84 Abs. 1) einer größeren Zahl von Menschen zur Folge, so ist der Täter mit Freiheitsstrafe von fünf bis zu fünfzehn Jahren, hat sie aber den Tod einer größeren Zahl von Menschen nach sich gezogen, mit Freiheitsstrafe von zehn bis zu zwanzig Jahren oder mit lebenslanger Freiheitsstrafe zu bestrafen.

Vorsätzliche Gefährdung der Sicherheit der Luftfahrt

§ 186. (1) Wer auf solche Weise, daß dadurch die Sicherheit eines Luftfahrzeuges im Flug gefährdet werden kann,

1. gegen eine an Bord des Luftfahrzeuges befindliche Person Gewalt übt oder ihr mit Gewalt droht,

2. das im Einsatz befindliche Luftfahrzeug beschädigt oder

3. Einrichtungen der Luftfahrt zerstört, beschädigt oder in ihrem Betrieb beeinträchtigt,

ist, wenn die Tat nicht nach einer anderen Bestimmung mit strengerer Strafe bedroht ist, mit Freiheitsstrafe von einem bis zu zehn Jahren zu bestrafen.

(2) Ebenso ist zu bestrafen,

1. wer ein im Einsatz befindliches Luftfahrzeug zerstört oder derart beschädigt, daß es flugunfähig wird, oder

2. wer durch eine wissentlich unrichtige Mitteilung eine Gefahr für die Sicherheit eines Luftfahrzeuges im Flug herbeiführt.

(3) Hat die Tat den Tod eines Menschen oder schwere Körperverletzungen (§ 84 Abs. 1) einer größeren Zahl von Menschen zur Folge, so ist der Täter mit Freiheitsstrafe von fünf bis zu fünfzehn Jahren, hat sie aber den Tod einer größeren Zahl von Menschen nach sich gezogen, mit Freiheitsstrafe von zehn bis zu zwanzig Jahren oder mit lebenslanger Freiheitsstrafe zu bestrafen.

Hinderung der Bekämpfung einer Gemeingefahr

§ 187. Wer eine Maßnahme, die zur Abwendung einer gegenwärtigen Gefahr für Leib oder Leben (§ 89) einer größeren Zahl von Menschen oder für fremdes Eigentum in großem Ausmaß notwendig ist, vereitelt oder erschwert, ist mit Freiheitsstrafe bis zu drei Jahren zu bestrafen.

Achter Abschnitt

Strafbare Handlungen gegen den religiösen Frieden und die Ruhe der Toten

Herabwürdigung religiöser Lehren

§ 188. Wer öffentlich eine Person oder eine Sache, die den Gegenstand der Verehrung einer im Inland bestehenden Kirche oder Religionsgesellschaft bildet, oder eine Glaubenslehre, einen gesetzlich zulässigen Brauch oder eine gesetzlich zulässige Einrichtung einer solchen Kirche oder Religionsgesellschaft unter Umständen herabwürdigt oder verspottet, unter denen sein Verhalten geeignet ist, berechtigtes Ärgernis zu erregen, ist mit Freiheitsstrafe bis zu sechs Monaten oder mit Geldstrafe bis zu 360 Tagessätzen zu bestrafen.

Störung einer Religionsübung

§ 189. (1) Wer mit Gewalt oder durch Drohung mit Gewalt den gesetzlich zulässigen Gottesdienst oder einzelne solche gottesdienstliche Handlungen einer im Inland bestehenden Kirche oder Religionsgesellschaft hindert oder stört, ist mit Freiheitsstrafe bis zu zwei Jahren zu bestrafen.

(2) Wer

1. an einem Ort, der der gesetzlich zulässigen Religionsübung einer im Inland bestehenden Kirche oder Religionsgesellschaft gewidmet ist,

2. bei dem gesetzlich zulässigen öffentlichen Gottesdienst oder einzelnen gesetzlich zulässigen öffentlichen gottesdienstlichen Handlungen einer im Inland bestehenden Kirche oder Religionsgesellschaft oder

3. mit einem dem gesetzlich zulässigen Gottesdienst einer im Inland bestehenden Kirche oder Religionsgesellschaft unmittelbar gewidmeten Gegenstand

auf eine Weise Unfug treibt, die geeignet ist, berechtigtes Ärgernis zu erregen, ist mit Freiheitsstrafe bis zu sechs Monaten oder mit Geldstrafe bis zu 360 Tagessätzen zu bestrafen.

Störung der Totenruhe

§ 190. (1) Wer einen Leichnam oder Teile eines Leichnams oder die Asche eines Toten einem Verfügungsberechtigten entzieht oder aus einer Beisetzungs- oder Aufbahrungsstätte wegschafft, ferner wer einen Leichnam mißhandelt oder einen Leichnam, die Asche eines Toten oder eine Beisetzungs-, Aufbahrungs- oder Totengedenkstätte verunehrt, ist mit Freiheitsstrafe bis zu sechs Monaten oder mit Geldstrafe bis zu 360 Tagessätzen zu bestrafen.

(2) Wer Schmuck von einer Beisetzungs-, Aufbahrungs- oder Totengedenkstätte entfernt, ist mit Freiheitsstrafe bis zu drei Monaten oder mit Geldstrafe bis zu 180 Tagessätzen zu bestrafen.

Störung einer Bestattungsfeier

§ 191. Wer wissentlich eine Bestattungsfeier durch einen Lärm, der geeignet ist, berechtigtes Ärgernis zu erregen, oder durch ein anderes solches Verhalten stört, ist mit Freiheitsstrafe bis zu drei Monaten oder mit Geldstrafe bis zu 180 Tagessätzen zu bestrafen.

Neunter Abschnitt

Strafbare Handlungen gegen Ehe und Familie

Mehrfache Ehe oder eingetragene Partnerschaft

§ 192. Wer eine neue Ehe schließt oder eine eingetragene Partnerschaft begründet, obwohl er verheiratet ist oder eine eingetragene Partnerschaft führt, oder wer mit einer verheirateten Person oder einer Person, die eine eingetragene Partnerschaft führt, eine Ehe schließt oder eine eingetragene Partnerschaft begründet, ist mit Freiheitsstrafe bis zu drei Jahren zu bestrafen.

Ehetäuschung

§ 193. (1) Wer bei Eingehung einer Ehe dem anderen Teil eine Tatsache verschweigt, die die Ehe nichtig macht, ist mit Freiheitsstrafe bis zu einem Jahr oder mit Geldstrafe bis zu 720 Tagessätzen zu bestrafen.

(2) Ebenso ist zu bestrafen, wer einen anderen durch Täuschung über Tatsachen, derentwegen die Aufhebung der Ehe begehrt werden kann, verleitet, mit ihm die Ehe zu schließen.

(3) Der Täter ist nur dann zu bestrafen, wenn die Ehe wegen der verschwiegenen Tatsache für nichtig erklärt oder wegen der Täuschung aufgehoben worden ist. Auch ist er nur auf Verlangen des Verletzten zu verfolgen.

Partnerschaftstäuschung

§ 193a. (1) Wer einen anderen durch Täuschung über Tatsachen, derentwegen die Auflösung der eingetragenen Partnerschaft begehrt werden kann, verleitet, mit ihm eine eingetragene Partnerschaft zu begründen, ist mit Freiheitsstrafe bis zu einem Jahr oder mit Geldstrafe bis zu 720 Tagessätzen zu bestrafen.

(2) Der Täter ist nur dann zu bestrafen, wenn die eingetragene Partnerschaft wegen der Täuschung erfolgreich aufgelöst worden ist. Auch ist er nur auf Verlangen des Verletzten zu verfolgen.

Verbotene Adoptionsvermittlung

§ 194. (1) Wer

1. bewirkt, dass eine zustimmungsberechtigte Person gegen Gewährung eines Vorteils für sich oder einen Dritten der Adoption einer minderjährigen Person durch eine andere Person zustimmt, oder

2. sonst als Vermittler die Zustimmung einer zustimmungsberechtigten Person zur Adoption einer minderjährigen Person entgegen Art. 4 des Haager Übereinkommens über den Schutz von Kindern und die Zusammenarbeit auf dem Gebiet der internationalen Adoption, BGBl. III 145/1999, herbeiführt,

ist mit Freiheitsstrafe bis zu zwei Jahren zu bestrafen.

(2) Handelt der Täter, um sich oder einem Dritten einen Vermögensvorteil zu verschaffen, so ist er mit Freiheitsstrafe bis zu drei Jahren zu bestrafen.

(3) Annehmende und Wahlkinder, zwischen denen die Adoption vermittelt wird, sind nicht als Beteiligte (§ 12 StGB) zu bestrafen.

Kindesentziehung

§ 195. (1) Wer eine Person unter sechzehn Jahren dem Erziehungsberechtigten entzieht, sie vor ihm verborgen hält, sie verleitet, sich ihm zu entziehen oder sich vor ihm verborgen zu halten, oder ihr dazu Hilfe leistet, ist mit Freiheitsstrafe bis zu einem Jahr oder mit Geldstrafe bis zu 720 Tagessätzen zu bestrafen.

(2) Wer die Tat in Beziehung auf eine unmündige Person begeht, ist mit Freiheitsstrafe bis zu drei Jahren zu bestrafen.

(3) Der Täter ist nur mit Ermächtigung des Erziehungsberechtigten zu verfolgen. Entzieht er diesem eine Person, die das vierzehnte Lebensjahr vollendet hat, so bedarf die Verfolgung überdies der Ermächtigung des Jugendwohlfahrtsträgers.

(4) Der Täter ist nicht zu bestrafen, wenn er Grund zur Annahme hatte, daß ohne sein Handeln das körperliche oder seelische Wohl der Person unter sechzehn Jahren ernstlich gefährdet wäre, und er - soweit erforderlich - deren Aufenthalt dem Erziehungsberechtigten, dem Jugendwohlfahrtsträger oder einer Sicherheitsbehörde ohne unnötigen Aufschub bekanntgegeben hat.

(5) Eine Person unter sechzehn Jahren, die einen anderen dazu verleitet, sie dem Erziehungsberechtigten zu entziehen oder ihr Hilfe zu leisten, sich selbst dem Erziehungsberechtigten zu entziehen, ist nicht zu bestrafen.

Vereitelung behördlich angeordneter Erziehungshilfen

§ 196. (1) Wer eine minderjährige Person einer behördlich angeordneten Erziehungshilfe entzieht, sie verleitet, sich einer solchen zu entziehen, oder ihr dazu Hilfe leistet, ist mit Freiheitsstrafe bis zu sechs Monaten oder mit Geldstrafe bis zu 360 Tagessätzen zu bestrafen.

(2) Der Täter ist nur mit Ermächtigung der Behörde zu verfolgen, die über die Fortsetzung der Erziehungshilfe zu entscheiden hat.

(3) § 195 Abs. 5 gilt entsprechend.

Verletzung der Unterhaltspflicht

§ 198. (1) Wer seine im Familienrecht begründete Unterhaltspflicht gröblich verletzt und dadurch bewirkt, daß der Unterhalt oder die Erziehung des Unterhaltsberechtigten gefährdet wird oder ohne Hilfe von anderer Seite gefährdet wäre, ist mit Freiheitsstrafe bis zu sechs Monaten oder mit Geldstrafe bis zu 360 Tagessätzen zu bestrafen. Seine Unterhaltspflicht verletzt insbesondere auch, wer es unterläßt, einem Erwerb nachzugehen, der ihm die Erfüllung dieser Pflicht ermöglichen würde.

(2) Ist der Täter rückfällig (§ 39) oder hat die Tat die Verwahrlosung oder eine beträchtliche Schädigung der Gesundheit oder der körperlichen oder geistigen Entwicklung des Unterhaltsberechtigten zur Folge, so ist der Täter mit Freiheitsstrafe bis zu zwei Jahren, hat die Tat aber den Tod des Unterhaltsberechtigten zur Folge, mit Freiheitsstrafe bis zu drei Jahren zu bestrafen.

(3) Der Täter ist nicht nach Abs. 1 zu bestrafen, wenn er bis zum Schluss der Verhandlung die vom Verfolgungsantrag umfassten Unterhaltsbeträge zur Gänze bezahlt.

Vernachlässigung der Pflege, Erziehung oder Beaufsichtigung

§ 199. Wer die ihm auf Grund eines Gesetzes obliegende Pflege, Erziehung oder Beaufsichtigung einer minderjährigen Person gröblich vernachlässigt und dadurch, wenn auch nur fahrlässig, deren Verwahrlosung bewirkt, ist mit Freiheitsstrafe bis zu sechs Monaten oder mit Geldstrafe bis zu 360 Tagessätzen zu bestrafen.

Unterschiebung eines Kindes

§ 200. Wer ein Kind unterschiebt, ist mit Freiheitsstrafe bis zu einem Jahr oder mit Geldstrafe bis zu 720 Tagessätzen zu bestrafen.

Zehnter Abschnitt

Strafbare Handlungen gegen die sexuelle Integrität und Selbstbestimmung

Vergewaltigung

§ 201. (1) Wer eine Person mit Gewalt, durch Entziehung der persönlichen Freiheit oder durch Drohung mit gegenwärtiger Gefahr für Leib oder Leben (§ 89) zur Vornahme oder Duldung des Beischlafes oder einer dem Beischlaf gleichzusetzenden geschlechtlichen Handlung nötigt, ist mit Freiheitsstrafe von zwei bis zu zehn Jahren zu bestrafen.

(2) Hat die Tat eine schwere Körperverletzung (§ 84 Abs. 1) oder eine Schwangerschaft der vergewaltigten Person zur Folge oder wird die vergewaltigte Person durch die Tat längere Zeit hindurch in einen qualvollen Zustand versetzt oder in besonderer Weise erniedrigt, so ist der Täter mit Freiheitsstrafe von fünf bis zu fünfzehn Jahren, hat die Tat aber den Tod der vergewaltigten Person zur Folge, mit Freiheitsstrafe von zehn bis zu zwanzig Jahren oder mit lebenslanger Freiheitsstrafe zu bestrafen.

Geschlechtliche Nötigung

§ 202. (1) Wer außer den Fällen des § 201 eine Person mit Gewalt oder durch gefährliche Drohung zur

Vornahme oder Duldung einer geschlechtlichen Handlung nötigt, ist mit Freiheitsstrafe von sechs Monaten bis zu fünf Jahren zu bestrafen.

(2) Hat die Tat eine schwere Körperverletzung (§ 84 Abs. 1) oder eine Schwangerschaft der genötigten Person zur Folge oder wird die genötigte Person durch die Tat längere Zeit hindurch in einen qualvollen Zustand versetzt oder in besonderer Weise erniedrigt, so ist der Täter mit Freiheitsstrafe von fünf bis zu fünfzehn Jahren, hat die Tat aber den Tod der genötigten Person zur Folge, mit Freiheitsstrafe von zehn bis zu zwanzig Jahren oder mit lebenslanger Freiheitsstrafe zu bestrafen.

Sexueller Missbrauch einer wehrlosen oder psychisch beeinträchtigten Person

§ 205. (1) Wer eine wehrlose Person oder eine Person, die wegen einer Geisteskrankheit, wegen einer geistigen Behinderung, wegen einer tiefgreifenden Bewusstseinsstörung oder wegen einer anderen schweren, einem dieser Zustände gleichwertigen seelischen Störung unfähig ist, die Bedeutung des Vorgangs einzusehen oder nach dieser Einsicht zu handeln, unter Ausnützung dieses Zustands dadurch missbraucht, dass er mit ihr den Beischlaf oder eine dem Beischlaf gleichzusetzende Handlung vornimmt oder sie zur Vornahme oder Duldung des Beischlafes oder einer dem Beischlaf gleichzusetzenden geschlechtlichen Handlung mit einer anderen Person oder, um sich oder einen Dritten geschlechtlich zu erregen oder zu befriedigen, dazu verleitet, eine dem Beischlaf gleichzusetzende geschlechtliche Handlung an sich selbst vorzunehmen, ist mit Freiheitsstrafe von einem bis zu zehn Jahren zu bestrafen.

(2) Wer außer dem Fall des Abs. 1 eine wehrlose oder psychisch beeinträchtigte Person (Abs. 1) unter Ausnützung dieses Zustands dadurch missbraucht, dass er an ihr eine geschlechtliche Handlung vornimmt oder von ihr an sich vornehmen lässt oder sie zu einer geschlechtlichen Handlung mit einer anderen Person oder, um sich oder einen Dritten geschlechtlich zu erregen oder zu befriedigen, dazu verleitet, eine geschlechtliche Handlung an sich selbst vorzunehmen, ist mit Freiheitsstrafe von sechs Monaten bis zu fünf Jahren zu bestrafen.

(3) Hat die Tat eine schwere Körperverletzung (§ 84 Abs. 1) oder eine Schwangerschaft der missbrauchten Person zur Folge oder wird die missbrauchte Person durch die Tat längere Zeit hindurch in einen qualvollen Zustand versetzt oder in besonderer Weise erniedrigt, so ist der Täter mit Freiheitsstrafe von fünf bis zu fünfzehn Jahren, hat die Tat aber den Tod der missbrauchten Person zur Folge, mit Freiheitsstrafe von zehn bis zu zwanzig Jahren oder mit lebenslanger Freiheitsstrafe zu bestrafen.

Verletzung der sexuellen Selbstbestimmung

§ 205a. (1) Wer mit einer Person gegen deren Willen, unter Ausnützung einer Zwangslage oder nach vorangegangener Einschüchterung den Beischlaf oder eine dem Beischlaf gleichzusetzende geschlechtliche Handlung vornimmt, ist, wenn die Tat nicht nach einer anderen Bestimmung mit strengerer Strafe bedroht ist, mit Freiheitsstrafe bis zu zwei Jahren zu bestrafen.

(2) Ebenso ist zu bestrafen, wer eine Person auf die im Abs. 1 beschriebene Weise zur Vornahme oder Duldung des Beischlafes oder einer dem Beischlaf gleichzusetzenden geschlechtlichen Handlung mit einer anderen Person oder, um sich oder einen Dritten geschlechtlich zu erregen oder zu befriedigen, dazu veranlasst, eine dem Beischlaf gleichzusetzende geschlechtliche Handlung unfreiwillig an sich selbst vorzunehmen.

Schwerer sexueller Mißbrauch von Unmündigen

§ 206. (1) Wer mit einer unmündigen Person den Beischlaf oder eine dem Beischlaf gleichzusetzende geschlechtliche Handlung unternimmt, ist mit Freiheitsstrafe von einem bis zu zehn Jahren zu bestrafen.

(2) Ebenso ist zu bestrafen, wer eine unmündige Person zur Vornahme oder Duldung des Beischlafes oder einer dem Beischlaf gleichzusetzenden geschlechtlichen Handlung mit einer anderen Person oder, um sich oder einen Dritten geschlechtlich zu erregen oder zu befriedigen, dazu verleitet, eine dem Beischlaf gleichzusetzende geschlechtliche Handlung an sich selbst vorzunehmen.

(3) Hat die Tat eine schwere Körperverletzung (§ 84 Abs. 1) oder eine Schwangerschaft der unmündigen Person zur Folge oder wird die unmündige Person durch die Tat längere Zeit hindurch in einen qualvollen Zustand versetzt oder in besonderer Weise erniedrigt, so ist der Täter mit Freiheitsstrafe von fünf bis zu fünfzehn Jahren, hat sie aber den Tod der unmündigen Person zur Folge, mit Freiheitsstrafe von zehn bis zu zwanzig Jahren oder mit lebenslanger Freiheitsstrafe zu bestrafen.

(4) Übersteigt das Alter des Täters das Alter der unmündigen Person nicht um mehr als drei Jahre, wird die unmündige Person durch die Tat weder längere Zeit hindurch in einen qualvollen Zustand versetzt noch in besonderer Weise erniedrigt und hat die Tat weder eine schwere Körperverletzung (§ 84 Abs. 1) noch den Tod der unmündigen Person zur Folge, so ist der Täter nach Abs. 1 und 2 nicht zu bestrafen, es sei denn, die unmündige Person hätte das 13. Lebensjahr noch nicht vollendet.

Sexueller Mißbrauch von Unmündigen

§ 207. (1) Wer außer dem Fall des § 206 eine geschlechtliche Handlung an einer unmündigen Person vornimmt oder von einer unmündigen Person an sich vornehmen läßt, ist mit Freiheitsstrafe von sechs Monaten bis zu fünf Jahren zu bestrafen.

(2) Ebenso ist zu bestrafen, wer eine unmündige Person zu einer geschlechtlichen Handlung (Abs. 1) mit einer anderen Person oder, um sich oder einen

Dritten geschlechtlich zu erregen oder zu befriedigen, dazu verleitet, eine geschlechtliche Handlung an sich selbst vorzunehmen.

(3) Hat die Tat eine schwere Körperverletzung (§ 84 Abs. 1) zur Folge oder wird die unmündige Person durch die Tat längere Zeit hindurch in einen qualvollen Zustand versetzt oder in besonderer Weise erniedrigt, so ist der Täter mit Freiheitsstrafe von fünf bis zu fünfzehn Jahren, hat sie aber den Tod der unmündigen Person zur Folge, mit Freiheitsstrafe von zehn bis zu zwanzig Jahren oder mit lebenslanger Freiheitsstrafe zu bestrafen.

(4) Übersteigt das Alter des Täters das Alter der unmündigen Person nicht um mehr als vier Jahre, wird die unmündige Person durch die Tat weder längere Zeit hindurch in einen qualvollen Zustand versetzt noch in besonderer Weise erniedrigt und ist keine der Folgen des Abs. 3 eingetreten, so ist der Täter nach Abs. 1 und 2 nicht zu bestrafen, es sei denn, die unmündige Person hätte das zwölfte Lebensjahr noch nicht vollendet.

Bildliches sexualbezogenes Kindesmissbrauchsmaterial und bildliche sexualbezogene Darstellungen minderjähriger Personen

§ 207a. (1) Wer eine Abbildung oder Darstellung nach Abs. 4

1. herstellt oder

2. einem anderen anbietet, verschafft, überlässt, vorführt oder sonst zugänglich macht,

ist mit Freiheitsstrafe von sechs Monaten bis zu drei Jahren zu bestrafen.

(1a) Mit Freiheitsstrafe von einem bis zu fünf Jahren ist zu bestrafen, wer die Tat nach Abs. 1 in Bezug auf viele Abbildungen oder Darstellungen nach Abs. 4 begeht.

(2) Mit Freiheitsstrafe von einem bis zu fünf Jahren ist zu bestrafen, wer eine Abbildung oder Darstellung nach Abs. 4 zum Zweck der Verbreitung herstellt, einführt, befördert oder ausführt oder eine Tat nach Abs. 1 gewerbsmäßig begeht. Mit Freiheitsstrafe von einem bis zu zehn Jahren ist zu bestrafen, wer die Tat als Mitglied einer kriminellen Vereinigung oder so begeht, dass sie einen besonders schweren Nachteil der minderjährigen Person zur Folge hat; ebenso ist zu bestrafen, wer eine Abbildung oder Darstellung nach Abs. 4 unter Anwendung schwerer Gewalt herstellt oder bei der Herstellung das Leben der dargestellten minderjährigen Person vorsätzlich oder grob fahrlässig (§ 6 Abs. 3) gefährdet.

(2a) Mit Freiheitsstrafe von einem bis zu zehn Jahren ist zu bestrafen, wer die Tat nach Abs. 2 erster Satz in Bezug auf viele Abbildungen oder Darstellungen nach Abs. 4 begeht.

(3) Wer sich eine Abbildung oder Darstellung einer mündigen minderjährigen Person nach Abs. 4 Z 3 und 4 verschafft oder eine solche besitzt, ist mit Freiheitsstrafe bis zu zwei Jahren zu bestrafen. Mit Freiheitsstrafe bis zu drei Jahren ist zu bestrafen, wer sich eine Abbildung oder Darstellung einer unmündigen Person nach Abs. 4 verschafft oder eine solche besitzt.

(3a) Nach Abs. 3 wird auch bestraft, wer im Internet wissentlich auf eine Abbildung oder Darstellung nach Abs. 4 zugreift.

(3b) Wer die Tat nach Abs. 3 oder Abs. 3a in Bezug auf viele Abbildungen oder Darstellungen einer mündigen minderjährigen Person nach Abs. 4 begeht, ist mit Freiheitsstrafe von sechs Monaten bis zu drei Jahren zu bestrafen, jedoch mit Freiheitsstrafe von sechs Monaten bis zu fünf Jahren, wenn es sich dabei auch oder ausschließlich um viele Abbildungen oder Darstellungen einer unmündigen Person nach Abs. 4 handelt.

(4) Bildliches sexualbezogenes Kindesmissbrauchsmaterial und bildliche sexualbezogene Darstellungen minderjähriger Personen sind eine oder mehrere

1. wirklichkeitsnahe Abbildungen einer geschlechtlichen Handlung an einer unmündigen Person oder einer unmündigen Person an sich selbst, an einer anderen Person oder mit einem Tier,

2. wirklichkeitsnahe Abbildungen eines Geschehens mit einer unmündigen Person, dessen Betrachtung nach den Umständen den Eindruck vermittelt, dass es sich dabei um eine geschlechtliche Handlung an der unmündigen Person oder der unmündigen Person an sich selbst, an einer anderen Person oder mit einem Tier handelt,

3. wirklichkeitsnahe Abbildungen

a) einer geschlechtlichen Handlung im Sinne der Z 1 oder eines Geschehens im Sinne der Z 2, jedoch mit mündigen Minderjährigen, oder

b) der Genitalien oder der Schamgegend Minderjähriger,

soweit es sich um reißerisch verzerrte, auf sich selbst reduzierte und von anderen Lebensäußerungen losgelöste Abbildungen handelt, die der sexuellen Erregung des Betrachters dienen;

4. bildliche Darstellungen, deren Betrachtung – zufolge Veränderung einer Abbildung oder ohne Verwendung einer solchen – nach den Umständen den Eindruck vermittelt, es handle sich um eine Abbildung nach den Z 1 bis 3.

(5) Nach Abs. 1, Abs. 1a, Abs. 3, Abs. 3a und Abs. 3b ist nicht zu bestrafen, wer

1. eine Abbildung einer mündigen minderjährigen Person nach Abs. 4 Z 3 mit deren Einwilligung und zu deren oder seinem eigenen Gebrauch herstellt oder besitzt oder

2. eine Darstellung einer mündigen minderjährigen Person nach Abs. 4 Z 4 zu seinem eigenen Ge-

brauch herstellt oder besitzt, sofern mit der Tat keine Gefahr der Verbreitung der Darstellung verbunden ist.

(6) Nicht zu bestrafen ist ferner, wer

1. in den Fällen des Abs. 1, Abs. 1a, Abs. 2 erster Fall, Abs. 2a in Verbindung mit Abs. 2 erster Fall, Abs. 3 und Abs. 3b eine Abbildung oder Darstellung einer mündigen minderjährigen Person nach Abs. 4 Z 3 oder 4 von sich selbst herstellt, besitzt, oder anderen zu deren eigenem Gebrauch anbietet, verschafft, überlässt, vorführt oder sonst zugänglich macht oder

2. eine Abbildung oder Darstellung einer unmündigen minderjährigen Person nach Abs. 4 von sich selbst besitzt.

Sexueller Missbrauch von Jugendlichen

§ 207b. (1) Wer an einer Person, die das 16. Lebensjahr noch nicht vollendet hat und aus bestimmten Gründen noch nicht reif genug ist, die Bedeutung des Vorgangs einzusehen oder nach dieser Einsicht zu handeln, unter Ausnützung dieser mangelnden Reife sowie seiner altersbedingten Überlegenheit eine geschlechtliche Handlung vornimmt, von einer solchen Person an sich vornehmen lässt oder eine solche Person dazu verleitet, eine geschlechtliche Handlung an einem Dritten vorzunehmen oder von einem Dritten an sich vornehmen zu lassen, ist mit Freiheitsstrafe bis zu einem Jahr oder mit Geldstrafe bis zu 720 Tagessätzen zu bestrafen.

(2) Wer an einer Person, die das 18. Lebensjahr noch nicht vollendet hat, unter Ausnützung einer Zwangslage dieser Person eine geschlechtliche Handlung vornimmt, von einer solchen Person an sich vornehmen lässt oder eine solche Person dazu verleitet, eine geschlechtliche Handlung an einem Dritten vorzunehmen oder von einem Dritten an sich vornehmen zu lassen, ist mit Freiheitsstrafe bis zu drei Jahren zu bestrafen.

(3) Wer eine Person, die das 18. Lebensjahr noch nicht vollendet hat, unmittelbar durch ein Entgelt dazu verleitet, eine geschlechtliche Handlung an ihm oder einem Dritten vorzunehmen oder von ihm oder einem Dritten an sich vornehmen zu lassen, ist mit Freiheitsstrafe bis zu drei Jahren zu bestrafen.

Sittliche Gefährdung von Personen unter sechzehn Jahren

§ 208. (1) Wer eine Handlung, die geeignet ist, die sittliche, seelische oder gesundheitliche Entwicklung von Personen unter sechzehn Jahren zu gefährden, vor einer unmündigen Person oder einer seiner Erziehung, Ausbildung oder Aufsicht unterstehenden Person unter sechzehn Jahren vornimmt, um dadurch sich oder einen Dritten geschlechtlich zu erregen oder zu befriedigen, ist mit Freiheitsstrafe bis zu einem Jahr oder mit Geldstrafe bis zu 720 Tagessätzen zu bestrafen, es sei denn, daß nach den Umständen des Falles eine Gefährdung der unmündigen oder Person unter sechzehn Jahren ausgeschlossen ist.

(2) Ebenso ist zu bestrafen, wer, außer dem Fall des Abs. 1, um sich oder einen Dritten geschlechtlich zu erregen oder zu befriedigen, bewirkt, dass eine unmündige Person eine geschlechtliche Handlung wahrnimmt.

(3) Wer, um sich oder einen Dritten geschlechtlich zu erregen oder zu befriedigen, bewirkt, dass eine unmündige Person eine strafbare Handlung nach den §§ 201 bis 207 oder 207b wahrnimmt, ist mit Freiheitsstrafe bis zu zwei Jahren zu bestrafen.

(4) Übersteigt das Alter des Täters im ersten Fall des Abs. 1 und im Abs. 2 das Alter der unmündigen Person nicht um mehr als vier Jahre, so ist der Täter nach Abs. 1 und 2 nicht zu bestrafen, es sei denn, die unmündige Person hätte das zwölfte Lebensjahr noch nicht vollendet.

Anbahnung von Sexualkontakten zu Unmündigen

§ 208a. (1) Wer einer unmündigen Person in der Absicht, an ihr eine strafbare Handlung nach den §§ 201 bis 207a Abs. 1 Z 1 zu begehen,

1. im Wege einer Telekommunikation, unter Verwendung eines Computersystems oder

2. auf sonstige Art unter Täuschung über seine Absicht

ein persönliches Treffen vorschlägt oder ein solches mit ihr vereinbart und eine konkrete Vorbereitungshandlung zur Durchführung des persönlichen Treffens mit dieser Person setzt, ist mit Freiheitsstrafe bis zu zwei Jahren zu bestrafen.

(1a) Wer zu einer unmündigen Person in der Absicht, eine strafbare Handlung nach § 207a Abs. 3, 3a oder 3b in Bezug auf eine Abbildung oder Darstellung nach § 207a Abs. 4 dieser Person zu begehen, im Wege einer Telekommunikation oder unter Verwendung eines Computersystems Kontakt herstellt, ist mit Freiheitsstrafe bis zu einem Jahr oder Geldstrafe bis zu 720 Tagessätzen zu bestrafen.

(2) Nach Abs. 1 und 1a ist nicht zu bestrafen, wer freiwillig und bevor die Behörde (§ 151 Abs. 3) von seinem Verschulden erfahren hat, sein Vorhaben aufgibt und der Behörde sein Verschulden offenbart.

Blutschande

§ 211. (1) Wer mit einer Person, die mit ihm in gerader Linie verwandt ist, den Beischlaf vollzieht, ist mit Freiheitsstrafe bis zu einem Jahr oder mit Geldstrafe bis zu 720 Tagessätzen zu bestrafen.

(2) Wer eine Person, mit der er in absteigender Linie verwandt ist, zum Beischlaf verführt, ist mit Freiheitsstrafe bis zu drei Jahren zu bestrafen.

(3) Wer mit seinem Bruder oder mit seiner Schwester den Beischlaf vollzieht, ist mit Freiheitsstrafe bis zu sechs Monaten oder mit Geldstrafe bis zu 360 Tagessätzen zu bestrafen.

(4) Wer zur Zeit der Tat das neunzehnte Lebensjahr noch nicht vollendet hat, ist wegen Blutschande nicht zu bestrafen, wenn er zur Tat verführt worden ist.

Mißbrauch eines Autoritätsverhältnisses

§ 212. (1) Wer

1. mit einer mit ihm in absteigender Linie verwandten minderjährigen Person, seinem minderjährigen Wahlkind, Stiefkind oder Mündel oder

2. mit einer minderjährigen Person, die seiner Erziehung, Ausbildung oder Aufsicht untersteht, unter Ausnützung seiner Stellung gegenüber dieser Person

eine geschlechtliche Handlung vornimmt oder von einer solchen Person an sich vornehmen lässt oder, um sich oder einen Dritten geschlechtlich zu erregen oder zu befriedigen, dazu verleitet, eine geschlechtliche Handlung an sich selbst vorzunehmen, ist mit Freiheitsstrafe bis zu drei Jahren zu bestrafen.

(2) Ebenso ist zu bestrafen, wer

1. als Angehöriger eines gesetzlich geregelten Gesundheitsberufes oder Seelsorger mit einer berufsmäßig betreuten Person,

2. als Angestellter einer Erziehungsanstalt oder sonst als in einer Erziehungsanstalt Beschäftigter mit einer in der Anstalt betreuten Person oder

3. als Beamter mit einer Person, die seiner amtlichen Obhut anvertraut ist,

unter Ausnützung seiner Stellung dieser Person gegenüber eine geschlechtliche Handlung vornimmt oder von einer solchen Person an sich vornehmen lässt oder, um sich oder einen Dritten geschlechtlich zu erregen oder zu befriedigen, dazu verleitet, eine geschlechtliche Handlung an sich selbst vorzunehmen.

(3) Wer eine sexuelle Belästigung nach § 218 Abs. 1a unter den Umständen des Abs. 1 oder 2 begeht, ist mit Freiheitsstrafe bis zu einem Jahr oder mit Geldstrafe bis zu 720 Tagessätzen zu bestrafen.

Kuppelei

§ 213. (1) Wer eine Person, zu der er in einem der im § 212 bezeichneten Verhältnisse steht, unter den dort genannten Voraussetzungen zu einer geschlechtlichen Handlung mit einer anderen Person verleitet oder die persönliche Annäherung der beiden Personen zur Vornahme einer geschlechtlichen Handlung herbeiführt, ist mit Freiheitsstrafe bis zu drei Jahren zu bestrafen.

(2) Handelt der Täter, um sich oder einem anderen einen Vermögensvorteil zu verschaffen, so ist er mit Freiheitsstrafe von sechs Monaten bis zu fünf Jahren zu bestrafen.

Entgeltliche Vermittlung von Sexualkontakten mit Minderjährigen

§ 214. (1) Wer die persönliche Annäherung einer unmündigen mit einer anderen Person zur Vornahme einer geschlechtlichen Handlung herbeiführt, um sich oder einem anderen einen Vermögensvorteil zu verschaffen, ist mit Freiheitsstrafe von sechs Monaten bis zu fünf Jahren zu bestrafen.

(2) Wer außer dem Fall des Abs. 1 die persönliche Annäherung einer minderjährigen mit einer anderen Person zur Vornahme einer geschlechtlichen Handlung herbeiführt, um sich oder einem anderen einen Vermögensvorteil zu verschaffen, ist mit Freiheitsstrafe von sechs Monaten bis zu zwei Jahren zu bestrafen.

Zuführen zur Prostitution

§ 215. Wer eine Person der Prostitution zuführt, ist mit Freiheitsstrafe bis zu zwei Jahren zu bestrafen.

Förderung der Prostitution und pornographischer Darbietungen Minderjähriger

§ 215a. (1) Wer eine minderjährige Person, mag sie auch bereits der Prostitution nachgehen, zur Ausübung der Prostitution oder zur Mitwirkung an einer pornographischen Darbietung anwirbt oder einem anderen zu einem solchen Zweck anbietet oder vermittelt, ist mit Freiheitsstrafe von sechs Monaten bis zu fünf Jahren zu bestrafen. Ebenso ist zu bestrafen, wer eine minderjährige Person, die der Prostitution nachgeht oder an einer pornographischen Darbietung mitwirkt, ausnützt, um sich oder einem anderen einen Vermögensvorteil zuzuwenden.

(2) Wer die Tat gegen eine unmündige Person, im Rahmen einer kriminellen Vereinigung, unter Anwendung schwerer Gewalt oder so begeht, dass durch die Tat das Leben der Person vorsätzlich oder grob fahrlässig (§ 6 Abs. 3) gefährdet wird oder die Tat einen besonders schweren Nachteil für die Person zur Folge hat, ist mit Freiheitsstrafe von einem bis zu zehn Jahren zu bestrafen.

(2a) Wer wissentlich eine pornographische Darbietung, an der eine mündige minderjährige Person mitwirkt, betrachtet, ist mit Freiheitsstrafe bis zu einem Jahr oder mit Geldstrafe bis zu 720 Tagessätzen zu bestrafen. Mit Freiheitsstrafe bis zu zwei Jahren ist zu bestrafen, wer wissentlich eine pornographische Darbietung, an der eine unmündige Person mitwirkt, betrachtet.

(3) An einer pornographischen Darbietung wirkt mit, wer dabei eine auf sich selbst reduzierte, von anderen Lebensäußerungen losgelöste und der sexuellen Erregung eines Betrachters dienende geschlechtliche Handlung an sich selbst, an einer anderen Person oder mit einem Tier vornimmt, eine solche geschlechtliche Handlung an sich vornehmen lässt oder auf solche Weise seine Genitalien oder seine Schamgegend zur Schau stellt.

Zuhälterei

§ 216. (1) Wer mit dem Vorsatz, sich aus der Prostitution einer anderen Person eine fortlaufende Einnahme zu verschaffen, diese Person ausnützt, ist mit Freiheitsstrafe bis zu zwei Jahren zu bestrafen.

(2) Wer mit dem Vorsatz, sich aus der Prostitution einer anderen Person eine fortlaufende Einnahme zu verschaffen, diese Person ausbeutet, sie einschüchtert, ihr die Bedingungen der Ausübung der Prostitution vorschreibt oder mehrere solche Personen zugleich ausnützt, ist mit Freiheitsstrafe bis zu drei Jahren zu bestrafen.

(3) Wer die Tat (Abs. 1 und 2) als Mitglied einer kriminellen Vereinigung begeht, ist mit Freiheitsstrafe von sechs Monaten bis zu fünf Jahren zu bestrafen.

(4) Mit Freiheitsstrafe von sechs Monaten bis zu fünf Jahren ist auch zu bestrafen, wer durch Einschüchterung eine Person davon abhält, die Prostitution aufzugeben.

Grenzüberschreitender Prostitutionshandel

§ 217. (1) Wer eine Person, mag sie auch bereits der Prostitution nachgehen, der Prostitution in einem anderen Staat als in dem, dessen Staatsangehörigkeit sie besitzt oder in dem sie ihren gewöhnlichen Aufenthalt hat, zuführt oder sie hiefür anwirbt, ist mit Freiheitsstrafe von sechs Monaten bis zu fünf Jahren, wenn er die Tat jedoch gewerbsmäßig begeht, mit Freiheitsstrafe von einem bis zu zehn Jahren zu bestrafen.

(2) Wer eine Person (Abs. 1) mit dem Vorsatz, daß sie in einem anderen Staat als in dem, dessen Staatsangehörigkeit sie besitzt oder in dem sie ihren gewöhnlichen Aufenthalt hat, der Prostitution nachgehe, durch Täuschung über dieses Vorhaben verleitet oder mit Gewalt oder durch gefährliche Drohung nötigt, sich in einen anderen Staat zu begeben, oder sie mit Gewalt oder unter Ausnützung ihres Irrtums über dieses Vorhaben in einen anderen Staat befördert, ist mit Freiheitsstrafe von einem bis zu zehn Jahren zu bestrafen.

Sexuelle Belästigung und öffentliche geschlechtliche Handlungen

§ 218. (1) Wer eine Person durch eine geschlechtliche Handlung

1. an ihr oder

2. vor ihr unter Umständen, unter denen dies geeignet ist, berechtigtes Ärgernis zu erregen,

belästigt, ist mit Freiheitsstrafe bis zu sechs Monaten oder mit Geldstrafe bis zu 360 Tagessätzen zu bestrafen.

(1a) Ebenso ist zu bestrafen, wer eine andere Person durch eine intensive Berührung einer der Geschlechtssphäre zuzuordnenden Körperstelle in ihrer Würde verletzt.

(1b) Ebenso ist zu bestrafen, wer eine andere Person belästigt, indem er ihr im Wege einer Telekommunikation oder unter Verwendung eines Computersystems eine Bildaufnahme, die wesentlich menschliche Genitalien zeigt, eine vergleichbare bearbeitete Bildaufnahme oder vergleichbares künstlich erstelltes Material unaufgefordert und absichtlich übermittelt.

(2) Ebenso ist zu bestrafen, wer öffentlich und unter Umständen, unter denen sein Verhalten geeignet ist, durch unmittelbare Wahrnehmung berechtigtes Ärgernis zu erregen, eine geschlechtliche Handlung vornimmt.

(2a) Wer wissentlich an einer Zusammenkunft mehrerer Menschen teilnimmt, die darauf abzielt, dass eine sexuelle Belästigung nach Abs. 1 Z 1 oder Abs. 1a begangen werde, ist, wenn es zu einer solchen Tat gekommen ist, mit Freiheitsstrafe bis zu einem Jahr oder mit Geldstrafe bis zu 720 Tagessätzen zu bestrafen.

(2b) Wer eine sexuelle Belästigung nach Abs. 1 Z 1 oder Abs. 1a mit mindestens einer weiteren Person in verabredeter Verbindung begeht, ist mit Freiheitsstrafe bis zu zwei Jahren zu bestrafen.

(3) Der Täter ist nach Abs. 1, 1a oder 1b nur zu bestrafen, wenn die Tat nicht nach einer anderen Bestimmung mit strengerer Strafe bedroht ist. Er ist im Fall des Abs. 1, 1a oder 1b nur mit Ermächtigung der verletzten Person zu verfolgen.

Ankündigung zur Herbeiführung unzüchtigen Verkehrs

§ 219. Wer öffentlich eine Ankündigung erläßt, die bestimmt ist, unzüchtigen Verkehr herbeizuführen, und die nach ihrem Inhalt geeignet ist, berechtigtes Ärgernis zu erregen, ist mit Freiheitsstrafe bis zu sechs Monaten oder mit Geldstrafe bis zu 360 Tagessätzen zu bestrafen.

Tätigkeitsverbot

§ 220b. (1) Hat der Täter zum Nachteil einer minderjährigen Person eine vorsätzlich begangene, mit mehr als einjähriger Freiheitsstrafe bedrohte strafbare Handlung gegen Leib und Leben oder die Freiheit oder eine strafbare Handlung gegen die sexuelle Integrität und Selbstbestimmung begangen, so ist ihm für unbestimmte Zeit die Ausübung einer Erwerbstätigkeit oder sonstigen Tätigkeit in einem Verein oder einer anderen Einrichtung, welche die Erziehung, Ausbildung oder Beaufsichtigung Minderjähriger oder sonst intensive Kontakte mit Minderjährigen einschließt, und vergleichbarer Tätigkeiten zu untersagen, sofern die Gefahr besteht, dass er sonst unter Ausnützung einer ihm durch eine solche Tätigkeit gebotenen Gelegenheit eine weitere derartige strafbare Handlung begehen werde.

(2) Hat der Täter eine strafbare Handlung nach Abs. 1 zum Nachteil einer wegen Gebrechlichkeit, Krankheit oder einer geistigen Behinderung wehrlosen Person begangen, so ist ihm für unbestimmte Zeit die Ausübung einer Erwerbstätigkeit oder sonstigen Tätigkeit in einem Verein oder einer anderen Einrichtung, welche die Betreuung solcher wehrlosen Personen oder sonst intensive Kontakte mit solchen wehrlosen Personen einschließt, und vergleichbarer Tätig-

keiten zu untersagen, sofern die Gefahr besteht, dass er sonst unter Ausnützung einer ihm durch eine solche Tätigkeit gebotenen Gelegenheit eine weitere derartige strafbare Handlung begehen werde.

(3) Das Tätigkeitsverbot beginnt mit Rechtskraft der Entscheidung, mit der das Verbot ausgesprochen wird. Das Gericht hat mindestens alle fünf Jahre zu überprüfen, ob die Gefahr, wegen der das Tätigkeitsverbot verhängt wurde, noch besteht. Wenn nachträglich Umstände eintreten oder bekannt werden, bei deren Vorliegen im Zeitpunkt des Urteils kein Tätigkeitsverbot ausgesprochen worden wäre, hat das Gericht das Tätigkeitsverbot aufzuheben.

(4) Wer einer Tätigkeit nachgeht, obwohl ihm deren Ausübung nach den vorstehenden Bestimmungen untersagt wurde, ist mit Freiheitsstrafe bis zu sechs Monaten oder mit Geldstrafe bis zu 360 Tagessätzen zu bestrafen.

Elfter Abschnitt
Tierquälerei

Tierquälerei

§ 222. (1) Wer ein Tier

1. roh misshandelt oder ihm unnötige Qualen zufügt,

2. aussetzt, obwohl es in der Freiheit zu leben unfähig ist, oder

3. mit dem Vorsatz, dass ein Tier Qualen erleide, auf ein anderes Tier hetzt,

ist mit Freiheitsstrafe bis zu zwei Jahre zu bestrafen.

(2) Ebenso ist zu bestrafen, wer, wenn auch nur fahrlässig, im Zusammenhang mit der Beförderung mehrerer Tiere diese dadurch, dass er Fütterung oder Tränke unterlässt, oder auf andere Weise längere Zeit hindurch einem qualvollen Zustand aussetzt.

(3) Ebenso ist zu bestrafen, wer ein Wirbeltier mutwillig tötet.

Zwölfter Abschnitt
Strafbare Handlungen gegen die Zuverlässigkeit von Urkunden und Beweiszeichen

Urkundenfälschung

§ 223. (1) Wer eine falsche Urkunde mit dem Vorsatz herstellt oder eine echte Urkunde mit dem Vorsatz verfälscht, daß sie im Rechtsverkehr zum Beweis eines Rechtes, eines Rechtsverhältnisses oder einer Tatsache gebraucht werde, ist mit Freiheitsstrafe bis zu einem Jahr oder mit Geldstrafe bis zu 720 Tagessätzen zu bestrafen.

(2) Ebenso ist zu bestrafen, wer eine falsche oder verfälschte Urkunde im Rechtsverkehr zum Beweis eines Rechtes, eines Rechtsverhältnisses oder einer Tatsache gebraucht.

Fälschung besonders geschützter Urkunden

§ 224. Wer eine der im § 223 mit Strafe bedrohten Handlungen in Beziehung auf eine inländische öffentliche Urkunde, eine ausländische öffentliche Urkunde, wenn sie durch Gesetz oder zwischenstaatlichen Vertrag inländischen öffentlichen Urkunden gleichgestellt ist, eine letztwillige Verfügung oder ein nicht im § 237 genanntes Wertpapier begeht, ist mit Freiheitsstrafe bis zu zwei Jahren zu bestrafen.

Annahme, Weitergabe oder Besitz falscher oder verfälschter besonders geschützter Urkunden

§ 224a. Wer eine falsche oder verfälschte besonders geschützte Urkunde (§ 224) mit dem Vorsatz, dass sie im Rechtsverkehr zum Beweis eines Rechtes, eines Rechtsverhältnisses oder einer Tatsache gebraucht werde, von einem anderen übernimmt, sich oder einem anderen verschafft, befördert, einem anderen überlässt oder sonst besitzt, ist mit Freiheitsstrafe bis zu einem Jahr oder mit Geldstrafe bis zu 720 Tagessätzen zu bestrafen.

Fälschung öffentlicher Beglaubigungszeichen

§ 225. (1) Wer an einer Sache ein öffentliches Beglaubigungszeichen nachmacht oder verfälscht, einem öffentlichen Beglaubigungszeichen eine andere Sache unterschiebt oder eine mit einem solchen Zeichen versehene Sache wesentlich verändert, ist, wenn er mit dem Vorsatz handelt, daß die Sache im Rechtsverkehr gebraucht werde, mit Freiheitsstrafe bis zu zwei Jahren zu bestrafen.

(2) Ebenso ist zu bestrafen, wer eine mit einem nachgemachten oder verfälschten öffentlichen Beglaubigungszeichen versehene, eine einem öffentlichen Beglaubigungszeichen unterschobene oder eine nach der Anbringung eines solchen Zeichens wesentlich veränderte Sache im Rechtsverkehr gebraucht.

(3) Als öffentliches Beglaubigungszeichen gilt jedes Zeichen, das ein Beamter innerhalb seiner Amtsbefugnisse oder eine mit öffentlichem Glauben versehene Person innerhalb des ihr zugewiesenen Geschäftskreises an einer Sache in der vorgeschriebenen Form angebracht hat, um eine auf die Sache bezügliche Tatsache zu bestätigen.

Datenfälschung

§ 225a. Wer durch Eingabe, Veränderung, Löschung oder Unterdrückung von Daten falsche Daten mit dem Vorsatz herstellt oder echte Daten mit dem Vorsatz verfälscht, dass sie im Rechtsverkehr zum Beweis eines Rechtes, eines Rechtsverhältnisses oder einer Tatsache gebraucht werden, ist mit Freiheitsstrafe bis zu einem Jahr oder mit Geldstrafe bis zu 720 Tagessätzen zu bestrafen.

Tätige Reue

§ 226. (1) Nach den §§ 223 bis 225a ist nicht zu bestrafen, wer freiwillig, bevor die falsche oder verfälschte Urkunde, die mit dem nachgemachten oder verfälschten öffentlichen Beglaubigungszeichen versehene oder die einem öffentlichen Beglaubigungszeichen unterschobene oder die nach Anbringung eines solchen Zeichens wesentlich veränderte Sache oder die falschen oder verfälschten Daten im Rechtsverkehr gebraucht worden sind, durch Vernichtung der Urkunde, des Beglaubigungszeichens oder der Daten oder auf andere Art die Gefahr beseitigt, dass die Urkunde, die Sache oder die Daten in der in den §§ 223 bis 225a bezeichneten Weise gebraucht werden.

(2) Besteht die Gefahr eines solchen Gebrauches nicht oder ist sie ohne Zutun des Täters beseitigt worden, so ist er nicht zu bestrafen, wenn er sich in Unkenntnis dessen freiwillig und ernstlich bemüht, sie zu beseitigen.

Vorbereitung der Fälschung öffentlicher Urkunden oder Beglaubigungszeichen

§ 227. (1) Wer mit dem Vorsatz, sich oder einem anderen eine Urkundenfälschung in Beziehung auf eine inländische öffentliche Urkunde oder eine ausländische öffentliche Urkunde, wenn sie durch Gesetz oder zwischenstaatlichen Vertrag inländischen öffentlichen Urkunden gleichgestellt ist (§ 224), oder eine Fälschung öffentlicher Beglaubigungszeichen (§ 225) zu ermöglichen, ein Mittel oder Werkzeug, das nach seiner besonderen Beschaffenheit ersichtlich zu einem solchen Zweck bestimmt ist, anfertigt, von einem anderen übernimmt, sich oder einem anderen verschafft, einem anderen überlässt oder sonst besitzt, ist mit Freiheitsstrafe bis zu einem Jahr oder mit Geldstrafe bis zu 720 Tagessätzen zu bestrafen.

(2) Nach Abs. 1 ist nicht zu bestrafen, wer freiwillig, bevor das Mittel oder Werkzeug zur Begehung einer der dort genannten strafbaren Handlungen gebraucht worden ist, durch dessen Vernichtung oder auf andere Art die Gefahr eines solchen Gebrauches beseitigt. § 226 Abs. 2 gilt entsprechend.

Mittelbare unrichtige Beurkundung oder Beglaubigung

§ 228. (1) Wer bewirkt, daß gutgläubig ein Recht, ein Rechtsverhältnis oder eine Tatsache in einer inländischen öffentlichen Urkunde unrichtig beurkundet oder an einer Sache ein unrichtiges öffentliches Beglaubigungszeichen angebracht wird, ist, wenn er mit dem Vorsatz handelt, daß die Urkunde im Rechtsverkehr zum Beweis des Rechtes, des Rechtsverhältnisses oder der Tatsache gebraucht werde oder die Sache im Rechtsverkehr gebraucht werde, mit Freiheitsstrafe bis zu einem Jahr oder mit Geldstrafe bis zu 720 Tagessätzen zu bestrafen.

(2) Ebenso ist zu bestrafen, wer eine gutgläubig hergestellte unrichtige inländische öffentliche Urkunde, deren Unrichtigkeit von ihm oder einem Dritten vorsätzlich bewirkt wurde, im Rechtsverkehr zum Beweis des Rechtes, des Rechtsverhältnisses oder der Tatsache gebraucht, oder wer eine Sache, die gutgläubig mit einem unrichtigen öffentlichen Beglaubigungszeichen versehen wurde, dessen unrichtige Anbringung von ihm oder einem Dritten vorsätzlich bewirkt wurde, im Rechtsverkehr gebraucht.

(3) § 226 gilt entsprechend.

Urkundenunterdrückung

§ 229. (1) Wer eine Urkunde, über die er nicht oder nicht allein verfügen darf, vernichtet, beschädigt oder unterdrückt, ist, wenn er mit dem Vorsatz handelt, zu verhindern, daß sie im Rechtsverkehr zum Beweis eines Rechtes, eines Rechtsverhältnisses oder einer Tatsache gebraucht werde, mit Freiheitsstrafe bis zu einem Jahr oder mit Geldstrafe bis zu 720 Tagessätzen zu bestrafen.

(2) Nach Abs. 1 ist nicht zu bestrafen, wer freiwillig die Unterdrückung der Urkunde, bevor diese im Rechtsverkehr gebraucht werden sollte, rückgängig macht oder auf andere Art bewirkt, daß die Tat den Beweis, dem die Urkunde dienen sollte, nicht behindert.

Versetzung von Grenzzeichen

§ 230. (1) Wer ein zur Bezeichnung der Grenze oder des Wasserstands bestimmtes Zeichen mit dem Vorsatz, ein Beweismittel für eine Tatsache von rechtlicher Bedeutung zu schaffen oder zu unterdrücken, unrichtig setzt, verrückt, beseitigt oder unkenntlich macht, ist mit Freiheitsstrafe bis zu zwei Jahren zu bestrafen.

(2) Nach Abs. 1 ist nicht zu bestrafen, wer freiwillig das Zeichen, bevor es als Beweismittel herangezogen werden sollte oder herangezogen worden ist, berichtigt oder wiederherstellt oder auf andere Art bewirkt, daß die Tat den Beweis, dem das Zeichen dienen sollte, nicht behindert.

Gebrauch fremder Ausweise

§ 231. (1) Wer einen amtlichen Ausweis, der für einen anderen ausgestellt ist, im Rechtsverkehr gebraucht, als wäre er für ihn ausgestellt, ist mit Freiheitsstrafe bis zu sechs Monaten oder mit Geldstrafe bis zu 360 Tagessätzen zu bestrafen.

(2) Ebenso ist zu bestrafen, wer einem anderen einen amtlichen Ausweis mit dem Vorsatz überläßt, daß er von einem Nichtberechtigten im Rechtsverkehr gebraucht werde, als wäre er für ihn ausgestellt.

(3) Nach Abs. 2 ist nicht zu bestrafen, wer freiwillig den Ausweis, bevor ihn ein Nichtberechtigter im Rechtsverkehr gebraucht hat, zurücknimmt oder auf andere Art die Gefahr beseitigt, daß der amtliche Ausweis in der im Abs. 2 bezeichneten Weise gebraucht werde.

Dreizehnter Abschnitt
Strafbare Handlungen gegen die Sicherheit des Verkehrs mit Geld, Wertpapieren, Wertzeichen und unbaren Zahlungsmitteln

Geldfälschung

§ 232. (1) Wer Geld mit dem Vorsatz nachmacht oder verfälscht, daß es als echt und unverfälscht in Verkehr gebracht werde, ist mit Freiheitsstrafe von einem bis zu zehn Jahren zu bestrafen.

(2) Ebenso ist zu bestrafen, wer solches nachgemachtes oder verfälschtes Geld im Einverständnis mit einem an der Fälschung Beteiligten (§ 12) oder einem Mittelsmann mit dem Vorsatz übernimmt, es als echt und unverfälscht in Verkehr zu bringen.

(3) Als Nachmachen von Geld gilt auch die Herstellung unter Nutzung der zur rechtmäßigen Herstellung bestimmten Einrichtungen oder Materialien, jedoch unter Missachtung der Rechte oder der Bedingungen, nach denen die zuständigen Stellen zur Geldausgabe befugt sind, und ohne die Zustimmung dieser Stellen.

Weitergabe und Besitz nachgemachten oder verfälschten Geldes

§ 233. (1) Wer nachgemachtes oder verfälschtes Geld

1. mit dem Vorsatz, dass es als echt und unverfälscht ausgegeben werde, einführt, ausführt, befördert, außer dem im § 232 Abs. 2 genannten Fall von einem anderen übernimmt, sich sonst verschafft oder besitzt oder

2. als echt und unverfälscht ausgibt,

ist mit Freiheitsstrafe bis zu fünf Jahren zu bestrafen.

(2) Wer die Tat an nachgemachtem oder verfälschtem Geld im Nennwert von mehr als 300 000 Euro begeht, ist mit Freiheitsstrafe von einem bis zu zehn Jahren zu bestrafen.

Verringerung von Geldmünzen und Weitergabe verringerter Geldmünzen

§ 234. (1) Wer eine Geldmünze mit dem Vorsatz verringert, daß sie als vollwertig ausgegeben werde, ist mit Freiheitsstrafe von sechs Monaten bis zu fünf Jahren zu bestrafen.

(2) Wer eine verringerte Geldmünze

1. mit dem Vorsatz, daß sie als vollwertig ausgegeben werde, von einem anderen übernimmt oder sich auf andere Weise verschafft oder

2. als vollwertig ausgibt,

ist mit Freiheitsstrafe bis zu drei Jahren zu bestrafen. Wer die Tat an verringerten Geldmünzen begeht, deren Nennwert 300 000 Euro übersteigt, ist mit Freiheitsstrafe von sechs Monaten bis zu fünf Jahren zu bestrafen.

Ansichbringen, Verheimlichen oder Verhandeln des Münzabfalls

§ 235. Wer das von einem anderen durch die Verringerung von Geldmünzen (§ 234 Abs. 1) gewonnene Metall kauft, zum Pfand nimmt oder sonst an sich bringt, verheimlicht oder verhandelt, ist mit Freiheitsstrafe bis zu einem Jahr oder mit Geldstrafe bis zu 720 Tagessätzen zu bestrafen.

Weitergabe von Falschgeld oder verringerten Geldmünzen

§ 236. (1) Wer nachgemachtes oder verfälschtes Geld oder eine verringerte Geldmünze als echt und unverfälscht oder als vollwertig weitergibt, ist, wenn er oder ein anderer für ihn das Geld oder die Münze gutgläubig als echt und unverfälscht oder als vollwertig empfangen hat, ohne sich dadurch strafbar zu machen, mit Freiheitsstrafe bis zu einem Jahr oder mit Geldstrafe bis zu 720 Tagessätzen zu bestrafen.

(2) Ebenso ist zu bestrafen, wer eine der im Abs. 1 genannten Handlungen für einen anderen begeht, der, ohne sich dadurch strafbar zu machen, das Geld oder die Münze gutgläubig als echt und unverfälscht oder als vollwertig empfangen hat.

Fälschung besonders geschützter Wertpapiere

§ 237. Nach den §§ 232, 233 oder 236 ist auch zu bestrafen, wer eine der dort mit Strafe bedrohten Handlungen in Beziehung auf Banknoten oder Geldmünzen, die nicht gesetzliche Zahlungsmittel sind, Pfandbriefe, Teilschuldverschreibungen, Aktien oder sonstige Anteilscheine, Zins-, Genuß-, Gewinnanteil- oder Erneuerungsscheine begeht, sofern diese Wertpapiere auf Inhaber lauten.

Wertzeichenfälschung

§ 238. (1) Wer ein amtliches Wertzeichen mit dem Vorsatz nachmacht oder verfälscht, daß es als echt und unverfälscht verwertet werde, ist mit Freiheitsstrafe bis zu drei Jahren zu bestrafen.

(2) Wer ein solches nachgemachtes oder verfälschtes Wertzeichen

1. mit dem Vorsatz, daß es als echt und unverfälscht verwertet werde, von einem anderen übernimmt oder sich auf andere Weise verschafft oder

2. als echt und unverfälscht verwertet,

ist mit Freiheitsstrafe bis zu zwei Jahren zu bestrafen.

(3) Als amtliche Wertzeichen gelten auch amtliche Stempelabdrücke, durch die die Entrichtung einer Gebühr oder sonst einer Abgabe bescheinigt wird.

(4) Die Wiederverwendung eines schon verwendeten amtlichen Wertzeichens und die Entfernung des

Entwertungsstempels von einem schon verwendeten amtlichen Wertzeichen sind gerichtlich nicht strafbar.

Vorbereitung einer Geld-, Wertpapier- oder Wertzeichenfälschung

§ 239. Wer mit dem Vorsatz, sich oder einem anderen die Begehung einer der nach den §§ 232, 234, 237 oder 238 mit Strafe bedrohten Handlungen zu ermöglichen, ein Mittel oder Werkzeug, das nach seiner besonderen Beschaffenheit ersichtlich zu einem solchen Zweck bestimmt ist, ein Hologramm oder einen anderen der Sicherung gegen Fälschung dienenden Bestandteil von Geld, eines besonders geschützten Wertpapieres oder eines amtlichen Wertzeichens anfertigt, von einem anderen übernimmt, sich oder einem anderen verschafft, einem anderen überlässt oder sonst besitzt, ist mit Freiheitsstrafe bis zu zwei Jahren zu bestrafen.

Tätige Reue

§ 240. (1) Wegen einer der in den §§ 232 bis 234 und 237 bis 239 mit Strafe bedrohten Handlungen ist nicht zu bestrafen, wer freiwillig

1. seine dort bezeichnete Tätigkeit vor deren Abschluß aufgibt,

2. das nachgemachte oder verfälschte Geld, solche Wertpapiere oder Wertzeichen oder die verringerten Geldmünzen sowie die Fälschungsgeräte (§ 239) vernichtet oder der Behörde (§ 151 Abs. 3) übergibt, soweit er diese Gegenstände noch besitzt, und

3. durch Mitteilung an diese Behörde oder auf andere Art die Gefahr beseitigt, daß infolge seiner Tätigkeit oder der Tätigkeit anderer an dem Unternehmen Beteiligter nachgemachtes oder verfälschtes Geld oder ein solches Wertpapier als echt und unverfälscht oder eine verringerte Geldmünze als vollwertig in Verkehr gebracht oder ausgegeben oder ein nachgemachtes oder verfälschtes Wertzeichen als echt und unverfälscht verwertet wird, solange noch nicht versucht worden ist, einen dieser Erfolge herbeizuführen.

(2) Der Täter ist auch nicht zu bestrafen, wenn die im Abs. 1 bezeichneten Gefahren nicht bestehen oder ohne sein Zutun beseitigt werden, er sich jedoch in Unkenntnis dessen freiwillig und ernstlich darum bemüht, sie zu beseitigen.

Geld, Wertpapiere und Wertzeichen des Auslands

§ 241. Die Bestimmungen dieses Abschnitts gelten auch für Geld, Wertpapiere, Wertzeichen sowie zur Ausgabe als gesetzliches Zahlungsmittel bestimmte Banknoten und Geldmünzen des Auslands.

Fälschung unbarer Zahlungsmittel

§ 241a. (1) Wer ein falsches unbares Zahlungsmittel mit dem Vorsatz herstellt oder ein echtes unbares Zahlungsmittel mit dem Vorsatz verfälscht, dass es im Rechtsverkehr wie ein echtes verwendet werde, ist mit Freiheitsstrafe bis zu drei Jahren zu bestrafen.

(2) Wer die Tat gewerbsmäßig oder als Mitglied einer kriminellen Vereinigung begeht, ist mit Freiheitsstrafe von sechs Monaten bis zu fünf Jahren zu bestrafen.

Annahme, Weitergabe oder Besitz falscher oder verfälschter unbarer Zahlungsmittel

§ 241b. (1) Wer ein falsches oder verfälschtes unbares Zahlungsmittel mit dem Vorsatz, dass es im Rechtsverkehr wie ein echtes verwendet werde, von einem anderen übernimmt, sich oder einem anderen verschafft, befördert, einem anderen überlässt, einführt, ausführt, verbreitet, bereitstellt oder sonst besitzt, ist mit Freiheitsstrafe bis zu einem Jahr oder mit Geldstrafe bis zu 720 Tagessätzen zu bestrafen.

(2) Wer die Tat als Mitglied einer kriminellen Vereinigung begeht, ist mit Freiheitsstrafe von sechs Monaten bis zu fünf Jahren zu bestrafen.

Vorbereitung der Fälschung oder Entfremdung unbarer Zahlungsmittel

§ 241c. Wer mit dem Vorsatz, sich oder einem anderen eine Fälschung unbarer Zahlungsmittel (§ 241a) oder eine Entfremdung unbarer Zahlungsmittel nach § 241e Abs. 1 zu ermöglichen, ein Mittel oder Werkzeug, das nach seiner besonderen Beschaffenheit ersichtlich zu einem solchen Zweck bestimmt ist, anfertigt, von einem anderen übernimmt, sich oder einem anderen verschafft, einem anderen überlässt oder sonst besitzt, ist mit Freiheitsstrafe bis zu zwei Jahren zu bestrafen.

Tätige Reue

§ 241d. (1) Wegen einer der in den §§ 241a bis 241c mit Strafe bedrohten Handlungen ist nicht zu bestrafen, wer freiwillig, bevor das falsche oder verfälschte unbare Zahlungsmittel im Rechtsverkehr verwendet worden ist, durch Vernichtung des unbaren Zahlungsmittels, oder, bevor das Mittel oder Werkzeug zur Fälschung eines unbaren Zahlungsmittels verwendet worden ist, durch Vernichtung des Mittels oder Werkzeuges, oder auf andere Art die Gefahr einer solchen Verwendung beseitigt.

(2) Besteht die Gefahr einer solchen Verwendung nicht oder ist sie ohne Zutun des Täters beseitigt worden, so ist er nicht zu bestrafen, wenn er sich in Unkenntnis dessen freiwillig und ernstlich bemüht, sie zu beseitigen.

Entfremdung unbarer Zahlungsmittel

§ 241e. (1) Wer sich ein unbares Zahlungsmittel, über das er nicht oder nicht allein verfügen darf, mit dem Vorsatz verschafft, dass er oder ein Dritter durch dessen Verwendung im Rechtsverkehr unrechtmäßig bereichert werde, ist mit Freiheitsstrafe bis zu zwei Jahren zu bestrafen. Ebenso ist zu bestrafen, wer sich ein unbares Zahlungsmittel, über das er nicht oder nicht allein verfügen darf, mit dem Vorsatz verschafft, sich oder einem anderen eine Fälschung unbarer Zahlungsmittel (§ 241a) zu ermöglichen.

(2) Wer die Tat gewerbsmäßig oder als Mitglied einer kriminellen Vereinigung begeht, ist mit Freiheitsstrafe von sechs Monaten bis zu fünf Jahren zu bestrafen.

(3) Wer ein unbares Zahlungsmittel, über das er nicht oder nicht allein verfügen darf, mit dem Vorsatz, dessen Verwendung im Rechtsverkehr zu verhindern, vernichtet, beschädigt oder unterdrückt, ist mit Freiheitsstrafe bis zu einem Jahr oder mit Geldstrafe bis zu 720 Tagessätzen zu bestrafen.

Annahme, Weitergabe oder Besitz entfremdeter unbarer Zahlungsmittel

§ 241f. (1) Wer ein entfremdetes unbares Zahlungsmittel mit dem Vorsatz, dass er oder ein Dritter durch dessen Verwendung unrechtmäßig bereichert werde, oder mit dem Vorsatz, sich oder einem anderen eine Fälschung unbarer Zahlungsmittel (§ 241a) zu ermöglichen, von einem anderen übernimmt, sich oder einem anderen verschafft, befördert, einem anderen überlässt, einführt, ausführt, verbreitet, bereitstellt oder sonst besitzt, ist mit Freiheitsstrafe bis zu einem Jahr oder mit Geldstrafe bis zu 720 Tagessätzen zu bestrafen.

(2) Wer die Tat als Mitglied einer kriminellen Vereinigung begeht, ist mit Freiheitsstrafe von sechs Monaten bis zu fünf Jahren zu bestrafen.

Tätige Reue

§ 241g. (1) Nach den §§ 241e und 241f ist nicht zu bestrafen, wer freiwillig, bevor das entfremdete unbare Zahlungsmittel im Rechtsverkehr oder zur Fälschung eines unbaren Zahlungsmittels verwendet worden ist, durch Übergabe an die Behörde (§ 151 Abs. 3) oder auf andere Art die Gefahr einer solchen Verwendung beseitigt.

(2) Besteht die Gefahr einer solchen Verwendung nicht oder ist sie ohne Zutun des Täters beseitigt worden, so ist er nicht zu bestrafen, wenn er sich in Unkenntnis dessen freiwillig und ernstlich bemüht, sie zu beseitigen.

Ausspähen von Daten eines unbaren Zahlungsmittels

§ 241h. (1) Wer Daten eines unbaren Zahlungsmittels mit dem Vorsatz ausspäht,

1. dass er oder ein Dritter durch deren Verwendung im Rechtsverkehr unrechtmäßig bereichert werde oder

2. sich oder einem anderen eine Fälschung unbarer Zahlungsmittel (§ 241a) zu ermöglichen,

ist mit Freiheitsstrafe bis zu einem Jahr oder mit Geldstrafe bis zu 720 Tagessätzen zu bestrafen.

(2) Wer die Tat gewerbsmäßig begeht, ist mit Freiheitsstrafe bis zu drei Jahren, wer die Tat als Mitglied einer kriminellen Vereinigung begeht, ist mit Freiheitsstrafe von sechs Monaten bis zu fünf Jahren zu bestrafen.

(3) Der Täter ist nicht zu bestrafen, wenn er freiwillig, bevor die ausgespähten Daten im Sinne des Abs. 1 Z 1 oder 2 verwendet wurden, die Gefahr ihrer Verwendung durch Verständigung der Behörde, des Berechtigten oder auf andere Weise beseitigt. Besteht die Gefahr einer solchen Verwendung nicht oder ist sie ohne Zutun des Täters beseitigt worden, so ist er nicht zu bestrafen, wenn er sich in Unkenntnis dessen freiwillig und ernstlich bemüht, sie zu beseitigen.

Vierzehnter Abschnitt

Hochverrat und andere Angriffe gegen den Staat

Hochverrat

§ 242. (1) Wer es unternimmt, mit Gewalt oder durch Drohung mit Gewalt die Verfassung der Republik Österreich oder eines ihrer Bundesländer zu ändern oder ein zur Republik Österreich gehörendes Gebiet abzutrennen, ist mit Freiheitsstrafe von zehn bis zu zwanzig Jahren zu bestrafen.

(2) Ein Unternehmen im Sinn des Abs. 1 liegt auch schon bei einem Versuch vor.

Tätige Reue

§ 243. (1) Der Täter ist wegen Hochverrats nicht zu bestrafen, wenn er freiwillig die Ausführung aufgibt oder diese, falls mehrere an dem Vorhaben beteiligt sind, verhindert oder wenn er freiwillig den Erfolg abwendet.

(2) Der Täter ist auch dann nicht zu bestrafen, wenn die Ausführung oder der Erfolg ohne sein Zutun unterbleibt, er sich jedoch in Unkenntnis dessen freiwillig und ernstlich bemüht, die Ausführung zu verhindern oder den Erfolg abzuwenden.

Vorbereitung eines Hochverrats

§ 244. (1) Wer mit einem anderen die gemeinsame Begehung eines Hochverrats verabredet, ist mit Freiheitsstrafe von einem bis zu zehn Jahren zu bestrafen.

(2) Ebenso ist zu bestrafen, wer einen Hochverrat in anderer Weise vorbereitet und dadurch die Gefahr eines hochverräterischen Unternehmens herbeiführt oder erheblich vergrößert oder wer einen Hochverrat im Zusammenwirken mit einer ausländischen Macht vorbereitet.

Tätige Reue

§ 245. (1) Der Täter ist wegen Vorbereitung eines Hochverrats nicht zu bestrafen, wenn er freiwillig seine Tätigkeit aufgibt oder, falls mehrere an der Vorbereitung beteiligt sind, den Hochverrat verhindert.

(2) § 243 Abs. 2 gilt entsprechend.

Staatsfeindliche Verbindungen

§ 246. (1) Wer eine Verbindung gründet, deren wenn auch nicht ausschließlicher Zweck es ist, auf gesetzwidrige Weise die Unabhängigkeit, die in der Verfassung festgelegte Staatsform oder eine verfassungsmäßige Einrichtung der Republik Österreich oder eines ihrer Bundesländer zu erschüttern, ist mit Freiheitsstrafe von sechs Monaten bis zu fünf Jahren zu bestrafen.

(2) Ebenso ist zu bestrafen, wer sich in einer solchen Verbindung führend betätigt, für sie Mitglieder wirbt oder sie mit Geldmitteln oder sonst in erheblicher Weise unterstützt.

(3) Wer an einer solchen Verbindung sonst teilnimmt oder sie auf eine andere als die im Abs. 2 bezeichnete Weise unterstützt, ist mit Freiheitsstrafe bis zu einem Jahr oder mit Geldstrafe bis zu 720 Tagessätzen zu bestrafen.

Tätige Reue

§ 247. Nach § 246 ist nicht zu bestrafen, wer freiwillig, bevor die Behörde (§ 151 Abs. 3) von seinem Verschulden erfahren hat, alles, was ihm von der Verbindung und ihren Plänen bekannt ist, zu einer Zeit, da es noch geheim ist, einer solchen Behörde aufdeckt.

Staatsfeindliche Bewegung

§ 247a. (1) Wer eine staatsfeindliche Bewegung gründet oder sich in einer solchen führend betätigt, ist, wenn er oder ein anderer Teilnehmer eine ernstzunehmende Handlung ausgeführt oder zu ihr beigetragen hat, in der sich die staatsfeindliche Ausrichtung eindeutig manifestiert, mit Freiheitsstrafe bis zu zwei Jahren zu bestrafen.

(2) Wer an einer solchen Bewegung mit dem Vorsatz teilnimmt, dadurch die Begehung von staatsfeindlichen Handlungen zu fördern, oder sie mit erheblichen Geldmitteln oder sonst in erheblicher Weise unterstützt, ist unter der Bedingung des Abs. 1 mit Freiheitsstrafe bis zu einem Jahr oder mit Geldstrafe bis zu 720 Tagessätzen zu bestrafen.

(3) Eine staatsfeindliche Bewegung ist eine Gruppe vieler Menschen, die darauf ausgerichtet ist, die Hoheitsrechte der Republik Österreich (Bund, Länder, Gemeinden oder sonstige Selbstverwaltung) rundweg abzulehnen oder sich fortgesetzt die Ausübung solcher oder behaupteter Hoheitsrechte selbst anzumaßen, und deren Zweck es ist, fortgesetzt auf eine Weise, durch die sich die staatsfeindliche Ausrichtung eindeutig manifestiert, gesetzwidrig die Vollziehung von Gesetzen, Verordnungen oder sonstigen hoheitlichen Entscheidungen der Behörden zu verhindern oder die angemaßten oder behaupteten Hoheitsrechte durchzusetzen.

(4) Der Täter ist nach Abs. 1 und 2 nicht zu bestrafen, wenn die Tat nach einer anderen Bestimmung mit strengerer Strafe bedroht ist.

(5) Nach Abs. 1 und 2 ist nicht zu bestrafen, wer sich freiwillig und bevor die Behörde von seinem Verschulden erfahren hat, aus der Bewegung in einer Weise zurückzieht, die eindeutig zu erkennen gibt, dass die staatsfeindliche Ausrichtung nicht mehr unterstützt wird.

Religiös motivierte extremistische Verbindung

§ 247b. (1) Wer eine religiös motivierte extremistische Verbindung gründet oder sich in einer solchen führend betätigt, ist, wenn er oder ein anderer Teilnehmer eine ernstzunehmende gesetzwidrige Handlung ausgeführt oder zu ihr beigetragen hat, in der sich die religiös motivierte extremistische Ausrichtung eindeutig manifestiert, mit Freiheitsstrafe bis zu zwei Jahren zu bestrafen.

(2) Wer an einer solchen Verbindung mit dem Vorsatz teilnimmt, dadurch die Begehung von religiös motivierten extremistischen Handlungen zu fördern, oder sie mit erheblichen Geldmitteln oder sonst in erheblicher Weise unterstützt, ist unter der Bedingung des Abs. 1 mit Freiheitsstrafe bis zu einem Jahr oder mit Geldstrafe bis zu 720 Tagessätzen zu bestrafen.

(3) Eine religiös motivierte extremistische Verbindung ist eine solche, die fortgesetzt auf gesetzwidrige Art und Weise die wesentlichen Elemente der demokratischen rechtsstaatlichen Grundordnung der Republik durch eine ausschließlich religiös begründete Gesellschafts- und Staatsordnung zu ersetzen versucht, indem sie die Vollziehung von Gesetzen, Verordnungen oder sonstigen hoheitlichen Entscheidungen zu verhindern oder sich religiös begründete Hoheitsrechte anzumaßen oder solche Rechte durchzusetzen versucht.

(4) Der Täter ist nach Abs. 1 und 2 nicht zu bestrafen, wenn die Tat nach einer anderen Bestimmung mit strengerer Strafe bedroht ist.

(5) Nach Abs. 1 und 2 ist nicht zu bestrafen, wer sich freiwillig und bevor die Behörde von seinem Verschulden erfahren hat, aus der Verbindung in einer Weise zurückzieht, die eindeutig zu erkennen gibt, dass die religiös motivierte extremistische Ausrichtung nicht mehr unterstützt wird.

Herabwürdigung des Staates und seiner Symbole

§ 248. (1) Wer auf eine Art, daß die Tat einer breiten Öffentlichkeit bekannt wird, in gehässiger Weise die Republik Österreich oder eines ihrer Bundesländer beschimpft oder verächtlich macht, ist mit Freiheitsstrafe bis zu einem Jahr oder mit Geldstrafe bis zu 720 Tagessätzen zu bestrafen.

(2) Wer in der im Abs. 1 bezeichneten Art in gehässiger Weise eine aus einem öffentlichen Anlaß oder bei einer allgemein zugänglichen Veranstaltung gezeigte Fahne der Republik Österreich oder eines ihrer

Bundesländer, ein von einer österreichischen Behörde angebrachtes Hoheitszeichen, die Bundeshymne oder eine Landeshymne beschimpft, verächtlich macht oder sonst herabwürdigt, ist mit Freiheitsstrafe bis zu sechs Monaten oder mit Geldstrafe bis zu 360 Tagessätzen zu bestrafen.

Fünfzehnter Abschnitt

Angriffe auf oberste Staatsorgane

Gewalt und gefährliche Drohung gegen den Bundespräsidenten

§ 249. Wer es unternimmt (§ 242 Abs. 2), mit Gewalt oder durch gefährliche Drohung den Bundespräsidenten abzusetzen oder durch eines dieser Mittel zu nötigen oder zu hindern, seine Befugnisse überhaupt oder in einem bestimmten Sinn auszuüben, ist mit Freiheitsstrafe von einem bis zu zehn Jahren zu bestrafen.

Nötigung eines verfassungsmäßigen Vertretungskörpers, einer Regierung, des Verfassungsgerichtshofs, des Verwaltungsgerichtshofs oder des Obersten Gerichtshofs

§ 250. Wer es unternimmt (§ 242 Abs. 2), den Nationalrat, den Bundesrat, die Bundesversammlung, die Bundesregierung, einen Landtag, eine Landesregierung, den Verfassungsgerichtshof, den Verwaltungsgerichtshof oder den Obersten Gerichtshof mit Gewalt oder durch Drohung mit Gewalt zu nötigen oder zu hindern, ihre Befugnisse überhaupt oder in einem bestimmten Sinn auszuüben, ist mit Freiheitsstrafe von einem bis zu zehn Jahren zu bestrafen.

Nötigung von Mitgliedern eines verfassungsmäßigen Vertretungskörpers, einer Regierung, des Verfassungsgerichtshofs, des Verwaltungsgerichtshofs oder des Obersten Gerichtshofs oder des Präsidenten des Rechnungshofs oder des Leiters eines Landesrechnungshofs

§ 251. Wer ein Mitglied des Nationalrats, des Bundesrats, der Bundesversammlung, der Bundesregierung, eines Landtags, einer Landesregierung, des Verfassungsgerichtshofs, des Verwaltungsgerichtshofs oder des Obersten Gerichtshofs oder den Präsidenten des Rechnungshofs, den Leiter eines Landesrechnungshofs oder deren Stellvertreter mit Gewalt oder durch gefährliche Drohung nötigt oder hindert, seine Befugnisse überhaupt oder in einem bestimmten Sinn auszuüben, ist mit Freiheitsstrafe von sechs Monaten bis zu fünf Jahren und im Fall einer schweren Nötigung (§ 106) mit Freiheitsstrafe von einem bis zu zehn Jahren zu bestrafen.

Sechzehnter Abschnitt

Landesverrat

Verrat von Staatsgeheimnissen

§ 252. (1) Wer einer fremden Macht oder einer über- oder zwischenstaatlichen Einrichtung ein Staatsgeheimnis bekannt oder zugänglich macht, ist mit Freiheitsstrafe von einem bis zu zehn Jahren zu bestrafen.

(2) Wer der Öffentlichkeit ein Staatsgeheimnis bekannt oder zugänglich macht, ist mit Freiheitsstrafe von sechs Monaten bis zu fünf Jahren zu bestrafen. Betrifft das Staatsgeheimnis verfassungsgefährdende Tatsachen (Abs. 3), so ist der Täter jedoch nur zu bestrafen, wenn er in der Absicht handelt, der Republik Österreich einen Nachteil zuzufügen. Die irrtümliche Annahme verfassungsgefährdender Tatsachen befreit den Täter nicht von Strafe.

(3) Verfassungsgefährdende Tatsachen sind solche, die Bestrebungen offenbaren, in verfassungswidriger Weise den demokratischen, bundesstaatlichen oder rechtsstaatlichen Aufbau der Republik Österreich zu beseitigen, deren dauernde Neutralität aufzuheben oder ein verfassungsgesetzlich gewährleistetes Recht abzuschaffen oder einzuschränken oder wiederholt gegen ein solches Recht zu verstoßen.

Preisgabe von Staatsgeheimnissen

§ 253. (1) Wer zufolge einer ihn im besonderen treffenden rechtlichen Verpflichtung dazu verhalten ist, ein Geheimnis zu wahren, von dem er weiß, daß es ein Staatsgeheimnis ist, und diese Verpflichtung unter Umständen verletzt, unter denen das Geheimnis einer fremden Macht, einer über- oder zwischenstaatlichen Einrichtung oder der Öffentlichkeit bekannt oder zugänglich werden kann, ist mit Freiheitsstrafe bis zu drei Jahren zu bestrafen.

(2) Betrifft das Staatsgeheimnis verfassungsgefährdende Tatsachen (§ 252 Abs. 3), so ist der Täter jedoch nur zu bestrafen, wenn er in der Absicht handelt, der Republik Österreich einen Nachteil zuzufügen. Die irrtümliche Annahme verfassungsgefährdender Tatsachen befreit den Täter nicht von Strafe.

Ausspähung von Staatsgeheimnissen

§ 254. (1) Wer ein Staatsgeheimnis mit dem Vorsatz zurückhält oder sich verschafft, es einer fremden Macht einer über- oder zwischenstaatlichen Einrichtung oder der Öffentlichkeit bekannt oder zugänglich zu machen und dadurch die Gefahr eines schweren Nachteils für die Landesverteidigung der Republik Österreich oder für die Beziehungen der Republik Österreich zu einer fremden Macht oder einer über- oder zwischenstaatlichen Einrichtung herbeizuführen, ist mit Freiheitsstrafe von sechs Monaten bis zu fünf Jahren zu bestrafen.

(2) § 253 Abs. 2 gilt entsprechend.

Begriff des Staatsgeheimnisses

§ 255. Staatsgeheimnisse im Sinn dieses Abschnitts sind Tatsachen, Gegenstände oder Erkenntnisse, insbesondere Schriften, Zeichnungen, Modelle und Formeln, und Nachrichten darüber, die nur einem begrenzten Personenkreis zugänglich sind und vor einer fremden Macht oder einer über- oder zwischenstaatlichen Einrichtung geheimgehalten werden müssen, um die Gefahr eines schweren Nachteils für die Landesverteidigung der Republik Österreich oder für die Beziehungen der Republik Österreich zu einer fremden Macht oder einer über- oder zwischenstaatlichen Einrichtung hintanzuhalten.

Geheimer Nachrichtendienst zum Nachteil Österreichs

§ 256. Wer zum Nachteil der Republik Österreich einen geheimen Nachrichtendienst einrichtet oder betreibt oder einen solchen Nachrichtendienst wie immer unterstützt, ist mit Freiheitsstrafe von sechs Monaten bis zu fünf Jahren zu bestrafen.

Begünstigung feindlicher Streitkräfte

§ 257. (1) Ein Österreicher, der während eines Krieges oder eines bewaffneten Konfliktes, an denen die Republik Österreich beteiligt ist, in den Dienst der feindlichen Streitkräfte tritt oder gegen die Republik Österreich Waffen trägt, ist mit Freiheitsstrafe von einem bis zu zehn Jahren zu bestrafen.

(2) Ebenso ist zu bestrafen, wer während eines Krieges oder eines bewaffneten Konfliktes, an denen die Republik Österreich beteiligt ist, oder bei unmittelbar drohender Gefahr eines solchen Krieges oder bewaffneten Konfliktes den feindlichen Streitkräften einen Vorteil verschafft oder dem österreichischen Bundesheer einen Nachteil zufügt. Ausländer sind nach dieser Bestimmung nur zu bestrafen, wenn sie die Tat begehen, während sie sich im Inland befinden.

Landesverräterische Fälschung und Vernichtung von Beweisen

§ 258. (1) Wer

1. über ein Rechtsverhältnis zwischen der Republik Österreich oder einem ihrer Bundesländer und einer fremden Macht oder einer über- oder zwischenstaatlichen Einrichtung oder

2. über eine Tatsache, die für die Beziehungen zwischen der Republik Österreich oder einem ihrer Bundesländer und einer fremden Macht oder einer über- oder zwischenstaatlichen Einrichtung von Bedeutung ist,

ein falsches Beweismittel herstellt oder ein echtes verfälscht, vernichtet, beschädigt oder beseitigt und dadurch die Interessen der Republik Österreich oder eines ihrer Bundesländer gefährdet, ist mit Freiheitsstrafe von sechs Monaten bis zu fünf Jahren zu bestrafen.

(2) Ebenso ist zu bestrafen, wer von einem solchen falschen oder verfälschten Beweismittel Gebrauch macht und dadurch die Interessen der Republik Österreich oder eines ihrer Bundesländer gefährdet.

Siebzehnter Abschnitt

Strafbare Handlungen gegen das Bundesheer

Beteiligung an militärischen strafbaren Handlungen

§ 259. Wer, ohne Soldat zu sein, einen anderen bestimmt, eine ausschließlich im Militärstrafgesetz mit einer drei Jahre übersteigenden Freiheitsstrafe bedrohte Handlung oder eine der in den §§ 16, 19 und 21 des Militärstrafgesetzes mit Strafe bedrohten Handlungen auszuführen oder sonst zur Ausführung einer solchen Handlung beiträgt, ist mit Freiheitsstrafe bis zu zwei Jahren, wer die Tat aber mit Beziehung auf die im § 18 des Militärstrafgesetzes mit Strafe bedrohte Handlung begeht, mit Freiheitsstrafe von sechs Monaten bis zu fünf Jahren zu bestrafen.

Wehrmittelsabotage

§ 260. Wer ein Wehrmittel oder eine Einrichtung oder Anlage, die ausschließlich oder vorwiegend der Landesverteidigung oder dem Schutz der Zivilbevölkerung gegen Kriegsgefahren dient, oder einen dafür bestimmten Werkstoff entgegen einer übernommenen Verpflichtung nicht oder fehlerhaft herstellt oder liefert und dadurch wissentlich die Landesverteidigung, die Schlagkraft des Bundesheeres oder eines Teiles des Bundesheeres oder den Schutz der Zivilbevölkerung gefährdet, ist, wenn die Tat nicht nach einer anderen Bestimmung mit strengerer Strafe bedroht ist, mit Freiheitsstrafe von sechs Monaten bis zu fünf Jahren zu bestrafen.

Achtzehnter Abschnitt

Strafbare Handlungen bei Wahlen und Volksabstimmungen; Mandatskauf

Geltungsbereich

§ 261. (1) Die Bestimmungen dieses Abschnitts gelten, soweit im Folgenden nichts anderes bestimmt ist, für die Wahl des Bundespräsidenten, für die Wahlen zu den allgemeinen Vertretungskörpern und zu den satzungsgebenden Organen (Vertretungskörpern) der gesetzlichen beruflichen Vertretungen, für die allgemeinen und unmittelbaren Wahlen in die mit der Vollziehung betrauten Organe einer Gemeinde, für die Wahl zum Europäischen Parlament sowie für Volksabstimmungen.

(2) Einer Wahl oder Volksabstimmung steht eine Volksbefragung, das Unterschreiben eines Wahlvorschlags oder einer Unterstützungserklärung für einen Wahlvorschlag, das Verfahren für ein Volksbegehren und die Abgabe einer Unterstützungsbekundung für eine Europäische Bürgerinitiative gleich.

Wahlbehinderung

§ 262. (1) Wer einen anderen mit Gewalt oder durch gefährliche Drohung nötigt oder hindert, überhaupt oder in einem bestimmten Sinn zu wählen oder zu stimmen, ist mit Freiheitsstrafe bis zu einem Jahr oder mit Geldstrafe bis zu 720 Tagessätzen, unter den Voraussetzungen des § 106 jedoch mit den dort bezeichneten Strafen zu bestrafen.

(2) Wer einen anderen auf andere Weise als durch Nötigung an der Ausübung seines Wahl- oder Stimmrechts hindert, ist mit Freiheitsstrafe bis zu sechs Monaten oder mit Geldstrafe bis zu 360 Tagessätzen zu bestrafen.

Täuschung bei einer Wahl oder Volksabstimmung

§ 263. (1) Wer durch Täuschung über Tatsachen bewirkt oder zu bewirken versucht, daß ein anderer bei der Stimmabgabe über den Inhalt seiner Erklärung irrt oder gegen seinen Willen eine ungültige Stimme abgibt, ist mit Freiheitsstrafe bis zu sechs Monaten oder mit Geldstrafe bis zu 360 Tagessätzen zu bestrafen.

(2) Ebenso ist zu bestrafen, wer durch Täuschung über einen die Durchführung der Wahl oder Volksabstimmung betreffenden Umstand bewirkt oder zu bewirken versucht, daß ein anderer die Stimmabgabe unterläßt.

Verbreitung falscher Nachrichten bei einer Wahl oder Volksabstimmung

§ 264. (1) Wer öffentlich eine falsche Nachricht über einen Umstand, der geeignet ist, Wahl- oder Stimmberechtigte von der Stimmabgabe abzuhalten oder zur Ausübung des Wahl- oder Stimmrechts in einem bestimmten Sinn zu veranlassen, zu einer Zeit verbreitet, da eine Gegenäußerung nicht mehr wirksam verbreitet werden kann, ist mit Freiheitsstrafe bis zu sechs Monaten oder mit Geldstrafe bis zu 360 Tagessätzen zu bestrafen.

(2) Wer sich dabei einer falschen oder verfälschten Urkunde bedient, um die falsche Nachricht glaubwürdig erscheinen zu lassen, ist mit Freiheitsstrafe bis zu drei Jahren zu bestrafen.

Bestechung bei einer Wahl oder Volksabstimmung

§ 265. (1) Wer einem Wahl- oder Stimmberechtigten ein Entgelt anbietet, verspricht oder gewährt, damit er in einem bestimmten Sinn oder damit er nicht oder nicht in einem bestimmten Sinn wähle oder stimme, ist mit Freiheitsstrafe bis zu einem Jahr oder mit Geldstrafe bis zu 720 Tagessätzen zu bestrafen.

(2) Ebenso ist ein Wahl- oder Stimmberechtigter zu bestrafen, der dafür, daß er in einem bestimmten Sinn, oder dafür, daß er nicht oder nicht in einem bestimmten Sinn wähle oder stimme, ein Entgelt fordert, annimmt oder sich versprechen läßt.

Mandatskauf

§ 265a. (1) Wer im Zusammenhang mit einer Wahl zum Nationalrat, zu einem Landtag oder zum Europäischen Parlament als Verantwortlicher einer wahlwerbenden Partei für die Einflussnahme auf die Zuteilung eines Mandats an einen Bewerber für sich oder einen Dritten ein Entgelt fordert, annimmt oder sich versprechen lässt, ist, sofern es tatsächlich zur Angelobung des Bewerbers oder zur Einnahme des Sitzes durch diesen gekommen ist, mit Freiheitsstrafe bis zu zwei Jahren zu bestrafen.

(2) Ebenso ist zu bestrafen, wer im Zusammenhang mit einer Wahl nach Abs. 1 einem Verantwortlichen einer wahlwerbenden Partei für die Einflussnahme auf die Zuteilung eines Mandats an einen Bewerber ein Entgelt für ihn oder einen Dritten anbietet, verspricht oder gewährt, sofern es tatsächlich zur Angelobung des Bewerbers oder zur Einnahme des Sitzes durch diesen gekommen ist.

(3) Wer die Tat in Bezug auf einen 50 000 Euro übersteigenden Wert des Entgelts begeht, ist mit Freiheitsstrafe von sechs Monaten bis zu fünf Jahren zu bestrafen.

(4) Zusagen, Vereinbarungen oder Leistungen betreffend zulässige Parteispenden nach den bundes- und landesgesetzlich normierten Spendenregelungen, die Übernahme von Wahlwerbungsaufwendungen für die eigene Person, Parteiabgaben, aussichtsreichere Listenplätze für unterlegene Bewerber und vergleichbare Zusagen, Vereinbarungen oder Leistungen sind nicht rechtswidrig.

(5) Der Täter ist nach den vorstehenden Absätzen nur dann zu bestrafen, wenn die Tat nicht nach einer anderen Bestimmung mit strengerer Strafe bedroht ist.

Fälschung bei einer Wahl oder Volksabstimmung

§ 266. (1) Wer, ohne wahl- oder stimmberechtigt zu sein, oder namens eines anderen ohne oder gegen dessen Auftrag unzulässigerweise wählt oder stimmt, ist mit Freiheitsstrafe bis zu sechs Monaten oder mit Geldstrafe bis zu 360 Tagessätzen zu bestrafen.

(2) Wer das Ergebnis einer Wahl oder Volksabstimmung fälscht, ist mit Freiheitsstrafe bis zu drei Jahren zu bestrafen.

Verhinderung einer Wahl oder Volksabstimmung

§ 267. Wer mit Gewalt oder durch gefährliche Drohung eine Wahl, eine Volksabstimmung oder die Feststellung oder Verkündung ihrer Ergebnisse verhindert oder absichtlich stört, ist mit Freiheitsstrafe bis zu drei Jahren zu bestrafen.

Verletzung des Wahl- oder Volksabstimmungsgeheimnisses

§ 268. Wer einer dem Schutz des Wahl- oder Abstimmungsgeheimnisses dienenden Vorschrift in der Absicht zuwiderhandelt, sich oder einem anderen

Kenntnis davon zu verschaffen, wie jemand gewählt oder gestimmt hat, ist mit Freiheitsstrafe bis zu sechs Monaten oder mit Geldstrafe bis zu 360 Tagessätzen zu bestrafen.

Neunzehnter Abschnitt

Strafbare Handlungen gegen die Staatsgewalt

Widerstand gegen die Staatsgewalt

§ 269. (1) Wer eine Behörde mit Gewalt oder durch Drohung mit Gewalt und wer einen Beamten mit Gewalt oder durch gefährliche Drohung an einer Amtshandlung hindert, ist mit Freiheitsstrafe bis zu drei Jahren, im Fall einer schweren Nötigung (§ 106) jedoch mit Freiheitsstrafe von sechs Monaten bis zu fünf Jahren zu bestrafen.

(2) Ebenso ist zu bestrafen, wer eine Behörde mit Gewalt oder durch Drohung mit Gewalt oder einen Beamten mit Gewalt oder durch gefährliche Drohung zu einer Amtshandlung nötigt.

(3) Als Amtshandlung im Sinn der Abs. 1 und 2 gilt nur eine Handlung, durch die der Beamte als Organ der Hoheitsverwaltung oder der Gerichtsbarkeit eine Befehls- oder Zwangsgewalt ausübt.

(4) Der Täter ist nach Abs. 1 nicht zu bestrafen, wenn die Behörde oder der Beamte zu der Amtshandlung ihrer Art nach nicht berechtigt ist oder die Amtshandlung gegen strafgesetzliche Vorschriften verstößt.

Tätlicher Angriff auf einen Beamten

§ 270. (1) Wer einen Beamten während einer Amtshandlung (§ 269 Abs. 3) tätlich angreift, ist mit Freiheitsstrafe bis zu zwei Jahren zu bestrafen.

(2) § 269 Abs. 4 gilt entsprechend.

Verstrickungsbruch

§ 271. (1) Wer eine Sache, die behördlich gepfändet oder in Beschlag genommen worden ist, zerstört, beschädigt, verunstaltet, unbrauchbar macht oder ganz oder zum Teil der Verstrickung entzieht, ist mit Freiheitsstrafe bis zu sechs Monaten oder mit Geldstrafe bis zu 360 Tagessätzen zu bestrafen.

(2) § 269 Abs. 4 gilt entsprechend.

(3) Nach Abs. 1 ist nicht zu bestrafen, wer freiwillig, bevor die Behörde (§ 151 Abs. 3) von seinem Verschulden erfahren hat, die der Verstrickung entzogene Sache zurückstellt.

Siegelbruch

§ 272. (1) Wer ein Siegel beschädigt oder ablöst, das ein Beamter in Ausübung seines Amtes angelegt hat, um eine Sache unter Verschluß oder in Beschlag zu nehmen oder zu bezeichnen, und wer einen durch ein solches Siegel bewirkten Verschluß ganz oder zum Teil unwirksam macht, ist mit Freiheitsstrafe bis zu sechs Monaten oder mit Geldstrafe bis zu 360 Tagessätzen zu bestrafen.

(2) § 269 Abs. 4 gilt entsprechend.

(3) Nach Abs. 1 ist nicht zu bestrafen, wer freiwillig, bevor die Behörde (§ 151 Abs. 3) von seinem Verschulden erfahren hat, bewirkt, daß die Sache ohne wesentliche Beeinträchtigung des Zweckes wieder unter Verschluß oder in Beschlag genommen wird.

Verletzung behördlicher Bekanntmachungen

§ 273. (1) Wer ein Schriftstück, von dem er weiß (§ 5 Abs. 3), daß es von einer Behörde zur Bekanntmachung öffentlich angeschlagen oder ausgelegt worden ist, zerstört, beschädigt, beseitigt, verändert oder den Inhalt des Schriftstücks ganz oder zum Teil unkenntlich macht und dadurch den Zweck der Bekanntmachung dieses Schriftstücks vereitelt oder beeinträchtigt, ist mit Freiheitsstrafe bis zu sechs Monaten oder mit Geldstrafe bis zu 360 Tagessätzen zu bestrafen.

(2) § 269 Abs. 4 gilt entsprechend.

(3) Nach Abs. 1 ist nicht zu bestrafen, wer freiwillig, bevor die Behörde (§ 151 Abs. 3) von seinem Verschulden erfahren hat, bewirkt, daß der Zweck der Bekanntmachung ohne wesentliche Beeinträchtigung erreicht wird.

Zwanzigster Abschnitt

Strafbare Handlungen gegen den öffentlichen Frieden

Schwere gemeinschaftliche Gewalt

§ 274. (1) Wer wissentlich an einer Zusammenkunft vieler Menschen teilnimmt, die darauf abzielt, dass durch ihre vereinten Kräfte ein Mord (§ 75), ein Totschlag (§ 76), eine Körperverletzung (§§ 84 bis 87) oder eine schwere Sachbeschädigung nach § 126 Abs. 1 Z 5 oder Abs. 2 begangen werde, ist, wenn es zu einer solchen Gewalttat gekommen ist, mit Freiheitsstrafe bis zu zwei Jahren zu bestrafen.

(2) Wer an einer solchen Zusammenkunft führend oder dadurch teilnimmt, dass er zur Begehung einer der im Abs. 1 angeführten strafbaren Handlungen aufstachelt, oder als Teilnehmer eine solche strafbare Handlung ausführt oder zu ihrer Ausführung beiträgt (§ 12), ist mit Freiheitsstrafe bis zu drei Jahren zu bestrafen.

(3) Nach Abs. 1 ist nicht zu bestrafen, wer sich freiwillig aus der Zusammenkunft zurückzieht oder ernstlich zurückzuziehen sucht, bevor sie zu einer Gewaltanwendung geführt hat, es sei denn, dass er an der Zusammenkunft in der in Abs. 2 umschriebenen Weise teilgenommen hat.

Landzwang

§ 275. (1) Wer die Bevölkerung oder einen großen Personenkreis durch eine Drohung mit einem Angriff auf Leben, Gesundheit, körperliche Unversehrtheit, Freiheit oder Vermögen in Furcht und Unruhe versetzt, ist mit Freiheitsstrafe bis zu drei Jahren zu bestrafen.

(2) Hat die Tat

1. eine schwere oder längere Zeit anhaltende Störung des öffentlichen Lebens,

2. eine schwere Schädigung des Wirtschaftslebens oder

3. den Tod eines Menschen oder die schwere Körperverletzung (§ 84 Abs. 1) einer größeren Zahl von Menschen zur Folge oder sind durch die Tat viele Menschen in Not versetzt worden,

so ist der Täter mit Freiheitsstrafe von sechs Monaten bis zu fünf Jahren zu bestrafen.

(3) Hat die Tat aber den Tod einer größeren Zahl von Menschen nach sich gezogen, so ist der Täter mit Freiheitsstrafe von einem bis zu zehn Jahren zu bestrafen.

Verbrecherisches Komplott

§ 277. (1) Wer mit einem anderen die gemeinsame Ausführung eines Mordes (§ 75), einer erpresserischen Entführung (§ 102), einer Überlieferung an eine ausländische Macht (§ 103), eines Sklavenhandels (§ 104), eines Raubes (§ 142), einer gemeingefährlichen strafbaren Handlung nach den §§ 169, 171, 173, 176, 185 oder 186, eines grenzüberschreitenden Prostitutionshandels (§ 217) oder einer nach den §§ 28a oder 31a des Suchtmittelgesetzes strafbaren Handlung verabredet, ist mit Freiheitsstrafe von sechs Monaten bis zu fünf Jahren zu bestrafen.

(2) Nach Abs. 1 ist nicht zu bestrafen, wer freiwillig durch eine Mitteilung an die Behörde (§ 151 Abs. 3) oder an den Bedrohten oder auf andere Art die beabsichtigte strafbare Handlung verhindert. Unterbleibt die strafbare Handlung ohne Zutun des Täters, so ist er nicht zu bestrafen, wenn er sich in Unkenntnis dessen freiwillig und ernstlich bemüht, die strafbare Handlung zu verhindern.

Kriminelle Vereinigung

§ 278. (1) Wer eine kriminelle Vereinigung gründet oder sich an einer solchen als Mitglied beteiligt, ist mit Freiheitsstrafe bis zu drei Jahren zu bestrafen.

(2) Eine kriminelle Vereinigung ist ein auf längere Zeit angelegter Zusammenschluss von mehr als zwei Personen, der darauf ausgerichtet ist, dass von einem oder mehreren Mitgliedern der Vereinigung ein oder mehrere Verbrechen, andere erhebliche Gewalttaten gegen Leib und Leben, nicht nur geringfügige Sachbeschädigungen, Diebstähle oder Betrügereien, Vergehen nach den §§ 177b, 233 bis 239, 241a bis 241c, 241e, 241f, 283, 304 oder 307, in § 278d Abs. 1 genannte andere Vergehen oder Vergehen nach den §§ 114 Abs. 1 oder 116 des Fremdenpolizeigesetzes ausgeführt werden.

(3) Als Mitglied beteiligt sich an einer kriminellen Vereinigung, wer im Rahmen ihrer kriminellen Ausrichtung eine strafbare Handlung begeht oder sich an ihren Aktivitäten durch die Bereitstellung von Informationen oder Vermögenswerten oder auf andere Weise in dem Wissen beteiligt, dass er dadurch die Vereinigung oder deren strafbare Handlungen fördert.

(4) Hat die Vereinigung zu keiner strafbaren Handlung der geplanten Art geführt, so ist kein Mitglied zu bestrafen, wenn sich die Vereinigung freiwillig auflöst oder sich sonst aus ihrem Verhalten ergibt, dass sie ihr Vorhaben freiwillig aufgegeben hat. Ferner ist wegen krimineller Vereinigung nicht zu bestrafen, wer freiwillig von der Vereinigung zurücktritt, bevor eine Tat der geplanten Art ausgeführt oder versucht worden ist; wer an der Vereinigung führend teilgenommen hat, jedoch nur dann, wenn er freiwillig durch Mitteilung an die Behörde (§ 151 Abs. 3) oder auf andere Art bewirkt, dass die aus der Vereinigung entstandene Gefahr beseitigt wird.

Kriminelle Organisation

§ 278a. Wer eine auf längere Zeit angelegte unternehmensähnliche Verbindung einer größeren Zahl von Personen gründet oder sich an einer solchen Verbindung als Mitglied beteiligt (§ 278 Abs. 3),

1. die, wenn auch nicht ausschließlich, auf die wiederkehrende und geplante Begehung schwerwiegender strafbarer Handlungen, die das Leben, die körperliche Unversehrtheit, die Freiheit oder das Vermögen bedrohen, oder schwerwiegender strafbarer Handlungen im Bereich der sexuellen Ausbeutung von Menschen, der Schlepperei oder des unerlaubten Verkehrs mit Kampfmitteln, Kernmaterial und radioaktiven Stoffen, gefährlichen Abfällen, Falschgeld oder Suchtmitteln ausgerichtet ist,

2. die dadurch eine Bereicherung in großem Umfang anstrebt und

3. die andere zu korrumpieren oder einzuschüchtern oder sich auf besondere Weise gegen Strafverfolgungsmaßnahmen abzuschirmen sucht,

ist mit Freiheitsstrafe von sechs Monaten bis zu fünf Jahren zu bestrafen. § 278 Abs. 4 gilt entsprechend.

Terroristische Vereinigung

§ 278b. (1) Wer eine terroristische Vereinigung (Abs. 3) anführt, ist mit Freiheitsstrafe von fünf bis zu fünfzehn Jahren zu bestrafen.

(2) Wer sich als Mitglied (§ 278 Abs. 3) an einer terroristischen Vereinigung beteiligt, ist mit Freiheitsstrafe von einem bis zu zehn Jahren zu bestrafen.

(3) Eine terroristische Vereinigung ist ein auf längere Zeit angelegter Zusammenschluss von mehr als zwei Personen, der darauf ausgerichtet ist, dass von

einem oder mehreren Mitgliedern dieser Vereinigung eine oder mehrere terroristische Straftaten (§ 278c) ausgeführt werden oder Terrorismusfinanzierung (§ 278d) betrieben wird.

Terroristische Straftaten

§ 278c. (1) Terroristische Straftaten sind

1. Mord (§ 75),

2. Körperverletzungen nach den §§ 83 bis 87,

3. erpresserische Entführung (§ 102),

4. schwere Nötigung (§ 106),

(Anm.: Z 5 aufgehoben durch Art. 1 Z 1, BGBl. I Nr. 40/2023)

6. schwere Sachbeschädigung (§ 126), Datenbeschädigung (§ 126a) und Störung der Funktionsfähigkeit eines Computersystems (§ 126b), wenn dadurch eine Gefahr für das Leben eines anderen oder für fremdes Eigentum in großem Ausmaß entstehen kann oder viele Computersysteme (§§ 126a Abs. 3, 126b Abs. 3) oder wesentliche Bestandteile der kritischen Infrastruktur (§§ 126a Abs. 4 Z 2, 126b Abs. 4 Z 2) beeinträchtigt werden,

7. vorsätzliche Gemeingefährdungsdelikte (§§ 169, 171, 173, 175, 176, 177a, 177b, 178) oder vorsätzliche Beeinträchtigung der Umwelt (§ 180),

8. Luftpiraterie (§ 185),

9. vorsätzliche Gefährdung der Sicherheit der Luftfahrt (§ 186),

9a. Aufforderung zu terroristischen Straftaten und Gutheißung terroristischer Straftaten (§ 282a) oder

10. eine nach § 50 des Waffengesetzes 1996, § 43 des Sprengmittelgesetzes 2010 oder § 7 des Kriegsmaterialgesetzes vorsätzliche strafbare Handlung,

wenn die Tat geeignet ist, eine schwere oder längere Zeit anhaltende Störung des öffentlichen Lebens oder eine schwere Schädigung des Wirtschaftslebens herbeizuführen, und mit dem Vorsatz begangen wird, die Bevölkerung auf schwerwiegende Weise einzuschüchtern, öffentliche Stellen oder eine internationale Organisation zu einer Handlung, Duldung oder Unterlassung zu nötigen oder die politischen, verfassungsrechtlichen, wirtschaftlichen oder sozialen Grundstrukturen eines Staates oder einer internationalen Organisation ernsthaft zu erschüttern oder zu zerstören.

(2) Wer eine terroristische Straftat im Sinne des Abs. 1 begeht, ist nach dem auf die dort genannte Tat anwendbaren Gesetz zu bestrafen, wobei das Höchstmaß der jeweils angedrohten Strafe um die Hälfte, höchstens jedoch auf zwanzig Jahre, hinaufgesetzt wird.

(2a) Wer mit einer der in Abs. 1 Z 1 bis 10 bezeichneten Straftaten droht, ist, wenn er diese Drohung mit der in Abs. 1 genannten terroristischen Eignung und dem dort bezeichneten Vorsatz begeht, mit Freiheitsstrafe von sechs Monaten bis zu fünf Jahren zu bestrafen.

(3) Eine Tat nach Abs. 1 oder Abs. 2a gilt nicht als terroristische Straftat, wenn sie auf die Herstellung oder Wiederherstellung demokratischer und rechtsstaatlicher Verhältnisse oder die Ausübung oder Wahrung von Menschenrechten ausgerichtet ist.

Terrorismusfinanzierung

§ 278d. (1) Wer Vermögenswerte mit dem Vorsatz bereitstellt oder sammelt, dass sie, wenn auch nur zum Teil, zur Ausführung

1. einer Luftpiraterie (§ 185) oder einer vorsätzlichen Gefährdung der Sicherheit der Luftfahrt (§ 186),

2. einer erpresserischen Entführung (§ 102) oder einer Drohung damit,

3. eines Angriffs auf Leib, Leben oder Freiheit einer völkerrechtlich geschützten Person oder eines gewaltsamen Angriffs auf eine Wohnung, einen Dienstraum oder ein Beförderungsmittel einer solchen Person, der geeignet ist, Leib, Leben oder Freiheit dieser Person zu gefährden, oder einer Drohung damit,

4. einer vorsätzlichen Gefährdung durch Kernenergie oder ionisierende Strahlen (§ 171), einer Drohung damit, eines unerlaubten Umgangs mit Kernmaterial oder radioaktiven Stoffen (§ 177b), einer sonstigen strafbaren Handlung zur Erlangung von Kernmaterial oder radioaktiven Stoffen oder einer Drohung mit der Begehung eines Diebstahls oder Raubes von Kernmaterial oder radioaktiven Stoffen, um einen anderen zu einer Handlung, Duldung oder Unterlassung zu nötigen,

5. eines erheblichen Angriffs auf Leib oder Leben eines anderen auf einem Flughafen, der der internationalen Zivilluftfahrt dient, einer Zerstörung oder erheblichen Beschädigung eines solchen Flughafens oder eines darauf befindlichen Luftfahrzeugs oder einer Unterbrechung der Dienste des Flughafens, sofern die Tat unter Verwendung einer Waffe oder sonstigen Vorrichtung begangen wird und geeignet ist, die Sicherheit auf dem Flughafen zu gefährden,

6. einer strafbaren Handlung, die auf eine in den §§ 185 oder 186 geschilderte Weise gegen ein Schiff oder eine feste Plattform, gegen eine Person, die sich an Bord eines Schiffes oder auf einer festen Plattform befindet, gegen die Ladung eines Schiffes oder eine Schifffahrtseinrichtung begangen wird,

7. der Beförderung eines Sprengsatzes oder einer anderen tödlichen Vorrichtung an einen öffentlichen Ort, zu einer staatlichen oder öffentlichen Einrichtung, einem öffentlichen Verkehrssystem oder einer Versorgungseinrichtung oder des Einsatzes solcher Mittel mit dem Ziel, den Tod oder eine schwere Körperverletzung eines anderen oder eine weitgehende Zerstörung des Ortes, der Einrichtung oder des Systems zu verursachen, sofern die Zerstörung geeignet

ist, einen erheblichen wirtschaftlichen Schaden herbeizuführen,

8. einer strafbaren Handlung, die den Tod oder eine schwere Körperverletzung einer Zivilperson oder einer anderen Person, die in einem bewaffneten Konflikt nicht aktiv an den Feindseligkeiten teilnimmt, herbeiführen soll, wenn diese Handlung auf Grund ihres Wesens oder der Umstände darauf abzielt, eine Bevölkerungsgruppe einzuschüchtern oder eine Regierung oder eine internationale Organisation zu einem Tun oder Unterlassen zu nötigen,

9. einer sonstigen strafbaren Handlung nach § 278c Abs. 1, einer strafbaren Handlung nach den §§ 278e, 278f oder 278g oder der Anwerbung eines anderen zur Begehung einer terroristischen Straftat nach § 278c Abs. 1 Z 1 bis 9 oder 10,

verwendet werden, ist mit Freiheitsstrafe von einem bis zu zehn Jahren zu bestrafen.

(1a) Ebenso ist zu bestrafen, wer Vermögenswerte für

1. eine andere Person, von der er weiß, dass sie Handlungen nach Abs. 1 begeht, oder

2. ein Mitglied einer terroristischen Vereinigung, von der er weiß, dass sie darauf ausgerichtet ist, Handlungen nach Abs. 1 zu begehen,

bereitstellt oder sammelt.

(2) Der Täter ist nach Abs. 1 oder Abs. 1a nicht zu bestrafen, wenn die Tat nach einer anderen Bestimmung mit strengerer Strafe bedroht ist.

Ausbildung für terroristische Zwecke

§ 278e. (1) Wer eine andere Person in der Herstellung oder im Gebrauch von Sprengstoff, Schuss- oder sonstigen Waffen oder schädlichen oder gefährlichen Stoffen oder in einer anderen ebenso schädlichen oder gefährlichen spezifisch zur Begehung einer terroristischen Straftat nach § 278c Abs. 1 Z 1 bis 9 oder 10 geeigneten Methode oder einem solchen Verfahren zum Zweck der Begehung einer solchen terroristischen Straftat unterweist, ist mit Freiheitsstrafe von einem bis zu zehn Jahren zu bestrafen, wenn er weiß, dass die vermittelten Fähigkeiten für diesen Zweck eingesetzt werden sollen.

(2) Wer sich in der Herstellung oder im Gebrauch von Sprengstoff, Schuss- oder sonstigen Waffen oder schädlichen oder gefährlichen Stoffen oder in einer anderen ebenso schädlichen oder gefährlichen spezifisch zur Begehung einer terroristischen Straftat nach § 278c Abs. 1 Z 1 bis 9 oder 10 geeigneten Methode oder einem solchen Verfahren unterweisen lässt, um eine solche terroristische Straftat unter Einsatz der erworbenen Fähigkeiten zu begehen, ist mit Freiheitsstrafe von sechs Monaten bis zu fünf Jahren zu bestrafen. Die Strafe darf jedoch nach Art und Maß nicht strenger sein, als sie das Gesetz für die beabsichtigte Tat androht.

Anleitung zur Begehung einer terroristischen Straftat

§ 278f. (1) Wer ein Medienwerk, das nach seinem Inhalt dazu bestimmt ist, zur Begehung einer terroristischen Straftat (§ 278c Abs. 1 Z 1 bis 9 oder 10) mit den im § 278e genannten Mitteln anzuleiten, oder solche Informationen im Internet in einer Art anbietet oder einer anderen Person zugänglich macht, um zur Begehung einer terroristischen Straftat aufzureizen, ist mit Freiheitsstrafe bis zu zwei Jahren zu bestrafen.

(2) Ebenso ist zu bestrafen, wer sich ein Medienwerk im Sinne des Abs. 1 oder solche Informationen aus dem Internet verschafft, um eine terroristische Straftat (§ 278c Abs. 1 Z 1 bis 9 oder 10) zu begehen.

Reisen für terroristische Zwecke

§ 278g. Wer in einen anderen Staat reist, um eine strafbare Handlung nach den §§ 278b, 278c, 278e oder 278f zu begehen, ist mit Freiheitsstrafe von sechs Monaten bis zu fünf Jahren zu bestrafen. Die Strafe darf jedoch nach Art und Maß nicht strenger sein, als sie das Gesetz für die beabsichtigte Tat androht.

Bewaffnete Verbindungen

§ 279. (1) Wer unbefugt eine bewaffnete oder zur Bewaffnung bestimmte Verbindung aufstellt oder eine bestehende Verbindung bewaffnet, sich in dieser Verbindung führend betätigt, für sie Mitglieder wirbt, aushebt oder militärisch oder sonst zum Kampf ausbildet oder die Verbindung mit Kampfmitteln, Verkehrsmitteln oder Einrichtungen zur Nachrichtenübermittlung ausrüstet oder mit Geldmitteln oder sonst in erheblicher Weise unterstützt, ist mit Freiheitsstrafe bis zu drei Jahren zu bestrafen.

(2) Nach Abs. 1 ist nicht zu bestrafen, wer freiwillig, bevor die Behörde (§ 151 Abs. 3) von seinem Verschulden erfahren hat, alles, was ihm von der Verbindung und ihren Plänen bekannt ist, zu einer Zeit, da es noch geheim ist, einer solchen Behörde aufdeckt.

Ansammeln von Kampfmitteln

§ 280. (1) Wer Waffen, Munition oder andere Kampfmittel an sich bringt, besitzt oder einem anderen verschafft, um eine größere Zahl von Menschen zum Kampf auszurüsten, ist mit Freiheitsstrafe bis zu drei Jahren zu bestrafen.

(2) Nach Abs. 1 ist nicht zu bestrafen, wer freiwillig, bevor die Behörde (§ 151 Abs. 3) von seinem Verschulden erfahren hat, die Kampfmittel auf Dauer unbrauchbar macht, einer solchen Behörde übergibt oder es ihr ermöglicht, der Kampfmittel habhaft zu werden.

Aufforderung zu mit Strafe bedrohten Handlungen und Gutheißung mit Strafe bedrohter Handlungen

§ 282. (1) Wer in einem Druckwerk, im Rundfunk oder sonst auf eine Weise, daß es einer breiten Öffentlichkeit zugänglich wird, zu einer mit Strafe bedrohten

Handlung auffordert, ist, wenn er nicht als an dieser Handlung Beteiligter (§ 12) mit strengerer Strafe bedroht ist, mit Freiheitsstrafe bis zu zwei Jahren zu bestrafen.

(2) Ebenso ist zu bestrafen, wer auf die im Abs. 1 bezeichnete Weise eine vorsätzlich begangene, mit einer ein Jahr übersteigenden Freiheitsstrafe bedrohte Handlung in einer Art gutheißt, die geeignet ist, das allgemeine Rechtsempfinden zu empören oder zur Begehung einer solchen Handlung aufzureizen.

Aufforderung zu terroristischen Straftaten und Gutheißung terroristischer Straftaten

§ 282a. (1) Wer in einem Druckwerk, im Rundfunk oder in einem anderen Medium oder sonst öffentlich auf eine Weise, dass es vielen Menschen zugänglich wird, zur Begehung einer terroristischen Straftat (§ 278c Abs. 1 Z 1 bis 9 oder 10) auffordert, ist, wenn er nicht als an dieser Handlung Beteiligter (§ 12) mit strengerer Strafe bedroht ist, mit Freiheitsstrafe bis zu zwei Jahren zu bestrafen.

(2) Ebenso ist zu bestrafen, wer auf die im Abs. 1 bezeichnete Weise eine terroristische Straftat (§ 278c Abs. 1 Z 1 bis 9 oder 10) in einer Art gutheißt, die geeignet ist, die Gefahr der Begehung einer oder mehrerer solcher Straftaten herbeizuführen.

Verhetzung

§ 283. (1) Wer öffentlich auf eine Weise, dass es vielen Menschen zugänglich wird,

1. zu Gewalt gegen eine Kirche oder Religionsgesellschaft oder eine andere nach den vorhandenen oder fehlenden Kriterien der Rasse, der Hautfarbe, der Sprache, der Religion oder Weltanschauung, der Staatsangehörigkeit, der Abstammung oder nationalen oder ethnischen Herkunft, des Geschlechts, einer Behinderung, des Alters oder der sexuellen Ausrichtung definierte Gruppe von Personen oder gegen ein Mitglied einer solchen Gruppe ausdrücklich wegen der Zugehörigkeit zu dieser Gruppe auffordert oder zu Hass gegen sie aufstachelt,

2. eine der in Z 1 bezeichneten Gruppen oder eine Person wegen der Zugehörigkeit zu einer solchen Gruppe in der Absicht, die Menschenwürde der Mitglieder der Gruppe oder der Person zu verletzen, in einer Weise beschimpft, die geeignet ist, die Gruppe oder Person in der öffentlichen Meinung verächtlich zu machen oder herabzusetzen, oder

3. Verbrechen im Sinne der §§ 321 bis 321f sowie § 321k, die von einem inländischen oder einem internationalen Gericht rechtskräftig festgestellt wurden, billigt, leugnet, gröblich verharmlost oder rechtfertigt, wobei die Handlung gegen eine der in Z 1 bezeichneten Gruppen oder gegen ein Mitglied einer solchen Gruppe ausdrücklich wegen der Zugehörigkeit zu dieser Gruppe gerichtet ist und in einer Weise begangen wird, die geeignet ist, zu Gewalt oder Hass gegen solch eine Gruppe oder gegen ein Mitglied einer solchen Gruppe aufzustacheln,

ist mit Freiheitsstrafe bis zu zwei Jahren zu bestrafen.

(2) Wer die Tat nach Abs. 1 in einem Druckwerk, im Rundfunk oder sonst auf eine Weise begeht, wodurch die in Abs. 1 bezeichneten Handlungen einer breiten Öffentlichkeit zugänglich werden, ist mit Freiheitsstrafe bis zu drei Jahren zu bestrafen.

(3) Wer durch eine Tat nach Abs. 1 oder 2 bewirkt, dass andere Personen gegen eine in Abs. 1 Z 1 bezeichnete Gruppe oder gegen ein Mitglied einer solchen Gruppe wegen dessen Zugehörigkeit zu dieser Gruppe Gewalt ausüben, ist mit Freiheitsstrafe von sechs Monaten bis zu fünf Jahren zu bestrafen.

(4) Wer, wenn er nicht als an einer Handlung nach den Abs. 1 bis 3 Beteiligter (§ 12) mit strengerer Strafe bedroht ist, schriftliches Material, Bilder oder andere Darstellungen von Ideen oder Theorien, die Hass oder Gewalt gegen eine in Abs. 1 Z 1 bezeichnete Gruppe oder gegen ein Mitglied einer solchen Gruppe wegen dessen Zugehörigkeit zu dieser Gruppe befürworten, fördern oder dazu aufstacheln, in einem Druckwerk, im Rundfunk oder sonst auf eine Weise, wodurch diese einer breiten Öffentlichkeit zugänglich werden, in gutheißender oder rechtfertigender Weise verbreitet oder anderweitig öffentlich verfügbar macht, ist mit Freiheitsstrafe bis zu einem Jahr oder mit Geldstrafe bis zu 720 Tagessätzen zu bestrafen.

Sprengung einer Versammlung

§ 284. Wer eine Versammlung, einen Aufmarsch oder eine ähnliche Kundgebung, die nicht verboten sind, mit Gewalt oder durch Drohung mit Gewalt verhindert oder sprengt, ist mit Freiheitsstrafe bis zu einem Jahr oder mit Geldstrafe bis zu 720 Tagessätzen zu bestrafen.

Verhinderung oder Störung einer Versammlung

§ 285. Wer eine nicht verbotene Versammlung dadurch verhindert oder erheblich stört, daß er

1. den Versammlungsraum unzugänglich macht,

2. eine zur Teilnahme berechtigte Person am Zutritt hindert oder ihr den Zutritt erschwert oder ihr die Teilnahme an der Versammlung durch schwere Belästigungen unmöglich macht oder erschwert,

3. in die Versammlung unbefugt eindringt oder

4. eine zur Leitung oder Aufrechterhaltung der Ordnung berufene Person verdrängt oder sich einer ihrer auf den Verlauf der Versammlung bezüglichen Anordnungen tätlich widersetzt, ist mit Freiheitsstrafe bis zu sechs Monaten oder mit Geldstrafe bis zu 360 Tagessätzen zu bestrafen.

Unterlassung der Verhinderung einer mit Strafe bedrohten Handlung

§ 286. (1) Wer es mit dem Vorsatz, daß vorsätzlich eine mit Strafe bedrohte Handlung begangen werde, unterläßt, ihre unmittelbar bevorstehende oder schon begonnene Ausführung zu verhindern oder in den Fällen, in denen eine Benachrichtigung die Verhinderung ermöglicht, der Behörde (§ 151 Abs. 3) oder dem Bedrohten mitzuteilen, ist, wenn die strafbare Handlung zumindest versucht worden und mit einer ein Jahr übersteigenden Freiheitsstrafe bedroht ist, mit Freiheitsstrafe bis zu zwei Jahren zu bestrafen. Die Strafe darf jedoch nach Art und Maß nicht strenger sein, als sie das Gesetz für die nicht verhinderte Tat androht.

(2) Der Täter ist nach Abs. 1 nicht zu bestrafen, wenn er

1. die Verhinderung oder Benachrichtigung nicht leicht und ohne sich oder einen Angehörigen der Gefahr eines beträchtlichen Nachteils auszusetzen, bewirken konnte,

2. von der mit Strafe bedrohten Handlung ausschließlich durch eine Mitteilung Kenntnis erhalten hat, die ihm in seiner Eigenschaft als Seelsorger anvertraut worden ist oder

3. durch die Verhinderung oder Benachrichtigung eine andere rechtlich anerkannte Verschwiegenheitspflicht verletzen würde und die aus der Verletzung dieser Pflicht drohenden Folgen schwerer gewogen hätten als die nachteiligen Folgen aus der Unterlassung der Verhinderung oder Bekanntmachung.

Begehung einer mit Strafe bedrohten Handlung im Zustand voller Berauschung

§ 287. (1) Wer sich, wenn auch nur fahrlässig, durch den Genuß von Alkohol oder den Gebrauch eines anderen berauschenden Mittels in einen die Zurechnungsfähigkeit ausschließenden Rausch versetzt, ist, wenn er im Rausch eine Handlung begeht, die ihm außer diesem Zustand als Verbrechen oder Vergehen zugerechnet würde, mit Freiheitsstrafe bis zu drei Jahren zu bestrafen. Die Strafe darf jedoch nach Art und Maß nicht strenger sein, als sie das Gesetz für die im Rausch begangene Tat androht.

(2) Der Täter ist nur auf Verlangen oder mit Ermächtigung zu verfolgen, wenn die im Rausch begangene mit Strafe bedrohte Handlung nur auf Verlangen, auf Antrag oder mit Ermächtigung zu verfolgen ist.

Einundzwanzigster Abschnitt

Strafbare Handlungen gegen die Rechtspflege

Falsche Beweisaussage

§ 288. (1) Wer vor Gericht als Zeuge oder, soweit er nicht zugleich Partei ist, als Auskunftsperson bei seiner förmlichen Vernehmung zur Sache falsch aussagt oder als Sachverständiger einen falschen Befund oder ein falsches Gutachten erstattet, ist mit Freiheitsstrafe bis zu drei Jahren zu bestrafen.

(2) Wer vor Gericht eine falsche Beweisaussage (Abs. 1) unter Eid ablegt oder mit einem Eid bekräftigt oder sonst einen in den Gesetzen vorgesehenen Eid vor Gericht falsch schwört, ist mit Freiheitsstrafe von sechs Monaten bis zu fünf Jahren zu bestrafen. Einem Eid steht die Berufung auf einen früher abgelegten Eid und bei Personen, die von der Pflicht zur Eidesleistung befreit sind, die anstelle des Eides vorgesehene Beteuerung gleich.

(3) Nach den Abs. 1 und 2 ist auch zu bestrafen, wer eine der dort genannten Handlungen im Verfahren vor einem Untersuchungsausschuss des Nationalrates oder einer Disziplinarbehörde des Bundes, eines Landes oder einer Gemeinde begeht.

(4) Nach Abs. 1 ist auch zu bestrafen, wer als Zeuge oder Sachverständiger eine der dort genannten Handlungen in einem Ermittlungsverfahren nach der Strafprozessordnung vor Kriminalpolizei, Staatsanwaltschaft oder Europäischer Staatsanwaltschaft begeht.

Falsche Beweisaussage vor einer Verwaltungsbehörde

§ 289. Wer außer in den Fällen des § 288 Abs. 3 und 4 vor einer Verwaltungsbehörde als Zeuge bei seiner förmlichen Vernehmung zur Sache falsch aussagt oder als Sachverständiger einen falschen Befund oder ein falsches Gutachten erstattet, ist mit Freiheitsstrafe bis zu einem Jahr oder mit Geldstrafe bis zu 720 Tagessätzen zu bestrafen.

Aussagenotstand

§ 290. (1) Wer eine falsche Beweisaussage (§§ 288, 289) ablegt, um von sich oder einem Angehörigen Schande oder die Gefahr strafrechtlicher Verfolgung oder eines unmittelbaren und bedeutenden vermögensrechtlichen Nachteils abzuwenden, ist nicht zu bestrafen, wenn er von der Verbindlichkeit zur Ablegung eines Zeugnisses befreit war oder hätte befreit werden können und wenn er

1. nicht wußte, daß dies der Fall war,

2. den Befreiungsgrund nicht geoffenbart hat, um die schon aus der Offenbarung drohenden Folgen der bezeichneten Art abzuwenden, oder

3. zur Ablegung der Aussage zu Unrecht verhalten worden ist.

(1a) Der Täter ist nach § 288 Abs. 3 ferner nicht zu bestrafen, wenn sich die Untersuchung des Ausschusses gemäß Art. 53 B-VG gegen ihn gerichtet und er eine falsche Beweisaussage abgelegt hat, um die Gefahr strafrechtlicher Verfolgung von sich abzuwenden.

(2) Die durch eine Ehe oder eingetragene Partnerschaft begründete Eigenschaft einer Person als Angehöriger bleibt aufrecht, auch wenn die Ehe oder eingetragene Partnerschaft nicht mehr besteht.

(3) Der Täter ist jedoch auch bei Vorliegen der Voraussetzungen des Abs. 1 zu bestrafen, wenn es ihm insbesondere im Hinblick auf den aus der falschen Aussage einem anderen drohenden Nachteil dennoch zuzumuten ist, wahrheitsgemäß auszusagen.

Tätige Reue

§ 291. Wegen einer nach den §§ 288 oder 289 mit Strafe bedrohten Handlung ist der Täter nicht zu bestrafen, wenn er die unwahre Erklärung vor Beendigung seiner Vernehmung richtigstellt.

Herbeiführung einer unrichtigen Beweisaussage

§ 292. (1) Wer einen anderen durch Täuschung über Tatsachen dazu verleitet, gutgläubig eine unrichtige Beweisaussage abzulegen (§ 288), ist mit Freiheitsstrafe bis zu drei Jahren zu bestrafen.

(2) Wer auf die im Abs. 1 bezeichnete Weise bewirkt, daß jemand gutgläubig eine unrichtige Beweisaussage vor einer Verwaltungsbehörde ablegt (§ 289), ist mit Freiheitsstrafe bis zu einem Jahr oder mit Geldstrafe bis zu 720 Tagessätzen zu bestrafen.

Falsches Vermögensverzeichnis

§ 292a. Wer im Zuge eines Exekutions- oder Insolvenzverfahrens vor Gericht oder vor einem Vollstreckungsorgan ein falsches oder unvollständiges Vermögensverzeichnis abgibt und dadurch die Befriedigung eines Gläubigers gefährdet, ist mit Freiheitsstrafe bis zu sechs Monaten oder mit Geldstrafe bis zu 360 Tagessätzen zu bestrafen.

Tätige Reue

§ 292b. Wegen falschen Vermögensverzeichnisses (§ 292a) ist nicht zu bestrafen, wer freiwillig und bevor die Behörde (§ 151 Abs. 3) von seinem Verschulden erfahren hat, die falschen Angaben richtigstellt oder die unvollständigen ergänzt, sofern nicht bereits die Befriedigung eines Gläubigers vereitelt oder geschmälert wurde.

Unzulässige Bieterabsprachen in exekutiven Versteigerungsverfahren

§ 292c. (1) Wer für sich oder einen Dritten für die Zusage, im Zuge einer Versteigerung in einem Exekutionsverfahren als Mitbieter nicht zu erscheinen oder nur bis zu einem bestimmten Preis oder sonst nur nach einem gegebenen Maßstab oder gar nicht mitzubieten, einen Vorteil fordert, annimmt oder sich versprechen lässt, ist mit Freiheitsstrafe bis zu zwei Jahren zu bestrafen.

(2) Ebenso ist zu bestrafen, wer einem Mitbieter ohne dessen Andringen für eine Zusage im Sinne des Abs. 1 für ihn oder einen Dritten einen Vorteil anbietet, verspricht oder gewährt.

Fälschung eines Beweismittels

§ 293. (1) Wer ein falsches Beweismittel herstellt oder ein echtes Beweismittel verfälscht, ist, wenn er mit dem Vorsatz handelt, daß das Beweismittel in einem gerichtlichen oder verwaltungsbehördlichen Verfahren, in einem Ermittlungsverfahren nach der Strafprozessordnung, nach der Verordnung (EU) 2017/1939 oder im Verfahren vor einem Untersuchungsausschuss des Nationalrates gebraucht werde, mit Freiheitsstrafe bis zu einem Jahr oder mit Geldstrafe bis zu 720 Tagessätzen zu bestrafen, wenn die Tat nicht nach den §§ 223, 224, 225 oder 230 mit Strafe bedroht ist.

(2) Ebenso ist zu bestrafen, wer ein falsches oder verfälschtes Beweismittel in einem gerichtlichen oder verwaltungsbehördlichen Verfahren, in einem Ermittlungsverfahren nach der Strafprozessordnung, nach der Verordnung (EU) 2017/1939 oder im Verfahren vor einem Untersuchungsausschuss des Nationalrates gebraucht.

Tätige Reue

§ 294. (1) Wegen Fälschung eines Beweismittels (§ 293) ist nicht zu bestrafen, wer freiwillig den Gebrauch des falschen oder verfälschten Beweismittels im Verfahren unterläßt oder verhindert oder die zur Irreführung geeignete Veränderung am Beweismittel vor dessen Verwendung im Verfahren beseitigt.

(2) Besteht die Gefahr eines solchen Gebrauches nicht oder ist sie ohne Zutun des Täters beseitigt worden, so ist er nicht zu bestrafen, wenn er sich in Unkenntnis dessen freiwillig und ernstlich bemüht, sie zu beseitigen.

Unterdrückung eines Beweismittels

§ 295. Wer ein Beweismittel, das zur Verwendung in einem gerichtlichen oder verwaltungsbehördlichen Verfahren oder in einem Ermittlungsverfahren nach der Strafprozessordnung oder nach der Verordnung (EU) 2017/1939 bestimmt ist und über das er nicht oder nicht allein verfügen darf, vernichtet, beschädigt oder unterdrückt, ist, wenn er mit dem Vorsatz handelt, zu verhindern, daß das Beweismittel im Verfahren gebraucht werde, mit Freiheitsstrafe bis zu einem Jahr oder mit Geldstrafe bis zu 720 Tagessätzen zu bestrafen, wenn die Tat nicht nach den §§ 229 oder 230 mit Strafe bedroht ist.

Tätige Reue

§ 296. Wegen Unterdrückung eines Beweismittels (§ 295) ist nicht zu bestrafen, wer freiwillig das Beweismittel dem Gericht, der Staatsanwaltschaft, der Europäischen Staatsanwaltschaft, der Verwaltungsbehörde oder der Kriminalpolizei (§ 18 StPO) zu einer Zeit vorlegt, da es bei der zu treffenden Entscheidung oder Verfügung noch berücksichtigt werden kann.

Verleumdung

§ 297. (1) Wer einen anderen dadurch der Gefahr einer behördlichen Verfolgung aussetzt, daß er ihn einer von Amts wegen zu verfolgenden mit Strafe bedrohten Handlung oder der Verletzung einer Amts- oder Standespflicht falsch verdächtigt, ist, wenn er weiß (§ 5 Abs. 3), daß die Verdächtigung falsch ist, mit Freiheitsstrafe bis zu einem Jahr oder mit Geldstrafe bis zu 720 Tagessätzen, wenn die fälschlich angelastete Handlung aber mit einer ein Jahr übersteigenden Freiheitsstrafe bedroht ist, mit Freiheitsstrafe von sechs Monaten bis zu fünf Jahren zu bestrafen.

(2) Nach Abs. 1 ist nicht zu bestrafen, wer freiwillig die Gefahr einer behördlichen Verfolgung beseitigt, bevor eine Behörde etwas zur Verfolgung des Verdächtigten unternommen hat.

Vortäuschung einer mit Strafe bedrohten Handlung

§ 298. (1) Wer einer Behörde (§ 151 Abs. 3) oder einem zur Entgegennahme von Anzeigen zuständigen Beamten die Begehung einer mit Strafe bedrohten Handlung wissentlich vortäuscht, ist, wenn er nicht nach dem § 297 Abs. 1 mit Strafe bedroht ist, mit Freiheitsstrafe bis zu sechs Monaten oder mit Geldstrafe bis zu 360 Tagessätzen zu bestrafen.

(2) Nach Abs. 1 ist nicht zu bestrafen, wer freiwillig bewirkt, daß die Tat keine behördliche Ermittlung zur Folge hat.

Begünstigung

§ 299. (1) Wer einen anderen, der eine mit Strafe bedrohte Handlung begangen hat, der Verfolgung oder der Vollstreckung der Strafe oder vorbeugenden Maßnahme absichtlich ganz oder zum Teil entzieht, ist mit Freiheitsstrafe bis zu zwei Jahren zu bestrafen.

(2) Wer einen anderen dazu verleitet, ihn zu begünstigen, ist nach Abs. 1 nicht zu bestrafen.

(3) Nach Abs. 1 ist ferner nicht zu bestrafen, wer die Tat in der Absicht begeht, einen Angehörigen zu begünstigen oder zu verhindern, daß er selbst wegen Beteiligung an der strafbaren Handlung, derentwegen der Begünstigte verfolgt wird oder eine Strafe oder vorbeugende Maßnahme an ihm vollstreckt werden soll, bestraft oder einer vorbeugenden Maßnahme unterworfen werde.

(4) Wer eine der im Abs. 1 mit Strafe bedrohten Handlungen begeht, um von sich oder einem Angehörigen Schande oder die Gefahr strafrechtlicher Verfolgung oder eines unmittelbaren und bedeutenden vermögensrechtlichen Nachteils abzuwenden, ist nicht zu bestrafen, wenn die Folgen, die durch die Tat abgewendet werden sollten, auch unter Berücksichtigung der Gefährlichkeit des Begünstigten und der Schwere der Tat, die der Begünstigte begangen hat oder derentwegen er verurteilt worden ist, schwerer gewogen hätten als die nachteiligen Folgen, die aus der Tat entstanden sind oder hätten entstehen können.

Befreiung von Gefangenen

§ 300. (1) Wer einen Gefangenen, der auf Grund einer Entscheidung oder Verfügung eines Gerichtes oder einer Verwaltungsbehörde festgehalten wird, befreit, zum Entweichen verleitet oder ihm dazu Hilfe leistet, ist, sofern der Täter nicht nach den §§ 196 oder 299 mit Strafe bedroht ist, mit Freiheitsstrafe bis zu zwei Jahren zu bestrafen.

(2) Ein Gefangener, der einen anderen dazu verleitet, ihn zu befreien oder beim Entweichen zu unterstützen, ist nach Abs. 1 nicht zu bestrafen.

Verbotene Veröffentlichung

§ 301. (1) Wer einem gesetzlichen Verbot zuwider eine Mitteilung über den Inhalt einer Verhandlung vor einem Gericht oder einer Verwaltungsbehörde, in der die Öffentlichkeit ausgeschlossen war, in einem Druckwerk, im Rundfunk oder sonst auf eine Weise veröffentlicht, daß die Mitteilung einer breiten Öffentlichkeit zugänglich wird, ist mit Freiheitsstrafe bis zu sechs Monaten oder mit Geldstrafe bis zu 360 Tagessätzen zu bestrafen.

(2) Ebenso ist zu bestrafen, wer auf eine im Abs. 1 bezeichnete Weise eine Mitteilung über die Beratung in einem Verfahren vor einem Gericht oder einer Verwaltungsbehörde, über eine solche Abstimmung oder deren Ergebnis veröffentlicht und wer die ihm in einem solchen Verfahren auf Grund einer gesetzlichen Bestimmung vom Gericht oder von der Verwaltungsbehörde auferlegte Pflicht zur Geheimhaltung verletzt.

(3) Wer auf eine im Abs. 1 bezeichnete Weise eine Mitteilung über den Inhalt von Ergebnissen aus einer Auskunft über Vorratsdaten oder Daten einer Nachrichtenübermittlung oder einer Überwachung von Nachrichten oder aus einer optischen oder akustischen Überwachung von Personen unter Verwendung technischer Mittel (§ 134 Z 5 StPO) veröffentlicht, ist, wenn diese Ergebnisse nicht zuvor zum Akt genommen wurden (§ 145 Abs. 2 StPO), mit Freiheitsstrafe bis zu einem Jahr oder mit Geldstrafe bis zu 720 Tagessätzen zu bestrafen.

Zweiundzwanzigster Abschnitt

Strafbare Verletzungen der Amtspflicht, Korruption und verwandte strafbare Handlungen

Mißbrauch der Amtsgewalt

§ 302. (1) Ein Beamter, der mit dem Vorsatz, dadurch einen anderen an seinen Rechten zu schädigen, seine Befugnis, im Namen des Bundes, eines Landes, eines Gemeindeverbandes, einer Gemeinde oder einer anderen Person des öffentlichen Rechtes als deren Organ in Vollziehung der Gesetze Amtsgeschäfte vorzunehmen, wissentlich mißbraucht, ist mit Freiheitsstrafe von sechs Monaten bis zu fünf Jahren zu bestrafen.

(2) Wer die Tat bei der Führung eines Amtsgeschäfts mit einer fremden Macht oder einer über- oder zwi-

schenstaatlichen Einrichtung begeht, ist mit Freiheitsstrafe von einem bis zu zehn Jahren zu bestrafen. Ebenso ist zu bestrafen, wer durch die Tat einen 50 000 Euro übersteigenden Schaden herbeiführt.

Fahrlässige Verletzung der Freiheit der Person oder des Hausrechts

§ 303. Ein Beamter, der grob fahrlässig (§ 6 Abs. 3) durch eine gesetzwidrige Beeinträchtigung oder Entziehung der persönlichen Freiheit oder durch eine gesetzwidrige Hausdurchsuchung einen anderen an seinen Rechten schädigt, ist mit Freiheitsstrafe bis zu drei Monaten oder mit Geldstrafe bis zu 180 Tagessätzen zu bestrafen.

Bestechlichkeit

§ 304. (1) Ein Amtsträger oder Schiedsrichter, der für die pflichtwidrige Vornahme oder Unterlassung eines Amtsgeschäfts einen Vorteil für sich oder einen Dritten fordert, annimmt oder sich versprechen lässt, ist mit Freiheitsstrafe bis zu drei Jahren zu bestrafen. Ebenso ist zu bestrafen, wer als von einem Gericht oder einer anderen Behörde für ein bestimmtes Verfahren bestellter Sachverständiger für die Erstattung eines unrichtigen Befundes oder Gutachtens einen Vorteil für sich oder einen Dritten fordert, annimmt oder sich versprechen lässt.

(1a) Ebenso ist zu bestrafen, wer als Kandidat für ein Amt für den Fall, dass er künftig Amtsträger sein würde, einen Vorteil für die pflichtwidrige Vornahme oder Unterlassung eines Amtsgeschäfts in dieser Eigenschaft für sich oder einen Dritten fordert, annimmt oder sich versprechen lässt. Der Täter, der einen Vorteil fordert oder sich einen solchen versprechen lässt, ist nach diesem Absatz nur dann zu bestrafen, wenn er die Stellung als Amtsträger tatsächlich erlangt hat.

(2) Wer die Tat in Bezug auf einen 3.000 Euro übersteigenden Wert des Vorteils begeht, ist mit Freiheitsstrafe von sechs Monaten bis zu fünf Jahren zu bestrafen, wer jedoch die Tat in Bezug auf einen 50.000 Euro übersteigenden Wert des Vorteils begeht, ist mit Freiheitsstrafe von einem bis zu zehn Jahren zu bestrafen. Übersteigt der Wert des Vorteils 300 000 Euro, so ist der Täter mit Freiheitsstrafe von einem bis zu fünfzehn Jahren zu bestrafen.

(3) Wer ausschließlich nach § 74 Abs. 1 Z 4a lit. b letzte Alternative Amtsträger ist, ist nach dieser Bestimmung strafbar, wenn er mit dem Vorsatz handelt, dass durch die Vornahme oder Unterlassung des Amtsgeschäftes die finanziellen Interessen der Union geschädigt oder wahrscheinlich geschädigt werden.

Vorteilsannahme

§ 305. (1) Ein Amtsträger oder Schiedsrichter, der für die pflichtgemäße Vornahme oder Unterlassung eines Amtsgeschäfts für sich oder einen Dritten einen Vorteil fordert oder einen ungebührlichen Vorteil (Abs. 4) annimmt oder sich versprechen lässt, ist mit Freiheitsstrafe bis zu zwei Jahren zu bestrafen.

(Anm.: Abs. 2 aufgehoben durch BGBl. I Nr. 61/2012)

(3) Wer die Tat in Bezug auf einen 3.000 Euro übersteigenden Wert des Vorteils begeht, ist mit Freiheitsstrafe bis zu drei Jahren zu bestrafen, wer jedoch die Tat in Bezug auf einen 50.000 Euro übersteigenden Wert des Vorteils begeht, ist mit Freiheitsstrafe von sechs Monaten bis zu fünf Jahren zu bestrafen. Übersteigt der Wert des Vorteils 300 000 Euro, so ist der Täter mit Freiheitsstrafe von einem bis zu zehn Jahren zu bestrafen.

(4) Keine ungebührlichen Vorteile sind

1. Vorteile, deren Annahme gesetzlich erlaubt ist, oder die im Rahmen von Veranstaltungen gewährt werden, an deren Teilnahme ein amtlich oder sachlich gerechtfertigtes Interesse besteht,

2. Vorteile für gemeinnützige Zwecke (§ 35 BAO), auf deren Verwendung der Amtsträger, Schiedsrichter oder eine Person aus dem Familienkreis (§ 166 Abs. 1) des Amtsträgers oder Schiedsrichters keinen bestimmenden Einfluss ausübt, sowie

3. in Ermangelung von Erlaubnisnormen im Sinne der Z 1 orts- oder landesübliche Aufmerksamkeiten geringen Werts, es sei denn, dass die Tat gewerbsmäßig begangen wird.

(5) § 304 Abs. 3 gilt sinngemäß.

Vorteilsannahme zur Beeinflussung

§ 306. (1) Ein Amtsträger oder Schiedsrichter, der außer in den Fällen der §§ 304 und 305 mit dem Vorsatz, sich dadurch in seiner Tätigkeit als Amtsträger oder Schiedsrichter beeinflussen zu lassen, für sich oder einen Dritten einen Vorteil fordert oder einen ungebührlichen Vorteil (§ 305 Abs. 4) annimmt oder sich versprechen lässt, ist mit Freiheitsstrafe bis zu zwei Jahren zu bestrafen.

(2) Wer die Tat in Bezug auf einen 3 000 Euro übersteigenden Wert des Vorteils begeht, ist mit Freiheitsstrafe bis zu drei Jahren, wer die Tat in Bezug auf einen 50 000 Euro übersteigenden Wert des Vorteils begeht, ist mit Freiheitsstrafe von sechs Monaten bis zu fünf Jahren zu bestrafen. Übersteigt der Wert des Vorteils 300 000 Euro, so ist der Täter mit Freiheitsstrafe von einem bis zu zehn Jahren zu bestrafen.

(3) Wer lediglich einen geringfügigen Vorteil annimmt oder sich versprechen lässt, ist nach Abs. 1 nicht zu bestrafen, es sei denn, dass die Tat gewerbsmäßig begangen wird.

Bestechung

§ 307. (1) Wer einem Amtsträger oder Schiedsrichter für die pflichtwidrige Vornahme oder Unterlassung eines Amtsgeschäfts einen Vorteil für ihn oder einen Dritten anbietet, verspricht oder gewährt, ist mit Freiheitsstrafe bis zu drei Jahren zu bestrafen. Ebenso ist zu bestrafen, wer einem Sachverständigen (§ 304 Abs. 1) für die Erstattung eines unrichtigen Befundes oder Gutachtens einen Vorteil für ihn oder einen Dritten anbietet, verspricht oder gewährt.

(1a) Ebenso ist zu bestrafen, wer einem Kandidaten für ein Amt für den Fall, dass dieser Amtsträger würde, für die pflichtwidrige Vornahme oder Unterlassung eines Amtsgeschäfts in dieser Eigenschaft einen Vorteil für ihn oder einen Dritten anbietet, verspricht oder gewährt. Der Täter, der einen Vorteil anbietet oder verspricht, ist nach diesem Absatz nur dann zu bestrafen, wenn der Kandidat für ein Amt die Stellung als Amtsträger tatsächlich erlangt hat.

(2) Wer die Tat in Bezug auf einen 3.000 Euro übersteigenden Wert des Vorteils begeht, ist mit Freiheitsstrafe von sechs Monaten bis zu fünf Jahren zu bestrafen, wer jedoch die Tat in Bezug auf einen 50.000 Euro übersteigenden Wert des Vorteils begeht, ist mit Freiheitsstrafe von einem bis zu zehn Jahren zu bestrafen. Übersteigt der Wert des Vorteils 300 000 Euro, so ist der Täter mit Freiheitsstrafe von einem bis zu fünfzehn Jahren zu bestrafen.

(3) Wer die Tat in Bezug auf eine Person begeht, die ausschließlich nach § 74 Abs. 1 Z 4a lit. b letzte Alternative Amtsträger ist, ist nach dieser Bestimmung strafbar, wenn er mit dem Vorsatz handelt, dass durch die Vornahme oder Unterlassung des Amtsgeschäftes die finanziellen Interessen der Union geschädigt oder wahrscheinlich geschädigt werden.

Vorteilszuwendung

§ 307a. (1) Wer einem Amtsträger oder Schiedsrichter für die pflichtgemäße Vornahme oder Unterlassung eines Amtsgeschäfts einen ungebührlichen Vorteil (§ 305 Abs. 4) für ihn oder einen Dritten anbietet, verspricht oder gewährt, ist mit Freiheitsstrafe bis zu zwei Jahren zu bestrafen.

(2) Wer die Tat in Bezug auf einen 3.000 Euro übersteigenden Wert des Vorteils begeht, ist mit Freiheitsstrafe bis zu drei Jahren zu bestrafen, wer jedoch die Tat in Bezug auf einen 50.000 Euro übersteigenden Wert des Vorteils begeht, ist mit Freiheitsstrafe von sechs Monaten bis zu fünf Jahren zu bestrafen. Übersteigt der Wert des Vorteils 300 000 Euro, so ist der Täter mit Freiheitsstrafe von einem bis zu zehn Jahren zu bestrafen.

(3) § 307 Abs. 3 gilt sinngemäß.

Vorteilszuwendung zur Beeinflussung

§ 307b. (1) Wer außer in den Fällen der §§ 307 und 307a einem Amtsträger oder Schiedsrichter einen ungebührlichen Vorteil (§ 305 Abs. 4) für ihn oder einen Dritten mit dem Vorsatz anbietet, verspricht oder gewährt, ihn dadurch in seiner Tätigkeit als Amtsträger oder Schiedsrichter zu beeinflussen, ist mit Freiheitsstrafe bis zu zwei Jahren zu bestrafen.

(2) Wer die Tat in Bezug auf einen 3 000 Euro übersteigenden Wert des Vorteils begeht, ist mit Freiheitsstrafe bis zu drei Jahren zu bestrafen, wer jedoch die Tat in Bezug auf einen 50 000 Euro übersteigenden Wert des Vorteils begeht, ist mit Freiheitsstrafe von sechs Monaten bis zu fünf Jahren zu bestrafen. Übersteigt der Wert des Vorteils 300 000 Euro, so ist der Täter mit Freiheitsstrafe von einem bis zu zehn Jahren zu bestrafen.

Verbotene Intervention

§ 308. (1) Wer für sich oder einen Dritten dafür einen Vorteil fordert, annimmt oder sich versprechen lässt, dass er einen ungebührlichen Einfluss auf die Entscheidungsfindung eines Amtsträgers oder eines Schiedsrichters nehme, ist mit Freiheitsstrafe bis zu zwei Jahren zu bestrafen.

(2) Ebenso ist zu bestrafen, wer einem anderen dafür einen Vorteil anbietet, verspricht oder gewährt, dass dieser einen ungebührlichen Einfluss auf die Entscheidungsfindung eines Amtsträgers oder eines Schiedsrichters nehme.

(3) Wer die Tat in Bezug auf einen 3 000 Euro übersteigenden Wert des Vorteils begeht, ist mit Freiheitsstrafe bis zu drei Jahren zu bestrafen. Wer die Tat in Bezug auf einen 50 000 Euro übersteigenden Wert des Vorteils begeht, ist mit Freiheitsstrafe von sechs Monaten bis zu fünf Jahren zu bestrafen.

(4) Eine Einflussnahme auf die Entscheidungsfindung eines Amtsträgers oder Schiedsrichters ist dann ungebührlich, wenn sie auf die pflichtwidrige Vornahme oder Unterlassung eines Amtsgeschäfts abzielt oder mit dem Anbieten, Versprechen oder Gewähren eines ungebührlichen Vorteils (§ 305 Abs. 4) für den Amtsträger oder Schiedsrichter oder für ihn an einen Dritten verbunden ist.

(5) Der Täter ist nicht nach den vorstehenden Absätzen zu bestrafen, wenn die Tat nach einer anderen Bestimmung mit strengerer Strafe bedroht ist.

Geschenkannahme und Bestechung von Bediensteten oder Beauftragten

§ 309. (1) Ein Bediensteter oder Beauftragter eines Unternehmens, der im geschäftlichen Verkehr für die pflichtwidrige Vornahme oder Unterlassung einer Rechtshandlung von einem anderen für sich oder einen Dritten einen Vorteil fordert, annimmt oder sich versprechen lässt, ist mit Freiheitsstrafe bis zu zwei Jahren zu bestrafen.

(2) Ebenso ist zu bestrafen, wer einem Bediensteten oder Beauftragten eines Unternehmens im geschäftlichen Verkehr für die pflichtwidrige Vornahme oder Unterlassung einer Rechtshandlung für ihn oder einen Dritten einen Vorteil anbietet, verspricht oder gewährt.

(3) Wer die Tat in Bezug auf einen 3 000 Euro übersteigenden Vorteil begeht, ist mit Freiheitsstrafe bis zu drei Jahren, übersteigt der Vorteil jedoch 50 000 Euro mit Freiheitsstrafe von sechs Monaten bis zu fünf Jahren zu bestrafen.

Verletzung einer Pflicht zur Geheimhaltung

§ 310. (1) Ein Beamter oder ehemaliger Beamter, der eine ihm ausschließlich kraft seines Amtes anvertraute oder zugänglich gewordene Tatsache offenbart oder verwertet, obwohl er zu deren Geheimhaltung gesetzlich verpflichtet ist, und dadurch ein öffentliches oder ein überwiegendes berechtigtes privates Interesse im Sinn von § 6 Abs. 1 des Informationsfreiheitsgesetzes – IFG, BGBl. I Nr. 5/2024, in der jeweils geltenden Fassung, gefährdet, ist, wenn die Tat nicht nach einer anderen Bestimmung mit strengerer Strafe bedroht ist, mit Freiheitsstrafe bis zu drei Jahren zu bestrafen.

(Anm.: Abs. 2 aufgehoben durch BGBl. I Nr. 101/ 2014)

(2a) Ebenso ist zu bestrafen, wer - sei es auch nach seinem Ausscheiden aus dem Amt oder Dienstverhältnis - als Organwalter oder Bediensteter des Europäischen Polizeiamtes (Europol), als Verbindungsbeamter oder als zur Geheimhaltung besonders Verpflichteter (Art. 32 Abs. 2 des Europol-Übereinkommens, BGBl. III Nr. 123/1998) eine Tatsache oder Angelegenheit offenbart oder verwertet, die ihm ausschließlich kraft seines Amtes oder seiner Tätigkeit zugänglich geworden ist und deren Offenbarung oder Verwertung geeignet ist, ein öffentliches oder ein berechtigtes privates Interesse zu verletzen.

(3) Betrifft die Offenbarung nach Abs. 1 oder Abs. 2a verfassungsgefährdende Tatsachen (§ 252 Abs. 3), so ist der Täter nur zu bestrafen, wenn er in der Absicht handelt, private Interessen zu verletzen oder der Republik Österreich einen Nachteil zuzufügen. Die irrtümliche Annahme verfassungsgefährdender Tatsachen befreit den Täter nicht von Strafe.

Falsche Beurkundung und Beglaubigung im Amt

§ 311. Ein Beamter, der in einer öffentlichen Urkunde, deren Ausstellung in den Bereich seines Amtes fällt, ein Recht, ein Rechtsverhältnis oder eine Tatsache fälschlich beurkundet oder der an einer Sache ein öffentliches Beglaubigungszeichen, dessen Anbringung in den Bereich seines Amtes fällt, fälschlich anbringt, ist, wenn er mit dem Vorsatz handelt, daß die Urkunde im Rechtsverkehr zum Beweis des Rechtes, des Rechtsverhältnisses oder der Tatsache gebraucht oder die Sache im Rechtsverkehr gebraucht werde, wenn die Tat nicht nach § 302 mit Strafe bedroht ist, mit Freiheitsstrafe bis zu drei Jahren zu bestrafen.

Quälen oder Vernachlässigen eines Gefangenen

§ 312. (1) Ein Beamter, der einem Gefangenen oder einem sonst auf behördliche Anordnung Verwahrten, der seiner Gewalt unterworfen ist oder zu dem er dienstlich Zugang hat, körperliche oder seelische Qualen zufügt, ist mit Freiheitsstrafe bis zu zwei Jahren zu bestrafen.

(2) Ebenso ist ein Beamter zu bestrafen, der seine Verpflichtung zur Fürsorge oder Obhut einem solchen Menschen gegenüber gröblich vernachlässigt und dadurch, wenn auch nur fahrlässig, dessen Gesundheit oder dessen körperliche oder geistige Entwicklung beträchtlich schädigt.

(3) Hat die Tat eine schwere Körperverletzung (§ 84 Abs. 1) zur Folge, so ist der Täter mit Freiheitsstrafe bis zu drei Jahren, hat sie eine Körperverletzung mit schweren Dauerfolgen (§ 85) zur Folge, mit Freiheitsstrafe bis zu fünf Jahren, hat sie den Tod des Geschädigten zur Folge, mit Freiheitsstrafe von einem bis zu zehn Jahren zu bestrafen.

Folter

§ 312a. (1) Wer als Amtsträger nach § 74 Abs. 1 Z 4a lit. b oder c, auf Veranlassung eines solchen Amtsträgers oder mit ausdrücklichem oder stillschweigendem Einverständnis eines solchen Amtsträgers einer anderen Person, insbesondere um von ihr oder einem Dritten eine Aussage oder ein Geständnis zu erlangen, um sie für eine tatsächlich oder mutmaßlich von ihr oder einem Dritten begangene Tat zu bestrafen, um sie oder einen Dritten einzuschüchtern oder zu nötigen, oder aus einem auf Diskriminierung beruhenden Grund große körperliche oder seelische Schmerzen oder Leiden zufügt, ist mit Freiheitsstrafe von einem bis zu zehn Jahren zu bestrafen.

(2) Hat die Tat eine Körperverletzung mit schweren Dauerfolgen (§ 85) zur Folge, so ist der Täter mit Freiheitsstrafe von fünf bis zu fünfzehn Jahren, hat die Tat den Tod des Geschädigten zur Folge, mit Freiheitsstrafe von zehn bis zu zwanzig Jahren oder mit lebenslanger Freiheitsstrafe zu bestrafen.

(3) Amtsträger im Sinne dieser Bestimmung ist auch, wer im Falle der Abwesenheit oder des Ausfalls der staatlichen Stellen faktisch als Amtsträger handelt.

Verschwindenlassen einer Person

§ 312b. Wer eine Person im Auftrag oder mit Billigung eines Staates oder einer politischen Organisation entführt oder ihr sonst die persönliche Freiheit entzieht und das Schicksal oder den Verbleib der verschwundenen Person verschleiert, ist mit Freiheitsstrafe von einem bis zu zehn Jahren zu bestrafen.

Strafbare Handlungen unter Ausnützung einer Amtsstellung

§ 313. Wird eine auch sonst mit Strafe bedrohte vorsätzliche Handlung von einem Beamten unter Ausnützung der ihm durch seine Amtstätigkeit gebotenen Gelegenheit begangen, so kann bei ihm das Höchstmaß der angedrohten Freiheitsstrafe oder Geldstrafe um die Hälfte überschritten werden. Doch darf die zeitliche Freiheitsstrafe die Dauer von zwanzig Jahren nicht überschreiten.

Dreiundzwanzigster Abschnitt

Amtsanmaßung und Erschleichung eines Amtes

Amtsanmaßung

§ 314. Wer sich die Ausübung eines öffentlichen Amtes anmaßt oder, ohne dazu befugt zu sein, eine Handlung vornimmt, die nur kraft eines öffentlichen Amtes vorgenommen werden darf, ist mit Freiheitsstrafe bis zu sechs Monaten oder mit Geldstrafe bis zu 360 Tagessätzen zu bestrafen.

Erschleichung eines Amtes

§ 315. Wer wissentlich eine zur Übertragung eines öffentlichen Amtes berufene Stelle über eine Tatsache täuscht, die nach einem Gesetz oder einer Rechtsverordnung die Übertragung eines bestimmten öffentlichen Amtes ausschließen würde, und dadurch bewirkt, daß ihm dieses Amt übertragen wird, ist mit Freiheitsstrafe bis zu einem Jahr oder mit Geldstrafe bis zu 720 Tagessätzen zu bestrafen.

Vierundzwanzigster Abschnitt

Störung der Beziehungen zum Ausland

Hochverräterische Angriffe gegen einen fremden Staat

§ 316. (1) Wer es im Inland unternimmt (§ 242 Abs. 2), mit Gewalt oder durch Drohung mit Gewalt die Verfassung eines fremden Staates zu ändern oder ein zu einem fremden Staat gehörendes Gebiet abzutrennen, ist mit Freiheitsstrafe von sechs Monaten bis zu fünf Jahren zu bestrafen.

(2) § 243 gilt entsprechend.

Herabwürdigung fremder Symbole

§ 317. Wer auf eine Art, daß die Tat einer breiten Öffentlichkeit bekannt wird, in gehässiger Weise eine Fahne oder ein Hoheitszeichen eines fremden Staates oder einer zwischenstaatlichen Einrichtung, die von einer inländischen Behörde oder von einer Vertretung des fremden Staates oder der zwischenstaatlichen Einrichtung nach den allgemeinen Regeln des Völkerrechts oder nach zwischenstaatlichen Vereinbarungen angebracht worden ist, oder die bei einem öffentlichen Anlaß vorgetragene Hymne eines fremden Staates beschimpft, verächtlich macht oder sonst herabwürdigt, ist mit Freiheitsstrafe bis zu sechs Monaten oder mit Geldstrafe bis zu 360 Tagessätzen zu bestrafen.

Voraussetzungen der Bestrafung

§ 318. (1) Der Täter ist in den Fällen der §§ 316 und 317 nur mit Ermächtigung der Bundesregierung zu verfolgen.

(2) Die Bestimmungen der §§ 316 und 317 sind nur anzuwenden, wenn die Republik Österreich zu dem verletzten Staat diplomatische Beziehungen unterhält und die Gegenseitigkeit nach Mitteilung des Bundesministeriums für auswärtige Angelegenheiten verbürgt ist.

(3) Wegen der im § 317 mit Strafe bedrohten Handlungen gegen eine zwischenstaatliche Einrichtung ist der Täter nur zu bestrafen, wenn die Republik Österreich dieser Einrichtung angehört.

Militärischer Nachrichtendienst für einen fremden Staat

§ 319. Wer im Inland für eine fremde Macht oder eine über- oder zwischenstaatliche Einrichtung einen militärischen Nachrichtendienst einrichtet oder betreibt oder einen solchen Nachrichtendienst wie immer unterstützt, ist mit Freiheitsstrafe bis zu zwei Jahren zu bestrafen.

Verbotene Unterstützung von Parteien bewaffneter Konflikte

§ 320. (1) Wer wissentlich im Inland während eines Krieges oder eines bewaffneten Konfliktes, an denen die Republik Österreich nicht beteiligt ist, oder bei unmittelbar drohender Gefahr eines solchen Krieges oder Konfliktes für eine der Parteien

1. eine militärische Formation oder ein Wasser-, ein Land- oder ein Luftfahrzeug einer der Parteien zur Teilnahme an den kriegerischen Unternehmungen ausrüstet oder bewaffnet,

2. ein Freiwilligenkorps bildet oder unterhält oder eine Werbestelle hiefür oder für den Wehrdienst einer der Parteien errichtet oder betreibt,

3. Kampfmittel entgegen den bestehenden Vorschriften aus dem Inland ausführt oder durch das Inland durchführt,

4. für militärische Zwecke einen Finanzkredit gewährt oder eine öffentliche Sammlung veranstaltet oder

5. unbefugt eine militärische Nachricht übermittelt oder zu diesem Zweck eine Fernmeldeanlage errichtet oder gebraucht, ist mit Freiheitsstrafe von sechs Monaten bis zu fünf Jahren zu bestrafen.

(2) Abs. 1 ist in den Fällen nicht anzuwenden, in denen

1. ein Beschluss des Sicherheitsrates der Vereinten Nationen,

2. ein Beschluss auf Grund des Titels V des Vertrages über die Europäische Union,

3. ein Beschluss im Rahmen der Organisation für Sicherheit und Zusammenarbeit in Europa (OSZE) oder

4. eine sonstige Friedensoperation entsprechend den Grundsätzen der Satzung der Vereinten Nationen, wie etwa Maßnahmen zur Abwendung einer humanitären Katastrophe oder zur Unterbindung schwerer und systematischer Menschenrechtsverletzungen, im Rahmen einer internationalen Organisation

durchgeführt wird.

Fünfundzwanzigster Abschnitt

Völkermord, Verbrechen gegen die Menschlichkeit, Kriegsverbrechen

Völkermord

§ 321. (1) Wer in der Absicht, eine durch ihre Zugehörigkeit zu einer Kirche oder Religionsgesellschaft, zu einer Rasse, einem Volk, einem Volksstamm oder einem Staat bestimmte Gruppe als solche ganz oder teilweise zu vernichten, Mitglieder der Gruppe tötet, ihnen schwere körperliche (§ 84 Abs. 1) oder seelische Schäden zufügt, die Gruppe Lebensbedingungen unterwirft, die geeignet sind, den Tod aller Mitglieder oder eines Teiles der Gruppe herbeizuführen, Maßnahmen verhängt, die auf die Geburtenverhinderung innerhalb der Gruppe gerichtet sind, oder Kinder der Gruppe mit Gewalt oder durch Drohung mit Gewalt in eine andere Gruppe überführt, ist mit lebenslanger Freiheitsstrafe zu bestrafen.

(2) Wer mit einem anderen die gemeinsame Ausführung einer der im Abs. 1 bezeichneten strafbaren Handlungen verabredet, ist mit Freiheitsstrafe von einem bis zu zehn Jahren zu bestrafen.

Verbrechen gegen die Menschlichkeit

§ 321a. (1) Wer im Rahmen eines ausgedehnten oder systematischen Angriffs gegen eine Zivilbevölkerung

1. eine Person tötet (§ 75) oder

2. in der Absicht, eine Bevölkerung ganz oder teilweise zu vernichten, diese oder Teile hiervon unter Lebensbedingungen stellt, die geeignet sind, deren Vernichtung ganz oder teilweise herbeizuführen,

ist mit lebenslanger Freiheitsstrafe zu bestrafen.

(2) Wer im Rahmen eines in Abs. 1 bezeichneten Angriffs Sklaverei (§ 104) treibt, ist mit Freiheitsstrafe von zehn bis zu zwanzig Jahren oder mit lebenslanger Freiheitsstrafe, hat die Tat den Tod einer Person zur Folge, mit lebenslanger Freiheitsstrafe zu bestrafen.

(3) Wer im Rahmen eines in Abs.1 bezeichneten Angriffs

1. Menschenhandel (§ 104a) ausübt,

2. die Bevölkerung unter Verstoß gegen das Völkerrecht aus dem Gebiet, in dem sie sich rechtmäßig aufhält, vertreibt oder zwangsweise in ein anderes Gebiet überführt,

3. einer Person, die sich in seinem Gewahrsam oder in sonstiger Weise unter seiner Kontrolle befindet, große körperliche oder seelische Schmerzen oder Leiden zufügt, sofern sich diese nicht lediglich aus einer rechtlich zulässigen Sanktion ergeben, dazu gehören oder damit verbunden sind,

4. eine Person vergewaltigt (§ 201) oder geschlechtlich nötigt (§ 202), sie zur Prostitution nötigt (§ 106 Abs. 3), der Fortpflanzungsfähigkeit beraubt (§ 85 Z 1) oder in der Absicht, die ethnische Zusammensetzung einer Bevölkerung zu beeinflussen oder andere schwere Verstöße gegen das Völkerrecht zu begehen, eine unter Anwendung von Zwang geschwängerte Frau gefangen hält oder

5. eine Person verschwinden lässt (§ 312b)

ist mit Freiheitsstrafe von fünf bis zu fünfzehn Jahren, hat die Tat den Tod einer Person zur Folge, mit Freiheitsstrafe von zehn bis zu zwanzig Jahren oder mit lebenslanger Freiheitsstrafe zu bestrafen.

(4) Wer im Rahmen eines in Abs. 1 bezeichneten Angriffs

1. einer Person eine schwere Körperverletzung (§ 84 Abs. 1) zufügt,

2. einer Person unter Verstoß gegen das Völkerrecht in schwerwiegender Weise die persönliche Freiheit entzieht oder

3. eine identifizierbare Gruppe oder Gemeinschaft verfolgt, indem er ihr aus politischen, rassischen, nationalen, ethnischen, kulturellen oder religiösen Gründen, aus Gründen des Geschlechts oder aus anderen nach dem Völkerrecht als unzulässig anerkannten Gründen grundlegende Menschenrechte entzieht oder diese wesentlich einschränkt,

ist mit Freiheitsstrafe von einem bis zu zehn Jahren, hat die Tat den Tod einer Person zur Folge oder wird sie in der Absicht begangen, ein institutionalisiertes Regime der systematischen Unterdrückung und Beherrschung einer rassischen Gruppe durch eine andere aufrechtzuerhalten, mit Freiheitsstrafe von fünf bis zu fünfzehn Jahren zu bestrafen.

Kriegsverbrechen gegen Personen

§ 321b. (1) Wer im Zusammenhang mit einem bewaffneten Konflikt eine nach dem humanitären Völkerrecht zu schützende Person tötet (§ 75), ist mit lebenslanger Freiheitsstrafe zu bestrafen.

(2) Wer im Zusammenhang mit einem bewaffneten Konflikt eine nach dem humanitären Völkerrecht zu schützende Person als Geisel nimmt, ist mit Freiheitsstrafe von zehn bis zu zwanzig Jahren zu bestrafen, hat die Tat den Tod des Opfers zur Folge, mit Freiheitsstrafe von zehn bis zu zwanzig Jahren oder mit lebenslanger Freiheitsstrafe.

(3) Wer im Zusammenhang mit einem bewaffneten Konflikt

1. einer nach dem humanitären Völkerrecht zu schützenden Person, die sich in seinem Gewahrsam oder in sonstiger Weise unter seiner Kontrolle befindet, große körperliche oder seelische Schmerzen oder Leiden zufügt, sofern sich diese nicht lediglich aus einer rechtlich zulässigen Sanktion ergeben, dazu gehören oder damit verbunden sind, oder

2. eine nach dem humanitären Völkerrecht zu schützende Person vergewaltigt (§ 201) oder geschlechtlich nötigt (§ 202), sie zur Prostitution nötigt (§ 106 Abs. 3), der Fortpflanzungsfähigkeit beraubt (§ 85 Z 1) oder in der Absicht, die ethnische Zusammensetzung einer Bevölkerung zu beeinflussen, eine unter Anwendung von Zwang geschwängerte Frau gefangen hält,

ist mit Freiheitsstrafe von fünf bis zu fünfzehn Jahren, hat die Tat den Tod des Opfers zur Folge, mit Freiheitsstrafe von zehn bis zu zwanzig Jahren oder mit lebenslanger Freiheitsstrafe zu bestrafen.

(4) Wer im Zusammenhang mit einem bewaffneten Konflikt

1. einer nach dem humanitären Völkerrecht zu schützenden Person große körperliche oder seelische Qualen oder eine schwere Körperverletzung (§ 84 Abs. 1) zufügt,

2. Personen unter 15 Jahren für Streitkräfte zwangsverpflichtet oder in diese eingliedert oder Personen unter 18 Jahren für bewaffnete Gruppen zwangsverpflichtet oder in diese eingliedert oder Personen unter 18 Jahren zur aktiven Teilnahme an Feindseligkeiten verwendet,

3. die Gesamtheit oder einen Teil der Zivilbevölkerung vertreibt oder zwangsweise in ein anderes Gebiet überführt oder diese Vertreibung oder Überführung anordnet, sofern es sich nicht um eine vorübergehende Verlegung handelt, die im Hinblick auf die Sicherheit der betreffenden Zivilpersonen oder aus zwingenden militärischen Gründen geboten ist,

4. gegen eine nach dem humanitären Völkerrecht zu schützende Person eine erhebliche Strafe verhängt oder vollstreckt, ohne dass diese Person in einem unparteiischen ordentlichen Gerichtsverfahren, das die völkerrechtlich erforderlichen Rechtsgarantien bietet, abgeurteilt worden ist,

5. eine nach dem humanitären Völkerrecht zu schützende Person, die sich in der Gewalt einer anderen Konfliktpartei befindet, in die Gefahr des Todes oder einer schweren Gesundheitsschädigung bringt, indem er selbst mit deren Einwilligung

a) an einer solchen Person Versuche vornimmt, die weder medizinisch notwendig sind noch in ihrem Interesse durchgeführt werden,

b) einer solchen Person Gewebe oder Organe für Übertragungszwecke entnimmt, sofern es sich nicht um die Entnahme von Blut oder Haut zu therapeutischen Zwecken im Einklang mit den allgemein anerkannten medizinischen Grundsätzen handelt, in welche die Person zuvor freiwillig und ausdrücklich eingewilligt hat, oder

c) eine solche Person auf sonstige Weise einem medizinischen Verfahren unterzieht, das nicht durch ihren Gesundheitszustand geboten ist und das nicht mit den allgemein anerkannten medizinischen Grundsätzen im Einklang steht, oder

6. eine nach dem humanitären Völkerrecht zu schützende Person in schwerwiegender Weise entwürdigend oder erniedrigend behandelt,

ist mit Freiheitsstrafe von einem bis zu zehn Jahren, hat die Tat den Tod des Opfers zur Folge, mit Freiheitsstrafe von fünf bis zu fünfzehn Jahren zu bestrafen.

(5) Wer im Zusammenhang mit einem internationalen bewaffneten Konflikt

1. eine nach dem humanitären Völkerrecht zu schützende Person widerrechtlich verschleppt oder gefangenhält (§ 99) oder ihre Heimschaffung ungerechtfertigt verzögert,

2. als Angehöriger einer Besatzungsmacht einen Teil der eigenen Zivilbevölkerung in das besetzte Gebiet überführt oder die Gesamtheit oder einen Teil der Bevölkerung des besetzten Gebiets innerhalb desselben oder aus diesem Gebiet vertreibt oder überführt,

3. eine nach dem humanitären Völkerrecht zu schützende Person zum Dienst in den Streitkräften einer feindlichen Macht nötigt (§ 105) oder

4. einen Angehörigen der gegnerischen Partei nötigt (§ 105), an Kriegshandlungen gegen sein eigenes Land teilzunehmen,

ist mit Freiheitsstrafe von einem bis zu zehn Jahren zu bestrafen.

(6) Nach dem humanitären Völkerrecht zu schützende Personen sind geschützte Personen im Sinne der Genfer Abkommen zum Schutze der Opfer des Krieges, BGBl. Nr. 155/1953, und deren Zusatzprotokolle I und II (Zusatzprotokoll zu den Genfer Abkommen über den Schutz der Opfer internationaler bewaffneter Konflikte (Protokoll I) samt Anhängen und Zusatzprotokoll zu den Genfer Abkommen über den Schutz der Opfer nicht internationaler bewaffneter Konflikte (Protokoll II) samt Erklärung und Vorbehalten, BGBl. Nr. 527/1982) insbesondere Verwundete, Kranke, Schiffbrüchige, Angehörige der Streitkräfte und Kämpfer der gegnerischen Partei, die sich bedingungslos ergeben haben oder sonst außer Gefecht sind, Kriegsgefangene und Zivilpersonen, sofern und solange letztere nicht unmittelbar an Feindseligkeiten teilnehmen.

Kriegsverbrechen gegen Eigentum und sonstige Rechte

§ 321c. Wer im Zusammenhang mit einem bewaffneten Konflikt

1. plündert oder, ohne dass dies durch die Erfordernisse des bewaffneten Konflikts geboten ist, sonst in erheblichem Umfang völkerrechtswidrig Sachen der gegnerischen Partei oder von deren Angehörigen zerstört, sich aneignet oder beschlagnahmt,

2. Kulturgut im Sinne der Konvention zum Schutz von Kulturgut bei bewaffneten Konflikten, BGBl. Nr. 58/1964, in großem Ausmaß zerstört oder sich aneignet, oder

3. völkerrechtswidrig anordnet, dass Rechte und Forderungen aller oder eines Teils der Angehörigen der gegnerischen Partei aufgehoben oder ausgesetzt werden oder vor Gericht nicht einklagbar sind,

ist mit Freiheitsstrafe von einem bis zu zehn Jahren zu bestrafen.

Kriegsverbrechen gegen internationale Missionen und Missbrauch von Schutz- und Nationalitätszeichen

§ 321d. (1) Wer im Zusammenhang mit einem bewaffneten Konflikt

1. einen Angriff gegen Personen, Einrichtungen, Material, Einheiten oder Fahrzeuge richtet, die an einer humanitären Hilfsmission oder an einer friedenssichernden Mission in Übereinstimmung mit der Satzung der Vereinten Nationen beteiligt sind, solange sie Anspruch auf den Schutz haben, der Zivilpersonen oder zivilen Objekten nach dem humanitären Völkerrecht gewährt wird, oder

2. einen Angriff gegen Personen, Gebäude, Material, Sanitätseinheiten oder Sanitätstransportmittel richtet, die in Übereinstimmung mit dem humanitären Völkerrecht mit den Schutzzeichen der Genfer Abkommen zum Schutze der Opfer des Krieges oder deren Zusatzprotokolle I und II (Zusatzprotokoll zu den Genfer Abkommen über den Schutz der Opfer internationaler bewaffneter Konflikte - Protokoll I samt Anhängen und Zusatzprotokoll zu den Genfer Abkommen über den Schutz der Opfer nicht internationaler bewaffneter Konflikte - Protokoll II samt Erklärung und Vorbehalten) sowie des Zusatzprotokolls zu den Genfer Abkommen vom 12. August 1949 über die Annahme eines zusätzlichen Schutzzeichens (Protokoll III), BGBl. III Nr. 137/2009, gekennzeichnet sind,

ist mit Freiheitsstrafe von einem bis zu zehn Jahren zu bestrafen.

(2) Wer im Zusammenhang mit einem bewaffneten Konflikt die durch die Genfer Abkommen zum Schutze der Opfer des Krieges oder deren Protokoll III anerkannten Schutzzeichen, die Parlamentärflagge oder die Flagge, die militärischen Abzeichen oder die Uniform des Feindes, neutraler oder anderer nicht am Konflikt beteiligter Staaten, oder der Vereinten Nationen missbraucht und dadurch die schwere Verletzung einer Person (§ 84 Abs. 1) verursacht, ist mit Freiheitsstrafe von fünf bis zu fünfzehn Jahren, hat die Tat den Tod einer Person zu Folge, mit Freiheitsstrafe von zehn bis zu zwanzig Jahren zu bestrafen.

Kriegsverbrechen des Einsatzes verbotener Methoden der Kriegsführung

§ 321e. (1) Wer im Zusammenhang mit einem bewaffneten Konflikt

1. einen Angriff gegen die Zivilbevölkerung als solche oder gegen einzelne Zivilpersonen richtet, die an den Feindseligkeiten nicht unmittelbar teilnehmen,

2. einen Angriff gegen zivile Objekte, einschließlich Kulturgut, richtet, solange sie durch das humanitäre Völkerrecht als solche geschützt sind,

3. einen Angriff auf unverteidigte Orte oder entmilitarisierte Zonen durchführt,

4. Kulturgut unter verstärktem Schutz oder dessen unmittelbare Umgebung zur Unterstützung militärischer Handlungen verwendet,

5. einen Angriff durchführt, wobei er weiß (§ 5 Abs. 3), dass der Angriff die Tötung oder Verletzung von Zivilpersonen oder die Beschädigung ziviler Objekte in einem Ausmaß verursachen wird, das in keinem Verhältnis zu dem insgesamt erwarteten konkreten und unmittelbaren militärischen Vorteil steht,

6. einen Angriff gegen Staudämme, Deiche und Kernkraftwerke richtet, sofern sie nicht zivile Objekte im Sinne der Z 2 sind, in Kenntnis davon, dass der Angriff die Tötung oder Verletzung von Zivilpersonen oder die Beschädigung ziviler Objekte in einem Ausmaß verursachen wird, das in keinem Verhältnis zu dem insgesamt erwarteten konkreten und unmittelbaren militärischen Vorteil steht,

7. einen Angriff durchführt, in Kenntnis davon, dass der Angriff weitreichende, langfristige und schwere Schäden an der natürlichen Umwelt verursachen wird,

8. eine nach dem humanitären Völkerrecht zu schützende Person (§ 321b Abs. 6) als Schutzschild benutzt, um den Gegner von Kriegshandlungen gegen bestimmte Ziele abzuhalten,

9. das Aushungern von Zivilpersonen als Methode der Kriegsführung einsetzt, indem er ihnen die für sie lebensnotwendigen Gegenstände vorenthält oder Hilfslieferungen unter Verstoß gegen das humanitäre Völkerrecht behindert,

10. als Vorgesetzter (§ 321g Abs. 2) einem Untergebenen, der seiner tatsächlichen Befehls- oder Führungsgewalt und Kontrolle untersteht, anordnet oder erklärt, dass kein Pardon gegeben wird, oder

11. einen Angehörigen der gegnerischen Streitkräfte oder einen Kämpfer der gegnerischen Partei heimtückisch tötet oder verwundet,

ist in den Fällen der Z 1 bis 10 mit Freiheitsstrafe von einem bis zu zehn Jahren und im Fall der Z 11 mit Freiheitsstrafe von fünf bis zu fünfzehn Jahren zu bestrafen.

(2) Hat eine Tat nach Abs. 1 Z 1 bis 10 die schwere Verletzung (§ 84 Abs. 1) einer nach dem humanitären

Völkerrecht zu schützenden Person (§ 321b Abs. 6) zur Folge, so ist der Täter mit Freiheitsstrafe von fünf bis zu fünfzehn Jahren, hat sie den Tod einer solchen Person zur Folge, mit Freiheitsstrafe von zehn bis zu zwanzig Jahren zu bestrafen.

Kriegsverbrechen des Einsatzes verbotener Mittel der Kriegsführung

§ 321f. (1) Wer im Zusammenhang mit einem bewaffneten Konflikt

1. Gift oder vergiftete Kampfmittel verwendet,

2. biologische oder chemische Kampfmittel verwendet oder

3. Geschosse verwendet, die sich leicht im Körper des Menschen ausdehnen oder flachdrücken, insbesondere Geschosse mit einem harten Mantel, der den Kern nicht ganz umschließt oder mit Einschnitten versehen ist,

ist mit Freiheitsstrafe von einem bis zu zehn Jahren zu bestrafen.

(2) Hat die Tat die schwere Körperverletzung einer Person (§ 84 Abs. 1) zur Folge, so ist der Täter mit Freiheitsstrafe von fünf bis zu fünfzehn Jahren, hat sie den Tod einer Person zur Folge oder sind die verwendeten Mittel (Abs. 1) zur Massenvernichtung bestimmt und geeignet, mit Freiheitsstrafe von zehn bis zu zwanzig Jahren zu bestrafen.

Verantwortlichkeit als Vorgesetzter

§ 321g. (1) Wer es als Vorgesetzter (Abs. 2) unterlässt, einen Untergebenen, der seiner tatsächlichen Befehls- oder Führungsgewalt und Kontrolle untersteht, daran zu hindern, eine Tat nach diesem Abschnitt zu begehen, ist wie ein Täter der von dem Untergebenen begangenen Tat zu bestrafen.

(2) Vorgesetzte sind militärische oder zivile Vorgesetzte sowie Personen, die ohne militärischer oder ziviler Vorgesetzter zu sein, in einer Truppe, in einer zivilen Organisation oder in einem Unternehmen tatsächliche Führungsgewalt und Kontrolle ausüben.

Verletzung der Aufsichtspflicht

§ 321h. (1) Ein Vorgesetzter (§ 321g Abs. 2), der es unterlässt, einen Untergebenen, der seiner tatsächlichen Befehls- oder Führungsgewalt und Kontrolle untersteht, gehörig zu beaufsichtigen, ist mit Freiheitsstrafe von sechs Monaten bis zu fünf Jahren zu bestrafen, wenn der Untergebene eine Tat nach diesem Abschnitt begeht, deren Bevorstehen dem Vorgesetzten erkennbar war und die er hätte verhindern können.

(2) Wer als Vorgesetzter (§ 321g Abs. 2) eine im Abs. 1 mit Strafe bedrohte Handlung fahrlässig begeht, ist mit Freiheitsstrafe bis zu drei Jahren zu bestrafen.

Unterlassen der Meldung einer Straftat

§ 321i. Ein Vorgesetzter (§ 321g Abs. 2), der es unterlässt, eine Tat nach diesem Abschnitt, die ein Untergebener begangen hat, unverzüglich den für die Untersuchung oder Verfolgung solcher Taten zuständigen Stellen zur Kenntnis zu bringen, ist mit Freiheitsstrafe von sechs Monaten bis zu fünf Jahren zu bestrafen.

Handeln auf Befehl oder sonstige Anordnung

§ 321j. Der Täter ist wegen einer Tat nach den §§ 321b bis 321i nicht zu bestrafen, wenn er die Tat in Ausführung eines militärischen Befehls oder einer sonstigen Anordnung von vergleichbarer Bindungswirkung begeht, sofern der Täter nicht erkennt, dass der Befehl oder die Anordnung rechtswidrig ist und deren Rechtswidrigkeit auch nicht offensichtlich ist.

Verbrechen der Aggression

§ 321k. (1) Wer tatsächlich in der Lage ist, das politische oder militärische Handeln eines Staates zu kontrollieren oder zu lenken, und eine Angriffshandlung, die ihrer Art, ihrer Schwere und ihrem Umfang nach eine offenkundige Verletzung der Satzung der Vereinten Nationen darstellt, einleitet oder ausführt, ist mit Freiheitsstrafe von zehn bis zu zwanzig Jahren zu bestrafen.

(2) Wer unter den in Abs. 1 bezeichneten Voraussetzungen eine solche Angriffshandlung plant oder vorbereitet, ist mit Freiheitsstrafe von fünf bis zu zehn Jahren zu bestrafen.

(3) Im Sinne des Abs. 1 bedeutet „Angriffshandlung“ eine gegen die Souveränität, die territoriale Unversehrtheit oder die politische Unabhängigkeit eines Staates gerichtete oder sonst mit der Satzung der Vereinten Nationen unvereinbare Anwendung von Waffengewalt durch einen anderen Staat.

Schlußteil

Inkrafttreten

§ 322. (1) Dieses Bundesgesetz tritt mit dem 1. Jänner 1975 in Kraft.

(2) § 23 und die damit zusammenhängenden Bestimmungen über die Unterbringung in einer Anstalt für gefährliche Rückfallstäter sind auf Taten (§ 23 Abs. 1 Z 1), die vor dem Inkrafttreten dieses Bundesgesetzes begangen worden sind, mit folgender Maßgabe anzuwenden:

1. Die Unterbringung in einer Anstalt für gefährliche Rückfallstäter ist nur anzuordnen, wenn zugleich mit den Voraussetzungen nach § 23 auch die Voraussetzungen für die Unterbringung in einem Arbeitshaus nach § 1 Abs. 2 des Arbeitshausgesetzes 1951, BGBl. Nr. 211, vorliegen.

2. Die Unterbringung darf nicht länger als fünf Jahre dauern.

(3) Die §§ 50 und 52 Abs. 3 sind bis zum 31. Dezember 1978 auf Personen, die zur Tatzeit zwar das einundzwanzigste, nicht aber das achtundzwanzigste Lebensjahr vollendet haben, mit der Maßgabe anzuwenden, daß diesen Personen ein Bewährungshelfer nur zu bestellen ist, wenn dies aus besonderen Gründen geboten ist, um den Rechtsbrecher von weiteren mit Strafe bedrohten Handlungen abzuhalten. Das Entsprechende gilt bis zum 31. Dezember 1982 für Personen, die zur Tatzeit bereits das achtundzwanzigste Lebensjahr vollendet haben.

(4) Welche Bundesgesetze mit dem Tag des Inkrafttretens dieses Bundesgesetzes aufgehoben oder an die Bestimmungen dieses Bundesgesetzes angepaßt werden, bestimmen besondere Bundesgesetze.

Übergangsbestimmungen

§ 323. (1) Die §§ 27, 28, 31 bis 38 und 40 bis 56 sind auch auf Taten anzuwenden, auf die im übrigen die Gesetze anzuwenden sind, die vor dem Inkrafttreten dieses Bundesgesetzes gegolten haben.

(2) Dieses Bundesgesetz ist in Strafsachen nicht anzuwenden, in denen vor seinem Inkrafttreten das Urteil in erster Instanz gefällt worden ist. Nach Aufhebung eines solchen Urteiles infolge einer Nichtigkeitsbeschwerde, Berufung oder Wiederaufnahme des Strafverfahrens oder eines Einspruches ist jedoch im Sinne der §§ 1 und 61 in Verbindung mit Abs. 1 vorzugehen.

(3) Die Bestimmungen dieses Bundesgesetzes darüber, daß der Täter einer strafbaren Handlung nur auf Verlangen, auf Antrag oder mit Ermächtigung einer Person zu verfolgen ist, gelten auch für strafbare Handlungen, die vor dem Inkrafttreten dieses Bundesgesetzes begangen worden sind, es sei denn, daß im Zeitpunkt des Inkrafttretens bereits die Anklageschrift oder der Antrag auf Bestrafung eingebracht sind.

(4) Bei einer Tat, wegen der zum Zeitpunkt des Inkrafttretens des Strafprozessreformgesetzes, BGBl. I Nr. 19/2004, bereits gerichtliche Fahndungsmaßnahmen gegen den Beschuldigten eingeleitet waren oder Anklage eingebracht worden ist, wird die Zeit, während der wegen dieser Tat Fahndungsmaßnahmen aufrecht sind oder ein Hauptverfahren anhängig ist, nicht in die Verjährungsfrist eingerechnet.

Vollzugsklausel

§ 324. Mit der Vollziehung dieses Bundesgesetzes ist der Bundesminister für Justiz betraut.

Strafprozeßordnung 1975

Strafprozeßordnung 1975 (StPO)
StF: BGBl. Nr. 631/1975 (WV) idF BGBl. I Nr. 50/2025

Inhaltsverzeichnis

Stichwortverzeichnis

1. Teil

Allgemeines und Grundsätze des Verfahrens

1. Hauptstück

Das Strafverfahren und seine Grundsätze

Das Strafverfahren

§ 1. (1) Die Strafprozessordnung regelt das Verfahren zur Aufklärung von Straftaten, über die Verfolgung verdächtiger Personen und über damit zusammenhängende Entscheidungen. Straftat im Sinne dieses Gesetzes ist jede nach einem Bundes- oder Landesgesetz mit gerichtlicher Strafe bedrohte Handlung.

(2) Das Strafverfahren beginnt, sobald Kriminalpolizei oder Staatsanwaltschaft zur Aufklärung eines Anfangsverdachts (Abs. 3) ermitteln; es ist solange als Ermittlungsverfahren gegen unbekannte Täter oder die verdächtige Person zu führen, als nicht eine Person auf Grund bestimmter Tatsachen konkret verdächtig ist, eine strafbare Handlung begangen zu haben (§ 48 Abs. 1 Z 2), danach wird es als Ermittlungsverfahren gegen diese Person als Beschuldigten geführt. Das Strafverfahren endet durch Einstellung oder Rücktritt von der Verfolgung durch die Staatsanwaltschaft oder durch gerichtliche Entscheidung.

(3) Ein Anfangsverdacht liegt vor, wenn auf Grund bestimmter Anhaltspunkte angenommen werden kann, dass eine Straftat begangen worden ist.

Amtswegigkeit

§ 2. (1) Kriminalpolizei und Staatsanwaltschaft sind im Rahmen ihrer Aufgaben verpflichtet, jeden ihnen zur Kenntnis gelangten Anfangsverdacht einer Straftat, die nicht bloß auf Verlangen einer hiezu berechtigten Person zu verfolgen ist, in einem Ermittlungsverfahren von Amts wegen aufzuklären.

(2) Im Hauptverfahren hat das Gericht die der Anklage zu Grunde liegende Tat und die Schuld des Angeklagten von Amts wegen aufzuklären.

Objektivität und Wahrheitserforschung

§ 3. (1) Kriminalpolizei, Staatsanwaltschaft und Gericht haben die Wahrheit zu erforschen und alle Tatsachen aufzuklären, die für die Beurteilung der Tat und des Beschuldigten von Bedeutung sind.

(2) Alle Richter, Staatsanwälte und kriminalpolizeilichen Organe haben ihr Amt unparteilich und unvoreingenommen auszuüben und jeden Anschein der Befangenheit zu vermeiden. Sie haben die zur Belastung und die zur Verteidigung des Beschuldigten dienenden Umstände mit der gleichen Sorgfalt zu ermitteln.

Anklagegrundsatz

§ 4. (1) Die Anklage obliegt der Staatsanwaltschaft, sofern das Gesetz nichts anderes bestimmt. Die Staatsanwaltschaft hat für die zur Entscheidung über das Einbringen der Anklage notwendigen Ermittlungen zu sorgen, die erforderlichen Anordnungen zu treffen und Anträge zu stellen. Gegen ihren Willen darf ein Strafverfahren nicht geführt werden. Die Rechte auf Privatanklage und auf Subsidiaranklage (§§ 71 und 72) bleiben unberührt.

(2) Einleitung und Durchführung eines Hauptverfahrens setzen eine rechtswirksame Anklage voraus; in den vom Gesetz vorgesehenen Fällen ist hiefür eine Ermächtigung (§ 92) erforderlich.

(3) Die Entscheidung des Gerichts hat die Anklage zu erledigen, darf sie jedoch nicht überschreiten. An eine rechtliche Beurteilung ist das Gericht nicht gebunden.

Gesetz- und Verhältnismäßigkeit

§ 5. (1) Kriminalpolizei, Staatsanwaltschaft und Gericht dürfen bei der Ausübung von Befugnissen und bei der Aufnahme von Beweisen nur soweit in Rechte von Personen eingreifen, als dies gesetzlich ausdrücklich vorgesehen und zur Aufgabenerfüllung erforderlich ist. Jede dadurch bewirkte Rechtsgutbeeinträchtigung muss in einem angemessenen Verhältnis zum Gewicht der Straftat, zum Grad des Verdachts und zum angestrebten Erfolg stehen.

(2) Unter mehreren zielführenden Ermittlungshandlungen und Zwangsmaßnahmen haben Kriminalpolizei, Staatsanwaltschaft und Gericht jene zu ergreifen, welche die Rechte der Betroffenen am Geringsten beeinträchtigen. Gesetzlich eingeräumte Befugnisse sind in jeder Lage des Verfahrens in einer Art und Weise auszuüben, die unnötiges Aufsehen vermeidet, die Würde der betroffenen Personen achtet und deren Rechte und schutzwürdige Interessen wahrt.

(3) Es ist unzulässig, Personen zur Begehung von strafbaren Handlungen in einer dem Grundsatz des fairen Verfahrens (Art. 6 Abs. 1 der Europäischen Konvention zum Schutze der Menschenrechte und Grundfreiheiten, BGBl. Nr. 210/1958) widerstreitenden Weise zu verleiten, oder durch heimlich bestellte Personen zu einem Geständnis zu verlocken.

Rechtliches Gehör

§ 6. (1) Der Beschuldigte hat das Recht, am gesamten Verfahren mitzuwirken und die Pflicht, während der Hauptverhandlung anwesend zu sein. Er ist mit Achtung seiner persönlichen Würde zu behandeln.

(2) Jede am Verfahren beteiligte oder von der Ausübung von Zwangsmaßnahmen betroffene Person hat das Recht auf angemessenes rechtliches Gehör und auf Information über Anlass und Zweck der sie betreffenden Verfahrenshandlung sowie über ihre wesentlichen Rechte im Verfahren. Der Beschuldigte hat das Recht, alle gegen ihn vorliegende Verdachtsgründe zu erfahren und vollständige Gelegenheit zu deren Beseitigung und zu seiner Rechtfertigung zu erhalten.

StPO

Recht auf Verteidigung

§ 7. (1) Der Beschuldigte hat das Recht, sich selbst zu verteidigen und in jeder Lage des Verfahrens den Beistand eines Verteidigers in Anspruch zu nehmen.

(2) Der Beschuldigte darf nicht gezwungen werden, sich selbst zu belasten. Es steht ihm jederzeit frei, auszusagen oder die Aussage zu verweigern. Er darf nicht durch Zwangsmittel, Drohungen, Versprechungen oder Vorspiegelungen zu Äußerungen genötigt oder bewogen werden.

Unschuldsvermutung

§ 8. Jede Person gilt bis zu ihrer rechtskräftigen Verurteilung als unschuldig.

Beschleunigungsgebot

§ 9. (1) Jeder Beschuldigte hat Anspruch auf Beendigung des Verfahrens innerhalb angemessener Frist. Das Verfahren ist stets zügig und ohne unnötige Verzögerung durchzuführen.

(2) Verfahren, in denen ein Beschuldigter in Haft gehalten wird, sind mit besonderer Beschleunigung zu führen. Jeder verhaftete Beschuldigte hat Anspruch auf ehest mögliche Urteilsfällung oder Enthaftung während des Verfahrens. Alle im Strafverfahren tätigen Behörden, Einrichtungen und Personen sind verpflichtet, auf eine möglichst kurze Dauer der Haft hinzuwirken.

Beteiligung der Opfer

§ 10. (1) Opfer von Straftaten sind nach Maßgabe der Bestimmungen des 4. Hauptstückes berechtigt, sich am Strafverfahren zu beteiligen.

(2) Kriminalpolizei, Staatsanwaltschaft und Gericht sind verpflichtet, auf die Rechte, Interessen und besonderen Schutzbedürfnisse der Opfer von Straftaten angemessen Bedacht zu nehmen und alle Opfer über ihre wesentlichen Rechte im Verfahren sowie über die Möglichkeit zu informieren, Entschädigungs- oder Hilfeleistungen zu erhalten.

(3) Alle im Strafverfahren tätigen Behörden, Einrichtungen und Personen haben Opfer während des Verfahrens mit Achtung ihrer persönlichen Würde zu behandeln und deren Interesse an der Wahrung ihres höchstpersönlichen Lebensbereiches zu beachten. Dies gilt insbesondere für die Weitergabe von Lichtbildern und die Mitteilung von Angaben zur Person, die zu einem Bekanntwerden der Identität in einem größeren Personenkreis führen kann, ohne dass dies durch Zwecke der Strafrechtspflege geboten ist. Staatsanwaltschaft und Gericht haben bei ihren Entscheidungen über die Beendigung des Verfahrens stets die Wiedergutmachungsinteressen der Opfer zu prüfen und im größtmöglichen Ausmaß zu fördern.

Geschworene und Schöffen

§ 11. (1) In den in diesem Gesetz vorgesehenen Fällen wirken Geschworene oder Schöffen an Hauptverhandlung und Urteilsfindung mit.

(2) Geschworene und Schöffen sind über ihre Aufgaben und Befugnisse sowie über den Ablauf des Verfahrens zu informieren.

Mündlichkeit und Öffentlichkeit

§ 12. (1) Gerichtliche Verhandlungen im Haupt- und Rechtsmittelverfahren werden mündlich und öffentlich durchgeführt. Das Ermittlungsverfahren ist nicht öffentlich.

(2) Das Gericht hat bei der Urteilsfällung nur auf das Rücksicht zu nehmen, was in der Hauptverhandlung vorgekommen ist.

Unmittelbarkeit

§ 13. (1) Die Hauptverhandlung bildet den Schwerpunkt des Verfahrens. In ihr sind die Beweise aufzunehmen, auf Grund deren das Urteil zu fällen ist.

(2) Im Ermittlungsverfahren sind die Beweise aufzunehmen, die für die Entscheidung über die Erhebung der Anklage unerlässlich sind oder deren Aufnahme in der Hauptverhandlung aus tatsächlichen oder rechtlichen Gründen voraussichtlich nicht möglich sein wird.

(3) Soweit ein Beweis unmittelbar aufgenommen werden kann, darf er nicht durch einen mittelbaren ersetzt werden. Der Inhalt von Akten und anderen Schriftstücken darf nur soweit als Beweis verwertet werden, als er in einer nach diesem Gesetz zulässigen Weise wiedergegeben wird.

Freie Beweiswürdigung

§ 14. Ob Tatsachen als erwiesen festzustellen sind, hat das Gericht auf Grund der Beweise nach freier Überzeugung zu entscheiden; im Zweifel stets zu Gunsten des Angeklagten oder sonst in seinen Rechten Betroffenen.

Vorfragen

§ 15. Vorfragen sind im Strafverfahren selbstständig zu beurteilen. Entscheidungen zuständiger Behörden können jedoch abgewartet werden, wenn mit ihnen in absehbarer Zeit zu rechnen ist. An die rechtsgestaltenden Wirkungen von Entscheidungen der Zivilgerichte und anderer Behörden sind die Strafgerichte jedoch gebunden.

Verbot der Verschlechterung

§ 16. Wenn ein Rechtsmittel oder ein Rechtsbehelf nur zu Gunsten des Beschuldigten erhoben wurde, darf der Beschuldigte durch den Inhalt einer darüber ergehenden gerichtlichen Entscheidung im Ermittlungsverfahren und in der Straffrage nicht schlechter gestellt werden, als wenn die Entscheidung nicht angefochten worden wäre.

Verbot wiederholter Strafverfolgung

§ 17. (1) Nach rechtswirksamer Beendigung eines Strafverfahrens ist die neuerliche Verfolgung desselben Verdächtigen wegen derselben Tat unzulässig.

(2) Die Bestimmungen über die Fortsetzung, die Fortführung, die Wiederaufnahme und die Erneuerung des Strafverfahrens sowie über die Nichtigkeitsbeschwerde zur Wahrung des Gesetzes bleiben hievon unberührt.

2. Hauptstück

Kriminalpolizei, Staatsanwaltschaft, Gericht und Rechtsschutzbeauftragter

1. Abschnitt

Kriminalpolizei

Kriminalpolizei

§ 18. (1) Kriminalpolizei besteht in der Wahrnehmung von Aufgaben im Dienste der Strafrechtspflege (Art. 10 Abs. 1 Z 6 B-VG).

(2) Kriminalpolizei obliegt den Sicherheitsbehörden, deren Organisation und örtliche Zuständigkeit sich nach den Vorschriften des Sicherheitspolizeigesetzes über die Organisation der Sicherheitsverwaltung richten.

(3) Die Organe des öffentlichen Sicherheitsdienstes (§ 5 Abs. 2 SPG) versehen den kriminalpolizeilichen Exekutivdienst, der in der Aufklärung und Verfolgung von Straftaten nach den Bestimmungen dieses Gesetzes besteht.

(4) Auf Antrag einer Gemeinde können die Angehörigen ihres Gemeindewachkörpers der Bezirksverwaltungsbehörde mit deren Zustimmung unterstellt werden, um kriminalpolizeilichen Exekutivdienst zu versehen. Die Unterstellung erfolgt mit Verordnung des Landespolizeidirektors nach Anhörung der Oberstaatsanwaltschaft, in deren Sprengel sich die Gemeinde befindet. Die Unterstellung ist durch Verordnung des Landespolizeidirektors

1. auf Antrag der Gemeinde oder

2. auf Antrag der Bezirksverwaltungsbehörde oder der Oberstaatsanwaltschaft, in deren Sprengel sich die Gemeinde befindet, soweit festgestellt wird, dass der Gemeindewachkörper die ihm übertragene Aufgabe nicht erfüllt,

aufzuheben.

2. Abschnitt

Staatsanwaltschaften und ihre Zuständigkeiten

Allgemeines

§ 19. (1) Als Staatsanwaltschaften sind im Strafverfahren tätig:

1. die Staatsanwaltschaften am Sitz der Landesgerichte,

2. die Oberstaatsanwaltschaften am Sitz der Oberlandesgerichte

3. die Zentrale Staatsanwaltschaft zur Verfolgung von Wirtschaftsstrafsachen und Korruption (Wirtschafts- und Korruptionsstaatsanwaltschaft – WKStA).

(2) Die Staatsanwaltschaften üben ihre Tätigkeit als Organe der Rechtspflege durch Staatsanwälte aus.

(3) Soweit dieses Gesetz im Einzelnen nichts anderes bestimmt, richten sich Organisation und Aufgaben der Staatsanwaltschaften nach den Vorschriften des Staatsanwaltschaftsgesetzes (StAG), BGBl. Nr. 164/1986.

Staatsanwaltschaft

§ 20. (1) Die Staatsanwaltschaft leitet das Ermittlungsverfahren; ihr allein steht die Erhebung der öffentlichen Anklage zu. Sie entscheidet, ob gegen eine bestimmte Person Anklage einzubringen, von der Verfolgung zurückzutreten oder das Verfahren einzustellen ist.

(2) Ermittlungen, Anordnungen und andere Verfahrenshandlungen im Verfahren wegen Straftaten, für die im Hauptverfahren das Bezirksgericht zuständig wäre, sowie die Vertretung der Anklage vor den Bezirksgerichten können nach Maßgabe des Staatsanwaltschaftsgesetzes Bezirksanwälten übertragen werden, die unter Aufsicht und Leitung von Staatsanwälten stehen.

(3) Die Staatsanwaltschaft ist auch für die Erledigung von Rechtshilfeersuchen in- und ausländischer Justizbehörden zuständig, soweit im Einzelnen nichts anderes bestimmt wird.

Zentrale Staatsanwaltschaft zur Verfolgung von Wirtschaftsstrafsachen und Korruption (WKStA)

§ 20a. (1) Der WKStA obliegt für das gesamte Bundesgebiet die Leitung des Ermittlungsverfahrens, dessen Beendigung im Sinne des 10. und 11. Hauptstücks sowie die Einbringung der Anklage und deren Vertretung im Hauptverfahren und im Verfahren vor dem Oberlandesgericht wegen folgender Vergehen oder Verbrechen:

1. Veruntreuung, schwerer oder gewerbsmäßig schwerer Betrug, betrügerischer Datenverarbeitungsmissbrauch, Untreue, Förderungsmissbrauch, betrügerische Krida, ausgabenseitiger Betrug zum Nachteil

der finanziellen Interessen der Europäischen Union und missbräuchliche Verwendung von Mitteln und Vermögenswerten zum Nachteil der finanziellen Interessen der Europäischen Union, soweit auf Grund bestimmter Tatsachen anzunehmen ist, dass der durch die Tat herbeigeführte Schaden 5 000 000 Euro übersteigt oder sich der Vorsatz darauf erstreckt (§ 133 Abs. 2 zweiter Fall, § 147 Abs. 3, § 148 zweiter Fall, § 148a Abs. 2 zweiter Fall, § 153 Abs. 3 zweiter Fall, § 153b Abs. 4, § 156 Abs. 2, § 168c Abs. 4 und § 168d Abs. 3 StGB);

2. Betrügerisches Anmelden zur Sozialversicherung oder Bauarbeiter-Urlaubs- und Abfertigungskasse, soweit auf Grund bestimmter Tatsachen anzunehmen ist, dass das Ausmaß der vorenthaltenen Beiträge oder Zuschläge 5 000 000 Euro übersteigt oder sich der Vorsatz darauf erstreckt (§ 153d Abs. 2 und 3 StGB) und Organisierte Schwarzarbeit (§ 153e StGB);

3. Grob fahrlässige Beeinträchtigung von Gläubigerinteressen gemäß § 159 Abs. 4 StGB, in den Fällen des § 159 Abs. 4 Z 1 und 2 StGB jedoch nur, soweit auf Grund bestimmter Tatsachen anzunehmen ist, dass der Befriedigungsausfall 5 000 000 Euro übersteigt;

4. Ketten- oder Pyramidenspiele gemäß § 168a Abs. 2 StGB;

5. Geschenkannahme durch Machthaber (§ 153a StGB), wettbewerbsbeschränkende Absprachen bei Vergabeverfahren (§ 168b StGB) und soweit auf Grund bestimmter Tatsachen anzunehmen ist, dass die Tat in Bezug auf einen 3 000 Euro übersteigenden Wert des Vorteils begangen wurde oder sich der Vorsatz darauf erstreckt, strafbare Verletzungen der Amtspflicht, Korruption und verwandte strafbare Handlungen nach den §§ 304 bis 309 StGB;

6. Unvertretbare Darstellung wesentlicher Informationen über bestimmte Verbände (§ 163a StGB) und unvertretbare Berichte von Prüfern bestimmter Verbände (§ 163b StGB) sowie Vergehen nach dem Immobilien-Investmentfondsgesetz, BGBl. I Nr. 80/2003, Investmentfondsgesetz 2011, BGBl. I Nr. 77/2011, Kapitalmarktgesetz, BGBl. Nr. 625/1991, jeweils jedoch nur soweit die betroffene Gesellschaft über ein Stammkapital von zumindest 5 000 000 Euro oder über mehr als 2000 Beschäftigte verfügt, sowie Straftaten nach dem BörseG 2018, BGBl. I Nr. 107/2017, nach dem ElWOG 2010, BGBl. I Nr. 110/2010 und dem GWG 2011, BGBl. I Nr. 107/2011;

7. in die Zuständigkeit der Gerichte fallende Finanzvergehen, soweit auf Grund bestimmter Tatsachen anzunehmen ist, dass der strafbestimmende Wertbetrag 5 000 000 Euro übersteigt oder sich der Vorsatz darauf erstreckt;

8. Geldwäscherei (§ 165 StGB), soweit die Vermögensbestandteile aus einer in den vorstehenden Ziffern genannten Straftat herrühren;

9. Kriminelle Vereinigung oder kriminelle Organisation (§§ 278 und 278a StGB), soweit die Vereinigung oder Organisation auf die Begehung einer in den vorstehenden Ziffern genannten Straftaten ausgerichtet ist.

(2) Ermittlungsverfahren wegen der in Abs. 1 Z 5 und in § 20b Abs. 3 erwähnten Straftaten und mit diesen in Zusammenhang stehende Straftaten nach Abs. 1 Z 8 und 9 hat die WKStA nach den Bestimmungen dieses Bundesgesetzes in Zusammenarbeit mit dem Bundesamt zur Korruptionsprävention und Korruptionsbekämpfung zu führen, es sei denn, dass dessen Organe nicht rechtzeitig einschreiten können, das Bundesamt die Ermittlungen einer anderen kriminalpolizeilichen Behörde oder Dienststelle übertragen hat oder sonst ein wichtiger Grund vorliegt, Anordnungen an andere kriminalpolizeiliche Behörden oder Dienststellen zu richten.

(3) Wegen der in Abs. 1 erwähnten Straftaten ist die WKStA auch für ausländische Ersuchen um Rechtshilfe und Übernahme der Strafverfolgung nach dem IV. Hauptstück und § 60 ARHG, BGBl. Nr. 529/1979, die Anerkennung und Vollstreckung justizieller Entscheidungen nach § 1 Abs. 1 Z 1 lit. b und lit. h EU-JZG, BGBl. I Nr. 36/2004, und die Rechtshilfe in Strafsachen nach § 1 Abs. 1 Z 2 EU-JZG sowie entsprechende ausländische Ersuchen nach zwischenstaatlichen Übereinkommen zuständig. Sie ist zentrale nationale Verbindungsstelle gegenüber OLAF und Eurojust, soweit Verfahren wegen derartiger Straftaten betroffen sind.

(4) In den Fällen des Zusammenhangs mit in Abs. 1 erwähnten Straftaten hat die WKStA gemäß den §§ 25a, 26 und 27 vorzugehen. Hinsichtlich anderer Taten hat die WKStA das Verfahren zu trennen und der danach zuständigen Staatsanwaltschaft abzutreten, soweit ihre Zuständigkeit nicht gemäß § 20b begründet wäre; darüber hinaus kann die WKStA auf diese Weise vorgehen, wenn das Verfahren wegen der ihre Zuständigkeit begründenden Straftaten beendet wird.

§ 20b. (1) Soweit zur wirksamen und zügigen Führung von Wirtschaftsstrafsachen besondere Kenntnisse des Wirtschaftslebens oder Erfahrungen mit solchen Verfahren erforderlich erscheinen, kann die WKStA eine Wirtschaftsstrafsache der zuständigen Staatsanwaltschaft abnehmen und diese an sich ziehen.

(2) Wirtschaftsstrafsachen in diesem Sinn sind Verfahren wegen strafbarer Handlungen gegen fremdes Vermögen im Zusammenhang mit unternehmerischer Tätigkeit, die durch ihren Umfang oder die Komplexität oder die Vielzahl der Beteiligten des Verfahrens, die involvierten Wirtschaftskreise oder das besondere öffentliche Interesse an der Aufklärung der zu untersuchenden Sachverhalte gekennzeichnet sind.

(3) Die WKStA kann nach Abs. 1 auch Verfahren wegen §§ 302 und 304 bis 309 StGB, soweit die Tat in Bezug auf einen 3 000 Euro nicht übersteigenden

Wert des Vorteils begangen wurde, an sich ziehen, an denen wegen der Bedeutung der aufzuklärenden Straftat oder der Person des Tatverdächtigen ein besonderes öffentliches Interesse besteht.

(4) Die Staatsanwaltschaften haben der WKStA unverzüglich über anhängige Verfahren nach den vorstehenden Absätzen zu berichten, die von ihr effizienter und zügiger geführt werden könnten. Bis zur Entscheidung der WKStA haben sie ungeachtet dessen die erforderlichen Anordnungen zu treffen.

Oberstaatsanwaltschaft

§ 21. (1) Die Oberstaatsanwaltschaft wirkt an allen Strafverfahren vor dem Oberlandesgericht mit und beteiligt sich an allen Verhandlungen vor diesem.

(2) Die Oberstaatsanwaltschaft führt die Aufsicht über die ihr unterstellten Staatsanwaltschaften und ist berechtigt, sich an jedem Verfahren in ihrem Zuständigkeitsbereich unmittelbar zu beteiligen. Im Einzelfall kann sie die Aufgaben und Befugnisse einer Staatsanwaltschaft übernehmen.

Generalprokuratur

§ 22. Die Generalprokuratur wirkt an allen Strafverfahren des Obersten Gerichtshofs mit. Dabei schreitet sie nicht als Anklagebehörde ein; sie vertritt die Interessen des Staates in der Rechtspflege.

Nichtigkeitsbeschwerde zur Wahrung des Gesetzes

§ 23. (1) Die Generalprokuratur kann von Amts wegen oder im Auftrag des Bundesministers für Justiz gegen Urteile der Strafgerichte, die auf einer Verletzung oder unrichtigen Anwendung des Gesetzes beruhen, sowie gegen jeden gesetzwidrigen Beschluss oder Vorgang eines Strafgerichts Nichtigkeitsbeschwerde zur Wahrung des Gesetzes erheben, und zwar auch nach Rechtskraft der Entscheidung sowie dann, wenn die berechtigten Personen in der gesetzlichen Frist von einem Rechtsmittel oder Rechtsbehelf keinen Gebrauch gemacht haben.

(1a) Auf Anregung des Rechtschutzbeauftragten kann die Generalprokuratur gegen die gesetzwidrige Durchführung einer Zwangsmaßnahme durch die Kriminalpolizei oder die gesetzwidrige Anordnung einer Zwangsmaßnahme sowie eine Entscheidung der Staatsanwaltschaft über die Beendigung des Ermittlungsverfahrens Nichtigkeitsbeschwerde zur Wahrung des Gesetzes erheben, sofern die zur Einbringung von Rechtsbehelfen Berechtigten einen solchen Rechtsbehelf nicht eingebracht haben oder ein solcher Berechtigter nicht ermittelt werden konnte.

(2) Die Staatsanwaltschaften haben Fälle, in denen sie eine Beschwerde für erforderlich halten, von Amts wegen den Oberstaatsanwaltschaften vorzulegen; diese entscheiden, ob die Fälle an die Generalprokuratur weiter zu leiten sind. Im Übrigen ist jedermann berechtigt, die Erhebung einer Nichtigkeitsbeschwerde zur Wahrung des Gesetzes anzuregen.

Stellungnahmen von Staatsanwaltschaften

§ 24. Nimmt eine Staatsanwaltschaft bei einem Rechtsmittelgericht zu einem Rechtsmittel oder Rechtsbehelf Stellung, so hat das Gericht diese Stellungnahme dem gegnerischen Beteiligten zur Äußerung binnen einer angemessen festzusetzenden Frist zuzustellen. Diese Zustellung kann unterbleiben, wenn die Staatsanwaltschaft lediglich zu Gunsten dieses Beteiligten Stellung nimmt.

Örtliche Zuständigkeit

§ 25. (1) Für das Ermittlungsverfahren ist die Staatsanwaltschaft zuständig, in deren Sprengel die Straftat ausgeführt wurde oder ausgeführt werden sollte. Liegt dieser Ort im Ausland oder kann er nicht festgestellt werden, so ist der Ort maßgebend, an dem der Erfolg eingetreten ist oder eintreten hätte sollen.

(2) Wenn und solange eine Zuständigkeit nach Abs. 1 nicht festgestellt werden kann, hat die Staatsanwaltschaft das Ermittlungsverfahren zu führen, in deren Sprengel der Beschuldigte seinen Wohnsitz oder Aufenthalt hat oder zuletzt hatte, fehlt es an einem solchen Ort, die Staatsanwaltschaft, in deren Sprengel der Beschuldigte betreten wurde.

(3) Die Staatsanwaltschaft, die zuerst von einer Straftat, die der inländischen Gerichtsbarkeit unterliegt, Kenntnis erlangt, hat das Ermittlungsverfahren so lange zu führen, bis die Zuständigkeit einer anderen Staatsanwaltschaft nach Abs. 1 oder 2 festgestellt werden kann.

(4) Ergibt sich keine Zuständigkeit nach den Abs. 1 bis 3, so hat die Generalprokuratur zu bestimmen, welche Staatsanwaltschaft das Ermittlungsverfahren zu führen hat.

(5) Die Zuständigkeit der Staatsanwaltschaft für das Hauptverfahren richtet sich nach der des Gerichts (§ 36).

(Anm.: Abs. 6 aufgehoben durch BGBl. I Nr. 121/2016)

(7) Liegt der Ort, an dem die Straftat ausgeführt wurde oder ausgeführt werden sollte, in einem anderen Mitgliedstaat der Europäischen Union, so hat die Staatsanwaltschaft unverzüglich bei ihr einlangende Anzeigen eines Opfers mit Wohnsitz im Inland an die zuständige Behörde des anderen Mitgliedstaates weiterzuleiten, es sei denn, dass diese Straftat der inländischen Gerichtsbarkeit unterliegt. Von der Übermittlung kann abgesehen werden, wenn

1. die Tat und die für ihre Verfolgung wesentlichen Umstände der zuständigen ausländischen Behörde bekannt sind, oder

2. dem Opfer die Anzeige im Ausland möglich gewesen wäre, es sei denn, dass es sich um eine Straftat mit schweren Folgen handelt.

Abtretung

StPO § **25a.** (1) Eine Staatsanwaltschaft, die sich für unzuständig erachtet, hat die keinen Aufschub duldenden Anordnungen zu treffen und sodann das Ermittlungsverfahren der zuständigen Staatsanwaltschaft abzutreten.

(2) Eine unzuständige Staatsanwaltschaft hat bei ihr einlangende Anzeigen, Berichte und Rechtshilfeersuchen an die zuständige weiterzuleiten.

Zusammenhang

§ 26. (1) Das Ermittlungsverfahren ist von derselben Staatsanwaltschaft gemeinsam zu führen, wenn ein Beschuldigter der Begehung mehrerer strafbarer Handlungen verdächtig ist oder mehrere Personen an derselben strafbaren Handlung beteiligt sind (§ 12 StGB). Gleiches gilt, wenn mehrere Personen der Begehung strafbarer Handlungen verdächtig sind, die sonst in einem engen sachlichen Zusammenhang stehen.

(2) Bei der Bestimmung der Zuständigkeit nach Abs. 1 sind besondere Vorschriften anderer Gesetze zu beachten. Des Weiteren zieht die Staatsanwaltschaft, die für das Ermittlungsverfahren wegen einer Straftat zuständig ist, für die im Hauptverfahren ein Gericht höherer Ordnung zuständig wäre (§ 37 Abs. 2), das Verfahren wegen anderer Straftaten an sich; im Übrigen entscheidet die Zuständigkeit für den unmittelbaren Täter, wenn jedoch keiner dieser Fälle vorliegt, das Zuvorkommen. Im Fall eines vorläufigen Rücktritts von der Verfolgung ist Abs. 1 nicht anzuwenden.

(3) Im Verhältnis zur WKStA ist ein Zusammenhang nach den vorstehenden Bestimmungen nicht anzunehmen, wenn das Verfahren wegen der Straftaten, die eine Zuständigkeit der WKStA begründen würde, im Hinblick auf die Dauer und den Umfang der Ermittlungen oder das Gewicht der Straftat von untergeordneter Bedeutung ist.

Trennung von Verfahren

§ 27. Die Staatsanwaltschaft kann auf Antrag des Beschuldigten oder von Amts wegen anordnen, dass das Ermittlungsverfahren wegen einzelner Straftaten oder gegen einzelne Beschuldigte getrennt zu führen ist, insbesondere um Verzögerungen zu vermeiden, schutzwürdige Geheimhaltungsinteressen (§ 1 Abs. 1 Datenschutzgesetz – DSG, BGBl. I Nr. 165/1999) eines Beschuldigten zu wahren oder die Haft eines Beschuldigten zu verkürzen.

Bestimmung der Zuständigkeit

§ 28. (1) Die Oberstaatsanwaltschaft kann von Amts wegen oder auf Antrag aus Gründen der öffentlichen Sicherheit oder aus anderen wichtigen Gründen ein Verfahren der zuständigen Staatsanwaltschaft abnehmen und innerhalb ihres Sprengels einer anderen Staatsanwaltschaft übertragen. Ein solcher wichtiger Grund kann auch dann vorliegen, wenn das Verfahren erster Instanz gegen ein Organ derselben Staatsanwaltschaft oder gegen einen Richter eines Gerichts, in dessen Sprengel die Staatsanwaltschaft ihren Sitz hat, oder gegen ein Organ der Sicherheitsbehörde oder Sicherheitsdienststelle im örtlichen Zuständigkeitsbereich der Staatsanwaltschaft zu führen ist. Unterstehen die Staatsanwaltschaften verschiedenen Oberstaatsanwaltschaften, so kommt diese Befugnis der Generalprokuratur zu. Gleiches gilt für den Fall eines Zuständigkeitskonflikts. § 39 Abs. 2 gilt sinngemäß.

(2) Nach Abs. 1 ist unter den dort beschriebenen Umständen auch vorzugehen, wenn das Absehen von der Einleitung eines Ermittlungsverfahrens zu prüfen ist (§ 197a).

Zuständigkeitskonflikt bei Verfahren der WKStA

§ 28a. Die Generalprokuratur hat für den Fall eines Zuständigkeitskonflikts zwischen WKStA und anderen Staatsanwaltschaften gemäß § 28 zu entscheiden, welchen von ihnen die Zuständigkeit zukommt. Gleiches gilt für den Fall, dass der WKStA ein Verfahren aus den in § 28 Abs. 1 oder Abs. 2 genannten Gründen abgenommen werden soll.

3. Abschnitt

Gerichte

Allgemeines

§ 29. (1) Als Gerichte sind im Strafverfahren tätig:

1. Bezirksgerichte im Hauptverfahren,

2. Landesgerichte im Ermittlungsverfahren, im Hauptverfahren und im Rechtsmittelverfahren,

3. Oberlandesgerichte und der Oberste Gerichtshof im Rechtsmittelverfahren sowie auf Grund besonderer Bestimmungen.

(2) Soweit sich die Zuständigkeit der Gerichte nach der Höhe der angedrohten Freiheitsstrafe richtet, sind die Beschränkung der Strafbemessung durch § 287 Abs. 1 letzter Satz StGB und die Möglichkeit einer Überschreitung des Höchstmaßes der Strafe nach § 313 StGB bei der Bestimmung der sachlichen Zuständigkeit zu berücksichtigen.

Bezirksgericht

§ 30. (1) Dem Bezirksgericht obliegt das Hauptverfahren wegen Straftaten, die nur mit einer Geldstrafe oder mit einer Geldstrafe und einer ein Jahr nicht übersteigenden Freiheitsstrafe oder nur mit einer solchen Freiheitsstrafe bedroht sind, mit Ausnahme

1. des Vergehens der Nötigung (§ 105 StGB),

2. des Vergehens der gefährlichen Drohung (§ 107 StGB),

3. des Vergehens der beharrlichen Verfolgung (§ 107a StGB),

3a. des Vergehens der fortdauernden Belästigung im Wege einer Telekommunikation oder eines Computersystems (§ 107c StGB),

3b. des Vergehens der Geschenkannahme durch Machthaber (§ 153a StGB),

3c. des Vergehens des Vorenthaltens von Dienstnehmerbeiträgen zur Sozialversicherung (§ 153c StGB),

4. des Vergehens der grob fahrlässigen Beeinträchtigung von Gläubigerinteressen (§ 159 StGB),

5. des Vergehens des fahrlässigen unerlaubten Umganges mit Kernmaterial, radioaktiven Stoffen oder Strahleneinrichtungen (§ 177c StGB),

5a. des Vergehens des vorsätzlichen unerlaubten Umgangs mit Stoffen, die zum Abbau der Ozonschicht beitragen (§ 177d StGB),

5b. des Vergehens des grob fahrlässigen unerlaubten Umgangs mit Stoffen, die zum Abbau der Ozonschicht beitragen (§ 177e StGB),

6. des Vergehens der fahrlässigen Beeinträchtigung der Umwelt (§ 181 StGB),

6a. des Vergehens des vorsätzlichen umweltgefährdenden Behandelns und Verbringens von Abfällen (§ 181b Abs. 3 StGB),

7. des Vergehens des fahrlässigen umweltgefährdenden Behandelns von Abfällen (§ 181c StGB),

8. des Vergehens des grob fahrlässigen umweltgefährdenden Betreibens von Anlagen (§ 181e StGB),

8a. des Vergehens der grob fahrlässigen Schädigung des Tier- oder Pflanzenbestandes (§ 181g StGB),

8b. des Vergehens der grob fahrlässigen Schädigung von Lebensräumen in geschützten Gebieten (§ 181i StGB)

(Anm.: Z 9 aufgehoben durch Art. 3 Z 1, BGBl. I Nr. 135/2023)

9a. des Vergehens der staatsfeindlichen Bewegung (§ 247a Abs. 2 StGB),

9b. des Vergehens der Verhetzung (§ 283 Abs. 4),

9c. des Vergehens der religiös motivierten extremistischen Verbindung (§ 247b Abs. 2 StGB) und

10. der Vergehen, für die auf Grund besonderer Bestimmungen das Landesgericht zuständig ist.

(2) Das Bezirksgericht entscheidet durch Einzelrichter.

Landesgericht

§ 31. (1) Dem Einzelrichter des Landesgerichts obliegt im Ermittlungsverfahren

1. die Aufnahme von Beweisen gemäß § 104,

2. das Verfahren zur Entscheidung über Anträge auf Beschlagnahme, Verwertung sichergestellter oder beschlagnahmter Vermögenswerte und auf Verhängung und Fortsetzung der Untersuchungshaft sowie über Anträge auf Bewilligung anderer Zwangsmittel (§ 105),

3. die Entscheidung über Einsprüche wegen behaupteter Verletzung eines subjektiven Rechts durch die Staatsanwaltschaft oder die Kriminalpolizei (§§ 106 und 107),

4. die Entscheidung über Anträge auf Einstellung des Ermittlungsverfahrens (§ 108),

(Anm.: Z 5 aufgehoben durch Art. 1 Z 8, BGBl. I Nr. 157/2024)

6. das Verfahren zur Entscheidung über Anträge auf Anordnungen zur Ausforschung des Beschuldigten (§ 71 Abs. 1 zweiter Satz),

7. die Bestimmung des Beitrages zu den Kosten der Verteidigung im Ermittlungsverfahren (§ 196a).

(2) Dem Landesgericht als Geschworenengericht obliegt das Hauptverfahren wegen

1. Straftaten, die mit lebenslanger oder einer Freiheitsstrafe bedroht sind, deren Untergrenze mehr als fünf Jahre und deren Obergrenze mehr als zehn Jahre beträgt,

2. des Verbrechens der Überlieferung an eine ausländische Macht (§ 103 StGB),

3. der Verbrechen des Hochverrats (§ 242 StGB) und der Vorbereitung des Hochverrats (§ 244 StGB),

4. des Verbrechens oder Vergehens staatsfeindlicher Verbindungen (§ 246 StGB),

5. des Vergehens der Herabwürdigung des Staates und seiner Symbole (§ 248 StGB),

6. der Verbrechen des Angriffs auf oberste Staatsorgane (§§ 249 bis 251 StGB),

7. der Verbrechen und Vergehen des Landesverrats (§§ 252 bis 258 StGB),

8. des Vergehens bewaffneter Verbindungen (§ 279 StGB),

9. des Vergehens des Ansammelns von Kampfmitteln (§ 280 StGB),

10. der Verbrechen und Vergehen der Störung der Beziehungen zum Ausland (§§ 316 bis 320 StGB),

10a. des Verbrechens der Aggression (§ 321k StGB),

11. des Vergehens der Aufforderung zu mit Strafe bedrohten Handlungen und der Gutheißung mit Strafe bedrohter Handlungen (§ 282 StGB) sowie des Vergehens der Unterlassung der Verhinderung einer mit Strafe bedrohten Handlung (§ 286 StGB), wenn die Tat mit Beziehung auf eine der unter Z 2 bis 10a angeführten strafbaren Handlungen begangen worden ist, und

12. strafbarer Handlungen, für die es auf Grund besonderer Bestimmungen zuständig ist.

(3) Dem Landesgericht als Schöffengericht obliegt, soweit es nicht als Geschworenengericht zuständig ist, das Hauptverfahren wegen

1. Straftaten, die mit einer fünf Jahre übersteigenden Freiheitsstrafe bedroht sind,

2. der Verbrechen der Tötung auf Verlangen (§ 77 StGB), der Mitwirkung am Selbstmord (§ 78 StGB) und der Tötung eines Kindes bei der Geburt (§ 79 StGB),

3. der Verbrechen des räuberischen Diebstahls (§ 131 StGB), der Gewaltanwendung eines Wilderers (§ 140 StGB) und des minderschweren Raubes (§ 142 Abs. 2 StGB),

4. der Verbrechen der geschlechtlichen Nötigung (§ 202 StGB), des sexuellen Missbrauchs einer wehrlosen Person (§ 205 StGB) und des sexuellen Missbrauchs von Unmündigen (§ 207 StGB),

5. des Vergehens der schweren gemeinschaftlichen Gewalt und des Verbrechens oder Vergehens des Landzwangs (§§ 274 und 275 StGB),

6. des Verbrechens des Missbrauchs der Amtsgewalt (§ 302 StGB),

6a. des Vergehens des schweren Diebstahls (§ 128 Abs. 1 Z 5 StGB), des Verbrechens des gewerbsmäßig schweren Diebstahls (§ 130 Abs. 2 erster Fall StGB), der Vergehen der Entziehung von Energie (§ 132 Abs. 2 erster Fall StGB), der Veruntreuung (§ 133 Abs. 2 erster Fall StGB), des schweren Betrugs (§ 147 Abs. 2 StGB), des betrügerischen Datenverarbeitungsmißbrauchs (§ 148a Abs. 2 zweiter Fall StGB), der Untreue (§ 153 Abs. 3 erster Fall StGB), der Verbrechen der betrügerischen Krida (§ 156 Abs. 1 StGB) und der Schädigung fremder Gläubiger (§ 157 StGB), wenn der durch die Tat herbeigeführte Schaden 50.000 Euro übersteigt oder die Tat in Bezug auf einen 50.000 Euro übersteigenden Wert des Vorteils begangen wurde oder sich jeweils der Vorsatz darauf erstreckt,

7. strafbarer Handlungen, für die es auf Grund besonderer Bestimmungen zuständig ist.

(4) Dem Einzelrichter des Landesgerichts obliegt, soweit nicht das Landesgericht als Geschworenen- oder Schöffengericht zuständig ist, das Hauptverfahren wegen

1. Straftaten, die mit einer ein Jahr übersteigenden Freiheitsstrafe bedroht sind,

2. der im § 30 Abs. 1 Z 1 bis 9c angeführten Vergehen,

3. Straftaten, für die der Einzelrichter des Landesgerichts auf Grund besonderer Bestimmungen zuständig ist.

(5) Dem Einzelrichter des Landesgerichts obliegt das Verfahren über Beschwerden gegen Entscheidungen

1. über die Kosten des Strafverfahrens nach dem 18. Hauptstück und

2. über die Bestimmung der Gebühren der Sachverständigen und Dolmetscher nach dem Gebührenanspruchsgesetz, BGBl. Nr. 136/1975.

(6) Dem Landesgericht als Senat von drei Richtern obliegt

1. das Verfahren über Rechtsmittel und Rechtsbehelfe gegen Urteile und gegen andere als in Abs. 5 angeführte Beschlüsse des Bezirksgerichts und über einen Kompetenzkonflikt untergeordneter Bezirksgerichte (§ 38),

2. die Entscheidung über einen Antrag auf Wiederaufnahme nach § 357, soweit nicht das Bezirksgericht (§ 480) oder der Einzelrichter (§ 490) zuständig ist, und über Beschlüsse nach § 495 in den Fällen, in denen nach § 494a Abs. 2 eine Zuständigkeit des Einzelrichters ausgeschlossen wäre, und

3. die Entscheidung über Anträge auf Fortführung (§§ 195 und 209a Abs. 6) und Anträge auf Verfolgung (§ 197c).

Landesgericht als Geschworenen- und Schöffengericht

§ 32. (1) Das Landesgericht als Geschworenengericht setzt sich aus dem Schwurgerichtshof und der Geschworenenbank zusammen. Der Schwurgerichtshof besteht aus drei Richtern, die Geschworenenbank ist mit acht Geschworenen besetzt. Das Landesgericht als Schöffengericht besteht – ausgenommen den Fall des Abs. 1a – aus einem Richter und zwei Schöffen.

(1a) Das Landesgericht als Schöffengericht besteht aus zwei Richtern und zwei Schöffen im Hauptverfahren wegen folgender Straftaten:

1. Totschlag (§ 76 StGB);

2. Schwerer Raub (§ 143 StGB) und andere strafbare Handlungen gegen fremdes Vermögen, soweit die Höhe der Strafdrohung von dem ziffernmäßig bestimmten Wert der Sache, gegen die sich die Handlung richtet, oder von der ziffernmäßig bestimmten Höhe des Schadens abhängt, den die Handlung verursacht oder auf den sich der Vorsatz erstreckt, sofern die Werte oder Schadensbeträge 1 000 000 Euro übersteigen;

3. Brandstiftung (§ 169 StGB), vorsätzliche Gefährdung durch Kernenergie oder ionisierende Strahlen (§ 171 StGB), vorsätzliche Gefährdung durch Sprengmittel (§ 173 StGB), vorsätzliche Gemeingefährdung (§ 176 StGB) und Herstellung und Verbreitung von Massenvernichtungswaffen (§ 177a StGB);

4. Vergewaltigung (§ 201 StGB), Schwerer sexueller Missbrauch von Unmündigen (§ 206 StGB) und die in § 31 Abs. 3 Z 4 genannten Verbrechen;

5. Missbrauch der Amtsgewalt gemäß § 302 Abs. 2 zweiter Satz StGB und Straftaten nach den §§ 304 und 307 StGB, soweit dem Angeklagten die Herbeiführung eines 100 000 Euro übersteigenden Schadens oder die Begehung der Tat in Bezug auf einen 100 000 Euro übersteigenden Vorteil zur Last gelegt wird oder sich jeweils der Vorsatz darauf erstreckt;

6. Finanzvergehen, soweit der angelastete strafbestimmende Wertbetrag 1 000 000 Euro übersteigt oder sich der Vorsatz darauf erstreckt sowie

7. Terroristische Vereinigung (§ 278b StGB) sowie sonstige strafbare Handlungen, die qualifiziert im Rahmen oder als Mitglied einer kriminellen Vereinigung (§ 278 StGB) begangen werden;

8. die in die Zuständigkeit des Landesgerichts als Schöffengericht fallenden Verbrechen nach dem 25. Abschnitt des Strafgesetzbuchs.

(1b) Ein Besetzungsmangel nach Abs. 1a kann nur geltend gemacht werden, wenn die Staatsanwaltschaft in der Anklageschrift oder der Angeklagte innerhalb der Einspruchsfrist (§ 213 Abs. 2) eine solche Besetzung verlangt hat. Wurde ein solches Verlangen rechtzeitig gestellt, so ist das Landesgericht als Schöffengericht unabhängig von den Voraussetzungen des Abs. 1a mit zwei Richtern und zwei Schöffen zu besetzen.

(2) Liegt dem Angeklagten die Begehung einer strafbaren Handlung nach den §§ 201 bis 207 StGB zur Last, so müssen dem Geschworenengericht mindestens zwei Geschworene, dem Schöffengericht mindestens ein Richter oder Schöffe des Geschlechtes des Angeklagten sowie dem Geschworenengericht mindestens zwei Geschworene, dem Schöffengericht mindestens ein Richter oder Schöffe des Geschlechtes jener Person angehören, die durch die Straftat in ihrer Geschlechtssphäre verletzt worden sein könnte.

(3) Soweit in diesem Gesetz nichts anderes bestimmt wird, entscheidet außerhalb der Hauptverhandlung der Vorsitzende allein.

(4) Die Geschworenen werden in dem vom Gesetz (15. Hauptstück) vorgesehenen Umfang tätig; die Schöffen üben in der Hauptverhandlung das Richteramt im vollen Umfang aus. Soweit im Einzelnen nichts anderes bestimmt wird, sind die für Richter geltenden Vorschriften auch auf Geschworene und Schöffen anzuwenden. Die Voraussetzungen und das Verfahren zur Berufung von Geschworenen und Schöffen sind im Geschworenen- und Schöffengesetz 1990, BGBl. Nr. 256, geregelt.

Zuständigkeit für Wirtschaftsstrafsachen und Korruption

§ 32a. (1) Den beim Landesgericht für Strafsachen Wien eingerichteten besonderen Gerichtsabteilungen (§ 32a GOG) obliegt für das gesamte Bundesgebiet die Führung des Hauptverfahrens auf Grund von Anklagen wegen der in § 20a genannten Straftaten, soweit eine Delegierung gemäß § 39 Abs. 1a erfolgt ist.

(2) Nach den Bestimmungen der §§ 31 und 32 entscheidet das Landesgericht durch Einzelrichter oder als Geschworenen- und Schöffengericht. § 213 Abs. 6 zweiter und dritter Satz sind nicht anzuwenden.

Oberlandesgericht

§ 33. (1) Dem Oberlandesgericht obliegt die Entscheidung

1. über Rechtsmittel und Rechtsbehelfe gegen Entscheidungen des Landesgerichts als Einzelrichter (§ 31 Abs. 1 und 4),

2. über Berufungen gegen Urteile des Landesgerichts als Geschworenen- oder Schöffengericht,

(Anm.: Z 3 aufgehoben durch BGBl. I Nr. 52/2009)

4. über den Einspruch gegen die Anklageschrift (§ 212),

5. über Kompetenzkonflikte und Delegierungen (§§ 38 und 39) und

6. in Fällen, in denen es auf Grund besonderer Vorschriften zuständig ist.

(2) Der Einzelrichter des Oberlandesgerichts entscheidet über Beschwerden gegen Entscheidungen über den Pauschalkostenbeitrag gemäß § 196 Abs. 2, über den Betrag zu den Kosten der Verteidigung im Ermittlungsverfahren gemäß § 196a, über die Kosten des Strafverfahrens nach dem 18. Hauptstück und über die Bestimmung der Gebühren der Sachverständigen und Dolmetscher nach dem GebAG. In den übrigen Fällen entscheidet das Oberlandesgericht durch einen Senat von drei Richtern.

Oberster Gerichtshof

§ 34. (1) Dem Obersten Gerichtshof obliegt die Entscheidung

1. über Nichtigkeitsbeschwerden und nach Maßgabe der §§ 296, 344, 427 Abs. 3 letzter Satz mit ihnen verbundene Berufungen und über Einsprüche gegen Urteile des Landesgerichts als Geschworenen- oder Schöffengericht,

2. über Nichtigkeitsbeschwerden zur Wahrung des Gesetzes (§§ 23, 292), außerordentliche Wiederaufnahmen (§ 362) und Anträge auf Erneuerung des Verfahrens (§ 363a),

3. über Beschwerden nach § 285b Abs. 2 und über Beschwerden wegen Verletzung des Grundrech-

tes auf persönliche Freiheit nach dem Grundrechtsbeschwerde-Gesetz, BGBl. Nr. 864/1992,

4. über Verweisungen (§ 334 Abs. 2),

5. über Kompetenzkonflikte und Delegierungen (§§ 38 und 39) und

6. in Fällen, in denen er auf Grund besonderer Vorschriften zuständig ist.

(2) Im Übrigen bleiben die Bestimmungen des Bundesgesetzes über den Obersten Gerichtshof, BGBl. Nr. 328/1968, unberührt.

Form gerichtlicher Entscheidungen

§ 35. (1) Mit Urteil entscheiden die Gerichte im Haupt- und Rechtsmittelverfahren über Schuld, Strafe und privatrechtliche Ansprüche, über ein Verfahrenshindernis oder eine fehlende Prozessvoraussetzung, über die Anordnung freiheitsentziehender Maßnahmen, über selbstständige Anträge nach § 441, über die im § 445 genannten vermögensrechtlichen Anordnungen und über ihre Unzuständigkeit nach den §§ 261 und 488 Abs. 3. Soweit im Einzelnen nichts anderes bestimmt wird, sind Urteile nach öffentlicher mündlicher Verhandlung zu verkünden und auszufertigen.

(2) Im Übrigen entscheiden die Gerichte mit Beschluss (§ 86), soweit sie nicht bloß eine auf den Fortgang des Verfahrens oder die Bekanntmachung einer gerichtlichen Entscheidung gerichtete Verfügung erlassen.

Örtliche Zuständigkeit

§ 36. (1) Im Ermittlungsverfahren obliegen gerichtliche Entscheidungen und Beweisaufnahmen dem Landesgericht, an dessen Sitz sich die Staatsanwaltschaft befindet, die das Verfahren führt.

(2) Im Fall der Abtretung eines Verfahrens hat über offene Anträge, Einsprüche und Beschwerden das vor der Abtretung zuständige Gericht zu entscheiden.

(2a) Für Anträge auf Anordnungen nach § 135 Abs. 1a oder Abs. 2 Z 2 zur Ausforschung des Beschuldigten auf Verlangen des Opfers (§ 71 Abs. 1 zweiter Satz) ist das Gericht zuständig, an dessen Sitz sich der Wohnsitz oder Aufenthalt des Opfers befindet, das den Antrag einbringt.

(3) Für das Hauptverfahren ist das Gericht zuständig, in dessen Sprengel die Straftat ausgeführt wurde oder ausgeführt werden sollte. Liegt dieser Ort im Ausland oder kann er nicht festgestellt werden, so ist der Ort maßgebend, an dem der Erfolg eingetreten ist oder eintreten hätte sollen, fehlt es an einem solchen, der Ort, an dem der Beschuldigte seinen Wohnsitz oder Aufenthalt hat oder zuletzt hatte, in Ermangelung eines solchen der Ort, an dem er betreten wurde. Kann auch dadurch eine örtliche Zuständigkeit nicht bestimmt werden, so ist das Gericht zuständig, an dessen Sitz sich die Staatsanwaltschaft befindet, die Anklage einbringt. Sonderzuständigkeiten bleiben unberührt.

(4) Ein Gericht bleibt auch dann für das Hauptverfahren örtlich zuständig, wenn es ein Verfahren gegen einen Angeklagten oder wegen einer Straftat ausscheidet, es sei denn, dass ein Gericht mit Sonderzuständigkeit ein Verfahren wegen einer allgemeinen strafbaren Handlung oder ein Landesgericht eine Strafsache ausscheidet, für deren Verhandlung und Entscheidung das Bezirksgericht zuständig ist.

(5) Wenn sich zum Zeitpunkt der Einbringung der Anklage ein Angeklagter in Untersuchungshaft befindet und die Verhandlung und Entscheidung der Strafsache dem Bezirksgericht zusteht, ist das Bezirksgericht örtlich zuständig, an dessen Sitz sich die Staatsanwaltschaft befindet, die nach den §§ 25 bis 28 für das Ermittlungsverfahren zuständig war. Wird der Angeklagte nach diesem Zeitpunkt freigelassen, so ändert dies die Zuständigkeit nicht.

Zuständigkeit des Zusammenhangs

§ 37. (1) Im Falle gleichzeitiger Anklage mehrerer beteiligter Personen (§ 12 StGB) oder einer Person wegen mehrerer Straftaten ist das Hauptverfahren vom selben Gericht gemeinsam zu führen. Gleiches gilt, wenn mehrere Personen der Begehung strafbarer Handlungen verdächtig sind, die sonst in einem engen sachlichen Zusammenhang stehen.

(2) Dabei ist unter Gerichten verschiedener Ordnung das höhere, unter Gerichten gleicher Ordnung jenes mit Sonderzuständigkeit für alle Verfahren zuständig, wobei das Gericht, das für einen unmittelbaren Täter zuständig ist, das Verfahren gegen Beteiligte (§ 12 StGB) an sich zieht. Im Übrigen kommt das Verfahren im Falle mehrerer Straftaten dem Gericht zu, in dessen Zuständigkeit die frühere Straftat fällt. Wenn jedoch für das Ermittlungsverfahren eine Staatsanwaltschaft bei einem Gericht zuständig war, in dessen Sprengel auch nur eine der angeklagten strafbaren Handlungen begangen worden sein soll, so ist dieses Gericht zuständig. Im Fall eines vorläufigen Rücktritts von der Verfolgung ist Abs. 1 nicht anzuwenden.

(3) Sofern zu dem Zeitpunkt, zu dem die Anklage rechtswirksam wird, ein Hauptverfahren gegen den Angeklagten oder an derselben strafbaren Handlung beteiligte Personen (§ 12 StGB) anhängig ist, sind die Verfahren zu verbinden; die Zuständigkeit des Gerichts bestimmt sich auch in diesem Fall nach den vorstehenden Absätzen mit der Maßgabe, dass das Verfahren im Fall des Abs. 2 zweiter Satz dem Gericht zukommt, bei dem die Anklage zuerst rechtswirksam geworden ist.

(4) Das Gericht kann auf Antrag der Staatsanwaltschaft oder eines Angeklagten oder von Amts wegen unter den Voraussetzungen des § 27 StPO eine getrennte Führung der Verfahren anordnen; § 36 Abs. 4 gilt.

Kompetenzkonflikt

§ 38. Ein Gericht, das sich für unzuständig hält, hat bei ihm eingebrachte Anträge, Einsprüche und Beschwerden dem zuständigen zu überweisen; § 213 Abs. 6 bleibt unberührt. Bei Gefahr im Verzug hat jedes Gericht innerhalb seiner sachlichen Zuständigkeit vor der Überweisung unaufschiebbare Entscheidungen zu treffen und unaufschiebbare Beweisaufnahmen durchzuführen. Sofern auch das Gericht, dem überwiesen wird, seine Zuständigkeit bezweifelt, hat es die Entscheidung des gemeinsam übergeordneten Gerichts zu erwirken, gegen die ein Rechtsmittel nicht zusteht.

Delegierung

§ 39. (1) Im Haupt- und Rechtsmittelverfahren kann das Oberlandesgericht von Amts wegen oder auf Antrag aus Gründen der öffentlichen Sicherheit oder aus anderen wichtigen Gründen eine Strafsache dem zuständigen Gericht abnehmen und innerhalb seines Sprengels einem anderen Gericht gleicher Ordnung delegieren. Ein solcher wichtiger Grund liegt auch dann vor, wenn das Verfahren erster Instanz gegen einen Richter desselben oder eines unterstellten Gerichts oder gegen einen Staatsanwalt einer Staatsanwaltschaft oder gegen ein Organ der Sicherheitsbehörde oder Sicherheitsdienststelle, in deren Sprengel oder örtlichem Zuständigkeitsbereich sich das zuständige Gericht befindet, zu führen ist. Über Delegierung an ein anderes Oberlandesgericht oder an ein Gericht im Sprengel eines anderen Oberlandesgerichts entscheidet der Oberste Gerichtshof.

(1a) Ein wichtiger Grund im Sinne des Abs. 1 liegt auch in Verfahren vor, die von der WKStA auf Grund der Bestimmungen der §§ 20a und 20b geführt werden, wenn die Führung des Hauptverfahrens vor den nach § 32a Gerichtsorganisationsgesetz eingerichteten besonderen Gerichtsabteilungen des Landesgerichts für Strafsachen Wien im Hinblick auf den Umfang des Verfahrens, den Haftort der Beschuldigten, den Aufenthalt von Zeugen, Sachverständigen und anderen Beweismitteln oder zur Vermeidung von Verzögerungen oder Verringerung von Kosten einer wirksamen und zügigen Führung des Hauptverfahrens in Wirtschafts- und Korruptionsstrafsachen zweckmäßig wäre. In diesem Fall hat der Oberste Gerichtshof oder das Oberlandesgericht Wien auf Antrag des Angeklagten oder der WKStA das Verfahren dem zuständigen Gericht abzunehmen und seine Führung den erwähnten besonderen Gerichtsabteilungen des Landesgerichts für Strafsachen Wien zu übertragen, soweit deren Zuständigkeit nicht ohnedies nach § 36 Abs. 3 vorletzter Satz begründet wäre.

(2) Ein Antrag auf Delegierung steht der Staatsanwaltschaft und dem Beschuldigten zu; das Gericht kann sie anregen. Der Antrag ist bei dem Gericht einzubringen, das für das Verfahren zuständig ist, und hat eine Begründung zu enthalten.

Vorsitz und Abstimmung in den Senaten

§ 40. (1) Im Geschworenengericht, im Schöffengericht und in allen anderen Senaten führt ein Richter den Vorsitz. Der Vorsitzende hat Verhandlungen und Sitzungen sowie Beratungen und Abstimmungen zu leiten. Die Zahl der Senatsmitglieder darf weder größer noch kleiner sein als sie in den §§ 31 bis 34 festgesetzt ist.

(2) Jeder Abstimmung hat eine Beratung vorauszugehen. Sieht das Gesetz einen Berichterstatter vor, so stimmt dieser zuerst. Der Vorsitzende stimmt zuletzt. Die anderen Richter stimmen nach der Dienstzeit bei dem Gericht, das die Entscheidung trifft, bei gleicher Dienstzeit nach der für die Vorrückung in höhere Bezüge maßgebenden Dienstzeit, und zwar die älteren vor den jüngeren. Die Geschworenen und Schöffen geben ihre Stimme in alphabetischer Reihenfolge vor den Richtern ab.

(3) Eine Stimmenthaltung ist außer im Fall des § 42 Abs. 3 nicht zulässig.

§ 41. (1) Soweit im Einzelnen nichts anderes bestimmt wird, entscheidet das Gericht mit der Mehrheit der Stimmen. Bei Stimmengleichheit gilt die für den Angeklagten günstigere Meinung. Gegen die Stimme des Vorsitzenden des nach § 32 Abs. 1 zuständigen Schöffengerichts kann die Schuldfrage nicht bejaht und keine für den Angeklagten nachteiligere rechtliche Beurteilung der Schuld vorgenommen werden.

(2) Ergibt sich keine Mehrheit, weil mehr als zwei Meinungen vertreten werden, so hat der Vorsitzende durch Teilung der Fragen und neuerliche Umfrage zu versuchen, eine Mehrheit zu erzielen. Wenn dies nicht gelingt, sind die für den Angeklagten nachteiligeren Stimmen den jeweils günstigeren solange zuzuzählen, bis sich eine Mehrheit ergibt.

(3) Entstehen unterschiedliche Ansichten darüber, welche von zwei Meinungen für den Angeklagten die günstigere ist, so ist zunächst darüber abzustimmen. Ergibt sich auch dabei keine Mehrheit, so gibt die Stimme des Vorsitzenden den Ausschlag.

§ 42. (1) Über die Zuständigkeit des Gerichts, über eine Ergänzung des Verfahrens und andere Vorfragen ist vor der Hauptsache abzustimmen.

(2) In der Hauptsache ist zunächst die Frage der Schuld und deren rechtliche Beurteilung zu entscheiden. Liegen dem Angeklagten mehrere Straftaten zur Last, so muss über jede Tat einzeln abgestimmt werden.

(3) Wer den Angeklagten auch nur in einem Fall für nicht schuldig hält, kann sich bei der Beratung über die Strafe der Stimme enthalten. Diese ist der für den Angeklagten jeweils günstigsten Meinung zuzuzählen.

4. Abschnitt

Ausschließung und Befangenheit

Ausgeschlossenheit von Richtern

§ 43. (1) Ein Richter ist vom gesamten Verfahren ausgeschlossen, wenn

1. er selbst oder einer seiner Angehörigen (§ 72 StGB) im Verfahren Staatsanwalt, Privatankläger, Privatbeteiligter, Beschuldigter, Verteidiger oder Vertreter ist oder war oder durch die Straftat geschädigt worden sein könnte, wobei die durch Ehe begründete Eigenschaft einer Person als Angehörige auch dann aufrecht bleibt, wenn die Ehe nicht mehr besteht,

2. er außerhalb seiner Dienstverrichtungen Zeuge der in Frage stehenden Handlung gewesen oder in der Sache als Zeuge oder Sachverständiger vernommen worden ist oder vernommen werden soll oder

3. andere Gründe vorliegen, die geeignet sind, seine volle Unvoreingenommenheit und Unparteilichkeit in Zweifel zu ziehen.

(2) Ein Richter ist außerdem vom Hauptverfahren ausgeschlossen, wenn er im Ermittlungsverfahren Beweise aufgenommen hat (§ 104), ein gegen den Beschuldigten gerichtetes Zwangsmittel bewilligt, über einen von ihm erhobenen Einspruch oder einen Antrag auf Einstellung entschieden oder an einer Entscheidung über die Fortführung des Verfahrens oder an einem Urteil mitgewirkt hat, das infolge eines Rechtsmittels oder Rechtsbehelfs aufgehoben wurde.

(3) Ein Richter eines Rechtsmittelgerichts ist überdies ausgeschlossen, wenn er selbst oder einer seiner Angehörigen im Verfahren als Richter der ersten Instanz, ein Richter der ersten Instanz, wenn er selbst oder sein Angehöriger als Richter eines übergeordneten Gerichts tätig gewesen ist.

(4) Ein Richter ist ebenso von der Entscheidung über einen Antrag auf Wiederaufnahme oder einen Antrag auf Erneuerung des Strafverfahrens (§ 363a) und von der Mitwirkung und Entscheidung im erneuerten Verfahren ausgeschlossen, wenn er im Verfahren bereits als Richter tätig gewesen ist.

Anzeige der Ausgeschlossenheit und Antrag auf Ablehnung

§ 44. (1) Bei Vorliegen eines Ausschließungsgrundes hat sich ein Richter im Verfahren bei sonstiger Nichtigkeit aller Handlungen zu enthalten. Unaufschiebbare Handlungen hat er jedoch vorzunehmen, es sei denn, dass er gegen einen Angehörigen einzuschreiten hätte; in diesem Fall hat er das Verfahren unverzüglich abzutreten.

(2) Ein Richter, dem ein Ausschließungsgrund bekannt wird, hat diesen sogleich dem Vorsteher oder Präsidenten des Gerichts, dem er angehört, der Vorsteher eines Bezirksgerichts und der Präsident eines Landesgerichts oder Oberlandesgerichts dem Präsidenten des jeweils übergeordneten Gerichts, der Präsident des Obersten Gerichtshofs dem Vizepräsidenten des Obersten Gerichtshofs (§ 3 Abs. 5 des Bundesgesetzes vom 19. Juni 1968 über den Obersten Gerichtshof) anzuzeigen.

(3) Allen Beteiligten des Verfahrens steht der Antrag auf Ablehnung eines Richters wegen Ausschließung zu. Er ist bei dem Richter einzubringen, dem die Ausschließung gemäß Abs. 2 anzuzeigen wäre.

Entscheidung über Ausschließung

§ 45. (1) Über die Ausschließung hat der Richter zu entscheiden, dem sie nach § 44 Abs. 2 anzuzeigen ist, über die Ausschließung des Präsidenten, des Vizepräsidenten oder eines Mitglieds des Obersten Gerichtshofs jedoch der Oberste Gerichtshof in einem Dreiersenat. Über einen während einer Verhandlung im Haupt- oder Rechtsmittelverfahren gestellten Antrag auf Ablehnung eines Richters hat das erkennende Gericht zu entscheiden. Gleiches gilt, wenn der Antrag unmittelbar vor der Verhandlung gestellt wurde und eine rechtzeitige Entscheidung durch den Vorsteher oder Präsidenten nicht ohne ungebührliche Verzögerung der Verhandlung möglich ist. Eine Entscheidung in der Verhandlung kann längstens bis vor Beginn der Schlussvorträge aufgeschoben werden.

(2) Der Antrag ist als unzulässig zurückzuweisen, wenn er von einer Person eingebracht wurde, der er nicht zusteht. Im Übrigen ist in der Sache zu entscheiden. Wird auf Ausschließung erkannt, so ist der Richter oder das Gericht zu bezeichnen, dem die Sache übertragen wird; der ausgeschlossene Richter hat sich von diesem Zeitpunkt an bei sonstiger Nichtigkeit der Ausübung seines Amtes zu enthalten.

(3) Gegen einen Beschluss nach Abs. 2 steht ein selbstständiges Rechtsmittel nicht zu.

Ausschließung von Geschworenen, Schöffen und Protokollführern

§ 46. Für die Ausschließung und Ablehnung von Geschworenen und Schöffen sind die Bestimmungen über Richter sinngemäß mit der Maßgabe anzuwenden, dass über die Ablehnung der Vorsitzende des Geschworenen- oder Schöffengerichts zu entscheiden hat. Für Protokollführer gelten die Ausschließungsgründe des § 43 Abs. 1; über ihre Ablehnung entscheidet der Richter oder der Vorsitzende des jeweiligen Senates.

Befangenheit von Kriminalpolizei und Staatsanwaltschaft

§ 47. (1) Jedes Organ der Kriminalpolizei und der Staatsanwaltschaft hat sich der Ausübung seines Amtes zu enthalten und seine Vertretung zu veranlassen,

1. in Verfahren, in denen es selbst oder einer seiner Angehörigen (§ 72 StGB) als Beschuldigter, als Privatankläger, als Privatbeteiligter oder als deren Vertreter am Verfahren beteiligt ist oder war oder durch die Straftat geschädigt worden sein könnte, wo-

bei die durch Ehe begründete Eigenschaft einer Person als Angehörige auch dann aufrecht bleibt, wenn die Ehe nicht mehr besteht,

2. in Verfahren, in denen es als Organ der Kriminalpolizei zuvor Richter oder Staatsanwalt, als Staatsanwalt zuvor Richter oder Organ der Kriminalpolizei gewesen ist,

3. wenn andere Gründe vorliegen, die geeignet sind, seine volle Unvoreingenommenheit und Unparteilichkeit in Zweifel zu ziehen.

(2) Bei Gefahr im Verzug hat, wenn die Vertretung durch ein anderes Organ nicht sogleich bewirkt werden kann, auch das befangene Organ unaufschiebbare Amtshandlungen vorzunehmen, soweit es nicht gegen sich selbst oder gegen einen Angehörigen einzuschreiten hätte.

(3) Über die Befangenheit hat der Leiter der Behörde, der das Organ angehört, im Fall der Befangenheit des Leiters dieser Behörde der Leiter der übergeordneten Behörde im Dienstaufsichtsweg zu entscheiden und das Erforderliche zu veranlassen.

5. Abschnitt

Rechtsschutzbeauftragter

§ 47a. (1) Der Bundesminister für Justiz hat zur Wahrnehmung besonderen Rechtsschutzes nach diesem Bundesgesetz nach Einholung eines gemeinsamen Vorschlages des Präsidenten des Verfassungsgerichtshofes, des Vorsitzenden der Volksanwaltschaft und des Präsidenten des Österreichischen Rechtsanwaltskammertages einen Rechtsschutzbeauftragten sowie die erforderliche Anzahl von Stellvertretern mit deren Zustimmung für die Dauer von drei Jahren zu bestellen; Wiederbestellungen sind zulässig. Der Vorschlag hat zumindest doppelt so viele Namen zu enthalten wie Personen zu bestellen sind.

(2) Der Rechtsschutzbeauftragte und seine Stellvertreter müssen besondere Kenntnisse und Erfahrungen auf dem Gebiet der Grund- und Freiheitsrechte aufweisen und mindestens fünf Jahre in einem Beruf tätig gewesen sein, in dem der Abschluss des Studiums der Rechtswissenschaften Berufsvoraussetzung ist und dessen Ausübung Erfahrungen im Straf- und Strafverfahrensrecht mit sich brachte. Richter und Staatsanwälte des Dienststandes, Rechtsanwälte, die in die Liste der Rechtsanwälte eingetragen sind, und andere Personen, die vom Amt eines Geschworenen oder Schöffen ausgeschlossen oder zu diesem nicht zu berufen sind (§§ 2 und 3 des Geschworenen- und Schöffengesetzes 1990), dürfen nicht bestellt werden.

(3) Die Bestellung des Rechtsschutzbeauftragten und seiner Stellvertreter erlischt bei Verzicht, im Fall des Todes, mit Ende der Bestellungsdauer oder wegen nachträglicher Unvereinbarkeit gemäß Abs. 2; im Fall des Endes der Bestellungsdauer jedoch nicht vor der neuerlichen Bestellung eines Rechtsschutzbeauftragten. In den Fällen des § 43 Abs. 1 hat sich der Rechtsschutzbeauftragte von dem Zeitpunkt, zu dem ihm der Grund bekannt geworden ist, des Einschreitens in der Sache zu enthalten.

(4) Der Rechtsschutzbeauftragte ist in Ausübung seines Amtes unabhängig und an keine Weisungen gebunden. Er ist verpflichtet, die ihm ausschließlich aus seiner amtlichen Tätigkeit bekanntgewordenen Tatsachen geheim zu halten, soweit und solange dies aus den in § 6 Abs. 1 Informationsfreiheitsgesetz – IFG, BGBl. I Nr. 5/2024, genannten Gründen erforderlich und verhältnismäßig ist. Seine Stellvertreter haben gleiche Rechte und Pflichten.

(4a) Die Bundesministerin für Justiz hat dem Rechtsschutzbeauftragten und seinen Stellvertretern vorbehaltlich des Abs. 5 die notwendigen und adäquaten Personal- und Sachressourcen zur Erfüllung seiner Aufgaben (§ 23 Abs. 1a, § 115l, § 147, § 195 Abs. 2a, § 209a Abs. 6) zur Verfügung zu stellen. Zur Gewährung seiner Unabhängigkeit dürfen jene Personen, die Aufgaben nach § 115l oder § 147 besorgen, nicht gleichzeitig auch bei einem Gericht oder bei einer Staatsanwaltschaft tätig sein.

(5) Zustellungen an den Rechtsschutzbeauftragten sind im Wege der Geschäftsstelle des Obersten Gerichtshofes vorzunehmen; diese hat auch die Kanzleigeschäfte des Rechtsschutzbeauftragten wahrzunehmen.

(6) Dem Rechtsschutzbeauftragten gebührt als Entschädigung für die Erfüllung seiner Aufgaben nach diesem Bundesgesetz für jede, wenn auch nur begonnene Stunde ein Zehntel der Entschädigung eines Ersatzmitgliedes des Verfassungsgerichtshofes für einen Sitzungstag (§ 4 Abs. 3 des Verfassungsgerichtshofgesetzes). Für die Vergütung seiner Reisekosten gelten die Bestimmungen der Reisegebührenvorschrift für Bundesbedienstete sinngemäß mit der Maßgabe, dass sein Wohnsitz als Dienstort gilt und dass ihm die Reisezulage in der Gebührenstufe 3 gebührt. Für die Bemessung der dem Rechtsschutzbeauftragten zustehenden Gebühren ist der Bundesminister für Justiz zuständig.

(7) Bis zum 31. März eines jeden Jahres hat der Rechtschutzbeauftragte dem Bundesminister für Justiz einen Bericht über seine Tätigkeit und seine Wahrnehmungen im Rahmen seiner Aufgabenerfüllung (§ 23 Abs. 1a, § 115l, § 147, § 195 Abs. 2a, § 209a Abs. 6) im vorangegangenen Jahr zu übermitteln.

3. Hauptstück

Beschuldigter und Verteidiger

1. Abschnitt

Allgemeines

Definitionen

§ 48. (1) Im Sinne dieses Gesetzes ist

1. „Verdächtiger“ jede Person, gegen die auf Grund eines Anfangsverdachts (§ 1 Abs. 3) ermittelt wird,

2. „Beschuldigter“ jeder Verdächtige, sobald er auf Grund bestimmter Tatsachen konkret verdächtig ist, eine strafbare Handlung begangen zu haben und zur Aufklärung dieses konkreten Verdachts nach dem 8. oder 9. Hauptstück dieses Bundesgesetzes Beweise aufgenommen oder Ermittlungsmaßnahmen angeordnet oder durchgeführt werden,

3. „Angeklagter“ jeder Beschuldigte, gegen den Anklage eingebracht worden ist,

4. „Betroffener“ jede Person, die durch Anordnung oder Durchführung von Zwang in ihren Rechten unmittelbar beeinträchtigt wird,

5. „Verteidiger“ eine zur Ausübung der Rechtsanwaltschaft, eine sonst gesetzlich zur Vertretung im Strafverfahren berechtigte oder eine Person, die an einer inländischen Universität die Lehrbefugnis für Strafrecht und Strafprozessrecht erworben hat, sobald sie der Beschuldigte als Rechtsbeistand bevollmächtigt hat, und eine Person, die dem Beschuldigten nach den Bestimmungen dieses Gesetzes als Rechtsbeistand bestellt wurde.

(2) Soweit die Bestimmungen dieses Gesetzes auf den Beschuldigten verweisen und im Einzelnen nichts anderes bestimmt wird, sind sie auch auf Verdächtige, Angeklagte und auf Personen anzuwenden, gegen die ein Verfahren zur Unterbringung in einem forensisch-therapeutischen Zentrum nach § 21 StGB geführt wird.

2. Abschnitt
Der Beschuldigte

Rechte des Beschuldigten

§ 49. (1) Der Beschuldigte hat insbesondere das Recht,

1. vom Gegenstand des gegen ihn bestehenden Verdachts sowie über seine wesentlichen Rechte im Verfahren informiert zu werden (§ 50),

2. einen Verteidiger zu wählen (§ 58) und einen Verfahrenshilfeverteidiger zu erhalten (§§ 61 und 62),

3. Akteneinsicht zu nehmen (§§ 51 bis 53),

4. sich zum Vorwurf zu äußern oder nicht auszusagen sowie nach Maßgabe der §§ 58, 59 und 164 Abs. 1 mit einem Verteidiger Kontakt aufzunehmen und sich mit ihm zu besprechen,

5. gemäß § 164 Abs. 2 einen Verteidiger seiner Vernehmung beizuziehen,

6. die Aufnahme von Beweisen zu beantragen (§ 55),

7. Einspruch wegen der Verletzung eines subjektiven Rechts zu erheben (§ 106),

8. Beschwerde gegen die gerichtliche Bewilligung von Zwangsmitteln zu erheben (§ 87),

9. die Einstellung des Ermittlungsverfahrens zu beantragen (§ 108),

10. an der Hauptverhandlung, an einer kontradiktorischen Vernehmung von Zeugen und Mitbeschuldigten (§ 165 Abs. 2) und an einer Tatrekonstruktion (§ 150) teilzunehmen,

11. Rechtsmittel und Rechtsbehelfe zu erheben,

12. Übersetzungshilfe zu erhalten (§ 56),

13. die Trennung von Verfahren zu beantragen (§ 27).

(2) Der Beschuldigte hat das Recht, dass Opfern, Privatbeteiligten oder Privatanklägern Akteneinsicht (§ 68) nur insoweit gewährt wird, als dies zur Wahrung ihrer Interessen erforderlich ist.

Rechtsbelehrung

§ 50. (1) Jeder Beschuldigte ist durch die Kriminalpolizei oder die Staatsanwaltschaft sobald wie möglich über das gegen ihn geführte Ermittlungsverfahren und den gegen ihn bestehenden Tatverdacht sowie über seine wesentlichen Rechte im Verfahren (§§ 49, 164 Abs. 1) zu informieren. Sobald die dem Ermittlungsverfahren zu Grunde liegenden Tatsachen an sich oder in Verbindung mit neu hervorgetretenen Umständen den Verdacht der Begehung einer anderen oder einer weiteren strafbaren Handlung begründen, ist der Beschuldigte auch über diese geänderten Gesichtspunkte des gegen ihn bestehenden Tatverdachts zu informieren. Dies darf nur so lange unterbleiben als besondere Umstände befürchten lassen, dass ansonsten der Zweck der Ermittlungen gefährdet wäre, insbesondere weil Ermittlungen oder Beweisaufnahmen durchzuführen sind, deren Erfolg voraussetzt, dass der Beschuldigte keine Kenntnis von den gegen ihn geführten Ermittlungen hat.

(2) Die Rechtsbelehrung ist in einer Sprache, die der Beschuldigte versteht, und in einer verständlichen Art und Weise zu erteilen, wobei besondere persönliche Bedürfnisse zu berücksichtigen sind.

(3) Der Umstand der erteilten oder ergänzten Belehrung des Beschuldigten sowie eines Verzichts auf ein Recht des Beschuldigten ist schriftlich festzuhalten (§§ 95 und 96).

Akteneinsicht

§ 51. (1) Der Beschuldigte ist berechtigt, in die der Kriminalpolizei, der Staatsanwaltschaft und dem Gericht vorliegenden Ergebnisse des Ermittlungs- und des Hauptverfahrens Einsicht zu nehmen. Das Recht auf Akteneinsicht berechtigt auch dazu, Beweisgegenstände in Augenschein zu nehmen, soweit dies ohne Nachteil für die Ermittlungen möglich ist.

(2) Soweit die im § 162 angeführte Gefahr besteht, ist es zulässig, personenbezogene Daten und andere

Umstände, die Rückschlüsse auf die Identität oder die höchstpersönlichen Lebensumstände der gefährdeten Person zulassen, von der Akteneinsicht auszunehmen und Kopien auszufolgen, in denen diese Umstände unkenntlich gemacht wurden. Im Übrigen darf Akteneinsicht nur vor Beendigung des Ermittlungsverfahrens und nur insoweit beschränkt werden, als besondere Umstände befürchten lassen, dass durch eine sofortige Kenntnisnahme von bestimmten Aktenstücken der Zweck der Ermittlungen gefährdet wäre. Befindet sich der Beschuldigte jedoch in Haft, so ist eine Beschränkung der Akteneinsicht hinsichtlich solcher Aktenstücke, die für die Beurteilung des Tatverdachts oder der Haftgründe von Bedeutung sein können, ab Verhängung der Untersuchungshaft unzulässig.

(3) Einfache Auskünfte können auch mündlich erteilt werden. Hiefür gelten die Bestimmungen über Akteneinsicht sinngemäß.

§ 52. (1) Soweit dem Beschuldigten Akteneinsicht zusteht, sind ihm auf Antrag und gegen Gebühr Kopien oder Ausdrucke auszufolgen oder ist ihm nach Maßgabe der technischen Möglichkeiten zu gestatten, Kopien selbst herzustellen, sofern dieses Recht nicht durch einen Verteidiger ausgeübt wird (§ 57 Abs. 2). Ton- oder Bildaufnahmen, deren Besitz allgemein verboten ist, oder die Inhalte betreffen, die gemäß § 51 Abs. 2 erster Satz der Akteneinsicht nicht unterliegen, sind davon ausgenommen; betrifft deren Inhalt schutzwürdige Geheimhaltungsinteressen anderer Beteiligter des Verfahrens oder Dritter, so ist dem Beschuldigten die Pflicht zur Geheimhaltung dieser Aufnahmen aufzuerlegen (§ 301 Abs. 2 StGB). Sofern dies zur Gewährleistung der Datensicherheit erforderlich ist, sind dem Beschuldigten die Kopien auf von den Strafverfolgungsbehörden zur Verfügung gestellten Datenträgern zu übergeben.

(2) In folgenden Fällen hat der Beschuldigte keine Gebühren nach Abs. 1 zu entrichten:

1. wenn und so lange ihm Verfahrenshilfe bewilligt wurde,

2. wenn er sich in Haft befindet, bis zur ersten Haftverhandlung oder zur früher stattfindenden Hauptverhandlung hinsichtlich aller Aktenstücke, die für die Beurteilung des Tatverdachts oder der Haftgründe von Bedeutung sein können,

3. für Befunde und Gutachten von Sachverständigen, Behörden, Dienststellen und Anstalten,

4. für die Herstellung einer Kopie oder eines Ausdrucks des Protokolls seiner Vernehmung (§ 96 Abs. 5).

(3) Dem Verfahrenshilfeverteidiger sind unverzüglich Kopien des Aktes von Amts wegen, im Haftfall durch das Gericht zuzustellen. Gleiches gilt für die Fälle des Abs. 2 Z 2 und 3. Der Verteidiger des in Haft befindlichen Beschuldigten kann beantragen, dass ihm durch die Staatsanwaltschaft Kopien oder Ausdrucke der in Abs. 2 Z 2 und 3 angeführten Aktenstücke auch in weiterer Folge von Amts wegen übermittelt werden.

Verfahren bei Akteneinsicht

§ 53. (1) Einsicht in den jeweiligen Akt kann im Ermittlungsverfahren bei der Staatsanwaltschaft und bis zur Erstattung des Abschlussberichts (§ 100 Abs. 2 Z 4) auch bei der Kriminalpolizei begehrt werden, im Verfahren zur Ausforschung des Beschuldigten auf Verlangen des Opfers (§ 71 Abs. 1 und 2) und im Hauptverfahren bei Gericht. Solange der Beschuldigte in Untersuchungshaft angehalten wird, hat ihm auf Antrag auch das Gericht Akteneinsicht in die im § 52 Abs. 2 Z 2 angeführten Aktenstücke zu gewähren.

(2) Soweit Akteneinsicht zusteht, ist sie grundsätzlich während der Amtsstunden in den jeweiligen Amtsräumen zu ermöglichen. Im Rahmen der technischen Möglichkeiten kann sie auch über Bildschirm oder im Wege elektronischer Datenübertragung gewährt werden. Es ist unzulässig, dem Beschuldigten oder seinem Vertreter Akten oder Teile davon zur Herstellung von Kopien außerhalb des Amtsgebäudes mitzugeben.

Verbot der Veröffentlichung

§ 54. Der Beschuldigte und sein Verteidiger sind berechtigt, Informationen, die sie im Verfahren in nicht öffentlicher Verhandlung oder im Zuge einer nicht öffentlichen Beweisaufnahme oder durch Akteneinsicht erlangt haben, im Interesse der Verteidigung und anderer überwiegender Interessen zu verwerten. Es ist ihnen jedoch untersagt, solche Informationen, soweit sie personenbezogene Daten anderer Beteiligter des Verfahrens oder Dritter enthalten und nicht in öffentlicher Verhandlung vorgekommen sind oder sonst öffentlich bekannt wurden, in einem Medienwerk oder sonst auf eine Weise zu veröffentlichen, dass die Mitteilung einer breiten Öffentlichkeit zugänglich wird, wenn dadurch schutzwürdige Geheimhaltungsinteressen (§ 1 Abs. 1 DSG) anderer Beteiligter des Verfahrens oder Dritter, die gegenüber dem öffentlichen Informationsinteresse überwiegen, verletzt würden.

Beweisanträge

§ 55. (1) Der Beschuldigte ist berechtigt, die Aufnahme von Beweisen zu beantragen. Im Antrag sind Beweisthema, Beweismittel und jene Informationen, die für die Durchführung der Beweisaufnahme erforderlich sind, zu bezeichnen. Soweit dies nicht offensichtlich ist, ist zu begründen, weswegen das Beweismittel geeignet sein könnte, das Beweisthema zu klären.

(2) Unzulässige, unverwertbare und unmögliche Beweise sind nicht aufzunehmen. Im Übrigen darf eine Beweisaufnahme auf Antrag des Beschuldigten nur unterbleiben, wenn

1. das Beweisthema offenkundig oder für die Beurteilung des Tatverdachts ohne Bedeutung ist,

2. das beantragte Beweismittel nicht geeignet ist, eine erhebliche Tatsache zu beweisen, oder

3. das Beweisthema als erwiesen gelten kann.

(3) Im Ermittlungsverfahren kann die Aufnahme eines Beweises der Hauptverhandlung vorbehalten werden. Dies ist unzulässig, wenn das Ergebnis der Beweisaufnahme geeignet sein kann, den Tatverdacht unmittelbar zu beseitigen, oder die Gefahr des Verlustes des Beweises einer erheblichen Tatsache besteht.

(4) Die Kriminalpolizei hat im Ermittlungsverfahren den beantragten Beweis aufzunehmen oder den Antrag mit Anlassbericht (§ 100 Abs. 2 Z 2) der Staatsanwaltschaft vorzulegen. Die Staatsanwaltschaft hat ihrerseits die Beweisaufnahme zu veranlassen oder den Beschuldigten zu verständigen, aus welchen Gründen sie unterbleibt.

Übersetzungshilfe

§ 56. (1) Ein Beschuldigter, der die Verfahrenssprache nicht spricht oder versteht, hat das Recht auf Dolmetschleistungen (Abs. 2). Soweit dies zur Wahrung der Verteidigungsrechte und eines fairen Verfahrens erforderlich ist, hat der Beschuldigte darüber hinaus das Recht auf schriftliche Übersetzung der wesentlichen Aktenstücke (Abs. 3), die innerhalb einer angemessen festzusetzenden Frist vorzunehmen ist. Für das Verfahren zur Geltendmachung dieses Rechts gilt § 53 Abs. 1 erster Satz sinngemäß.

(2) Dolmetschleistungen sind mündlich zu erbringen und insbesondere für Beweisaufnahmen, an denen der Beschuldigte teilnimmt, für Verhandlungen und auf Verlangen auch für den Kontakt des Beschuldigten mit seinem Verteidiger, sofern dieser Kontakt in einem unmittelbaren Zusammenhang mit einer Beweisaufnahme, einer Verhandlung, der Erhebung eines Rechtsmittels oder einem sonstigen Antrag steht, zu gewährleisten. Wenn Dolmetschleistungen für die Sprache, die der Beschuldigte spricht oder versteht, am Ort der Vernehmung nicht binnen angemessener Zeit zur Verfügung gestellt werden können, so kann die Dolmetschleistung unter Verwendung technischer Einrichtungen zur Wort- und Bildübertragung erbracht werden, es sei denn, die persönliche Anwesenheit des Dolmetschers ist für die Gewährleistung eines fairen Verfahrens erforderlich.

(3) Wesentliche Aktenstücke sind die Anordnung und gerichtliche Bewilligung der Festnahme, im Falle des § 171 Abs. 2 die schriftliche Begründung der Kriminalpolizei, der Beschluss auf Verhängung oder Fortsetzung der Untersuchungshaft, die Anklage sowie die Ausfertigung des noch nicht rechtskräftigen Urteils und der noch nicht rechtskräftigen Strafverfügung (§ 491). Diese Aktenstücke sind, soweit nicht nach Abs. 5 oder 6 vorgegangen wird, im Fall des § 171 Abs. 2 durch die Kriminalpolizei, im Übrigen jedoch durch die Staatsanwaltschaft oder im Fall der Verhängung oder Fortsetzung der Untersuchungshaft und im Hauptverfahren (§ 210 Abs. 2) durch das Gericht schriftlich übersetzen zu lassen.

(4) Auf Verlangen des Beschuldigten sind ihm weitere konkret zu bezeichnende Aktenstücke schriftlich zu übersetzen, soweit die Erforderlichkeit einer Übersetzung im Sinne des Abs. 1 begründet wird oder offenkundig ist. Die Übersetzung der wesentlichen Aktenstücke (Abs. 3 und 4) kann auf jenen Teil des zu übersetzenden Aktenstückes beschränkt werden, der dafür maßgeblich ist, dass der Beschuldigte weiß, was ihm zur Last gelegt wird.

(5) Die schriftliche Übersetzung darf durch mündliche Übersetzung oder, wenn der Beschuldigte durch einen Verteidiger vertreten ist, durch mündliche Zusammenfassung ersetzt werden, soweit eine solche mündliche Übersetzung oder mündliche Zusammenfassung einem fairen Verfahren nicht entgegensteht.

(6) Ein Verzicht des Beschuldigten auf schriftliche Übersetzung ist nur zulässig, wenn er zuvor über sein Recht und die Folgen des Verzichts belehrt wurde. Belehrung und Verzicht sind schriftlich festzuhalten (§§ 95 und 96). Für den Verzicht eines festgenommenen Beschuldigten gilt § 57 Abs. 2 letzter Satz.

(7) Ist der Beschuldigte gehörlos oder stumm, so ist ein Dolmetscher für die Gebärdensprache beizuziehen, sofern sich der Beschuldigte in dieser verständigen kann. Andernfalls ist zu versuchen, mit dem Beschuldigten schriftlich oder auf andere geeignete Art, in der sich der Beschuldigte verständlich machen kann, zu verkehren.

3. Abschnitt

Der Verteidiger

Rechte des Verteidigers

§ 57. (1) Der Verteidiger steht dem Beschuldigten beratend und unterstützend zur Seite. Er ist berechtigt und verpflichtet, jedes Verteidigungsmittel zu gebrauchen und alles, was der Verteidigung des Beschuldigten dient, unumwunden vorzubringen, soweit dies dem Gesetz, seinem Auftrag und seinem Gewissen nicht widerspricht.

(2) Der Verteidiger übt, soweit in diesem Gesetz nichts anderes bestimmt ist, die Verfahrensrechte aus, die dem Beschuldigten zustehen. Der Beschuldigte kann aber immer selbst Erklärungen abgeben; im Fall einander widersprechender Erklärungen gilt seine. Ein Verzicht auf Rechtsmittel gegen das Urteil, den der Beschuldigte nicht im Beisein seines Verteidigers und nach Beratung mit diesem abgibt, ist jedoch ohne Wirkung.

Bevollmächtigung des Verteidigers

§ 58. (1) Der Beschuldigte hat das Recht, mit einem Verteidiger Kontakt aufzunehmen, ihn zu bevollmächtigen und sich mit ihm zu besprechen.

(2) Die Vollmacht des Verteidigers ist schriftlich oder, wenn der Beschuldigte anwesend ist, durch dessen mündliche Erklärung nachzuweisen. In Abwesenheit des Beschuldigten kann sich der Verteidiger auch auf eine ihm erteilte Vollmacht berufen. Zur Vornah-

me einzelner Prozesshandlungen bedarf der Verteidiger keiner besonderen Vollmacht.

(3) Der Beschuldigte kann die Verteidigung vom gewählten Verteidiger jederzeit auf einen anderen übertragen, doch darf das Verfahren durch diesen Wechsel nicht unangemessen verzögert werden. Wenn der Beschuldigte mehrere Verteidiger bevollmächtigt, wird das Fragerecht und das Recht vorzutragen dadurch nicht erweitert. In diesem Fall gelten Zustellungen an ihn als bewirkt, sobald auch nur einem der Verteidiger zugestellt wurde.

(4) Für einen Minderjährigen und eine volljährige Person, die einen gesetzlichen Vertreter nach § 1034 Abs. 1 Z 2 oder 3 ABGB hat, kann der gesetzliche Vertreter selbst gegen ihren Willen einen Verteidiger bevollmächtigen.

§ 59. (1) Wird ein Beschuldigter, der noch keinen Verteidiger hat, festgenommen oder zur sofortigen Vernehmung vorgeführt (§ 153 Abs. 3), so ist ihm vor seiner Vernehmung zu ermöglichen, einen Verteidiger zu verständigen, beizuziehen und zu bevollmächtigen, es sei denn, der Beschuldigte erklärt ausdrücklich, auf diese Beiziehung während der Dauer der Anhaltung durch die Kriminalpolizei (§ 50 Abs. 3) zu verzichten. In diesem Fall ist der Beschuldigte auf die Folgen dieses Verzichts und die jederzeitige Möglichkeit, diesen zu widerrufen, hinzuweisen. Nach seiner Einlieferung in die Justizanstalt ist dem Beschuldigten die unverzügliche Verständigung und Beiziehung eines Verteidigers zu ermöglichen.

(2) Der Kontakt mit dem Verteidiger darf bis zur Einlieferung des Beschuldigten in die Justizanstalt auf das für die Erteilung der Vollmacht und eine allgemeine Rechtsauskunft notwendige Ausmaß beschränkt werden, soweit aufgrund besonderer Umstände eine sofortige Vernehmung oder andere unverzügliche Ermittlungen unbedingt notwendig erscheinen, um eine erhebliche Beeinträchtigung der Ermittlungen oder von Beweismitteln abzuwenden. In diesem Fall ist dem Beschuldigten sogleich oder innerhalb von 24 Stunden eine schriftliche Begründung der Kriminalpolizei für diese Beschränkung zuzustellen.

(3) Der Beschuldigte kann sich mit seinem Verteidiger verständigen, ohne dabei überwacht zu werden.

(4) Sofern der Beschuldigte in den in Abs. 1 genannten Fällen nicht einen frei gewählten Verteidiger (§ 58 Abs. 2) beizieht, so ist ihm bis zur Entscheidung über die Verhängung der Untersuchungshaft auf Verlangen die Kontaktaufnahme mit einem „Verteidiger in Bereitschaft" zu ermöglichen, der sich zur Übernahme einer solchen Verteidigung bereit erklärt hat. Die Rechtsanwaltskammern haben Listen der Verteidiger, die sich zur Übernahme solcher Verteidigungen in Bereitschaft bereit erklärt haben, zu führen und deren jederzeitige Erreichbarkeit sicherzustellen. Der Bundesminister für Justiz ist ermächtigt, den Österreichischen Rechtsanwaltskammertag vertraglich mit der Einrichtung eines solchen rechtsanwaltlichen Bereitschaftsdienstes zu beauftragen.

(5) Die Kosten für die Beiziehung eines „Verteidigers in Bereitschaft" (Abs. 4) hat der Beschuldigte nicht zu tragen, wenn er erklärt, dazu aus den in § 61 Abs. 2 erster Satz genannten Gründen außer Stande zu sein:

1. für die Beiziehung zu der nach § 174 Abs. 1 durchzuführenden Vernehmung;

2. wenn es sich um einen schutzbedürftigen Beschuldigten handelt (§ 61 Abs. 2 Z 2).

Ergibt sich im weiteren Verfahren, dass die Erklärung des Beschuldigten falsch war, so ist er vom Gericht nachträglich zum Ersatz dieser Kosten zu verpflichten.

Ausschluss des Verteidigers

§ 60. (1) Von der Verteidigung ist auszuschließen, gegen wen ein Verfahren wegen Beteiligung an derselben Straftat oder wegen Begünstigung hinsichtlich dieser Straftat anhängig ist, oder wer den Verkehr mit dem angehaltenen Beschuldigten dazu missbraucht, Straftaten zu begehen oder die Sicherheit und Ordnung einer Vollzugsanstalt erheblich zu gefährden, insbesondere dadurch, dass er in gesetzwidriger Weise Gegenstände oder Nachrichten überbringt oder entgegennimmt.

(2) Der Ausschluss von der Verteidigung ist vom Gericht mit Beschluss auszusprechen; zuvor hat es dem Verteidiger Gelegenheit zu geben, sich zu äußern. Im Ermittlungsverfahren ist auch die Kriminalpolizei vom Ausschluss zu verständigen. Im Übrigen ist § 236a anzuwenden; in den Fällen notwendiger Verteidigung ist nach § 61 Abs. 3 vorzugehen.

(3) Der Ausschluss ist aufzuheben, sobald seine Voraussetzungen weggefallen sind.

Beigebung eines Verteidigers

§ 61. (1) In folgenden Fällen muss der Beschuldigte durch einen Verteidiger vertreten sein (notwendige Verteidigung):

1. im gesamten Verfahren, wenn und solange er in Untersuchungshaft oder gemäß § 173 Abs. 4 in Strafhaft angehalten wird,

2. im gesamten Verfahren zur Unterbringung in einem forensisch-therapeutischen Zentrum nach § 21 StGB (§ 430 Abs. 1),

3. in der Hauptverhandlung zur Unterbringung in einer der in den §§ 22 und 23 StGB genannten Anstalten (§ 439 Abs. 1),

4. in der Hauptverhandlung vor dem Landesgericht als Geschworenen- oder Schöffengericht,

5. in der Hauptverhandlung vor dem Landesgericht als Einzelrichter, wenn für die Straftat, außer in den Fällen des § 129 Abs. 2 Z 1 und 164 Abs. 4 StGB, eine drei Jahre übersteigende Freiheitsstrafe angedroht ist,

5a. in der kontradiktorischen Vernehmung (§ 165), soweit in der Hauptverhandlung nach den Z 3 bis 5 notwendige Verteidigung bestünde,

6. im Rechtsmittelverfahren auf Grund einer Anmeldung einer Nichtigkeitsbeschwerde oder einer Berufung gegen ein Urteil des Schöffen- oder des Geschworenengerichts,

7. bei der Ausführung eines Antrags auf Erneuerung des Strafverfahrens und beim Gerichtstag zur öffentlichen Verhandlung über einen solchen (§§ 363a Abs. 2 und 363c).

(2) Ist der Beschuldigte außerstande, ohne Beeinträchtigung des für ihn und seine Familie, für deren Unterhalt er zu sorgen hat, zu einer einfachen Lebensführung notwendigen Unterhaltes die gesamten Kosten der Verteidigung zu tragen, so hat das Gericht auf Antrag des Beschuldigten, in den Fällen der Z 2 auch nach Ermessen des Gerichts von Amts wegen, zu beschließen, dass diesem ein Verteidiger beigegeben wird, dessen Kosten er nicht oder nur zum Teil (§ 393 Abs. 1a) zu tragen hat, wenn und soweit dies im Interesse der Rechtspflege, vor allem im Interesse einer zweckentsprechenden Verteidigung, erforderlich ist (Verfahrenshilfeverteidiger). Die Beigebung eines Verteidigers ist in diesem Sinn jedenfalls erforderlich:

1. in den Fällen des Abs. 1,

2. wenn der Beschuldigte schutzbedürftig ist, weil er

a. blind, gehörlos, hochgradig seh-, hör- oder sprachbehindert ist oder

b. an einer psychischen Krankheit oder einer vergleichbaren Beeinträchtigung seiner Entscheidungsfähigkeit leidet,

und er deshalb nicht in der Lage ist, sich selbst zu verteidigen,

3. für das Rechtsmittelverfahren auf Grund einer Anmeldung einer Berufung,

4. bei schwieriger Sach- oder Rechtslage.

(3) In den Fällen des Abs. 1 sind der Beschuldigte und sein gesetzlicher Vertreter aufzufordern, einen Verteidiger zu bevollmächtigen oder die Beigebung eines Verfahrenshilfeverteidigers nach Abs. 2 zu beantragen. Bevollmächtigt weder der Beschuldigte noch sein gesetzlicher Vertreter für ihn einen Verteidiger, so hat ihm das Gericht von Amts wegen einen Verteidiger beizugeben, dessen Kosten er zu tragen hat (Amtsverteidiger), soweit nicht die Voraussetzungen des Abs. 2 erster Satz vorliegen.

(4) Die Beigebung eines Verfahrenshilfeverteidigers gilt, wenn das Gericht nicht im Einzelnen etwas anderes anordnet, für das gesamte weitere Verfahren bis zu dessen rechtskräftigem Abschluss sowie für ein allfälliges Verfahren auf Grund einer zur Wahrung des Gesetzes ergriffenen Nichtigkeitsbeschwerde oder eines Antrages auf Erneuerung des Strafverfahrens.

Bestellung eines Verteidigers

§ 62. (1) Hat das Gericht die Beigebung eines Verteidigers beschlossen, so hat es den Ausschuss der nach seinem Sitz zuständigen Rechtsanwaltskammer zu benachrichtigen, damit dieser einen Rechtsanwalt zum Verteidiger bestelle. Dabei hat der Ausschuss Wünschen des Beschuldigten zur Auswahl der Person dieses Verteidigers im Einvernehmen mit dem namhaft gemachten Rechtsanwalt nach Möglichkeit zu entsprechen.

(2) In dringenden Fällen kann der Vorsteher des Gerichts auch bei Gericht tätige, zum Richteramt befähigte Personen mit ihrer Zustimmung zu Verteidigern bestellen.

(2a) Die Beigebung und Bestellung eines Verfahrenshilfeverteidigers hat unverzüglich, jedenfalls aber vor der nächstfolgenden Vernehmung des Beschuldigten, Tatrekonstruktion (§ 149 Abs. 1 Z 2, § 150) oder Gegenüberstellung (§ 163 StPO), zu der der Beschuldigte beigezogen wird, zu erfolgen. Vor deren Durchführung ist dem Verteidiger eine angemessene Vorbereitungsfrist zu gewähren, soweit nicht besondere Umstände befürchten lassen, dass weiteres Zuwarten den Zweck der Ermittlungen gefährden würde.

(3) Mehreren Beschuldigten kann ein gemeinsamer Verteidiger beigegeben und bestellt werden, es sei denn, dass ein Interessenskonflikt besteht oder einer der Beschuldigten oder der Verteidiger gesonderte Vertretung verlangt.

(4) Beigebung und Bestellung eines Verteidigers erlöschen jedenfalls mit dem Einschreiten eines bevollmächtigten Verteidigers (§ 58 Abs. 2).

Fristenlauf

§ 63. (1) Wird dem Beschuldigten innerhalb der für die Ausführung eines Rechtsmittels oder für eine sonstige Prozesshandlung offen stehenden Frist ein Verteidiger nach § 61 Abs. 2 oder 3 beigegeben oder hat der Beschuldigte vor Ablauf dieser Frist die Beigebung eines Verfahrenshilfeverteidigers beantragt, so beginnt die Frist ab dem Zeitpunkt neu zu laufen, ab welchem dem Verteidiger der Bescheid über seine Bestellung und das Aktenstück, das die Frist sonst in Lauf setzt, oder dem Beschuldigten der den Antrag abweisende Beschluss zugestellt wird.

(2) Wurde durch eine Zustellung an den Verteidiger eine Frist ausgelöst, so wird deren Lauf nicht dadurch unterbrochen oder gehemmt, dass die Vollmacht des Verteidigers zurückgelegt oder gekündigt wird. In diesem Fall hat der Verteidiger weiterhin die Interessen des Beschuldigten zu wahren und innerhalb der Frist erforderliche Prozesshandlungen nötigenfalls vorzunehmen, es sei denn, der Beschuldigte hätte ihm dies ausdrücklich untersagt.

4. Abschnitt
Haftungsbeteiligte

Haftungsbeteiligte

§ 64. (1) Haftungsbeteiligte sind Personen, die für Geldstrafen, Geldbußen oder für die Kosten des Verfahrens haften, oder die, ohne selbst angeklagt zu sein, vom Verfall, vom erweiterten Verfall oder von der Einziehung einer Sache bedroht sind. Sie haben in der Hauptverhandlung und im Rechtsmittelverfahren, soweit es sich um die Entscheidung über diese vermögensrechtlichen Anordnungen handelt, die Rechte des Angeklagten.

(2) Haftungsbeteiligte können ihre Sache selbst führen oder sich vertreten lassen (§ 73).

4. Hauptstück
Opfer und ihre Rechte

1. Abschnitt
Allgemeines

Definitionen

§ 65. Im Sinne dieses Gesetzes ist

1. „Opfer“

a. jede Person, die durch eine vorsätzlich begangene Straftat Gewalt oder gefährlicher Drohung ausgesetzt, in ihrer sexuellen Integrität und Selbstbestimmung beeinträchtigt oder deren persönliche Abhängigkeit durch eine solche Straftat ausgenützt worden sein könnte,

b. der Ehegatte, der eingetragene Partner, der Lebensgefährte, die Verwandten in gerader Linie, der Bruder oder die Schwester und sonstige Unterhaltsberechtigte einer Person, deren Tod durch eine Straftat herbeigeführt worden sein könnte, oder andere Angehörige, die Zeugen der Tat waren,

c. jede andere Person, die durch eine Straftat einen Schaden erlitten haben oder sonst in ihren strafrechtlich geschützten Rechtsgütern beeinträchtigt worden sein könnte,

2. „Privatbeteiligter“ jedes Opfer, das erklärt, sich am Verfahren zu beteiligen, um Ersatz für den erlittenen Schaden oder die erlittene Beeinträchtigung zu begehren,

3. „Privatankläger“ jede Person, die eine Anklage oder einen anderen Antrag auf Einleitung des Hauptverfahrens wegen einer nicht von Amts wegen zu verfolgenden Straftat bei Gericht einbringt (§ 71),

4. „Subsidiarankläger“ jeder Privatbeteiligte, der eine von der Staatsanwaltschaft zurückgezogene Anklage aufrecht hält.

2. Abschnitt
Opfer und Privatbeteiligte

Opferrechte

§ 66. (1) Opfer haben – unabhängig von ihrer Stellung als Privatbeteiligte – das Recht,

1. sich vertreten zu lassen (§ 73),

1a. eine schriftliche Bestätigung ihrer Anzeige zu erhalten (§ 80 Abs. 1),

1b. auf ehestmögliche Beurteilung ihrer besonderen Schutzbedürftigkeit (§ 66a),

1c. die Übermittlung ihrer personenbezogenen Daten an eine in § 66b Abs. 3 angeführte Einrichtung nach Wahl des Opfers zu verlangen, soweit dies zum Zweck einer Kontaktaufnahme und Beratung über mögliche Ansprüche nach § 66b Abs. 1 erforderlich ist,

2. Akteneinsicht zu nehmen (§ 68),

3. vor ihrer Vernehmung vom Gegenstand des Verfahrens und über ihre wesentlichen Rechte informiert zu werden (§ 70 Abs. 1),

4. vom Fortgang des Verfahrens verständigt zu werden (§§ 177 Abs. 5, 194, 197 Abs. 3, 206 und 208 Abs. 3),

5. auf Übersetzungshilfe durch Dolmetschleistungen nach Maßgabe des Abs. 3,

6. an einer kontradiktorischen Vernehmung von Zeugen und Beschuldigten (§ 165) und an einer Tatrekonstruktion (§ 150 Abs. 1) teilzunehmen,

7. während der Hauptverhandlung anwesend zu sein und Angeklagte, Zeugen und Sachverständige zu befragen sowie zu ihren Ansprüchen gehört zu werden,

8. die Fortführung eines durch die Staatsanwaltschaft eingestellten Verfahrens zu verlangen (§ 195 Abs. 1).

(Anm.: Abs. 2 aufgehoben durch Art. 10 Z 5, BGBl. I Nr. 148/2020)

(3) Übersetzungshilfe ist in sinngemäßer Anwendung der Bestimmungen des § 56 zu gewähren. Als wesentliche Aktenstücke, die auf Verlangen des Opfers zu übersetzen sind, gelten die schriftliche Bestätigung der Anzeige (§ 80 Abs. 1), die Verständigung von der Einstellung des Ermittlungsverfahrens und deren Begründung (§ 194 Abs. 2) sowie eine Ausfertigung des Urteils und der Strafverfügung (§ 491); bei der Prüfung der Erforderlichkeit tritt an Stelle der Erforderlichkeit zur Wahrung der Verteidigungsrechte jene zur Wahrung der Rechte und Interessen des Opfers (§ 10).

(Anm.: Abs. 4 aufgehoben durch Art. 10 Z 5, BGBl. I Nr. 148/2020)

Besondere Schutzbedürftigkeit von Opfern

StPO **§ 66a.** (1) Opfer haben das Recht auf ehestmögliche Beurteilung und Feststellung ihrer besonderen Schutzbedürftigkeit nach Maßgabe ihres Alters, ihres seelischen und gesundheitlichen Zustands sowie der Art und konkreten Umstände der Straftat. Als besonders schutzbedürftig gelten jedenfalls Opfer,

1. die in ihrer sexuellen Integrität und Selbstbestimmung verletzt worden sein könnten,

2. zu deren Schutz ein Betretungs- und Annäherungsverbot zum Schutz vor Gewalt nach § 38a Abs. 1 SPG erteilt werden könnte,

3. die minderjährig (§ 74 Abs. 1 Z 3 StGB) sind.

(2) Besonders schutzbedürftige Opfer haben das Recht:

1. zu verlangen, im Ermittlungsverfahren nach Möglichkeit von einer Person des gleichen Geschlechts vernommen zu werden,

1a. zu verlangen, dass Dolmetschleistungen (§ 66 Abs. 3) bei Vernehmungen des Opfers im Ermittlungsverfahren und in der Hauptverhandlung nach Möglichkeit von einer Person des gleichen Geschlechts erbracht werden,

2. die Beantwortung von Fragen nach Einzelheiten der Straftat, deren Schilderung sie für unzumutbar halten, oder nach Umständen aus ihrem höchstpersönlichen Lebensbereich zu verweigern (§ 158 Abs. 1 Z 2 und 3, Abs. 2),

3. zu verlangen, im Ermittlungsverfahren und in der Hauptverhandlung auf schonende Weise vernommen zu werden (§§ 165, 250 Abs. 3), und zwar ein minderjähriges Opfer, das durch die dem Beschuldigten zur Last gelegte Straftat in seiner Geschlechtssphäre verletzt worden sein könnte, jedenfalls auf die in § 165 Abs. 3 beschriebene Art und Weise, gegebenenfalls durch einen Sachverständigen,

4. zu verlangen, die Öffentlichkeit der Hauptverhandlung auszuschließen (§ 229 Abs. 1),

5. unverzüglich von Amts wegen im Sinne der § 172 Abs. 4, § 177 Abs. 5, § 181a, § 431 Abs. 4 und § 434g Abs. 7 informiert zu werden,

6. einer Vernehmung eine Person ihres Vertrauens beizuziehen (§ 160 Abs. 2).

(3) Ist ein gesetzlicher Vertreter des minderjährigen Opfers der Straftat verdächtig oder überwiesen, besteht sonst die Gefahr eines Widerstreitens der Interessen des minderjährigen Opfers und seines gesetzlichen Vertreters oder kann dem minderjährigen Opfer im Strafverfahren kein gesetzlicher Vertreter beistehen, so ist beim Pflegschaftsgericht die Bestellung eines Kurators anzuregen.

(4) Einem Opfer, dem auf Antrag Rechte nach Abs. 2 nicht gewährt werden, sind die Gründe dafür mitzuteilen.

Prozessbegleitung

§ 66b. (1) Auf ihr Verlangen ist

a) Opfern im Sinne des § 65 Z 1 lit. a oder b,

b) Opfern (§ 65 Z 1) terroristischer Straftaten (§ 278c StGB),

c) Opfern (§ 65 Z 1) von beharrlicher Verfolgung (§ 107a StGB), fortdauernder Belästigung im Wege einer Telekommunikation oder eines Computersystems (§ 107c StGB) und Verhetzung (§ 283 StGB),

d) Opfern (§ 65 Z 1) von übler Nachrede (§ 111 StGB), Vorwurf einer schon abgetanen gerichtlich strafbaren Handlung (§ 113 StGB), Beleidigung (§ 115 StGB) und Verleumdung (§ 297 StGB), wenn auf Grund bestimmter Anhaltspunkte angenommen werden kann, dass eine solche Tat im Wege einer Telekommunikation oder unter Verwendung eines Computersystems begangen wurde, und

e) Minderjährigen, die Zeugen von Gewalt waren,

psychosoziale und juristische Prozessbegleitung zu gewähren, soweit dies zur Wahrung ihrer prozessualen Rechte unter größtmöglicher Bedachtnahme auf ihre persönliche Betroffenheit erforderlich ist. Opfern, die in ihrer sexuellen Integrität verletzt worden sein könnten und das vierzehnte Lebensjahr noch nicht vollendet haben, ist jedenfalls psychosoziale Prozessbegleitung zu gewähren.

(2) Psychosoziale Prozessbegleitung umfasst die Vorbereitung der Betroffenen auf das Verfahren und die mit ihm verbundenen emotionalen Belastungen sowie die Begleitung zu Vernehmungen im Ermittlungs- und Hauptverfahren, juristische Prozessbegleitung die rechtliche Beratung und Vertretung durch einen Rechtsanwalt.

(3) Die Bundesministerin für Justiz ist ermächtigt, bewährte geeignete Einrichtungen vertraglich zu beauftragen, den in Abs. 1 genannten Personen nach Prüfung der gesetzlichen Voraussetzungen Prozessbegleitung zu gewähren sowie durch Verordnung nähere Bestimmungen über die Voraussetzungen der Beauftragung solcher Einrichtungen und im Einvernehmen mit der Bundesministerin für Frauen und Integration im Bundeskanzleramt sowie der Bundesministerin für Arbeit, Familien und Jugend über Qualitätsstandards der Prozessbegleitung, insbesondere über die Aus- und Weiterbildung von Prozessbegleitern, zu erlassen.

Privatbeteiligung

§ 67. (1) Opfer haben das Recht, den Ersatz des durch die Straftat erlittenen Schadens oder eine Entschädigung für die Beeinträchtigung ihrer strafrechtlich geschützten Rechtsgüter zu begehren. Das Ausmaß des Schadens oder der Beeinträchtigung ist von Amts wegen festzustellen, soweit dies auf Grund der Ergebnisse des Strafverfahrens oder weiterer einfacher Erhebungen möglich ist. Wird für die Beurteilung einer Körperverletzung oder Gesundheitsschädigung ein Sachverständiger bestellt, so ist ihm auch die Feststellung der Schmerzperioden aufzutragen.

(2) Opfer werden durch Erklärung zu Privatbeteiligten. In der Erklärung haben sie, soweit dies nicht offensichtlich ist, ihre Berechtigung, am Verfahren mitzuwirken, und ihre Ansprüche auf Schadenersatz oder Entschädigung zu begründen.

(3) Eine Erklärung nach Abs. 2 ist bei der Kriminalpolizei oder bei der Staatsanwaltschaft, nach Einbringen der Anklage beim Gericht einzubringen. Sie muss längstens bis zum Schluss des Beweisverfahrens abgegeben werden; bis dahin ist auch die Höhe des Schadenersatzes oder der Entschädigung zu beziffern. Die Erklärung kann jederzeit zurückgezogen werden.

(4) Eine Erklärung ist zurückzuweisen, wenn

1. sie offensichtlich unberechtigt ist,

2. sie verspätet abgegeben wurde (Abs. 3) oder

3. die Höhe des Schadenersatzes oder der Entschädigung nicht rechtzeitig beziffert wurde.

(5) Die Zurückweisung einer Erklärung nach Abs. 4 obliegt der Staatsanwaltschaft, nach Einbringen der Anklage dem Gericht.

(6) Privatbeteiligte haben über die Rechte der Opfer (§ 66) hinaus das Recht,

1. die Aufnahme von Beweisen nach § 55 zu beantragen,

2. die Anklage nach § 72 aufrechtzuerhalten, wenn die Staatsanwaltschaft von ihr zurücktritt,

3. Beschwerde gegen die gerichtliche Einstellung des Verfahrens nach § 87 zu erheben,

4. zur Hauptverhandlung geladen zu werden und Gelegenheit zu erhalten, nach dem Schlussantrag der Staatsanwaltschaft ihre Ansprüche auszuführen und zu begründen.

5. Berufung wegen ihrer privatrechtlichen Ansprüche nach § 366 zu erheben.

(7) Privatbeteiligten ist – soweit ihnen nicht juristische Prozessbegleitung zu gewähren ist (§ 66b) – Verfahrenshilfe durch unentgeltliche Beigebung eines Rechtsanwalts zu bewilligen, soweit die Vertretung durch einen Rechtsanwalt im Interesse der Rechtspflege, vor allem im Interesse einer zweckentsprechenden Durchsetzung ihrer Ansprüche zur Vermeidung eines nachfolgenden Zivilverfahrens erforderlich ist, und sie außerstande sind, die Kosten ihrer anwaltlichen Vertretung ohne Beeinträchtigung des notwendigen Unterhalts zu bestreiten. Als notwendiger Unterhalt ist derjenige anzusehen, den die Person für sich und ihre Familie, für deren Unterhalt sie zu sorgen hat, zu einer einfachen Lebensführung benötigt. Für die Beigebung und Bestellung eines solchen Vertreters gelten die Bestimmungen der § 61 Abs. 4, § 62 Abs. 1, 2 und 4 sowie § 63 Abs. 1 sinngemäß.

Akteneinsicht

§ 68. (1) Privatbeteiligte und Privatankläger sind zur Akteneinsicht berechtigt, soweit ihre Interessen betroffen sind; hiefür gelten die §§ 51, 52 Abs. 1, Abs. 2 Z 1, 3 und 4 sowie 53 sinngemäß. Im Übrigen darf die Akteneinsicht nur verweigert oder beschränkt werden, soweit durch sie der Zweck der Ermittlungen oder eine unbeeinflusste Aussage als Zeuge gefährdet wäre.

(2) Dieses Recht auf Akteneinsicht steht auch Opfern zu, die nicht als Privatbeteiligte am Verfahren mitwirken.

(3) Das Verbot der Veröffentlichung nach § 54 gilt für Opfer, Privatbeteiligte und Privatankläger sinngemäß.

Privatrechtliche Ansprüche

§ 69. (1) Der Privatbeteiligte kann einen aus der Straftat abgeleiteten, auf Leistung, Feststellung oder Rechtsgestaltung gerichteten Anspruch gegen den Beschuldigten geltend machen. Die Gültigkeit einer Ehe oder eingetragenen Partnerschaft kann im Strafverfahren jedoch immer nur als Vorfrage (§ 15) beurteilt werden.

(2) Das Gericht hat im Hauptverfahren jederzeit einen Vergleich über privatrechtliche Ansprüche zu Protokoll zu nehmen. Es kann den Privatbeteiligten und den Beschuldigten auch auf Antrag oder von Amts wegen zu einem Vergleichsversuch laden und einen Vorschlag für einen Vergleich unterbreiten. Kommt ein Vergleich zustande, so sind dem Privatbeteiligten, der Staatsanwaltschaft und dem Beschuldigten Vergleichsausfertigungen auszufolgen.

(3) Im Fall einer Sicherstellung nach § 110 Abs. 1 Z 2 hat die Staatsanwaltschaft die Rückgabe des Gegenstandes oder Vermögenswertes an das Opfer anzuordnen, wenn eine Beschlagnahme aus Beweisgründen nicht erforderlich ist und in die Rechte Dritter dadurch nicht eingegriffen wird.

Recht auf Information

§ 70. (1) Sobald ein Ermittlungsverfahren geführt wird, hat die Kriminalpolizei oder die Staatsanwaltschaft Opfer über ihre wesentlichen Rechte (§§ 66 bis 67) zu informieren. Dies darf nur so lange unterbleiben, als besondere Umstände befürchten lassen, dass ansonsten der Zweck der Ermittlungen gefährdet wäre. Opfer im Sinn des § 65 Z 1 sind spätestens im Zeitpunkt ihrer Vernehmung darüber zu informieren, dass sie berechtigt sind, auf Antrag unverzüglich von

1. der Freilassung des Beschuldigten (§ 172 Abs. 4, § 177 Abs. 5),

2. der Flucht des in der Untersuchungshaft befindlichen Beschuldigten und seiner Wiederergreifung (§ 181a),

3. der Flucht und Wiederergreifung des Geflohenen (§ 106 Abs. 4 StVG) sowie

StPO

4. dem ersten unbewachten Verlassen der Anstalt oder der bevorstehenden oder erfolgten Entlassung des Strafgefangenen (§ 149 Abs. 5 StVG)

verständigt zu werden. § 50 Abs. 2 gilt sinngemäß.

(2) Spätestens vor ihrer ersten Vernehmung sind Opfer im Sinn des § 66b Abs. 1 lit. a bis d überdies über die Voraussetzungen der Prozessbegleitung und besonders schutzbedürftige Opfer über ihre Rechte nach § 66a zu informieren.

(3) Nach erfolgter Belehrung kann das Opfer in jeder Lage des Verfahrens erklären, auf weitere Verständigungen und Ladungen zu verzichten, in welchem Fall von einer weiteren Beteiligung des Opfers am Verfahren Abstand zu nehmen ist.

3. Abschnitt
Privatankläger und Subsidiarankläger

Privatankläger

§ 71. (1) Strafbare Handlungen, deren Begehung nur auf Verlangen des Opfers zu verfolgen sind, bezeichnet das Gesetz. Ein Ermittlungsverfahren findet nicht statt. Zur Ausforschung des Beschuldigten einer Straftat wegen übler Nachrede (§ 111 StGB), Vorwurf einer schon abgetanen gerichtlich strafbaren Handlung (§ 113 StGB) oder Beleidigung (§ 115 StGB), die im Wege einer Telekommunikation oder unter Verwendung eines Computersystems begangen wurden, kann aber das Opfer bei Gericht (§ 31 Abs. 1 Z 6) einen Antrag auf Anordnungen nach § 135 Abs. 1a oder Abs. 2 Z 2 stellen, der den Erfordernissen eines Beweisantrags (§ 55) zu entsprechen hat. Das Opfer hat die Berechtigung zur Antragstellung, soweit sie nicht offensichtlich ist, in der Begründung darzulegen. Das Gericht hat über die Anordnung der beantragten Ermittlungsmaßnahmen nach den dafür maßgeblichen Bestimmungen zu entscheiden. § 104 Abs. 1 letzter Satz und § 210 Abs. 3 zweiter Satz gelten sinngemäß.

(2) Im Falle seiner Ausforschung hat das Gericht dem Beschuldigten den Beschluss nach Abs. 1 unverzüglich zuzustellen und ihn über sein Recht, Beschwerde (§ 87) zu erheben, zu informieren. Sobald der Beschluss gegenüber dem Beschuldigten rechtskräftig geworden ist, hat das Gericht das in Schriftform übertragene Ergebnis (§ 134 Z 5) dem Opfer mitzuteilen. Andernfalls ist das Opfer zu informieren, dass die Ausforschung des Beschuldigten nicht möglich war oder die Mitteilung der Daten nicht zulässig ist.

(3) Das Hauptverfahren wegen in Abs. 1 genannter Straftaten wird auf Grund einer Privatanklage, die den Erfordernissen einer Anklageschrift (§ 211) zu entsprechen hat, oder eines selbstständigen Antrags des Privatanklägers auf Erlassung vermögensrechtlicher Anordnungen nach § 445 durchgeführt. Privatanklagen sind beim zuständigen Gericht, im Fall einer Antragstellung nach Abs. 1 binnen sechs Wochen ab Auskunftserteilung nach Abs. 2 zweiter Satz, einzubringen. Die Berechtigung zur Privatanklage und allfällige privatrechtliche Ansprüche sind, soweit sie nicht offensichtlich sind, in der Begründung darzulegen. Gleiches gilt für einen selbstständigen Antrag auf Erlassung vermögensrechtlicher Anordnungen nach § 445.

(4) In den Fällen des § 117 Abs. 2 und 3 StGB ist das Opfer dann zur Privatanklage berechtigt, wenn es oder seine vorgesetzte Stelle die Ermächtigung zur Strafverfolgung nicht erteilt oder zurückzieht (§ 92). Zur Anklage nicht berechtigt ist, wer ausdrücklich darauf verzichtet oder die Begehung der strafbaren Handlung verziehen hat. § 57 und § 58 StGB bleiben unberührt.

(5) Verspätete (Abs. 3) Privatanklagen und selbstständige Anträge auf Erlassung vermögensrechtlicher Anordnungen nach § 445 hat das Gericht mit Beschluss zurückzuweisen und im Übrigen die Privatanklage oder den Antrag auf Erlassung vermögensrechtlicher Anordnungen nach § 445 dem Angeklagten oder Antragsgegner und den Haftungsbeteiligten mit der Information zuzustellen, dass sie berechtigt sind, sich dazu binnen 14 Tagen zu äußern. Danach hat das Gericht, soweit es nicht nach § 451 oder § 485 vorgeht, die Hauptverhandlung anzuberaumen.

(6) Im Hauptverfahren hat der Privatankläger grundsätzlich die gleichen Rechte wie die Staatsanwaltschaft; Zwangsmaßnahmen zu beantragen ist er jedoch nur insofern berechtigt, als dies zur Sicherung von Beweisen oder vermögensrechtlichen Anordnungen erforderlich ist. Die im 9. Hauptstück geregelten Zwangsmaßnahmen zu beantragen, ist er nicht berechtigt.

(7) Kommt der Privatankläger nicht zur Hauptverhandlung oder stellt er nicht die erforderlichen Anträge, so wird angenommen, dass er auf die Verfolgung verzichtet habe. In diesen Fällen ist das Verfahren durch Beschluss einzustellen.

Subsidiarankläger

§ 72. (1) Privatbeteiligte sind berechtigt, die Anklage als Subsidiarankläger aufrecht zu erhalten, wenn die Staatsanwaltschaft von der Anklage zurücktritt. Zum Subsidiarankläger wird der Privatbeteiligte durch die Erklärung, die Anklage aufrecht zu erhalten; das Opfer hat zuvor überdies zu erklären, am Verfahren als Privatbeteiligter mitzuwirken.

(2) Tritt die Staatsanwaltschaft in der Hauptverhandlung von der Anklage zurück, so ist eine Erklärung nach Abs. 1 sogleich abzugeben. Erfolgt dies nicht, ist der Privatbeteiligte zur Hauptverhandlung trotz ordnungsgemäßer Ladung nicht erschienen oder unterlässt er es, in der Hauptverhandlung zur Aufrechterhaltung der Anklage erforderliche Anträge zu stellen, so ist der Angeklagte freizusprechen (§ 259 Z 2).

(3) Tritt die Staatsanwaltschaft außerhalb der Hauptverhandlung von der Anklage zurück, so hat das Gericht den Privatbeteiligten zu verständigen, der seine Erklärung binnen einem Monat abgeben kann. Gleiches gilt, wenn der Privatbeteiligte, ohne darauf verzichtet zu haben, zur Hauptverhandlung nicht geladen wurde oder seine Ladung nicht ausgewiesen ist. Sofern er dies nicht tut, wird angenommen, dass er die Verfolgung nicht aufrecht halte. In diesem Fall ist das Verfahren mit Beschluss einzustellen.

(4) Der Subsidiarankläger hat im Hauptverfahren die gleichen Rechte wie der Privatankläger. Rechtsmittel gegen Urteile stehen ihm jedoch nur soweit zu, als der Privatbeteiligte sie zu erheben berechtigt ist. Die Staatsanwaltschaft kann sich jederzeit über den Gang des Verfahrens informieren und die Anklage wieder an sich ziehen; in diesem Fall stehen dem Subsidiarankläger wieder die Rechte des Privatbeteiligten zu.

4. Abschnitt

Vertreter

Vertreter

§ 73. Vertreter stehen Haftungsbeteiligten, Opfern, Privatbeteiligten, Privatanklägern und Subsidiaranklägern beratend und unterstützend zur Seite. Sie üben, soweit in diesem Gesetz nichts anderes bestimmt wird, die Verfahrensrechte aus, die den Vertretenen zustehen. Als Vertreter kann eine zur Ausübung der Rechtsanwaltschaft berechtigte, eine nach § 25 Abs. 3 SPG anerkannte Opferschutzeinrichtung oder eine sonst geeignete Person bevollmächtigt werden.

5. Hauptstück

Gemeinsame Bestimmungen

1. Abschnitt

Einsatz der Informationstechnik

Verarbeitung personenbezogener Daten

§ 74. (1) Kriminalpolizei, Staatsanwaltschaft und Gericht dürfen im Rahmen ihrer Aufgaben die hierfür erforderlichen personenbezogenen Daten verarbeiten. Soweit zum Verarbeiten personenbezogener Daten nichts anderes bestimmt wird, finden die Bestimmungen des Datenschutzgesetzes – DSG, BGBl. I Nr. 165/1999, Anwendung.

(2) Kriminalpolizei, Staatsanwaltschaft und Gericht haben beim Verarbeiten personenbezogener Daten den Grundsatz der Gesetz- und Verhältnismäßigkeit (§ 5) zu beachten. Jedenfalls haben sie schutzwürdige Interessen der betroffenen Personen an der Geheimhaltung zu wahren und vertraulicher Behandlung personenbezogener Daten Vorrang einzuräumen. Bei der Verarbeitung besonderer Kategorien (§ 39 DSG) und strafrechtlich relevanter personenbezogener Daten haben sie angemessene Vorkehrungen zur Wahrung der Geheimhaltungsinteressen der betroffenen Personen zu treffen.

Berichtigen, Löschen und Sperren personenbezogener Daten

§ 75. (1) Unrichtige, unvollständige oder entgegen den Bestimmungen dieses Gesetzes ermittelte personenbezogene Daten sind von Amts wegen oder auf Antrag der betroffenen Person unverzüglich richtig zu stellen, zu vervollständigen oder zu löschen. Behörden und Gerichte sind von der Berichtigung oder Löschung jener personenbezogenen Daten zu verständigen, die ihnen zuvor übermittelt worden sind (§ 76 Abs. 4). Überdies sind von der Berichtigung jene Behörden und öffentlichen Dienststellen des Bundes, der Länder und der Gemeinden sowie andere durch Gesetz eingerichtete Körperschaften und Anstalten des öffentlichen Rechts zu verständigen, von denen die zu berichtigenden Daten stammen.

(2) Im Übrigen ist ein Zugriff auf Namensverzeichnisse zu unterbinden, und zwar

1. im Fall einer Verurteilung längstens nach Ablauf von zehn Jahren ab dem Zeitpunkt, ab dem die Strafe vollzogen wurde, wenn jedoch eine Strafe nicht ausgesprochen oder bedingt nachgesehen wurde, ab der Verurteilung,

2. im Fall eines Freispruchs, einer Einstellung des Verfahrens oder eines (endgültigen) Rücktritts von Verfolgung längstens nach Ablauf von zehn Jahren ab der Entscheidung.

(3) Nach sechzig Jahren ab den in Abs. 2 angeführten Zeitpunkten sind alle personenbezogenen Daten im direkten Zugriff zu löschen.

(4) Personenbezogene Daten, die ausschließlich auf Grund einer Identitätsfeststellung (§ 118), einer körperlichen Untersuchung (§ 123) oder einer molekulargenetischen Analyse (§ 124) gewonnen wurden, dürfen nur solange verarbeitet werden, als wegen der Art der Ausführung der Tat, der Persönlichkeit der betroffenen Person oder auf Grund anderer Umstände zu befürchten ist, dass diese Person eine strafbare Handlung mit nicht bloß leichten Folgen begehen werde. Wird der Angeklagte rechtskräftig freigesprochen oder das Ermittlungsverfahren ohne Vorbehalt späterer Verfolgung eingestellt, so sind diese personenbezogenen Daten zu löschen. Die §§ 73 und 74 SPG bleiben hievon unberührt.

(Anm.: Abs. 5 aufgehoben durch BGBl. I Nr. 71/2014)

2. Abschnitt

Amts- und Rechtshilfe, Akteneinsicht

Amts- und Rechtshilfe

§ 76. (1) Kriminalpolizei, Staatsanwaltschaften und Gerichte sind zur Wahrnehmung ihrer Aufgaben nach diesem Gesetz berechtigt, die Unterstützung aller Behörden und öffentlichen Dienststellen des Bundes, der Länder und der Gemeinden sowie anderer durch Gesetz eingerichteter Körperschaften und Anstalten des öffentlichen Rechts unmittelbar in Anspruch zu nehmen. Solchen Ersuchen ist ehest möglich zu entsprechen oder es sind entgegen stehende Hindernisse unverzüglich bekannt zu geben. Erforderlichenfalls ist Akteneinsicht zu gewähren.

(2) Ersuchen von kriminalpolizeilichen Behörden, Staatsanwaltschaften und Gerichten, die sich auf Straftaten einer bestimmten Person beziehen, dürfen mit dem Hinweis auf bestehende gesetzliche Verpflichtungen zur Geheimhaltung oder darauf, dass es sich um automationsunterstützt verarbeitete personenbezogene Daten handelt, nur dann abgelehnt werden, wenn entweder diese Verpflichtungen ausdrücklich auch gegenüber Strafgerichten auferlegt sind oder wenn der Beantwortung überwiegende öffentliche Interessen entgegenstehen, die im Einzelnen anzuführen und zu begründen sind.

(2a) Wird einem Ersuchen einer Staatsanwaltschaft um Amts- oder Rechtshilfe von einem ersuchten Gericht nicht oder nicht vollständig entsprochen, so hat das dem ersuchten Gericht übergeordnete Oberlandesgericht auf Antrag der Staatsanwaltschaft ohne vorhergehende mündliche Verhandlung über die Rechtsmäßigkeit der unterlassenen Amts- oder Rechtshilfe oder über den sonstigen Gegenstand der Meinungsverschiedenheit zu entscheiden.

(3) Auf den Verkehr mit ausländischen Behörden sind völkerrechtliche Verträge, das Auslieferungs- und Rechtshilfegesetz, das Bundesgesetz über die justizielle Zusammenarbeit in Strafsachen mit den Mitgliedstaaten der Europäischen Union sowie das Polizeikooperationsgesetz anzuwenden.

(4) Eine Übermittlung personenbezogener Daten, die nach diesem Gesetz ermittelt wurden, darf nur an Behörden und Gerichte auf Grund einer ausdrücklichen gesetzlichen Ermächtigung sowie nur dann vorgenommen werden, wenn die Verwendung dieser Daten in einem Strafverfahren als Beweis zulässig ist. Sie hat zu unterbleiben, wenn

1. die mit der Übermittlung verfolgten Zwecke nicht im gesetzlichen Zuständigkeitsbereich der ersuchenden Behörden und Gerichte liegen oder

2. im Einzelfall schutzwürdige Geheimhaltungsinteressen (§ 1 Abs. 1 DSG) die mit der Übermittlung verfolgten Zwecke überwiegen, insbesondere wenn es sich um personenbezogene Daten handelt, die durch eine körperliche Untersuchung, eine molekulargenetische Untersuchung (§§ 123 und 124) oder eine Ermittlungsmaßnahme nach dem 4. bis 6. Abschnitt des 8. Hauptstücks ermittelt worden sind, oder eine Übermittlung den Zweck der Ermittlungen gefährden würde.

(5) Vom Beginn und von der Beendigung eines Strafverfahrens gegen Beamte ist die Dienstbehörde zu verständigen.

(6) Kriminalpolizei, Staatsanwaltschaften und Gerichte sind berechtigt, nach diesem Gesetz ermittelte personenbezogene Daten, die zulässig in einem Strafverfahren Verwendung finden können,

1. zum Zweck der Vorbeugung einer mit beträchtlicher Strafe bedrohten Handlung (§ 17 SPG) gegen Leben, Gesundheit, Freiheit oder Sittlichkeit an die Teilnehmer einer sicherheitspolizeilichen Fallkonferenz (§ 22 Abs. 2 SPG);

2. zum Zweck des vorbeugenden Schutzes vor verfassungsgefährdenden Angriffen (§ 6 Abs. 2 Staatsschutz- und Nachrichtendienst-Gesetz – SNG, BGBl. I Nr. 5/2016) an die Teilnehmer einer Fallkonferenz Staatsschutz (§ 6a Abs. 1 SNG)

zu übermitteln. Dies hat jedenfalls dann zu unterbleiben, wenn im Einzelfall schutzwürdige Geheimhaltungsinteressen (§ 1 Abs. 1 DSG) die mit der Übermittlung verfolgten Zwecke überwiegen.

Akteneinsicht

§ 77. (1) Im Falle begründeten rechtlichen Interesses haben Staatsanwaltschaften und Gerichte auch außer den in diesem Gesetz besonders bezeichneten Fällen Einsicht in die ihnen vorliegenden Ergebnisse eines Ermittlungs- oder Hauptverfahrens zu gewähren, soweit dem nicht überwiegende öffentliche oder private Interessen entgegenstehen.

(2) Zum Zweck einer nicht personenbezogenen Auswertung für wissenschaftliche oder historische Forschungszwecke, statistische Zwecke oder vergleichbare, im öffentlichen Interesse liegende Untersuchungen können die Staatsanwaltschaften, die Leitungen der Gerichte und das Bundesministerium für Justiz auf Ersuchen der Leitung anerkannter wissenschaftlicher Einrichtungen die Übermittlung personenbezogener Daten durch Erteilung von Auskünften, Einsicht in Akten eines Verfahrens und Herstellung von Kopien oder Ausdrucken bewilligen, soweit diese Daten pseudonymisiert wurden. Ist eine Pseudonymisierung nicht oder nur mit einem unverhältnismäßigen Aufwand möglich, darf eine Übermittlung nur erfolgen, wenn das öffentliche Interesse an der Forschungsarbeit das schutzwürdige Geheimhaltungsinteresse der betroffenen Personen (§ 1 Abs. 1 DSG) erheblich überwiegt. Die § 43 und § 44 DSG sind nicht anwendbar.

(3) § 54 ist sinngemäß anzuwenden.

3. Abschnitt

Anzeigepflicht, Anzeige- und Anhalterecht

Anzeigepflicht

§ 78. (1) Wird einer Behörde oder öffentlichen Dienststelle der Verdacht einer Straftat bekannt, die ihren gesetzmäßigen Wirkungsbereich betrifft, so ist sie zur Anzeige an Kriminalpolizei oder Staatsanwaltschaft verpflichtet.

(2) Eine Pflicht zur Anzeige nach Abs. 1 besteht nicht,

1. wenn die Anzeige eine amtliche Tätigkeit beeinträchtigen würde, deren Wirksamkeit eines persönlichen Vertrauensverhältnisses bedarf, oder

2. wenn und solange hinreichende Gründe für die Annahme vorliegen, die Strafbarkeit der Tat werde binnen kurzem durch schadensbereinigende Maßnahmen entfallen.

(3) Die Behörde oder öffentliche Dienststelle hat jedenfalls alles zu unternehmen, was zum Schutz des Opfers oder anderer Personen vor Gefährdung notwendig ist; erforderlichenfalls ist auch in den Fällen des Abs. 2 Anzeige zu erstatten.

§ 79. Soweit eine gesetzliche Anzeigepflicht besteht, sind der Kriminalpolizei, den Staatsanwaltschaften und den Gerichten zur Aufklärung einer Straftat einer bestimmten Person von Amts wegen oder auf Grund von Ersuchen Ablichtungen der Akten und sonstigen schriftlichen Aufzeichnungen zu übermitteln oder Akteneinsicht zu gewähren. Eine Berufung auf bestehende gesetzliche Verschwiegenheitspflichten ist insoweit unzulässig.

Anzeige- und Anhalterecht

§ 80. (1) Wer von der Begehung einer strafbaren Handlung Kenntnis erlangt, ist zur Anzeige an Kriminalpolizei oder Staatsanwaltschaft berechtigt. Einem Opfer (§ 65 Z 1), das Anzeige erstattet hat, ist eine schriftliche Bestätigung der Anzeige gebührenfrei auszufolgen.

(2) Wer auf Grund bestimmter Tatsachen annehmen kann, dass eine Person eine strafbare Handlung ausführe, unmittelbar zuvor ausgeführt habe oder dass wegen der Begehung einer strafbaren Handlung nach ihr gefahndet werde, ist berechtigt, diese Person auf verhältnismäßige Weise anzuhalten, jedoch zur unverzüglichen Anzeige an das nächst erreichbare Organ des öffentlichen Sicherheitsdienstes verpflichtet.

4. Abschnitt
Bekanntmachung, Zustellung und Fristen

Bekanntmachung

§ 81. (1) Die Bekanntmachung von Erledigungen des Gerichts und der Staatsanwaltschaft hat durch mündliche Verkündung, durch Zustellung einer Ausfertigung (§ 79 GOG), durch Telefax oder im elektronischen Rechtsverkehr nach Maßgabe des § 89a GOG zu erfolgen.

(2) Mündliche Verkündungen sind zu protokollieren. Jeder Person, der mündlich verkündet wurde, ist der Inhalt der Erledigung auf Verlangen schriftlich oder elektronisch zu übermitteln.

(3) Der Staatsanwaltschaft und dem Gericht können die Akten zur Einsicht in die Erledigung übermittelt werden. In diesem Fall hat die Staatsanwaltschaft oder das Gericht den Tag des Einlangens der Akten und den Tag der Einsichtnahme nachvollziehbar in den Akten zu beurkunden.

Zustellung

§ 82. (1) Soweit in diesem Gesetz nichts anderes bestimmt wird, gelten für Zustellungen das Zustellgesetz, BGBl. Nr. 200/1982, und die §§ 87, 89, 91 und 100 der Zivilprozessordnung sinngemäß.

(2) Die §§ 8, 9 Abs. 2 erster Satz und Abs. 3 sowie 10 des Zustellgesetzes und § 98 ZPO sind außer im Fall des § 180 Abs. 4 nur auf Subsidiarankläger, Privatankläger, Opfer, Privatbeteiligte, Haftungsbeteiligte und auf Bevollmächtigte dieser Personen anzuwenden.

(3) Zustellungen haben durch unmittelbare Übergabe oder durch Zustelldienste (§ 2 Zustellgesetz) zu erfolgen. Die Kriminalpolizei ist nur dann um eine Zustellung zu ersuchen, wenn dies im Interesse der Strafrechtspflege unbedingt erforderlich ist.

Arten der Zustellung

§ 83. (1) Soweit im Einzelnen nichts anderes bestimmt wird, ist die Zustellung ohne Zustellnachweis vorzunehmen.

(2) Eine Übermittlung durch Telefax, im elektronischen Rechtsverkehr nach Maßgabe des § 89a GOG oder durch elektronische Zustelldienste nach den Bestimmungen des 3. Abschnitts des Zustellgesetzes ist einer Zustellung mit Zustellnachweis gleichzuhalten. Durch Telefax übermittelte Dokumente gelten als zugestellt, sobald seine Daten in den elektronischen Verfügungsbereich des Empfängers gelangt sind. Im Zweifel sind die Tatsache und der Zeitpunkt des Einlangens von Amts wegen festzustellen. Die Zustellung gilt nicht als bewirkt, wenn sich ergibt, dass der Empfänger oder dessen Vertreter im Sinne des § 13 Abs. 3 ZustG wegen Abwesenheit von der Abgabestelle nicht rechtzeitig vom Zustellvorgang Kenntnis erlangen konnte, doch wird die Zustellung mit dem der Rückkehr an die Abgabestelle folgenden Tag wirksam.

(3) Ladungen und Aufforderungen, deren Befolgung durch Beugemittel oder auf andere Weise durchgesetzt werden kann, Erledigungen, deren Zustellung die Frist zur Einbringung eines Rechtsmittels oder eines Rechtsbehelfs an das Gericht auslöst, sowie Ladungen von Privatbeteiligten, Privatanklägern und Subsidiaranklägern zur Hauptverhandlung sind zu eigenen Handen (§ 21 des Zustellgesetzes) zuzustellen. Verteidigern und Rechtsanwälten kann anstatt zu eigenen Handen immer auch mit Zustellnachweis (§§ 13 bis 20 des Zustellgesetzes) zugestellt werden.

(4) Soweit der Beschuldigte oder ein anderer Beteiligter des Verfahrens durch einen Verteidiger oder eine andere Person vertreten wird, ist diesem Verteidiger oder Vertreter zuzustellen. Die Ladung zur Hauptverhandlung in erster Instanz, das Abwesenheitsurteil sowie Verständigungen und Mitteilungen nach den §§ 200 Abs. 4, 201 Abs. 1 und 4 sowie 203 Abs. 1 und 3 sind dem Angeklagten oder Beschuldigten jedoch immer selbst und zu eigenen Handen zuzustellen.

(5) Opfern kann durch öffentliche Bekanntmachung zugestellt werden, soweit die Voraussetzungen des § 25 des Zustellgesetzes vorliegen oder schon deren Ausforschung oder die Aufforderung zur Namhaftmachung eines Zustellungsbevollmächtigten (§ 82 Abs. 2) einen dem Beschleunigungsgebot (§ 9) widerstreitenden Verfahrensaufwand bedeuten würde. Die Bekanntmachung ist in die Ediktsdatei (§ 89j Abs. 1 GOG) aufzunehmen, wodurch die Zustellung als bewirkt gilt.

Fristen

§ 84. (1) Soweit im Einzelnen nichts anderes bestimmt wird, gilt für die Berechnung der in diesem Gesetz normierten Fristen Folgendes:

1. Fristen können nicht verlängert werden,

2. Tage des Postlaufs sind in die Frist nicht einzurechnen,

3. der Tag, von dem ab die Frist zu laufen hat, zählt nicht,

4. nach Stunden bestimmte Fristen sind von Moment zu Moment zu berechnen,

5. Samstage, Sonntage, gesetzliche Feiertage und der Karfreitag sind ohne Einfluss auf Beginn und Lauf einer Frist; endet eine Frist an einem solchen Tag, so gilt der nächste Werktag als letzter Tag der Frist.

(2) Soweit im Einzelnen nichts anderes bestimmt wird, können Rechtsmittel, Rechtsbehelfe und alle sonstigen Eingaben an die Kriminalpolizei, die Staatsanwaltschaft oder das Gericht schriftlich, per Telefax oder im elektronischen Rechtsverkehr (§ 89a GOG) eingebracht werden. Sofern sie an eine Frist gebunden sind, sind sie auch dann rechtzeitig, wenn sie innerhalb dieser Frist bei der Behörde eingebracht werden, die darüber zu entscheiden hat. Die näheren Vorschriften über die geschäftliche Behandlung solcher Eingaben werden durch Verordnung geregelt.

5. Abschnitt

Beschlüsse und Beschwerden

Allgemeines

§ 85. Soweit im Einzelnen nicht etwas anderes bestimmt wird, gelten für Erledigungen von Anträgen gemäß § 101 Abs. 2, gerichtliche Beschlüsse (§ 35) und dagegen erhobene Beschwerden sowie das dabei einzuhaltende Verfahren die Bestimmungen dieses Abschnitts.

Beschlüsse

§ 86. (1) Ein Beschluss hat Spruch, Begründung und Rechtsmittelbelehrung zu enthalten. Der Spruch hat die Anordnung, Bewilligung oder Feststellung des Gerichts sowie die darauf bezogenen gesetzlichen Bestimmungen zu enthalten. Ein Beschluss über einen Einspruch oder einen Antrag hat darüber hinaus auszusprechen, ob und in welchem Umfang dem Begehren stattgegeben wird. In der Begründung sind die tatsächlichen Feststellungen und die rechtlichen Überlegungen auszuführen, die der Entscheidung zugrundegelegt werden. Die Rechtsmittelbelehrung hat die Mitteilung zu enthalten, ob ein Rechtsmittel zusteht, welchen Förmlichkeiten es zu genügen hat und innerhalb welcher Frist und wo es einzubringen ist.

(2) Jeder Beschluss ist schriftlich auszufertigen und den zur Beschwerde Berechtigten (§ 87) zuzustellen. Ein Beschluss, mit dem das Verfahren eingestellt wird, ist überdies der Kriminalpolizei und dem Privatbeteiligten zu übermitteln.

(3) Ausfertigung und Zustellung eines Beschlusses, der nach dem Gesetz mündlich zu verkünden ist, können unterbleiben, wenn die Berechtigten sogleich nach der Verkündung auf Beschwerde verzichten. In diesem Fall und soweit das Gesetz die Verkündung des Beschlusses in der Hauptverhandlung vorsieht, jedoch ein selbstständiges, die weitere Verhandlung hemmendes Rechtsmittel dagegen nicht zulässt, ist der wesentliche Inhalt des Beschlusses im Protokoll zu beurkunden.

Beschwerden

§ 87. (1) Gegen gerichtliche Beschlüsse steht der Staatsanwaltschaft, dem Beschuldigten, soweit dessen Interessen unmittelbar betroffen sind, und jeder anderen Person, der durch den Beschluss unmittelbar Rechte verweigert werden oder Pflichten entstehen oder die von einem Zwangsmittel betroffen ist, gegen einen Beschluss, mit dem das Verfahren eingestellt wird, auch dem Privatbeteiligten Beschwerde an das Rechtsmittelgericht zu, soweit das Gesetz im Einzelnen nichts anderes bestimmt.

(2) Der Staatsanwaltschaft steht auch Beschwerde zu, wenn ihre Anträge gemäß § 101 Abs. 2 nicht erledigt wurden. Überdies steht jeder Person Beschwerde zu, die behauptet, durch das Gericht im Rahmen einer Beweisaufnahme in einem subjektiven Recht (§ 106 Abs. 1) verletzt worden zu sein.

(3) Aufschiebende Wirkung hat eine Beschwerde nur dann, wenn das Gesetz dies ausdrücklich vorsieht.

Verfahren über Beschwerden

§ 88. (1) Die Beschwerde hat den Beschluss, Antrag oder Vorgang, auf den sie sich bezieht, anzuführen und anzugeben, worin die Verletzung des Rechts bestehen soll. Sie ist binnen vierzehn Tagen ab Bekanntmachung oder ab Kenntnis der Nichterledigung oder Verletzung des subjektiven Rechts schriftlich oder auf elektronischem Weg beim Gericht einzubringen oder im Fall der mündlichen Verkündung zu Protokoll zu geben.

(2) Eine Beschwerde gegen einen Beschluss, mit dem eine Anordnung der Staatsanwaltschaft im Ermittlungsverfahren bewilligt wird, ist bei der Staatsanwaltschaft einzubringen. Die Staatsanwaltschaft hat die Beschwerde mit einer allfälligen Stellungnahme unverzüglich an das Gericht weiterzuleiten.

(3) Die Beschwerde ist dem Rechtsmittelgericht ohne Verzug mit dem Akt vorzulegen. Der Gang des Verfahrens darf dadurch nicht aufgehalten werden; erforderlichenfalls sind Kopien jener Aktenteile, die zur Fortführung des Verfahrens erforderlich sind, zurückzubehalten.

(4) Eine Beschwerde, die innerhalb der Frist beim Rechtsmittelgericht oder im Fall des Abs. 1 bei der Staatsanwaltschaft, im Fall des Abs. 2 beim Gericht eingebracht wird, gilt als rechtzeitig.

Verfahren vor dem Rechtsmittelgericht

§ 89. (1) Das Rechtsmittelgericht hat der zuständigen Staatsanwaltschaft Gelegenheit zur Stellungnahme zu geben (§ 24) und über die Beschwerde in nicht öffentlicher Sitzung mit Beschluss zu entscheiden.

(2) Beschwerden, die verspätet oder von einer Person eingebracht wurden, der ein Rechtsmittel nicht zusteht (§ 87 Abs. 1), hat das Rechtsmittelgericht als unzulässig zurückzuweisen.

(2a) Das Rechtsmittelgericht kann den Beschluss aufheben und an das Erstgericht zur neuen Entscheidung nach Verfahrensergänzung unter sinngemäßer Anwendung des § 293 Abs. 2 verweisen, wenn

1. das Erstgericht örtlich oder sachlich unzuständig oder nicht gehörig besetzt war oder wenn ein gesetzlich ausgeschlossener Richter (§§ 43 und 46) den Beschluss gefasst hat,

2. das Erstgericht zu Unrecht seine Unzuständigkeit ausgesprochen hat,

3. das Erstgericht die Anträge nicht erledigt oder zur Entscheidung in der Sache erforderliche Beweisaufnahmen unterlassen hat oder einer der im § 281 Abs. 1 Z 5 oder 5a angeführten Gründe vorliegt, oder

4. rechtliches Gehör (§ 6) nicht gewährt werden kann, weil der Gegenstand der Beschwerde auf die Bewilligung einer Anordnung gerichtet ist, deren Erfolg voraussetzt, dass sie dem Gegner der Beschwerde vor ihrer Durchführung nicht bekannt wird.

(2b) Bei Beschwerden gegen die Bewilligung der Festnahme und gegen die Verhängung oder Fortsetzung der Untersuchungshaft hat das Rechtsmittelgericht stets in der Sache zu entscheiden und dabei gegebenenfalls auch Umstände zu berücksichtigen, die nach dem bekämpften Beschluss eingetreten oder bekannt geworden sind. Gleiches gilt, wenn es keinen Anlass findet, nach Abs. 2a vorzugehen. An die geltend gemachten Beschwerdepunkte ist das Rechtsmittelgericht nicht gebunden, zum Nachteil des Beschuldigten darf es jedoch niemals Beschlüsse ändern, gegen die nicht Beschwerde erhoben wurde.

(3) Entscheidet das Oberlandesgericht, dass die Untersuchungshaft aufzuheben sei, und treffen die hiefür maßgebenden Umstände auch bei einem Mitbeschuldigten zu, der keine Beschwerde erhoben hat, so hat das Oberlandesgericht so vorzugehen, als ob eine solche Beschwerde vorläge.

(4) Wird einer Beschwerde wegen Unzulässigkeit einer im 5. und 6. Abschnitt des 8. Hauptstückes (§§ 134 bis 143) geregelten Ermittlungsmaßnahme gemäß Abs. 2b Folge gegeben, so ist zugleich anzuordnen, dass alle durch diese Ermittlungsmaßnahme gewonnenen Ergebnisse zu vernichten sind.

(5) Das Rechtsmittelgericht kann vom Erstgericht und von der Staatsanwaltschaft weitere Aufklärungen verlangen. Vor seiner Entscheidung hat es dem Gegner der Beschwerde Gelegenheit zur Äußerung binnen sieben Tagen einzuräumen es sei denn, dass ein Fall des Abs. 2a Z 4 vorliegt. § 24 zweiter Satz ist anzuwenden.

(6) Gegen die Entscheidung des Rechtsmittelgerichts steht ein weiterer Rechtszug nicht zu.

6. Abschnitt

Vollstreckung von Geld- und Freiheitsstrafen

Vollstreckung von Geld- und Freiheitsstrafen

§ 90. (1) Alle Geldstrafen fließen dem Bund zu.

(2) Ist eine nach diesem Gesetz ausgesprochene Geldstrafe ganz oder teilweise uneinbringlich, so hat das Gericht sie in berücksichtigungswürdigen Fällen neu zu bemessen, sonst aber in eine Ersatzfreiheitsstrafe bis zu acht Tagen umzuwandeln.

(3) Auf den Vollzug von Ersatzfreiheitsstrafen nach Abs. 2 und der in diesem Gesetz angedrohten Freiheitsstrafen und der Beugehaft sind die Bestimmungen des Strafvollzugsgesetzes über den Vollzug von Freiheitsstrafen, deren Strafzeit drei Monate nicht übersteigt, sinngemäß anzuwenden.

2. TEIL

Das Ermittlungsverfahren

6. Hauptstück

Allgemeines

1. Abschnitt

Zweck des Ermittlungsverfahrens

Zweck des Ermittlungsverfahrens

§ 91. (1) Das Ermittlungsverfahren dient dazu, Sachverhalt und Tatverdacht durch Ermittlungen soweit zu klären, dass die Staatsanwaltschaft über Anklage, Rücktritt von der Verfolgung oder Einstellung des Verfahrens entscheiden kann und im Fall der Anklage eine zügige Durchführung der Hauptverhandlung ermöglicht wird.

(2) Ermittlung ist jede Tätigkeit der Kriminalpolizei, der Staatsanwaltschaft oder des Gerichts, die der Gewinnung, Sicherstellung, Auswertung oder Verarbeitung einer Information zur Aufklärung des Verdachts einer Straftat dient. Sie ist nach der in diesem Gesetz vorgesehenen Form entweder als Erkundigung oder als Beweisaufnahme durchzuführen.

(3) Erkundigungen (§ 151 Z 1) zur Klärung, ob auf Grund bestimmter Anhaltspunkte angenommen werden kann, dass ein Sachverhalt einem gesetzlichen Tatbild entspricht, sind keine Ermittlungen im Sinn des Abs. 2.

Ermächtigung zur Strafverfolgung

§ 92. (1) Soweit das Gesetz eine Ermächtigung zur Strafverfolgung voraussetzt, haben Kriminalpolizei oder Staatsanwaltschaft unverzüglich bei der gesetzlich berechtigten Person anzufragen, ob sie die Ermächtigung erteile. Wird diese verweigert, so ist jede weitere Ermittlung gegen die betreffende Person unzulässig und das Verfahren einzustellen. Die Ermächtigung gilt als verweigert, wenn die berechtigte Person sie nicht binnen vierzehn Tagen nach Anfrage erteilt. Diese Frist beträgt im Falle der öffentlichen Beleidigung eines verfassungsmäßigen Vertretungskörpers sechs Wochen; die tagungsfreie Zeit ist nicht einzurechnen.

(2) Die Ermächtigung muss sich auf eine bestimmte Person beziehen und spätestens bei Einleitung diversioneller Maßnahmen oder Einbringen der Anklage vorliegen. Sie kann bis zum Schluss des Beweisverfahrens erster Instanz zurückgenommen werden. Die Erklärung, als Privatbeteiligter am Verfahren mitzuwirken (§ 67), gilt als Ermächtigung.

2. Abschnitt

Zwangsgewalt und Beugemittel, Ordnungsstrafen

Zwangsgewalt und Beugemittel

§ 93. (1) Die Kriminalpolizei ist nach Maßgabe des § 5 ermächtigt, verhältnismäßigen und angemessenen Zwang anzuwenden, um die ihr gesetzlich eingeräumten Befugnisse durchzusetzen; dies gilt auch für die Durchsetzung einer Anordnung der Staatsanwaltschaft oder des Gerichts. Dabei ist die Kriminalpolizei unter den jeweils vorgesehenen Bedingungen und Förmlichkeiten ermächtigt, auch physische Gewalt gegen Personen und Sachen anzuwenden, soweit dies für die Durchführung von Ermittlungen oder die Aufnahme von Beweisen unerlässlich ist. Eine Anordnung zur Festnahme (§ 171 Abs. 1) berechtigt auch dazu, die Wohnung oder andere durch das Hausrecht geschützte Orte nach der festzunehmenden Person zu durchsuchen, soweit die Festnahme nach dem Inhalt der Anordnung in diesen Räumen vollzogen werden soll.

(2) Verweigert eine Person eine Handlung, zu der sie gesetzlich verpflichtet ist, so kann dieses Verhalten unmittelbar durch Zwang nach Abs. 1 oder durch eine gerichtliche Entscheidung ersetzt werden. Ist dies nicht möglich, so kann die Person, falls sie nicht selbst der Straftat verdächtig oder von der Pflicht zur Aussage gesetzlich befreit ist, durch Beugemittel angehalten werden, ihrer Verpflichtung nachzukommen.

(3) Soweit und solange dies für die Durchführung einer Zwangsmaßnahme oder Beweisaufnahme erforderlich ist, ist die Kriminalpolizei von sich aus oder auf Grund einer Anordnung ermächtigt, Behältnisse oder Räumlichkeiten durch Anbringen eines Siegels zu verschließen oder Tatorte abzusperren, um nicht berechtigte Personen am Zutritt zu hindern.

(4) Als Beugemittel kommt eine Geldstrafe bis zu 10 000 Euro und in wichtigen Fällen eine Freiheitsstrafe bis zu sechs Wochen in Betracht. Über Anwendung und Ausmaß von Beugemitteln hat das Gericht auf Antrag der Staatsanwaltschaft zu entscheiden (§ 105).

(5) Die Ausübung unmittelbaren Zwangs ist anzudrohen und anzukündigen, wenn die davon betroffene Person anwesend ist. Hievon darf nur abgesehen werden, wenn der Erfolg der Ermittlung oder der Beweisaufnahme dadurch gefährdet wäre. Für den Waffengebrauch gelten die Bestimmungen des Waffengebrauchsgesetzes 1969.

Ordnungsstrafen

§ 94. Für die Aufrechterhaltung der Ordnung und für die Wahrung des Anstandes hat der Leiter der jeweiligen Amtshandlung zu sorgen. Er ist zu diesem Zweck berechtigt, jede Person, die sich trotz vorausgegangener Ermahnung und Androhung ihrer Wegweisung seinen Anordnungen widersetzt, gegenüber anwesenden Personen aggressiv oder sonst grob ungebührlich verhält oder auf andere Weise die Amtshandlung behindert, auf einige Zeit oder für die gesamte Dauer der Amtshandlung aus dieser wegzuweisen oder zu entfernen. Im Übrigen sind die §§ 233 Abs. 3 und 235 bis 236a im Ermittlungsverfahren sinngemäß anzuwenden. Über die Verhängung der dort erwähnten Ordnungsstrafen (§ 235, § 236 Abs. 1) und die Aufforderung, einen anderen Vertreter zu bestellen (§ 236 Abs. 2, § 236a), entscheidet das Gericht mit Beschluss.

3. Abschnitt

Protokollierung

Amtsvermerk

§ 95. Vorbringen von Personen und andere bedeutsame Vorgänge sind derart schriftlich festzuhalten, dass ihr wesentlicher Inhalt nachvollzogen werden kann. Ein solcher Amtsvermerk ist jedenfalls vom aufnehmenden Organ und allenfalls von anderen Personen zu unterfertigen.

Protokoll

§ 96. (1) Die Aufnahme von Beweisen ist in einem Protokoll zu dokumentieren, welches insbesondere zu enthalten hat:

1. die Bezeichnung der Behörde und der an der Amtshandlung beteiligten Personen,

2. Ort, Zeit und Gegenstand der Amtshandlung,

3. den Inhalt von Aussagen,

4. andere wesentliche Vorgänge während der Amtshandlung,

5. allenfalls gestellte Anträge,

6. die Unterschriften der vernommenen Personen. Wird eine Unterschrift verweigert oder unterbleibt sie aus anderen Gründen, so sind die hiefür maßgebenden Umstände im Protokoll zu vermerken.

(2) Das Protokoll ist vom Leiter der Amtshandlung oder von einer anderen geeigneten Person als Schriftführer zu erstellen. Es ist in Vollschrift abzufassen. Sofern es diktiert wird, hat dies für die Anwesenden hörbar zu geschehen. Es ist aber zulässig, vorläufig Kurzschrift zu verwenden oder das Diktat mit einem technischen Hilfsmittel aufzunehmen. Eine solche Vorgangsweise und ein allenfalls verkündeter Beschluss sind jedenfalls sogleich in Vollschrift festzuhalten. Kurzschrift und Tonaufnahme sind unverzüglich in Vollschrift zu übertragen, die Tonaufnahme ist überdies zuvor wiederzugeben, sofern dies einer der Beteiligten verlangt.

(3) Soweit dies für die Beurteilung der Sache und der Ergebnisse der Amtshandlung erforderlich ist oder eine vernommene Person es verlangt, ist ihre Aussage im Protokoll wörtlich wieder zu geben; im Übrigen sind die Antworten ihrem wesentlichen Inhalt nach erzählungsweise festzuhalten. Die gestellten Fragen sind nur soweit aufzunehmen, als dies für das Verständnis der Antwort erforderlich ist.

(4) Das Protokoll ist der vernommenen Person zur Durchsicht mit der Information vorzulegen, dass sie berechtigt ist, Ergänzungen oder Berichtigungen zu verlangen. Erhebliche Zusätze oder Einwendungen sind in einen Nachtrag aufzunehmen und gesondert zu unterfertigen. Sofern dies abgelehnt wird, hat die vernommene Person das Recht, dem Protokoll eine Stellungnahme beizufügen. Im Übrigen darf in dem einmal Niedergeschriebenen nichts Erhebliches ausgelöscht, zugesetzt oder verändert werden. Durchgestrichene Stellen sollen noch lesbar bleiben. Das Protokoll ist von der vernommenen Person auf jeder Seite und am Ende vom Leiter der Amtshandlung, vom Schriftführer und den übrigen Beteiligten zu unterschreiben.

(5) Das Protokoll ist zum Akt zu nehmen. Soweit die vernommene Person zur Akteneinsicht berechtigt ist, ist ihr auf Verlangen sogleich gebührenfrei eine Abschrift oder Kopie auszufolgen, sofern dem schutzwürdige Interessen des Verfahrens oder Dritter nicht entgegen stehen; § 54 ist anzuwenden. Auf Kurzschriften und Tonaufnahmen (Abs. 2) ist § 271 Abs. 6 anzuwenden.

Ton- und Bildaufnahme

§ 97. (1) Nach ausdrücklicher Information der vernommenen Person ist es zulässig, eine Tonaufnahme oder Ton- und Bildaufnahme einer Vernehmung anzufertigen, sofern diese zur Gänze aufgenommen wird. Im Fall der Vernehmung eines Zeugen hat dies, unbeschadet besonderer gesetzlicher Bestimmungen (§§ 150, 165, 247a, 250 Abs. 3), zu unterbleiben, wenn und sobald der Zeuge der Aufnahme widerspricht.

(2) Im Falle einer Aufnahme nach Abs. 1 kann an Stelle eines Protokolls eine schriftliche Zusammenfassung des Inhalts der Vernehmung erstellt werden, welche der Leiter der Amtshandlung unterfertigt und zum Akt nimmt. Auf diese Zusammenfassung sind im Übrigen die Vorschriften der §§ 96 Abs. 1 und 3 und 271 Abs. 6 anzuwenden.

7. Hauptstück

Aufgaben und Befugnisse der Kriminalpolizei, der Staatsanwaltschaft und des Gerichts

1. Abschnitt

Allgemeines

Allgemeines

§ 98. (1) Kriminalpolizei und Staatsanwaltschaft haben das Ermittlungsverfahren nach Maßgabe dieses Gesetzes soweit wie möglich im Einvernehmen zu führen. Kann ein solches nicht erzielt werden, so hat die Staatsanwaltschaft die erforderlichen Anordnungen zu erteilen, die von der Kriminalpolizei zu befolgen sind (§ 99 Abs. 1).

(2) Das Gericht wird im Ermittlungsverfahren auf Antrag, von Amts wegen gemäß den §§ 104 und 105 Abs. 2 oder auf Grund eines Einspruchs tätig.

2. Abschnitt

Kriminalpolizei im Ermittlungsverfahren

Ermittlungen

§ 99. (1) Die Kriminalpolizei ermittelt von Amts wegen oder auf Grund einer Anzeige; Anordnungen der Staatsanwaltschaft und des Gerichts (§ 105 Abs. 2) hat sie zu befolgen.

(2) Ist für eine Ermittlungsmaßnahme eine Anordnung der Staatsanwaltschaft erforderlich, so kann die Kriminalpolizei diese Befugnis bei Gefahr im Verzug ohne diese Anordnung ausüben. In diesem Fall hat die Kriminalpolizei unverzüglich um Genehmigung anzufragen (§ 100 Abs. 2 Z 2); wird diese nicht erteilt, so hat die Kriminalpolizei die Ermittlungshandlung sogleich zu beenden und den ursprünglichen Zustand soweit wie möglich wieder herzustellen.

(3) Erfordert die Anordnung jedoch eine gerichtliche Bewilligung, so ist die Ermittlungsmaßnahme bei Gefahr im Verzug ohne diese Bewilligung nur dann zulässig, wenn das Gesetz dies ausdrücklich vorsieht.

(4) Ein Aufschub kriminalpolizeilicher Ermittlungen ist zulässig, wenn

1. dadurch die Aufklärung einer wesentlich schwerer wiegenden Straftat oder die Ausforschung eines an der Begehung der strafbaren Handlung führend Beteiligten gefördert wird und mit dem Aufschub keine ernste Gefahr für Leben, Gesundheit, körperliche Unversehrtheit oder Freiheit Dritter verbunden ist, oder

2. andernfalls eine ernste Gefahr für Leben, Gesundheit, körperliche Unversehrtheit oder Freiheit einer Person entstehen würde, die auf andere Weise nicht abgewendet werden kann.

(5) Die Kriminalpolizei hat die Staatsanwaltschaft von einem Aufschub nach Abs. 4 unverzüglich zu verständigen. Im Fall einer kontrollierten Lieferung, das ist der Transport von Gegenständen aus dem, in das oder durch das Bundesgebiet, ohne dass die Staatsanwaltschaft verpflichtet wäre, nach § 2 Abs. 1 vorzugehen, gelten die Bestimmungen der §§ 71 und 72 des Bundesgesetzes über die justizielle Zusammenarbeit in Strafsachen mit den Mitgliedstaaten der Europäischen Union (EU-JZG) sinngemäß.

Berichte

§ 100. (1) Die Kriminalpolizei hat Ermittlungen aktenmäßig festzuhalten, sodass Anlass, Durchführung und Ergebnis dieser Ermittlungen nachvollzogen werden können. Die Ausübung von Zwang und von Befugnissen, die mit einem Eingriff in Rechte verbunden sind, hat sie zu begründen.

(2) Die Kriminalpolizei hat der Staatsanwaltschaft schriftlich (Abs. 1) oder im Wege automationsunterstützter Datenverarbeitung zu berichten, wenn und sobald

1. sie vom Anfangsverdacht eines schwer wiegenden Verbrechens, insbesondere eines Verbrechens nach den §§ 278b bis 278e und 278g StGB, oder einer sonstigen Straftat von besonderem öffentlichen Interesse (§ 101 Abs. 2 zweiter Satz) Kenntnis erlangt (Anfallsbericht),

2. eine Anordnung oder Genehmigung der Staatsanwaltschaft oder eine Entscheidung des Gerichts erforderlich oder zweckmäßig ist oder die Staatsanwaltschaft einen Bericht verlangt (Anlassbericht),

3. in einem Verfahren gegen eine bestimmte Person seit der ersten gegen sie gerichteten Ermittlung drei Monate abgelaufen sind, ohne dass berichtet worden ist, oder seit dem letzten Bericht drei Monate vergangen sind (Zwischenbericht),

4. Sachverhalt und Tatverdacht soweit geklärt scheinen, dass eine Entscheidung der Staatsanwaltschaft über Anklage, Rücktritt von Verfolgung, Einstellen oder Abbrechen des Verfahrens ergehen kann (Abschlussbericht).

(3) Ein Bericht nach Abs. 2 hat – soweit diese Umstände nicht bereits berichtet wurden – insbesondere zu enthalten:

1. die Namen der Beschuldigten, oder, soweit diese nicht bekannt sind, die zu ihrer Identifizierung oder Ausforschung nötigen Merkmale, die Taten, deren sie verdächtig sind, und deren gesetzliche Bezeichnung,

2. die Namen der Anzeiger, der Opfer und allfälliger weiterer Auskunftspersonen,

3. eine zusammenfassende Sachverhaltsdarstellung und das geplante weitere Vorgehen, soweit dieses nicht bereits erörtert oder einer Dienstbesprechung vorbehalten wurde,

4. allfällige Anträge der Beschuldigten oder anderer Verfahrensbeteiligter.

(3a) Die Kriminalpolizei hat der Staatsanwaltschaft auch zu berichten, wenn aus ihrer Sicht kein Anfangsverdacht vorliegt, oder sie Zweifel hat, ob ein Anfangsverdacht vorliegt, zu dessen Aufklärung sie berechtigt und verpflichtet wäre, Ermittlungen zu führen. Dieser Bericht hat ohne unnötigen Aufschub, längstens drei Wochen nach Durchführung der ersten Erkundigung (§ 91 Abs. 3) zu erfolgen.

(4) Mit jedem Bericht sind der Staatsanwaltschaft, soweit dies noch nicht geschehen ist, alle für die Beurteilung der Sach- und Rechtslage erforderlichen krimi-

nalpolizeilichen Akten zu übermitteln oder auf elektronischem Weg zugänglich zu machen.

Berichte an die WKStA

§ 100a. (1) Die Kriminalpolizei hat der WKStA über jeden Verdacht einer im § 20a Abs. 1 erwähnten Straftat gemäß § 100 Abs. 2 Z 1 zu berichten.

(2) Die WKStA kann aus Zweckmäßigkeitsgründen und zur Vermeidung von Verzögerungen andere Staatsanwaltschaften um Durchführung einzelner Ermittlungs- oder sonstiger Amtshandlungen ersuchen. Diese sind verpflichtet, die WKStA in vollem Umfang zu unterstützen und Hilfe bei der Strafverfolgung zu leisten.

3. Abschnitt
Staatsanwaltschaft im Ermittlungsverfahren

Aufgaben

§ 101. (1) Die Staatsanwaltschaft leitet das Ermittlungsverfahren und entscheidet über dessen Fortgang und Beendigung. Gegen ihren erklärten Willen darf ein Ermittlungsverfahren weder eingeleitet noch fortgesetzt werden.

(2) Die Staatsanwaltschaft stellt die erforderlichen Anträge bei Gericht, soweit ihre Anordnungen einer gerichtlichen Bewilligung bedürfen. Abgesehen von den in den §§ 149 Abs. 3 und 165 Abs. 2 vorgesehenen Fällen hat die Staatsanwaltschaft gerichtliche Beweisaufnahmen zu beantragen, wenn an solchen wegen der Bedeutung der aufzuklärenden Straftat und der Person des Tatverdächtigen ein besonderes öffentliches Interesse besteht.

(3) Die Staatsanwaltschaft hat ihre Anträge nach Abs. 2 zu begründen und sie dem Gericht samt den Akten zu übermitteln. Bewilligt das Gericht eine Maßnahme, so entscheidet die Staatsanwaltschaft über die Durchführung. Wenn die Voraussetzungen, unter denen der Antrag bewilligt wurde, weggefallen sind oder sich derart geändert haben, dass die Durchführung rechtswidrig, unverhältnismäßig oder nicht mehr zweckmäßig wäre, hat die Staatsanwaltschaft von ihr abzusehen und das Gericht hievon zu verständigen.

(4) Die Staatsanwaltschaft prüft die Berichte der Kriminalpolizei und trifft die erforderlichen Anordnungen. Soweit dies aus rechtlichen oder tatsächlichen Gründen erforderlich ist, kann sie jederzeit weitere Ermittlungen und die Ausübung von Zwang durch die Kriminalpolizei anordnen.

Anordnungen und Genehmigungen

§ 102. (1) Die Staatsanwaltschaft hat ihre Anordnungen und Genehmigungen an die Kriminalpolizei gemäß deren Zuständigkeit zu richten. Die Anordnung von Zwangsmaßnahmen hat sie zu begründen und schriftlich auszufertigen. In dringenden Fällen können aber auch solche Anordnungen und Genehmigungen vorläufig mündlich übermittelt werden. Anstelle einer schriftlichen Ausfertigung ist auch die Bekanntmachung auf elektronischem Weg oder sonst unter Verwendung automationsunterstützter Datenverarbeitung zulässig.

(2) Eine Ausfertigung hat jedenfalls zu enthalten:

1. die Bezeichnung der Staatsanwaltschaft,

2. die Bezeichnung des Verfahrens, den Namen des Beschuldigten, soweit er bekannt ist, die Tat, deren der Beschuldigte verdächtig ist und ihre gesetzliche Bezeichnung,

3. die Tatsachen, aus denen sich ergibt, dass die Anordnung oder Genehmigung zur Aufklärung der Straftat erforderlich und verhältnismäßig ist und die jeweiligen gesetzlichen Voraussetzungen vorliegen,

4. eine Information über die Rechte des von der Anordnung oder Genehmigung Betroffenen.

(3) Im Fall einer im Rahmen der Rufbereitschaft bzw. des Journaldienstes (§§ 38, 39 GOG) erteilten gerichtlichen Bewilligung (§ 105 Abs. 1) hat die Anordnung der Staatsanwaltschaft an die Kriminalpolizei bis zum Ablauf des zweiten folgenden Werktages zu erfolgen, widrigenfalls die Bewilligung außer Kraft tritt.

Ermittlungen

§ 103. (1) Soweit dieses Gesetz im Einzelnen nichts anderes bestimmt, obliegt es der Kriminalpolizei, die Anordnungen der Staatsanwaltschaft durchzuführen. Die Staatsanwaltschaft kann sich an allen Ermittlungen der Kriminalpolizei beteiligen und dem Leiter der kriminalpolizeilichen Amtshandlung einzelne Aufträge erteilen, soweit dies aus rechtlichen oder tatsächlichen Gründen, insbesondere wegen der Bedeutung der Ermittlungen für die Entscheidung über die Fortsetzung des Verfahrens, zweckmäßig ist.

(2) Die Staatsanwaltschaft kann auch selbst Ermittlungen (§ 91 Abs. 2) durchführen oder durch einen Sachverständigen durchführen lassen.

4. Abschnitt
Gericht im Ermittlungsverfahren

Gerichtliche Beweisaufnahme

§ 104. (1) Das Gericht hat die Tatrekonstruktion nach den Bestimmungen des § 150 und die kontradiktorische Vernehmung von Zeugen und Beschuldigten nach den Bestimmungen des § 165 durchzuführen sowie in den Fällen der §§ 101 Abs. 2 und 126 Abs. 5 die beantragten Beweise nach den dafür maßgebenden Bestimmungen aufzunehmen, wobei für den Fall der Beweisaufnahme durch Sachverständige § 55 mit der Maßgabe gilt, dass mangelhafte Begründung der Eignung, das Beweisthema zu klären, zur Unterlassung der Beweisaufnahme nur berechtigt, wenn der Antrag zur Verzögerung gestellt wurde. Das Gericht hat den

Antrag mit Beschluss abzuweisen, wenn die gesetzlichen Voraussetzungen für solche Beweisaufnahmen nicht vorliegen.

(2) Soweit sich im Rahmen einer gerichtlichen Beweisaufnahme Umstände ergeben, die für die Beurteilung des Tatverdachts bedeutsam sind, kann das Gericht von Amts wegen oder auf Antrag weitere Beweise selbst aufnehmen. Gleiches gilt, wenn dies erforderlich ist, um die Gefahr abzuwenden, dass ein Beweismittel für eine erhebliche Tatsache verloren geht. In diesen Fällen hat das Gericht die Staatsanwaltschaft von der Beweisaufnahme zu verständigen. Die Protokolle über die Beweisaufnahmen hat das Gericht der Staatsanwaltschaft unverzüglich zu übermitteln. Das Gericht kann die Staatsanwaltschaft auch auf die Notwendigkeit der Durchführung bestimmter weiterer Ermittlungen aufmerksam machen.

Bewilligung von Zwangsmitteln

§ 105. (1) Das Gericht hat über Anträge auf Verhängung und Fortsetzung der Untersuchungshaft sowie auf Bewilligung bestimmter anderer Zwangsmittel zu entscheiden. Für die Durchführung einer von ihm bewilligten Maßnahme (§ 101 Abs. 3) hat das Gericht eine Frist zu setzen, bei deren ungenütztem Ablauf die Bewilligung außer Kraft tritt. Im Fall einer Anordnung der Ausschreibung zur Festnahme nach § 169 wird in die Frist die Zeit der Gültigkeit der Ausschreibung nicht eingerechnet, doch hat die Staatsanwaltschaft mindestens einmal jährlich zu prüfen, ob die Voraussetzungen der Festnahme noch vorliegen.

(2) Soweit dies zur Entscheidung über einen Antrag nach Abs. 1 aus rechtlichen oder tatsächlichen Gründen erforderlich ist, kann das Gericht weitere Ermittlungen durch die Kriminalpolizei anordnen oder von Amts wegen vornehmen. Es kann auch von der Staatsanwaltschaft und der Kriminalpolizei tatsächliche Aufklärungen aus den Akten und die Übermittlung eines Berichts über die Durchführung der bewilligten Maßnahme und der weiteren Ermittlungen verlangen. Nach Verhängung der Untersuchungshaft kann das Gericht anordnen, dass ihm Kopien der im § 52 Abs. 2 Z 2 und 3 angeführten Aktenstücke auch in weiterer Folge übermittelt werden.

(3) Wird die Durchführung einer Zwangsmaßnahme durch das Gericht vorläufig mündlich bewilligt, hat das Gericht den wesentlichen Inhalt des Vorbringens der Staatsanwaltschaft und die Gründe für die Dringlichkeit in einem Amtsvermerk (§ 95) festzuhalten. Im Rahmen der Rufbereitschaft oder des Journaldienstes (§ 38, § 39 Gerichtsorganisationsgesetz – GOG, RGBl. 217/1896) darf eine Bewilligung von Zwangsmitteln nur erfolgen, wenn damit nicht bis zum Beginn der nächsten gerichtlichen Dienststunden zugewartet werden kann.

Einspruch wegen Rechtsverletzung

§ 106. (1) Einspruch an das Gericht steht jeder Person zu, die behauptet, im Ermittlungsverfahren durch Staatsanwaltschaft in einem subjektiven Recht verletzt zu sein, weil

1. ihr die Ausübung eines Rechtes nach diesem Gesetz verweigert oder

2. eine Ermittlungs- oder Zwangsmaßnahme unter Verletzung von Bestimmungen dieses Gesetzes angeordnet oder durchgeführt wurde.

Im Fall des Todes der zum Einspruch berechtigten Person kommt dieses Recht den in § 65 Z 1 lit. b erwähnten Angehörigen zu. Eine Verletzung eines subjektiven Rechts liegt nicht vor, soweit das Gesetz von einer bindenden Regelung des Verhaltens von Staatsanwaltschaft oder Kriminalpolizei absieht und von diesem Ermessen im Sinne des Gesetzes Gebrauch gemacht wurde.

(2) Soweit gegen die Bewilligung einer Ermittlungsmaßnahme Beschwerde erhoben wird, ist ein Einspruch gegen deren Anordnung oder Durchführung mit der Beschwerde zu verbinden. In einem solchen Fall entscheidet das Beschwerdegericht auch über den Einspruch.

(3) Der Einspruch ist binnen sechs Wochen ab Kenntnis der behaupteten Verletzung in einem subjektiven Recht bei der Staatsanwaltschaft einzubringen. In ihm ist anzuführen, auf welche Anordnung oder welchen Vorgang er sich bezieht, worin die Rechtsverletzung besteht und auf welche Weise ihm stattzugeben sei. Sofern er sich gegen eine Maßnahme der Kriminalpolizei richtet, hat die Staatsanwaltschaft der Kriminalpolizei Gelegenheit zur Stellungnahme zu geben.

(4) Die Staatsanwaltschaft hat zu prüfen, ob die behauptete Rechtsverletzung vorliegt, und dem Einspruch, soweit er berechtigt ist, zu entsprechen sowie den Einspruchswerber davon zu verständigen, dass und auf welche Weise dies geschehen sei und dass er dennoch das Recht habe, eine Entscheidung des Gerichts zu verlangen, wenn er behauptet, dass seinem Einspruch tatsächlich nicht entsprochen wurde.

(5) Wenn die Staatsanwaltschaft dem Einspruch nicht,binnen vier Wochen entspricht oder der Einspruchswerber eine Entscheidung des Gerichts verlangt, hat die Staatsanwaltschaft den Einspruch unverzüglich an das Gericht weiter zu leiten. Stellungnahmen der Staatsanwaltschaft und der Kriminalpolizei hat das Gericht dem Einspruchswerber zur Äußerung binnen einer festzusetzenden, sieben Tage nicht übersteigenden Frist zuzustellen.

§ 107. (1) Unzulässige, verspätete und solche Einsprüche, denen die Staatsanwaltschaft entsprochen hat, sind zurückzuweisen. Im Übrigen hat das Gericht in der Sache zu entscheiden. Im Falle, dass Anklage eingebracht wurde, hat über den Einspruch jenes Gericht zu entscheiden, das im Ermittlungsverfahren zuständig gewesen wäre.

(2) Sofern sich die Umstände der behaupteten Rechtsverletzung nur durch unmittelbare Beweisauf-

nahme klären lassen, kann das Gericht von Amts wegen eine mündliche Verhandlung anberaumen und in dieser über den Einspruch entscheiden. Diese Verhandlung ist nicht öffentlich, doch hat das Gericht jedenfalls dem Einspruchswerber, der Staatsanwaltschaft und, sofern sich der Einspruch gegen sie richtet, der Kriminalpolizei Gelegenheit zur Teilnahme und Stellungnahme zu geben.

(3) Der Staatsanwaltschaft und dem Einspruchswerber steht Beschwerde zu; diese hat aufschiebende Wirkung. Das Oberlandesgericht kann die Behandlung einer Beschwerde ablehnen, es sei denn, dass die Entscheidung von der Lösung einer Rechtsfrage abhängt, der grundsätzliche Bedeutung zukommt, insbesondere weil das Gericht von der Rechtsprechung des Oberlandesgerichts oder des Obersten Gerichtshofs abweicht, eine solche Rechtsprechung fehlt oder die zu lösende Rechtsfrage in der bisherigen Rechtsprechung nicht einheitlich beantwortet wird.

(4) Im Falle, dass das Gericht dem Einspruch stattgibt, haben Staatsanwaltschaft und Kriminalpolizei den entsprechenden Rechtszustand mit den ihnen zu Gebote stehenden Mitteln herzustellen.

Antrag auf Einstellung

§ 108. (1) Die Dauer des Ermittlungsverfahrens darf bis zur Beendigung des Ermittlungsverfahrens nach dem 3. Teil dieses Bundesgesetzes oder bis zur Einbringung der Anklage (§ 210) grundsätzlich zwei Jahre nicht übersteigen.

(2) Das Gericht hat das Ermittlungsverfahren auf Antrag des Beschuldigten einzustellen, wenn

1. auf Grund der Anzeige oder der vorliegenden Ermittlungsergebnisse feststeht, dass die dem Ermittlungsverfahren zu Grunde liegende Tat nicht mit gerichtlicher Strafe bedroht oder die weitere Verfolgung des Beschuldigten sonst aus rechtlichen Gründen unzulässig ist, oder

2. der bestehende Tatverdacht nach Dringlichkeit und Gewicht sowie im Hinblick auf die bisherige Dauer und den Umfang des Ermittlungsverfahrens dessen Fortsetzung nicht rechtfertigt und von einer weiteren Klärung des Sachverhalts eine Intensivierung des Verdachts nicht zu erwarten ist.

(3) Der Antrag ist bei der Staatsanwaltschaft einzubringen und kann sich auch auf die Einstellung wegen einzelner Straftaten beziehen. Die Staatsanwaltschaft hat das Verfahren einzustellen (§§ 190 bis 192) oder den Antrag längstens binnen vier Wochen mit einer allfälligen Stellungnahme an das Gericht weiterzuleiten. Wurde der Antrag innerhalb des ersten Monats ab Beginn des Strafverfahrens eingebracht, beträgt diese Frist sechs Wochen. Sie kann den Antrag auch teils auf die eine, teils auf die andere Art erledigen. Wird im Fall eines Antrags nach Abs. 2 Z 2 eine Verletzung des Beschleunigungsgebots (§ 9) behauptet, so hat die Staatsanwaltschaft zu den Gründen für die Dauer des Ermittlungsverfahrens Stellung zu nehmen. Im Fall der Überschreitung der Höchstdauer des Ermittlungsverfahrens hat die Staatsanwaltschaft jedenfalls zu den Gründen für die Dauer des Ermittlungsverfahrens und dazu Stellung zu nehmen, warum ihr eine Einhaltung der Höchstdauer des Ermittlungsverfahrens nicht möglich war. § 106 Abs. 5 letzter Satz gilt sinngemäß.

(4) Das Gericht hat den Antrag als unzulässig zurückzuweisen, wenn er nicht vom Beschuldigten eingebracht wurde, im Übrigen jedoch in der Sache zu entscheiden. Bezieht sich der Antrag des Beschuldigten auf mehrere Straftaten, so kann das Gericht den Antrag auch teils mit Abweisung und teils mit Einstellung erledigen. Die Beschwerde der Staatsanwaltschaft gegen einen Beschluss auf Einstellung des Verfahrens hat aufschiebende Wirkung. Soweit kein Grund für eine Einstellung des Verfahrens nach Abs. 2 Z 1 oder 2 besteht, das Gericht jedoch eine der Staatsanwaltschaft anzulastende Verletzung des Beschleunigungsgebots (§ 9) im Hinblick auf die Intensität des Tatverdachtes und das Verhalten des Beschuldigten im Verhältnis zum Umfang der Ermittlungen, der Komplexität der zu lösenden Tat- und Rechtsfragen und der Anzahl der Beteiligten des Verfahrens feststellt, kann es der Staatsanwaltschaft konkrete verfahrensbeschleunigende Maßnahmen auftragen.

(5) Wurde die Höchstdauer des Ermittlungsverfahrens überschritten, so hat das Gericht, soweit es nicht nach Abs. 2 und Abs. 4 erster und zweiter Satz vorgeht, auszusprechen, dass sich die Höchstdauer des Ermittlungsverfahrens um bis zu zwei Jahre ab dem Zeitpunkt der Beschlussfassung verlängert, sowie ob eine der Staatsanwaltschaft anzulastende Verletzung des Beschleunigungsgebots (Abs. 4 letzter Satz) vorliegt. § 105 Abs. 2 gilt sinngemäß.

(6) Kann das Ermittlungsverfahren auch nicht vor Ablauf der nach Abs. 5 verlängerten Frist beendet werden, so hat die Staatsanwaltschaft von Amts wegen auf die in Abs. 3 bezeichnete Weise und das Gericht wiederum nach den vorangehenden Absätzen vorzugehen.

(7) Die Frist nach Abs. 1 wird durch die in § 58 Abs. 3 Z 2 StGB genannten Verfahrenshandlungen für jeden Beschuldigten, gegen den sich diese gerichtet haben, ausgelöst. Zeiten eines gerichtlichen Verfahrens nach § 112 und § 112a sowie Zeiten der Erledigung von Rechtshilfeersuchen oder Ermittlungsanordnungen durch ausländische Justizbehörden sind nicht in die Frist einzurechnen. Wird ein nach § 197 abgebrochenes oder ein nach den §§ 190 bis 192 beendetes Verfahren fortgeführt oder ein Ermittlungsverfahren nach § 215, § 352 Abs. 1 oder § 485 Abs. 1 Z 2 wiedereröffnet, so werden jene Zeiten, in denen das Verfahren unterbrochen oder eingestellt war, in die Fristen nach Abs. 1 und Abs. 5 erster Satz nicht eingerechnet.

8. Hauptstück
Ermittlungsmaßnahmen und Beweisaufnahme

1. Abschnitt
Sicherstellung, Beschlagnahme, Beschlagnahme von Datenträgern und Daten, Auskunft aus dem Kontenregister und Auskunft über Bankkonten und Bankgeschäfte

Definitionen

§ 109. Im Sinne dieses Gesetzes ist

1. „Sicherstellung"

a. die vorläufige Begründung der Verfügungsmacht über Gegenstände, Vermögenswerte und Daten und

b. das vorläufige Verbot der Herausgabe von Gegenständen oder anderen Vermögenswerten an Dritte (Drittverbot) und das vorläufige Verbot der Veräußerung oder Verpfändung solcher Gegenstände und Vermögenswerte,

1a. „Vermögenswerte" Vermögenswerte jeder Art, ob körperlich oder unkörperlich, beweglich oder unbeweglich, einschließlich Vermögensrechte und Kryptowerte sowie Urkunden in jeder Form, die ein Recht auf solche Vermögenswerte oder Rechte daran belegen,

2. „Beschlagnahme"

a. eine gerichtliche Entscheidung auf Begründung oder Fortsetzung einer Sicherstellung nach Z 1 und

b. das gerichtliche Verbot der Veräußerung, Belastung oder Verpfändung von Liegenschaften oder Rechten, die in einem öffentlichen Buch eingetragen sind,

2a. „Beschlagnahme von Datenträgern und Daten" eine gerichtliche Entscheidung auf Begründung einer Sicherstellung von

a. Datenträgern und darauf gespeicherten Daten,

b. Daten, die an anderen Speicherorten als einem Datenträger gespeichert sind, soweit auf sie von diesem aus zugegriffen werden kann, oder

c. Daten, die auf Datenträgern oder an anderen Speicherorten gespeichert sind (lit. a und b), die zuvor nach Z 1 lit. a sichergestellt wurden,

zum Zweck der Auswertung von Daten,

2b. „Aufbereitung von Daten" eine aus Beweisgründen erfolgende technische Aufbereitung, einschließlich der Wiederherstellung von Daten, und deren Einschränkung auf den der gerichtlichen Entscheidung nach Z 2a in Bezug auf die Datenkategorien und den Zeitraum entsprechenden Umfang,

2c. „Originalsicherung" eine unter Verwendung forensischer Sicherungsmechanismen gewonnene Kopie des Originaldatenbestandes,

2d. „Arbeitskopie" eine Kopie der Originalsicherung, anhand derer die Aufbereitung von Daten (Z 2b) erfolgt,

2e. „Ergebnis der Datenaufbereitung" ein der gerichtlichen Entscheidung (Z 2a) in Bezug auf die Datenkategorien und den Zeitraum entsprechender Datensatz,

3. „Auskunft aus dem Kontenregister" die Abfrage und Übermittlung von Daten aus dem Kontenregister (§§ 2 und 4 Kontenregister- und Konteneinschaugesetz, BGBl. I Nr. 116/2015),

4. „Auskunft über Bankkonten und Bankgeschäfte" die Herausgabe aller Unterlagen über die Identität des Inhabers einer Geschäftsverbindung und über seine Verfügungsberechtigung, die Einsicht in Urkunden und andere Unterlagen eines Kredit- oder Finanzinstituts über Art und Umfang einer Geschäftsverbindung und damit im Zusammenhang stehende Geschäftsvorgänge und sonstige Geschäftsvorfälle für einen bestimmten vergangenen oder zukünftigen Zeitraum.

Sicherstellung

§ 110. (1) Sicherstellung ist zulässig, wenn sie

1. aus Beweisgründen, hinsichtlich Daten jedoch nur soweit, als es sich um punktuelle Daten oder Daten, die mittels Bild- und Tonaufzeichnungsgeräten an öffentlichen oder öffentlich zugänglichen Orten aufgenommen wurden, handelt,

2. zur Sicherung privatrechtlicher Ansprüche oder

3. zur Sicherung der Konfiskation (§ 19a StGB), des Verfalls (§ 20 StGB), des erweiterten Verfalls (§ 20b StGB), der Einziehung (§ 26 StGB) oder einer anderen gesetzlich vorgesehenen vermögensrechtlichen Anordnung

erforderlich scheint.

(2) Sicherstellung ist von der Staatsanwaltschaft anzuordnen und von der Kriminalpolizei durchzuführen.

(3) Die Kriminalpolizei ist berechtigt, Gegenstände und Vermögenswerte (§ 109 Z 1 lit. a) von sich aus sicherzustellen,

1. wenn sie

a. in niemandes Verfügungsmacht stehen,

b. dem Opfer durch die Straftat entzogen wurden,

c. am Tatort aufgefunden wurden und zur Begehung der strafbaren Handlung verwendet oder dazu bestimmt worden sein könnten, oder

d. geringwertig oder vorübergehend leicht ersetzbar sind,

2. wenn ihr Besitz allgemein verboten ist (§ 445a Abs. 1),

3. die im Rahmen einer Durchsuchung nach § 120 Abs. 2 aufgefunden werden oder mit denen eine Person, die aus dem Grunde des § 170 Abs. 1 Z 1 festgenommen wird, betreten wurde oder die im Rahmen ihrer Durchsuchung gemäß § 120 Abs. 1 zweiter Satz aufgefunden werden, oder

4. in den Fällen des Artikels 18 der Verordnung (EU) Nr. 608/2013 zur Durchsetzung der Rechte geistigen Eigentums durch die Zollbehörden und zur Aufhebung der Verordnung (EG) Nr. 1383/2003 des Rates, ABl. Nr. L 181 vom 29.06.2013 S. 15.

(3a) Die Kriminalpolizei ist berechtigt, punktuelle Daten (§111 Abs. 2) von sich aus sicherzustellen.

(4) Die Sicherstellung von Gegenständen oder Vermögenswerten aus Beweisgründen (Abs. 1 Z 1) ist nicht zulässig und jedenfalls auf Verlangen der betroffenen Person aufzuheben, soweit und sobald der Beweiszweck durch Bild-, Ton- oder sonstige Aufnahmen oder durch Kopien schriftlicher Aufzeichnungen oder automationsunterstützt verarbeiteter Daten erfüllt werden kann und nicht anzunehmen ist, dass die sichergestellten Gegenstände oder Vermögenswerte selbst oder die Originale der sichergestellten Informationen in der Hauptverhandlung in Augenschein zu nehmen sein werden.

§ 111. (1) Jede Person, die Gegenstände oder Vermögenswerte, die sichergestellt werden sollen, in ihrer Verfügungsmacht hat, ist verpflichtet (§ 93 Abs. 2), diese auf Verlangen der Kriminalpolizei herauszugeben oder die Sicherstellung auf andere Weise zu ermöglichen. Diese Pflicht kann erforderlichenfalls auch mittels Durchsuchung von Personen oder Wohnungen erzwungen werden; dabei sind die §§ 119 bis 122 sinngemäß anzuwenden.

(2) Sollen Daten, die mittels Bild- und Tonaufzeichnungsgeräten an öffentlichen oder öffentlich zugänglichen Orten aufgenommen wurden, sichergestellt werden, so ist jede Person verpflichtet (§ 93 Abs. 2), Zugang zu diesen zu gewähren und sie auf Verlangen in einem allgemein gebräuchlichen Dateiformat auszufolgen oder eine Kopie herzustellen zu lassen. Gleiches gilt für punktuelle Daten; Daten einer Nachrichtenübermittlung, geographische Standorte sowie gesendete, übermittelte oder empfangene Nachrichten sind davon ausgenommen.

(3) Personen, die nicht selbst der Tat beschuldigt sind, sind auf ihren Antrag die angemessenen und ortsüblichen Kosten zu ersetzen, die ihr durch die Trennung von Urkunden oder sonstigen beweiserheblichen Gegenständen oder Vermögenswerten von anderen oder durch die Ausfolgung von Kopien notwendigerweise entstanden sind.

(4) In jedem Fall ist der von der Sicherstellung betroffenen Person sogleich oder längstens binnen 24 Stunden eine Bestätigung über die Sicherstellung auszufolgen oder zuzustellen und sie über das Recht, Einspruch zu erheben (§ 106) und eine gerichtliche Entscheidung über die Aufhebung oder Fortsetzung der Sicherstellung zu beantragen (§ 115), zu informieren. Von einer Sicherstellung zur Sicherung einer Entscheidung über privatrechtliche Ansprüche (§ 110 Abs. 1 Z 2) ist, soweit möglich, auch das Opfer zu verständigen.

§ 112. (1) Widerspricht die von der Sicherstellung betroffene oder anwesende Person, auch wenn sie selbst der Tat beschuldigt ist, der Sicherstellung von schriftlichen Aufzeichnungen oder Daten (§ 111 Abs. 2) unter Berufung auf ein gesetzlich anerkanntes Recht auf Verschwiegenheit, das bei sonstiger Nichtigkeit nicht durch Sicherstellung umgangen werden darf, so sind diese Unterlagen auf geeignete Art und Weise gegen unbefugte Einsichtnahme oder Veränderung zu sichern und bei Gericht zu hinterlegen. Auf Antrag des Betroffenen sind die Unterlagen jedoch bei der Staatsanwaltschaft zu hinterlegen, die sie vom Ermittlungsakt getrennt aufzubewahren hat. In beiden Fällen dürfen die Unterlagen von Staatsanwaltschaft oder Kriminalpolizei nicht eingesehen werden, solange nicht über die Einsicht nach den folgenden Absätzen entschieden worden ist.

(2) Der Betroffene ist aufzufordern, binnen einer angemessenen, 14 Tage nicht unterschreitenden Frist jene Teile der Aufzeichnungen oder Daten (§ 111 Abs. 2) konkret zu bezeichnen, deren Offenlegung eine Umgehung seiner Verschwiegenheit bedeuten würde; zu diesem Zweck ist er berechtigt, in die hinterlegten Unterlagen Einsicht zu nehmen. Unterlässt der Betroffene eine solche Bezeichnung, so sind die Unterlagen zum Akt zu nehmen und auszuwerten. Andernfalls hat das Gericht, im Fall eines Antrags nach Abs. 1 vorletzter Satz jedoch die Staatsanwaltschaft die Unterlagen unter Beiziehung des Betroffenen sowie gegebenenfalls geeigneter Hilfskräfte oder eines Sachverständigen zu sichten und anzuordnen, ob und in welchem Umfang sie zum Akt genommen werden dürfen. Unterlagen, die nicht zum Akt genommen werden, sind dem Betroffenen auszufolgen. Aus deren Sichtung gewonnene Erkenntnisse dürfen bei sonstiger Nichtigkeit nicht für weitere Ermittlungen oder als Beweis verwendet werden.

(3) Gegen die Anordnung der Staatsanwaltschaft kann der Betroffene Einspruch erheben, in welchem Fall die Unterlagen dem Gericht vorzulegen sind, das zu entscheiden hat, ob und in welchem Umfang sie zum Akt genommen werden dürfen; Abs. 2 letzter Satz gilt. Einer Beschwerde gegen den Beschluss des Gerichts kommt aufschiebende Wirkung zu.

§ 112a. (1) Widerspricht eine von einer Sicherstellung betroffene Behörde oder öffentliche Dienststelle der Sicherstellung von schriftlichen Aufzeichnungen oder Daten (§ 111 Abs. 2) unter Berufung darauf, dass diese

StPO

1. Informationen enthalten, die aufgrund gesetzlicher Vorschriften oder der gemäß § 12 Bundesministeriengesetz 1986, BGBl. Nr. 76/1986, ergangenen Geheimschutzordnung des Bundes – GehSO klassifizierte nachrichtendienstliche Informationen sind, deren Geheimhaltung das Interesse an der Strafverfolgung im Einzelfall überwiegt, oder

2. von ausländischen Sicherheitsbehörden oder Sicherheitsorganisationen (§ 2 Abs. 2 Polizeikooperationsgesetz – PolKG, BGBl. I Nr. 104/1997) klassifiziert übermittelte Informationen enthalten und nur mit deren vorheriger Zustimmung zu anderen als den der Übermittlung zugrundeliegenden Zwecken verarbeitet werden dürfen,

so sind diese Unterlagen auf geeignete Art und Weise gegen unbefugte Einsichtnahme oder Veränderung zu sichern und bei Gericht zu hinterlegen. Die Unterlagen dürfen von Staatsanwaltschaft oder Kriminalpolizei nicht eingesehen werden, solange nicht über die Einsicht nach den folgenden Absätzen entschieden worden ist.

(2) Die Behörde oder öffentliche Dienststelle (Abs. 1) ist aufzufordern, binnen einer angemessenen, 14 Tage nicht unterschreitenden Frist jene Teile der Unterlagen konkret zu bezeichnen, deren Offenlegung einer der in Abs. 1 genannten Gründe entgegenstehen würde; zu diesem Zweck ist sie berechtigt, in die hinterlegten Unterlagen Einsicht zu nehmen. Überdies hat sie binnen der gesetzten Frist im Falle eines Widerspruchs aus dem Grund des

1. Abs. 1 Z 1 das überwiegende Interesse an der Geheimhaltung im Einzelnen anzuführen und zu begründen,

2. Abs. 1 Z 2 mitzuteilen, ob die ausländische Sicherheitsbehörde oder Sicherheitsorganisation der Verarbeitung für die in der Anordnung der Sicherstellung genannten Zwecke zugestimmt hat.

(3) Unterlässt die Behörde oder öffentliche Dienststelle eine solche Bezeichnung, so sind die Unterlagen zum Akt zu nehmen und auszuwerten. Anderenfalls hat das Gericht die Unterlagen unter Beiziehung der Behörde oder öffentlichen Dienststelle sowie gegebenenfalls geeigneter Hilfskräfte oder eines Sachverständigen zu sichten und anzuordnen, ob und in welchem Umfang sie zum Akt genommen werden dürfen. Unterlagen, die nicht zum Akt genommen werden, sind der Behörde oder öffentlichen Dienststelle auszufolgen. Aus deren Sichtung gewonnene Erkenntnisse dürfen bei sonstiger Nichtigkeit nicht für weitere Ermittlungen oder als Beweis verwendet werden.

(4) Der Behörde oder öffentlichen Dienststelle steht gegen den Beschluss des Gerichts Beschwerde zu; diese hat aufschiebende Wirkung.

§ 113. (1) Die Sicherstellung endet,

1. wenn die Kriminalpolizei sie aufhebt (Abs. 2),

2. wenn die Staatsanwaltschaft die Aufhebung anordnet (Abs. 3),

3. wenn das Gericht die Beschlagnahme anordnet.

(2) Die Kriminalpolizei hat der Staatsanwaltschaft über jede Sicherstellung unverzüglich, längstens jedoch binnen 14 Tagen zu berichten (§ 100 Abs. 2 Z 2), soweit sie eine Sicherstellung nach § 110 Abs. 3 nicht zuvor wegen Fehlens oder Wegfalls der Voraussetzungen aufhebt. Dieser Bericht kann jedoch mit dem nächstfolgenden verbunden werden, wenn dadurch keine wesentlichen Interessen des Verfahrens oder von Personen beeinträchtigt werden und die sichergestellten Gegenstände und Vermögenswerte geringwertig sind, sich in niemandes Verfügungsmacht befinden oder ihr Besitz allgemein verboten ist (§ 445a Abs. 1). Im Fall des § 110 Abs. 3 Z 4 hat die Kriminalpolizei nach den Bestimmungen der §§ 3, 4 und 6 des Produktpirateriegesetzes 2004, BGBl. I Nr. 56/2004, vorzugehen.

(3) Die Staatsanwaltschaft hat im Fall einer Sicherstellung nach § 109 Z 1 lit. b sogleich bei Gericht die Beschlagnahme zu beantragen oder, wenn deren Voraussetzungen nicht vorliegen oder weggefallen sind, die Aufhebung der Sicherstellung anzuordnen.

(4) Im Fall einer Sicherstellung von Gegenständen oder Vermögenswerten (§ 109 Z 1 lit. a) findet eine Beschlagnahme auch auf Antrag nicht statt, wenn sich die Sicherstellung auf Gegenstände oder Vermögenswerte im Sinne des § 110 Abs. 3 Z 1 lit. a und d oder Z 2 bezieht oder der Sicherungszweck durch andere behördliche Maßnahmen erfüllt werden kann. In diesen Fällen hat die Staatsanwaltschaft die erforderlichen Verfügungen über die sichergestellten Gegenstände oder Vermögenswerte und ihre weitere Verwahrung zu treffen und gegebenenfalls die Sicherstellung aufzuheben.

§ 114. (1) Für die Verwahrung sichergestellter Gegenstände und Vermögenswerte hat bis zur Berichterstattung über die Sicherstellung (§ 113 Abs. 2) die Kriminalpolizei, danach die Staatsanwaltschaft zu sorgen.

(1a) Sichergestellte Kryptowerte sind auf behördeneigene Infrastruktur der Kriminalpolizei zu transferieren und dort zu verwahren. Soweit dies aus rechtlichen oder tatsächlichen Gründen erforderlich ist, kann die Staatsanwaltschaft anordnen, dass die Verwahrung von Kryptowerten auch nach der Berichterstattung durch die Kriminalpolizei erfolgt.

(2) Wenn der Grund für die weitere Verwahrung sichergestellter Gegenstände und Vermögenswerte wegfällt, sind diese sogleich jener Person auszufolgen, in deren Verfügungsmacht sie sichergestellt wurden, es sei denn, dass diese Person offensichtlich nicht berechtigt ist. In diesem Fall sind sie der berechtigten Person auszufolgen oder, wenn eine solche nicht ersichtlich ist und nicht ohne unverhältnismäßigen Aufwand festgestellt werden kann, nach § 1425 ABGB

gerichtlich zu hinterlegen. Die hievon betroffenen Personen sind zu verständigen.

Beschlagnahme

§ 115. (1) Beschlagnahme ist zulässig, wenn die sichergestellten Gegenstände und Vermögenswerte voraussichtlich

1. im weiteren Verfahren als Beweismittel erforderlich sein werden,

2. privatrechtlichen Ansprüchen unterliegen oder

3. dazu dienen werden, eine gerichtliche Entscheidung auf Konfiskation (§ 19a StGB), auf Verfall (§ 20 StGB), auf erweiterten Verfall (§ 20b StGB), auf Einziehung (§ 26 StGB) oder eine andere gesetzlich vorgesehene vermögensrechtliche Anordnung zu sichern.

(2) Über die Beschlagnahme hat das Gericht auf Antrag der Staatsanwaltschaft oder einer von der Sicherstellung betroffenen Person unverzüglich zu entscheiden.

(3) § 110 Abs. 4 gilt sinngemäß. Gegebenenfalls ist die Beschlagnahme auf die dort angeführten Aufnahmen und Kopien zu beschränken.

(4) Für eine Beschlagnahme durch Drittverbot und Veräußerungs- oder Belastungsverbot (§ 109 Z 2 lit. b) gelten, sofern in diesem Gesetz nichts anderes bestimmt wird, die Bestimmungen der Exekutionsordnung über einstweilige Verfügungen sinngemäß.

(5) In einem Beschluss, mit dem eine Beschlagnahme zur Sicherung einer gerichtlichen Entscheidung auf Verfall (§ 20 StGB) oder auf erweiterten Verfall (§ 20b StGB) bewilligt wird, ist ein Geldbetrag zu bestimmen, in dem die für verfallen zu erklärenden Vermögenswerte Deckung finden.

(6) Wenn und sobald die Voraussetzungen der Beschlagnahme nicht oder nicht mehr bestehen oder ein nach Abs. 5 bestimmter Geldbetrag erlegt wird, hat die Staatsanwaltschaft, nach dem Einbringen der Anklage das Gericht, die Beschlagnahme aufzuheben.

Verwertung sichergestellter oder beschlagnahmter Vermögenswerte

§ 115a. (1) Vermögenswerte, die gemäß § 110 Abs. 1 Z 3 sichergestellt wurden oder deren Beschlagnahme gemäß § 115 Abs. 1 Z 3 zulässig ist, sind einzuziehen oder zu veräußern (Verwertung), wenn

1. über den Verfall oder den erweiterten Verfall nicht in einem Strafurteil (§§ 443 bis 444a) oder in einem selbstständigen Verfahren (§§ 445 bis 446) entschieden werden kann, weil der Beschuldigte oder ein Haftungsbeteiligter nicht ausgeforscht werden oder nicht vor Gericht gestellt werden kann und das Verfahren aus diesem Grund gemäß § 197 abzubrechen ist,

2. seit der Sicherstellung oder Beschlagnahme mindestens zwei Jahre vergangen sind und das Edikt über die bevorstehende Verwertung (§ 115b) mindestens ein Jahr öffentlich bekannt gemacht war (§ 115b Abs. 2).

(2) Die Verwertung ist unzulässig, soweit und solange

1. eine Person, die nicht im Verdacht steht, sich an der strafbaren Handlung beteiligt zu haben, ein Recht auf den Vermögenswert (Abs. 1) glaubhaft gemacht hat, oder

2. der Vermögenswert (Abs. 1) gerichtlich gepfändet ist.

(3) Über die Verwertung hat das Gericht auf Antrag der Staatsanwaltschaft, gegebenenfalls zugleich mit der Beschlagnahme zu entscheiden.

§ 115b. (1) Eine Verwertung hat das Gericht durch Edikt anzukündigen, das zu enthalten hat:

1. die Bezeichnung des Drittschuldners,

2. eine Beschreibung oder Bezeichnung des Vermögenswerts (§ 115a Abs. 1) nach Art, Umfang und Höhe,

3. die Mitteilung, dass der Vermögenswert (§ 115a Abs. 1) nach Ablauf eines Jahres verwertet werde, sofern nicht bis dahin die Aufhebung der Sicherstellung oder Beschlagnahme beantragt werde.

(2) Das Edikt ist durch Aufnahme in die Ediktsdatei (§ 89j GOG) öffentlich bekannt zu machen. Eine schriftliche Ausfertigung ist der Staatsanwaltschaft, gegebenenfalls dem von der Anordnung Betroffenen sowie dem Drittschuldner zuzustellen, der zu verpflichten ist, alle Tatsachen, die einer Verwertung entgegenstehen könnten, dem Gericht unverzüglich mitzuteilen. Dabei entstehende angemessene und ortsübliche Kosten sind zu ersetzen (§ 111 Abs. 3).

§ 115c. (1) Ein Beschluss auf Verwertung ist durch Aufnahme in die Ediktsdatei (§ 89j GOG) öffentlich bekannt zu machen. Die Zustellung gilt dadurch als bewirkt. Dieses Edikt hat zumindest dreißig Jahre lang in der Ediktsdatei abfragbar zu bleiben.

(2) Eine rechtzeitig eingebrachte Beschwerde hat aufschiebende Wirkung.

§ 115d. (1) Ein rechtskräftiger Beschluss auf Verwertung ist in sinngemäßer Anwendung des § 408 zu vollstrecken. In der Aufforderung nach § 408 Abs. 1 ist dem betroffenen Schuldner aufzutragen, dem Gericht alle den Vermögenswert (§ 115a Abs. 1) betreffenden Unterlagen vorzulegen.

(2) Kann nach Rechtskraft des Beschlusses auf Verwertung über den Verfall oder den erweiterten Verfall entschieden werden, so ist nach den §§ 443 bis 446 vorzugehen. Im Übrigen gilt § 444 Abs. 2 sinngemäß.

(3) Ein Ersatz für zu Gunsten des Bundes verwertete Vermögenswerte (§ 115a Abs. 1) ist nur in Geld zu

leisten. Der Bund ist dabei wie ein redlicher Besitzer zu behandeln (§ 330 ABGB).

§ 115e. (1) Unterliegen sichergestellte (§ 110 Abs. 1 Z 3) oder beschlagnahmte (§ 115 Abs. 1 Z 3) Gegenstände oder Vermögenswerte einem raschen Verderben, einer erheblichen Wertminderung oder Wertschwankung oder lassen sie sich nur mit unverhältnismäßigen Kosten aufbewahren, so kann das Gericht diese auf Antrag der Staatsanwaltschaft auf die im § 377 angeordnete Weise veräußern. Die Verwertung hat jedoch solange zu unterbleiben, als die Gegenstände für Beweiszwecke benötigt werden (§ 110 Abs. 4).

(2) Personen, die von der Veräußerung betroffen sind, sind vor der Verwertung, gegebenenfalls unter sinngemäßer Anwendung des § 83 Abs. 5 zu verständigen. Der Erlös tritt an die Stelle der veräußerten Gegenstände und Vermögenswerte. Die Verwertung wegen unverhältnismäßiger Aufbewahrungskosten unterbleibt, wenn rechtzeitig ein zur Deckung dieser Kosten ausreichender Betrag erlegt wird.

(3) Über die Verwertung hat das Gericht auf Antrag der Staatsanwaltschaft, gegebenenfalls zugleich mit der Beschlagnahme zu entscheiden.

Beschlagnahme von Datenträgern und Daten

§ 115f. (1) Die Beschlagnahme von Datenträgern und Daten ist zulässig, wenn sie aus Beweisgründen erforderlich scheint und aufgrund bestimmter Tatsachen anzunehmen ist, dass dadurch Informationen ermittelt werden können, die für die Aufklärung einer Straftat wesentlich sind.

(2) Die Beschlagnahme von Datenträgern und Daten ist durch die Staatsanwaltschaft auf Grund einer gerichtlichen Bewilligung anzuordnen und von der Kriminalpolizei durchzuführen.

(3) Die Anordnung und die gerichtliche Bewilligung der Beschlagnahme von Datenträgern und Daten haben die Bezeichnung des Verfahrens, den Namen des Beschuldigten, soweit dieser bekannt ist, die Tat, deren der Beschuldigte verdächtig ist, und ihre gesetzliche Bezeichnung sowie die Tatsachen, aus denen sich ergibt, dass die Anordnung und Bewilligung zur Aufklärung der Tat voraussichtlich erforderlich und verhältnismäßig sind, anzuführen und über die Rechte des von der Anordnung und Bewilligung Betroffenen zu informieren; darüber hinaus haben sie die Umschreibung der Datenkategorien und Dateninhalte, die zu beschlagnahmen sind, und in Bezug auf welchen Zeitraum dies zu erfolgen hat, zu enthalten.

(4) Die Kriminalpolizei ist berechtigt, Datenträger und Daten, die einer Beschlagnahme nach Abs. 1 unterliegen, bei Gefahr im Verzug von sich aus sicherzustellen,

1. wenn andernfalls der Verlust des Datenträgers oder der darauf oder an anderen Speicherorten (§ 109 Z 2a lit. a und b) gespeicherten Daten zu befürchten wäre,

2. in den Fällen der § 110 Abs. 3 und § 170 Abs. 1 Z 1, oder

3. wenn zu erwarten ist, dass dadurch der Aufenthalt eines flüchtigen Beschuldigten, der einer vorsätzlich begangenen, mit mehr als einjähriger Freiheitsstrafe bedrohten strafbaren Handlung dringend verdächtig ist, ermittelt werden kann.

In diesem Fall ist die Kriminalpolizei von sich aus zu einem Zugriff auf und Einsicht in die Daten vorläufig ohne Anordnung und Bewilligung berechtigt, wobei sie die ausgewerteten Daten zu protokollieren hat.

(5) Eine neuerliche Anordnung und Bewilligung nach Abs. 3 ist zulässig, soweit auf Grund bestimmter Tatsachen oder Umstände anzunehmen ist, dass ein weiterer Zugriff auf die Originalsicherung (§ 109 Z 2c) oder Arbeitskopie (§ 109 Z 2d) erforderlich ist und die Voraussetzungen (Abs. 1) vorliegen.

(6) Die Beschlagnahme von Datenträgern und Daten ist nicht zulässig und jedenfalls auf Verlangen der betroffenen Person aufzuheben, soweit und sobald der Beweiszweck durch Bild-, Ton- oder sonstige Aufnahmen oder durch Kopien automationsunterstützt verarbeiteter Daten erfüllt werden kann und nicht anzunehmen ist, dass der Datenträger selbst oder die Originale der beschlagnahmten Daten in der Hauptverhandlung in Augenschein zu nehmen sein werden.

(7) Ein sofortiger Zugriff auf Datenträger und Daten und Einsichtnahme in diese ist zulässig, um im Rahmen der gerichtlichen Bewilligung die erforderlichen Daten (Abs. 3) zu sichern (§ 74 Abs. 2).

(8) In jedem Fall ist der von der Beschlagnahme von Datenträgern und Daten sowie einer Sicherstellung nach Abs. 4 betroffenen Person sogleich oder längstens binnen 24 Stunden eine Bestätigung über die Sicherstellung auszufolgen oder zuzustellen und sie über das Recht zu informieren, eine gerichtliche Entscheidung über die Aufhebung oder Fortsetzung der Sicherstellung zu beantragen.

(9) Wenn und sobald die Voraussetzungen der Beschlagnahme nicht oder nicht mehr bestehen, hat die Staatsanwaltschaft, nach Einbringen der Anklage das Gericht, die Beschlagnahme aufzuheben. Wird einer Beschwerde Folge gegeben, weil festgestellt wird, dass kein Anfangsverdacht (§ 1 Abs. 3) vorgelegen ist, so gilt § 89 Abs. 4.

§ 115g. (1) Sollen Datenträger und Daten beschlagnahmt werden (§ 109 Z 2a), so ist jede Person verpflichtet (§ 93 Abs. 2), Zugang zu diesen zu gewähren und auf Verlangen Daten in einem allgemein gebräuchlichen Dateiformat auszufolgen oder eine Kopie herstellen zu lassen. Überdies hat sie die Herstellung einer Originalsicherung (§ 109 Z 2c) der auf den Datenträgern oder an anderen Speicherorten gespeicherten Daten zu dulden; § 111 Abs. 3 gilt sinngemäß.

(2) § 112 und § 112a sind sinngemäß anzuwenden, wobei der Betroffene aufzufordern ist, jene Teile des Ergebnisses der Datenaufbereitung konkret zu be-

zeichnen, deren Offenlegung eine Umgehung seiner Verschwiegenheit bedeuten würde; zu diesem Zweck ist er berechtigt, Einsicht in dieses zu nehmen.

(3) Über jede Sicherstellung eines Datenträgers nach § 115f Abs. 4 hat die Kriminalpolizei unverzüglich, längstens jedoch binnen 14 Tagen der Staatsanwaltschaft zu berichten (§ 100 Abs. 2 Z 2), welche im Nachhinein sogleich beim Gericht die Beschlagnahme von Datenträgern und Daten (§ 115f Abs. 1 bis 3) zu beantragen oder, wenn deren Voraussetzungen nicht vorliegen oder weggefallen sind, die Aufhebung der Sicherstellung anzuordnen hat. Wird die Bewilligung nicht erteilt, so haben Staatsanwaltschaft und Kriminalpolizei mit den ihnen zu Gebote stehenden rechtlichen Mitteln den der gerichtlichen Entscheidung entsprechenden Rechtszustand herzustellen und alle durch diese Ermittlungsmaßnahme gewonnenen Ergebnisse zu vernichten; einer Beschwerde der Staatsanwaltschaft gegen einen solchen Beschluss des Gerichts kommt aufschiebende Wirkung zu.

Aufbereitung von Daten

§ 115h. (1) Eine Originalsicherung (§ 109 Z 2c) ist herzustellen, eine Arbeitskopie (§ 109 Z 2d) zu erstellen und anhand dieser die Daten im Umfang der gerichtlichen Bewilligung aufzubereiten (§ 109 Z 2b). Das Ergebnis der Datenaufbereitung (§ 109 Z 2e) ist in einem allgemein gebräuchlichen Dateiformat in strukturierter Form herzustellen, sodass die Daten elektronisch weiterverarbeitet werden können. Es ist ein Aufbereitungsbericht zu erstellen, der jedenfalls den Ablauf der Aufbereitung von Daten zu dokumentieren sowie den Umstand einer Wiederherstellung von Daten und die Kriterien für die erfolgte Einschränkung von Daten festzuhalten hat. Gleiches gilt, wenn Anlass besteht, nach § 101 Abs. 2 zweiter Satz oder § 103 Abs. 2 vorzugehen.

(2) Die Staatsanwaltschaft hat das Ergebnis der Datenaufbereitung (§ 109 Z 2e) dem Gericht bei Einbringung der Anklage zu übermitteln. Das Gericht hat diese nach rechtskräftigem Abschluss des Verfahrens zu löschen und die Löschung der Originalsicherung sowie der Arbeitskopie anzuordnen, soweit sie nicht in einem anderen, bereits anhängigen Strafverfahren als Beweismittel Verwendung finden. Gleiches gilt für die Staatsanwaltschaft im Fall der Einstellung des Verfahrens.

Auswertung von Daten

§ 115i. (1) Das Ergebnis der Datenaufbereitung (§ 109 Z 2e) ist inhaltlich auszuwerten; zu diesem Zweck können Suchparameter festgelegt werden. Die Suchparameter und die Anzahl der durch diese erzielten Suchtreffer sind im Akt zu dokumentieren. Die Staatsanwaltschaft hat diejenigen Ergebnisse der Auswertung zu den Akten zu nehmen, die für das Verfahren von Bedeutung sind und als Beweismittel verwendet werden dürfen (§ 115j Abs. 1, § 144, § 157 Abs. 2).

(2) Der Beschuldigte und das Opfer haben das Recht, die Auswertung von Daten anhand weiterer Suchparameter zu beantragen (§ 55). Wurden ihre Datenträger und Daten beschlagnahmt, ist ihnen zu ermöglichen, das Ergebnis der Datenaufbereitung (§ 109 Z 2e) einzusehen; anderen Personen steht eine solche Einsichtnahme nicht zu. § 51 Abs. 2 gilt sinngemäß.

(3) Auf Antrag des Beschuldigten sind weitere Ergebnisse der Auswertung zu den Akten zu nehmen, wenn diese für das weitere Verfahren von Bedeutung sind und als Beweismittel verwendet werden dürfen (§ 115j Abs. 1, § 144, § 157 Abs. 2).

(4) Bei der Auswertung von Daten sind die Persönlichkeitsrechte soweit wie möglich zu wahren; die Auswertung ist auf das unvermeidbare Maß zu beschränken. Die von der Auswertung der Daten betroffenen Personen haben das Recht, das Ergebnis der Auswertung von Daten insoweit einzusehen, als ihre Daten betroffen sind. Über dieses und das ihnen nach Abs. 5 zustehende Recht hat die Staatsanwaltschaft diese Personen, sofern ihre Identität bekannt oder ohne besonderen Verfahrensaufwand feststellbar ist, zu informieren.

(5) Auf Antrag des Beschuldigten oder von Amts wegen sind Daten aus dem Ergebnis der Datenaufbereitung zu vernichten, wenn sie für ein Strafverfahren nicht von Bedeutung sein können oder als Beweismittel nicht verwendet werden dürfen. Dieses Antragsrecht steht auch den in Abs. 4 genannten betroffenen Personen zu.

§ 115j. (1) Als Beweismittel dürfen Ergebnisse einer Auswertung bei sonstiger Nichtigkeit nur verwendet werden, wenn die Ermittlungsmaßnahme rechtmäßig angeordnet und bewilligt (§ 115f Abs. 2 und 4 sowie § 115g Abs. 3) wurde.

(2) Ergeben sich bei der Auswertung von Daten Hinweise auf die Begehung einer anderen strafbaren Handlung als derjenigen, die Anlass zur Beschlagnahme von Datenträgern und Daten gegeben hat, so ist mit diesen ein gesonderter Akt anzulegen, soweit die Verwendung als Beweismittel zulässig ist (Abs. 1, § 144, § 157 Abs. 2).

Verwahrung von Datenträgern und Daten

§ 115k. Die Originalsicherung und die Arbeitskopie sind auf geeignete Art und Weise gegen unbefugte Einsichtnahme oder Veränderung zu sichern und bis zur rechtskräftigen Beendigung des Strafverfahrens aufzubewahren; auf die Originalsicherung und Arbeitskopie darf außer im Fall des § 115f Abs. 5 nicht zugegriffen werden; im Übrigen ist eine Einsichtnahme unzulässig. Für die Verwahrung von Datenträgern, sofern sie nicht zurückgestellt werden können, und des Ergebnisses der Datenaufbereitung (§ 109 Z 2e) hat im Fall einer Aufbereitung der Daten durch die Kriminalpolizei bis zur Berichterstattung über die abschließende Auswertung der Daten (§ 115i) diese, danach die Staatsanwaltschaft zu sorgen.

Rechtsschutz

StPO **§ 115l.** (1) Dem Rechtsschutzbeauftragten obliegt die Prüfung und Kontrolle der Anordnung, Genehmigung, Bewilligung und Durchführung einer Beschlagnahme von Datenträgern und Daten (§ 109 Z 2a). Im Fall einer Antragstellung nach § 115f hat die Staatsanwaltschaft den Rechtsschutzbeauftragten samt einer Ausfertigung dieses Antrags und der Bewilligung ehestmöglich zu informieren. Richtet sich die Beschlagnahme von Datenträgern und Daten gegen eine Person, deren Vernehmung als Zeuge gemäß § 155 Abs. 1 Z 1 verboten ist, oder die gemäß § 157 Abs. 1 Z 2 bis 4 berechtigt ist, die Aussage zu verweigern, hat sie dem Rechtsschutzbeauftragten zugleich mit dem Antrag auf gerichtliche Bewilligung eine Ausfertigung dieses Antrags samt Kopien aller Aktenstücke, die für die Beurteilung der Anordnungsgründe von Bedeutung sein können, zu übermitteln und um Ermächtigung zur Antragstellung zu ersuchen. Eine Ermächtigung darf der Rechtsschutzbeauftragte nur erteilen, wenn besonders schwerwiegende Gründe vorliegen, die diesen Eingriff verhältnismäßig erscheinen lassen; § 144 Abs. 1 und Abs. 3 gilt sinngemäß.

(2) Die Staatsanwaltschaft und die Kriminalpolizei haben dem Rechtsschutzbeauftragten bei der Wahrnehmung seiner Aufgaben jederzeit Einblick in alle erforderlichen Akten, Unterlagen und Daten zu gewähren, die der Dokumentation der Durchführung dienen, ihm auf Verlangen Kopien oder Ausfertigungen einzelner Aktenstücke unentgeltlich auszufolgen und alle erforderlichen Auskünfte zu erteilen; insofern kann ihm gegenüber eine gesetzliche Pflicht zur Geheimhaltung nicht geltend gemacht werden.

(3) Dem Rechtsschutzbeauftragten ist jederzeit Gelegenheit zu geben, die Aufbereitung von Daten (§ 115h) und die Auswertung von Daten (§ 115i) zu überwachen sowie alle Räume zu betreten, in denen Originalsicherungen, Arbeitskopien, Datenträger und Ergebnisse der Datenaufbereitung aufbewahrt sowie die Aufbereitung von Daten vorgenommen werden. Er hat insbesondere darauf zu achten, dass bei der Aufbereitung und der Auswertung von Daten die Anordnung und die gerichtliche Bewilligung nicht überschritten werden. Auf Anregung der Staatsanwaltschaft kann der Rechtsschutzbeauftragte die in dieser Bestimmung genannten Prüfungen vornehmen; ein Recht auf Anregung kommt auch dem Beschuldigten, dem Opfer und von der Ermittlungsmaßnahme Betroffenen zu (§ 55). Der Rechtsschutzbeauftragte hat mitzuteilen, ob er einer solchen Anregung nachkommt; diese Mitteilung hat eine Begründung zu enthalten.

(4) Dem Rechtsschutzbeauftragten steht Beschwerde gegen die Bewilligung der im Abs. 1 genannten Ermittlungsmaßnahme und Einspruch gegen deren Anordnung und Durchführung zu; dieses Recht erlischt mit dem Ablauf der Rechtsmittelfrist des Beschuldigten.

(5) Der Rechtsschutzbeauftragte ist berechtigt, die Vernichtung von Daten (§ 115i Abs. 5) zu beantragen. Beabsichtigt die Staatsanwaltschaft, einem solchen Antrag des Rechtsschutzbeauftragten nicht nachzukommen, so hat sie unverzüglich die Entscheidung des Gerichts einzuholen.

(6) Nach Beendigung der Ermittlungsmaßnahme ist dem Rechtsschutzbeauftragten Gelegenheit zu geben, den Aufbereitungsbericht und das Ergebnis der Datenaufbereitung (§ 109 Z 2e) einzusehen. Nach Beendigung des Strafverfahrens ist ihm Gelegenheit zu geben, sich von der ordnungsgemäßen Vernichtung der Originalsicherung, der Arbeitskopie und des Ergebnisses der Datenaufbereitung zu überzeugen.

Auskunft aus dem Kontenregister und Auskunft über Bankkonten und Bankgeschäfte

§ 116. (1) Auskunft aus dem Kontenregister und Auskunft über Bankkonten und Bankgeschäfte sind zulässig, wenn sie zur Aufklärung einer vorsätzlich begangenen Straftat oder eines Vergehens, das in die Zuständigkeit des Landesgerichts fällt (§ 31 Abs. 2 bis 4) oder zur Aufklärung der Voraussetzungen einer Anordnung auf Auskunft nach Abs. 2 Z 2 in Verfahren wegen einer vorsätzlich begangenen Straftat, für die im Hauptverfahren das Landesgericht zuständig wäre (§ 31 Abs. 2 bis 4), erforderlich erscheinen.

(2) Auskunft über Bankkonten und Bankgeschäfte ist darüber hinaus nur zulässig, wenn auf Grund bestimmter Tatsachen anzunehmen ist,

1. dass dadurch Gegenstände, Urkunden oder andere Unterlagen über eine Geschäftsverbindung oder damit im Zusammenhang stehende Transaktionen sichergestellt werden können, soweit dies für die Aufklärung der Straftat erforderlich ist,

2. dass Gegenstände oder andere Vermögenswerte zur Sicherung der Konfiskation (§ 19a StGB), des Verfalls (§ 20 StGB), des erweiterten Verfalls (§ 20b StGB), der Einziehung (§ 26 StGB) oder einer anderen gesetzlich vorgesehenen vermögensrechtlichen Anordnung gemäß § 109 Z 1 lit. b sichergestellt werden können, oder

3. dass eine mit der Straftat im Zusammenhang stehende Transaktion über die Geschäftsverbindung abgewickelt werde.

(3) Auskunft aus dem Kontenregister ist von der Staatsanwaltschaft anzuordnen (§ 102 Abs. 2).

(4) Auskunft über Bankkonten und Bankgeschäfte ist durch die Staatsanwaltschaft auf Grund einer gerichtlichen Bewilligung anzuordnen. Anordnung und Bewilligung der Auskunftserteilung haben zu enthalten:

1. die Bezeichnung des Verfahrens und der Tat, die ihm zu Grunde liegt, sowie deren gesetzliche Bezeichnung,

2. das Kredit- oder Finanzinstitut,

3. die Umschreibung der sicherzustellenden Gegenstände, Urkunden (Unterlagen) oder Vermögenswerte,

4. die Tatsachen, aus denen sich die Erforderlichkeit und Verhältnismäßigkeit (§ 5) der Anordnungen ergibt,

5. im Fall einer Anordnung nach Abs. 2 Z 3 den von ihr umfassten Zeitraum.

(5) Die Anordnung der Auskunft aus dem Kontenregister und die Anordnung der Auskunft über Bankkonten und Bankgeschäfte samt gerichtlicher Bewilligung sind dem Beschuldigten und den aus der Geschäftsverbindung verfügungsberechtigten Personen zuzustellen, sobald diese der Staatsanwaltschaft bekannt geworden sind. Die Zustellung kann jedoch aufgeschoben werden, solange durch sie der Zweck dieses oder eines anderen Verfahrens gefährdet wäre.

(6) Kredit- oder Finanzinstitute und ihre Mitarbeiter sind verpflichtet, die Auskünfte zu erteilen sowie die Urkunden und Unterlagen einsehen zu lassen und herauszugeben. Dies hat auf einem elektronischen Datenträger in einem allgemein gebräuchlichen Dateiformat in strukturierter Form so zu erfolgen, dass die Daten elektronisch weiterverarbeitet werden können. Die Verpflichtung nach dem ersten Satz und ihren Umfang sowie jene, mit der Anordnung und Bewilligung verbundene Tatsachen und Vorgänge gegenüber Dritten geheim zu halten, hat die Staatsanwaltschaft dem Kredit- oder Finanzinstitut mit gesonderter Anordnung aufzutragen; diese Anordnung hat die entsprechende gerichtliche Bewilligung anzuführen. Die rechtliche Zulässigkeit der Auskunftserteilung und Mitwirkung gründet auf der gerichtlichen Bewilligung.

(7) Wird einem Einspruch wegen Rechtsverletzung oder einer Beschwerde Folge gegeben, so gilt § 89 Abs. 4. Eine Durchsuchung des Kredit- oder Finanzinstituts bedarf stets einer Anordnung der Staatsanwaltschaft auf Grund einer gerichtlichen Bewilligung. §§ 110 Abs. 4 und 111 Abs. 3 sind anzuwenden.

2. Abschnitt
Identitätsfeststellung, Durchsuchung von Orten und Gegenständen, Durchsuchung von Personen, körperliche Untersuchung und molekulargenetische Untersuchung

Definitionen

§ 117. Im Sinne dieses Gesetzes ist

1. „Identitätsfeststellung“ die Ermittlung und Feststellung von Daten (§ 36 Abs. 2 Z 1 DSG), die eine bestimmte Person unverwechselbar kennzeichnen,

2. „Durchsuchung von Orten und Gegenständen“ das Durchsuchen

a. eines nicht allgemein zugänglichen Grundstückes, Raumes, Fahrzeuges oder Behältnisses,

b. einer Wohnung oder eines anderen Ortes, der durch das Hausrecht geschützt ist, und darin befindlicher Gegenstände,

3. „Durchsuchung einer Person“

a. die Durchsuchung der Bekleidung einer Person und der Gegenstände, die sie bei sich hat,

b. die Besichtigung des unbekleideten Körpers einer Person,

4. „körperliche Untersuchung“ die Durchsuchung von Körperöffnungen, die Abnahme einer Blutprobe und jeder andere Eingriff in die körperliche Integrität von Personen,

5. „molekulargenetische Untersuchung“ die Ermittlung jener Bereiche in der DNA einer Person, die der Wiedererkennung dienen.

Identitätsfeststellung

§ 118. (1) Identitätsfeststellung ist zulässig, wenn auf Grund bestimmter Tatsachen angenommen werden kann, dass eine Person an einer Straftat beteiligt ist, über die Umstände der Begehung Auskunft geben kann oder Spuren hinterlassen hat, die der Aufklärung dienen könnten.

(2) Die Kriminalpolizei ist ermächtigt, zur Identitätsfeststellung die Namen einer Person, ihr Geschlecht, ihr Geburtsdatum, ihren Geburtsort, ihren Beruf und ihre Wohnanschrift zu ermitteln. Die Kriminalpolizei ist auch ermächtigt, die Größe einer Person festzustellen, sie zu fotografieren, ihre Stimme aufzunehmen und ihre Papillarlinienabdrücke abzunehmen, soweit dies zur Identitätsfeststellung erforderlich ist.

(3) Jedermann ist verpflichtet, auf eine den Umständen nach angemessene Weise an der Feststellung seiner Identität mitzuwirken; die Kriminalpolizei hat ihm auf Aufforderung mitzuteilen, aus welchem Anlass diese Feststellung erfolgt.

(4) Wenn die Person an der Identitätsfeststellung nicht mitwirkt oder ihre Identität aus anderen Gründen nicht sogleich festgestellt werden kann, ist die Kriminalpolizei berechtigt, zur Feststellung der Identität eine Durchsuchung der Person nach § 117 Z 3 lit. a von sich aus durchzuführen.

Durchsuchung von Orten und Gegenständen sowie von Personen

§ 119. (1) Durchsuchung von Orten und Gegenständen (§ 117 Z 2) ist zulässig, wenn auf Grund bestimmter Tatsachen anzunehmen ist, dass sich dort eine Person verbirgt, die einer Straftat verdächtig ist, oder Gegenstände oder Spuren befinden, die sicherzustellen oder auszuwerten sind.

(2) Durchsuchung einer Person (§ 117 Z 3) ist zulässig, wenn diese

1. festgenommen oder auf frischer Tat betreten wurde,

2. einer Straftat verdächtig ist und auf Grund bestimmter Tatsachen anzunehmen ist, dass sie Gegenstände, die der Sicherstellung unterliegen, bei sich oder Spuren an sich habe,

3. durch eine Straftat Verletzungen erlitten oder andere Veränderungen am Körper erfahren haben könnte, deren Feststellung für Zwecke eines Strafverfahrens erforderlich ist.

§ 120. (1) Durchsuchungen von Orten und Gegenständen nach § 117 Z 2 lit. b und von Personen nach § 117 Z 3 lit. b sind von der Staatsanwaltschaft auf Grund einer gerichtlichen Bewilligung anzuordnen; bei Gefahr im Verzug ist die Kriminalpolizei allerdings berechtigt, diese Durchsuchungen vorläufig ohne Anordnung und Bewilligung vorzunehmen. Gleiches gilt in den Fällen des § 170 Abs. 1 Z 1 für die Durchsuchung von Personen nach § 117 Z 3 lit. b. Das Opfer darf jedoch in keinem Fall dazu gezwungen werden, sich gegen seinen Willen durchsuchen zu lassen (§§ 119 Abs. 2 Z 3 und 121 Abs. 1 letzter Satz).

(2) Durchsuchungen nach § 117 Z 2 lit. a und nach § 117 Z 3 lit. a kann die Kriminalpolizei von sich aus durchführen.

§ 121. (1) Vor jeder Durchsuchung ist der Betroffene unter Angabe der hiefür maßgebenden Gründe aufzufordern, die Durchsuchung zuzulassen oder das Gesuchte freiwillig herauszugeben. Von dieser Aufforderung darf nur bei Gefahr im Verzug sowie im Fall des § 119 Abs. 2 Z 1 abgesehen werden. Die Anwendung von Zwang (§ 93) ist im Fall der Durchsuchung einer Person nach § 119 Abs. 2 Z 3 unzulässig.

(2) Der Betroffene hat das Recht, bei einer Durchsuchung nach § 117 Z 2 anwesend zu sein, sowie einer solchen und einer Durchsuchung nach § 117 Z 3 lit. b eine Person seines Vertrauens zuzuziehen; für diese gilt § 160 Abs. 2 sinngemäß. Ist der Inhaber der Wohnung nicht zugegen, so kann ein erwachsener Mitbewohner seine Rechte ausüben. Ist auch das nicht möglich, so sind der Durchsuchung zwei unbeteiligte, vertrauenswürdige Personen beizuziehen. Davon darf nur bei Gefahr im Verzug abgesehen werden. Einer Durchsuchung in ausschließlich der Berufsausübung gewidmeten Räumen einer der in § 157 Abs. 1 Z 2 bis 4 erwähnten Personen ist von Amts wegen ein Vertreter der jeweiligen gesetzlichen Interessenvertretung beziehungsweise der Medieninhaber oder ein von ihm namhaft gemachter Vertreter beizuziehen.

(3) Bei der Durchführung sind Aufsehen, Belästigungen und Störungen auf das unvermeidbare Maß zu beschränken. Die Eigentums- und Persönlichkeitsrechte sämtlicher Betroffener sind soweit wie möglich zu wahren. Eine Durchsuchung von Personen nach § 117 Z 3 lit. b ist stets von einer Person desselben Geschlechts oder von einem Arzt unter Achtung der Würde der zu untersuchenden Person vorzunehmen.

§ 122. (1) Über jede Durchsuchung nach § 120 Abs. 1 erster Satz letzter Halbsatz hat die Kriminalpolizei sobald wie möglich der Staatsanwaltschaft zu berichten (§ 100 Abs. 2 Z 2), welche im Nachhinein eine Entscheidung des Gerichts über die Zulässigkeit der Durchsuchung (§ 99 Abs. 3) zu beantragen hat. Wird die Bewilligung nicht erteilt, so haben Staatsanwaltschaft und Kriminalpolizei mit den ihnen zu Gebote stehenden rechtlichen Mitteln den der gerichtlichen Entscheidung entsprechenden Rechtszustand herzustellen.

(2) Werden bei einer Durchsuchung Gegenstände gefunden, die auf die Begehung einer anderen als der Straftat schließen lassen, derentwegen die Durchsuchung vorgenommen wird, so sind sie zwar sicherzustellen; es muss jedoch hierüber ein besonderes Protokoll aufgenommen und sofort der Staatsanwaltschaft berichtet werden.

(3) In jedem Fall ist dem Betroffenen sogleich oder längstens binnen 24 Stunden eine Bestätigung über die Durchsuchung und deren Ergebnis sowie gegebenenfalls die Anordnung der Staatsanwaltschaft samt gerichtlicher Entscheidung auszufolgen oder zuzustellen.

Körperliche Untersuchung

§ 123. (1) Eine körperliche Untersuchung ist zulässig, wenn

1. auf Grund bestimmter Tatsachen anzunehmen ist, dass eine Person Spuren hinterlassen hat, deren Sicherstellung und Untersuchung für die Aufklärung einer Straftat wesentlich sind,

2. auf Grund bestimmter Tatsachen anzunehmen ist, dass eine Person Gegenstände im Körper verbirgt, die der Sicherstellung unterliegen, oder

3. Tatsachen, die für die Aufklärung einer Straftat oder die Beurteilung der Zurechnungsfähigkeit von maßgebender Bedeutung sind, auf andere Weise nicht festgestellt werden können.

(2) Eine körperliche Untersuchung nach Abs. 1 Z 1 ist auch an Personen zulässig, die einem durch bestimmte Merkmale individualisierbaren Personenkreis angehören, wenn auf Grund bestimmter Tatsachen anzunehmen ist, dass sich der Täter in diesem Personenkreis befindet und die Aufklärung einer mit mehr als fünf Jahren Freiheitsstrafe bedrohten Straftat oder eines Verbrechens nach dem 10. Abschnitt des Strafgesetzbuches andernfalls wesentlich erschwert wäre.

(3) Eine körperliche Untersuchung ist von der Staatsanwaltschaft auf Grund einer gerichtlichen Bewilligung anzuordnen. Bei Gefahr im Verzug kann die Untersuchung auch auf Grund einer Anordnung der Staatsanwaltschaft durchgeführt werden, doch hat die Staatsanwaltschaft in diesem Fall unverzüglich die gerichtliche Bewilligung einzuholen. Wird diese nicht erteilt, so hat die Staatsanwaltschaft die Anordnung sofort zu widerrufen und das Ergebnis der körperlichen Untersuchung vernichten zu lassen. Einen Mundhöhlenabstrich kann die Kriminalpolizei jedoch von sich aus abnehmen.

(4) Operative Eingriffe und alle Eingriffe, die eine Gesundheitsschädigung von mehr als dreitägiger Dauer bewirken könnten, sind unzulässig. Andere Eingriffe dürfen vorgenommen werden, wenn die zu untersuchende Person nach vorheriger Aufklärung über die möglichen Folgen ausdrücklich zustimmt. Ohne Einwilligung des Betroffenen darf eine Blutabnahme oder ein vergleichbar geringfügiger Eingriff, bei dem der Eintritt von anderen als bloß unbedeutenden Folgen ausgeschlossen ist, vorgenommen werden, wenn

1. die Person im Verdacht steht,

a) eine Straftat nach § 178 StGB oder

b) eine Straftat gegen Leib und Leben durch Ausübung einer gefährlichen Tätigkeit in alkoholisiertem oder sonst durch ein berauschendes Mittel beeinträchtigtem Zustand begangen zu haben, oder

2. die körperliche Untersuchung des Beschuldigten zur Aufklärung einer mit mehr als fünf Jahren Freiheitsstrafe bedrohten Straftat oder eines Verbrechens nach dem 10. Abschnitt des Strafgesetzbuches erforderlich ist.

(5) Jede körperliche Untersuchung ist von einem Arzt vorzunehmen; ein Mundhöhlenabstrich kann jedoch auch von einer anderen Person, die für diesen Zweck besonders geschult ist, abgenommen werden. Im Übrigen gelten die Bestimmungen der §§ 121 sowie 122 Abs. 1 letzter Satz und 3 über die Durchsuchung sinngemäß.

(6) Als Beweismittel dürfen die Ergebnisse einer körperlichen Untersuchung nur verwendet werden, wenn

1. die Voraussetzungen für eine körperliche Untersuchung vorlagen,

2. die körperliche Untersuchung rechtmäßig angeordnet worden ist und

3. die Verwendung zum Nachweis einer Straftat, deretwegen die körperliche Untersuchung angeordnet wurde oder hätte angeordnet werden können, dient.

(7) Ergebnisse einer körperlichen Untersuchung, die aus anderen als strafprozessualen Gründen durchgeführt wurde, dürfen in einem Strafverfahren nur als Beweismittel verwendet werden, wenn dies zum Nachweis einer Straftat, deretwegen die körperliche Untersuchung hätte angeordnet werden können, erforderlich ist.

Molekulargenetische Untersuchung

§ 124. (1) Zur Aufklärung einer Straftat ist es zulässig, einerseits biologische Spuren und andererseits Material, das einer bestimmten Person zugehört oder zugehören dürfte, molekulargenetisch zu untersuchen, um die Spur einer Person zuzuordnen oder die Identität einer Person oder deren Abstammung festzustellen, und mit nach diesem Gesetz oder nach dem Sicherheitspolizeigesetz rechtmäßig gewonnenen Ergebnissen molekulargenetischer Untersuchungen abzugleichen.

(2) Eine molekulargenetische Untersuchung ist von der Staatsanwaltschaft auf Grund einer gerichtlichen Bewilligung anzuordnen, sofern es sich nicht bloß um eine biologische Tatortspur handelt; eine solche kann die Kriminalpolizei von sich aus untersuchen lassen.

(3) Mit der molekulargenetischen Untersuchung ist ein Sachverständiger aus dem Fachgebiet der Gerichtlichen Medizin oder der Forensischen Molekularbiologie zu beauftragen. Diesem ist das Untersuchungsmaterial in anonymisierter Form zu übergeben. Im Übrigen ist dafür Sorge zu tragen, dass Daten aus molekulargenetischen Untersuchungen nur insoweit einer bestimmten Person zugeordnet werden können, als dies für den Untersuchungszweck (Abs. 1 und 4) erforderlich ist.

(4) Untersuchungsmaterial, das einer bestimmten Person zugehört oder zugehören dürfte, und die Ergebnisse der Untersuchung dürfen nur so lange verwendet und verarbeitet werden, als die Zuordnung zur Spur oder die Feststellung der Identität oder der Abstammung nicht ausgeschlossen ist; danach sind sie zu vernichten. Sicherheitspolizeiliche Vorschriften (§§ 65 bis 67, 75 SPG) bleiben hievon unberührt.

(5) Daten, die auf Grund dieser Bestimmung ermittelt wurden, sind den Sicherheitsbehörden auf deren Verlangen zu übermitteln, soweit Ermittlung und Verarbeitung dieser Daten nach sicherheitspolizeilichen Vorschriften (§§ 65 bis 67, 75 SPG) zulässig wäre.

3. Abschnitt
Sachverständige und Dolmetscher, Leichenbeschau und Obduktion

Definitionen

§ 125. Im Sinne dieses Gesetzes ist

1. „Sachverständiger" eine Person, die auf Grund besonderen Fachwissens in der Lage ist, beweiserhebliche Tatsachen festzustellen (Befundaufnahme) oder aus diesen rechtsrelevante Schlüsse zu ziehen und sie zu begründen (Gutachtenserstattung),

2. „Dolmetscher" eine Person, die auf Grund besonderer Kenntnisse in der Lage ist, aus der Verfahrenssprache in eine andere Sprache oder von einer anderen in die Verfahrenssprache zu übersetzen,

3. „Leichenbeschau" die Besichtigung der äußeren Beschaffenheit einer Leiche,

4. „Obduktion" die Öffnung einer Leiche durch einen Sachverständigen zum Zweck der Feststellung von Anlass und Ursache des Todes oder von anderen für die Aufklärung einer Straftat wesentlichen Umständen.

Sachverständige und Dolmetscher

StPO **§ 126.** (1) Sachverständige sind zu bestellen, wenn für Ermittlungen oder für Beweisaufnahmen besonderes Fachwissen erforderlich ist, über welches die Strafverfolgungsbehörden durch ihre Organe, besondere Einrichtungen oder bei ihnen dauernd angestellte Personen nicht verfügen. Dolmetscher sind im Rahmen der Übersetzungshilfe und dann zu bestellen, wenn eine Person vernommen wird, die der Verfahrenssprache nicht kundig ist (§ 56), oder für die Ermittlungen wesentliche Schriftstücke in die Verfahrenssprache zu übersetzen sind.

(2) Als Sachverständige sind vor allem Personen zu bestellen, die in die Gerichtssachverständigen- und Gerichtsdolmetscherliste (§ 2 Abs. 1 des Bundesgesetzes über die allgemein beeideten und gerichtlichen zertifizierten Sachverständigen und Dolmetscher – SDG, BGBl. Nr. 137/1975) eingetragen sind. Werden andere Personen bestellt, so sind sie zuvor über ihre wesentlichen Rechte und Pflichten zu informieren.

(2a) Als Dolmetscher ist von der Staatsanwaltschaft oder vom Gericht eine vom Bundesministerium für Justiz oder in dessen Auftrag von der Justizbetreuungsagentur zur Verfügung gestellte geeignete Person zu bestellen. Zur Gewährleistung der Übersetzungshilfe durch die Kriminalpolizei hat diese eine vom Bundesministerium für Inneres oder in dessen Auftrag von einem Dienstleister zur Verfügung gestellte geeignete Person zu bestellen. Für diese Dolmetscher gilt § 127 Abs. 1 erster Satz nicht.

(2b) Steht eine geeignete Person nach Abs. 2a nicht oder nicht rechtzeitig zur Verfügung oder besteht Grund zur Annahme, dass hinsichtlich aller nach Abs. 2a in Betracht kommenden Personen einer der Gründe des Abs. 4 vorliegt, so kann auch eine andere geeignete Person als Dolmetscher bestellt werden. Dabei ist vorrangig eine in die Gerichtssachverständigen- und Gerichtsdolmetscherliste (§ 2 Abs. 1 SDG) eingetragene Person zu bestellen, im Übrigen jedoch nach Abs. 2 letzter Satz vorzugehen. Wird eine solche Person durch die Kriminalpolizei als Dolmetscher bestellt, so richtet sich ihr Anspruch auf Abgeltung nach § 53b des Allgemeinen Verwaltungsverfahrensgesetzes (AVG), BGBl. Nr. 51/1991.

(2c) Bei der Wahl von Sachverständigen oder Dolmetschern und der Bestimmung des Umfangs ihres Auftrags ist nach den Grundsätzen der Sparsamkeit, Wirtschaftlichkeit und Zweckmäßigkeit vorzugehen.

(3) Sachverständige sind von der Staatsanwaltschaft, für gerichtliche Ermittlungen oder Beweisaufnahmen (§§ 104, 105) und für das Hauptverfahren (§ 210 Abs. 2) jedoch vom Gericht zu bestellen. Werden Angehörige des wissenschaftlichen Personals einer Universitätseinheit als Sachverständige bestellt, so ist eine Ausfertigung des Auftrags auch dem Leiter der Einheit zuzustellen. Dem Beschuldigten ist eine Ausfertigung der Bestellung samt einer Information über seine Rechte nach Abs. 5 zuzustellen.

(3a) Sachverständige, die zum Zeitpunkt der Befassung oder der Bestellung durch die Staatsanwaltschaft oder das Gericht in mehr als zehn Verfahren die ihnen von der beauftragenden Stelle gesetzte oder bereits verlängerte Frist zur Erstattung eines schriftlichen Gutachtens überschritten haben, haben diesen Umstand der Staatsanwaltschaft oder dem Gericht unverzüglich mitzuteilen. Der Sachverständige kann dennoch bestellt werden, wenn er glaubhaft macht, dass für die in Aussicht genommene Frist zur Erstattung des Gutachtens hinreichend vorgekehrt ist, wenn dem Erfordernis der Beiziehung eines Sachverständigen sonst mit vertretbarem Aufwand nicht entsprochen werden könnte oder wenn eine unverzügliche Befundaufnahme notwendig scheint, um eine erhebliche Beeinträchtigung der Ermittlungen oder von Beweismitteln abzuwenden.

(3b) Dem Sachverständigen oder Dolmetscher ist eine angemessene Frist für die Erstattung von Befund, Gutachten oder Übersetzung zu setzen. Ist diesem die Einhaltung der Frist nicht möglich, so hat er dies der Staatsanwaltschaft oder dem Gericht binnen 14 Tagen ab Zustellung des Auftrags mitzuteilen und anzugeben, ob ihm eine Auftragserfüllung gegebenenfalls innerhalb einer längeren Frist möglich ist. Die Staatsanwaltschaft oder das Gericht kann die Frist sodann angemessen verlängern.

(4) Für Sachverständige und Dolmetscher gelten die Befangenheitsgründe des § 47 Abs. 1 sinngemäß. Soweit sie befangen sind oder ihre Sachkunde in Zweifel steht, sind sie von der Staatsanwaltschaft, im Fall einer Bestellung durch das Gericht von diesem, von Amts wegen oder auf Grund von Einwänden ihres Amtes zu entheben, bei Vorliegen eines Befangenheitsgrundes gemäß § 47 Abs. 1 Z 1 und 2 bei sonstiger Nichtigkeit. Im Hauptverfahren kann die Befangenheit eines Dolmetschers nicht bloß mit der Begründung geltend gemacht werden, dass er bereits im Ermittlungsverfahren tätig gewesen ist.

(5) Im Ermittlungsverfahren hat der Beschuldigte das Recht, binnen 14 Tagen ab Zustellung (Abs. 3), Kenntnis eines Befangenheitsgrundes oder Vorliegen begründeter Zweifel an der Sachkunde des Sachverständigen einen Antrag auf dessen Enthebung zu stellen, er kann auch die Bestellung im Rahmen gerichtlicher Beweisaufnahme verlangen und eine andere, nach den Kriterien der Sachkunde (Abs. 2) besser qualifizierte Person zur Bestellung vorschlagen. Will die Staatsanwaltschaft dem Begehren auf Umbestellung keine Folge geben oder wurde gerichtliche Beweisaufnahme verlangt, so hat sie den Antrag unverzüglich samt einer Stellungnahme dem Gericht vorzulegen. Wurde der Sachverständige durch das Gericht bestellt, so entscheidet es über einen Antrag nach dem ersten Satz mit Beschluss.

§ 127. (1) Sachverständige und Dolmetscher haben Anspruch auf Gebühren nach dem Gebührenanspruchsgesetz 1975. Sofern nicht besondere Gründe entgegen stehen, ist ihnen die Anwesenheit bei Vernehmungen zu gestatten und im erforderlichen Umfang Akteneinsicht zu gewähren. Sie sind verpflichtet, die ihnen ausschließlich aufgrund ihrer Tätigkeit im Verfahren bekanntgewordenen Tatsachen geheim zu halten, soweit und solange dies aus den in § 6 Abs. 1 IFG genannten Gründen erforderlich und verhältnismäßig ist.

(2) Sachverständige haben den Befund und das Gutachten nach bestem Wissen und Gewissen und nach den Regeln ihrer Wissenschaft oder Kunst oder ihres Gewerbes abzugeben. Sie haben Ladungen der Staatsanwaltschaft und des Gerichts zu befolgen und bei Verhandlungen, Vernehmungen und Tatrekonstruktionen Fragen zu beantworten.

(3) Ist der Befund unbestimmt oder das Gutachten widersprüchlich oder sonst mangelhaft oder weichen die Angaben zweier Sachverständiger über die von ihnen wahrgenommenen Tatsachen oder die hieraus gezogenen Schlüsse erheblich voneinander ab und lassen sich die Bedenken nicht durch Befragung beseitigen, so ist ein weiterer Sachverständiger beizuziehen. Handelt es sich um eine Begutachtung psychischer Zustände und Entwicklungen, so ist in einem solchen Fall das Gutachten eines Sachverständigen mit Lehrbefugnis an einer in- oder ausländischen Universität einzuholen.

(4) Dolmetscher haben nach bestem Wissen und Gewissen zu übersetzen, Ladungen der Staatsanwaltschaft und des Gerichts zu befolgen und bei Verhandlungen, Vernehmungen und Tatrekonstruktionen Fragen zu beantworten.

(5) Wenn ein Sachverständiger oder ein Dolmetscher die ihm gesetzte Frist zur Erstattung des Befundes oder Gutachtens oder der Übersetzung trotz Mahnung wesentlich überschreitet, kann er seines Amtes enthoben werden. Überdies kann das Gericht, wenn der Sachverständige oder Dolmetscher die Verzögerung verschuldet hat, über ihn eine Geldstrafe bis zu 10 000 Euro verhängen.

Leichenbeschau und Obduktion

§ 128. (1) Sofern nicht ein natürlicher Tod feststeht, hat die Kriminalpolizei einen Arzt beizuziehen und grundsätzlich am Ort der Auffindung die äußere Beschaffenheit der Leiche zu besichtigen, der Staatsanwaltschaft über das Ergebnis der Leichenbeschau zu berichten und dafür zu sorgen, dass die Leiche für den Fall der Obduktion zur Verfügung steht.

(2) Eine Obduktion ist zulässig, wenn nicht ausgeschlossen werden kann, dass der Tod einer Person durch eine Straftat verursacht worden ist. Sie ist von der Staatsanwaltschaft anzuordnen, die mit der Durchführung eine Universitätseinheit für Gerichtliche Medizin oder einen Sachverständigen aus dem Fachgebiet der Gerichtsmedizin, der kein Angehöriger des wissenschaftlichen Personals einer solchen Einrichtung ist, zu beauftragen hat.

(2a) Im Fall einer Beauftragung einer Universitätseinheit hat die Leitung dieser Einheit die persönliche Verantwortung für die Obduktion im Sinne des § 127 Abs. 2 einem Angehörigen des wissenschaftlichen Personals dieser Einheit zu übertragen, der die persönlichen und fachlichen Voraussetzungen für die Eintragung in die Liste der allgemein beeideten und gerichtlich zertifizierten Sachverständigen erfüllt. Ersucht eine Staatsanwaltschaft oder ein Gericht um die Übertragung an eine bestimmte Person, so hat die Leitung diesem Ersuchen zu entsprechen, es sei denn, dass wichtige Gründe entgegenstehen. Ist dies der Fall, so hat die Leitung die Zustimmung der Staatsanwaltschaft oder des Gerichts zu einer anderweitigen Übertragung einzuholen. Die Universitätseinrichtung kann Gebühren in sinngemäßer Anwendung des Gebührensanspruchsgesetzes (GebAG), BGBl. Nr. 136/1975, geltend machen, wobei sie die Gebühr für Mühewaltung nach Abzug der Gebühren für die Nutzung der Untersuchungsräumlichkeiten, einschließlich der Infrastruktur der Person zu überweisen hat, der die Verantwortung für die Obduktion übertragen wurde.

(3) Wenn dies zur Aufklärung einer Straftat erforderlich ist, ist auch die Exhumierung einer Leiche zum Zweck einer Obduktion (Abs. 2) zulässig. Sie ist von der Staatsanwaltschaft anzuordnen.

4. Abschnitt

Observation, verdeckte Ermittlung und Scheingeschäft

Definitionen

§ 129. Im Sinne dieses Gesetzes ist

1. „Observation" das heimliche Überwachen des Verhaltens einer Person,

2. „verdeckte Ermittlung" der Einsatz von kriminalpolizeilichen Organen oder anderen Personen im Auftrag der Kriminalpolizei, die ihre amtliche Stellung oder ihren Auftrag weder offen legen noch erkennen lassen,

3. „Scheingeschäft" der Versuch oder die scheinbare Ausführung von Straftaten, soweit diese im Erwerben, Ansichbringen, Besitzen, Ein-, Aus- oder Durchführen von Gegenständen oder Vermögenswerten bestehen, die entfremdet wurden, aus einem Verbrechen herrühren oder der Begehung eines solchen gewidmet sind oder deren Besitz absolut verboten ist.

Observation

§ 130. (1) Observation ist zulässig, wenn sie zur Aufklärung einer Straftat oder zur Ausforschung des Aufenthalts des Beschuldigten erforderlich erscheint.

(2) Der Einsatz technischer Mittel, die im Wege der Übertragung von Signalen eine Feststellung des räumlichen Bereichs ermöglichen, in dem sich die überwachte Person aufhält, und das Öffnen von Fahrzeugen und Behältnissen zum Zweck der Einbringung solcher technischer Mittel ist zur Unterstützung der

Observation zulässig, sofern die Observation ansonsten aussichtslos oder wesentlich erschwert wäre.

(3) Sofern die Observation

1. durch den Einsatz technischer Mittel (Abs. 2) unterstützt wird,

2. über einen Zeitraum von mehr als 48 Stunden oder

3. außerhalb des Bundesgebietes durchgeführt wird oder werden soll,

ist sie nur dann zulässig, wenn der Verdacht einer vorsätzlich begangenen Straftat besteht, die mit mehr als einjähriger Freiheitsstrafe bedroht ist, und auf Grund bestimmter Tatsachen angenommen werden kann, dass die überwachte Person die strafbare Handlung begangen habe oder mit dem Beschuldigten Kontakt herstellen werde oder dadurch der Aufenthalt eines flüchtigen oder abwesenden Beschuldigten ermittelt werden kann.

Verdeckte Ermittlung

§ 131. (1) Verdeckte Ermittlung ist zulässig, wenn sie zur Aufklärung einer Straftat erforderlich erscheint.

(2) Eine systematische, über längere Zeit durchgeführte verdeckte Ermittlung ist nur dann zulässig, wenn die Aufklärung einer vorsätzlich begangenen Straftat, die mit mehr als einjähriger Freiheitsstrafe bedroht ist, oder die Verhinderung einer im Rahmen einer kriminellen oder terroristischen Vereinigung oder einer kriminellen Organisation (§§ 278 bis 278b StGB) geplanten Straftat ansonsten wesentlich erschwert wäre. Soweit dies für die Aufklärung oder Verhinderung unerlässlich ist, ist es auch zulässig, nach Maßgabe des § 54a SPG Urkunden, die über die Identität eines Organs der Kriminalpolizei täuschen, herzustellen und sie im Rechtsverkehr zur Erfüllung des Ermittlungszwecks zu gebrauchen.

(3) Der verdeckte Ermittler ist von der Kriminalpolizei zu führen und regelmäßig zu überwachen. Sein Einsatz und dessen nähere Umstände sowie Auskünfte und Mitteilungen, die durch ihn erlangt werden, sind in einem Bericht oder in einem Amtsvermerk (§ 95) festzuhalten, sofern sie für die Untersuchung von Bedeutung sein können.

(4) Wohnungen und andere vom Hausrecht geschützte Räume dürfen verdeckte Ermittler nur im Einverständnis mit dem Inhaber betreten. Das Einverständnis darf nicht durch Täuschung über eine Zutrittsberechtigung herbeigeführt werden.

Scheingeschäft

§ 132. Die Durchführung eines Scheingeschäfts ist zulässig, wenn die Aufklärung eines Verbrechens (§ 17 Abs. 1 StGB) oder die Sicherstellung von Gegenständen oder Vermögenswerten, die aus einem Verbrechen herrühren oder von der Konfiskation (§ 19a StGB), vom Verfall (§ 20 StGB), vom erweiterten Verfall (§ 20b Abs. 1 StGB) oder von der Einziehung (§ 26 StGB) bedroht sind, andernfalls wesentlich erschwert wäre. Unter diesen Voraussetzungen ist es auch zulässig, zur Ausführung eines Scheingeschäfts durch Dritte beizutragen (§ 12 dritter Fall StGB).

Gemeinsame Bestimmungen

§ 133. (1) Observation nach § 130 Abs. 1 und verdeckte Ermittlung nach § 131 Abs. 1 sowie ein Scheingeschäft (§ 132), das zur Sicherstellung von Suchtmitteln und Falschgeld dient, kann die Kriminalpolizei von sich aus durchführen. Der Abschluss eines anderen Scheingeschäfts, Observation nach § 130 Abs. 3 und verdeckte Ermittlung nach § 131 Abs. 2 sind von der Staatsanwaltschaft anzuordnen. Eine Observation darf über den in § 130 Abs. 3 Z 2 vorgesehenen Zeitraum bis längstens vierzehn Tagen fortgesetzt werden, sofern die Kriminalpolizei der Staatsanwaltschaft unverzüglich nach der Fristüberschreitung berichtet (§ 100 Abs. 2 Z 2).

(2) Observation nach § 130 Abs. 3 und verdeckte Ermittlung nach § 131 Abs. 2 dürfen nur für jenen Zeitraum angeordnet oder genehmigt werden, der zur Erreichung ihres Zweckes voraussichtlich erforderlich ist, längstens jedoch für drei Monate. Eine neuerliche Anordnung ist jeweils zulässig, soweit die Voraussetzungen fortbestehen und auf Grund bestimmter Tatsachen anzunehmen ist, dass die weitere Observation oder die weitere Durchführung verdeckter Ermittlungen Erfolg haben werde; § 99 Abs. 2 ist jedoch nicht anzuwenden. Observation und verdeckte Ermittlung sind zu beenden, wenn ihre Voraussetzungen wegfallen, wenn ihr Zweck erreicht ist oder voraussichtlich nicht mehr erreicht werden kann oder wenn die Staatsanwaltschaft die Einstellung anordnet.

(3) Observation, verdeckte Ermittlungen und Scheingeschäft sind durch die Kriminalpolizei durchzuführen. Die Verwendung technischer Mittel zur optischen oder akustischen Überwachung von Personen im Zuge dieser Ermittlungsmaßnahmen ist nur unter den Voraussetzungen des § 136 zulässig.

(4) Nach Beendigung der Observation nach § 130 Abs. 3 und der verdeckten Ermittlung nach § 131 Abs. 2 und nach Abschluss des Scheingeschäfts sind dem Beschuldigten und den Betroffenen, sofern ihre Identität bekannt oder ohne besonderen Verfahrensaufwand feststellbar ist, die Anordnungen und Genehmigungen nach Abs. 1 und 2 zuzustellen. Diese Zustellung kann jedoch aufgeschoben werden, solange durch sie der Zweck der Ermittlungen in diesem oder in einem anderen Verfahren gefährdet wäre.

(5) Von der Verfolgung eines Beschuldigten wegen der strafbaren Handlung, zu deren Begehung er nach § 5 Abs. 3 verleitet wurde, hat die Staatsanwaltschaft abzusehen. § 191 Abs. 2 gilt sinngemäß.

5. Abschnitt

Beschlagnahme von Briefen, Auskunft über Stamm- und Zugangsdaten, Auskunft über Daten einer Nachrichtenübermittlung, Lokalisierung einer technischen Einrichtung, Anlassdatenspeicherung und Überwachung von Nachrichten und von Personen

Definitionen

§ 134. Im Sinne dieses Bundesgesetzes ist

1. „Beschlagnahme von Briefen" das Öffnen und Zurückbehalten von Telegrammen, Briefen oder anderen Sendungen, die der Beschuldigte abschickt oder die an ihn gerichtet werden,

1a. „Auskunft über Stammdaten" die Erteilung einer Auskunft über Stammdaten (§ 160 Abs. 3 Z 5 Telekommunikationsgesetz – TKG 2021, BGBl. I Nr. 190/2021) eines Nutzers (§ 4 Z 13 TKG 2021 oder § 3 Z 4 E-Commerce–Gesetz – ECG, BGBl. I Nr. 152/ 2001);

1b. „Auskunft über Zugangsdaten" die Auskunft über folgende Zugangsdaten (§ 160 Abs. 3 Z 7 TKG 2021) des Inhabers der betroffenen technischen Einrichtung:

a. Name, Anschrift und Nutzerkennung des Nutzers, dem eine öffentliche IP-Adresse zu einem bestimmten Zeitpunkt unter Angabe der zugrunde liegenden Zeitzone zugewiesen war, es sei denn, dass diese Zuordnung viele Nutzer erfassen würde;

b. die bei Verwendung von E-Mail Diensten dem Nutzer zugewiesene Nutzerkennung;

c. Name und Anschrift des Nutzers, dem eine E-Mail-Adresse zu einem bestimmten Zeitpunkt zugewiesen war, und

d. die E-Mail-Adresse und die öffentliche IP-Adresse des Absenders einer E-Mail,

2. „Auskunft über Daten einer Nachrichtenübermittlung" die Erteilung einer Auskunft über Verkehrsdaten (§ 160 Abs. 3 Z 6 TKG 2021), Zugangsdaten (§ 160 Abs. 3 Z 7 TKG 2021), die nicht einer Anordnung gemäß § 135 Abs. 1a zweiter Fall unterliegen, und Standortdaten (§ 160 Abs. 3 Z 9 TKG 2021) eines Telekommunikationsdienstes oder eines Dienstes der Informationsgesellschaft (§ 1 Abs. 1 Z 2 des Notifikationsgesetzes),

2a. „Lokalisierung einer technischen Einrichtung" der Einsatz technischer Mittel zur Feststellung von geographischen Standorten und der zur internationalen Kennung des Benutzers dienenden Nummer (IMSI) ohne Mitwirkung eines Anbieters (Z 6),

2b. „Anlassdatenspeicherung" das Absehen von der Löschung der in Z 2 genannten Daten (§ 167 Abs. 2 Z 4 TKG 2021),

3. „Überwachung von Nachrichten" das Überwachen von Nachrichten und Informationen, die von einer natürlichen Person über ein Kommunikationsnetz (§ 4 Z 1 TKG 2021) oder einen Dienst der Informationsgesellschaft (§ 1 Abs. 1 Z 2 des Notifikationsgesetzes) gesendet, übermittelt oder empfangen werden,

(Anm.: Z 3a aufgehoben durch VfGH, BGBl. I Nr. 113/2019)

4. „optische und akustische Überwachung von Personen" die Überwachung des Verhaltens von Personen unter Durchbrechung ihrer Privatsphäre und der Äußerungen von Personen, die nicht zur unmittelbaren Kenntnisnahme Dritter bestimmt sind, unter Verwendung technischer Mittel zur Bild- oder Tonübertragung und zur Bild- oder Tonaufnahme ohne Kenntnis der Betroffenen,

5. „Ergebnis" (der unter Z 1 bis 4 angeführten Beschlagnahme, Auskunft, Lokalisierung oder Überwachung) der Inhalt von Briefen (Z 1), die festgestellten Stammdaten (Z 1a), die festgestellten Zugangsdaten (Z 1b), die Daten einer Nachrichtenübermittlung (Z 2), die festgestellten geographischen Standorte und zur internationalen Kennung des Benutzers dienenden Nummern (IMSI) (Z 2a), die gesendeten, übermittelten oder empfangenen Nachrichten und Informationen (Z 3), und die Bild- oder Tonaufnahme einer Überwachung (Z 4),

6. „Anbieter" ein Anbieter (§ 160 Abs. 3 Z 1 TKG 2021), ein Diensteanbieter (§ 3 Z 2 ECG) sowie ein Vermittlungsdiensteanbieter (§ 3 Z 3a ECG).

Beschlagnahme von Briefen, Auskunft über Stamm- und Zugangsdaten, Auskunft über Daten einer Nachrichtenübermittlung, Lokalisierung einer technischen Einrichtung, Anlassdatenspeicherung und Überwachung von Nachrichten

§ 135. (1) Beschlagnahme von Briefen ist zulässig, wenn sie zur Aufklärung einer vorsätzlich begangenen Straftat, die mit mehr als einjähriger Freiheitsstrafe bedroht ist, erforderlich ist.

(1a) Auskunft über Stammdaten und Auskunft über Zugangsdaten sind zulässig, wenn sie zur Aufklärung eines konkreten Verdachts einer Straftat erforderlich erscheinen.

(2) Auskunft über Daten einer Nachrichtenübermittlung ist zulässig,

1. wenn und solange der dringende Verdacht besteht, dass eine von der Auskunft betroffene Person eine andere entführt oder sich sonst ihrer bemächtigt hat, und sich die Auskunft auf Daten einer solchen Nachricht beschränkt, von der anzunehmen ist, dass sie zur Zeit der Freiheitsentziehung vom Beschuldigten übermittelt, empfangen oder gesendet wird,

2. wenn zu erwarten ist, dass dadurch die Aufklärung einer vorsätzlich begangenen Straftat, die mit einer Freiheitsstrafe von mehr als sechs Monaten be-

droht ist, gefördert werden kann und der Inhaber der technischen Einrichtung, die Ursprung oder Ziel einer Übertragung von Nachrichten war oder sein wird, der Auskunft ausdrücklich zustimmt, oder

3. wenn zu erwarten ist, dass dadurch die Aufklärung einer vorsätzlich begangenen Straftat, die mit Freiheitsstrafe von mehr als einem Jahr bedroht ist, gefördert werden kann und auf Grund bestimmter Tatsachen anzunehmen ist, dass dadurch Daten des Beschuldigten ermittelt werden können.

4. wenn auf Grund bestimmter Tatsachen zu erwarten ist, dass dadurch der Aufenthalt eines flüchtigen oder abwesenden Beschuldigten, der einer vorsätzlich begangenen, mit mehr als einjähriger Freiheitsstrafe bedrohten strafbaren Handlung dringend verdächtig ist, ermittelt werden kann.

(2a) Lokalisierung einer technischen Einrichtung ist in den Fällen des Abs. 2 Z 1, 3 und 4 ausschließlich zur Feststellung der in § 134 Z 2a genannten Daten zulässig.

(2b) Anlassdatenspeicherung ist zulässig, wenn dies aufgrund eines Anfangsverdachts (§ 1 Abs. 3) zur Sicherung einer Anordnung nach Abs. 1a zweiter Fall oder nach Abs. 2 Z 2 bis 4 erforderlich erscheint.

(3) Überwachung von Nachrichten ist zulässig,

1. in den Fällen des Abs. 2 Z 1,

2. in den Fällen des Abs. 2 Z 2, sofern der Inhaber der technischen Einrichtung, die Ursprung oder Ziel einer Übertragung von Nachrichten war oder sein wird, der Überwachung zustimmt,

3. wenn dies zur Aufklärung einer vorsätzlich begangenen Straftat, die mit Freiheitsstrafe von mehr als einem Jahr bedroht ist, erforderlich erscheint oder die Aufklärung oder Verhinderung von im Rahmen einer kriminellen oder terroristischen Vereinigung oder einer kriminellen Organisation (§§ 278 bis 278b StGB) begangenen oder geplanten Straftaten ansonsten wesentlich erschwert wäre und

a. der Inhaber der technischen Einrichtung, die Ursprung oder Ziel einer Übertragung von Nachrichten war oder sein wird, der vorsätzlich begangenen Straftat, die mit Freiheitsstrafe von mehr als einem Jahr bedroht ist, oder einer Straftat gemäß §§ 278 bis 278b StGB dringend verdächtig ist, oder

b. auf Grund bestimmter Tatsachen anzunehmen ist, dass eine der Tat (lit. a) dringend verdächtige Person die technische Einrichtung benützen oder mit ihr eine Verbindung herstellen werde;

4. in den Fällen des Abs. 2 Z 4.

Optische und akustische Überwachung von Personen

§ 136. (1) Die optische und akustische Überwachung von Personen ist zulässig,

1. wenn und solange der dringende Verdacht besteht, dass eine von der Überwachung betroffene Person eine andere entführt oder sich ihrer sonst bemächtigt hat, und sich die Überwachung auf Vorgänge und Äußerungen zur Zeit und am Ort der Freiheitsentziehung beschränkt,

2. wenn sie sich auf Vorgänge und Äußerungen beschränkt, die zur Kenntnisnahme eines verdeckten Ermittlers oder sonst einer von der Überwachung informierten Person bestimmt sind oder von dieser unmittelbar wahrgenommen werden können, und sie zur Aufklärung eines Verbrechens (§ 17 Abs. 1 StGB) erforderlich scheint oder

3. wenn die Aufklärung eines mit mehr als zehn Jahren Freiheitsstrafe bedrohten Verbrechens, einer Straftat nach §§ 278a bis 278e StGB oder die Aufklärung oder Verhinderung von im Rahmen einer kriminellen Organisation oder einer terroristischen Vereinigung (§ 278a und § 278b StGB) begangenen oder geplanten Verbrechen (§ 17 Abs. 1 StGB) oder die Ermittlung des Aufenthalts des wegen einer der davor genannten Straftaten Beschuldigten ansonsten aussichtslos oder wesentlich erschwert wäre und

a. die Person, gegen die sich die Überwachung richtet, des mit mehr als zehn Jahren Freiheitsstrafe bedrohten Verbrechens oder einer Straftat nach §§ 278a bis 278e StGB dringend verdächtig ist oder

b. auf Grund bestimmter Tatsachen anzunehmen ist, dass ein Kontakt einer solcherart dringend verdächtigen Person mit der Person hergestellt werde, gegen die sich die Überwachung richtet.

(2) Soweit dies zur Durchführung einer Überwachung nach Abs. 1 Z 3 unumgänglich ist, ist es zulässig, in eine bestimmte Wohnung oder in andere durch das Hausrecht geschützte Räume einzudringen, wenn auf Grund bestimmter Tatsachen anzunehmen ist, dass der Beschuldigte die betroffenen Räume benützen werde.

(3) Die optische Überwachung von Personen zur Aufklärung einer Straftat ist überdies zulässig,

1. wenn sie sich auf Vorgänge außerhalb einer Wohnung oder anderer durch das Hausrecht geschützter Räume beschränkt und ausschließlich zu dem Zweck erfolgt, Gegenstände oder Örtlichkeiten zu beobachten, um das Verhalten von Personen zu erfassen, die mit den Gegenständen in Kontakt treten oder die Örtlichkeiten betreten, oder

2. wenn sie ausschließlich zu dem in Z 1 erwähnten Zweck in einer Wohnung oder anderen durch das Hausrecht geschützten Räumen erfolgt, die Aufklärung einer vorsätzlich begangenen Straftat, die mit Freiheitsstrafe von mehr als einem Jahr bedroht ist, ansonsten wesentlich erschwert wäre und der Inhaber dieser Wohnung oder Räume in die Überwachung ausdrücklich einwilligt.

(4) Eine Überwachung ist nur zulässig, soweit die Verhältnismäßigkeit (§ 5) gewahrt wird. Eine Über-

wachung nach Abs. 1 Z 3 zur Verhinderung von im Rahmen einer terroristischen Vereinigung oder einer kriminellen Organisation (§§ 278a und 278b StGB) begangenen oder geplanten Verbrechen (§ 17 Abs. 1 StGB) ist überdies nur dann zulässig, wenn bestimmte Tatsachen auf eine schwere Gefahr für die öffentliche Sicherheit schließen lassen.

Gemeinsame Bestimmungen

§ 137. (1) Eine Überwachung nach § 136 Abs. 1 Z 1 kann die Kriminalpolizei von sich aus durchführen. Eine Auskunft über Stammdaten nach § 135 Abs. 1a erster Fall ist auf Ersuchen von Kriminalpolizei, Staatsanwaltschaft oder Gericht zu erteilen. Eine Auskunft über Zugangsdaten nach § 135 Abs. 1a zweiter Fall sowie eine Anlassdatenspeicherung nach § 135 Abs. 2b ist von der Staatsanwaltschaft anzuordnen (§ 102). Die übrigen Ermittlungsmaßnahmen nach den §§ 135 bis 136 sind von der Staatsanwaltschaft auf Grund einer gerichtlichen Bewilligung anzuordnen, wobei das Eindringen in Räume nach § 136 Abs. 2 jeweils im Einzelnen einer gerichtlichen Bewilligung bedarf.

(Anm.: Abs. 2 aufgehoben durch Art. 1 Z 21, BGBl. I Nr. 27/2018)

(3) Eine Anlassdatenspeicherung nach § 135 Abs. 2b darf nur für jenen Zeitraum angeordnet werden, der zur Erreichung ihres Zwecks voraussichtlich erforderlich ist, längstens jedoch für zwölf Monate; eine neuerliche Anordnung ist nicht zulässig. Sonstige Ermittlungsmaßnahmen nach §§ 135 bis 136 dürfen nur für einen solchen künftigen, in den Fällen des § 135 Abs. 1a zweiter Fall und Abs. 2 auch vergangenen, Zeitraum angeordnet werden, der zur Erreichung ihres Zwecks voraussichtlich erforderlich ist. Eine neuerliche Anordnung ist jeweils zulässig, soweit auf Grund bestimmter Tatsachen anzunehmen ist, dass die weitere Durchführung der Ermittlungsmaßnahme Erfolg haben werde. Im Übrigen ist die Ermittlungsmaßnahme zu beenden, sobald ihre Voraussetzungen wegfallen.

§ 138. (1) Anordnung und gerichtliche Bewilligung einer Beschlagnahme von Briefen nach § 135 Abs. 1 haben die Bezeichnung des Verfahrens, den Namen des Beschuldigten, die Tat, deren der Beschuldigte verdächtig ist, und ihre gesetzliche Bezeichnung sowie die Tatsachen, aus denen sich ergibt, dass die Anordnung oder Genehmigung zur Aufklärung der Tat erforderlich und verhältnismäßig ist, anzuführen und über die Rechte des von der Anordnung oder Bewilligung Betroffenen zu informieren; Anordnung nach § 135 Abs. 1a zweiter Fall und Abs. 2b und Anordnung und Bewilligung nach den § 135 Abs. 2, 2a und 3 und § 136 haben überdies zu enthalten:

1. die Namen oder sonstigen Identifizierungsmerkmale des Inhabers der technischen Einrichtung, die Ursprung oder Ziel einer Übertragung von Nachrichten war oder sein wird, oder der Person, deren Überwachung angeordnet wird,

2. die für die Durchführung der Ermittlungsmaßnahme in Aussicht genommenen Örtlichkeiten,

3. die Art der Nachrichtenübertragung, die technische Einrichtung oder die Art der voraussichtlich für die optische und akustische Überwachung zu verwendenden technischen Mittel,

4. den Zeitpunkt des Beginns und der Beendigung der Überwachung,

5. die Räume, in die auf Grund einer Anordnung eingedrungen werden darf,

6. im Fall des § 136 Abs. 4 die Tatsachen, aus denen sich die schwere Gefahr für die öffentliche Sicherheit ergibt.

(2) Betreiber von Post- und Telegrafendiensten sind verpflichtet, an der Beschlagnahme von Briefen mitzuwirken und auf Anordnung der Staatsanwaltschaft solche Sendungen bis zum Eintreffen einer gerichtlichen Bewilligung zurückzuhalten; ergeht eine solche Bewilligung nicht binnen drei Tagen, so dürfen sie die Beförderung nicht weiter verschieben. Anbieter (§ 134 Z 6) sind verpflichtet, unverzüglich Auskunft über Daten einer Nachrichtenübermittlung (§ 135 Abs. 2) zu erteilen und an einer Überwachung von Nachrichten (§ 135 Abs. 3) mitzuwirken; die rechtliche Zulässigkeit der Auskunftserteilung und Mitwirkung gründet auf der gerichtlichen Bewilligung. Ersuchen zur Auskunft über Stammdaten (§ 135 Abs. 1a erster Fall) sowie Anordnungen zur Auskunft über Zugangsdaten (§ 135 Abs. 1a zweiter Fall) und zur Anlassdatenspeicherung (§ 135 Abs. 2b) haben sie unverzüglich zu entsprechen und im Fall der Anlassdatenspeicherung die von der Löschungsverpflichtung ausgenommenen Daten (§ 167 Abs. 2 Z 4 TKG 2021) nach Ablauf der angeordneten Dauer oder auf Grund einer Anordnung der Staatsanwaltschaft zu löschen.

(3) Die Verpflichtung nach Abs. 2 und ihren Umfang sowie die allfällige Verpflichtung, mit der Anordnung und Bewilligung verbundene Tatsachen und Vorgänge gegenüber Dritten geheim zu halten, hat die Staatsanwaltschaft dem Betreiber oder Anbieter mit gesonderter Anordnung aufzutragen; diese Anordnung hat in den Fällen der § 135 Abs. 2 und 3 die entsprechende gerichtliche Bewilligung anzuführen. Die §§ 93 Abs. 2, 111 Abs. 3 sowie die Bestimmungen über die Durchsuchung gelten sinngemäß.

(4) Die Staatsanwaltschaft hat die Ergebnisse (§ 134 Z 5) zu prüfen und diejenigen Teile in Bild- oder Schriftform übertragen zu lassen und zu den Akten zu nehmen, die für das Verfahren von Bedeutung sind und als Beweismittel verwendet werden dürfen (§§ 140 Abs. 1, 144, 157 Abs. 2).

(5) Nach Beendigung einer Ermittlungsmaßnahme nach § 135 Abs. 1a zweiter Fall und Abs. 2b hat die Staatsanwaltschaft ihre Anordnung, in den übrigen Fällen von Ermittlungsmaßnahmen nach den §§ 135 bis 136 samt deren gerichtlicher Bewilligung, dem Beschuldigten und den von der Durchführung der Er-

mittlungsmaßnahme Betroffenen unverzüglich zuzustellen. Die Zustellung kann jedoch aufgeschoben werden, solange durch sie der Zweck dieses oder eines anderen Verfahrens gefährdet wäre. Wenn die Ermittlungsmaßnahme später begonnen oder früher beendet wurde als zu den in Abs. 1 Z 4 genannten Zeitpunkten, ist auch der Zeitraum der tatsächlichen Durchführung mitzuteilen.

§ 139. (1) Dem Beschuldigten ist zu ermöglichen, die gesamten Ergebnisse (§ 134 Z 5) einzusehen und anzuhören. Soweit berechtigte Interessen Dritter dies erfordern, hat die Staatsanwaltschaft jedoch Teile der Ergebnisse, die nicht für das Verfahren von Bedeutung sind, von der Kenntnisnahme durch den Beschuldigten auszunehmen. Dies gilt nicht, soweit während der Hauptverhandlung von den Ergebnissen Gebrauch gemacht wird.

(2) Die von der Durchführung der Ermittlungsmaßnahme betroffenen Personen haben das Recht, die Ergebnisse insoweit einzusehen, als ihre Daten einer Nachrichtenübermittlung, für sie bestimmte oder von ihnen ausgehende Nachrichten oder von ihnen geführte Gespräche oder Bilder, auf denen sie dargestellt sind, betroffen sind. Über dieses und das ihnen nach Abs. 4 zustehende Recht sind diese Personen, sofern ihre Identität bekannt oder ohne besonderen Verfahrensaufwand feststellbar ist, von der Staatsanwaltschaft zu informieren.

(3) Auf Antrag des Beschuldigten sind weitere Ergebnisse in Bild- oder Schriftform zu übertragen, wenn diese für das Verfahren von Bedeutung sind und ihre Verwendung als Beweismittel zulässig ist (§§ 140 Abs. 1, 144, 157 Abs. 2).

(4) Auf Antrag des Beschuldigten oder von Amts wegen sind Ergebnisse der Ermittlungsmaßnahme zu vernichten, wenn diese für ein Strafverfahren nicht von Bedeutung sein können oder als Beweismittel nicht verwendet werden dürfen. Dieses Antragsrecht steht auch den von der Ermittlungsmaßnahme Betroffenen zu, insoweit für sie bestimmte oder von ihnen ausgehende Nachrichten oder Bilder, auf denen sie dargestellt sind, oder von ihnen geführte Gespräche betroffen sind.

§ 140. (1) Als Beweismittel dürfen Ergebnisse (§ 134 Z 5), bei sonstiger Nichtigkeit nur verwendet werden,

1. wenn die Voraussetzungen für die Ermittlungsmaßnahme nach § 136 Abs. 1 Z 1 vorlagen,

2. wenn die Ermittlungsmaßnahme nach § 135 oder § 136 Abs. 1 Z 2 oder 3 oder Abs. 3 rechtmäßig angeordnet und bewilligt wurde (§ 137), und

3. in den Fällen des § 136 Abs. 1 Z 2 und 3 nur zum Nachweis eines Verbrechens (§ 17 Abs. 1 StGB),

4. in den Fällen der § 135 Abs. 1, Abs. 2 Z 2, 3 und 4, Abs. 2a, Abs. 3 Z 2 bis 4 nur zum Nachweis einer vorsätzlich begangenen strafbaren Handlung, derentwegen die Ermittlungsmaßnahme angeordnet wurde oder hätte angeordnet werden können.

(2) Ergeben sich bei Prüfung der Ergebnisse Hinweise auf die Begehung einer anderen strafbaren Handlung als derjenigen, die Anlass zur Überwachung gegeben hat, so ist mit diesem Teil der Ergebnisse ein gesonderter Akt anzulegen, soweit die Verwendung als Beweismittel zulässig ist (Abs. 1, § 144, § 157 Abs. 2).

(Anm.: Abs. 3 aufgehoben durch BGBl. I Nr. 204/ 2013)

6. Abschnitt
Automationsunterstützter Datenabgleich

Datenabgleich

§ 141. (1) Im Sinne dieses Gesetzes ist „Datenabgleich“ der automationsunterstützte Vergleich von Daten (§ 36 Abs. 2 Z 1 DSG) einer Datenverarbeitung, die bestimmte, den mutmaßlichen Täter kennzeichnende oder ausschließende Merkmale enthalten, mit Daten einer anderen Datenverarbeitung, die solche Merkmale enthalten, um Personen festzustellen, die auf Grund dieser Merkmale als Verdächtige in Betracht kommen.

(2) Datenabgleich ist zulässig, wenn die Aufklärung eines Verbrechens (§ 17 Abs. 1 StGB) ansonsten wesentlich erschwert wäre und nur solche Daten einbezogen werden, die Gerichte, Staatsanwaltschaften und Sicherheitsbehörden für Zwecke eines bereits anhängigen Strafverfahrens oder sonst auf Grund bestehender Bundes- oder Landesgesetze ermittelt oder verarbeitet haben.

(3) Sofern die Aufklärung eines mit mehr als zehn Jahren Freiheitsstrafe bedrohten Verbrechens oder eines Verbrechens nach § 278a oder § 278b StGB ansonsten aussichtslos oder wesentlich erschwert wäre, ist es zulässig, in einen Datenabgleich auch Daten, die Gerichten und Staatsanwaltschaften sowie der Kriminalpolizei nach § 76 Abs. 2 zu übermitteln sind, und Daten über Personen einzubeziehen, die von einem bestimmten Unternehmen bestimmte Waren oder Dienstleistungen bezogen haben oder die Mitglieder von Personenvereinigungen des Privatrechts oder von juristischen Personen des Privatrechts oder des öffentlichen Rechts sind.

(4) Besondere Kategorien personenbezogener Daten (§ 39 DSG) dürfen in einen Datenabgleich nicht einbezogen werden. Dies gilt nicht für Daten über die Staatsangehörigkeit, Daten zur tatbildmäßigen Bezeichnung einer Tätergruppe sowie für Daten, die Staatsanwaltschaften oder Sicherheitsbehörden durch erkennungsdienstliche Maßnahmen, durch Durchsuchung einer Person, durch körperliche Untersuchung oder durch molekulargenetische Analyse rechtmäßig ermittelt haben, sofern diese Daten ausschließlich für einen Datenabgleich nach Abs. 2 verwendet werden.

Daten von Personenvereinigungen, deren Zweck in unmittelbarem Zusammenhang mit einem der besonders geschützten Merkmale steht, dürfen in einen Datenabgleich in keinem Fall einbezogen werden.

Durchführung

§ 142. (1) Der Datenabgleich ist von der Staatsanwaltschaft auf Grund einer gerichtlichen Bewilligung anzuordnen. Die Staatsanwaltschaft oder die Kriminalpolizei hat dieses Ergebnis des Datenabgleichs, soweit es für das Verfahren von Bedeutung ist, in Schriftform zu übertragen.

(2) Die Anordnung des Datenabgleichs sowie ihre gerichtliche Bewilligung haben außer den in § 102 Abs. 2 genannten Angaben zu enthalten:

1. die Bezeichnung jener Merkmale, nach deren Übereinstimmung gesucht wird,

2. die Datenverarbeitung und jene ihrer Daten, welche die gesuchten Merkmale enthalten,

3. die zur Datenübermittlung verpflichteten Verantwortlichen.

(3) Eine Anordnung nach Abs. 2 ist samt ihrer gerichtlichen Bewilligung der Datenschutzbehörde und allen Personen zuzustellen, welche durch den Datenabgleich ausgeforscht werden; die Zustellung an die ausgeforschten Personen kann jedoch aufgeschoben werden, solange durch sie der Zweck dieses oder eines anderen bereits anhängigen Strafverfahrens gefährdet wäre.

(4) Der Datenschutzbehörde steht gegen die gerichtliche Bewilligung einer Anordnung gemäß Abs. 2 das Rechtsmittel der Beschwerde gemäß § 87 zu.

(5) Wird einer Beschwerde gegen die Bewilligung einer Anordnung Folge gegeben oder die Anordnung des automationsunterstützten Datenabgleichs aus anderen Gründen widerrufen, so ist zugleich anzuordnen, dass alle in den Datenabgleich einbezogenen und alle durch ihn gewonnenen Daten zu vernichten und personenbezogene Daten, die auf andere Datenträger übertragen wurden, unverzüglich zu löschen sind. Gleiches gilt, wenn der automationsunterstützte Datenabgleich ergibt, dass die Merkmale auf keine Person zutreffen.

Mitwirkungspflicht

§ 143. (1) Jeder Verantwortliche einer Datenverarbeitung, deren Daten in einen Abgleich nach § 141 einbezogen werden sollen, ist verpflichtet, die Datenverarbeitung auf die gesuchten Merkmale hin zu durchsuchen und alle Daten, die diese Merkmale enthalten, auf einem elektronischen Datenträger in einem allgemein gebräuchlichen Dateiformat zu übermitteln. Hierbei hat er sich neben den gesuchten Merkmalen auf die Übermittlung der Namen, der Geburtsdaten und der Anschriften zu beschränken. Danach hat er allfällige Ergebnisse des Suchvorganges zu vernichten und – abweichend von den § 50 Abs. 1 und 2 DSG – lediglich die Daten der Übermittlung und die Anordnung nach Abs. 2 zu protokollieren.

(2) Die Verpflichtung nach Abs. 1 hat die Staatsanwaltschaft dem Verantwortlichen mit gesonderter Anordnung aufzutragen; diese Anordnung hat die entsprechende gerichtliche Bewilligung anzuführen. Die §§ 93 Abs. 2 und 112 sowie die Bestimmungen über die Durchsuchung gelten sinngemäß.

7. Abschnitt

Geistliche Amtsverschwiegenheit und Berufsgeheimnisse

Schutz der geistlichen Amtsverschwiegenheit und von Berufsgeheimnissen

§ 144. (1) Die geistliche Amtsverschwiegenheit ist geschützt (§ 155 Z 1), sie darf bei sonstiger Nichtigkeit nicht umgangen werden, insbesondere nicht durch Anordnung oder Durchführung der in diesem Hauptstück enthaltenen Ermittlungsmaßnahmen. Die Anordnung oder Durchführung einer optischen oder akustischen Überwachung von Geistlichen unter Verwendung technischer Mittel in Beichtstühlen oder in Räumen, die zur geistlichen Aussprache bestimmt sind, ist in jedem Fall unzulässig.

(2) Die Anordnung oder Durchführung der in diesem Hauptstück enthaltenen Ermittlungsmaßnahmen ist auch unzulässig, soweit dadurch das Recht einer Person, gemäß § 157 Abs. 1 Z 2 bis 4 die Aussage zu verweigern, umgangen wird.

(3) Ein Umgehungsverbot nach Abs. 1 erster Satz oder Abs. 2 besteht insoweit nicht, als die betreffende Person selbst der Tat dringend verdächtig ist. In einem solchen Fall ist für die Anordnung und Durchführung einer Ermittlungsmaßnahme in den Fällen der § 135 Abs. 1, 2, 2a und 3 sowie § 136 Abs. 1 Z 2 und 3 eine Ermächtigung des Rechtsschutzbeauftragten (§ 147 Abs. 2) Voraussetzung.

8. Abschnitt

Besondere Durchführungsbestimmungen, Rechtsschutz und Schadenersatz

Besondere Durchführungsbestimmungen

§ 145. (1) Sämtliche Ergebnisse einer der im 4. bis 6. Abschnitt geregelten Ermittlungsmaßnahmen sind von der Staatsanwaltschaft zu verwahren und dem Gericht beim Einbringen der Anklage zu übermitteln. Das Gericht hat diese Ergebnisse nach rechtskräftigem Abschluss des Verfahrens zu löschen, soweit sie nicht in einem anderen, bereits anhängigen Strafverfahren als Beweismittel Verwendung finden. Gleiches gilt für die Staatsanwaltschaft im Fall der Einstellung des Verfahrens.

(2) Anordnungen und Genehmigungen dieser Ermittlungsmaßnahmen (Abs. 1), ihre gerichtlichen Bewilligungen sowie in Bild- oder Schriftform übertra-

gene Ergebnisse (§ 134 Z 5) sind zunächst getrennt aufzubewahren und erst dann zum Akt zu nehmen, wenn die betreffende Anordnung dem Beschuldigten gegenüber rechtskräftig geworden ist, spätestens jedoch beim Einbringen der Anklage. Bis zur Zustellung der Anordnung an den Beschuldigten können sie von der Einsicht durch diesen sowie durch Privatbeteiligte und Opfer ausgenommen werden, wenn zu befürchten ist, dass andernfalls der Zweck der Ermittlungen oder die Persönlichkeitsrechte von Personen, die von diesen Ermittlungsmaßnahmen betroffen sind, gefährdet wären; im Übrigen gilt § 51 Abs. 2.

(3) Solange in Bild- oder Schriftform übertragene Ergebnisse einer Ermittlungsmaßnahme in den Fällen der § 135 Abs. 2, 2a und 3 sowie § 136 Abs. 1 Z 2 und 3 nicht zum Akt genommen werden, sind sie samt den zugehörigen Anordnungen, gerichtlichen Bewilligungen und sonstigen Aktenstücken unter Verschluss aufzubewahren. Näheres hat der Bundesminister für Justiz durch Verordnung zu bestimmen.

(Anm.: Abs. 4 tritt mit Ablauf des 31.3.2025 außer Kraft)

§ 147. (1) Dem Rechtsschutzbeauftragten obliegt die Prüfung und Kontrolle der Anordnung, Genehmigung, Bewilligung und Durchführung

1. einer verdeckten Ermittlung nach § 131 Abs. 2,

2. des Abschlusses eines Scheingeschäfts nach § 132, wenn dieses von der Staatsanwaltschaft anzuordnen ist (§ 133 Abs. 1),

(Anm.: Z 2a tritt mit Ablauf des 31.3.2025 außer Kraft)

3. einer optischen und akustischen Überwachung von Personen nach § 136 Abs. 1 Z 3,

4. eines automationsunterstützten Datenabgleichs nach § 141 sowie

5. einer Ermittlungsmaßnahme nach § 135 Abs. 1, 2, 2a und 3 sowie einer optischen und akustischen Überwachung von Personen nach § 136 Abs. 1 Z 2, die gegen eine Person gerichtet ist, die gemäß § 157 Abs. 1 Z 2 bis 4 berechtigt ist, die Aussage zu verweigern (§ 144 Abs. 3).

(2) Beantragt die Staatsanwaltschaft die gerichtliche Bewilligung einer in Abs. 1 angeführten Ermittlungsmaßnahme, so hat sie dem Rechtsschutzbeauftragten zugleich eine Ausfertigung dieses Antrags samt einer Ablichtung der Anzeige und der maßgebenden Ermittlungsergebnisse zu übermitteln. Gleiches gilt für Anordnungen und Genehmigungen der im Abs. 1 Z 1, 2 und 5 angeführten Ermittlungsmaßnahmen durch die Staatsanwaltschaft. Im Fall des § 144 Abs. 3 hat die Staatsanwaltschaft zugleich um Ermächtigung zur Antragstellung zu ersuchen. Eine Ermächtigung zu einem Antrag auf Bewilligung der Anordnung einer Überwachung von Nachrichten nach § 135 Abs. 3 oder Überwachung verschlüsselter Nachrichten nach § 135a *(Anm. 1)* von ausschließlich der Berufsausübung gewidmeten Computersystemen oder nach § 136 Abs. 1 Z 3 in den ausschließlich der Berufsausübung gewidmeten Räumen einer der in § 157 Abs. 1 Z 2 bis 4 erwähnten Personen darf der Rechtsschutzbeauftragte nur erteilen, wenn besonders schwerwiegende Gründe vorliegen, die diesen Eingriff verhältnismäßig erscheinen lassen.

(3) Die Anordnung und die Bewilligung der im Abs. 1 angeführten Ermittlungsmaßnahme hat die Staatsanwaltschaft samt Kopien aller Aktenstücke, die für die Beurteilung der Anordnungsgründe von Bedeutung sein können, unverzüglich dem Rechtsschutzbeauftragten zu übermitteln. Diesem steht gegen eine Anordnung nach Abs. 1 Z 1 oder 2 Einspruch, gegen die Bewilligung einer Ermittlungsmaßnahme nach Abs. 1 Z 2a bis 5 Beschwerde zu; dieses Recht erlischt mit dem Ablauf der Rechtsmittelfrist des Beschuldigten.

(Anm.: Abs. 3a tritt mit Ablauf des 31.3.2025 außer Kraft)

(4) Nach Beendigung der Ermittlungsmaßnahme ist dem Rechtsschutzbeauftragten Gelegenheit zu geben, die gesamten Ergebnisse einzusehen und anzuhören, bevor diese zum Akt genommen werden (§ 145 Abs. 2). Er ist ferner berechtigt, die Vernichtung von Ergebnissen oder Teilen von ihnen (§ 139 Abs. 4) zu beantragen und sich von der ordnungsgemäßen Vernichtung dieser Ergebnisse zu überzeugen. Das Gleiche gilt für die ordnungsgemäße Löschung von Daten, die in einen Datenabgleich einbezogen oder durch ihn gewonnen wurden. Beabsichtigt die Staatsanwaltschaft, einem solchen Antrag des Rechtsschutzbeauftragten nicht nachzukommen, so hat sie unverzüglich die Entscheidung des Gerichts einzuholen.

(Anm.: Abs. 5 aufgehoben durch BGBl. I Nr. 108/2010)

(Anm. 1: Die Wendung „oder nach § 135a" tritt mit 1. April 2020 in Kraft und mit Ablauf des 31. März 2025 wieder außer Kraft (vgl. § 514 Abs. 37 Z 3).

Schadenersatz

§ 148. Der Bund haftet für vermögensrechtliche Nachteile, die durch die Durchführung einer Überwachung von Personen nach § 136 Abs. 1 Z 3 oder eines Datenabgleichs nach § 141 entstanden sind. Der Ersatzanspruch ist ausgeschlossen, wenn der Geschädigte die Anordnung vorsätzlich herbeigeführt hat. Weitergehende Ansprüche bleiben unberührt. Auf das Verfahren ist das Amtshaftungsgesetz, BGBl. Nr. 20/1949, anzuwenden.

9. Abschnitt
Augenschein und Tatrekonstruktion

Augenschein und Tatrekonstruktion

§ 149. (1) Im Sinne dieses Gesetzes ist

1. „Augenschein" jede unmittelbare sinnliche Wahrnehmung und deren Dokumentation durch Ton- oder Bildaufnahme, soweit es sich nicht um eine Vernehmung handelt,

2. „Tatrekonstruktion" die Vernehmung einer Person im Zuge eines Nachstellens des wahrscheinlichen Verlaufs der Tat am Tatort oder an einem anderen mit der Straftat im Zusammenhang stehenden Ort sowie die Ton- oder Bildaufnahme über diese Vorgänge.

(2) Ein Augenschein kann durch die Kriminalpolizei durchgeführt werden. Wenn er besondere Sachkunde erfordert, über welche Kriminalpolizei oder Staatsanwaltschaft nicht durch besondere Einrichtungen oder deren Organe verfügen, kann mit seiner Durchführung auch ein Sachverständiger im Rahmen der Befundaufnahme beauftragt werden. Art und Weise der Durchführung des Augenscheines und seine Ergebnisse sind in einem Amtsvermerk (§ 95) festzuhalten.

(3) Eine Tatrekonstruktion hat auf Antrag der Staatsanwaltschaft durch das Gericht zu erfolgen (§ 104).

Durchführung der Tatrekonstruktion

§ 150. (1) Der Staatsanwaltschaft, dem Beschuldigten, dem Opfer, dem Privatbeteiligten und deren Vertretern ist Gelegenheit zu geben, sich an der Tatrekonstruktion zu beteiligen. Sie haben das Recht, Fragen zu stellen sowie ergänzende Ermittlungen und Feststellungen zu verlangen. Soweit die Kriminalpolizei nicht an der Durchführung beteiligt wird, ist sie vom Termin zu verständigen.

(2) Der Beschuldigte kann von der Teilnahme vorübergehend ausgeschlossen werden, wenn seine Anwesenheit den Zweck des Verfahrens gefährden könnte oder besondere Interessen dies erfordern (§ 250 Abs. 1). Dem Opfer und dem Privatbeteiligten ist die Beteiligung vorübergehend zu versagen, wenn zu besorgen ist, dass seine Anwesenheit den Beschuldigten oder Zeugen bei der Ablegung einer freien und vollständigen Aussage beeinflussen könnte. In diesen Fällen ist den betroffenen Beteiligten sogleich eine Kopie des Protokolls zu übermitteln. Die Beteiligung des Verteidigers darf jedoch in keinem Fall eingeschränkt werden. Im Übrigen ist § 97 anzuwenden.

10. Abschnitt
Erkundigungen und Vernehmungen

Definitionen

§ 151. Im Sinne dieses Gesetzes ist

1. „Erkundigung" das Verlangen von Auskunft und das Entgegennehmen einer Mitteilung von einer Person,

2. „Vernehmung" das Befragen von Personen nach förmlicher Information über ihre Stellung und ihre Rechte im Verfahren.

Erkundigungen

§ 152. (1) Erkundigungen dienen der Aufklärung einer Straftat und der Vorbereitung einer Beweisaufnahme; die Bestimmungen über die Vernehmung des Beschuldigten und von Zeugen dürfen durch Erkundigungen bei sonstiger Nichtigkeit nicht umgangen werden.

(2) Soweit die Kriminalpolizei nicht verdeckt ermittelt, hat sie bei Erkundigungen auf ihre amtliche Stellung hinzuweisen, wenn diese nicht aus den Umständen offensichtlich ist. Die Auskunft erfolgt freiwillig und darf nicht erzwungen werden, soweit sie nicht auf Grund einer gesetzlichen Verpflichtung zu erteilen ist.

(3) Auskünfte und sonstige Umstände, die durch Erkundigungen erlangt wurden und für das Verfahren von Bedeutung sein können, sind in einem Amtsvermerk festzuhalten.

Vernehmungen

§ 153. (1) Vernehmungen dienen der Aufklärung einer Straftat und der Beweisaufnahme.

(2) Eine Person, die vernommen werden soll, ist in der Regel schriftlich vorzuladen. Die Ladung muss den Gegenstand des Verfahrens und der Vernehmung sowie den Ort, den Tag und die Stunde ihres Beginns enthalten. Der Beschuldigte und das Opfer sind darin über ihre wesentlichen Rechte im Verfahren (§§ 50 und 70) zu informieren, soweit dies nicht bereits zuvor geschehen ist. Jedermann ist verpflichtet, eine solche Ladung zu befolgen und kann im Fall seines ungerechtfertigten Ausbleibens vorgeführt werden, wenn dies in der Ladung ausdrücklich angedroht wurde.

(3) Die Staatsanwaltschaft, in den Fällen der §§ 104, 105 und 107 das Gericht, kann die Vorführung des Beschuldigten zur sofortigen Vernehmung anordnen, wenn auf Grund bestimmter Tatsachen anzunehmen ist, dass der Beschuldigte sich andernfalls dem Verfahren entziehen oder Beweismittel beeinträchtigen werde. Wenn eine solche Anordnung wegen Gefahr im Verzug nicht eingeholt werden kann oder wenn der Beschuldigte auf frischer Tat betreten oder unmittelbar danach glaubwürdig der Tatbegehung beschuldigt wird oder mit Gegenständen betreten wird, die auf seine Beteiligung an der Tat hinweisen, kann die Kriminalpolizei ihn von sich aus vorführen.

(4) Ist der Aufenthaltsort eines Zeugen oder Beschuldigten außerhalb des Sprengels der zuständigen Staatsanwaltschaft oder des zuständigen Gerichts gelegen, so ist die unmittelbare Vernehmung am Sitz der Staatsanwaltschaft oder des Gerichts, in deren oder

dessen Sprengel sich der Zeuge oder der Beschuldigte befindet, unter Verwendung technischer Einrichtungen zur Wort- und Bildübertragung durchzuführen, es sei denn, dass es unter Berücksichtigung der Verfahrensökonomie zweckmäßiger oder sonst aus besonderen Gründen erforderlich ist, den Zeugen oder Beschuldigten vor die zuständige Staatsanwaltschaft oder vor das zuständige Gericht zu laden.

Zeuge und Wahrheitspflicht

§ 154. (1) Im Sinne dieses Gesetzes ist Zeuge eine vom Beschuldigten verschiedene Person, die zur Aufklärung der Straftat wesentliche oder sonst den Gegenstand des Verfahrens betreffende Tatsachen mittelbar oder unmittelbar wahrgenommen haben könnte und darüber im Verfahren aussagen soll.

(2) Zeugen sind verpflichtet, richtig und vollständig auszusagen.

Verbot der Vernehmung als Zeuge

§ 155. (1) Als Zeugen dürfen bei sonstiger Nichtigkeit nicht vernommen werden:

1. Geistliche über das, was ihnen in der Beichte oder sonst unter dem Siegel geistlicher Amtsverschwiegenheit anvertraut wurde,

2. Beamte (§ 74 Abs. 1 Z 4 bis 4c StGB) über Umstände, hinsichtlich derer sie einer gesetzlichen Verpflichtung zur Geheimhaltung unterliegen, soweit sie nicht davon entbunden wurden,

3. Personen, denen Zugang zu klassifizierten Informationen des Nationalrates oder des Bundesrates gewährt wurde, soweit sie gemäß § 18 Abs. 1 des Bundesgesetzes über die Informationsordnung des Nationalrates und des Bundesrates, BGBl. I Nr. 102/2014, zur Verschwiegenheit verpflichtet sind,

4. Personen, die wegen einer psychischen Krankheit, wegen einer vergleichbaren Beeinträchtigung ihrer Entscheidungsfähigkeit oder aus einem anderen Grund unfähig sind, die Wahrheit anzugeben.

(2) Eine Verpflichtung zur Geheimhaltung nach Abs. 1 Z 2 besteht jedenfalls nicht, soweit der Zeuge im Dienste der Strafrechtspflege Wahrnehmungen zum Gegenstand des Verfahrens gemacht hat oder Anzeigepflicht (§ 78) besteht.

Aussagebefreiung

§ 156. (1) Von der Pflicht zur Aussage sind befreit:

1. Personen, die im Verfahren gegen einen Angehörigen (§ 72 StGB) aussagen sollen;

2. Besonders schutzbedürftige Opfer (§ 66a), wenn die Parteien Gelegenheit hatten, sich an einer vorausgegangenen kontradiktorischen Vernehmung zu beteiligen (§§ 165, 247).

(2) Nach Abs. 1 Z 1 ist eine erwachsene Person, die als Privatbeteiligte am Verfahren mitwirkt (§ 67), von der Aussage nicht befreit.

(3) Besteht die Befreiung von der Aussage im Verfahren gegen mehrere Beschuldigte nur gegenüber einem von ihnen, so ist der Zeuge hinsichtlich der anderen nur dann befreit, wenn eine Trennung der Aussagen nicht möglich ist. Gleiches gilt, wenn sich der Befreiungsgrund nur auf einen von mehreren Sachverhalten bezieht.

Aussageverweigerung

§ 157. (1) Zur Verweigerung der Aussage sind berechtigt:

1. Personen, soweit sie ansonsten sich oder einen Angehörigen (§ 156 Abs. 1 Z 1) der Gefahr strafrechtlicher Verfolgung oder im Zusammenhang mit einem gegen sie geführten Strafverfahren der Gefahr aussetzen würden, sich über ihre bisherige Aussage hinaus selbst zu belasten,

2. Verteidiger, Rechtsanwälte, Patentanwälte, Verfahrensanwälte in Untersuchungsausschüssen des Nationalrats, Notare und Wirtschaftstreuhänder über das, was ihnen in dieser Eigenschaft bekannt geworden ist,

3. Fachärzte für Psychiatrie, Psychotherapeuten, Psychologen, Bewährungshelfer, eingetragene Mediatoren nach dem Zivilrechts-Mediations-Gesetz, BGBl. I Nr. 29/2003, und Mitarbeiter anerkannter Einrichtungen zur psychosozialen Beratung und Betreuung über das, was ihnen in dieser Eigenschaft bekannt geworden ist,

4. Medieninhaber (Herausgeber), Medienmitarbeiter und Arbeitnehmer eines Medienunternehmens oder Mediendienstes über Fragen, welche die Person des Verfassers, Einsenders oder Gewährsmannes von Beiträgen und Unterlagen betreffen oder die sich auf Mitteilungen beziehen, die ihnen im Hinblick auf ihre Tätigkeit gemacht wurden,

5. Wahlberechtigte darüber, wie sie ein gesetzlich für geheim erklärtes Wahl- oder Stimmrecht ausgeübt haben.

(2) Das Recht der in Abs. 1 Z 2 bis 5 angeführten Personen, die Aussage zu verweigern, darf bei sonstiger Nichtigkeit nicht umgangen werden, insbesondere nicht durch Sicherstellung und Beschlagnahme von Unterlagen oder auf Datenträgern gespeicherten Informationen *(Anm. 1)* oder durch Vernehmung der Hilfskräfte oder der Personen, die zur Ausbildung an der berufsmäßigen Tätigkeit nach Abs. 1 Z 2 bis 4 teilnehmen. Dies gilt ebenso für Unterlagen und Informationen, die sich in der Verfügungsmacht des Beschuldigten oder eines Mitbeschuldigten befinden und zum Zwecke der Beratung oder Verteidigung des Beschuldigten durch eine in Abs. 1 Z 2 genannte Person von dieser oder vom Beschuldigten erstellt wurden.

(________________

Anm. 1: Art. 1 Z 57 der Novelle BGBl. I Nr. 157/2024 lautet: „§ 157 Abs. 2 wird nach der Wendung „oder auf Datenträgern gespeicherte Informationen" die Wendung „(§ 111 Abs. 2), durch Beschlagnahme von Datenträgern und Daten" eingefügt.". Die Anweisung konnte nicht durchgeführt werden.)

§ 158. (1) Die Beantwortung einzelner Fragen können verweigern:

1. Personen, soweit sie ansonsten sich oder einen Angehörigen (§ 156 Abs. 1 Z 1) der Schande oder der Gefahr eines unmittelbaren und bedeutenden vermögensrechtlichen Nachteils aussetzen würden,

2. Personen, die durch die dem Beschuldigten zur Last gelegte Straftat in ihrer Geschlechtssphäre verletzt wurden oder verletzt worden sein könnten, soweit sie Einzelheiten der Tat zu offenbaren hätten, deren Schilderung sie für unzumutbar halten,

3. Personen, soweit sie Umstände aus ihrem höchstpersönlichen Lebensbereich oder dem höchstpersönlichen Lebensbereich einer anderen Person zu offenbaren hätten.

(2) Die in Abs. 1 angeführten Personen können jedoch trotz Weigerung zur Aussage verpflichtet werden, wenn dies wegen der besonderen Bedeutung ihrer Aussage für den Gegenstand des Verfahrens unerlässlich ist.

Information und Nichtigkeit

§ 159. (1) Über ihre Befreiung von der Aussagepflicht oder ihr Recht auf Verweigerung der gesamten oder eines Teiles der Aussage sind Zeugen vor Beginn ihrer Vernehmung zu informieren. Werden Anhaltspunkte für ein solches Recht erst während der Vernehmung bekannt, so ist die Information zu diesem Zeitpunkt vorzunehmen.

(2) Ein Zeuge, der einen Befreiungs- oder Verweigerungsgrund in Anspruch nehmen will, hat diesen, soweit er nicht offenkundig ist, glaubhaft zu machen. Darüber abgegebene Erklärungen sind zu protokollieren.

(3) Hat ein Zeuge auf seine Befreiung von der Aussagepflicht nach § 156 Abs. 1 Z 1 nicht ausdrücklich verzichtet, so ist seine gesamte Aussage nichtig. Wurde ein Zeuge, der ein Recht auf Verweigerung der Aussage nach § 157 Abs. 1 Z 2 bis 5 hat, darüber nicht rechtzeitig informiert, so ist jener Teil seiner Aussage nichtig, auf den sich das Verweigerungsrecht bezieht. Das aufgenommene Protokoll ist insoweit zu vernichten.

Durchführung der Vernehmung

§ 160. (1) In der Regel ist jeder Zeuge einzeln und in Abwesenheit der Verfahrensbeteiligten und anderer Zeugen zu vernehmen. Personen, die durch Krankheit oder Gebrechlichkeit oder aus anderen berücksichtigungswürdigen Umständen verhindert sind, eine Ladung zu befolgen, können in ihrer Wohnung oder an ihrem sonstigen Aufenthaltsort gehört werden.

(2) Auf Verlangen des Zeugen ist einer Person seines Vertrauens die Anwesenheit bei der Vernehmung zu gestatten. Auf dieses Recht ist in der Ladung hinzuweisen. Als Vertrauensperson kann ausgeschlossen werden, wer der Mitwirkung an der Straftat verdächtig ist, wer als Zeuge vernommen wurde oder werden soll und wer sonst am Verfahren beteiligt ist oder besorgen lässt, dass seine Anwesenheit den Zeugen an einer freien und vollständigen Aussage beeinflussen könnte. Vertrauenspersonen sind zur Verschwiegenheit über ihre Wahrnehmungen im Zuge der Vernehmung verpflichtet (§ 301 Abs. 2 StGB).

(3) Der Vernehmung einer Person, die psychisch krank oder vergleichbar in ihrer Entscheidungsfähigkeit beschränkt ist oder die das vierzehnte Lebensjahr noch nicht zurückgelegt hat, ist jedenfalls eine Person ihres Vertrauens beizuziehen.

§ 161. (1) Der Zeuge ist vor Beginn der Vernehmung zu ermahnen, richtig und vollständig auszusagen. Sodann ist er über Vor- und Familienname, Geburtsort und -datum, Beruf und Wohnort oder eine sonstige zur Ladung geeignete Anschrift sowie über sein Verhältnis zum Beschuldigten zu befragen. Im Falle der Anwesenheit anderer Personen ist darauf zu achten, dass die persönlichen Verhältnisse des Zeugen möglichst nicht öffentlich bekannt werden.

(2) Danach ist der Zeuge um eine zusammenhängende Darstellung seiner Wahrnehmungen zu ersuchen. Sodann sind allfällige Unklarheiten oder Widersprüche aufzuklären.

(3) Fragen, mit denen dem Zeugen Umstände vorgehalten werden, die erst durch seine Antwort festgestellt werden sollen, dürfen nur dann gestellt werden, wenn dies zum Verständnis des Zusammenhanges erforderlich ist; solche Fragen und die darauf gegebenen Antworten sind wörtlich zu protokollieren. Fragen nach allfälligen strafgerichtlichen Verfahren gegen den Zeugen und nach deren Ausgang sowie Fragen nach Umständen aus dem höchstpersönlichen Lebensbereich des Zeugen dürfen nicht gestellt werden, es sei denn, dass dies nach den besonderen Umständen des Falles unerlässlich ist.

Anonyme Aussage

§ 162. Ist auf Grund bestimmter Tatsachen zu befürchten, dass der Zeuge sich oder einen Dritten durch die Bekanntgabe des Namens und anderer Angaben zur Person (§ 161 Abs. 1) oder durch Beantwortung von Fragen, die Rückschlüsse darauf zulassen, einer ernsten Gefahr für Leben, Gesundheit, körperliche Unversehrtheit oder Freiheit aussetzen würde, so kann ihm gestattet werden, solche Fragen nicht zu beantworten. In diesem Fall ist auch zulässig, dass der Zeuge seine äußere Erscheinung derart verändert, dass er nicht wieder erkannt werden kann. Es ist ihm jedoch nicht gestattet, sein Gesicht derart zu verhüllen, dass sein Mienenspiel nicht soweit wahrgenommen werden kann, als dies für die Beurteilung der Glaubwürdigkeit seiner Aussage unerlässlich ist.

Gegenüberstellung

StPO **§ 163.** (1) Einem Zeugen können mehrere Personen – offen oder verdeckt – gegenübergestellt werden, unter denen sich eine befindet, die verdächtig ist. Zuvor ist der Zeuge aufzufordern, zur Unterscheidung erforderliche Kennzeichen des Verdächtigen zu beschreiben; dieser Beschreibung haben die gegenübergestellten Personen möglichst ähnlich zu sein. Sodann ist der Zeuge zur Angabe darüber aufzufordern, ob er eine Person erkenne und auf Grund welcher Umstände dies der Fall sei. Dieser Vorgang ist zu protokollieren und kann durch geeignete bildgebende Verfahren unterstützt werden.

(2) Gleiches gilt bei der Einsicht in Lichtbilder und der Anhörung von Stimmproben. Auch wenn der Zeuge Gegenstände wieder erkennen soll, die als Beweismittel von Bedeutung sind, ist er zunächst aufzufordern, diesen Gegenstand und gegebenenfalls seine Unterscheidungsmerkmale zu beschreiben.

(3) Im Übrigen ist eine Konfrontation des Beschuldigten oder eines Zeugen mit anderen Zeugen oder Beschuldigten zulässig, wenn die jeweiligen Aussagen in erheblichen Umständen von einander abweichen und anzunehmen ist, dass die Aufklärung der Widersprüche dadurch gefördert werden kann. Die einander gegenüber gestellten Personen sind über jeden einzelnen Umstand ihrer von einander abweichenden oder einander widersprechenden Aussagen besonders zu vernehmen; die beiderseitigen Antworten sind zu protokollieren.

(4) Sofern der Beschuldigte zur Gegenüberstellung beigezogen wird, ist auch seinem Verteidiger Gelegenheit zur Teilnahme zu geben.

Vernehmung des Beschuldigten

§ 164. (1) Vor Beginn der Vernehmung ist zu prüfen, ob Übersetzungshilfe gemäß § 56 erforderlich ist. Anschließend ist dem Beschuldigten mitzuteilen, welcher Tat er verdächtig ist. Sodann ist er im Sinn des Abs. 2 und darüber zu informieren, dass er berechtigt sei, sich zur Sache zu äußern oder nicht auszusagen und sich zuvor mit einem Verteidiger zu beraten, soweit dieser Kontakt nicht gemäß § 59 Abs. 2 beschränkt werden kann. Der Beschuldigte ist auch darauf aufmerksam zu machen, dass seine Aussage seiner Verteidigung dienen, aber auch als Beweis gegen ihn Verwendung finden könne.

(2) Der Beschuldigte hat das Recht, seiner Vernehmung einen Verteidiger beizuziehen; § 59 Abs. 1 gilt sinngemäß. Nimmt er dieses Recht in Anspruch, so ist die Vernehmung bis zum Eintreffen des Verteidigers aufzuschieben. Der Verteidiger darf sich an der Vernehmung selbst auf keine Weise beteiligen, jedoch nach deren Abschluss oder nach thematisch zusammenhängenden Abschnitten Fragen an den Beschuldigten richten und Erklärungen abgeben. Über die Beantwortung einzelner Fragen darf sich jedoch der Beschuldigte nicht mit dem Verteidiger beraten. Von der Beiziehung eines Verteidigers darf nur abgesehen werden, soweit dies aufgrund besonderer Umstände unbedingt erforderlich erscheint, um durch eine sofortige Vernehmung oder andere unverzügliche Ermittlungen eine erhebliche Gefahr für die Ermittlungen oder eine Beeinträchtigung von Beweismitteln abzuwenden. In diesem Fall ist dem Beschuldigten sogleich oder innerhalb von 24 Stunden eine Anordnung der Staatsanwaltschaft oder eine schriftliche Begründung der Kriminalpolizei für diese Beschränkung zuzustellen und nach Möglichkeit eine Ton- oder Bildaufnahme (§ 97) anzufertigen.

(3) Der Beschuldigte ist zunächst über seine persönlichen Verhältnisse zu befragen. Dann ist ihm Gelegenheit zu geben, sich in einer zusammenhängenden Darstellung zu dem gegen ihn erhobenen Tatvorwurf zu äußern. Zu schwierigen Fragen, die besondere Sachkunde voraussetzen oder eine Beurteilung durch einen Sachverständigen erfordern, ist ihm zu gestatten, sich binnen angemessener Frist ergänzend schriftlich zu äußern.

(4) Es dürfen weder Versprechungen oder Vorspiegelungen noch Drohungen oder Zwangsmittel angewendet werden, um den Beschuldigten zu einem Geständnis oder zu anderen Angaben zu bewegen. Die Freiheit seiner Willensentschließung und seiner Willensbetätigung sowie sein Erinnerungsvermögen und seine Einsichtsfähigkeit dürfen durch keinerlei Maßnahmen oder gar Eingriffe in seine körperliche Integrität beeinträchtigt werden. Dem Beschuldigten gestellte Fragen müssen deutlich und klar verständlich und dürfen nicht unbestimmt, mehrdeutig oder verfänglich sein. Fragen, mit denen ihm Umstände vorgehalten werden, die erst durch seine Antwort festgestellt werden sollen, dürfen nur dann gestellt werden, wenn dies zum Verständnis des Zusammenhanges erforderlich ist; solche Fragen und die darauf gegebenen Antworten sind wörtlich zu protokollieren. Fragen, die eine vom Beschuldigten nicht zugestandene Tatsache als bereits zugestanden behandeln, sind nicht zulässig.

Kontradiktorische Vernehmung des Beschuldigten oder eines Zeugen

§ 165. (1) Eine kontradiktorische Vernehmung sowie die Ton- oder Bildaufnahme einer solchen Vernehmung des Beschuldigten oder eines Zeugen ist zulässig, wenn zu besorgen ist, dass die Vernehmung in einer Hauptverhandlung aus tatsächlichen oder rechtlichen Gründen nicht möglich sein werde.

(2) Die kontradiktorische Vernehmung hat das Gericht auf Antrag der Staatsanwaltschaft in sinngemäßer Anwendung der Bestimmungen der §§ 249 und 250 durchzuführen (§ 104). Das Gericht hat der Staatsanwaltschaft, dem Beschuldigten, dem Opfer, dem Privatbeteiligten und deren Vertretern Gelegenheit zu geben, sich an der Vernehmung zu beteiligen und Fragen zu stellen.

(3) Bei der Vernehmung eines besonders schutzbedürftigen Opfers (§ 66a) oder sonst eines Zeugen, auf den die in § 66a erwähnten Kriterien zutreffen, oder

sonst im Interesse der Wahrheitsfindung ist auf Antrag der Staatsanwaltschaft oder von Amts wegen die Gelegenheit zur Beteiligung derart zu beschränken, dass die Beteiligten des Verfahrens (Abs. 2) und ihre Vertreter die Vernehmung unter Verwendung technischer Einrichtungen zur Wort- und Bildübertragung mitverfolgen und ihr Fragerecht ausüben können, ohne bei der Befragung anwesend zu sein. Insbesondere beim Vorliegen besonderer Schutzbedürftigkeit kann ein Sachverständiger mit der Befragung beauftragt werden. In jedem Fall ist dafür Sorge zu tragen, dass eine Begegnung des Zeugen mit dem Beschuldigten und anderen Verfahrensbeteiligten möglichst unterbleibt.

(4) Einen minderjährigen Zeugen, der durch die dem Beschuldigten zur Last gelegte Straftat in seiner Geschlechtssphäre verletzt worden sein könnte, hat das Gericht in jedem Fall auf die in Abs. 3 beschriebene Art und Weise zu vernehmen, die übrigen besonders schutzbedürftigen Opfer (§ 66a), die in § 156 Abs. 1 Z 1 erwähnten Zeugen sowie Zeugen, auf die die in § 66a Abs. 1 erwähnten Kriterien zutreffen, über ihren Antrag oder jenen der Staatsanwaltschaft.

(5) Vor der Vernehmung hat das Gericht den Zeugen überdies darüber zu informieren, dass das Protokoll in der Hauptverhandlung verlesen und Ton- oder Bildaufnahmen der Vernehmung vorgeführt werden können, auch wenn er im weiteren Verfahren die Aussage verweigern sollte. Soweit ein Sachverständiger mit der Durchführung der Befragung beauftragt wurde (Abs. 3), obliegt diesem die Vornahme dieser Information und jener nach § 161 Abs. 1. Auf das Alter und den Zustand des Zeugen ist dabei Rücksicht zu nehmen. Die Informationen und darüber abgegebene Erklärungen sind zu protokollieren.

(5a) Erfolgt die Vernehmung unter Verwendung technischer Einrichtungen zur Wort- und Bildübertragung, so ist die Aufnahme in jedem Fall unverzüglich in Vollschrift zu übertragen und als Protokoll zum Akt zu nehmen. Im Fall einer Vernehmung eines Zeugen, der durch die dem Beschuldigten zur Last gelegte Straftat in seiner Geschlechtssphäre verletzt worden sein könnte, ist die Aufnahme durch das Gericht (§ 31 Abs. 1) zu verwahren und nach Einbringen der Anklage dem zuständigen Gericht zu übermitteln. Entgegen § 52 Abs. 1 besteht in diesem Fall kein Recht auf Ausfolgung einer Kopie.

(6) Im Übrigen sind die Bestimmungen dieses Abschnitts sinngemäß anzuwenden.

Beweisverbot

§ 166. (1) Zum Nachteil eines Beschuldigten – außer gegen eine Person, die im Zusammenhang mit einer Vernehmung einer Rechtsverletzung beschuldigt ist – dürfen seine Aussagen sowie jene von Zeugen und Mitbeschuldigten nicht als Beweis verwendet werden, soweit sie:

1. unter Folter (Art. 7 des Internationalen Pakts über bürgerliche und politische Rechte, BGBl. Nr. 591/1978, Art. 3 der Europäischen Konvention zum Schutze der Menschenrechte und Grundfreiheiten, BGBl. Nr. 210/1958, und Art. 1 Abs. 1 sowie 15 des Übereinkommens gegen Folter und andere grausame, unmenschliche oder erniedrigende Behandlung, BGBl. Nr. 492/1987) zustande gekommen sind, oder

2. sonst durch unerlaubte Einwirkung auf die Freiheit der Willensentschließung oder Willensbetätigung oder durch unzulässige Vernehmungsmethoden, soweit sie fundamentale Verfahrensgrundsätze verletzen, gewonnen wurden und ihr Ausschluss zur Wiedergutmachung dieser Verletzung unerlässlich ist.

(2) Aussagen, die auf die im Abs. 1 beschriebene Art und Weise zustande gekommen sind oder gewonnen wurden, sind nichtig.

9. Hauptstück

Fahndung, Festnahme und Untersuchungshaft

1. Abschnitt

Fahndung

Definitionen

§ 167. Im Sinne dieses Gesetzes ist

1. „Personenfahndung“ jede Maßnahme zur Ermittlung des Aufenthaltes einer Person und zur Festnahme des Beschuldigten auf Grund einer Anordnung der Staatsanwaltschaft,

2. „Sachenfahndung“ jede Maßnahme zur Feststellung des Verbleibes einer Sache und zu ihrer Sicherstellung.

Fahndung

§ 168. (1) Personenfahndung zur Aufenthaltsermittlung ist zulässig, wenn der Aufenthalt des Beschuldigten oder einer Person, deren Identität festgestellt oder die als Zeuge vernommen werden soll, unbekannt ist.

(2) Personenfahndung zur Festnahme ist zulässig, wenn eine solche nicht vollzogen werden kann, weil der Beschuldigte flüchtig oder sein Aufenthalt unbekannt ist, oder weil er einer Ladung keine Folge geleistet hat und zu einer Vernehmung, einer anderen Beweisaufnahme oder zur Hauptverhandlung vorgeführt werden soll.

(3) Sachenfahndung ist zulässig, wenn ein Gegenstand, der sichergestellt werden soll, nicht aufgefunden werden kann.

§ 169. (1) Personenfahndung durch Ausschreibung zur Aufenthaltsermittlung oder zur Festnahme ist von der Staatsanwaltschaft anzuordnen. Über weitere Anordnung der Staatsanwaltschaft kann sie öffentlich bekannt gemacht werden, wenn die Ausforschung des Beschuldigten, weiterer Opfer oder die Auffindung einer anderen Person andernfalls wenig erfolgversprechend wäre und der Beschuldigte einer vorsätzlich begangenen Straftat, die mit einer Freiheitsstrafe von mehr als einem Jahr bedroht ist, dringend verdächtig ist. Abbildungen von Personen dürfen jedoch nur dann veröffentlicht oder zur Veröffentlichung in Medien oder sonst öffentlich zugänglichen Dateien freigegeben werden, wenn der damit angestrebte Vorteil den mit der Veröffentlichung verbundenen Eingriff in die Intimsphäre deutlich überwiegt oder die Veröffentlichung zum Schutz der Rechte und Interessen von durch den Beschuldigten gefährdeten Personen erforderlich scheint.

(1a) Eine Veröffentlichung von Abbildungen eines in Untersuchungshaft angehaltenen Beschuldigten ist auf Grund einer Anordnung der Staatsanwaltschaft unter den Voraussetzungen des Abs. 1 letzter Satz zulässig, soweit anderenfalls die Aufklärung weiterer Straftaten, deren Begehung er verdächtig ist, wesentlich erschwert wäre.

(2) Sachenfahndung kann die Kriminalpolizei von sich aus anordnen und durchführen; sie hat die erforderlichen Veröffentlichungen und anderen notwendigen Maßnahmen zu veranlassen.

2. Abschnitt
Festnahme

Zulässigkeit

§ 170. (1) Die Festnahme einer Person, die der Begehung einer strafbaren Handlung verdächtig ist, ist zulässig,

1. wenn sie auf frischer Tat betreten oder unmittelbar danach entweder glaubwürdig der Tatbegehung beschuldigt oder mit Gegenständen betreten wird, die auf ihre Beteiligung an der Tat hinweisen,

2. wenn sie flüchtig ist oder sich verborgen hält oder wenn auf Grund bestimmter Tatsachen die Gefahr besteht, sie werde flüchten oder sich verborgen halten,

3. wenn sie Zeugen, Sachverständige oder Mitbeschuldigte zu beeinflussen, Spuren der Tat zu beseitigen oder sonst die Ermittlung der Wahrheit zu erschweren versucht hat oder auf Grund bestimmter Tatsachen die Gefahr besteht, sie werde dies versuchen,

4. wenn die Person einer mit mehr als sechs Monaten Freiheitsstrafe bedrohten Tat verdächtig und auf Grund bestimmter Tatsachen anzunehmen ist, sie werde eine eben solche, gegen dasselbe Rechtsgut gerichtete Tat begehen, oder die ihr angelastete versuchte oder angedrohte Tat (§ 74 Abs. 1 Z 5 StGB) ausführen.

(2) Wenn es sich um ein Verbrechen handelt, bei dem nach dem Gesetz auf mindestens zehnjährige Freiheitsstrafe zu erkennen ist, muss die Festnahme angeordnet werden, es sei denn, dass auf Grund bestimmter Tatsachen anzunehmen ist, das Vorliegen aller im Abs. 1 Z 2 bis 4 angeführten Haftgründe sei auszuschließen.

(3) Festnahme und Anhaltung sind nicht zulässig, soweit sie zur Bedeutung der Sache außer Verhältnis stehen (§ 5).

Anordnung

§ 171. (1) Die Festnahme ist durch die Staatsanwaltschaft auf Grund einer gerichtlichen Bewilligung anzuordnen und von der Kriminalpolizei durchzuführen.

(2) Die Kriminalpolizei ist berechtigt, den Beschuldigten von sich aus festzunehmen

1. in den Fällen des § 170 Abs. 1 Z 1 und

2. in den Fällen des § 170 Abs. 1 Z 2 bis 4, wenn wegen Gefahr im Verzug eine Anordnung der Staatsanwaltschaft nicht rechtzeitig eingeholt werden kann.

(3) Im Fall des Abs. 1 ist dem Beschuldigten sogleich oder innerhalb von vierundzwanzig Stunden nach seiner Festnahme die Anordnung der Staatsanwaltschaft und deren gerichtliche Bewilligung zuzustellen; im Falle des Abs. 2 eine schriftliche Begründung der Kriminalpolizei über Tatverdacht und Haftgrund.

(4) Dem Beschuldigten ist sogleich oder unmittelbar nach seiner Festnahme schriftlich in einer für ihn verständlichen Art und Weise sowie in einer Sprache, die er versteht, Rechtsbelehrung (§ 50, § 59 Abs. 1) zu erteilen, die ihn darüber hinaus zu informieren hat, dass er

1. soweit er nicht freizulassen ist (§ 172 Abs. 2), ohne unnötigen Aufschub in die Justizanstalt eingeliefert und dem Gericht zur Entscheidung über die Haft vorgeführt werden wird (§§ 172 Abs. 1 und 3 und 174 Abs. 1), sowie

2. berechtigt ist,

a. einen Angehörigen oder eine andere Vertrauensperson und einen Verteidiger unverzüglich von seiner Festnahme zu verständigen oder verständigen zu lassen (Art. 4 Abs. 7 BVG über den Schutz der persönlichen Freiheit),wobei ihm auf Verlangen die Kontaktaufnahme mit einem „Verteidiger in Bereitschaft" (§ 59 Abs. 4) zu ermöglichen ist, dessen Kosten er unter den Voraussetzungen des § 59 Abs. 5 nicht zu tragen hat,

b. Beschwerde gegen die gerichtliche Bewilligung der Festnahme zu erheben und im Übrigen jederzeit seine Freilassung zu beantragen,

c. seine konsularische Vertretung unverzüglich verständigen zu lassen (Art. 36 des Wiener Übereinkommens über konsularische Beziehungen, BGBl. Nr. 318/1969),

d. Zugang zu ärztlicher Betreuung zu erhalten (§§ 66 bis 74 StVG).

Ist die schriftliche Belehrung in einer Sprache, die der Beschuldigten versteht, nicht verfügbar, so ist sie zunächst mündlich zu erteilen (§ 56 Abs. 2) und sodann ohne unnötigen Aufschub nachzureichen. Der

Umstand der erteilten Belehrung ist in jedem Fall schriftlich festzuhalten (§§ 95 und 96).

Durchführung

§ 172. (1) Vom Vollzug einer Anordnung auf Festnahme hat die Kriminalpolizei die Staatsanwaltschaft und diese das Gericht unverzüglich zu verständigen. Der Beschuldigte ist ohne unnötigen Aufschub, längstens aber binnen 48 Stunden ab Festnahme in die Justizanstalt des zuständigen Gerichts einzuliefern. Wenn dies, insbesondere wegen der Entfernung des Ortes der Festnahme nur mit unverhältnismäßigen Aufwand möglich oder wegen Erkrankung oder Verletzung des Beschuldigten nicht tunlich wäre, ist es zulässig, ihn der Justizanstalt eines unzuständigen Gerichts einzuliefern oder einer Krankenanstalt zu überstellen. In diesen Fällen kann das Gericht den Beschuldigten unter Verwendung technischer Einrichtungen zur Wort- und Bildübertragung vernehmen und ihm den Beschluss über die Untersuchungshaft auf gleiche Weise verkünden (§ 174).

(2) Hat die Kriminalpolizei den Beschuldigten von sich aus festgenommen, so hat sie ihn unverzüglich zur Sache, zum Tatverdacht und zum Haftgrund zu vernehmen. Sie hat ihn freizulassen, sobald sich ergibt, dass kein Grund zur weiteren Anhaltung vorhanden ist. Kann der Zweck der weiteren Anhaltung durch gelindere Mittel nach § 173 Abs. 5 Z 1 bis 7 erreicht werden, so hat die Kriminalpolizei dem Beschuldigten auf Anordnung der Staatsanwaltschaft unverzüglich die erforderlichen Weisungen zu erteilen, die Gelöbnisse von ihm entgegenzunehmen oder ihm die in § 173 Abs. 5 Z 3 und 6 erwähnten Schlüssel und Dokumente abzunehmen oder die aufgetragene Sicherheitsleistung nach § 172a einzuheben und ihn freizulassen. Die Ergebnisse der Ermittlungen samt den Protokollen über die erteilten Weisungen und die geleisteten Gelöbnisse sowie den abgenommenen Schlüsseln und Dokumenten sind der Staatsanwaltschaft binnen 48 Stunden nach der Festnahme zu übermitteln. Über die Aufrechterhaltung dieser gelinderen Mittel entscheidet das Gericht.

(3) Ist der Beschuldigte nicht nach Abs. 2 freizulassen, so hat ihn die Kriminalpolizei ohne unnötigen Aufschub, spätestens aber binnen 48 Stunden nach der Festnahme, in die Justizanstalt des zuständigen Gerichts einzuliefern oder – im Fall seiner Erkrankung (Abs. 1) – einer Krankenanstalt zu überstellen. Sie hat jedoch vor der Einlieferung rechtzeitig die Staatsanwaltschaft zu verständigen. Erklärt diese, keinen Antrag auf Verhängung der Untersuchungshaft zu stellen, so hat die Kriminalpolizei den Beschuldigten sogleich freizulassen.

(4) Soweit das Opfer dies beantragt hat, ist es von einer Freilassung des Beschuldigten nach dieser Bestimmung unter Angabe der hiefür maßgeblichen Gründe und der dem Beschuldigten auferlegten gelinderen Mittel sogleich zu verständigen. Opfer nach § 65 Abs. 1 Z 1 lit. a und besonders schutzbedürftige Opfer (§ 66a) sind jedoch unverzüglich von Amts wegen zu verständigen. Diese Verständigung obliegt der Staatsanwaltschaft, wenn sie nach Einlieferung in die Justizanstalt erklärt, keinen Antrag auf Verhängung der Untersuchungshaft zu stellen, im Übrigen jedoch der Kriminalpolizei.

Sicherheitsleistung

§ 172a. (1) Der Auftrag an den Beschuldigten, eine angemessene Sicherheit zur Sicherstellung der Durchführung des Strafverfahrens, der Zahlung der zu erwartenden Geldstrafe und der Kosten des Verfahrens sowie der dem Opfer zustehenden Entschädigung (§ 67 Abs. 1) zu leisten, ist zulässig, wenn der Beschuldigte einer bestimmten Straftat dringend verdächtig ist sowie zur Sache, zum Tatverdacht und zu den Voraussetzungen der Sicherheitsleistung vernommen wurde und auf Grund bestimmter Tatsachen zu besorgen ist, dass sich der Beschuldigte dem Verfahren entziehen oder die Durchführung des Strafverfahrens sonst offenbar unmöglich oder wesentlich erschwert sein werde.

(2) Die Sicherheitsleistung und deren Höhe sind von der Staatsanwaltschaft anzuordnen und von der Kriminalpolizei durchzuführen. Für den Fall, dass die aufgetragene Sicherheitsleistung nicht unverzüglich in barem Geld erfolgt, hat die Kriminalpolizei Gegenstände zwangsweise sicherzustellen, die der Beschuldigte mit sich führt, die ihm allem Anschein nach gehören und deren Wert nach Möglichkeit die Höhe des zulässigen Betrags der Sicherheit nicht übersteigt. Die Kriminalpolizei hat der Staatsanwaltschaft die Ergebnisse der Ermittlungen samt der übergebenen Sicherheit oder den sichergestellten Gegenständen unverzüglich zu übermitteln.

(3) Die Sicherheit wird frei, sobald das Strafverfahren rechtswirksam beendet ist, im Fall der Verurteilung des Angeklagten jedoch erst, sobald er die Geldstrafe und die ihm auferlegten Kosten des Verfahrens und gegebenenfalls dem Privatbeteiligten die im Strafurteil zugesprochene Entschädigung gezahlt sowie im Fall einer nicht bedingt nachgesehenen Geld – oder Freiheitsstrafe die Freiheitsstrafe angetreten hat. Als Sicherheit sichergestellte Gegenstände und Vermögenswerte werden auch frei, sobald der Beschuldigte die aufgetragene Sicherheit in Geld erlegt oder ein Dritter, dem keine Beteiligung an der Tat zur Last liegt, Rechte an den Gegenständen oder Vermögenswerten glaubhaft macht.

(4) Die Sicherheit ist vom Gericht auf Antrag der Staatsanwaltschaft oder von Amts wegen mit Beschluss für verfallen zu erklären, wenn sich der Beschuldigte dem Verfahren oder der Vollstreckung der Strafe und der Kosten des Verfahrens oder der Zahlung der Entschädigung an den Privatbeteiligten entzieht, insbesondere dadurch, dass er eine Ladung oder die Aufforderung zum Strafantritt oder Zahlung der Geldstrafe oder der Kosten des Verfahrens nicht befolgt. § 180 Abs. 4 letzter Satz und Abs. 5 gelten sinngemäß.

3. Abschnitt

Untersuchungshaft

Zulässigkeit

§ 173. (1) Verhängung und Fortsetzung der Untersuchungshaft sind nur auf Antrag der Staatsanwaltschaft und nur dann zulässig, wenn der Beschuldigte einer bestimmten Straftat dringend verdächtig, vom Gericht zur Sache und zu den Voraussetzungen der Untersuchungshaft vernommen worden ist und einer der im Abs. 2 angeführten Haftgründe vorliegt. Sie darf nicht angeordnet oder fortgesetzt werden, wenn sie zur Bedeutung der Sache oder zu der zu erwartenden Strafe außer Verhältnis steht oder ihr Zweck durch Anwendung gelinderer Mittel (Abs. 5) erreicht werden kann.

(2) Ein Haftgrund liegt vor, wenn auf Grund bestimmter Tatsachen die Gefahr besteht, der Beschuldigte werde auf freiem Fuß

1. wegen Art und Ausmaß der ihm voraussichtlich bevorstehenden Strafe oder aus anderen Gründen flüchten oder sich verborgen halten,

2. Zeugen, Sachverständige oder Mitbeschuldigte zu beeinflussen, Spuren der Tat zu beseitigen oder sonst die Ermittlung der Wahrheit zu erschweren versuchen,

3. ungeachtet des wegen einer mit mehr als sechs Monaten Freiheitsstrafe bedrohten Straftat gegen ihn geführten Strafverfahrens

a. eine strafbare Handlung mit schweren Folgen begehen, die gegen dasselbe Rechtsgut gerichtet ist wie die ihm angelastete Straftat mit schweren Folgen,

b. eine strafbare Handlung mit nicht bloß leichten Folgen begehen, die gegen dasselbe Rechtsgut gerichtet ist wie die ihm angelastete strafbare Handlung, wenn er entweder wegen einer solchen Straftat bereits verurteilt worden ist oder wenn ihm nunmehr wiederholte oder fortgesetzte Handlungen angelastet werden,

c. eine strafbare Handlung mit einer Strafdrohung von mehr als sechsmonatiger Freiheitsstrafe begehen, die ebenso wie die ihm angelastete strafbare Handlung gegen dasselbe Rechtsgut gerichtet ist wie die Straftaten, derentwegen er bereits zweimal verurteilt worden ist, oder

d. die ihm angelastete versuchte oder angedrohte Tat (§ 74 Abs. 1 Z 5 StGB) ausführen.

(3) Fluchtgefahr ist jedenfalls nicht anzunehmen, wenn der Beschuldigte einer Straftat verdächtig ist, die nicht strenger als mit fünfjähriger Freiheitsstrafe bedroht ist, er sich in geordneten Lebensverhältnissen befindet und einen festen Wohnsitz im Inland hat, es sei denn, er habe bereits Vorbereitungen zur Flucht getroffen. Bei Beurteilung von Tatbegehungsgefahr nach Abs. 2 Z 3 fällt es besonders ins Gewicht, wenn vom Beschuldigten eine Gefahr für Leib und Leben von Menschen oder die Gefahr der Begehung von Verbrechen in einer kriminellen Organisation oder terroristischen Vereinigung ausgeht. Im Übrigen ist bei Beurteilung dieses Haftgrundes zu berücksichtigen, inwieweit sich die Gefahr dadurch vermindert hat, dass sich die Verhältnisse, unter denen die dem Beschuldigten angelastete Tat begangen worden ist, geändert haben.

(4) Die Untersuchungshaft darf nicht verhängt, aufrecht erhalten oder fortgesetzt werden, wenn die Haftzwecke auch durch eine gleichzeitige Strafhaft oder Haft anderer Art erreicht werden können. Im Fall der Strafhaft hat die Staatsanwaltschaft die Abweichungen vom Vollzug anzuordnen, die für die Zwecke der Untersuchungshaft unentbehrlich sind. Wird die Untersuchungshaft dennoch verhängt, so tritt eine Unterbrechung des Strafvollzuges ein.

(5) Als gelindere Mittel sind insbesondere anwendbar:

1. das Gelöbnis, bis zur rechtskräftigen Beendigung des Strafverfahrens weder zu fliehen noch sich verborgen zu halten noch sich ohne Genehmigung der Staatsanwaltschaft von seinem Aufenthaltsort zu entfernen,

2. das Gelöbnis, keinen Versuch zu unternehmen, die Ermittlungen zu erschweren,

3. in den Fällen des § 38a Abs. 1 SPG das Gelöbnis, jeden Kontakt mit dem Opfer zu unterlassen, und die Weisung, eine bestimmte Wohnung sowie bestimmte sonstige Örtlichkeiten nicht zu betreten und sich dem Opfer nicht anzunähern oder ein bereits erteiltes Betretungs- und Annäherungsverbot zum Schutz vor Gewalt nach § 38a Abs. 1 SPG oder eine einstweilige Verfügung nach § 382b EO nicht zu übertreten, samt Abnahme aller Schlüssel zur Wohnung,

4. die Weisung, an einem bestimmten Ort, bei einer bestimmten Familie zu wohnen, eine bestimmte Wohnung, bestimmte Orte oder bestimmten Umgang zu meiden, sich alkoholischer Getränke oder anderer Suchtmittel zu enthalten oder einer geregelten Arbeit nachzugehen,

5. die Weisung, jeden Wechsel des Aufenthaltes anzuzeigen oder sich in bestimmten Zeitabständen bei der Kriminalpolizei oder einer anderen Stelle zu melden,

6. die vorübergehende Abnahme von Identitäts-, Kraftfahrzeugs- oder sonstigen Berechtigungsdokumenten,

7. vorläufige Bewährungshilfe nach § 179,

8. die Leistung einer Sicherheit nach den §§ 180 und 181,

9. mit Zustimmung des Beschuldigten die Weisung, sich einer Entwöhnungsbehandlung, sonst einer medizinischen Behandlung oder einer Psychotherapie (§ 51 Abs. 3 StGB) oder einer gesundheitsbezogenen Maßnahme (§ 11 Abs. 2 SMG) zu unterziehen.

(Abs. 6 aufgehoben durch VfGH, BGBl. I Nr. 1/2023)

Hausarrest

§ 173a. (1) Auf Antrag der Staatsanwaltschaft oder des Beschuldigten kann die Untersuchungshaft als Hausarrest fortgesetzt werden, der in der Unterkunft zu vollziehen ist, in welcher der Beschuldigte seinen inländischen Wohnsitz begründet hat. Die Anordnung des Hausarrests ist zulässig, wenn die Untersuchungshaft nicht gegen gelindere Mittel (§ 173 Abs. 5) aufgehoben, der Zweck der Anhaltung (§ 182 Abs. 1) aber auch durch diese Art des Vollzugs der Untersuchungshaft erreicht werden kann, weil sich der Beschuldigte in geordneten Lebensverhältnissen befindet und er zustimmt, sich durch geeignete Mittel der elektronischen Aufsicht (§ 156b Abs. 1 und 2 StVG) überwachen zu lassen. Im Übrigen gelten die Bestimmungen über die Fortsetzung, Aufhebung und Höchstdauer der Untersuchungshaft mit der Maßgabe sinngemäß, dass ab Anordnung des Hausarrests Haftverhandlungen von Amts wegen nicht mehr stattfinden und der Beschluss über die Fortsetzung oder Aufhebung der Untersuchungshaft ohne vorangegangene mündliche Verhandlung schriftlich ergehen kann.

(2) Über einen Antrag nach Abs. 1 ist in einer Haftverhandlung zu entscheiden (§ 176 Abs. 1). Gegebenenfalls hat das Gericht sogleich nach Antragstellung vorläufige Bewährungshilfe nach § 179 anzuordnen und die Bewährungshilfe zu beauftragen, dem Gericht spätestens in der Haftverhandlung über die Lebensverhältnisse des Beschuldigten und seine sozialen Bindungen, einschließlich der Möglichkeit, einer Beschäftigung oder Ausbildung ohne Gefährdung der Haftzwecke nachzugehen, sowie über die mit dem Beschuldigten vereinbarten Bedingungen für den Vollzug des Hausarrests zu berichten, deren Einhaltung der Beschuldigte in der Haftverhandlung durch Gelöbnis zu bekräftigen hat. Das Verlassen der Unterkunft ist außer zur Erreichung des Arbeits- oder Ausbildungsplatzes, zur Beschaffung des notwendigen Lebensbedarfs und zur Inanspruchnahme notwendiger medizinischer Hilfe auf der jeweils kürzesten Wegstrecke nicht zulässig.

(3) Wird dem Antrag Folge gegeben, so hat die Staatsanwaltschaft die Kriminalpolizei und die Sicherheitsbehörde des Ortes, an dem der Hausarrest vollzogen wird, zu verständigen und die Justizanstalt zu beauftragen, den Beschuldigten nach Einrichtung der zur elektronischen Aufsicht erforderlichen technischen Mittel in den Hausarrest zu überstellen.

(4) Das Gericht hat den Hausarrest zu widerrufen und den weiteren Vollzug der Untersuchungshaft in der Justizanstalt anzuordnen, wenn der Beschuldigte erklärt, seine Zustimmung zu widerrufen. Gleiches gilt auf Antrag der Staatsanwaltschaft, wenn der Beschuldigte seinem Gelöbnis zuwider die Bedingungen nicht einhält oder wenn sonst hervorkommt, dass die Haftzwecke durch den Hausarrest nicht erreicht werden können. Mit der Durchführung der Überstellung ist die Kriminalpolizei zu beauftragen.

(5) Wird der Hausarrest nicht nach Abs. 4 widerrufen, so gilt für den Fall der Rechtskraft des Urteils § 3 Abs. 2 StVG sinngemäß.

Verhängung der Untersuchungshaft

§ 174. (1) Jeder festgenommene Beschuldigte ist vom Gericht unverzüglich nach seiner Einlieferung in die Justizanstalt zu den Voraussetzungen der Untersuchungshaft zu vernehmen. Wenn es zur Verhütung und Bekämpfung einer Pandemie oder anzeigepflichtiger Krankheiten nach dem Epidemiegesetz 1950, BGBl. Nr. 186/1950, nach Maßgabe einer Verordnung der Bundesministerin für Justiz notwendig erscheint, kann gemäß § 153 Abs. 4 vorgegangen werden. Dem Verteidiger und der Staatsanwaltschaft ist die Möglichkeit zur Teilnahme an dieser Vernehmung einzuräumen. Das Gericht kann aber vor seiner Entscheidung sofortige Ermittlungen vornehmen oder durch die Kriminalpolizei vornehmen lassen, wenn deren Ergebnis maßgebenden Einfluss auf die Beurteilung von Tatverdacht oder Haftgrund erwarten lässt. In jedem Fall hat das Gericht längstens binnen 48 Stunden nach der Einlieferung zu entscheiden, ob der Beschuldigte, allenfalls unter Anwendung gelinderer Mittel (§ 173 Abs. 5), freigelassen oder ob die Untersuchungshaft verhängt wird.

(2) Der Beschluss nach Abs. 1 ist dem Beschuldigten sofort mündlich zu verkünden. Ein Beschluss auf Freilassung ist der Staatsanwaltschaft binnen 24 Stunden zuzustellen und der Kriminalpolizei zur Kenntnis zu bringen. Wird die Untersuchungshaft verhängt, so ist die Zustellung an den Beschuldigten binnen 24 Stunden zu veranlassen und unverzüglich eine Ausfertigung der Staatsanwaltschaft, dem Verteidiger, der Justizanstalt und einem gegebenenfalls bestellten Bewährungshelfer zu übermitteln. Der Beschuldigte kann auf die Zustellung nicht wirksam verzichten.

(3) Ein Beschluss, mit dem die Untersuchungshaft verhängt wird, hat zu enthalten:

1. den Namen des Beschuldigten sowie weitere Angaben zur Person,

2. die strafbare Handlung, deren Begehung der Beschuldigte dringend verdächtig ist, Zeit, Ort und Umstände ihrer Begehung sowie ihre gesetzliche Bezeichnung,

3. den Haftgrund,

4. die bestimmten Tatsachen, aus denen sich der dringende Tatverdacht und der Haftgrund ergeben, und aus welchen Gründen der Haftzweck durch Anwendung gelinderer Mittel nicht erreicht werden kann,

5. die Mitteilung, bis zu welchem Tag der Beschluss längstens wirksam sei sowie dass vor einer allfälligen Fortsetzung der Haft eine Haftverhandlung stattfinden werde, sofern nicht einer der im Abs. 4

oder im § 175 Abs. 3, 4 oder 5 erwähnten Fälle eintritt,

6. die Mitteilung, dass der Beschuldigte, soweit dies nicht bereits geschehen ist, einen Verteidiger, einen Angehörigen oder eine andere Vertrauensperson verständigen oder verständigen lassen könne,

7. die Mitteilung, dass der Beschuldigte durch einen Verteidiger vertreten sein müsse, solange er sich in Untersuchungshaft befinde,

8. die Mitteilung, dass dem Beschuldigten Beschwerde zustehe und dass er im Übrigen jederzeit seine Enthaftung oder die Anordnung des Hausarrests (§ 173a) beantragen könne.

(4) Eine Beschwerde des Beschuldigten gegen die Verhängung der Untersuchungshaft löst die Haftfrist nach § 175 Abs. 2 Z 2 aus. Ein darauf ergehender Beschluss des Oberlandesgerichts auf Fortsetzung der Untersuchungshaft löst die nächste Haftfrist aus; Abs. 3 Z 1 bis 5 gilt sinngemäß.

Haftfristen

§ 175. (1) Ein Beschluss, mit dem die Untersuchungshaft verhängt oder fortgesetzt wird, ist längstens für einen bestimmten Zeitraum wirksam (Haftfrist); der Ablauftag ist im Beschluss anzuführen. Vor Ablauf der Haftfrist ist eine Haftverhandlung durchzuführen oder der Beschuldigte zu enthaften.

(2) Die Haftfrist beträgt

1. 14 Tage ab Verhängung der Untersuchungshaft,

2. einen Monat ab erstmaliger Fortsetzung der Untersuchungshaft,

3. zwei Monate ab weiterer Fortsetzung der Untersuchungshaft.

(3) Ist die Durchführung der Haftverhandlung vor Ablauf der Haftfrist wegen eines unvorhersehbaren oder unabwendbaren Ereignisses unmöglich, so kann die Haftverhandlung auf einen der drei dem Fristablauf folgenden Arbeitstage verlegt werden; in diesem Fall verlängert sich die Haftfrist entsprechend.

(4) Der Beschuldigte kann durch seinen Verteidiger auf die Durchführung einer bevorstehenden Haftverhandlung verzichten. In diesem Fall kann der Beschluss über die Aufhebung oder Fortsetzung der Untersuchungshaft (§ 176 Abs. 4) ohne vorangegangene mündliche Verhandlung schriftlich ergehen.

(5) Nach Einbringen der Anklage ist die Wirksamkeit eines Beschlusses auf Verhängung oder Fortsetzung der Untersuchungshaft durch die Haftfrist nicht mehr begrenzt; Haftverhandlungen finden nach diesem Zeitpunkt nur statt, wenn der Angeklagte seine Enthaftung beantragt und darüber nicht ohne Verzug in einer Hauptverhandlung entschieden werden kann. Die §§ 233 bis 237 gelten in diesem Fall sinngemäß.

Haftverhandlung

§ 176. (1) Eine Haftverhandlung hat das Gericht von Amts wegen anzuberaumen:

1. vor Ablauf der Haftfrist,

2. ohne Verzug, wenn der Beschuldigte seine Freilassung beantragt und sich die Staatsanwaltschaft dagegen ausspricht oder die Anordnung des Hausarrests (§ 173a) beantragt wird,

3. sofern das Gericht Bedenken gegen die Fortsetzung der Untersuchungshaft hegt.

(2) Die Haftverhandlung leitet das Gericht; sie ist nicht öffentlich. Die Staatsanwaltschaft, der Beschuldigte, sein gesetzlicher Vertreter, sein Verteidiger, die Kriminalpolizei, soweit sie darum ersucht hat, und der Bewährungshelfer sind vom Termin zu verständigen.

(3) Der Beschuldigte ist zur Verhandlung vorzuführen, es sei denn, dass dies wegen Krankheit nicht möglich ist. Er muss durch einen Verteidiger vertreten sein. Anstelle der Vorführung kann in den in § 174 Abs. 1 geregelten Fällen sowie bei Beschuldigten, die in einer Außenstelle der Justizanstalt des zuständigen Gerichts oder in einer anderen als der Justizanstalt des zuständigen Gerichts (§ 183) angehalten werden, gemäß § 153 Abs. 4 vorgegangen werden.

(4) Zunächst trägt die Staatsanwaltschaft ihren Antrag auf Fortsetzung der Untersuchungshaft vor und begründet ihn. Der Beschuldigte, sein gesetzlicher Vertreter und sein Verteidiger haben das Recht zu erwidern. Der Bewährungshelfer kann sich zur Haftfrage äußern. Staatsanwaltschaft und Beschuldigter können ergänzende Feststellungen aus dem Akt begehren. Das Gericht kann von Amts wegen oder auf Anregung Zeugen vernehmen oder andere Beweise aufnehmen, soweit dies für die Beurteilung der Haftfrage erforderlich ist. Dem Beschuldigten oder seinem Verteidiger gebührt das Recht der letzten Äußerung. Sodann entscheidet das Gericht über die Aufhebung oder Fortsetzung der Untersuchungshaft. § 174 Abs. 3 Z 1 bis 5 und 8 gilt sinngemäß.

(5) Eine Beschwerde gegen einen Beschluss nach Abs. 4 ist binnen drei Tagen nach Verkündung des Beschlusses einzubringen; § 174 Abs. 4 zweiter Satz ist anzuwenden.

Aufhebung der Untersuchungshaft

§ 177. (1) Sämtliche am Strafverfahren beteiligten Behörden sind verpflichtet, darauf hinzuwirken, dass die Haft so kurz wie möglich dauere. Die Ermittlungen sind von Staatsanwaltschaft und Kriminalpolizei mit Nachdruck und unter besonderer Beschleunigung zu führen.

(2) Der Beschuldigte ist sogleich freizulassen und gelindere Mittel sind aufzuheben, sobald die Voraussetzungen der Anhaltung, der Untersuchungshaft oder der Anwendung gelinderer Mittel nicht mehr vorliegen oder ihre Dauer unverhältnismäßig wäre.

(3) Ist die Staatsanwaltschaft der Ansicht, dass die Untersuchungshaft aufzuheben sei, so beantragt sie dies beim Gericht, das den Beschuldigten sogleich freizulassen hat.

(4) Ist die Staatsanwaltschaft der Ansicht, dass die Aufhebung gelinderer Mittel zu verfügen sei, so beantragt sie dies beim Gericht, das daraufhin entsprechend zu verfügen hat. Beantragt die Staatsanwaltschaft eine Änderung oder der Beschuldigte eine Aufhebung oder Änderung gelinderer Mittel und spricht sich die Staatsanwaltschaft dagegen aus, so hat das Gericht zu entscheiden. Eine Beschwerde gegen diesen Beschluss ist binnen drei Tagen ab seiner Bekanntmachung einzubringen.

(5) Wird der Beschuldigte freigelassen, so hat das Gericht nach § 172 Abs. 4 erster und zweiter Satz vorzugehen und auch die Kriminalpolizei von diesen Verständigungen zu informieren.

Höchstdauer der Untersuchungshaft

§ 178. (1) Bis zum Beginn der Hauptverhandlung darf die Untersuchungshaft folgende Fristen nicht übersteigen:

1. zwei Monate, wenn der Beschuldigte nur aus dem Grunde der Verdunkelungsgefahr (§ 173 Abs. 2 Z 2), im Übrigen
2. sechs Monate, wenn er wegen des Verdachts eines Vergehens, ein Jahr, wenn er wegen des Verdachts eines Verbrechens und zwei Jahre, wenn er wegen des Verdachts eines Verbrechens, das mit einer fünf Jahre übersteigenden Freiheitsstrafe bedroht ist, angehalten wird.

(2) Über sechs Monate hinaus darf die Untersuchungshaft jedoch nur dann aufrecht erhalten werden, wenn dies wegen besonderer Schwierigkeiten oder besonderen Umfangs der Ermittlungen im Hinblick auf das Gewicht des Haftgrundes unvermeidbar ist.

(3) Muss ein wegen Fristablaufs freigelassener Angeklagter zum Zweck der Durchführung der Hauptverhandlung neuerlich in Haft genommen werden, so darf dies jeweils höchstens für die Dauer von sechs weiteren Wochen geschehen.

Vorläufige Bewährungshilfe

§ 179. (1) Vorläufige Bewährungshilfe ist anzuordnen, wenn der Beschuldigte dem zustimmt und es geboten scheint, dadurch seine Bemühungen um eine Lebensführung und Einstellung, die ihn in Zukunft von der Begehung strafbarer Handlungen abhalten werde, zu fördern.

(2) Hat der Beschuldigte einen gesetzlichen Vertreter, so ist diesem die Anordnung der vorläufigen Bewährungshilfe mitzuteilen.

(3) Die vorläufige Bewährungshilfe endet spätestens mit rechtskräftiger Beendigung des Strafverfahrens. Im Übrigen gelten die Bestimmungen über die Bewährungshilfe dem Sinne nach.

Kaution

§ 180. (1) Gegen Kaution oder Bürgschaft sowie gegen Ablegung der im § 173 Abs. 5 Z 1 und 2 erwähnten Gelöbnisse kann der Beschuldigte freigelassen werden, sofern ausschließlich der Haftgrund der Fluchtgefahr (§ 173 Abs. 2 Z 1) vorliegt; dies hat zu erfolgen, wenn die Straftat nicht strenger als mit fünfjähriger Freiheitsstrafe bedroht ist.

(2) Die Höhe der Sicherheitsleistung ist vom Gericht auf Antrag der Staatsanwaltschaft unter Bedachtnahme auf das Gewicht der dem Beschuldigten angelasteten Straftat, seine persönlichen und wirtschaftlichen Verhältnisse sowie das Vermögen der Person zu bestimmen, welche die Sicherheit leistet.

(3) Die Sicherheit ist entweder in barem Geld oder in mündelsicheren Wertpapieren, nach dem Börsekurs des Erlagstages berechnet, gerichtlich zu hinterlegen oder durch Belastung oder Verpfändung von Liegenschaften oder Rechten, die in einem öffentlichen Buch eingetragen sind, oder durch taugliche Bürgen (§ 1374 ABGB), die sich zugleich als Zahler verpflichten, zu leisten. Wenn besondere Umstände den Verdacht nahe legen, dass die angebotene Sicherheit aus einer Straftat des Beschuldigten herrührt, hat das Gericht vor der Annahme der Sicherheitsleistung Ermittlungen über die Redlichkeit der Herkunft zu veranlassen.

(4) Die Sicherheit ist vom Gericht auf Antrag der Staatsanwaltschaft oder von Amts wegen mit Beschluss für verfallen zu erklären, wenn sich der Beschuldigte dem Verfahren oder, im Fall der Verurteilung zu einer nicht bedingt nachgesehenen Freiheitsstrafe, dem Antritt dieser Strafe entzieht, insbesondere dadurch, dass er sich ohne Erlaubnis von seinem Wohnort entfernt oder eine Ladung nicht befolgt. Diese Ladung und der Beschluss über den Verfall sind dem Beschuldigten im Falle seiner Nichtauffindung nach § 8 Abs. 2 des Zustellgesetzes zuzustellen.

(5) Mit Rechtskraft des Beschlusses nach Abs. 4 ist die verfallene Sicherheit für den Bund einzuziehen, doch hat das Opfer das Recht zu verlangen, dass seine Entschädigungsansprüche aus der Sicherheit oder ihrem Verwertungserlös vorrangig befriedigt werden.

§ 181. (1) Wenn der Beschuldigte nach seiner Freilassung gegen Sicherheit seine Flucht vorbereitet oder wenn neue Umstände hervorkommen, die seine Verhaftung erfordern, so ist er ungeachtet der Sicherheit festzunehmen, doch wird in diesen Fällen die Sicherheitsleistung frei.

(2) Dasselbe ist der Fall, sobald das Strafverfahren rechtswirksam beendet ist, bei Verurteilung zu einer nicht bedingt nachgesehenen Freiheitsstrafe aber erst, sobald der Verurteilte die Strafe angetreten hat.

(3) Über die Freigabe der Sicherheit entscheidet das Gericht.

Flucht

StPO § 181a. Soweit das Opfer dies beantragt hat, ist es von einer Flucht des in Untersuchungshaft angehaltenen Beschuldigten sowie von seiner Wiederergreifung sogleich zu verständigen. § 172 Abs. 4 zweiter Satz gilt sinngemäß. Die Justizanstalt hat die Staatsanwaltschaft unverzüglich von der Flucht und Wiedereinbringung zu verständigen; die Staatsanwaltschaft hat sodann das Opfer zu verständigen.

4. Abschnitt

Vollzug der Untersuchungshaft

Allgemeines

§ 182. (1) Zweck der Anhaltung eines Beschuldigten in Untersuchungshaft ist, dem Haftgrund (§ 173 Abs. 2) entgegenzuwirken.

(2) Das Leben in Untersuchungshaft soll den allgemeinen Lebensverhältnissen soweit wie möglich angeglichen werden. Beschränkungen dürfen verhafteten Beschuldigten nur insoweit auferlegt werden, als dies gesetzlich zulässig und zur Erreichung des Haftzwecks (Abs. 1) oder zur Aufrechterhaltung der Sicherheit und Ordnung in der Justizanstalt notwendig ist.

(3) Beim Vollzug der Untersuchungshaft ist insbesondere darauf Bedacht zu nehmen, dass

1. für Beschuldigte die Vermutung der Unschuld gilt,

2. Beschuldigte ausreichend Gelegenheit zur Vorbereitung ihrer Verteidigung haben und

3. schädlichen Folgen des Freiheitsentzuges auf geeignete Weise entgegengewirkt wird.

(3a) Ein Waffengebrauch im Sinne des § 105 Abs. 6 Z 3 StVG ist nur zulässig, wenn der Beschuldigte wegen des Verdachts eines Verbrechens in Untersuchungshaft angehalten wird und auf Grund der Art oder Ausführung der vorgeworfenen Tat, der Persönlichkeit des Beschuldigten oder seines Vorlebens anzunehmen ist, dass er für die Sicherheit des Staates, von Leib und Leben, die sexuelle Integrität oder das Vermögen anderer Personen eine besondere Gefahr darstellt.

(4) Im Übrigen sind, soweit dieses Gesetz im Einzelnen nichts anderes bestimmt, auf den Vollzug der Untersuchungshaft die Bestimmungen des Strafvollzugsgesetzes über den Vollzug von Freiheitsstrafen, deren Strafzeit 18 Monate nicht übersteigt, dem Sinn nach anzuwenden.

(5) Soweit im Einzelnen nichts anderes bestimmt wird, gelten die Bestimmungen über den Vollzug der Untersuchungshaft für alle Anhaltungen nach diesem Gesetz, die in einer Justizanstalt vollzogen werden.

Haftort

§ 183. (1) Beschuldigte sind in der Justizanstalt des für die Entscheidung über die Verhängung und Fortsetzung der Untersuchungshaft zuständigen Gerichts anzuhalten. Soweit dies – insbesondere im Interesse einer wirtschaftlichen Führung der Justizanstalten – notwendig ist, können weibliche Beschuldigte in der Justizanstalt eines benachbarten Gerichts angehalten werden.

(2) Wenn dies zur Erreichung des Haftzwecks oder zur Wahrung der in § 182 enthaltenen Grundsätze notwendig ist, hat das Bundesministerium für Justiz die Zuständigkeit einer anderen Justizanstalt anzuordnen. Eine solche Anordnung kann mit Zustimmung des Beschuldigten auch zur Vermeidung eines Überbelags getroffen werden.

(3) Ab Beginn des Hauptverfahrens (§ 210 Abs. 2) kann das Bundesministerium für Justiz die Zuständigkeit einer anderen als der nach Abs. 1 bestimmten Justizanstalt innerhalb des Sprengels des zuständigen Oberlandesgerichts anordnen, wenn dies der besseren Auslastung der Vollzugseinrichtungen dient und durch die Überstellung weder eine Beeinträchtigung der Interessen des Angeklagten noch Nachteile für das Strafverfahren zu befürchten sind.

(4) Vor einer Änderung des Haftortes sind der Beschuldigte, Staatsanwaltschaft und Gericht zu hören; nach der Überstellung sind Staatsanwaltschaft, Gericht und der Verteidiger durch die nunmehr zuständige Justizanstalt unverzüglich zu verständigen.

(5) Nach Rechtswirksamkeit der Anklage ist der Angeklagte, soweit die Zuständigkeit eines anderen Landesgerichts begründet wird, unverzüglich in die Justizanstalt des nunmehr zuständigen Landesgerichts zu überstellen.

Ausführungen

§ 184. Für Vernehmungen, Ausführungen und Überstellungen von Beschuldigten gelten die Bestimmungen der §§ 97 und 98 StVG sinngemäß mit der Maßgabe, dass

1. Vernehmungen auch dann in der Anstalt durchzuführen sind, wenn sie nicht vom Gericht oder von der Staatsanwaltschaft durchgeführt werden,

2. Ausführungen auf Ersuchen der Kriminalpolizei oder anderer Behörden (§ 98 Abs. 1 StVG) nur auf Anordnung oder mit Zustimmung der Staatsanwaltschaft und nur zum Zweck der Teilnahme an Verhandlungen, Tatrekonstruktionen und anderen kontradiktorischen Einvernahmen, an Gegenüberstellungen, Augenscheinen sowie sonstigen Befundaufnahmen zulässig sind.

Getrennte Anhaltung

§ 185. (1) Beschuldigte sollen nicht in Gemeinschaft mit Strafgefangenen untergebracht werden. Beschuldigte, die sich das erste Mal in Haft befinden oder die nach § 183 Abs. 3 in einer anderen Justizanstalt angehalten werden, sind jedenfalls getrennt von Strafgefangenen anzuhalten. Bei der Bewegung im Freien, bei der Arbeit, beim Gottesdienst und bei Veranstaltungen sowie bei der Krankenbetreuung kann jedoch von einer Trennung abgesehen werden, soweit eine solche nach den zur Verfügung stehenden Einrichtungen nicht möglich ist.

(2) Soweit das zur Erreichung der Haftzwecke erforderlich ist, sind der Beteiligung an derselben Straftat verdächtige Beschuldigte so anzuhalten, dass sie nicht miteinander verkehren können. Solange die Staatsanwaltschaft hierüber keine Entscheidung getroffen hat, sind solche Beschuldigte jedenfalls getrennt anzuhalten.

(3) Weibliche Beschuldigte sind in jedem Fall von männlichen Beschuldigten und männlichen Strafgefangenen getrennt unterzubringen.

Kleidung und Bedarfsgegenstände

§ 186. (1) Angehaltene Beschuldigte sind unter Achtung ihrer Persönlichkeit und ihres Ehrgefühls sowie mit möglichster Schonung ihrer Person zu behandeln. Sie sind berechtigt, eigene Kleidung zu tragen, soweit die regelmäßige Reinigung in der Anstalt möglich ist oder außerhalb der Anstalt durch deren Vermittlung besorgt werden kann. Verfügt ein angehaltener Beschuldigter über keine geeignete Kleidung, so ist ihm eine solche für Verhandlungen vor Gericht, für Ausführungen und für Überstellungen mit öffentlichen Verkehrsmitteln zur Verfügung zu stellen.

(2) Angehaltene Beschuldigte sind berechtigt, sich auf eigene Kosten Bedarfsgegenstände, Dienstleistungen und andere Annehmlichkeiten zu verschaffen, soweit dies mit dem Haftzweck vereinbar ist und weder die Sicherheit gefährdet noch die Ordnung in der Anstalt erheblich beeinträchtigt oder Mithäftlinge belästigt.

Arbeit und Arbeitsvergütung

§ 187. (1) Angehaltene Beschuldigte sind zur Arbeit nicht verpflichtet. Ein arbeitsfähiger Beschuldigter kann jedoch unter den für Strafgefangene geltenden Bedingungen (§§ 44 bis 55 StVG) arbeiten, wenn er sich dazu bereit erklärt und Nachteile für das Verfahren nicht zu befürchten sind.

(2) Die Arbeitsvergütung ist dem Beschuldigten nach Abzug des Vollzugskostenbeitrages (§ 32 Abs. 2 und 3 StVG) zur Gänze als Hausgeld gutzuschreiben. Im Fall eines Freispruchs, des Rücktritts von Verfolgung oder einer Einstellung des Strafverfahrens ist ihm der einbehaltene Vollzugskostenbeitrag auszuzahlen.

(Anm.: Abs. 3 aufgehoben durch BGBl. I Nr. 111/2010)

(4) Angehaltene Beschuldigte dürfen sich auf ihre Kosten selbst beschäftigen, soweit dies mit dem Haftzweck vereinbar ist und die Ordnung in der Anstalt nicht stört. Aus dieser Beschäftigung erzielte Einkünfte sind dem Hausgeld gutzuschreiben.

Verkehr mit der Außenwelt

§ 188. (1) Angehaltene Beschuldigte dürfen Besuche innerhalb der festgesetzten Besuchszeiten so oft und in dem zeitlichen Ausmaß empfangen, als die Abwicklung ohne unvertretbaren Aufwand gewährleistet werden kann. Im Übrigen gelten für den Empfang von Besuchen die §§ 85 bis 87 und 93 bis 96 StVG sinngemäß mit folgenden Maßgaben:

1. Beschuldigten darf nicht verwehrt werden, wenigstens zweimal in jeder Woche einen Besuch in der Dauer von mindestens einer halben Stunde zu empfangen,

2. auf den Inhalt des zwischen einem Beschuldigten und einem Besucher geführten Gesprächs hat sich die Überwachung nur zu erstrecken, wenn dies die Staatsanwaltschaft zur Sicherung des Haftzwecks oder der Anstaltsleiter zur Aufrechterhaltung der Sicherheit in der Anstalt anordnet,

3. der Besuch bestimmter Personen, von denen eine Gefährdung des Zweckes der Untersuchungshaft oder der Sicherheit der Anstalt zu befürchten ist, kann untersagt oder abgebrochen werden.

(2) Angehaltene Beschuldigte sind berechtigt, auf eigene Kosten mit anderen Personen und Stellen schriftlich zu verkehren und zu telefonieren, es sei denn, dass durch den außerordentlichen Umfang des Brief- oder Telefonverkehrs die Überwachung beeinträchtigt wird. In diesem Fall sind diejenigen Beschränkungen anzuordnen, die für eine einwandfreie Überwachung notwendig sind. Schreiben, von denen eine Beeinträchtigung des Haftzweckes zu befürchten ist, sind zurückzuhalten, soweit sich nicht aus den Bestimmungen der §§ 90a bis 90b und 96a des Strafvollzugsgesetzes über den schriftlichen Verkehr mit Behörden und Rechtsbeiständen etwas anderes ergibt. Schreiben angehaltener Beschuldigter an einen inländischen allgemeinen Vertretungskörper, ein inländisches Gericht, eine andere inländische Behörde oder an Organe der Europäischen Union sowie an den Europäischen Gerichtshof für Menschenrechte dürfen in keinem Fall zurückgehalten werden. Für die Überwachung des Inhalts von Telefongesprächen gilt Abs. 1 Z 2.

(3) Für die Überwachung des mündlichen und schriftlichen Verkehrs des angehaltenen Beschuldigten mit seinem Verteidiger gilt § 59 Abs. 3.

Zuständigkeit für Entscheidungen

§ 189. (1) Die Entscheidung darüber, mit welchen Personen angehaltene Beschuldigte schriftlich und telefonisch verkehren und welche Besuche sie empfangen dürfen, die Überwachung ihres Brief- und Telefonverkehrs und ihrer Besuche sowie alle übrigen Anordnungen und Entscheidungen, die sich auf den Verkehr der angehaltenen Beschuldigten mit der Außenwelt (§§ 86 bis 100 des Strafvollzugsgesetzes) beziehen, stehen, mit Ausnahme der Überwachung der Paketsendungen, im Ermittlungsverfahren der Staatsanwaltschaft, im Hauptverfahren dem Gericht zu. Von der Überwachung des Brief- und Telefonverkehrs darf nur insoweit abgesehen werden, als davon keine Beeinträchtigung des Haftzweckes zu befürchten ist.

(2) Die Entscheidungen nach § 16 Abs. 2 Z 4 und 5 des Strafvollzugsgesetzes stehen dem für die Entscheidung über die Verhängung und Fortsetzung der Untersuchungshaft zuständigen Gericht zu.

(3) Im Übrigen stehen alle Anordnungen und Entscheidungen hinsichtlich der Anhaltung in Untersuchungshaft dem Anstaltsleiter oder dem von diesem dazu bestellten Vollzugsbediensteten zu. Vor jeder Entscheidung nach den §§ 185 Abs. 2, 186 Abs. 2 und 187 Abs. 1 ist im Ermittlungsverfahren die Staatsanwaltschaft, nach Einbringung der Anklage das Gericht zu hören. Ordnungswidrigkeiten, die von angehaltenen Beschuldigten begangen wurden, sind der Staatsanwaltschaft und dem Gericht mitzuteilen. Das gleiche gilt von Vorfällen, von denen eine Beeinträchtigung der Haftzwecke zu befürchten ist.

3. TEIL

Beendigung des Ermittlungsverfahrens und Absehen von der Einleitung eines Ermittlungsverfahrens

10. Hauptstück

Einstellung, Abbrechung und Fortführung des Ermittlungsverfahrens

Einstellung des Ermittlungsverfahrens

§ 190. Die Staatsanwaltschaft hat von der weiteren Verfolgung einer Straftat abzusehen und das Ermittlungsverfahren einzustellen, soweit und sobald sich ergibt, dass die dem Ermittlungsverfahren zu Grunde liegende Tat nicht mit gerichtlicher Strafe bedroht ist, die weitere Verfolgung des Beschuldigten sonst aus rechtlichen Gründen unzulässig wäre oder kein tatsächlicher Grund zu dessen weiterer Verfolgung besteht.

Einstellung wegen Geringfügigkeit

§ 191. (1) Von der Verfolgung einer Straftat, die nur mit Geldstrafe, mit einer Freiheitsstrafe bedroht ist, deren Höchstmaß drei Jahre nicht übersteigt, oder mit einer solchen Freiheitsstrafe und Geldstrafe hat die Staatsanwaltschaft abzusehen und das Ermittlungsverfahren einzustellen, wenn

1. in Abwägung der Schuld, der Folgen der Tat und des Verhaltens des Beschuldigten nach der Tat, insbesondere im Hinblick auf eine allfällige Schadensgutmachung, sowie weiterer Umstände, die auf die Strafbemessung Einfluss hätten, der Störwert der Tat als gering anzusehen wäre und

2. eine Bestrafung oder ein Vorgehen nach dem 11. Hauptstück nicht geboten erscheint, um den Beschuldigten von der Begehung strafbarer Handlungen abzuhalten oder der Begehung strafbarer Handlungen durch andere entgegen zu wirken.

(2) Nach Einbringen der Anklage, im Verfahren vor dem Landesgericht als Geschworenen- oder Schöffengericht nach Rechtswirksamkeit der Anklageschrift wegen Begehung einer strafbaren Handlung, die von Amts wegen zu verfolgen ist, hat das Gericht unter denselben Voraussetzungen (Abs. 1) das Verfahren bis zum Schluss der Hauptverhandlung mit Beschluss einzustellen. § 209 Abs. 2 erster Satz gilt sinngemäß.

Einstellung bei mehreren Straftaten

§ 192. (1) Von der Verfolgung einzelner Straftaten kann die Staatsanwaltschaft endgültig oder unter Vorbehalt späterer Verfolgung absehen und das Ermittlungsverfahren insoweit einstellen, wenn dem Beschuldigten mehrere Straftaten zur Last liegen und

1. dies voraussichtlich weder auf die Strafen oder vorbeugenden Maßnahmen, auf die mit der Verurteilung verbundenen Rechtsfolgen noch auf diversionelle Maßnahmen wesentlichen Einfluss hat oder

1a. die Ermittlungen zur Aufklärung des Verdachts jener Straftaten, deren Nachweis im Fall gemeinsamer Führung keinen Einfluss auf den anzuwendenden Strafrahmen hätte, mit einem beträchtlichen Aufwand verbunden wären und die Erledigung in der Hauptsache verzögern würden, oder

2. der Beschuldigte schon im Ausland für die ihm zur Last liegende Straftat bestraft oder dort nach Diversion außer Verfolgung gesetzt worden ist und nicht anzunehmen ist, dass das inländische Gericht eine strengere Strafe verhängen werde oder er wegen Begehung anderer strafbarer Handlungen an einen anderen Staat ausgeliefert wird und die im Inland zu erwartenden Strafen oder vorbeugenden Maßnahmen gegenüber jenen, auf die voraussichtlich im Ausland erkannt werden wird, nicht ins Gewicht fallen.

(2) Eine nach Abs. 1 vorbehaltene Verfolgung kann innerhalb dreier Monate nach rechtskräftigem Abschluss des inländischen oder innerhalb eines Jahres nach rechtskräftigem Abschluss des ausländischen Strafverfahrens wieder aufgenommen werden. Ein abermaliger Vorbehalt wegen einzelner Straftaten ist sodann unzulässig.

Fortführung des Verfahrens

§ 193. (1) Nach der Einstellung des Verfahrens sind weitere Ermittlungen gegen den Beschuldigten zu unterlassen; erforderlichenfalls hat die Staatsanwaltschaft seine Freilassung anzuordnen. Sofern jedoch für eine Entscheidung über die Fortführung des Verfahrens bestimmte Ermittlungen oder Beweisaufnahmen erforderlich sind, kann die Staatsanwaltschaft solche im Einzelnen anordnen oder durchführen.

(2) Die Fortführung eines nach den §§ 190 oder 191 beendeten Ermittlungsverfahrens kann die Staatsanwaltschaft anordnen, solange die Strafbarkeit der Tat nicht verjährt ist und wenn

1. der Beschuldigte wegen dieser Tat nicht vernommen (§§ 164, 165) und kein Zwang gegen ihn ausgeübt wurde oder

2. neue Tatsachen oder Beweismittel entstehen oder bekannt werden, die für sich allein oder im Zusammenhalt mit übrigen Verfahrensergebnissen geeignet erscheinen, die Bestrafung des Beschuldigten oder ein Vorgehen nach dem 11. Hauptstück zu begründen.

(3) Die Fortführung eines nach § 192 beendeten Ermittlungsverfahrens kann die Staatsanwaltschaft anordnen, wenn sie sich die spätere Verfolgung vorbehalten hat (§ 192 Abs. 2) oder die Voraussetzungen des Abs. 2 Z 2 vorliegen.

Verständigungen

§ 194. (1) Von der Einstellung und der Fortführung des Verfahrens hat die Staatsanwaltschaft neben dem Beschuldigten und der Kriminalpolizei alle Personen zu verständigen, die zur Einbringung eines Antrags auf Fortführung berechtigt sind (§ 195 Abs. 1). Das Gericht ist zu verständigen, wenn es mit dem Verfahren befasst war; ein Zustellnachweis ist in keinem Fall erforderlich.

(2) In einer Verständigung von der Einstellung des Ermittlungsverfahrens ist anzuführen, aus welchem Grund (§§ 190 bis 192) das Verfahren eingestellt wurde; gegebenenfalls ist der Vorbehalt späterer Verfolgung (§ 192 Abs. 2) aufzunehmen. Überdies sind Personen, die zur Einbringung eines Antrags auf Fortführung berechtigt sind (§ 195 Abs. 1), über die Möglichkeit der Einbringung eines Antrags auf Fortführung und seine Voraussetzungen sowie darüber zu informieren, dass sie binnen 14 Tagen eine Begründung verlangen können, in welcher die Tatsachen und Erwägungen, die der Einstellung zu Grunde gelegt wurden, in gedrängter Darstellung anzuführen sind. Das Recht, eine solche Begründung zu verlangen, steht auch dem Beschuldigten zu, worüber er gleichfalls in der Verständigung nach dem ersten Satz zu informieren ist.

(3) Von der Einstellung eines Ermittlungsverfahrens,

1. das von der WKStA gemäß den Bestimmungen der §§ 20a oder 20b oder von einer anderen Staatsanwaltschaft wegen der in diesen Bestimmungen angeführten Vergehen oder Verbrechen geführt wurde und an dem wegen der Bedeutung der Straftat oder der Person des Beschuldigten ein besonderes öffentliches Interesse besteht, oder in dem noch nicht hinreichend geklärte Rechtsfragen von grundsätzlicher Bedeutung beurteilt wurden, oder

2. das sonst wegen einer Straftat geführt wurde, für das im Hauptverfahren das Landesgericht als Geschworenen- oder Schöffengericht zuständig wäre und an dem kein Opfer im Sinne des § 65 Z 1 beteiligt war,

ist überdies der Rechtsschutzbeauftragte unter Anführung des Grundes der Einstellung (§§ 190 bis 192) samt einer Begründung nach Abs. 2 zu verständigen. Auf sein Verlangen ist ihm der Ermittlungsakt zu übersenden, in welchem Fall die Frist zur Einbringung eines Antrags auf Fortführung (§ 195 Abs. 2) mit dem Einlangen des Aktes auf sechs Monate verlängert wird.

Antrag auf Fortführung

§ 195. (1) Solange die Strafbarkeit der Tat nicht verjährt ist, hat das Gericht auf Antrag des Opfers die Fortführung eines nach den §§ 190 bis 192 beendeten Ermittlungsverfahrens durch die Staatsanwaltschaft anzuordnen, wenn

1. das Gesetz verletzt oder unrichtig angewendet wurde,

2. erhebliche Bedenken gegen die Richtigkeit der Tatsachen bestehen, die der Entscheidung über die Beendigung zu Grunde gelegt wurden, oder

3. neue Tatsachen oder Beweismittel beigebracht werden, die für sich allein oder im Zusammenhalt mit übrigen Verfahrensergebnissen geeignet erscheinen, den Sachverhalt soweit zu klären, dass nach dem 11. oder 12. Hauptstück vorgegangen werden kann.

(2) Der Antrag ist binnen vierzehn Tagen nach Verständigung von der Einstellung (§ 194) oder im Fall eines fristgerecht eingebrachten Verlangens nach § 194 Abs. 2 nach Zustellung der Einstellungsbegründung, wurde jedoch das Opfer von der Einstellung nicht verständigt, innerhalb von drei Monaten ab der Einstellung des Verfahrens bei der Staatsanwaltschaft einzubringen. Der Antrag eines minderjährigen Opfers bedarf keiner pflegschaftsgerichtlichen Genehmigung. Der Antrag hat das Verfahren, dessen Fortführung begehrt wird, zu bezeichnen. Überdies sind die Gründe einzeln und bestimmt zu bezeichnen, aus denen die Verletzung oder unrichtige Anwendung des Gesetzes oder die erheblichen Bedenken abzuleiten sind. Werden neue Tatsachen oder Beweismittel vorgebracht, so gilt § 55 Abs. 1 sinngemäß.

(2a) In den in § 194 Abs. 3 genannten Fällen steht überdies dem Rechtsschutzbeauftragten das Recht auf Einbringung eines Antrags auf Fortführung des Ermittlungsverfahrens zu.

(3) Erachtet die Staatsanwaltschaft den Antrag für berechtigt, so hat sie das Verfahren unabhängig von den Voraussetzungen des § 193 Abs. 2 Z 1 oder 2 fortzuführen. Andernfalls hat sie ihn mit dem Akt und einer Stellungnahme dem Gericht zu übermitteln.

§ 196. (1) Das Gericht entscheidet in nichtöffentlicher Sitzung, gegen seine Entscheidung steht ein Rechtsmittel nicht zu. Zuvor hat es dem Beschuldigten und dem Antragsteller Gelegenheit zur Äußerung zur Stellungnahme der Staatsanwaltschaft binnen angemessener Frist einzuräumen, wobei der Antragsteller gegebenenfalls auf die Pflicht zur bestimmten Bezeichnung der geltend gemachten Fortführungsgründe hinzuweisen ist. Vor seiner Entscheidung kann es auch die Kriminalpolizei mit Ermittlungen beauftragen oder von der Staatsanwaltschaft tatsächliche Aufklärungen über die behaupteten Rechtsverletzungen oder Verfahrensmängel verlangen. Gegebenenfalls kann es nach § 107 Abs. 2 vorgehen.

(2) Anträge, die verspätet oder von einer nicht berechtigten Person eingebracht wurden, bereits rechtskräftig erledigt sind oder den Voraussetzungen des § 195 nicht entsprechen, hat das Gericht als unzulässig zurückzuweisen und im Übrigen in der Sache zu entscheiden. Wird ein Antrag zurück- oder abgewiesen, so ist die Zahlung eines Pauschalkostenbeitrags von 90 Euro aufzutragen. Haben mehrere Opfer wegen derselben Handlung erfolglos eine Fortführung beantragt, so haften sie für den Pauschalkostenbeitrag zur ungeteilten Hand. Minderjährigen Opfern und dem Rechtsschutzbeauftragten ist in keinem Fall ein Pauschalkostenbeitrag aufzuerlegen. § 391 gilt sinngemäß.

(3) Gibt das Gericht dem Antrag statt, so hat die Staatsanwaltschaft das Verfahren fortzuführen.

(4) Der Antrag ist bei sonstigem Ausschluss innerhalb von drei Jahren nach der Verständigung von der Einstellung des Ermittlungsverfahrens (§ 194) bei der Staatsanwaltschaft einzubringen. Die Staatsanwaltschaft hat den Antrag mit einer allfälligen Stellungnahme an das Gericht weiterzuleiten. Unzulässige oder verspätete Anträge hat das Gericht zurückzuweisen, im Übrigen jedoch in der Sache zu entscheiden.

(5) Einer rechtzeitig eingebrachten Beschwerde gegen einen Beschluss, mit dem über den Antrag entschieden worden ist, kommt aufschiebende Wirkung zu.

(6) Weitergehende Rechte des Beschuldigten nach diesem Bundesgesetz, dem Amtshaftungsgesetz, BGBl. Nr. 20/1949, und dem Strafrechtlichen Entschädigungsgesetz 2005, BGBl. I Nr. 125/2004, bleiben unberührt.

Beitrag zu den Kosten der Verteidigung im Ermittlungsverfahren

§ 196a. (1) Wird ein Ermittlungsverfahren gemäß § 108 oder § 190 eingestellt, so hat der Bund dem Beschuldigten auf Antrag einen Beitrag zu den Kosten der Verteidigung zu leisten. Der Beitrag umfasst die nötig gewesenen und vom Beschuldigten bestrittenen baren Auslagen und außer im Fall des § 61 Abs. 2 auch einen Beitrag zu den Kosten des Verteidigers, dessen sich der Beschuldigte bedient. Der Beitrag ist unter Bedachtnahme auf den Umfang der Ermittlungen, die Komplexität der zu lösenden Tat- und Rechtsfragen und das Ausmaß des notwendigen oder zweckmäßigen Einsatzes des Verteidigers festzusetzen. Er darf den Betrag von 6 000 Euro nicht übersteigen.

(2) Das Höchstmaß des Beitrags kann bei Verfahren, die durch außergewöhnlichen Umfang oder besondere Komplexität gekennzeichnet sind, sowie im Falle der Überschreitung der Höchstdauer des Ermittlungsverfahrens (§ 108 Abs. 1) um die Hälfte überschritten und im Falle extremen Umfangs des Verfahrens auf das Doppelte erhöht werden.

(3) Der Ersatzanspruch ist ausgeschlossen, soweit der Beschuldigte den das Verfahren begründenden Verdacht vorsätzlich herbeigeführt hat oder das Verfahren lediglich deshalb beendet worden ist, weil er die Tat im Zustand der Zurechnungsunfähigkeit begangen hat oder weil die Ermächtigung zur Strafverfolgung zurückgenommen worden ist. Der Ersatzanspruch steht auch dann nicht zu, wenn die Strafbarkeit aus Gründen entfällt, die erst nach Beginn des Strafverfahrens eingetreten sind.

Abbrechung des Ermittlungsverfahrens gegen Abwesende und gegen unbekannte Täter

§ 197. (1) Wenn der Beschuldigte flüchtig oder unbekannten Aufenthalts ist, ist das Ermittlungsverfahren soweit fortzuführen, als dies zur Sicherung von Spuren und Beweisen erforderlich ist. Ermittlungshandlungen und Beweisaufnahmen, bei denen der Beschuldigte das Recht hat, sich zu beteiligen (§§ 150, 165), können in diesem Fall auch in seiner Abwesenheit durchgeführt werden. Der Beschuldigte kann zur Ermittlung seines Aufenthalts oder zur Festnahme ausgeschrieben werden. Danach hat die Staatsanwaltschaft das Verfahren abzubrechen und nach Ausforschung des Beschuldigten fortzusetzen.

(2) In Verfahren gegen unbekannte Täter ist Abs. 1 sinngemäß anzuwenden.

(2a) Das Verfahren gegen eine Person, gegen die nach einer gesetzlichen Vorschrift die Verfolgung nicht eingeleitet oder fortgesetzt werden kann, ist abzubrechen und nach Wegfall des Hinderungsgrundes fortzusetzen. Maßnahmen zur Sicherung und Aufnahme von Beweisen dürfen nur vorgenommen werden, soweit dies nach den das Verfolgungshindernis betreffenden Bestimmungen zulässig ist.

(2b) Wenn eine Vernehmung des Beschuldigten (§§ 164, 165 StPO) wegen dessen schwerwiegender Erkrankung nicht in absehbarer Zeit durchgeführt werden kann, ist sinngemäß nach Abs. 2a erster Satz vorzugehen.

(3) Von der Abbrechung des Verfahrens gegen einen bekannten Täter und von der Fortsetzung oder Einleitung des Verfahrens sind die Kriminalpolizei und das Opfer zu verständigen.

(4) Einem abwesenden oder flüchtigen Beschuldigten, der freiwillig erklärt, sich dem Verfahren stellen zu wollen, kann sicheres Geleit vom Bundesministerium für Justiz nach Stellungnahme der Oberstaatsanwaltschaft, in deren Sprengel die zuständige Staatsanwaltschaft ihren Sitz hat, allenfalls gegen Sicherheitsleistung sowie gegen Ablegung der im § 173 Abs. 5

Z 1 und 2 erwähnten Gelöbnisse mit der Wirkung erteilt werden, dass der Beschuldigte wegen der Straftat, für die das sichere Geleit erteilt wurde, bis zur Urteilsfällung in erster Instanz von der Haft befreit bleiben soll. Für die Sicherheitsleistung, ihren Verfall und den Verlust der Wirkung des sicheren Geleits gilt § 180 sinngemäß.

10a. Hauptstück
Absehen von der Einleitung eines Ermittlungsverfahrens

Absehen von der Einleitung eines Ermittlungsverfahrens

§ 197a. (1) Die Staatsanwaltschaft hat von der Einleitung eines Ermittlungsverfahrens abzusehen, wenn die Führung eines Ermittlungsverfahrens aus rechtlichen Gründen unzulässig wäre oder der angezeigte Sachverhalt sonst keinen Anfangsverdacht einer Straftat (§ 1 Abs. 3) begründet. Die §§ 25 bis 27 gelten sinngemäß.

(2) Geht die Staatsanwaltschaft nach Abs. 1 vor, kann sie ein Ermittlungsverfahren nur einleiten, solange die Strafbarkeit der Tat nicht verjährt ist, und

1. das Gesetz verletzt oder unrichtig angewendet wurde oder

2. neue Tatsachen oder Beweismittel beigebracht werden, die für sich allein oder im Zusammenhalt mit übrigen Verfahrensergebnissen geeignet erscheinen, einen Anfangsverdacht (§ 1 Abs. 3) zu begründen.

Verständigungen

§ 197b. (1) Vom Absehen von der Einleitung eines Ermittlungsverfahrens nach § 197a Abs. 1 erster Fall sind alle Personen zu verständigen, die im Fall der Führung eines Ermittlungsverfahrens nach diesem Gesetz von seiner Einstellung zu verständigen wären; die §§ 51 bis 53 und § 68 gelten sinngemäß.

(2) In der Verständigung ist anzuführen, aus welchem Grund von der Einleitung eines Ermittlungsverfahrens abgesehen wurde. § 194 Abs. 3 gilt sinngemäß. Überdies sind Personen, die zur Einbringung eines Antrags auf Verfolgung einer Straftat (§ 197c) berechtigt sind, über die Möglichkeit der Einbringung eines solchen Antrags und seine Voraussetzungen zu informieren.

Antrag auf Verfolgung

§ 197c. Im Fall eines Vorgehens nach § 197a Abs. 1 erster Fall sind Personen, die Opfer (§ 65 Z 1) einer Straftat sein könnten, berechtigt, einen Antrag auf Verfolgung dieser Straftat zu stellen. Für den Antrag und die Entscheidung darüber gelten § 195 und § 196 mit Ausnahme des Abs. 1 vorletzter und letzter Satz sinngemäß.

11. Hauptstück
Rücktritt von der Verfolgung (Diversion)

Allgemeines

§ 198. (1) Die Staatsanwaltschaft hat nach diesem Hauptstück vorzugehen und von Verfolgung einer Straftat zurückzutreten, wenn auf Grund hinreichend geklärten Sachverhalts feststeht, dass eine Einstellung des Verfahrens nach den §§ 190 bis 192 nicht in Betracht kommt, eine Bestrafung jedoch im Hinblick auf

1. die Zahlung eines Geldbetrages (§ 200) oder

2. die Erbringung gemeinnütziger Leistungen (§ 201) oder

3. die Bestimmung einer Probezeit, in Verbindung mit Bewährungshilfe und der Erfüllung von Pflichten (§ 203), oder

4. einen Tatausgleich (§ 204)

nicht geboten erscheint, um den Beschuldigten von der Begehung strafbarer Handlungen abzuhalten oder der Begehung strafbarer Handlungen durch andere entgegenzuwirken.

(2) Ein Vorgehen nach diesem Hauptstück ist jedoch nur zulässig, wenn

1. die Tat nicht mit mehr als fünf Jahren Freiheitsstrafe bedroht ist,

2. die Schuld des Beschuldigten nicht als schwer (§ 32 StGB) anzusehen wäre und

3. die Tat nicht den Tod eines Menschen zur Folge gehabt hat, es sei denn, dass ein Angehöriger des Beschuldigten fahrlässig getötet worden ist und eine Bestrafung im Hinblick auf die durch den Tod des Angehörigen beim Beschuldigten verursachte schwere psychische Belastung nicht geboten erscheint.

(3) Nach diesem Hauptstück darf im Fall des Missbrauchs der Amtsgewalt nach § 302 Abs. 1 StGB nur vorgegangen werden, soweit der Beschuldigte durch die Tat keine oder eine bloß geringfügige oder sonst unbedeutende Schädigung an Rechten herbeigeführt hat und die Tat nicht auch nach §§ 304 oder 307 StGB mit Strafe bedroht ist. Im Übrigen ist ein Vorgehen nach diesem Hauptstück ausgeschlossen, soweit es sich um eine im Zehnten Abschnitt des Besonderen Teils des StGB geregelte strafbare Handlung handelt, die mit mehr als dreijähriger Freiheitsstrafe bedroht ist.

§ 199. Nach Einbringen der Anklage wegen Begehung einer strafbaren Handlung, die von Amts wegen zu verfolgen ist, hat das Gericht die für die Staatsanwaltschaft geltenden Bestimmungen der §§ 198, 200 bis 209b sinngemäß anzuwenden und das Verfahren unter den für die Staatsanwaltschaft geltenden Voraussetzungen bis zum Schluss der Hauptverhandlung mit Beschluss einzustellen.

Fassung ab **01.01.2029**

(§ 199 entfällt)

Zahlung eines Geldbetrages

§ 200. (1) Unter den Voraussetzungen des § 198 kann die Staatsanwaltschaft von der Verfolgung einer Straftat zurücktreten, wenn der Beschuldigte einen Geldbetrag zu Gunsten des Bundes entrichtet.

(2) Der Geldbetrag darf den Betrag nicht übersteigen, der einer Geldstrafe von 180 Tagessätzen zuzüglich der im Fall einer Verurteilung zu ersetzenden Kosten des Strafverfahrens (§§ 389 Abs. 2 und 3, 391 Abs. 1) entspricht. Er ist innerhalb von 14 Tagen nach Zustellung der Mitteilung nach Abs. 4 zu bezahlen. Sofern dies den Beschuldigten unbillig hart träfe, kann ihm jedoch ein Zahlungsaufschub für längstens sechs Monate gewährt oder die Zahlung von Teilbeträgen innerhalb dieses Zeitraums gestattet werden.

(3) Soweit nicht aus besonderen Gründen darauf verzichtet werden kann, ist der Rücktritt von der Verfolgung nach Zahlung eines Geldbetrages überdies davon abhängig zu machen, dass der Beschuldigte binnen einer zu bestimmenden Frist von höchstens sechs Monaten den aus der Tat entstandenen Schaden gutmacht und dies unverzüglich nachweist.

(4) Die Staatsanwaltschaft hat dem Beschuldigten mitzuteilen, dass Anklage gegen ihn wegen einer bestimmten Straftat beabsichtigt sei, aber unterbleiben werde, wenn er einen festgesetzten Geldbetrag und gegebenenfalls Schadensgutmachung in bestimmter Höhe leiste. Des weiteren hat die Staatsanwaltschaft den Beschuldigten im Sinne des § 207 sowie über die Möglichkeit eines Zahlungsaufschubs (Abs. 2) zu informieren, soweit sie ihm einen solchen nicht von Amts wegen in Aussicht stellt.

(5) Nach Leistung des Geldbetrages und allfälliger Schadensgutmachung hat die Staatsanwaltschaft von der Verfolgung zurückzutreten, sofern das Verfahren nicht gemäß § 205 nachträglich fortzusetzen ist.

Gemeinnützige Leistungen

§ 201. (1) Unter den Voraussetzungen des § 198 kann die Staatsanwaltschaft von der Verfolgung einer Straftat vorläufig zurücktreten, wenn sich der Beschuldigte ausdrücklich bereit erklärt hat, innerhalb einer zu bestimmenden Frist von höchstens sechs Monaten unentgeltlich gemeinnützige Leistungen zu erbringen.

(2) Gemeinnützige Leistungen sollen die Bereitschaft des Beschuldigten zum Ausdruck bringen, für die Tat einzustehen. Sie sind in der Freizeit bei einer geeigneten Einrichtung zu erbringen, mit der das Einvernehmen herzustellen ist.

(3) Soweit nicht aus besonderen Gründen darauf verzichtet werden kann, ist der Rücktritt von der Verfolgung nach gemeinnützigen Leistungen überdies davon abhängig zu machen, dass der Beschuldigte binnen einer zu bestimmenden Frist von höchstens sechs Monaten den aus der Tat entstandenen Schaden gutmacht oder sonst zum Ausgleich der Folgen der Tat beiträgt und dies unverzüglich nachweist.

(4) Die Staatsanwaltschaft hat dem Beschuldigten mitzuteilen, dass Anklage gegen ihn wegen einer bestimmten Straftat beabsichtigt sei, aber vorläufig unterbleiben werde, wenn er sich bereit erklärt, binnen bestimmter Frist gemeinnützige Leistungen in nach Art und Ausmaß bestimmter Weise zu erbringen und gegebenenfalls Tatfolgenausgleich zu leisten. Die Staatsanwaltschaft hat den Beschuldigten dabei im Sinne des § 207 zu informieren; sie kann auch eine in der Sozialarbeit erfahrene Person um die Erteilung dieser Informationen sowie darum ersuchen, die gemeinnützigen Leistungen zu vermitteln (§ 29b des Bewährungshilfegesetzes). Die Einrichtung (Abs. 2) hat dem Beschuldigten oder dem Sozialarbeiter eine Bestätigung über die erbrachten Leistungen auszustellen, die unverzüglich vorzulegen ist.

(5) Nach Erbringung der gemeinnützigen Leistungen und allfälligem Tatfolgenausgleich hat die Staatsanwaltschaft von der Verfolgung endgültig zurückzutreten, sofern das Verfahren nicht gemäß § 205 nachträglich fortzusetzen ist.

§ 202. (1) Gemeinnützige Leistungen dürfen täglich nicht mehr als acht Stunden, wöchentlich nicht mehr als 40 Stunden und insgesamt nicht mehr als 240 Stunden in Anspruch nehmen; auf eine gleichzeitige Aus- und Fortbildung oder eine Berufstätigkeit des Beschuldigten ist Bedacht zu nehmen. Gemeinnützige Leistungen, die einen unzumutbaren Eingriff in die Persönlichkeitsrechte oder in die Lebensführung des Beschuldigten darstellen würden, sind unzulässig.

(2) Die Leiter der Staatsanwaltschaften haben jeweils eine Liste von Einrichtungen, die für die Erbringung gemeinnütziger Leistungen geeignet sind, zu führen und erforderlichenfalls zu ergänzen. In diese Liste ist auf Verlangen jedermann Einsicht zu gewähren.

(3) Fügt der Beschuldigte bei der Erbringung gemeinnütziger Leistungen der Einrichtung oder deren Träger einen Schaden zu, so ist auf seine Ersatzpflicht das Dienstnehmerhaftpflichtgesetz, BGBl. Nr. 80/1965, sinngemäß anzuwenden. Fügt der Beschuldigte einem Dritten einen Schaden zu, so haftet dafür neben ihm auch der Bund nach den Bestimmungen des bürgerlichen Rechts. Die Einrichtung oder deren Träger haftet in diesem Fall dem Geschädigten nicht.

(4) Der Bund hat den Schaden nur in Geld zu ersetzen. Von der Einrichtung, bei der die gemeinnützigen Leistungen erbracht wurden, oder deren Träger kann er Rückersatz begehren, insoweit diesen oder ihren Organen Vorsatz oder grobe Fahrlässigkeit, insbesondere durch Vernachlässigung der Aufsicht oder Anleitung, zur Last fällt. Auf das Verhältnis zwischen dem Bund und dem Beschuldigten ist das Dienstnehmerhaftpflichtgesetz, BGBl. Nr. 80/1965, sinngemäß anzuwenden.

(5) Erleidet der Beschuldigte bei Erbringung gemeinnütziger Leistungen einen Unfall oder eine Krankheit, so gelten die Bestimmungen der §§ 76 bis 84 des Strafvollzugsgesetzes dem Sinne nach.

Probezeit

§ 203. (1) Unter den Voraussetzungen des § 198 kann die Staatsanwaltschaft von der Verfolgung einer Straftat unter Bestimmung einer Probezeit von einem Jahr bis zu zwei Jahren vorläufig zurücktreten. Der Lauf der Probezeit beginnt mit der Zustellung der Verständigung über den vorläufigen Rücktritt von der Verfolgung.

(2) Soweit nicht aus besonderen Gründen darauf verzichtet werden kann, ist der vorläufige Rücktritt von der Verfolgung überdies davon abhängig zu machen, dass sich der Beschuldigte ausdrücklich bereit erklärt, während der Probezeit bestimmte Pflichten zu erfüllen, die als Weisungen (§ 51 StGB) erteilt werden könnten, und sich durch einen Bewährungshelfer (§ 52 StGB) betreuen zu lassen. Dabei kommt insbesondere die Pflicht in Betracht, den entstandenen Schaden nach Kräften gutzumachen oder sonst zum Ausgleich der Folgen der Tat beizutragen.

(3) Die Staatsanwaltschaft hat dem Beschuldigten mitzuteilen, dass Anklage gegen ihn wegen einer bestimmten Straftat für eine bestimmte Probezeit vorläufig unterbleibe, und ihn im Sinne des § 207 zu informieren. Gegebenenfalls hat die Staatsanwaltschaft dem Beschuldigten mitzuteilen, dass dieser vorläufige Rücktritt von der Verfolgung voraussetze, dass er sich ausdrücklich bereit erklärt, bestimmte Pflichten auf sich zu nehmen und sich von einem Bewährungshelfer betreuen zu lassen (Abs. 2). In diesem Fall kann die Staatsanwaltschaft auch eine in der Sozialarbeit erfahrene Person um die Erteilung dieser Informationen sowie darum ersuchen, den Beschuldigten bei der Erfüllung solcher Pflichten zu betreuen (§ 29b des Bewährungshilfegesetzes).

(4) Nach Ablauf der Probezeit und Erfüllung allfälliger Pflichten hat die Staatsanwaltschaft von der Verfolgung endgültig zurückzutreten, sofern das Verfahren nicht gemäß § 205 nachträglich fortzusetzen ist.

Tatausgleich

§ 204. (1) Unter den Voraussetzungen des § 198 kann die Staatsanwaltschaft von der Verfolgung einer Straftat zurücktreten oder im Fall eines Vorgehens nach Abs. 3 endgültig zurücktreten, wenn durch die Tat Rechtsgüter einer Person unmittelbar beeinträchtigt sein könnten und der Beschuldigte bereit ist, für die Tat einzustehen und sich mit deren Ursachen auseinander zu setzen, wenn er allfällige Folgen der Tat auf eine den Umständen nach geeignete Weise ausgleicht, insbesondere dadurch, dass er aus der Tat entstandenen Schaden gutmacht oder sonst zum Ausgleich der Folgen der Tat beiträgt, und wenn er erforderlichenfalls Verpflichtungen eingeht, die seine Bereitschaft bekunden, Verhaltensweisen, die zur Tat geführt haben, künftig zu unterlassen.

(2) Das Opfer und sein Vertreter sind in Bemühungen um einen Tatausgleich einzubeziehen, soweit sie dazu bereit sind. Das Zustandekommen eines Ausgleichs ist von der Zustimmung des Opfers abhängig, es sei denn, dass es diese aus Gründen nicht erteilt, die im Strafverfahren nicht berücksichtigungswürdig sind. Die berechtigten Interessen des Opfers sind jedenfalls zu berücksichtigen (§ 206).

(3) Die Staatsanwaltschaft kann einen Konfliktregler ersuchen, das Opfer und den Beschuldigten und ihre Vertreter über die Möglichkeit eines Tatausgleichs sowie im Sinne der §§ 206 und 207 zu informieren und bei ihren Bemühungen um einen solchen Ausgleich anzuleiten und zu unterstützen (§ 29a des Bewährungshilfegesetzes). In diesem Fall hat die Staatsanwaltschaft von der Verfolgung vorläufig zurückzutreten.

(4) Der Konfliktregler hat der Staatsanwaltschaft über Ausgleichsvereinbarungen zu berichten und deren Erfüllung zu überprüfen. Einen abschließenden Bericht hat er zu erstatten, wenn der Beschuldigte seinen Verpflichtungen zumindest soweit nachgekommen ist, dass unter Berücksichtigung seines übrigen Verhaltens angenommen werden kann, er werde die Vereinbarungen weiter einhalten, oder wenn nicht mehr zu erwarten ist, dass ein Ausgleich zustande kommt.

Nachträgliche Fortsetzung des Strafverfahrens

§ 205. (1) Nach einem nicht bloß vorläufigen Rücktritt von der Verfolgung des Beschuldigten nach diesem Hauptstück (§§ 200 Abs. 5, 201 Abs. 5, 203 Abs. 4 und 204 Abs. 1) ist eine Fortsetzung des Strafverfahrens nur unter den Voraussetzungen der ordentlichen Wiederaufnahme zulässig. Vor einem solchen Rücktritt ist das Strafverfahren jedenfalls dann fortzusetzen, wenn der Beschuldigte dies verlangt.

(2) Hat die Staatsanwaltschaft dem Beschuldigten vorgeschlagen, einen Geldbetrag zu bezahlen (§ 200 Abs. 4), gemeinnützige Leistungen zu erbringen (§ 201 Abs. 4) oder eine Probezeit und allfällige Pflichten auf sich zu nehmen (§ 203 Abs. 3), oder ist die Staatsanwaltschaft von der Verfolgung der Straftat vorläufig zurückgetreten (§§ 201 Abs. 1, 203 Abs. 1, 204 Abs. 3), so hat sie das Strafverfahren fortzusetzen, wenn

1. der Beschuldigte den Geldbetrag samt allfälliger Schadensgutmachung, oder die gemeinnützigen Leistungen samt allfälligem Tatfolgenausgleich nicht vollständig oder nicht rechtzeitig zahlt oder erbringt oder wenn eine Ausgleichsvereinbarung nicht zustande kommt oder diese vom Beschuldigten nicht erfüllt wird,

2. der Beschuldigte übernommene Pflichten nicht hinreichend erfüllt, den Pauschalkostenbeitrag

(§ 388 Abs. 1 und 2) nicht leistet oder sich beharrlich dem Einfluss des Bewährungshelfers entzieht oder

3. gegen den Beschuldigten vor Ablauf der Probezeit oder vor Erstattung des abschließenden Berichts nach § 204 Abs. 4 wegen einer anderen Straftat ein Strafverfahren eingeleitet wird. In diesem Fall ist die nachträgliche Fortsetzung des Verfahrens zulässig, sobald gegen den Beschuldigten wegen der neuen oder neu hervorgekommenen Straftat Anklage eingebracht wird, und zwar auch noch während dreier Monate nach dem Einbringen, selbst wenn inzwischen die Probezeit abgelaufen ist. Das nachträglich fortgesetzte Strafverfahren ist jedoch nach Maßgabe der übrigen Voraussetzungen zu beenden, wenn das neue Strafverfahren auf andere Weise als durch einen Schuldspruch beendet wird.

(3) Von der Fortsetzung des Verfahrens kann jedoch abgesehen werden, wenn dies in den Fällen des Abs. 2 Z 1 aus besonderen Gründen vertretbar erscheint, in den Fällen des Abs. 2 Z 2 und 3 nach den Umständen nicht geboten ist, um den Beschuldigten von der Begehung strafbarer Handlungen abzuhalten. Im Übrigen ist die Fortsetzung des Verfahrens in den im Abs. 2 angeführten Fällen außer unter den in Z 1 bis 3 angeführten Voraussetzungen nur zulässig, wenn der Beschuldigte den dort erwähnten Vorschlag der Staatsanwaltschaft nicht annimmt.

(4) Wenn der Beschuldigte den Geldbetrag nicht vollständig oder nicht rechtzeitig zahlen oder den übernommenen Verpflichtungen nicht vollständig oder nicht rechtzeitig nachkommen kann, weil ihn dies wegen einer erheblichen Änderung der für die Höhe des Geldbetrages oder die Art oder den Umfang der Verpflichtungen maßgeblichen Umstände unbillig hart träfe, so kann die Staatsanwaltschaft die Höhe des Geldbetrages oder die Verpflichtung angemessen ändern.

(5) Verpflichtungen, die der Beschuldigte übernommen, und Zahlungen und sonstige Ausgleichsmaßnahmen, zu denen er sich bereit erklärt hat, werden mit der nachträglichen Fortsetzung des Verfahrens gegenstandslos. Die Bewährungshilfe endet; § 179 bleibt jedoch unberührt. Geldbeträge, die der Beschuldigte geleistet hat (§ 200), sind auf eine nicht bedingt nachgesehene Geldstrafe unter sinngemäßer Anwendung des § 38 Abs. 1 Z 1 StGB anzurechnen; im Übrigen sind sie zurückzuzahlen. Andere Leistungen sind nicht zu ersetzen, im Fall einer Verurteilung jedoch gleichfalls angemessen auf die Strafe anzurechnen. Dabei sind insbesondere Art und Dauer der Leistung zu berücksichtigen.

Rechte und Interessen der Opfer

§ 206. (1) Bei einem Vorgehen nach diesem Hauptstück sind stets die Interessen des Opfers, insbesondere jenes auf Wiedergutmachung zu prüfen und im größtmöglichen Ausmaß zu fördern. Das Opfer hat das Recht, eine Vertrauensperson beizuziehen. Jedenfalls sind Opfer unverzüglich im Sinne von § 70 Abs. 1 über ihre Rechte, insbesondere jenes auf Prozessbegleitung und die in Betracht kommenden Opferschutzeinrichtungen zu informieren. Soweit dies zur Wahrung ihrer Interessen und Rechte, insbesondere jenem auf Schadensgutmachung geboten erscheint, ist ihnen und ihrer Vertretung, jedenfalls im Fall eines erteilten Betretungs- und Annäherungsverbotes zum Schutz vor Gewalt nach § 38a Abs. 1 SPG und bei Opfern im Sinn des § 65 Z 1 lit. a vor einem Rücktritt von der Verfolgung ausreichend Zeit zur Stellungnahme zu geben.

(2) Das Opfer ist jedenfalls zu verständigen, wenn sich der Beschuldigte bereit erklärt, aus der Tat entstandenen Schaden gutzumachen oder sonst zum Ausgleich der Folgen der Tat beizutragen. Gleiches gilt für den Fall, dass der Beschuldigte eine Pflicht übernimmt, welche die Interessen des Geschädigten unmittelbar berührt.

Information des Beschuldigten

§ 207. Bei einem Vorgehen nach diesem Hauptstück ist der Beschuldigte eingehend über seine Rechte zu informieren, insbesondere über die Voraussetzungen für einen Rücktritt von der Verfolgung, über das Erfordernis seiner Zustimmung, über seine Möglichkeit, eine Fortsetzung des Verfahrens zu verlangen, über die sonstigen Umstände, die eine Fortsetzung des Verfahrens bewirken können (§ 205 Abs. 2) und über die Notwendigkeit eines Pauschalkostenbeitrags (§ 388).

Gemeinsame Bestimmungen

§ 208. (1) Um die Voraussetzungen für ein Vorgehen nach diesem Hauptstück abzuklären, kann die Staatsanwaltschaft den Leiter der für den Tatausgleich zuständigen Einrichtung ersuchen, mit dem Opfer, mit dem Beschuldigten und gegebenenfalls auch mit jener Einrichtung, bei der gemeinnützige Leistungen zu erbringen oder eine Schulung oder ein Kurs zu besuchen wären, Verbindung aufzunehmen und sich dazu zu äußern, ob die Zahlung eines Geldbetrages, die Erbringung gemeinnütziger Leistungen, die Bestimmung einer Probezeit, die Übernahme bestimmter Pflichten, die Betreuung durch einen Bewährungshelfer oder ein Tatausgleich zweckmäßig wäre.

(2) Auf begründeten Antrag des Beschuldigten kann ein nach § 200 festgesetzter Geldbetrag niedriger bemessen oder das gestellte Anbot geändert werden, wenn neu hervorgekommene oder nachträglich eingetretene Umstände ein solches Vorgehen erfordern.

(3) Vom Rücktritt von der Verfolgung hat die Staatsanwaltschaft die Kriminalpolizei, den Beschuldigten, das Opfer und, sofern es mit dem Verfahren befasst war, das Gericht zu verständigen. Hat das Gericht das Verfahren gemäß § 199 eingestellt, obliegen die Verständigungen diesem. In der Verständigung sind die maßgebenden Umstände für die Erledigung in Schlagworten darzustellen.

§ 209. (1) Die Staatsanwaltschaft kann nach diesem Hauptstück von der Verfolgung zurücktreten, solange sie noch nicht Anklage eingebracht hat. Danach hat sie bei Gericht zu beantragen, das Verfahren einzustellen (§ 199).

(2) Gerichtliche Beschlüsse nach diesem Hauptstück sind in der Hauptverhandlung vom erkennenden Gericht, sonst vom Vorsitzenden, in der Hauptverhandlung vor dem Geschworenengericht jedoch vom Schwurgerichtshof zu fassen. Bevor das Gericht dem Beschuldigten eine Mitteilung nach den §§ 200 Abs. 4, 201 Abs. 4, 203 Abs. 3 oder einen Beschluss, mit dem das Verfahren eingestellt wird, zustellt, hat es die Staatsanwaltschaft zu hören. Gegen einen solchen Beschluss steht nur der Staatsanwaltschaft Beschwerde zu; dem Beschuldigten ist dieser Beschluss erst dann zuzustellen, wenn er der Staatsanwaltschaft gegenüber in Rechtskraft erwachsen ist.

(3) Solange über eine Beschwerde gegen einen Beschluss, mit dem ein Antrag auf Einstellung des Strafverfahrens nach diesem Hauptstück abgewiesen wurde, noch nicht entschieden wurde, ist die Durchführung einer Hauptverhandlung nicht zulässig. Eine Beschwerde gegen die nachträgliche Fortsetzung des Strafverfahrens hat aufschiebende Wirkung.

Rücktritt von der Verfolgung wegen Zusammenarbeit mit der Staatsanwaltschaft

§ 209a. (1) Der Täter einer Straftat,

1. die der Zuständigkeit des Landesgerichts als Schöffen- oder Geschworenengericht (§ 31 Abs. 2 und 3) unterliegt,

2. die der Zuständigkeit der WKStA (§ 20a) unterliegt oder die Kriterien des § 20b erfüllt, oder

3. nach den §§ 277, 278, 278a oder 278b StGB oder einer Tat, die mit einer solchen Verabredung, Vereinigung oder Organisation im Zusammenhang steht,

hat nach Maßgabe der Abs. 2 und 3 das Recht, ein Vorgehen nach den §§ 199, 200 bis 203 und 205 bis 209 zu verlangen, wenn er freiwillig an die Staatsanwaltschaft oder die Kriminalpolizei herantritt, ein reumütiges Geständnis (§ 34 Abs. 1 Z 17 StGB) über seinen Tatbeitrag ablegt und sein Wissen über neue Tatsachen oder Beweismittel offenbart, deren Kenntnis wesentlich dazu beiträgt, die umfassende Aufklärung einer in den Z 1 bis 3 genannten Straftaten über seinen eigenen Tatbeitrag hinaus zu fördern oder eine Person auszuforschen, die an einer solchen Verabredung führend teilgenommen hat oder in einer solchen Vereinigung oder Organisation führend tätig war (Z 3).

(2) Soweit der Täter wegen seiner Kenntnisse über in Abs. 1 genannte Taten noch nicht als Beschuldigter vernommen (§§ 48 Abs. 1 Z 2, 164, 165) und wegen dieser Taten kein Zwang gegen ihn ausgeübt wurde, hat die Staatsanwaltschaft von der Verfolgung der Straftat dieser Person vorläufig zurückzutreten, es sei denn, das Vorliegen der Voraussetzungen nach Abs. 1 ist von vornherein ausgeschlossen.

(3) Sobald feststeht, dass die Voraussetzungen des Abs. 1 vorliegen und eine Bestrafung unter Berücksichtigung des Gewichts des Beitrags der Informationen zur Aufklärung oder Ausforschung im Verhältnis zu Art und Ausmaß seines Tatbeitrages nicht geboten erscheint, um ihn von der Begehung strafbarer Handlungen abzuhalten, hat die Staatsanwaltschaft dem Beschuldigten in sinngemäßer Anwendung der Bestimmungen der §§ 200 bis 203 und 205 bis 209 die Erbringung der dort vorgesehenen Leistungen und die weitere Zusammenarbeit bei der Aufklärung aufzutragen. Abweichend von § 200 Abs. 2 darf der zu entrichtende Geldbetrag einer Geldstrafe von 360 Tagessätzen entsprechen. Liegen jedoch die Voraussetzungen nicht vor, so hat die Staatsanwaltschaft das Verfahren fortzusetzen und bei Vorliegen der Voraussetzungen des § 41a StGB dessen Anwendung zu beantragen und dies auch dem Beschuldigten mitzuteilen.

(4) Nach Erbringung der Leistungen hat die Staatsanwaltschaft das Ermittlungsverfahren unter dem Vorbehalt späterer Verfolgung einzustellen.

(5) Wenn

1. die eingegangene Verpflichtung zur Zusammenarbeit bei der Aufklärung verletzt wurde oder

2. die zur Verfügung gestellten Unterlagen und Informationen falsch waren, keinen wesentlichen Beitrag im Sinn des Abs. 1 zu liefern vermochten oder nur zur Verschleierung der eigenen führenden Tätigkeit in einer in Abs. 1 Z 3 genannten Verabredung, Vereinigung oder Organisation gegeben wurden,

kann die nach Abs. 4 vorbehaltene Verfolgung wieder aufgenommen werden, es sei denn, dass die Staatsanwaltschaft die für die Wiederaufnahme erforderlichen Anordnungen nicht binnen einer Frist von vierzehn Tagen ab Zustellung der das Verfahren beendenden Entscheidung gestellt hat, in der einer der in Z 1 oder 2 umschriebenen Umstände festgestellt wurde.

(6) Die Staatsanwaltschaft hat ihre Anordnung nach Abs. 4 dem Rechtsschutzbeauftragten samt einer Begründung für das Vorgehen zuzustellen. Der Rechtsschutzbeauftragte ist berechtigt, binnen drei Monaten die Fortführung des Verfahrens zu beantragen. Auf sein Verlangen ist ihm der Ermittlungsakt zu übersenden, in welchem Fall der Fristenlauf mit dem Einlangen des Aktes beginnt. §§ 195 Abs. 3 und 196 gelten sinngemäß.

(7) Im Verfahren gegen Verbände nach dem Verbandsverantwortlichkeitsgesetz (VbVG), BGBl. I Nr. 151/2005, ist sinngemäß mit der Maßgabe vorzugehen, dass die Bestimmungen des § 19 Abs. 1 Z 1 bis 3 VbVG anzuwenden sind. Der zu entrichtende Geldbetrag darf abweichend von § 19 Abs. 1 Z 1 VbVG einer Verbandsgeldbuße von 100 Tagessätzen entsprechen.

! Fassung ab **01.01.2029**

(§ 209a entfällt)

Rücktritt von der Verfolgung wegen Zusammenarbeit mit der Staatsanwaltschaft im Zusammenhang mit einer kartellrechtlichen Zuwiderhandlung

§ 209b. (1) Der Bundeskartellanwalt hat die Staatsanwaltschaft von einem Vorgehen der Bundeswettbewerbsbehörde nach § 11b Abs. 1 oder 2 des Wettbewerbsgesetzes, BGBl. I Nr. 62/2002, oder von einem solchen Vorgehen der Europäischen Kommission oder von Wettbewerbsbehörden der anderen Mitgliedstaaten (§ 84 des Kartellgesetzes, BGBl. I Nr. 61/2005) zu verständigen, wenn es im Hinblick auf das Gewicht des Beitrags des Unternehmens zur Aufklärung einer Zuwiderhandlung im Sinne von § 11b Abs. 1 Z 3 Wettbewerbsgesetz und die aktive Mitwirkung der einzelnen Mitarbeiter daran unverhältnismäßig wäre, diese Mitarbeiter, die für das Unternehmen an einer solchen Zuwiderhandlung beteiligt waren, wegen einer durch eine solche Zuwiderhandlung begangenen Straftat zu verfolgen.

(2) Die Staatsanwaltschaft hat sodann das Ermittlungsverfahren gegen die Mitarbeiter, die Staatsanwaltschaft und Gericht ihr gesamtes Wissen über die eigenen Taten und andere Tatsachen, die für die Aufklärung der durch die Zuwiderhandlung begangenen Straftaten von Bedeutung sind, offenbart haben, unter dem Vorbehalt späterer Verfolgung einzustellen. § 209a Abs. 5 und 6 gelten sinngemäß.

Fassung ab **01.01.2029**
(§ 209b entfällt)

4. TEIL
Haupt- und Rechtsmittelverfahren

12. Hauptstück
Die Anklage

1. Abschnitt
Allgemeines

Die Anklage

§ 210. (1) Wenn auf Grund ausreichend geklärten Sachverhalts eine Verurteilung nahe liegt und kein Grund für die Einstellung des Verfahrens oder den Rücktritt von Verfolgung vorliegt, hat die Staatsanwaltschaft bei dem für das Hauptverfahren zuständigen Gericht Anklage einzubringen; beim Landesgericht als Geschworenen- oder Schöffengericht mit Anklageschrift, beim Landesgericht als Einzelrichter und beim Bezirksgericht mit Strafantrag.

(2) Durch das Einbringen der Anklage beginnt das Hauptverfahren, dessen Leitung dem Gericht obliegt. Die Staatsanwaltschaft wird zur Beteiligten des Verfahrens.

(3) Die Festnahme des Angeklagten ist auf Antrag der Staatsanwaltschaft vom Gericht anzuordnen, auch andere Zwangsmittel und Beweisaufnahmen, die im Ermittlungsverfahren einer Anordnung oder Genehmigung der Staatsanwaltschaft bedürfen, sind nach Einbringen der Anklage durch das Gericht anzuordnen oder zu bewilligen. Die Durchführung obliegt weiterhin der Kriminalpolizei; Berichte und Verständigungen hat sie an das Gericht zu richten. Anträge auf Einstellung des Verfahrens (§ 108) sind nach dem Einbringen der Anklage nicht mehr zulässig, bereits eingebrachte werden gegenstandslos.

(4) Außerhalb der Hauptverhandlung bestimmt sich die Zuständigkeit des Landesgerichts als Geschworenen- oder Schöffengericht nach § 32 Abs. 3.

2. Abschnitt
Die Anklageschrift

Inhalt der Anklageschrift

§ 211. (1) Die Anklageschrift hat anzuführen:

1. den Namen des Angeklagten sowie weitere Angaben zur Person,

2. Zeit, Ort und die näheren Umstände der Begehung der dem Angeklagten zur Last gelegten Tat und die gesetzliche Bezeichnung der durch sie verwirklichten strafbaren Handlung,

3. die übrigen anzuwendenden Strafgesetze.

(2) In der Anklageschrift hat die Staatsanwaltschaft ihre Anträge für das Hauptverfahren zu stellen und dabei insbesondere auch die Beweise anzuführen, die im Hauptverfahren aufgenommen werden sollen; die Zuständigkeit des angerufenen Gerichts ist erforderlichenfalls zu begründen. Schließlich ist der Sachverhalt nach den Ergebnissen des Ermittlungsverfahrens zusammenzufassen und zu beurteilen.

Einspruch gegen die Anklageschrift

§ 212. Gegen die Anklageschrift steht dem Angeklagten Einspruch zu, wenn

1. die zur Last gelegte Tat nicht mit gerichtlicher Strafe bedroht ist oder sonst ein Grund vorliegt, der die Verurteilung des Angeklagten aus rechtlichen Gründen ausschließt,

2. Dringlichkeit und Gewicht des Tatverdachts trotz hinreichend geklärten Sachverhalts nicht ausreichen, um eine Verurteilung des Angeklagten auch nur für möglich zu halten und von weiteren Ermittlungen eine Intensivierung des Verdachts nicht zu erwarten ist,

3. der Sachverhalt nicht soweit geklärt ist, dass eine Verurteilung des Angeklagten nahe liegt,

4. die Anklageschrift sonst an wesentlichen formellen Mängeln leidet (§ 211)

5. die Anklageschrift ein für die angeklagte Straftat sachlich nicht zuständiges Gericht anruft,

6. die Anklageschrift ein örtlich nicht zuständiges Gericht anruft,

7. der nach dem Gesetz erforderliche Antrag eines hiezu Berechtigten fehlt oder

8. die Staatsanwaltschaft das Verfahren zu Unrecht nachträglich gemäß § 205 Abs. 2 oder nach § 38 Abs. 1 oder 1a SMG fortgesetzt hat.

§ 213. (1) Das Gericht hat die Anklageschrift dem Angeklagten zuzustellen.

(2) Der Angeklagte hat das Recht, gegen die Anklageschrift binnen 14 Tagen Einspruch bei Gericht zu erheben. Darüber ist er ebenso zu informieren wie über die seine Verteidigung betreffenden Vorschriften.

(3) Befindet sich der Angeklagte zum Zeitpunkt des Einbringens der Anklage in Haft oder wird er zugleich verhaftet, so ist die Anklageschrift, gegebenenfalls mit der Anordnung der Festnahme (§ 171 Abs. 1 und 2), sogleich ihm auszufolgen und seinem Verteidiger zuzustellen; die Frist zur Erhebung des Einspruchs richtet sich in diesem Fall nach der zuletzt bewirkten Zustellung.

(4) Verzichtet der Angeklagte auf einen Einspruch oder erhebt er einen solchen nicht fristgerecht, so hat das Gericht, sofern es keine Bedenken gegen seine Zuständigkeit hat, mit Beschluss festzustellen, dass die Anklageschrift rechtswirksam sei, und ohne Verzug die Hauptverhandlung anzuordnen. § 199 bleibt unberührt.

(5) Sobald die Anklageschrift rechtswirksam geworden ist, kann die örtliche Unzuständigkeit des Gerichts des Hauptverfahrens nicht mehr geltend gemacht werden.

(6) Ein Einspruch ist dem Oberlandesgericht vorzulegen. Hat das Gericht Bedenken gegen seine Zuständigkeit, so hat es diese dem Oberlandesgericht unter Angabe der Gründe mitzuteilen, und zwar auch dann, wenn ein Einspruch nicht erhoben wurde. Für ein solches Begehren gelten die Vorschriften über den Einspruch sinngemäß.

Verfahren vor dem Oberlandesgericht

§ 214. (1) Das Oberlandesgericht hat der Oberstaatsanwaltschaft Gelegenheit zu geben, sich zum Einspruch zu äußern; § 89 Abs. 5 letzter Satz gilt. Sodann hat es über den Einspruch in nicht öffentlicher Sitzung zu entscheiden; gegen seine Entscheidung steht ein Rechtsmittel nicht zu.

(2) Treffen dieselben Gründe auch auf eine Person zu, die keinen Einspruch erhoben hat, so hat das Oberlandesgericht so vorzugehen, als ob ein solcher Einspruch vorläge.

(3) Wird der Einspruch von einem Angeklagten erhoben, der sich in Untersuchungshaft befindet, so hat das Oberlandesgericht von Amts wegen über die Haft zu entscheiden. Beschließt das Oberlandesgericht die Fortsetzung der Haft, so gilt § 174 Abs. 3 Z 1 bis 5 sinngemäß.

§ 215. (1) Verspätete Einsprüche und solche, die von einer hiezu nicht berechtigten Person eingebracht wurden, hat das Oberlandesgericht als unzulässig zurückzuweisen.

(2) In den Fällen des § 212 Z 1, 2 und 7 hat das Oberlandesgericht dem Einspruch Folge zu geben und das Verfahren einzustellen.

(3) In den Fällen des § 212 Z 3, 4 und 8 hat das Oberlandesgericht die Anklageschrift zurückzuweisen; dadurch wird das Hauptverfahren beendet und das Ermittlungsverfahren wieder eröffnet.

(4) In den Fällen des § 212 Z 5 und 6 hat das Oberlandesgericht die Sache dem zuständigen Gericht zuzuweisen. Hält es jedoch für möglich, dass ein im Sprengel eines anderen Oberlandesgerichts liegendes Gericht zuständig sei, so legt es den Einspruch dem Obersten Gerichtshof vor, der zunächst die Frage der Zuständigkeit zu klären hat, bevor er die Sache dem zuständigen Oberlandesgericht zur Entscheidung über den Einspruch übermittelt.

(5) Das Oberlandesgericht kann auch einzelne Anklagepunkte teils auf die eine, teils auf die andere Art erledigen. Mit seiner Begründung darf es der Entscheidung des erkennenden Gerichts in der Hauptsache nicht vorgreifen.

(6) Liegt keiner der Fälle der Abs. 2 bis 4 vor, so hat das Oberlandesgericht den Einspruch abzuweisen und die Rechtswirksamkeit der Anklageschrift festzustellen.

13. Hauptstück

Vorbereitungen zur Hauptverhandlung

§ 220. Beteiligte des Hauptverfahrens sind neben der Staatsanwaltschaft (§ 210 Abs. 2) der Angeklagte (§ 48 Abs. 1 Z 2), der Haftungsbeteiligte (§ 64), der Privatankläger (§ 71), der Subsidiarankläger (§ 72) sowie der Privatbeteiligte (§ 67).

§ 221. (1) Zur Hauptverhandlung sind die Beteiligten sowie deren Vertreter zu laden. Die Ladung des Angeklagten hat die Androhung zu enthalten, dass im Falle seines Nichterscheinens je nach den Umständen entweder die Hauptverhandlung und Urteilsfällung in seiner Abwesenheit vorgenommen oder seine Vorführung angeordnet oder, falls dies nicht zeitgerecht möglich ist, die Hauptverhandlung auf seine Kosten vertagt und er zur Verhandlung vorgeführt wird. Vom Termin der Hauptverhandlung sind gegebenenfalls die Einrichtung, die Prozessbegleitung gewährt, und ein Bewährungshelfer sowie die Kriminalpolizei, soweit sie darum ersucht hat, zu verständigen. Opfer sind vom Termin der Hauptverhandlung nur zu verständigen, soweit sie dies im Rahmen einer Vernehmung nach § 165 verlangt haben und nicht ohnedies im Wege einer Ladung als Zeuge oder der ihnen gewährten Prozessbegleitung von diesem Termin Kenntnis erhalten. Erforderlichenfalls ist für die Bestellung eines Verteidigers und die Beiziehung eines Dolmetschers Vorsorge zu treffen (§§ 61 und 126). Die Ladung von Privatbeteiligten darf insoweit unterbleiben, als diese einem Auftrag gemäß § 10 des Zustellgesetzes nicht entsprochen oder auf ihr Recht, während der Hauptverhandlung anwesend zu sein, verzichtet haben. Gleiches gilt unabhängig von diesen Voraussetzungen, wenn eine Ausforschung des Aufenthalts von Opfern und Privatbeteiligten oder die Zustellung einer Ladung oder Verständigung an diese im Rechtshilfeweg zu einer erheblichen Verzögerung des Verfahrens, insbesondere einer bedeutenden Verlängerung der Haft des Angeklagten führen würde.

(2) Der Vorsitzende hat den Tag der Hauptverhandlung in der Art zu bestimmen, dass dem Angeklagten und seinem Verteidiger bei sonstiger Nichtigkeit von der Zustellung der Ladung (§§ 61 Abs. 3 und 63) eine Frist von wenigstens acht Tagen, im Fall des Abs. 4 jedoch 14 Tagen zur Vorbereitung der Verteidigung bleibt, sofern diese nicht selbst in eine Verkürzung dieser Frist einwilligen. Durch den Wechsel der Person des Verteidigers wird die dem Verteidiger zustehende Vorbereitungsfrist nicht verlängert. Die Ladung von Zeugen, Sachverständigen und Dolmetschern soll grundsätzlich so erfolgen, dass zwischen der Zustellung und dem Tag, an dem ihre Anwesenheit in der Hauptverhandlung erforderlich ist, eine Frist von wenigstens drei Tagen liegt.

(3) Die Hauptverhandlung findet grundsätzlich am Sitz des Landesgerichts statt; zu Zwecken der Wahrheitsfindung kann der Vorsitzende die Hauptverhandlung an einem anderen im Sprengel des Landesgerichts gelegenen Ort durchführen.

(4) Ist zu erwarten, dass die Hauptverhandlung von längerer Dauer sein wird, so ist für den Fall der Verhinderung eines Richters oder Schöffen die erforderliche Anzahl von Ersatzrichtern und Ersatzschöffen, und zwar nach der in der Geschäftsverteilung beziehungsweise Dienstliste (§§ 13 und 14 des Geschworenen- und Schöffengesetzes – GSchG, BGBl. Nr. 256/1990) zu bestimmenden Reihenfolge zu laden. Auf § 32 Abs. 2 ist Bedacht zu nehmen.

§ 222. (1) Beweise, die nicht bereits nach der Anklageschrift oder dem über den Einspruch ergangenen Beschluss aufzunehmen sind, sollen Beteiligte des Verfahrens so rechtzeitig beantragen (§ 55 Abs. 1), dass die Beweisaufnahme noch zum Termin der Hauptverhandlung vorgenommen werden kann. Der Antrag ist in so vielen Ausfertigungen einzubringen, dass jedem der Beteiligten eine Ausfertigung zugestellt werden kann.

(2) Ist dem Antrag stattzugeben, so hat der Vorsitzende die Liste der neuen Beweismittel samt jeweiligem Beweisthema den übrigen Beteiligten längstens drei Tage vor der Hauptverhandlung mitzuteilen. Im gegenteiligen Fall hat der Vorsitzende die Entscheidung über den Beweisantrag einer erneuten Antragstellung in der Hauptverhandlung vorzubehalten (§ 238) und davon den Antragsteller und die übrigen Beteiligten durch Zustellung einer Ausfertigung des Antrags (Abs. 1 letzter Satz) zu verständigen.

(3) Dem Verteidiger steht es auch frei, eine schriftliche Gegenäußerung (§ 244 Abs. 3) zur Anklageschrift einzubringen, in die er die Anträge gemäß Abs. 1 aufzunehmen hat. Für eine solche Gegenäußerung gilt Abs. 1; stützt sich die Anklageschrift auf Befund und Gutachten eines Sachverständigen, so kann der Gegenäußerung eine Stellungnahme samt Schlussfolgerungen einer Person mit besonderem Fachwissen zur Begründung eines Beweisantrags nach Abs. 1 angeschlossen werden.

§ 223. *(Aufgehoben)*

§ 226. (1) Die Hauptverhandlung kann auf Antrag eines Beteiligten des Verfahrens oder von Amts wegen durch Beschluss des Vorsitzenden vertagt werden, wenn

1. sich dem rechtzeitigen Erscheinen eines Beteiligten ein für ihn unabwendbares oder doch ein sehr erhebliches Hindernis entgegenstellt;

2. das Gericht durch anderweitige unaufschiebbare Amtshandlungen oder aus sonstigen wichtigen Gründen an der Durchführung der Hauptverhandlung verhindert ist;

3. eine in der Hauptverhandlung nicht sofort durchführbare, für die Urteilsfällung jedoch wesentliche Beweisaufnahme angeordnet wird;

4. die Hauptverhandlung aus anderen Gründen nicht geschlossen werden kann.

(2) Ein Antrag auf Vertagung ist zu begründen, gegebenenfalls vorhandene Bescheinigungsmittel sind vorzulegen.

(3) Wegen einer Verhinderung des Verteidigers findet eine Vertagung nur dann statt, wenn das Hindernis dem Angeklagten oder dem Gericht so spät bekannt wurde, dass ein anderer Verteidiger nicht mehr bestellt werden konnte. Wegen Verhinderung anderer Beteiligter als des Angeklagten findet eine Vertagung nur statt, soweit dies nicht zu einer erheblichen Verzögerung des Verfahrens, insbesondere einer bedeutenden Verlängerung der Haft des Angeklagten führen würde.

(4) Gegen einen Beschluss gemäß Abs. 1 steht den Beteiligten ein selbständiges, die weitere Verhandlung hemmendes Rechtsmittel nicht zu.

§ 227. (1) Tritt die Staatsanwaltschaft vor Beginn der Hauptverhandlung von der Anklage zurück, so ist nach § 72 Abs. 3 vorzugehen, im Übrigen jedoch das Verfahren durch Beschluss des Vorsitzenden einzustellen.

(2) Die Staatsanwaltschaft hat das Recht, die von ihr eingebrachte Anklageschrift unter gleichzeitiger Einbringung einer neuen zurückzuziehen, wenn dies erforderlich ist, um eine gemeinsame Verfahrensführung wegen neuer Vorwürfe oder einer auf Grund neuer Tatsachen oder Beweismittel geänderten rechtlichen

Beurteilung zu ermöglichen. Mit der neuen Anklageschrift ist sodann nach den im 12. Hauptstück enthaltenen Bestimmungen zu verfahren.

14. Hauptstück

Hauptverhandlung vor dem Landesgericht als Schöffengericht und Rechtsmittel gegen dessen Urteile

I. Hauptverhandlung und Urteil

1. Öffentlichkeit der Hauptverhandlung

§ 228. (1) Die Hauptverhandlung ist öffentlich bei sonstiger Nichtigkeit.

(2) An einer Hauptverhandlung dürfen nur unbewaffnete Personen als Beteiligte oder Zuhörer teilnehmen. Doch darf Personen, die wegen ihres öffentlichen Dienstes zum Tragen einer Waffe verpflichtet sind oder denen nach den §§ 2 und 8 des Gerichtsorganisationsgesetzes die Mitnahme einer Waffe gestattet worden ist, die Anwesenheit deswegen nicht verweigert werden.

(3) Unmündige können als Zuhörer von der Hauptverhandlung ausgeschlossen werden, sofern durch ihre Anwesenheit eine Gefährdung ihrer persönlichen Entwicklung zu besorgen wäre.

(4) Fernseh- und Hörfunkaufnahmen und -übertragungen sowie Film- und Fotoaufnahmen von Verhandlungen der Gerichte sind unzulässig.

§ 229. (1) Die Öffentlichkeit einer Hauptverhandlung darf von Amts wegen oder auf Antrag eines Beteiligten des Verfahrens oder eines Opfers ausgeschlossen werden:

1. wegen Gefährdung der öffentlichen Ordnung oder der nationalen Sicherheit;

2. vor Erörterung des persönlichen Lebens- oder Geheimnisbereiches eines Angeklagten, Opfers, Zeugen oder Dritten;

3. zum Schutz der Identität eines Zeugen oder eines Dritten aus den in § 162 angeführten Gründen.

(2) Über einen Ausschluss gemäß Abs. 1 entscheidet das Schöffengericht in jeder Lage des Verfahrens mit Beschluss. Der Ausschluss kann das gesamte Verfahren oder einen Teil dessen umfassen, insoweit dies bei Überwiegen der schutzwürdigen Interessen (Abs. 1) geboten ist.

(3) Ein Beschluss gemäß Abs. 2 ist samt Gründen in öffentlicher Sitzung zu verkünden; gegen ihn steht ein selbständiges, die weitere Verhandlung hemmendes Rechtsmittel nicht zu.

(4) Die Verkündung des Urteils (§§ 259, 260) hat stets in öffentlicher Sitzung zu erfolgen.

§ 230. (1) Nach der öffentlichen Verkündung dieses Beschlusses müssen sich alle Zuhörer entfernen.

(2) Richter und Staatsanwälte des Dienststandes, Richteramtsanwärter und Rechtspraktikanten sowie die in § 48 Abs. 1 Z 5 genannten Personen dürfen niemals ausgeschlossen werden. Angeklagte, Opfer, Privatbeteiligte oder Privatankläger können verlangen, dass drei Personen ihres Vertrauens der Zutritt gestattet werde. § 160 Abs. 2 und 3 ist sinngemäß anzuwenden.

§ 230a. Soweit die Öffentlichkeit einer Verhandlung ausgeschlossen worden ist, ist es untersagt, Mitteilungen daraus zu veröffentlichen. Auch kann das Gericht den anwesenden Personen die Geheimhaltung der Tatsachen zur Pflicht machen, die durch die Verhandlung zu ihrer Kenntnis gelangen. Dieser Beschluß ist im Verhandlungsprotokoll zu beurkunden.

(BGBl. Nr. 423/1974, Art. I Z. 70)

2. Amtsverrichtungen des Vorsitzenden und des Schöffengerichts während der Hauptverhandlung

§ 232. (1) Der Vorsitzende leitet die Verhandlung.

(2) Er ist verpflichtet, die Ermittlung der Wahrheit zu fördern, und hat dafür zu sorgen, daß Erörterungen unterbleiben, die die Hauptverhandlung ohne Nutzen für die Aufklärung der Sache verzögern würden.

(3) Er vernimmt den Angeklagten und die Zeugen und bestimmt die Reihenfolge, in der die Personen zu sprechen haben, die das Wort verlangen.

(4) Wenn mehrere Anklagepunkte vorliegen, kann er verfügen, daß über jeden oder über einzelne davon abgesondert zu verhandeln sei.

§ 233. (1) Dem Vorsitzenden liegt die Erhaltung der Ruhe und Ordnung und des der Würde des Gerichtes entsprechenden Anstandes im Gerichtssaal ob.

(2) Vor Gericht ist jedermann ein Sitz zu gestatten.

(3) Zeichen des Beifalles oder der Mißbilligung sind untersagt. Der Vorsitzende ist berechtigt, Personen, die die Sitzung durch solche Zeichen oder auf eine andere Weise stören, zur Ordnung zu ermahnen und nötigenfalls einzelne oder alle Zuhörer aus dem Sitzungssaal entfernen zu lassen. Widersetzt sich jemand oder werden die Störungen wiederholt, so kann der Vorsitzende über die Widersetzlichen eine Ordnungsstrafe bis zu 1 000 Euro, wenn es aber zur Aufrechterhaltung der Ordnung unerläßlich ist, eine Freiheitsstrafe bis zu acht Tagen verhängen.

§ 234. Wenn der Angeklagte die Ordnung der Verhandlung durch ungeziemendes Benehmen stört und ungeachtet der Ermahnung des Vorsitzenden und der Androhung, daß er aus der Sitzung werde entfernt werden, nicht davon absteht, so kann er durch Beschluß des Schöffengerichts auf einige Zeit oder für die ganze Dauer der Verhandlung aus dieser entfernt, die Sitzung in seiner Abwesenheit fortgesetzt und ihm das Urteil durch ein Mitglied des Schöffengerichts in Gegenwart des Schriftführers verkündet werden.

§ 235. Der Vorsitzende hat darüber zu wachen, daß gegen niemand Beschimpfungen oder offenbar ungegründete oder zur Sache nicht gehörige Beschuldigungen vorgebracht werden. Haben sich Angeklagte, Privatankläger, Privatbeteiligte, Opfer, Haftungsbeteiligte, Zeugen oder Sachverständige solche Äußerungen erlaubt, so kann das Schöffengericht gegen sie auf Antrag des Betroffenen oder der Staatsanwaltschaft oder von Amts wegen gemäß §§ 233 Abs. 3 und 234 vorgehen. Gegebenenfalls ist der Betroffene über seine Rechte zu belehren.

§ 236. (1) Macht sich ein Verteidiger (§ 48 Abs. 1 Z 5) oder ein Vertreter (§ 73), der nicht der Disziplinargewalt einer Standesbehörde unterliegt, eines solchen Verhaltens schuldig oder verletzt er die dem Gerichte gebührende Achtung, so kann er vom Schöffengericht mit einem Verweis oder einer Geldstrafe bis zum Betrage von 1 000 Euro belegt werden.

(2) Setzt ein solcher Vertreter sein ungebührliches Benehmen fort, so kann ihm der Vorsitzende das Wort entziehen und den Beteiligten zur Wahl eines anderen Vertreters auffordern. Kommt der Angeklagte einer solchen Aufforderung nicht nach, so kann ihm auch von Amts wegen ein Verteidiger beigegeben werden.

(3) Bei erschwerenden Umständen kann das Oberlandesgericht auf Antrag der Staatsanwaltschaft dem schuldigen Vertreter auch die Befugnis, als Vertreter in Strafsachen vor Gericht zu erscheinen, für die Dauer von einem bis zu sechs Monaten entziehen.

§ 236a. Macht sich ein Vertreter eines Beteiligten des Verfahrens, der der Disziplinargewalt einer Standesbehörde unterliegt, des im § 235 umschriebenen Verhaltens schuldig oder verletzt er die dem Gerichte gebührende Achtung, so kann der Vorsitzende nach Abmahnung die im § 236 Abs. 2 vorgesehenen Maßnahmen treffen.

§ 237. (1) Die auf Grund der §§ 233 bis 235 und 236 Abs. 1 und 2 ergehenden Beschlüsse sind sofort zu vollstrecken.

(2) Eine in den vorstehenden Bestimmungen vorgesehene Ordnungsstrafe ist nicht zu verhängen, soweit das Verhalten den Tatbestand einer gerichtlich strafbaren Handlung erfüllt (§§ 278 und 279), es sei denn, dass einer der in § 71 Abs. 2 zweiter Satz oder § 92 Abs. 1 zweiter Satz erwähnten Umstände eintritt.

(Anm.: Abs. 3 aufgehoben durch BGBl. I Nr. 93/ 2007)

§ 238. (1) Über Beweisanträge (§ 55 Abs. 1 und 2), die in der Hauptverhandlung gestellt werden, entscheidet das Schöffengericht mit Beschluss (§ 40 Abs. 2 und § 116 Abs. 4 Geo), soweit ihnen der Vorsitzende (§ 254) nicht Folge zu geben gedenkt.

(2) Nach Abs. 1 ist auch vorzugehen, wenn von den Beteiligten des Verfahrens in der Hauptverhandlung sonst gegensätzliche Anträge gestellt werden oder der Vorsitzende einem unbestrittenen Antrag eines Beteiligten nicht Folge zu geben gedenkt.

(3) Der Beschluss ist samt seinen Entscheidungsgründen sofort, jedenfalls jedoch vor Schluss der Verhandlung mündlich zu verkünden. Den Beteiligten steht ein selbständiges, die weitere Verhandlung hemmendes Rechtsmittel gegen ihn nicht zu (§ 86 Abs. 3).

3. Beginn der Hauptverhandlung

§ 239. Die Hauptverhandlung beginnt mit dem Aufruf der Sache. Der Angeklagte erscheint ungefesselt, jedoch, wenn er in Untersuchungshaft ist, in Begleitung einer Wache. In den in § 174 Abs. 1 geregelten Fällen kann bei Angeklagten, die in Untersuchungshaft angehalten werden, gemäß § 153 Abs. 4 vorgegangen werden. Die zur Beweisführung etwa erforderlichen Gegenstände, die dem Angeklagten oder den Zeugen zur Anerkennung vorzulegen sind, müssen vor dem Beginn der Verhandlung in den Gerichtssaal gebracht werden.

§ 240. Der Vorsitzende befragt hierauf den Angeklagten um seinen Vor- und Familiennamen sowie alle früher geführten Namen, Tag und Ort seiner Geburt, seine Staatsangehörigkeit, die Vornamen seiner Eltern, seinen Beruf, seine Anschrift und erforderlichenfalls über andere persönliche Verhältnisse und ermahnt ihn zur Aufmerksamkeit auf die vorzutragende Anklage und auf den Gang der Verhandlung.

§ 240a. (1) Nach der Ermahnung des Angeklagten sind die Schöffen, die in demselben Jahre noch nicht beeidigt worden sind, bei sonstiger Nichtigkeit zu beeidigen. Die Schöffen erheben sich von den Sitzen und der Vorsitzende richtet an sie folgende Anrede:

„Sie schwören und geloben vor Gott, die Beweise, die gegen und für den Angeklagten werden vorgebracht werden, mit der gewissenhaftesten Aufmerksamkeit zu prüfen, nichts unerwogen zu lassen, was zum Vorteil oder zum Nachteil des Angeklagten gereichen kann, das Gesetz, dem Sie Geltung verschaffen sollen, treu zu beobachten, vor Ihrem Ausspruch über den Gegenstand der Verhandlung mit niemand, außer mit den Mitgliedern des Schöffengerichts, Rücksprache zu nehmen, der Stimme der Zu- oder Abneigung, der Furcht oder der Schadenfreude kein Gehör zu geben, sondern sich mit Unparteilichkeit und Festigkeit nur nach den für und wider den Angeklagten vorgeführten Beweismitteln und Ihrer darauf gegründeten Überzeugung so zu entscheiden, wie Sie es vor Gott und Ihrem Gewissen verantworten können."

(2) Sodann wird jeder Schöffe einzeln vom Vorsitzenden aufgerufen und antwortet: „Ich schwöre, so wahr mir Gott helfe." Das Religionsbekenntnis der Schöffen macht hiebei keinen Unterschied. Nur solche, die keinem Religionsbekenntnis angehören oder deren Bekenntnis die Eidesleistung untersagt, werden durch Handschlag verpflichtet.

(3) Die Beeidigung gilt für die Dauer des Kalenderjahres; sie ist im Verhandlungsprotokoll und fortlaufend in einem besonderen Buche zu beurkunden.

§ 241. (1) Hierauf werden die Zeugen und Sachverständigen aufgerufen, soweit sie nicht erst für einen späteren Zeitpunkt vorgeladen worden sind; der Vorsitzende teilt ihnen mit, wo sie sich bis zu ihrer Vernehmung aufhalten können und zu welchem Zeitpunkt sie sich für die Vernehmung bereitzuhalten haben. Der Vorsitzende hat die nach den Umständen erforderlichen Vorkehrungen zu veranlassen, um Verabredungen und Besprechungen der Zeugen zu verhindern.

(2) Bei den Sachverständigen kann der Vorsitzende in allen Fällen, in denen er es für die Erforschung der Wahrheit zweckdienlich findet, verfügen, daß sie sowohl während der Vernehmung des Angeklagten als auch der Zeugen im Sitzungssaale bleiben.

§ 242. (1) Wenn Zeugen oder Sachverständige, der an sie ergangenen Vorladung ungeachtet, bei der Hauptverhandlung nicht erscheinen, so kann der Vorsitzende deren unverzügliche Vorführung anordnen.

(2) Ist die unverzügliche Vorführung nicht möglich, so ist über eine allfällige Verlesung der im Ermittlungsverfahren abgelegten Aussagen gemäß § 252 zu entscheiden oder aber die Hauptverhandlung zu vertagen.

(3) Über den Ausgebliebenen ist mit Beschluss des Vorsitzenden eine Geldstrafe bis zu 1 000 Euro zu verhängen. Musste die Hauptverhandlung vertagt werden, so ist der Ausgebliebene überdies in diesem Beschluss zum Ersatz der durch sein Ausbleiben verursachten Kosten zu verpflichten. Soweit dies erforderlich ist, um Anwesenheit des Ausgebliebenen beim neuen Termin sicherzustellen, hat der Vorsitzende dessen Vorführung anzuordnen (§ 210 Abs. 3).

§ 243. (1) Eine Beschwerde gegen einen Beschluss gemäß § 242 Abs. 3 ist beim erkennenden Schöffengericht einzubringen; ihr kommt aufschiebende Wirkung zu.

(2) Der Vorsitzende hat die verhängte Strafe nachzusehen, wenn der Zeuge oder Sachverständige bescheinigt, dass ihm die Ladung zur Hauptverhandlung nicht ordnungsgemäß zugestellt worden ist oder dass ihn ein unvorhergesehenes und unabwendbares Hindernis von der Teilnahme an der Hauptverhandlung abgehalten hat. Der Vorsitzende kann auch eine Milderung aussprechen, wenn die Bescheinigung erbracht wird, dass die Strafe oder der Kostenersatz zur Schuld oder den Folgen des Ausbleibens unverhältnismäßig wäre.

(3) Wird der Beschwerde nicht durch eine im Abs. 2 erwähnten Maßnahme zur Gänze entsprochen, so hat sie der Vorsitzende dem Oberlandesgericht zur Entscheidung vorzulegen (§ 89). Im Übrigen ist gegen einen Beschluss gemäß Abs. 2 kein Rechtsmittel zulässig.

§ 244. (1) Nachdem die Zeugen abgetreten sind, erteilt der Vorsitzende dem Ankläger das Wort zum Vortrag der Anklage. Im Vortrag sind alle Anklagepunkte anzuführen und so weit zu begründen, wie dies zum Verständnis der Anklage erforderlich erscheint. Bei mehreren Angeklagten ist hiebei auf jeden einzelnen von ihnen Bezug zu nehmen. Falls ein Beschluss des Oberlandesgerichts vorliegt, nach dem ein Anklagepunkt zu entfallen hat, ist auch dieser zu berücksichtigen.

(2) Nach dem Vortrag der Anklage hat sich der Vorsitzende zu vergewissern, daß der Angeklagte von Gegenstand und Umfang der Anklage ausreichend in Kenntnis gesetzt ist.

(3) Der Verteidiger hat das Recht, auf den Vortrag der Anklage mit einer Gegenäußerung zu erwidern.

4. Vernehmung des Angeklagten

§ 245. (1) Hierauf wird der Angeklagte vom Vorsitzenden über den Inhalt der Anklage vernommen. Beantwortet der Angeklagte die Anklage mit der Erklärung, er sei nicht schuldig, so hat ihm der Vorsitzende zu eröffnen, daß er berechtigt sei, der Anklage eine zusammenhängende Erklärung des Sachverhaltes entgegenzustellen und nach Anführung jedes einzelnen Beweismittels seine Bemerkungen darüber vorzubringen. Weicht der Angeklagte von seinen früheren Aussagen ab, so ist er um die Gründe dieser Abweichung zu befragen. Der Vorsitzende kann in diesem Falle sowie dann, wenn der Angeklagte eine Antwort verweigert, das über die früheren Aussagen aufgenommene Protokoll ganz oder teilweise vorlesen sowie technische Aufnahmen über die Vernehmung des Beschuldigten (§ 172 Abs. 1) vorführen lassen.

(1a) Der Angeklagte ist auch über die gegen ihn erhobenen privatrechtlichen Ansprüche (§§ 67 Abs. 1 und 1 Abs. 3) zu vernehmen und zur Erklärung aufzufordern, ob und in welchem Umfang er diese anerkennt (§ 69 Abs. 2).

(2) Für die Vernehmung des Angeklagten gilt § 164 Abs. 4.

(3) Der Angeklagte darf sich während der Hauptverhandlung mit seinem Verteidiger besprechen, jedoch nicht über die Beantwortung einzelner Fragen beraten.

5. Beweisverfahren

§ 246. (1) Nach der Vernehmung des Angeklagten sind die Beweise in der vom Vorsitzenden bestimmten Ordnung vorzuführen und in der Regel die vom Ankläger vorgebrachten Beweise zuerst aufzunehmen.

(2) Der Ankläger und der Angeklagte können im Laufe der Hauptverhandlung Beweismittel fallen lassen, jedoch nur, wenn der Gegner zustimmt.

§ 247. Zeugen und Sachverständige werden einzeln aufgerufen und in Anwesenheit der Beteiligten des Verfahrens vernommen. Sie sind vor ihrer Vernehmung zur Angabe der Wahrheit zu erinnern und über die Folgen einer falschen Aussage zu belehren.

§ 247a. (1) Ein Zeuge, der wegen seines Alters, wegen Krankheit oder Gebrechlichkeit oder aus sonstigen erheblichen Gründen nicht in der Lage ist, vor Gericht zu erscheinen, kann unter Verwendung technischer Einrichtungen zur Wort- und Bildübertragung vernommen werden. Gleiches gilt in dem in § 153 Abs. 4 geregelten Fall, soweit Ankläger und Verteidiger einverstanden sind oder dies übereinstimmend beantragen.

(2) Ein Zeuge, der wegen seines Aufenthalts im Ausland nicht in der Lage oder nicht willens ist, vor Gericht zu erscheinen, kann in gleicher Weise vernommen werden, sofern die zuständige ausländische Behörde Rechtshilfe leistet.

§ 248. (1) Der Vorsitzende hat bei der Vernehmung von Zeugen und Sachverständigen grundsätzlich nach den für Vernehmungen im Ermittlungsverfahren geltenden Bestimmungen vorzugehen. Ist zu besorgen, dass der zu vernehmende Zeuge durch die Anwesenheit von anderen Zeugen in einer freien und vollständigen Aussage beeinflusst werden könnte, so hat der Vorsitzende anzuordnen, dass die betreffenden Zeugen den Verhandlungsort verlassen.

(2) Zeugen und Sachverständige haben nach ihrer Vernehmung so lange in der Sitzung anwesend zu bleiben, bis sie der Vorsitzende entlässt. Zeugen dürfen einander wegen ihrer Aussagen nicht zur Rede stellen.

(3) Dem Angeklagten muss nach der Vernehmung eines jeden Zeugen, Sachverständigen oder Mitangeklagten die Möglichkeit zur Stellungnahme zu den jeweiligen Aussagen geboten werden.

§ 249. (1) Außer dem Vorsitzenden sind auch die übrigen Mitglieder des Schöffengerichts, die Beteiligten des Verfahrens und Opfer sowie deren Vertreter befugt, an jede zu vernehmende Person, nachdem sie das Wort hiezu vom Vorsitzenden erhalten haben, Fragen zu stellen. Bei großem Verfahrensumfang ist dies nach Tunlichkeit zu thematisch zusammenhängenden Abschnitten zu gewähren.

(2) Der Vorsitzende hat unzulässige Fragen zurückzuweisen; Fragen, die sonst unangemessen erscheinen, kann er untersagen.

(3) Der Angeklagte kann zur Befragung eines Sachverständigen eine Person mit besonderem Fachwissen beiziehen, der ein Sitz neben dem Verteidiger zu gestatten ist. Diese darf den Verteidiger bei der Fragestellung unterstützen oder selbst Fragen zu Befund und Gutachten an den Sachverständigen richten.

§ 250. (1) Der Vorsitzende ist befugt, ausnahmsweise den Angeklagten während der Abhörung eines Zeugen oder eines Mitangeklagten aus dem Sitzungssaal abtreten zu lassen. Er muß ihn aber, sobald er ihn nach seiner Wiedereinführung über den in seiner Abwesenheit verhandelten Gegenstand vernommen hat, von allem in Kenntnis setzen, was in seiner Abwesenheit vorgenommen wurde, insbesondere von den Aussagen, die inzwischen gemacht worden sind.

(2) Ist diese Mitteilung unterblieben, so muß sie jedenfalls bei sonstiger Nichtigkeit vor Schluß des Beweisverfahrens nachgetragen werden.

(3) Opfer gemäß § 65 Z 1 lit. a und besonders schutzbedürftige Opfer (§ 66a) hat der Vorsitzende auf ihren Antrag auf die in § 165 Abs. 3 beschriebene Art und Weise zu vernehmen; im Übrigen hat er bei der Vernehmung von Zeugen § 165 sinngemäß anzuwenden. Dabei hat er auch den bei der Befragung nicht anwesenden Mitgliedern des Schöffengerichts Gelegenheit zu geben, die Vernehmung des Zeugen mitzuverfolgen und den Zeugen zu befragen.

§ 251. Die Beteiligten des Verfahrens können verlangen, dass sich Zeugen nach ihrer Vernehmung aus dem in § 248 Abs. 1 letzter Satz genannten Grund aus dem Sitzungssaal entfernen und später wieder aufgerufen und entweder allein oder in Gegenwart anderer Zeugen erneut vernommen werden. Der Vorsitzende kann dies auch von Amts wegen anordnen.

§ 252. (1) Protokolle über die Vernehmung von Mitbeschuldigten und Zeugen, Protokolle über die Aufnahme von Beweisen, Amtsvermerke und andere amtliche Schriftstücke, in denen Aussagen von Zeugen oder Mitbeschuldigten festgehalten worden sind, Gutachten von Sachverständigen sowie Ton- und Bildaufnahmen über die Vernehmung von Mitbeschuldigten oder Zeugen dürfen bei sonstiger Nichtigkeit nur in den folgenden Fällen verlesen oder vorgeführt werden:

1. wenn die Vernommenen in der Zwischenzeit gestorben sind; wenn ihr Aufenthalt unbekannt oder ihr persönliches Erscheinen wegen ihres Alters, wegen Krankheit oder Gebrechlichkeit oder wegen entfernten Aufenthaltes oder aus anderen erheblichen Gründen füglich nicht bewerkstelligt werden konnte;

2. wenn die in der Hauptverhandlung Vernommenen in wesentlichen Punkten von ihren früher abgelegten Aussagen abweichen;

2a. wenn Zeugen die Aussage berechtigt verweigern (§§ 156, 157 und 158) und die Staatsanwaltschaft und der Angeklagte Gelegenheit hatten, sich an einer gerichtlichen Vernehmung zu beteiligen (§§ 165, 247);

3. wenn Zeugen, ohne dazu berechtigt zu sein, oder wenn Mitangeklagte die Aussage verweigern; endlich

4. wenn über die Vorlesung Ankläger und Angeklagter einverstanden sind.

(2) Amtsvermerke über einen Augenschein (§ 149 Abs. 2) und Befunde, gegen den Angeklagten früher ergangene Straferkenntnisse sowie Urkunden und Schriftstücke anderer Art, die für die Sache von Bedeutung sind, müssen vorgelesen werden.

(2a) Anstelle der Vorlesung oder Vorführung (Abs. 1 und 2) kann der Vorsitzende den erheblichen Inhalt der Aktenstücke vortragen, soweit die Beteiligten des Verfahrens zustimmen und die Aktenstücke sowohl allen Mitgliedern des Schöffengerichts als auch den Beteiligten zugänglich sind.

(3) Nach jeder Vorlesung und jedem Vortrag (Abs. 2a) ist der Angeklagte zu befragen, ob er darüber etwas zu bemerken habe. Er kann dabei auch auf andere Teile der vorgetragenen Aktenstücke eingehen und die Vorlesung dieser oder anderer Aktenstücke verlangen, die für die Sache von Bedeutung sind.

(4) Die Bestimmungen des Abs. 1 dürfen bei sonstiger Nichtigkeit nicht umgangen werden.

§ 253. Im Laufe oder am Schlusse des Beweisverfahrens läßt der Vorsitzende dem Angeklagten und, soweit es nötig ist, den Zeugen und Sachverständigen die Gegenstände, die zur Aufklärung des Sachverhaltes dienen können, vorlegen und fordert sie auf, sich zu erklären, ob sie diese anerkennen.

§ 254. (1) Der Vorsitzende ist ermächtigt, ohne Antrag der Beteiligten des Verfahrens Zeugen und Sachverständige, von denen nach dem Gange der Verhandlung Aufklärung über erhebliche Tatsachen zu erwarten ist, im Laufe des Verfahrens vorladen und nötigenfalls vorführen zu lassen und zu vernehmen.

(2) Der Vorsitzende kann auch neue Sachverständige bestellen oder die Aufnahme anderer Beweise anordnen, insbesondere einen Augenschein in Anwesenheit der Beteiligten des Verfahrens durchführen oder durch den beisitzenden Richter vornehmen lassen. Soweit besondere Umstände eine Durchführung der Beweisaufnahme vor dem Schöffengericht nicht zulassen, ist über die Ergebnisse in der Hauptverhandlung zu berichten.

6. Vorträge der Parteien

§ 255. (1) Nachdem der Vorsitzende das Beweisverfahren für geschlossen erklärt hat, erhält zuerst der Ankläger das Wort, um die Ergebnisse der Beweisführung zusammenzufassen und seine Anträge sowohl wegen der Schuld des Angeklagten als auch wegen der gegen ihn anzuwendenden Strafbestimmungen zu stellen und zu begründen. Einen bestimmten Antrag über die Bemessung der Strafe innerhalb des gesetzlichen Strafsatzes hat der Ankläger nicht zu stellen.

(2) Der Privatbeteiligte erhält zunächst nach dem Staatsanwalte das Wort.

(3) Dem Angeklagten und seinem Verteidiger steht das Recht zu, darauf zu antworten. Findet der Staatsanwalt, der Privatankläger oder der Privatbeteiligte hierauf etwas zu erwidern, so gebührt dem Angeklagten und seinem Verteidiger jedenfalls die Schlußrede.

§ 256. (1) In der Regel ist in den Schlußvorträgen über alle im Urteile zu entscheidenden Fragen ungetrennt zu verhandeln.

(2) Doch steht es dem Vorsitzenden oder dem Schöffengericht (§ 238) frei, zu verfügen, daß die Schlußvorträge über die Schuldfrage von denen über die Strafbestimmungen, über die privatrechtlichen Ansprüche und über die Prozeßkosten zu trennen seien. In diesen Fällen werden, nachdem das Schöffengericht über die Schuld des Angeklagten entschieden und seinen Ausspruch verkündet hat, neuerlich Schlußvorträge gehalten, die jedoch auf die noch zu entscheidenden Fragen einzuschränken sind.

7. Urteil des Gerichtshofes

§ 257. Nachdem der Vorsitzende die Verhandlung für geschlossen erklärt hat, zieht sich das Schöffengericht zur Urteilsfällung in das Beratungszimmer zurück. Der Angeklagte wird, wenn er verhaftet ist, einstweilen aus dem Sitzungssaal abgeführt.

§ 258. (1) Das Gericht hat bei der Urteilsfällung nur auf das Rücksicht zu nehmen, was in der Hauptverhandlung vorgekommen ist. Aktenstücke können nur insoweit als Beweismittel dienen, als sie bei der Hauptverhandlung vorgelesen oder vom Vorsitzenden vorgetragen (§ 252 Abs. 2a) worden sind.

(2) Das Gericht hat die Beweismittel auf ihre Glaubwürdigkeit und Beweiskraft sowohl einzeln als auch in ihrem inneren Zusammenhange sorgfältig und gewissenhaft zu prüfen. Über die Frage, ob eine Tatsache als erwiesen anzunehmen sei, entscheiden die Richter nicht nach gesetzlichen Beweisregeln, sondern nur nach ihrer freien, aus der gewissenhaften Prüfung aller für und wider vorgebrachten Beweismittel gewonnenen Überzeugung.

(3) Bei der Beurteilung der Aussage eines Zeugen, dem nach § 162 gestattet worden ist, bestimmte Fragen nicht zu beantworten, ist insbesondere zu prüfen, ob dem Gericht und den Beteiligten ausreichend Gelegenheit geboten war, sich mit der Glaubwürdigkeit des Zeugen und der Beweiskraft seiner Aussage auseinanderzusetzen.

§ 259. Der Angeklagte wird durch Urteil des Schöffengerichts von der Anklage freigesprochen:

1. wenn sich zeigt, daß das Strafverfahren ohne den Antrag eines gesetzlich berechtigten Anklägers eingeleitet oder gegen dessen Willen fortgesetzt worden sei;

2. wenn der Ankläger nach Eröffnung der Hauptverhandlung und ehe das Schöffengericht sich zur Schöpfung des Urteiles zurückzieht, von der Anklage zurücktritt;

3. wenn das Schöffengericht erkennt, daß die der Anklage zugrunde liegende Tat vom Gesetze nicht mit Strafe bedroht oder der Tatbestand nicht hergestellt oder nicht erwiesen sei, daß der Angeklagte die ihm zur Last gelegte Tat begangen habe, oder daß Umstände vorliegen, durch die die Strafbarkeit aufgehoben oder die Verfolgung aus anderen als den unter Z. 1 und 2 angegebenen Gründen ausgeschlossen ist.

§ 260. (1) Wird der Angeklagte schuldig befunden, so muß das Strafurteil aussprechen:

1. welcher Tat der Angeklagte schuldig befunden worden ist, und zwar unter ausdrücklicher Bezeichnung der einen bestimmten Strafsatz bedingenden Tatumstände;

2. welche strafbare Handlung durch die als erwiesen angenommenen Tatsachen, deren der Angeklagte schuldig befunden worden ist, begründet wird, unter gleichzeitigem Ausspruch, ob die strafbare Handlung ein Verbrechen oder ein Vergehen ist;

3. zu welcher Strafe der Angeklagte verurteilt wird;

und zwar diese drei Punkte bei sonstiger Nichtigkeit; außerdem ist noch beizufügen:

4. welche strafgesetzlichen Bestimmungen auf ihn angewendet wurden;

5. die Entscheidung über die geltend gemachten Entschädigungsansprüche und über die Prozeßkosten.

(2) Wird der Angeklagte wegen vorsätzlicher und fahrlässiger Taten

1. zu einer mehr als einjährigen Freiheitsstrafe verurteilt, so ist im Anschluss an den Strafausspruch festzustellen, ob auf eine oder mehrere vorsätzlich begangene Straftaten eine mehr als einjährige Freiheitsstrafe entfällt, oder

2. zu einer nicht bedingt nachgesehenen Freiheitsstrafe von mehr als sechs Monaten verurteilt, so ist im Anschluss an den Strafausspruch festzustellen, ob auf eine oder mehrere vorsätzlich begangene Straftaten eine nicht bedingt nachgesehene Freiheitsstrafe von mehr als sechs Monaten entfällt.

(3) Ist die im Abs. 2 genannte Feststellung im Strafurteil unterblieben, so ist sie von Amts wegen oder auf Antrag eines zur Ergreifung der Nichtigkeitsbeschwerde Berechtigten mit Beschluß nachzuholen. Gegen diesen Beschluß, der dem Ankläger und dem Angeklagten zuzustellen ist, steht jedem zur Ergreifung der Nichtigkeitsbeschwerde Berechtigten die binnen vierzehn Tagen einzubringende Beschwerde an das Oberlandesgericht zu. Ist außer über die Beschwerde noch über eine von wem immer ergriffene Nichtigkeitsbeschwerde zu entscheiden, so entscheidet der Oberste Gerichtshof auch über die Beschwerde.

§ 261. (1) Erachtet das Schöffengericht, daß die der Anklage zugrunde liegenden Tatsachen an sich oder in Verbindung mit den in der Hauptverhandlung hervorgetretenen Umständen eine zur Zuständigkeit des Geschworenengerichtes gehörige strafbare Handlung begründen, so spricht es seine Unzuständigkeit aus.

(2) Sobald dieses Urteil rechtskräftig ist, hat die Staatsanwaltschaft binnen dreier Monate bei sonstigem Verlust des Verfolgungsrechts das Ermittlungsverfahren fortzuführen oder die Anordnung der Hauptverhandlung vor dem Geschworenengericht zu beantragen, wenn weitere Ermittlungen nicht erforderlich sind. Im ersten Falle muß eine neue Anklageschrift eingebracht werden; außer diesem Fall aber ist bei der neuen Hauptverhandlung die ursprüngliche Anklageschrift und der nach diesem Paragraphen gefällte Ausspruch des Schöffengerichtes zu verlesen.

§ 262. Erachtet das Schöffengericht, daß die der Anklage zugrunde liegenden Tatsachen an sich oder in Verbindung mit den erst in der Hauptverhandlung hervorgetretenen Umständen eine andere als die in der Anklage bezeichnete, nicht einem Gerichte höherer Ordnung vorbehaltene strafbare Handlung begründen, so hat es die Beteiligten des Verfahrens über den geänderten rechtlichen Gesichtspunkt zu hören und über einen allfälligen Vertagungsantrag zu entscheiden. Das Urteil schöpft es nach seiner rechtlichen Überzeugung, ohne an die in der Anklageschrift enthaltene Bezeichnung der Tat gebunden zu sein.

§ 263. (1) Wird der Angeklagte bei der Hauptverhandlung noch einer anderen Tat beschuldigt, als wegen der er angeklagt ist, so kann das Schöffengericht, wenn sie von Amts wegen zu verfolgen ist, auf Antrag des Staatsanwaltes oder des Opfers, in anderen Fällen aber nur auf Begehren des zur Privatanklage Berechtigten die Verhandlung und das Urteil auch auf diese Tat ausdehnen. Die Zustimmung des Angeklagten ist nur dann erforderlich, wenn er bei seiner Verurteilung wegen dieser Tat unter ein strengeres als das Strafgesetz fiele, das auf die in der Anklageschrift angeführte strafbare Handlung anzuwenden wäre.

(2) Verweigert in einem solchen Falle der Angeklagte seine Zustimmung zur sofortigen Aburteilung oder kann nicht sofort geurteilt werden, weil eine sorgfältigere Vorbereitung nötig erscheint oder weil das Schöffengericht zur Aburteilung über die hinzugekommene Straftat nicht zuständig ist, so hat sich das Urteil auf den Gegenstand der Anklage zu beschränken und dem Ankläger – auf sein Verlangen – die selbständige Verfolgung wegen der hinzugekommenen Tat vorzubehalten, außer welchem Falle wegen dieser Tat eine Verfolgung nicht mehr zulässig ist.

(3) Nach Umständen kann das Schöffengericht auch, wenn es über die hinzugekommene Tat nicht sofort aburteilt, die Hauptverhandlung abbrechen und die Entscheidung über alle dem Angeklagten zur Last fallenden Straftaten einer neuen Hauptverhandlung vorbehalten.

(4) In beiden Fällen muss der Ankläger binnen dreier Monate bei sonstigem Verlust des Verfolgungsrechts von der Verfolgung zurücktreten (§ 209 Abs. 1), die Anklage einbringen oder das Ermittlungsverfahren fortführen.

§ 264. (1) Wird gegen den Angeklagten ein Strafurteil gefällt, so steht dessen Vollstreckung der Umstand nicht entgegen, daß die Verfolgung wegen einer anderen Straftat noch vorbehalten ist.

(2) Macht der Ankläger von dem im § 263 erwähnten Vorbehalte Gebrauch, so kann das Schöffengericht anordnen, daß die Vollstreckung des unter diesem Vorbehalt erlassenen Urteiles bis zur Entscheidung über die neue Anklage auf sich zu beruhen habe. In diesem Falle sind beide Urteile hinsichtlich der Rechtsmittel so zu behandeln, als wären sie gleichzeitig gefällt worden.

§ 265. (1) Liegen die zeitlichen Voraussetzungen für die bedingte Entlassung aus einer Freiheitsstrafe infolge Anrechnung einer Vorhaft, einer im Ausland verbüßten Strafe oder des verbüßten Teils einer Freiheitsstrafe, auf die nach §§ 31, 40 StGB Bedacht zu nehmen ist, schon im Zeitpunkt des Urteils vor, so hat das Gericht dem Angeklagten den Rest der Strafe unter Bestimmung einer Probezeit mit Beschluss bedingt nachzusehen, wenn auch die übrigen im § 46 StGB genannten Voraussetzungen vorliegen. Gleiches gilt, wenn die Voraussetzungen im Zeitpunkt der Entscheidung über die Nichtigkeitsbeschwerde oder Berufung vorliegen.

(2) Für den Beschluß nach Abs. 1 und für das Verfahren nach einer solchen bedingten Entlassung gelten die Bestimmungen des 24. Hauptstückes dem Sinne nach.

§ 265a. *(Aufgehoben; BGBl. Nr. 423/1974, Art. I Z. 82)*

§ 265b. *(Aufgehoben)*

§ 265c. *(Aufgehoben; BGBl. Nr. 423/1974, Art. I Z. 82)*

§ 266. (1) Das Gericht kann im Strafurteil aussprechen, dass eine Anhaltung im elektronisch überwachten Hausarrest (§ 156b StVG) für einen bestimmten, längstens für den im § 46 Abs. 1 StGB genannten Zeitraum nicht in Betracht kommt, wenn auf Grund bestimmter Tatsachen anzunehmen ist, dass eine solche Anhaltung nicht genügen werde, um den Verurteilten von weiteren strafbaren Handlungen abzuhalten, oder es ausnahmsweise der Vollstreckung der Strafe in der Anstalt bedarf, um der Begehung strafbarer Handlungen durch andere entgegenzuwirken. § 43 Abs. 1 letzter Satz StGB gilt dabei sinngemäß. Dieser Ausspruch oder sein Unterbleiben bildet einen Teil des Ausspruchs über die Strafe und kann zugunsten und zum Nachteil des Angeklagten mit Berufung angefochten werden.

(2) Wenn nachträglich Umstände eintreten oder bekannt werden, bei deren Vorliegen im Zeitpunkt des Urteils kein Ausspruch nach Abs. 1 gefällt worden wäre, so hat das Gericht diesen aufzuheben.

§ 267. An die Anträge des Anklägers ist das Schöffengericht nur insoweit gebunden, daß es den Angeklagten nicht einer Tat schuldig erklären kann, auf die die Anklage weder ursprünglich gerichtet noch während der Hauptverhandlung ausgedehnt wurde (§ 4 Abs. 3).

8. Verkündung und Ausfertigung des Urteiles

§ 268. Unmittelbar nach dem Beschlusse des Schöffengerichts ist der Angeklagte wieder vorzuführen oder vorzurufen und ist in öffentlicher Sitzung vom Vorsitzenden das Urteil samt dessen wesentlichen Gründen unter Verlesung der angewendeten Gesetzesbestimmungen zu verkünden. Zugleich belehrt der Vorsitzende den Angeklagten über die ihm zustehenden Rechtsmittel.

§ 269. Hat sich der Angeklagte zur Urteilsverkündung nicht eingefunden, so kann der Vorsitzende ihn zu diesem Zwecke vorführen lassen oder anordnen, daß ihm das Urteil entweder durch einen hiezu abgeordneten Richter mündlich eröffnet oder in Abschrift zugestellt werde.

§ 270. (1) Jedes Urteil muß binnen vier Wochen vom Tage der Verkündung schriftlich ausgefertigt und vom Vorsitzenden unterschrieben werden.

(2) Die Urteilsausfertigung muß enthalten:

1. die Bezeichnung des Gerichtes und die Namen der anwesenden Mitglieder des Schöffengerichts sowie der Beteiligten des Verfahrens;

2. den Vor- und den Familiennamen sowie alle früher geführten Namen, Tag und Ort der Geburt, die Staatsangehörigkeit und den Beruf des Angeklagten sowie den Namen des Verteidigers;

3. den Tag der Hauptverhandlung und des ergehenden Urteiles;

4. den Ausspruch des Schöffengerichts über die Schuld des Angeklagten, und zwar im Fall einer Verurteilung mit allen in § 260 angeführten Punkten; schließlich

5. die Entscheidungsgründe. In diesen muß in gedrängter Darstellung, aber mit voller Bestimmtheit angegeben sein, welche Tatsachen und aus welchen Gründen das Schöffengericht sie als erwiesen oder als nicht erwiesen angenommen hat, von welchen Erwägungen es bei der Entscheidung der Rechtsfragen und bei Beseitigung der vorgebrachten Einwendungen geleitet wurde und, im Fall einer Verurteilung, welche Erschwerungs- und Milderungsumstände es gefunden hat. Im Falle einer Verurteilung zu einer in Tagessätzen bemessenen Geldstrafe sind die für die Bemessung des Tagessatzes maßgebenden Umstände (§ 19 Abs. 2 StGB) anzugeben. Bei einem freisprechenden Urteile haben die Entscheidungsgründe insbesondere deutlich anzugeben, aus welchem der im § 259 angegebenen Gründe sich das Schöffengericht zur Freisprechung bestimmt gefunden hat.

(3) Schreib- und Rechenfehler, ferner solche Formgebrechen und Auslassungen, die nicht die im § 260 Abs. 1 Z. 1 bis 3 und Abs. 2 erwähnten Punkte betreffen, hat der Vorsitzende jederzeit, allenfalls nach Anhörung der Beteiligten, zu berichtigen. Die Zurückweisung eines auf eine solche Berichtigung abzielenden Antrages sowie die vorgenommene Berichtigung können von jedem zur Ergreifung der Nichtigkeitsbeschwerde Berechtigten oder sonst Beteiligten mit der binnen vierzehn Tagen einzubringenden Beschwerde an das Oberlandesgericht angefochten werden. Ist außer über die Beschwerde noch über eine von wem immer ergriffene Nichtigkeitsbeschwerde zu entscheiden, so entscheidet der Oberste Gerichtshof auch über die Beschwerde. Die beschlossene Verbesserung ist

am Rande des Urteils beizusetzen und muß allen Ausfertigungen beigefügt werden.

(4) Verzichten die Beteiligten des Verfahrens auf ein Rechtsmittel oder melden sie innerhalb der dafür offen stehenden Frist kein Rechtsmittel an, so kann das Urteil in gekürzter Form ausgefertigt werden, es sei denn, dass eine zwei Jahre übersteigende Freiheitsstrafe verhängt oder eine mit Freiheitsentziehung verbundene vorbeugende Maßnahme oder ein Tätigkeitsverbot (§ 220b StGB) angeordnet worden ist. Die gekürzte Urteilsausfertigung hat zu enthalten:

1. die im Abs. 2 enthaltenen Angaben mit Ausnahme der Entscheidungsgründe;

2. im Fall einer Verurteilung die vom Gericht als erwiesen angenommenen Tatsachen in gedrängter Darstellung sowie die für die Strafbemessung und gegebenenfalls die für die Bemessung des Tagessatzes (§ 19 Abs. 2 StGB) maßgebenden Umstände in Schlagworten;

3. im Fall eines Freispruchs eine gedrängte Darstellung der dafür maßgebenden Gründe.

9. Protokollführung

§ 271. (1) Über die Hauptverhandlung ist bei sonstiger Nichtigkeit ein Protokoll aufzunehmen, für das – soweit im Folgenden nicht anderes bestimmt wird – § 96 Abs. 2 und 3 anzuwenden ist; es hat insbesondere zu enthalten:

1. die Bezeichnung des Gerichts sowie Ort, Beginn und Ende der Hauptverhandlung,

2. die Namen der Mitglieder des Schöffengerichts, der Beteiligten des Verfahrens und ihrer Vertreter und, wenn ein Schriftführer beigezogen wurde, dessen Namen,

3. die Namen der beigezogenen Dolmetscher, der vernommenen Zeugen und Sachverständigen,

4. alle wesentlichen Förmlichkeiten des Verfahrens,

5. die Bezeichnung der verlesenen und vorgetragenen Schriftstücke (§ 252 Abs. 2a und 3),

6. alle Anträge der Beteiligten des Verfahrens und die darüber getroffenen Entscheidungen,

7. den Spruch des Urteils mit den in § 260 Abs. 1 Z 1 bis 3 bezeichneten Angaben.

Den Beteiligten des Verfahrens steht es frei, die Feststellung einzelner Punkte im Protokoll zur Wahrung ihrer Rechte zu verlangen.

(1a) Unter den Voraussetzungen des § 270 Abs. 4 kann das Verhandlungsprotokoll durch einen vom Vorsitzenden zu unterschreibenden Vermerk ersetzt werden, der lediglich die in Abs. 1 Z 1 bis 3 angeführten Angaben enthält.

(2) Dem Schriftführer kann bei entsprechender Eignung die selbstständige Abfassung der Verhandlungsmitschrift und deren Übertragung überlassen werden, ansonsten nach Abs. 4 zweiter Satz vorzugehen ist. Der Schriftführer darf sich zur Unterstützung eines technischen Hilfsmittels bedienen.

(3) Die Antworten des Angeklagten (§ 245) und die Aussagen von Zeugen und Sachverständigen sind ihrem wesentlichen Inhalt nach zusammengefasst in das Protokoll aufzunehmen, soweit nicht deren wörtliche Wiedergabe für die Urteilsfällung erforderlich erscheint. Werden Zeugen oder Sachverständige in der Hauptverhandlung nicht das erste Mal vernommen, so sind nur Abweichungen, Veränderungen oder Zusätze der bereits in den Akten enthaltenen Angaben in das Protokoll aufzunehmen.

(4) Hat der Vorsitzende von der Beiziehung eines Schriftführers abgesehen, so sind die Angaben nach Abs. 1 Z 1 bis 3 in Vollschrift festzuhalten. Im Übrigen sind die Angaben über Verlauf und Inhalt der Hauptverhandlung nach Abs. 1 Z 4 bis 7 und Abs. 3 vom Vorsitzenden oder einem von ihm beauftragten richterlichen Mitglied des Schöffengerichts für die Anwesenden hörbar zu diktieren. Das Diktat ist unter Verwendung eines technischen Hilfsmittels aufzunehmen oder sofort zu übertragen.

(5) Sachverständige haben auf Anordnung des Vorsitzenden Befund und Gutachten sowie deren Ergänzungen selbst auf die im Abs. 4 beschriebene Art zu diktieren.

(6) Der Inhalt der Aufnahme oder der Mitschrift ist auf Verlangen eines Beteiligten des Verfahrens wiederzugeben. Tonaufnahme und Verhandlungsmitschrift sind unverzüglich in Vollschrift zu übertragen. Diese Übertragung sowie die bereits in Vollschrift aufgenommenen Angaben bilden das Verhandlungsprotokoll, das vom Vorsitzenden sowie, soweit ein solcher beigezogen wurde, vom Schriftführer zu unterschreiben ist. Eine Ausfertigung des Protokolls ist den Beteiligten, soweit sie nicht darauf verzichtet haben, ehestmöglich, spätestens aber zugleich mit der Urteilsausfertigung zuzustellen.

(7) Für die Berichtigung von Schreib- und Rechenfehlern im Verhandlungsprotokoll gilt § 270 Abs. 3 erster Satz sinngemäß. Im Übrigen hat der Vorsitzende das Protokoll von Amts wegen oder auf Antrag einer zur Ergreifung von Berufung oder Nichtigkeitsbeschwerde berechtigten Partei nach Vornahme der erforderlichen Erhebungen durch Beschluss zu ergänzen oder zu berichtigen, soweit erhebliche Umstände oder Vorgänge im Protokoll der Hauptverhandlung zu Unrecht nicht erwähnt oder unrichtig wiedergegeben wurden. Der Antrag ist spätestens mit Ablauf der für die Ausführung einer gegen das Urteil angemeldeten Nichtigkeitsbeschwerde oder Berufung offen stehenden Frist einzubringen, ansonsten als unzulässig zurückzuweisen. Den Parteien ist Gelegenheit zur Stellungnahme zur in Aussicht genommenen oder begehrten Berichtigung oder Ergänzung und zu den Ergebnissen der gepflogenen Erhebungen binnen festzusetzender angemessener Frist einzuräumen. § 270 Abs. 3

zweiter bis vierter Satz gilt sinngemäß. Wird eine Ergänzung oder Berichtigung des Verhandlungsprotokolls nach Zustellung der Abschrift des Urteils an den Beschwerdeführer vorgenommen, so löst erst die neuerliche Zustellung die Fristen zur Ausführung angemeldeter Rechtsmittel (§§ 285 und 294) aus.

§ 271a. (1) Wenn der Vorsitzende es für zweckmäßig erachtet, kann die Protokollführung nach Maßgabe der den Gerichten zur Verfügung stehenden Ausstattung durch die Verwendung technischer Einrichtungen zur Wort- oder Bildaufnahme unterstützt werden. In diesem Fall ist der gesamte Verlauf der Hauptverhandlung unmittelbar aufzunehmen und dies allen Beteiligten zuvor bekannt zu machen. Abgesehen von den in § 271 Abs. 1 Z 1 bis 3 erwähnten Angaben kann der Vorsitzende Verhandlungsmitschrift oder Diktat auf die Anordnung beschränken, welche Teile der Aufnahme in Schriftform zu übertragen sind.

(2) Den Beteiligten des Verfahrens steht das Recht zu, die Wiedergabe der Aufnahme oder ihre Übersendung auf einem elektronischen Datenträger in einem allgemein gebräuchlichen Dateiformat zu verlangen. Zu übertragen ist eine solche Aufnahme nur, wenn es der Vorsitzende für zweckmäßig erachtet oder ein Beteiligter ein besonderes rechtliches Interesse daran glaubhaft macht und die vom Vorsitzenden zu bestimmenden Kosten der Übertragung übernimmt; § 77 Abs. 1 und 3 ist anzuwenden. Die Aufnahme ist als Beilage zum Akt zu nehmen.

(3) Wurde der gesamte Verlauf der Hauptverhandlung nach Abs. 1 aufgenommen und verzichten die Beteiligten des Verfahrens auf ein Rechtsmittel oder melden sie innerhalb der hiefür offen stehenden Frist kein Rechtsmittel an, so kann das Verhandlungsprotokoll durch einen vom Vorsitzenden zu unterschreibenden Vermerk ersetzt werden, der lediglich die in § 271 Abs. 1 Z 1 bis 3 angeführten Angaben enthält. Sofern sie ein rechtliches Interesse glaubhaft machen, können die Beteiligten des Verfahrens binnen vierzehn Tagen nach Verkündung des Urteils die Herstellung des Protokolls und die Zustellung einer Ausfertigung verlangen.

§ 272. Über die Beratungen und Abstimmungen während und am Schlusse der Hauptverhandlung ist in den Fällen, wo sich das Gericht zur Beschlußfassung in das Beratungszimmer zurückgezogen hat, ein abgesondertes Protokoll zu führen.

10. Vertagung der Hauptverhandlung

§ 273. Die Hauptverhandlung darf, wenn sie begonnen hat, nur insoweit unterbrochen werden, als es der Vorsitzende zur nötigen Erholung der dabei beteiligten Personen oder zur unverzüglichen Herbeischaffung von Beweismitteln erforderlich findet; sie kann nach dem Ermessen des Schöffengerichts in dringenden Fällen auch an einem Sonn- oder Feiertage fortgesetzt werden.

§ 274. Ist der Verteidiger, ungeachtet gehöriger Ladung, bei der Hauptverhandlung nicht erschienen oder hat er sich vor deren Schluß entfernt oder tritt der im § 236 Abs. 2 vorgesehene Fall ein, und kann ein anderer Verteidiger überhaupt nicht oder doch nicht ohne Beeinträchtigung der Verteidigung des Angeklagten bestellt werden, so ist die Verhandlung zu vertagen. Die Kosten der Bestellung eines anderen Vertreters und der Vertagung hat der schuldige Verteidiger zu tragen.

§ 275. Erkrankt der Angeklagte während der Hauptverhandlung in dem Maße, daß er ihr nicht weiter beiwohnen kann, und willigt er nicht selbst ein, daß die Verhandlung in seiner Abwesenheit fortgesetzt und seine im Ermittlungsverfahren oder in einer früheren Hauptverhandlung abgelegte Aussage vorgelesen werde, so ist die Verhandlung zu vertagen. § 197 Abs. 2b gilt sinngemäß.

§ 276. Für die Vertagung der Hauptverhandlung gilt § 226.

§ 276a. Ist die Verhandlung, nachdem sie begonnen hatte, vertagt worden (§§ 274 bis 276), so kann der Vorsitzende in der späteren Verhandlung die wesentlichen Ergebnisse der früheren nach dem Protokoll und den sonst zu berücksichtigenden Akten mündlich vortragen und die Fortsetzung der Verhandlung daran anknüpfen. Die Verhandlung ist jedoch zu wiederholen, wenn sich die Zusammensetzung des Gerichtes geändert hat oder seit der Vertagung mehr als zwei Monate verstrichen sind, es sei denn, dass beide Teile auf die Wiederholung wegen Überschreitung der Frist von zwei Monaten verzichten.

11. Zwischenfälle

§ 277. Ergibt sich aus der Hauptverhandlung mit Wahrscheinlichkeit, daß ein Zeuge wissentlich falsch ausgesagt habe, so kann der Vorsitzende über dessen Aussage ein Protokoll aufnehmen und nach geschehener Vorlesung und Genehmigung vom Zeugen unterfertigen lassen; er kann den Zeugen auch festnehmen und dem Einzelrichter des Landesgerichts vorführen lassen.

§ 278. (1) Wird während der Hauptverhandlung im Sitzungssaal eine strafbare Handlung verübt und dabei der Täter auf frischer Tat betreten, so kann darüber mit Unterbrechung der Hauptverhandlung oder an deren Schluß auf Antrag des dazu berechtigten Anklägers sowie nach Vernehmung des Beschuldigten und der vorhandenen Zeugen vom versammelten Gerichte sogleich abgeurteilt werden. Rechtsmittel gegen ein solches Urteil haben keine aufschiebende Wirkung.

(2) Ist zur Aburteilung ein Gericht höherer Ordnung zuständig oder die sofortige Aburteilung nicht tunlich, so läßt der Vorsitzende den Täter dem Einzelrichter des Landesgerichts vorführen.

(3) Über einen solchen Vorgang ist ein besonderes Protokoll aufzunehmen.

§ 279. Hat der Angeklagte während der Hauptverhandlung eine strafbare Handlung begangen, so sind die Bestimmungen des § 263 voll anzuwenden.

II. Rechtsmittel gegen das Urteil

§ 280. Gegen die Urteile der Landesgerichte als Schöffengerichte (§ 31 Abs. 3) stehen nur die Rechtsmittel der Nichtigkeitsbeschwerde und der Berufung offen. Die Nichtigkeitsbeschwerde geht an den Obersten Gerichtshof, die Berufung an das Oberlandesgericht.

§ 281. (1) Die Nichtigkeitsbeschwerde kann gegen ein freisprechendes Urteil nur zum Nachteile, gegen ein verurteilendes sowohl zum Vorteile als auch zum Nachteile des Angeklagten ergriffen werden, jedoch, sofern sie nicht nach besonderen gesetzlichen Vorschriften auch in anderen Fällen zugelassen ist, nur wegen eines der folgenden Nichtigkeitsgründe:

1. wenn das Schöffengericht nicht gehörig besetzt war, wenn nicht alle Richter der ganzen Verhandlung beiwohnten oder wenn sich ein ausgeschlossener Richter (§§ 43 und 46) an der Entscheidung beteiligte; es sei denn, daß der die Nichtigkeit begründende Tatumstand dem Beschwerdeführer noch vor oder während der Hauptverhandlung bekannt und von ihm nicht gleich beim Beginne der Hauptverhandlung oder sofort, nachdem er in dessen Kenntnis gelangt war, geltend gemacht wurde;

1a. wenn der Angeklagte nicht während der ganzen Hauptverhandlung durch einen Verteidiger vertreten war, obwohl dies zwingend vorgeschrieben war;

2. wenn ein Protokoll oder ein anderes amtliches Schriftstück über eine nichtige Erkundigung oder Beweisaufnahme im Ermittlungsverfahren trotz Widerspruchs des Beschwerdeführers in der Hauptverhandlung verlesen wurde;

3. wenn in der Hauptverhandlung eine Bestimmung verletzt oder missachtet worden ist, deren Einhaltung das Gesetz bei sonstiger Nichtigkeit anordnet (§§ 115j Abs. 1, 126 Abs. 4, 140 Abs. 1, 144 Abs. 1, 155 Abs. 1, 157 Abs. 2 und 159 Abs. 3, 221 Abs. 2, 228, 240a, 250, 252, 260, 271, 427, 434d Abs. 1 und 2 sowie 439 Abs. 1 und 2);

4. wenn während der Hauptverhandlung über einen Antrag des Beschwerdeführers nicht erkannt worden ist oder wenn durch einen gegen seinen Antrag oder Widerspruch gefassten Beschluss Gesetze oder Grundsätze des Verfahrens hintangesetzt oder unrichtig angewendet worden sind, deren Beobachtung durch grundrechtliche Vorschriften, insbesondere durch Art. 6 der Europäischen Konvention zum Schutze der Menschenrechte und Grundfreiheiten, BGBl. Nr. 210/1958, oder sonst durch das Wesen eines die Strafverfolgung und die Verteidigung sichernden, fairen Verfahrens geboten ist;

5. wenn der Ausspruch des Schöffengerichts über entscheidende Tatsachen (§ 270 Abs. 2 Z. 4 und 5) undeutlich, unvollständig oder mit sich selbst im Widerspruch ist; wenn für diesen Ausspruch keine oder nur offenbar unzureichende Gründe angegeben sind; oder wenn zwischen den Angaben der Entscheidungsgründe über den Inhalt einer bei den Akten befindlichen Urkunde oder über eine Aussage und der Urkunde oder dem Vernehmungs- oder Sitzungsprotokoll selbst ein erheblicher Widerspruch besteht;

5a. wenn sich aus den Akten erhebliche Bedenken gegen die Richtigkeit der dem Ausspruch über die Schuld zugrunde gelegten entscheidenden Tatsachen ergeben;

6. wenn das Schöffengericht zu Unrecht seine Unzuständigkeit (§ 261) ausgesprochen hat;

7. wenn das ergangene Endurteil die Anklage nicht erledigt oder

8. diese gegen die Vorschrift der § 262, § 263, § 267 und § 434b Abs. 3 überschritten hat;

9. wenn durch den Ausspruch über die Frage,

a) ob die dem Angeklagten zur Last fallende Tat eine zur Zuständigkeit der Gerichte gehörige strafbare Handlung begründe,

b) ob Umstände vorhanden seien, durch die die Strafbarkeit der Tat aufgehoben oder die Verfolgung wegen der Tat ausgeschlossen ist, endlich

c) ob die nach dem Gesetz erforderliche Anklage fehle,

ein Gesetz verletzt oder unrichtig angewendet wurde;

10. wenn die der Entscheidung zugrunde liegende Tat durch unrichtige Gesetzesauslegung einem Strafgesetz unterzogen wurde, das darauf nicht anzuwenden ist;

10a. wenn nach der Bestimmung des § 199 über die Einstellung des Verfahrens, anderen auf sie verweisenden Vorschriften oder nach § 37 SMG vorzugehen gewesen wäre;

11. wenn das Schöffengericht seine Strafbefugnis überschritten oder bei dem Ausspruch über die Strafe für die Strafbemessung maßgebende entscheidende Tatsachen offenbar unrichtig beurteilt oder in unvertretbarer Weise gegen Bestimmungen über die Strafbemessung verstoßen hat.

(2) Die im Abs. 1 Z. 1a und 5a erwähnten Nichtigkeitsgründe können zum Nachteil des Angeklagten nicht geltend gemacht werden.

(3) Die unter Abs. 1 Z. 2, 3 und 4 erwähnten Nichtigkeitsgründe können zum Vorteile des Angeklagten nicht geltend gemacht werden, wenn unzweifelhaft erkennbar ist, daß die Formverletzung auf die Entscheidung keinen dem Angeklagten nachteiligen Einfluß üben konnte. Zum Nachteile des Angeklagten können sie, abgesehen von dem im § 282 Abs. 2 geregelten Fall, nur geltend gemacht werden, wenn erkennbar ist, daß die Formverletzung einen die Anklage beein-

trächtigenden Einfluß auf die Entscheidung zu üben vermochte, und wenn außerdem der Ankläger sich ihr widersetzt, die Entscheidung des Schöffengerichts begehrt und sich sofort nach der Verweigerung oder Verkündung dieser Entscheidung die Nichtigkeitsbeschwerde vorbehalten hat.

§ 281a. Der Umstand, dass ein unzuständiges Oberlandesgericht die Rechtswirksamkeit der Anklageschrift festgestellt hat (§ 215), kann mit einer gegen das Urteil gerichteten Nichtigkeitsbeschwerde geltend gemacht werden.

§ 282. (1) Zugunsten des Angeklagten kann die Nichtigkeitsbeschwerde sowohl von ihm selbst als auch von seinem gesetzlichen Vertreter und von der Staatsanwaltschaft ergriffen werden. Soweit es sich um die Beurteilung der geltend gemachten Nichtigkeitsgründe handelt, ist die zugunsten des Angeklagten von anderen ergriffene Nichtigkeitsbeschwerde als von ihm selbst eingelegt anzusehen.

(2) Zum Nachteile des Angeklagten kann die Nichtigkeitsbeschwerde nur vom Staatsanwalt oder vom Privatankläger sowie vom Privatbeteiligten, jedoch von diesem nur im Fall eines Freispruchs und aus dem Grund des § 281 Abs. 1 Z 4 ergriffen werden. Der Privatbeteiligte kann den zuvor angeführten Nichtigkeitsgrund überdies nur insoweit geltend machen, als er wegen des Freispruchs auf den Zivilrechtsweg verwiesen wurde und erkennbar ist, dass die Abweisung eines von ihm in der Hauptverhandlung gestellten Antrags einen auf die Geltendmachung seiner privatrechtlichen Ansprüche nachteiligen Einfluss zu üben vermochte.

§ 283. (1) Die Berufung kann nur gegen den Ausspruch über die Strafe und gegen den Ausspruch über die privatrechtlichen Ansprüche ergriffen werden.

(2) Wegen des Ausspruches über die Strafe kann die Berufung von allen zur Ergreifung der Nichtigkeitsbeschwerde Berechtigten mit Ausnahme des Privatbeteiligten ergriffen werden. Eine unterbliebene oder fehlerhafte Anrechnung einer Vorhaft oder einer im Ausland verbüßten Strafe kann mit Berufung nur dann geltend gemacht werden, wenn die Berufung zugleich aus anderen Gründen ergriffen wird.

(3) Die im § 260 Abs. 2 erwähnte Feststellung kann zugunsten und zum Nachteil des Angeklagten mit Berufung angefochten werden.

(4) Gegen die Entscheidung über die privatrechtlichen Ansprüche können nur der Angeklagte und dessen gesetzliche Vertreter und Erben Berufung einlegen. Gegen die Verweisung auf den Zivilrechtsweg können nach Maßgabe des § 366 Abs. 3 der Privatbeteiligte und seine Erben Berufung einlegen.

1. Verfahren bei Nichtigkeitsbeschwerden

§ 284. (1) Die Nichtigkeitsbeschwerde ist binnen drei Tagen nach Verkündung des Urteiles beim Landesgericht anzumelden. War der Angeklagte bei der Verkündung des Urteiles nicht gegenwärtig (§ 234), so ist sie binnen drei Tagen anzumelden, nachdem er vom Urteile verständigt wurde (§ 269).

(2) Für den gesetzlichen Vertreter des Angeklagten läuft die Frist zur Anmeldung der Nichtigkeitsbeschwerde von demselben Tage, von dem an sie für den Angeklagten beginnt.

(3) Die Anmeldung der Nichtigkeitsbeschwerde hat aufschiebende Wirkung. Die Entlassung eines freigesprochenen Angeklagten aus der Haft darf nur wegen einer Nichtigkeitsbeschwerde des Staatsanwaltes, und zwar bloß dann aufgeschoben werden, wenn diese sogleich bei Verkündung des Urteiles angemeldet wird und nach den Umständen die Annahme begründet ist, daß sich der Angeklagte dem Verfahren durch die Flucht entziehen werde. Gegen die Entlassung aus der Haft ist kein Rechtsmittel zulässig.

(4) Dem Beschwerdeführer muß, sofern dies nicht schon geschehen ist, eine Urteilsabschrift zugestellt werden.

§ 285. (1) Der Beschwerdeführer hat das Recht, binnen vier Wochen nach der Anmeldung der Nichtigkeitsbeschwerde, wenn ihm eine Urteilsabschrift aber erst nach der Anmeldung des Rechtsmittels zugestellt wurde, binnen vier Wochen nach der Zustellung eine Ausführung seiner Beschwerdegründe beim Gericht in zweifacher Ausfertigung zu überreichen. Er muss entweder in dieser Schrift oder bei Anmeldung seiner Beschwerde die Nichtigkeitsgründe einzeln und bestimmt bezeichnen, widrigens auf seine Beschwerde vom Obersten Gerichtshofe keine Rücksicht zu nehmen ist.

(2) Im Falle extremen Umfangs des Verfahrens hat das Landesgericht die in Abs. 1 genannte Frist auf Antrag des Beschwerdeführers um den Zeitraum zu verlängern, der – insbesondere im Hinblick auf eine ganz außergewöhnliche Dauer der Hauptverhandlung, einen solchen Umfang des Hauptverhandlungsprotokolls, des übrigen Akteninhalts und der Urteilsausfertigung – erforderlich ist, um eine ausreichende Vorbereitung der Verteidigung (Art. 6 Abs. 3 lit. b der Konvention zum Schutze der Menschenrechte und Grundfreiheiten, BGBl. Nr. 210/1958, und Art. 2 des 7. Zusatzprotokolls, BGBl. Nr. 628/1988) oder der Verfolgung der Anklage zu gewährleisten.

(3) Ein Antrag nach Abs. 2 ist beim Landesgericht innerhalb der zur Ausführung der Beschwerde ansonsten zur Verfügung stehenden Frist schriftlich einzubringen. Über den Antrag entscheidet der Vorsitzende nach Maßgabe der in Abs. 2 genannten Kriterien und unter Bedachtnahme auf das Erfordernis einer angemessenen Dauer des Verfahrens (Art. 6 Abs. 1 der Konvention zum Schutze der Menschenrechte und Grundfreiheiten, BGBl. Nr. 210/1958); gegen seinen Beschluss steht eine Beschwerde nicht zu. Die Zeit von der Antragstellung bis zur Bekanntmachung des Beschlusses wird in die Frist zur Ausführung der Gründe der Nichtigkeitsbeschwerde nicht eingerech-

net; diese beginnt jedenfalls nicht zu laufen, ehe der Beschluss über den Antrag bekannt gemacht ist.

(4) Hat der Beschwerdeführer eine Beschwerdeschrift eingebracht, so ist sie seinem Gegner mit der Belehrung zuzustellen, dass er binnen vier Wochen seine Gegenausführung überreichen könne. Diese Frist kann unter sinngemäßer Anwendung der Abs. 2 und 3 verlängert werden.

(5) Die Gegenausführung ist dem Beschwerdeführer zuzustellen. Danach sind alle Akten an den Obersten Gerichtshof zu senden, der darüber zu entscheiden hat.

§ 285a. Das Landesgericht, bei dem eine gegen ein Endurteil gerichtete Nichtigkeitsbeschwerde angemeldet wird, hat diese zurückzuweisen:

1. wenn sie zu spät angemeldet oder wenn sie von einer Person eingebracht wurde, der die Nichtigkeitsbeschwerde nicht zukommt oder die auf sie verzichtet hat;

2. wenn nicht bei der Anmeldung der Nichtigkeitsbeschwerde oder in ihrer Ausführung einer der im § 281 Abs. 1 Z 1 bis 11 oder im § 281a angegebenen Nichtigkeitsgründe deutlich und bestimmt bezeichnet, insbesondere wenn der Tatumstand, der den Nichtigkeitsgrund bilden soll, nicht ausdrücklich oder doch durch deutliche Hinweisung angeführt ist;

3. wenn die unter Z 2 geforderte Angabe, soweit es sich nicht um eine von der Staatsanwaltschaft erhobene Nichtigkeitsbeschwerde handelt, nicht entweder zu Protokoll oder in einer Eingabe gemacht wird, die von einem Verteidiger (§ 48 Abs. 1 Z 4) unterschrieben ist. Besteht der Mangel lediglich im Fehlen der Unterschrift eines berechtigten Verteidigers, so ist die Eingabe vorerst zur Behebung dieses Mangels und Wiedervorlage binnen vierzehn Tagen zurückzustellen.

§ 285b. (1) Der im § 285a erwähnte Beschluß ist vom Vorsitzenden zu fassen, und zwar in den im § 285a unter Z. 2 und 3 erwähnten Fällen nicht früher, als die Ausführung der Nichtigkeitsbeschwerde überreicht oder die hiezu bestimmte Frist abgelaufen ist.

(2) Gegen den Beschluß steht die Beschwerde an den Obersten Gerichtshof offen; sie ist binnen vierzehn Tagen nach Bekanntmachung des Beschlusses beim Landesgericht einzubringen und von diesem binnen weiteren drei Tagen an den Obersten Gerichtshof einzusenden.

(3) Diese Beschwerde hat keine aufschiebende Wirkung.

(4) Der Oberste Gerichtshof entscheidet über die Beschwerde in nichtöffentlicher Sitzung nach Anhörung des Generalprokurators.

(5) Gibt der Oberste Gerichtshof der Beschwerde Folge, so läuft im Falle des § 285a Z. 1 die Frist zur Ausführung der Nichtigkeitsbeschwerde, sofern diese nicht schon erstattet ist, vom Tage der Bekanntmachung der Entscheidung des Obersten Gerichtshofes; dem Beschwerdeführer ist gleichzeitig mit dieser Bekanntmachung, wenn es nicht bereits geschehen ist, eine Ausfertigung des Urteiles zuzustellen; im übrigen ist nach § 285 vorzugehen.

(Anm.: Abs. 6 aufgehoben durch BGBl. Nr. 605/1987)

§ 285c. (1) Der Oberste Gerichtshof hat über die nach § 285 Abs. 5 an ihn gelangte Nichtigkeitsbeschwerde nur dann zuerst in nichtöffentlicher Sitzung nach Anhörung des Generalprokurators zu beraten, wenn der Generalprokurator oder der Berichterstatter einen der in den §§ 285d, 285e und 285f bezeichneten Beschlüsse beantragt.

(2) Außerdem wird der Gerichtstag zur öffentlichen Verhandlung der Sache unter Beobachtung der hiefür im § 286 erteilten Vorschrift angeordnet, ohne daß es hiezu eines Beschlusses des Obersten Gerichtshofes bedarf.

§ 285d. (1) Bei der nichtöffentlichen Beratung kann die Nichtigkeitsbeschwerde sofort zurückgewiesen werden:

1. wenn sie schon gemäß § 285a hätte zurückgewiesen werden sollen oder wenn der geltend gemachte Nichtigkeitsgrund bereits durch eine in derselben Sache ergangene Entscheidung des Obersten Gerichtshofes beseitigt ist;

2. wenn die Nichtigkeitsbeschwerde sich auf die im § 281 Abs. 1 Z. 1 bis 8 und 11 oder im § 281a angegebenen Nichtigkeitsgründe stützt und der Oberste Gerichtshof einstimmig erachtet, daß die Beschwerde, ohne daß es einer weiteren Erörterung bedarf, als offenbar unbegründet zu verwerfen sei.

(2) Der vorstehende Beschluß kann bei der nichtöffentlichen Beratung auch dann ergehen, wenn wegen anderer Nichtigkeitsgründe oder weil der Oberste Gerichtshof sich die Ausübung der ihm nach § 290 Abs. 1 zustehenden Befugnis vorbehalten will, ein Gerichtstag zur öffentlichen Verhandlung anzuberaumen ist.

§ 285e. Bei der nichtöffentlichen Beratung über eine zum Vorteile des Angeklagten ergriffene Nichtigkeitsbeschwerde kann dieser,, sofort Folge gegeben werden, wenn sich zeigt, daß die Anordnung einer neuen Hauptverhandlung nicht zu vermeiden ist, eine Entscheidung des Obersten Gerichtshofes in der Sache selbst aber noch nicht einzutreten hat. Gleiches gilt, wenn nach dem 11. Hauptstück oder § 37 SMG vorzugehen sein wird.

§ 285f. Bei der nichtöffentlichen Beratung kann ferner die Einholung tatsächlicher Aufklärungen über behauptete Formverletzungen oder Verfahrensmängel angeordnet werden.

§ 285g. Den im § 285d erwähnten Beschluß kann der Oberste Gerichtshof auch bei der Beratung über eine auf Grund des § 285b an ihn gelangte Beschwerde fassen, wenn die Ausführung der Nichtigkeitsbeschwerde überreicht oder die Frist hiezu verstrichen ist.

§ 285h. Die Bestimmungen der §§ 285c bis 285g sind auch auf Nichtigkeitsbeschwerden nach § 281a anzuwenden.

§ 285i. Weist der Oberste Gerichtshof in nichtöffentlicher Sitzung die Nichtigkeitsbeschwerde oder die Beschwerde gegen deren Zurückweisung durch das Landesgericht zurück und war mit der Nichtigkeitsbeschwerde die Berufung verbunden, so entscheidet über diese das Oberlandesgericht. Dasselbe gilt, wenn der Nichtigkeitsbeschwerde eines Angeklagten sofort Folge gegeben wird (§ 285e) und der Oberste Gerichtshof nur noch über die Berufung in Ansehung eines anderen Angeklagten zu entscheiden hätte.

§ 285j. Im Fall einer Verständigung des Verfassungsgerichtshofes gemäß §§ 57a Abs. 5 erster Satz oder 62a Abs. 5 erster Satz VfGG hat das Landesgericht nach § 285a vorzugehen und eine Ausfertigung seines Beschlusses oder eines nach § 285b gefassten Beschlusses dem Verfassungsgerichtshof zu übermitteln und im Fall einer verbundenen Berufung die Verständigung des Verfassungsgerichtshofes dem Oberlandesgericht vorzulegen oder mitzuteilen, dass kein Grund für ein Vorgehen nach § 285a vorliegt.

§ 286. (1) Vom Termin des Gerichtstags zur öffentlichen Verhandlung über die Nichtigkeitsbeschwerde sind die Beteiligten des Verfahrens zu verständigen. Der Angeklagte, sein Verteidiger sowie der allenfalls einschreitende Privatbeteiligte oder Privatankläger sind so rechtzeitig zu laden, dass ihnen eine Vorbereitungszeit von acht Tagen verbleibt. In der Ladung sind sie darauf aufmerksam zu machen, dass im Fall ihres Ausbleibens ihre Ausführungen und Beschwerden vorgetragen und der Entscheidung zu Grunde gelegt werden würden.

(Anm.: Abs. 1a aufgehoben durch Art. 1 Z 66, BGBl. I Nr. 157/2024)

(2) Ist der Angeklagte verhaftet, so ist dessen Vorführung zum Gerichtstag zu veranlassen, es sei denn, dieser hat durch seinen Verteidiger ausdrücklich darauf verzichtet. In den in § 174 Abs. 1 zweiter Satz geregelten Fällen kann gemäß § 153 Abs. 4 vorgegangen werden.

(Anm.: Abs. 3 aufgehoben durch BGBl. I Nr. 93/2007)

(4) Hat er noch keinen Verteidiger, so ist ihm von Amts wegen ein Rechtsanwalt als Verteidiger beizugeben (§ 61 Abs. 3). Liegen die Voraussetzungen des § 61 Abs. 2 vor, so ist dem Angeklagten nach dieser Gesetzesstelle ein Rechtsanwalt als Verteidiger beizugeben.

§ 287. (1) Die Verhandlung der Sache vor dem Obersten Gerichtshof am angesetzten Gerichtstag ist öffentlich nach den Vorschriften der §§ 228 bis 230a. Die §§ 233 bis 237 gelten sinngemäß.

(2) Zuerst trägt der Berichterstatter eine Darstellung des bisherigen Ganges des Strafverfahrens vor und bezeichnet die vom Beschwerdeführer aufgestellten Nichtigkeitsgründe und die sich daraus ergebenden Streitpunkte, ohne eine Ansicht über die zu fällende Entscheidung zu äußern.

(3) Hierauf erhält der Beschwerdeführer das Wort zur Begründung seiner Beschwerde und sodann sein Gegner zur Erwiderung. Dem Angeklagten oder seinem Verteidiger gebührt jedenfalls das Recht der letzten Äußerung. Ist ein Teil nicht erschienen, so wird dessen Beschwerdeschrift oder Gegenausführung vorgelesen. Hierauf zieht sich der Gerichtshof in sein Beratungszimmer zurück.

§ 288. (1) Findet der Oberste Gerichtshof die Nichtigkeitsbeschwerde unbegründet, so hat er sie zu verwerfen.

(2) Ist die Nichtigkeitsbeschwerde begründet, so ist das Urteil, soweit es angefochten und durch den Nichtigkeitsgrund berührt ist, aufzuheben und nach Verschiedenheit der Nichtigkeitsgründe gemäß den folgenden Vorschriften zu erkennen und weiter zu verfahren:

1. Liegt einer der im § 281 Abs. 1 unter Z. 1 bis 5a angeführten Nichtigkeitsgründe vor, so ordnet der Oberste Gerichtshof eine neue Hauptverhandlung an und verweist die Sache nach seinem Ermessen entweder an dasselbe oder an ein anderes Landesgericht.

2. Hat das Schöffengericht mit Unrecht seine Unzuständigkeit ausgesprochen oder die Anklage nicht erledigt (§ 281 Abs. 1 Z. 6 und 7), so trägt ihm der Oberste Gerichtshof auf, sich der Verhandlung und Urteilsfällung zu unterziehen, die sich im Falle der Z. 7 auf die unerledigt gebliebenen Anklagepunkte zu beschränken hat.

2a. Hat das Schöffengericht das Vorliegen der Voraussetzungen einer Einstellung des Verfahrens nach dem 11. Hauptstück oder § 37 SMG zu Unrecht nicht angenommen, so verweist der Oberste Gerichtshof die Sache an dasselbe oder an ein anderes Landesgericht, erforderlichenfalls auch an das zuständige Bezirksgericht, mit dem Auftrag, nach den Bestimmungen dieses Hauptstückes vorzugehen.

3. In allen anderen Fällen erkennt der Oberste Gerichtshof in der Sache selbst, indem er seiner Entscheidung die Tatsachen zugrunde legt, die das Schöffengericht ohne Überschreitung der Anklage (§ 281 Abs. 1 Z. 8) festgestellt hat. Findet der Oberste Gerichtshof jedoch im Urteil und dessen Entscheidungsgründen die Tatsachen nicht festgestellt, die bei richtiger Anwendung des Gesetzes dem Erkenntnisse zugrunde zu legen wären, so verweist er die Sache zu neuer Verhandlung und Entscheidung an dasselbe oder an ein anderes Landesgericht, geeignetenfalls auch an das zuständige Bezirksgericht.

§ 288a. Findet der Oberste Gerichtshof die Nichtigkeitsbeschwerde nach § 281a gegründet, so vernichtet er die Hauptverhandlung, verweist die Sache zur nochmaligen Verhandlung vor das zuständige Landesgericht und verfügt die sonst nötige Verbesserung des Verfahrens.

§ 289. War die Nichtigkeitsbeschwerde nur gegen einzelne im Urteil enthaltene Verfügungen gerichtet und findet der Oberste Gerichtshof, daß diese vom Inhalte des ganzen Urteiles trennbar seien, so steht ihm auch frei, das angefochtene Urteil nur teilweise aufzuheben. Eben dies ist der Fall, wenn dem angefochtenen Urteile mehrere strafbare Handlungen zugrunde liegen und die Nichtigkeitsbeschwerde sich nur auf das Verfahren oder die Beurteilung hinsichtlich einzelner von ihnen beschränkt, zugleich aber die erforderliche teilweise Wiederholung des Verfahrens oder auch ohne diese ein neuer Ausspruch hinsichtlich dieser einzelnen strafbaren Handlung ausführbar erscheint.

§ 290. (1) Der Oberste Gerichtshof hat sich auf die vom Beschwerdeführer ausdrücklich oder doch durch deutliche Hinweisung geltend gemachten Nichtigkeitsgründe zu beschränken. Überzeugt er sich jedoch aus Anlaß einer von wem immer ergriffenen Nichtigkeitsbeschwerde, daß zum Nachteile des Angeklagten das Strafgesetz unrichtig angewendet worden sei (§ 281 Abs. 1 Z. 9 bis 11) oder daß dieselben Gründe, auf denen seine Verfügung zugunsten eines Angeklagten beruht, auch einem Mitangeklagten zustatten kommen, der die Nichtigkeitsbeschwerde nicht ergriffen hat, so hat er von Amts wegen so vorzugehen, als wäre der in Frage kommende Nichtigkeitsgrund geltend gemacht worden. Ist der im § 281 Abs. 1 Z. 11 angeführte Nichtigkeitsgrund geltend gemacht worden, so ist so vorzugehen, als wäre auch die Berufung ergriffen worden.

(2) Ist die Nichtigkeitsbeschwerde lediglich zugunsten des Angeklagten ergriffen worden, so kann der Oberste Gerichtshof keine strengere Strafe über den Angeklagten verhängen, als das angefochtene Urteil ausgesprochen hatte.

§ 291. Das Urteil des Obersten Gerichshofes ist, nachdem sich dieser in den Gerichtssaal zurückbegeben hat, samt den Entscheidungsgründen mündlich zu verkünden; hat der Angeklagte der Verhandlung beim Obersten Gerichtshofe nicht beigewohnt, so ist ihm ohne Verzug eine amtlich beglaubigte Abschrift des Urteiles durch das Landesgericht zuzustellen. Für die Ausfertigung des Urteiles und die Führung des Protokolls bei den Verhandlungen des Obersten Gerichtshofes sind die in den §§ 260, 268 bis 271 enthaltenen Vorschriften zu beobachten.

§ 292. Das Verfahren auf Grund einer zur Wahrung des Gesetzes ergriffenen Nichtigkeitsbeschwerde richtet sich im allgemeinen nach den in den §§ 286 Abs. 1 bis 3 und 287 bis 291 enthaltenen Vorschriften. Dem Angeklagten (Verurteilten) oder seinem Verteidiger ist eine Gleichschrift der Nichtigkeitsbeschwerde mit dem Bedeuten mitzuteilen, daß er sich binnen einer festzusetzenden angemessenen Frist hiezu äußern könne; vom Gerichtstag ist er mit der Bemerkung in Kenntnis zu setzen, daß es ihm freistehe zu erscheinen. Ist der Aufenthaltsort des Angeklagten nicht bekannt und ohne besonderen Verfahrensaufwand nicht feststellbar, so kann die Zustellung an ihn unterbleiben. Das gleiche gilt für den Privatbeteiligten, sofern der Ausspruch über die privatrechtlichen Ansprüche von der Nichtigkeitsbeschwerde betroffen ist, und für die sonst Beteiligten, sofern ihre Rechte betroffen sind. Findet der Oberste Gerichtshof die zur Wahrung des Gesetzes erhobene Beschwerde gegründet, so hat er zu erkennen, daß in der fraglichen Strafsache durch den angefochtenen Beschluß oder Vorgang, durch das gepflogene Verfahren oder durch das erlassene Urteil das Gesetz verletzt worden sei. Dieser Ausspruch ist in der Regel ohne Wirkung auf den Angeklagten. Ist jedoch der Angeklagte durch ein solches nichtiges Urteil zu einer Strafe verurteilt worden, so steht es dem Obersten Gerichtshofe frei, nach seinem Ermessen entweder den Angeklagten freizusprechen oder einen milderen Strafsatz anzuwenden oder nach Umständen eine Erneuerung des gegen diesen gepflogenen Verfahrens anzuordnen.

§ 293. (1) Das Gericht, an das die Sache nach den §§ 288 und 292 zu neuer Verhandlung verwiesen wird, hat dabei die ursprüngliche Anklage zugrunde zu legen, sofern nicht der Oberste Gerichtshof eine Abweichung angeordnet hat.

(2) Es ist an die Rechtsansicht gebunden, von der der Oberste Gerichtshof bei seiner Entscheidung ausgegangen ist.

(3) Die Bestimmung des § 290 Abs. 2 ist auch für das auf Grund der neuen Hauptverhandlung ergehende Urteil maßgebend.

(4) Gegen dieses Urteil kann die Nichtigkeitsbeschwerde aus allen im § 281 erwähnten Gründen ergriffen werden, soweit diese nicht bereits durch eine in derselben Sache ergangene Entscheidung des Obersten Gerichtshofes beseitigt sind.

2. Verfahren bei Berufungen

§ 294. (1) Die Berufung ist innerhalb der im § 284 bezeichneten Frist beim Landesgericht anzumelden. Sie hat aufschiebende Wirkung, es sei denn, daß der Angeklagte selbst erklärt, eine Freiheitsstrafe einstweilen antreten zu wollen.

(2) Dem Beschwerdeführer muß, sofern dies nicht schon geschehen ist, eine Urteilsabschrift zugestellt werden. Der Beschwerdeführer hat das Recht, binnen vier Wochen nach der Anmeldung der Berufung, wenn ihm eine Urteilsabschrift aber erst nach der Anmeldung des Rechtsmittels zugestellt wurde, binnen vier Wochen nach der Zustellung eine Ausführung seiner Beschwerdegründe beim Gericht in zweifacher Ausfertigung zu überreichen. Wurde dem Beschwerdeführer für die Ausführung der Nichtigkeitsbeschwerde gemäß § 285 Abs. 2 eine längere Frist gewährt, so gilt diese auch für die Ausführung der Berufung. Er muß entweder in dieser Schrift oder bei der Anmeldung erklären, ob er sich durch den Ausspruch über die Stra-

fe oder durch den Ausspruch über die privatrechtlichen Ansprüche beschwert erachtet, widrigenfalls das Oberlandesgericht darauf keine Rücksicht zu nehmen hat; ist mehr als eine Strafe oder sonstige Unrechtsfolge ausgesprochen worden, so muß der Beschwerdeführer auch erklären, gegen welche von ihnen sich die Berufung richtet. Die Anmeldung, die die Berufungsgründe enthält, oder die rechtzeitig eingebrachte Ausführung ist dem Gegner mit dem Bedeuten mitzuteilen, daß er binnen vier Wochen seine Gegenausführung überreichen könne.

(3) Die Gegenausführung ist dem Beschwerdeführer zuzustellen. Danach sind alle Akten dem Oberlandesgericht vorzulegen, das über die Berufung nur dann in nichtöffentlicher Sitzung berät, wenn der Berichterstatter oder der Oberstaatsanwalt beantragt, die Berufung aus einem der im folgenden Absatz angeführten Gründe zurückzuweisen.

(4) Das Oberlandesgericht kann die Berufung in nichtöffentlicher Sitzung zurückweisen, wenn sie zu spät angemeldet oder von einer Person ergriffen worden ist, der das Berufungsrecht überhaupt nicht oder nicht in der Richtung zusteht, in der es in Anspruch genommen wird, oder die darauf verzichtet hat; ferner, wenn der Berufungswerber weder bei der Anmeldung der Berufung noch in ihrer Ausführung die Punkte des Erkenntnisses, durch die er sich beschwert findet, deutlich und bestimmt bezeichnet hat, auf die Berufung daher keine Rücksicht zu nehmen ist. Liegt dem Oberlandesgericht eine Verständigung des Verfassungsgerichtshofes vor (§ 285j), so hat der Vorsitzende diesem den Beschluss über die Zurückweisung zu übermitteln.

(5) Wird über die Berufung nicht schon in der nichtöffentlichen Sitzung entschieden, so hat der Vorsitzende einen Gerichtstag zur öffentlichen Verhandlung über die Berufung anzuordnen. Für die Anberaumung und Durchführung des Gerichtstages gelten die Bestimmungen der §§ 286 und 287 dem Sinne nach mit der Maßgabe, dass der nicht verhaftete Angeklagte vorzuladen und auch die Vorführung des verhafteten Angeklagten zu veranlassen ist, es sei denn, dieser hätte durch seinen Verteidiger ausdrücklich darauf verzichtet oder es liegt ein Fall des § 286 Abs. 2 zweiter Satz vor. Ist die Berufung gegen den Ausspruch über die privatrechtlichen Ansprüche gerichtet, so ist auch der Privatbeteiligte vorzuladen. Die §§ 233 bis 237 gelten sinngemäß.

§ 295. (1) Das Oberlandesgericht hat sich bei seiner Entscheidung auf die der Berufung unterzogenen Punkte zu beschränken und dabei den Ausspruch des Gerichtes über die Schuld des Angeklagten und über das anzuwendende Strafgesetz zugrunde zu legen. Setzt es die Strafe zugunsten eines oder mehrerer Mitschuldiger aus Gründen herab, die auch anderen zustatten kommen, so hat es von Amts wegen so vorzugehen, als hätten auch diese Mitschuldigen die Berufung ergriffen.

(2) Ist die Berufung lediglich zugunsten des Angeklagten ergriffen worden, so kann das Oberlandesgericht keine strengere Strafe über den Angeklagten verhängen, als das erste Urteil ausgesprochen hatte. Auf Antrag des Angeklagten oder mit seiner Zustimmung kann jedoch an Stelle einer bedingt nachgesehenen Freiheitsstrafe eine Geldstrafe verhängt werden, die nicht bedingt nachgesehen wird.

(3) Gegen seine Entscheidung ist kein Rechtsmittel zulässig.

§ 296. (1) Ist außer über die Berufung auch über eine Nichtigkeitsbeschwerde zu entscheiden, die von der einen oder der anderen Seite ergriffen worden ist, so sind bei Vorlegung der Akten an den Obersten Gerichtshof auch die Aktenstücke beizulegen, die die Berufung betreffen. In diesem Fall entscheidet der Oberste Gerichtshof, sofern er nicht nach § 285i vorgeht, auch über die Berufung.

(2) Der Oberste Gerichtshof berät über die Berufung nur dann in nichtöffentlicher Sitzung, wenn der Berichterstatter oder der Generalprokurator die Zurückweisung der Berufung aus einem der im § 294 Abs. 4 angeführten Gründe beantragt und nicht über die Nichtigkeitsbeschwerde bei einem Gerichtstag zur öffentlichen Verhandlung über die Nichtigkeitsbeschwerde entschieden werden muß.

(3) Wird über die Berufung nicht schon in der nichtöffentlichen Sitzung entschieden, so entscheidet der Oberste Gerichtshof über die Berufung beim Gerichtstag zur öffentlichen Verhandlung über die Nichtigkeitsbeschwerde. In diesem Fall ist zum Gerichtstag der nicht verhaftete Angeklagte vorzuladen und die Vorführung des verhafteten Angeklagten zu veranlassen, es sei denn, dieser hätte durch seinen Verteidiger ausdrücklich darauf verzichtet oder es liegt ein Fall des § 286 Abs. 2 zweiter Satz vor. Ist die Berufung gegen den Ausspruch über die privatrechtlichen Ansprüche gerichtet, so ist auch der Privatbeteiligte vorzuladen.

3. Gemeinsame Bestimmung

§ 296a. Ist nach der Entscheidung über eine Nichtigkeitsbeschwerde oder Berufung

1. an dem in Untersuchungshaft angehaltenen Angeklagten eine Freiheitsstrafe oder eine mit Freiheitsentziehung verbundene vorbeugende Maßnahme zu vollziehen oder

2. der Angeklagte in Freiheit zu setzen,

so hat der Oberste Gerichtshof oder das Oberlandesgericht den Vorsitzenden des Schöffengerichtes davon sogleich unter Anschluß der erforderlichen Angaben zu verständigen, es sei denn, daß im Falle der Z. 2 die Entscheidung bei einem Gerichtstag in Anwesenheit des Angeklagten ergeht (§ 396).

5. TEIL

Besondere Verfahren

15. Hauptstück

Hauptverhandlung vor dem Landesgericht als Geschworenengericht und Rechtsmittel gegen dessen Urteile

I. Allgemeine Bestimmungen

§ 297. *(Aufgehoben; BGBl. Nr. 423/1974, Art. I Z. 92)*

§ 298. *(Aufgehoben; BGBl. Nr. 423/1974, Art. I Z. 92)*

§ 299. *(Aufgehoben; BGBl. Nr. 423/1974, Art. I Z. 92)*

§ 301. (1) Die Mitglieder des Schwurgerichtshofes, die Ersatzrichter und die Reihenfolge ihres Eintrittes werden durch die Geschäftsverteilung bestimmt. Als Vorsitzender und als dessen Ersatzmann sollen nur Richter bestimmt werden, die mindestens fünf Jahre als Richter bei einem Landesgericht in Strafsachen oder als Staatsanwälte tätig gewesen sind.

(2) Die Bildung der Listen, denen die Geschworenen zu entnehmen sind, die Heranziehung der in diesen Listen verzeichneten Personen zum Dienst als Geschworene und die wegen Pflichtverletzungen der Geschworenen zulässigen Maßnahmen regelt ein besonderes Gesetz.

(3) § 221 Abs. 4 ist sinngemäß anzuwenden.

II. Hauptverhandlung vor dem Geschworenengerichte

1. Allgemeine Bestimmungen

§ 302. (1) Die Hauptverhandlung richtet sich, soweit in diesem Hauptstücke nichts anderes bestimmt ist, nach den Vorschriften des 14. Hauptstückes. Was dort für das Schöffengericht und den Vorsitzenden bestimmt ist, gilt für den Schwurgerichtshof und dessen Vorsitzenden.

(2) Der Vorsitzende des Schwurgerichtshofes ist insbesondere verpflichtet, den Geschworenen auch außer den Fällen, für die es im Gesetz ausdrücklich vorgeschrieben ist, die zur Ausübung ihres Amtes erforderlichen Anleitungen zu geben und sie nötigenfalls an ihre Pflichten zu erinnern.

§ 303. Soweit nach den folgenden Vorschriften der Schwurgerichtshof gemeinsam mit den Geschworenen zu entscheiden hat, richten sich Abstimmung und Beschlußfassung nach den für die Schöffengerichte geltenden Bestimmungen.

2. Beginn der Hauptverhandlung

§ 304. Sobald die Geschworenen ihre Sitze in der alphabetischen Reihenfolge ihrer Namen, Ersatzgeschworene nach den übrigen Geschworenen, eingenommen haben, beginnt die Hauptverhandlung mit dem Aufrufe der Sache durch den Schriftführer. Der Vorsitzende stellt an den Angeklagten die im § 240 vorgeschriebenen Fragen und ermahnt ihn zur Aufmerksamkeit auf die vorzutragende Anklage und auf den Gang der Verhandlung.

§ 305. (1) Hierauf beeidigt der Vorsitzende bei sonstiger Nichtigkeit die Geschworenen, die in demselben Jahre noch nicht beeidigt worden sind. Er gibt die Namen der schon beeidigten Geschworenen bekannt und erinnert diese an die Bedeutung des von ihnen abgelegten Eides. Sodann fordert er die Geschworenen auf, sich von den Sitzen zu erheben, und hält an sie folgende Anrede:

„Sie schwören und geloben vor Gott, die Beweise, die gegen und für den Angeklagten werden vorgebracht werden, mit der gewissenhaftesten Aufmerksamkeit zu prüfen, nichts unerwogen zu lassen, was zum Vorteil oder zum Nachteil des Angeklagten gereichen kann, das Gesetz, dem Sie Geltung verschaffen sollen, treu zu beobachten, vor Ihrem Ausspruch über den Gegenstand der Verhandlung mit niemand außer mit den Mitgliedern des Schwurgerichtshofes und Ihren Mitgeschworenen Rücksprache zu nehmen, der Stimme der Zu- oder Abneigung, der Furcht oder der Schadenfreude kein Gehör zu geben, sondern sich mit Unparteilichkeit und Festigkeit nur nach den für und wider den Angeklagten vorgeführten Beweismitteln und Ihrer darauf gegründeten Überzeugung so zu entscheiden, wie Sie es vor Gott und Ihrem Gewissen verantworten können.“

(2) Sodann wird jeder noch nicht beeidigte Geschworene einzeln vom Vorsitzenden aufgerufen und antwortet: „Ich schwöre, so wahr mir Gott helfe.“ Das Religionsbekenntnis der Geschworenen macht dabei keinen Unterschied. Nur Geschworene, die keinem Religionsbekenntnis angehören oder deren Bekenntnis die Eidesleistung untersagt, werden durch Handschlag verpflichtet.

(3) Die Beeidigung gilt für die Dauer des Kalenderjahres. Sie ist im Verhandlungsprotokoll und fortlaufend in einem besonderen Abschnitte des Buches über die Beeidigung der Schöffen (§ 240a Abs. 3) zu beurkunden.

3. Beweisverfahren

§ 306. Nach der Beeidigung der Geschworenen läßt der Vorsitzende durch den Schriftführer die Zeugen und Sachverständigen aufrufen und trifft die im § 241 angeführten Verfügungen. Das Verfahren gegen ungehorsame Zeugen oder Sachverständige richtet sich nach den Vorschriften der §§ 242 und 243.

§ 308. (1) Der Vorsitzende vernimmt hierauf den Angeklagten und leitet die Vorführung der Beweismittel unter Beobachtung der in den §§ 245 bis 254 enthaltenen Anordnungen.

(2) Das Recht der Fragestellung (§ 249) steht auch dem Ersatzrichter und den Geschworenen mit Einschluß der Ersatzgeschworenen zu.

§ 309. (1) Auch Geschworene einschließlich der Ersatzgeschworenen können Beweisaufnahmen zur Aufklärung von erheblichen Tatsachen, die Gegenüberstellung von Zeugen, deren Aussagen voneinander abweichen, und die nochmalige Vernehmung bereits abgehörter Zeugen (§ 251) begehren.

(2) Über ein solches Begehren entscheidet der Schwurgerichtshof.

4. Fragestellung an die Geschworenen

§ 310. (1) Nach Schluß des Beweisverfahrens stellt der Vorsitzende nach vorläufiger Beratung des Schwurgerichtshofes die an die Geschworenen zu richtenden Fragen fest. Sie sind schriftlich abzufassen, vom Vorsitzenden zu unterfertigen und bei sonstiger Nichtigkeit vorzulesen. Sowohl dem Ankläger als auch dem Verteidiger ist eine Niederschrift der Fragen zu übergeben.

(2) Nach Verlesung der Fragen ist ein Rücktritt des Anklägers von der Anklage nicht mehr zulässig.

(3) Die Parteien sind berechtigt, eine Änderung oder Ergänzung der Fragen zu beantragen. Über einen solchen Antrag entscheidet der Schwurgerichtshof; gibt er ihm statt, so müssen die Fragen von neuem schriftlich abgefaßt, vom Vorsitzenden unterfertigt und bei sonstiger Nichtigkeit nochmals vorgelesen werden.

(4) Der Vorsitzende übergibt sodann mindestens zwei Ausfertigungen der Fragen den Geschworenen.

§ 311. (1) Die Fragestellung an die Geschworenen entfällt, wenn der Schwurgerichtshof nach Anhörung der Parteien erkennt, daß der Angeklagte freizusprechen sei, weil einer der im § 259 Z. 1 und 2 erwähnten Fälle vorliegt oder die Verfolgung aus anderen Gründen des Prozeßrechtes ausgeschlossen ist.

(2) Kann jedoch über diese Frage nicht entschieden werden, ohne einer den Geschworenen vorbehaltenen Feststellung entscheidender Tatsachen oder der rechtlichen Beurteilung der Tat durch die Geschworenen vorzugreifen, so ist vorerst der Wahrspruch der Geschworenen abzuwarten (§ 337).

§ 312. (1) Die Hauptfrage ist darauf gerichtet, ob der Angeklagte schuldig ist, die der Anklage zugrunde liegende strafbare Handlung begangen zu haben. Dabei sind alle gesetzlichen Merkmale der strafbaren Handlung in die Frage aufzunehmen und die besonderen Umstände der Tat nach Ort, Zeit, Gegenstand usw. soweit beizufügen, als es zur deutlichen Bezeichnung der Tat oder für die Entscheidung über die Entschädigungsansprüche notwendig ist.

(2) Treffen in der dem Angeklagten in der Anklage zur Last gelegten Tat die Merkmale mehrerer strafbarer Handlungen zusammen, ohne daß eine in der anderen aufgeht, so ist für jede der zusammentreffenden strafbaren Handlungen eine besondere Hauptfrage zu stellen.

§ 313. Sind in der Hauptverhandlung Tatsachen vorgebracht worden, die – wenn sie als erwiesen angenommen werden – die Strafbarkeit ausschließen oder aufheben würden, so ist eine entsprechende Frage nach dem Strafausschließungs- oder Strafaufhebungsgrunde (Zusatzfrage) zu stellen.

(BGBl. Nr. 423/1974, Art. I Z. 94)

§ 314. (1) Sind in der Hauptverhandlung Tatsachen vorgebracht worden, nach denen – wenn sie als erwiesen angenommen werden – ein eines vollendeten Verbrechens oder Vergehens Angeklagter nur des Versuches schuldig oder ein als unmittelbarer Täter Angeklagter als Täter anzusehen wäre, der einen anderen dazu bestimmt hat, die Tat auszuführen, oder der sonst zu ihrer Ausführung beigetragen hat, oder wonach die dem Angeklagten zur Last gelegte Tat unter ein anderes Strafgesetz fiele, das nicht strenger ist als das in der Anklageschrift angeführte, so sind entsprechende Schuldfragen (Eventualfragen) an die Geschworenen zu stellen.

(2) Eine Frage, nach der die dem Angeklagten zur Last gelegte Tat unter ein strengeres Strafgesetz als das in der Anklageschrift angegebene fiele, kann gestellt werden, sofern der Schwurgerichtshof nach Anhörung der Parteien die Vertagung der Hauptverhandlung oder die Ausscheidung des Verfahrens wegen dieser Tat nicht für notwendig erachtet.

§ 315. (1) Ist der Angeklagte in der Hauptverhandlung noch einer anderen als der der Anklageschrift zugrunde liegenden Tat beschuldigt worden oder hat er während der Hauptverhandlung eine strafbare Handlung begangen, so sind die Bestimmungen der §§ 263 und 279 anzuwenden.

(2) Ist die Verhandlung auf die neue Tat ausgedehnt worden, so sind auch wegen dieser Tat die entsprechenden Fragen zu stellen. Die Stellung solcher Fragen unterbleibt jedoch, wenn sich in der Hauptverhandlung ergibt, daß eine bessere Vorbereitung der Anklage oder Verteidigung notwendig ist. In diesem Falle hat der Schwurgerichtshof die Hauptverhandlung gegen den Angeklagten, dem die hinzugekommene Tat zur Last gelegt ist, abzubrechen und die Entscheidung über alle diesem Angeklagten zur Last liegenden strafbaren Handlungen einer neuen Hauptverhandlung vorzubehalten oder, falls er diesen Vorgang nicht für zweckmäßig erachtet, dem Ankläger auf dessen Verlangen die Verfolgung wegen der hinzugekommenen Tat im Urteile vorzubehalten.

§ 316. Erschwerungs- und Milderungsumstände sind nur unter der Voraussetzung Gegenstand einer Zusatzfrage an die Geschworenen, daß in der Hauptverhandlung Tatsachen vorgebracht worden sind, die – wenn sie als erwiesen angenommen werden – einen im Gesetze namentlich angeführten Erschwerungs- oder Milderungsumstand begründen würden, der nach dem

Gesetze die Anwendung eines anderen Strafsatzes bedingt.

§ 317. (1) Die an die Geschworenen zu richtenden Fragen sind so zu fassen, daß sie sich mit Ja oder Nein beantworten lassen.

(2) Welche Tatsachen in einer Frage zusammenzufassen oder zum Gegenstande besonderer Fragen zu machen sind, bleibt ebenso wie die Reihenfolge der Fragen der Beurteilung des Schwurgerichtshofes im einzelnen Fall überlassen.

(3) Fragen, die nur für den Fall der Bejahung (Zusatzfragen) oder für den Fall der Verneinung einer anderen Frage (Eventualfragen) gestellt werden, sind als solche ausdrücklich zu bezeichnen.

5. Vorträge der Parteien; Schluß der Verhandlung

§ 318. (1) Nach Verlesung der Fragen werden der Ankläger und der Privatbeteiligte, der Angeklagte und sein Verteidiger in der im § 255 bezeichneten Reihenfolge gehört.

(2) In den Schlußvorträgen sind alle im Urteile zu entscheidenden Punkte zu behandeln.

§ 319. Hierauf erklärt der Vorsitzende die Verhandlung für geschlossen; der Angeklagte wird, wenn er verhaftet ist, einstweilen aus dem Sitzungssaal abgeführt.

6. Wahl des Obmannes der Geschworenen; Rechtsbelehrung durch den Vorsitzenden

§ 320. (1) Die Geschworenen begeben sich hierauf in das für sie bestimmte Beratungszimmer und wählen einen Obmann aus ihrer Mitte mit einfacher Stimmenmehrheit. Der Schwurgerichtshof zieht sich indessen in sein Beratungszimmer zurück.

(2) Der Ersatzrichter und die Ersatzgeschworenen dürfen im Beratungszimmer nur anwesend sein, sofern sie vor Schluß der Verhandlung an die Stelle eines verhinderten Mitgliedes des Geschworenengerichtes getreten sind.

§ 321. (1) Der Vorsitzende verfaßt nach Beratung mit den übrigen Mitgliedern des Schwurgerichtshofes die den Geschworenen zu erteilende Rechtsbelehrung. Das Schriftstück ist von ihm zu unterfertigen und dem Protokoll über die Hauptverhandlung anzuschließen.

(2) Die Rechtsbelehrung muß – für jede Frage gesondert – eine Darlegung der gesetzlichen Merkmale der strafbaren Handlung, auf die die Haupt- oder Eventualfrage gerichtet ist, sowie eine Auslegung der in den einzelnen Fragen vorkommenden Ausdrücke des Gesetzes enthalten und das Verhältnis der einzelnen Fragen zueinander sowie die Folgen der Bejahung oder Verneinung jeder Frage klarlegen.

§ 322. Nach Ausfertigung der Rechtsbelehrung begibt sich der Schwurgerichtshof mit dem Schriftführer in das Beratungszimmer der Geschworenen. Der Vorsitzende läßt die Anklageschrift, den gemäß § 244 Abs. 1 vorgelesenen Beschluss des Oberlandesgerichts, die Beweisgegenstände, Augenscheinsprotokolle und die übrigen Akten mit Ausnahme der in der Hauptverhandlung nicht vorgelesenen Vernehmungsprotokolle in das Beratungszimmer schaffen.

§ 323. (1) Im Beratungszimmer der Geschworenen erteilt ihnen der Vorsitzende die Rechtsbelehrung. Weicht er dabei von der Niederschrift (§ 321 Abs. 1) ab oder geht er über sie hinaus, insbesondere wegen Fragen der Geschworenen, so sind die Änderungen und Ergänzungen der Niederschrift über die Rechtsbelehrung in einem Anhange beizufügen, den der Vorsitzende unterfertigt.

(2) Im Anschluß an die Rechtsbelehrung bespricht der Vorsitzende mit den Geschworenen die einzelnen Fragen; er führt die in die Fragen aufgenommenen gesetzlichen Merkmale der strafbaren Handlung auf den ihnen zugrunde liegenden Sachverhalt zurück, hebt die für die Beantwortung der Frage entscheidenden Tatsachen hervor, verweist auf die Verantwortung des Angeklagten und auf die in der Hauptverhandlung durchgeführten Beweise, ohne sich in eine Würdigung der Beweismittel einzulassen, und gibt die von den Geschworenen etwa begehrten Aufklärungen. Er bespricht mit den Geschworenen das Wesen der freien Beweiswürdigung (§ 258 Abs. 2). Ist einem Zeugen nach § 162 gestattet worden, bestimmte Fragen nicht zu beantworten, so fordert der Vorsitzende die Geschworenen auf, insbesondere zu prüfen, ob ihnen und den Beteiligten ausreichend Gelegenheit geboten war, sich mit der Glaubwürdigkeit des Zeugen und der Beweiskraft seiner Aussage auseinanderzusetzen. Er belehrt ferner den Obmann der Geschworenen über die ihm obliegenden Aufgaben, insbesondere über den Vorgang bei der Abstimmung und Aufzeichnung ihres Ergebnisses.

(3) Am Schlusse seines Vortrages überzeugt sich der Vorsitzende, ob seine Belehrung von den Geschworenen verstanden worden ist, und ergänzt sie, wenn es zur Behebung von Zweifeln erforderlich ist. Er übergibt sodann dem Obmanne der Geschworenen die Niederschrift der Rechtsbelehrung und des allfälligen Anhanges zu ihr.

7. Beratung und Abstimmung der Geschworenen

§ 324. (1) Ist der Schwurgerichtshof einstimmig der Ansicht, daß seine Anwesenheit während der Beratung der Geschworenen zur besseren Aufklärung schwieriger Tat- oder Rechtsfragen zweckmäßig sei, so beschließt er, ohne einen darauf abzielenden Antrag zuzulassen, dieser Beratung ganz oder teilweise beizuwohnen.

(2) Vor dieser Beschlußfassung ist der Obmann der Geschworenen zu hören; dieser hat die Meinung der Geschworenen einzuholen. Spricht sich die Mehrheit der Geschworenen gegen die Teilnahme des Schwurgerichtshofes an der Beratung aus, so kann ein Beschluß im Sinne des Abs. 1 nicht gefaßt werden.

(3) Ein Beschluß im Sinne des Abs. 1 ist vom Vorsitzenden den Geschworenen mitzuteilen. Eine schriftliche Ausfertigung dieses Beschlusses samt Gründen ist von den Mitgliedern des Schwurgerichtshofes zu unterfertigen und dem Hauptverhandlungsprotokoll anzuschließen. Ein Rechtsmittel steht gegen den Beschluß nicht offen.

§ 325. (1) Der Obmann leitet die Beratung der Geschworenen damit ein, daß er ihnen folgende Belehrung vorliest:

„Das Gesetz fordert von den Geschworenen nur, daß sie alle für und wider den Angeklagten vorgebrachten Beweismittel sorgfältig und gewissenhaft prüfen und sich dann selbst fragen, welchen Eindruck in der Hauptverhandlung die wider den Angeklagten vorgeführten Beweise und die Gründe seiner Verteidigung auf sie gemacht haben.

Nach der durch diese Prüfung der Beweismittel gewonnenen Überzeugung allein haben die Geschworenen ihren Ausspruch über Schuld oder Nichtschuld des Angeklagten zu fällen. Sie dürfen dabei ihrem Eide gemäß der Stimme der Zu- oder Abneigung, der Furcht oder Schadenfreude kein Gehör geben, haben vielmehr mit Unparteilichkeit und Festigkeit so zu entscheiden, wie sie es vor Gott und ihrem Gewissen verantworten können.

Die Beratung und Abstimmung hat sich nur auf die den Geschworenen vorgelegten Fragen zu beschränken. Welche gesetzlichen Folgen den Angeklagten treffen, wenn er schuldig gesprochen wird, werden die Geschworenen gemeinsam mit dem Gerichtshof in einer späteren Beratung zu entscheiden haben.

Die Geschworenen haben sich bei ihrer Abstimmung ständig ihre beschworene Pflicht vor Augen zu halten, das Gesetz treu zu beobachten und ihm Geltung zu verschaffen. Sie sind dazu berufen, Recht zu sprechen, aber nicht berechtigt, Gnade zu üben.“

(2) Mehrere Abdrucke dieser Belehrung sowie der Bestimmungen der §§ 326, 329, 330, 331, 332 Abs. 1 bis 3 sowie des § 340 sollen im Beratungszimmer der Geschworenen angeschlagen sein.

§ 326. Die Geschworenen dürfen ihr Beratungszimmer nicht verlassen, bevor sie ihren Ausspruch über die an sie gerichteten Fragen gefällt haben. Niemand darf während der Beratung und Abstimmung ohne Bewilligung des Vorsitzenden in ihr Beratungszimmer eintreten; auch ist den Geschworenen jeder Verkehr mit dritten Personen untersagt. Gegen Geschworene und dritte Personen, die diesem Verbot zuwiderhandeln, ist vom Schwurgerichtshof eine Ordnungsstrafe bis zu 1 000 Euro zu verhängen.

§ 327. (1) Entstehen bei den Geschworenen im Zuge der Beratung Zweifel über den Sinn der ihnen gestellten Fragen, über das von ihnen bei der Abstimmung zu beobachtende Verfahren oder über die Fassung einer Antwort, oder äußern die Geschworenen den Wunsch nach einer Ergänzung des Beweisverfahrens zur Aufklärung erheblicher Tatsachen oder nach Änderung oder Ergänzung der an sie gerichteten Fragen, so ersucht der Obmann der Geschworenen, wenn der Schwurgerichtshof nicht an der Beratung teilnimmt, den Vorsitzenden schriftlich, sich in das Beratungszimmer zu begeben. Der Schwurgerichtshof begibt sich hierauf mit dem Schriftführer in das Beratungszimmer. Der Vorsitzende erteilt den Geschworenen die erforderliche Belehrung.

(2) Die Belehrung ist zu Protokoll zu nehmen und das Protokoll dem Hauptverhandlungsprotokoll anzuschließen.

(3) Im übrigen wird über die Beratung der Geschworenen kein Protokoll geführt.

§ 328. Äußern die Geschworenen bei der Beratung den Wunsch nach einer Ergänzung des Beweisverfahrens zur Aufklärung erheblicher Tatsachen (§ 309) oder nach Änderung oder Ergänzung der an sie gerichteten Fragen, so ist die Verhandlung wieder zu eröffnen; sofern es sich um eine Ergänzung oder Änderung der Fragen handelt, gelten die Bestimmungen des § 310 Abs. 3 und 4 sinngemäß.

§ 329. Der Abstimmung der Geschworenen darf bei sonstiger Nichtigkeit niemand beiwohnen.

§ 330. (1) Der Obmann der Geschworenen läßt über die einzelnen Fragen der Reihe nach mündlich abstimmen, indem er jeden Geschworenen um seine Meinung befragt; er selbst gibt seine Stimme zuletzt ab.

(2) Die Geschworenen stimmen über jede Frage mit „ja“ oder „nein“ ab; doch ist ihnen auch gestattet, eine Frage nur teilweise zu bejahen. In diesem Fall ist die Beschränkung kurz beizufügen (zum Beispiel: „Ja, aber nicht mit diesen oder jenen in der Frage enthaltenen Umständen“).

§ 331. (1) Zur Bejahung der an die Geschworenen gerichteten Fragen ist absolute Stimmenmehrheit, das ist mehr als die Hälfte sämtlicher Stimmen, erforderlich; bei Stimmengleichheit gibt die dem Angeklagten günstigere Meinung den Ausschlag. Ist eine Schuldfrage zuungunsten des Angeklagten bejaht worden, so können sich die überstimmten Geschworenen der Abstimmung über die für diesen Fall gestellten Zusatzfragen enthalten; ihre Stimmen werden dann den dem Angeklagten günstigsten zugezählt.

(2) Der Obmann zählt die Stimmen und schreibt in zwei Niederschriften der Fragen neben jede Frage, je nachdem sie durch die Geschworenen beantwortet worden ist, „ja“ oder „nein“, mit den allfälligen Beschränkungen, unter Angabe des Stimmenverhältnisses und unterschreibt diese Aufzeichnung des Wahrspruches der Geschworenen. Es dürfen darin keine Radierungen vorkommen; Ausstreichungen, Randbemerkungen oder Einschaltungen müssen vom Obmanne durch eine von ihm unterschriebene Bemerkung ausdrücklich genehmigt sein.

(3) Nach Beendigung der Abstimmung hat der Obmann in einer kurzen Niederschrift, gesondert für jede Frage, die Erwägungen anzugeben, von denen die

Mehrheit der Geschworenen bei der Beantwortung dieser Frage ausgegangen ist. Die Niederschrift ist im Einvernehmen mit diesen Geschworenen abzufassen und vom Obmanne zu unterfertigen.

(4) Der Obmann der Geschworenen benachrichtigt sodann den Vorsitzenden des Schwurgerichtshofes schriftlich von der Beendigung der Abstimmung.

8. Verbesserung des Wahrspruches der Geschworenen

§ 332. (1) Der Schwurgerichtshof begibt sich darauf mit dem Schriftführer, dem Ankläger und dem Verteidiger in das Beratungszimmer der Geschworenen.

(2) Der Obmann der Geschworenen übergibt eine von ihm unterschriebene Aufzeichnung des Wahrspruches und der im § 331 Abs. 3 bezeichneten Niederschrift dem Vorsitzenden. Dieser unterzeichnet sie, läßt sie vom Schriftführer vorlesen und von ihm mitfertigen.

(3) Nach der Verlesung kann in der Regel kein Geschworener von seiner Meinung abgehen.

(4) Wird jedoch von einem oder mehreren Geschworenen behauptet, daß bei der Abstimmung ein Mißverständnis unterlaufen sei, oder kommt der Schwurgerichtshof nach Anhörung des Anklägers und des Verteidigers zu der Überzeugung, daß der Wahrspruch der Geschworenen undeutlich, unvollständig oder in sich widersprechend ist oder mit dem Inhalte der im § 331 Abs. 3 bezeichneten Niederschrift in Widerspruch steht, so trägt er den Geschworenen die Verbesserung des Wahrspruches auf.

(5) Hält in einem solchen Falle der Schwurgerichtshof eine Änderung oder Ergänzung der Fragen für wünschenswert oder wird eine solche vom Ankläger oder vom Verteidiger beantragt, so ist die Verhandlung wieder zu eröffnen und nach Vorschrift des § 310 Abs. 3 und 4 zu verfahren.

(6) Das über die Beratung des Schwurgerichtshofes (Abs. 4 und 5) aufgenommene Protokoll und der ursprüngliche Wahrspruch und die im § 331 Abs. 3 bezeichnete Niederschrift sind dem Hauptverhandlungsprotokoll anzuschließen.

§ 333. Hält der Schwurgerichtshof eine Verbesserung des Wahrspruches für erforderlich oder ist in diesem Fall auch die Fragestellung geändert oder ergänzt worden, so eröffnet der Vorsitzende den Geschworenen, daß sie nur zur Änderung der beanstandeten Antworten (§ 332 Abs. 4) und zur Beantwortung der neu oder in geänderter Fassung vorgelegten Fragen (§ 332 Abs. 5) berechtigt sind. Die neuen oder geänderten Fragen sind dem Obmanne der Geschworenen in zwei Ausfertigungen zu übergeben.

9. Weiteres Verfahren bis zur gemeinsamen Beratung über die Strafe

§ 334. (1) Ist der Schwurgerichtshof einstimmig der Ansicht, daß sich die Geschworenen bei ihrem Ausspruch in der Hauptsache geirrt haben, so beschließt er – ohne einen darauf abzielenden Antrag zuzulassen –, daß die Entscheidung ausgesetzt und die Sache dem Obersten Gerichtshofe vorgelegt werde. Betrifft der Irrtum der Geschworenen nur den Ausspruch über einen von mehreren Angeklagten oder den Ausspruch über einzelne von mehreren Anklagepunkten und bestehen gegen die gesonderte Verhandlung und Entscheidung keine Bedenken, so hat sich die Aussetzung der Entscheidung auf diesen Angeklagten oder diesen Anklagepunkt zu beschränken und bleibt ohne Einfluß auf die übrigen. Ist die Entscheidung über einen oder mehrere denselben Angeklagten betreffende Anklagepunkte ausgesetzt worden, so sind die Bestimmungen des § 264 dem Sinne nach anzuwenden.

(2) Der Oberste Gerichtshof verweist die Sache vor ein anderes Geschworenengericht desselben oder eines anderen Sprengels, wenn aber nur noch über eine strafbare Handlung zu entscheiden ist, die für sich allein nicht vor das Geschworenengericht gehört, an das von ihm zu bezeichnende sachlich zuständige Gericht.

(3) Bei der wiederholten Verhandlung darf keiner der Richter den Vorsitz führen und keiner der Geschworenen zugelassen werden, die an der ersten Verhandlung teilgenommen haben.

(4) Stimmt der Wahrspruch des zweiten Geschworenengerichtes mit dem des ersten überein, so ist er dem Urteile zugrunde zu legen.

§ 335. Wird die Entscheidung nicht ausgesetzt, so ist der Wahrspruch der Geschworenen dem Urteile zugrunde zu legen.

§ 336. Haben die Geschworenen die Schuldfragen verneint oder Zusatzfragen (§ 313) bejaht, so fällt der Schwurgerichtshof sofort ein freisprechendes Urteil.

§ 337. Ebenso wird der Angeklagte durch Urteil des Schwurgerichtshofes freigesprochen, wenn ihn die Geschworenen zwar schuldig gesprochen haben, der Schwurgerichtshof jedoch der Meinung ist, daß bei Zugrundelegung der Tatsachen, die im Wahrspruche der Geschworenen festgestellt sind, und der rechtlichen Beurteilung, die die Geschworenen der Tat haben angedeihen lassen, die Verfolgung aus Gründen des Prozeßrechtes ausgeschlossen sei (§ 311), oder daß die Tat, die der Angeklagte nach dem Ausspruche der Geschworenen begangen hat, vom Gesetze nicht mit gerichtlicher Strafe bedroht sei.

10. Gemeinsame Beratung über die Strafe

§ 338. Ist der Angeklagte schuldig befunden worden und ist er nicht nach § 336 oder § 337 freizusprechen, so entscheidet der Schwurgerichtshof gemeinsam mit den Geschworenen (§ 303) über die zu verhängende Strafe und die etwa anzuwendenden Maßnahmen der

Besserung und Sicherung sowie über die privatrechtlichen Ansprüche und die Kosten des Strafverfahrens.

§ 339. *(Aufgehoben; BGBl. Nr. 423/1974, Art. I Z. 98)*

11. Verkündung des Wahrspruches und des Urteiles

§ 340. (1) Nach Wiedereröffnung der Sitzung läßt der Vorsitzende den Angeklagten vorführen oder vorrufen und fordert den Obmann der Geschworenen auf, den Wahrspruch mitzuteilen. Dieser erhebt sich und spricht:

„Die Geschworenen haben nach Eid und Gewissen die an sie gestellten Fragen beantwortet, wie folgt:“

(2) Der Obmann verliest sodann bei sonstiger Nichtigkeit in Gegenwart aller Geschworenen die an sie gerichteten Fragen und unmittelbar nach jeder den beigefügten Wahrspruch der Geschworenen.

§ 341. (1) Der Vorsitzende verkündet sodann in der öffentlichen Gerichtssitzung in Gegenwart des Anklägers, des Angeklagten (§§ 234, 269) und des Verteidigers das Urteil samt den wesentlichen Gründen oder den Beschluß auf Aussetzung der Entscheidung (§ 334), diesen ohne Begründung.

(2) Anschließend belehrt der Vorsitzende den Angeklagten über die ihm zustehenden Rechtsmittel.

12. Ausfertigung des Urteiles, Protokollführung

§ 342. Das Urteil ist in der im § 270 Abs. 1 bis 3 vorgeschriebenen Weise auszufertigen. In der Ausfertigung sind auch die Namen der Geschworenen anzuführen, die der Ersatzgeschworenen jedoch nur dann, wenn diese vor Schluß der Verhandlung an die Stelle eines verhinderten Geschworenen getreten sind. Die Ausfertigung muß auch die an die Geschworenen gestellten Fragen und ihre Beantwortung enthalten. Auf die im § 331 Abs. 3 bezeichnete Niederschrift darf im Urteile kein Bezug genommen werden.

§ 343. (1) Für die Führung des Protokolls über die Hauptverhandlung sowie über die Beratungen und Abstimmungen des Schwurgerichtshofs oder des Geschworenengerichtes während und am Schlusse der Hauptverhandlung gelten die Vorschriften der §§ 271, 271a, 272 und 305 Abs. 3 mit der Maßgabe, dass stets ein Schriftführer beizuziehen und ein Protokollvermerk (§ 271 Abs. 1a) nicht zulässig ist.

(2) Das Hauptverhandlungsprotokoll muß auch die Namen der Geschworenen einschließlich der Ersatzgeschworenen enthalten. Ist infolge Verhinderung eines Geschworenen ein Ersatzgeschworener an dessen Stelle getreten, so ist das im Hauptverhandlungsprotokoll zu beurkunden.

III. Rechtsmittel gegen Urteile der Geschworenengerichte

§ 344. Gegen die Urteile der Geschworenengerichte stehen die Rechtsmittel der Nichtigkeitsbeschwerde und der Berufung offen. Die für Rechtsmittel gegen Urteile der Schöffengerichte und für das Verfahren über solche Rechtsmittel geltenden Vorschriften (§§ 280 bis 296a) sind auf Rechtsmittel gegen Urteile der Geschworenengerichte dem Sinne nach anzuwenden, soweit im folgenden nichts anderes bestimmt ist. An die Stelle der in den §§ 285a und 285d bezeichneten Nichtigkeitsgründe treten die folgenden Nichtigkeitsgründe des § 345 Abs. 1, und zwar im § 285a die der Z. 1 bis 13 und im § 285d die der Z. 1 bis 5, 10a und 13.

§ 345. (1) Die Nichtigkeitsbeschwerde kann, sofern sie nicht nach besonderen gesetzlichen Vorschriften auch in anderen Fällen zugelassen ist, nur wegen eines der folgenden Nichtigkeitsgründe ergriffen werden:

1. wenn der Schwurgerichtshof oder die Geschworenenbank nicht gehörig besetzt war, wenn nicht alle Richter und Geschworenen der ganzen Verhandlung beigewohnt haben oder wenn sich ein ausgeschlossener Richter oder Geschworener (§§ 43 und 46) an der Verhandlung beteiligt hat; als nicht gehörig besetzt gilt die Geschworenenbank auch dann, wenn in einer Jugendstrafsache nicht Geschworene für Jugendstrafsachen oder nicht mindestens zwei im Lehrberufe tätige oder tätig gewesene Personen der Geschworenenbank angehört haben;

2. wenn die Hauptverhandlung ohne Beiziehung eines Verteidigers geführt worden ist;

3. wenn ein Protokoll oder ein anderes amtliches Schriftstück über eine nichtige Erkundigung oder Beweisaufnahme im Ermittlungsverfahren trotz Widerspruchs des Beschwerdeführers in der Hauptverhandlung verlesen wurde;

4. wenn in der Hauptverhandlung eine Bestimmung verletzt oder missachtet worden ist, deren Einhaltung das Gesetz bei sonstiger Nichtigkeit anordnet (§§ 115j Abs. 1, 126 Abs. 4, 140 Abs. 1, 144 Abs. 1, 155 Abs. 1, 157 Abs. 2 und 159 Abs. 3, 221 Abs. 2, 228, 250, 252, 260, 271, 305, 310, 329, 340, 427, 434d Abs. 1 und 2 sowie 439 Abs. 1 und 2);

5. wenn in der Hauptverhandlung über einen Antrag des Beschwerdeführers nicht erkannt worden ist oder wenn durch einen gegen seinen Antrag oder Widerspruch gefassten Beschluss Gesetze oder Grundsätze des Verfahrens hintangesetzt oder unrichtig angewendet worden sind, deren Beobachtung durch grundrechtliche Vorschriften, insbesondere durch Art. 6 der Europäischen Konvention zum Schutze der Menschenrechte und Grundfreiheiten, BGBl. Nr. 210/1958, oder sonst durch das Wesen eines die Strafverfolgung und die Verteidigung sichernden, fairen Verfahrens geboten ist;

6. wenn eine der in den §§ 312 bis 317 enthaltenen Vorschriften verletzt worden ist;

7. wenn an die Geschworenen eine Frage mit Verletzung der Vorschrift des § 267 gestellt und diese Frage bejaht worden ist;

8. wenn der Vorsitzende den Geschworenen eine unrichtige Rechtsbelehrung erteilt hat (§§ 321, 323, 327);

9. wenn die Antwort der Geschworenen auf die gestellten Fragen undeutlich, unvollständig oder in sich widersprechend ist;

10. wenn der Schwurgerichtshof den Geschworenen die Verbesserung des Wahrspruches gegen den Widerspruch des Beschwerdeführers mit Unrecht aufgetragen oder, obgleich ein oder mehrere Geschworene ein bei der Abstimmung unterlaufenes Mißverständnis behauptet haben, mit Unrecht nicht aufgetragen hat (§ 332 Abs. 4);

10a. wenn sich aus den Akten erhebliche Bedenken gegen die Richtigkeit der im Wahrspruch der Geschworenen festgestellten entscheidenden Tatsachen ergeben;

11. wenn durch die Entscheidung über die Frage,

a) ob die dem Angeklagten zur Last fallende Tat eine zur Zuständigkeit der Gerichte gehörige strafbare Handlung begründet oder

b) ob die Verfolgung der Tat aus Gründen des Prozeßrechtes ausgeschlossen ist,

ein Gesetz verletzt oder unrichtig angewendet worden ist;

12. wenn die der Entscheidung zugrunde liegende Tat durch unrichtige Gesetzesauslegung einem Strafgesetz unterzogen worden ist, das darauf nicht anzuwenden ist;

12a. wenn nach der Bestimmung des § 199 über die Einstellung des Verfahrens, anderen auf sie verweisenden Vorschriften oder nach § 37 SMG vorzugehen gewesen wäre;

13. wenn das Geschworenengericht seine Strafbefugnis überschritten oder bei dem Ausspruch über die Strafe für die Strafbemessung maßgebende entscheidende Tatsachen offenbar unrichtig beurteilt oder in unvertretbarer Weise gegen Bestimmungen über die Strafbemessung verstoßen hat.

(2) Die in der Z. 1 des Abs. 1 angeführten Nichtigkeitsgründe können nur dann geltend gemacht werden, wenn der Beschwerdeführer den die Nichtigkeit begründenden Umstand gleich bei Beginn der Verhandlung oder, wenn er ihm erst später bekanntgeworden ist, sogleich, nachdem er ihm zur Kenntnis gekommen war, geltend gemacht hat.

(3) Die unter Abs. 1 Z. 3 bis 6 und 10 erwähnten Nichtigkeitsgründe können zum Vorteile des Angeklagten nicht geltend gemacht werden, wenn unzweifelhaft erkennbar ist, daß die Formverletzung auf die Entscheidung keinen dem Angeklagten nachteiligen Einfluß üben konnte.

(4) Zum Nachteile des Angeklagten können die unter Abs. 1 Z. 2, 7 und 10a erwähnten Nichtigkeitsgründe niemals, die unter Abs. 1 Z. 3 bis 6 und 10 erwähnten aber nur dann geltend gemacht werden, wenn erkennbar ist, daß die Formverletzung einen die Anklage beeinträchtigenden Einfluß auf die Entscheidung üben konnte, wenn sich außerdem der Ankläger widersetzt, die Entscheidung des Schwurgerichtshofes begehrt und sich sofort nach der Verweigerung oder Verkündung dieser Entscheidung die Nichtigkeitsbeschwerde vorbehalten hat. § 282 Abs. 2 gilt sinngemäß.

§ 346. Der Ausspruch über die Strafe kann in den im § 283 angeführten Fällen mit Berufung angefochten werden.

§ 348. Für den Gerichtstag beim Obersten Gerichtshof ist dem Angeklagten, wenn er keinen Verteidiger hat, ohne Rücksicht auf Art und Höhe der für die strafbare Handlung, die dem Angeklagten in der Anklageschrift oder im Urteil erster Instanz zur Last gelegt wird, angedrohten Strafe, ein Rechtsanwalt als Verteidiger beizugeben (§ 286 Abs. 4).

(BGBl. Nr. 569/1973, Art. III Z. 7)

§ 349. (1) Liegt einer der im § 345 Abs. 1 Z. 1 bis 9 und 10a erwähnten Nichtigkeitsgründe vor, so hebt der Oberste Gerichtshof den Wahrspruch der Geschworenen und das darauf beruhende Urteil auf und verweist, sofern er nicht aus dem im § 345 Abs. 1 Z. 7 angeführten Grunde den Angeklagten freispricht, die Sache an das Geschworenengericht des von ihm zu bezeichnenden Landesgerichts zur nochmaligen Verhandlung und Entscheidung.

(2) Werden nicht alle Teile des Wahrspruches vom geltend gemachten Nichtigkeitsgrund getroffen und ist eine Sonderung möglich, so läßt der Oberste Gerichtshof die nicht betroffenen Teile des Wahrspruches und des Urteiles von dieser Verfügung unberührt und trägt dem Gericht, an das die Sache verwiesen wird, auf, die unberührt gebliebenen Teile des Wahrspruches der Entscheidung mit zugrunde zu legen.

§ 350. (1) Liegt der im § 260 angeführte Nichtigkeitsgrund vor, so verweist der Oberste Gerichtshof die Sache an das Geschworenengericht, das das Urteil gefällt hat, mit dem Auftrage zurück, nach Tunlichkeit in der gleichen Zusammensetzung ein neues Urteil auf Grund des früheren Ausspruches der Geschworenen zu fällen.

(2) Liegt der im § 345 Abs. 1 Z. 10 bezeichnete Nichtigkeitsgrund vor, so hebt der Oberste Gerichtshof den Wahrspruch der Geschworenen, soweit er vom Nichtigkeitsgrunde betroffen ist, und das darauf beruhende Urteil auf. Ist den Geschworenen mit Unrecht die Verbesserung des Wahrspruches aufgetragen worden, so entscheidet er auf Grund des ursprünglichen Wahrspruches in der Sache selbst. Ist den Geschworenen die Verbesserung wegen eines von ihnen behaupteten Mißverständnisses mit Unrecht nicht aufgetragen worden, so verweist der Oberste Gerichtshof

die Sache an das Geschworenengericht zur neuen Verhandlung und Entscheidung zurück.

§ 351. Liegt einer der im § 345 Abs. 1 Z 11 bis 13 angeführten Nichtigkeitsgründe vor, so entscheidet der Oberste Gerichtshof in der Sache selbst. Sind jedoch die der Feststellung durch die Geschworenen vorbehaltenen Tatsachen, die er seiner Entscheidung zugrunde zu legen hätte, im Wahrspruche der Geschworenen nicht festgestellt, so verweist er die Sache an das Geschworenengericht des von ihm zu bezeichnenden Landesgerichts, wenn aber die strafbare Handlung bei richtiger Anwendung des Gesetzes nicht mehr vor das Geschworenengericht gehört, an das von ihm zu bezeichnende sachlich zuständige Gericht zur nochmaligen Verhandlung und Entscheidung.

16. Hauptstück

Wiederaufnahme und Erneuerung des Strafverfahrens sowie Wiedereinsetzung in den vorigen Stand

I. Wiederaufnahme des Verfahrens

§ 352. (1) Abgesehen von den Bestimmungen über die Fortführung des Ermittlungsverfahrens (§§ 193, 195 und 196), kann dem Antrag der Staatsanwaltschaft auf Wiederaufnahme eines Verfahrens gegen einen Beschuldigten, das durch gerichtlichen Beschluss oder einen nicht bloß vorläufigen Rücktritt der Staatsanwaltschaft von der Verfolgung nach den im 11. Hauptstück enthaltenen Bestimmungen eingestellt wurde, nur dann stattgegeben werden, wenn die Strafbarkeit der Tat noch nicht durch Verjährung erloschen ist, und

1. die Einstellung durch Urkundenfälschung oder durch falsche Beweissaussage, Bestechung oder eine sonstige Straftat des Beschuldigten oder einer dritten Person herbeigeführt worden ist, oder

2. der Beschuldigte später ein Geständnis der ihm angelasteten Tat ablegt oder sich andere neue Tatsachen oder Beweismittel ergeben, die geeignet scheinen, die Verurteilung des Beschuldigten nahe zu legen (§ 210 Abs. 1).

(2) Dem Privatankläger steht der Antrag auf Wiederaufnahme ausschließlich im Fall einer Einstellung gemäß § 215 Abs. 2 zu.

§ 353. Der rechtskräftig Verurteilte kann die Wiederaufnahme des Strafverfahrens selbst nach vollzogener Strafe verlangen:

1. wenn dargetan ist, daß seine Verurteilung durch Urkundenfälschung oder durch falsche Beweisaussage, Bestechung oder eine sonstige Straftat einer dritten Person veranlaßt worden ist;

2. wenn er neue Tatsachen oder Beweismittel beibringt, die allein oder in Verbindung mit den früher erhobenen Beweisen geeignet erscheinen, seine Freisprechung oder die Verurteilung wegen einer unter ein milderes Strafgesetz fallenden Handlung zu begründen; oder

3. wenn wegen derselben Tat zwei oder mehrere Personen durch verschiedene Erkenntnisse verurteilt worden sind und bei der Vergleichung dieser Erkenntnisse sowie der ihnen zugrunde liegenden Tatsachen die Nichtschuld einer oder mehrerer dieser Personen notwendig anzunehmen ist.

§ 354. Den Antrag auf Wiederaufnahme des Strafverfahrens zugunsten des Angeklagten können, und zwar auch nach dessen Tod, alle Personen stellen, die berechtigt wären, zu seinen Gunsten die Nichtigkeitsbeschwerde oder Berufung zu ergreifen. Erlangt die Staatsanwaltschaft die Kenntnis eines Umstandes, der einen Antrag auf Wiederaufnahme des Strafverfahrens zugunsten des Angeklagten begründen kann (§ 353), so ist sie verpflichtet, hievon den Angeklagten oder sonst eine zur Stellung dieses Antrages berechtigte Person in Kenntnis zu setzen oder selbst den Antrag zu stellen.

§ 355. Die Staatsanwaltschaft oder der Privatankläger können die Wiederaufnahme des Strafverfahrens wegen einer Handlung, hinsichtlich der der Angeklagte rechtskräftig freigesprochen worden ist, nur aus den in § 352 Abs. 1 genannten Gründen beantragen.

§ 356. Die Staatsanwaltschaft kann die Wiederaufnahme des Verfahrens, um zu bewirken, daß eine Handlung, wegen der der Angeklagte verurteilt worden ist, nach einem strengeren Strafgesetz beurteilt werde, nur unter den im § 352 Abs. 1 erwähnten Voraussetzungen und überdies nur dann beantragen, wenn die wirklich verübte Tat

1. mit mindestens zehnjähriger Freiheitsstrafe bedroht ist, während der Angeklagte nur wegen einer mit nicht mehr als zehnjähriger Freiheitsstrafe bedrohten Handlung verurteilt wurde, oder

2. mit mehr als fünfjähriger Freiheitsstrafe bedroht ist, während der Angeklagte nur wegen eines Vergehens verurteilt wurde, oder

3. sich als ein Verbrechen darstellt, während der Angeklagte nur wegen eines mit nicht mehr als einjähriger Freiheitsstrafe bedrohten Vergehens verurteilt wurde.

§ 357. (1) Der Antrag auf Wiederaufnahme des Strafverfahrens ist im Fall einer gerichtlichen Einstellung im Ermittlungsverfahren bei dem Landesgericht einzubringen, das die Einstellung beschlossen hat, im Falle eines nicht bloß vorläufigen Rücktritts der Staatsanwaltschaft von der Verfolgung nach den im 11. Hauptstück enthaltenen Bestimmungen bei dem Landesgericht, das im Ermittlungsverfahren zuständig gewesen wäre, in den übrigen Fällen jedoch bei dem Landesgericht, das für das Hauptverfahren zuständig war.

(2) Das Landesgericht (§ 31 Abs. 6 Z 2) hat den Antrag dem Gegner des Antragstellers mit der Belehrung zuzustellen, dass er seine Gegenäußerung binnen 14

Tagen überreichen könne. Das Landesgericht kann Ermittlungen durch die Kriminalpolizei anordnen oder Beweise selbst aufnehmen, wenn dies erforderlich ist, um die Gefahr abzuwenden, dass ein Beweismittel für eine erhebliche Tatsache verloren geht. Zum Ergebnis dieser Ermittlungen oder Beweisaufnahmen hat es Antragsteller und Antragsgegner Gelegenheit zur Äußerung binnen 14 Tagen einzuräumen. Sodann entscheidet das Landesgericht grundsätzlich nach nichtöffentlicher Sitzung mit Beschluss. Sofern sich jedoch die Tatsachen, durch die der Antrag begründet wird, und ihre Eignung, eine Änderung der rechtskräftigen Entscheidung im Sinne der vorstehenden Bestimmungen herbeizuführen, nur durch eine unmittelbare Beweisaufnahme klären lassen, kann das Gericht von Amts wegen oder auf Antrag eine mündliche Verhandlung anberaumen und in dieser über die Wiederaufnahme entscheiden. Die Verhandlung ist nicht öffentlich, doch hat das Gericht Antragsteller und Antragsgegner Gelegenheit zur Teilnahme und Stellungnahme zu geben.

(3) Der Antrag eines Verurteilten auf Wiederaufnahme des Verfahrens hemmt den Vollzug der Strafe nicht, es sei denn, dass das Gericht nach Anhörung der Staatsanwaltschaft oder des Privatanklägers die Hemmung des Strafvollzuges nach den Umständen des Falles für angemessen erachtet und mit Beschluss die Hemmung ausspricht.

§ 358. (1) Das frühere Urteil wird in den Fällen der §§ 353 bis 356 durch die Bewilligung der Wiederaufnahme insoweit für aufgehoben erklärt, als es die Straftat betrifft, hinsichtlich der die Wiederaufnahme bewilligt wird. Die gesetzlichen Folgen der im ersten Urteil ausgesprochenen Verurteilung bleiben bis zur neuerlichen Entscheidung aufrecht. Der Vollzug der Strafe ist unverzüglich einzustellen und über die Haft des Beschuldigten nach den im 9. Hauptstück enthaltenen Bestimmungen zu entscheiden.

(2) Das Verfahren tritt durch die Wiederaufnahme grundsätzlich (§ 360) in den Stand des Ermittlungsverfahrens. Die Staatsanwaltschaft hat die nach Maßgabe der bewilligenden Entscheidung erforderlichen Anordnungen oder Anträge zu stellen. Die für das Ermittlungsverfahren und die Anklage geltenden Bestimmungen sind auch hier anzuwenden.

(3) Wird das wiederaufgenommene Ermittlungsverfahren ohne Durchführung oder außerhalb einer Hauptverhandlung eingestellt, so hat der Beschuldigte das Recht, eine Veröffentlichung der Entscheidung zu verlangen.

(4) Wird der Angeklagte im wiederaufgenommenen Verfahren erneut verurteilt, so ist eine bereits erlittene Strafe auf Freiheits- und Geldstrafen anzurechnen (§ 38 StGB).

(5) Ist die Wiederaufnahme nur zugunsten des Angeklagten bewilligt worden, so gilt das Verbot der Verschlechterung (§ 16).

(6) Gegen das neue Erkenntnis stehen dieselben Rechtsmittel offen wie gegen jedes andere Urteil.

§ 360. (1) Das Gericht, das die Wiederaufnahme des Strafverfahrens zugunsten des Beschuldigten für zulässig erklärt, kann sofort ein Urteil fällen, wodurch der Beschuldigte freigesprochen oder seinem Antrag auf Anwendung eines milderen Strafsatzes stattgegeben wird.

(2) Der Freigesprochene kann die Veröffentlichung des Erkenntnisses verlangen.

§ 362. (1) Der Oberste Gerichtshof ist berechtigt, nach Anhörung des Generalprokurators im außerordentlichen Weg und ohne an die im § 353 vorgezeichneten Bedingungen gebunden zu sein, die Wiederaufnahme des Strafverfahrens zugunsten des wegen eines Verbrechens oder Vergehens Verurteilten zu verfügen, wenn sich ihm

1. bei der vorläufigen Beratung über eine Nichtigkeitsbeschwerde oder nach der öffentlichen Verhandlung über die Beschwerde oder

2. bei einer auf besonderen Antrag des Generalprokuraturs vorgenommenen Prüfung der Akten erhebliche Bedenken gegen die Richtigkeit der dem Urteil zugrunde gelegten Tatsachen ergeben, die auch nicht durch einzelne vom Obersten Gerichtshof etwa angeordnete Erhebungen beseitigt werden.

(2) Der Oberste Gerichtshof kann in solchen Fällen auch sofort ein neues Urteil schöpfen, mit dem der Beschuldigte freigesprochen oder ein milderer Strafsatz auf ihn angewendet wird; hiefür ist jedoch Einstimmigkeit erforderlich. Der Freigesprochene kann die Veröffentlichung des Erkenntnisses verlangen.

(3) Anträge von Privaten, die auf Herbeiführung eines der vorstehend erwähnten Beschlüsse des Obersten Gerichtshofes abzielen, sind von den Gerichten abzuweisen, bei denen sie einlaufen; auch dürfen sie niemals zum Gegenstande der Erörterung in der mündlichen Verhandlung gemacht werden.

(4) Auf die vom Obersten Gerichtshofe verfügte Wiederaufnahme des Strafverfahrens ist § 358 anzuwenden.

(5) Die Entscheidung über die Hemmung des Strafvollzuges und über die Verweisung des weiteren Verfahrens an das Gericht eines anderen Sprengels steht nur dem Obersten Gerichtshofe zu.

§ 363. Das Hauptverfahren kann unabhängig von den Voraussetzungen der Wiederaufnahme durchgeführt werden, wenn der zur Klage noch berechtigte Privatankläger die Anklage einbringt, während im früheren Verfahren die Einstellung oder ein freisprechendes Urteil lediglich wegen Mangels des nach dem Gesetz erforderlichen Antrages eines Opfers (§ 71) erfolgt ist.

II. Erneuerung des Strafverfahrens

§ 363a. (1) Wird in einem Urteil des Europäischen Gerichtshofes für Menschenrechte eine Verletzung der Konvention zum Schutze der Menschenrechte und Grundfreiheiten, BGBl. Nr. 210/1958, oder eines ihrer Zusatzprotokolle durch eine Entscheidung oder Verfügung eines Strafgerichtes festgestellt, so ist das Verfahren auf Antrag insoweit zu erneuern, als nicht auszuschließen ist, daß die Verletzung einen für den hievon Betroffenen nachteiligen Einfluß auf den Inhalt einer strafgerichtlichen Entscheidung ausüben konnte.

(2) Über den Antrag auf Erneuerung des Verfahrens entscheidet in allen Fällen der Oberste Gerichtshof. Den Antrag können der von der festgestellten Verletzung Betroffene und der Generalprokurator stellen; § 282 Abs. 1 ist sinngemäß anzuwenden. Der Antrag ist beim Obersten Gerichtshof einzubringen. Zu einem Antrag des Generalprokurators ist der Betroffene, zu einem Antrag des Betroffenen ist der Generalprokurator zu hören; § 35 Abs. 2 ist sinngemäß anzuwenden.

§ 363b. (1) Der Oberste Gerichtshof hat über den Antrag auf Erneuerung des Verfahrens nur dann in nichtöffentlicher Sitzung zu beraten, wenn der Generalprokurator oder der Berichterstatter einen der im Abs. 2 oder 3 angeführten Beschlüsse beantragt.

(2) Bei der nichtöffentlichen Beratung kann der Oberste Gerichtshof den Antrag zurückweisen,

1. wenn der Antrag des Betroffenen nicht von einem Verteidiger unterschrieben ist,

2. wenn der Antrag von einer Person gestellt worden ist, der das Antragsrecht nicht zusteht, oder

3. wenn der Gerichtshof den Antrag einstimmig als offenbar unbegründet erachtet.

(3) Bei der nichtöffentlichen Beratung kann der Gerichtshof dem Antrag stattgeben, die strafgerichtliche Entscheidung aufheben und die Sache erforderlichenfalls an das Landesgericht oder Oberlandesgericht verweisen, wenn schon vor der öffentlichen Verhandlung über den Antrag feststeht, daß das Verfahren zu erneuern ist. Im erneuerten Verfahren darf keine strengere Strafe über den Verurteilten verhängt werden, als das frühere Urteil ausgesprochen hatte.

§ 363c. (1) Wird über den Antrag nicht schon in nichtöffentlicher Sitzung entschieden, so ist ein Gerichtstag zur öffentlichen Verhandlung der Sache anzuberaumen. Für dessen Anordnung und Durchführung gelten die §§ 286 und 287 dem Sinne nach mit der Maßgabe, daß der nicht verhaftete Angeklagte stets vorzuladen und auch die Vorführung des verhafteten Angeklagten zu veranlassen ist, wenn er dies beantragt hat oder die Vorführung sonst im Interesse der Rechtspflege geboten erscheint.

(2) Wenn der Oberste Gerichtshof den Antrag weder nach § 363b Abs. 2 Z 1 oder 2 zurückweist noch als unbegründet erachtet, gibt er ihm statt, hebt die strafgerichtliche Entscheidung auf und verweist die Sache erforderlichenfalls an das Landesgericht oder Oberlandesgericht.

III. Wiedereinsetzung in den vorigen Stand

§ 364. (1) Gegen die Versäumung der Frist zur Anmeldung, Ausführung oder Erhebung eines Rechtsmittels oder Rechtsbehelfs ist den Beteiligten des Verfahrens die Wiedereinsetzung in den vorigen Stand zu bewilligen, sofern sie

1. nachweisen, daß es ihnen durch unvorhersehbare oder unabwendbare Ereignisse unmöglich war, die Frist einzuhalten oder die Verfahrenshandlung vorzunehmen, es sei denn, daß ihnen oder ihren Vertretern ein Versehen nicht bloß minderen Grades zur Last liegt,

2. die Wiedereinsetzung innerhalb von vierzehn Tagen nach dem Aufhören des Hindernisses beantragen und

3. die versäumte schriftliche Verfahrenshandlung zugleich mit dem Antrag nachholen.

(2) Über die Wiedereinsetzung entscheidet:

(Anm.: Z 1 aufgehoben durch BGBl. I Nr. 93/2007)

2. im Falle des Einspruchs gegen das Abwesenheitsurteil eines Bezirksgerichts das Bezirksgericht;

3. in allen anderen Fällen das Gericht, dem die Entscheidung über das Rechtsmittel oder den Rechtsbehelf zusteht.

(3) Der Antrag ist bei dem Gericht einzubringen, bei dem die Verfahrenshandlung versäumt wurde. Das Gericht stellt ihn dem Gegner zur Äußerung binnen vierzehn Tagen zu und legt die Akten, sofern es nicht selbst zur Entscheidung berufen ist, nach Ablauf dieser Frist dem zuständigen Gericht vor.

(4) Dem Antrag kommt aufschiebende Wirkung nicht zu; das Gericht, bei dem der Antrag einzubringen ist, kann aber die Vollstreckung hemmen, sofern dies nach den Umständen des Falles angemessen erscheint. Wird die Wiedereinsetzung bewilligt, so sind die Folgen des Versäumnisses zu beseitigen und das Verfahren fortzusetzen.

(Anm.: Abs. 5 aufgehoben durch BGBl. I Nr. 93/2007)

(6) Gegen die Versäumung der Frist für einen Wiedereinsetzungsantrag (Abs. 1 Z 2) ist eine Wiedereinsetzung in den vorigen Stand nicht zulässig.

17. Hauptstück

Verfahren über privatrechtliche Ansprüche

§ 365. *(Anm.: aufgehoben durch BGBl. I Nr. 93/2007)*

§ 366. (1) Wird der Angeklagte freigesprochen, so ist der Privatbeteiligte mit seinen Ansprüchen auf den Zivilrechtsweg zu verweisen.

(2) Wird der Angeklagte verurteilt, so ist im Urteil (§§ 260 Abs. 1 Z 5 und 270 Abs. 2 Z 4) über die privatrechtlichen Ansprüche des Privatbeteiligten zu entscheiden (§§ 395, 407 und 409 ZPO). Bieten die Ergebnisse des Strafverfahrens keine ausreichende Grundlage für eine auch nur teilweise Beurteilung des geltend gemachten privatrechtlichen Anspruchs (§ 69 Abs. 1), so ist der Privatbeteiligte auch in diesem Fall auf den Zivilrechtsweg zu verweisen, es sei denn, dass die erforderlichen Entscheidungsgrundlagen durch eine die Entscheidung in der Schuld- und Straffrage nicht erheblich verzögernde Beweisaufnahme ermittelt werden können.

(3) Wird der Privatbeteiligte trotz Verurteilung auf den Zivilrechtsweg verwiesen, so steht diesem, seinem Nachlass und seinen Erben die Berufung aus dem Grund zu, dass über den privatrechtlichen Anspruch bereits gemäß Abs. 2 hätte entschieden werden können.

§ 367. (1) Ein sichergestellter oder beschlagnahmter Gegenstand oder Vermögenswert des Opfers ist nach Rechtskraft des Urteils an das Opfer zurückzustellen.

(2) Vor Rechtskraft des Urteils kann ein sichergestellter oder beschlagnahmter Gegenstand oder Vermögenswert an das Opfer von Amts wegen oder auf Antrag des Opfers, soweit möglich, nach Anhörung des Beschuldigten und der übrigen Beteiligten zurückgestellt werden, es sei denn,

1. der Gegenstand oder Vermögenswert ist im weiteren Verfahren als Beweismittel erforderlich, oder

2. es liegen sonstige Umstände (§ 368) vor, die der Ausfolgung an das Opfer entgegenstehen.

Die Entscheidung steht im Ermittlungsverfahren der Staatsanwaltschaft, in der Hauptverhandlung dem erkennenden Gericht und sonst dem Vorsitzenden zu.

§ 368. Kann das Opfer sein Recht an dem Gegenstand oder Vermögenswert nicht nachweisen, liegen bestimmte Anhaltspunkte für dingliche Rechte Dritter daran vor oder ist das Recht daran zwischen mehreren Opfern strittig (§ 367 Abs. 2 Z 2), so ist der Antrag nach § 367 Abs. 2 abzuweisen, die Sicherstellung oder Beschlagnahme aufzuheben und der Gegenstand oder Vermögenswert nach § 1425 ABGB bei dem für den Sitz des Gerichts zuständigen Bezirksgericht zu hinterlegen. Das Gericht hat in diesen Fällen das Opfer mit seinem Begehren auf den Zivilrechtsweg zu verweisen.

§ 369. (1) Wenn der dem Opfer entzogene Gegenstand oder Vermögenswert nicht mehr zurückgestellt werden kann, sowie in allen Fällen, in denen es sich nicht um die Rückstellung eines entzogenen Gegenstands oder Vermögenswerts, sondern um den Ersatz eines erlittenen Schadens oder entgangenen Gewinnes oder um Tilgung einer verursachten Beleidigung handelt (§ 1323 ABGB), ist im Strafurteil die Schadloshaltung oder Genugtuung zuzuerkennen, wenn sowohl ihr Betrag als auch die Person, der sie gebührt, mit Zuverlässigkeit bestimmt werden kann.

(2) Liegen hinreichende Gründe für die Annahme vor, dass das Opfer seinen Schaden zu hoch angebe, so kann ihn das Gericht nach Erwägung aller Umstände, allenfalls nach vorgenommener Schätzung durch Sachverständige, ermäßigen.

§ 370. *(Aufgehoben; BGBl. Nr. 423/1974, Art. I Z. 106)*

§ 371. (1) Ergibt sich aus der Schuld des Angeklagten die gänzliche oder teilweise Ungültigkeit eines mit ihm eingegangenen Rechtsgeschäftes oder eines Rechtsverhältnisses, so ist im Strafurteil auch hierüber und über die daraus entspringenden Rechtsfolgen zu erkennen.

(2) Der rechtswirksame Ausspruch, daß eine Ehe nichtig sei, bleibt jedoch stets dem Zivilgerichte vorbehalten. Das Strafgericht kann die Nichtigkeit einer Ehe nur als Vorfrage beurteilen (§§ 15 und 69 Abs. 1).

§ 372. Dem Privatbeteiligten steht es frei, den Zivilrechtsweg zu betreten, wenn er sich mit der vom Strafgericht ihm zuerkannten Entschädigung nicht begnügen will.

§ 373. Ist das über die privatrechtlichen Ansprüche ergangene strafgerichtliche Erkenntnis in Rechtskraft erwachsen, so ist jeder Beteiligte berechtigt, vom Gerichte, das in erster Instanz erkannt hat, die Anmerkung der Rechtskräftigkeit des Erkenntnisses auf dem Urteile zu begehren; ein solches Erkenntnis hat dann die Wirkung, daß um seine Exekution unmittelbar beim Zivilgericht angesucht werden kann.

§ 373a. (1) Ist dem Privatbeteiligten rechtskräftig eine Entschädigung wegen Tötung, Körperverletzung oder Gesundheitsschädigung oder wegen einer Schädigung am Vermögen zuerkannt worden, so kann der Bund dem Privatbeteiligten oder seinen Erben nach Maßgabe der folgenden Bestimmungen einen Vorschuß auf die Entschädigungssumme gewähren. Der Zuerkennung einer Entschädigung im Strafurteil steht die Erlangung eines anderen im Inland vollstreckbaren Exekutionstitels gegen den Verurteilten wegen der den Gegenstand der Verurteilung bildenden strafbaren Handlung durch das Opfer gleich.

(2) Ein Vorschuß kann nur auf Antrag des Anspruchsberechtigten und nur insoweit gewährt werden, als es offenbar ist, daß die alsbaldige Zahlung der Entschädigungssumme oder eines entsprechenden Teiles davon ausschließlich oder überwiegend dadurch vereitelt wird, daß an dem Verurteilten die im selben Verfahren ausgesprochene Freiheits- oder Geldstrafe vollzogen wird.

(3) Eine Vereitelung der alsbaldigen Zahlung einer Entschädigung im Sinne des Abs. 2 ist ohne weiteres anzunehmen, wenn der Verurteilte zwar die über ihn verhängte Geldstrafe, sei es auch in Teilbeträgen, zahlt

oder diese Geldstrafe sonst von ihm eingebracht wird, Zahlungen an das Opfer oder seine Erben aber nicht erfolgen und auch im Wege einer Zwangsvollstreckung nicht erwartet werden können.

(4) Einzelrechtsnachfolgern, auf die der Entschädigungsanspruch kraft Gesetzes übergegangen ist, kann ein Vorschuß nicht gewährt werden. § 8 Abs. 1 des Bundesgesetzes über die Gewährung von Hilfeleistungen an Opfer von Verbrechen, BGBl. Nr. 288/1972, gilt dem Sinne nach.

(5) Die Gewährung eines Vorschusses ist ausgeschlossen, wenn dem Antragsteller mit Rücksicht auf seine Einkommens- und Vermögensverhältnisse, auf die ihm von Gesetzes wegen obliegenden Unterhaltsverpflichtungen und auf seine sonstigen persönlichen Verhältnisse offenbar zugemutet werden kann, die Vereitelung hinzunehmen. Ein Vorschuß kann ferner nicht gewährt werden, soweit der Antragsteller gegen einen Dritten Anspruch auf entsprechende Leistungen hat und die Verfolgung dieses Anspruches zumutbar und nicht offenbar aussichtslos ist. Der Vorschuß darf jenen Entschädigungsbetrag nicht übersteigen, der vom Verurteilten ohne den Strafvollzug innerhalb eines Jahres hätte geleistet werden können (Abs. 2).

(6) Die Gewährung eines Vorschusses ist auch ausgeschlossen,

1. soweit ein Anspruch nach dem Bundesgesetz über die Gewährung von Hilfeleistungen an Opfer von Verbrechen gegeben ist;

2. soweit der Anspruch sich auf Leistungen erstreckt, die im Falle des Bestehens von Ansprüchen nach dem in der Z. 1 genannten Bundesgesetz nicht zu erbringen wären.

(7) Vorschüsse auf Ansprüche wegen Schädigung am Vermögen sind nur bis zum Ausmaß der eigentlichen Schadloshaltung (§ 1323 des Allgemeinen bürgerlichen Gesetzbuches) zu gewähren.

(8) Über Anträge auf Gewährung von Vorschüssen entscheidet der Vorsitzende durch Beschluß. Der Beschluß kann anordnen, daß der Vorschuß innerhalb eines Jahres in Teilbeträgen auszuzahlen ist. Der Beschluß ist dem Antragsteller und dem Verurteilten zuzustellen. Dem Staatsanwalt und dem Antragsteller steht dagegen die binnen vierzehn Tagen nach Bekanntmachung einzubringende Beschwerde an das übergeordnete Gericht zu. Sobald der Beschluß über die Gewährung eines Vorschusses rechtskräftig ist, hat der Vorsitzende die Einbringungsstelle beim Oberlandesgericht Wien um die Auszahlung, allenfalls nach Maßgabe der hierüber getroffenen Anordnung, zu ersuchen.

(9) Soweit der Bund einen Vorschuß geleistet hat, gehen die Ansprüche des Antragstellers von Gesetzes wegen auf den Bund über. Für die Wirksamkeit dieses Forderungsüberganges gegenüber dem Verurteilten gelten der letzte Satz des § 1395 und der erste Satz des § 1396 des Allgemeinen bürgerlichen Gesetzbuches dem Sinne nach. Sobald die Ansprüche auf den Bund übergegangen sind, hat der Verurteilte Zahlungen bis zur Höhe des gewährten Vorschusses an die Einbringungsstelle beim Oberlandesgericht Wien zu erbringen.

(10) Soweit der Verurteilte keine Zahlungen (Abs. 9) leistet, hat die Einbringungsstelle beim Oberlandesgericht Wien die Forderung zwangsweise hereinzubringen. Soweit eine sofortige zwangsweise Hereinbringung mit Rücksicht auf den Vollzug der Strafe offenbar aussichtslos wäre, kann sie bis nach dessen Beendigung aufgeschoben werden.

§ 373b. Hat das Opfer im Fall eines Verfalls nach § 20 StGB oder eines erweiterten Verfalls nach § 20b StGB einen vollstreckbaren Exekutionstitel für seine Entschädigung erwirkt und wurde diese noch nicht geleistet, so hat das Opfer unbeschadet des § 373a das Recht zu verlangen, dass seine Ansprüche aus dem vom Bund vereinnahmten Vermögenswert befriedigt werden.

§ 374. Um Änderung des rechtskräftigen strafgerichtlichen Ausspruches über privatrechtliche Ansprüche wegen neu aufgefundener Beweismittel sowie um Aufhebung seiner Vollstreckung wegen eines nachgefolgten Tatumstandes kann außer dem Fall einer aus anderen Gründen stattfindenden Wiederaufnahme des Strafverfahrens vom Verurteilten und dessen Rechtsnachfolgern nur vor dem Zivilrichter angesucht werden.

§ 375. (1) Werden bei einem Beschuldigten nach allem Anschein fremde Vermögenswerte aufgefunden, deren Eigentümer er nicht angeben kann oder will, so sind sie zu beschlagnahmen (§ 115 Abs. 1 Z 2) und in einem Edikt (§ 376) so zu beschreiben, dass der Eigentümer den Vermögenswert zwar als den seinen erkennen kann, jedoch der Beweis des Eigentumsrechts der Bezeichnung wesentlicher Unterscheidungsmerkmale vorbehalten wird.

(2) Für das Verfahren auf Grund von erhobenen Ansprüchen gelten die Bestimmungen der §§ 367 bis 369.

§ 376. (1) Eine solche Beschreibung ist durch Aufnahme in die Ediktsdatei öffentlich bekannt zu machen (§ 89j Abs. 1 GOG). In diesem Edikt ist der Eigentümer aufzufordern, sich binnen eines Jahres ab Bekanntmachung zu melden und sein Recht nachzuweisen.

(2) Die Auffindung von Gegenständen, derentwegen eine unverzügliche abgesonderte Bekanntmachung nicht notwendig erscheint, kann von Zeit zu Zeit in gemeinsamen Edikten bekanntgemacht werden.

§ 377. Unterliegt der fremde Gegenstand oder Vermögenswert einem raschen Verderben, einer erheblichen Wertminderung oder Wertschwankung oder lässt er sich nur mit unverhältnismäßigen Kosten bis zum Ablauf der Ediktalfrist des § 376 Abs. 1 aufbewahren, so ist er vom Gericht bereits vor diesem Zeitpunkt zu verwerten. Die Verwertung hat nach den Bestimmungen der Exekutionsordnung zu erfolgen. Die Verwertung hat durch öffentliche Versteigerung (§ 274 EO) oder bei sinngemäßem Vorliegen der in § 280 oder § 326 EO bezeichneten Voraussetzungen auf die dort vorgesehene Weise zu erfolgen. In den Fällen des § 268 EO ist auch ein Freihandverkauf zulässig. Der Kaufpreis ist beim Strafgericht zu erlegen, zugleich ist eine genaue Beschreibung jedes verkauften Gegenstands oder Vermögenswerts und der erzielte Erlös auf die in § 376 beschriebene Weise zu veröffentlichen.

§ 378. Wenn binnen der Ediktalfrist niemand ein Recht auf die beschriebenen Gegenstände dartut, so sind sie, wenn sie aber der Dringlichkeit wegen verkauft wurden, so ist ihr Erlös dem Beschuldigten auf sein Verlangen auszufolgen, sofern nicht durch einen Beschluß des zur Entscheidung in erster Instanz berufenen Gerichtes ausgesprochen ist, daß die Rechtmäßigkeit des Besitzes des Beschuldigten nicht glaubwürdig sei.

§ 379. Gegenstände und Vermögenswerte, die dem Beschuldigten nicht ausgefolgt werden, sind auf die im § 377 angeordnete Weise zu veräußern. Der Kaufpreis ist an die Bundeskasse abzugeben. Dem Berechtigten steht jedoch frei, seine Ansprüche auf den Kaufpreis gegen den Bund binnen dreißig Jahren vom Tage der dritten Einschaltung des Ediktes im Zivilrechtswege geltend zu machen.

18. Hauptstück

Kosten des Strafverfahrens

§ 380. Sofern die besonderen Vorschriften über die Gerichtsgebühren nichts anderes bestimmen, sind in Strafsachen keine Gebühren zu entrichten.

§ 381. (1) Die Kosten des Strafverfahrens, die von der zum Kostenersatze verpflichteten Partei zu ersetzen sind, umfassen:

1. einen Pauschalkostenbeitrag als Anteil an den im Folgenden nicht besonders angeführten Kosten des Strafverfahrens, einschließlich der Kosten der Ermittlungen der Kriminalpolizei und der zur Durchführung von Anordnungen der Staatsanwaltschaft oder des Gerichts notwendigen Amtshandlungen;

2. die Gebühren der Sachverständigen;

2a. soweit nicht nach Abs. 6 vorzugehen ist, die Gebühren der Dolmetscher, im Fall einer Bestellung nach § 126 Abs. 2a einen Pauschalbeitrag von 159 Euro;

3. eine Vergütung für Auskünfte, Befunde und Gutachten von Behörden (Ämtern, Anstalten) in der Höhe, wie sie für solche Auskünfte, Befunde und Gutachten in Privatangelegenheiten zu entrichten wäre;

4. die Kosten der Beförderung und Bewachung des Beschuldigten im Zusammenhang mit seiner Überstellung aus einem anderen Staat sowie die Kosten aus dem Ausland geladener Zeugen;

5. die Kosten einer Sicherstellung, einer Auskunft über Bankkonten und über Bankgeschäfte oder der Beschlagnahme von Briefen, der Auskunft über Daten einer Nachrichtenübermittlung und der Überwachung von Nachrichten gemäß §§ 111 Abs. 3, 116 Abs. 6 letzter Satz und 138 Abs. 3, soweit diese Ermittlungsmaßnahmen einen erheblichen Beitrag zur Aufklärung der Tat geleistet haben;

6. die Kosten der Vollstreckung des Strafurteiles einschließlich der Kosten der Überstellung von Strafgefangenen in den in- oder ausländischen Strafvollzug, ausgenommen die Kosten des Vollzuges einer Freiheitsstrafe;

7. die im Strafverfahren zu entrichtenden Gerichtsgebühren;

8. die Kosten der Verteidiger und anderer Vertreter;

9. einen Pauschalbetrag als Anteil an den Kosten der Prozessbegleitung (§ 66b) bis zu 1 000 Euro.

(2) Diese Kosten werden, soweit sich aus besonderen gesetzlichen Vorschriften nichts anderes ergibt, mit Ausnahme der unter Abs. 1 Z. 3 und 7 bis 9 bezeichneten Kosten vom Bunde vorgeschossen, vorbehaltlich des Rückersatzes nach den Bestimmungen der §§ 389 bis 391.

(3) Der Pauschalkostenbeitrag (Abs. 1 Z 1) ist innerhalb der folgenden Grenzen zu bemessen (Abs. 5):

1. im Verfahren vor dem Landesgericht als Geschworenengericht von 500 Euro bis 10 000 Euro

2. im Verfahren vor dem Landesgericht als Schöffengericht von 250 Euro bis 5 000 Euro

3. im Verfahren vor dem Einzelrichter des Landesgerichts von 150 Euro bis 3 000 Euro

4. im Verfahren vor dem Bezirksgericht von 50 Euro bis 1 000 Euro

(4) Spricht ein Landesgericht lediglich eine Verurteilung wegen einer in die Zuständigkeit der Bezirksgerichte fallenden strafbaren Handlung aus, so darf der Pauschalkostenbeitrag den für das Verfahren vor den Bezirksgerichten vorgesehenen Betrag nicht übersteigen. Im Verfahren vor den Bezirksgerichten auf Grund einer Privatanklage ist ein Pauschalkostenbeitrag nicht zu bestimmen, wenn keine Hauptverhandlung stattgefunden hat und auch keine Zeugen- oder Sachverständigengebühren aufgelaufen sind.

(5) Bei Bemessung des Pauschalkostenbeitrages gemäß Abs. 3 sind die Belastung der im Strafverfahren tätigen Behörden und Dienststellen und das Ausmaß der diesen erwachsenen, nicht besonders zu vergütenden Auslagen sowie das Vermögen, das Einkommen und die anderen für die wirtschaftliche Leistungsfähigkeit des Ersatzpflichtigen maßgebenden Umstände zu berücksichtigen.

(5a) Bei Bemessung des Pauschalbetrages gemäß Abs. 1 Z 9 sind die Belastung der mit der Prozessbegleitung beauftragten Einrichtung und das Ausmaß ihrer Aufwendungen sowie die im Abs. 5 bezeichneten

Umstände der wirtschaftlichen Leistungsfähigkeit des Ersatzpflichtigen zu berücksichtigen.

(6) Die Kosten für Übersetzungshilfe (§ 56) bilden keinen Teil der vom Angeklagten zu ersetzenden Kosten. Weitergehende Rechte, die sprachlichen Minderheiten bundesgesetzlich eingeräumt sind, bleiben unberührt.

(7) Die durch eine Festnahme verursachten Kosten und die Kosten der Untersuchungshaft sind bei Bemessung des Pauschalkostenbeitrages nicht zu berücksichtigen.

§ 382. Die Gebühren der Organe der Kriminalpolizei für die Anfertigung von Kopien für Zwecke der Akteneinsicht, Zustellungen, Ladungen, Bewachung oder Beförderung des Beschuldigten oder anderer Personen werden durch besondere bundesgesetzliche Bestimmungen geregelt.

§ 383. *(Aufgehoben)*

§ 384. *(Aufgehoben)*

§ 385. *(Aufgehoben)*

§ 386. *(Aufgehoben)*

§ 387. *(Aufgehoben; BGBl. Nr. 145/1969, Art. II Z. 3)*

§ 388. (1) Der vorläufige Rücktritt von der Verfolgung und die vorläufige Einstellung des Verfahrens unter Bestimmung einer Probezeit setzen die Leistung eines Beitrages zu den nach § 381 Abs. 1 Z 1 bis 3 zu ersetzenden Kosten bis zu 250 Euro voraus.

(2) Im Fall gemeinnütziger Leistungen oder eines Tatausgleichs kann die Staatsanwaltschaft von der Verfolgung erst zurücktreten oder das Gericht das Strafverfahren erst einstellen, nachdem der Beschuldigte einen Pauschalkostenbeitrag bis zu 250 Euro bezahlt hat.

(3) Für die Bemessung der Kostenbeiträge gilt § 381 Abs. 5 sinngemäß. Die Zahlung ist insoweit nachzusehen, als dadurch der zu einer einfachen Lebensführung notwendige Unterhalt des Beschuldigten und seiner Familie, für deren Unterhalt er zu sorgen hat, Schadensgutmachung, Tatfolgenausgleich oder die Erfüllung des Tatausgleichs gefährdet würde.

§ 389. (1) Im Fall eines Schuldspruchs ist der Angeklagte auch zum Ersatz der Kosten des Strafverfahrens zu verpflichten (§ 260 Abs. 1 Z 5).

(2) Wird das Strafverfahren gegen einen Angeklagten wegen mehrerer Straftaten teils mit Schuld-, teils mit Freispruch erledigt, so ist der Angeklagte nur zum Ersatz jener Kosten zu verpflichten, die sich auf den Schuldspruch beziehen.

(3) Die Verpflichtung zum Ersatz der Kosten trifft jedoch den rechtskräftig Verurteilten nur für seine Person; sie geht nicht auf die Erben über. Von mehreren Angeklagten ist jeder einzelne zur Tragung des Pauschalkostenbeitrages, der dem gegen ihn gefällten Erkenntnis entspricht, sowie der Kosten zu verurteilen, die durch seine Verteidigung oder durch besondere, nur bei ihm eingetretene Ereignisse oder durch sein besonderes Verschulden entstanden sind. Zur Bezahlung aller anderen Kosten des Strafverfahrens sind sämtliche Angeklagten zur ungeteilten Hand zu verurteilen, sofern das Gericht nicht besondere Gründe findet, eine Beschränkung dieser Haftung eintreten zu lassen.

§ 390. (1) Wird das Strafverfahren auf andere Weise als durch einen Schuldspruch beendigt, so sind die Kosten in der Regel vom Bunde zu tragen. Soweit aber das Strafverfahren auf Begehren eines Privatanklägers oder gemäß § 72 lediglich auf Antrag des Privatbeteiligten stattgefunden hat, ist diesen der Ersatz aller infolge ihres Einschreitens aufgelaufenen Kosten in der das Verfahren für die Instanz erledigenden Entscheidung aufzutragen. Den Privatbeteiligten trifft jedoch kein Kostenersatz, wenn das Strafverfahren nach dem 11. Hauptstück beendet wird.

(1a) In Strafverfahren wegen übler Nachrede (§ 111 StGB), Vorwurf einer schon abgetanen gerichtlich strafbaren Handlung (§ 113 StGB), oder Beleidigung (§ 115 StGB), die im Wege einer Telekommunikation oder unter Verwendung eines Computersystems begangen wurden, ist der Privatankläger oder Antragsteller (§ 71 Abs. 1) nur zum Kostenersatz verpflichtet, wenn er den Vorwurf wissentlich falsch erhoben hat.

Fassung ab **31.12.2026**

(Anm.: Abs. 1a mit 31.12.2026 außer Kraft getreten)

(2) Haben mehrere Privatankläger oder Privatbeteiligte wegen derselben Handlung erfolglos Bestrafung derselben Personen begehrt, so haften sie für die Kosten des Strafverfahrens zur ungeteilten Hand. Haben sie erfolglos die Bestrafung verschiedener Personen oder die Bestrafung derselben Personen wegen verschiedener Handlungen begehrt, so haftet jeder für die besonderen Kosten, die nur durch seinen Antrag entstanden sind, und für den Pauschalkostenbeitrag, der zu entrichten gewesen wäre, wenn seine Anklage den einzigen Gegenstand des Verfahrens gebildet hätte; die Anteile der einzelnen Ankläger an den gemeinsamen Kosten hat das Gericht nach dem Maß ihrer Beteiligung am Verfahren zu bestimmen.

(3) Die Staatsanwaltschaft kann nie zum Ersatze der Kosten verurteilt werden.

(4) Wurde endlich das Strafverfahren durch eine wissentlich falsche Anzeige veranlaßt, so hat die Kosten der Anzeiger zu ersetzen.

§ 390a. (1) Den nach den §§ 389 und 390 zum Kostenersatze Verpflichteten fallen auch die Kosten des Rechtsmittelverfahrens zur Last, sofern sie nicht durch ein ganz erfolglos gebliebenes Rechtsmittel des Gegners verursacht worden sind. Ist ein solches Rechtsmittel vom Privatankläger oder vom Privatbeteiligten ergriffen worden, so ist ihm der Ersatz der dadurch verursachten Kosten unabhängig vom Ausgange des Verfahrens aufzuerlegen.

(2) Für die durch ein erfolgloses Begehren um Wiederaufnahme des Verfahrens verursachten Kosten haftet der Antragsteller.

§ 391. (1) Die Kosten des Strafverfahrens sind jedoch vom Ersatzpflichtigen nur insoweit einzutreiben, als dadurch weder der zu einer einfachen Lebensführung notwendige Unterhalt des Ersatzpflichtigen und seiner Familie, für deren Unterhalt er zu sorgen hat, noch die Erfüllung der aus der strafbaren Handlung entspringenden Pflicht zur Schadensgutmachung gefährdet wird. *(BGBl. Nr. 423/1974, Art. I Z. 110)*

(2) Ist nach den im Verfahren hervorgekommenen Umständen mit Grund anzunehmen, daß die Kosten des Strafverfahrens wegen Mittellosigkeit des Zahlungspflichtigen auch nicht bloß zum Teile hereingebracht werden können, so hat das Gericht, soweit tunlich, gleich bei Schöpfung des Erkenntnisses die Kosten für uneinbringlich zu erklären; andernfalls entfällt eine Entscheidung über die Einbringlichkeit der Kosten. Der Beschluß, womit die Kosten für uneinbringlich erklärt werden, kann jederzeit aufgehoben und, wenn später Umstände der bezeichneten Art hervorkommen, nachträglich gefaßt werden.

(3) Gegen Entscheidungen der Gerichte, womit ein Antrag abgelehnt wird, die Kosten für uneinbringlich zu erklären, ist kein Rechtsmittel zulässig.

(BGBl. Nr. 145/1969, Art. II Z. 4)

§ 393. (1) Wer sich im Strafverfahren eines Vertreters bedient, hat in der Regel auch die für diese Vertretung auflaufenden Kosten, und zwar selbst in dem Falle zu zahlen, wenn ihm ein solcher Vertreter von Amts wegen beigegeben wird.

(1a) Ein Angeklagter, dem ein Verteidiger nach § 61 Abs. 2 beigegeben wurde, hat einen Pauschalbeitrag zu dessen Kosten zu tragen, wenn ihm der Ersatz der Prozeßkosten überhaupt zur Last fällt und sein und seiner Familie, für deren Unterhalt er zu sorgen hat, zur einfachen Lebensführung notwendiger Unterhalt dadurch nicht beeinträchtigt wird. Für die Bemessung dieses Pauschalbeitrages gelten die im § 393a Abs. 1 angeführten Grundsätze und die dort genannten Höchstbeträge.

(2) Einem nach § 61 Abs. 2 beigegebenen Verteidiger sind, soweit nicht nach § 56 Abs. 2 vorzugehen ist, auf sein Verlangen die nötig gewesenen und wirklich bestrittenen baren Auslagen vom Bund zu vergüten. Zu diesen Auslagen gehören auch die Kosten eines Dolmetschers, soweit dessen Beiziehung zu den Besprechungen zwischen dem Verteidiger und dem Beschuldigten notwendig war; solche Kosten sind bis zu dem Ausmaß zu vergüten, das sich in sinngemäßer Anwendung der Bestimmungen des Gebührenanspruchsgesetzes 1975 ergibt.

(Anm.: Abs. 3 aufgehoben durch BGBl. I Nr. 93/2007)

(4) In den Fällen, in denen dem Beschuldigten, dem Privatankläger, dem Privatbeteiligten (§ 72) oder dem, der eine wissentlich falsche Anzeige gemacht hat, der Ersatz der Prozeßkosten überhaupt zur Last fällt, haben diese Personen auch alle Kosten der Verteidigung und der Vertretung zu ersetzen.

(4a) Wird ein Strafverfahren wegen übler Nachrede (§ 111 StGB), Vorwurf einer schon abgetanen gerichtlich strafbaren Handlung (§ 113 StGB) oder Beleidigung (§ 115 StGB), die im Wege einer Telekommunikation oder unter Verwendung eines Computersystems begangen wurden, auf andere Weise als durch einen Schuldspruch beendigt, so hat im Haupt- und Rechtsmittelverfahren der Privatankläger dem Angeklagten alle Kosten der Verteidigung zu ersetzen, sofern nicht ohnedies eine Ersatzpflicht nach Abs. 4 vorliegt.

Fassung ab **31.12.2026**

(Anm.: Abs. 4a mit 31.12.2026 außer Kraft getreten)

(5) Soweit jedoch der Privatbeteiligte mit seinen privatrechtlichen Ansprüchen auf den Zivilrechtsweg verwiesen worden ist, bilden die zur zweckentsprechenden Geltendmachung seiner Ansprüche im Strafverfahren aufgewendeten Kosten seines Vertreters einen Teil der Kosten des zivilgerichtlichen Verfahrens, in dem über den Anspruch erkannt wird.

Beitrag zu den Kosten der Verteidigung

§ 393a. (1) Wird ein nicht lediglich auf Grund einer Privatanklage oder der Anklage eines Privatbeteiligten (§ 72) Angeklagter freigesprochen oder das Strafverfahren gemäß § 215 Abs. 2, § 227, § 451 Abs. 2 oder § 485 Abs. 1 Z 3 oder nach einer gemäß § 353, § 362 oder § 363a erfolgten Wiederaufnahme oder Erneuerung des Strafverfahrens eingestellt, so hat ihm der Bund auf Antrag einen Beitrag zu den Kosten der Verteidigung zu leisten. Der Beitrag umfasst die nötig gewesenen und vom Angeklagten bestrittenen baren Auslagen und außer im Fall des § 61 Abs. 2 auch einen Beitrag zu den Kosten des Verteidigers, dessen sich der Angeklagte bedient.

(2) Der Beitrag zu den Kosten der Verteidigung ist unter Bedachtnahme auf den Umfang des Verfahrens, die Komplexität der zu lösenden Tat- und Rechtsfragen und das Ausmaß des notwendigen oder zweckmäßigen Einsatzes des Verteidigers festzusetzen. Er darf folgende Beträge nicht übersteigen:

1. im Verfahren vor dem Landesgericht als Schöffen- und Geschworenengericht 30 000 Euro,

2. im Verfahren vor dem Einzelrichter des Landesgerichts 13 000 Euro,

3. im Verfahren vor dem Bezirksgericht 5 000 Euro.

Im Fall längerer Dauer der Hauptverhandlung (§ 221 Abs. 4) kann das jeweilige Höchstmaß des Beitrags um die Hälfte überschritten und im Fall extremen

Umfangs des Verfahrens (§ 285 Abs. 2) auf das Doppelte erhöht werden.

(3) Der Ersatzanspruch ist ausgeschlossen, soweit der Angeklagte den das Verfahren begründenden Verdacht vorsätzlich herbeigeführt hat oder das Verfahren lediglich deshalb beendet worden ist, weil der Angeklagte die Tat im Zustand der Zurechnungsunfähigkeit begangen hat oder weil die Ermächtigung zur Strafverfolgung in der Hauptverhandlung zurückgenommen worden ist. Der Ersatzanspruch steht auch dann nicht zu, wenn die Strafbarkeit der Tat aus Gründen entfällt, die erst nach Einbringung der Anklageschrift oder des Antrages auf Bestrafung eingetreten sind.

(4) Der Antrag ist bei sonstigem Ausschluss innerhalb von drei Jahren nach Verständigung von der Entscheidung oder Verfügung zu stellen.

(5) § 196a Abs. 5 und 6 gilt sinngemäß.

§ 394. Gebührt dem Verteidiger oder dem Vertreter gemäß § 73 eine Belohnung, so ist ihre Bestimmung sowohl in dem Falle, wenn sich der Beschuldigte, der Privatankläger oder der Privatbeteiligte selbst einen solchen wählte, als auch dann, wenn dem Angeklagten ein Verteidiger von Amts wegen beigegeben wurde, dem freien Übereinkommen zwischen dem Vertreter und dem Zahlungspflichtigen überlassen.

§ 395. (1) Wird über die Höhe der gemäß § 393 Abs. 4 oder Abs. 4a zu ersetzenden Kosten keine Einigung erzielt, so hat das Gericht, das in erster Instanz entschieden hat, auf Antrag eines der Beteiligten die zu ersetzenden Kosten mit Beschluss zu bestimmen. Vor der Bemessung der Gebühren ist dem Gegner des Antragstellers Gelegenheit zur Äußerung zu geben. Wird der Antrag von der zum Ersatze der Kosten verurteilten Partei gestellt, so hat das Gericht dem Gegner aufzutragen, seine Gebührenrechnung binnen einer angemessenen Frist vorzulegen, widrigenfalls die Gebühren auf Grund der vom Antragsteller beigebrachten und sonst dem Gerichte zur Verfügung stehenden Behelfe bestimmt würden.

(2) Bei der Bemessung der Gebühren ist auch zu prüfen, ob die vorgenommenen Vertretungshandlungen notwendig waren oder sonst nach der Beschaffenheit des Falles gerechtfertigt sind. Die Kosten des Bemessungsverfahrens sind als Kosten des Strafverfahrens anzusehen.

(Anm.: Abs. 3 aufgehoben durch BGBl. I Nr. 93/2007)

(4) Einer rechtzeitig eingebrachten Beschwerde gegen einen Beschluss gemäß Abs. 1 kommt aufschiebende Wirkung zu.

(5) Die vorhergehenden Absätze sind auch anzuwenden, wenn zwischen dem von Amts wegen bestellten Verteidiger und dem von ihm vertretenen Angeklagten über die Entlohnung kein Übereinkommen erzielt wird. Das Gericht hat die Entlohnung des von Amts wegen bestellten Verteidigers festzusetzen und dem Angeklagten die Zahlung aufzutragen. Der rechtskräftige Beschluß ist vollstreckbar.

19. Hauptstück

Vollstreckung der Urteile

§ 396. (1) Jeder durch ein Urteil freigesprochene Angeklagte ist, wenn er verhaftet ist, sogleich nach der Verkündung des Urteiles in Freiheit zu setzen; es sei denn, daß die Ergreifung eines Rechtsmittels mit aufschiebender Wirkung oder andere gesetzliche Gründe seine fernere Verwahrung nötig machten.

(2) Der auf freiem Fuß befindliche Angeklagte ist von der Rechtskraft zu verständigen, sobald der Ankläger ein angemeldetes Rechtsmittel zurückgezogen hat.

(3) Die Kriminalpolizei ist durch das Gericht, das in erster Instanz entschieden hat, von der Einstellung des Verfahrens sowie von einem Freispruch zu verständigen.

§ 397. Jedes Strafurteil ist ungesäumt in Vollzug zu setzen, sobald feststeht, daß der Vollstreckung kein gesetzliches Hindernis und insbesondere kein rechtzeitig und von einem hiezu Berechtigten ergriffenes Rechtsmittel entgegensteht, dem das Gesetz aufschiebende Wirkung beimißt (§ 284 Abs. 3, § 294 Abs. 1 und § 344). Ist ein Rechtsmittel zugunsten des verhafteten Angeklagten von solchen Personen ergriffen worden, die hiezu gegen seinen Willen nicht berechtigt sind, so ist der Angeklagte hievon in Kenntnis zu setzen und über den dadurch herbeigeführten Aufschub der Strafvollstreckung zu belehren. Dasselbe hat zu geschehen, wenn es zweifelhaft ist, ob der verhaftete Angeklagte der Einlegung des Rechtsmittels durch seinen Verteidiger zugestimmt habe. Die Anordnung des Vollzuges des Strafurteiles steht dem Vorsitzenden des erkennenden Gerichtes zu.

(BGBl. Nr. 145/1969, Art. II Z. 5)

§ 398. Jede Rechtswirkung eines Strafurteils beginnt, wenn nichts anderes bestimmt ist, mit seiner Rechtskraft.

(BGBl. Nr. 423/1974, Art. I Z. 112)

§ 399. Jedes Urteil gegen einen Beamten (§ 74 Abs. 1 Z 4 StGB) ist, sobald es rechtskräftig wurde, dem Leiter der Dienststelle bekannt zu machen.

§ 400. (1) Über die Anrechnung einer vom Verurteilten nach der Fällung des Urteiles erster Instanz in Vorhaft zugebrachten Zeit (§ 38 StGB) hat der Vorsitzende des Gerichtes, das in erster Instanz erkannt hat, mit Beschluß zu entscheiden.

(2) Einen Beschluß nach Abs. 1 hat der Vorsitzende auf Antrag oder von Amts wegen auch dann zu fassen, wenn im Urteil die Anrechnung einer Vorhaft oder einer im Ausland verbüßten Strafe (§ 66 StGB) unterblieben ist. Ist eine solche Anrechnung fehlerhaft erfolgt, so hat sie der Vorsitzende jederzeit zu berichtigen (§ 270 Abs. 3), zum Nachteil des Angeklagten je-

doch nur, solange das Urteil nicht rechtskräftig ist. Die Abweisung eines darauf gerichteten Antrages sowie die vorgenommene Berichtigung können nach Maßgabe des § 270 Abs. 3 mit Beschwerde angefochten werden.

§ 401. *(Aufgehoben; BGBl. Nr. 145/1969, Art. II Z. 6)*

§ 401a. *(Aufgehoben; BGBl. Nr. 145/1969, Art. II Z. 6)*

§ 402. Ist in einem Strafurteil auf den Verlust eines Rechtes erkannt worden oder ist in einem Gesetz vorgesehen, daß die Verurteilung einen solchen Verlust nach sich zieht oder nach sich ziehen kann, so hat das Strafgericht die rechtskräftige Verurteilung der in Betracht kommenden Stelle bekanntzumachen. Sofern dieser Stelle nicht schon nach anderen gesetzlichen Bestimmungen eine Urteilsausfertigung zugestellt werden muß, ist ihr eine solche Ausfertigung auf ihr Ersuchen zu übersenden.

(BGBl. Nr. 145/1969, Art. II Z. 7)

§ 403. *(Aufgehoben; BGBl. Nr. 75/1968, Art. IV Z. 2)*

§ 404. *(Aufgehoben; BGBl. Nr. 75/1968, Art. IV Z. 2)*

§ 405. Wie auf Freiheitsstrafen lautende Strafurteile zu vollziehen sind, bestimmen besondere Gesetze.

(BGBl. Nr. 145/1969, Art. II Z. 8)

§ 406. *(Aufgehoben; BGBl. Nr. 145/1969, Art. II Z. 9)*

§ 407. Von der Verurteilung einer Person, die nicht die österreichische Staatsbürgerschaft besitzt, ist die für die Ausübung der Fremdenpolizei zuständige Behörde unverzüglich zu verständigen.

(BGBl. Nr. 423/1974, Art. I Z. 114)

§ 408. (1) Ist der Verfall, der erweiterte Verfall, die Konfiskation oder die Einziehung von Vermögenswerten oder Gegenständen ausgesprochen und befinden sich diese nicht bereits in gerichtlicher Verwahrung, so ist der Verurteilte oder der Haftungsbeteiligte (§ 64) vom Strafgericht schriftlich aufzufordern, sie binnen vierzehn Tagen zu erlegen oder dem Gericht die Verfügungsmacht zu übertragen, widrigenfalls zwangsweise vorgegangen werden würde. Kommt der Verfügungsberechtigte dieser Aufforderung nicht nach, so ist die Einbringungsstelle um die Einleitung der Exekution zu ersuchen.

(2) Ein verfallener, konfiszierter oder eingezogener Gegenstand oder Vermögenswert, der für wissenschaftliche, historische oder vergleichbare, im öffentlichen Interesse liegende Forschungszwecke von Interesse ist, ist einer anerkannten wissenschaftlichen Einrichtung zur Verfügung zu stellen. Im Übrigen sind Gegenstände oder Vermögenswerte, die zur Deckung des Sachaufwandes der Justiz unmittelbar herangezogen werden können, dazu zu verwenden, alle anderen Gegenstände oder Vermögenswerte aber auf die in § 377 angeordnete Weise zu veräußern. Gegenstände oder Vermögenswerte, die auf diese Weise weder verwendet noch verwertet werden können, sind zu vernichten.

§ 409. (1) Wenn der Verurteilte eine über ihn verhängte Geldstrafe nicht unverzüglich nach Eintritt der Rechtskraft erlegt, ist er schriftlich aufzufordern, die Strafe binnen vierzehn Tagen zu zahlen, widrigens sie zwangsweise eingetrieben werde. Gleiches gilt für den Verfall nach § 20 Abs. 3 StGB und die Konfiskation nach § 19a Abs. 1a StGB.

(2) Wie die im Abs. 1 genannten Geldbeträge einzutreiben sind, wird im Gerichtlichen Einbringungsgesetz in der jeweils geltenden Fassung angeordnet. Die Auskunft aus dem Kontenregister oder die Auskunft über Bankkonten und Bankgeschäfte (§§ 116, 210 Abs. 3 StPO) ist auch dann zulässig, wenn auf Grund bestimmter Tatsachen anzunehmen ist, dass Vermögenswerte zur Vollstreckung einer Geldstrafe, einer Konfiskation (§ 19a StGB), eines Verfalls (§ 20 StGB), eines erweiterten Verfalls (§ 20b StGB) oder einer anderen gesetzlich vorgesehenen vermögensrechtlichen Anordnung aufgefunden werden können.

(3) Ersatzfreiheitsstrafen sind wie andere Freiheitsstrafen nach den Bestimmungen des StVG anzuordnen und zu vollziehen.

§ 409a. (1) Wenn die unverzügliche Zahlung einer Geldstrafe oder eines Geldbetrages nach § 20 StGB den Zahlungspflichtigen unbillig hart träfe, hat der Vorsitzende auf Antrag durch Beschluß einen angemessenen Aufschub zu gewähren.

(2) Der Aufschub darf jedoch

1. bei Zahlung der ganzen Strafe oder des gesamten Geldbetrages nach § 20 StGB auf einmal oder bei Entrichtung einer 180 Tagessätze nicht übersteigenden Strafe in Teilbeträgen nicht länger sein als ein Jahr,

2. bei Entrichtung einer 180, nicht aber 360 Tagessätze übersteigenden Strafe in Teilbeträgen nicht länger als zwei Jahre und

2a. bei Entrichtung einer 360 Tagessätze übersteigenden Strafe in Teilbeträgen nicht länger als drei Jahre sowie

3. bei Entrichtung einer nicht in Tagessätzen bemessenen Geldstrafe oder eines Geldbetrages nach § 20 StGB in Teilbeträgen nicht länger als fünf Jahre.

(3) In die gewährte Aufschubsfrist werden Zeiten, in denen der Zahlungspflichtige auf behördliche Anordnung angehalten worden ist, nicht eingerechnet. Leistet der Zahlungspflichtige zur Schadloshaltung oder Genugtuung eines durch die strafbare Handlung Geschädigten Zahlungen, so ist dies bei der Entscheidung über einen Antrag auf Aufschub angemessen zu berücksichtigen. Mit Rücksicht auf Entschädigungszahlungen, die innerhalb der zur Zahlung der Geldstrafe oder des Geldbetrages nach § 20 StGB gewährten

Frist geleistet werden, kann der Aufschub angemessen längstens aber um ein weiteres Jahr verlängert werden.

(4) Die Entrichtung einer Geldstrafe oder eines Geldbetrages nach § 20 StGB in Teilbeträgen darf nur mit der Maßgabe gestattet werden, daß alle noch aushaftenden Teilbeträge sofort fällig werden, wenn der Zahlungspflichtige mit mindestens zwei Ratenzahlungen in Verzug ist.

(Anm.: Abs. 5 aufgehoben durch BGBl. I Nr. 93/ 2007)

§ 409b. (1) Geldstrafen, verfallene Geldbeträge und Veräußerungserlöse (§§ 115e, 377) fließen dem Bund zu.

(2) 20 vH der nach §§ 20, 20b StGB für verfallen erklärten Vermögenswerte fließen dem Bundesministerium für Inneres zu.

§ 410. (1) Über die nachträgliche Strafmilderung, die Neubemessung des Tagessatzes sowie die Änderung der Entscheidung über den Verfall, den erweiterten Verfall (§ 31a StGB) oder über das Tätigkeitsverbot (§ 220b Abs. 3 StGB) entscheidet das Gericht, das in erster Instanz erkannt hat, auf Antrag oder von Amts wegen nach Erhebung der für die Entscheidung maßgebenden Umstände mit Beschluß.

(Anm.: Abs. 2 aufgehoben durch BGBl. I Nr. 93/ 2007)

(3) Wenn der Zweck der Entscheidung nach Abs. 1 sonst ganz oder teilweise vereitelt werden könnte, hat das Gericht den Vollzug der Strafe, des Verfalls oder des erweiterten Verfalls bis zur Rechtskraft seiner Entscheidung vorläufig zu hemmen oder zu unterbrechen, es sei denn, daß ihm ein offenbar aussichtsloser Antrag vorliegt.

§ 411. Mit dem Tod des Verurteilten erlischt die Verbindlichkeit zur Zahlung von Geldstrafen, soweit sie noch nicht vollzogen worden sind. Dies gilt dem Sinne nach für den Verfalls- und Wertersatz.

20. Hauptstück

Verfahren gegen Abwesende

§ 412. *(Anm.: aufgehoben durch BGBl. I Nr. 93/ 2007)*

Abwesenheitsverfahren

§ 427. (1) Ist der Angeklagte bei der Hauptverhandlung nicht erschienen, so darf bei sonstiger Nichtigkeit in seiner Abwesenheit die Hauptverhandlung nur dann durchgeführt und das Urteil gefällt werden, wenn es sich um ein Vergehen handelt, der Angeklagte gemäß §§ 164 oder 165 zum Anklagevorwurf vernommen wurde und ihm die Ladung zur Hauptverhandlung persönlich zugestellt wurde. Das Urteil ist in diesem Fall dem Angeklagten in seiner schriftlichen Ausfertigung zuzustellen.

(2) Soweit die Hauptverhandlung in Abwesenheit des Angeklagten nicht durchgeführt werden kann, sei es, weil die Voraussetzungen gemäß Abs. 1 nicht vorliegen oder der Vorsitzende die Anwesenheit des Angeklagten zur umfassenden Beurteilung des Anklagevorwurfs für erforderlich hält, so ist die Hauptverhandlung gemäß § 226 zu vertagen und gegebenenfalls die Vorführung des Angeklagten anzuordnen. Ist der Angeklagte jedoch flüchtig oder unbekannten Aufenthalts, so ist gemäß § 197 Abs. 1 vorzugehen. § 197 Abs. 2b gilt sinngemäß.

(3) Gegen das in Abwesenheit des Angeklagten gefällte Urteil kann dieser beim Landesgericht innerhalb von vierzehn Tagen Einspruch erheben. Die Nichtigkeitsbeschwerde und die Berufung gegen ein Abwesenheitsurteil können auch nach Ablauf der Anmeldungsfrist zusammen mit dem Einspruch angemeldet werden. Dem Einspruch ist stattzugeben, wenn nachgewiesen wird, daß der Angeklagte durch ein unabweisbares Hindernis abgehalten wurde, in der Hauptverhandlung zu erscheinen. In diesem Fall ist eine neue Hauptverhandlung anzuordnen. Über den Einspruch entscheidet das Oberlandesgericht nach Anhörung der Oberstaatsanwaltschaft in nichtöffentlicher Sitzung. Weist es den Einspruch zurück, so steht dem Angeklagten gegen das Urteil ein Rechtsmittel nicht mehr offen. Hat der Verurteilte zugleich mit dem Einspruche die Nichtigkeitsbeschwerde oder die Berufung ergriffen oder liegt eine von anderer Seite ergriffene Berufung oder Nichtigkeitsbeschwerde vor, so ist von dem Gerichte, dem die Akten nach Vorschrift der §§ 285 und 294 vorgelegt werden, vorerst über den Einspruch in nichtöffentlicher Sitzung nach Anhörung der Staatsanwaltschaft zu entscheiden; nur wenn der Einspruch zurückgewiesen wird, ist in die Prüfung der Berufung oder Nichtigkeitsbeschwerde einzugehen.

§ 428. Durch das Nichterscheinen eines Angeklagten und das dadurch veranlaßte Ungehorsamverfahren darf das Verfahren gegen die anwesenden Mitangeklagten nicht verzögert werden. Werden in solchen Fällen Gegenstände, die zur Überweisung der Angeklagten dienen können, den Eigentümern zurückgestellt, so kann diesen die Verpflichtung auferlegt werden, die Beweisstücke auf Begehren wieder beizubringen. Zugleich ist eine genaue Beschreibung der zurückgestellten Gegenstände zu den Akten zu bringen.

21. Hauptstück

StPO

Verfahren bei vorbeugenden Maßnahmen und beim Verfall, beim erweiterten Verfall, bei der Einziehung und bei der Ausschließung vom Wahlrecht

1. Abschnitt

Verfahren zur Unterbringung in einem forensisch-therapeutischen Zentrum nach § 21 StGB

Verfahren zur Unterbringung

§ 429. Für die Unterbringung eines Betroffenen (§ 48 Abs. 2) in einem forensisch-therapeutischen Zentrum (§ 21 StGB) gelten die Bestimmungen über das Strafverfahren sinngemäß, soweit im Folgenden nichts anderes bestimmt wird.

Besonderheiten des Verfahrens

§ 430. (1) Sobald aufgrund bestimmter Anhaltspunkte (§ 1 Abs. 3 StPO) angenommen werden kann, dass die Voraussetzungen für die Unterbringung in einem forensisch-therapeutischen Zentrum vorliegen, gelten folgende Besonderheiten:

1. Der Verteidiger ist berechtigt, im Verfahren zur Unterbringung nach § 21 Abs. 1 StGB zugunsten des Betroffenen auch gegen dessen Willen Anträge zu stellen.

2. Der Betroffene ist durch einen Sachverständigen der Psychiatrie, vorzugsweise eines solchen, der auch für das Fachgebiet psychiatrische Kriminalprognostik eingetragen ist, zu untersuchen. Steht ein Sachverständiger der Psychiatrie nicht oder nicht rechtzeitig zur Verfügung, so kann ein Sachverständiger der klinischen Psychologie bestellt werden.

3. Zu jeder Vernehmung des Betroffenen können ein oder mehrere Sachverständige im Sinne der Z 2 beigezogen werden.

4. Verhängung und Fortsetzung der Untersuchungshaft sind unzulässig. Befindet sich der Betroffene bereits in Untersuchungshaft, so hat das Gericht von Amts wegen über die vorläufige Unterbringung zu entscheiden (§ 431).

5. Im Verfahren zur Unterbringung nach § 21 Abs. 1 StGB ist ein Anschluss wegen privatrechtlicher Ansprüche unzulässig.

(2) Das nach § 109 Jurisdiktionsnorm, RGBl. Nr. 111/1895, zuständige Gericht ist unverzüglich vom Verfahren und von dessen Beendigung, gegebenenfalls mit der Anregung, einen Erwachsenenvertreter zu bestellen, zu verständigen. Hat der Betroffene einen gesetzlichen Vertreter, so ist auch dieser zu verständigen.

Vorläufige Unterbringung

§ 431. (1) Ist der Betroffene einer strafbaren Handlung dringend verdächtig und liegen hinreichende Gründe für die Annahme, dass die Voraussetzungen des § 21 Abs. 1 oder 2 StGB gegeben seien, sowie einer der in § 173 Abs. 2 und 6 angeführten Haftgründe vor, so ist der Betroffene vorläufig in einem forensisch-therapeutischen Zentrum unterzubringen. Über die Zulässigkeit der vorläufigen Unterbringung ist in sinngemäßer Anwendung des § 173 Abs. 1, 3 und 5 sowie der §§ 174 bis 178 zu entscheiden.

(2) Die vorläufige Unterbringung darf nicht angeordnet, aufrechterhalten oder fortgesetzt werden, wenn ihr Zweck durch den gleichzeitigen Vollzug einer Unterbringung in einem forensisch-therapeutischen Zentrum oder auch dadurch erreicht werden kann, dass der Betroffene ohne eine solche behandelt und betreut wird. Das Gericht kann den Leiter einer Geschäftsstelle der Bewährungshilfe vor der Entscheidung über das Absehen von der vorläufigen Unterbringung mit der Durchführung einer Sozialnetzkonferenz (§ 29e BewHG) und der Vorlage eines Plans für die Anwendung alternativer Maßnahmen und nach Entscheidung über das Absehen von der vorläufigen Unterbringung mit der Überwachung der festgelegten Bedingungen sowie der Berichterstattung an das Gericht beauftragen. §§ 157a bis 157e StVG über die Festlegung von Bedingungen für ein vorläufiges Absehen vom Vollzug einer Unterbringung gelten sinngemäß.

(3) Dem Vollzug einer Unterbringung in einem forensisch-therapeutischen Zentrum ist in Verfahren zur Unterbringung nach § 21 Abs. 2 StGB der Vollzug einer Strafhaft gleichzusetzen. Die Staatsanwaltschaft hat in diesem Fall die Abweichungen vom Vollzug anzuordnen, die für die Zwecke der vorläufigen Unterbringung unentbehrlich sind. Wird die vorläufige Unterbringung dennoch angeordnet, so tritt eine Unterbrechung des Vollzugs der Unterbringung oder der Strafhaft ein.

(4) § 172 Abs. 4 und § 181a gelten sinngemäß.

Ort der vorläufigen Unterbringung

§ 432. (1) Die vorläufige Unterbringung erfolgt in einem forensisch-therapeutischen Zentrum, wobei vorläufig Untergebrachte nicht in Gemeinschaft mit rechtskräftig Untergebrachten angehalten werden sollen. Sie kann in einer öffentlichen Krankenanstalt für Psychiatrie oder in einer öffentlichen Krankenanstalt mit einer Abteilung für Psychiatrie erfolgen, wenn dies zweckmäßig ist und der Betroffene dort angemessen behandelt und betreut werden kann. Die öffentlichen Krankenanstalten für Psychiatrie und die öffentlichen Krankenanstalten mit einer Abteilung für Psychiatrie sind verpflichtet, den Betroffenen aufzunehmen und für die erforderliche Sicherung seiner Person zu sorgen. § 71 Abs. 2 StVG gilt sinngemäß mit der Maßgabe, dass für den Fall, dass durch die strafrechtliche Unterbringung in öffentlichen Krankenanstalten zusätzliche Aufwendungen entstehen, der Bund mit dem Rechtsträger der Krankenanstalt eine Vereinbarung über die Vergütung solcher Aufwendungen abschließen kann.

(2) Der Betroffene ist in einem dem zuständigen Gericht möglichst nahe liegenden geeigneten forensisch-therapeutischen Zentrum unterzubringen. Näheres bestimmt die Bundesministerin für Justiz durch Verordnung. Die Bundesministerin für Justiz kann im Einzelfall den Vollzug in einem anderen forensisch-therapeutischen Zentrum oder in einer anderen öffentlichen Krankenanstalt für Psychiatrie oder einer anderen öffentlichen Krankenanstalt mit einer Abteilung für Psychiatrie anordnen, wenn dies im Interesse des Betroffenen oder zur Erreichung des Unterbringungszwecks geboten ist. Mit Zustimmung des Betroffenen kann eine solche Anordnung auch zur Vermeidung eines Überbelags getroffen werden. Beantragt der Betroffene eine Änderung des Unterbringungsortes, so hat die Bundesministerin für Justiz darüber binnen vier Wochen zu entscheiden; § 16a StVG gilt sinngemäß.

(3) Befindet sich der Betroffene in Untersuchungshaft, so ist er nach Entscheidung über die vorläufige Unterbringung in das forensisch-therapeutische Zentrum zu überstellen, in dem die vorläufige Unterbringung zu vollziehen ist.

(4) Vor einer Änderung des Unterbringungsortes nach Abs. 2 sind der Betroffene und dessen gesetzlicher Vertreter, die Staatsanwaltschaft und das Gericht zu hören; nach der Überstellung sind die Staatsanwaltschaft, das Gericht, der Verteidiger und der gesetzliche Vertreter des Betroffenen durch das nunmehr zuständige forensisch-therapeutische Zentrum unverzüglich zu verständigen.

Vollzug der vorläufigen Unterbringung

§ 433. (1) Für den Vollzug der vorläufigen Unterbringung gelten die Bestimmungen über den Vollzug der Unterbringung in einem forensisch-therapeutischen Zentrum nach §§ 164 bis 167a StVG sinngemäß.

(2) Für den Verkehr mit der Außenwelt gelten § 188 und § 189 sinngemäß.

(3) Der Betroffene ist mit dem Ziel zu behandeln und zu betreuen, seinen Zustand nach Möglichkeit so weit zu bessern, dass die Anordnung einer Unterbringung durch das erkennende Gericht entbehrlich wird oder vom Vollzug vorläufig abgesehen werden kann (§ 434g; § 157a StVG). Der Leiter des forensisch-therapeutischen Zentrums hat den Behandlungsplan und die entsprechende Umsetzungsdokumentation der Staatsanwaltschaft, nach Einbringung des Antrags auf Unterbringung oder der Anklageschrift dem Gericht zu übermitteln und über den bisherigen Behandlungserfolg zu berichten. Die Pflichten des Leiters des forensisch-therapeutischen Zentrums treffen im Fall der vorläufigen Unterbringung in einer öffentlichen Krankenanstalt für Psychiatrie oder in einer öffentlichen Krankenanstalt mit einer Abteilung für Psychiatrie den Leiter der Krankenanstalt bzw. der Abteilung.

(4) Kann auf Grund bestimmter Tatsachen angenommen werden, dass im Falle einer Unterbringung von deren Vollzug vorläufig abgesehen werden könnte (§ 157a StVG, § 434g), so hat das Gericht auf Antrag des Betroffenen oder der Staatsanwaltschaft, auf Anregung des Leiters des forensisch-therapeutischen Zentrums oder von Amts wegen bereits während der vorläufigen Unterbringung vorläufige Bewährungshilfe (§ 179) anzuordnen.

(5) Im Falle eines Strafurteils (§ 21 Abs. 2 StGB, § 434b Abs. 1 zweiter Satz) ist die vorläufige Unterbringung auf Freiheits- und Geldstrafen anzurechnen (§ 38 StGB).

Antrag auf Unterbringung

§ 434. (1) Liegen hinreichende Gründe für die Unterbringung nach § 21 Abs. 1 StGB vor, so hat die Staatsanwaltschaft einen Antrag auf Unterbringung zu stellen. Für diesen Antrag gelten die Bestimmungen über die Anklageschrift (§§ 210 bis 215) sinngemäß. Im Fall des § 21 Abs. 2 StGB ist die Unterbringung in einem forensisch-therapeutischen Zentrum in der Anklageschrift zu beantragen.

(2) Über den Antrag auf Unterbringung entscheidet das Landesgericht, das für ein Strafverfahren auf Grund einer Anklage oder eines Strafantrages gegen den Betroffenen wegen seiner Tat (§ 21 Abs. 3 StGB) zuständig ist oder zuständig wäre. Anstelle des Einzelrichters des Landesgerichts entscheidet jedoch das Landesgericht als Schöffengericht in der Besetzung mit zwei Berufsrichtern und zwei Schöffen (§ 32 Abs. 1a).

Entscheidung durch Urteil

§ 434a. Das Gericht entscheidet über die Unterbringung nach öffentlicher mündlicher Hauptverhandlung, die in sinngemäßer Anwendung der Bestimmungen des 14. und 15. Hauptstücks durchzuführen ist, durch Urteil.

Gleichwertigkeit von Anklage und Antrag auf Unterbringung

§ 434b. (1) Das Gericht kann eine Unterbringung bei Vorliegen der Voraussetzungen auch dann anordnen, wenn die Tat (§ 21 Abs. 3 StGB) Gegenstand einer Anklage ist und die Unterbringung in der Anklageschrift nicht beantragt wurde. In gleicher Weise kann das Gericht aufgrund eines Antrags auf Unterbringung auf eine Strafe oder eine Strafe und eine Unterbringung nach § 21 Abs. 2 StGB erkennen, wenn es zum Ergebnis kommt, dass der Betroffene wegen der Tat (§ 21 Abs. 3 StGB) bestraft werden kann oder die Voraussetzungen für eine Unterbringung nach § 21 Abs. 2 StGB vorliegen.

(2) Ist das Landesgericht als Einzelrichter der Ansicht, dass die Voraussetzungen der Unterbringung vorliegen, so hat es, nachdem die Beteiligten des Verfahrens zu den geänderten Umständen gehört wurden,

mit Urteil seine Unzuständigkeit auszusprechen. § 261 gilt sinngemäß.

(3) Das Gericht hat den Angeklagten oder Betroffenen in den Fällen des Abs. 1 über den geänderten rechtlichen Gesichtspunkt zu hören und über einen allfälligen Vertagungsantrag zu entscheiden. Für das Verfahren vor dem Landesgericht als Geschworenengericht gilt § 434e.

(4) Eine Unterbringung darf nur dann ausgesprochen werden, wenn während der gesamten Hauptverhandlung die Voraussetzungen nach § 434 Abs. 2 zweiter Satz und § 434d Abs. 1 und 2 erfüllt waren, widrigenfalls die Hauptverhandlung zu vertagen (§ 276) und zu wiederholen (§ 276a zweiter Satz) ist.

Rechte des gesetzlichen Vertreters

§ 434c. (1) Hat der Betroffene einen gesetzlichen Vertreter, dessen Wirkungsbereich die Vertretung im Verfahren zur Unterbringung umfasst, so sind diesem die Anklage oder der Antrag auf Unterbringung sowie sämtliche gerichtlichen Entscheidungen auf dieselbe Weise bekanntzumachen wie dem Betroffenen. Der gesetzliche Vertreter ist zur Hauptverhandlung zu laden.

(2) Der gesetzliche Vertreter ist berechtigt, für den Betroffenen auch gegen dessen Willen Einspruch gegen die Anklageschrift oder den Antrag auf Unterbringung zu erheben (§§ 212 bis 215) und gegen das Urteil alle Rechtsmittel zu ergreifen, die dem Betroffenen zustehen. Die Frist zur Erhebung von Rechtsmitteln läuft für den gesetzlichen Vertreter ab dem Tag, an dem ihm die Entscheidung bekannt gemacht wird.

(3) Hat der Betroffene einen gesetzlichen Vertreter und ist dieser der Beteiligung an der mit Strafe bedrohten Handlung des Betroffenen verdächtig oder überwiesen, kann er dem Betroffenen aus anderen Gründen im Verfahren nicht beistehen oder ist er zur Hauptverhandlung nicht erschienen, so hat der Verteidiger auch die Rechte des gesetzlichen Vertreters. Gleiches gilt, wenn der Betroffene in den Fällen des § 21 Abs. 1 StGB keinen gesetzlichen Vertreter hat.

(4) Wird die vorläufige Unterbringung des Betroffenen angeordnet oder aufgehoben, so ist der gesetzliche Vertreter davon zu verständigen. Das Recht auf Besuch durch den gesetzlichen Vertreter steht einem vorläufig Angehaltenen in gleichem Umfang zu wie das Recht auf Besuch von einem Rechtsbeistand.

Besonderheiten der Hauptverhandlung

§ 434d. (1) Während der gesamten Hauptverhandlung muss bei sonstiger Nichtigkeit ein Verteidiger des Betroffenen anwesend sein.

(2) Der Hauptverhandlung ist bei sonstiger Nichtigkeit für die gesamte Dauer ein Sachverständiger (§ 430 Abs. 1 Z 2) beizuziehen.

(3) Ist in der Hauptverhandlung, in der über die Unterbringung einer Person entschieden werden soll, entgegen Abs. 1 erster Satz kein Verteidiger anwesend oder ist dieser entgegen Abs. 2 kein Sachverständiger beigezogen, so ist sie zu vertagen (§ 276) und zu wiederholen (§ 276a zweiter Satz).

(4) Wird über mehrere Taten gleichzeitig erkannt und eine Unterbringung angeordnet, so ist im Urteil auszusprechen, welche Taten Anlass für die Unterbringung waren; die Unterbringung darf nur einmal angeordnet werden.

Verfahren vor dem Landesgericht als Geschworenengericht

§ 434e. (1) Im Verfahren zur Unterbringung nach § 21 Abs. 1 StGB vor dem Landesgericht als Geschworenengericht ist den Geschworenen eine Zusatzfrage zu stellen, ob der Betroffene zur Zeit der Tat zurechnungsunfähig war. Für etwaige andere Zusatzfragen und das Verfahren über einen Antrag auf Unterbringung nach § 21 Abs. 2 StGB gilt § 313 sinngemäß.

(2) Über die Anordnung der Unterbringung entscheidet der Schwurgerichtshof gemeinsam mit den Geschworenen (§ 303).

Rechtsmittel

§ 434f. (1) Das Urteil kann hinsichtlich des Ausspruchs über die Unterbringung in sinngemäßer Anwendung der § 281 und § 283, im Falle eines Urteils des Landesgerichts als Geschworenengericht in sinngemäßer Anwendung der § 345 und § 346, zugunsten und zum Nachteil des Betroffenen mit Nichtigkeitsbeschwerde und Berufung angefochten werden. Die Anmeldung der Nichtigkeitsbeschwerde oder der Berufung hat aufschiebende Wirkung.

(2) Für die Wiederaufnahme und die Erneuerung des Unterbringungsverfahrens sowie für die Wiedereinsetzung in den vorigen Stand gelten die Bestimmungen des 16. Hauptstücks sinngemäß.

Verfahren beim vorläufigen Absehen vom Vollzug der Unterbringung

§ 434g. (1) Das Gericht hat von Amts wegen zu prüfen, ob vom Vollzug der Unterbringung nach § 157a StVG durch Festlegung von Bedingungen und Anordnung der Bewährungshilfe (§ 157b StVG) vorläufig abzusehen ist. Ist der Betroffene vorläufig untergebracht, so hat das Gericht den Leiter des forensisch-therapeutischen Zentrums, in dem der Betroffene vorläufig untergebracht ist, zu beauftragen, das Vorliegen der Voraussetzungen für ein vorläufiges Absehen von der Unterbringung – gegebenenfalls unter Ausrichtung einer Sozialnetzkonferenz (§ 29e BewHG) – zu erheben und darüber zu berichten, ob ein vorläufiges Absehen vom Vollzug der Unterbringung befürwortet werden kann sowie gegebenenfalls spätestens in der Hauptverhandlung einen Plan für die Anwendung alternativer Maßnahmen (§§ 157a bis 157e StVG) vorzulegen. § 433 Abs. 3 letzter Satz gilt sinngemäß. Wird der Betroffene sonst wegen seiner psychischen

Störung ärztlich behandelt, so ist die behandelnde Stelle um eine entsprechende Stellungnahme zu ersuchen. Soweit dies zur Beurteilung des vorläufigen Absehens vom Vollzug der Unterbringung erforderlich ist, hat das Gericht Äußerungen von psychiatrischen Einrichtungen und von anderen Betreuungseinrichtungen, in denen der Betroffene zuletzt behandelt oder betreut wurde, einzuholen.

(2) Das Gutachten des Sachverständigen (§ 430 Abs. 1 Z 2) hat sich auch darauf zu erstrecken, ob es alternative Behandlungs- oder Betreuungsmaßnahmen gibt, die ein vorläufiges Absehen vom Vollzug einer Unterbringung ermöglichen könnten (§ 157a StVG).

(3) Ist vorläufige Bewährungshilfe angeordnet (§ 433 Abs. 4), so hat der Leiter einer Geschäftsstelle der Bewährungshilfe seinen Bericht spätestens bis zum Beginn der Hauptverhandlung vorzulegen, der Bewährungshelfer ist vor der Entscheidung zu hören.

(4) Soweit das Gericht dies für erforderlich hält, kann die Hauptverhandlung mit Zustimmung des Betroffenen zur Klärung der Voraussetzungen des Absehens vom Vollzug der Unterbringung für längstens zwei Monate vertagt werden.

(5) Das vorläufige Absehen vom Vollzug der Unterbringung in einem forensisch-therapeutischen Zentrum (§ 157a StVG) ist Teil des Ausspruches über die Unterbringung und kann zugunsten und zum Nachteil des Betroffenen mit Berufung angefochten werden.

(6) Zugleich legt das Gericht mit Beschluss die Bedingungen für das vorläufige Absehen vom Vollzug der Unterbringung fest (§ 157a Abs. 4 StVG). Der Beschluss ist gesondert anfechtbar (§ 87).

(7) Wird eine Bedingung festgelegt, die die Interessen des Opfers unmittelbar berührt, so ist das Opfer über deren Inhalt und ihre Bedeutung zu verständigen.

2. Abschnitt

Verfahren zur Unterbringung in einer Anstalt für entwöhnungsbedürftige Rechtsbrecher nach § 22 StGB oder in einer Anstalt für gefährliche Rückfallstäter nach § 23 StGB und zur Verhängung eines Tätigkeitsverbotes nach § 220b StGB

§ 435. (1) Über die Anwendung der in den § 22, § 23 und § 220b StGB vorgesehenen vorbeugenden Maßnahmen ist in der Regel (§ 441) im Strafurteil zu entscheiden.

(2) Die Anordnung der Unterbringung in einer der in diesen Bestimmungen genannten Anstalten oder ihr Unterbleiben sowie die Anordnung eines Tätigkeitsverbotes oder deren Unterbleiben bilden einen Teil des Ausspruches über die Strafe und können zugunsten und zum Nachteil des Verurteilten mit Nichtigkeitsbeschwerde und mit Berufung angefochten werden.

§ 437. Einen Antrag auf Unterbringung in einer der in den § 22 und § 23 StGB vorgesehenen Anstalten oder auf Anordnung eines Tätigkeitsverbotes hat die Staatsanwaltschaft in der Anklage zu stellen. Das Gericht kann jedoch auch ohne einen solchen Antrag die Unterbringung oder das Tätigkeitsverbot anordnen.

§ 438. Liegen hinreichende Gründe für die Annahme, dass die Voraussetzungen des § 22 StGB gegeben seien, und Haftgründe (§ 173 Abs. 2 und 6) vor, kann der Beschuldigte aber nicht ohne Schwierigkeiten in einer Justizanstalt angehalten werden, so ist mit Beschluss anzuordnen, dass die Untersuchungshaft durch vorläufige Unterbringung in einer Anstalt für entwöhnungsbedürftige Rechtsbrecher zu vollziehen ist. Auf den Vollzug der Untersuchungshaft sind in diesem Fall die Bestimmungen über den Vollzug dieser vorbeugenden Maßnahmen dem Sinne nach anzuwenden. Auf den Vollzug der Untersuchungshaft sind in diesem Fall die Bestimmungen über den Vollzug dieser vorbeugenden Maßnahmen dem Sinne nach anzuwenden.

§ 439. (1) Die Anordnung der in den § 22 und § 23 StGB vorgesehenen vorbeugenden Maßnahmen ist nichtig, wenn nicht während der ganzen Hauptverhandlung ein Verteidiger des Beschuldigten anwesend war. Die Anordnung eines Tätigkeitsverbotes (§ 220b StGB) ist nichtig, wenn deren Voraussetzungen in der Hauptverhandlung nicht erörtert wurden.

(2) Die Unterbringung in einer Anstalt für entwöhnungsbedürftige Rechtsbrecher oder in einer Anstalt für gefährliche Rückfallstäter darf bei sonstiger Nichtigkeit überdies nur nach Beiziehung zumindest eines Sachverständigen (§ 430 Abs. 1 Z 2) angeordnet werden.

(3) Sieht das Gericht von der Unterbringung in einer Anstalt für entwöhnungsbedürftige Rechtsbrecher wegen der Höhe der ausgesprochenen Strafe ab (§ 22 Abs. 2 StGB), so hat es diesen Umstand in den Entscheidungsgründen auszusprechen.

§ 440. Hat der Beschuldigte einen gesetzlichen Vertreter, so ist in einem Verfahren, in dem hinreichende Gründe für die Annahme der Voraussetzungen des § 22 oder § 23 StGB vorliegen, § 434c sinngemäß anzuwenden.

§ 441. (1) Liegen hinreichende Gründe für die Annahme vor, dass die Voraussetzungen für die selbständige Anordnung der in den § 22, § 23 und § 220b StGB vorgesehenen vorbeugenden Maßnahmen gegeben seien (§ 65 Abs. 5 StGB), so hat die Staatsanwaltschaft einen Antrag auf Anordnung einer der in diesen Bestimmungen genannten vorbeugenden Maßnahmen zu stellen. Für diesen Antrag gelten die Bestimmungen über die Anklageschrift dem Sinne nach.

(2) § 439 Abs. 1 und 2 sowie § 440 gelten in diesem Fall sinngemäß.

§ 442. Liegt einer der im § 173 Abs. 2 genannten Haftgründe vor, so ist die vorläufige Anhaltung des Betroffenen in einer der im § 441 Abs. 1 genannten Anstalten anzuordnen. § 432 und § 433 gelten sinngemäß.

3. Abschnitt

StPO

Verfahren beim Verfall, beim erweiterten Verfall und bei der Einziehung

§ 443. (1) Über den Verfall, den erweiterten Verfall, die Einziehung und andere vermögensrechtliche Anordnungen (Haftung für Geldstrafen, Verfalls- und Wertersatz) ist im Strafurteil zu entscheiden, soweit in diesem Abschnitt nichts anderes bestimmt wird.

(2) Wenn die Ergebnisse des Strafverfahrens weder an sich noch nach Durchführung von Beweisaufnahmen, die die Entscheidung in der Schuld- und Straffrage nicht erheblich verzögern, ausreichen, um über die im Abs. 1 angeführten vermögensrechtlichen Anordnungen verläßlich urteilen zu können, kann ihr Ausspruch durch Beschluß einer gesonderten Entscheidung (§§ 445, 445a) vorbehalten bleiben, außer welchem Falle eine solche Anordnung wegen der betroffenen Vermögenswerte oder Gegenstände nicht mehr zulässig ist.

(3) Die Entscheidung über vermögensrechtliche Anordnungen steht, außer im Fall des § 445a, dem Ausspruch über die Strafe gleich und kann zugunsten und zum Nachteil des Verurteilten oder des Haftungsbeteiligten (§§ 64, 444) mit Berufung angefochten werden.

§ 444. (1) Die Hauptverhandlung und die Urteilsverkündung können in Abwesenheit des Haftungsbeteiligten (§ 64) vorgenommen werden, wenn dieser ordnungsgemäß zur Hauptverhandlung geladen wurde (§ 221 Abs. 2).

(2) Hat ein Haftungsbeteiligter sein Recht nicht vor Rechtskraft der Entscheidung über den Verfall, den erweiterten Verfall oder die Einziehung geltend gemacht, so kann er seine Ansprüche auf den Gegenstand oder Vermögenswert oder dessen Verkaufs- oder Verwertungserlös (§ 408) binnen dreißig Jahren nach der Entscheidung gegen den Bund im Zivilrechtsweg geltend machen.

§ 445. (1) Liegen hinreichende Gründe für die Annahme vor, daß die Voraussetzungen des Verfalls (§ 20 StGB), des erweiterten Verfalls (§ 20b StGB) oder der Einziehung (§ 26 StGB) gegeben seien, ohne daß darüber in einem Strafverfahren oder in einem auf Unterbringung in einer der in den §§ 21 bis 23 StGB genannten Anstalten gerichteten Verfahren entschieden werden kann, so hat der Ankläger einen selbständigen Antrag auf Erlassung einer solchen vermögensrechtlichen Anordnung zu stellen.

(2) Über einen Antrag auf Verfall oder auf erweiterten Verfall hat das Gericht, welches für die Verhandlung und Urteilsfällung wegen jener Tat, die die Anordnung begründen soll, zuständig war oder wäre, mangels einer solchen Zuständigkeit aber das Landesgericht, in dessen Sprengel sich der Vermögenswert oder Gegenstand befindet, in einem selbständigen Verfahren nach öffentlicher mündlicher Verhandlung durch Urteil zu entscheiden. Das Landesgericht entscheidet durch Einzelrichter. Hat ein Schöffen- oder Geschworenengericht über die Tat geurteilt, die die Anordnung begründen soll, oder die Entscheidung vorbehalten (§ 443 Abs. 2), so ist dessen Vorsitzender als Einzelrichter zuständig.

(2a) Die vorstehenden Absätze gelten sinngemäß auch für eine Anordnung der Konfiskation (§ 19a StGB), wenn das Verfahren wegen Straftaten, die mit dem Vorsatz der unrechtmäßigen Bereicherung oder der Erlangung eines Vorteils begangen wurden, wegen Krankheit oder Flucht nach § 197 abgebrochen wurde, jedoch auf Grund ausreichend geklärten Sachverhalts nahe liegt, dass im Fall einer Verurteilung eine Konfiskation (§ 19a StGB) ausgesprochen würde und der Angeklagte gemäß §§ 164 oder 165 zum Anklagevorwurf und zu den Voraussetzungen der Anordnung der Konfiskation vernommen wurde.

(3) Über einen Antrag auf Einziehung hat das Bezirksgericht des Tatortes, ist dieser aber nicht bekannt oder im Ausland gelegen, das Bezirksgericht, in dessen Sprengel sich der Gegenstand befindet, in einem selbständigen Verfahren nach öffentlicher mündlicher Verhandlung in der Regel (§ 445a) durch Urteil zu entscheiden. Die Bestimmungen über die Hauptverhandlung im Verfahren vor den Bezirksgerichten sowie § 444 sind dem Sinne nach anzuwenden.

(4) Das Urteil kann in sinngemäßer Anwendung der §§ 463 bis 468 (§ 489) zugunsten und zum Nachteil des Betroffenen mit Berufung angefochten werden; § 444 Abs. 1 letzter Satz gilt entsprechend.

§ 445a. (1) Über einen Antrag auf Einziehung in einem selbständigen Verfahren kann das Bezirksgericht nach Anhörung des Anklägers und der Haftungsbeteiligten (§ 444) durch Beschluß entscheiden, wenn der Wert des von der Einziehung bedrohten Gegenstandes 1 000 Euro nicht übersteigt oder es sich um einen Gegenstand handelt, dessen Besitz allgemein verboten ist. Sofern der Aufenthaltsort des Haftungsbeteiligten im Ausland liegt oder ohne besonderen Verfahrensaufwand nicht feststellbar ist, kann von dessen Anhörung abgesehen werden.

(2) In den Fällen, in denen das Verfahren durch die Staatsanwaltschaft nach den Bestimmungen des 10. oder 11. Hauptstücks, anderen auf sie verweisenden Vorschriften oder gemäß § 35 SMG beendet wird, hat die Staatsanwaltschaft nach Durchführung des in Abs. 1 vorgesehenen Verfahrens die Einziehung anzuordnen und das in § 408 Abs. 2 vorgesehene Verfahren durchzuführen, soweit nicht ein Haftungsbeteiligter die Entscheidung des Gerichts verlangt. § 444 Abs. 2 gilt sinngemäß.

§ 446. Ergeben sich die Voraussetzungen für das selbständige Verfahren erst in der Hauptverhandlung, so kann die Entscheidung auch in einem Urteil ergehen, in dem der Angeklagte freigesprochen oder der Antrag auf Anstaltsunterbringung abgewiesen wird.

4. Abschnitt

Verfahren bei der Ausschließung vom Wahlrecht

§ 446a. (1) Über die Ausschließung vom Wahlrecht (§ 22 der Nationalrats-Wahlordnung 1992 – NRWO, BGBl. Nr. 471 und § 3 des Europa-Wählerevidenzgesetzes – EuWEG, BGBl. Nr. 118/1996) ist im Strafurteil zu entscheiden. Die Entscheidung steht dem Ausspruch über die Strafe gleich und kann zugunsten und zum Nachteil des Verurteilten mit Berufung angefochten werden.

(2) Wenn nachträglich Umstände eintreten oder bekannt werden, bei deren Vorliegen im Zeitpunkt des Urteils kein Ausspruch nach Abs. 1 gefällt worden wäre, so ist nach § 410 vorzugehen.

22. Hauptstück

Verfahren vor dem Bezirksgericht

§ 447. Für das Hauptverfahren vor dem Bezirksgericht gelten die Bestimmungen für das Verfahren vor dem Landesgericht als Schöffengericht, soweit im Folgenden nichts anderes bestimmt wird.

1. Abschnitt

Hauptverfahren

§ 450. Ist das Bezirksgericht der Ansicht, dass das Landesgericht zuständig sei, so hat es vor Anordnung der Hauptverhandlung seine sachliche Unzuständigkeit mit Beschluss auszusprechen. Sobald die Entscheidung rechtswirksam geworden ist, hat der Ankläger die für die Fortführung des Verfahrens erforderlichen Anträge zu stellen.

§ 451. (1) Der Strafantrag (§ 210 Abs. 1) hat die im § 211 Abs. 1 angeführten Angaben zu enthalten. Im Antrag sind ferner die Beweismittel anzugeben, deren sich der Ankläger bedienen will. Der Antrag ist in so vielen Ausfertigungen zu überreichen, daß jedem der Angeklagten eine Ausfertigung zugestellt und eine bei den Akten zurückbehalten werden kann; er ist dem Angeklagten unverzüglich zuzustellen.

(2) Ist der Richter der Überzeugung, daß die dem Antrag zugrunde liegende Tat vom Gesetz nicht mit Strafe bedroht ist oder daß Umstände vorliegen, durch die die Strafbarkeit der Tat aufgehoben oder die Verfolgung wegen der Tat ausgeschlossen ist, so hat er das Verfahren mit Beschluß einzustellen.

(3) Wird dem Richter zugleich der Angeklagte vorgeführt und gesteht er die ihm zur Last gelegte Tat oder erscheinen der Ankläger und der Angeklagte zugleich vor dem Richter, und sind alle Beweismittel für die Anklage und Verteidigung zur Hand, so kann der Richter mit Zustimmung des Angeklagten sogleich die Verhandlung vornehmen (§ 456) und das Urteil fällen.

(Anm.: Abs. 4 aufgehoben durch BGBl. I Nr. 93/2007)

§ 455. (1) § 221 ist mit der Maßgabe anzuwenden, dass an die Stelle einer Frist von acht Tagen eine solche von drei Tagen tritt, es sei denn, dass der Angeklagte auf eine Vorbereitungsfrist verzichtet.

(2) Ist der Angeklagte nicht verhaftet, so kann er sich, wenn er nicht persönlich erscheinen will, bei der Verhandlung durch einen Verteidiger als Machthaber vertreten lassen. Dem Gericht steht es jedoch auch in diesem Fall zu, den Angeklagten unter Androhung der vorgesehenen Zwangsfolgen zum persönlichen Erscheinen aufzufordern.

(3) Lässt sich der Angeklagte durch einen Machthaber vertreten, so kommt diesem in der Hauptverhandlung die Stellung des Angeklagten zu.

§ 456. In Privatanklagesachen ist die Öffentlichkeit auch auszuschließen, wenn der Ankläger einem darauf gerichteten Antrag des Angeklagten nicht entgegen tritt.

§ 457. Hat der Angeklagte keinen Verteidiger, so nimmt er dessen Rechte im Hauptverfahren selbst wahr.

§ 458. Der Richter ist berechtigt, nach Schluss der Verhandlung die Fällung des Urteils bis auf den folgenden Tag auszusetzen. Im Übrigen gelten jedoch auch für die Verhandlung vor dem Bezirksgericht die Bestimmungen des 14. Hauptstückes.

2. Abschnitt

Rechtsmittel gegen Urteile der Bezirksgerichte

§ 463. Gegen Urteile der Bezirksgerichte, die gegen einen Anwesenden ergangen sind, ist nur das Rechtsmittel der Berufung zulässig, und zwar an das Landesgericht, in dessen Sprengel das Bezirksgericht liegt.

§ 464. Die Berufung kann ergriffen werden:

1. wegen vorliegender Nichtigkeitsgründe;

2. wegen des Ausspruches über die Schuld und die Strafe, wegen des Strafausspruches jedoch nur unter den im § 283 bezeichneten Voraussetzungen;

3. wegen des Ausspruches über die privatrechtlichen Ansprüche.

§ 465. (1) Zugunsten des Angeklagten kann die Berufung sowohl von ihm selbst als auch von seinem gesetzlichen Vertreter ergriffen werden. Die Staatsanwaltschaft kann stets auch gegen den Willen des Angeklagten zu dessen Gunsten die Berufung ergreifen.

(2) Erben des Angeklagten, die nicht in einem der erwähnten Verhältnisse zum Angeklagten standen, können die Berufung nur wegen der im Urteil allenfalls enthaltenen Entscheidung über privatrechtliche Ansprüche ergreifen oder fortsetzen.

(3) Zum Nachteile des Angeklagten kann die Berufung nur vom Ankläger und vom Privatbeteiligten, von diesem aber nur wegen Nichtigkeit unter den in

§ 282 Abs. 2 geregelten Voraussetzungen und wegen seiner privatrechtlichen Ansprüche ergriffen werden.

§ 466. (1) Die Berufung ist binnen drei Tagen nach Verkündung des Urteiles beim Bezirksgericht anzumelden. § 57 Abs. 2 gilt auch für einen Verzicht gegen einen gemeinsam mit dem Urteil verkündeten Beschluss nach den §§ 494 und 494a.

(2) War der Angeklagte bei der Verkündung des Urteiles nicht anwesend, so ist die Berufung binnen drei Tagen anzumelden, nachdem er vom Urteile verständigt wurde.

(3) Für den gesetzlichen Vertreter des Angeklagten läuft die Frist zur Anmeldung der Berufung von demselben Tage, von dem an sie für den Angeklagten beginnt.

(4) Die Anmeldung der Berufung hat aufschiebende Wirkung.

(5) Die Entlassung eines freigesprochenen Angeklagten aus der Haft darf nur wegen einer Berufung der Staatsanwaltschaft, und zwar bloß dann aufgeschoben werden, wenn diese sogleich bei Verkündung des Urteiles angemeldet wird und nach den Umständen die Annahme begründet ist, daß sich der Angeklagte dem Verfahren durch die Flucht entziehen werde. Gegen die Entlassung aus der Haft ist kein Rechtsmittel zulässig.

(6) Wenn der zu einer Freiheitsstrafe Verurteilte sich weder durch den Ausspruch über die Schuld noch durch den über die Strafart, sondern nur durch das Strafmaß beschwert erachtet, so kann er die Strafe einstweilen antreten. Eben dies gilt auch dann, wenn der Verurteilte keine Berufung ergriffen hat und der Ankläger seine Berufung nur gegen das Strafmaß richtet.

(7) Dem Beschwerdeführer muß, sofern dies nicht schon geschehen ist, eine Urteilsabschrift zugestellt werden.

§ 467. (1) Der Beschwerdeführer hat das Recht, binnen vier Wochen nach der Anmeldung der Berufung, wenn ihm eine Urteilsabschrift aber erst nach der Anmeldung des Rechtsmittels zugestellt wurde, binnen vier Wochen nach der Zustellung eine Ausführung der Gründe seiner Berufung beim Bezirksgerichte zu überreichen und allenfalls neue Tatsachen oder Beweismittel unter genauer Angabe aller zur Beurteilung ihrer Erheblichkeit dienenden Umstände anzuzeigen.

(2) Er hat entweder bei der Anmeldung der Berufung oder in der Berufungsschrift ausdrücklich zu erklären, durch welchen Ausspruch (§ 464) er sich beschwert finde und welche Nichtigkeitsgründe er geltend machen wolle, widrigens auf die Berufung oder auf Nichtigkeitsgründe vom Landesgericht keine Rücksicht zu nehmen ist. Doch steht es der Berücksichtigung eines deutlich und bestimmt bezeichneten Beschwerdepunktes oder Nichtigkeitsgrundes nicht entgegen, daß sich der Beschwerdeführer in der gesetzlichen Benennung vergriffen hat.

(3) Die zugunsten des Angeklagten ergriffene Berufung wegen Nichtigkeit ist auch als Berufung gegen die Aussprüche über die Schuld und die Strafe zu betrachten, die Berufung wegen des Ausspruches über die Schuld auch als Berufung gegen den Strafausspruch.

(4) Geschieht die Anmeldung der Berufung mündlich, so hat der Richter, der das Protokoll hierüber aufnimmt, den Beschwerdeführer zur genauen Angabe der Beschwerdepunkte besonders aufzufordern und über die Rechtsfolgen der Unterlassung dieser Angabe zu belehren.

(5) Die Berufung oder Berufungsausführung ist in zweifacher Ausfertigung vorzulegen oder aufzunehmen. Eine Ausfertigung ist dem Gegner mit dem Bedeuten mitzuteilen, daß er binnen vier Wochen seine Gegenausführung überreichen könne. Die Gegenausführung ist dem Beschwerdeführer zuzustellen; danach sind alle Akten dem Landesgericht – gegebenenfalls samt einer Verständigung des Verfassungsgerichtshofes gemäß §§ 57a Abs. 5 erster Satz oder 62a Abs. 5 erster Satz VfGG – vorzulegen.

§ 468. (1) Wegen Nichtigkeit kann die Berufung gegen Urteile der Bezirksgerichte, sofern sie nicht nach besonderen gesetzlichen Vorschriften auch in anderen Fällen zugelassen ist, nur aus einem der folgenden Gründe ergriffen werden:

1. wenn das Bezirksgericht örtlich unzuständig oder nicht gehörig besetzt war oder wenn ein gesetzlich ausgeschlossener Richter (§§ 43 und 46) das Urteil gefällt hat;

2. wenn das Bezirksgericht nicht zuständig war, weil die Tat, über die es geurteilt hat, in die Zuständigkeit des Landesgerichts (Anm. 1) fällt;

2a. wenn ein Protokoll oder ein anderes amtliches Schriftstück über eine nichtige Erkundigung oder Beweisaufnahme im Ermittlungsverfahren in der Hauptverhandlung verlesen wurde;

3. wenn eine Vorschrift verletzt oder vernachlässigt worden ist, deren Beobachtung das Gesetz bei sonstiger Nichtigkeit vorschreibt (§§ 115j Abs. 1, 126 Abs. 4, 140 Abs. 1, 144 Abs. 1, 155 Abs. 1, 157 Abs. 2 und 159 Abs. 3, 221 Abs. 2 (455 Abs. 1), 228, 250, 252, 260, 271, 427 sowie 439 Abs. 1 und 2), oder wenn einer der im § 281 Abs. 1 Z. 4 und 5 erwähnten Nichtigkeitsgründe vorliegt;

4. aus den im § 281 Abs. 1 Z. 6 bis 11 angegebenen Gründen.

(2) Die unter Abs. 1 Z. 1 und 3 erwähnten Nichtigkeitsgründe können nur unter den in den §§ 281 und 282 Abs. 2 bezeichneten Bedingungen geltend gemacht werden; doch wird auch der Ankläger der Geltendmachung eines Nichtigkeitsgrundes deshalb nicht verlustig, weil er hinsichtlich eines Formgebrechens die Entscheidung des Richters nicht begehrt und sich die Beschwerde nicht sofort nach Verweigerung oder Verkündung der Entscheidung vorbehalten hat.

(________

Anm. 1: Art. I Z 198 lit. b der Novelle BGBl. I Nr. 93/ 2007 lautet: „Im Abs. 1 Z 2 wird die Wendung „Gerichtshof erster Instanz oder des Geschworenengerichtes“ durch das Wort „Landesgerichts“ ersetzt.“. Die zu ersetzende Wendung lautet richtig: „Gerichtshofes erster Instanz oder des Geschworenengerichtes“.)

§ 469. Das Landesgericht berät über die Berufung nur dann in nichtöffentlicher Sitzung, wenn der Berichterstatter oder die Staatsanwaltschaft einen der im § 470 angeführten Beschlüsse beantragt.

§ 470. Bei der nichtöffentlichen Beratung kann das Landesgericht:

1. die Berufung als unzulässig zurückweisen, wenn sie zu spät angemeldet oder von einer Person ergriffen worden ist, der das Berufungsrecht überhaupt nicht oder nicht in der Richtung zusteht, in der es in Anspruch genommen wird, oder die darauf verzichtet hat; ferner, wenn der Berufungswerber bei der Anmeldung der Berufung oder in ihrer Ausführung die Punkte des Erkenntnisses, durch die er sich beschwert findet, oder die Nichtigkeitsgründe, derentwegen allein die Berufung ergriffen worden ist, nicht deutlich und bestimmt bezeichnet hat, in welchen Fällen es gegebenenfalls diesen Beschluss dem Verfassungsgerichtshof zu übermitteln hat;

2. beschließen, Aufklärungen über behauptete Formverletzungen einzuholen, oder seine eigene Unzuständigkeit aussprechen und die Strafsache an das zuständige Landesgericht abtreten;

3. wenn schon vor der öffentlichen Verhandlung über die Berufung feststeht, daß das Urteil aufzuheben und die Verhandlung in erster Instanz zu wiederholen oder nach dem 11. Hauptstück oder § 37 SMG vorzugehen ist, der Berufung stattgeben, das Urteil, soweit es angefochten wird, aufheben und die Sache an das Bezirksgericht, das das Urteil gefällt hat, oder an ein anderes Bezirksgericht seines Sprengels, wenn aber das Urteil wegen örtlicher Unzuständigkeit des Gerichtes aufgehoben wird, an das örtlich zuständige Bezirksgericht zurückweisen.

§ 471. Für die Anberaumung und Durchführung des Gerichtstags zur öffentlichen Verhandlung sowie für die Entscheidung über die Berufung gelten §§ 233 bis 237, 286 Abs. 1 und 1a *(Anm. 1)*, 287, 288 Abs. 2 Z 3 erster Satz, 289, 290, 293 Abs. 4, 294, 295 sowie 296a sinngemäß, soweit im Folgenden nicht anderes bestimmt wird.

(________

Anm. 1: Art. 1 Z 75 der Novelle BGBl. I Nr. 157/2024 lautet: „In § 471 wird das Zitat „§ 286 Abs. 1 und 1a“ durch das Zitat „§ 286 Abs. 1 und 2 zweiter Satz“ ersetzt“.“. Die Anweisung konnte nicht durchgeführt werden.)

§ 473. (1) Für die Vernehmung des Angeklagten, von Zeugen und Sachverständigen sind die für die Hauptverhandlung vor dem Landesgericht als Schöffengericht geltenden Bestimmungen anzuwenden. Das Protokoll der Hauptverhandlung kann ebenso verlesen werden wie das Urteil samt den Entscheidungsgründen.

(2) Zeugen und Sachverständige, die bereits in der Hauptverhandlung vor dem Bezirksgerichte vernommen worden sind, sind nochmals abzuhören, wenn das Landesgericht gegen die Richtigkeit der auf ihre Aussagen gegründeten, im Urteil erster Instanz enthaltenen Feststellungen Bedenken hegt oder die Vernehmung neuer Zeugen oder Sachverständiger über dieselben Tatsachen notwendig findet. Außer diesem Falle hat das Landesgericht die in erster Instanz aufgenommenen Protokolle seiner Entscheidung zugrunde zu legen.

(3) Sodann wird der, der die Berufung einlegte, zu ihrer Begründung und sodann der Gegner zur Erwiderung aufgefordert.

(4) Dem Angeklagten oder seinem Verteidiger gebührt jedenfalls das Recht der letzten Äußerung.

(5) Hierauf zieht sich das Landesgericht zur Beratung und Beschlußfassung zurück.

§ 474. Nach Maßgabe der folgenden Bestimmungen erkennt das Landesgericht in der Sache selbst nach den für das Landesgericht als Schöffengericht geltenden Bestimmungen, es sei denn, dass die Berufung als unzulässig oder unbegründet zurückgewiesen wird oder sich das angerufene Landesgericht für unzuständig erklärt.

§ 475. (1) Wird das Urteil des Bezirksgerichtes wegen eines der im § 468 Abs. 1 unter Z. 1 und 3 angeführten Nichtigkeitsgründe aufgehoben, so verweist das Landesgericht die Sache zu neuer Verhandlung an das Bezirksgericht, das das Urteil gefällt hat, oder an ein anderes Bezirksgericht seines Sprengels, wenn aber das Urteil wegen örtlicher Unzuständigkeit des Bezirksgerichtes aufgehoben wird, an das örtlich zuständige Bezirksgericht.

(2) Wird das Urteil des Bezirksgerichtes wegen des im § 468 Abs. 1 unter Z. 2 angeführten Nichtigkeitsgrundes aufgehoben, so ist die Sache nicht an das zuständige Gericht zu verweisen. Für das weitere Verfahren gilt § 263 Abs. 4 sinngemäß.

(3) Hat das Bezirksgericht bezüglich einer Tatsache, auf die sich die Anklage bezieht, mit Unrecht seine Nichtzuständigkeit ausgesprochen oder die Anklage nicht vollständig erledigt (§ 281 Abs. 1 Z. 6 und 7), so trägt ihm das Landesgericht auf, sich der Verhandlung und Urteilsfällung zu unterziehen, die sich in letztem Fall auf die unerledigt gebliebenen Anklagepunkte zu beschränken hat.

(4) Hat das Bezirksgericht das Vorliegen der Voraussetzungen für eine Einstellung des Strafverfahrens nach dem 11. Hauptstück (§ 199) oder § 37 SMG zu

Unrecht nicht angenommen, so verweist das Landesgericht die Sache an dasselbe oder an ein anderes Bezirksgericht mit dem Auftrag, nach den entsprechenden Bestimmungen vorzugehen.

§ 476. In den im § 475 Abs. 1 und 3 erwähnten Fällen steht es jedoch der Berufungsbehörde frei, sofort oder in einer späteren Sitzung, nötigenfalls unter Wiederholung oder Ergänzung der in erster Instanz gepflogenen Verhandlung und unter Verbesserung der mangelhaft befundenen Prozeßhandlung, in der Sache selbst zu erkennen.

§ 478. (1) Gegen ein Urteil des Bezirksgerichtes, das gemäß § 427 in Abwesenheit des Angeklagten verkündet wurde, kann dieser binnen vierzehn Tagen von der Zustellung des Urteiles beim erkennenden Bezirksgericht Einspruch erheben, wenn ihm die Vorladung nicht gehörig zugestellt worden ist oder er nachweisen kann, daß er durch ein unabwendbares Hindernis abgehalten worden sei.

(2) Über diesen Einspruch hat das Bezirksgericht nach vorläufiger Vernehmung des Anklägers zu erkennen. Verwirft es den Einspruch, so steht dem Angeklagten das Rechtsmittel der Beschwerde an das Landesgericht (§ 31 Abs. 5 Z 1) binnen vierzehn Tagen zu. Der Angeklagte ist in diesem Falle berechtigt, mit diesem Rechtsmittel für den Fall der Verwerfung die Berufung zu verbinden, mit der nach den Bestimmungen der §§ 469 bis 474 zu verfahren ist.

(3) Findet das Bezirksgericht oder infolge der Beschwerde das Landesgericht den Einspruch begründet, so ist eine neue Verhandlung vor dem Bezirksgericht anzuordnen, bei der, wenn der Angeklagte erscheint, die Sache so verhandelt wird, wie im § 457 vorgeschrieben ist.

§ 479. Gegen die Urteile der Landesgerichte über eine gemäß den §§ 463, 464 und 478 an sie gelangte Berufung ist ein weiteres Rechtsmittel nicht zulässig.

§ 480. Für die Wiederaufnahme und die Erneuerung des Strafverfahrens sowie für die Wiedereinsetzung in den vorigen Stand gelten die im 16. Hauptstück enthaltenen Bestimmungen. In den Fällen der §§ 352 bis 356 entscheidet das Bezirksgericht über die Bewilligung der Wiederaufnahme.

23. Hauptstück

Verfahren vor dem Landesgericht als Einzelrichter

§ 483. *(Anm.: aufgehoben durch BGBl. I Nr. 93/ 2007)*

§ 484. Der Strafantrag (§ 210 Abs. 1) hat die im § 211 Abs. 1 angeführten Angaben zu enthalten und jene Beweise zu bezeichnen, deren Aufnahme in der Hauptverhandlung beantragt wird. Das Gericht hat den Strafantrag dem Angeklagten, gegebenenfalls samt einer Rechtsbelehrung gemäß § 50, insbesondere der Information, ob ein Fall notwendiger Verteidigung gegeben ist, unverzüglich zuzustellen. § 213 Abs. 3 gilt sinngemäß.

§ 485. (1) Das Gericht hat den Strafantrag vor Anordnung der Hauptverhandlung zu prüfen und

1. im Fall seiner örtlichen oder sachlichen Unzuständigkeit gemäß § 450 vorzugehen;

2. in den Fällen des § 212 Z 3, 4 und 8 den Strafantrag mit Beschluss zurückzuweisen;

3. in den Fällen des § 212 Z 1, 2 und 7 den Strafantrag mit Beschluss zurückzuweisen und das Verfahren einzustellen;

4. im Übrigen jedoch die Hauptverhandlung nach den für das Verfahren vor dem Landesgericht als Schöffengericht geltenden Bestimmungen anzuordnen.

(1a) Die Beschwerde der Staatsanwaltschaft gegen einen Beschluss nach Abs. 1 Z 1 oder Z 2 hat aufschiebende Wirkung.

(2) Sobald ein Beschluss gemäß Abs. 1 Z 1 oder 2 rechtswirksam geworden ist, hat der Ankläger binnen dreier Monate bei sonstigem Verlust des Verfolgungsrechts die für die Fortführung des Verfahrens erforderlichen Anträge oder Anordnungen zu stellen.

§ 488. (1) Für das Hauptverfahren vor dem Landesgericht als Einzelrichter und für Rechtsmittel gegen dessen Urteile gelten die Bestimmungen für das Verfahren vor dem Landesgericht als Schöffengericht, soweit im Folgenden nichts anderes bestimmt wird. Der Einzelrichter erfüllt die Aufgaben des Vorsitzenden und des Schöffengerichts.

(2) Hat der Angeklagte keinen Verteidiger, so nimmt er dessen Rechte im Hauptverfahren selbst wahr.

(3) Ist das Landesgericht als Einzelrichter der Ansicht, dass das Landesgericht als Schöffen- oder Geschworenengericht zuständig ist, so hat es, nachdem die Beteiligten des Verfahrens zu den geänderten Umständen angehört wurden, mit Urteil seine Unzuständigkeit auszusprechen. Sobald dieses Urteil rechtskräftig wurde, hat der Ankläger die zur Fortführung des Verfahrens erforderlichen Anträge zu stellen.

(Anm.: Abs. 4 aufgehoben durch BGBl. I Nr. 52/ 2009)

§ 489. (1) Gegen die vom Landesgericht als Einzelrichter ausgesprochenen Urteile kann außer dem Einspruch gemäß § 427 Abs. 3 nur das Rechtsmittel der Berufung wegen der in § 281 Abs. 1 Z 1a bis 5 und 6 bis 11 und § 468 Abs. 1 Z 1 und 2 aufgezählten Nichtigkeitsgründe oder gegen die im § 464 Z 2 und 3 genannten Aussprüche ergriffen werden. Für das Verfahren gelten die §§ 281, 282 Abs. 2, 285 Abs. 2 bis Abs. 5, 465 bis 467, 469 bis 476 und 479 sinngemäß. Für den Nichtigkeitsgrund des § 281 Abs. 1 Z 3 gelten die in § 468 Abs. 1 Z 3 zitierten Bestimmungen.

(2) Die Gerichtstage zur öffentlichen Verhandlung über die Berufung finden am Sitz des Oberlandes-

gerichts statt. Doch kann der Vorsitzende mit Rücksicht auf den Aufenthalt der Beteiligten des Verfahrens oder nach Anhörung des Anklägers und des Angeklagten auch aus anderen wichtigen Gründen anordnen, dass der Gerichtstag an einem anderen im Sprengel des Oberlandesgerichts gelegenen Ort abgehalten wird. Einer solchen Anhörung bedarf es nicht, wenn sich der Angeklagte im Sprengel des Landesgerichts in Haft befindet, bei welchem der Gerichtstag abgehalten wird.

(3) Von der Verhandlung und Entscheidung über eine Berufung sind auch Mitglieder des Oberlandesgerichts ausgeschlossen, die im vorangegangenen Verfahren an der Entscheidung über eine Beschwerde gegen die vom Landesgericht als Einzelrichter beschlossene Zurückweisung oder Einstellung (§ 485) beteiligt waren.

§ 490. Für die Wiederaufnahme und die Erneuerung des Strafverfahrens sowie für die Wiedereinsetzung in den vorigen Stand gelten die im 16. Hauptstück enthaltenen Bestimmungen. In den Fällen der §§ 352 bis 356 entscheidet das Landesgericht als Einzelrichter über die Bewilligung der Wiederaufnahme.

23a. Hauptstück

Mandatsverfahren

§ 491. (1) Im Verfahren vor dem Bezirksgericht und vor dem Landesgericht als Einzelrichter kann das Gericht auf Antrag der Staatsanwaltschaft die Strafe durch schriftliche Strafverfügung ohne vorausgehende Hauptverhandlung festsetzen, wenn

1. es sich um ein Vergehen handelt und der Angeklagte gemäß §§ 164 oder 165 zum Anklagevorwurf vernommen wurde und nach Information über die Folgen ausdrücklich auf die Durchführung einer Hauptverhandlung verzichtet hat,

2. kein Grund für ein Vorgehen nach §§ 191 Abs. 2, 199 oder anderen darauf verweisenden Vorschriften, §§ 450, 451 Abs. 2 oder 485 Abs. 1 Z 2 oder 3 sowie nach § 37 SMG vorliegt,

3. die Ergebnisse des Ermittlungsverfahrens in Verbindung mit der Verantwortung des Angeklagten zur Beurteilung aller für die Schuld- und Straffrage entscheidenden Umstände ausreichen sowie die Rechte und gerechtfertigten Interessen des Opfers keine Beeinträchtigung erfahren.

(2) Mit Strafverfügung darf nur eine Geldstrafe oder – soweit der Angeklagte durch einen Verteidiger vertreten ist – eine ein Jahr nicht übersteigende, gemäß § 43 Abs. 1 StGB bedingt nachzusehende Freiheitsstrafe verhängt werden. Ein Ausspruch nach § 494a Abs. 1 Z 4 ist dem nach § 495 zuständigen Gericht vorzubehalten.

(3) Soweit das Gericht dies zur Klärung der Voraussetzungen nach Abs. 1 für erforderlich erachtet, kann es den Angeklagten und das Opfer vernehmen und gegebenenfalls nach § 69 vorgehen.

(4) Die Strafverfügung muss enthalten:

1. die Bezeichnung des Gerichts und den Namen des Richters,

2. den Vor- und den Familiennamen sowie alle früher geführten Namen, Tag und Ort der Geburt, die Staatsangehörigkeit und den Beruf des Angeklagten,

3. den Ausspruch des Gerichts über die Schuld des Angeklagten mit allen in § 260 angeführten Punkten,

4. die vom Gericht als erwiesen angenommenen Tatsachen in gedrängter Darstellung sowie die für die Strafbemessung und gegebenenfalls die für die Bemessung des Tagessatzes (§ 19 Abs. 2 StGB) maßgebenden Umstände in Schlagworten,

5. eine Information über das Recht, einen Einspruch zu erheben mit dem deutlichen Hinweis, dass die Strafverfügung mit allen Wirkungen einer Verurteilung in Rechtskraft übergehen und vollstreckt werden würde, falls ein solcher nicht oder nicht rechtzeitig erhoben wird.

(5) Die Strafverfügung ist dem Angeklagten und gegebenenfalls seinem Verteidiger sowie dem Opfer und gegebenenfalls seinem Vertreter samt dem Strafantrag auf die in § 83 Abs. 3 bezeichnete Weise zuzustellen.

(6) Gegen die Strafverfügung können die Staatsanwaltschaft, der Angeklagte und das Opfer binnen vier Wochen ab Zustellung schriftlich Einspruch bei dem die Strafverfügung erlassenden Gericht erheben, wobei es genügt, dass aus dem Schriftstück die Absicht, Einspruch zu erheben, deutlich hervorgeht.

(7) Das die Strafverfügung erlassende Gericht hat den Einspruch als unzulässig zurückzuweisen, wenn er verspätet ist oder wenn er von einer Person eingebracht wurde, der der Einspruch nicht zukommt oder die auf ihn verzichtet hat. Gegen diesen Beschluss steht die Beschwerde (§ 87) an das Rechtsmittelgericht zu; ihr kommt aufschiebende Wirkung zu.

(8) Im Falle eines zulässigen Einspruchs ist die Hauptverhandlung anzuordnen (§§ 455, 488); § 43 Abs. 2 gilt sinngemäß.

(9) Wird ein Einspruch nicht erhoben oder ein solcher als unzulässig zurückgewiesen, so steht die Strafverfügung einem rechtskräftigen Urteil gleich und ist nach den Bestimmungen des 19. Hauptstückes zu vollstrecken.

§ 491a. *(Aufgehoben; BGBl. Nr. 423/1974, Art. I Z. 148)*

§ 491b. *(Aufgehoben; BGBl. Nr. 423/1974, Art. I Z. 148)*

24. Hauptstück

StPO

Verfahren bei bedingter Strafnachsicht, bedingter Nachsicht von vorbeugenden Maßnahmen, Erteilung von Weisungen und Anordnung der Bewährungshilfe

I. Bedingte Nachsicht einer Strafe, der Unterbringung in einer Anstalt für entwöhnungsbedürftige Rechtsbrecher und einer Rechtsfolge

§ 492. (1) Die bedingte Nachsicht einer Strafe, der Unterbringung in einer Anstalt für entwöhnungsbedürftige Rechtsbrecher und einer Rechtsfolge ist in das Urteil aufzunehmen.

(2) Das Gericht hat den Verurteilten über den Sinn der bedingten Nachsicht zu belehren und ihm, sobald die Entscheidung darüber rechtskräftig geworden ist, eine Urkunde zuzustellen, die kurz und in einfachen Worten den wesentlichen Inhalt der Entscheidung, die ihm auferlegten Verpflichtungen und die Gründe angibt, aus denen die Nachsicht widerrufen werden kann.

§ 493. (1) Die bedingte Nachsicht oder deren Unterbleiben bildet einen Teil des Ausspruches über die Strafe und kann zugunsten und zum Nachteil des Verurteilten mit Berufung angefochten werden. Die Berufung hat nur, soweit es sich um die Vollstreckung der Strafe oder der Unterbringung in einer Anstalt für entwöhnungsbedürftige Rechtsbrecher oder um den Eintritt der Rechtsfolge handelt, aufschiebende Wirkung.

(2) Hat das Gericht durch die Entscheidung über die bedingte Nachsicht seine Befugnisse überschritten, so kann das Urteil wegen Nichtigkeit nach den §§ 281 Abs. 1 Z. 11, 345 Abs. 1 Z. 13 oder 468 Abs. 1 Z. 4 angefochten werden.

II. Erteilung von Weisungen und Anordnung der Bewährungshilfe

§ 494. (1) Über die Erteilung von Weisungen und die Anordnung der Bewährungshilfe entscheidet das Gericht mit Beschluß. Die Entscheidung obliegt in der Hauptverhandlung dem erkennenden Gericht, sonst dem Vorsitzenden.

(2) Wird dem Rechtsbrecher eine Weisung erteilt, welche die Interessen des Verletzten unmittelbar berührt, so ist dieser hievon zu verständigen.

III. Widerruf einer bedingten Nachsicht

§ 494a. (1) Wird jemand wegen einer strafbaren Handlung verurteilt, die er vor Ablauf der Probezeit nach einem Schuldspruch unter Vorbehalt der Strafe, einer bedingten Nachsicht oder bedingten Entlassung begangen hat, so hat das erkennende Gericht nach den folgenden Bestimmungen vorzugehen:

1. Liegen die Voraussetzungen für ein Unterbleiben des nachträglichen Ausspruches der Strafe (§§ 15, 16 JGG) vor, so ist auszusprechen, daß die neue Verurteilung für einen solchen Ausspruch keinen Anlaß bildet.

2. Liegen die Voraussetzungen für das Absehen vom Widerruf einer bedingten Nachsicht oder bedingten Entlassung vor, so ist auszusprechen, daß von einem Widerruf aus Anlaß der neuen Verurteilung abgesehen wird.

3. Liegen die Voraussetzungen für einen nachträglichen Ausspruch der Strafe (§§ 15, 16 JGG) vor, so ist die Strafe in einem Ausspruch so zu bemessen, wie wenn die Verurteilung wegen beider strafbarer Handlungen gemeinsam erfolgt wäre; im übrigen ist auszusprechen, daß in dem Verfahren, in dem der Schuldspruch unter Vorbehalt der Strafe ergangen ist, ein nachträglicher Strafausspruch nicht mehr in Betracht kommt.

4. Liegen die Voraussetzungen für den Widerruf einer bedingten Nachsicht oder bedingten Entlassung vor, so ist der Widerruf auszusprechen.

(2) Ein Ausspruch nach Abs. 1 Z. 4 steht dem Einzelrichter beim Landesgericht nur bei Strafen und Strafresten zu, die das Ausmaß von je fünf Jahren nicht übersteigen, und dem Bezirksgericht nur bei Strafen und Strafresten, die das Ausmaß von je einem Jahr nicht übersteigen. Der Widerruf einer bedingten Entlassung aus einer Unterbringung nach § 21 Abs. 1 oder 2 StGB oder einer lebenslangen Freiheitsstrafe ist dem Landesgericht als Schöffen- oder Geschworenengericht vorbehalten. Soweit das erkennende Gericht sonach eine Entscheidung nach Abs. 1 Z. 4 nicht treffen darf, hat es auszusprechen, daß die Entscheidung über den Widerruf dem Gericht vorbehalten bleibt, dem sonst die Entscheidung zukäme.

(3) Vor der Entscheidung hat das Gericht den Ankläger, den Angeklagten und den Bewährungshelfer zu hören und Einsicht in die Akten über die frühere Verurteilung zu nehmen. Von der Anhörung des Angeklagten kann abgesehen werden, wenn das Urteil in seiner Abwesenheit gefällt wird und ein Ausspruch nach Abs. 1 Z. 1 oder 2 erfolgt. Von der Anhörung des Bewährungshelfers kann abgesehen werden, wenn das Gericht einen nachträglichen Strafausspruch oder einen Widerruf nicht in Betracht zieht. Anstelle der Einsicht in die Akten kann sich das Gericht mit der Einsicht in eine Abschrift des früheren Urteils begnügen, wenn dieses eine ausreichende Grundlage für die Entscheidung nach Abs. 1 darzustellen vermag.

(4) Die Entscheidungen nach Abs. 1 mit Ausnahme des Strafausspruches nach Z. 3 erster Satz sowie der Vorbehalt nach Abs. 2 ergehen mit Beschluß. Der Beschluß ist gemeinsam mit dem Urteil zu verkünden und auszufertigen. Der Beschluß und sein Unterbleiben können mit Beschwerde angefochten werden.

(Anm.: Abs. 5 aufgehoben durch BGBl. I Nr. 55/1999)

(6) In einem Beschluß, mit dem vom Widerruf einer bedingten Nachsicht oder bedingten Entlassung abgesehen wird, kann das erkennende Gericht auch die Probezeit verlängern; zugleich mit einem Ausspruch nach Abs. 1 Z 1 oder 2 können auch Weisungen erteilt, die Bewährungshilfe angeordnet und familien- oder jugendwohlfahrtsrechtliche Verfügungen getroffen werden (§§ 53 Abs. 3, 54 Abs. 2 StGB, 15 Abs. 2 JGG).

(7) Das erkennende Gericht hat unverzüglich alle Gerichte zu verständigen, deren Vorentscheidungen von einer Entscheidung nach den vorstehenden Bestimmungen betroffen sind.

§ 494b. Hat das erkennende Gericht bei der Urteilsfällung einen Ausspruch nach § 494a Abs. 1 Z 3 oder 4 zu Unrecht unterlassen oder im Fall eines Ausspruches nach § 494a Abs. 1 Z 2 die Probezeit nicht verlängert und hat der Ankläger das Unterbleiben einer solchen Entscheidung nicht angefochten, so darf ein nachträglicher Ausspruch der Strafe, ein Widerruf der bedingten Nachsicht oder Entlassung oder eine Verlängerung der Probezeit aus Anlaß der neuen Verurteilung nicht mehr erfolgen, sofern die frühere Verurteilung oder die bedingte Entlassung aktenkundig war.

§ 495. (1) Außer in den Fällen des § 494a entscheidet über den Widerruf der bedingten Nachsicht einer Strafe oder eines Strafteiles, der Unterbringung in einer Anstalt für entwöhnungsbedürftige Rechtsbrecher oder einer Rechtsfolge das Gericht in nichtöffentlicher Sitzung mit Beschluß, das in jenem Verfahren, in dem die bedingte Nachsicht ausgesprochen worden ist, in erster Instanz erkannt hat.

(2) Die Beschlußfassung über einen Widerruf bei nachträglicher Verurteilung (§ 55 StGB) obliegt unter Gerichten gleicher Ordnung jenem, dessen Urteil eine bedingte Nachsicht enthält und zuletzt rechtskräftig wurde; unter Gerichten verschiedener Ordnung entscheidet jenes höherer Ordnung, dessen Urteil eine bedingte Nachsicht enthält und zuletzt rechtskräftig wurde.

(3) Vor der Entscheidung hat das Gericht den Ankläger, den Verurteilten und den Bewährungshelfer zu hören und eine Strafregisterauskunft einzuholen. Von der Anhörung des Verurteilten kann abgesehen werden, wenn sich erweist, daß sie ohne unverhältnismäßigen Aufwand nicht durchführbar ist.

§ 496. (1) Wenn auf Grund bestimmter Tatsachen anzunehmen ist, dass die bedingte Nachsicht einer Strafe oder eines Strafteils widerrufen werde, und der Verurteilte aus diesem Grund flüchten werde (§ 173 Abs. 2 Z 1 und Abs. 3), ist seine Festnahme zulässig, zu der die Kriminalpolizei von sich aus berechtigt ist, wenn wegen Gefahr im Verzug eine Anordnung der Staatsanwaltschaft nicht rechtzeitig eingeholt werden kann. Für das weitere Verfahren gelten die im 9. Hauptstück enthaltenen Bestimmungen sinngemäß mit der Maßgabe, dass die Haftfrist einen Monat beträgt. Über drei Monate hinaus darf die Haft in keinem Fall aufrecht erhalten werden.

(2) Wenn auf Grund bestimmter Tatsachen anzunehmen ist, dass ein Verurteilter, der unter gerichtlicher Aufsicht nach § 52a oder § 52b StGB steht, ihm erteilte Weisungen nicht befolgt oder sich dem Einfluss des Bewährungshelfers entzieht, ist die Vorführung des Verurteilten zur sofortigen Erteilung einer förmlichen Mahnung zulässig. Zur Vorführung ist die Kriminalpolizei von sich aus berechtigt, wenn wegen Gefahr im Verzug eine Anordnung des Gerichts nicht rechtzeitig eingeholt werden kann.

IV. Endgültige Nachsicht

§ 497. (1) Der Ausspruch, daß die bedingte Nachsicht einer Strafe, der Unterbringung in einer Anstalt für entwöhnungsbedürftige Rechtsbrecher oder einer Rechtsfolge endgültig geworden ist, hat durch Beschluß des Vorsitzenden zu erfolgen.

(2) Vor der Entscheidung ist der Ankläger zu hören und eine Strafregisterauskunft einzuholen.

V. Gemeinsame Bestimmungen

§ 498. *(1) (Anm.: aufgehoben durch BGBl. I Nr. 93/2007)*

(2) Die Beschwerde steht zugunsten des Verurteilten diesem und allen anderen Personen zu, die zugunsten eines Angeklagten Nichtigkeitsbeschwerde erheben können, zum Nachteil des Verurteilten aber nur dem Ankläger. Im Fall der mündlichen Verkündung gilt § 86 Abs. 2 und 3 mit der Maßgabe, dass die Ausfertigung und Zustellung des Beschlusses auch unterbleiben können, wenn der Rechtsmittelwerber binnen drei Tagen nach mündlicher Verkündung des Beschlusses keine Beschwerde anmeldet. Bei mündlicher Verkündung und Anmeldung einer Beschwerde läuft die Frist zur Erstattung des Rechtsmittels ab Zustellung der schriftlichen Ausfertigung. Eine rechtzeitig erhobene Beschwerde hat aufschiebende Wirkung, es sei denn, dass sie gegen einen Beschluss gemäß § 496 gerichtet ist.

(3) Die Beschwerde kann auch mit einer Nichtigkeitsbeschwerde oder Berufung gegen das Urteil verbunden werden, das zugleich mit dem angefochtenen Beschluß ergangen ist (§§ 494 und 494a). In diesem Fall ist die Beschwerde rechtzeitig eingebracht, wenn das Rechtsmittel, mit dessen Ausführung sie verbunden ist, rechtzeitig eingebracht wurde. Im übrigen ist eine zugunsten des Angeklagten ergriffene Berufung wegen des Ausspruchs über die Strafe auch als Beschwerde gegen den Beschluß zu betrachten. Wird die Beschwerde mit einem anderen Rechtsmittel verbunden oder wird sonst gegen das zugleich mit dem angefochtenen Beschluß ergangene Urteil Nichtigkeitsbeschwerde oder Berufung erhoben, so entscheidet das für deren Erledigung zuständige Gericht auch über die Beschwerde.

25. Hauptstück

Ausübung der Strafgerichtsbarkeit über Soldaten im Frieden

§ 499. Soldat im Sinne dieses Gesetzes ist jeder Angehörige des Präsenzstandes des Bundesheeres.

§ 500. (1) Alle Soldaten unterstehen im Frieden der Strafgerichtsbarkeit der bürgerlichen Gerichte.

(2) Soweit im folgenden nichts anderes bestimmt ist, sind die allgemeinen Vorschriften über das Verfahren in Strafsachen auch auf Soldaten anzuwenden.

§ 501. (1) Die Durchführung eines Strafverfahrens wegen einer Tat ist nicht allein deshalb unzulässig, weil sie auch als Verstoß gegen eine besondere militärische Dienst- oder Standespflicht von den dafür zuständigen Behörden verfolgt werden kann.

(2) Wegen eines mit nicht mehr als sechsmonatiger Freiheitsstrafe bedrohten Vergehens nach dem Militärstrafgesetz darf ein Strafverfahren nicht geführt oder ein bereits begonnenes Strafverfahren vorläufig nicht fortgesetzt werden (§ 197), sobald Staatsanwaltschaft oder Gericht von der zuständigen Behörde mitgeteilt wurde, dass wegen der Tat ein militärisches Disziplinarverfahren durchgeführt wird. Handelt es sich um ein mit mehr als sechsmonatiger, aber nicht mehr als zweijähriger Freiheitsstrafe bedrohtes Vergehen nach dem Militärstrafgesetz, so kann die Staatsanwaltschaft oder das Gericht die Einleitung oder Fortsetzung des Verfahrens aufschieben, wenn dies im Hinblick auf ein wegen der Tat durchgeführtes militärisches Disziplinarverfahren zweckmäßig erscheint. Nach Abschluss des Disziplinarverfahrens hat die Staatsanwaltschaft in sinngemäßer Anwendung des § 263 Abs. 4 vorzugehen. Solange ein Verfahren nach diesem Bundesgesetz nicht eingeleitet oder fortgesetzt wird, ruht die Verjährung.

§ 502. (1) Auch militärische Kommanden sowie jene Soldaten, die dem für die militärische Sicherheit und Ordnung im Standort oder in der Unterkunft verantwortlichen Kommandanten (Garnisonskommandanten oder Kasernkommandanten) zum Zwecke der Besorgung dieser Aufgaben unterstellt sind, und, soweit sie nicht schon zu diesem Personenkreis zählen, Wachen können die Festnahme (§ 170) des Beschuldigten vornehmen,

1. wenn der Beschuldigte auf einer militärischen Liegenschaft auf frischer Tat betreten wird oder

2. wenn der Beschuldigte Soldat ist, einer der in § 170 Abs. 1 Z. 2 bis 4 angeführten Umstände vorliegt und wegen Gefahr im Verzug eine vom Gericht bewilligte Anordnung der Staatsanwaltschaft nicht rechtzeitig eingeholt werden kann.

(2) §§ 170 Abs. 3 und 172 gelten dem Sinne nach.

§ 503. (1) Von jeder Ladung und von jeder Festnahme oder Freilassung eines Soldaten sowie von der Anordnung des Vollzuges der gegen Soldaten verhängten Freiheitsstrafen ist das unmittelbar vorgesetzte Kommando zu benachrichtigen; die Benachrichtigung von der Ladung hat zu entfallen, wenn diese durch das vorgesetzte Kommando zugestellt wird.

(2) Die Einleitung des Strafverfahrens gegen einen Soldaten ist seinem Disziplinarvorgesetzten anzuzeigen. Diesem sind nach rechtskräftiger Beendigung des Strafverfahrens die Akten zur Einsicht zu übersenden.

(3) Die Verurteilung eines Wehrpflichtigen der Reserve ist seinem Standeskörper bekanntzugeben.

(4) Die bevorstehende Entlassung eines Soldaten aus einer Strafvollzugsanstalt ist von dieser, die Entlassung aus einer Justizanstalt vom Gerichte dem nächstgelegenen militärischen Kommando anzuzeigen, damit die zur Übernahme notwendigen Verfügungen rechtzeitig getroffen werden können.

§ 504. Von Amtshandlungen der Kriminalpolizei, der Staatsanwaltschaft oder des Gerichts auf militärischen Liegenschaften ist der Kommandant vorher in Kenntnis zu setzen; auf sein Verlangen ist ein von ihm beigegebener Soldat zuzuziehen.

§ 505. Ladungen und Anordnungen, Entscheidungen und sonstige Schriftstücke sind Soldaten in der Regel durch das unmittelbar vorgesetzte Kommando zuzustellen. Dieses hat das rechtzeitige Erscheinen des Geladenen zu veranlassen und ihn nötigenfalls auch von Amts wegen zum Termin vorzuführen.

§ 506. (1) Soldaten sind bei ihrer Vernehmung als Beschuldigte, Zeugen oder Sachverständige um ihren Standeskörper und Dienstgrad und, wenn sie als Beschuldigte vernommen werden, auch um den Tag zu befragen, an dem ihr Präsenz- oder Ausbildungsdienst begonnen hat.

(2) Der Dienstgrad und der Standeskörper des Beschuldigten sind in allen Schriftstücken, die ihm oder militärischen Stellen (§ 503) zuzustellen sind oder durch die seine Fahndung veranlasst werden soll, anzuführen.

26. Hauptstück

Gnadenverfahren

§ 507. Eine Begnadigung steht nur dem Bundespräsidenten auf Vorschlag der Bundesregierung oder des von ihr ermächtigten Bundesministers für Justiz zu (Art. 65 Abs. 2 lit. c, Art. 67 Abs. 1 B-VG). Eine Begnadigung kann von Amts wegen oder aus Anlaß eines Gesuches vorgeschlagen werden; ein Recht darauf besteht nicht.

§ 508. Gnadengesuche sind beim Bundesminister für Justiz einzubringen; bei Gerichten oder anderen Justizbehörden einlangende Gesuche sind unverzüglich und unmittelbar an den Bundesminister für Justiz weiterzuleiten.

§ 509. Der Bundesminister für Justiz kann zur Klärung der Voraussetzungen für die Erstattung von Gnadenvorschlägen

1. Erhebungen durchführen, die Sicherheitsbehörden und andere geeignete Stellen um Erhebungen ersuchen oder die Staatsanwaltschaften mit deren Veranlassung beauftragen;

2. Gerichten, insbesondere jenen, die in erster Instanz erkannt oder die Strafe mit der Entscheidung über ein Rechtsmittel festgesetzt haben, Gelegenheit zur Stellungnahme geben sowie Stellungnahmen staatsanwaltschaftlicher und anderer Behörden einholen.

§ 510. (1) Gnadengesuche haben keine aufschiebende Wirkung.

(2) Der Bundespräsident kann auf Vorschlag der Bundesregierung oder des von ihr ermächtigten Bundesministers für Justiz (§ 507) zunächst eine Hemmung des Vollzuges der Strafe anordnen.

(3) Eine Hemmung des Vollzuges der Strafe hat der Bundesminister für Justiz dem Verurteilten, dem Gesuchsteller und dem Gericht, das in erster Instanz erkannt hat, mitzuteilen.

(4) Die Hemmung endet, sobald die Verständigung von der Begnadigung oder die Mitteilung, daß das Gnadengesuch erfolglos geblieben ist, bei dem Gericht einlangt, das in erster Instanz erkannt hat. Sie endet jedoch spätestens sechs Monate nach dem Einlangen der Mitteilung nach Abs. 3 bei Gericht, sofern der Bundespräsident nicht neuerlich eine Hemmung anordnet (Abs. 2).

(5) Nach Beendigung der Hemmung ist der Verurteilte, sofern eine Strafe zu vollziehen ist, aufzufordern, die Freiheitsstrafe anzutreten (§ 3 Abs. 2 Strafvollzugsgesetz) oder die Geldstrafe zu zahlen (§ 409 Abs. 1).

(6) Der Verurteilte kann auch vor Beendigung der Hemmung die Freiheitsstrafe antreten oder die Geldstrafe zahlen.

§ 511. (1) Eine vom Bundespräsidenten ausgesprochene Begnadigung ist dem Verurteilten durch den Bundesminister für Justiz mitzuteilen. Dieser hat überdies den Gesuchsteller, das Gericht, das in erster Instanz erkannt hat, die Landespolizeidirektion Wien (§ 1 Abs. 2 Strafregistergesetz) und, wenn der Verurteilte in einer Justizanstalt angehalten wird, den Leiter dieser Anstalt zu verständigen.

(2) Bleibt ein Gnadengesuch erfolglos, so hat der Bundesminister für Justiz davon den Verurteilten, den Gesuchsteller und das Gericht, das in erster Instanz erkannt hat, zu verständigen.

§ 512. (1) Gnadenweise gemilderte oder umgewandelte Strafen stehen den von den Gerichten ausgesprochenen Strafen gleich.

(2) Die Anordnung des Vollzuges solcher Strafen und die sonst auf Grund einer Begnadigung oder einer Hemmung des Vollzuges von Strafen zu treffenden Verfügungen kommen dem Vorsitzenden (Einzelrichter) des Gerichtes zu, das in erster Instanz erkannt hat.

§ 513. Bei den Erhebungen im Gnadenverfahren sind die Bestimmungen des Allgemeinen Verwaltungsverfahrensgesetzes 1991 sinngemäß anzuwenden. Dem Verurteilten ist auf Verlangen Einsicht in die Ergebnisse der Erhebungen zu gewähren.

6. TEIL

Schlussbestimmungen

In-Kraft-Treten

§ 514. (1) Dieses Bundesgesetz tritt in der Fassung des Strafprozessreformgesetzes, BGBl. I Nr. 19/2004, und des Bundesgesetzes, BGBl. I Nr. 93/2007, am 1. Jänner 2008 in Kraft.

(2) Die Bestimmungen der §§ 31 Abs. 3, 82 Abs. 3, 83 Abs. 2, 133 Abs. 2, 139 Abs. 2, 153 Abs. 4, 265 Abs. 1, 285e, 288 Abs. 2 Z 2a, 381 Abs. 3 Z 3, 390 Abs. 1, 409 Abs. 3, 470 Z 3, 475 Abs. 4 und 502 Abs. 1 in der Fassung des Bundesgesetzes, BGBl. I Nr. 109/2007 treten mit 1. Jänner 2008 in Kraft.

(3) Die Bestimmungen der §§ 19 Abs. 1 Z 3, 20a, 28a und 100a in der Fassung des Bundesgesetzes, BGBl. I Nr. 109/2007 treten mit 1. Jänner 2009 in Kraft, wobei die Regelungen über die Zuständigkeit der KStA für die Verfolgung von strafbaren Handlungen gemäß § 20a Abs. 1 gelten, die nach diesem Zeitpunkt begangen werden.

(4) Die Bestimmungen der §§ 26 Abs. 2, 28a Abs. 1, 32 Abs. 3, 43 Abs. 2, 45 Abs. 1, 47 Abs. 3, 77 Abs. 2, 183 Abs. 2 und 3, 197, 221 Abs. 4, 410 Abs. 1, 435, 437, 439 Abs. 1, 441 Abs. 1, 485, 498 Abs. 2 und 516 in der Fassung des Bundesgesetzes, BGBl. I Nr. 40/2009 treten mit 1. Juni 2009, die Bestimmungen des § 128 Abs. 2 und 2a in der Fassung des Bundesgesetzes, BGBl. I Nr. 40/2009 jedoch erst mit 1. Oktober 2009 in Kraft.

(5) Die Bestimmungen der §§ 20a Abs. 2, 25 Abs. 3, 28, 29 Abs. 2, 31 Abs. 1, 2 und 5, 32 Abs. 1 und 3, 33 Abs. 1 Z 3, 38, 41 Abs. 1, 43 Abs. 2, 49 Z 10, 52 Abs. 1 und 3, 53 Abs. 1, 66 Abs. 1 Z 4 und 6 und Abs. 2, 75 Abs. 1, 82 Abs. 2, 105 Abs. 1, 111 Abs. 4, 112, 113 Abs. 3, 114 Abs. 1, 115 Abs. 2, 126 Abs. 3, 127 Abs. 2, 133 Abs. 1 und 2, 147 Abs. 1 Z 2, 176 Abs. 2, 182 Abs. 3a, 194 bis 196, 221 Abs. 1, 247a Abs. 1, 260 Abs. 3, 270 Abs. 4, 271 Abs. 1a, 343 Abs. 1, 357 Abs. 2, 377, 381 Abs. 3, 445a Abs. 2, 458 und 488 Abs. 4 in der Fassung des Bundesgesetzes BGBl. I Nr. 52/2009 treten mit 1. Juni 2009 in Kraft. Die Bestimmungen der §§ 83 Abs. 5 und 115a bis 115d in der Fassung des Bundesgesetzes BGBl. I Nr. 52/2009 treten jedoch mit 1. Jänner 2010 in Kraft. Die durch dieses Bundesgesetz geänderten Bestimmungen sind in Strafverfahren nicht anzuwenden, in denen vor seinem Inkrafttreten das Urteil gefällt worden ist. Nach Aufhebung eines solchen Urteils ist jedoch im Sinne der neuen Verfahrensbestimmungen vorzugehen. Die Bestimmungen der §§ 115a bis 115d in der Fassung dieses Bundesgesetzes sind auch auf

Verfahren anzuwenden, die vor ihrem Inkrafttreten abgebrochen wurden. Die Bestimmungen der §§ 194 bis 196 in der Fassung dieses Bundesgesetzes sind auch auf vor dem Inkrafttreten eingebrachte Anträge auf Fortführung anzuwenden, soweit sie von der Oberstaatsanwaltschaft noch nicht dem Oberlandesgericht vorgelegt wurden. Die Oberstaatsanwaltschaft hat in diesen Fällen in sinngemäßer Anwendung der Bestimmung des § 195 Abs. 3 in der Fassung dieses Bundesgesetzes vorzugehen.

(6) Die Bestimmungen der §§ 20a Abs. 1, 28a Abs. 1 und 3, 30 Abs. 1, 36 Abs. 2 und 100a Abs. 2 in der Fassung des Bundesgesetzes, BGBl. I Nr. 98/2009 treten mit 1. September 2009 in Kraft. Die Bestimmungen der §§ 20a Abs. 2, 282 Abs. 1 und 465 Abs. 1 in der Fassung dieses Bundesgesetzes treten jedoch erst mit 1. Jänner 2010 in Kraft. Soweit die KStA nicht gemäß § 28a Abs. 2 vorgeht, bleibt sie für alle Verfahren zuständig, in denen eine Zuständigkeit auf Grund der Bestimmungen der §§ 20a und 28a in der Fassung des Bundesgesetzes, BGBl. I Nr. 109/2007 begründet war, sofern diese mit Inkrafttreten dieses Bundesgesetzes noch nicht beendet wurden. Nach Aufhebung der verfahrensbeendenden Entscheidung ist jedoch nach den neuen Bestimmungen vorzugehen.

(7) Die Bestimmungen der §§ 65, 69 und 156 in der Fassung des Bundesgesetzes, BGBl. I Nr. 135/2009 treten mit 1. Jänner 2010 in Kraft, sie sind in Strafverfahren nicht anzuwenden, in denen vor ihrem Inkrafttreten das Urteil in erster Instanz gefällt worden ist. Nach Aufhebung eines solchen Urteils ist jedoch im Sinne der neuen Verfahrensbestimmungen vorzugehen.

(7a) Die Regelungen über die Zuständigkeit der KStA für die Verfolgung von strafbaren Handlungen gemäß § 20a Abs. 1 in der Fassung des Bundesgesetzes BGBl. I Nr. 98/2009 gelten für strafbare Handlungen, die nach dem 1. September 2009 begangen wurden. Für vor diesem Zeitpunkt begangene strafbare Handlungen besteht eine Zuständigkeit der KStA nur nach Maßgabe des Abs. 3. Abweichend von Abs. 6 kann die KStA Verfahren wegen strafbarer Handlungen, die vor dem 1. Jänner 2009 begangen wurden und die ihr nach dem 1. September 2009 abgetreten wurden, der zuständigen Staatsanwaltschaft abtreten.

(8) Die Bestimmungen der §§ 26 Abs. 3, 28a Abs. 1 und 70 Abs. 1 in der Fassung des Bundesgesetzes BGBl. I Nr. 142/2009, treten mit 1. Jänner 2010 in Kraft.

(9) Die Bestimmung des § 116 in der Fassung des Bundesgesetzes, BGBl. I Nr. 38/2010, tritt mit 1. Juli 2010 in Kraft.

(10) Die Bestimmungen der §§ 153 Abs. 3 und 4, 172 Abs. 1 und 2, 172a, 173a, 174 Abs. 3 Z 8, 176 Abs. 1 Z 2 und 266 in der Fassung des Bundesgesetzes, BGBl. I Nr. 64/2010, treten mit 1. September 2010 in Kraft.

(11) §§ 23 Abs. 1a, 47a, 64 Abs. 1, 110 Abs. 1 Z 3, 115 Abs. 1 Z 3 und Abs. 5, 115a Abs. 1 Z 1, 115d Abs. 2, 116 Abs. 2 Z 2, 132, 146, 147 Abs. 5, 169 Abs. 1 und 1a, 194, 195 Abs. 1, 2 und Abs. 2a, 373b, 408 Abs. 1, 409 Abs. 1, 410 Abs. 1 und Abs. 3, 443 Abs. 1, 444 Abs. 2 und 445 Abs. 1 und Abs. 2 in der Fassung BGBl. I Nr. 108/2010 treten mit 1. Jänner 2011 in Kraft.

(12) §§ 199, 209a und 209b in der Fassung des Bundesgesetzes BGBl. I Nr. 108/2010, treten mit 1. Jänner 2011 in Kraft und mit Ablauf des 31. Dezember 2016 wieder außer Kraft.

(13) §§ 19 Abs. 1 Z 3, 20a, 20b, § 39 Abs. 1a, 26 Abs. 3, 28a, 32a, 100a und 516 Abs. 7 und 8 in der Fassung BGBl. I Nr. 108/2010 treten mit 1. September 2011 in Kraft.

(14) §§ 31 Abs. 5 und 6, 33 Abs. 2, 83 Abs. 1 und 2, 84 Abs. 2, 88 Abs. 1, 89 Abs. 2 bis Abs. 2b, Abs. 4 und Abs. 5, 153 Abs. 4, 176 Abs. 3, 187 Abs. 3, 196 Abs. 2 und 285 Abs. 3 in der Fassung des Budgetbegleitgesetzes 2011, BGBl. I Nr. 111/2010, treten mit 1. Jänner 2011 in Kraft. §§ 126 Abs. 2, 2a bis 2c, 381 Abs. 1 Z 2a und Abs. 6 treten mit 1. Juli 2011 in Kraft. § 31 Abs. 5 und 6 in der Fassung des genannten Bundesgesetzes ist auf Verfahren anzuwenden, die nach Inkrafttreten dem Gericht zur Entscheidung vorgelegt wurden. § 196 Abs. 2 in der Fassung des Budgetbegleitgesetzes 2011 ist auf Verfahren anzuwenden, in denen der Antrag auf Fortführung nach Inkrafttreten bei der Staatsanwaltschaft eingebracht wurde.

(15) §§ 76a, 134 Z 2a und 5, 135, 137 Abs. 3, 138 Abs. 1, Abs. 2 und Abs. 5, 140 Abs. 1 Z 4, 144 Abs. 3, 145 Abs. 3, 147 Abs. 1 und 3 und § 381 Abs. 1 Z 5 in der Fassung des Bundesgesetzes, BGBl. I Nr. 33/2011 treten mit 1. April 2012 in Kraft.

(16) § 446a in der Fassung des Bundesgesetzes, BGBl. I Nr. 43/2011 tritt mit 1. Oktober 2011 in Kraft.

(17) §§ 19 Abs. 1 Z 3, 20a Abs. 1 Z 5 und 6 und 20b Abs. 3 in der Fassung BGBl. I Nr. 67/2011 treten mit 1. September 2011 in Kraft, § 20a Abs. 1 Z 2, 3, 4 und 7 in der Fassung des Bundesgesetzes BGBl. I Nr. 108/2010 treten mit 1. September 2012 in Kraft. § 20a Abs. 1 Z 2 bis 13 in der Fassung des Bundesgesetzes BGBl. I Nr. 98/2009 tritt mit Ablauf des 31. August 2011 außer Kraft.

(18) Die §§ 30 Abs. 1 Z 5a, 5b, 6a, 8a und 8b und 123 Abs. 4 in der Fassung des Bundesgesetzes BGBl. I Nr. 103/2011 treten mit 1. Jänner 2012 in Kraft.

(18a) §§ 20a Abs. 1, 31 Abs. 6, 112, 113 Abs. 2, 116 Abs. 6, 176 Abs. 3, 189 Abs. 2, 194 Abs. 3, 196 Abs. 1 und 3, 204 Abs. 2, 357 Abs. 2, 480 und 490 in der Fassung des Bundesgesetzes BGBl. I Nr. 29/2012, treten mit 1. Juni 2012 in Kraft.

(19) §§ 70, 115e, 116 Abs. 1, 175 Abs. 4 und 409b in der Fassung des 2. Stabilitätsgesetzes 2012,

BGBl. I Nr. 35/2012, treten mit 1. September 2012 in Kraft.

(20) § 511 Abs. 1 in der Fassung des Bundesgesetzes BGBl. I Nr. 50/2012 tritt mit 1. September 2012 in Kraft.

(21) §§ 20a Abs. 1 Z 5 und 20b Abs. 3 in der Fassung des Bundesgesetzes, BGBl. I Nr. 61/2012, treten mit 1. Jänner 2013 in Kraft.

(22) §§ 183 Abs. 3 und 4 und 185 Abs. 1 in der Fassung des Bundesgesetzes BGBl. I Nr.2/2013 treten mit 1. Jänner 2013 in Kraft.

(23) § 66 Abs. 2 in der Fassung des Bundesgesetzes BGBl. I Nr. 116/2013 tritt mit 1. Jänner 2014 in Kraft.

(24) Die §§ 18, 20a Abs. 1 Z 6, 50, 52 Abs. 1, 56, 66 Abs. 1 Z 5, 106 Abs. 1, Abs. 3 und Abs. 5, 107 Abs. 1, 126 Abs. 2a und 2b, 164 Abs. 1, 171 Abs. 3 und Abs. 4, 198 Abs. 3, 381 Abs. 6 und § 393 Abs. 2 in der Fassung des Bundesgesetzes BGBl. I Nr. 195/2013 treten mit 1. Jänner 2014 in Kraft.

(25) § 76 Abs. 4 in der Fassung des Bundesgesetzes BGBl. I Nr. 71/2014 tritt mit 1. November 2014, die §§ 1 Abs. 2 und 3, 2 Abs. 1, 26 Abs. 2, 31 Abs. 1, 32 Abs. 1 und 1a, 37 Abs. 2, 41 Abs. 1 bis 3, 42 Abs. 2 und 3, 48 Abs. 1 und 2, 91 Abs. 2, 100 Abs. 3a, 104 Abs. 1, 108 Abs. 2, 108a, 110 Abs. 1 und 3, 115 Abs. 1, 126 Abs. 3, 4 und 5, 175 Abs. 5, 178 Abs. 3, 194 Abs. 2, 204 Abs. 1 und 3, 205 Abs. 2 und 5, 222 Abs. 3, 232 Abs. 2, 249 Abs. 3, 266 Abs. 1, 393 Abs. 1a, 393a Abs. 1, 395 Abs. 5, 438, 451 Abs. 1, 489 Abs. 1 und 491 in der Fassung des Bundesgesetzes BGBl. I Nr. 71/2014 treten mit 1. Jänner 2015 in Kraft. § 75 Abs. 5 in der Fassung des Bundesgesetzes BGBl. I Nr. 71/2014 tritt mit 31. Oktober 2014 außer Kraft.

(26) §§ 285j, 294 Abs. 4, 467 Abs. 5 und 470 Z 1 in der Fassung des Bundesgesetzes BGBl. I Nr. 92/2014 treten mit 1. Jänner 2015 in Kraft.

(27) § 155 Abs. 1 Z 3 und § 157 Abs. 1 Z 2 in der Fassung des Bundesgesetzes BGBl. I Nr. 101/2014 treten mit 1. Jänner 2015 in Kraft.

(28) § 32 in der Fassung des Bundesgesetzes BGBl. I Nr. 106/2014 tritt mit 1. Jänner 2015 in Kraft.

(29) § 183 Abs. 2 und Abs. 3 in der Fassung des Bundesgesetzes BGBl. I Nr. 13/2015 treten mit 1. Juli 2015 in Kraft.

(30) § 20a Abs. 1 Z 6 in der Fassung des Bundesgesetzes BGBl. I Nr. 34/2015 tritt mit 1. Jänner 2016 in Kraft.

(31) § 126 Abs. 4 in der Fassung des Bundesgesetzes BGBl. I Nr. 112/2015 tritt mit dem der Kundmachung folgenden Tag, §§ 20a Abs. 1 und Abs. 3, 30 Abs. 1, 31 Abs. 2 und Abs. 3, 32 Abs. 1a und Abs. 1b, 61 Abs. 1, 155 Abs. 1, 156 Abs. 1, 161 Abs. 1, 172a Abs. 3, 192 Abs. 1, 198 Abs. 2 und 3, 204 Abs. 2 und 3, 206 Abs. 1, 230 Abs. 2, 355, 409a Abs. 2, 445 Abs. 2a, 489 Abs. 1, 492 Abs. 1 in der Fassung des Bundesgesetzes BGBl. I Nr. 112/2015 treten mit 1. Jänner 2016 in Kraft.

(32) §§ 5 Abs. 3, 10 Abs. 2, 20a Abs. 1 Z 5, 25 Abs. 7, 28, 28a, 31 Abs. 3 Z 6a, Abs. 4 Z 2, 56 Abs. 3, 65 Z 1 lit. a und b, 66 Abs. 1 Z 1a, 1b und 5, Abs. 3 und 4, 66a, 70, 80 Abs. 1, 128 Abs. 1, 133 Abs. 5, 137 Abs. 3, 138 Abs. 2 und 3, 140 Abs. 1 Z 4, 141 Abs. 4, 142 Abs. 5, 147 Abs. 1, 155 Abs. 1 Z 3, 156 Abs. 1 Z 2, 165 Abs. 3 bis 5a, 172 Abs. 4, 177 Abs. 5, 181a, 188 Abs. 2, 195 Abs. 2, 196 Abs. 2, 197 Abs. 2b, 236 Abs. 1, 275, 347, 409 Abs. 1, 427 Abs. 2, 445 Abs. 2a und 489 Abs. 1 in der Fassung des Bundesgesetzes BGBl. I Nr. 26/2016 treten mit 1. Juni 2016 in Kraft.

(33) §§ 109 Z 3 und 4, 116 und 409 Abs. 2 in der Fassung des Bundesgesetzes BGBl. I Nr. 26/2016 treten mit 1. Oktober 2016 in Kraft. Für Auskünfte über eine vor dem 1. März 2015 bestehende Geschäftsverbindung mit einem Kredit- oder Finanzinstitut gelten weiterhin die §§ 109 Z 3 lit. a und 116 in der bis zum Ablauf des 30. September 2016 geltenden Fassung.

(34) §§ 50 Abs. 3, 59 Abs. 1 und 2, 61 Abs. 1 Z 5a, 157 Abs. 2, 163 Abs. 4, 164 Abs. 2, 171 Abs. 4 Z 2 lit. a und c und 249 Abs. 1 in der Fassung des Bundesgesetzes BGBl. I Nr. 26/2016 treten mit 1. November 2016 in Kraft.

(35) §§ 20a Abs. 1 Z 6 und Abs. 4, 25 Abs. 3 und 6, 25a, 31 Abs. 6 Z 3, 35 Abs. 1, 37 Abs. 3, 39 Abs. 1a, 59, 174 Abs. 1 und Abs. 4 Z 2, 175 Abs. 5, 189 Abs. 1, 198 Abs. 2 Z 3, 199, 208 Abs. 3, 209a, 209b Abs. 1 und 2, 212, 215 Abs. 3, 287 Abs. 1, 294 Abs. 5, 367 Abs. 1, 381 Abs. 1 Z 6, 471 und 485 Abs. 1 Z 2 in der Fassung des Bundesgesetzes BGBl. I Nr. 121/2016 treten mit 1. Jänner 2017 in Kraft. §§ 212, 215 Abs. 3 und 485 Abs. 1 in der Fassung des Bundesgesetzes BGBl. I Nr. 121/2016 sind auf Verfahren anzuwenden, in denen nach dem Inkrafttreten Anklage eingebracht wurde. § 37 Abs. 3 in der Fassung des Bundesgesetzes BGBl. I Nr. 121/2016 ist auf Verfahren anzuwenden, in denen nach dem Inkrafttreten eine Anklage rechtswirksam wird, die eine Verfahrensverbindung nach dieser Bestimmung erfordert. §§ 199, 209a und 209b in der Fassung des Bundesgesetzes BGBl. I Nr. 121/2016 sind auf Verfahren anzuwenden, in denen die Offenbarung der Tatsachen nach dem 31. Dezember 2016 erfolgt ist; für vor diesem Zeitpunkt offenbarte Tatsachen gelten weiterhin die §§ 199, 209a und 209b in der Fassung des Bundesgesetzes, BGBl. I Nr. 108/2010. § 31 Abs. 6 Z 3 und § 199 in der Fassung des Bundesgesetzes BGBl. I Nr. 121/2016 treten mit Ablauf des 31. Dezember 2028 außer Kraft.

(36) §§ 30 Abs. 1 und 31 Abs. 4 in der Fassung des Bundesgesetzes BGBl. I Nr. 117/2017 treten mit 1. September 2017 in Kraft.

(37) Für das Inkrafttreten der durch das Bundesgesetz BGBl. I Nr. 27/2018 geänderten oder eingefügten Bestimmungen und das Außer-Kraft-Treten der durch dieses Bundesgesetz entfallenen Bestimmungen gilt Folgendes:

1. Der Eintrag des Titels von § 76a und von § 135 im Inhaltsverzeichnis sowie § 67 Abs. 7, § 94, § 116 Abs. 6, § 134 Z 2a, 2b und 3, die Überschrift von § 135, § 135 Abs. 1, Abs. 2a, 2b und 3 Z 3, § 136 Abs. 1 Z 3, Abs. 2 und 4, § 137 Abs. 3, § 138 Abs. 2, 3 und 5, § 147 Abs. 1 Z 3, § 147 Abs. 1 Z 5, § 221 Abs. 1, § 381 Abs. 1 Z 5, § 430 Abs. 5 und § 516a Abs. 7 und 8 treten mit 1. Juni 2018 in Kraft; gleichzeitig entfällt § 137 Abs. 2.

2. Soweit nicht in Z 3 Abweichendes bestimmt ist, treten die Überschrift des 5. Abschnitts des 8. Hauptstücks im Inhaltsverzeichnis, die Überschrift des 5. Abschnitts des 8. Hauptstücks sowie § 134 Z 5, § 137 Abs. 1, § 138 Abs. 1, § 140 Abs. 1 Z 2 und 4, § 144 Abs. 3, § 145 Abs. 3 und § 147 Abs. 2 mit 1. Juni 2018 in Kraft.

3. Folgende Bestimmungen und Wendungen treten mit 1. April 2020 in Kraft und mit Ablauf des 31. März 2025 wieder außer Kraft:

a. in der Überschrift des 5. Abschnitts des 8. Hauptstücks im Inhaltsverzeichnis und in der Überschrift des 5. Abschnitts des 8. Hauptstücks die Wendung „, verschlüsselter Nachrichten",

b. in § 134 Z 5 die Wendung, „die verschlüsselt gesendeten, übermittelten oder empfangenen Nachrichten und Informationen im Sinne von Z 3 sowie damit in Zusammenhang stehende Daten im Sinn des § 76a und des § 92 Abs. 3 Z 4 und 4a TKG (Z 3a)",

c. in § 137 Abs. 1 die Wendung „§ 135a Abs. 3 oder",

d. in § 138 Abs. 1, § 140 Z 2, § 144 Abs. 3 und § 145 Abs. 3 die Wendung „, § 135a",

e. in § 138 Abs. 1 Z 1 die Wendung „des Inhabers oder Verfügungsbefugten des Computersystems, in dem ein Programm zur Überwachung verschlüsselter Nachrichten installiert werden soll,",

f. in § 138 Abs. 1 Z 2 die Wendung „oder das Computersystem, in dem ein Programm zur Überwachung verschlüsselter Nachrichten installiert werden soll",

g. in § 140 Abs. 1 Z 4 die Wendung „und § 135a", und

h. in § 147 Abs. 2 die Wendung „oder Überwachung verschlüsselter Nachrichten nach § 135a".

4. Der Eintrag des Titels von § 135a im Inhaltsverzeichnis sowie § 134 Z 3a, § 135a, § 145 Abs. 4, § 147 Abs. 1 Z 2a und Abs. 3a sowie § 148 treten mit 1. April 2020 in Kraft und mit Ablauf des 31. März 2025 wieder außer Kraft.

5. § 209b Abs. 1 tritt mit 1. Juni 2018 in Kraft und mit Ablauf des 31. Dezember 2021 wieder außer Kraft.

(38) § 20a Abs. 3 und § 99 Abs. 5, in der Fassung des BGBl. I Nr. 28/2018 treten mit 1. Juli 2018 in Kraft.

(39) Die Einträge zu den §§ 74 und 75 im Inhaltsverzeichnis, § 54, die Überschrift zu § 74, § 74 Abs. 1 und 2, die Überschrift zu § 75, § 75 Abs. 1, 3 und 4, § 76 Abs. 4, § 77 Abs. 2, § 117 Z 1, § 141 Abs. 1 und 4, § 142 Abs. 2 Z 2 und 3 sowie § 143 Abs. 1 und 2 in der Fassung des Materien-Datenschutz-Anpassungsgesetzes 2018, BGBl. I Nr. 32/2018, treten mit 25. Mai 2018 in Kraft.

(40) Der Eintrag des Titels von § 66a im Inhaltsverzeichnis sowie § 56 Abs. 3, § 66 Abs. 2 § 70 Abs. 1, § 115 Abs. 1 Z 3, § 155 Abs. 1 Z 3 und § 516a Abs. 8 bis 10 treten mit 1. November 2018 in Kraft.

(41) § 20 Abs. 1 Z 1 und 6 *(Anm.: richtig: § 20a Abs. 1 Z 1 und 6)* in der Fassung des Bundesgesetzes BGBl. I Nr. 111/2019 treten mit 28.12.2019 in Kraft.

(42) § 174 Abs. 1, § 176 Abs. 3 und § 239 treten mit dem der Kundmachung des bezeichneten Bundesgesetzes folgenden Tag in Kraft.

(43) § 174 Abs. 1, § 239, § 286 Abs. 1a und § 471 treten mit dem der Kundmachung des bezeichneten Bundesgesetzes folgenden Tag in Kraft.

(44) § 53 Abs. 2, § 58 Abs. 4, § 59 Abs. 5, § 61 Abs. 2, § 62 Abs. 2a, § 155 Abs. 1, § 160 Abs. 3 und § 171 Abs. 4 in der Fassung des Bundesgesetzes BGBl. I. Nr. 20/2020 treten mit 1. Juni 2020 in Kraft.

(45) § 294 Abs. 5 und § 296 Abs. 3 in der Fassung BGBl. I Nr. 24/2020 treten mit dem der Kundmachung folgenden Tag in Kraft.

(46) Der Eintrag des Titels von § 66b im Inhaltsverzeichnis sowie § 30 Abs. 1 Z 3a, § 31 Abs. 1, § 49, § 66b, § 67 Abs. 7, § 70 Abs. 2, § 71, § 76a Abs. 1, § 381 Abs. 1 Z 9, § 390 Abs. 1a, § 393 Abs. 4a, § 395 Abs. 1 und § 516a Abs. 12 in der Fassung des Bundesgesetzblattes BGBl. I Nr. 148/2020 treten mit 1. Jänner 2021 in Kraft; gleichzeitig entfallen § 66 Abs. 2 und 4. § 390 Abs. 1a und § 393 Abs. 4a in der Fassung des Bundesgesetzblattes BGBl. I Nr. 148/2020 treten mit 31. Dezember 2026 wieder außer Kraft.

(47) § 112a in der Fassung des Bundesgesetzes BGBl. I Nr. 148/2021 tritt am 1. Dezember 2021 in Kraft.

(48) § 30 Abs. 1 Z 9b und 9c, § 31 Abs. 4 Z 2, § 100 Abs. 2 Z 1 und § 496 in der Fassung des Bundesgesetzes BGBl. I Nr. 159/2021 treten mit 1. September 2021 in Kraft.

(49) § 76a, 134 Z 2, 2a, 2b, 3 und 5 und § 138 Abs. 2 in der Fassung des Bundesgesetzes BGBl. I Nr. 190/2021 treten mit dem auf den Tag der Kundmachung folgenden Monatsersten in Kraft.

(50) § 209a Abs. 1 und § 209b in der Fassung des Bundesgesetzes BGBl. I Nr. 243/2021 treten mit 1. Jänner 2022 in Kraft. § 209b in der Fassung des genannten Bundesgesetzes ist auf Verfahren anzuwen-

den, in denen die Verständigung des Bundeskartellanwalts gemäß § 209b Abs. 1 nach dem 31. Dezember 2021 bei der Staatsanwaltschaft eingelangt ist; für andere Verfahren gilt weiterhin § 209b in der Fassung des Bundesgesetzes BGBl. I Nr. 27/2018. § 209a und § 209b in der Fassung des Bundesgesetzes BGBl. I Nr. 243/2021 treten mit Ablauf des 31. Dezember 2028 außer Kraft.

(51) Die Einträge im Inhaltsverzeichnis zum 21. Hauptstück, § 48 Abs. 2, § 61 Abs. 1 Z 2, § 66a Abs. 2 Z 5, § 281 Abs. 1 Z 3 und 5 *(Anm.: offensichtlich gemeint Z 3 und Z 8)*, § 345 Abs. 1 Z 4, die Abschnittsbezeichnung und Abschnittsüberschrift zum 1. Abschnitt des 21. Hauptstücks, §§ 429 bis 434g, die Abschnittsbezeichnung und Abschnittsüberschrift zum 2. Abschnitt des 21. Hauptstücks, § 435 Abs. 1, § 437, § 438, § 439 Abs. 1 und 2, § 440, § 441, § 442, die Abschnittsbezeichnung und Abschnittsüberschrift zum 3. und 4. Abschnitt des 21. Hauptstücks, § 492 Abs. 1, § 494a Abs. 2, § 495 Abs. 1 und § 497 Abs. 1 in der Fassung des Bundesgesetzes BGBl. I Nr. 223/2022, treten mit 1. März 2023 in Kraft; gleichzeitig tritt § 436 außer Kraft.

(52) § 30 Abs. 1 Z 9 in der Fassung des Bundesgesetzes BGBl. I Nr. 135/2023, tritt mit Ablauf des 30. November 2023 außer Kraft.

(53) Die Einträge im Inhaltsverzeichnis zum 5. Abschnitt des 8. Hauptstücks und zu § 135, § 20a Abs. 1 Z 1, § 71 Abs. 1 und 2, die Überschrift des 5. Abschnittes des 8. Hauptstücks, § 134 Z 1a, 1b, 2, 2a, 5 und 6, die Überschrift zu § 135, § 135 Abs. 1a und 2b, § 137 Abs. 1 und 3, § 138 Abs. 1, 2, 3 und 5, § 170 Abs. 1 Z 2 und § 252 Abs. 1 und 2a in der Fassung des Bundesgesetzes BGBl. I Nr. 182/2023, treten mit 17. Februar 2024 in Kraft; gleichzeitig treten der Eintrag im Inhaltsverzeichnis zu § 76a und § 76a samt Überschrift außer Kraft. § 514 Abs. 46 in der Fassung des Bundesgesetzes BGBl. I Nr. 182/2023, tritt mit dem der Kundmachung folgenden Tag in Kraft.

(54) § 59 Abs. 1, § 164 Abs. 2 und § 171 Abs. 4 in der Fassung des Bundesgesetzes BGBl. I Nr. 34/2024 treten mit dem der Kundmachung folgenden Tag in Kraft.

(55) Der Eintrag im Inhaltsverzeichnis zu § 196a, § 31 Abs. 1 Z 6 und 7, § 33 Abs. 2, § 196a samt Überschrift und § 393a samt Überschrift in der Fassung des Bundesgesetzes BGBl. I Nr. 96/2024 treten mit 1. August 2024 in Kraft.

(56) Die Einträge im Inhaltsverzeichnis zum 1. Abschnitt des 8. Hauptstücks, zu den §§ 115a bis 115l, zur Überschrift des 3. Teils, zu einem 10a. Hauptstück samt Überschrift, zu § 197a, § 197b und § 197c, § 1 Abs. 2, § 27, § 28 Abs. 2, § 31 Abs. 3 Z 6a und Abs. 6 Z 3, § 36 Abs. 2a, § 37 Abs. 4, § 47a Abs. 4a und 7, § 49 Abs. 1 Z 12 und 13, § 52 Abs. 1, Abs. 2 Z 4 und Abs. 3, § 53 Abs. 1, § 61 Abs. 2 Z 2 lit. a, § 66 Abs. 1 Z 1c, § 66b Abs. 1 lit. e, § 69 Abs. 3, § 71 Abs. 1, § 76 Abs. 6, § 77 Abs. 2, § 91 Abs. 2 und 3, § 100 Abs. 3a, § 102 Abs. 3, § 105 Abs. 3, § 108, die Überschrift des 1. Abschnitts des 8. Hauptstücks, § 109 Z 1 lit. a und b, Z 1a und Z 2a bis 2e, § 110 Abs. 1 Z 1, Abs. 3 und 4, § 111 Abs. 2 und 3, § 112 Abs. 1 und 2, § 112a Abs. 1, § 113 Abs. 2 und 4, § 114 Abs. 1, 1a und 2, § 115 Abs. 1, § 115a Abs. 1, § 115e Abs. 1 und 2, §§ 115f bis 115l samt Überschriften, § 116 Abs. 5, 6 und 7, § 126 Abs. 2a, 3a, 3b und 4, § 157 Abs. 1 Z 2 und Abs. 2, § 174 Abs. 1, die Überschrift des 3. Teils, § 190, § 195 Abs. 2,§ 196a Abs. 2, das 10a. Hauptstück, § 281 Abs. 1 Z 3, § 284 Abs. 2, § 286 Abs. 1 und 2, § 294 Abs. 5, § 296 Abs. 3, § 345 Abs. 1 Z 4, §§ 367 bis 369, § 373b, § 377, § 379, § 408 Abs. 2, § 444 Abs. 2, § 466 Abs. 3, § 468 Abs. 1 Z 3 und § 471 in der Fassung des Bundesgesetzes BGBl. I Nr. 157/2024 treten mit 1. Jänner 2025 in Kraft; gleichzeitig treten § 31 Abs. 1 Z 5, § 108a samt Überschrift und § 286 Abs. 1a außer Kraft.

(57) § 47a Abs. 4, § 76 Abs. 2, § 115l Abs. 2, § 127 Abs. 1 und § 155 Abs. 1 Z 2 und Abs. 2 in der Fassung des Informationsfreiheits-Anpassungsgesetzes, BGBl. I Nr. 50/2025, treten mit 1. September 2025 in Kraft.

Verweisungen

§ 515. (1) Verweisungen in diesem Gesetz auf andere Rechtsvorschriften des Bundes oder auf unmittelbar anwendbare Rechtsakte der Europäischen Gemeinschaft sind als Verweisungen auf die jeweils geltende Fassung zu verstehen. Wird in anderen Bundesgesetzen auf Bestimmungen verwiesen, an deren Stelle mit dem In-Kraft-Treten des Strafprozessreformgesetzes neue Bestimmungen wirksam werden, so sind diese Verweisungen auf die entsprechenden neuen Bestimmungen zu beziehen.

(2) Soweit in diesem Gesetz personenbezogene Bezeichnungen nur in männlicher Form angeführt sind, beziehen sie sich auf Frauen und Männer in gleicher Weise. Bei der Anwendung auf bestimmte Personen ist die jeweils geschlechtsspezifische Form zu verwenden.

Übergangsbestimmungen

§ 516. (1) Die durch das Strafprozessreformgesetz und das Bundesgesetz, BGBl. I Nr. 93/2007, geänderten Verfahrensbestimmungen dieses Bundesgesetzes sind in Strafverfahren nicht anzuwenden, in denen vor ihrem In-Kraft-Treten das Urteil in erster Instanz gefällt worden ist. Nach Aufhebung eines solchen Urteils ist jedoch im Sinne der neuen Verfahrensbestimmungen vorzugehen.

(Anm.: Abs. 1a und 1b aufgehoben durch BGBl. I Nr. 40/2009)

(2) Zum Zeitpunkt des In-Kraft-Tretens des Strafprozessreformgesetzes bei Gericht anhängige Anträge auf gerichtliche Vorerhebungen sind nach den durch das Strafprozessreformgesetz aufgehobenen Verfahrensbestimmungen zu erledigen. Wäre für die Erledigung nach den durch das Strafprozessreformgesetz aufgehobenen Bestimmungen eine Anordnung oder

StPO

Genehmigung der Ratskammer erforderlich, so tritt an ihre Stelle der gemäß § 31 Abs. 1 Z 2 zuständige Einzelrichter des Landesgerichts. Über sonstige Anträge, Entscheidungen und Beschwerden, für deren Erledigung die Ratskammer gemäß den durch das Strafprozessreformgesetz und Strafprozessreformbegleitgesetz I, BGBl. I Nr. 93/2007, geänderten Verfahrensbestimmungen zuständig wäre, hat an ihrer Stelle das Landesgericht als Senat von drei Richtern gemäß § 31 Abs. 5 nach den neuen Verfahrensbestimmungen zu entscheiden. Voruntersuchungen werden mit dem In-Kraft-Treten des Strafprozessreformgesetzes von Gesetzes wegen beendet. Das Gericht hat die Akten, nachdem es die allenfalls zur Entscheidung über die Fortsetzung der Untersuchungshaft erforderlichen Verfügungen und Entscheidungen getroffen hat, der Staatsanwaltschaft zu übersenden. In Verfahren, die nur auf Verlangen des Verletzten zu verfolgen sind, ist der Privatankläger vom Gericht mit Beschluss aufzufordern, binnen angemessen festzusetzender Frist die Anklageschrift oder einen selbstständigen Antrag auf Erlassung vermögensrechtlicher Anordnungen nach § 445 einzubringen (§ 71 Abs. 6).

(3) An die Stelle eines Antrags auf Strafverfolgung tritt die Ermächtigung nach § 92. Diese gilt als erteilt, wenn ein Antrag auf Strafverfolgung gestellt wurde.

(4) Am 31. 12. 2007 bestehende Eintragungen von Personen im Sinne des § 39 Abs. 3 dritter Satz in der vor Inkrafttreten des Strafprozessreformgesetzes geltenden Fassung in die Verteidigerliste bleiben aufrecht; die dort eingetragenen Personen gelten bis zur Vollendung ihres 70. Lebensjahres im Sinne des § 48 Abs. 1 Z 4 als gesetzlich zur Vertretung im Strafverfahren berechtigte Personen. Vor diesem Zeitpunkt erteilte Mandate berechtigen bis zur rechtskräftigen Beendigung des zu Grunde liegenden Verfahrens zur Ausübung der Verteidigung in diesem Verfahren. § 39 Abs. 3 in der vor Inkrafttreten des Strafprozessreformgesetzes geltenden Fassung ist für diese Eintragungen weiterhin anzuwenden.

(5) Verfahren, in denen Anträge auf gerichtliche Vorerhebungen anhängig gemacht wurden und die zum Zeitpunkt des Inkrafttretens des Strafprozessreformgesetzes gemäß den durch das Strafprozessreformbegleitgesetz I, BGBl. I Nr. 93/2007, aufgehobenen Bestimmungen der §§ 412 oder 452 Z 2 abgebrochen wurden, sind nach Ausforschung eines Beschuldigten der Staatsanwaltschaft zu übertragen, die sodann das Verfahren gemäß § 197 nach den neuen Verfahrensbestimmungen fortzusetzen hat.

(6) Die Bestimmungen der §§ 26 Abs. 2, 28a Abs. 1, 32 Abs. 3, 43 Abs. 2, 45 Abs. 1, 47 Abs. 3, 77 Abs. 2, 197, 221 Abs. 4, 410 Abs. 1, 435, 437, 439 Abs. 1, 441 Abs. 1, 485, 498 Abs. 2 und 516 in der Fassung des Bundesgesetzes, BGBl. I Nr. 40/2009, sind in Strafverfahren nicht anzuwenden, in denen vor ihrem Inkrafttreten das Urteil erster Instanz gefällt worden ist. Nach Aufhebung eines solchen Urteils ist jedoch im Sinne der neuen Verfahrensbestimmungen vorzugehen.

(7) Die WKStA ist für Ermittlungsverfahren zuständig, die bei der KStA am 31. August 2011 anhängig sind oder nach diesem Zeitpunkt wegen der in § 20a Abs. 1 Z 1, 5, 6, 8 und 9 in der Fassung des Bundesgesetzes, BGBl. I Nr. 67/2011 genannten Straftaten anfallen.

(7a) Die WKStA ist für die in § 20a Abs. 1 Z 2, 3, 4 und 7 in der Fassung des Bundesgesetzes BGBl. I Nr. 108/2010 genannten Straftaten zuständig, soweit das Ermittlungsverfahren nach dem 31. August 2012 angefallen ist.

(8) Darüber hinaus kann die Oberstaatsanwaltschaft Wien Ermittlungsverfahren, die am 1. September 2011 bei einer Staatsanwaltschaft in ihrem Sprengel wegen der in § 20a Abs. 1 in der Fassung BGBl. I Nr. 108/2010 genannten Straftaten anhängig sind, der zuständigen Staatsanwaltschaft abnehmen und der WKStA übertragen, soweit dies aus den in § 20b Abs. 1 in der Fassung BGBl. I Nr. 108/2010genannten Gründen und zur Wahrung der Kontinuität des Ermittlungsverfahrens erforderlich ist.

(9) Die Bestimmungen der §§ 194 Abs. 3 Z 1 und 209a Abs. 1 Z 1 in der Fassung des Bundesgesetzes, BGBl. I Nr. 108/2010, sind, soweit sie auf die Zuständigkeit der WKStA verweisen, bis zum Inkrafttreten der Bestimmungen über die Zuständigkeit der WKStA gemäß § 514 Abs. 13 in der Fassung des Bundesgesetzes, BGBl. I Nr. 108/2010 auf die KStA anzuwenden.

(10) Die Bestimmungen der § 32 Abs. 1 und Abs. 1a in der Fassung des Bundesgesetzes BGBl. I Nr. 71/2014 sind in Strafverfahren nicht anzuwenden, in denen vor ihrem Inkrafttreten Anklage eingebracht wurde. Die Bestimmung des § 108a in der Fassung des Bundesgesetzes BGBl. I Nr. 71/2014 ist in jenen Strafverfahren anzuwenden, die nach ihrem Inkrafttreten beginnen (§ 1 Abs. 2).

(11) § 438 in der Fassung BGBl. I Nr. 71/2014 ist auf Betroffene nach § 21 Abs. 2 StGB bis zum 28. Februar 2027 anzuwenden.

(12) § 196a und § 393a in der Fassung des Bundesgesetzes BGBl. I Nr. 96/2024 sind auf Verfahren anzuwenden, in denen die in § 196a Abs. 1 und in § 393a Abs. 1 genannten verfahrensbeendenden Entscheidungen ab dem 1. Jänner 2024 rechtskräftig geworden sind. Ist in diesen Verfahren bereits über einen Beitrag zu den Kosten der Verteidigung nach § 393a StPO in der Fassung des Bundesgesetzes BGBl. I Nr. 152/2022 entschieden worden, so kann ein neuerlicher Antrag auf Zuerkennung eines Beitrags zu den Kosten für die Verteidigung gestellt werden. Für die Entscheidung über diesen Antrag ist § 393a in der Fassung des Bundesgesetzes BGBl. I Nr. 96/2024 anzuwenden, wobei bei der Festsetzung der Höhe des Beitrags zu den Kosten der Verteidigung der bereits zugesprochene Beitrag zu berücksichtigen ist. Für vor dem 1. Jänner 2024 rechtskräftig gewordene verfahrensbeendende Entscheidungen gilt weiterhin § 393a in der Fassung des Bundesgesetzes BGBl. I Nr. 152/2022.

(13) § 111 Abs. 2 und §§ 115f bis 115l in der Fassung des Bundesgesetzes BGBl. I Nr. 157/2024 sind in jenen Strafverfahren anzuwenden, die ab dem 1. Jänner 2025 beginnen (§ 1 Abs. 2) sowie für alle Sicherstellungen gemäß § 111 Abs. 2 und Beschlagnahmen von Datenträgern und Daten (§ 109 Z 2a), die ab dem 1. Jänner 2025 angeordnet werden. In allen anderen Fällen gelten § 115i, § 115k und § 115l sinngemäß. § 126 Abs. 3a und § 127 Abs. 4a in der Fassung des Bundesgesetzes BGBl. I Nr. 157/2024 sind auf Gutachtensaufträge anzuwenden, die nach dem 1. Jänner 2025 erteilt werden.

Umsetzung von Richtlinien der Europäischen Union

§ 516a. (1) §§ 50, 171 Abs. 4 in der Fassung des Bundesgesetzes BGBl. I Nr. 195/2013 dienen der Umsetzung der Richtlinie 2012/13/EU über das Recht auf Belehrung und Unterrichtung in Strafverfahren ABl. Nr. L 142 vom 01. 06. 2012 S 1.

(2) §§ 56, 164 Abs. 1, 381 Abs. 6 und 393 Abs. 2 in der Fassung des Bundesgesetzes BGBl. I Nr. 195/2013 dienen der Umsetzung der Richtlinie 2010/64/EU über das Recht auf Dolmetschleistungen und Übersetzungen in Strafverfahren, ABl. Nr. L 280 vom 26. 10.2010 S 1.

(3) § 445 Abs. 2a in der Fassung des Bundesgesetzblattes BGBl. I Nr. 112/2015 dient der Umsetzung der Richtlinie 2014/42/EU des Europäischen Parlaments und des Rates über die Sicherstellung und Einziehung von Erträgen aus Straftaten in der EU ABl. Nr. L 127 vom 29.04.2014 S 39 in der Fassung der Berichtigung ABl. Nr. L 138 vom 13.05.2014 S 114.

(3) §§ 10 Abs. 2, 25 Abs. 7, 65 Z 1 lit. a und b, 66 Abs. 1 Z 1a, 1b und 5, Abs. 3 und 4, 66a, 70, 80 Abs. 1, 156 Abs. 1 Z 2, 165 Abs. 3 und 4, 172 Abs. 4, 177 Abs. 5, 181a, 195 Abs. 2 und 196 Abs. 2 in der Fassung des Bundesgesetzblattes BGBl. I Nr. 26/2016 dienen der Umsetzung der Richtlinie 2012/29/EU über Mindeststandards für die Rechte, die Unterstützung und den Schutz von Opfern von Straftaten sowie zur Ersetzung des Rahmenbeschlusses 2001/220/JI ABl. Nr. L 315 vom 14.11.2012 S 57.

(4) §§ 50 Abs. 3, 59 Abs. 1 und 2, 157 Abs. 2, 163 Abs. 4, 164 Abs. 2, 171 Abs. 4 Z 2 lit. a und c und 249 Abs. 1 in der Fassung des Bundesgesetzes BGBl. I Nr. 26/2016 dienen der Umsetzung der Richtlinie 2013/48/EU über das Recht auf Zugang zu einem Rechtsbeistand in Strafverfahren und in Verfahren zur Vollstreckung des Europäischen Haftbefehls sowie über das Recht auf Benachrichtigung eines Dritten bei Freiheitsentzug und das Recht auf Kommunikation mit Dritten und mit Konsularbehörden während des Freiheitsentzugs, ABl. Nr. L 294 vom 06. 11.2013 S 1.

(5) § 409 Abs. 2 in der Fassung des Bundesgesetzblattes BGBl. I Nr. 26/2016 dient der Umsetzung der Richtlinie 2014/42/EU über die Sicherstellung und Einziehung von Tatwerkzeugen und Erträgen aus Straftaten in der Europäischen Union, ABl. Nr. L 127 vom 29.04.2014 S 39, in der Fassung der Berichtigung ABl. Nr. L 138 vom 13.05.2014 S 114.

(6) §§ 59 Abs. 1 und 4 und 174 Abs. 1 in der Fassung des Bundesgesetzblattes BGBl. I Nr. 121/2016 dienen der Umsetzung der Richtlinie 2013/48/EU über das Recht auf Zugang zu einem Rechtsbeistand in Strafverfahren und in Verfahren zur Vollstreckung des Europäischen Haftbefehls sowie über das Recht auf Benachrichtigung eines Dritten bei Freiheitsentzug und das Recht auf Kommunikation mit Dritten und mit Konsularbehörden während des Freiheitsentzugs, ABl. Nr. L 294 vom 06.11.2013 S. 1.

(7) §§ 20a Abs. 3 und 99 Abs. 5 in der Fassung des BGBl. I Nr. 28/2018 dienen der Umsetzung der Richtlinie (EU) 2014/41 über die Europäische Ermittlungsanordnung, ABl. Nr. L 130 vom 01.05.2014, S. 1.

(8) § 221 Abs. 1 und § 430 Abs. 5 in der Fassung des Bundesgesetzes BGBl. I Nr. 27/2018 dienen der Umsetzung der Richtlinie (EU) 2016/343 über die Stärkung bestimmter Aspekte der Unschuldsvermutung und des Rechts auf Anwesenheit in der Verhandlung im Strafverfahren, ABl. Nr. L 65 vom 11.03.2016 S. 1.

(9) § 135a, § 136 Abs. 1 Z 3, § 137 Abs. 1, § 138 Abs. 1 und 2, § 140 Abs. 1 Z 2 und 4, § 144 Abs. 3, § 145 Abs. 3 und 4, § 147 Abs. 1 Z 2a und 5 und Abs. 2 in der Fassung des Bundesgesetzes BGBl. I Nr. 27/2018 dienen der Umsetzung der Richtlinie (EU) 2017/541 zur Terrorismusbekämpfung und zur Ersetzung des Rahmenbeschlusses 2002/475/JI des Rates und zur Änderung des Beschlusses 2005/671/JI des Rates, ABl. Nr. L 88 vom 15.03.2017 S. 6.

(10) § 66 Abs. 2 und § 70 Abs. 1 in der Fassung des Bundesgesetzes BGBl. I Nr. 70/2018 dienen der Umsetzung der Richtlinie (EU) 2017/541 zur Terrorismusbekämpfung und zur Ersetzung des Rahmenbeschlusses 2002/475/JI des Rates und zur Änderung des Beschlusses 2005/671/JI des Rates, ABl. Nr. L 88 vom 15.03.2017 S. 6.

(11) § 59 Abs. 5, § 61 Abs. 2, § 62 Abs. 2a und § 171 Abs. 4 Z 2 in der Fassung des Bundesgesetzes BGBl. I. Nr. 20/2020 dienen der Umsetzung der Richtlinie (EU) 2016/1919 über Prozesskostenhilfe für Verdächtige und beschuldigte Personen in Strafverfahren sowie für gesuchte Personen in Verfahren zur Vollstreckung eines Europäischen Haftbefehls, ABl. Nr. L 297 vom 04.11.2016 S. 1.

(12) § 66b in der Fassung des Bundesgesetzblattes BGBl. I Nr. 148/2020 dient der Umsetzung der Richtlinie 2012/29/EU über Mindeststandards für die Rechte, die Unterstützung und den Schutz von Opfern von Straftaten sowie zur Ersetzung des Rahmenbeschlusses 2001/220/JI, ABl. Nr. L 315 vom 14.11.2012, S. 57.

(13) § 209b in der Fassung des Bundesgesetzes BGBl. I Nr. 243/2021 dient der Umsetzung der Richtlinie 2019/1/EU zur Stärkung der Wettbewerbsbehör-

den der Mitgliedstaaten im Hinblick auf eine wirksamere Durchsetzung der Wettbewerbsvorschriften und zur Gewährleistung des reibungslosen Funktionierens des Binnenmarkts, ABl. Nr. L 11 vom 14.01.2019 S. 3.

(14) § 66a Abs. 2 Z 5, § 431 Abs. 4 und § 434g Abs. 7 in der Fassung des Bundesgesetzblattes BGBl. I Nr. 223/2022 dienen der Umsetzung der Richtlinie 2012/29/EU über Mindeststandards für die Rechte, die Unterstützung und den Schutz von Opfern von Straftaten sowie zur Ersetzung des Rahmenbeschlusses 2001/220/JI, ABl. Nr. L 315 vom 14.11.2012 S. 57.

(15) § 59 Abs. 1, § 164 Abs. 2 und § 171 Abs. 4 in der Fassung des Bundesgesetzes BGBl. I Nr. 34/2024 dienen der Umsetzung der Richtlinie 2013/48/EU über das Recht auf Zugang zu einem Rechtsbeistand in Strafverfahren und in Verfahren zur Vollstreckung des Europäischen Haftbefehls sowie über das Recht auf Benachrichtigung eines Dritten bei Freiheitsentzug und das Recht auf Kommunikation mit Dritten und mit Konsularbehörden während des Freiheitsentzugs, ABl. Nr. L 294 vom 06.11.2013 S. 1.

(16) § 69 Abs. 3, § 109 Z 1 lit. a, Z 1a, § 110 Abs. 3, § 113 Abs. 2, § 114 Abs. 1, Abs. 1a und Abs. 2, § 115 Abs. 1, § 115e Abs. 2, § 367, § 379, § 408 Abs. 2 in der Fassung des Bundesgesetzes BGBl. I Nr. 157/2024 dienen der Umsetzung der Richtlinie 2024/1260/EU über die Abschöpfung und Einziehung von Vermögenswerten, ABl. Nr. L 1260 vom 24.04.2024 S 1. § 115i in der Fassung des Bundesgesetzes BGBl. I Nr. 157/2024 dient der Umsetzung der Richtlinie 2016/680/EU zum Schutz natürlicher Personen bei der Verarbeitung personenbezogener Daten durch die zuständigen Behörden zum Zwecke der Verhütung, Ermittlung, Aufdeckung oder Verfolgung von Straftaten oder der Strafvollstreckung sowie zum freien Datenverkehr und zur Aufhebung des Rahmenbeschlusses 2008/977/JI des Rates, ABl. Nr. L 119 vom 27.4.2016 S. 1. § 195 Abs. 2, § 197a, § 197b und § 197c in der Fassung des Bundesgesetzes BGBl. I Nr. 157/2024 dienen der Umsetzung der Richtlinie 2012/29/EU über Mindeststandards für die Rechte, die Unterstützung und den Schutz von Opfern von Straftaten sowie zur Ersetzung des Rahmenbeschlusses 2001/220/JI, ABl. Nr. L 315 vom 14.11.2012 S. 57. § 286 Abs. 1 und 2, § 294 Abs. 5, § 296 Abs. 3 und § 471 in der Fassung des Bundesgesetzes BGBl. I Nr. 157/2024 dienen der Umsetzung der Richtlinie 2016/343/EU über die Stärkung bestimmter Aspekte der Unschuldsvermutung und des Rechts auf Anwesenheit in der Verhandlung im Strafverfahren, ABl. Nr. L 65 vom 11.03.2016 S. 1.

Vollziehung

§ 517. Mit der Vollziehung dieses Gesetzes ist der Bundesminister für Justiz betraut.

Grundrechtsbeschwerde-Gesetz

Bundesgesetz über die Beschwerde an den Obersten Gerichtshof wegen Verletzung des Grundrechtes auf persönliche Freiheit (Grundrechtsbeschwerde-Gesetz - GRBG)
StF: BGBl. Nr. 864/1992

§ 1. (1) Wegen Verletzung des Grundrechtes auf persönliche Freiheit durch eine strafgerichtliche Entscheidung oder Verfügung steht dem Betroffenen nach Erschöpfung des Instanzenzuges die Grundrechtsbeschwerde an den Obersten Gerichtshof zu.

(2) Abs. 1 gilt nicht für die Verhängung und den Vollzug von Freiheitsstrafen und vorbeugenden Maßnahmen wegen gerichtlich strafbarer Handlungen.

§ 2. (1) Das Grundrecht auf persönliche Freiheit (Bundesverfassungsgesetz über den Schutz der persönlichen Freiheit, BGBl. Nr. 684/1988, Art. 5 der Europäischen Konvention zum Schutze der Menschenrechte und Grundfreiheiten, BGBl. Nr. 210/1958) ist insbesondere dann verletzt, wenn die Verhängung oder Aufrechterhaltung einer Haft zum Zweck der Maßnahme außer Verhältnis steht, die Dauer einer Haft unverhältnismäßig geworden ist, die Voraussetzungen einer Haft, wie Tatverdacht oder Haftgründe, unrichtig beurteilt wurden oder sonst bei einer Festnahme oder Anhaltung das Gesetz unrichtig angewendet wurde.

(2) Die Beschwerde kann auch aus Anlaß einer die Freiheitsbeschränkung beendenden Entscheidung oder Verfügung mit der Behauptung erhoben werden, daß die Entscheidung oder Verfügung zu spät getroffen worden sei.

§ 3. (1) In der Beschwerde ist anzugeben und zu begründen, worin der Beschwerdeführer die Verletzung des Grundrechtes auf persönliche Freiheit erblickt. Die angefochtene oder zum Anlaß der Beschwerde genommene Entscheidung oder Verfügung ist genau zu bezeichnen. Der Tag, der für den Beginn der Beschwerdefrist maßgeblich ist, (§ 4 Abs. 1) ist anzuführen.

(2) Die Beschwerde muß von einem Verteidiger unterschrieben sein. Ist die Beschwerde nicht von einem Verteidiger unterschrieben, so ist die Eingabe vorerst zur Behebung dieses Mangels und Wiedervorlage an das Gericht erster Instanz binnen einer Woche zurückzustellen. Gleichzeitig ist der Beschwerdeführer über die Verfahrenshilfe zu belehren.

(3) Die Vorschriften der Strafprozeßordnung über die Verfahrenshilfe, insbesondere § 41 Abs. 2 über die Voraussetzungen, § 42 über die Beigebung und Bestellung eines Verteidigers und § 43a über die Unterbrechung des Fristenlaufes, sind sinngemäß anzuwenden.

§ 4. (1) Die Beschwerde ist binnen 14 Tagen ab dem Tag, an dem der Betroffene von der Entscheidung oder Verfügung Kenntnis erlangt hat, beim Gericht erster Instanz einzubringen. Die Frist ist auch gewahrt, wenn die Beschwerde rechtzeitig bei einem im Instanzenzug befaßten Gericht oder beim Obersten Gerichtshof eingebracht wird. Wird die Entscheidung oder Verfügung schriftlich ausgefertigt und zugestellt, so endet die Frist nicht vor Ablauf von 14 Tagen ab dem Tag der Zustellung an den Betroffenen.

(2) Die befaßten Gerichte haben die zur Entscheidung über die Beschwerde erforderlichen Akten (Aktenteile) unverzüglich dem Obersten Gerichtshof vorzulegen, doch sind erforderlichenfalls Ablichtungen anzufertigen und alle Vorkehrungen zu treffen, damit eine Haft des Betroffenen keine Verlängerung und ein anhängiges Verfahren keine Verzögerung erfahre.

§ 5. Die Beschwerde hat keine aufschiebende Wirkung.

§ 6. Der Oberste Gerichtshof entscheidet über die Beschwerde nach Anhörung des Generalprokurators in nichtöffentlicher Sitzung in einem Senat von drei Richtern durch Erkenntnis.

§ 7. (1) Das Erkenntnis des Obersten Gerichtshofes hat auszusprechen, ob eine Verletzung des Grundrechtes auf persönliche Freiheit stattgefunden hat, und erforderlichenfalls die angefochtene Entscheidung oder Verfügung aufzuheben.

(2) Wird der Beschwerde stattgegeben, so sind die Gerichte verpflichtet, mit den ihnen zu Gebote stehenden rechtlichen Mitteln unverzüglich den der Rechtsanschauung des Obersten Gerichtshofes entsprechenden Rechtszustand herzustellen.

§ 8. In einem stattgebenden Erkenntnis ist dem Bund der Ersatz der Beschwerdekosten an den Beschwerdeführer aufzuerlegen.

§ 9. Der Bundesminister für Justiz hat mit Verordnung die Höhe der Beschwerdekosten nach den für eine gleichartige Tätigkeit eines Rechtsanwaltes geltenden Tarifbestimmungen in einem Pauschbetrag festzusetzen und bei erheblicher Änderung der Verhältnisse anzupassen.

§ 10. Im Verfahren über Grundrechtsbeschwerden sind, soweit dieses Bundesgesetz nichts anderes vorsieht, die für den Obersten Gerichtshof und die für das gerichtliche Strafverfahren geltenden Vorschriften sinngemäß anzuwenden.

§ 11. Bei der Anwendung des Strafrechtlichen Entschädigungsgesetzes bedarf es keines Antrages und keiner Beschlußfassung des übergeordneten Gerichtshofes nach § 6 Abs. 1 StEG, soweit der Oberste Gerichtshof aus Anlaß einer Grundrechtsbeschwerde festgestellt hat, daß der Geschädigte im Grundrecht auf persönliche Freiheit verletzt wurde.

§ 12. (1) Dieses Bundesgesetz tritt mit 1. Jänner 1993 in Kraft.

(2) Ab dem Inkrafttreten dieses Bundesgesetzes können Beschwerden erhoben werden, ohne daß es darauf ankäme, wann die Grundrechtsverletzung erfolgt ist.

§ 13. Mit der Vollziehung dieses Bundesgesetzes ist der Bundesminister für Justiz betraut.

Staatsanwaltschaftsgesetz

Bundesgesetz vom 5. März 1986 über die staatsanwaltschaftlichen Behörden (Staatsanwaltschaftsgesetz – StAG)
StF: BGBl. Nr. 164/1986 idF BGBl. I Nr. 50/2025

Inhaltsverzeichnis

4. StAG

StAG

Stichwortverzeichnis

Abschnitt I
Staatsanwaltschaften

Aufgaben der Staatsanwaltschaften

§ 1. Die Staatsanwaltschaften sind in Erfüllung ihrer gesetzlichen Aufgaben zur Wahrung der Interessen des Staates in der Rechtspflege, vor allem in der Strafrechtspflege, berufen. Sie sind bei der Erfüllung ihrer Aufgaben von den Gerichten unabhängig.

Aufbau der Staatsanwaltschaften

§ 2. (1) Am Sitz jedes in Strafsachen tätigen Landesgerichts besteht eine Staatsanwaltschaft, am Sitz jedes Oberlandesgerichts eine Oberstaatsanwaltschaft und beim Obersten Gerichtshof die Generalprokuratur. Die Staatsanwaltschaften sind den Oberstaatsanwaltschaften und diese sowie die Generalprokuratur dem Bundesminister für Justiz unmittelbar untergeordnet und weisungsgebunden.

(2) Den Staatsanwaltschaften, Oberstaatsanwaltschaften und der Generalprokuratur steht ein Leiter vor. Dieser vertritt die Behörde nach außen, beaufsichtigt die Tätigkeiten der ihm unterstehenden Organe und erteilt ihnen erforderlichenfalls Weisungen. Er ist im Einzelfall befugt, die Amtsverrichtungen aller ihm untergeordneten Organe selbst zu übernehmen oder mit der Wahrnehmung staatsanwaltschaftlicher Aufgaben aus schwerwiegenden Gründen einen anderen als den nach der Geschäftsverteilung zuständigen Staatsanwalt zu betrauen.

Zentrale Staatsanwaltschaft zur Verfolgung von Wirtschaftsstrafsachen und Korruption

§ 2a. (1) Zur wirksamen bundesweiten Verfolgung von Wirtschaftskriminalität, Korruption und entsprechenden Organisationsdelikten (§ 20a Abs. 1 StPO) und zur Führung von großen und komplexen Verfahren wegen Wirtschaftsstrafsachen und wegen Missbrauchs der Amtsgewalt gemäß § 302 StGB sowie zur Wahrnehmung zentraler Funktionen im Bereich der justiziellen Rechtshilfe und der Zusammenarbeit mit den zuständigen Einrichtungen der Europäischen Union sowie den Justizbehörden der Mitgliedstaaten der Europäischen Union wegen solcher Straftaten besteht am Sitz der Oberstaatsanwaltschaft Wien für das gesamte Bundesgebiet unter der Bezeichnung „Zentrale Staatsanwaltschaft zur Verfolgung von Wirtschaftsstrafsachen und Korruption" eine zentrale Staatsanwaltschaft (WKStA).

(2) Der Wirkungsbereich der WKStA erstreckt sich auf das gesamte Bundesgebiet. Die personelle Ausstattung der WKStA hat auf die für ihre Aufgaben erforderlichen rechtlichen, betriebswirtschaftlichen und sonstigen Kenntnisse, Fähigkeiten und Eignung sowie auf hinreichende Erfahrungen im Tätigkeitsbereich sowie zur konzentrierten Führung solcher Verfahren Bedacht zu nehmen.

(3) In den im Gesetz vorgesehenen Fällen hat die WKStA der OStA Wien zu berichten.

(4) Die WKStA hat dem Bundesminister für Justiz bis Ende April eines jeden Jahres über die im abgelaufenen Kalenderjahr erledigten und über die noch anhängigen Strafsachen zu berichten. In diesem Bericht hat die WKStA ihre Wahrnehmungen über Zustand und Gang der Bekämpfung von Wirtschaftskriminalität sowie Korruptions- und entsprechenden Organisationsdelikten und über Mängel der Gesetzgebung oder des Geschäftsganges aufzunehmen und gegebenenfalls geeignete Änderungsvorschläge zu unterbreiten.

(5) Es ist in geeigneter Weise – gegebenenfalls im Wege des § 2 Abs. 5a Justizbetreuungsagentur-Gesetz (JBA-G), BGBl. I Nr. 101/2008 – dafür Sorge zu tragen, dass der WKStA zumindest fünf Experten aus dem Finanz- oder Wirtschaftsbereich zur Verfügung stehen.

(6) Bei der WKStA besteht ein internetbasiertes Hinweisgebersystem, über welches Hinweise insbesondere wegen der in § 20a Abs. 1 StPO genannten Vergehen oder Verbrechen auch anonym gemeldet werden können. § 80 StPO bleibt unberührt.

Abschnitt II
Organe der Staatsanwaltschaften

Staatsanwälte

§ 3. (1) Die Staatsanwaltschaften üben ihre ihnen von den Gesetzen zugewiesene Tätigkeit unbeschadet des § 4 Abs. 1 zweiter Satz durch Staatsanwälte aus.

(2) Die bei den Staatsanwaltschaften ernannten und ständig tätigen Staatsanwälte sind Organe der ordentlichen Gerichtsbarkeit. In Verfahren wegen mit gerichtlicher Strafe bedrohter Handlungen nehmen sie Ermittlungs- und Anklagefunktionen wahr.

(3) Außer den Staatsanwälten können auch Richter und Richteramtsanwärter nach erfolgreicher Ablegung der Richteramtsprüfung, die Staatsanwaltschaften zur Dienstleistung zugewiesen sind, als deren Organe tätig sein.

Staatsanwaltschaftliche Organe bei den Bezirksgerichten

§ 4. (1) Der Staatsanwaltschaft am Sitz des in Strafsachen tätigen Landesgerichts obliegt auch die Vertretung der Anklage vor den Bezirksgerichten im Sprengel dieses Landesgerichts. Diese Aufgabe kann auch von Bezirksanwälten ausgeübt werden, die unter Aufsicht und Leitung von Staatsanwälten stehen. Gleiches gilt im Ermittlungsverfahren wegen Straftaten, für die das Bezirksgericht im Hauptverfahren zuständig wäre, für Anträge (§ 101 Abs. 2 StPO), Anordnungen (§ 102 StPO), Ermittlungen (§ 103 Abs. 2 StPO) und im 10. bis 12. Hauptstück der StPO geregelte Verfahrenshandlungen.

(2) Bezirksanwälte sind Beamte des Fachdienstes oder in gleichartiger Verwendung stehende Vertragsbedienstete.

(3) Ist der Bezirksanwalt verhindert, sich an der Hauptverhandlung zu beteiligen, so kann der Leiter der Staatsanwaltschaft auch eine andere geeignete Person, die in einem Dienstverhältnis zur Republik Österreich im Planstellenbereich der Justizbehörden in den Ländern steht oder die Gerichtspraxis absolviert, mit deren Zustimmung zum Anklagevertreter bestellen.

(4) Die Staatsanwälte und die Bezirksanwälte sind berechtigt, zur Durchführung ihrer dienstlichen Verrichtungen bei den Bezirksgerichten deren Geschäftsstellen in Anspruch zu nehmen.

Abschnitt III
Innere Einrichtung der Staatsanwaltschaften. Berichte

Referate und Gruppen

§ 5. (1) Die einer Staatsanwaltschaft nach den gesetzlich festgelegten Zuständigkeiten obliegenden Aufgaben sind auf Referate aufzuteilen, die mit der erforderlichen Anzahl von Staatsanwälten zu besetzen sind.

(2) Referate dürfen nur nach Maßgabe der systemisierten Staatsanwaltsplanstellen (abzüglich der Planstellen mit besonderer gesetzlicher Zweckwidmung) eröffnet werden. Weder für die Sprengelstaatsanwälte noch für die auf Ersatzplanstellen nach dem Allgemeinen Teil des jährlichen Stellenplans ernannten Staatsanwälte dürfen eigene Referate eröffnet werden.

(3) Bei Staatsanwaltschaften mit vier oder mehr systemisierten Staatsanwaltsplanstellen sind die Referate zu Gruppen zusammenzufassen, die vom Behördenleiter oder von einem Ersten Stellvertreter oder von einem allfälligen Gruppenleiter geleitet werden. Jedes Referat darf nur einer Gruppe zugeordnet werden. Die Zahl der Gruppen darf die Zahl der bei der Staatsanwaltschaft systemisierten Planstellen für den Leiter, für den (die) Ersten Stellvertreter und für den (die) Gruppenleiter nicht übersteigen.

(4) Dem Leiter einer staatsanwaltlichen Gruppe obliegt im Rahmen der Aufsicht über die unterstellten Staatsanwälte insbesondere auch die Revision ihrer Erledigungen. Der Leiter einer Staatsanwaltschaft kann Staatsanwälten, die über die entsprechende Eignung verfügen und mindestens ein Jahr als Staatsanwalt oder als Richter tätig waren, die Leitung des Ermittlungsverfahrens mit Ausnahme der Einbringung der Anklage beim Landesgericht als Schöffen- oder Geschworenengericht zur selbständigen Behandlung übertragen. Staatsanwälten, die insgesamt fünf Jahre als Staatsanwalt oder als Richter tätig waren, kann der Leiter nach Maßgabe ihrer persönlichen und fachlichen Eignung darüber hinaus bestimmte allgemein umschriebene Aufgaben und Befugnisse zur gänzlich selbständigen Behandlung übertragen. Dabei ist auf die Bedeutung dieser Aufgaben und Befugnisse Bedacht zu nehmen.

(5) Die Einstellung des Verfahrens wegen einer Straftat, für die das Landesgericht als Geschworenen- oder Schöffengericht im Hauptverfahren zuständig wäre, und die Behandlung darauf gerichteter Anträge (§ 108 StPO) oder eines Antrags auf Fortführung des Verfahrens wegen solcher Straftaten ist jedenfalls einer Revision vorzubehalten. Gleiches gilt für jene Fälle, in denen die Kostenschätzung des im Ermittlungsverfahren in Aussicht genommenen oder bereits bestellten (§ 25 Abs. 1a GebAG) Sachverständigen einen Betrag von 10 000 Euro übersteigt.

(6) Die Zusammenfassung von Referaten in Gruppen und die Übertragung bestimmter Geschäfte zur selbständigen Behandlung entbinden den Behördenleiter nicht von seinen Aufsichtspflichten.

Geschäftsverteilung

§ 6. (1) Die Leiter der Staatsanwaltschaften haben die Einteilung der Staatsanwälte auf die einzelnen Referate und deren erforderliche Zusammenfassung zu Gruppen alljährlich so vorzunehmen, daß eine möglichst gleichmäßige Auslastung aller Staatsanwälte erreicht wird. Zu diesem Zweck haben erforderlichenfalls auch der Behördenleiter, der (die) Erste(n) Stellvertreter und allfällige Gruppenleiter ein eigenes Referat zu führen.

(2) Die Leiter der Staatsanwaltschaften können im Rahmen der Geschäftsverteilung einen Teil ihrer Befugnisse (§ 2 Abs. 2) dem Ersten Stellvertreter übertragen, soweit dies zum Auslastungsausgleich notwendig ist. Die Leiter der Medienstellen (Mediensprecher) und deren Vertreter sind in der Geschäftsverteilung für Justizverwaltungssachen gesondert auszuweisen.

(3) Die Geschäftsverteilungen der Staatsanwaltschaften sind ehestens – tunlichst vor ihrem Wirksamwerden – der Oberstaatsanwaltschaft in geeigneter Weise zur Kenntnis zu bringen; aus wichtigen Gründen kann der Leiter der Oberstaatsanwaltschaft anordnen, daß die Geschäftsverteilung geändert wird.

(4) Die Oberstaatsanwaltschaften und die Generalprokuratur haben ihre Geschäftsverteilung dem Bundesministerium für Justiz in geeigneter Weise zur Kenntnis zu bringen.

(5) Während des Kalenderjahres darf die Geschäftsverteilung nur aus schwerwiegenden Gründen geändert werden.

(6) Im Gebäude jeder Staatsanwaltschaft ist eine Geschäftsverteilungsübersicht anzuschlagen.

Rufbereitschaft und Journaldienst

§ 6a. (1) Bei den Staatsanwaltschaften besteht außerhalb der Dienststunden Rufbereitschaft. Die Rufbereitschaft ist von einer zur Gewährleistung der rechtzeitigen Erledigung von keinen Aufschub duldenden Anträgen und Anordnungen erforderlichen Anzahl von Staatsanwälten, jedoch mindestens von einem Staatsanwalt zu leisten; bei kleineren Staatsanwaltschaften kann sie auch von einem Staatsanwalt einer benachbarten Staatsanwaltschaft geleistet werden. Die Einteilung der Staatsanwälte zur Rufbereitschaft hat der Leiter der Staatsanwaltschaft so vorzunehmen, daß eine möglichst gleichmäßige Heranziehung der Staatsanwälte erfolgt. Ist die Rufbereitschaft für zwei Staatsanwaltschaften zu leisten, haben die Leiter dieser Staatsanwaltschaften die Einteilung im Einvernehmen zu treffen. Die Einteilung kann von den betroffenen Staatsanwälten einvernehmlich gegen vorherige Meldung an den Leiter der Staatsanwaltschaft (die Leiter der Staatsanwaltschaften) abgeändert werden.

(2) Während der Rufbereitschaft hat der Staatsanwalt seinen Aufenthalt so zu wählen, daß er unter Verwendung der zur Verfügung stehenden technischen Kommunikationsmittel jederzeit erreichbar ist und binnen kürzester Zeit außerhalb der Dienststunden anfallende Amtshandlungen vornehmen kann, mit deren Durchführung nicht bis zum Beginn der nächsten Dienststunden oder des nächsten Journaldienstes zugewartet werden kann.

(3) Der Bundesminister für Justiz kann nach Maßgabe des durchschnittlichen Anfalls dringlicher Amtshandlungen anordnen, daß bei einzelnen Staatsanwaltschaften während bestimmter Zeiträume anstelle der Rufbereitschaft Journaldienst zu leisten ist. Während des Journaldienstes hat der für den betreffenden Tag zur Rufbereitschaft eingeteilte Staatsanwalt in den dafür bestimmten Amtsräumen der Staatsanwaltschaft anwesend zu sein, sofern er nicht auf Grund einer Inanspruchnahme im Rahmen der Rufbereitschaft oder des Journaldienstes auswärtige Amtshandlungen durchzuführen hat.

Geschäftsstelle

§ 7. Bei den Staatsanwaltschaften wird eine Geschäftsstelle eingerichtet, die mit der erforderlichen Anzahl von Beamten oder Vertragsbediensteten zu besetzen ist.

Berichte der Staatsanwaltschaften

§ 8. (1) Die Staatsanwaltschaften haben über Strafsachen, an denen wegen der Bedeutung der aufzuklärenden Straftat oder der Funktion des Verdächtigen im öffentlichen Leben ein besonderes öffentliches Interesse besteht, oder in denen noch nicht hinreichend geklärte Rechtsfragen von grundsätzlicher Bedeutung zu beurteilen sind, von sich aus der jeweils übergeordneten Oberstaatsanwaltschaft zu berichten.

(1a) Berichte nach Abs. 1 haben das beabsichtigte Vorgehen darzustellen und zu begründen. Ihnen ist der Entwurf der beabsichtigten Erledigung anzuschließen. Soweit sich diese Angaben nicht aus dem Entwurf der Erledigung ergeben, haben sie insbesondere zu enthalten:

1. eine Darstellung des dem Bericht zu Grunde liegenden Sachverhalts;

2. die aufgenommenen Beweise und deren Würdigung;

3. die rechtliche Beurteilung des Sachverhalts.

StAG

(2) Die Oberstaatsanwaltschaften können in Wahrnehmung ihrer Aufsichts- und Weisungsbefugnisse, insbesondere auch zur Förderung einer einheitlichen Rechtsanwendung, schriftlich anordnen, dass ihnen über bestimmte Gruppen von Strafsachen Bericht erstattet werde; sie können auch in Einzelfällen Berichte anfordern, wobei sich Zeitpunkt und Art der Berichterstattung nach den besonderen Anordnungen der Oberstaatsanwaltschaften richten.

(3) Berichte nach Abs. 1 sind grundsätzlich vor einer Beendigung des Ermittlungsverfahrens oder dem Absehen von der Einleitung eines Ermittlungsverfahrens nach den Bestimmungen des 10., 10a. und 11. Hauptstückes der StPO, dem Einbringen (§ 210 StPO) oder dem Rücktritt von einer Anklage (§ 227) oder vor der Entscheidung über einen Rechtsmittelverzicht oder die Ausführung eines Rechtsmittels im Hauptverfahren zu erstatten, es sei denn, dass zuvor eine Anordnung oder ein Antrag von der Beurteilung einer noch nicht hinreichend geklärten Rechtsfrage von grundsätzlicher Bedeutung abhängt. Im Übrigen haben die Staatsanwaltschaften in Strafverfahren, die einer Berichtspflicht nach Abs. 1 unterliegen, über bedeutende Verfahrensschritte, insbesondere Zwangsmaßnahmen (§§ 102 Abs. 1 zweiter Satz, 105 Abs. 1 StPO), zu informieren, nachdem diese angeordnet wurden.

(4) Der Pflicht zur Berichterstattung über eine beabsichtige Verfügung oder Erledigung stehen Anordnungen und Anträge, die wegen Gefahr im Verzug sofort gestellt werden müssen, nicht entgegen.

Erlässe und Berichte der Oberstaatsanwaltschaften

§ 8a. (1) Die Oberstaatsanwaltschaften haben Berichte gemäß § 8 zu prüfen und gegebenenfalls die erforderlichen Weisungen (§ 29) zu erteilen. Diese haben sich vor einem beabsichtigten Vorgehen nach Abs. 2 auf bloße Aufträge zur Beseitigung von Unvollständigkeiten der vorgelegten Berichte (§ 8 Abs. 1a) zu beschränken.

(2) Soweit nicht bloß Strafsachen mit räumlich begrenzter Bedeutung betroffen sind oder eine noch nicht hinreichend geklärte Rechtsfrage von grundsätzlicher Bedeutung zu beurteilen ist, haben die Oberstaatsanwaltschaften Berichte gemäß § 8 Abs. 1 mit einer Stellungnahme, ob gegen das beabsichtigte Vorgehen oder die Art der zur Genehmigung vorgelegten Erledigung ein Einwand besteht, dem Bundesminister für Justiz vorzulegen, der sodann gegenüber der berichtenden Oberstaatsanwaltschaft gemäß Abs. 1 vorzugehen hat.

(3) In Wahrnehmung seiner Aufsichts- und Weisungsbefugnisse (§ 29a), zur Förderung einer einheitlichen Rechtsanwendung sowie zur Berichterstattung gegenüber gesetzgebenden Körperschaften, ihren Organen und internationalen Organisationen kann der Bundesminister für Justiz gemäß § 8 Abs. 2 vorgehen. Er kann in diesen Fällen von den Oberstaatsanwaltschaften auch Berichte über die Sachbehandlung in einzelnen Verfahren anfordern. Dies ist im Tagebuch ersichtlich zu machen.

(4) Formlose Auskünfte und Informationen an das Bundesministerium für Justiz über den Gegenstand und Stand eines Verfahrens zur Beantwortung von medialen Anfragen stellen keine Berichte im Sinne des Abs. 3 dar.

Berichtspflicht der staatsanwaltschaftlichen Organe bei den Bezirksgerichten

§ 9. In den im § 8 genannten Fällen haben die staatsanwaltschaftlichen Organe bei den Bezirksgerichten der Staatsanwaltschaft von sich aus Bericht zu erstatten und - außer bei Gefahr im Verzug - deren Weisungen abzuwarten.

Monats- und Jahresberichte

§ 10. *(Anm.: Abs. 1 aufgehoben durch BGBl. I Nr. 112/2007)*

(2) Alljährlich haben die Staatsanwaltschaften der Oberstaatsanwaltschaft über die auf Grund öffentlicher Anklage geführten Strafverfahren einen Geschäftsausweis vorzulegen und die Entwicklung des Geschäftsanfalles zu erläutern. Die Oberstaatsanwaltschaften haben diese Geschäftsausweise zu prüfen, sie gegebenenfalls richtigstellen zu lassen oder sonst erforderliche Verfügungen zu treffen. Sie haben eine Gesamtübersicht zusammenzustellen, der die Ausweiszahlen der ihnen unterstellten Staatsanwaltschaften zu entnehmen sind.

(3) Die Oberstaatsanwaltschaften haben dem Bundesministerium für Justiz Übersichten über die Disziplinarsachen der Richter und der Notare vorzulegen.

(4) Alljährlich haben die Staatsanwaltschaften den Oberstaatsanwaltschaften und diese sowie die Generalprokuratur dem Bundesministerium für Justiz ihre Wahrnehmungen über Zustand und Gang der Rechtspflege sowie über Mängel der Gesetzgebung oder des Geschäftsganges zu berichten und gegebenenfalls geeignete Änderungsvorschläge zu unterbreiten.

(5) Die Staatsanwaltschaften und die Oberstaatsanwaltschaften haben unbeschadet der Verpflichtung nach Abs. 2 an Statistiken und automationsunterstützten Informationssystemen im Justizbereich durch Beistellung von Daten und Unterlagen mitzuwirken. Auch die Generalprokuratur hat gegebenenfalls einen Beitrag zu Statistiken und Informationssystemen zu leisten.

Berichte über besondere Ermittlungsmaßnahmen

§ 10a. (1) Über beabsichtigte Anordnungen einer optischen oder akustischen Überwachung von Personen nach § 136 Abs. 1 Z 2 und 3 StPO oder eines automationsunterstützten Datenabgleichs nach § 141 Abs. 2 und Abs. 3 StPO haben die Staatsanwaltschaften den Oberstaatsanwaltschaften zu berichten; § 8 Abs. 4 gilt entsprechend.

(2) Über Strafsachen, in denen eine optische oder akustische Überwachung von Personen nach § 136 StPO oder ein automationsunterstützter Datenabgleich nach § 141 StPO angeordnet wurde, haben die Staatsanwaltschaften den Oberstaatsanwaltschaften alljährlich gesonderte Berichte vorzulegen und in den Fällen des Abs. 1 Ausfertigungen der entsprechenden Anordnungen samt gerichtlicher Bewilligung anzuschließen. Die Berichte haben insbesondere zu enthalten:

1. die Anzahl der Fälle, in denen die optische oder akustische Überwachung von Personen oder ein automationsunterstützter Datenabgleich angeordnet wurde, sowie die Anzahl der von einer Überwachung betroffenen und der durch einen Datenabgleich ausgeforschten Personen,

2. den Zeitraum der einzelnen Überwachungsmaßnahmen,

3. die Anzahl der Fälle, in denen die in Abs. 2 genannten besonderen Ermittlungsmaßnahmen mit Erfolg durchgeführt wurden.

(3) Die Oberstaatsanwaltschaften haben diese Berichte zu prüfen, sie gegebenenfalls richtigstellen zu lassen oder sonst erforderliche Verfügungen zu treffen. Sie haben dem Bundesministerium für Justiz eine Gesamtübersicht über besondere Ermittlungsmaßnahmen samt den Ausfertigungen der bewilligten Anordnungen im Sinne des Abs. 1 zu übermitteln.

(4) Der Bundesminister für Justiz hat auf Grundlage der Berichte der Staatsanwaltschaften und des Berichtes des Rechtsschutzbeauftragten alljährlich dem Nationalrat, dem Datenschutzrat und der Datenschutzbehörde einen Gesamtbericht über den Einsatz besonderer Ermittlungsmaßnahmen zu erstatten, soweit diese mit gerichtlicher Bewilligung durchgeführt wurden.

Abschnitt V

WEISUNGEN

Weisungen der Oberstaatsanwaltschaften

§ 29. (1) Weisungen der Oberstaatsanwaltschaften zur Sachbehandlung in einem bestimmten Verfahren sind den Staatsanwaltschaften schriftlich unter Bezugnahme auf diese Gesetzesstelle zu erteilen und zu begründen. Ist das aus besonderen Gründen, insbesondere wegen Gefahr im Verzug, nicht möglich, so ist eine mündlich erteilte Weisung so bald wie möglich schriftlich zu bestätigen.

(2) Wird die Sachbehandlung in einem bestimmten Verfahren mündlich erörtert, so hat die Staatsanwaltschaft das Ergebnis einer solchen Erörterung in einer Niederschrift festzuhalten, in der insbesondere anzuführen ist, ob sich eine übereinstimmende Rechtsauffassung ergeben hat oder die Oberstaatsanwaltschaft eine Weisung erteilt hat. Die Niederschrift ist von sämtlichen anwesenden Personen zu unterfertigen.

(3) Die Staatsanwaltschaft hat die Weisung oder die Niederschrift dem Tagebuch anzuschließen. Eine Ausfertigung der Weisung oder der Niederschrift hat sie im Ermittlungsverfahren dem Ermittlungsakt (§ 34c), im Haupt- und Rechtsmittelverfahren dem auf eine gerichtliche Entscheidung abzielenden Antrag anzuschließen.

Weisungen an die Oberstaatsanwaltschaft

§ 29a. (1) Der Bundesminister für Justiz hat die Berichte der Oberstaatsanwaltschaften sowie das beabsichtigte Vorgehen zu prüfen. Weisungen sind unter Bezugnahme auf diese Gesetzesstelle schriftlich auszufertigen und zu begründen. Die Oberstaatsanwaltschaften haben sodann gemäß § 29 vorzugehen.

(1a) Der Bundesminister für Justiz prüft das beabsichtigte Vorgehen grundsätzlich aufgrund der vorgelegten Berichte. Er kann jedoch Ermittlungs- oder Strafakten oder einzelne Aktenteile anfordern, um insbesondere begründete Bedenken oder Anhaltspunkte für Unvollständigkeiten der vorgelegten Berichte (§ 8 Abs. 1a) aufzuklären. Eine Weisung hat der Bundesminister für Justiz jedenfalls zu erteilen, wenn

1. der Bericht über entscheidende Tatsachen undeutlich, unvollständig, mit sich im Widerspruch oder nur offenbar unzureichend begründet ist,

2. zwischen den Angaben des Berichts und jenen des Erledigungsentwurfs ein erheblicher Widerspruch besteht, oder

3. im Rahmen der rechtlichen Beurteilung des Sachverhalts ein Gesetz verletzt oder unrichtig angewendet wurde.

(2) Für die mündliche Erörterung der Sachbehandlung in einem bestimmten Verfahren gilt § 29 Abs. 2 sinngemäß, wobei die Niederschrift durch die Oberstaatsanwaltschaft abzufassen ist, soweit die Staatsanwaltschaft an der mündlichen Erörterung nicht beteiligt war.

(3) Der Bundesminister für Justiz hat dem Nationalrat und dem Bundesrat jährlich über die von ihm erteilten Weisungen zu berichten, nachdem das der Weisung zu Grunde liegende Verfahren beendet wurde.

Beirat für den ministeriellen Weisungsbereich („Weisungsrat“)

§ 29b. (1) Bei der Generalprokuratur besteht ein Beirat für den ministeriellen Weisungsbereich („Weisungsrat“). Diesem gehören der Generalprokurator als Vorsitzender und zwei weitere Mitglieder an. Im Fall ihrer Verhinderung werden der Generalprokurator durch seine Ersten Stellvertreter in der Rangfolge (§ 182 Abs. 3 RStDG), die beiden weiteren Mitglieder durch Ersatzmitglieder vertreten.

(2) Die beiden weiteren Mitglieder und zwei Ersatzmitglieder werden auf Basis einer Vorauswahl durch den Rechtsschutzbeauftragten der Justiz (§ 47a StPO) nach Anhörung der Präsidenten des Verfassungsgerichtshofs, des Verwaltungsgerichtshofs und des Obersten Gerichtshofs über Vorschlag der Bundesregierung vom Bundespräsidenten für die Dauer von sieben Jahren bestellt. Wiederbestellungen sind nicht zulässig. Der Vorschlag hat zumindest doppelt so viele Namen zu enthalten, wie Personen als Mitglieder zu bestellen sind. Bei vorzeitigem Ausscheiden eines Mitglieds oder Ersatzmitglieds ist ein Nachfolger für den Rest der Funktionsperiode zu bestellen.

(3) Die Bestellung der weiteren Mitglieder und der Ersatzmitglieder endet bei Verzicht, im Fall des Todes, mit Ende der Funktionsperiode oder wegen nachträglicher Unvereinbarkeit gemäß Abs. 4, im Fall des Endes der Funktionsperiode jedoch nicht vor einer Neubestellung gemäß Abs. 2. Jedes Mitglied des Weisungsrats hat eine Befangenheit im Sinne des § 47 Abs. 1 StPO unverzüglich den anderen Mitgliedern anzuzeigen.

(4) Die gemäß Abs. 2 bestellten weiteren Mitglieder und Ersatzmitglieder des Weisungsrats müssen besondere Kenntnisse und Erfahrungen auf dem Gebiet des Straf- und Strafverfahrensrechts aufweisen sowie mindestens fünfzehn Jahre in einem Beruf im Bereich des Strafrechts tätig gewesen sein, für den der Abschluss des Studiums der Rechtswissenschaften Berufsvoraussetzung ist. Richter- und Staatsanwälte des Dienststandes, der Rechtsschutzbeauftragte und seine Stellvertreter, Rechtsanwälte, die in die Liste der Rechtsanwälte eingetragen sind, und andere Personen, die vom Amt eines Geschworenen oder Schöffen ausgeschlossen oder zu diesem nicht berufen sind (§§ 2 und 3 des Geschworenen- und Schöffengesetzes) dürfen als weitere Mitglieder nicht bestellt werden. Das Gleichbehandlungsgebot ist zu beachten.

(5) Der Weisungsrat ist beschlussfähig, wenn der Vorsitzende oder seine Vertretung und zwei weitere Personen als Mitglieder oder Ersatzmitglieder anwesend sind. Er trifft seine Entscheidungen mit einfacher Mehrheit. Eine Stimmenthaltung ist unzulässig. Eine Beschlussfassung im Umlaufweg ist zulässig, wenn sich sämtliche Mitglieder des Weisungsrats damit im Einzelfall einverstanden erklären.

(6) Die Sitzungen und Abstimmungen des Weisungsrats sind nicht öffentlich. Die Mitglieder des Weisungsrats sind in Ausübung ihres Amtes unabhängig und an keine Weisungen gebunden. Sie sind verpflichtet, die ihnen ausschließlich aus ihrer amtlichen Tätigkeit bekanntgewordenen Tatsachen geheim zu halten, soweit und solange dies aus den in § 6 Abs. 1 Informationsfreiheitsgesetz – IFG, BGBl. I Nr. 5/2024, genannten Gründen erforderlich und ver-

hältnismäßig ist. Die Äußerungen (§ 29c Abs. 3) des Weisungsrats können von diesem in sinngemäßer Anwendung des § 35b bekannt gegeben werden.

(7) Die näheren Regelungen über die Aufgaben des Vorsitzenden, Rechte und Pflichten der Mitglieder, die Einberufung von Sitzungen, die Vertretung der weiteren Mitglieder im Verhinderungsfall, die Bedingungen der Beschlussfassung im Umlaufweg und die Protokollierung sind in einer Geschäftsordnung des Weisungsrats zu treffen, die der Genehmigung des Bundesministers für Justiz bedarf.

(8) Die Kanzleigeschäfte des Weisungsrats werden von der Geschäftsstelle der Generalprokuratur wahrgenommen. Den gemäß Abs. 2 bestellten Mitgliedern und Ersatzmitgliedern des Weisungsrats gebührt als Entschädigung für die Erfüllung ihrer Aufgaben nach diesem Bundesgesetz für jede, wenn auch nur begonnene Stunde ein Zehntel der Entschädigung eines Ersatzmitgliedes des Verfassungsgerichtshofes für einen Sitzungstag (§ 4 Abs. 3 des Verfassungsgerichtshofgesetzes). Für die Vergütung ihrer Reisekosten gelten die Bestimmungen der Reisegebührenvorschrift für Bundesbedienstete sinngemäß mit der Maßgabe, dass ihr Wohnsitz als Dienstort gilt und dass ihnen die Reisezulage in der Gebührenstufe 3 gebührt. Für die Bemessung der den gemäß Abs. 2 bestellten Mitgliedern und Ersatzmitgliedern des Weisungsrats zustehenden Gebühren ist der Bundesminister für Justiz zuständig.

Aufgaben des Weisungsrats

§ 29c. (1) Der Bundesminister für Justiz hat dem Weisungsrat (§ 29b) zu seiner Beratung in folgenden Fällen den Bericht der Staatsanwaltschaft über ihr beabsichtigtes Vorgehen nach § 8 Abs. 1, die Stellungnahme der Oberstaatsanwaltschaft sowie einen begründeten Erledigungsentwurf vorzulegen:

1. wenn eine Weisung zur Sachbehandlung in einem bestimmten Verfahren (§ 29a Abs. 1) erteilt werden soll;

2. bei Strafsachen gegen oberste Organe der Vollziehung (Art. 19 B-VG), Mitglieder des Verfassungsgerichtshofs, des Verwaltungsgerichtshofs und des Obersten Gerichtshofs sowie der Generalprokuratur;

3. wenn es der Bundesminister für Justiz wegen des außergewöhnlichen Interesses der Öffentlichkeit an der Strafsache, insbesondere bei wiederholter und überregionaler medialer Berichterstattung oder wiederholter öffentlicher Kritik am Vorgehen der Staatsanwaltschaft und der Kriminalpolizei, oder aus Befangenheitsgründen für erforderlich hält.

(2) Wird dem Weisungsrat vom Bundesminister für Justiz ein Erledigungsvorschlag gemäß Abs. 1 vorgelegt, so hat der Vorsitzende ehestmöglich eine Sitzung des Weisungsrats anzuberaumen; auf Verlangen sind ihm einzelne Aktenbestandteile oder der gesamte Ermittlungsakt zu übersenden.

(3) Der Weisungsrat erstattet unter Beachtung des Beschleunigungsgebotes (§ 9 StPO) ehestmöglich eine schriftliche Äußerung zum Erledigungsentwurf des Bundesministers für Justiz. Trägt der Bundesminister für Justiz der Äußerung des Weisungsrats im Ergebnis nicht Rechnung, so ist die Äußerung samt der Begründung, weshalb ihr nicht Rechnung getragen wurde, jedenfalls im Bericht an den Nationalrat und den Bundesrat gemäß § 29a Abs. 3 StAG zu veröffentlichen.

(4) Wird der Weisungsrat gemäß Abs. 1 befasst und in weiterer Folge eine Weisung auf Einstellung des Ermittlungsverfahrens erteilt, so hat die Staatsanwaltschaft den Rechtsschutzbeauftragten im Sinne des § 194 Abs. 3 StPO mit den Wirkungen des § 195 Abs. 2a zu verständigen.

(5) In Angelegenheiten der internationalen strafrechtlichen Zusammenarbeit der Justizbehörden und in anderen keinen Aufschub duldenden Fällen, insbesondere in Haftsachen und der Frage der Erklärung eines Rechtsmittelverzichts und der Ausführung von Rechtsmitteln genügt es, den Weisungsrat im Nachhinein zu befassen.

Weisungen innerhalb Staatsanwaltschaften

§ 30. (1) Ein Staatsanwalt, der eine ihm erteilte Weisung zur Sachbehandlung in einem bestimmten Verfahren für rechtswidrig hält, hat dies dem Vorgesetzten mitzuteilen, und zwar, wenn es sich nicht wegen Gefahr im Verzug um eine unaufschiebbare Maßnahme handelt, vor Befolgung der Weisung. Hat ein Staatsanwalt sonst Bedenken gegen eine Weisung, so soll er seine Bedenken dem Vorgesetzten mitteilen.

(2) Hält ein Staatsanwalt eine Weisung für rechtswidrig oder verlangt er schriftlich eine Weisung, so hat der Vorgesetzte die Weisung schriftlich zu erteilen oder schriftlich zu wiederholen, widrigenfalls sie als zurückgezogen gilt.

(3) Wenn ein Staatsanwalt von der Rechtswidrigkeit oder Unvertretbarkeit des von ihm geforderten Verhaltens überzeugt ist oder sonst berücksichtigungswürdige Gründe vorliegen, hat der Behördenleiter ihn auf schriftliches und ausreichend begründetes Verlangen von der weiteren Behandlung der Sache zu entbinden, soweit es sich nicht wegen Gefahr im Verzug um eine unaufschiebbare Maßnahme handelt.

Bekanntgabe von Weisungen

§ 31. Über Weisungen, deren Befolgung auf eine Beendigung des Ermittlungsverfahrens oder auf die Herbeiführung einer gerichtlichen Entscheidung abzielt, dürfen vor der Rechtswirksamkeit der Beendigung oder vor der gerichtlichen Entscheidung nur der Leiter der Staatsanwaltschaft und die ihm vorgesetzten Stellen Mitteilung machen. Nach der Rechtswirksamkeit der Beendigung des Ermittlungsverfahrens oder nach der gerichtlichen Entscheidung wird durch die bloße Mitteilung darüber, dass, von welcher Stelle und in welche Richtung eine Weisung zur Sachbehandlung erteilt worden ist, die Pflicht zur Geheimhaltung gemäß § 58 RStDG nicht verletzt. Gleiches gilt für die mündliche Erörterung der Sachbehandlung gemäß §§ 29 Abs. 2 und 29a Abs. 2.

Abschnitt VI
GESCHÄFTSGANG DER STAATSANWALTSCHAFTEN

Verkehr mit dem Gericht

§ 32. (1) Die Staatsanwälte stellen in Verhandlungen und Sitzungen ihre Anträge mündlich, sonst in der Regel schriftlich. In gleicher Weise geben sie zu Anträgen eines Verfahrensbeteiligten oder auf Anfragen des Gerichtes Erklärungen ab.

(2) Die Vertretung der Anklage in der Hauptverhandlung ist, soweit dies im Interesse einer zweckmäßigen Strafverfolgung gelegen ist, nach Möglichkeit jenem Staatsanwalt zu übertragen, der mit der Sache bis dahin vorwiegend befaßt war.

(3) Die Vertretung der Anklage in der Hauptverhandlung vor dem Bezirksgericht oder vor dem Einzelrichter des Landesgerichtes sowie die Vertretung im Rechtsmittelverfahren vor dem Landesgericht kann auch Richteramtsanwärtern, die die Richteramtsprüfung noch nicht abgelegt haben, übertragen werden. Richteramtsanwärtern nach bestandener Richteramtsprüfung kann überdies die Vertretung der Anklage vor dem Landesgericht als Schöffengericht sowie die Vertretung im Rechtsmittelverfahren vor dem Oberlandesgericht übertragen werden.

Einsicht in die Gerichtsakten

§ 33. Alle staatsanwaltschaftlichen Behörden sind berechtigt, zur Wahrnehmung ihrer Aufgaben in die gerichtlichen Akten Einsicht zu nehmen und Auskünfte über deren Inhalt einzuholen. In Beratungsprotokolle darf jedoch nur dann Einsicht genommen werden, wenn dies zur Prüfung einer behaupteten Gesetzesverletzung erforderlich ist.

Tagebuch

§ 34. (1) Für jede Strafsache soll bei den Staatsanwaltschaften ab Einbringen der Anklage nach Maßgabe des § 34a ein Tagebuch geführt werden. Der Leiter kann jedoch für bestimmte Fälle anordnen, dass Tagebücher auch für das Ermittlungsverfahren zu führen sind.

(2) Die Gründe für die Einstellung, Abbrechung und Fortführung des Ermittlungsverfahrens, für das Absehen von der Einleitung eines Ermittlungsverfahrens, für eine diversionelle Erledigung, die Zurückziehung eines Strafantrags, einer Anklage sowie eines Antrags auf strafrechtliche Unterbringung in einem forensisch-therapeutischen Zentrum sind in das Tagebuch einzutragen.

(3) Von Strafanträgen, Anklageschriften, Anträgen auf Unterbringung in einer Anstalt für geistig abnorme Rechtsbrecher und Rechtsmittelschriften ist die Urschrift, von Berichten und Anordnungen von Zwangsmaßnahmen eine Ausfertigung dem Tagebuch anzuschließen. Die Ergebnisse der Hauptverhandlung sowie allfällige Rechtsmittelerklärungen sind im Tagebuch festzuhalten.

(4) Bei Einbringung eines Strafantrages sind Umstände, die für die Anklageerhebung, die Beweisführung und die Strafzumessung wichtig sind, stichwortartig zu vermerken.

Register, sonstige Geschäftsbehelfe und elektronischer Rechtsverkehr

§ 34a. (1) Bei jeder Staatsanwaltschaft sind Register und sonstige Geschäftsbehelfe zu führen, um einen Überblick über die Gesamtheit der angefallenen Sachen, deren Auffindbarkeit und den Stand der einzelnen Angelegenheiten zu bieten, die für die Erledigung der einzelnen Strafsache nötige Übersicht zu erhalten und zugleich die unentbehrlichen Anhaltspunkte für die Überwachung des gesamten Geschäftsganges und der Vollziehung der einzelnen staatsanwaltschaftlichen Verfügungen, Anträge, Anordnungen und Aufträge zu sichern.

(2) In die Register und Geschäftsbehelfe sowie Tagebücher und Ermittlungsakten dürfen nur solche Daten aufgenommen werden, die erforderlich sind, um den Zweck des Registers, Geschäftsbehelfs, Tagebuchs oder Ermittlungsakts zu erfüllen. Die Führung der Register, Tagebücher, Ermittlungsakten und sonstigen Geschäftsbehelfe sowie die Speicherung des Inhalts der Ermittlungsakten, Aktenbestandteile, staatsanwaltschaftlichen Tagebücher, Behelfe und sonstigen Unterlagen haben nach Maßgabe der technischen und personellen Möglichkeiten mit Hilfe der Verfahrensautomation Justiz zu erfolgen. Die Daten der Register und sonstigen Geschäftsbehelfe haben den Inhalt der Ermittlungsakten bzw. Tagebücher und der sonstigen Geschäftsbehelfe vollständig wiederzugeben.

(2a) § 85 GOG gilt sinngemäß. Die Entscheidung über eine Beschwerde obliegt

1. wegen einer Verletzung durch ein Organ der Staatsanwaltschaft dem Einzelrichter des Landesgerichts (§ 31 Abs. 1 StPO),

2. wegen einer Verletzung durch ein Organ der Oberstaatsanwaltschaft dem Oberlandesgericht und

3. wegen einer Verletzung durch ein Organ der Generalprokuratur dem Obersten Gerichtshof.

Das Verfahren richtet sich nach den Bestimmungen der StPO, sofern im Gerichtsorganisationsgesetz – GOG, RGBl. Nr. 217/1896, nichts anderes bestimmt ist.

(3) Der Bundesminister für Justiz hat durch Verordnung zu bestimmen, welche Register und Geschäftsbehelfe bei den staatsanwaltschaftlichen Behörden zu führen sowie welche Gattungen von Angelegenheiten darin einzutragen sind, welche Organe sie zu führen

haben und wie lange sie aufzubewahren oder verfügbar zu halten sind. Die Form und Einrichtung der Register und Geschäftsbehelfe und wie bei deren Führung im Einzelnen zu verfahren ist, ist im VJ-Online-Handbuch oder in sonstigen Erlässen zu regeln. Das VJ-Online-Handbuch ist in der jeweils aktuellen Fassung über die Intranethomepage der Justiz abrufbar zu halten; die sonstigen Erlässe sind dort zu verlautbaren.

(4) Soweit Behörden oder Beteiligten ein Recht auf Einsicht in den Ermittlungsakt oder das Tagebuch zusteht, haben sie nach Maßgabe der vorhandenen technischen Möglichkeiten Anspruch darauf, Ablichtungen oder Ausdrucke der ihre Sache betreffenden Akten und Aktenteile zu erhalten. Den Genannten kann unter Bedachtnahme auf eine einfache und sparsame Verwaltung sowie eine ausreichende Sicherung vor Missbrauch durch dritte Personen auch elektronische Einsicht in sämtliche nach den Vorschriften der StPO oder dieses Gesetzes zugängliche, ihre Sache betreffende Daten, die in der Verfahrensautomation Justiz gespeichert sind, ermöglicht werden.

(5) Für den elektronischen Rechtsverkehr mit den Staatsanwaltschaften sind die §§ 89a bis 89g GOG anzuwenden.

(6) Im staatsanwaltschaftlichen Bereich sind das Bundesministerium für Verfassung, Reformen, Deregulierung und Justiz und die jeweils verfahrensführende Staatsanwaltschaft, die Oberstaatsanwaltschaft oder die Generalprokuratur als für die Verarbeitung von Daten Verantwortliche zu betrachten. Soweit den Verantwortlichen Rechte und Pflichten nach der StPO treffen, sind diese von der jeweils verfahrensführenden Staatsanwaltschaft, der Oberstaatsanwaltschaft oder der Generalprokuratur wahrzunehmen.

Haftung für IT-Einsatz

§ 34b. (1) Für die durch den Einsatz der Informations- und Kommunikationstechnik verursachten Schäden aus Fehlern bei der Führung staatsanwaltschaftlicher Geschäfte einschließlich der Justizverwaltungsgeschäfte sowie der dafür notwendigen Register und sonstigen Geschäftsbehelfe und der öffentlichen Register haftet der Bund. Die Haftung ist ausgeschlossen, wenn der Schaden durch ein unabwendbares Ereignis verursacht wird, das weder auf einem Fehler in der Beschaffenheit noch auf einem Versagen der Mittel der automationsunterstützten Datenverarbeitung beruht. Im Übrigen ist das Amtshaftungsgesetz, BGBl. Nr. 20/1949, anzuwenden.

(2) Bei der elektronischen Übermittlung von Eingaben und Erledigungen haftet der Bund nach Abs. 1, sofern der Fehler entstanden ist

1. bei Daten, die an die Staatsanwaltschaft übermittelt worden sind, ab ihrem Einlangen bei der Bundesrechenzentrum GmbH;

2. bei Daten, die von der Staatsanwaltschaft zu übermitteln sind, bis zu ihrem Einlangen im Verfügungsbereich des Empfängers.

Ermittlungsakt

§ 34c. (1) Sobald in einem Ermittlungsverfahren der Staatsanwaltschaft gemäß § 100 StPO berichtet wurde, hat die Staatsanwaltschaft einen Ermittlungsakt nach den Bestimmungen der DV-StAG anzulegen, es sei denn, dass ein Verfahren ohne weitere Ermittlungen unverzüglich gemäß § 197 Abs. 2 oder 2a StPO abgebrochen oder gemäß §§ 190 bis 192 StPO eingestellt wird. Dieser Ermittlungsakt ist im Fall von Anträgen gemäß § 101 Abs. 2 StPO, von Stellungnahmen im Verfahren über Beschwerden (§§ 88 und 89 StPO), auf Grund eines Einspruchs wegen Rechtsverletzung (§ 106 StPO), auf Einstellung des Verfahrens (§ 108 StPO) oder auf Fortführung des Verfahrens (§ 195 StPO) sowie mit Einbringen der Anklage dem Gericht zu übermitteln.

(2) Im Ermittlungsverfahren wegen Straftaten, für die im Hauptverfahren das Bezirksgericht zuständig wäre, kann von der Führung eines Ermittlungsaktes abgesehen werden. Ein Ermittlungsakt ist jedoch jedenfalls anzulegen, sobald ein Antrag an das Gericht oder Anklage (Strafantrag) eingebracht wird.

(3) Die näheren Vorschriften zur Einstufung von Ermittlungsakten und der zugehörigen Tagebücher (§ 16 DV-StAG) als Verschlusssache sowie deren Behandlung hat der Bundesminister für Justiz durch Verordnung zu bestimmen.

Einsicht in Behelfe und Unterlagen der staatsanwaltschaftlichen Behörden

§ 35. (1) Das Recht auf Einsicht in Tagebücher steht unbeschadet der nachstehenden Bestimmungen nur Staatsanwaltschaften und dem Bundesministerium für Justiz sowie im erforderlichen Umfang jenen Behörden zu, die mit einem Straf- oder Disziplinarverfahren gegen einen Staatsanwalt oder mit einem Verfahren nach dem Amtshaftungsgesetz, BGBl. Nr. 20/1949, gegen den Bund wegen behaupteter Rechtsverletzung eines Organs einer Staatsanwaltschaft befaßt sind.

(2) Gesetzliche Bestimmungen, wonach einer gesetzgebenden Körperschaft oder der Volksanwaltschaft ein Recht auf Einsicht in Tagebücher zusteht, bleiben unberührt.

(3) Darüber hinaus kann das Bundesministerium für Justiz oder die Oberstaatsanwaltschaft zum Zwecke der wissenschaftlichen Forschung oder aus anderen vergleichbar wichtigen Gründen Einsicht in Tagebücher gestatten. In diesem Fall soll die Einsicht nicht gewährt werden, bevor seit Zurücklegung der Anzeige oder sonstiger Beendigung des Verfahrens zehn Jahre vergangen sind.

(4) Die Einsicht in den staatsanwaltschaftlichen Ermittlungsakt und diesem angeschlossene Berichte über kriminalpolizeiliche und andere Ermittlungen und Beweisaufnahmen richtet sich ausschließlich nach den Bestimmungen der StPO.

(5) Die vorstehenden Bestimmungen stehen den Verständigungspflichten nach § 195 StPO nicht ent-

gegen, sofern ein begründetes rechtliches Interesse an der Auskunft besteht.

§ 35a. (1) Nach Maßgabe der personellen und technischen Voraussetzungen sind die Bestimmungen des Bundesgesetzes über den Obersten Gerichtshof, BGBl. Nr. 328/1968, und des Gerichtsorganisationsgesetzes, RGBl. Nr. 217/1896, über die allgemeine Zugänglichkeit von Entscheidungen auch auf Entscheidungen der Staatsanwaltschaften über die Einstellung des Ermittlungsverfahrens nach dem 10. und 11. Hauptstück der StPO, soweit sie von besonderem öffentlichen Interesse sind oder besondere für die Beurteilung gleichgelagerter Verfahren bedeutsame rechtliche Ausführungen beinhalten, sinngemäß anzuwenden. Eine Veröffentlichung hat in der Ediktsdatei zu erfolgen und ist durch die Oberstaatsanwaltschaft anzuordnen.

(2) Nach drei Jahren ab Veröffentlichung sind die Entscheidungen aus der Ediktsdatei zu löschen.

Information der Medien

§ 35b. (1) Den Staatsanwaltschaften obliegt die Information der Medien (§ 1 MedienG) über die von ihnen geführten Ermittlungsverfahren nach Maßgabe der nachstehenden Absätze unter Berücksichtigung des Interesses der Öffentlichkeit an sachlicher Information über Verfahren von öffentlicher Bedeutung im Wege der bei ihnen eingerichteten Medienstellen.

(2) Eine Information der Medien ist nur zulässig, wenn durch ihren Zeitpunkt und Inhalt die Persönlichkeitsrechte der betroffenen Personen, der Grundsatz der Unschuldsvermutung sowie der Anspruch auf ein faires Verfahren nicht verletzt werden.

(3) Auskünfte sind nicht zu erteilen, soweit schutzwürdige Geheimhaltungsinteressen, insbesondere die Interessen und Rechte der Opfer von Straftaten und ihr Anspruch auf staatlichen Schutz vor weiterer Beeinträchtigung sowie der Schutz vor Bekanntgabe der Identität nach Maßgabe der Bestimmungen der §§ 7 bis 7b MedienG und des Verbots der Veröffentlichung nach § 54 StPO entgegenstehen oder ihr Inhalt als verbotene Veröffentlichung im Sinne des § 301 StGB zu würdigen wäre. Gleiches gilt, wenn durch die Auskunft der Zweck des Ermittlungsverfahrens gefährdet wäre.

(4) Die Bestimmungen der vorstehenden Absätze sind auch auf Auskünfte über das Verhalten oder Anträge der Staatsanwaltschaften im Haupt- und Rechtsmittelverfahren anzuwenden.

Abschnitt VII
AUFSICHTSRECHT

Aufsicht durch die Oberstaatsanwaltschaften und das Bundesministerium für Justiz

§ 36. (1) Die Oberstaatsanwaltschaften haben in Ausübung ihres Aufsichtsrechtes den Geschäftsgang der ihnen unterstellten Staatsanwaltschaften regelmäßig durch geeignete Maßnahmen und zumindest einmal im Jahr durch eine Nachschau zu prüfen.

(2) In den Jahren der Durchführung einer Regelrevision kann die Nachschau entfallen.

(3) Die Dienstaufsicht des Bundesministeriums für Justiz gegenüber den staatsanwaltschaftlichen Behörden richtet sich nach § 4 Abs. 1 und 2 des Bundesministeriengesetzes 1986.

Innenrevision

§ 36a. (1) Die für den Sprengel der Oberstaatsanwaltschaft eingerichtete Innenrevision hat in regelmäßigen Abständen Regelrevisionen durchzuführen, wobei jede unterstellte Staatsanwaltschaft zumindest einmal in zehn Jahren einer Vollprüfung zu unterziehen ist. Die Innenrevision ist bei der Wahrnehmung ihrer Aufgaben von der Leitung der Oberstaatsanwaltschaft unabhängig. Alle Mitglieder eines Revisionsteams unterstehen in dieser Funktion ausschließlich der Aufsicht der Leitung der Innenrevision.

(2) Zusätzlich kann die Bundesministerin für Justiz Sonderrevisionen bei einer bestimmten Staatsanwaltschaft oder für bestimmte Bereiche einer oder mehrerer Staatsanwaltschaften anordnen.

Aufsichtsbeschwerden

§ 37. (1) Beschwerden gegen einen Staatsanwalt wegen seiner Amtsführung können bei jeder ihm vorgesetzten Stelle eingebracht werden. Wird die Beschwerde nicht bei der dem Staatsanwalt unmittelbar vorgesetzten Stelle eingebracht, so ist sie in der Regel dieser, wenn erforderlich mit einem Berichtsauftrag, zur weiteren Amtshandlung zu übermitteln.

(2) Alle nicht offenbar unbegründeten Beschwerden sind dem betroffenen Staatsanwalt mit der Aufforderung mitzuteilen, binnen bestimmter Frist der Beschwerde abzuhelfen und darüber zu berichten oder die entgegenstehenden Hindernisse bekannt zu geben.

Abschnitt VIII

Mitwirkung der Staatsanwaltschaften in bürgerlichen Rechtssachen

§ 38. (1) Soweit den Staatsanwaltschaften Aufgaben im Zusammenhang mit bürgerlichen Rechtssachen obliegen, sind die Vorschriften dieses Gesetzes sinngemäß anzuwenden. Bezirksanwälte sind mit Tätigkeiten in bürgerlichen Rechtssachen nicht zu betrauen.

(2) Die Vertretung der Staatsanwaltschaft in einem Verfahren vor dem Bezirksgericht kann auch durch Richteramtsanwärter erfolgen.

ABSCHNITT X

Gleichbehandlung

§ 40. Die in diesem Bundesgesetz verwendeten personenbezogenen Ausdrücke umfassen Frauen und Männer gleichermaßen.

ABSCHNITT XI

Schlußbestimmungen

Verweisungen auf andere Bundesgesetze

§ 41. Soweit in diesem Bundesgesetz auf andere Bundesgesetze verwiesen wird, sind diese in der jeweils geltenden Fassung anzuwenden.

Inkrafttreten

§ 42. (1) Dieses Bundesgesetz tritt mit 1. Juli 1986 in Kraft.

(2) Es treten, jeweils in der Fassung des Bundesgesetzes BGBl. Nr. 507/1994, in Kraft:

1. Die §§ 6a, 40 und 41 mit 1. Juli 1994,
2. die §§ 13 und 21 Abs. 4 mit 1. Jänner 1995 und
3. § 39 mit 1. Jänner 1996.

(3) § 22 Abs. 2 in der Fassung des Bundesgesetzes BGBl. I Nr. 30/1998 tritt mit 1. Jänner 1998 in Kraft.

(4) § 5 Abs. 1 bis 5, § 6 Abs. 1 und 2, § 12 und § 13 Abs. 1 und 2 in der Fassung des Bundesgesetzes BGBl. I Nr. 5/1999 treten mit 1. Jänner 1999 in Kraft.

(5) § 35 Abs. 1 in der Fassung des Bundesgesetzes BGBl. I Nr. 164/2004, tritt mit 1. Jänner 2005 in Kraft.

(6) Die §§ 13 Abs. 2, 34a und 34b in der Fassung des Bundesgesetzes BGBl. I Nr. 119/2005 treten mit 1. Jänner 2006 in Kraft. § 13 Abs. 2 tritt mit 31. Dezember 2007 wieder außer Kraft.

(Anm.: Abs. 7 aufgehoben durch BGBl. I Nr. 96/2007)

(8) § 3, in der Fassung des Bundesgesetzes BGBl. I Nr. 96/2007, § 42 Abs. 6 letzter Satz, der Entfall des § 42 Abs. 7 in der Fassung des Bundesgesetzes BGBl. I Nr. 53/2007 und der Abschnitte IV und IX jeweils samt Überschrift treten mit 1. Jänner 2008 in Kraft.

(9) Die Überschriften der Abschnitte I bis III und VIII und die Bestimmungen der §§ 1 bis 2, 3 bis 8a, 10 Abs. 2, 10a, 29 bis 32, 34, 34a, 34c, 35 und 38 sowie der Entfall der Bestimmungen der §§ 10 Abs. 1 und 11 in der Fassung des Bundesgesetzes BGBl. I Nr. 112/2007, treten mit 1. Jänner 2008 in Kraft.

(10) Die Bestimmungen des § 2a in der Fassung des Bundesgesetzes BGBl. I Nr. 112/2007, treten mit 1. Jänner 2009 in Kraft. Administrative Vorbereitungsmaßnahmen für die Einrichtung der KStA können bereits mit Kundmachung dieses Bundesgesetzes getroffen werden.

(11) Die Bestimmungen der §§ 34 Abs. 1 und 34c in der Fassung des Bundesgesetzes, BGBl. I Nr. 40/2009 treten am 1. Juni 2009 in Kraft.

(12) Die Bestimmung des § 34 Abs. 1 in der Fassung des Bundesgesetzes BGBl. I Nr. 52/2009 tritt am XX.XXXX 2009 in Kraft.

(13) Die Bestimmungen der §§ 2a Abs. 1, Abs. 2 und Abs. 4, 5 Abs. 4 und Abs. 5, 8 Abs. 1, Abs. 3 und Abs. 4, 8a Abs. 1 und Abs. 3, 10a Abs. 1 sowie § 34 Abs. 1 in der Fassung des Bundesgesetzes BGBl. I Nr. 98/2009 treten mit 1. September 2009 in Kraft.

(14) §§ 2a und 35a in der Fassung des Bundesgesetzes BGBl. I Nr. 108/2010 treten mit 1. September 2011 in Kraft. Ab diesem Zeitpunkt werden die der KStA durch § 2a in der Fassung vor Inkrafttreten des Bundesgesetzes BGBl. I Nr. 108/2010 übertragenen Aufgaben durch die WKStA übernommen.

(15) § 32 Abs. 3 in der Fassung des Budgetbegleitgesetzes 2011, BGBl. I Nr. 111/2010, tritt mit 1. Jänner 2011 in Kraft.

(16) § 5 Abs. 5 in der Fassung des Bundesgesetzes BGBl. I Nr. 66/2011 tritt mit 1. April 2012 in Kraft.

(Anm.: Abs. 17 aufgehoben durch BGBl. I Nr. 28/2016)

(18) § 34c Abs. 3 in der Fassung des Bundesgesetzes BGBl. I Nr. 71/2014 tritt mit dem der Kundmachung folgenden Tag, die §§ 5 Abs. 5, 6 Abs. 2, 8a Abs. 4, 35a Abs. 1 und 2, 35b und 35c in der Fassung des Bundesgesetzes BGBl. I Nr. 71/2014 treten mit 1. Jänner 2015 in Kraft.

(19) Die §§ 2a Abs. 3 und 6, 3 Abs. 2, 6 Abs. 3 und 4, 8 Abs. 1, 1a, 2 und 3, 8a Abs. 1 und 2, 10 Abs. 3, 29 Abs. 2, 29a Abs. 1 und 1a, 29b, 29c und 34a Abs. 2 in der Fassung des Bundesgesetzes BGBl. I Nr. 96/2015 treten mit 1.1.2016 in Kraft.

(20) § 10a Abs. 1 und 2 in der Fassung des Bundesgesetzes BGBl. I Nr. 27/2018 treten mit 1. April 2020 in Kraft und mit Ablauf des 31. März 2025 wieder außer Kraft.

(21) § 34a Abs. 2a und 6 in der Fassung des Materien-Datenschutz-Anpassungsgesetzes 2018, BGBl. I Nr. 32/2018, tritt mit 25. Mai 2018 in Kraft.

(22) § 5 Abs. 5 in der Fassung des Bundesgesetzes BGBl. I Nr. 182/2023 tritt mit 17. Februar 2024 in Kraft.

(23) § 8 Abs. 3, § 34 Abs. 2, § 36 samt Überschrift und § 36a samt Überschrift in der Fassung des Bundesgesetzes BGBl. I Nr. 157/2024 treten mit 1. Jänner 2025 in Kraft; gleichzeitig entfällt § 35c samt Überschrift.

(24) § 29b Abs. 6 und § 31 in der Fassung des Informationsfreiheits-Anpassungsgesetzes, BGBl. I Nr. 50/2025, treten mit 1. September 2025 in Kraft.

Vollziehung

§ 43. (1) Mit der Vollziehung dieses Bundesgesetzes ist der Bundesminister für Justiz betraut.

(2) Der Bundesminister für Justiz hat die zur Vollziehung dieses Bundesgesetzes erforderlichen Vorschriften, insbesondere über die innere Einrichtung und die Geschäftsführung der staatsanwaltschaftlichen Behörden, über die Geschäftsführung der Personalkommissionen sowie über die Beschaffenheit, das Tragen und die Tragdauer des Amtskleides der Staatsanwälte, durch Verordnung zu erlassen.

Jugendgerichtsgesetz 1988

Bundesgesetz vom 20. Oktober 1988 über die Rechtspflege bei Straftaten Jugendlicher und junger Erwachsener (Jugendgerichtsgesetz 1988 – JGG)
StF: BGBl. Nr. 599/1988 idF BGBl. I Nr. 50/2025

JGG

Inhaltsverzeichnis

JGG

Stichwortverzeichnis

ERSTER ABSCHNITT

Begriffsbestimmungen

§ 1. (1) Im Sinne dieses Bundesgesetzes ist

1. Unmündiger: wer das vierzehnte Lebensjahr noch nicht vollendet hat;

2. Jugendlicher: wer das vierzehnte, aber noch nicht das achtzehnte Lebensjahr vollendet hat;

3. Jugendstraftat: eine mit gerichtlicher Strafe bedrohte Handlung, die von einem Jugendlichen begangen wird;

4. Jugendstrafsache: ein Strafverfahren wegen einer Jugendstraftat;

5. Junger Erwachsener: wer das achtzehnte, aber noch nicht das einundzwanzigste Lebensjahr vollendet hat.

(2) Ist zweifelhaft, ob ein Beschuldigter zur Zeit der Tat oder im Zeitpunkt der Verfahrenshandlung das achtzehnte Lebensjahr vollendet hat, so sind die für Jugendliche geltenden Verfahrensbestimmungen anzuwenden.

DRITTER ABSCHNITT

Jugendstrafrecht

Straflosigkeit von Unmündigen und Jugendlichen

§ 4. (1) Unmündige, die eine mit Strafe bedrohte Handlung begehen, sind nicht strafbar.

(2) Ein Jugendlicher, der eine mit Strafe bedrohte Handlung begeht, ist nicht strafbar, wenn

1. er aus bestimmten Gründen noch nicht reif genug ist, das Unrecht der Tat einzusehen oder nach dieser Einsicht zu handeln, oder

2. er vor Vollendung des sechzehnten Lebensjahres ein Vergehen begeht, ihn kein schweres Verschulden trifft und nicht aus besonderen Gründen die Anwendung des Jugendstrafrechts geboten ist, um den Jugendlichen von strafbaren Handlungen abzuhalten.

Besonderheiten der Ahndung von Jugendstraftaten

§ 5. Für die Ahndung von Jugendstraftaten gelten die allgemeinen Strafgesetze, soweit im folgenden nichts anderes bestimmt ist:

1. Die Anwendung des Jugendstrafrechts hat vor allem den Zweck, den Täter von strafbaren Handlungen abzuhalten.

2. An die Stelle der Androhung einer lebenslangen Freiheitsstrafe und der Androhung einer Freiheitsstrafe von zehn bis zu zwanzig Jahren oder lebenslanger Freiheitsstrafe tritt,

a) wenn ein Jugendlicher die Tat nach Vollendung des sechzehnten Lebensjahres begangen hat, die Androhung einer Freiheitsstrafe von einem bis zu fünfzehn Jahren,

b) sonst die Androhung einer Freiheitsstrafe von einem bis zu zehn Jahren.

3. An die Stelle der Androhung einer Freiheitsstrafe von zehn bis zu zwanzig Jahren tritt die Androhung einer Freiheitsstrafe von sechs Monaten bis zu zehn Jahren.

4. Das Höchstmaß aller sonst angedrohten zeitlichen Freiheitsstrafen wird auf die Hälfte herabgesetzt; ein Mindestmaß entfällt.

5. Das nach Tagessätzen bestimmte Höchstmaß von Geldstrafen wird auf die Hälfte herabgesetzt.

6. Geldstrafen, deren Bemessung sich nach der Höhe eines Wertes, Nutzens oder Schadens richtet, einschließlich Verfallsersatz- und Wertersatzstrafen, sind nur zu verhängen, soweit sie das Fortkommen des Beschuldigten nicht gefährden.

6a. Von der Entscheidung, dass ein Geldbetrag gemäß § 20 Abs. 3 StGB für verfallen zu erklären ist, kann ganz oder zum Teil abgesehen werden, soweit dies den Täter unbillig hart träfe.

6b. Anlass einer strafrechtlichen Unterbringung nach § 21 StGB kann nur eine Tat sein, für die nach den allgemeinen Strafgesetzen lebenslange Freiheitsstrafe oder eine Freiheitsstrafe im Höchstmaß von mindestens zehn Jahren angedroht ist.

7. Für die Einteilung der strafbaren Handlungen nach § 17 StGB und die Anwendung des § 191 StPO ist nicht von den durch die Z 4 geänderten Strafdrohungen auszugehen.

8. Die §§ 37 Abs. 2 und 41 Abs. 2 StGB gelten nicht für Jugendstraftaten.

9. Die §§ 43 und 43a StGB können auch angewendet werden, wenn auf eine Freiheitsstrafe von mehr als zwei bzw. drei Jahren erkannt wird oder zu erkennen wäre.

10. In gesetzlichen Bestimmungen vorgesehene Rechtsfolgen treten nicht ein.

11. Sind Werte oder Schadensbeträge einer Jugendstraftat mit jenen einer Straftat, die nach Vollendung des achtzehnten Lebensjahres begangen wurde, zusammenzurechnen (§ 29 StGB), so richten sich die Strafdrohungen nach den Z 2 bis 5; begründet jedoch allein die Summe der Werte oder Schadensbeträge der nach dem genannten Zeitpunkt begangenen Straftaten eine höhere Strafdrohung, so ist diese maßgeblich.

12. Eine Freiheitsstrafe oder freiheitsentziehende Maßnahme darf über einen Jugendlichen nur verhängt werden, wenn der Angeklagte während der Hauptverhandlung durch einen Verteidiger vertreten war (§ 39 Abs. 1 Z 4).

Absehen von der Verfolgung

§ 6. (1) Von der Verfolgung einer Jugendstraftat, die nur mit Geldstrafe oder mit einer Freiheitsstrafe bedroht ist, deren Höchstmaß fünf Jahre nicht übersteigt, hat die Staatsanwaltschaft abzusehen und das Ermittlungsverfahren einzustellen, wenn ein Vorgehen gemäß den §§ 190 bis 192 StPO nicht in Betracht kommt und weitere Maßnahmen, insbesondere solche nach dem 11. Hauptstück der StPO in Verbindung mit § 7, nicht geboten erscheinen, um den Beschuldigten von der Begehung strafbarer Handlungen abzuhalten. Ein solches Vorgehen ist jedenfalls ausgeschlossen, wenn die Tat den Tod eines Menschen zur Folge gehabt hat.

(2) Auf Antrag der Staatsanwaltschaft hat das Pflegschaftsgericht den Beschuldigten über das Unrecht von Taten wie der verfolgten und deren mögliche Folgen förmlich zu belehren und danach zu verständigen, dass von der Verfolgung abgesehen worden ist. Unterbleibt ein solcher Antrag, so hat die Staatsanwaltschaft den Beschuldigten unter sinngemäßer Anwendung des § 194 StPO zu verständigen, dass von der Verfolgung abgesehen worden ist.

(3) Unter denselben Voraussetzungen hat das Gericht nach Erhebung der Anklage bis zum Schluss der Hauptverhandlung ein Verfahren wegen einer von Amts wegen zu verfolgenden strafbaren Handlung mit Beschluss einzustellen. Die Bestimmungen über die Einstellung des Ermittlungsverfahrens auf Antrag des Beschuldigten (§ 108 StPO) bleiben davon unberührt.

Rücktritt von der Verfolgung (Diversion)

§ 7. (1) Die Staatsanwaltschaft hat nach dem 11. Hauptstück der StPO vorzugehen und von der Verfolgung einer Jugendstraftat zurückzutreten, wenn auf Grund hinreichend geklärten Sachverhalts feststeht, dass eine Einstellung des Verfahrens nach den §§ 190 bis 192 StPO nicht in Betracht kommt, eine Bestrafung jedoch im Hinblick auf

1. die Zahlung eines Geldbetrages (§ 200 StPO) oder

2. die Erbringung gemeinnütziger Leistungen (§ 201 StPO) oder

3. die Bestimmung einer Probezeit, in Verbindung mit Bewährungshilfe und der Erfüllung von Pflichten (§ 203 StPO), oder

4. einen Tatausgleich (§ 204 StPO)

nicht geboten erscheint, um den Beschuldigten von der Begehung strafbarer Handlungen abzuhalten.

(2) Ein Vorgehen gemäß Abs. 1 ist jedoch nur zulässig, wenn

1. die Schuld des Beschuldigten nicht als schwer (§ 32 StGB) anzusehen wäre, und

2. die Tat nicht den Tod eines Menschen zur Folge gehabt hat, es sei denn, dass ein Angehöriger des Beschuldigten fahrlässig getötet worden ist und eine Bestrafung im Hinblick auf die durch den Tod des Angehörigen beim Beschuldigten verursachte schwere psychische Belastung nicht geboten erscheint.

(3) Nach Einbringung der Anklage wegen Begehung einer strafbaren Handlung, die von Amts wegen zu verfolgen ist, hat das Gericht die für die Staatsanwaltschaft geltenden Bestimmungen der Abs. 1 und 2, des § 8 sowie der §§ 198 und 200 bis 209 StPO sinngemäß anzuwenden und das Verfahren unter den für die Staatsanwaltschaft geltenden Voraussetzungen bis zum Schluss der Hauptverhandlung mit Beschluss einzustellen.

Besonderheiten der Anwendung der Diversion

§ 8. (1) Die Zahlung eines Geldbetrages (§ 200 StPO) soll nur vorgeschlagen werden, wenn anzunehmen ist, dass der Geldbetrag aus Mitteln gezahlt wird, über die der jugendliche Beschuldigte selbständig verfügen darf und ohne Beeinträchtigung seines Fortkommens verfügen kann.

(2) Gemeinnützige Leistungen (§ 202 Abs. 1 StPO), zu denen sich ein Jugendlicher bereit erklärt hat, dürfen täglich nicht mehr als sechs Stunden, wöchentlich nicht mehr als 20 Stunden und insgesamt nicht mehr als 120 Stunden in Anspruch nehmen.

(3) Das Zustandekommen eines Tatausgleichs setzt die Zustimmung des Opfers nicht voraus (§ 204 Abs. 2 StPO).

(4) Bei der Schadensgutmachung und einem sonstigen Tatfolgenausgleich (§§ 200 Abs. 3, 201 Abs. 3, 203 Abs. 2 und 204 Abs. 1 StPO) ist in angemessener Weise auf die Leistungsfähigkeit des Jugendlichen und darauf zu achten, dass sein Fortkommen nicht unbillig erschwert wird.

Schuldspruch ohne Strafe

§ 12. (1) Wäre wegen einer Jugendstraftat nur eine geringe Strafe zu verhängen, so hat das Gericht von einem Strafausspruch abzusehen, wenn anzunehmen ist, daß der Schuldspruch allein genügen werde, um den Rechtsbrecher von weiteren strafbaren Handlungen abzuhalten.

(2) Das Absehen vom Ausspruch einer Strafe ist im Urteil zu begründen und vertritt den Ausspruch über die Strafe (§ 260 Abs. 1 Z 3 StPO).

Schuldspruch unter Vorbehalt der Strafe

§ 13. (1) Der Ausspruch der wegen einer Jugendstraftat zu verhängenden Strafe ist für eine Probezeit von einem bis zu drei Jahren vorzubehalten, wenn anzunehmen ist, daß der Schuldspruch und die Androhung des Strafausspruchs allein oder in Verbindung mit anderen Maßnahmen genügen werden, um den Rechtsbrecher von weiteren strafbaren Handlungen abzuhalten. Die Probezeit beginnt mit Eintritt der Rechtskraft des Urteils.

(2) Die Entscheidung, daß der Ausspruch der Strafe vorbehalten und eine Probezeit bestimmt wird, ist in das Urteil aufzunehmen und zu begründen. Sie vertritt den Ausspruch über die Strafe (§ 260 Abs. 1 Z 3 StPO).

(3) Das Gericht hat den Verurteilten über den Sinn des Schuldspruchs unter Vorbehalt der Strafe zu belehren und ihm, sobald die Entscheidung darüber rechtskräftig geworden ist, eine Urkunde zuzustellen, die in einfachen Worten den wesentlichen Inhalt der Entscheidung, die ihm auferlegten Verpflichtungen und die Gründe angibt, derentwegen eine Strafe nachträglich ausgesprochen werden kann.

Berücksichtigung besonderer Gründe

§ 14. Bei der Anwendung der §§ 6, 12 und 13 ist auch zu berücksichtigen, ob aus besonderen Gründen die Durchführung des Strafverfahrens oder der Ausspruch einer Strafe unerläßlich erscheint, um der Begehung strafbarer Handlungen durch andere entgegenzuwirken.

Nachträglicher Strafausspruch

§ 15. (1) Wird der Rechtsbrecher wegen einer vor Ablauf der Probezeit begangenen strafbaren Handlung neuerlich verurteilt, so ist die Strafe auszusprechen, wenn dies in Anbetracht der Verurteilung zusätzlich zu dieser geboten erscheint, um den Rechtsbrecher von weiteren strafbaren Handlungen abzuhalten. Die Strafe kann auch ausgesprochen werden, wenn der Rechtsbrecher während der Probezeit eine Weisung des Gerichtes trotz förmlicher Mahnung aus bösem Willen nicht befolgt oder sich beharrlich dem Einfluß des Bewährungshelfers entzieht und dies nach den Umständen geboten erscheint, um den Rechtsbrecher von der Begehung strafbarer Handlungen abzuhalten.

(2) Wird im Falle des Abs. 1 keine Strafe ausgesprochen, so hat das Gericht zu prüfen, ob bereits verfügte Maßnahmen beizubehalten oder andere Maßnahmen zu treffen sind.

(3) Ein nachträglicher Strafausspruch muß spätestens innerhalb von sechs Monaten nach Ablauf der Probezeit oder nach Beendigung eines bei deren Ablauf gegen den Rechtsbrecher anhängigen Strafverfahrens erfolgen. Daß von der Verhängung einer Strafe endgültig abgesehen wird, hat das Gericht mit Beschluß auszusprechen.

§ 16. (1) Der nachträgliche Ausspruch der Strafe bedarf eines Antrages der Staatsanwaltschaft. Über diesen Antrag entscheidet in den Fällen einer neuerlichen Verurteilung das in diesem Verfahren erkennende Gericht (§ 494a StPO), sonst das Gericht, das in erster Instanz erkannt hat, nach mündlicher Verhandlung durch Urteil. Die Verhandlung und das Urteil haben sich insoweit auf die Frage der Strafe und die Gründe für ihren nachträglichen Ausspruch oder dessen Unterbleiben zu beschränken.

(2) Gegen die Abweisung des Antrages, die Strafe nachträglich auszusprechen, stehen der Staatsanwaltschaft dieselben Rechtsmittel zu wie gegen den Ausspruch der Strafe.

Bedingte Entlassung aus einer Freiheitsstrafe

§ 17. Für die bedingte Entlassung aus einer wegen einer Jugendstraftat verhängten Freiheitsstrafe gilt § 46 Abs. 1 bis 5 StGB mit der Maßgabe, daß die mindestens zu verbüßende Strafzeit jeweils einen Monat beträgt und daß außer Betracht bleibt, ob es der Vollstreckung der Strafe bedarf, um der Begehung strafbarer Handlungen durch andere entgegenzuwirken.

Entlassungskonferenz

§ 17a. (1) Verbüßt ein wegen einer Jugendstraftat Verurteilter die Freiheitsstrafe, so kann im Rahmen der Vorbereitung der bedingten Entlassung (§§ 144, 145 Abs. 2 StVG) der Anstaltsleiter einen Leiter einer Geschäftsstelle für Bewährungshilfe mit der Ausrichtung einer Sozialnetzkonferenz (§ 29e BewHG) betrauen, um die Voraussetzungen einer bedingten Entlassung (§ 17, § 46 StGB) zu beurteilen und jene Maßnahmen festzulegen, die dazu dienen, den Verurteilten von der Begehung strafbarer Handlungen abzuhalten. Dem Kinder- und Jugendhilfeträger ist Gelegenheit zur Mitwirkung im Rahmen seiner gesetzlichen Aufgaben zu geben.

(2) Eine Entlassungskonferenz ist von den Stellen, die auch einen Antrag auf bedingte Entlassung stellen können (§ 152 Abs. 1 StVG), so rechtzeitig anzuregen, dass eine Entlassung nach Verbüßung der Hälfte der Freiheitsstrafe, spätestens aber nach zwei Dritteln, möglich wird.

(3) Entlassungskonferenzen bedürfen der Zustimmung des Verurteilten.

Prüfung der mit Freiheitsentziehung verbundenen vorbeugenden Maßnahmen

§ 17b. Der Prüfung, ob die strafrechtliche Unterbringung nach § 21 StGB aufrechtzuerhalten ist, muss jedenfalls ein Gutachten eines kinder- und jugendpsychiatrischen Sachverständigen, vorzugsweise eines solchen, der auch für das Fachgebiet psychiatrische Kriminalprognostik eingetragen ist, zugrunde liegen. Steht ein Sachverständiger der Kinder- und Jugendpsychiatrie nicht oder nicht rechtzeitig zur Verfügung, so kann ein Sachverständiger der klinischen Psychologie des Kindes- und Jugendalters bestellt werden.

Fallkonferenz bei Langzeitunterbringung nach § 21 StGB

§ 17c. (1) Dauert die strafrechtliche Unterbringung nach § 21 StGB wegen einer Jugendstraftat bereits zehn Jahre, hat der Anstaltsleiter, im Fall der Unterbringung in einer öffentlichen Krankenanstalt (§ 158 Abs. 4, § 167a Abs. 1 StVG) deren Leiter, eine Fallkonferenz einzuberufen und zu dieser jedenfalls den behandelnden Psychiater oder betreuenden Psychologen, den Leiter oder einen von diesem namhaft gemachten Vertreter einer Geschäftsstelle für Bewährungshilfe sowie Vertreter einer oder mehrerer für die Nachbetreuung in Betracht kommender Einrichtungen beizuziehen. Mit Zustimmung des Untergebrachten können ferner Angehörige (§ 72 StGB) beigezogen werden. In der Fallkonferenz ist abzuklären, welche konkreten Maßnahmen festgelegt werden können, die jene Gefahr, der die strafrechtliche Unterbringung entgegenwirken soll (§ 21 StGB), soweit hintanhalten oder verringern, dass eine künftige bedingte Entlassung möglich wird. Die Teilnehmer einer Fallkonferenz sind ermächtigt, einander personenbezogene Daten zu übermitteln, soweit dies für die Zwecke der Fallkonferenz erforderlich ist. Die Teilnehmer sind zur vertraulichen Behandlung der Daten verpflichtet; darüber sind sie zu informieren. Der Anstaltsleiter oder der Leiter der Krankenanstalt hat dem Vollzugsgericht über das Ergebnis der Fallkonferenz zu berichten.

(2) So lange der Untergebrachte noch nicht entlassen wurde, ist eine solche Fallkonferenz in der Folge jedenfalls alle drei Jahre einzuberufen.

Vorzeitige Beendigung der Probezeit

§ 18. Das Gericht kann die Probezeit nach einem Schuldspruch unter Vorbehalt der Strafe, nach einer bedingten Strafnachsicht oder einer bedingten Entlassung aus einer wegen einer Jugendstraftat verhängten Freiheitsstrafe nach Ablauf von mindestens einem Jahr vorzeitig beenden und das Absehen vom Strafausspruch, die bedingte Strafnachsicht oder die bedingte Entlassung für endgültig erklären, wenn neue Tatsachen bekräftigen, daß der Verurteilte keine weiteren strafbaren Handlungen begehen werde. Vor der Beschlußfassung ist der Bewährungshelfer zu hören.

Sonderbestimmungen für Straftaten junger Erwachsener

§ 19. (1) Gegen eine Person, die zur Zeit der Tat das einundzwanzigste Lebensjahr noch nicht vollendet hat, darf auf keine strengere als eine Freiheitsstrafe von fünfzehn Jahren erkannt werden. Das Mindestmaß aller angedrohten zeitlichen Freiheitsstrafen richtet sich nach jenem bei Jugendlichen (§ 5 Z 2 lit. a, 3 und 4).

(2) § 5 Z 1, 6a, 6b und 9, die §§ 7, 8 Abs. 1, 3 und 4, die §§ 12, 13, 14 (soweit er auf §§ 12 und 13 verweist), 15, 16, 17, 17a, 17c und 18 gelten in allen Fällen, in denen die Tat vor Vollendung des einundzwanzigsten Lebensjahres begangen wurde, entsprechend.

(3) Sind Werte oder Schadensbeträge einer Straftat, die vor Vollendung des einundzwanzigsten Lebensjahres begangen wurde, mit jenen einer Straftat, die nach diesem Zeitpunkt begangen wurde, zusammenzurechnen (§ 29 StGB), so richten sich die Strafdrohungen nach § 19 Abs. 1; begründet jedoch allein die Summe der Werte oder Schadensbeträge der nach dem genannten Zeitpunkt begangenen Straftaten eine höhere Strafdrohung, so ist diese maßgeblich.

(4) Abweichend von Abs. 1 bleibt es bei den Strafandrohungen der allgemeinen Strafgesetze, wenn der Täter eine der folgenden Taten begangen hat und diese mit Freiheitsstrafe im Höchstmaß von mindestens fünf Jahren bedroht ist, wobei auf keine strengere Freiheitsstrafe als von zwanzig Jahren erkannt werden darf:

1. eine strafbare Handlung gegen Leib und Leben,
2. eine strafbare Handlung gegen die sexuelle Integrität und Selbstbestimmung,
3. eine strafbare Handlung nach dem fünfundzwanzigsten Abschnitt des Besonderen Teils des Strafgesetzbuches,
4. eine strafbare Handlung als Mitglied einer kriminellen Vereinigung oder
5. das Anführen einer und die Beteiligung an einer terroristischen Vereinigung (§ 278b StGB).

VIERTER ABSCHNITT

Zuständigkeit und Geschäftsverteilung

(Anm.: § 23 aufgehoben durch BGBl. I Nr. 30/2003)

Sachliche Zuständigkeit

§ 27. (1) Dem Landesgericht als Geschworenengericht obliegt die Hauptverhandlung und Urteilsfällung

1. in Jugendstrafsachen und in Strafsachen wegen Straftaten, die vor Vollendung des einundzwanzigsten Lebensjahres begangen worden sind, wegen der im § 31 Abs. 2 Z 2 bis 12 StPO angeführten strafbaren Handlungen,
2. in Jugendstrafsachen überdies wegen Straftaten, die ein Jugendlicher nach Vollendung des sechzehnten Lebensjahres begangen hat und die mit Freiheitsstrafe von einem bis zu fünfzehn Jahren bedroht sind (§ 5 Z 2 lit. a),
3. in Strafsachen wegen Straftaten, die vor Vollendung des einundzwanzigsten Lebensjahres begangen worden sind, überdies wegen Straftaten, die mit Freiheitsstrafe von einem bis zu fünfzehn Jahren bedroht sind (§ 19 Abs. 1 in Verbindung mit § 5 Z 2 lit. a).

(2) Für die Abgrenzung der Zuständigkeit zwischen dem Landesgericht als Einzelrichter und dem Landesgericht als Schöffengericht sowie zwischen Bezirksgericht und Landesgericht bleibt die Herabsetzung der Strafdrohungen nach § 5 Z 4 außer Betracht.

Besetzung der Geschworenenbank und des Schöffengerichtes in Jugendstrafsachen

§ 28. (1) Jedem Geschworenengericht müssen vier im Lehrberuf, als Erzieher oder in der öffentlichen oder privaten Kinder- und Jugendhilfe oder Jugendbetreuung tätige oder tätig gewesene Personen als Geschworene angehören. Jedem Schöffengericht muß eine solche Person angehören.

(2) Dem Geschworenengericht müssen mindestens zwei Geschworene, dem Schöffengericht muß mindestens ein Schöffe des Geschlechtes des Angeklagten angehören.

Örtliche Zuständigkeit

§ 29. Für Jugendstrafsachen ist die Staatsanwaltschaft (§ 25 StPO) oder das Gericht (§ 36 StPO) örtlich zuständig, in dessen Sprengel der Beschuldigte zur Zeit des Beginns des Strafverfahrens (§ 1 Abs. 2 StPO) seinen gewöhnlichen Aufenthalt hat oder hatte.

Besondere Eignung für Jugendstrafsachen

§ 30. Die mit Jugendstrafsachen zu betrauenden Richter und Staatsanwälte in allen Instanzen sowie Bezirksanwälte haben über das erforderliche pädagogische Verständnis zu verfügen und entsprechende Kenntnisse auf den Gebieten der Sozialarbeit, Psychologie, Psychiatrie und Kriminologie aufzuweisen. Die Bundesministerin für Justiz hat sicherzustellen, dass eine diesen Kriterien entsprechende Fortbildung angeboten wird.

FÜNFTER ABSCHNITT

Verfahrensbestimmungen für Jugendstrafsachen

Anwendung der allgemeinen Bestimmungen

§ 31. Soweit sich aus den Bestimmungen dieses Bundesgesetzes nichts anderes ergibt, gelten für Jugendstrafsachen die allgemeinen Vorschriften für das Strafverfahren.

Besonderes Beschleunigungsgebot

§ 31a. Jugendstrafsachen sind mit besonderer Beschleunigung zu führen.

Besondere Verfahrensbestimmungen

§ 32. (1) Die Bestimmungen über das Abwesenheitsverfahren sind bei jugendlichen Angeklagten bei sonstiger Nichtigkeit nicht anzuwenden. Ist der Angeklagte zur Hauptverhandlung nicht erschienen, so ist diese zu vertagen und gegebenenfalls die Vorführung des Angeklagten anzuordnen. Ist der Angeklagte jedoch flüchtig oder unbekannten Aufenthalts, so ist gemäß § 197 Abs. 1 StPO vorzugehen.

(2) Ein Protokollsvermerk (§§ 271 Abs. 1a, 271a Abs. 3 StPO) ist im Falle eines Schuldspruchs unter Vorbehalt der Strafe nicht zulässig.

(3) Die Kriminalpolizei hat der Staatsanwaltschaft auch zu berichten (§ 100 StPO), wenn ein Unmündiger im Verdacht steht, eine strafbare Handlung begangen zu haben.

(4) Die Bestimmungen über das Mandatsverfahren (§ 491 StPO) sind bei jugendlichen Angeklagten nicht anzuwenden.

(5) Die §§ 429 bis 434g StPO gelten mit der Maßgabe, dass

1. an Stelle eines psychiatrischen Gutachtens ein Gutachten eines kinder- und jugendpsychiatrischen Sachverständigen, vorzugsweise eines solchen, der auch für das Fachgebiet psychiatrische Kriminalprognostik eingetragen ist, einzuholen ist (§ 430 Abs. 1 Z 2 StPO);

2. der Hauptverhandlung an Stelle eines Sachverständigen für Psychiatrie ein Sachverständiger für Kinder- und Jugendpsychiatrie, vorzugsweise ein solcher, der auch für das Fachgebiet psychiatrische Kriminalprognostik eingetragen ist, beizuziehen ist (§ 434d Abs. 2 StPO).

Steht ein Sachverständiger der Kinder- und Jugendpsychiatrie nicht oder nicht rechtzeitig zur Verfügung, so kann ein Sachverständiger der klinischen Psychologie des Kindes- und Jugendalters bestellt werden.

Rechtsbelehrung

§ 32a. (1) Jeder jugendliche Beschuldigte ist durch die Kriminalpolizei oder die Staatsanwaltschaft nach § 49 StPO und darüber hinaus über folgende Rechte zu informieren:

1. das Recht auf Benachrichtigung des gesetzlichen Vertreters und auf Begleitung durch den gesetzlichen Vertreter zu gerichtlichen Verhandlungen (§ 38),

2. das Recht auf notwendige Verteidigung und auf Verfahrenshilfe (§ 39),

3. das Recht auf möglichen Ausschluss der Öffentlichkeit in der Hauptverhandlung (§ 42) sowie auf Beschränkungen der Verbreitung von Ton- und Bildaufnahmen;

4. das Recht auf obligatorische Durchführung von Jugenderhebungen (§§ 43, 48 Z 1),

5. das Recht auf medizinische Untersuchung (§ 37a Abs. 2),

6. das Recht auf Begrenzung des Freiheitsentzugs und auf Anwendung gelinderer Mittel (§§ 35, 35a, § 173 Abs. 5 StPO),

7. das Recht auf Anwesenheit in der Hauptverhandlung (§ 32 Abs. 1),

8. das Recht auf besondere Behandlung in Haft (§§ 36, 58).

(2) Die Informationen nach Abs. 1 Z 1 bis 3 sind zu erteilen, sobald der Jugendliche in Kenntnis gesetzt wird, dass gegen ihn ein Strafverfahren geführt wird (§ 50 Abs. 1 StPO), jene nach Abs. 1 Z 4 bis 8, soweit und sobald deren Ausübung in Betracht kommt (§ 171 Abs. 4 StPO).

(3) Gerichte haben ab der ersten Amtshandlung zu prüfen, ob die Informationen nach Abs. 1 tatsächlich erteilt wurden und gegebenenfalls Ergänzungen vorzunehmen.

Verständigungen

§ 33. (1) Die Staatsanwaltschaft hat den Kinder- und Jugendhilfeträger und das Pflegschaftsgericht von der Einleitung eines Strafverfahrens gegen einen Jugendlichen zu verständigen.

(2) Von der Beendigung des Strafverfahrens gegen einen Jugendlichen oder einen Unmündigen hat den Kinder- und Jugendhilfeträger und das Pflegschaftsgericht im Fall der Einstellung oder des Rücktritts von der Verfolgung (§§ 194 und 208 Abs. 4 StPO) die Staatsanwaltschaft, in den übrigen Fällen das Gericht zu verständigen. In allen Fällen sind dem Pflegschaftsgericht jene Daten, die zur Prüfung, ob Verfügungen der Pflegschaftsgerichte oder der Kinder- und Jugendhilfeträger erforderlich sind, nach Maßgabe des § 76 Abs. 4 StPO zu übermitteln oder es ist dem Pflegschaftsgericht in diese Daten Einsicht zu gewähren.

(3) Erfahren der Kinder- und Jugendhilfeträger oder das Pflegschaftsgericht, dass gegen den Beschuldigten bei verschiedenen Staatsanwaltschaften oder Gerichten Strafverfahren anhängig sind, so haben sie die beteiligten Behörden davon zu verständigen.

(4) Wird ein Schüler einer öffentlichen oder mit Öffentlichkeitsrecht ausgestatteten Schule zu einer mehr als sechsmonatigen Freiheitsstrafe verurteilt oder wird seine Unterbringung in einer mit Freiheitsentziehung verbundenen vorbeugenden Maßnahme angeordnet, so ist davon die zuständige Schulbehörde erster Instanz zu verständigen.

(5) Weitere in der Strafprozeßordnung 1975 oder in anderen Bundesgesetzen vorgesehene Verständigungen sind nur unter folgenden Voraussetzungen vorzunehmen:

1. soweit sie Zwecken der Strafrechtspflege dienen,

2. daß das Verfahren eingestellt oder der Beschuldigte freigesprochen worden ist, gegenüber einer Stelle, die vom Strafverfahren Kenntnis erlangt hat, oder

3. daß der Beschuldigte verurteilt worden ist und entweder

a) die Verurteilung nicht der beschränkten Auskunft aus dem Strafregister unterliegt oder

b) der Verurteilte Angehöriger eines Wachkörpers des Bundes oder Vertragsbediensteter des Bundes ist, der zur Aufnahme in einen solchen Wachkörper ausgebildet wird.

(6) Die §§ 407, 503 Abs. 1 und 4 StPO, die §§ 3 bis 5 des Strafregistergesetzes 1968, Art. III Abs. 4 des Einführungsgesetzes zu den Verwaltungsverfahrensgesetzen 2008 (EGVG), BGBl. I Nr. 87/2008, und Art. IV des Verkehrsrecht-Anpassungsgesetzes 1971 bleiben unberührt.

Verbindung von Jugendstrafsachen mit Strafsachen gegen Erwachsene

§ 34. (1) Beziehen sich eine Jugendstrafsache und eine Strafsache gegen einen Erwachsenen auf die Beteiligung an derselben Straftat, sind die Ermittlungsverfahren von der für die Jugendstrafsache zuständigen Staatsanwaltschaft und die Hauptverfahren von dem für die Jugendstrafsache zuständigen Gericht gemeinsam zu führen.

(2) Wenn aber

1. beide Strafsachen nicht ausschließlich oder überwiegend die Beteiligung an derselben Straftat betreffen oder

2. die Strafsache gegen den Erwachsenen vor ein Gericht höherer Ordnung gehört,

kann die Strafsache gegen den Erwachsenen abgesondert geführt werden.

Festnahme und Untersuchungshaft bei jugendlichen Beschuldigten

§ 35. (1) Wenn und sobald der Zweck der Festnahme (§§ 170 bis 172 StPO) oder der Untersuchungshaft (§ 173 StPO) durch familienrechtliche Verfügungen, allenfalls in Verbindung mit einem gelinderen Mittel (§§ 172 Abs. 2 und 173 Abs. 5 StPO), erreicht werden kann oder bereits erreicht ist, ist der Jugendliche freizulassen. Überdies darf die Untersuchungshaft nur dann verhängt werden, wenn die mit ihr verbundenen Nachteile für die Persönlichkeitsentwicklung und für das Fortkommen des Jugendlichen nicht außer Verhältnis zur Bedeutung der Tat und zu der zu erwartenden Strafe stehen.

(1a) Sofern für das Hauptverfahren das Bezirksgericht zuständig wäre, ist die Verhängung der Untersuchungshaft über einen jugendlichen Beschuldigten unzulässig.

(1b) Ist der Beschuldigte einer Jugendstraftat verdächtig, so ist § 170 Abs. 2 StPO nicht anzuwenden.

(2) Die Ermittlung der für die Entscheidung über die Untersuchungshaft maßgeblichen Umstände kann insbesondere auch durch Organe der Jugendgerichtshilfe erfolgen; diese sind den Haftverhandlungen nach Möglichkeit beizuziehen.

(3) Ein jugendlicher Beschuldigter ist jedenfalls zu enthaften, wenn er sich schon drei Monate, handelt es sich jedoch um ein Verbrechen, das in die Zuständigkeit des des Landesgerichts als Schöffen- oder Geschworenengericht fällt, schon ein Jahr in Untersuchungshaft befindet, ohne daß die Hauptverhandlung begonnen hat. Im zuletzt genannten Fall darf die Untersuchungshaft über sechs Monate hinaus nur dann aufrechterhalten oder fortgesetzt werden, wenn dies wegen besonderer Schwierigkeiten oder besonderen

Umfangs der Untersuchung im Hinblick auf das Gewicht des Haftgrundes unvermeidbar ist.

(3a) Bei jugendlichen Angeklagten sind die §§ 174 Abs. 4 und 175 Abs. 5 StPO nicht anzuwenden. Mit Einbringen der Anklage verlängert sich die jeweilige Haftfrist (§ 175 Abs. 2 StPO) um eine Woche. Die Rechtswirksamkeit der Anklageschrift (§§ 213 Abs. 4, 215 Abs. 6 StPO) oder die Anordnung der Hauptverhandlung nach § 485 Abs. 1 Z 4 StPO löst sodann eine Haftfrist von einem Monat aus; ab weiterer Fortsetzung der Untersuchungshaft beträgt die Haftfrist zwei Monate. Würde die Haftfrist vor Beginn der Hauptverhandlung ablaufen und kann der Angeklagte nicht enthaftet werden, so hat das Gericht eine Haftverhandlung durchzuführen. Gleiches gilt, wenn der Angeklagte seine Enthaftung beantragt und darüber nicht ohne Verzug in einer Hauptverhandlung entschieden werden kann. Nach Zustellung der Urteilsausfertigung ist die Wirksamkeit eines Beschlusses auf Verhängung oder Fortsetzung der Untersuchungshaft durch die Haftfrist nicht mehr begrenzt.

(4) Von der Festnahme eines Jugendlichen, der nicht sogleich wieder freigelassen werden kann, sind ohne unnötigen Aufschub jedenfalls ein Erziehungsberechtigter oder ein mit dem Jugendlichen in Hausgemeinschaft lebender Angehöriger sowie die Jugendgerichtshilfe, ein für den Jugendlichen allenfalls bereits bestellter Bewährungshelfer und der Kinder- und Jugendhilfeträger zu verständigen, es sei denn, daß der Jugendliche dem aus einem triftigen Grund oder die Verständigung dem Kindeswohl widerspricht.

Untersuchungshaftkonferenz

§ 35a. (1) Wurde über den Beschuldigten in einer Jugendstrafsache die Untersuchungshaft verhängt, so kann das Gericht einen Leiter einer Geschäftsstelle für Bewährungshilfe mit der Ausrichtung einer Sozialnetzkonferenz (§ 29e BewHG) beauftragen. Andernfalls ist eine Äußerung der Jugendgerichtshilfe über die Zweckmäßigkeit einer Sozialnetzkonferenz einzuholen (§ 48 Z 4).

(2) Der Leiter der Geschäftsstelle für Bewährungshilfe hat in diesem Fall unter Mitwirkung der Jugendgerichtshilfe Entscheidungsgrundlagen für die Subsidiaritäts- und Verhältnismäßigkeitsprüfung (§ 35 Abs. 1) zu schaffen und aktiv darauf hinzuwirken, dass die Untersuchungshaft unter Anwendung gelinderer Mittel (§ 173 Abs. 5 StPO) aufgehoben werden kann. Dem Kinder- und Jugendhilfeträger ist Gelegenheit zur Mitwirkung im Rahmen seiner gesetzlichen Aufgaben zu geben.

(3) Untersuchungshaftkonferenzen bedürfen der Zustimmung des Beschuldigten.

Vollzug der Untersuchungshaft

§ 36. (1) Muß die Haft verhängt werden, so ist sie womöglich in einer besonderen Abteilung der Justizanstalt zu vollziehen. Für die Festnahme gelten, soweit im folgenden nichts anderes bestimmt ist, die allgemeinen Vorschriften.

(2) Eine Änderung des Haftortes (§ 183 Abs. 3 StPO) ist nur insofern zulässig, als die Zuständigkeit einer Sonderanstalt für Jugendliche angeordnet wird.

(3) Jugendliche Häftlinge sind, soweit nicht wegen ihres körperlichen, geistigen oder seelischen Zustandes eine Ausnahme geboten ist, von erwachsenen Häftlingen abzusondern und jedenfalls von solchen Gefangenen zu trennen, von denen ein schädlicher Einfluß zu befürchten ist. Von der Verwahrung in Einzelhaft ist abzusehen, wenn davon ein Nachteil für den Verhafteten zu besorgen wäre und er ohne Gefahr für seine Mitgefangenen mit anderen gemeinsam verwahrt werden kann.

(4) Jugendliche Häftlinge sind zu beschäftigen und, soweit es möglich und tunlich ist, zu unterrichten.

Vernehmung

§ 36a. (1) Die Vernehmung eines jugendlichen Beschuldigten ist in einer Art und Weise durchzuführen, die seinem Alter und seinem Entwicklungs- und Bildungsstand Rechnung trägt.

(2) Von der Vernehmung eines jugendlichen Beschuldigten durch Kriminalpolizei oder Staatsanwaltschaft ist neben einem Protokoll (§ 96 StPO) auch eine Ton- und Bildaufnahme anzufertigen, soweit der jugendliche Beschuldigte keinen Verteidiger beizieht und auch kein gesetzlicher Vertreter oder eine andere Person des Vertrauens anwesend ist.

(3) Ist eine Ton- und Bildaufnahme aufgrund eines unüberwindbaren technischen Problems nicht möglich, so kann die Vernehmung ausschließlich in einem Protokoll dokumentiert (§ 96 StPO) werden, sofern angemessene Anstrengungen zur Behebung des Problems unternommen wurden und eine Verschiebung der Befragung wegen der Dringlichkeit der Ermittlungen untunlich wäre.

(4) Die Daten einer Ton- und Bildaufnahme sind nur so lange aufzubewahren, als dies für die Zwecke des Strafverfahrens erforderlich ist. Sie sind unmittelbar nachdem das Verfahren nicht bloß vorläufig eingestellt wurde oder nach Rechtskraft des Urteils zu löschen, jedenfalls aber fünf Jahre nach dem Tag der Aufnahme. Hat die Kriminalpolizei die Aufnahmen angefertigt, so sind die Daten nach ihrer Übermittlung an die Staatsanwaltschaft bei der Kriminalpolizei zu löschen.

Beiziehung eines Verteidigers oder einer Person des Vertrauens

§ 37. (1) Ein Jugendlicher muss bei seiner Vernehmung (§ 164 StPO) im Fall der Festnahme oder Vorführung zur sofortigen Vernehmung (§ 153 Abs. 3 StPO), bei einer Tatrekonstruktion (§ 149 Abs. 1 Z 2 StPO) und bei einer Gegenüberstellung (§ 163 StPO) durch einen Verteidiger vertreten sein. In den übrigen Fällen einer Vernehmung ist, soweit der Jugendliche nicht durch einen Verteidiger vertreten ist, eine Person seines Vertrauens beizuziehen oder, wenn eine solche Beiziehung mangels Verfügbarkeit einer geeigneten Person binnen angemessener Frist nicht möglich ist, die Vernehmung in Bild und Ton aufzuzeichnen (§ 36a Abs. 2 bis 4). Über diese Rechte ist der Jugendliche in der Rechtsbelehrung (§ 50 StPO) und in der Ladung (§ 153 Abs. 2 StPO), spätestens jedoch vor Beginn der Vernehmung (§ 164 Abs. 1 und 2 StPO) zu informieren. § 164 Abs. 2 fünfter Satz StPO gilt nicht.

(2) Als Vertrauensperson des Jugendlichen kommen sein gesetzlicher Vertreter, ein Erziehungsberechtigter, ein Angehöriger, ein Lehrer, ein Erzieher oder ein Vertreter des Kinder- und Jugendhilfeträgers, der Jugendgerichtshilfe oder der Bewährungshilfe in Betracht.

(3) § 160 Abs. 2 dritter und vierter Satz StPO gilt sinngemäß.

Medizinische Untersuchung

§ 37a. (1) Zur Bestimmung des Alters des Beschuldigten ist eine körperliche Untersuchung (§ 117 Z 4 StPO) zulässig, wenn die Altersbestimmung auf andere Weise erheblich weniger Erfolg versprechend oder wesentlich aufwändiger wäre. Die körperliche Untersuchung darf nicht außer Verhältnis zur Bedeutung der Sache oder zu der im Fall einer Verurteilung zu erwartenden Strafe stehen.

(2) Wurde ein Jugendlicher festgenommen oder in Untersuchungshaft genommen, so ist er unbeschadet der §§ 132 Abs. 5 und 153 StVG sowie § 182 Abs. 4 StPO auf sein Verlangen, das Verlangen seines gesetzlichen Vertreters oder seines Verteidigers unverzüglich von einem Arzt zu untersuchen, ob er auf Grund seiner allgemeinen geistigen und körperlichen Verfassung der Vernehmung, anderen Ermittlungshandlungen oder den zu seinen Lasten ergriffenen oder beabsichtigten Maßnahmen gewachsen ist.

(3) § 123 Abs. 3 und 5 bis 7 StPO sind anzuwenden. Die Ergebnisse der medizinischen Untersuchung sind schriftlich festzuhalten.

Mitwirkung des gesetzlichen Vertreters

§ 38. (1) Soweit der Beschuldigte das Recht hat, gehört zu werden oder bei Ermittlungen oder Beweisaufnahmen anwesend zu sein, steht dieses Recht auch dem gesetzlichen Vertreter eines jugendlichen Beschuldigten zu. Gleiches gilt für das Recht auf Akteneinsicht, es sei denn, dass der gesetzliche Vertreter verdächtig ist, sich an der Straftat beteiligt zu haben.

(1a) Die Belehrungen, die der Jugendliche nach § 32a erhalten hat, sind so bald wie möglich auch dem gesetzlichen Vertreter zur Kenntnis zu bringen, es sei denn, dass dies dem Kindeswohl widerspricht.

(2) Ladungen zur Vernehmung als Beschuldigter, Mitteilungen nach den §§ 200 Abs. 4, 201 Abs. 4 und 203 Abs. 3 StPO und nach § 35 des Suchtmittelgesetzes sowie der vorläufige Rücktritt von der Verfolgung und die vorläufige Einstellung des Strafverfahrens nach den §§ 201 Abs. 1, 203 Abs. 1 StPO sowie §§ 35 und 37 des Suchtmittelgesetzes, die Anklageschrift, der Strafantrag, der Antrag auf Unterbringung und gerichtliche Entscheidungen, mit denen der Jugendliche einer strafbaren Handlung schuldig gesprochen, die Strafe bestimmt, die Haft verhängt, fortgesetzt oder aufgehoben oder eine bedingte Strafnachsicht oder bedingte Entlassung widerrufen wird, sind – sofern dies nicht dem Kindeswohl widerspricht – auch dem gesetzlichen Vertreter bekanntzumachen, wenn dessen Aufenthalt bekannt und im Inland gelegen ist. Unter diesen Voraussetzungen ist der gesetzliche Vertreter gegebenenfalls von der Anordnung einer mündlichen Verhandlung mit dem Beifügen zu benachrichtigen, dass seine Teilnahme empfohlen werde.

(3) Der gesetzliche Vertreter ist berechtigt, für den Jugendlichen auch gegen dessen Willen Einspruch gegen die Anklageschrift oder den Antrag auf Unterbringung zu erheben und alle Rechtsmittel und sonstigen Rechtsbehelfe zu ergreifen, die das Gesetz dem Jugendlichen gewährt. Die Frist zur Erhebung von Rechtsmitteln und Rechtsbehelfen läuft für den gesetzlichen Vertreter von dem Tag, an dem die Frist für den Jugendlichen beginnt. Ist dem gesetzlichen Vertreter die Entscheidung bekanntzumachen, so läuft sie von dem Tag, an dem sie ihm eröffnet wird, es sei denn, daß die Entscheidung in einer mündlichen Verhandlung ergangen ist, an welcher der gesetzliche Vertreter trotz ordnungsgemäßer Benachrichtigung nicht teilgenommen hat.

(4) Ist dem Gericht bekannt, daß Pflege und Erziehung des jugendlichen Beschuldigten jemand anderem als dem gesetzlichen Vertreter zukommen, so stehen die in den Abs. 1 bis 3 angeführten Rechte auch diesem zu.

(5) Die Rechte des gesetzlichen Vertreters mit Ausnahme des Rechtes, auf die Ergreifung von Rechtsmitteln gegen ein Urteil zu verzichten, stehen dem Verteidiger zu,

1. solange ein gesetzlicher Vertreter der Beteiligung an der strafbaren Handlung des Jugendlichen verdächtig oder überwiesen ist oder solange kein gesetzlicher Vertreter dem Jugendlichen im Strafverfahren beistehen kann;

2. solange trotz ordnungsgemäßer Benachrichtigung zu einer Beweisaufnahme oder Verhandlung in Anwesenheit des Beschuldigten kein gesetzlicher Vertreter erschienen ist.

(6) Sind beide Elternteile gesetzliche Vertreter, ist aber trotz ordnungsgemäßer Benachrichtigung nur einer von ihnen zu einer Beweisaufnahme und Verhandlung erschienen, so ist anzunehmen, daß der Nichterschienene in Zukunft auf Zustellungen und Verständigungen verzichtet, es sei denn, daß sich aus seinem Verhalten offenbar etwas anderes ergibt. Anträge, Rechtsmittel und Rechtsbehelfe kann der nach den vorstehenden Bestimmungen nicht mehr zu verständigende Elternteil nur innerhalb der Frist einbringen, die dem verständigten Elternteil offensteht.

Notwendige Verteidigung

§ 39. (1) In folgenden Fällen muss ein jugendlicher Beschuldigter durch einen Verteidiger vertreten sein:

1. im gesamten Verfahren wegen eines Verbrechens (§ 17 Abs. 1 StGB) ab dem Zeitpunkt, zu dem er über das gegen ihn geführte Ermittlungsverfahren, den Tatverdacht und seine Rechte zu informieren ist (§ 50 Abs. 1 StPO),

2. in Verfahren wegen eines Vergehens, wenn in einem Ermittlungsverfahren nach Einlangen eines Berichts (§ 100 StPO) weitere Ermittlungen in Auftrag gegeben oder durchgeführt werden,

3. bei einer Gegenüberstellung (§ 163 StPO),

4. in der Hauptverhandlung bei sonstiger Nichtigkeit,

5. für das Rechtsmittelverfahren auf Grund einer Anmeldung einer Berufung oder einer Nichtigkeitsbeschwerde.

(2) Wenn für seine Verteidigung in den Fällen des Abs. 1 nicht anderweitig gesorgt ist, ist dem jugendlichen Beschuldigten von Amts wegen ein Verteidiger beizugeben, dessen Kosten er zu tragen hat (Amtsverteidiger – § 61 Abs. 3 zweiter Satz StPO); würde die Verpflichtung zur Zahlung der Verteidigungskosten sein Fortkommen erschweren oder liegen die Voraussetzungen des § 61 Abs. 2 erster Satz StPO vor, muss dem jugendlichen Beschuldigten von Amts wegen ein Verfahrenshilfeverteidiger beigegeben werden.

(3) Sofern der jugendliche Beschuldigte nach der Festnahme oder nach der Vorführung zur sofortigen Vernehmung nicht einen frei gewählten Verteidiger beizieht, ist ihm unverzüglich die Beiziehung eines Verteidigers in Bereitschaft (§ 59 Abs. 4 StPO) zu ermöglichen, auf welches Recht er nicht verzichten kann. Verweigert der jugendliche Beschuldigte diese Beiziehung, so hat die Kriminalpolizei den Verteidiger in Bereitschaft beizuziehen. Die Kosten der Beiziehung und der Beiziehung zu der nach § 174 Abs. 1 StPO durchzuführenden Vernehmung hat der jugendliche Beschuldigte unter den Voraussetzungen des Abs. 2 nicht zu tragen.

(4) Liegen in einem Ermittlungsverfahren die Voraussetzungen für eine notwendige Verteidigung vor, so hat die Kriminalpolizei oder die Staatsanwaltschaft den jugendlichen Beschuldigten und dessen gesetzlichen Vertreter mit der Aufforderung zur Vernehmung zu laden, binnen angemessener Frist einen Verteidiger zu bevollmächtigen oder die Beigebung eines Verfahrenshilfeverteidigers zu beantragen. Wird kein Verteidiger bevollmächtigt, so hat die Kriminalpolizei der Staatsanwaltschaft darüber zu berichten (§ 100 StPO). Die Staatsanwaltschaft hat die Akten dem Gericht zu übermitteln, das nach Abs. 2 vorzugehen hat.

(5) Überschreitet der Jugendliche im Laufe des Verfahrens das achtzehnte Lebensjahr, bleibt die Beigebung eines Verteidigers aufrecht.

Mitwirkung des Bewährungshelfers

§ 40. Ist dem Beschuldigten bereits ein Bewährungshelfer bestellt, so hat dieser das Recht, an den in § 49 Z 10 StPO genannten Beweisaufnahmen und Verhandlungen teilzunehmen und dort gehört zu werden.

Verhandlung in vorübergehender Abwesenheit des Jugendlichen

§ 41. (1) Das Gericht kann anordnen, daß ein jugendlicher Beschuldigter während einzelner Erörterungen in der Hauptverhandlung, von denen ein nachteiliger Einfluß auf ihn zu befürchten ist, den Verhandlungssaal zu verlassen hat.

(2) Haben sich während der Abwesenheit des Beschuldigten neue Verdachtsgründe gegen ihn ergeben, so ist er darüber nach seiner Rückkehr, jedenfalls aber vor Schluß des Beweisverfahrens, bei sonstiger Nichtigkeit zu vernehmen. Die übrigen in seiner Abwesenheit gepflogenen Erörterungen sind ihm nur mitzuteilen, soweit es zur Wahrung seiner Interessen im Strafverfahren erforderlich ist.

Öffentlichkeit der Hauptverhandlung

§ 42. (1) Die Öffentlichkeit der Hauptverhandlung ist von Amts wegen oder auf Antrag auch auszuschließen, wenn das im Interesse des Jugendlichen geboten ist.

(2) Neben den im § 230 StPO genannten Personen können im Falle eines Ausschlusses der Öffentlichkeit auch der gesetzliche Vertreter des Jugendlichen, die Erziehungsberechtigten, ein dem Jugendlichen bestellter Bewährungshelfer sowie Vertreter des Kinder- und Jugendhilfeträgers, der Jugendgerichtshilfe und der Bewährungshilfe der Hauptverhandlung beiwohnen.

Jugenderhebungen

§ 43. (1) Die Jugenderhebungen (§ 48 Z 1) sind von der Staatsanwaltschaft oder dem Gericht ehestmöglich bei der Jugendgerichtshilfe in Auftrag zu geben. Sie können ausnahmsweise unterbleiben, soweit wegen eines in Aussicht genommenen Vorgehens nach dem 11. Hauptstück der Strafprozessordnung ein näheres Eingehen auf die Person des Beschuldigten entbehrlich erscheint.

(1a) Die Jugenderhebungen sind von qualifiziertem Personal aus den Bereichen der Sozialarbeit, Psychologie und Pädagogik im Rahmen eines multidisziplinären Vorgehens sowie soweit möglich unter Einbeziehung des Beschuldigten, seines gesetzlichen Vertreters sowie etwa seines Lehrers oder Ausbildenden durchzuführen. In Zweifelsfällen ist die Untersuchung des Beschuldigten durch einen Arzt, klinischen Psychologen oder Psychotherapeuten anzuordnen.

(1b) Liegen zum Zeitpunkt der Anklageeinbringung noch keine Jugenderhebungen vor, so kann die Anklage ausnahmsweise dennoch eingebracht werden, wenn damit keine Nachteile für die Persönlichkeitsentwicklung des Jugendlichen verbunden sind. In jedem Fall darf die Hauptverhandlung erst dann durchgeführt werden, wenn die Jugenderhebungen zur Verfügung stehen.

(2) Von der Verlesung der Schriftstücke über diese Erhebungen in der Hauptverhandlung ist im Interesse des Angeklagten ganz oder teilweise abzusehen, soweit dieser, sein gesetzlicher Vertreter, die Staatsanwaltschaft und der Verteidiger auf die Verlesung verzichten. In diesem Umfang dürfen die Schriftstücke bei der Urteilsfällung berücksichtigt werden. Im übrigen ist die Verlesung, soweit davon ein nachteiliger Einfluß auf den jugendlichen Angeklagten zu befürchten ist, in seiner Abwesenheit vorzunehmen (§ 41).

(3) Kommt es zu wesentlichen Änderungen der Umstände, die den Jugenderhebungen zugrunde liegen, so sind diese von Amts wegen zu ergänzen.

Unzulässigkeit einer Privat- oder Subsidiaranklage

§ 44. (1) Privatanklagen wegen Jugendstraftaten sind unzulässig. Straftaten, die sonst nur auf Verlangen des Opfers verfolgt werden können, hat mit dessen Ermächtigung die Staatsanwaltschaft zu verfolgen, jedoch nur, wenn dies aus pädagogischen Gründen oder um berechtigter, über das Vergeltungsbedürfnis hinausgehender Interessen des Opfers willen geboten ist.

(2) Die Rechte gemäß §§ 72, 195, 197c und 282 Abs. 2 StPO stehen Privatbeteiligten in Verfahren wegen einer Jugendstraftat nicht zu.

Kosten des Strafverfahrens

§ 45. (1) Das Gericht hat die vom Verurteilten zu ersetzenden Kosten des Strafverfahrens ganz oder teilweise auch dann für uneinbringlich zu erklären, wenn die Verpflichtung zum Kostenersatz das Fortkommen des Verurteilten erschweren würde.

(2) Von einem Pauschalkostenbeitrag gemäß § 388 StPO ist abzusehen, wenn die Zahlung dieses Beitrags das Fortkommen des Jugendlichen erschweren würde.

§ 46. (1) Ist einem Rechtsbrecher oder einem Beschuldigten die Weisung erteilt worden, sich einer Entwöhnungsbehandlung, einer psychotherapeutischen oder einer medizinischen Behandlung zu unterziehen (§ 51 Abs. 3 StGB, § 173 Abs. 5 Z 9 StPO) oder in einer sozialtherapeutischen Wohneinrichtung, mit der der Bundesminister für Justiz Verträge abgeschlossen hat, Aufenthalt zu nehmen (§ 51 Abs. 2 StGB, § 173 Abs. 5 Z 4 StPO), oder hat sich ein Rechtsbrecher oder Beschuldigter ausdrücklich bereit erklärt, während der Probezeit entsprechende Pflichten zu erfüllen (§ 203 Abs. 2 StPO) und hat weder er noch ein anderer für ihn Anspruch auf entsprechende Leistungen aus einer gesetzlichen Krankenversicherung oder einer Krankenfürsorgeeinrichtung eines öffentlichrechtlichen Dienstgebers, so hat die Kosten der Behandlung oder des Aufenthaltes der Bund zu übernehmen. Der Höhe nach übernimmt der Bund die Kosten jedoch grundsätzlich nur bis zu dem Ausmaß, in dem die Versicherungsanstalt öffentlicher Bediensteter für die Kosten aufkäme, wenn der Beschuldigte in der Krankenversicherung öffentlich Bediensteter versichert wäre; einen Behandlungsbeitrag (§ 63 Abs. 4 des Beamten-Kranken- und Unfallversicherungsgesetzes, BGBl. Nr. 200/1967) hat er nicht zu erbringen. Die vom Bund zu übernehmenden Kosten hat das Gericht mit Beschluss zu bestimmen und anzuweisen, das die Weisung erteilt oder das Verfahren vorläufig eingestellt hat, oder – im Fall eines vorläufigen Rücktritts der Staatsanwaltschaft von der Verfolgung – das Gericht, das für das Ermittlungsverfahren zuständig gewesen wäre. Eine Kostenübernahme zumindest dem Grunde nach kann bereits bei der Entscheidung über die kostenauslösende Maßnahme getroffen werden.

(2) Der Bundesminister für Justiz kann mit gemeinnützigen therapeutischen Einrichtungen oder Vereinigungen über die Höhe der nach Abs. 1 vom Bund zu übernehmenden Kosten Verträge nach bürgerlichem Recht abschließen. Die Vereinbarung von verbindlichen Pauschalbeträgen ist zulässig. Der Bundesminister für Justiz kann die Grundsätze der Pauschalierung mit Verordnung festlegen. Dabei ist insbesondere das Betreuungsangebot der Einrichtung oder Vereinigung zu berücksichtigen.

Verfahrensbestimmungen für Strafsachen junger Erwachsener

§ 46a. (1) Das Strafverfahren wegen einer vor Vollendung des 21. Lebensjahres begangenen Tat obliegt dem die Gerichtsbarkeit in Jugendstrafsachen ausübenden Gericht. Die §§ 28 und 30 sind anzuwenden.

(2) Die §§ 31, 32 Abs. 1 bis 4, 35 Abs. 1 zweiter Satz und 1b, 35a, 36, 37 Abs. 2 und 3, 40, 42, 43 Abs. 1, 45, 46, § 48 Z 1 und 4, 49 sowie 50 gelten in allen Fällen, in denen die Tat vor Vollendung des einundzwanzigsten Lebensjahres begangen wurde beziehungsweise der Beschuldigte im Zeitpunkt der Verfahrenshandlung das einundzwanzigste Lebensjahr noch nicht vollendet hat, entsprechend.

(3) Der Vernehmung eines jungen Erwachsenen (§§ 164 und 165 StPO) ist, soweit er nicht durch einen Verteidiger vertreten ist, auf sein Verlangen eine Person seines Vertrauens beizuziehen. Über dieses Recht ist der junge Erwachsene in der Rechtsbelehrung (§ 50 StPO) und in der Ladung (§ 153 Abs. 2 StPO), spätestens jedoch vor Beginn der Vernehmung (§ 164 Abs. 1 und 2 StPO) zu informieren. Erforderlichenfalls ist die Vernehmung bis zum Eintreffen des Verteidigers oder der Vertrauensperson aufzuschieben, so lange das mit dem Zweck der Vernehmung vereinbar ist, es sei denn, dass damit eine unangemessene Verlängerung einer Anhaltung verbunden wäre. § 164 Abs. 2 fünfter Satz StPO gilt nicht.

SECHSTER ABSCHNITT

Jugendgerichtshilfe

Wesen der Jugendgerichtshilfe

§ 47. (1) Die Jugendgerichtshilfe unterstützt nach Maßgabe dieses Abschnittes die Gerichte und Staatsanwaltschaften bei Erfüllung der ihnen durch dieses Bundesgesetz übertragenen Aufgaben.

(2) Die in der Jugendgerichtshilfe tätigen Personen erstatten dem Gericht oder der Staatsanwaltschaft mündlich oder schriftlich Bericht. Im Strafverfahren sind sie, wenn sie mündlich berichten, über ihre Wahrnehmungen als Zeugen zu vernehmen.

(3) Soweit es möglich und erforderlich ist, sind der Jugendgerichtshilfe im Gerichtsgebäude die nötigen Räume und Telekommunikationseinrichtungen unentgeltlich zur Verfügung zu stellen.

(4) Den in der Jugendgerichtshilfe tätigen Personen hat das Gericht auf Verlangen einen Ausweis auszustellen.

Aufgaben der Jugendgerichtshilfe

§ 48. Die Gerichte und Staatsanwaltschaften können die Organe der Jugendgerichtshilfe insbesondere damit betrauen,

1. die Lebens- und Familienverhältnisse eines Unmündigen oder Jugendlichen samt dem wirtschaftlichen und sozialen Hintergrund, seine Entwicklung und seinen Reifegrad sowie alle anderen Umstände zu erheben, die zur Beurteilung der Person und seiner körperlichen, geistigen und seelischen Eigenart dienen können (Jugenderhebungen);

2. an einem Tatausgleich oder an der Vermittlung und Durchführung von gemeinnützigen Leistungen, Schulungen und Kursen mitzuwirken;

3. über die Beseitigung bestehender Schäden oder Gefahren für die Erziehung oder Gesundheit eines Unmündigen oder Jugendlichen Vorschläge an das Pflegschaftsgericht oder den Kinder- und Jugendhilfeträger zu erstatten und bei Gefahr im Verzug unmittelbar erforderliche Maßnahmen zu treffen (Krisenintervention);

4. die für die Entscheidung über die Freilassung des Beschuldigten gemäß § 35 Abs. 1 maßgeblichen Umstände zu erheben (Haftentscheidungshilfe).

(Anm.: Z 5 aufgehoben durch Art. 3 Z 22 der Novelle BGBl. I Nr. 20/2020)

Organe der Jugendgerichtshilfe

§ 49. (1) Für das Bundesland Wien besteht die Wiener Jugendgerichtshilfe. Sie kann neben den in § 48 angeführten Aufgaben auch mit der Betreuung von Untersuchungshäftlingen und Strafgefangenen betraut werden.

(2) Für die anderen Bundesländer wird der Bundesminister für Justiz ermächtigt, nach Maßgabe der budgetären, organisatorischen, technischen und personellen Möglichkeiten sowie unter Bedachtnahme auf die wirtschaftliche Vertretbarkeit mit Verordnung anzuordnen, für welche Gerichte eine Jugendgerichtshilfe eingerichtet wird.

Stellung der Jugendgerichtshilfe

§ 50. (1) Die Jugendgerichtshilfe ist berechtigt, Personen, die über die Lebensumstände eines Jugendlichen Auskünfte erteilen könnten, zu laden und zu befragen, sowie unmittelbaren Kontakt mit dem Jugendlichen herzustellen. Personen, in deren Obhut der Jugendliche steht, sind verpflichtet, einen solchen Kontakt zu dulden. Gegen Personen, die ihre Pflicht zur Mitwirkung an Erhebungen der Jugendgerichtshilfe verletzen, kann das Gericht die zwangsweise Vorführung oder sonst angemessene Zwangsgewalt und Beugemittel (§§ 93f StPO) anordnen.

(2) Kriminalpolizei, Staatsanwaltschaften, Gerichte sowie Einrichtungen zur Unterrichtung, Betreuung und Behandlung von Jugendlichen und in diesen Einrichtungen tätige Personen haben den bei der Jugendgerichtshilfe tätigen Personen die erforderlichen Auskünfte zu erteilen und Einsicht in die Akten und Aufzeichnungen zu gewähren; den Kinder- und Jugendhilfeträger trifft nur die Pflicht zur Auskunftserteilung.

(3) Bei Wahrnehmung ihrer Aufgaben stehen die in der Jugendgerichtshilfe tätigen Personen den Beamten im Sinne des § 74 Abs. 1 Z 4 StGB gleich. Die Jugendgerichtshilfe darf erhobene personenbezogene Daten den Pflegschaftsgerichten, der Familiengerichtshilfe, dem Leiter einer Geschäftsstelle für Bewährungshilfe, dem Kinder- und Jugendhilfeträger, den Sicherheitsbehörden sowie den Behörden des Strafvollzuges übermitteln, soweit die Daten im Einzelfall eine wesentliche Voraussetzung dafür bilden, dass diese Einrichtungen die ihnen übertragenen Aufgaben wahrnehmen können. Im Übrigen sind sie jedermann gegenüber zur Verschwiegenheit über die in Ausübung ihrer Tätigkeit gemachten, im Interesse eines Beteiligten geheimzuhaltenden Wahrnehmungen verpflichtet. Die Verletzung dieser Pflicht ist als verbotene Veröffentlichung nach § 301 StGB zu ahnden.

SIEBENTER ABSCHNITT

Bestimmungen über den Jugendstrafvollzug

Anwendung der allgemeinen Bestimmungen

§ 51. Soweit sich aus den Bestimmungen dieses Bundesgesetzes nichts anderes ergibt, gelten für den Vollzug von Freiheitsstrafen an Jugendlichen die allgemeinen Vorschriften für den Strafvollzug.

Aufschub des Strafvollzuges, um den Abschluß einer Berufsausbildung zu ermöglichen

JGG **§ 52.** Einem Jugendlichen oder einem Erwachsenen vor Vollendung des einundzwanzigsten Lebensjahres ist unter den allgemeinen Voraussetzungen des § 6 des Strafvollzugsgesetzes- StVG, BGBl. Nr. 144/1969, ein Aufschub des Vollzuges einer Freiheitsstrafe, deren Ausmaß drei Jahre nicht übersteigt, zur Förderung des späteren Fortkommens (§ 6 Abs. 1 Z 2 lit. a StVG) auch für die Dauer von mehr als einem Jahr zu gestatten, wenn dies notwendig ist, um dem Verurteilten den Abschluss seiner Berufsausbildung zu ermöglichen. Für die Dauer des Aufschubes kann Bewährungshilfe angeordnet werden.

Aufgaben des Jugendstrafvollzuges

§ 53. Im Jugendstrafvollzug sollen die Gefangenen zu einem den Gesetzen und den Erfordernissen des Gemeinschaftslebens entsprechenden Verhalten erzogen werden. Wenn es die Dauer der Strafe zuläßt, sollen sie in einem ihren Kenntnissen, Fähigkeiten und tunlichst auch ihrer bisherigen Tätigkeit und ihren Neigungen entsprechenden Beruf ausgebildet werden.

Besondere Eignung für den Jugendstrafvollzug

§ 54. Die mit der Behandlung von jugendlichen Gefangenen betrauten Personen haben über pädagogisches Verständnis zu verfügen und über die wichtigsten für ihre Tätigkeit in Betracht kommenden Erkenntnisse der Pädagogik, Psychologie und Psychiatrie unterrichtet zu sein. Die Bundesministerin für Justiz hat ein diesen Kriterien entsprechendes Fortbildungsangebot sicherzustellen, an der die mit jugendlichen Gefangenen betrauten Personen regelmäßig teilzunehmen haben.

Anstalten für den Jugendstrafvollzug

§ 55. (1) Freiheitsstrafen an Jugendlichen sind in den dafür bestimmten Sonderanstalten, in anderen Anstalten zum Vollzug von Freiheitsstrafen womöglich in besonderen Abteilungen, zu vollziehen.

(2) Jugendliche Strafgefangene sind von erwachsenen Strafgefangenen, die nicht dem Jugendstrafvollzug unterstellt sind, zu trennen. Von der Trennung kann jedoch abgesehen werden, soweit den Umständen nach weder eine schädliche Beeinflussung noch eine sonstige Benachteiligung der jugendlichen Strafgefangenen zu besorgen ist.

(3) Dem Vollzug an jugendlichen Strafgefangenen in dafür bestimmten Sonderanstalten oder besonderen Abteilungen anderer Anstalten zum Vollzug von Freiheitsstrafen dürfen, soweit davon weder eine schädliche Beeinflussung noch eine sonstige Benachteiligung der jugendlichen Strafgefangenen zu besorgen ist,

1. erwachsene Strafgefangene unter zweiundzwanzig Jahren unterstellt werden und

2. Strafgefangene, die im Jugendstrafvollzug anzuhalten sind, bis zur Vollendung des vierundzwanzigsten Lebensjahres unterstellt bleiben. Ist im Zeitpunkt der Vollendung des vierundzwanzigsten Lebensjahres voraussichtlich nur noch ein Strafrest von nicht mehr als einem Jahr zu vollstrecken oder wäre die Überstellung in eine für den Vollzug von Freiheitsstrafen an Erwachsenen bestimmte Anstalt den Umständen nach mit besonderen Nachteilen für den Strafgefangenen verbunden, so kann der Strafgefangene auch noch zur Vollstreckung des Strafrestes dem Jugendstrafvollzug unterstellt bleiben. In keinem Fall darf ein Strafgefangener, der das siebenundzwanzigste Lebensjahr vollendet hat, dem Jugendstrafvollzug unterstellt bleiben.

(4) Die Entscheidung darüber, ob erwachsene Strafgefangene dem Jugendstrafvollzug unterstellt werden sollen, steht dem Bundesministerium für Justiz zu, das von Amts wegen oder auf Antrag des Verurteilten, eines seiner Angehörigen oder des Leiters der Anstalt zum Vollzug von Freiheitsstrafen, in der der Verurteilte angehalten wird, zu entscheiden hat. Der Leiter dieser Anstalt ist, wenn der Antrag nicht von ihm gestellt wurde, zu hören.

(5) Die Entscheidung darüber, ob ein erwachsener Strafgefangener dem Jugendstrafvollzug unterstellt bleiben soll, steht dem Anstaltsleiter zu, wenn der Strafgefangene die Freiheitsstrafe voraussichtlich noch vor Vollendung des zweiundzwanzigsten Lebensjahres verbüßt haben wird, sonst dem Bundesministerium für Justiz.

(6) Alle für jugendliche Strafgefangene geltenden Bestimmungen sind auf die dem Jugendstrafvollzug unterstellten älteren Strafgefangenen anzuwenden. Diese sind jedoch auf ihr Ansuchen durch den Anstaltsleiter vom Schulunterricht zu befreien.

Zuständigkeit

§ 56. (1) Freiheitsstrafen, deren Strafzeit sechs Monate übersteigt, sind in Sonderanstalten zu vollziehen, es sei denn, daß die Aufgaben des Jugendstrafvollzuges in einer anderen Anstalt besser wahrgenommen werden können. Hat jedoch der Verurteilte im Zeitpunkt des Strafantrittes das achtzehnte Lebensjahr vollendet, so kann die Freiheitsstrafe auch in einer allgemeinen Strafvollzugsanstalt oder in einem gerichtlichen Gefangenenhaus vollzogen werden. Die Bestimmung der Anstalt, in der die Strafe zu vollziehen ist, obliegt dem Bundesministerium für Justiz (§§ 10, 134 des Strafvollzugsgesetzes). Im übrigen richtet sich die Zuständigkeit für den Vollzug von Freiheitsstrafen, die wegen einer Jugendstraftat ausgesprochen werden, nach den allgemeinen Vorschriften.

(2) Soweit Sonderanstalten oder besondere Abteilungen für jugendliche Strafgefangene weiblichen Geschlechtes nicht bestehen, sind Freiheitsstrafen an solchen Jugendlichen in den allgemeinen Strafvollzugsanstalten und gerichtlichen Gefangenenhäusern zu vollziehen.

(3) Der Entlassungsvollzug an Jugendlichen und an erwachsenen Strafgefangenen, die dem Jugendstrafvollzug unterstellt sind, kann auch in gerichtlichen Gefangenenhäusern erfolgen (§ 10 Abs. 1 Z 2 des Strafvollzugsgesetzes).

Vollzug der Unterbringung in einer Anstalt für entwöhnungsbedürftige Rechtsbrecher

§ 57. Der Vollzug der Unterbringung in einer Anstalt für entwöhnungsbedürftige Rechtsbrecher an Jugendlichen hat in den nach § 159 StVG für den Vollzug dieser Maßnahme an Erwachsenen bestimmten Anstalten oder in den für den Strafvollzug an Jugendlichen bestimmten Anstalten oder Abteilungen zu erfolgen. Die Bestimmung der Anstalt obliegt der Bundesministerin für Justiz (§ 161 StVG). § 55 Abs. 2 bis 6 gilt sinngemäß hinsichtlich der Trennung der im Vollzug dieser vorbeugenden Maßnahme untergebrachten Jugendlichen von Erwachsenen und von jugendlichen Strafgefangenen.

Vollzug der strafrechtlichen Unterbringung nach § 21 StGB

§ 57a. (1) Der Vollzug der strafrechtlichen Unterbringung nach § 21 StGB an Jugendlichen kann auch in gesonderten Bereichen der für den Strafvollzug an Jugendlichen bestimmten Anstalten oder Abteilungen erfolgen, wenn sie dort angemessen behandelt und betreut werden können. Die Bestimmung der Anstalt obliegt der Bundesministerin für Justiz (§ 161 StVG).

(2) Bei der strafrechtlichen Unterbringung in den für den Strafvollzug an Jugendlichen bestimmten Anstalten oder Abteilungen darf vorgesehen werden, dass die Untergebrachten Einrichtungen des Strafvollzugs (insbesondere Werkstätten, Schul- und Ausbildungskurse, Freizeiteinrichtungen) gemeinsam mit Strafgefangenen benützen, wenn dadurch kein Nachteil für die Untergebrachten oder für die Strafgefangenen zu befürchten ist. Im Bereich der Haft- und Wohnräume sowie bei der Therapie sind die Untergebrachten jedoch stets von Strafgefangenen zu trennen.

(3) Jugendliche sind ihrem Alter und ihrem Reifezustand entsprechend besonders und intensiv zu betreuen und zu behandeln. Ein Facharzt für Kinder- und Jugendpsychiatrie ist beizuziehen.

(4) § 55 Abs. 2 bis 6 gilt sinngemäß hinsichtlich der Trennung der im Vollzug dieser vorbeugenden Maßnahme untergebrachten Jugendlichen von Erwachsenen.

Behandlung jugendlicher Strafgefangener

§ 58. (1) Bei Ausführungen und Überstellungen ist darauf Bedacht zu nehmen, daß der Strafgefangene möglichst nicht vor der Öffentlichkeit bloßgestellt wird. Wenn nicht im einzelnen Fall Bedenken bestehen, sind Ausführungen und Überstellungen von Beamten in Zivilkleidung durchzuführen. Weibliche Gefangene sind nach Möglichkeit von Beamtinnen zu begleiten.

(2) Jugendliche Strafgefangene sind ihrer körperlichen Entwicklung entsprechend reichlicher zu verpflegen.

(3) Jugendliche Strafgefangene, die nicht im Freien arbeiten, haben täglich, andere jugendliche Strafgefangene an arbeitsfreien Tagen das Recht, sich unter Rücksichtnahme auf ihren Gesundheitszustand zwei Stunden im Freien aufzuhalten, wobei diese Zeit womöglich zur körperlichen Entwicklung durch Leibesübungen, Sport und Spiel zu verwenden ist. Ist eine Bewegung im Freien auf Grund der Witterung ohne Gefahr für die Gesundheit nicht möglich, so ist an ihrer Stelle die Bewegung in den zur Sportausübung geeigneten Räumlichkeiten innerhalb der Anstalt zu ermöglichen.

(4) Jugendliche Strafgefangene sind nur mit Arbeiten zu beschäftigen, die auch erzieherisch nützlich sind. Sie sind insbesondere auch zu Arbeiten im Freien heranzuziehen. Zu Arbeiten außerhalb der Anstalt dürfen jugendliche Strafgefangene nur verwendet werden, wenn sie dabei der Öffentlichkeit nicht in einer Weise ausgesetzt sind, die geeignet ist, ihr Ehrgefühl abzustumpfen. Die tägliche Arbeitszeit ist durch mindestens zwei längere Erholungspausen zu unterbrechen.

(5) In den Sonderanstalten haben die Strafgefangenen regelmäßigen Unterricht zu erhalten. In anderen Anstalten zum Vollzug von Freiheitsstrafen ist im Jugendstrafvollzug Unterricht zu erteilen, soweit das möglich und tunlich ist. Der Unterricht hat die Beseitigung von Mängeln der Pflichtschulbildung der Strafgefangenen anzustreben und darüber hinaus ihre Allgemeinbildung zu fördern. Die Erfolge des Unterrichtes sind in geeigneter Weise festzustellen. Die Zeit des Unterrichtes ist in die Arbeitszeit einzurechnen.

(6) § 91 StVG ist auf jugendliche Strafgefangene mit der Maßgabe anzuwenden, dass sie einmal im Vierteljahr eine Sendung von Nahrungs- und Genussmitteln im Gewicht von drei Kilogramm oder mehrere solche Sendungen erhalten dürfen, die dieses Gesamtgewicht nicht übersteigen. Die Sendungen dürfen keine Gegenstände enthalten, von denen eine Gefahr für die Gesundheit des jugendlichen Strafgefangenen oder sonst für die Sicherheit und Ordnung in der Anstalt zu befürchten wäre. Diese Sendungen dürfen auch in Abwesenheit des jugendlichen Strafgefangenen geöffnet und geprüft werden. Der zulässige Inhalt solcher Sendungen ist in der Hausordnung (§ 25 StVG) festzulegen. Der Anstaltsleiter kann den betroffenen jugendlichen Strafgefangenen vom Empfang dieser Sendungen im Fall des Missbrauchs ausschließen. In diesem Fall ist § 91 Abs. 2 zweiter Satz StVG sinngemäß anzuwenden.

(7) Jugendliche Strafgefangene dürfen wenigstens jede Woche einen Besuch in der Dauer von einer Stunde empfangen. Einem jugendlichen Strafgefangenen ist, soweit die zum Zeitpunkt des Strafantrittes zu verbüßende Strafzeit vier Wochen übersteigt, bei Bedarf zum Zweck des Besuchsempfangs Gelegenheit zum

Aufenthalt in einer seinem Wohnsitz nahe gelegenen, zur Anhaltung jugendlicher Strafgefangener geeigneten Justizanstalt in angemessener Dauer zu gewähren, wenn eine Transportmöglichkeit und ein Haftplatz in der gewünschten Vollzugseinrichtung zur Verfügung steht; ein derartiger Besuchsempfang ist bei Strafzeiten bis sechs Monate mindestens einmal, bei längeren Strafzeiten mindestens halbjährlich zu gewähren. Von der besonderen Anstaltseignung kann im Hinblick auf das Alter und den Reifezustand des jugendlichen Strafgefangenen abgesehen werden. § 98 Abs. 2 zweiter bis vierter Satz StVG sind im Falle eines Einzeltransportes sinngemäß anzuwenden.

(8) Jedem in Einzelhaft angehaltenen jugendlichen Strafgefangenen ist täglich mindestens zweimal Gelegenheit zu einem Gespräch zu geben.

(9) Die Ordnungsstrafe des Hausarrestes darf nur für die Dauer von höchstens einer Woche verhängt werden.

(10) Für die Behandlung Jugendlicher, an denen eine mit Freiheitsentziehung verbundene vorbeugende Maßnahme vollzogen wird, gelten die Abs. 1 bis 9 dem Sinne nach.

Abweichen vom regelmäßigen Jugendstrafvollzug

§ 59. Erfordert die Eigenart eines jugendlichen Strafgefangenen ein Abweichen vom regelmäßigen Strafvollzug, so hat der Anstaltsleiter die notwendigen Abweichungen von den Vorschriften des Strafvollzugsgesetzes und dieses Abschnittes anzuordnen. Dabei dürfen jedoch die dem Strafgefangenen eingeräumten Rechte nicht beeinträchtigt werden.

Kosten des Strafvollzuges

§ 60. Jugendliche und erwachsene Strafgefangene, die dem Jugendstrafvollzug unterstellt sind, sind zur Leistung eines Beitrages zu den Kosten des Strafvollzuges nach § 32 Abs. 2 zweiter Fall StVG nicht verpflichtet.

ACHTER ABSCHNITT

Schluss-, Inkrafttretens- und Übergangsbestimmungen

Verweisungen

§ 61. Verweisungen in diesem Bundesgesetz auf andere Rechtsvorschriften des Bundes sind als Verweisungen auf die jeweils geltende Fassung zu verstehen. Wird in anderen Bundesgesetzen auf Bestimmungen verwiesen, an deren Stelle mit dem Inkrafttreten dieses Bundesgesetzes neue Bestimmungen wirksam werden, so sind diese Verweisungen auf die entsprechenden neuen Bestimmungen zu beziehen.

Inkrafttretens- und Übergangsbestimmungen zur Stammfassung

§ 62. (1) Dieses Bundesgesetz tritt mit 1. Jänner 1989 in Kraft, soweit im folgenden nichts anderes bestimmt wird.

(2) Art. III tritt mit 1. Jänner 1990 in Kraft.

(3) Mit Ablauf des 31. Dezember 1988 tritt mit den sich aus Abs. 4 bis 8 und § 64 ergebenden Einschränkungen das Bundesgesetz vom 26. Oktober 1961, BGBl. Nr. 278, über die Behandlung junger Rechtsbrecher (Jugendgerichtsgesetz 1961 – JGG 1961) in seiner geltenden Fassung außer Kraft. Mit diesem Zeitpunkt tritt auch, soweit diese Rechtsvorschrift noch als Bundesgesetz in Geltung steht, die Verordnung vom 27. Feber 1855, RGBl. Nr. 39, außer Kraft.

(4) Der dritte und vierte Abschnitt dieses Bundesgesetzes, die durch den Art. II geänderten Bestimmungen des Strafgesetzbuches und die durch Art. V Z 1 bis 4 geänderten Bestimmungen des Finanzstrafgesetzes sind in Strafsachen nicht anzuwenden, in denen vor ihrem Inkrafttreten das Urteil oder Erkenntnis in erster Instanz gefällt worden ist. Nach Aufhebung eines Urteils oder Erkenntnisses infolge Nichtigkeitsbeschwerde, Berufung oder Wiederaufnahme des Strafverfahrens ist jedoch im Sinne der §§ 1, 61 StGB vorzugehen.

(5) Die nachträgliche Straffestsetzung zu einer bedingten Verurteilung richtet sich nach den §§ 15 und 16 dieses Bundesgesetzes.

(6) Soweit in einem Strafverfahren vor Inkrafttreten dieses Bundesgesetzes vormundschafts- oder pflegschaftsbehördliche oder jugendwohlfahrtsrechtliche Verfügungen getroffen werden, gelten für die Erhebung eines Rechtsmittels und das Verfahren hierüber die bisherigen Bestimmungen.

(7) Die durch Art. III geänderten Bestimmungen des Tilgungsgesetzes 1972 sind auf Verurteilungen nicht anzuwenden, die vor dem 1. Jänner 1990 rechtskräftig werden.

(8) Im Strafregister sind Verurteilungen nach den §§ 12 und 13 dieses Bundesgesetzes sowie alle sich auf solche Verurteilungen beziehenden Entschließungen, Entscheidungen und Mitteilungen bis zum 31. Dezember 1989 unter den Bezeichnungen der §§ 12 und 13 des Jugendgerichtsgesetzes 1961 ersichtlich zu machen. Mit 1. Jänner 1990 sind alle Verurteilungen nach den §§ 12 und 13 des Jugendgerichtsgesetzes 1961 und den §§ 12 und 13 dieses Bundesgesetzes sowie alle sich auf solche Verurteilungen beziehenden Entschließungen, Entscheidungen und Mitteilungen unter den neuen Bezeichnungen der §§ 12 und 13 dieses Bundesgesetzes ersichtlich zu machen.

Inkrafttretens- und Übergangsbestimmungen zu Novellen ab dem Jahr 2004

§ 63. (1) § 24 und seine Überschrift treten mit Ablauf des 31. Dezember 2004 außer Kraft.

(2) Die §§ 32 Abs. 2 und 60 in der Fassung des Bundesgesetzes BGBl. I Nr. 164/2004, treten mit 1. März 2005 in Kraft.

(3) Die §§ 55 Abs. 5, 56 Abs. 1 und 57 in der Fassung des Bundesgesetzes BGBl. I Nr. 102/2006 treten mit 1. Jänner 2007 in Kraft.

(4) Die §§ 2 Abs. 2, 3, 4 Abs. 2, 5 Z 7, 6 bis 8, 27, 29, 32 bis 40, 43, 44, 45 Abs. 2, 48, 49 Abs. 2 und 50 in der Fassung des Bundesgesetzes BGBl. I Nr. 93/2007, treten mit 1. Jänner 2008 in Kraft.

(5) Die Bestimmungen des §§ 27 Abs. 1 Z 2 und 58 Abs. 3 in der Fassung des Bundesgesetzes BGBl. I Nr. 52/2009, treten mit 1. Juni 2009 in Kraft. Die Bestimmung des § 27 Abs. 1 Z 2 in der Fassung des Bundesgesetzes BGBl. I Nr. 52/2009, ist auf Verfahren anzuwenden, in denen nach dem 1. Juni 2009 die Anklage eingebracht wurde.

(6) Die Bestimmung des § 58 Abs. 6 in der Fassung des Bundesgesetzes BGBl. I Nr. 142/2009, tritt mit 1. Jänner 2010 in Kraft.

(7) Die Aufhebung des § 25 durch das Budgetbegleitgesetz 2011, BGBl. I Nr. 111/2010, wird mit 1. Jänner 2011 wirksam; Verfahren, die bis zum Ablauf des 31. Dezember 2010 bei Gericht anhängig wurden, sind auf Grund der aufgehobenen Bestimmung bei diesem Gericht weiter zu führen. Wenn nach Inkrafttreten dieses Bundesgesetzes ein Urteil auf Grund einer Nichtigkeitsbeschwerde, Berufung, Wiederaufnahme oder Erneuerung des Strafverfahrens aufgehoben wird, so ist das Verfahren vor dem nunmehr zuständigen Gericht durchzuführen.

(8) Die Bestimmungen des §§ 32 Abs. 2, 36 Abs. 2, 58 Abs. 7 und 60 in der Fassung des Bundesgesetzes BGBl. I Nr. 2/2013 treten mit 1. Jänner 2013 in Kraft.

(9) § 32 Abs. 4 in der Fassung des Bundesgesetzes BGBl. I Nr. 71/2014 tritt mit 1. Jänner 2015 in Kraft.

(10) §§ 55 Abs. 5, 56 Abs. 1 und 57 in der Fassung des Bundesgesetzes BGBl. I Nr. 13/2015 treten mit 1. Juli 2015 in Kraft.

(11) § 46 Abs. 1 und 2 in der Fassung des Bundesgesetzes BGBl. I Nr. 154/2015 tritt mit 1. Juli 2012, die §§ 1 Z 5, 5 Z 6a und 11, § 7 Abs. 3, § 8 Abs. 1, 2 und 4, § 15 Abs. 1, die §§ 17a, 19, 27 Abs. 1, 28 Abs. 1, 33 Abs. 1, 2 und 3, § 35 Abs. 1a, 1b, 3a und 4, die §§ 35a, 37 Abs. 2, 42 Abs. 2, 43 Abs. 1, 44 Abs. 2, 46a Abs. 1 und 2, 47 Abs. 3 und 4, § 48 Z 1, 3 und 4, die §§ 49, 50 Abs. 1 und 2, § 52 und § 58 Abs. 9 in der Fassung des Bundesgesetzes BGBl. I Nr. 154/2015 treten mit 1. Jänner 2016 in Kraft.

(12) § 19 Abs. 4 in der Fassung des Gewaltschutzgesetzes 2019, BGBl. I Nr. 105/2019, tritt mit 01.01.2020 in Kraft.

(13) § 1 Abs. 2, § 5 Z 12, §§ 30, 31a, 32a, die Überschrift zu § 36, § 36a samt Überschrift, § 37 Abs. 1, §§37a, 38 Abs. 1a, 2, 3 und 5 Z 1 und 2, Abs. 6, §§ 39, 43, 48 Z 1, 4 und 5, § 50 Abs. 3, §§ 54 und 55 Abs. 4 in der Fassung des Bundesgesetzes BGBl. I Nr. 20/2020 treten mit 1. Juni 2020 in Kraft.

(14) § 33 Abs. 6 und § 46a Abs. 2 und 3 in der Fassung des Bundesgesetzes BGBl. I Nr. 223/2022, treten mit 1. Jänner 2023, § 5 Z 6b, § 17b, § 19 Abs. 2, § 32 Abs. 5, § 52, § 57 und § 57a in der Fassung des Bundesgesetzes BGBl. I Nr. 223/2022, treten mit 1. September 2023 in Kraft.

(15) § 17b, § 17c, § 19 Abs. 2, § 32 Abs. 5, § 35 Abs. 1b und § 46a Abs. 2 in der Fassung des Bundesgesetzes BGBl. I Nr. 98/2023 treten mit 1. September 2023 in Kraft. § 17b und § 32 Abs. 5 in der Fassung des Bundesgesetzes BGBl. I Nr. 223/2022 treten nicht in Kraft.

(16) Für im Zeitpunkt des Inkrafttretens des Bundesgesetzes BGBl. I Nr. 98/2023 strafrechtlich Untergebrachte, bei denen nach § 5 Z 6b keine Anlasstat vorliegen würde, hat der Anstaltsleiter, im Fall der Unterbringung in einer öffentlichen Krankenanstalt (§ 158 Abs. 4, § 167a Abs. 1 StVG) deren Leiter – sofern die bedingte Entlassung nicht ohnehin schon zuvor erfolgt – bis zum 31. Dezember 2023 eine Fallkonferenz einzuberufen, für die im Übrigen § 17c sinngemäß gilt. Sofern in der Folge die Voraussetzungen hierfür vorliegen, sind die betroffenen Untergebrachten bedingt zu entlassen.

(17) Beschlüsse, die bis Ablauf des 31. August 2023 gefasst wurden und mit denen – gestützt auf § 5 Z 6b oder § 17b in der Fassung des Bundesgesetzes BGBl. I Nr. 223/2022 – eine Entlassung ausgesprochen wurde, sind ohne Wirkung.

(18) § 19 Abs. 2, § 35 Abs. 4 und § 38 Abs. 1a und 2 in der Fassung des Bundesgesetzes BGBl. I Nr. 34/2024 treten mit dem der Kundmachung folgenden Tag in Kraft.

(19) § 44 Abs. 2 in der Fassung des Bundesgesetzes BGBl. I Nr. 157/2024 tritt mit 1. Jänner 2025 in Kraft.

(20) § 33 Abs. 2 in der Fassung des Informationsfreiheits-Anpassungsgesetzes, BGBl. I Nr. 50/2025, tritt mit dem der Kundmachung folgenden Tag in Kraft. § 17c Abs. 1 in der Fassung des Informationsfreiheits-Anpassungsgesetzes, BGBl. I Nr. 50/2025, tritt mit 1. September 2025 in Kraft.

Übergangsbestimmungen zu Änderungen der sachlichen Zuständigkeit und der Gerichtszusammensetzung

§ 64. Änderungen der sachlichen Zuständigkeit und der Zusammensetzung der Gerichte durch dieses Bundesgesetz haben auf anhängige Strafverfahren keinen Einfluß. Ist jedoch im Zeitpunkt des Inkrafttretens dieses Bundesgesetzes eine Anklageschrift oder ein Strafantrag noch nicht eingebracht worden, so sind diese beim nunmehr zuständigen Gericht einzubringen. Dieses Gericht ist auch zuständig, wenn nach Inkrafttreten dieses Bundesgesetzes ein Urteil infolge einer Nichtigkeitsbeschwerde, Berufung oder Wiederaufnahme des Strafverfahrens aufgehoben wird.

Umsetzung von Richtlinien der Europäischen Union

§ 65. (1) Dieses Bundesgesetz dient der Umsetzung der Richtlinie (EU) 2016/800 über Verfahrensgarantien in Strafverfahren für Kinder, die Verdächtige oder beschuldigte Personen in Strafverfahren sind, ABl. Nr. L 132 vom 21.5.2016 S. 1.

(2) Dieses Bundesgesetz dient der Umsetzung der Richtlinie 2013/48/EU über das Recht auf Zugang zu einem Rechtsbeistand in Strafverfahren und in Verfahren zur Vollstreckung des Europäischen Haftbefehls sowie über das Recht auf Benachrichtigung eines Dritten bei Freiheitsentzug und das Recht auf Kommunikation mit Dritten und mit Konsularbehörden während des Freiheitsentzugs, ABl. Nr. L 294 vom 06.11.2013 S. 1.

Vollziehung

§ 66. Mit der Vollziehung dieses Bundesgesetzes ist der Bundesminister für Justiz betraut.

Verbandsverantwortlichkeitsgesetz

Bundesgesetz über die Verantwortlichkeit von Verbänden für Straftaten (Verbandsverantwortlichkeitsgesetz – VbVG)
StF: BGBl. I Nr. 151/2005 idF BGBl. I Nr. 100/2023

Inhaltsverzeichnis

Stichwortverzeichnis

1. Abschnitt
Anwendungsbereich und Begriffsbestimmungen

Verbände

§ 1. (1) Dieses Bundesgesetz regelt, unter welchen Voraussetzungen Verbände für Straftaten verantwortlich sind und wie sie sanktioniert werden, sowie das Verfahren, nach dem die Verantwortlichkeit festgestellt und Sanktionen auferlegt werden. Straftat im Sinne dieses Gesetzes ist eine nach einem Bundes- oder Landesgesetz mit gerichtlicher Strafe bedrohte Handlung; auf Finanzvergehen ist dieses Bundesgesetz jedoch nur insoweit anzuwenden, als dies im Finanzstrafgesetz, BGBl. Nr. 129/1958, vorgesehen ist.

(2) Verbände im Sinne dieses Gesetzes sind juristische Personen sowie eingetragene Personengesellschaften und Europäische wirtschaftliche Interessenvereinigungen.

(3) Keine Verbände im Sinne dieses Gesetzes sind

1. die Verlassenschaft;

2. Bund, Länder, Gemeinden und andere juristische Personen, soweit sie in Vollziehung der Gesetze handeln;

3. anerkannte Kirchen, Religionsgesellschaften und religiöse Bekenntnisgemeinschaften, soweit sie seelsorgerisch tätig sind.

Entscheidungsträger und Mitarbeiter

§ 2. (1) Entscheidungsträger im Sinne dieses Gesetzes ist, wer

1. Geschäftsführer, Vorstandsmitglied oder Prokurist ist oder aufgrund organschaftlicher oder rechtsgeschäftlicher Vertretungsmacht in vergleichbarer Weise dazu befugt ist, den Verband nach außen zu vertreten,

2. Mitglied des Aufsichtsrates oder des Verwaltungsrates ist oder sonst Kontrollbefugnisse in leitender Stellung ausübt, oder

3. sonst maßgeblichen Einfluss auf die Geschäftsführung des Verbandes ausübt.

(2) Mitarbeiter im Sinne dieses Gesetzes ist, wer

1. auf Grund eines Arbeits-, Lehr- oder anderen Ausbildungsverhältnisses,

2. auf Grund eines dem Heimarbeitsgesetz 1960, BGBl. Nr. 105/1961, unterliegenden oder eines arbeitnehmerähnlichen Verhältnisses,

3. als überlassene Arbeitskraft (§ 3 Abs. 4 des Arbeitskräfteüberlassungsgesetzes – AÜG, BGBl. Nr. 196/1988) oder

4. auf Grund eines Dienst- oder sonst eines besonderen öffentlichrechtlichen Rechtsverhältnisses

Arbeitsleistungen für den Verband erbringt.

2. Abschnitt
Verbandsverantwortlichkeit – Materiellrechtliche Bestimmungen

Verantwortlichkeit

§ 3. (1) Ein Verband ist unter den weiteren Voraussetzungen des Abs. 2 oder des Abs. 3 für eine Straftat verantwortlich, wenn

1. die Tat zu seinen Gunsten begangen worden ist oder

2. durch die Tat Pflichten verletzt worden sind, die den Verband treffen.

(2) Für Straftaten eines Entscheidungsträgers ist der Verband verantwortlich, wenn der Entscheidungsträger als solcher die Tat rechtswidrig und schuldhaft begangen hat.

(3) Für Straftaten von Mitarbeitern ist der Verband verantwortlich, wenn

1. Mitarbeiter den Sachverhalt, der dem gesetzlichen Tatbild entspricht, rechtswidrig verwirklicht haben; der Verband ist für eine Straftat, die vorsätzliches Handeln voraussetzt, nur verantwortlich, wenn ein Mitarbeiter vorsätzlich gehandelt hat; für eine Straftat, die fahrlässiges Handeln voraussetzt, nur, wenn Mitarbeiter die nach den Umständen gebotene Sorgfalt außer acht gelassen haben; und

2. die Begehung der Tat dadurch ermöglicht oder wesentlich erleichtert wurde, dass Entscheidungsträger die nach den Umständen gebotene und zumutbare Sorgfalt außer acht gelassen haben, insbesondere indem sie wesentliche technische, organisatorische oder personelle Maßnahmen zur Verhinderung solcher Taten unterlassen haben.

(4) Die Verantwortlichkeit eines Verbandes für eine Tat und die Strafbarkeit von Entscheidungsträgern oder Mitarbeitern wegen derselben Tat schließen einander nicht aus.

Verbandsgeldbuße

§ 4. (1) Ist ein Verband für eine Straftat verantwortlich, so ist über ihn eine Verbandsgeldbuße zu verhängen.

(2) Die Verbandsgeldbuße ist in Tagessätzen zu bemessen. Sie beträgt mindestens einen Tagessatz.

(3) Die Anzahl der Tagessätze beträgt bis zu

180,

– wenn die Tat mit lebenslanger oder Freiheitsstrafe bis zu zwanzig Jahren bedroht ist,

155,

– wenn die Tat mit Freiheitsstrafe bis zu fünfzehn Jahren bedroht ist,

130,

– wenn die Tat mit Freiheitsstrafe bis zu zehn Jahren bedroht ist,

100,

– wenn die Tat mit Freiheitsstrafe bis zu fünf Jahren bedroht ist,

85,

– wenn die Tat mit Freiheitsstrafe bis zu drei Jahren bedroht ist,

70,

– wenn die Tat mit Freiheitsstrafe bis zu zwei Jahren bedroht ist,

55,

– wenn die Tat mit Freiheitsstrafe bis zu einem Jahr bedroht ist,

40

– in allen übrigen Fällen.

(4) Der Tagessatz ist nach der Ertragslage des Verbandes unter Berücksichtigung von dessen sonstiger wirtschaftlicher Leistungsfähigkeit zu bemessen. Er ist mit einem Betrag festzusetzen, der dem 360. Teil des Jahresertrages entspricht oder diesen um höchstens ein Drittel über- oder unterschreitet, mindestens jedoch mit 50 und höchstens mit 30 000 Euro. Dient der Verband gemeinnützigen, humanitären oder kirchlichen Zwecken (§§ 34 bis 47 der Bundesabgabenordnung, BGBl. Nr. 194/1961) oder ist er sonst nicht auf Gewinn gerichtet, so ist der Tagessatz mit mindestens 2 und höchstens 1 500 Euro festzusetzen.

Bemessung der Verbandsgeldbuße

§ 5. (1). Bei der Bemessung der Anzahl der Tagessätze hat das Gericht Erschwerungs- und Milderungsgründe, soweit sie nicht schon die Höhe der angedrohten Geldbuße bestimmen, gegeneinander abzuwägen.

(2) Die Anzahl ist insbesondere umso höher zu bemessen,

1. je größer die Schädigung oder Gefährdung ist, für die der Verband verantwortlich ist;

2. je höher der aus der Straftat vom Verband erlangte Vorteil ist;

3. je mehr gesetzwidriges Verhalten von Mitarbeitern geduldet oder begünstigt wurde.

(3) Die Anzahl ist insbesondere geringer zu bemessen, wenn

1. der Verband schon vor der Tat Vorkehrungen zur Verhinderung solcher Taten getroffen oder Mitarbeiter zu rechtstreuem Verhalten angehalten hat;

2. der Verband lediglich für Straftaten von Mitarbeitern verantwortlich ist (§ 3 Abs. 3);

3. er nach der Tat erheblich zur Wahrheitsfindung beigetragen hat;

4. er die Folgen der Tat gutgemacht hat;

5. er wesentliche Schritte zur zukünftigen Verhinderung ähnlicher Taten unternommen hat;

6. die Tat bereits gewichtige rechtliche Nachteile für den Verband oder seine Eigentümer nach sich gezogen hat.

Bedingte Nachsicht der Verbandsgeldbuße

§ 6. (1) Wird ein Verband zu einer Verbandsgeldbuße von nicht mehr als 70 Tagessätzen verurteilt, so ist die Buße unter Bestimmung einer Probezeit von mindestens einem und höchstens drei Jahren, gegebenenfalls unter Erteilung von Weisungen (§ 8), bedingt nachzusehen, wenn anzunehmen ist, dass dies genügen werde, um von der Begehung weiterer Taten, für die der Verband verantwortlich ist (§ 3), abzuhalten, und es nicht der Vollstreckung der Geldbuße bedarf, um der Begehung von Taten im Rahmen der Tätigkeit anderer Verbände entgegenzuwirken. Dabei sind insbesondere die Art der Tat, das Gewicht der Pflichtverletzung oder des Sorgfaltsverstoßes, frühere Verurteilungen des Verbandes, die Verlässlichkeit der Entscheidungsträger und die nach der Tat von dem Verband gesetzten Maßnahmen zu berücksichtigen.

(2) Wird die Nachsicht nicht widerrufen, so ist die Geldbuße endgültig nachzusehen. Fristen, deren Lauf beginnt, sobald die Geldbuße vollstreckt ist, sind in einem solchen Fall ab Rechtskraft des Urteils zu berechnen.

Bedingte Nachsicht eines Teiles der Verbandsgeldbuße

§ 7. Wird ein Verband zu einer Verbandsgeldbuße verurteilt und treffen die Voraussetzungen des § 6 auf einen Teil der Buße zu, so ist dieser Teil, mindestens aber ein Drittel und höchstens fünf Sechstel, unter Bestimmung einer Probezeit von mindestens einem und höchstens drei Jahren, gegebenenfalls unter Erteilung von Weisungen (§ 8), bedingt nachzusehen.

Weisungen

§ 8. (1) Wird einem Verband die Verbandsgeldbuße ganz oder zum Teil bedingt nachgesehen, so kann ihm das Gericht Weisungen erteilen.

(2) Dem Verband ist als Weisung aufzutragen, den aus der Tat entstandenen Schaden nach Kräften gutzumachen, soweit dies noch nicht erfolgt ist.

(3) Im Übrigen können dem Verband mit dessen Zustimmung als Weisungen technische, organisatorische oder personelle Maßnahmen aufgetragen werden, um der Begehung weiterer Taten, für die der Verband verantwortlich ist (§ 3), entgegenzuwirken.

Widerruf der bedingten Nachsicht der Verbandsgeldbuße

§ 9. (1) Wird der Verband wegen der Verantwortlichkeit für eine während der Probezeit begangene Tat verurteilt, so hat das Gericht die bedingte Nachsicht der Buße zu widerrufen und die Buße oder den Teil der Buße vollziehen zu lassen, wenn dies in Anbetracht der neuerlichen Verurteilung zusätzlich zu dieser geboten erscheint, um die Begehung weiterer Taten, für die der Verband verantwortlich ist (§ 3), zu verhindern. Eine Tat, die in der Zeit zwischen der Entscheidung erster Instanz und der Rechtskraft der Entscheidung über die Gewährung der bedingten Nachsicht begangen worden ist, steht einer in der Probezeit begangenen Tat gleich.

(2) Befolgt der Verband eine Weisung trotz förmlicher Mahnung nicht, so hat das Gericht die bedingte Nachsicht zu widerrufen und die Buße oder den Teil der Buße vollziehen zu lassen, wenn dies nach den Umständen geboten erscheint, um die Begehung weiterer Taten, für die der Verband verantwortlich ist (§ 3), zu verhindern.

(3) Wird in den Fällen der Abs. 1 und 2 die bedingte Nachsicht nicht widerrufen, so kann das Gericht die Probezeit bis auf höchstens fünf Jahre verlängern und neue Weisungen erteilen.

(4) Wird der Verband in Anwendung von § 31 StGB nachträglich zu einer Zusatzgeldbuße verurteilt, so kann das Gericht die bedingte Nachsicht der Buße zur Gänze oder zum Teil widerrufen und die Buße oder den Teil der Buße vollziehen lassen, soweit die Geldbußen bei gemeinsamer Aburteilung nicht bedingt nachgesehen worden wären. Wird die bedingte Nachsicht nicht widerrufen, so dauert jede der zusammentreffenden Probezeiten bis zum Ablauf der Probezeit, die zuletzt endet, jedoch nicht länger als fünf Jahre.

Rechtsnachfolge

§ 10. (1) Werden die Rechte und Verbindlichkeiten des Verbandes im Wege der Gesamtrechtsnachfolge auf einen anderen Verband übertragen, so treffen die in diesem Bundesgesetz vorgesehenen Rechtsfolgen den Rechtsnachfolger. Über den Rechtsvorgänger verhängte Rechtsfolgen wirken auch für den Rechtsnachfolger.

(2) Der Gesamtrechtsnachfolge ist Einzelrechtsnachfolge gleichzuhalten, wenn im Wesentlichen die selben Eigentumsverhältnisse am Verband bestehen und der Betrieb oder die Tätigkeit im Wesentlichen fortgeführt wird.

(3) Besteht mehr als ein Rechtsnachfolger, so kann eine über den Rechtsvorgänger verhängte Geldbuße gegen jeden Rechtsnachfolger vollstreckt werden. Andere Rechtsfolgen können einzelnen Rechtsnachfolgern zugeordnet werden, soweit dies deren Tätigkeitsbereich entspricht.

Ausschluss eines Rückgriffs

§ 11. Für Sanktionen und Rechtsfolgen, die den Verband auf Grund dieses Bundesgesetzes treffen, ist ein Rückgriff auf Entscheidungsträger oder Mitarbeiter ausgeschlossen.

Anwendung der allgemeinen Strafgesetze

§ 12. (1) Im Übrigen gelten die allgemeinen Strafgesetze auch für Verbände, soweit sie nicht ausschließlich auf natürliche Personen anwendbar sind.

(2) Macht das Gesetz die Geltung österreichischer Strafgesetze für im Ausland begangene Taten vom Wohnsitz oder Aufenthalt des Täters im Inland oder von dessen österreichischer Staatsbürgerschaft abhängig, so ist für Verbände der Sitz des Verbandes oder der Ort des Betriebes oder der Niederlassung maßgebend.

(3) Die Frist für die Verjährung der Vollstreckbarkeit beträgt

fünfzehn Jahre,

– wenn auf Geldbuße von mehr als 100 Tagessätzen erkannt worden ist,

zehn Jahre,

– wenn auf Geldbuße von mehr als 50, aber nicht mehr als 100 Tagessätzen erkannt worden ist,

fünf Jahre

– in allen übrigen Fällen.

3. Abschnitt

Verfahren gegen Verbände

Einleitung des Verfahrens

§ 13. (1) Sobald sich auf Grund bestimmter Tatsachen der Verdacht ergibt, dass ein Verband für eine von Amts wegen zu verfolgende Straftat verantwortlich sein könnte (§ 3), hat die Staatsanwaltschaft Ermittlungen zur Feststellung dieser Verantwortlichkeit einzuleiten oder einen Antrag auf Verhängung einer Verbandsgeldbuße bei Gericht einzubringen. Der Verband hat im Verfahren die Rechte des Beschuldigten (belangter Verband).

(2) Ist eine Straftat nur auf Verlangen des Opfers zu verfolgen, so ist § 71 der Strafprozessordnung 1975 (StPO), BGBl. Nr. 631/1975, anzuwenden.

Anwendung der Bestimmungen über das Strafverfahren

§ 14. (1) Für Verfahren auf Grund dieses Bundesgesetzes gelten die allgemeinen Vorschriften über das Strafverfahren, soweit sie nicht ausschließlich auf natürliche Personen anwendbar sind und sich aus den folgenden Bestimmungen nichts anderes ergibt.

(2) Verfahren gegen Verbände gelten im Sinne der Bestimmungen des Gerichtsorganisationsgesetzes, des Staatsanwaltschaftsgesetzes und der Geschäftsordnung für die Gerichte I. und II. Instanz als Strafsachen.

(3) Die Begriffe „strafbare Handlung", „Vergehen" und „Verbrechen" in den in Abs. 1 und 2 genannten Bestimmungen sind als Bezugnahme auf Straftaten zu verstehen, für die der Verband verantwortlich sein könnte (§ 3); die Begriffe „Beschuldigter" und „Angeklagter" als Bezugnahme auf den belangten Verband (§ 13); der Begriff „Strafe" als Bezugnahme auf die Verbandsgeldbuße.

Zuständigkeit

§ 15. (1) Die Zuständigkeit der Staatsanwaltschaft oder des Gerichts für die der Straftat verdächtige natürliche Person begründet auch die Zuständigkeit für das Verfahren gegen den belangten Verband, wobei die Ermittlungsverfahren von derselben Staatsanwaltschaft und die Hauptverfahren vom selben Gericht gemeinsam zu führen sind (§§ 26, 37 StPO). Dem Verband kommen auch im Verfahren gegen die natürliche Person die Rechte des Beschuldigten zu.

(2) Unter den Voraussetzungen des § 27 StPO ist auch eine getrennte Führung der Verfahren zulässig. Ist dies der Fall, sind die §§ 25 Abs. 2 und 36 Abs. 3 StPO mit der Maßgabe anzuwenden, dass sich die Zuständigkeit nach dem Sitz des belangten Verbandes, besteht ein solcher im Inland nicht, nach dem Ort des Betriebes oder der Niederlassung richtet. Kann auf diese Weise eine inländische Zuständigkeit nicht begründet werden, so ist für das Ermittlungsverfahren die Staatsanwaltschaft Wien und für das Hauptverfahren das Landesgericht für Strafsachen Wien oder das Bezirksgericht Innere Stadt Wien zuständig.

Zustellung und notwendige Verteidigung

§ 16. (1) Die Verständigung darüber, dass ein Ermittlungsverfahren geführt wird (§ 50 StPO), der Antrag auf Verhängung einer Geldbuße, die Ladung zur Hauptverhandlung in erster Instanz, das Abwesenheitsurteil sowie Verständigungen und Mitteilungen nach den §§ 200 Abs. 4, 201 Abs. 1 und 4 sowie 203 Abs. 1 und 3 StPO sind dem belangten Verband selbst zu eigenen Handen eines Mitglieds des zur Vertretung nach außen berufenen Organs zuzustellen.

(2) Stehen sämtliche Mitglieder des zur Vertretung nach außen befugten Organs selbst im Verdacht, die Straftat begangen zu haben, so hat das Gericht dem belangten Verband von Amts wegen einen Verteidiger beizugeben. Dieser hat auch die nach der Art des Verbandes erforderlichen Schritte zur Bewirkung einer ordnungsgemäßen Vertretung des Verbandes zu setzen, wie die Verständigung oder Einberufung von geeigneten Organen, Eigentümern oder Mitgliedern. Die Bestellung endet mit dem Einschreiten eines Vertreters oder eines gewählten Verteidigers.

(3) Wurde einem belangten Verband wirksam zugestellt, so gilt im Anwendungsbereich von § 10 auch die Bekanntgabe an den Rechtsnachfolger als erfolgt.

Vernehmung als Beschuldigter

§ 17. (1) Die Entscheidungsträger des Verbandes sowie jene Mitarbeiter, die im Verdacht stehen, die Straftat begangen zu haben, oder wegen der Straftat bereits verurteilt sind, sind als Beschuldigte zu laden und zu vernehmen. § 455 Abs. 2 und 3 StPO ist anzuwenden.

(2) Dem Entscheidungsträger oder Mitarbeiter ist vor Beginn der Vernehmung mitzuteilen, welche Straftat dem Verband zur Last gelegt wird. Sodann ist er darüber zu belehren, dass er berechtigt sei, sich zur Sache zu äußern oder nicht auszusagen und sich zuvor mit einem Verteidiger zu beraten. Er ist auch darauf aufmerksam zu machen, dass seine Aussage seiner Verteidigung und jener des belangten Verbandes dienen, aber auch als Beweis gegen ihn und gegen den Verband Verwendung finden könne.

Verfolgungsermessen

§ 18. (1) Die Staatsanwaltschaft kann von der Verfolgung eines Verbandes absehen oder zurücktreten, wenn in Abwägung der Schwere der Tat, des Gewichts der Pflichtverletzung oder des Sorgfaltsverstoßes, der Folgen der Tat, des Verhaltens des Verbandes nach der Tat, der zu erwartenden Höhe einer über den Verband zu verhängenden Geldbuße sowie allfälliger bereits eingetretener oder unmittelbar absehbarer rechtlicher Nachteile des Verbandes oder seiner Eigentümer aus der Tat eine Verfolgung und Sanktionierung verzichtbar erscheint. Dies ist insbesondere der Fall, wenn Ermittlungen oder Verfolgungsanträge mit einem beträchtlichen Aufwand verbunden wären, der offenkundig außer Verhältnis zur Bedeutung der Sache oder zu den im Fall einer Verurteilung zu erwartenden Sanktionen stünde.

(2) Von der Verfolgung darf jedoch nicht abgesehen oder zurückgetreten werden, wenn diese

1. wegen einer vom Verband ausgehenden Gefahr der Begehung einer Tat mit schweren Folgen, für die der Verband verantwortlich sein könnte,

2. um der Begehung von Taten im Rahmen der Tätigkeit anderer Verbände entgegenzuwirken, oder

3. sonst wegen besonderen öffentlichen Interesses

geboten erscheint.

Rücktritt von der Verfolgung (Diversion)

§ 19. (1) Steht auf Grund hinreichend geklärten Sachverhalts fest, dass eine Einstellung des Verfahrens nach den §§ 190 bis 192 StPO oder ein Vorgehen nach § 18 nicht in Betracht kommt, und liegen die in § 198 Abs. 2 Z 1 und 3 StPO genannten Voraussetzungen vor, so hat die Staatsanwaltschaft von der Verfolgung eines belangten Verbandes wegen der Verantwortlichkeit für eine Straftat zurückzutreten, wenn der Verband den aus der Tat entstandenen Schaden gut macht sowie andere Tatfolgen beseitigt und dies unverzüglich nachweist und wenn die Verhängung einer Verbandsgeldbuße im Hinblick auf

1. die Zahlung eines Geldbetrages, der in Höhe von bis zu 50 Tagessätzen zuzüglich der im Fall einer Verurteilung zu ersetzenden Kosten des Verfahrens festzusetzen ist (§ 200 StPO),

2. eine zu bestimmende Probezeit von bis zu drei Jahren, soweit möglich und zweckmäßig in Verbindung mit der ausdrücklich erklärten Bereitschaft des Verbandes, eine oder mehrere der in § 8 Abs. 3 genannten Maßnahmen zu ergreifen (§ 203 StPO), oder

3. die ausdrückliche Erklärung des Verbandes, innerhalb einer zu bestimmenden Frist von höchstens sechs Monaten unentgeltlich bestimmte gemeinnützige Leistungen zu erbringen (§ 202 StPO),

nicht geboten erscheint, um der Begehung von Straftaten, für die der Verband verantwortlich gemacht werden kann (§ 3), und der Begehung von Straftaten im Rahmen der Tätigkeit anderer Verbände entgegenzuwirken. § 202 Abs. 1 StPO ist nicht anzuwenden.

(2) Nach Einbringung des Antrags auf Verhängung einer Verbandsgeldbuße wegen Begehung einer strafbaren Handlung, die von Amts wegen zu verfolgen ist, hat das Gericht Abs. 1 sinngemäß anzuwenden und das Verfahren gegen den Verband unter den für die Staatsanwaltschaft geltenden Voraussetzungen bis zum Schluss der Hauptverhandlung mit Beschluss einzustellen (§ 199 StPO).

Einstweilige Verfügungen

§ 20. Ist ein belangter Verband dringend verdächtig, für eine bestimmte Straftat verantwortlich zu sein, und ist anzunehmen, dass über ihn eine Verbandsgeldbuße verhängt werden wird, so hat das Gericht auf Antrag der Staatsanwaltschaft zur Sicherung der Geldbuße eine Beschlagnahme gemäß §§ 109 Z 2 und 115 Abs. 1 Z 3 StPO anzuordnen, wenn und soweit auf Grund bestimmter Tatsachen zu befürchten ist, dass andernfalls die Einbringung gefährdet oder wesentlich erschwert würde. Im Übrigen ist § 115 Abs. 4 bis 6 StPO anzuwenden.

Antrag auf Verhängung einer Verbandsgeldbuße

§ 21. (1) Das Hauptverfahren wird durch den Antrag auf Verhängung einer Verbandsgeldbuße eingeleitet, auf den im Verfahren vor dem Landesgericht als Geschworenen- oder Schöffengericht die Bestimmungen über die Anklageschrift, im Verfahren vor dem Landesgericht als Einzelrichter oder dem Bezirksgericht jedoch die Bestimmungen über den Strafantrag anzuwenden sind. In jedem Fall ist jedoch der Sachverhalt zusammenzufassen und zu beurteilen, aus dem sich die Verantwortlichkeit des Verbandes (§ 3) ergibt.

(2) Der Antrag auf Verhängung einer Verbandsgeldbuße ist mit der Anklageschrift oder dem Strafantrag gegen natürliche Personen zu verbinden, wenn die Verfahren gemeinsam geführt werden können (§ 15 Abs. 1).

(3) Kann das Verfahren gegen den belangten Verband nicht gemeinsam mit jenem gegen die natürliche Person geführt werden, so hat der Ankläger einen selbstständigen Antrag auf Verhängung einer Verbandsgeldbuße zu stellen. Über einen solchen Antrag hat das Gericht in einem selbstständigen Verfahren nach öffentlicher mündlicher Verhandlung durch Urteil zu entscheiden.

Hauptverhandlung und Urteil

§ 22. (1) Wird die Hauptverhandlung gegen den belangten Verband und eine natürliche Person gemeinsam geführt (§ 15 Abs. 1), so hat das Gericht im Anschluss an das Beweisverfahren, das für beide Verfahren gemeinsam durchgeführt wird, zunächst nur die Schlussvorträge betreffend die natürliche Person zuzulassen und dann das Urteil über die natürliche Person zu verkünden.

(2) Im Fall eines Schuldspruches sind in fortgesetzter Hauptverhandlung Schlussvorträge zu den Voraussetzungen einer Verantwortlichkeit des Verbandes sowie den für die Bemessung einer Geldbuße und die Festsetzung anderer Sanktionen maßgeblichen Umständen zu halten. Danach verkündet das Gericht das Urteil über den Verband.

(3) Im Fall des Freispruchs muss der Ankläger binnen drei Tagen bei Verlust des Verfolgungsrechts erklären, ob in einem selbstständigen Verfahren über die Verhängung einer Verbandsgeldbuße entschieden werden soll. Stellt der Ankläger diesen Antrag, so hat das Gericht nach Abs. 2 vorzugehen.

(4) Das Urteil über den Verband hat im Fall einer Verurteilung bei sonstiger Nichtigkeit auszusprechen, für welche Straftat der Verband auf Grund welcher Umstände für verantwortlich befunden wird; im Übrigen ist § 260 Abs. 1 Z 3 bis 5 StPO anzuwenden.

(5) Die Urteilsausfertigung muss die in § 270 Abs. 2 StPO sowie in Abs. 4 angeführten Inhalte haben.

Hauptverhandlung und Urteil in Abwesenheit

§ 23. Ist der belangte Verband in der Hauptverhandlung nicht vertreten, so kann das Gericht die Hauptverhandlung durchführen, die Beweise aufnehmen und das Urteil fällen, jedoch bei sonstiger Nichtigkeit nur dann, wenn die Ladung zur Hauptverhandlung wirksam zugestellt wurde und in der Ladung diese Rechtsfolgen angedroht wurden. Das Urteil ist in diesem Fall dem Verband in seiner schriftlichen Ausfertigung zuzustellen.

Rechtsmittel

§ 24. Gegen Urteile, die über einen Verband ergangen sind, stehen – auch im Falle des selbstständigen Verfahrens – die in der StPO gegen Urteile vorgesehenen Rechtsmittel und Rechtsbehelfe offen.

Verfahren bei Widerruf einer bedingten Nachsicht

§ 25. Für einen Widerruf der bedingten Nachsicht nach § 9 Abs. 1 ist § 494a StPO mit der Maßgabe anzuwenden, dass das Bezirksgericht als erkennendes Gericht nur zuständig ist, wenn die Buße oder deren Teil 55 Tagessätze nicht übersteigt; der Einzelrichter beim Landesgericht nur, wenn die Buße oder deren Teil 100 Tagessätze nicht übersteigt.

Verständigung der zuständigen Verwaltungs- oder Aufsichtsbehörde

§ 26. (1) Die Staatsanwaltschaft hat die für den betroffenen Tätigkeitsbereich eines Verbandes zuständige Verwaltungs- oder Aufsichtsbehörde von einem Ermittlungsverfahren gegen einen Verband und dessen Beendigung durch Einstellung oder Rücktritt von der Verfolgung zu verständigen (§§ 194 und 208 Abs. 4 StPO); im Übrigen hat das Gericht die Behörde über die Beendigung des Strafverfahrens zu verständigen und eine Ausfertigung des Beschlusses, mit dem das Verfahren eingestellt wird, oder des Urteils zu übermitteln.

(2) Die Staatsanwaltschaft oder das Gericht kann die Behörde (Abs. 1) ersuchen, an der Überwachung der Einhaltung einer Weisung oder einer Maßnahme nach § 19 Abs. 1 Z 2 mitzuwirken.

(Anm.: Abs. 3 aufgehoben durch BGBl. I Nr. 112/2007)

Vollstreckung von Verbandsgeldbußen

§ 27. (1) Nach Eintritt der Rechtskraft der Entscheidung hat das Gericht den Verband schriftlich aufzufordern, die Verbandsgeldbuße binnen 14 Tagen zu zahlen, widrigenfalls sie zwangsweise eingetrieben würde. Kommt der Verband dieser Aufforderung nicht nach, so ist die gerichtliche Einbringung nach dem Gerichtlichen Einbringungsgesetz zu veranlassen. § 409 Abs. 2 zweiter Satz StPO ist sinngemäß anzuwenden.

(2) Ist absehbar, dass der Verband die Folgen der Tat gutmachen werde und dass dadurch die Voraussetzungen einer nachträglichen Milderung der Geldbuße erfüllt sein werden, so kann der Vorsitzende auf Antrag die Zahlung der Geldbuße zur Gänze oder zum Teil für höchstens sechs Monate aufschieben.

(3) Träfe die unverzügliche Zahlung der Verbandsgeldbuße den Verband unbillig hart, so kann der Vorsitzende auf Antrag mit Beschluss angemessenen Aufschub durch Raten gewähren, wobei die letzte Rate spätestens nach zwei Jahren zu zahlen ist und alle noch offenen Teilbeträge fällig werden, wenn der Verband mit zwei Raten im Verzug ist.

4. Abschnitt

Schlussbestimmungen

In-Kraft-Treten

§ 28. (1) Dieses Bundesgesetz tritt mit 1. Jänner 2006 in Kraft.

(2) Die Bestimmungen der §§ 1 Abs. 2, 13 Abs. 2, 14 Abs. 3, 15 Abs. 1 und 2, 16 Abs. 1, 17 Abs. 1, 19 Abs. 1 und 2, 20, 21 Abs. 2, 23, 25 und 26 Abs. 1 und 2 in der Fassung des Bundesgesetzes BGBl. I Nr. 112/2007 treten mit 1. Jänner 2008 in Kraft.

(3) § 27 Abs. 1 in der Fassung des Bundesgesetzes BGBl. I Nr. 26/2016 tritt mit 1. August 2016 in Kraft.

(4) § 4 Abs. 4 in der Fassung des Bundesgesetzes BGBl. I Nr. 100/2023 tritt mit 1. September 2023 in Kraft.

Verweisungen

§ 29. (1) Verweisungen in diesem Gesetz auf andere Rechtsvorschriften des Bundes sind als Verweisungen auf die jeweils geltende Fassung zu verstehen.

(2) Soweit in diesem Gesetz personenbezogene Bezeichnungen nur in männlicher Form angeführt sind, beziehen sie sich auf Frauen und Männer in gleicher Weise. Bei der Anwendung auf bestimmte Personen ist die jeweils geschlechtsspezifische Form zu verwenden.

Vollziehung

§ 30. Mit der Vollziehung dieses Bundesgesetzes ist die Bundesministerin für Justiz betraut.

Suchtmittelgesetz

Bundesgesetz über Suchtgifte, psychotrope Stoffe und Drogenausgangsstoffe (Suchtmittelgesetz – SMG)
StF: BGBl. I Nr. 112/1997 idF BGBl. I Nr. 105/2024

Inhaltsverzeichnis

Stichwortverzeichnis

1. Hauptstück

Anwendungsbereich und Begriffsbestimmungen

§ 1. (1) Diesem Bundesgesetz unterliegen Suchtgifte, psychotrope Stoffe und Drogenausgangsstoffe.

(2) Suchtmittel im Sinne dieses Bundesgesetzes sind Suchtgifte und psychotrope Stoffe.

§ 2. (1) Suchtgifte im Sinne dieses Bundesgesetzes sind Stoffe und Zubereitungen, die durch die Einzige Suchtgiftkonvention vom 30. März 1961 zu New York, BGBl. Nr. 531/1978, in der Fassung des Protokolls vom 25. März 1972 zu Genf, BGBl. Nr. 531/1978, Beschränkungen hinsichtlich der Erzeugung (Gewinnung und Herstellung), des Besitzes, Verkehrs, der Ein-, Aus- und Durchfuhr, der Gebarung oder Anwendung unterworfen und mit Verordnung des Bundesministers oder der Bundesministerin für Gesundheit als Suchtgifte bezeichnet sind.

SMG

(2) Als Suchtgifte im Sinne dieses Bundesgesetzes gelten ferner Stoffe und Zubereitungen, die durch das Übereinkommen der Vereinten Nationen über psychotrope Stoffe vom 21. Februar 1971 zu Wien, BGBl. III Nr. 148/1997, Beschränkungen im Sinne des Abs. 1 unterworfen, in den Anhängen I und II dieses Übereinkommens enthalten und im Hinblick darauf, dass sie auf Grund ihrer Wirkung und Verbreitung ein den Suchtgiften im Sinne des Abs. 1 vergleichbares Gefährdungspotential aufweisen, mit Verordnung des Bundesministers oder der Bundesministerin für Gesundheit Suchtgiften gleichgestellt sind.

(3) Weitere Stoffe und Zubereitungen können mit Verordnung der Bundesministerin für Gesundheit, Familie und Jugend Suchtgiften gleichgestellt werden, wenn sie auf Grund ihrer Wirkung und Verbreitung ein den Suchtgiften im Sinne des Abs. 1 vergleichbares Gefährdungspotential aufweisen.

(4) Nach Maßgabe der Einzigen Suchtgiftkonvention und dieses Bundesgesetzes unterliegen auch Mohnstroh und die Cannabispflanze den im Abs. 1 angeführten Beschränkungen.

§ 3. (1) Psychotrope Stoffe im Sinne dieses Bundesgesetzes sind Stoffe und Zubereitungen, die durch das Übereinkommen der Vereinten Nationen über psychotrope Stoffe Beschränkungen im Sinne des § 2 Abs. 1 unterworfen, in den Anhängen III und IV dieses Übereinkommens enthalten und mit Verordnung des Bundesministers oder der Bundesministerin für Gesundheit als psychotrope Stoffe bezeichnet sind.

(2) Weitere Stoffe und Zubereitungen können mit Verordnung des Bundesministers oder der Bundesministerin für Gesundheit psychotropen Stoffen gleichgestellt werden, wenn sie auf Grund ihrer Wirkung und Verbreitung ein den psychotropen Stoffen im Sinne des Abs. 1 vergleichbares Gefährdungspotential aufweisen.

§ 4. Drogenausgangsstoffe im Sinne dieses Bundesgesetzes sind jene Stoffe, die im Anhang 1 der Verordnung (EG) Nr. 273/2004 betreffend Drogenausgangsstoffe, ABl. Nr. L 47 vom 18. Februar 2004, sowie im Anhang der Verordnung (EG) Nr. 111/2005 zur Festlegung von Vorschriften für die Überwachung des Handels mit Drogenausgangsstoffen zwischen der Union und Drittländern, ABl. Nr. L 22 vom 26. Jänner 2005, erfasst sind.

2. Hauptstück

Suchtmittel

1. Abschnitt

Verkehr und Gebarung mit Suchtmitteln

Beschränkungen

§ 5. (1) Suchtmittel dürfen nur für medizinische, zahnmedizinische, veterinärmedizinische oder wissenschaftliche Zwecke und nur nach Maßgabe dieses Bundesgesetzes erworben, besessen, erzeugt, verarbeitet, befördert, eingeführt, ausgeführt oder einem anderen angeboten, überlassen oder verschafft werden.

(2) Suchtgifte gemäß § 2 Abs. 2 und 3, die nicht im Anhang I des Übereinkommens über psychotrope Stoffe enthalten sind, und psychotrope Stoffe dürfen überdies nach Maßgabe des § 6 Abs. 5 auch für die Herstellung von Erzeugnissen, die keine psychotrope Wirkung entfalten, erworben, besessen, erzeugt, verarbeitet, befördert sowie eingeführt werden. Die sonstigen für die Herstellung solcher Erzeugnisse maßgeblichen Vorschriften bleiben unberührt.

Erzeugung, Verarbeitung, Umwandlung, Erwerb und Besitz

§ 6. (1) Die Erzeugung, Verarbeitung, Umwandlung, der Erwerb und Besitz von Suchtmitteln ist, sofern im folgenden nicht anderes bestimmt ist, nur gestattet

1. den Gewerbetreibenden mit einer Berechtigung zur Herstellung von Arzneimitteln und Giften und zum Großhandel mit Arzneimitteln und Giften gemäß § 94 Z 32 der Gewerbeordnung 1994 nach Maßgabe einer Bewilligung des Bundesministers oder der Bundesministerin für Gesundheit; sofern es sich um Suchtgifte handelt, darf die Bewilligung nur unter Festsetzung einer Höchstmenge erteilt werden, den zum Großhandel mit Arzneimitteln Berechtigten überdies nur, wenn sie ein Detailgeschäft überhaupt nicht oder doch räumlich vollkommen getrennt führen;

2. wissenschaftlichen Instituten oder öffentlichen Lehr-, Versuchs-, Untersuchungs- oder sonstigen Fachanstalten nach Maßgabe einer Bestätigung der zuständigen Aufsichtsbehörde, daß sie die Suchtmittel zur Erfüllung ihrer Aufgaben benötigen.

(2) Der Anbau von Pflanzen zwecks Gewinnung von Suchtgift ist verboten, ausgenommen

1. durch die im Abs. 1 Z 2 genannten Institute und Anstalten für wissenschaftliche Zwecke sowie

2. durch die im § 6a Abs. 1 genannten Gesellschaften für die Herstellung von Arzneimitteln sowie damit verbundene wissenschaftliche Zwecke.

(3) Den Wachkörpern des Bundes und den Behörden, denen die Vollziehung dieses Gesetzes obliegt, ist der Erwerb und Besitz von Suchtmitteln auch ohne Bewilligung insoweit gestattet, als sie diese für Schulungs- oder Ausbildungszwecke benötigen oder ihnen Suchtmittel in Vollziehung dieses Gesetzes zukommen.

(4) Dem Bundesministerium für Landesverteidigung und den fachlich befassten Dienststellen des Bundesheeres ist die Verarbeitung, der Erwerb und Besitz von Suchtmitteln auch ohne Bewilligung insoweit gestattet, als sie diese für die ärztliche oder zahnärztliche Versorgung der Angehörigen des Bundesheeres benötigen oder es für die veterinärmedizinische Behandlung sowie für die Ausbildung der im Bundesheer in Verwendung stehenden Tiere notwendig ist.

(4a) Den organisierten Notarztdiensten ist die Verarbeitung, der Erwerb und Besitz von Suchtmitteln auch ohne Bewilligung insoweit gestattet, als sie diese für die notärztliche Tätigkeit benötigen.

(4b) Den Einrichtungen und Behörden des Strafvollzuges (§ 8 des Strafvollzugsgesetzes – StVG, BGBl. Nr. 144/1969) sowie des Vollzuges der mit Freiheitsentzug verbundenen vorbeugenden Maßnahmen (§§ 158 bis 160 StVG) ist der Erwerb, die Verarbeitung und der Besitz von Suchtmitteln auch ohne Bewilligung insoweit gestattet, als sie diese für die gesetzlich vorgesehene ärztliche Betreuung von angehaltenen Beschuldigten, Strafgefangenen oder Untergebrachten benötigen.

(4c) Dem Bundesministerium für Inneres und den ihm nachgeordneten Landespolizeidirektionen ist der Erwerb, die Verarbeitung und der Besitz von Suchtmitteln auch ohne Bewilligung insoweit gestattet, als sie diese für die gesetzlich vorgesehene ärztliche Betreuung von angehaltenen Personen benötigen.

(4d) Gebietskörperschaften ist der Erwerb, die Verarbeitung und der Besitz von Suchtmitteln auch ohne Bewilligung insoweit gestattet, als sie diese für die Erfüllung der gesetzlich vorgesehenen Aufgaben der Tierseuchenbekämpfung benötigen.

(4e) Einrichtungen stationärer Pflege und Betreuung ist der Erwerb und Besitz von Suchtmitteln nach Maßgabe des Abs. 4f auch ohne Bewilligung gestattet, sofern diese Suchtmittel der Arzneimittelbevorratung gemäß den für Einrichtungen stationärer Pflege und Betreuung geltenden Bestimmungen dienen.

(4f) Der Erwerb von Suchtmitteln ist Einrichtungen stationärer Pflege und Betreuung nur über eine Anstaltsapotheke erlaubt. Der Erwerb und Besitz von Suchtmitteln ist nur jenen Einrichtungen stationärer Pflege und Betreuung gestattet, die behördlicher Aufsicht oder Kontrolle unterliegen, sofern die gemäß § 36 Abs. 2 des Apothekengesetzes, RGBl. Nr. 5/1907, in der geltenden Fassung, mindestens einmal vierteljährliche Überprüfung des Arzneimittelvorrats auch die Suchtmittelgebarung der Einrichtung umfasst. Wird im Rahmen der behördlichen Aufsicht oder Kontrolle festgestellt, dass diese vierteljährliche Überprüfung der Suchtmittelgebarung nicht erfolgt oder die für die Gebarung mit Suchtmitteln bestehenden Vorschriften nicht eingehalten werden und die Sicherheit oder Kontrolle der Suchtmittelgebarung nicht gewährleistet ist, so ist der Einrichtung der Erwerb und Besitz von Suchtmitteln nicht gestattet.

(5) Personen, die zur Herstellung von Erzeugnissen, die keine psychotrope Wirkung entfalten, berechtigt sind und zur Herstellung dieser Erzeugnisse ein Suchtmittel gemäß § 5 Abs. 2 benötigen, ist die Erzeugung, Verarbeitung, der Erwerb, Besitz und die Einfuhr dieses Suchtmittels nur nach Maßgabe einer Bewilligung des Bundesministers oder der Bundesministerin für Gesundheit gestattet.

(6) Die nach Abs. 1 Z 1 Berechtigten dürfen Suchtmittel nur an die nach Abs. 1, 3, 4, 4a, 4b, 4c oder 4d Berechtigten sowie an öffentliche Apotheken und Anstaltsapotheken abgeben, Suchtmittel gemäß § 5 Abs. 2 überdies auch an die nach Abs. 5 Berechtigten.

(7) Den nach Abs. 5 Berechtigten ist nicht gestattet

1. das Inverkehrsetzen von Suchtmitteln gemäß § 5 Abs. 2 und

2. das Inverkehrsetzen der unter Verwendung solcher Suchtmittel hergestellten Erzeugnisse, sofern eine Rückgewinnung der Suchtmittel durch leicht anwendbare Mittel möglich ist.

Anbau von Pflanzen der Gattung Cannabis zwecks Gewinnung von Suchtgift für die Herstellung von Arzneimitteln

§ 6a. (1) Der Anbau von Pflanzen der Gattung Cannabis zwecks Gewinnung von Suchtgift für die Herstellung von Arzneimitteln sowie damit verbundene wissenschaftliche Zwecke ist nur der Österreichischen Agentur für Gesundheit und Ernährungssicherheit GmbH oder einer zu diesem Zweck gegründeten Tochtergesellschaft, an der die Agentur für Gesundheit und Ernährungssicherheit GmbH mindestens 75 v.H. der Geschäftsanteile halten muss, gestattet. An der Tochtergesellschaft können ferner beteiligt sein

1. Universitätsinstitute, die mit der Forschung und Entwicklung auf dem Gebiet der angewandten Botanik befasst sind,

2. Gewerbetreibende mit einer Berechtigung zur Herstellung von Arzneimitteln und Giften und zum Großhandel mit Arzneimitteln und Giften gemäß § 94 Z 32 der Gewerbeordnung 1994, sowie

3. Chemische Laboratorien mit einer Gewerbeberechtigung gemäß § 94 Z 10 der Gewerbeordnung 1994.

(2) Der Österreichischen Agentur für Gesundheit und Ernährungssicherheit GmbH oder ihrer Tochtergesellschaft (Abs. 1) ist ferner der Besitz des im Rahmen des Anbaus der Cannabispflanzen gewonnen Cannabis gestattet.

(3) Die Österreichische Agentur für Gesundheit und Ernährungssicherheit GmbH oder ihre Tochtergesellschaft (Abs. 1) darf die Cannabispflanzen nach Ernte und Trocknung oder das daraus gewonnene Cannabis nur an Gewerbetreibende mit einer Berechtigung zur Herstellung von Arzneimitteln und Giften und zum Großhandel mit Arzneimitteln und Giften gemäß § 94 Z 32 der Gewerbeordnung 1994 abgeben.

(4) Die Bestimmungen über Sicherungsmaßnahmen gegen unbefugte Entnahme von Suchtmitteln (§ 9) sind auch auf Cannabispflanzen anzuwenden.

Abgabe durch Apotheken

§ 7. (1) Apotheken dürfen Suchtmittel nach Maßgabe der das Apotheken- und Arzneimittelwesen regelnden Vorschriften, hinsichtlich der suchtgifthaltigen Arzneimittel auch unter den Beschränkungen der zu diesem Bundesgesetz erlassenen Durchführungsverordnungen, untereinander, gegen Verschreibung an Krankenanstalten, Ärzte, Zahnärzte, Tierärzte und Dentisten für ihren Berufsbedarf sowie an Personen, denen solche Arzneimittel verschrieben wurden, abgeben.

(1a) Apotheken dürfen Präparate gemäß § 3 Z 9 Sterbeverfügungsgesetz (StVfG), BGBl. I Nr. 242/2021 nach Maßgabe des § 11 StVfG abgeben.

(1b) Anstaltsapotheken dürfen Suchtmittel gegen Verschreibung und nach Maßgabe des § 6 Abs. 4e und 4f auch an Einrichtungen stationärer Pflege und Betreuung nach den Richtlinien über die ökonomische Abgabe von Heilmitteln gemäß § 30a Abs. 1 Z 39ASVG abgeben.

(2) Auf den Erwerb und Besitz von Suchtmitteln durch Personen, an die sie nach Abs. 1 und 1a abgegeben wurden, findet § 6 Abs. 1 keine Anwendung.

Ärztliche Behandlung, Verschreibung und Abgabe

§ 8. Suchtmittelhaltige Arzneimittel dürfen nur nach den Erkenntnissen und Erfahrungen der medizinischen, zahnmedizinischen oder veterinärmedizinischen Wissenschaft, insbesondere auch für Schmerz- sowie für Entzugs- und Substitutionsbehandlungen, verschrieben, abgegeben oder im Rahmen einer ärztlichen, zahnärztlichen oder tierärztlichen Behandlung am oder im menschlichen oder tierischen Körper unmittelbar zur Anwendung gebracht werden.

Opioid-Substitutionsbehandlung

§ 8a. (1) Ärzte haben den Beginn und, sofern es ihnen bekannt ist, das Ende einer Substitutionsbehandlung (§ 11 Abs. 2 Z 2) unter Bekanntgabe der Daten gemäß § 24b Abs. 1 Z 1 und 2 unverzüglich der Bezirksverwaltungsbehörde als Gesundheitsbehörde zu melden. Soweit nach Maßgabe der zu diesem Bundesgesetz erlassenen Durchführungsbestimmungen die Verschreibung oder Abgabe des Substitutionsmittels nicht unter Verwendung einer Substitutions-Dauerverschreibung erfolgt, ist bei Meldung des Behandlungsbeginns das Substitutionsmittel bekannt zu geben. Ferner hat die/der behandelnde Ärztin/Arzt den ihr/ihm zur Kenntnis gelangten Verlust einer für die Patientin/den Patienten ausgestellten Substitutionsverschreibung oder eines an die Patientin/den Patienten abgegebenen Substitutionsmedikamentes der Bezirksverwaltungsbehörde als Gesundheitsbehörde zur Kenntnis zu bringen.

(1a) Für Personen, die wegen ihrer Abhängigkeitserkrankung vom Morphintyp im Rahmen einer Opioid-Substitutionsbehandlung opioidhaltige Arzneimittel fortlaufend benötigen, sind, außer in begründeten Einzelfällen, Dauerverschreibungen mit einer maximalen Geltungsdauer auszustellen, die vor Übergabe an die Apotheke dem amtsärztlichen Dienst der zuständigen Gesundheitsbehörde zur Überprüfung und Fertigung (Vidierung) vorzulegen sind. Die Prüfung und Vidierung der Dauerverschreibungen hat nach Maßgabe der mit Verordnung gemäß § 10 Abs. 1 Z 5 getroffenen Vorschriften über die Qualität und Sicherheit der Behandlung zu erfolgen. Der amtsärztliche Dienst darf zu diesem Zweck Daten verarbeiten, die sich auf jene Person beziehen, für die die Dauerverschreibung ausgestellt worden ist, und die der Bezirksverwaltungsbehörde als nach dem Allgemeinen Verwaltungsverfahrensgesetz 1991 zuständiger Gesundheitsbehörde aufgrund des Suchtmittelgesetzes übermittelt worden sind. Die für die Gültigkeit der Dauerverschreibung erforderliche Vidierung durch den amtsärztlichen Dienst der zuständigen Bezirksverwaltungsbehörde als Gesundheitsbehörde ersetzt die chef- und kontrollärztliche Bewilligung.

(1b) Daten gemäß Abs. 1a dritter Satz sind

1. Meldungen gemäß Abs. 1,

2. Meldungen an das bundesweite Substitutionsregister gemäß §§ 24b und § 26 Abs. 4 letzter Satz,

3. Mitteilungen aus Apotheken gemäß Abs. 4,

4. Mitteilungen gemäß §§ 13, 14 Abs. 2.

(1c) Im Hinblick auf die zur Sicherstellung der Opioid-Substitutionsbehandlung gebotene Entlastung des amtsärztlichen Dienstes bis zur technischen Umsetzung eines digitalen Verschreibungsprozesses gelten Dauerverschreibungen nach Abs. 1a als vidiert, wenn die behandelnde Ärztin/der behandelnde Arzt den Vermerk „Vidierung nicht erforderlich“ auf der Dauerverschreibung anbringt. Der Vermerk ist von der behandelnden Ärztin/dem behandelnden Arzt zu unterfertigen und mit ihrer/seiner Stampiglie zu versehen. Voraussetzung ist, dass der behandelnden Ärztin/dem behandelnden Arzt kein Hinweis auf eine Mehrfachbehandlung der Patientin/des Patienten mit Substitutionsmitteln und keine Mitteilung der Bezirksverwaltungsbehörde als Gesundheitsbehörde vorliegt, dass die Entlastung des amtsärztlichen Dienstes zur Sicherstellung der Opioid-Substitution nicht mehr erforderlich ist.

Fassung ab **01.01.2027**

(Anm.: Abs. 1c und 1d mit Ablauf des 31.12.2026 außer Kraft getreten)

(1d) Die Übermittlung von Verschreibungen im Rahmen der Opioid-Substitutionsbehandlung an die Apotheke und die zuständige Bezirksverwaltungsbehörde als Gesundheitsbehörde darf, bis zur technischen Umsetzung eines digitalen Verschreibungsprozesses, unter den Voraussetzungen des § 27 Abs. 10 des Gesundheitstelematikgesetzes 2012 (GTelG 2012), BGBl. I Nr. 111/2012, ungeachtet des § 6 Abs. 1 Z 2 GTelG 2012, per E-Mail erfolgen. Die technischen und organisatorischen Datensicherheitsmaßnahmen gemäß § 27 Abs. 12 GTelG 2012, in der Fassung BGBl. I Nr. 206/2022, gelten für eine Übermittlung per E-Mail mit der Maßgabe, dass sie auf die Art und Eigenschaft dieser Übermittlungsform auszurichten sind.

Fassung ab **01.01.2027**

(1d) entfällt.

(2) Die an der Beratung, Behandlung oder Betreuung eines Patienten, der sich einer Substitutionsbehandlung unterzieht, beteiligten Ärzte, Amtsärzte, Apotheker, Bewährungshelfer, klinischen Psychologen, Psychotherapeuten oder Personen, die in einer Einrichtung gemäß § 15 gesundheitsbezogene Maßnahmen (§ 11 Abs. 2) bei diesem Patienten durchführen, dürfen Wahrnehmungen aus dieser Tätigkeit gegenseitig nur insoweit mitteilen, als

1. der Patient in eine solche Mitteilung ausdrücklich eingewilligt hat, oder

2. die Mitteilung zum Schutz der Gesundheit des Patienten dringend erforderlich ist und seine ausdrückliche Einwilligung nicht rechtzeitig eingeholt werden kann.

(3) Der Arzt, Amtsarzt, Apotheker, Bewährungshelfer, klinische Psychologe, Psychotherapeut oder die Person, die in einer Einrichtung gemäß § 15 gesundheitsbezogene Maßnahmen bei dem Patienten durchführt, hat im Fall des Abs. 2 Z 1 die ausdrückliche Einwilligung des Patienten, im Fall des Abs. 2 Z 2 die Gründe, weshalb die ausdrückliche Einwilligung nicht rechtzeitig eingeholt werden konnte, zu dokumentieren.

(4) Abweichend von Abs. 2 haben die in öffentlichen Apotheken beschäftigten Apothekerinnen/Apotheker, wenn im Rahmen des Apothekenbetriebes

1. die Vorlage von Suchtmittelverschreibungen verschiedener Ärztinnen/Ärzte durch eine Patientin/einen Patienten wahrgenommen wird,

2. die ärztlich angeordnete kontrollierte Einnahme von Substitutionsmedikamenten nicht gewährleistet werden kann, oder

3. sonstige außergewöhnliche Umstände wahrgenommen werden,

und diese Wahrnehmung oder Wahrnehmungen eine erhebliche Gefährdung der Patientin/des Patienten selbst nahe legen oder, bei einer Weitergabe der Suchtmittel, eine Gefährdung Dritter, unverzüglich jene Ärztinnen/Ärzte davon in Kenntnis zu setzen, die die suchtmittelhaltigen Arzneimittel für die Patientin/den Patienten verschrieben haben. Sofern der Apotheke bekannt ist, dass sich die Patientin/der Patient einer Opioid-Substitutionsbehandlung unterzieht, ist auch die/der substituierende Ärztin/Arzt sowie die Bezirksverwaltungsbehörde als Gesundheitsbehörde unverzüglich in Kenntnis zu setzen. Eine Verständigung in elektronischer Form darf nur unter Wahrung der Vertraulichkeit und Datensicherheit (§§ 6 und 8 Gesundheitstelematikgesetz 2012 in der geltenden Fassung) erfolgen.

(5) Die Bezirksverwaltungsbehörde als Gesundheitsbehörde darf personenbezogene Patientendaten, die ihr aufgrund einer Verständigung gemäß Abs. 4 oder einer Mitteilung gemäß den §§ 13 oder 14 Abs. 2 zur Kenntnis gelangt sind, insoweit verarbeiten, als diese für die Vollziehung der ihr nach diesem Bundesgesetz oder einer gemäß § 10 erlassenen Verordnung übertragenen Aufgaben eine wesentliche Voraussetzung bilden.

(6) Bei der Verarbeitung personenbezogener Daten gemäß Abs. 1 bis 5 sind die Rechte und Pflichten gemäß Art. 13, 14, 18 und 21 der Verordnung (EU) Nr. 679/2016 zum Schutz natürlicher Personen bei der Verarbeitung personenbezogener Daten, zum freien Datenverkehr und zur Aufhebung der Richtlinie 95/46/EG (Datenschutz-Grundverordnung), ABl. Nr. L 119 vom 04.05.2016 S. 1, (im Folgenden: DS-GVO) ausgeschlossen.

Sicherungsmaßnahmen

§ 9. (1) Die nach § 6 Abs. 1 bis 6 zum Besitz von Suchtmitteln Berechtigten, die Krankenanstalten sowie alle anderen Einrichtungen, die über ein Arzneimitteldepot verfügen, haben ihren Suchtmittelvorrat durch geeignete, den jeweiligen Umständen entsprechende Maßnahmen gegen unbefugte Entnahme zu sichern. Suchtgifte sind gesondert aufzubewahren.

(2) Die Bezirksverwaltungsbehörde hat mit Bescheid Sicherungsmaßnahmen anzuordnen, die sich nach der Art und Menge sowie dem Gefährdungsgrad der Suchtmittel richten, wenn Umstände vorliegen, die die Annahme rechtfertigen, daß ein Suchtmittelvorrat nicht gemäß Abs. 1 aufbewahrt oder nicht gegen unbefugte Entnahme gesichert wird.

(3) Die Anordnung von Sicherungsmaßnahmen betreffend die fachlich befassten Dienststellen des Bundesheeres (§ 6 Abs. 4) obliegt dem Bundesminister

oder der Bundesministerin für Landesverteidigung und Sport.

Verordnung

§ 10. (1) Soweit dies zur Abwehr der durch den Missbrauch von Suchtmitteln für das Leben oder die Gesundheit von Menschen drohenden Gefahren und zur Überwachung des geordneten Verkehrs und der Gebarung mit Suchtmitteln geboten ist, hat der Bundesminister oder die Bundesministerin für Gesundheit mit Verordnung nähere Vorschriften zu erlassen über

1. die Ein-, Aus- und Durchfuhr von Suchtmitteln, der Cannabispflanze und von Mohnstroh,

2. die Erzeugung und Verarbeitung von Suchtmitteln einschließlich der Beschränkung der Erzeugung auf bestimmte Mengen und Bezugsquellen,

3. die Erteilung von Bezugsbewilligungen sowie die Ausstellung von Bedarfsbestätigungen für Suchtmittel,

4. die Führung von Vormerkungen und die Erstattung fortlaufender Berichte über die Herstellung und Verarbeitung, den Erwerb, die Veräußerung, die Ein-, Aus- und Durchfuhr und die Abgabe von, über den sonstigen Verkehr mit und über vorhandene Vorräte an Suchtmitteln,

5. die Verschreibung, Abgabe und Verwendung von Suchtmitteln einschließlich der Rahmenbedingungen, Qualitätssicherung und Kontrolle der Substitutionsbehandlung,

6. den sonstigen Verkehr und die Gebarung mit Suchtmitteln,

7. die Kontrolle des Anbaus von Pflanzen der Gattung Cannabis zwecks Gewinnung von Suchtgift für die Herstellung von Arzneimitteln.

(2) Der Bundesminister oder die Bundesministerin für Gesundheit hat durch Verordnung Regelungen über die Ausstellung sowie über die behördliche Beglaubigung von Bescheinigungen im Sinne des Artikels 75 des Schengener Durchführungsübereinkommens von 1990 zu treffen. Sie kann die Gesundheitsbehörden ermächtigen, Ärzte, soweit sie zur Verschreibung suchtmittelhaltiger Arzneimittel befugt sind, mit der Berechtigung zur behördlichen Beglaubigung solcher Bescheinigungen zu beleihen.

(Anm.: Abs. 3 mit Ablauf des 30.6.2023 außer Kraft getreten)

2. Abschnitt

Gesundheitsbezogene Maßnahmen bei Suchtgiftmißbrauch

§ 11. (1) Personen, die wegen Suchtgiftmißbrauchs oder der Gewöhnung an Suchtgift gesundheitsbezogener Maßnahmen gemäß Abs. 2 bedürfen, haben sich den notwendigen und zweckmäßigen, ihnen nach den Umständen möglichen und zumutbaren und nicht offenbar aussichtslosen gesundheitsbezogenen Maßnahmen zu unterziehen. Bei Minderjährigen haben die Eltern oder anderen Erziehungsberechtigten im Rahmen ihrer Pflicht zur Pflege und Erziehung dafür zu sorgen, daß sie sich solchen Maßnahmen unterziehen.

(2) Gesundheitsbezogene Maßnahmen sind

1. die ärztliche Überwachung des Gesundheitszustands,

2. die ärztliche Behandlung einschließlich der Entzugs- und Substitutionsbehandlung,

3. die klinisch-psychologische Beratung und Betreuung,

4. die Psychotherapie sowie

5. die psychosoziale Beratung und Betreuung

durch qualifizierte und mit Fragen des Suchtgiftmißbrauchs hinreichend vertraute Personen.

(3) Für die Durchführung gesundheitsbezogener Maßnahmen gemäß Abs. 2 Z 3 bis 5 sind insbesondere die Einrichtungen und Vereinigungen gemäß § 15 heranzuziehen.

§ 12. (1) Ist auf Grund bestimmter Tatsachen anzunehmen, daß eine Person Suchtgift mißbraucht, so hat sie die Bezirksverwaltungsbehörde als Gesundheitsbehörde der Begutachtung durch einen mit Fragen des Suchtgiftmißbrauchs hinreichend vertrauten Arzt, der erforderlichenfalls mit zur selbständigen Berufsausübung berechtigten Angehörigen des klinisch-psychologischen oder psychotherapeutischen Berufes zusammenzuarbeiten hat, zuzuführen. Die Person hat sich den hiefür notwendigen Untersuchungen zu unterziehen.

(2) Ergibt die Begutachtung, daß eine gesundheitsbezogene Maßnahme gemäß § 11 Abs. 2 notwendig ist, so hat die Bezirksverwaltungsbehörde als Gesundheitsbehörde darauf hinzuwirken, daß sich die Person einer solchen zweckmäßigen, ihr nach den Umständen möglichen und zumutbaren und nicht offenbar aussichtslosen Maßnahme unterzieht. Bei der Wahl der gesundheitsbezogenen Maßnahme ist das Wohl der Person, insbesondere der therapeutische Nutzen der Maßnahme, zu beachten. Dabei sind die Kosten im Verhältnis zum Erfolg bei Wahrung der Qualität der Therapie möglichst gering zu halten. Bei mehreren gleichwertig geeigneten Alternativen ist die ökonomisch günstigste zu wählen.

(3) Die Bezirksverwaltungsbehörde als Gesundheitsbehörde kann von der Person, die sich einer gesundheitsbezogenen Maßnahme nach Abs. 2 unterzieht, verlangen, Bestätigungen über Beginn und Verlauf der Maßnahme vorzulegen.

(4) Die mit der Begutachtung befassten Ärzte dürfen personenbezogene Daten zur Erfüllung des Begutachtungsauftrags verwenden und unterliegen dabei gegenüber der Bezirksverwaltungsbehörde als Gesundheitsbehörde keinen dienst- oder berufsrechtlichen Verschwiegenheitspflichten. Bei der Verarbeitung per-

sonenbezogener Daten gemäß Abs. 1 bis 3 sowie § 35 Abs. 3 Z 2 und Abs. 5 sind die Rechte und Pflichten gemäß Art. 13, 14, 18 und 21 DSGVO ausgeschlossen.

§ 13. (1) Ist auf Grund bestimmter Tatsachen anzunehmen, daß ein Schüler Suchtgift mißbraucht, so hat ihn der Leiter der Schule einer schulärztlichen Untersuchung zuzuführen. Der schulpsychologische Dienst ist erforderlichenfalls beizuziehen. Ergibt die Untersuchung, daß eine gesundheitsbezogene Maßnahme gemäß § 11 Abs. 2 notwendig ist und ist diese nicht sichergestellt, oder wird vom Schüler, den Eltern oder anderen Erziehungsberechtigten die schulärztliche Untersuchung oder die Konsultierung des schulpsychologischen Dienstes verweigert, so hat der Leiter der Schule anstelle einer Strafanzeige davon die Bezirksverwaltungsbehörde als Gesundheitsbehörde zu verständigen. Schulen im Sinne dieser Bestimmungen sind die öffentlichen und privaten Schulen gemäß Schulorganisationsgesetz, BGBl. Nr. 242/1962, die öffentlichen land- und forstwirtschaftlichen Schulen sowie alle anderen Privatschulen.

(2) Ergibt

1. die Stellungsuntersuchung bei Wehrpflichtigen oder

2. eine allfällige ärztliche Untersuchung von Frauen bei der Annahme einer freiwilligen Meldung zum Ausbildungsdienst oder

3. eine militärärztliche Untersuchung bei Soldaten, die Präsenz- oder Ausbildungsdienst leisten,

Grund zur Annahme eines Suchtgiftmißbrauchs, so hat die Stellungskommission oder der Bundesminister oder die Bundesministerin für Landesverteidigung oder der Kommandant der militärischen Dienststelle, bei der der Soldat Wehrdienst leistet, an Stelle einer Strafanzeige diesen Umstand der Bezirksverwaltungsbehörde als Gesundheitsbehörde mitzuteilen.

(2a) Wird einer Behörde oder öffentlichen Dienststelle der Anfangsverdacht (§ 1 Abs. 3 der Strafprozessordnung 1975 – StPO, BGBl. Nr. 631/1975) bekannt, dass eine Person eine Straftat nach §§ 27 Abs. 1 und 2 ausschließlich für den eigenen persönlichen Gebrauch oder den persönlichen Gebrauch eines anderen begangen habe, ohne dass diese Person daraus einen Vorteil gezogen habe, so hat die Behörde oder öffentliche Dienststelle an Stelle einer Strafanzeige (§ 78 StPO) diesen Umstand der Bezirksverwaltungsbehörde als Gesundheitsbehörde mitzuteilen.

(2b) Ergeben Ermittlungen der Kriminalpolizei ausschließlich den in Abs. 2a umschriebenen Verdacht, so hat sie diesen auf dem in § 24a Abs. 1 vorgegebenen Weg der Bezirksverwaltungsbehörde als Gesundheitsbehörde mitzuteilen sowie der Staatsanwaltschaft darüber zu berichten (Abtretungsbericht).

(3) Die Bezirksverwaltungsbehörde als Gesundheitsbehörde hat in den vorstehend bezeichneten Fällen nach § 12 vorzugehen, soweit es sich nicht bloß um einen in § 35 Abs. 4 genannten Fall handelt.

§ 14. (1) Steht eine Person, die Suchtgift missbraucht, im Verdacht, eine Straftat nach § 27 Abs. 1 oder 2 begangen zu haben, so hat die Bezirksverwaltungsbehörde nur dann Strafanzeige zu erstatten, wenn sich die Person den notwendigen, zweckmäßigen, ihr nach den Umständen möglichen und zumutbaren und nicht offenbar aussichtslosen gesundheitsbezogenen Maßnahmen gemäß § 11 Abs. 2 nicht unterzieht. Eine Strafanzeige ist von der Bezirksverwaltungsbehörde auch dann zu erstatten, wenn sich die betreffende Person der notwendigen Untersuchung gemäß § 12 Abs. 1 nicht unterzieht. Ist der Staatsanwaltschaft der Verdacht bereits bekannt (Abtretungsbericht, § 13 Abs. 2b), so sind ihr derartige Weigerungen lediglich mitzuteilen. Besteht Grund zur Annahme, dass die Voraussetzungen des § 35 vorliegen, so hat die Bezirksverwaltungsbehörde statt einer Strafanzeige oder Mitteilung sogleich eine Stellungnahme nach § 35 Abs. 3 Z 2 zu erstatten.

(2) Die Kriminalpolizei hat der Bezirksverwaltungsbehörde als Gesundheitsbehörde die von ihnen wegen des Verdachts einer Straftat nach den §§ 27, 28 oder 28a an die Staatsanwaltschaft erstatteten Berichte auf dem in § 24a Abs. 1 vorgegebenen Weg unverzüglich mitzuteilen.

(3) Eine Anzeige oder Stellungnahme gemäß § 14 Abs. 1 ist nicht zu erstatten, wenn der Verdacht sich ausschließlich auf eine Meldung gemäß § 8a Abs. 1 oder Abs. 4 gründet.

3. Abschnitt

Einrichtungen und Vereinigungen mit Betreuungsangebot für Personen im Hinblick auf Suchtgiftmissbrauch

§ 15. (1) Der Bundesminister oder die Bundesministerin für Gesundheit hat unter Berücksichtigung regionaler Erfordernisse für die Durchführung gesundheitsbezogener Maßnahmen im Hinblick auf Suchtgiftmissbrauch gemäß den §§ 11, 12, 35, 37 und 39 dieses Bundesgesetzes dafür zur Verfügung stehende Einrichtungen und Vereinigungen in ausreichender Zahl im Bundesgesetzblatt kundzumachen.

(2) Einrichtungen und Vereinigungen gemäß Abs. 1 müssen

1. bei ihrer Behandlungs-, Beratungs- und Betreuungstätigkeit im Rahmen von Maßnahmen gemäß § 11 Abs. 2 die Abstinenz von Suchtgift und die soziale Reintegration des Suchtkranken zum Ziel haben,

2. über einen mit Fragen des Suchtgiftmissbrauchs hinreichend vertrauten Arzt verfügen und

3. nach Maßgabe ihres Betreuungsangebots alle oder einzelne der im § 11 Abs. 2 Z 3 bis 5 genannten Maßnahmen durch entsprechend qualifiziertes und mit Fragen des Suchtgiftmissbrauchs hinreichend vertrautes Personal sicherstellen.

(3) Einrichtungen und Vereinigungen gemäß Abs. 1 haben dem Bundesminister oder der Bundesministerin für Gesundheit Unterlagen über ihr Betreuungsangebot vorzulegen und eine Besichtigung an Ort und Stelle zu gestatten.

(4) Jede Änderung bei den im Abs. 2 genannten Erfordernissen ist dem Bundesminister oder der Bundesministerin für Gesundheit unverzüglich anzuzeigen.

(5) Die in Einrichtungen und Vereinigungen gemäß Abs. 1 beschäftigten Personen sind, soweit nicht § 8a anzuwenden ist, zur Verschwiegenheit über das, was ihnen im Rahmen dieser Tätigkeit bekannt geworden ist, verpflichtet. Im Falle von Maßnahmen gemäß den §§ 11, 12, 35, 37 oder 39 sind auf Verlangen des Betreuten Bestätigungen über Beginn und Verlauf der gesundheitsbezogenen Maßnahme unverzüglich auszustellen. Auf schriftliches Verlangen des Betreuten können Bestätigungen auch an die Bezirksverwaltungsbehörde als Gesundheitsbehörde, das Gericht oder die Staatsanwaltschaft übermittelt werden.

(6) Die Einrichtungen und Vereinigungen gemäß Abs. 1 haben ihre Tätigkeit laufend zu dokumentieren und dem Bundesminister oder der Bundesministerin für Gesundheit bis zum 30. April jeden Jahres in der hiefür vom Bundesministerium für Gesundheit vorgesehenen Form einen schriftlichen Bericht über ihre Tätigkeit während des Vorjahres vorzulegen.

(7) Die Einrichtungen und Vereinigungen gemäß Abs. 1 haben Personen, die ihre Tätigkeit in Anspruch nehmen, über bestehende Beratungs- und Betreuungseinrichtungen im Hinblick auf AIDS zu informieren.

§ 16. (1) Die Tätigkeit von Einrichtungen oder Vereinigungen, die Personen im Hinblick auf Suchtgiftmißbrauch beraten und betreuen, kann vom Bund gefördert werden. Ausgenommen von der Förderung sind Maßnahmen, für die als Krankenbehandlung ein Sozialversicherungsträger, eine Krankenfürsorgeanstalt oder ein Sozialhilfeträger aufzukommen hat. Die Förderung hat durch die Gewährung von Zuschüssen nach Maßgabe der hiefür nach dem jeweiligen Bundesfinanzgesetz verfügbaren Bundesmittel zu erfolgen, wobei die Förderung von Zuschüssen aus Mitteln anderer Gebietskörperschaften abhängig zu machen ist. Sofern Gebietskörperschaften Träger dieser Einrichtungen oder Vereinigungen sind, ist die Förderung durch den Bund an die Voraussetzung mindestens gleich hoher Zuschüsse anderer Gebietskörperschaften gebunden.

(2) Zuschüsse nach Abs. 1 dürfen nur zur Errichtung und zum Betrieb solcher Einrichtungen oder Vereinigungen der im Abs. 1 bezeichneten Art gewährt werden, die mit Rücksicht auf die Zahl der Personen, die die dort gebotenen Hilfen in Anspruch nehmen, zweckmäßig und wirtschaftlich erscheinen.

(3) Jeder geförderten Einrichtung oder Vereinigung muß ein mit Fragen des Suchtgiftmißbrauchs hinreichend vertrauter Arzt sowie sonstiges qualifiziertes Personal, das eine entsprechende Beratung und Betreuung gewährleistet, zur Verfügung stehen.

(4) Vor der Gewährung von Zuschüssen hat sich der Förderungswerber dem Bund gegenüber zu verpflichten, zum Zweck der Überwachung der widmungsgemäßen Verwendung der Zuschüsse Organen des Bundes oder von diesen beauftragten Personen die Überprüfung der Durchführung durch Einsicht in die Aufzeichnungen und Belege sowie durch Besichtigung an Ort und Stelle zu gestatten und ihnen die erforderlichen Auskünfte zu erteilen. Ferner hat sich der Empfänger zu verpflichten, bei nicht widmungsgemäßer Verwendung von Zuschüssen diese dem Bund zurückzuzahlen.

(5) Die Bestimmungen des § 15 Abs. 5 und 7 über die Verschwiegenheitspflicht und über die Informationspflicht im Hinblick auf AIDS sind anzuwenden.

3. Hauptstück

Verkehr und Gebarung mit Drogenausgangsstoffen

Vorkehrungen der Wirtschaftsbeteiligten

§ 17. Wirtschaftsbeteiligte haben im Rahmen der erforderlichen Sorgfalt Vorkehrungen zur Verhinderung der Abzweigung von Drogenausgangsstoffen zur unerlaubten Herstellung von Suchtmitteln zu treffen, insbesondere ihren Vorrat an Drogenausgangsstoffen durch geeignete, den jeweiligen Umständen entsprechende Maßnahmen gegen unbefugte Entnahme zu sichern. Die Bezirksverwaltungsbehörde hat mit Bescheid Sicherungsmaßnahmen anzuordnen, die sich nach der Art und Menge der Drogenausgangsstoffe richten, wenn Umstände vorliegen, die die Annahme rechtfertigen, dass ein Vorrat an Drogenausgangsstoffen nicht oder nur unzulänglich gesichert wird.

Auskunfterteilung durch Wirtschaftsbeteiligte

§ 18. Wirtschaftsbeteiligte haben den Sicherheitsbehörden auf Verlangen alle Auskünfte zu erteilen, soweit dies zur Verhütung und Verfolgung der unerlaubten Herstellung von Suchtmitteln und der damit im Zusammenhang stehenden Straftaten erforderlich ist.

Überwachung

§ 19. (1) Die gemäß § 23 Abs. 2 für die Überwachung des Verkehrs und der Gebarung mit Drogenausgangsstoffen zuständigen Behörden sind befugt, bei den Wirtschaftsbeteiligten

1. in Räumlichkeiten und Einrichtungen, insbesondere auch Beförderungsmitteln, in oder mit denen der Verkehr mit Drogenausgangsstoffen durchgeführt wird, jederzeit Nachschau zu halten sowie

2. alle Auskünfte und Unterlagen, die zur Überwachung des Verkehrs und der Gebarung mit Drogenausgangsstoffen erforderlich sind, zu verlangen sowie die nach den einschlägigen, unmittelbar anwend-

baren Rechtsakten der Europäischen Union zu führenden Unterlagen und Aufzeichnungen einzusehen und hieraus Abschriften oder Ablichtungen anzufertigen oder Ausdrucke von automationsunterstützt verarbeiteten Daten zu verlangen.

(2) Soweit es zur Überwachung des Verkehrs und der Gebarung mit Drogenausgangsstoffen erforderlich ist, sind die mit der Überwachung beauftragten Organe befugt, Proben nach ihrer Auswahl zum Zwecke der Untersuchung zu fordern oder zu entnehmen. Soweit nicht ausdrücklich darauf verzichtet wird, ist ein Teil der Probe, oder sofern die Probe nicht oder ohne Gefährdung des Untersuchungszwecks nicht in Teile von gleicher Qualität teilbar ist, ein zweites Stück der gleichen Art wie das als Probe entnommene zurückzulassen.

(3) Zurückzulassende Proben sind amtlich zu verschließen oder zu versiegeln. Sie sind mit dem Datum der Probenahme zu versehen.

(4) Die Überwachung der Ein-, Aus- und Durchfuhr von Drogenausgangsstoffen obliegt den Zollbehörden. Diese haben die Annahme der Zollanmeldung abzulehnen, wenn gegen die einschlägigen, die Ein-, Aus- und Durchfuhr von Drogenausgangsstoffen regelnden, unmittelbar anwendbaren Rechtsakte der Europäischen Union verstoßen wird. In diesem Fall darf über den Drogenausgangsstoff nur mit Zustimmung der Zollbehörde verfügt werden.

§ 20. Wirtschaftsbeteiligte sind verpflichtet, bei der Durchführung der Überwachung mitzuwirken, insbesondere auf Verlangen des mit der Überwachung beauftragten Organs die Orte zu bezeichnen, an denen der Verkehr mit Drogenausgangsstoffen stattfindet, und den mit der Überwachung beauftragten Organen den Zutritt zu diesen zu gestatten, Auskünfte zu erteilen sowie die Einsicht in Unterlagen und Aufzeichnungen und die Entnahme von Proben zu ermöglichen.

Sicherstellung und Beschlagnahme

§ 21. (1) Drogenausgangsstoffe – erforderlichenfalls einschließlich der Behältnisse – sind sicherzustellen oder vorläufig zu beschlagnahmen, wenn der begründete Verdacht einer Straftat nach § 32 oder eines schwerwiegenden Verstoßes gegen § 17 erster Satz, § 44 Abs. 2 Z 2 bis 4 oder Abs. 3 Z 3 bis 5, 9 oder 10 dieses Bundesgesetzes vorliegt.

(2) Das die Sicherstellung oder die vorläufige Beschlagnahme durchführende Organ hat, je nachdem, ob der Verdacht einer Straftat oder einer Verwaltungsübertretung vorliegt, der Staatsanwaltschaft unverzüglich über die Sicherstellung oder vorläufige Beschlagnahme zu berichten oder von der Verwaltungsbehörde unverzüglich einen förmlichen Beschlagnahmebescheid einzuholen.

(3) Sichergestellte oder beschlagnahmte Drogenausgangsstoffe sind so zu verschließen und zu kennzeichnen, dass ihre Veränderung ohne Verletzung des Verschlusses oder der Kennzeichnung nicht möglich ist. Dem bisherigen Verfügungsberechtigten ist eine Bescheinigung über die Art und Menge der sichergestellten oder beschlagnahmten Drogenausgangsstoffe und den Ort der Lagerung auszuhändigen. Die Bestimmungen der Strafprozeßordnung 1975, BGBl. Nr. 631, und des Verwaltungsstrafgesetzes 1991, BGBl. Nr. 52, bleiben unberührt.

Verhältnis zum Chemikaliengesetz

§ 22. Das Chemikaliengesetz, BGBl. I Nr. 53/1997, bleibt von den Bestimmungen dieses Bundesgesetzes unberührt.

4. Hauptstück

Überwachung des Verkehrs und der Gebarung mit Suchtmitteln und Drogenausgangsstoffen, Suchtmittel-Datenverarbeitung und Information

Überwachung des Verkehrs und der Gebarung mit Suchtmitteln und Drogenausgangsstoffen

§ 23. (1) Dem Bundesminister oder der Bundesministerin für Gesundheit obliegt die Besorgung der Geschäfte einer besonderen Verwaltungsdienststelle zur Überwachung des Verkehrs und der Gebarung mit Suchtmitteln nach Art. 17 der Einzigen Suchtgiftkonvention und Art. 6 des Übereinkommens über psychotrope Stoffe einschließlich der Evidenthaltung der dafür erforderlichen Daten. Bundesgesetzliche Bestimmungen, mit denen Aufgaben der Überwachung im Hinblick auf Suchtmittel anderen Behörden übertragen werden, bleiben unberührt.

(2) Dem Bundesminister oder der Bundesministerin für Gesundheit obliegt ferner die Überwachung des Verkehrs und der Gebarung mit Drogenausgangsstoffen. Bundesgesetzliche Bestimmungen, mit denen Aufgaben der Überwachung im Hinblick auf Drogenausgangsstoffe anderen Behörden übertragen werden, bleiben unberührt. Die Bezirksverwaltungsbehörden haben über Ersuchen des Bundesministeriums für Gesundheit, Familie und Jugend bei der Überwachung des Verkehrs und der Gebarung mit Drogenausgangsstoffen gemäß den §§ 19 bis 21 mitzuwirken.

(3) Die Geschäfte der zuständigen nationalen Behörde nach der Verordnung (EG) Nr. 273/2004 betreffend Drogenausgangsstoffe obliegen

1. hinsichtlich Art. 3 Abs. 1, 2, 4, 5, 6, 6b, 6c und 7, Art. 8 Abs. 2, Art. 11 Abs. 1 und 2, Art. 13 bis 13b sowie Art. 16 in Verbindung mit Art. 12, Art. 13 bis 13b sowie Art. 16 dem Bundesminister oder der Bundesministerin für Gesundheit,

2. hinsichtlich Art. 4 Abs. 3 in seinem jeweiligen Wirkungsbereich dem Bundesminister oder der Bundesministerin für Finanzen oder für Inneres,

3. hinsichtlich Art. 5 Abs. 5, Art. 8 Abs. 4, Art. 9 Abs. 3 sowie Art. 10 im jeweiligen Wirkungs-

bereich dem Bundesminister oder der Bundesministerin für Gesundheit, für Finanzen oder für Inneres,

4. hinsichtlich Art. 8 Abs. 1 dem Bundesminister oder der Bundesministerin für Inneres.

Der Bundesminister oder die Bundesministerin für Finanzen und für Inneres haben dem Bundesminister oder der Bundesministerin für Gesundheit alle für die Vollziehung des Art. 16 Abs. 1 erforderlichen Informationen zu übermitteln.

(4) Die Geschäfte der zuständigen nationalen Behörde nach der Verordnung (EG) Nr. 111/2005 zur Festlegung von Vorschriften für die Überwachung des Handels mit Drogenausgangsstoffen zwischen der Union und Drittländern obliegen

1. hinsichtlich Art. 4, Art. 10 Abs. 1 und. 3, Art. 26 Abs. 1 und 3a sowie Art. 27 im jeweiligen Wirkungsbereich dem Bundesminister oder der Bundesministerin für Gesundheit, für Finanzen oder für Inneres,

2. hinsichtlich Art. 6 Abs. 1 und 2, Art. 7 Abs. 1 und 2, Art. 9 Abs. 2, Art. 11, Art. 12, Art. 13 Abs. 2, Art. 16, Art. 19, Art. 21 Abs. 2, Art. 24, Art. 26 Abs. 5, Art. 32, Art. 32a sowie Art. 33 dem Bundesminister oder der Bundesministerin für Gesundheit,

3. hinsichtlich Art. 8 Abs. 1 sowie Art. 26 Abs. 2 im jeweiligen Wirkungsbereich dem Bundesminister oder der Bundesministerin für Finanzen oder für Inneres,

4. hinsichtlich Art. 9 Abs. 1 dem Bundesminister oder der Bundesministerin für Inneres,

5. hinsichtlich Art. 14 Abs. 1 und 2 dem Bundesminister oder der Bundesministerin für Finanzen.

Der Bundesminister oder die Bundesministerin für Finanzen und der Bundesminister oder die Bundesministerin für Inneres haben dem Bundesminister oder der Bundesministerin für Gesundheit alle für die Vollziehung des Art. 32 erforderlichen Informationen zu übermitteln.

(5) Die Geschäfte der zuständigen nationalen Behörde im Sinne der Delegierten Verordnung (EU) 2015/1011 der Kommission, ABl. Nr. L 162/12 vom 27.6.2015, zur Ergänzung der Verordnungen (EG) Nr. 273/2004 sowie Nr. 111/2005 obliegen, soweit darin nicht auf die sich bereits aus Abs. 3 oder 4 ergebenden Zuständigkeiten Bezug genommen wird, dem Bundesminister oder der Bundesministerin für Gesundheit. Der Bundesminister oder die Bundesministerin für Inneres und der Bundesminister oder die Bundesministerin für Finanzen haben dem Bundesminister oder der Bundesministerin für Gesundheit die im Art. 13 bezeichneten Informationen über die Anwendung von Überwachungsmaßnahmen in ihrem jeweiligen Wirkungsbereich bis zum 10. Jänner, 10. April, 10. Juli und 10. Oktober jedes Jahres für das jeweils vorausgegangene Kalendervierteljahr zu melden.

(6) Die Geschäfte der zuständigen nationalen Behörde im Sinne der Durchführungsverordnung (EU) 2015/1013 der Kommission, ABl. Nr. L 162/33 vom 27.6.2015 obliegen, soweit darin nicht auf die sich bereits aus Abs. 3 oder 4 ergebenden Zuständigkeiten Bezug genommen wird, dem Bundesminister oder der Bundesministerin für Gesundheit.

(7) Der Bundesminister oder die Bundesministerin für Gesundheit hat Formblätter für die Aus- und Einfuhrgenehmigung von Drogenausgangsstoffen aufzulegen.

(8) Die zur Anwendung dieses Bundesgesetzes erforderlichen Daten dürfen zum Zweck des automationsunterstützten Datenverkehrs ermittelt und verarbeitet werden.

Suchtmittel-Datenverarbeitung

§ 24. Der Bundesminister oder die Bundesministerin für Gesundheit hat

1. zur Überwachung des vorschriftsmäßigen Verkehrs und der Gebarung mit Suchtmitteln und Drogenausgangsstoffen ein Register über die wegen Übertretung von Bestimmungen dieses Bundesgesetzes, die den Verkehr und die Gebarung mit Suchtmitteln und Drogenausgangsstoffen regeln, ergangenen Verwaltungsstraferkenntnisse einschließlich der über beschlagnahmte oder für verfallen erklärte Vorräte an Suchtmitteln oder Drogenausgangsstoffen getroffenen Entscheidungen und Verfügungen, und

1a. zur Gewinnung von Erkenntnissen über Suchtgiftmissbrauch und über den Bedarf an gesundheitsbezogenen Maßnahmen ein Register über die Ergebnisse der gesundheitsbehördlichen Begutachtungen,

2. zur Verhinderung von Mehrfachbehandlungen mit Substitutionsmitteln ein bundesweites Substitutionsregister zu führen und

3. zur Gewinnung von Erkenntnissen für die Prävention jene Todesfälle zu erfassen und zu analysieren, die in einem kausalen Zusammenhang mit dem Konsum von Suchtgift stehen.

Meldungen an das Suchtmittelregister

§ 24a. (1) Mitteilungen und Berichte der Kriminalpolizei an die Bezirksverwaltungsbehörden als Gesundheitsbehörden (§ 13 Abs. 2b, § 14 Abs. 2) sind elektronisch im Wege des Bundesministeriums für Inneres zu erstatten, das sie unverzüglich an das Suchtmittelregister zu melden hat. Das Bundesministerium für Gesundheit hat die zuständige Bezirksverwaltungsbehörde als Gesundheitsbehörde unverzüglich nach Einlangen der Mitteilung oder des Berichts in Kenntnis zu setzen.

(2) Die Meldung gemäß Abs. 1 erster Satz hat in der vom Bundesminister oder von der Bundesministerin für Gesundheit im Einvernehmen mit dem Bundesminister oder der Bundesministerin für Inneres vorgegebenen Form zu erfolgen und zu enthalten

1. die zur Identifikation der Person, über die Mitteilung oder Bericht erstattet wird, erforderlichen Daten (Vorname, Familienname, Geschlecht, Geburtsdatum, Geburtsort, Staatsbürgerschaft, Meldeadresse),

2. die Straftat, die Gegenstand des Anfangsverdachtes oder des Verdachtes ist,

3. der Ort der Begehung der Straftat gemäß Z 2,

4. die Rechtsnormen, die Grundlage der Mitteilung oder des Berichts sind,

5. die Art und Menge sichergestellter Suchtmittel und die Mitteilung ob Hinweise vorliegen, dass und in welcher Form die betreffende Person Suchtmittel missbraucht hat, und um welche Suchtmittel es sich dabei handelt,

6. das Datum der Mitteilung oder des Berichts,

7. die Behörde, von der die Mitteilung oder der Bericht stammt.

(2a) Dem Suchtmittelregister sind von den Bezirksverwaltungsbehörden als Verwaltungsstrafbehörden alle rechtskräftigen Straferkenntnisse nach § 44 Abs. 1 Z 1 und 3, Abs. 2 bis 4 sowie die über beschlagnahmte Vorräte an Suchtmitteln oder Drogenausgangsstoffen getroffenen Verfügungen zu melden. Die Meldung hat in der vom Bundesminister oder von der Bundesministerin für Gesundheit vorgegebenen Form zu erfolgen und zu enthalten

1. die zur Identifikation der bestraften Person erforderlichen Daten (Vorname, Familienname, Geschlecht, Geburtsdatum, Geburtsort, Staatsbürgerschaft, Meldeadresse),

2. die Straftat, die Gegenstand des Verwaltungsstraferkenntnisses ist,

3. die Rechtsnormen, die Grundlage des Verwaltungsstraferkenntnisses sind,

4. das Datum des Verwaltungsstraferkenntnisses,

5. die Art und Menge beschlagnahmter sowie für verfallen erklärter Suchtmittel oder Drogenausgangsstoffe,

6. das Datum des Verwaltungsstraferkenntnisses,

7. die Behörde, von der das Verwaltungsstraferkenntnis stammt.

(3) Dem Suchtmittelregister sind von der Bezirksverwaltungsbehörde als Gesundheitsbehörde alle Personen zu melden, deren Begutachtung gemäß § 12 oder § 35 Abs. 3 Z 2 ergeben hat, dass sie Suchtgift missbrauchen. Die Meldung hat in der vom Bundesminister oder von der Bundesministerin für Gesundheit vorgegebenen Form zu erfolgen und zu enthalten

1. die zur Identifikation der begutachteten Person erforderlichen Daten (Vorname, Familienname, Geschlecht, Geburtsdatum, Geburtsort, Staatsbürgerschaft, Meldeadresse),

2. das missbrauchte Suchtgift oder die missbrauchten Suchtgifte und die Einnahmeform,

3. gegebenenfalls sonstige missbräuchlich verwendete Substanzen,

4. das Ergebnis der Begutachtung, und zwar

a) ob eine oder mehrere der gesundheitsbezogenen Maßnahmen gemäß § 11 Abs. 2 zweckmäßig, der betreffenden Person nach den Umständen möglich und zumutbar und nicht offenbar aussichtslos ist oder sind, und gegebenenfalls um welche Maßnahme oder Maßnahmen es sich handelt,

b) ob auf eine zweckmäßige, der betroffenen Person nach den Umständen mögliche und zumutbare und nicht offenbar aussichtslose Maßnahme hingewirkt wurde, oder

c) aus welchen Gründen auf eine solche Maßnahme nicht hingewirkt wurde,

d) ob die begutachtete Person sich bereits einer gesundheitsbezogenen Maßnahme gemäß § 11 Abs. 2 unterzieht, und gegebenenfalls, um welche Maßnahme es sich handelt,

5. die für statistische und wissenschaftliche Analysen und Untersuchungen im Hinblick auf Suchtgiftmissbrauch erforderlichen soziodemographischen Daten (§ 24d) über die höchste abgeschlossene Schulbildung sowie die aktuelle Wohn- und Erwerbssituation der begutachteten Person,

6. die Art der Kenntniserlangung der Behörde vom Verdacht des Suchtgiftmissbrauchs,

7. das Datum der Meldung,

8. die meldende Behörde.

Meldungen an das bundesweite Substitutionsregister

§ 24b. (1) Dem bundesweiten Substitutionsregister sind von der Bezirksverwaltungsbehörde als Gesundheitsbehörde alle Personen zu melden, die sich wegen ihrer Gewöhnung an Suchtgift einer Substitutionsbehandlung unterziehen. Die Meldung hat in der vom Bundesminister oder von der Bundesministerin für Gesundheit vorgegebenen Form zu erfolgen und zu enthalten

1. die zur Identifikation des Behandelten erforderlichen Daten (Vorname, Familienname, Geschlecht, Geburtsdatum, Geburtsort, Staatsbürgerschaft, Meldeadresse),

2. die zur Identifikation und Kontaktierung des behandelnden Arztes erforderlichen Daten (Vorname,

Familienname, Anschrift der Ordination, Krankenanstalt oder sonstigen Einrichtung),

3. den Beginn und

4. das Ende der Substitutionsbehandlung bei diesem Arzt,

5. das Datum der Meldung,

6. die meldende Behörde.

(2) Unbeschadet des Abs. 1 sind

1. das gemäß § 8a Abs. 1 gemeldete Substitutionsmittel, oder

2. das Substitutionsmittel bei erstmaliger Verordnung auf Substitutions-Dauerverschreibung einschließlich der auf dieser Verschreibung verordneten Dosis, und

3. jede Änderung des Substitutionsmittels einschließlich Dosis bei erstmaliger Verordnung mit Substitutions-Dauerverschreibung

für statistische und wissenschaftliche Analysen und Untersuchungen über die Substitutionsbehandlung (§ 24d) zu melden.

(3) Als Beginn der Behandlung im Sinne des Abs. 1 Z 3 gilt das Datum jenes Tages, an dem der Arzt für einen Patienten, erstmals, oder, im Falle einer Behandlungsunterbrechung bei diesem Arzt, erstmals nach der Unterbrechung ein Rezept für ein Substitutionsmittel ausstellt oder ein Substitutionsmittel an den Patienten abgibt oder beim Patienten anwendet. Für den Fall, dass der Patient ohne Abmachung nicht mehr bei dem Arzt erscheint, gilt ein Nichterscheinen von drei Monaten als Behandlungsunterbrechung. Als Ende der Behandlung im Sinne des Abs. 1 Z 4 gilt das Datum jenes Tages, an dem der Arzt für diesen Patienten letztmals, oder, im Falle einer Behandlungsunterbrechung bei diesem Arzt, letztmals vor der Unterbrechung ein Rezept für ein Substitutionsmittel ausgestellt oder ein Substitutionsmittel an den Patienten abgegeben oder beim Patienten angewendet hat. Für den Fall, dass der Patient ohne Abmachung beim Arzt nicht mehr erscheint, gilt ein Nichterscheinen von drei Monaten als Behandlungsunterbrechung. In diesem Fall gilt das Datum des letzten Rezepts vor der Behandlungsunterbrechung als Behandlungsende.

Meldungen und Übermittlungen betreffend suchtgiftbezogene Todesfälle

§ 24c. (1) Dem Bundesministerium für Gesundheit sind unverzüglich zu melden oder übermitteln

1. vom Bundesministerium für Inneres die ihm bekannt gewordenen Todesfälle, bei denen Hinweise vorliegen, dass der Tod in einem unmittelbaren oder mittelbaren kausalen Zusammenhang mit dem Konsum von Suchtmitteln steht,

2. eine Gleichschrift des Ergebnisses der Leichenbeschau oder im Falle einer Obduktion des Befundes und Gutachtens samt den Ergebnissen einer allfälligen chemisch-toxikologischen Untersuchung, wenn der Todesfall in einem unmittelbaren oder mittelbaren kausalen Zusammenhang mit dem Konsum von Suchtmitteln steht,

a) vom Leiter der Universitätseinheit für gerichtliche Medizin oder dem Sachverständigen aus dem Fachgebiet der Gerichtsmedizin, der kein Angehöriger des wissenschaftlichen Personals einer solchen Einrichtung ist, die oder der eine Leichenbeschau oder Obduktion nach den Bestimmungen der Strafprozessordnung vornimmt,

b) vom Leiter der Einrichtung, die eine Leichenbeschau oder Obduktion nach den sanitätspolizeilichen Bestimmungen oder eine Obduktion nach den Bestimmungen des Krankenanstaltenrechts vornimmt,

3. von der Statistik Österreich eine Gleichschrift des Totenbeschauscheins, wenn sich daraus ein Hinweis ergibt, dass der Todesfall in einem unmittelbaren oder mittelbaren kausalen Zusammenhang mit dem Konsum von Suchtmitteln steht.

(2) Die Meldung gemäß Abs. 1 Z 1 hat in der vom Bundesminister oder von der Bundesministerin für Gesundheit im Einvernehmen mit dem Bundesminister oder der Bundesministerin für Inneres vorgegebenen Form zu erfolgen und alle vorliegenden, für den in § 24 Z 3 genannten Zweck in Betracht kommenden Hinweise zu enthalten, insbesondere

1. die zur Identifizierung der verstorbenen Person erforderlichen Daten (Vorname, Familienname, Geschlecht, Geburtsdatum, Geburtsort, Staatsbürgerschaft, Meldeadresse),

2. den Tag und Ort des Todes,

3. den Tag und Ort der Auffindung des Verstorbenen,

4. das Ergebnis einer von der Kriminalpolizei vorgenommenen Leichenbeschau (§ 128 Abs. 1 StPO),

5. Hinweise auf eine Suchtgiftüberdosierung,

6. Hinweise auf sonstige konsumierte Substanzen,

7. sonstige Hinweise auf die Todesursache,

8. Art und Menge sichergestellter Suchtgifte und anderer Substanzen,

9. ob eine Leichenöffnung oder Obduktion angeordnet und gegebenenfalls welche Einrichtung mit der Durchführung beauftragt worden ist (Abs. 1 Z 2),

10. Art der Kenntniserlangung der Behörde von dem Todesfall,

11. das Datum der Meldung,

12. die meldende Behörde.

(3) Die Meldungen und Übermittlungen gemäß Abs. 1 und 2 haben auf elektronischem Weg zu erfolgen und können auch online erfolgen.

(4) Die Leiterinnen/Leiter und Sachverständigen gemäß Abs. 1 Z 2 und die Statistik Österreich haben dem Bundesministerium für Gesundheit und Frauen auf Anforderung Unterlagen im Sinne des Abs. 1 Z 2 und 3 auch in Fällen zu übermitteln, in denen das Ergebnis der Leichenöffnung oder Obduktion oder der Totenbeschau zwar keinen Hinweis auf einen Zusammenhang zwischen dem Tod und dem Konsum von Suchtmitteln erbracht hat, das Bundesministerium für Gesundheit und Frauen aber der Unterlagen zur Klärung der Sachlage bedarf, weil Hinweise vorliegen, dass der Konsum von Suchtmitteln oder neuen psychoaktiven Substanzen todesursächlich gewesen sein soll.

Datenverarbeitung für statistische und wissenschaftliche Untersuchungen

§ 24d. (1) Das Bundesministerium für Gesundheit darf die ihm gemäß den §§ 24a, 24b oder 24c gemeldeten Daten zum Zweck der Gewinnung von Erkenntnissen über den missbräuchlichen Umgang mit Suchtmitteln, die Durchführung gesundheitsbezogener Maßnahmen bei Suchtgiftmissbrauch einschließlich der Substitutionsbehandlung und die mit dem Konsum von Suchtgift im Zusammenhang stehenden Todesfälle für statistische und wissenschaftliche Analysen und Untersuchungen, die keine personenbezogenen Ergebnisse zum Ziel haben, verarbeiten. § 7 Abs. 5 des Datenschutzgesetzes, BGBl. I Nr. 165/1999, ist anzuwenden.

(2) Das Bundesministerium für Gesundheit und Frauen ist berechtigt, bei der Bundesanstalt Statistik Österreich für den Zweck der Berechnung von Mortalitätsraten im Zusammenhang mit Todesfällen, die ihre Ursachen in den gesundheitlichen Langzeitfolgen von risikoreichem Drogenkonsum haben (suchtmittelkonsumbezogene Mortalitätskohortenanalysen), Informationen zum Todeszeitpunkt und zur Todesursache von Verstorbenen anzufordern, hinsichtlich derer sich aus dem gemäß § 25 Abs. 14 in das Statistik-Register übernommenen Eintrag ergibt, dass sie sich vor ihrem Tod einer Substitutionsbehandlung unterzogen haben.

(3) Soweit personenbezogene Daten zu wissenschaftlichen oder historischen Forschungszwecken oder statistischen Zwecken verarbeitet werden, kommen dem Betroffenen, vorbehaltlich der Bedingungen und Garantien gemäß Art. 89 Abs. 1, die Rechte gemäß Art. 15, 16, 18 und 21 DSGVO nicht zu.

Einrichtung und Betrieb des Suchtmittelregisters und des bundesweiten Substitutionsregisters

§ 25. (1) Die Bundesministerin für Arbeit, Soziales, Gesundheit und Konsumentenschutz hat das Suchtmittelregister und das bundesweite Substitutionsregister jeweils als elektronisches Register einzurichten und zu betreiben und ist Verantwortliche gemäß Art. 4 Z 7 DSGVO dieser Register. Das Bundesministerium für Gesundheit hat im Hinblick auf die im § 24 Z 1 bis 2 genannten Zwecke

1. die nach § 24a Abs. 2 und 2a sowie Abs. 3 Z 1 bis 4 und 6 bis 8 gemeldeten Daten in das Suchtmittelregister,

2. die nach § 24b Abs. 1 gemeldeten Daten in das bundesweite Substitutionsregister

einzutragen und für Zwecke der Auskunfterteilung gemäß § 26 evident zu halten. Soweit Daten ausschließlich für statistische und wissenschaftliche Untersuchungen erforderlich sind (§ 24a Abs. 3 Z 5, § 24b Abs. 2), sind diese unmittelbar nach erfolgter Meldung in das Statistik-Register (Abs. 14) überzuführen und ist jeder direkte oder indirekte Personenbezug aus dem Suchtmittelregister oder dem bundesweiten Substitutionsregister zu löschen.

(2) Die Bundesministerin für Arbeit, Soziales, Gesundheit und Konsumentenschutz kann das Suchtmittelregister oder das bundesweite Substitutionsregister jeweils in Form einer gemeinsamen Verantwortung gemäß Art. 4 Z 7 in Verbindung mit Art. 26 Abs. 1 DSGVO einrichten und betreiben und ist auch in diesem Fall Verantwortliche gemäß Art. 4 Z 7 DSGVO. Im Fall einer solchen gemeinsamen Verantwortung sind weitere Verantwortliche jene Behörden, die dem Register Daten online übermitteln oder daraus personenbezogene Daten online abfragen. Das sind

1. hinsichtlich des Suchtmittelregisters

a) die Bezirksverwaltungsbehörden als Verwaltungsstrafbehörden bezüglich der Daten gemäß § 24a Abs. 2a, und

b) die Bezirksverwaltungsbehörden als Gesundheitsbehörden bezüglich der Daten gemäß § 24a Abs. 2 und 3,

2. hinsichtlich des bundesweiten Substitutionsregisters die Bezirksverwaltungsbehörden als Gesundheitsbehörden bezüglich der Daten gemäß § 24b.

Die Erfüllung von Informations-, Auskunfts-, Berichtigungs- und Löschungspflichten sowie sonstiger Pflichten nach der DSGVO obliegt neben der Bundesministerin für Arbeit, Soziales, Gesundheit und Konsumentenschutz jedem Verantwortlichen hinsichtlich jener Daten, die im Zusammenhang mit den von ihm geführten Verfahren oder den von ihm gesetzten Maßnahmen verarbeitet wurden.

(3) Das Bundesministerium für Gesundheit kann die Online-Übermittlung der Daten

1. gemäß § 24a Abs. 2a durch die meldepflichtigen Bezirksverwaltungsbehörden als Verwaltungsstrafbehörden,

2. gemäß § 24a Abs. 3 oder § 24b durch die meldepflichtigen Bezirksverwaltungsbehörden als Gesundheitsbehörden bestimmen.

(4) Das Bundesministerium für Gesundheit kann bestimmen, dass die Übermittlung von Daten aus den in Abs. 1 genannten Registern an die Bezirksverwaltungsbehörden als Gesundheitsbehörden (§ 26 Abs. 2

Z 1, Abs. 4) dadurch erfolgt, dass den Behörden der Online-Zugriff auf die im betreffenden Register gespeicherten Daten gewährt wird (Online-Abfrage).

(5) Der Online-Zugriff darf den Bezirksverwaltungsbehörden als Gesundheitsbehörden auf das Suchtmittelregister oder auf das bundesweite Substitutionsregister nur unter der Voraussetzung eingeräumt werden, dass die betreffende Behörde

1. sämtliche Anforderungen an die Identifikation, Authentifizierung und Autorisierung (Abs. 6) der Person, die die online Daten übermitteln oder abfragen soll, nachgewiesen hat,

2. den Namen und die Rolle der Person, die online Daten übermittelt oder abfragt, und den Zeitpunkt des Online-Vorgangs mitprotokolliert,

3. die Online-Übermittlung oder Online-Abfrage erst nach eindeutiger Identifikation jener Person, deren Daten übermittelt oder abgefragt werden, auf Grund eines bereichsspezifischen Personenkennzeichens (§§ 9 und 13 Abs. 2 des E-Government-Gesetzes, BGBl. I Nr. 10/2004) erfolgt.

(6) Im Sinne des Abs. 5 Z 1 ist

1. Identifikation der Vorgang gemäß § 2 Abs. Z 4 E-GovG,

2. Authentifizierung der Vorgang gemäß § 2 Abs. Z 6 E-GovG,

3. Autorisierung das von der auf das Suchtmittelregister oder das bundesweite Substitutionsregister zugriffsberechtigten Behörde oder Stelle, die der zugreifenden Person Zugriffsrechte auf bestimmte Datenanwendungen einräumt, für den Zugriff auf das betreffende Register bestätigte Rechteprofil der zugreifenden Person.

(7) Der Bundesminister oder die Bundesministerin für Gesundheit hat sicherzustellen, dass

1. alle durchgeführten Verarbeitungsvorgänge, wie insbesondere Dateneintragungen, -änderungen, –zugriffe und -abfragen, nachvollziehbar sind,

2. ein Zugriff unbefugter Personen auf die Register und die darin erfassten Daten ausgeschlossen ist,

3. Zugriffsberechtigungen zu den Registern nur in jenem Umfang gewährt werden, als dies für Zwecke der Übermittlung von Daten oder des Zugriffs auf Daten notwendig ist, und

4. Rollen festzulegen die sicherstellen, dass die auf das Register zugreifende Person nur zu den für den Zweck des Datenzugriffs relevanten Teilen des Registers Zugang erlangt.

(8) Personen, die auf personenbezogene Daten zugreifen, haben sich von der Übereinstimmung zwischen der Person, über die Daten abgefragt werden sollen, und der Person, auf deren Daten im jeweiligen Register zugegriffen wird, zu überzeugen.

(Anm.: Abs. 9 aufgehoben durch BGBl. I Nr. 144/2015)

(10) Das Bundesministerium für Gesundheit darf auf die direkt personenbezogenen Daten des Suchtmittelregisters und des bundesweiten Substitutionsregisters zugreifen, soweit dies

1. zur Erfüllung der Informations-, Auskunfts-, Berichtigungs- und Löschungspflichten sowie sonstiger Pflichten nach der DSGVO erforderlich ist,

2. zur Datenübermittlung im Rahmen eines Ersuchens der gemäß § 26 Abs. 2 Z 1 und Abs. 4 berechtigten Bezirksverwaltungsbehörde als Gesundheitsbehörde erforderlich ist,

3. im Falle der Meldungen gemäß § 24a Abs. 2a zur Vollziehung der den Verkehr und die Gebarung mit Suchtmitteln und Drogenausgangsstoffen regelnden Vorschriften erforderlich ist.

Die Absätze 5 bis 8 sind anzuwenden.

(11) Das Bundesministerium für Gesundheit hat die personenbezogenen Daten längstens nach Ablauf von fünf Jahren ab Einlangen der Daten aus dem Suchtmittelregister zu löschen.

(12) Bei der Verarbeitung personenbezogener Daten des 4. Hauptstückes sind die Rechte und Pflichten gemäß Art. 13, 14, 18 und 21 DSGVO ausgeschlossen.

(13) Das Bundesministerium für Gesundheit hat

1. nach Einlangen einer Meldung, wonach die Behandlung einer Person bei einem Arzt beendet worden ist, oder

2. nach Bekanntwerden des Todes der Behandelten,

die diesen Behandelten betreffenden Daten aus dem bundesweiten Substitutionsregister zu löschen. Die Löschung hat im Fall der Z 1 längstens nach Ablauf von sechs Monaten ab Einlangen der Meldung über die Beendigung der Behandlung zu erfolgen, sofern nicht innerhalb dieser Frist eine Meldung einlangt, dass die Behandlung durch einen anderen Arzt fortgesetzt wird. Im Fall der Z 2 sind die Daten unverzüglich nach Bekanntwerden des Todes des Behandelten zu löschen.

(14) Die Verpflichtung zur Löschung gemäß Abs. 11 und 13 besteht nicht, soweit die Daten für die Auswertung gemäß § 24d erforderlich sind und ausschließlich in pseudonymisierter Form verarbeitet werden. Zu diesem Zweck ist ein eigenes Statistik-Register mit ausschließlich pseudonymisierten Daten zu führen, in das die Daten der Register gemäß §§ 24a und 24b nach der Ersetzung der Identifikationsdaten durch das nicht-rückführbar verschlüsselte bereichsspezifische Personenkennzeichen des Eingetragenen zu übernehmen sind. Nicht der Pseudonymisierung unterliegen das Geschlecht, Geburtsjahr, der Geburtsstaat, die Staatsbürgerschaft und der Bezirk, in dem der Eingetragene gemeldet ist. Das Bundesministerium für Ge-

sundheit hat für alle Auswertungen aus dem Statistik-Register eigens einen Auftragsverarbeiter heranzuziehen, dem unter keinen Umständen Zugriff auf die Register gemäß §§ 24a oder 24b eingeräumt werden darf. Der Auftragsverarbeiter stellt dem Bundesministerium für Gesundheit ausschließlich die anonymisierten Auswertungsergebnisse zur Verfügung.

Datenübermittlung

§ 26. (1) Das Bundesministerium für Gesundheit darf die nach § 24a an das Suchtmittelregister gemeldeten Daten einschließlich personenbezogener Daten nur an die Bezirksverwaltungsbehörden übermitteln, soweit für diese die Daten im Einzelfall zur Wahrnehmung der ihnen nach diesem Bundesgesetz übertragenen Aufgaben eine wesentliche Voraussetzung bilden.

(2) Soweit die Übermittlung von Daten aus dem Suchtmittelregister nach Abs. 1 gestattet ist, darf sie umfassen

1. im Falle der Bezirksverwaltungsbehörden als Gesundheitsbehörden die gemäß § 24a Abs. 2 und 3 gemeldeten Daten,

2. im Falle der Bezirksverwaltungsbehörden als Verwaltungsstrafbehörden die gemäß § 24a Abs. 2a gemeldeten Daten.

(Anm.: Z 3 und 4 aufgehoben durch BGBl. I Nr. 144/2015)

(3) Nicht der Übermittlung unterliegen die Daten gemäß § 24a Abs. 3 Z 5 und 6.

(4) Das Bundesministerium für Gesundheit darf die gemäß § 24b Abs. 1 an das bundesweite Substitutionsregister gemeldeten Daten einschließlich personenbezogener Daten nur übermitteln an die Bezirksverwaltungsbehörden als Gesundheitsbehörden, soweit für diese die Daten im Einzelfall zur Vollziehung der ihnen im Rahmen dieses Bundesgesetzes oder einer gemäß § 10 erlassenen Verordnung eine wesentliche Voraussetzung bilden. Nicht der Übermittlung unterliegen die für statistische und wissenschaftliche Untersuchungen erforderlichen Daten gemäß § 24b Abs. 2. Die Bezirksverwaltungsbehörde als Gesundheitsbehörde darf, nach Maßgabe der Bestimmungen des Allgemeinen Verwaltungsverfahrensgesetzes 1991 über die örtliche Zuständigkeit, die erhaltenen Daten nur an andere Bezirksverwaltungsbehörden als Gesundheitsbehörden sowie an Ärzte oder Apotheker übermitteln, soweit dies im Einzelfall zur Hintanhaltung der Mehrfachbehandlung eines Suchtkranken erforderlich ist.

(5) Eine Übermittlung der aus dem Suchtmittelregister oder aus dem bundesweiten Substitutionsregister erhaltenen Daten durch die im Abs. 1 oder 4 genannten Stellen an Dritte ist unzulässig, soweit sich aus diesem Bundesgesetz nichts anderes ergibt.

Information

§ 26a. Der Bundesminister oder die Bundesministerin für Gesundheit hat für die Bereitstellung einer nationalen Kontaktstelle im Informationsnetz der Europäischen Beobachtungsstelle für Drogen und Drogensucht sowie für die hinsichtlich der Gesundheit der Bevölkerung erforderliche Information auf dem Gebiet der Suchtprävention einschließlich der Information über die Beratungs- und Betreuungseinrichtungen Sorge zu tragen.

5. Hauptstück
Strafrechtliche Bestimmungen und Verfahrensvorschriften

SMG

1. Abschnitt

Unerlaubter Umgang mit Suchtgiften

§ 27. (1) Wer vorschriftswidrig

1. Suchtgift erwirbt, besitzt, erzeugt, befördert, einführt, ausführt oder einem anderen anbietet, überlässt oder verschafft,

2. Opiummohn, den Kokastrauch oder die Cannabispflanze zum Zweck der Suchtgiftgewinnung anbaut oder

3. psilocin-, psilotin- oder psilocybinhältige Pilze einem anderen anbietet, überlässt, verschafft oder zum Zweck des Suchtgiftmissbrauchs anbaut,

ist mit Freiheitsstrafe bis zu einem Jahr oder mit Geldstrafe bis zu 360 Tagessätzen zu bestrafen.

(2) Wer jedoch die Straftat ausschließlich zum persönlichen Gebrauch begeht, ist mit Freiheitsstrafe bis zu sechs Monaten oder mit Geldstrafe bis zu 360 Tagessätzen zu bestrafen.

(2a) Mit Freiheitsstrafe bis zu zwei Jahren ist zu bestrafen, wer vorschriftswidrig in einem öffentlichen Verkehrsmittel, in einer dem öffentlichen Verkehr dienenden Anlage, auf einer öffentlichen Verkehrsfläche, in einem öffentlichen Gebäude oder sonst an einem allgemein zugänglichen Ort öffentlich oder unter Umständen, unter denen sein Verhalten geeignet ist, durch unmittelbare Wahrnehmung berechtigtes Ärgernis zu erregen, Suchtgift einem anderen gegen Entgelt anbietet, überlässt oder verschafft.

(3) Mit Freiheitsstrafe bis zu drei Jahren ist zu bestrafen, wer eine Straftat nach Abs. 1 Z 1, Z 2 oder Abs. 2a gewerbsmäßig begeht.

(4) Mit Freiheitsstrafe bis zu drei Jahren ist zu bestrafen, wer

1. durch eine Straftat nach Abs. 1 Z 1 oder 2 einem Minderjährigen den Gebrauch von Suchtgift ermöglicht und selbst volljährig und mehr als zwei Jahre älter als der Minderjährige ist oder

2. eine solche Straftat als Mitglied einer kriminellen Vereinigung begeht.

(5) Wer jedoch an Suchtmittel gewöhnt ist und eine Straftat nach Abs. 3 oder Abs. 4 Z 2 vorwiegend deshalb begeht, um sich für seinen persönlichen Ge-

brauch Suchtmittel oder Mittel zu deren Erwerb zu verschaffen, ist nur mit Freiheitsstrafe bis zu einem Jahr zu bestrafen.

Vorbereitung von Suchtgifthandel

§ 28. (1) Wer vorschriftswidrig Suchtgift in einer die Grenzmenge (§ 28b) übersteigenden Menge mit dem Vorsatz erwirbt, besitzt oder befördert, dass es in Verkehr gesetzt werde, ist mit Freiheitsstrafe bis zu drei Jahren zu bestrafen. Ebenso ist zu bestrafen, wer die in § 27 Abs. 1 Z 2 genannten Pflanzen zum Zweck der Gewinnung einer solchen Menge Suchtgift mit dem Vorsatz anbaut, dass dieses in Verkehr gesetzt werde.

(2) Mit Freiheitsstrafe bis zu fünf Jahren ist zu bestrafen, wer die Straftat nach Abs. 1 in Bezug auf Suchtgift in einer das Fünfzehnfache der Grenzmenge (§ 28b) übersteigenden Menge (großen Menge) begeht.

(3) Mit Freiheitsstrafe von einem Jahr bis zu zehn Jahren ist zu bestrafen, wer die Straftat nach Abs. 1 als Mitglied einer kriminellen Vereinigung begeht.

(4) Unter den in § 27 Abs. 5 genannten Voraussetzungen ist der Täter jedoch im Fall des Abs. 1 nur mit Freiheitsstrafe bis zu einem Jahr, im Fall des Abs. 2 nur mit Freiheitsstrafe bis zu drei Jahren und im Fall des Abs. 3 nur mit Freiheitsstrafe bis zu fünf Jahren zu bestrafen.

Suchtgifthandel

§ 28a. (1) Wer vorschriftswidrig Suchtgift in einer die Grenzmenge (§ 28b) übersteigenden Menge erzeugt, einführt, ausführt oder einem anderen anbietet, überlässt oder verschafft, ist mit Freiheitsstrafe bis zu fünf Jahren zu bestrafen.

(2) Mit Freiheitsstrafe von einem Jahr bis zu zehn Jahren ist zu bestrafen, wer die Straftat nach Abs. 1

1. gewerbsmäßig begeht und schon einmal wegen einer Straftat nach Abs. 1 verurteilt worden ist,

2. als Mitglied einer kriminellen Vereinigung begeht oder

3. in Bezug auf Suchtgift in einer das Fünfzehnfache der Grenzmenge übersteigenden Menge (großen Menge) begeht.

(3) Unter den in § 27 Abs. 5 genannten Voraussetzungen ist der Täter jedoch im Fall des Abs. 1 nur mit Freiheitsstrafe bis zu drei Jahren, im Fall des Abs. 2 nur mit Freiheitsstrafe bis zu fünf Jahren zu bestrafen.

(4) Mit Freiheitsstrafe von einem bis zu fünfzehn Jahren ist zu bestrafen, wer die Straftat nach Abs. 1

1. als Mitglied einer kriminellen Vereinigung begeht und schon einmal wegen einer Straftat nach Abs. 1 verurteilt worden ist,

2. als Mitglied einer Verbindung einer größeren Zahl von Menschen zur Begehung solcher Straftaten begeht oder

3. in Bezug auf Suchtgift in einer das Fünfundzwanzigfache der Grenzmenge übersteigenden Menge begeht.

(5) Mit Freiheitsstrafe von zehn bis zu zwanzig Jahren oder mit lebenslanger Freiheitsstrafe ist zu bestrafen, wer eine Straftat nach Abs. 1 begeht und in einer Verbindung einer größeren Zahl von Menschen zur Begehung solcher Straftaten führend tätig ist.

Grenzmenge für Suchtgifte

§ 28b. Der Bundesminister oder die Bundesministerin für Gesundheit hat im Einvernehmen mit dem Bundesminister oder der Bundesministerin für Justiz mit Verordnung für die einzelnen Suchtgifte, bezogen auf die Reinsubstanz des Wirkstoffes, die Untergrenze jener Menge festzusetzen, die geeignet ist, in großem Ausmaß eine Gefahr für das Leben oder die Gesundheit von Menschen herbeizuführen (Grenzmenge). Dabei ist auch auf die Eignung von Suchtgiften, Gewöhnung hervorzurufen, sowie auf das Gewöhnungsverhalten von an einer solchen Sucht Erkrankten Bedacht zu nehmen.

2. Abschnitt

Gerichtliche Strafbestimmungen für psychotrope Stoffe

Unerlaubter Umgang mit psychotropen Stoffen

§ 30. (1) Wer vorschriftswidrig einen psychotropen Stoff erwirbt, besitzt, erzeugt, befördert, einführt, ausführt oder einem anderen anbietet, überlässt oder verschafft, ist mit Freiheitsstrafe bis zu einem Jahr oder mit Geldstrafe bis zu 360 Tagessätzen zu bestrafen.

(2) Wer jedoch die Straftat ausschließlich zum persönlichen Gebrauch begeht, ist mit Freiheitsstrafe bis zu sechs Monaten oder mit Geldstrafe bis zu 360 Tagessätzen zu bestrafen.

(3) Nach Abs. 1 und 2 ist nicht zu bestrafen, wer Arzneimittel, die einen psychotropen Stoff

enthalten, sofern es sich nicht um eine die Grenzmenge (§ 31b) übersteigende Menge handelt,

1. für den persönlichen Gebrauch oder für den Bedarf eines Tieres erwirbt, besitzt, befördert, einführt oder ausführt oder

2. einem anderen anbietet, überlässt oder verschafft, ohne daraus einen Vorteil zu ziehen.

Vorbereitung des Handels mit psychotropen Stoffen

§ 31. (1) Wer vorschriftswidrig einen psychotropen Stoff in einer die Grenzmenge (§ 31b) übersteigenden Menge mit dem Vorsatz erwirbt, besitzt oder befördert, dass er in Verkehr gesetzt werde, ist mit Freiheitsstrafe bis zu zwei Jahren zu bestrafen.

(2) Mit Freiheitsstrafe bis zu fünf Jahren ist zu bestrafen, wer die Straftat nach Abs. 1 in Bezug auf einen psychotropen Stoff in einer das Fünfzehnfache der Grenzmenge (§ 31b) übersteigenden Menge (großen Menge) begeht.

(3) Mit Freiheitsstrafe von einem Jahr bis zu zehn Jahren ist zu bestrafen, wer die Straftat nach Abs. 1 als Mitglied einer kriminellen Vereinigung begeht.

(4) Unter den in § 27 Abs. 5 genannten Voraussetzungen ist der Täter jedoch im Fall des Abs. 1 nur mit Freiheitsstrafe bis zu einem Jahr, im Fall des Abs. 2 nur mit Freiheitsstrafe bis zu drei Jahren und im Fall des Abs. 3 nur mit Freiheitsstrafe bis zu fünf Jahren zu bestrafen.

Handel mit psychotropen Stoffen

§ 31a. (1) Wer vorschriftswidrig einen psychotropen Stoff in einer die Grenzmenge (§ 31b) übersteigenden Menge erzeugt, einführt, ausführt oder einem anderen anbietet, überlässt oder verschafft, ist mit Freiheitsstrafe bis zu drei Jahren zu bestrafen.

(2) Mit Freiheitsstrafe bis zu fünf Jahren ist zu bestrafen, wer die Straftat nach Abs. 1 in Bezug auf einen psychotropen Stoff in einer das Fünfzehnfache der Grenzmenge (§ 31b) übersteigenden Menge (großen Menge) begeht.

(3) Mit Freiheitsstrafe von einem Jahr bis zu zehn Jahren ist zu bestrafen, wer die Straftat nach Abs. 1 als Mitglied einer kriminellen Vereinigung begeht.

(4) Unter den in § 27 Abs. 5 genannten Voraussetzungen ist der Täter jedoch im Fall des Abs. 1 nur mit Freiheitsstrafe bis zu einem Jahr, im Fall des Abs. 2 nur mit Freiheitsstrafe bis zu drei Jahren und im Fall des Abs. 3 nur mit Freiheitsstrafe bis zu fünf Jahren zu bestrafen.

Grenzmenge für psychotrope Stoffe

§ 31b. Der Bundesminister oder die Bundesministerin für Gesundheit hat im Einvernehmen mit dem Bundesminister oder der Bundesministerin für Justiz mit Verordnung für die einzelnen psychotropen Stoffe, bezogen auf die Reinsubstanz des Wirkstoffes, die Untergrenze jener Menge festzusetzen, die geeignet ist, in großem Ausmaß eine Gefahr für das Leben oder die Gesundheit von Menschen herbeizuführen (Grenzmenge). § 28b zweiter Satz gilt dem Sinn nach.

3. Abschnitt

Gerichtliche Strafbestimmungen für Drogenausgangsstoffe

Unerlaubter Umgang mit Drogenausgangsstoffen

§ 32. (1) Wer einen Drogenausgangsstoff mit dem Vorsatz erzeugt, befördert oder einem anderen überlässt, dass dieser bei der vorschriftswidrigen Erzeugung von Suchtmitteln verwendet werde, ist mit Freiheitsstrafe bis zu einem Jahr zu bestrafen.

(2) Mit Freiheitsstrafe bis zu zwei Jahren ist zu bestrafen, wer einen Drogenausgangsstoff mit dem Vorsatz erwirbt oder besitzt, dass dieser bei der vorschriftswidrigen Erzeugung von Suchtmitteln in einer die Grenzmenge (§§ 28b, 31b) übersteigenden Menge verwendet werde.

(3) Mit Freiheitsstrafe bis zu fünf Jahren ist zu bestrafen, wer einen Drogenausgangsstoff mit dem Vorsatz erzeugt, einführt, ausführt oder einem anderen anbietet, überlässt oder verschafft, dass dieser bei der vorschriftswidrigen Erzeugung von Suchtmitteln in einer die Grenzmenge (§§ 28b, 31b) übersteigenden Menge verwendet werde.

4. Abschnitt

Weitere strafrechtliche Bestimmungen

Zusammentreffen mit Finanzvergehen

§ 33. Hat der Täter durch dieselbe Tat eine Straftat nach den §§ 27, 28, 28a, 30, 31 oder 31a dieses Bundesgesetzes und ein Finanzvergehen begangen, so entfällt mit dem Schuldspruch oder mit dem vorläufigen Rücktritt von der Verfolgung oder mit der vorläufigen Verfahrenseinstellung nach den §§ 35 und 37 dieses Bundesgesetzes die Strafbarkeit wegen des Finanzvergehens.

Einziehung

§ 34. (1) Suchtmittel und in § 27 Abs. 1 Z 2 und 3 genannte Pflanzen und Pilze, die den Gegenstand einer mit Strafe bedrohten Handlung nach diesem Bundesgesetz bilden, sind nach Maßgabe des § 26 StGB einzuziehen.

(2) Über Suchtmittel und in § 27 Abs. 1 Z 2 und 3 genannte Pflanzen und Pilze, die sichergestellt wurden und nicht für Beweiszwecke benötigt werden, kann die Staatsanwaltschaft nach Durchführung des in § 445a Abs. 1 der Strafprozessordnung, BGBl. 631/1975, vorgesehenen Verfahrens die Einziehung anordnen. Verlangt der Beschuldigte oder ein Haftungsbeteiligter die Entscheidung des Gerichts, so hat der Ankläger einen selbständigen Antrag auf Einziehung zu stellen, über den der Einzelrichter des Landesgerichts im Ermittlungsverfahren mit Beschluss zu entscheiden hat.

Vorläufiger Rücktritt von der Verfolgung durch die Staatsanwaltschaft

§ 35. (1) Die Staatsanwaltschaft hat unter den in den Abs. 3 bis 7 genannten Voraussetzungen und Bedingungen von der Verfolgung einer Straftat nach den §§ 27 Abs. 1 oder 2 oder 30, die ausschließlich für den eigenen persönlichen Gebrauch oder den persönlichen Gebrauch eines anderen begangen worden ist, ohne dass der Beschuldigte daraus einen Vorteil gezogen hat, unter Bestimmung einer Probezeit von einem Jahr bis zu zwei Jahren vorläufig zurückzutreten.

(2) Die Staatsanwaltschaft hat unter den Voraussetzungen und Bedingungen der Abs. 3 bis 7 auch von der Verfolgung einer anderen Straftat nach den §§ 27 oder 30 bis 31a, einer Straftat nach den §§ 28 oder 28a, sofern der Beschuldigte an Suchtmittel gewöhnt ist, oder einer im Zusammenhang mit der Beschaffung von Suchtmitteln begangenen Straftat unter Bestimmung einer Probezeit von einem Jahr bis zu zwei Jahren vorläufig zurückzutreten, wenn

1. die Straftat nicht in die Zuständigkeit des Schöffen- oder Geschworenengerichts fällt,

2. die Schuld des Beschuldigten nicht als schwer anzusehen wäre und

3. der Rücktritt nicht weniger als eine Verurteilung geeignet erscheint, den Beschuldigten von solchen Straftaten abzuhalten.

Ebenso ist vorzugehen, wenn der Beschuldigte wegen einer während der Probezeit nach Abs. 1 begangenen weiteren Straftat im Sinne des Abs. 1 verfolgt wird.

(3) Ein vorläufiger Rücktritt von der Verfolgung setzt voraus, dass

(Anm.: Z 1 aufgehoben durch BGBl. I Nr. 144/ 2015)

2. eine Stellungnahme einer geeigneten ärztlichen Einrichtung der Justiz oder, sofern diese nicht zur Verfügung steht, der Bezirksverwaltungsbehörde als Gesundheitsbehörde darüber eingeholt worden sind, ob der Beschuldigte einer gesundheitsbezogenen Maßnahme gemäß § 11 Abs. 2 bedarf, um welche Maßnahme es sich gegebenenfalls handeln soll, ob eine solche Maßnahme zweckmäßig, ihm nach den Umständen möglich und zumutbar und nicht offenbar aussichtslos ist.

(4) Die Staatsanwaltschaft hat von der Einholung einer Stellungnahme gemäß Abs. 3 Z 2 abzusehen, wenn der Beschuldigte ausschließlich deshalb verfolgt wird, weil er

1. Stoffe oder Zubereitungen aus der Cannabispflanze, die in § 27 Abs. 1 Z 3 genannten Pilze oder einen psychotropen Stoff zum ausschließlich persönlichen Gebrauch erworben, besessen, erzeugt, befördert, eingeführt oder ausgeführt oder einem anderen ausschließlich für dessen persönlichen Gebrauch angeboten, überlassen oder verschafft habe, ohne daraus einen Vorteil zu ziehen, oder

2. die in § 27 Abs. 1 Z 2 und 3 genannten Pflanzen oder Pilze zum Zweck der Gewinnung oder des Missbrauchs von Suchtgift ausschließlich für den persönlichen Gebrauch oder persönlichen Gebrauch eines anderen angebaut habe.

Eine Stellungnahme ist jedoch einzuholen, wenn gegen den Beschuldigten innerhalb der letzten fünf Jahre vor diesem Strafverfahren bereits ein Ermittlungsverfahren wegen einer Straftat nach den §§ 27 bis 31a geführt wurde.

(5) Die in Abs. 3 Z 2 genannten Stellen haben vor Abgabe ihrer Stellungnahme die Begutachtung des Beschuldigten durch einen mit Fragen des Suchtmittelmissbrauchs hinreichend vertrauten Arzt, der erforderlichenfalls mit zur selbständigen Berufsausübung berechtigten Angehörigen des klinischpsychologischen oder psychotherapeutischen Berufes zusammenzuarbeiten hat, zu veranlassen.

(6) Bedarf der Beschuldigte einer gesundheitsbezogenen Maßnahme gemäß § 11 Abs. 2, so hat die Staatsanwaltschaft den vorläufigen Rücktritt von der Verfolgung davon abhängig zu machen, dass sich der Beschuldigte – hat er einen gesetzlichen Vertreter, mit dessen Zustimmung – bereit erklärt, sich einer solchen Maßnahme, gegebenenfalls einschließlich einer bis zu sechs Monate dauernden stationären Aufnahme, zu unterziehen. Ist eine solche Maßnahme trotz der Bereitschaft des Beschuldigten, sich dieser zu unterziehen, nicht zweckmäßig, nach den Umständen nicht möglich oder nicht zumutbar oder offenbar aussichtslos, so hat die Staatsanwaltschaft, soweit dies möglich und zweckmäßig ist, den vorläufigen Rücktritt davon abhängig zu machen, dass sich der Beschuldigte – hat er einen gesetzlichen Vertreter, mit dessen Zustimmung – bereit erklärt, während der Probezeit bestimmte Pflichten zu erfüllen, die als Weisungen (§ 51 StGB) erteilt werden könnten.

(7) Der vorläufige Rücktritt von der Verfolgung kann, wenn dies zweckmäßig ist, auch davon abhängig gemacht werden, dass sich der Beschuldigte – hat er einen gesetzlichen Vertreter, mit dessen Zustimmung – bereit erklärt, sich durch einen Bewährungshelfer betreuen zu lassen.

(8) Die Staatsanwaltschaft hat dem Beschuldigten mitzuteilen, dass die Durchführung eines Strafverfahrens gegen ihn unter den festgesetzten Bedingungen für eine Probezeit von einem Jahr bis zu zwei Jahren vorläufig unterbleibe, und ihn in sinngemäßer Anwendung des § 207 StPO zu belehren. Vom Rücktritt von der Verfolgung ist der Beschuldigte und, wenn die Bezirksverwaltungsbehörde gemäß § 14 Abs. 1 Strafanzeige oder eine Stellungnahme erstattet hat, auch diese unverzüglich zu verständigen. Die Verständigung über den vorläufigen Rücktritt von der Verfolgung ist dem Beschuldigten zu eigenen Handen zuzustellen. Der Lauf der Probezeit beginnt mit der Zustellung der Verständigung. Die Probezeit wird in die Verjährungsfrist nicht eingerechnet. Im Übrigen sind die §§ 208 Abs. 3, 209 und 388 StPO sinngemäß anzuwenden.

(9) Im Fall eines Abtretungsberichts (§ 13 Abs. 2b) hat die Staatsanwaltschaft, sofern sie nicht noch eine weitere Klärung des Sachverhalts für erforderlich hält, von der Verfolgung unmittelbar vorläufig zurückzutreten. Dies ist dem Beschuldigten unter Hinweis auf die Fortsetzungsgründe (§ 38 Abs. 1a) mitzuteilen.

Überwachung der gesundheitsbezogenen Maßnahme und Durchführung der Bewährungshilfe

§ 36. (1) Ist der vorläufige Rücktritt von der Verfolgung davon abhängig gemacht worden, daß sich der Beschuldigte einer ärztlichen Überwachung seines Gesundheitszustandes unterzieht, so obliegt der Bezirksverwaltungsbehörde als Gesundheitsbehörde die Feststellung, ob der Beschuldigte diese Bedingung einhält. Entzieht sich der Beschuldigte beharrlich der Überwachung, so hat die Bezirksverwaltungsbehörde dies der Staatsanwaltschaft anzuzeigen.

(2) Ist der vorläufige Rücktritt von der Verfolgung von einer anderen gesundheitsbezogenen Maßnahme gemäß § 11 Abs. 2 abhängig gemacht worden, so kann die Staatsanwaltschaft den Beschuldigten auffordern, Bestätigungen über Beginn und Verlauf der Maßnahme vorzulegen.

(3) Ist der vorläufige Rücktritt von der Verfolgung davon abhängig gemacht worden, daß sich der Beschuldigte durch einen Bewährungshelfer betreuen läßt, so hat der Leiter der zuständigen Dienst- oder Geschäftsstelle für Bewährungshilfe auf Ersuchen der Staatsanwaltschaft eine solche Betreuung anzuordnen. Für diese Betreuung gelten § 52 Abs. 1 StGB und die §§ 20 und 24 bis 26 des Bewährungshilfegesetzes, BGBl. Nr. 146/1969, dem Sinne nach.

Vorläufige Einstellung durch das Gericht

§ 37. Nach Einbringen der Anklage hat das Gericht die §§ 35 und 36 sinngemäß anzuwenden und das Verfahren unter den für die Staatsanwaltschaft geltenden Voraussetzungen bis zum Schluss der Hauptverhandlung mit Beschluss einzustellen.

Nachträgliche Fortsetzung des Strafverfahrens, endgültiger Rücktritt von der Verfolgung und endgültige Einstellung des Strafverfahrens

§ 38. (1) Das Strafverfahren ist fortzusetzen, wenn vor Ablauf der Probezeit

1. gegen den Beschuldigten (Angeklagten) wegen einer weiteren Straftat nach diesem Bundesgesetz oder wegen einer im Zusammenhang mit seiner Gewöhnung an Suchtmittel begangenen Straftat ein Strafantrag gestellt wird,

2. der Beschuldigte (Angeklagte) sich beharrlich der gesundheitsbezogenen Maßnahme (§ 35 Abs. 6 erster Satz) oder dem Einfluss des Bewährungshelfers (§ 35 Abs. 7) entzieht oder übernommene Pflichten (§ 35 Abs. 6 zweiter Satz) nicht hinreichend erfüllt und die Fortsetzung des Verfahrens geboten erscheint, um den Beschuldigten (Angeklagten) von Straftaten nach diesem Bundesgesetz abzuhalten, oder

3. der Beschuldigte (Angeklagte) einen Antrag auf Fortsetzung des Strafverfahrens stellt.

(1a) Ist die Staatsanwaltschaft von der Verfolgung nach § 35 Abs. 9 zurückgetreten, so ist das Strafverfahren nur fortzusetzen, wenn binnen eines Jahres

1. die Bezirksverwaltungsbehörde als Gesundheitsbehörde mitteilt, dass sich der Beschuldigte der ärztlichen Begutachtung oder den gesundheitsbezogenen Maßnahmen nicht unterzieht (§ 14 Abs. 1), oder

2. der Beschuldigte einen Antrag auf Fortsetzung des Strafverfahrens stellt.

(2) Im Fall des Abs. 1 Z 1 ist jedoch neuerlich von der Verfolgung zurückzutreten oder das Strafverfahren neuerlich einzustellen, wenn das wegen der weiteren Straftat geführte Strafverfahren auf andere Weise als durch einen Schuldspruch beendet wird.

(3) Sofern das Strafverfahren nicht nachträglich fortzusetzen ist, hat die Staatsanwaltschaft nach Ablauf der Probezeit und Erfüllung allfälliger Pflichten von der Verfolgung endgültig zurückzutreten. Das Gericht hat in diesem Fall das Strafverfahren mit Beschluss endgültig einzustellen.

Aufschub des Strafvollzuges

§ 39. (1) Der Vollzug einer nach diesem Bundesgesetz außer nach § 28a Abs. 2, 4 oder 5 oder einer wegen einer Straftat, die mit der Beschaffung von Suchtmitteln in Zusammenhang steht, verhängten Geldstrafe oder drei Jahre nicht übersteigenden Freiheitsstrafe ist nach Anhörung der Staatsanwaltschaft – auch noch nach Übernahme in den Strafvollzug (§ 3 Abs. 4 Strafvollzugsgesetz – StVG) – für die Dauer von höchstens zwei Jahren aufzuschieben, wenn

1. der Verurteilte an Suchtmittel gewöhnt ist und sich bereit erklärt, sich einer notwendigen und zweckmäßigen, ihm nach den Umständen möglichen und zumutbaren und nicht offenbar aussichtslosen gesundheitsbezogenen Maßnahme, gegebenenfalls einschließlich einer bis zu sechs Monate dauernden stationären Aufnahme, zu unterziehen, und

2. im Fall der Verurteilung zu einer 18 Monate übersteigenden Freiheitsstrafe wegen einer Straftat, die mit der Beschaffung von Suchtmitteln in Zusammenhang steht, der Vollzug der Freiheitsstrafe nicht im Hinblick auf die Gefährlichkeit des Täters geboten erscheint, insbesondere weil die Verurteilung wegen Straftaten erfolgt ist, die unter Anwendung erheblicher Gewalt gegen Personen begangen worden sind.

(2) Das Gericht kann die Art der gesundheitsbezogenen Maßnahme bestimmen (§ 11 Abs. 2 Z 1 bis 5). Liegt bereits eine Stellungnahme einer der in § 35 Abs. 3 Z 2 genannten Stellen oder das Ergebnis der Begutachtung durch den Arzt einer Einrichtung oder Vereinigung nach § 15 vor, so hat das Gericht die Stellungnahme oder das Ergebnis der Begutachtung für die Bestimmung der Maßnahme und die Beurteilung der Voraussetzungen und Bedingungen des Abs. 1 Z 1 heranzuziehen, es sei denn, dass eine Änderung der dafür erheblichen Umstände anzunehmen wäre.

(3) Das Gericht kann den Verurteilten auffordern, Bestätigungen über den Beginn und den Verlauf der gesundheitsbezogenen Maßnahme vorzulegen.

(4) Der Aufschub ist zu widerrufen und die Strafe zu vollziehen,

1. wenn der Verurteilte sich einer gesundheitsbezogenen Maßnahme, zu der er sich gemäß Abs. 1 Z 1 bereit erklärt hat, nicht unterzieht oder es unterlässt, sich ihr weiterhin zu unterziehen, oder

2. wenn der Verurteilte wegen einer Straftat nach diesem Bundesgesetz oder wegen einer im Zusammenhang mit seiner Gewöhnung an Suchtmittel begangenen Straftat neuerlich verurteilt wird

und der Vollzug der Freiheitsstrafe geboten erscheint, um den Verurteilten von der Begehung weiterer Straftaten abzuhalten.

Nachträgliche bedingte Strafnachsicht und Absehen vom Widerruf

§ 40. (1) Ist der Aufschub nicht zu widerrufen (§ 39 Abs. 4), oder hat sich ein an ein Suchtmittel gewöhnter Verurteilter sonst mit Erfolg einer gesundheitsbezogenen Maßnahme unterzogen, so hat das Gericht, das in erster Instanz erkannt hat, die Strafe unter Bestimmung einer Probezeit von mindestens einem und höchstens drei Jahren bedingt nachzusehen. Die §§ 43 Abs. 2 und 49 bis 52 StGB sind anzuwenden.

(2) Gegen einen Beschluss nach Abs. 1 steht dem Verurteilten und der Staatsanwaltschaft die binnen 14 Tagen einzubringende Beschwerde an das übergeordnete Gericht zu.

(3) Bei einer Entscheidung über den Widerruf der bedingten Strafnachsicht (§ 53 StGB) kann das Gericht vom Widerruf ganz oder zum Teil absehen, wenn sich der Verurteilte einer gesundheitsbezogenen Maßnahme unterzogen hat, die ihn in seiner selbstbestimmten Lebensführung erheblich beschränkt hat.

Kostentragung

§ 41. (1) Der Bund hat die Kosten gesundheitsbezogener Maßnahmen gemäß § 11 Abs. 2 Z 1 bis 4 in den Fällen der §§ 35 bis 37 und 39 dieses Bundesgesetzes und des § 173 Abs. 5 Z 9 StPO sowie die Kosten einer Entwöhnungsbehandlung, sonst einer medizinischen oder einer psychotherapeutischen Behandlung (§ 51 Abs. 1 und 3 StGB) eines Rechtsbrechers, dem aus Anlass einer mit seiner Gewöhnung an Suchtmittel im Zusammenhang stehenden Verurteilung die Weisung erteilt worden ist, sich einer solchen Behandlung zu unterziehen, zu übernehmen, wenn

1. der Rechtsbrecher sich der Maßnahme in einer Einrichtung oder Vereinigung gemäß § 15 unterzieht,

2. der Rechtsbrecher nicht Anspruch auf entsprechende Leistungen auf Grund von Gesetzen der Länder oder aus einer gesetzlichen Sozialversicherung hat und

3. durch die Verpflichtung zur Zahlung der Kosten sein Fortkommen erschwert würde.

(2) Der Bund trägt die Kosten jedoch nur bis zu dem Ausmaß, in dem die Versicherungsanstalt öffentlich Bediensteter, Eisenbahnen und Bergbau für die Kosten aufkäme, wenn der Rechtsbrecher in der Krankenversicherung öffentlich Bediensteter versichert wäre. Anstelle des Behandlungsbeitrags (§ 63 Abs. 4 des Beamten-Kranken- und Unfallversicherungsgesetzes, BGBl. Nr. 200/1967) ist dem Rechtsbrecher für die Kosten der Maßnahme ein Pauschalkostenbeitrag aufzuerlegen, soweit dadurch nicht der zu einer einfachen Lebensführung notwendige Unterhalt des Rechtsbrechers und der Personen, zu deren Unterhalt er verpflichtet ist, gefährdet wäre. Für die Bemessung des Kostenbeitrags gilt § 381 Abs. 3 und Abs. 5 StPO sinngemäß mit der Maßgabe, dass die Art der Maßnahme, deren Notwendigkeit, ihre Dauer und Erfolg sowie im Fall des § 39 auch ein dem Verurteilten auferlegter Kostenersatz angemessen zu berücksichtigen sind.

(3) Der Bundesminister oder die Bundesministerin für Justiz kann mit Einrichtungen und Vereinigungen gemäß § 15 über die Höhe der nach Abs. 1 vom Bund zu übernehmenden Kosten Verträge nach bürgerlichem Recht abschließen. Die Vereinbarung von Pauschalbeträgen ist zulässig. Der Bundesminister oder die Bundesministerin für Justiz kann die Grundsätze der Pauschalierung im Einvernehmen mit dem Bundesminister oder der Bundesministerin für Gesundheit mit Verordnung festlegen. Dabei ist insbesondere das Betreuungsangebot der Einrichtung oder Vereinigung zu berücksichtigen.

(4) Die vom Bund zu übernehmenden Kosten hat das Gericht, das im Fall des § 35 im Ermittlungsverfahren zuständig wäre, das Strafverfahren nach § 37 vorläufig eingestellt, die Weisung im Sinne des Abs. 1 oder nach § 173 Abs. 5 Z 9 StPO erteilt oder den Strafvollzug nach § 39 aufgeschoben hat, mit Beschluss zu bestimmen und anzuweisen. Gegen diesen Beschluss steht dem Beschuldigten (Verurteilten), der Staatsanwaltschaft und der Einrichtung oder Vereinigung die binnen 14 Tagen einzubringende Beschwerde an das übergeordnete Gericht zu.

Auskunftsbeschränkung

§ 42. (1) Wird ein Rechtsbrecher, der Suchtmittel missbraucht hat, nach § 27 oder § 30 zu einer sechs Monate nicht übersteigenden Freiheitsstrafe verurteilt, so unterliegt die Verurteilung mit ihrer Rechtskraft der Beschränkung der Auskunft im Sinne des § 6 Abs. 1 und 2 des Tilgungsgesetzes 1972, BGBl. Nr. 68. § 6 Abs. 4 bis 6 des genannten Bundesgesetzes ist anzuwenden.

(2) Liegen die Voraussetzungen des Abs. 1 vor, so hat das Gericht dies im Urteil festzustellen und der

Landespolizeidirektion Wien mittels Strafkarte (§ 3 Strafregistergesetz 1968, BGBl. Nr. 277) mitzuteilen.

5. Abschnitt

Befugnisse der Sicherheitsbehörden der Organe des öffentlichen Sicherheitsdienstes und der Zollorgane

§ 43. (1) Die Organe des öffentlichen Sicherheitsdienstes sind ermächtigt, im Zuge der Durchführung einer Grenzkontrolle auch eine Durchsuchung der Bekleidung von Personen und der Gegenstände, die sie bei sich haben, vorzunehmen, wenn auf Grund bestimmter Tatsachen anzunehmen ist, daß am Ort der Grenzkontrolle den §§ 28a oder 31a zuwider Suchtmittel ein- oder ausgeführt werden. § 12 Abs. 4 des Grenzkontrollgesetzes, BGBl. Nr. 435/1996, ist anzuwenden.

(2) Sofern eine Person festgenommen wird (§§ 170 bis 172 StPO), weil auf Grund bestimmter Tatsachen anzunehmen ist, daß sie Suchtgift im Körper verberge, kann sie zur Abwendung der weiteren Anhaltung von der Sicherheitsbehörde die körperliche Untersuchung mit geeigneten bildgebenden Verfahren verlangen. Sie ist über dieses Recht bei der Festnahme oder unmittelbar danach mündlich und schriftlich zu belehren. Ein solches Verlangen ist zu protokollieren.

(3) Im Falle eines Verlangens nach Abs. 2 sind geeignete bildgebende Verfahren im geringstmöglichen für die Untersuchung notwendigen Maß anzuwenden. Der Beschuldigte ist zu diesem Zweck unverzüglich einem Arzt vorzuführen.

(4) Bei Durchsuchungen nach Abs. 1 und Untersuchungen nach Abs. 3 ist § 121 Abs. 3 StPO sinngemäß anzuwenden.

(5) Wenn sich im Rahmen der Verpflichtungen der Zollorgane, an der Vollziehung von Verboten und Beschränkungen des Besitzes, der Verbringung oder der Verwendung von Waren im Verkehr über die Grenzen des Anwendungsgebietes (§ 3 des Zollrechts-Durchführungsgesetzes, BGBl. Nr. 659/1994) mitzuwirken, der Verdacht einer Straftat nach diesem Bundesgesetz ergibt, sind diese Organe ermächtigt, für Sicherheitsbehörden Personen festzunehmen (§§ 170 bis 172 StPO) und eine körperliche Untersuchung mit bildgebenden Verfahren zu veranlassen (Abs. 2 und 3) sowie Suchtmittel vorläufig sicherzustellen, sofern diese Maßnahmen keinen Aufschub dulden. Die Zollorgane haben dabei die Befugnisse und Verpflichtungen von Organen des öffentlichen Sicherheitsdienstes. Sie haben die zuständige Sicherheitsbehörde unverzüglich von den getroffenen Maßnahmen in Kenntnis zu setzen; festgenommene Personen sowie sichergestellte Sachen sind ohne Verzug der Sicherheitsbehörde oder dem Gericht zu übergeben.

6. Abschnitt

Verwaltungsstrafbestimmungen

§ 44. (1) Wer

1. den §§ 5 bis 7 oder 9 Abs. 1 oder einer nach § 10 erlassenen Verordnung, oder

2. den §§ 15 Abs. 5 erster Satz oder 16 Abs. 5 hinsichtlich der Verschwiegenheitspflicht, oder

3. den §§ 18 oder 20 oder 25 Abs. 8 oder 26 Abs. 5 zuwiderhandelt,

begeht, wenn die Tat nicht den Tatbestand einer in die Zuständigkeit der Gerichte fallenden strafbaren Handlung bildet, eine Verwaltungsübertretung.

(2) Wer der Verordnung (EG) Nr. 273/2004 zuwiderhandelt, indem er

1. entgegen Art. 3 Abs. 1 dem Bundesministerium für Gesundheit keinen Verantwortlichen benennt, obwohl er beabsichtigt, einen Drogenausgangsstoff der Kategorie 1 des Anhangs I in Verkehr zu bringen,

2. ohne dass die Voraussetzungen gemäß Art. 6 vorliegen, entgegen Art. 3 Abs. 1 dem Bundesministerium für Gesundheit keinen Verantwortlichen benennt, obwohl er beabsichtigt, einen Drogenausgangsstoff der Kategorie 2 des Anhangs I in Verkehr zu bringen,

3. entgegen Art. 3 Abs. 2 einen Drogenausgangsstoff der Kategorie 1 des Anhangs I ohne Erlaubnis oder ohne Sondererlaubnis besitzt oder in Verkehr bringt,

4. entgegen Art. 3 Abs. 3 einen Drogenausgangsstoff der Kategorie 1 des Anhangs I an eine Person abgibt, die nicht über eine Erlaubnis zum Besitz dieses Drogenausgangsstoffes verfügt oder keine Kundenerklärung nach Art. 4 Abs. 1 unterzeichnet hat,

5. entgegen Art. 3 Abs. 6 ohne vorherige Registrierung oder Sonderregistrierung einen Drogenausgangsstoff der Kategorie 2 des Anhangs I in Verkehr bringt,

6. entgegen Art. 3 Abs. 6 ohne vorherige Registrierung oder Sonderregistrierung einen Drogenausgangsstoff der Unterkategorie 2A des Anhangs I zur Verwendung in Besitz nimmt,

7. entgegen Art. 3 Abs. 6a einen Drogenausgangsstoff der Unterkategorie 2A des Abhangs I an eine Person abgibt, die nicht beim Bundesministerium für Gesundheit registriert ist oder die keine Kundenerklärung nach Art. 4 Abs. 1 unterzeichnet hat,

8. bei der Belieferung mit einem Drogenausgangsstoff der Kategorie 1 oder 2 des Anhangs I

a) keine Kundenerklärung gemäß Art. 4 Abs. 1 oder 2 einholt oder

b) eine Kundenerklärung gemäß Art. 4 Abs. 2 akzeptiert, ohne dass die Voraussetzungen dafür vorliegen,

9. hinsichtlich Drogenausgangsstoffen der Kategorie 1 des Anhangs 1 Transportvorgänge entgegen Art. 4 Abs. 3 veranlasst

10. die Dokumentationspflicht gemäß Art. 5 hinsichtlich eines Vorgangs, der zum Inverkehrbringen eines Drogenausgangsstoffes der Kategorie 1 oder 2 des Anhangs I führt, verletzt,

11. die Kennzeichnungspflicht gemäß Art. 7 hinsichtlich eines Drogenausgangsstoffes der Kategorie 1 oder 2 des Anhangs I verletzt,

12. die Meldepflicht hinsichtlich ungewöhnlicher Bestellungen von Drogenausgangsstoffen gemäß Art. 8 Abs. 1 verletzt,

13. die Auskunftspflicht über die Vorgänge mit Drogenausgangsstoffen gemäß Art. 8 Abs. 2 in Verbindung mit Art. 9 Abs. 1 der Delegierten Verordnung (EU) 2015/1011 verletzt oder dieser Auskunftspflicht entgegen Art. 10 Abs. 1 oder 3 der Durchführungsverordnung (EU) 2015/1013 nicht fristgerecht nachkommt,

14. personenbezogene Daten entgegen Art. 8 Abs. 4 offenlegt,

begeht, wenn die Tat nicht den Tatbestand einer in die Zuständigkeit der Gerichte fallenden strafbaren Handlung bildet, eine Verwaltungsübertretung.

(3) Wer der Verordnung (EG) Nr. 111/2005 zuwiderhandelt, indem er

1. die Dokumentationspflicht gemäß Art. 3 oder 4 im Zusammenhang mit der Einfuhr oder Ausfuhr eines Drogenausgangsstoffes oder einem Vermittlungsgeschäft mit einem solchen verletzt,

2. die Kennzeichnungspflicht gemäß Art. 5 hinsichtlich eines Drogenausgangsstoffes verletzt,

3. entgegen Art. 6 Abs. 1 einen Drogenausgangsstoff der Kategorie 1 des Anhangs ohne Erlaubnis ein- oder ausführt oder damit ein Vermittlungsgeschäft betreibt,

4. entgegen Art. 7 Abs. 1 einen Drogenausgangsstoff der Kategorie 2 des Anhangs ohne Registrierung ein- oder ausführt oder damit ein Vermittlungsgeschäft betreibt,

5. entgegen Art. 7 Abs. 1 einen Drogenausgangsstoff der Kategorie 3 des Anhangs ohne Registrierung ausführt,

6. der Nachweispflicht gemäß Art. 8 Abs. 1 oder der Auskunftspflicht gemäß Art. 8 Abs. 1 der Delegierten Verordnung (EU) 2015/1011 im Zusammenhang mit der Durchfuhrkontrolle eines Drogenausgangsstoffes nicht nachkommt,

7. die Meldepflicht hinsichtlich ungewöhnlicher Bestellungen oder Vorgänge gemäß Art. 9 Abs. 1 verletzt,

8. die Auskunftspflicht betreffend die Ausfuhr und Einfuhr von Drogenausgangsstoffen sowie Vermittlungsgeschäfte mit solchen gemäß Art. 9 Abs. 2 in Verbindung mit Art. 9 Abs. 2 bis 5 der Delegierten Verordnung (EU) 2015/1011 verletzt oder dieser Auskunftspflicht entgegen Art. 10 Abs. 2 oder 3 der Durchführungsverordnung (EU) 2015/1013 nicht fristgerecht nachkommt,

9. einen Drogenausgangsstoff entgegen Art. 12 ohne Ausfuhrgenehmigung ausführt,

10. einen Drogenausgangsstoff der Kategorie 1 des Anhangs entgegen Art. 20 ohne Einfuhrgenehmigung einführt,

begeht, wenn die Tat nicht den Tatbestand einer in die Zuständigkeit der Gerichte fallenden strafbaren Handlung bildet, eine Verwaltungsübertretung.

(4) Wer der Delegierten Verordnung (EU) 2015/1011 zuwiderhandelt, indem er

1. als Wirtschaftsbeteiligter entgegen Art. 3 Abs. 1 oder Art. 5 Abs. 1

a) der Verpflichtung zur Änderungsmeldung in Bezug auf den verantwortlichen Beauftragten nicht nachkommt oder

b) den verantwortlichen Beauftragten nicht mit der zur Erfüllung seiner Aufgaben erforderlichen Befugnis zur Vertretung und Entscheidung betraut,

2. als verantwortlicher Beauftragter seinen Aufgaben gemäß Art. 3 oder Abs. 5 nicht nachkommt,

begeht, wenn die Tat nicht den Tatbestand einer in die Zuständigkeit der Gerichte fallenden strafbaren Handlung bildet, eine Verwaltungsübertretung.

(4a) Wer der Durchführungsverordnung (EU) 2015/1013 zuwiderhandelt, indem er

1. entgegen Art. 6 als Inhaber einer Erlaubnis gemäß Art. 6 Abs. 1 der Verordnung (EG) Nr. 111/2005 im Falle nachträglicher Änderungen hinsichtlich der im Erlaubnisantrag genannten Informationen seiner Verpflichtung zur Meldung der Änderungen nicht fristgerecht nachkommt,

2. als Inhaber einer Erlaubnis gemäß Art. 6 Abs. 1 der Verordnung (EG) Nr. 111/2005 nach Ablauf ihrer Gültigkeit oder nach ihrem Widerruf entgegen Art. 7 Abs. 1 der Verpflichtung zur Rückgabe der Erlaubnis an das Bundesministerium für Gesundheit nicht nachkommt,

3. als Ausführer von Drogenausgangsstoffen, für die eine Ausfuhrgenehmigung erforderlich ist, seiner Verpflichtung zur Aufbewahrung der Ausfuhrgenehmigung gemäß Art. 11 Abs. 2 oder seiner Verpflichtung zur Rückübermittlung der Ausfuhrgenehmigung gemäß Art. 11 Abs. 10 nicht nachkommt,

4. als Einführer von Drogenausgangsstoffen, für die eine Einfuhrgenehmigung erforderlich ist, seiner Verpflichtung zur Rückübermittlung oder zur Aufbewahrung der Einfuhrgenehmigung gemäß Art. 11 Abs. 3 nicht nachkommt,

begeht, wenn die Tat nicht den Tatbestand einer in die Zuständigkeit der Gerichte fallenden strafbaren Handlung bildet, eine Verwaltungsübertretung.

(5) Wer eine Verwaltungsübertretung gemäß Abs. 1 bis 4a begeht, ist von der Bezirksverwaltungsbehörde, ausgenommen in den Fällen des § 44a, mit Geldstrafe bis zu 36 300 Euro, im Nichteinbringungsfall mit Freiheitsstrafe bis zu sechs Wochen zu bestrafen. Im Straferkenntnis gemäß Abs. 1 Z 1 kann auf den Verfall der den Gegenstand der strafbaren Handlung bildenden Sachen erkannt werden. In berücksichtigungswürdigen Fällen ist der Erlös der für verfallen erklärten Sachen dem Eigentümer auszufolgen.

§ 44a. Wer in Ausübung des ärztlichen Berufes gegen eine nach § 10 erlassene Verordnung verstößt, indem er einer im Rahmen der Opioid-Substitutionsbehandlung bestehenden Dokumentationspflicht oder Auskunftspflicht gegenüber dem amtsärztlichen Dienst der Gesundheitsbehörde nicht nachkommt, begeht eine Verwaltungsübertretung und ist mit Geldstrafe bis zu 3600 Euro zu bestrafen.

6. Hauptstück

Schluß-, Inkrafttretens- und Übergangsbestimmungen

§ 45. Soweit dieses Bundesgesetz auf andere Bundesgesetze oder unmittelbar anwendbare Rechtsakte der Europäischen Union verweist, sind diese in ihrer jeweils geltenden Fassung anzuwenden.

§ 46. Wird in anderen Bundesgesetzen auf eine Bestimmung des Suchtgiftgesetzes 1951 verwiesen, an deren Stelle mit dem Inkrafttreten dieses Bundesgesetzes eine neue Bestimmung wirksam wird, so ist dieser Verweis auf die entsprechende neue Bestimmung zu beziehen.

§ 47. (1) Dieses Bundesgesetz tritt, sofern Abs. 2 nicht anderes bestimmt, mit 1. Jänner 1998 in Kraft.

(2) § 10 Abs. 2 tritt mit 1. Jänner 1998 oder, sofern Artikel 75 des Schengener Durchführungsübereinkommens von 1990 am 1. Jänner 1998 noch nicht in Kraft gesetzt ist, gleichzeitig mit dessen Inkraftsetzung in Kraft.

(3) Das Suchtgiftgesetz 1951 tritt mit Ablauf des 31. Dezember 1997 außer Kraft.

(4) Durchführungsverordnungen zu diesem Bundesgesetz dürfen bereits vor dem 1. Jänner 1998 erlassen werden. Sie dürfen jedoch, sofern Abs. 5 nicht anderes bestimmt, frühestens mit diesem Tag in Kraft gesetzt werden.

(5) Regelungen gemäß § 10 Abs. 2 dürfen frühestens mit Inkraftsetzung des Artikels 75 des Schengener Durchführungsübereinkommens von 1990 in Kraft gesetzt werden.

(6) Die §§ 13 Abs. 2 und 25 Abs. 1 Z 2 in der Fassung des Bundesgesetzes BGBl. I Nr. 30/1998 treten mit 1. Jänner 1998 in Kraft.

(7) Die §§ 27 Abs. 2 Z 2, 28 Abs. 3 und 5, 29 und 35 Abs. 2 in der Fassung des Bundesgesetzes BGBl. I Nr. 51/2001 treten mit 1. Juni 2001 in Kraft.

(8) Die §§ 27 Abs. 2 sowie 28 Abs. 3 und 4 in der Fassung des Bundesgesetzes BGBl. I Nr. 134/2002 treten mit 1. Oktober 2002 in Kraft.

(9) Die §§ 27 bis 33, 35, 36 Abs. 1 bis 3, 37 bis 39, 40 Abs. 2, 41 Abs. 1, 2 und 4, 42 Abs. 1 und 43 in der Fassung des Bundesgesetzes BGBl. I Nr. 110/2007 treten mit 1. Jänner 2008 in Kraft.

(10) §§ 6 Abs. 4b, 35 Abs. 3 bis 6 und 8, 39 Abs. 1, 2 und 4, 40 Abs. 1 sowie 41 Abs. 2 und 4 in der Fassung des Budgetbegleitgesetzes 2011, BGBl. I Nr. 111/2010, treten mit 1. Jänner 2011 in Kraft.

(11) § 6 Abs. 6 in der Fassung des Bundesgesetzes BGBl. I Nr. 21/2011 tritt am 1. Jänner 2011, §§ 24c Abs. 1 Z 2 und 42 Abs. 1 treten am Tag nach der Kundmachung des Bundesgesetzes BGBl. I Nr. 21/2011 in Kraft.

(12) § 42 Abs. 2 in der Fassung des Bundesgesetzes BGBl. I Nr. 50/2012 tritt mit 1. September 2012 in Kraft.

(13) § 34 Abs. 1 und 2 in der Fassung des Bundesgesetzes BGBl. I Nr. 71/2014 tritt mit 1. Jänner 2015 in Kraft.

(14) § 12 Abs. 3, § 13 Abs. 2, 2a, 2b und 3, § 14 Abs. 1, § 24a Abs. 1 Z 1 sowie § 38 Abs. 1a in der Fassung des Bundesgesetzes BGBl. I Nr. 112/2015 treten mit 1. Jänner 2016 in Kraft.

(15) § 2 Abs. 1 bis 3, § 3 Abs. 1 und 2, § 4, § 6 Abs. 1 Z 1 und Abs. 5, § 9 Abs. 3, § 10 Abs. 1 und 2, § 13 Abs. 2b, § 14 Abs. 1 und 2, § 15 Abs. 1, 3, 4 und 6, § 19 Abs. 1 Z 2 und Abs. 4, § 23 Abs. 1 bis 7, § 24 Einleitungssatz, Z 1 und Z 1a, § 24a Abs. 1 bis 3, § 24b Abs. 1, § 24c Abs. 1 und 2, § 24d, § 25 Abs. 1 bis 5, 7, 9 bis 11, 13 und 14, § 26 Abs. 1 sowie Abs. 2 Z 1 und 4, § 26a, § 28 Abs. 1 zweiter Satz, § 28b, § 31b, § 35 Abs. 1 sowie Abs. 3 Z 1 und 8, § 41 Abs. 3, § 44 Abs. 2 bis 5, § 45 sowie § 50 Abs. 2 Z 5a in der Fassung des Budgetbegleitgesetzes 2016, BGBl. I Nr. 144/2015, treten mit 1. Jänner 2016 in Kraft; zugleich treten § 25 Abs. 12 sowie § 26 Abs. 2 Z 3 und 4 außer Kraft. Das Bundesministerium für Gesundheit hat alle sich auf Meldungen der Staatsanwaltschaften und Gerichte an das Suchtmittelregister (§§ 24 bis 26) beziehenden, im Suchtmittelregister gespeicherten Daten mit Ablauf des 31. Dezember 2015 zu löschen.

(16) § 27 Abs. 2a und 3 sowie § 35 Abs. 9 in der Fassung des Bundesgesetzes BGBI I Nr. 23/2016, treten mit 1. Juni 2016 in Kraft.

(17) Das Inhaltsverzeichnis, die Überschrift vor § 8a, § 8a Abs. 1, 1a, 1b sowie 4 und 5, § 14 Abs. 3, § 24c Abs. 4, § 24d, § 44 Abs. 1 Z 1 und Abs. 5, § 44a sowie § 47 Abs. 18 in der Fassung des Bundesgesetzes BGBl I Nr. 116/2017 treten mit Ablauf des Tages der Kundmachung in Kraft.

(18) § 24d Abs. 2 in der Fassung des Bundesgesetzes BGBl I Nr. 116/2017 darf auf Personen angewendet werden, die im Jahr 2002 oder später verstorben sind.

(19) Das Inhaltsverzeichnis, § 8a Abs. 1a dritter Satz, Abs. 2 Z 1 und 2 und Abs. 3, 5 und 6, § 12 Abs. 4, die Überschrift zum 4. Hauptstück, die Überschrift zu § 24 und § 24d, § 24d Abs. 1 und 3 sowie § 25 Abs. 1 erster Satz, Abs. 2, Abs. 3 Abs. 5 Z 1 bis 3, Abs. 7 Z 1 und Z 3, Abs. 10 Z 1 und 2, Abs. 11, Abs. 12 und Abs. 14 erster, vierter und fünfter Satz in der Fassung des 2. Materien-Datenschutz-Anpassungsgesetzes, BGBl. I Nr. 37/2018, treten mit 25. Mai 2018 in Kraft.

(20) Die §§ 8a Abs. 1c und 10 Abs. 3 in der Fassung des Bundesgesetzes BGBl. I Nr. 16/2020 treten mit Ablauf des Tages der Kundmachung in Kraft und mit Ablauf des 30. Juni 2023 außer Kraft.

(21) § 6 Abs. 4, 4c, 4d und 6, § 24c Abs. 4 sowie § 47 Abs. 20 in der Fassung des Bundesgesetzes BGBl I Nr. 7/2021 treten mit 1. Jänner 2021 in Kraft.

(22) § 47 Abs. 20 in der Fassung des Bundesgesetzes BGBl. I Nr. 105/2021 tritt mit 1. Juli 2021 in Kraft.

(23) § 7 Abs. 1a und 2 und § 50 Abs. 1 Z 5 und 6 in der Fassung des Bundesgesetzes BGBl. I Nr. 242/2021 treten mit 1. Jänner 2022 in Kraft.

(24) § 47 Abs. 20 in der Fassung des Bundesgesetzes BGBl. I Nr. 254/2021 tritt mit 1. Jänner 2022 in Kraft.

(25) § 47 Abs. 20 in der Fassung des Bundesgesetzes BGBl. I Nr. 91/2022 tritt mit 1. Juli 2022 in Kraft.

(26) § 8a Abs. 1c und 1d in der Fassung des Bundesgesetzes BGBl. I Nr. 70/2023 tritt mit 1. Juli 2023 in Kraft und mit Ablauf des 31. Dezember 2026 außer Kraft.

(26a) Verordnungen, die erst einer neuen Fassung dieses Bundesgesetzes entsprechen, dürfen von der Kundmachung des die Änderung bewirkenden Bundesgesetzes an erlassen werden, jedoch nicht vor dem Inkrafttreten der neuen bundesgesetzlichen Bestimmungen in Kraft treten.

(27) § 6 Abs. 4e und 4f sowie § 7 Abs. 1b in der Fassung des Bundesgesetzes BGBl. I Nr. 191/2023 treten mit 1. Jänner 2024 in Kraft.

§ 48. Die Strafbestimmungen dieses Bundesgesetzes sind in Strafsachen nicht anzuwenden, in denen vor ihrem Inkrafttreten das Urteil in erster Instanz gefällt worden ist. Nach Aufhebung eines Urteils infolge Nichtigkeitsbeschwerde, Berufung, Wiederaufnahme oder Erneuerung des Strafverfahrens oder infolge eines Einspruches ist jedoch im Sinne der §§ 1, 61 StGB vorzugehen.

§ 49. Soweit in diesem Bundesgesetz personenbezogene Bezeichnungen nur in männlicher Form angeführt sind, beziehen sie sich auf Frauen und Männer in gleicher Weise. Bei der Anwendung auf bestimmte Personen ist die jeweils geschlechtsspezifische Form zu verwenden.

§ 50. (1) Mit der Vollziehung ist, sofern Abs. 2 nicht anderes bestimmt, der Bundesminister oder die Bundesministerin für Gesundheit betraut, und zwar

1. hinsichtlich § 6 Abs. 1 Z 1, § 6a Abs. 1 Z 2 und 3 und Abs. 3 sowie § 17 im Einvernehmen mit dem Bundesminister oder der Bundesministerin für Wissenschaft, Forschung und Wirtschaft,

2. hinsichtlich § 6 Abs. 1 Z 2 im Einvernehmen mit dem/der jeweils als Aufsichtsbehörde in Betracht kommenden Bundesminister/Bundesministerin,

3. hinsichtlich § 6a Abs. 1 Z 1 im Einvernehmen mit dem Bundesminister oder der Bundesministerin für Wissenschaft, Forschung und Wirtschaft,

4. hinsichtlich § 10 Abs. 1 Z 1 im Einvernehmen mit dem Bundesminister oder der Bundesministerin für Finanzen,

5. hinsichtlich der § 19 Abs. 1 bis 3 und § 21 im Einvernehmen mit dem Bundesminister oder der Bundesministerin für Inneres und dem Bundesminister für Finanzen,

6. hinsichtlich § 7 Abs. 1a im Einvernehmen mit der Bundesministerin für Justiz.

(2) Mit der Vollziehung der übrigen Bestimmungen sind betraut:

1. der Bundesminister oder die Bundesministerin für Land- und Forstwirtschaft, Umwelt und Wasserwirtschaft hinsichtlich § 6 Abs. 2, sowie hinsichtlich § 13 Abs. 1, soweit es sich um land- oder forstwirtschaftliche Schulen handelt,

2. der Bundesminister oder die Bundesministerin für Bildung und Frauen hinsichtlich § 13 Abs. 1, soweit es sich nicht um land- oder forstwirtschaftliche Schulen handelt,

3. der Bundesminister oder die Bundesministerin für Landesverteidigung und Sport hinsichtlich der §§ 9 Abs. 3 und 13 Abs. 2,

4. der Bundesminister oder die Bundesministerin im Rahmen seines/ihres jeweiligen Wirkungsbereiches hinsichtlich § 13 Abs. 2a,

5. im Rahmen seines/ihres Wirkungsbereiches der Bundesminister oder die Bundesministerin für Finanzen und für Inneres hinsichtlich § 23 Abs. 3 zweiter Satz, Abs. 4 zweiter Satz sowie Abs. 5 zweiter Satz,

6. im Rahmen seines/ihres Wirkungsbereiches der Bundesminister oder die Bundesministerin für Wissenschaft, Forschung und Wirtschaft hinsichtlich § 24c Abs. 1 Z 2,

7. der Bundeskanzler oder die Bundeskanzlerin hinsichtlich § 24c Abs. 1 Z 3,

8. im Rahmen ihres jeweiligen Wirkungsbereiches der Bundesminister oder die Bundesministerin für Inneres, für Wissenschaft, Forschung und Wirtschaft sowie der Bundeskanzler oder die Bundeskanzlerin hinsichtlich § 24c Abs. 3,

9. der Bundesminister oder die Bundesministerin für Justiz hinsichtlich der §§ 27, 28 Abs. 1 bis 5, 29, 30, 31 Abs. 1 und 2, 32, 34, 35 Abs. 1 bis 4 und 6 bis 8, 36 Abs. 2 und 3, 37 bis 41 und 42 Abs. 2, hinsichtlich § 33 im Einvernehmen mit dem Bundesminister oder der Bundesministerin für Finanzen,

10. der Bundesminister oder die Bundesministerin für Finanzen hinsichtlich § 19 Abs. 4 sowie § 43 Abs. 6 und 7, hinsichtlich § 43 Abs. 5 im Einvernehmen mit dem Bundesminister oder der Bundesministerin für Inneres,

der Bundesminister oder die Bundesministerin für Inneres hinsichtlich der §§ 24a Abs. 1 erster Satz, 24c Abs. 1 Z 1 und Abs. 2, 42 Abs. 1 und 43 Abs. 1 bis 4, hinsichtlich § 18 im Einvernehmen mit dem Bundesminister oder der Bundesministerin für Wissenschaft, Forschung und Wirtschaft, hinsichtlich § 24a Abs. 2 im Einvernehmen mit dem Bundesminister oder der Bundesministerin für Gesundheit.

Suchtgiftverordnung

Verordnung der Bundesministerin für Arbeit, Gesundheit und Soziales über den Verkehr und die Gebarung mit Suchtgiften (Suchtgiftverordnung – SV)
StF: BGBl. II Nr. 374/1997 idF BGBl. II Nr. 10/2025

Inhaltsverzeichnis

Begriffsbestimmungen

§ 1. (1) Suchtgifte im Sinne des § 2 Abs. 1 Suchtmittelgesetz sind die im **Anhang I** unter I.1. sowie die in den **Anhängen II und III** dieser Verordnung erfaßten Stoffe und Zubereitungen.

(2) Die in den **Anhängen IV und V** dieser Verordnung unter IV.1. und V.1. erfaßten Stoffe und Zubereitungen sind im Sinne des § 2 Abs. 2 Suchtmittelgesetz den Suchtgiften gemäß Abs. 1 gleichgestellt.

(3) Die in den Anhängen I, IV und V dieser Verordnung unter I.2., IV.2. und V.2. erfaßten Stoffe und Zubereitungen sind im Sinne des § 2 Abs. 3 Suchtmittelgesetz den Suchtgiften gemäß Abs. 1 gleichgestellt.

(4) Als Suchtgifte unterliegen dem Suchtmittelgesetz und dieser Verordnung sämtliche in den Anhängen I bis V angeführten Stoffe und Zubereitungen.

(5) Als Isomere eines Suchtgifts im Sinne dieser Verordnung gelten alle möglichen Stereoisomere sowie jene Positionsisomere (Stellungsisomere), die aufgrund ihrer Strukturähnlichkeit eine vergleichbare pharmakologische Wirkung wie das betreffende Suchtgift aufweisen.

(6) Arzneimittel im Sinne dieser Verordnung sind Arzneimittel im Sinne des Arzneimittelgesetzes (AMG), BGBl. Nr. 185/1983, und Tierarzneimittel im Sinne des Tierarzneimittelgesetzes (TAMG), BGBl. I Nr. 186/2023.

(7) Als Arzneimittelgroßhändler im Sinne dieser Verordnung gelten auch Tierarzneimittel-Großhändler im Sinne des TAMG.

(8) Als Arzneispezialitäten im Sinne dieser Verordnung gelten auch Veterinärarzneispezialitäten im Sinne des TAMG.

Erzeugung, Verarbeitung, Umwandlung, Erwerb, Besitz und Abgabe

§ 2. (1) Die Erzeugung, Verarbeitung, Umwandlung, der Erwerb und Besitz von Suchtgift ist, sofern die §§ 6, 7 oder 10a nicht anderes bestimmen, und unbeschadet allfälliger nach anderen Rechtsvorschriften erforderlicher Bewilligungen, nur nach Maßgabe einer Bewilligung des Bundesministers für Gesundheit und nur in der von dieser bewilligten Höchstmenge gestattet.

(2) Bewilligungen gemäß Abs. 1 dürfen, soweit Abs. 3 nicht anderes bestimmt, nur Gewerbetreibenden mit einer Berechtigung zur Herstellung von Arzneimitteln und Giften und zum Großhandel mit Arzneimitteln und Giften gemäß § 94 Z 32 der Gewerbeordnung 1994, und jeweils nur im notwendigen Umfang unter Festsetzung einer Höchstmenge, erteilt werden. Zum Großhandel mit Arzneimitteln Berechtigten darf eine solche Bewilligung nur erteilt werden, wenn sie ein Detailgeschäft überhaupt nicht oder doch räumlich vollkommen getrennt führen.

(3) Bewilligungen zur Erzeugung, Verarbeitung, zum Erwerb und Besitz von Suchtgiften des Anhanges IV dieser Verordnung können unbeschadet des Abs. 2 auch Personen erteilt werden, die zur Herstellung von Erzeugnissen, die keine psychotrope Wirkung entfalten, berechtigt sind, sofern hiefür ein solches Suchtgift benötigt wird (§ 6 Abs. 5 Suchtmittelgesetz).

(4) Der Antrag auf Erteilung einer Bewilligung gemäß Abs. 2 oder 3 ist beim Bundesministerium für Gesundheit mit dem hiefür aufgelegten Formblatt bis 30. September jeden Jahres zu stellen. Der Antrag hat zumindest nachstehende Angaben und Nachweise zu enthalten:

1. die Firma sowie die Anschrift des Antragstellers;

2. den Nachweis der gewerberechtlichen Berechtigung, auf Grund derer der Antragsteller seine Tätigkeit ausübt;

2a. bei Anträgen gemäß Abs. 2 den Nachweis einer gültigen Bewilligung gemäß § 63 Abs. 1 AMG, sofern Arzneimittel im Sinne des AMG hergestellt, kontrolliert oder in Verkehr gebracht werden, oder einer gültigen Bewilligung gemäß § 30 Abs. 1 TAMG, sofern Tierarzneimittel im Sinne des TAMG hergestellt, kontrolliert, bereitgestellt oder in Verkehr gebracht werden.

2b. jenes Suchtgift bzw. eine Auflistung jener Suchtgifte, für das bzw. die um Bewilligung eingekommen wird, einschließlich der voraussichtlich im betreffenden Kalenderjahr jeweils benötigten Höchstmenge sowie des Zwecks (der Zwecke) gemäß Abs. 2 oder 3, für den (die) das Suchtgift benötigt wird;

3. die Benennung eines Verantwortlichen im Sinne des § 9 Verwaltungsstrafgesetz 1991;

4. die Art und den Verwendungszweck der Suchtgifte sowie eine schätzungsweise Zusammenstellung jener Suchtgifte, deren Einfuhr oder Erzeugung im folgenden Kalenderjahr beabsichtigt ist;

5. bei Erzeugung, Verarbeitung oder Umwandlung von Suchtgift eine kurze Beschreibung der Arbeitsvorgänge und die Nennung der Ausgangsstoffe und Endprodukte;

6. eine Beschreibung des Standortes des Betriebes und der Lagerstätte(n) einschließlich der Sicherungsmaßnahmen gegen unbefugte Entnahme von Suchtgift.

(5) Der Vorrat an Rohstoffen darf in der Regel die für die Erzeugung im folgenden Halbjahr erforderliche Menge nicht übersteigen. Der Bundesminister für Gesundheit kann erforderlichenfalls die Einschränkung der Erzeugung verfügen. Der Unternehmer hat die Einstellung der Erzeugung, Verarbeitung oder Umwandlung von Suchtgift dem Bundesministerium für Gesundheit unverzüglich anzuzeigen.

(6) Die Bewilligung wird jeweils bis zum Ende des nächstfolgenden Kalenderjahres erteilt.

(7) Die Bewilligung ist zu versagen, wenn

1. kein Bedarf für ein Suchtgift gegeben ist,

2. ein Verantwortlicher (Abs. 4 Z 3) nicht benannt ist oder

3. Tatsachen vorliegen, aus denen sich begründete Bedenken ergeben, dass der Verantwortliche seine Aufgabe nicht uneingeschränkt erfüllen kann, oder

4. Tatsachen vorliegen, aus denen sich sonstige erhebliche Bedenken hinsichtlich der Zuverlässigkeit des Verantwortlichen, des Antragstellers, seines gesetzlichen Vertreters oder bei juristischen Personen oder nicht rechtsfähigen Personenvereinigungen der nach Gesetz, Satzung oder Gesellschaftsvertrag zur Vertretung oder Geschäftsführung Berechtigten ergeben, oder

5. keine ausreichenden Sicherungen gegen unbefugte Entnahmen von Suchtgiften vorhanden sind oder

6. die Sicherheit oder Kontrolle des Verkehrs oder der Gebarung mit Suchtgift aus anderen als den in den Ziffern 1 bis 5 genannten Gründen nicht gewährleistet ist.

(8) Die Bewilligung kann versagt werden, wenn dies aus Gründen der Durchführung internationaler Suchtmittelübereinkommen oder wegen Beschlüssen, Anordnungen oder Empfehlungen supranationaler oder zwischenstaatlicher Einrichtungen zur Kontrolle von Suchtgift geboten ist.

§ 3. (1) Sofern dies zur Sicherheit oder Kontrolle des Verkehrs oder der Gebarung mit Suchtgift oder wegen internationalen Suchtmittelübereinkommen oder Beschlüssen, Anordnungen oder Empfehlungen supranationaler oder zwischenstaatlicher Einrichtungen zur Kontrolle von Suchtgift geboten ist, kann die Bewilligung

1. unter Bedingungen, mit Auflagen oder unter dem Vorbehalt des Widerrufs oder

2. mit dem Vorbehalt der nachträglichen Aufnahme, Änderung oder Ergänzung von Auflagen oder sonstigen Nebenbestimmungen im Sinne der Ziffer 1

erteilt werden.

(2) Die Bewilligung ist jedenfalls zu widerrufen, wenn die Voraussetzungen für ihre Erteilung schon ursprünglich nicht vorgelegen oder weggefallen sind oder wenn die hinsichtlich des Verkehrs und der Gebarung mit Suchtgift bestehenden Vorschriften nicht befolgt werden.

§ 4. Personen, denen eine Bewilligung gemäß § 2 erteilt worden ist, haben dem Bundesministerium für Gesundheit jede Änderung der im § 2 Abs. 4 bezeichneten Angaben unverzüglich mitzuteilen. Bei Änderungen hinsichtlich der Art oder Höchstmenge der Suchtgifte, des Verwendungszwecks oder der Erzeugnisse, deren Herstellung beabsichtigt ist, sowie bei Änderungen in der Person des Verantwortlichen (§ 2 Abs. 4 Z 3), des Unternehmers, der Unternehmensform oder in der Lage der Betriebsstätten, ausgenommen innerhalb eines Gebäudes, ist eine neue Bewilligung zu beantragen.

§ 5. (1) Die nach § 2 Abs. 2 Berechtigten dürfen Suchtgift nur abgeben an Gewerbetreibende mit einer Berechtigung zur Herstellung von Arzneimitteln und Giften und zum Großhandel mit Arzneimitteln und Giften gemäß § 94 Z 32 der Gewerbeordnung 1994, an die im § 6 Abs. 1 genannten wissenschaftlichen Institute und öffentlichen Anstalten, an die Wachkörper des Bundes und die Behörden, denen die Vollziehung des Suchtmittelgesetzes obliegt (§ 7 Abs. 1), an das Bundesministerium für Landesverteidigung und die fachlich befassten Dienststellen des Bundesheeres (§ 7 Abs. 2), an die organisierten Notarztdienste (§ 7 Abs. 2a), an die Einrichtungen und Behörden des Strafvollzuges sowie des Vollzuges der mit Freiheitsentzug verbundenen vorbeugenden Maßnahmen (§ 7 Abs. 2b), an das Bundesministerium für Inneres und den ihm nachgeordneten Landespolizeidirektionen (§ 7 Abs. 2c), an die Gebietskörperschaften (§ 7 Abs. 2d), an die öffentlichen Apotheken und Anstaltsapotheken (§ 7 Abs. 3) sowie gegen Vorweisung der Bewilligung an die nach § 2 Abs. 3 Berechtigten.

(2) Den im § 2 Abs. 3 Genannten ist die Inverkehrsetzung von Suchtgift oder der unter Verwendung von Suchtgift hergestellten Erzeugnisse, sofern eine Rückgewinnung von Suchtgift durch leicht anwendbare Mittel möglich ist, nicht gestattet (§ 6 Abs. 7 Suchtmittelgesetz).

§ 6. (1) Wissenschaftlichen Instituten oder öffentlichen Lehr-, Versuchs-, Untersuchungs- oder sonstigen Fachanstalten ist die Erzeugung und Verarbeitung, Umwandlung, der Erwerb und Besitz von Suchtgift gestattet, sofern sie über eine Bestätigung der Aufsichtsbehörde verfügen, daß sie das Suchtgift zur Erfüllung ihrer Aufgabe benötigen; eine Bewilligung des Bundesministers für Gesundheit ist nicht erforderlich.

(2) Die Abgabe von Suchtgift an solche Institute oder Anstalten darf nur gegen Vorweisung der im Abs. 1 genannten aufsichtsbehördlichen Bestätigung erfolgen. Die Bestätigung ist bei Universitätsinstituten vom Rektor, bei sonstigen öffentlichen wissenschaftlichen Instituten oder bei öffentlichen Anstalten von der mit der Aufsicht hierüber betrauten Behörde auszustellen. Über die Ausstellung oder Versagung der Bestätigung an private wissenschaftliche Institute entscheidet die Bezirksverwaltungsbehörde.

(3) Die im Abs. 2 vorgesehenen Bestätigungen werden einem wissenschaftlichen Institut oder einer öffentlichen Anstalt für den fortlaufenden Bezug auf unbestimmte Dauer dahingehend ausgestellt, daß es (sie) bestimmter oder sämtlicher Suchtgifte zur Erfüllung seiner (ihrer) Aufgaben bedarf. Die Bestätigung ist von der Behörde, die sie ausgestellt hat, einzuziehen, wenn das Institut aufgelassen wird oder die Notwendigkeit des Bezuges entfällt.

(4) In der Bestätigung ist die zum Empfang des Suchtgiftes bevollmächtigte Person, das ist der Leiter

oder ein von ihm beauftragter Angestellter des Institutes, zu bezeichnen. Der Bevollmächtigte hat der abgebenden Unternehmung mittels Empfangsbestätigung (Gegenschein) die Abgabe des bezogenen Suchtgiftes jeweils zu bestätigen. Bedient sich der Bevollmächtigte zur Abholung oder Übernahme einer Mittelsperson, so ist das Suchtgift nur auf Grund eines vom Bevollmächtigten unterfertigten Bestellscheines auszufolgen, der von der Mittelsperson an Stelle der Empfangsbestätigung abzugeben ist. Die Zusendung von Suchtgift im Bahn-, Post-, Schiffahrts- und Luftverkehr hat an das Institut oder die Anstalt zu Handen des Bevollmächtigten zu erfolgen; in diesem Falle ersetzen die Belege über die Absendung die Empfangsbestätigung.

(5) Die für die Ausstellung der Bestätigung gemäß Abs. 2 zuständige Behörde hat die Gebarung des wissenschaftlichen Institutes, der öffentlichen Lehr-, Versuchs-, Untersuchungs- oder sonstigen Fachanstalt mit Suchtgift zu überwachen und dem Bundesministerium für Gesundheit auf Verlangen hierüber Auskunft zu erteilen. Sie hat das Bundesministerium für Gesundheit von jeder Ausstellung oder Einziehung einer Bestätigung im Sinne des Abs. 1 in Kenntnis zu setzen.

§ 7. (1) Die Organe des öffentlichen Sicherheitsdienstes, die Zollorgane sowie die Behörden, denen die Vollziehung des Suchtmittelgesetzes obliegt, benötigen für den Erwerb und Besitz von Suchtgift insoweit keine Bewilligung des Bundesministers für Soziales, Gesundheit, Pflege und Konsumentenschutz, als sie dieses für Schulungs- und Ausbildungszwecke benötigen oder ihnen Suchtgift in Vollziehung des Suchtmittelgesetzes zukommt.

(2) Das Bundesministerium für Landesverteidigung und die fachlich befassten Dienststellen des Bundesheeres benötigen für die Verarbeitung, den Erwerb und Besitz von Suchtgift insoweit keine Bewilligung des Bundesministers für Soziales, Gesundheit, Pflege und Konsumentenschutz, als sie dieses für die ärztliche oder zahnärztliche Versorgung der Angehörigen des Bundesheeres benötigen oder es für die veterinärmedizinische Behandlung sowie für die Ausbildung der im Bundesheer in Verwendung stehenden Tiere notwendig ist.

(2a) Die organisierten Notarztdienste benötigen für die Verarbeitung, den Erwerb und Besitz von Suchtgift insoweit keine Bewilligung des Bundesministers für Soziales, Gesundheit, Pflege und Konsumentenschutz, als sie dieses für die notärztliche Tätigkeit benötigen.

(2b) Die Einrichtungen und Behörden des Strafvollzuges (§ 8 des Strafvollzugsgesetzes – StVG, BGBl. Nr. 144/1969) sowie des Vollzuges der mit Freiheitsentzug verbundenen vorbeugenden Maßnahmen (§§ 158 bis 160 StVG) benötigen für den Erwerb, die Verarbeitung und den Besitz von Suchtgift insoweit keine Bewilligung des Bundesministers für Soziales, Gesundheit, Pflege und Konsumentenschutz, als sie dieses für die gesetzlich vorgesehene ärztliche Betreuung von angehaltenen Beschuldigten, Angeklagten, Strafgefangenen oder Untergebrachten benötigen.

(2c) Das Bundesministerium für Inneres und die ihm nachgeordneten Landespolizeidirektionen benötigen für den Erwerb, die Verarbeitung und den Besitz von Suchtgift insoweit keine Bewilligung des Bundesministers für Soziales, Gesundheit, Pflege und Konsumentenschutz, als sie dieses für die gesetzlich vorgesehene ärztliche Betreuung von angehaltenen Personen benötigen.

(2d) Die Gebietskörperschaften benötigen für den Erwerb, die Verarbeitung und den Besitz von Suchtgift insoweit keine Bewilligung des Bundesministers für Soziales, Gesundheit, Pflege und Konsumentenschutz, als sie dieses für die Erfüllung der gesetzlich vorgesehenen Aufgaben der Tierseuchenbekämpfung benötigen.

(2e) Einrichtungen stationärer Pflege und Betreuung benötigen für den Erwerb und Besitz von Suchtgift, nach Maßgabe des § 6 Abs. 4f Suchtmittelgesetz, insoweit keine Bewilligung des Bundesministers für Soziales, Gesundheit, Pflege und Konsumentenschutz, als dieses der Arzneimittelbevorratung gemäß den für Einrichtungen stationärer Pflege und Betreuung geltenden Bestimmungen dient.

(3) Die Apotheken benötigen für die Verarbeitung von Suchtgift zu Arzneimitteln keine Bewilligung des Bundesministers für Soziales, Gesundheit, Pflege und Konsumentenschutz.

(4) Auf den Erwerb und Besitz von Suchtgift durch Ärzte, Zahnärzte, Tierärzte, Dentisten, Krankenanstalten, sonstige Einrichtungen, die über ein Arzneimitteldepot verfügen (§ 9 Abs. 1 Suchtmittelgesetz) sowie Personen, an die es von einer Apotheke auf Grund ärztlicher oder zahnärztlicher Verschreibung abgegeben worden ist, ist § 2 Abs. 1 nicht anzuwenden.

Dokumentation

§ 8. (1) Erzeuger von Suchtgift einschließlich Zubereitungen aus Suchtgift sind verpflichtet, gesonderte Vormerkungen über Suchtgift einschließlich der Zubereitungen zu führen. Diese haben zu umfassen

1. den Lagerbestand zu Beginn jedes Jahres,

2. jeden Bezug und jede Abgabe im Inland samt Datum sowie Bezugsquelle und Abnehmer,

3. jeden Bezug aus dem Ausland und jede Abgabe an das Ausland samt Datum sowie Bezugsquelle und Abnehmer,

4. bei Erzeugung, Umwandlung oder Verarbeitung im eigenen Betrieb außerdem die Menge des pro Tag gewonnenen Erzeugnisses, gleichgültig ob dieses selbst ein Suchtgift ist oder nicht,

5. Angaben über Schwund oder Verarbeitungsverluste,

6. die Art und Menge entsorgten Suchtgiftes,

7. den Lagerbestand zum Ende jedes Jahres.

(2) Arzneimittelgroßhändler sind verpflichtet, gesonderte Vormerkungen über Suchtgift einschließlich Zubereitungen aus Suchtgift zu führen. Diese haben alle Angaben gemäß Abs. 1 Z 1 bis 3 und 5 bis 7 zu umfassen.

(2a) Aus Cannabisextrakten isoliertes Delta-9-Tetrahydrocannabinol (Anhang I.1.a.) ist mit dem Zusatz „Cannabisextrakt" zu kennzeichnen und von Delta-9-Tetrahydrocannabinol synthetischen Ursprungs gesondert auszuweisen.

(3) Personen, die zur Herstellung von Erzeugnissen, die keine psychotrope Wirkung entfalten, unter Verwendung von Suchtgift berechtigt sind (§ 2 Abs. 3), sind verpflichtet, hinsichtlich Suchtgift einschließlich Zubereitungen aus Suchtgift gesonderte Vormerkungen zu führen. Diese haben zu umfassen

1. alle Angaben gemäß Abs. 1 Z 1 und 4 bis 7,

2. jeden Bezug im Inland samt Datum sowie Bezugsquelle,

3. jeden Bezug aus dem Ausland samt Datum sowie Bezugsquelle.

(4) Über die Eignung der jeweiligen Vormerkungen gemäß Abs. 1 bis 3 entscheidet die Bundesministerin/der Bundesminister für Soziales, Gesundheit, Pflege und Konsumentenschutz. Kopien der Belege über abgegebene Suchtgiftmengen sind auf Verlangen dem Bundesministerium für Soziales, Gesundheit, Pflege und Konsumentenschutz zu übersenden.

(5) Ärztinnen/Ärzte, Zahnärztinnen/Zahnärzte, Dentistinnen/Dentisten und Tierärztinnen/Tierärzte, die Suchtgift bei der Ausübung ihres Berufes benötigen, die Krankenanstalten, die Einrichtungen stationärer Pflege und Betreuung und die veterinärmedizinischen Kliniken und Anstalten, ferner die im § 6 Abs. 1 genannten Institute und Anstalten sowie die organisierten Notarztdienste haben über Bezug und Verwendung von Suchtgift der Anhänge I, II, IV und V dieser Verordnung derart genaue Vormerkungen zu führen, dass sie den Behörden über Verlangen Auskünfte hierüber erteilen können.

(6) Die Vormerkungen, die auch automationsunterstützt geführt werden können, sind samt Belegen nach Zeitabschnitten geordnet drei Jahre lang aufzubewahren. Den mit der Überwachung betrauten Amtsorganen ist der Zugang zu den Betriebsstätten und Lagerstätten zu ermöglichen. Auf Verlangen sind den Amtsorganen die Vormerkungen vorzuweisen oder der Behörde zu übersenden.

§ 9. (1) Die öffentlichen Apotheken, Anstaltsapotheken sowie die ärztlichen und tierärztlichen Hausapotheken haben ein mit fortlaufenden Seitenzahlen versehenes Vormerkbuch zu führen, in dem der Lagerbestand zum 1. Jänner eines jeden Jahres, der Bezug, die Bezugsquelle und die Abgabe von Suchtgift, mit Ausnahme der im Anhang III genannten pharmazeutischen Zubereitungen, einzutragen sind. Suchtgiftbezüge sind mit den Lieferscheinen auszuweisen. Als Beleg für die Suchtgiftabgabe an Ärztinnen/Ärzte, Zahnärztinnen/Zahnärzte, Dentistinnen/Dentisten oder Tierärztinnen/Tierärzte für ihren Berufsbedarf sowie an Krankenanstalten oder Einrichtungen stationärer Pflege und Betreuung dient die Verschreibung (Suchtgiftrezept). Die Suchtgiftabgabe an andere Apotheken einschließlich der ärztlichen und tierärztlichen Hausapotheken ist mit dem Lieferschein oder einem anderen geeigneten Beleg auszuweisen. Suchtgifteingänge sind sofort, Suchtgiftausgänge spätestens am Monatsende – bei Suchtgift-Dauerverschreibungen spätestens am Monatsende nach der letzten Abgabe – zusammengefasst in das Vormerkbuch einzutragen. Der Gesamtausgang von Suchtgiften des Anhanges II dieser Verordnung ist spätestens am Jahresende einzutragen. Am 31. Dezember eines jeden Jahres ist eine Bestandsaufnahme der tatsächlich vorhandenen Suchtgifte vorzunehmen; etwaige Differenzen sind im Vormerkbuch auszuweisen.

(2) Das Vormerkbuch, welches auch automationsunterstützt geführt werden kann, ist drei Jahre, gerechnet von der letzten Eintragung, aufzubewahren. Belege hiezu sind drei Jahre ab deren Eintragung aufzubewahren. § 8 Abs. 6 zweiter und dritter Satz ist sinngemäß anzuwenden.

Nachweisungen

§ 10. (1) Die im § 2 Abs. 2 genannten Erzeuger und Arzneimittelgroßhändler haben bis zum 31. Jänner jeden Jahres dem Bundesamt für Sicherheit im Gesundheitswesen in zweifacher Ausfertigung Nachweisungen über den Verkehr mit Suchtgift sowie die Erzeugung, Verarbeitung und Umwandlung von Suchtgift im abgelaufenen Kalenderjahr vorzulegen. Die im § 2 Abs. 3 Genannten haben bis zum 31. Jänner jeden Jahres dem Bundesamt für Sicherheit im Gesundheitswesen in zweifacher Ausfertigung Nachweisungen über den Bezug von Suchtgift sowie die Erzeugung, Verarbeitung und Umwandlung von Suchtgift im abgelaufenen Kalenderjahr vorzulegen.

(2) Nachweisungen gemäß Abs. 1 haben folgende Angaben zu enthalten:

1. den Namen oder die Firma und den Standort;

2. den Bestand an Suchtgiften;

3. die Verwendung von Suchtgiften;

4. Suchtgiftzugänge einschließlich der Einfuhren von Suchtgift nach Österreich und

5. bei Erzeugern und Arzneimittelgroßhändlern (§ 2 Abs. 2) auch die Suchtgiftabgänge einschließlich der Ausfuhr von Suchtgift aus Österreich.

(3) Für die Nachweisungen sind die hiefür vom Bundesministerium für Gesundheit aufgelegten Formblätter zu verwenden.

(4) Das Bundesamt für Sicherheit im Gesundheitswesen hat dem Bundesministerium für Gesundheit bis

längstens 10. Juni jeden Jahres die zur Berichterstattung über Suchtgifte an den Kontrollrat der Vereinten Nationen erforderlichen statistischen Daten vorzulegen. § 8 Abs. 2a ist anzuwenden.

Anbau von Pflanzen der Gattung Cannabis zwecks Gewinnung von Suchtgift für die Herstellung von Arzneimitteln

§ 10a. (1) Die gemäß § 6a des Suchtmittelgesetzes zum Anbau von Cannabispflanzen zwecks Gewinnung von Suchtgift für die Herstellung von Arzneimitteln sowie damit verbundene wissenschaftliche Zwecke berechtigte Österreichische Agentur für Gesundheit und Ernährungssicherheit GmbH hat die mit dem Anbau der Cannabispflanzen im Zusammenhang stehenden Vorgänge durch Führung von Vormerkungen zu dokumentieren. Die Vormerkungen haben zu umfassen

1. den Bestand an Cannabispflanzen zu Beginn jedes Vegetationszyklus, geordnet nach Sorten,

2. jeden Bezug von Cannabissamen oder -pflanzen im Inland, geordnet nach Sorten, samt Datum sowie Bezugsquelle,

3. Ort und Zeit des Anbaus von Cannabispflanzen, geordnet nach Sorten und Mengen; als Anbau gilt jede Art der An- und Aufzucht, der Vermehrung sowie der Inkulturhaltung;

4. die Lage und Größe der Kulturflächen, auf denen der Anbau der Cannabispflanzen erfolgt, geordnet nach Cannabissorten,

5. die Lage und Größe der Fläche, auf der die Lagerung der Cannabispflanzen oder des daraus gewonnenen Cannabis erfolgt,

6. jede Abgabe von Cannabispflanzen oder von aus den Cannabispflanzen gewonnenem Cannabis, geordnet nach Sorten, sowie das Datum der Abgabe, die abgegebene Menge und den Abnehmer,

7. die im Zuge des Anbaus im jeweiligen Vegetationszyklus oder nach dem Ernten und der Trocknung entsorgte Menge an Ernteresten, letalen Pflanzen, Rückschnittsverlusten sowie an Cannabis,

8. den Bestand an Cannabispflanzen am Ende jedes Vegetationszyklus, geordnet nach Sorten,

9. die Menge des je Sorte aus den Cannabispflanzen im jeweiligen Vegetationszyklus gewonnenen Cannabis.

(2) Im Falle, dass die Österreichische Agentur für Gesundheit und Ernährungssicherheit GmbH für den Anbau von Pflanzen der Gattung Cannabis zwecks Gewinnung von Suchtgift für die Herstellung von Arzneimitteln oder damit verbundene wissenschaftliche Zwecke eine Tochtergesellschaft gegründet hat (§ 6a Abs. 1 des Suchtmittelgesetzes), obliegt dieser die Dokumentation gemäß Abs. 1.

(3) § 8 Abs. 6 erster und dritter Satz ist anzuwenden. Den mit der Überwachung betrauten Amtsorganen ist der Zugang zu den Anbauflächen, Betriebsstätten und Lagerstätten zu ermöglichen.

(4) Der Vorrat an Cannabispflanzen und Cannabis darf in der Regel die für die Erzeugung von Suchtgift im folgenden Halbjahr erforderliche Menge nicht übersteigen.

Packungsaufschrift

§ 11. Auf allen Packungen, in denen Suchtgift in den Verkehr gebracht wird, ist der Suchtgiftinhalt entweder in Hundertteilen (Prozenten) oder in der darin enthaltenen Gewichtsmenge, berechnet auf die Base des Suchtgiftes, anzugeben.

Suchtgiftbezug durch Ärzte, Zahnärzte, Dentisten und Tierärzte

§ 12. Ärzte und Zahnärzte, Dentisten und Tierärzte dürfen Suchtgift für ihre Hausapotheke und für ihren Berufsbedarf nur aus inländischen öffentlichen Apotheken beziehen.

Behandlung, Verschreibung und Abgabe

§ 13. Suchtgifthaltige Arzneimittel dürfen nur nach den Erkenntnissen und Erfahrungen der medizinischen, zahnmedizinischen oder der veterinärmedizinischen Wissenschaft, insbesondere auch für Schmerz- sowie für Entzugs- und Substitutionsbehandlungen, verschrieben, abgegeben oder im Rahmen einer ärztlichen, zahnärztlichen oder tierärztlichen Behandlung am oder im menschlichen oder tierischen Körper unmittelbar zur Anwendung gebracht werden.

§ 14. Nicht verschrieben werden dürfen:

1. Suchtgifte in Substanz;

2. Arzneimittel, die mehr als ein Suchtgift enthalten, ausgenommen zugelassene Spezialitäten;

3. Zubereitungen aus Heroin, Cannabis, Cocablättern, Ecgonin und den im Anhang V dieser Verordnung angeführten Stoffen; ausgenommen sind

a) Zubereitungen aus Cannabisextrakten, die als Arzneispezialitäten zugelassen sind,

b) der aus Cannabisextrakten isolierte Wirkstoff Delta-9-Tetrahydrocannabinol mit einem standardisierten Reinheitsgrad von mehr als 95% für magistrale Zubereitungen.

§ 15. (1) Der Arzt oder Zahnarzt darf an einem Tag für den Praxisbedarf als Höchstmenge verschreiben:

1. Alfentanil .... 0,1000 g,

2. Cocain .... 0,1000 g,
3. Dextromoramid .... 0,1000 g,
4. Fentanyl .... 0,1000 g,
5. Hydrocodon .... 0,2000 g,
6. Hydromorphon .... 1,0000 g,
7. Methadon .... 1,0000 g,
8. Methylphenidat .... 1,7000 g,
9. Morphin .... 6,0000 g,
10. Nicomorphin .... 0,2000 g,
11. Opium .... 2,0000 g,
12. Opiumextrakt .... 1,0000 g,
13. Opiumtinktur .... 20,0000 g,
14. Oxycodon .... 2,4000 g,
15. Pantopon oder ähnliche suchtgifthaltige Zubereitungen .... 0,4000 g,
16. Pentazocin .... 0,5000 g,
17. Pethidin .... 1,0000 g,
18. Piritramid .... 0,4500 g,
19. Remifentanil .... 0,0500 g,
20. Sufentanil .... 0,0020 g.

(2) Die Beschränkungen des Abs. 1 finden auf die Verschreibungen für einen Patienten oder für den Bedarf von Krankenanstalten keine Anwendung.

§ 16. (1) Der Tierarzt darf an einem Tag für ein Tier oder für den Praxisbedarf als Höchstmenge verschreiben:

1. Fentanyl .... 0,004 g,
2. Hydrocodon .... 0,200 g,
3. Hydromorphon .... 0,030 g,
4. Methadon .... 0,500 g,
5. Methylphenidat .... 0,200 g,
6. Morphin .... 0,500 g,
7. Nicomorphin .... 0,200 g,
8. Opium .... 15,000 g,
9. Opiumextrakt .... 7,500 g,
10. Opiumtinktur .... 150,000 g,
11. Oxycodon .... 0,300 g,
12. Pantopon oder ähnliche suchtgifthaltige Zubereitungen .... 0,400 g,
13. Pethidin .... 1,000 g,
14. Piritramid .... 0,200 g.

(2) Cocain, Fenetyllin und Pentazocin enthaltende Arzneimittel dürfen vom Tierarzt nicht verschrieben werden.

(3) Die Beschränkungen der Abs. 1 und 2 finden auf die Verschreibungen für den Bedarf der Kliniken der Veterinärmedizinischen Universität keine Anwendung.

(4) Erweisen sich in besonders schweren Fällen die im Abs. 1 angeführten Mengen für ein Tier als unzureichend, so ist die Verschreibung vom Tierarzt durch den Vermerk „praescriptio indicata" zu kennzeichnen.

§ 17. (1) Arzneimittel, die Suchtgift enthalten, dürfen nur für eine Patientin/einen Patienten, für ein krankes Tier, für den Bedarf in einer Praxis, in einer Krankenanstalt, in einer Einrichtung der Hospiz- und Palliativversorgung oder im Rahmen der mobilen Palliativversorgung im Sinne des Hospiz- und Palliativfondsgesetzes (HosPalFG), BGBl. I Nr. 29/2022, für die Arzneimittelbevorratung in einer Einrichtung stationärer Pflege und Betreuung gemäß den für Einrichtungen stationärer Pflege und Betreuung geltenden Bestimmungen sowie für den Bedarf einer ärztlichen oder tierärztlichen Hausapotheke verschrieben werden.

(2) Jede ärztliche, zahnärztliche oder tierärztliche Verschreibung von Suchtgift unterliegt den besonderen Formvorschriften der §§ 18 bis 22. Bei Verschreibung von Suchtgift für den Bedarf einer Krankenanstalt, der durch eine Anstaltsapotheke desselben Rechtsträgers gedeckt wird, sowie bei Verschreibung

von Suchtgift für den Bedarf von Stationen innerhalb einer Krankenanstalt kann anstelle des Formblattes gemäß § 18 Abs. 1 auch ein anderes geeignetes Formblatt verwendet werden; von der Kennzeichnung als Suchtgiftverschreibung durch Aufkleben der Suchtgiftvignette kann abgesehen werden.

(3) Bei Entnahme von Suchtgift aus der tierärztlichen Hausapotheke für die unmittelbare Anwendung im Rahmen einer tierärztlichen Behandlung ist kein Suchtgiftrezept erforderlich. Die Abgabe von Suchtgift aus der tierärztlichen Hausapotheke ist nach Maßgabe des § 52 Abs. 2 TAMG gestattet.

§ 18. (1) Suchtgifte der Anhänge I, II und IV dieser Verordnung sind, soweit sie nicht im Rahmen der Substitutionsbehandlung verschrieben werden (§ 21) und soweit der Arzt oder Zahnarzt zur Verordnung von Arzneimitteln auf Kosten des Trägers einer sozialen Krankenversicherung oder einer Krankenfürsorgeanstalt berechtigt ist, auf dem Rezeptformular der sozialen Krankenversicherung oder Krankenfürsorgeanstalt zu verschreiben. Andere Ärzte oder Zahnärzte sowie Tierärzte haben die Verschreibung auf einem Privatrezept vorzunehmen. Die Ärztin/der Arzt, die Zahnärztin/der Zahnarzt oder die Tierärztin/der Tierarzt hat das Rezept, durch Aufkleben der Suchtgiftvignette auf der Vorderseite, als Suchtgiftverschreibung zu kennzeichnen.

(1a) Bei Verschreibung von Suchtgift im Wege des „elektronischen Rezepts“ (e-Rezept) des lektronischen Verwaltungssystems gemäß § 31a ASVG hat die Kennzeichnung als Suchtgiftverschreibung über ein in e-Rezept bereitgestelltes Kennzeichnungsfeld zu erfolgen.

(2) Nur im Notfall (bei Gefahr für das Leben des Patienten) ist die Verschreibung von Suchtgift ausnahmsweise auch ohne Aufkleben der Suchtgiftvignette oder, im Falle von Ärzten oder Zahnärzten mit Berechtigung zur Verordnung von Arzneimitteln auf Kosten des Trägers einer sozialen Krankenversicherung oder einer Krankenfürsorgeanstalt, auf anderen als den im Abs. 1 erster Satz genannten Rezeptformularen zulässig. Die Verschreibung ist in diesen Fällen durch den Vermerk „Notfall“ zu kennzeichnen. Die Abgabe in Notfällen darf nur in der kleinsten im Handel erhältlichen Packung erfolgen. Eine Ablichtung der Notfallverschreibung ist, sofern es sich um eine Substitutionsverschreibung handelt, von der abgebenden Apotheke unmittelbar nach Abgabe des Arzneimittels, längstens jedoch vor Ablauf des der Abgabe folgenden Werktages, dem nach dem Wohnsitz des Patienten zuständigen Amtsarzt zu übersenden; als Übersendung gilt auch die Übermittlung in elektronischer Form, wenn sichergestellt ist, dass die übermittelte Notfallverschreibung ausschließlich auf einem Empfangsgerät der betreffenden Behörde einlangt. Kann die Notfallverschreibung wegen Verwendung zu Verrechnungszwecken nicht in Form des Originals als Ausgangsbeleg im Sinne des § 9 dem Suchtgiftvormerkbuch angeschlossen werden, so ist stattdessen eine Abschrift oder Ablichtung als Ausgangsbeleg zu verwenden.

(3) Die Verordnung des Suchtgiftes ist von der/dem verschreibenden Ärztin/Arzt, Zahnärztin/Zahnarzt oder Tierärztin/Tierarzt, die Abgabe des Suchtgiftes von der Apotheke zu dokumentieren. Die Dokumentation hat in geeigneter Form zu erfolgen und die in § 19 Abs. 1 Z 1 bis 6 angeführten Angaben zu enthalten. Sofern bei der Verschreibung eine Suchtgiftvignette verwendet wurde, hat die Dokumentation auch die fortlaufende Alphanummerierung der auf der Verordnung aufgebrachten Suchtgiftvignette zu enthalten. Die Dokumentation ist drei Jahre, nach dem Ausstellungsdatum des Rezeptes geordnet, aufzubewahren und auf Verlangen den Behörden zu übersenden oder vorzulegen.

§ 19. (1) Die Suchtgiftverschreibung ist, sofern sie nicht automationsunterstützt ausgefertigt wird, mit Kugelschreiber auszufertigen, und hat folgende Angaben zu enthalten:

1. den Namen und Berufssitz oder Dienstort – bei Wohnsitzärztinnen/-ärzten den Wohnsitz – der Ärztin/des Arztes, der Zahnärztin/des Zahnarztes oder der Tierärztin/des Tierarztes (Stampiglie);

2. den Namen und die Anschrift der Patientin/des Patienten, der Tierhalterin/des Tierhalters, der Krankenanstalt oder einer behördlichen Aufsicht oder Kontrolle unterliegenden Einrichtung stationärer Pflege und Betreuung, für die das Arzneimittel bestimmt ist; bei Verschreibung für eine Patientin/einen Patienten auch deren/dessen Geburtsjahr; bei Verschreibung für den Praxisbedarf den Vermerk „pro ordinatione“; bei Verschreibung für den Berufsbedarf in einer Einrichtung der Hospiz- und Palliativversorgung oder im Rahmen der mobilen Palliativversorgung den Vermerk „pro institutione“;

3. die Bezeichnung des verordneten Arzneimittels;

4. die Darreichungsform, Menge und Stärke des verordneten Arzneimittels; die Menge des enthaltenen Suchtgiftes ist ziffernmäßig und wörtlich so anzugeben, dass die verschriebene Suchtgiftmenge eindeutig ersichtlich ist; bei Arzneispezialitäten ist deren Handelsbezeichnung, die Packungsgröße und die Anzahl der verschriebenen Packungen wörtlich anzugeben; in Verschreibungen von Zubereitungen des **Anhanges III** dieser Verordnung sowie bei automationsunterstützt ausgefertigten Suchtgiftverschreibungen sind die wörtlichen Angaben nicht erforderlich;

5. bei Verschreibungen für eine Patientin/einen Patienten oder ein krankes Tier eine genaue Gebrauchsanweisung; im Falle der Verschreibung einer Depotformulierung gegebenenfalls den Vermerk „ad manus medici“;

6. das Ausstellungsdatum;

7. die eigenhändige Unterschrift (Vorname sowie Familien- oder Nachname) oder elektronische Si-

gnatur im Sinne des § 3 Abs. 1 lit. h oder i Rezeptpflichtgesetz, BGBl. I Nr. 413/1972, der verschreibenden Person; bei Verschreibungen von Zubereitungen des Anhanges III ist die Angabe des Vornamens nicht erforderlich.

(2) Die im Abs. 1 Z 1 bis 6 angeführten Angaben können auch mit Schreibmaschine oder automationsunterstützt erfolgen.

(3) Fehlen

1. die wörtlichen Angaben gemäß Abs. 1 Z 4 oder

2. die im Abs. 1 Z 5 angeführte Angabe oder

SV

3. das Ausstellungsdatum gemäß Abs. 1 Z 6 oder

4. der gemäß § 16 Abs. 4 anzubringende Vermerk „praescriptio indicata" oder

5. der gemäß § 21 Abs. 5 anzubringende Vermerk „zur Substitutionsbehandlung",

so darf der Apotheker diese nach eingeholter Weisung des Arztes oder, in den Fällen der Z 1 bis 3, des Zahnarztes nachtragen. Gleichzeitig hat der Arzt oder Zahnarzt in der Dokumentation der Verschreibung (§ 18 Abs. 3) diesen Nachtrag vorzunehmen und als Nachtrag kenntlich zu machen.

(4) Fehlt die Angabe des Geburtsjahres (Abs. 1 Z 2), so hat der Apotheker dieses nach Feststellung zu ergänzen.

§ 20. (1) Einzelverschreibungen von Suchtgiften der Anhänge I, II und IV dieser Verordnung verlieren ihre Gültigkeit, wenn die Abgabe nicht spätestens einen Monat, bei Substitutions-Einzelverschreibungen spätestens 14 Tage nach dem auf ihnen angegebenen Ausstellungsdatum erfolgt.

(2) Einzelverschreibungen von Suchtgiften der Anhänge I, II und IV sind, soweit es sich um Rezeptformulare der sozialen Krankenversicherung oder einer Krankenfürsorgeanstalt handelt, nach Abfertigung vom Apotheker oder hausapothekenführenden Arzt einzuziehen, soweit dies zu Verrechnungszwecken mit der sozialen Krankenversicherung oder der Krankenfürsorgeanstalt erforderlich ist.

(3) Bei jeder Abgabe eines suchtgifthaltigen Arzneimittels ist auf dem Rezept die Bezeichnung der Apotheke, der Tag der Abgabe und das Kennzeichen des Expedierenden zu vermerken.

(4) Sofern der Verschreibende dies auf dem Rezept nicht ausdrücklich angeordnet hat, ist die wiederholte Abgabe von folgenden Zubereitungen verboten:

1. Zubereitungen von Codein, die außerdem keinen anderen Wirkstoff enthalten;

2. Zubereitungen des Anhanges III, sofern diese außerdem Stoffe enthalten, deren wiederholte Abgabe nach dem Rezeptpflichtgesetz verboten ist;

3. Zubereitungen von Dihydrocodein;

4. Zubereitungen von Methaqualon;

5. Zubereitungen von Tramadol.

§ 21. (1) Für Suchtkranke, die wegen ihres Gesundheitszustandes im Rahmen einer Substitutionsbehandlung Suchtgift, ausgenommen die im § 14 genannten Stoffe oder Cocain, fortlaufend benötigen, sind, außer in begründeten Einzelfällen, Dauerverschreibungen mit einer maximalen Geltungsdauer von einem Monat auszustellen. Die Verschreibung hat auf dem dafür von der sozialen Krankenversicherung aufgelegten Formular für die Substitutionsverschreibung zu erfolgen, das durch

1. Markierung der Rubrik „Substitutions-Dauerverschreibung" sowie

2. Aufkleben der Suchtgiftvignette auf der Vorderseite des Formblattes

als Substitutions-Dauerverschreibung zu kennzeichnen ist. Die Ärztin/Der Arzt hat den Beginn der Geltungsdauer, für den ein vor Ablauf des übernächsten Monats liegender Tag vorzusehen ist, auf der Substitutions-Dauerverschreibung zu vermerken.

(2) Die Verschreibungsvorschriften des § 19 gelten auch für die Substitutions-Dauerverschreibung. Vor Übergabe an die Apotheke ist die Dauerverschreibung dem zuständigen Amtsarzt zur Überprüfung und Fertigung vorzulegen. Innerhalb der Geltungsdauer der Dauerverschreibung darf die Abgabe des verschriebenen Suchtgiftes entsprechend der ärztlichen Anordnung wiederholt werden.

(2a) Erfolgt eine Verschreibung nach § 8a Abs. 1c des Suchtmittelgesetzes, so ist es nicht erforderlich, die Dauerverschreibung der Amtsärztin/dem Amtsarzt zur Überprüfung und Fertigung vor Übermittlung an die Apotheke vorzulegen. Eine Ablichtung der Dauerverschreibung gemäß § 8a Abs. 1c des Suchtmittelgesetzes ist jedoch von der behandelnden Ärztin/dem behandelnden Arzt unverzüglich, längstens innerhalb von drei Werktagen ab Ausstellung, der nach dem Wohnsitz der Patientin/des Patienten zuständigen Bezirksverwaltungsbehörde als Gesundheitsbehörde zwecks Überprüfungsmöglichkeit der in § 23g Abs. 1a genannten Kriterien zu übersenden. Teilt die Bezirksverwaltungsbehörde als Gesundheitsbehörde der behandelnden Ärztin/dem behandelnden Arzt mit, dass eine Entlastung des amtsärztlichen Dienstes zur Sicherstellung der Opioid-Substitutionsbehandlung nicht mehr erforderlich ist, sind Dauerverschreibungen nach § 8a Abs. 1c des Suchtmittelgesetzes durch die behandelnde Ärztin/den behandelnden Arzt nicht mehr auszustellen.

Fassung ab **01.01.2027**

(Anm.: Abs. 2a mit Ablauf des 31.12.2026 außer Kraft getreten)

(3) Die Substitutions-Dauerverschreibung ist bei der ersten Abgabe in der Apotheke zurückzubehalten und

mit dem Stempel der Apotheke sowie einem Vermerk über die erfolgte Abgabe zu versehen. Jede weitere Abgabe ist mit dem Tag der Abgabe und dem Kennzeichen des Expedierenden zu versehen. Nach Ablauf der Geltungsdauer ist die Verschreibung vom Apotheker oder hausapothekenführenden Arzt einzubehalten, soweit dies zu Verrechnungszwecken mit der sozialen Krankenversicherung oder der Krankenfürsorgeanstalt erforderlich ist.

(4) Einzelverschreibungen dürfen im Rahmen von Substitutionsbehandlungen nur in begründeten Ausnahmefällen ausgestellt werden. Die Verschreibung hat, soweit Abs. 5 nicht anderes bestimmt, auf dem Formblatt für die Substitutionsverschreibung zu erfolgen, das durch

1. Markierung der Rubrik „Substitutions-Einzelverschreibung" sowie

2. Aufkleben der Suchtgiftvignette auf der Vorderseite des Formblattes

als Substitutions-Einzelverschreibung zu kennzeichnen ist.

(5) Wahlweise kann von Ärzten, die zur Ausfertigung von Arzneimittelverordnungen auf Kosten eines sozialen Krankenversicherungsträgers oder einer Krankenfürsorgeanstalt berechtigt sind, für Einzelverschreibungen im Rahmen der Substitutionsbehandlung an Stelle des Formblattes für die Substitutionsverschreibung auch das Rezeptformular der sozialen Krankenversicherung oder der Krankenfürsorgeanstalt verwendet werden. In diesem Fall hat die Verschreibung als Überschrift die Kennzeichnung „zur Substitutionsbehandlung" zu enthalten; sie ist ferner durch Aufbringen der Suchtgiftvignette auf der Vorderseite des Formblattes als Suchtgiftverschreibung zu kennzeichnen.

(6) Die Ärztin/Der Arzt hat auf der Substitutions-Einzelverschreibung (Abs. 4 und 5) eine die Ausstellung der Einzelverschreibung im betreffenden Einzelfall rechtfertigende Begründung anzubringen. Sie/Er darf pro Einzelverschreibung bei oraler Applikationsform höchstens den Bedarf für drei Tage, den die/der Suchtkranke hinsichtlich des Substitutionsmittels hat, verordnen. Im Falle einer Depotformulierung darf sie/er nur das Substitutionsmittel mit der kürzesten Anwendungsdauer verordnen.

(7) Eine Ablichtung der Substitutions-Einzelverschreibung ist von der Apotheke unmittelbar nach Abgabe des Substitutionsmittels, längstens am darauf folgenden Werktag, der/dem nach dem Wohnsitz der Patientin/des Patienten zuständigen Amtsärztin/Amtsarzt zu übersenden. Stellt die Amtsärztin/der Amtsarzt fest, dass die Einzelverschreibung mit den Verschreibungsvorschriften des Abs. 6 nicht im Einklang steht, so hat sie/er Rücksprache mit der behandelnden Ärztin/dem behandelnden Arzt zu halten und die behandelnde Ärztin/den behandelnden Arzt auf die Einhaltung der Verschreibungsvorschriften des Abs. 6 hinzuweisen. Die Rücksprache ist zu dokumentieren.

(8) Die Verordnung des Substitutionsmittels ist vom verschreibenden Arzt, die Vidierung der Substitutions-Dauerverschreibung vom Amtsarzt, die Abgabe des Suchtgiftes von der Apotheke zu dokumentieren. Die Dokumentation hat in geeigneter Form zu erfolgen und hat die fortlaufende Nummer der auf der Verordnung aufgebrachten Suchtgiftvignette sowie die im § 19 Abs. 1 Z 1 bis 6 angeführten Angaben und den Abgabemodus zu enthalten. Bei Substitutions-Dauerverschreibungen ist ferner der Beginn und das Ende der Geltungsdauer zu dokumentieren, bei Substitutions-Einzelverschreibungen die die Ausstellung der Einzelverschreibung im betreffenden Einzelfall rechtfertigende Begründung sowie die Anzahl der Tage, für die das Substitutionsmittel verordnet wurde. Die Dokumentation ist drei Jahre, nach dem Ausstellungsdatum des Rezeptes geordnet, aufzubewahren und auf Verlangen den Behörden zu übersenden oder vorzulegen.

§ 22. (1) Das Bundesministerium für Gesundheit hat für Zwecke der Verschreibung von Suchtgift zum Schutz vor Rezeptfälschungen und zur Nachvollziehbarkeit der Verschreibung Suchtgiftvignetten aufzulegen, die im Sicherheitsdruck herzustellen, mit Sicherheitsmerkmalen, die der Geheimhaltung unterliegen, sowie einer fortlaufenden Alphanummerierung und einem die fortlaufende Alphanummerierung wiedergebenden Strichcode zu versehen sind.

(2) Die Suchtgiftvignetten sind, außer in Fällen begründeten Verdachts des Missbrauchs von Suchtgift oder von psychotropen Stoffen, die auf Grund einer Anordnung des Bundesministers für Gesundheit gemäß § 10 Abs. 3 der Psychotropenverordnung, BGBl. II Nr. 375/1997, in der geltenden Fassung, nur auf Suchtgiftrezept verschrieben werden dürfen, durch die Bezirksverwaltungsbehörde an zur selbständigen Berufsausübung berechtigte Ärzte, Zahnärzte, Dentisten und Tierärzte, die diese bei ihrer Berufsausübung benötigen, oder an von diesen ermächtigte Personen sowie an Krankenanstalten gegen Empfangsbestätigung unentgeltlich auszufolgen oder über Anforderung als Einschreibsendung zuzusenden. Die örtliche Zuständigkeit der Bezirksverwaltungsbehörde richtet sich nach dem Berufssitz oder Dienstort des Arztes, Zahnarztes oder Tierarztes bzw. dem Sitz der Krankenanstalt, bei Wohnsitzärzten und Wohnsitzzahnärzten nach ihrem Wohnsitz.

(3) Die Suchgiftvignetten sind diebstahlsicher aufzubewahren. Ein etwaiger Verlust oder Diebstahl von Suchgiftvignetten ist vom Arzt, Zahnarzt, Dentisten oder Tierarzt oder von der Krankenanstalt unverzüglich der Bezirksverwaltungsbehörde unter Anführung der betreffenden Alphanummernfolge bekannt zu geben. Eine bei der Sicherheitsbehörde erstattete Anzeige ist in Kopie anzuschließen. Die Bezirksverwaltungsbehörde hat die Alphanummernfolgen jener Suchtgiftvignetten – einschließlich der bereits auf Suchtgiftverschreibungen aufgebrachten –, von deren Verlust oder Diebstahl sie Kenntnis erlangt, unverzüglich in eine dafür vom Bundesministerium für Ge-

sundheit zur Verfügung gestellte und entsprechend dem Stand der Technik gesicherte, nicht öffentliche Datenbank einzutragen. Das Bundesministerium für Gesundheit hat zum Zweck der Verhinderung der Abgabe der suchtgifthaltigen Arzneimittel an Personen, für die diese nicht verschrieben wurden, die in die Datenbank eingetragenen Alphanummernfolgen in geeigneter elektronischer Weise zur Verfügung zu stellen

1. über Anforderung den Anbietern von Apothekensoftware für Zwecke der technischen Realisierung der optoelektronischen Erkennung des die fortlaufende Alphanummerierung wiedergebenden Strichcodes (§ 22 Abs. 1) in Apotheken mit entsprechender technischer Ausstattung,

2. der Österreichischen Apothekerkammer zum Zweck der ehesten Information auch jener öffentlichen Apotheken, die nicht über eine für die optoelektronische Strichcodeerkennung erforderliche Ausstattung verfügen, über die betreffenden Alphanummernfolgen.

§ 23. Die Abgabe eines suchtgifthaltigen Arzneimittels auf Grund eines Rezeptes, das nicht den Vorschriften der §§ 18 bis 22 entspricht oder dessen Gültigkeit abgelaufen ist, ist verboten.

Opioid-Substitutionsbehandlung

§ 23a. (1) Opioid-Substitutionsbehandlung im Sinne dieser Verordnung ist die ärztliche Behandlung der Opioidabhängigkeit mit opioidhaltigen Arzneimitteln nach Maßgabe der ärztlichen Wissenschaft und Erfahrung.

(2) Die Substitutionsbehandlung kann als Überbrückungs-, Reduktions- oder Erhaltungstherapie zum Einsatz kommen.

(3) Wenn es aus Gründen der Qualitätssicherung der Behandlung oder der Behandlungssicherheit erforderlich ist, hat die Bundesministerin/der Bundesminister für Gesundheit und Frauen unter Bedachtnahme auf den Stand der medizinischen Wissenschaft und ärztlichen Erfahrung Leitlinien zur Durchführung der Substitutionsbehandlung zu erlassen. Die Bundesministerin/Der Bundesminister für Gesundheit und Frauen kann stattdessen auf geeignete Leitlinien medizinischer Fachgesellschaften referenzieren, sofern diese Standards einschließen, die geeignet sind, im Interesse des öffentlichen Gesundheitsschutzes den unkontrollierten Umgang mit den verschriebenen Substitutionsmedikamenten möglichst gering zu halten. Die Leitlinien müssen

1. für die bei der Verschreibung zur Opioid-Substitution zum Einsatz kommenden Wirkstoffe Tages-Dosismengen festlegen, bei deren Überschreiten besondere Anforderungen an die ärztliche Sorgfalts- und Dokumentationspflicht zu stellen sind (§ 23c), sowie

2. Stabilitätskriterien nach medizinischen und psychosozialen Gesichtspunkten als Voraussetzung für die ärztliche Anordnung einer längerfristigen Mitgabe des Substitutionsmedikamentes (§ 23e Abs. 4) festlegen.

(Anm.: Abs. 4 bis 6 aufgehoben durch Z 6, BGBl. II Nr. 292/2017)

§ 23b. (1) Erlangt eine Ärztin/ein Arzt Kenntnis, dass sich die Patientin/der Patient auch bei einer anderen Ärztin/einem anderen Arzt einer Opioid-Substitutionsbehandlung unterzieht, hat sie/er mit dieser/diesem das Einvernehmen über die Behandlungsfortführung herzustellen und die zuständige Bezirksverwaltungsbehörde als Gesundheitsbehörde darüber zu informieren.

(2) Die Ärztin/Der Arzt hat die Patientin/den Patienten nachweislich aufzuklären

1. über die mit einer nicht verschreibungskonformen Einnahme des Substitutionsmedikaments bzw. Interaktion des Substitutionsmedikamentes mit weiteren psychoaktiven Substanzen verbundenen Risiken sowie

2. darüber, dass die Weitergabe von Substitutionsmedikamenten an Personen, denen sie nicht verschrieben wurden, für diese mit Risiken verbunden und gesetzlich verboten ist.

§ 23c. Die Ärztin/Der Arzt hat das Überschreiten der gemäß § 23a Abs. 3 Z 1 festgelegten Dosismenge, wenn sie/er dies aus fachlichen Gründen bei der Behandlung einer Patientin/eines Patienten im Einzelfall für erforderlich hält, unter Anführung der Gründe, die sie/ihn zur Beurteilung des Dosisbedarfs bewogen haben, nachvollziehbar zu dokumentieren und der Amtsärztin/dem Amtsarzt nach Aufforderung darüber Auskunft zu erteilen, auf Verlangen auch schriftlich.

§ 23d. (1) Die Weiterbehandlung nach Einstellung des Patienten auf das Substitutionsmittel ist vom einstellenden Arzt sicherzustellen, wenn er sie nicht selbst durchführt. Im Befund für den weiterbehandelnden Arzt hat der einstellende Arzt eine genaue Dosisempfehlung und eine Empfehlung des Modus der Abgabe des Arzneimittels an den Patienten (§ 23e) darzulegen. Ferner hat der einstellende Arzt dem Patienten einen Nachweis nach **Anhang VII** darüber, dass sich der Patient einer Substitutionsbehandlung unterzieht, auszustellen, welcher den Patienten während der gesamten Behandlung begleitet. Der Nachweis hat zu enthalten

1. den Namen, Vornamen, das Geburtsdatum, die Anschrift sowie die Sozialversicherungsnummer des Patienten,

2. das Substitutionsmittel samt Tagesdosis oder Dosis der Depotformulierung, auf die die Patientin/der Patient eingestellt ist,

3. den Namen und die Anschrift (Telefonnummer) jener Drogenhilfeeinrichtung, die gegebenenfalls die psychosoziale Begleitbetreuung des Patienten durchführt,

4. den Namen, die Berufsbezeichnung und Anschrift (Telefonnummer) des einstellenden Arztes,

5. das Datum und die Unterschrift des einstellenden Arztes,

6. den Namen, die Berufsbezeichnung und Anschrift (Telefonnummer) des behandelnden Arztes,

7. das Datum und die Unterschrift des behandelnden Arztes, und

8. die Anschrift (Telefonnummer) der zuständigen Bezirksverwaltungsbehörde (Amtsarzt).

(2) Der Landeshauptmann hat für die Bereitstellung der Formulare für den Nachweis gemäß Abs. 1 und § 23f Abs. 1 bei den Bezirksverwaltungsbehörden als Gesundheitsbehörden Sorge zu tragen.

(3) Dem Nachweis nach Abs. 1 ist die Kopie einer gültigen Substitutions-Dauerverschreibung (§ 21) gleichzuhalten. Soweit ein Substitutionsnachweis nicht ausgestellt wird, ist dem Patienten eine Kopie der Substitutions-Dauerverschreibung auszuhändigen.

§ 23e. (1) Bei Ausstellung der Substitutionsverschreibung hat der Arzt einen Abgabemodus anzuordnen, der die tägliche kontrollierte Einnahme des Substitutionsmittels unter Sicht in der Apotheke, Ordinationsstätte, Krankenanstalt oder in der den Patienten betreuenden Drogenhilfeeinrichtung sicherstellt. Ausnahmen von der täglichen kontrollierten Einnahme sind nur an Wochenenden und Feiertagen zulässig; dabei dürfen dem Patienten nicht mehr als eine Tagesdosis für den Sonntag bzw. eine Tagesdosis pro Feiertag ausgefolgt werden.

(2) Zur Sicherstellung der Behandlungskontinuität sind weitere Ausnahmen von der täglich kontrollierten Einnahme bei oraler Applikation zulässig, wenn der Patientin/dem Patienten nachweislich die tägliche Einnahme an der Abgabestelle

1. auf Grund des zeitlichen Umfanges einer beruflichen Tätigkeit oder einer vom Arbeitsmarktservice geförderten Aus- oder Weiterbildungsmaßnahme, oder

2. aus anderen zeitlich begrenzten (wie insbesondere vorübergehende Erkrankung, Urlaub, vorübergehender Aufenthaltswechsel) oder zeitlich unbegrenzten, besonders berücksichtigungswürdigen Gründen

nicht möglich ist oder nicht zugemutet werden kann. In diesen Fällen ist die Mitgabe nach Maßgabe des Abs. 3 zeitlich zu begrenzen. Im Einzelfall ist bei der Festlegung der Dauer der Mitgabe auf die Stabilität der Patientin/des Patienten im Hinblick auf einen potenziell selbst- oder fremdschädigenden Umgang mit dem Substitutionsmedikament Bedacht zu nehmen. Die Ärztin/Der Arzt hat die Gründe für die Anordnung und die Dauer der Mitgabe sowie die Gründe, die sie/ihn zur Annahme der Stabilität bewogen haben, nachvollziehbar zu dokumentieren. Der Amtsärztin/Dem Amtsarzt ist nach Aufforderung darüber Auskunft zu erteilen, auf Verlangen auch schriftlich.

(3) Im Fall des

1. Abs. 2 Z 1 darf die Mitgabe von bis zu sieben Tagesdosen angeordnet werden,

2. Abs. 2 Z 2 darf die Mitgabe, wenn diese aus Anlass von Urlaub angeordnet wird, pro Kalenderjahr 35 Tagesdosen nicht überschreiten.

Als Tagesdosis gilt die Dosis für einen Kalendertag, unabhängig davon, ob es sich um einen Werktag, Sonntag oder Feiertag handelt.

(4) Unabhängig vom Vorliegen der Gründe gemäß Abs. 2 darf die Mitgabe von bis zu dreißig Tagesdosen angeordnet werden, wenn und solange die Ärztin/der Arzt bei der Prüfung gemäß Abs. 6 Z 1 erster und zweiter Satz zu der Schlussfolgerung gelangt, dass die Patientin/der Patient die für die Mitgabe des Arzneimittels vorauszusetzende Stabilität aufweist und insbesondere die folgenden Stabilitätskriterien erfüllt:

1. medizinische und psychosoziale Stabilität im Sinne der gemäß § 23a Abs. 3 Z 2 festgelegten Kriterien,

2. ununterbrochene Dauer der Opioid-Substitutionsbehandlung über zumindest sechs aufeinander folgende Monate,

3. innerhalb der unmittelbar vorangegangenen sechs Monate

a) keine Mitteilung

aa) einer Apotheke (§ 8a Abs. 4 SMG) oder

bb) der Kriminalpolizei (§ 8a Abs. 5 SMG)

die nach ärztlicher Beurteilung geeignet ist, die für eine längerfristige Mitgabe des Substitutionsmedikamentes vorauszusetzende Stabilität der Patientin/des Patienten in Frage zu stellen,

b) kein Verlust der für die Patientin/den Patienten ausgestellten Substitutionsverschreibung, von abgegebenen Tagesdosen des Substitutionsmedikamentes und kein sonstiges Vorkommnis, das den Ersatz der Substitutionsverschreibung oder abgegebener Substitutionsmedikamente notwendig macht, jedenfalls aber nicht mehrmalige diesbezügliche Vorkommnisse.

(5) Andere Ausnahmen von der täglich kontrollierten Einnahme bei oraler Applikation sind nur zulässig, wenn dies im Einzelfall aus besonders berücksichtigungswürdigen, insbesondere auch aus therapeutischen Gründen, geboten ist und hierüber das Einvernehmen zwischen dem behandelnden Arzt und dem Amtsarzt hergestellt worden ist. Der besonders berücksichtigungswürdige Grund und das hergestellte Einvernehmen sind zu dokumentieren. Der besonders berücksichtigungswürdige Grund ist durch einen Vermerk auf der Verschreibung kenntlich zu machen.

(6) Die Ärztin/Der Arzt hat

1. vor Anordnung einer Mitgabe gemäß Abs. 4 oder vor Verordnung einer die Wochendosis überschreitenden Depotformulierung zu prüfen, ob die Patientin/der Patient die Stabilitätskriterien gemäß

Abs. 4 Z 1 erfüllt. Liegen ihr/ihm Informationen zur Beurteilung der Kriterien gemäß Abs. 4 Z 2 und 3 vor, so sind auch diese in die Beurteilung des Vorliegens der Stabilitätskriterien einzubeziehen. Die Ärztin/Der Arzt hat unter Einbeziehung der Kriterien gemäß Abs. 4 die Gründe, die sie/ihn zu der Annahme bewogen haben, dass die Patientin/der Patient die für die Mitgabe des Arzneimittels oder der Verordnung einer die Wochendosis überschreitenden Depotformulierung vorauszusetzende Stabilität erfüllt, nachvollziehbar zu dokumentieren. Der Amtsärztin/Dem Amtsarzt ist nach Aufforderung darüber Auskunft zu erteilen, auf Verlangen auch schriftlich;

2. auf der Substitutionsverschreibung

SV

a) die Anordnung der Mitgabe und die Tage/den Zeitraum, für die/den das Substitutionsmedikament mitgegeben werden soll, zu vermerken,

b) zur Information für die Amtsärztin/den Amtsarzt einen Hinweis anzubringen, der

aa) den Grund (Abs. 1 bis 3) oder den besonders berücksichtigungswürdigen Grund (Abs. 5) für die Mitgabe ausweist, oder

bb) im Falle einer Mitgabe gemäß Abs. 4 kenntlich macht, dass von der Erfüllung der Stabilitätskriterien gemäß Abs. 4 ausgegangen worden ist.

(7) Die Änderung des auf einer bereits vidierten Suchtgift-Dauerverschreibung verordneten Abgabemodus ist nur dann zulässig, wenn dies kurzfristig aus unvorhersehbaren Gründen (z. B. Erkrankung der Patientin/des Patienten, unvorhergesehener Reisebedarf) unerlässlich ist; sie bedarf der schriftlichen Begründung und Fertigung der behandelnden Ärztin/des behandelnden Arztes sowie der Vidierung durch die zuständige Amtsärztin/den zuständigen Amtsarzt. Erfolgt eine Verschreibung nach § 8a Abs. 1c des Suchtmittelgesetzes, ist in den Fällen, in denen es kurzfristig aus unvorhersehbaren Gründen zu einer Änderung des verordneten Abgabemodus kommt, eine Vidierung durch die zuständige Amtsärztin/den zuständigen Amtsarzt nicht erforderlich. § 21 Abs. 2a zweiter Satz ist anzuwenden. In allen anderen Fällen hat die Ärztin/der Arzt die bereits gültige Dauerverschreibung nachweislich zu stornieren und durch eine neue Dauerverschreibung mit dem geänderten Abgabemodus zu ersetzen.

Fassung ab **01.01.2027**

(7) Die Änderung des auf einer bereits vidierten Suchtgift-Dauerverschreibung verordneten Abgabemodus ist nur dann zulässig, wenn dies kurzfristig aus unvorhersehbaren Gründen (z. B. Erkrankung der Patientin/des Patienten, unvorhergesehener Reisebedarf) unerlässlich ist; sie bedarf der schriftlichen Begründung und Fertigung der behandelnden Ärztin/des behandelnden Arztes sowie der Vidierung durch die zuständige Amtsärztin/den zuständigen Amtsarzt. In allen anderen Fällen hat die Ärztin/der Arzt die bereits gültige Dauerverschreibung nachweislich zu stornieren und durch eine neue Dauerverschreibung mit dem geänderten Abgabemodus zu ersetzen.

(Anm.: Abs. 7a mit Ablauf des 30.6.2023 außer Kraft getreten)

(8) Ist der Patient aus zwingenden Gründen (zB Erkrankung) an der auf der Verschreibung vermerkten täglich kontrollierten Einnahme gehindert, so hat der behandelnde Arzt durch geeignete Vorkehrungen, wie zB Mitgabe des Substitutionsmittels an eine vertrauenswürdige Person, welche sich durch einen amtlichen Lichtbildausweis auszuweisen hat, vorzusorgen. Der Arzt hat die abgebende Stelle (§ 23e Abs. 1), sofern er das Substitutionsmittel nicht selbst abgibt, rechtzeitig von der getroffenen Regelung in Kenntnis zu setzen. Die Mitgabe des Substitutionsmittels an eine vertrauenswürdige Person ist von der abgebenden Stelle zu dokumentieren.

(9) Im Fall, dass die Laufzeit der Dauerverschreibung während einer urlaubsbedingten oder sonstigen vorhersehbaren Abwesenheit des verschreibenden Arztes endet, hat dieser seinen Vertreter hievon zeitgerecht in Kenntnis zu setzen.

§ 23f. (1) Jeder weiterbehandelnde Arzt hat den Substitutionsnachweis des Patienten (§ 23d Abs. 1) zu kontrollieren. Er hat

1. den Beginn seiner Behandlung, seinen Namen samt Berufsbezeichnung und Anschrift (Telefonnummer) zu vermerken,

2. bestehende Einträge bei Änderung zu aktualisieren, und

3. seine Einträge mit Datum und seiner Unterschrift zu fertigen.

Soweit kein Substitutionsnachweis ausgestellt wird (§ 23d Abs. 3), ist dem Patienten eine Kopie der Substitutions-Dauerverschreibung auszuhändigen.

(2) Bei Umstellung des Patienten auf ein anderes Substitutionsmittel sowie bei Änderung der Dosis oder Signatur ist vom behandelnden Arzt, soweit dies möglich und tunlich ist, mit dem einstellenden Arzt bzw. dem Arzt, der bisher die Substitutionsbehandlung durchgeführt hat, Rücksprache zu halten.

§ 23g. (1) Die Amtsärztin/Der Amtsarzt hat die substituierende Ärztin/den substituierenden Arzt bei der Durchführung der Behandlung durch Information über Hinweise auf selbst- und fremdgefährdenden Umgang mit Suchtmitteln (§ 8a Abs. 4 und 5 SMG) zu unterstützen. Die therapeutische Verantwortung verbleibt bei der behandelnden Ärztin/beim behandelnden Arzt.

(1a) Die Amtsärztin/Der Amtsarzt hat vor Vidierung der Dauerverschreibung zu prüfen:

1. die Qualifikation der Ärztin/des Arztes (Weiterbildungsverordnung Opioid-Substitution, BGBl. II Nr. 449/2006 in der geltenden Fassung),

2. die Plausibilität von im Einzelfall ungewöhnlich hohen Dosen (§ 23c),

3. die Konformität angeordneter Mitgaben mit den Voraussetzungen gemäß § 23e Abs. 1 bis 5.

(1b) Die Amtsärztin/Der Amtsarzt hat sich, wenn die Dauerverschreibung einen Vermerk aufweist, wonach aus ärztlicher Sicht die Stabilitätskriterien gemäß § 23e Abs. 4 Z 2 und 3 als erfüllt beurteilt worden sind, zu vergewissern, dass der Bezirksverwaltungsbehörde als Gesundheitsbehörde nicht Umstände zur Kenntnis gelangt sind, die Anlass geben, die Frage der Stabilität einer neuerlichen Prüfung und Beurteilung zu unterziehen. Dabei ist Bedacht zu nehmen hinsichtlich

1. des Stabilitätskriteriums der ununterbrochenen Behandlungsdauer gemäß § 23e Abs. 4 Z 2 auf Meldungen, die gemäß § 8a Abs. 1 SMG an die Bezirksverwaltungsbehörde als Gesundheitsbehörde oder gemäß § 24b SMG an das bundesweite Substitutionsregister erstattet worden sind,

2. der Stabilitätskriterien gemäß § 23e Abs. 4 Z 3 lit. a auf das Vorliegen von Mitteilungen gemäß § 8a Abs. 4 SMG aus Apotheken und gemäß §§ 13 Abs. 2b oder 14 Abs. 2 SMG der Kriminalpolizei, soweit diese geeignet sind, die für eine längerfristige Mitgabe des Substitutionsmedikamentes vorauszusetzende Stabilität der Patientin/des Patienten in Frage zu stellen,

3. des Stabilitätskriteriums gemäß § 23e Abs. 4 Z 3 lit. b auf Vorkommnisse, die den Ersatz von Substitutionsmedikamenten notwendig gemacht haben.

(1c) Die Amtsärztin/Der Amtsarzt hat bei Bedenken, die sich aus der Prüfung gemäß Abs. 1a oder 1b ergeben, Rücksprache mit der behandelnden Ärztin/dem behandelnden Arzt zu halten. Die Rücksprache ist zu dokumentieren. Die behandelnde Ärztin/Der behandelnde Arzt hat der Amtsärztin/dem Amtsarzt die erforderlichen Auskünfte zu erteilen. Führt die Rücksprache zu keinem Einvernehmen, so hat dic Amtsärztin/der Amtsarzt, wenn erhebliche Bedenken nicht entkräftet worden sind und mit der behandelnden Ärztin/dem behandelnden Arzt keine Lösung, wie die Verschreibung in einer die Vidierung ermöglichenden Weise geändert werden kann, gefunden wird, die Fertigung der vorgelegten Dauerverschreibung (§ 21 Abs. 2) zu verweigern. Die Amtsärztin/Der Amtsarzt hat die Verweigerung der Vidierung zu dokumentieren und der behandelnden Ärztin/dem behandelnden Arzt gegenüber zu begründen.

(2) Stellt der Amtsarzt auf der Verschreibung offensichtliche Formalfehler (zB Schreibfehler, Datierungsmängel) oder sonstige offenbare Irrtümer, Mängel oder Ungereimtheiten fest, so hat er diese zu beheben oder fehlende Angaben zu ergänzen, die vorgenommenen Änderungen zu dokumentieren sowie diese dem behandelnden Arzt zur Kenntnis zu bringen.

(3) Der Amtsarzt hat die Anschrift und Telefonnummer der für die Kontrolle der Behandlung zuständigen Bezirksverwaltungsbehörde auf dem Substitutionsnachweis (§ 23d) zu vermerken und den Eintrag mit seiner Unterschrift zu fertigen.

§ 23h. (1) Versäumt der Patient die tägliche Einnahme, so dürfen die nichtbezogenen Dosen des Substitutionsmittels nicht an einem anderen Tag abgegeben werden. Gibt der Patient an, dass das abgegebene Substitutionsmittel in Verlust geraten oder erbrochen worden ist, ist dieses von der Apotheke nicht zu ersetzen. In diesen Fällen ist der verschreibende Arzt zu verständigen. Diesem obliegt es zu beurteilen, ob eine medikamentöse Behandlung im Hinblick auf Entzugsbeschwerden angezeigt ist.

(2) Die Aufteilung auf mehrere Tagesportionen ist in der Apotheke dann vorzunehmen, wenn diese Abgabeform auf der Substitutionsverschreibung vermerkt und die kontrollierte Einnahme sichergestellt ist.

(3) Im Falle, dass der Patient auf Grund einer Erkrankung an der kontrollierten Einnahme oder Abholung des Substitutionsmittels verhindert ist, darf die Apotheke dieses an eine vertrauenswürdige Person ausfolgen. Diese Person hat sich durch einen amtlichen Lichtbildausweis auszuweisen und die Erkrankung mittels ärztlicher Bestätigung nachzuweisen. Die Ausfolgung des Substitutionsmittels ist von der Apotheke zu dokumentieren. An Minderjährige darf das Substitutionsmittel nicht ausgefolgt werden.

§ 23i. (1) Der Landeshauptmann hat für die Einrichtung einer Sachverständigenkommission zur regionalen Koordination der Substitutionsbehandlung Sorge zu tragen.

(2) Der Kommission gemäß Abs. 1 sind der Drogen- oder Suchtkoordinator, Vertreter der Ärztekammer, der Landesgeschäftsstelle der Österreichischen Apothekerkammer sowie der weiteren in die Substitutionsbehandlung eingebundenen Berufsgruppen beizuziehen. Dcr Kommission können ferner sonstige hinsichtlich der Sicherheit oder Qualität in der Substitutionsbehandlung sachkundige Experten beigezogen werden.

(3) Die Kommission kann zur Klärung von im Rahmen einer Substitutionsbehandlung auftretenden Konflikten sowie zur Beratung in allen Aspekten und Problemen der Substitutionsbehandlung, insbesondere von substituierenden Ärzten, Amtsärzten, Patienten oder Kostenträgern angerufen werden. Die Ermittlung und Verwendung personenbezogener Patientendaten zur Klärung von Konfliktfällen ist der Kommission nur mit ausdrücklicher Zustimmung des Patienten gestattet. Die Konfliktparteien haben die Kommission bei der Klärung des Konfliktfalles zu unterstützen und dabei mitzuwirken. Beschlüsse der Kommission haben empfehlenden Charakter und sind dem Landeshauptmann zur Kenntnis zu bringen.

(4) In grundsätzlichen Fragen der Substitutionsbehandlung können erforderlichenfalls der Ausschuss für Qualität und Sicherheit in der Substitutionsbehandlung (§ 23k) oder das Bundesdrogenforum befasst werden.

§ 23j. Ärzte haben für Meldungen und Mitteilungen gemäß § 8a Abs. 1 des Suchtmittelgesetzes das dafür vorgesehene Meldeblatt (**Anhang VIII**) zu verwenden.

§ 23k. Zur Beratung des Bundesministers für Gesundheit in Angelegenheiten der Substitutionsbehandlung und der Qualifikation der in diese Behandlung eingebundenen Ärzte und Amtsärzte ist im Bundesministerium für Gesundheit ein Ausschuss für Qualität und Sicherheit in der Substitutionsbehandlung einzurichten, dem die Drogen- oder Suchtkoordinatoren aller Bundesländer sowie je ein sachkundiger Vertreter, entsendet vom Amt der Landesregierung jedes Bundeslandes, von der Österreichischen Ärztekammer, von der Österreichischen Apothekerkammer, vom Dachverband der österreichischen Sozialversicherungsträger, von den Medizinischen Universitäten, sowie je ein Vertreter der in die begleitende psychosoziale Betreuung eingebundenen sonstigen Berufsgruppen und Einrichtungen beizuziehen sind. Dem Ausschuss können weitere Personen, insbesondere Vertreter maßgeblicher Einrichtungen der Suchtforschung sowie sonstige hinsichtlich der Sicherheit oder Qualität in der Substitutionsbehandlung sachkundige Experten, beigezogen werden. Die Mitglieder üben ihre Tätigkeit im Rahmen des Ausschusses ehrenamtlich aus.

Grenzüberschreitende Verbringung suchtgifthaltiger Arzneimittel im internationalen Reiseverkehr

§ 24. (1) Suchtgifthaltige Arzneimittel ausgenommen jener, die Suchtgifte gemäß Abs. 6 enthalten, dürfen von Reisenden, denen sie im Ausland verschrieben wurden und derer sie zur Deckung des persönlichen medizinischen oder zahnmedizinischen Eigenbedarfs während der Reise bedürfen, in einer den Bedarf für höchstens 30 Tage nicht überschreitenden Menge nach Maßgabe der Abs. 2 bis 5 in das Bundesgebiet verbracht, im Bundesgebiet mitgeführt und wieder aus dem Bundesgebiet verbracht werden.

(2) Ohne Nachweis der im Ausland erfolgten ärztlichen oder zahnärztlichen Verschreibung dürfen suchtgifthaltige Arzneimittel, ausgenommen jene, die Suchtgifte gemäß Abs. 6 enthalten, in das Bundesgebiet verbracht, im Bundesgebiet mitgeführt und wieder aus dem Bundesgebiet verbracht werden, wenn

1. die mitgeführte Menge den Arzneimittelbedarf der reisenden Person für höchstens fünf Tage nicht übersteigt, oder

2. es sich um Zubereitungen des **Anhangs III** handelt.

(3) Arzneimittel,

1. deren Suchtgiftgehalt die für das betreffende Suchtgift in Abs. 4 festgelegte Menge nicht übersteigt, oder die

2. unabhängig vom Suchtgiftgehalt, andere als die im Abs. 4 bezeichneten Suchtgifte – ausgenommen jedoch die im Abs. 6 bezeichneten Suchtgifte – enthalten,

dürfen, soweit nicht Abs. 2 anzuwenden ist, im Reiseverkehr nur in das Bundesgebiet verbracht, im Bundesgebiet mitgeführt und wieder aus dem Bundesgebiet verbracht werden, wenn zum Nachweis, dass das Arzneimittel zum persönlichen medizinischen oder zahnmedizinischen Eigenbedarf während der Reise dient, zumindest eine Kopie der ärztlichen oder zahnärztlichen Verschreibung mitgeführt wird. Aus der Verschreibung müssen der Name des Reisenden als Patient, der Name des verschreibenden Arztes oder Zahnarztes, die Bezeichnung und Menge sowohl des Arzneimittels als auch des enthaltenen Suchtgifts sowie die Dosierung hervorgehen. Wenn die Verschreibung nicht in lateinischer Schrift oder nicht in deutscher oder englischer Sprache ausgestellt worden ist, muss an Stelle der Verschreibung eine von der im Herkunftsstaat zuständigen Behörde beglaubigte Bescheinigung nach dem Muster des **Anhangs IX** (Bescheinigung für das Mitführen suchtgifthaltiger Arzneimittel im Reiseverkehr gemäß Artikel 75 des Schengener Durchführungsübereinkommens) oder – im Fall von Reisenden aus Ländern, die nicht Vertragsparteien des Schengener Durchführungsübereinkommens sind, – eine vergleichbare Bescheinigung im Sinne der Richtlinie des internationalen Suchtgiftkontrollrates für Vorschriften über Reisende unter Behandlung mit international kontrollierten Suchtmitteln (Muster **Anhang X)** mitgeführt werden, aus der hervorgeht, dass die Person das Arzneimittel für ihren persönlichen medizinischen oder zahnmedizinischen Bedarf von einem dazu berechtigten Arzt oder Zahnarzt verschrieben erhalten hat. Die Bescheinigung muss in lateinischer Schrift und in deutscher oder englischer Sprache ausgestellt sein, ihre Gültigkeitsdauer darf die Dauer der Reise, längstens jedoch 30 Tage nicht überschreiten.

(4) Der maximale Suchtgiftgehalt (Suchtgift in Reinsubstanz) beträgt in Arzneimitteln gemäß Abs. 3 Z 1 für

Buprenorphin .... 300 mg,

Codein .... 12000 mg,

Dextropropoxyphen .... 6000 mg,

Dihydrocodein .... 12000 mg,

Dronabinol .... 1000 mg,

Fentanyl (Pflaster zur perkutanen Applikation) .... 100 mg,

Fentanyl in anderen Darreichungsformen .... 20 mg,

Hydrocodon .... 450 mg,

Hydromorphon .... 300 mg,

Methadon .... 2000 mg,

Methylphenidat .... 2000 mg,

Morphin .... 3000 mg,

Oxycodon .... 1000 mg,

Pentazocin .... 6000 mg,

Pethidin .... 12000 mg.

(5) Arzneimittel, die ein Suchtgift gemäß Abs. 4 in einer den Suchtgiftgehalt gemäß Abs. 4 übersteigenden Menge enthalten, dürfen nur in das Bundesgebiet verbracht, im Bundesgebiet mitgeführt und wieder aus dem Bundesgebiet verbracht werden, wenn die reisende Person eine von der im Herkunftsstaat zuständigen Behörde beglaubigte Bescheinigung nach dem Muster in **Anhang IX** oder – im Fall von Reisenden aus Ländern, die nicht Vertragsparteien des Schengener Durchführungsübereinkommens sind – eine vergleichbare Bescheinigung im Sinne der Richtlinie des internationalen Suchtgiftkontrollrates für Vorschriften über Reisende unter Behandlung mit international kontrollierten Suchtmitteln (Muster **Anhang X)** mit sich führt, aus der hervorgeht, dass sie das Arzneimittel ärztlich oder zahnärztlich verschrieben erhalten hat. Abs. 3 letzter Satz gilt.

(6) Folgende Suchtgifte dürfen nicht ins Bundesgebiet verbracht, im Bundesgebiet mitgeführt oder wieder aus dem Bundesgebiet verbracht werden:

Acetorphin,

Acetyl-alpha-methylfentanyl,

Alpha-methylfentanyl,

Alpha-methylthiofentanyl,

Beta-hydroxy-3-methylfentanyl,

Beta- hydroxyfentanyl,

Cannabiskraut und Cannabisharz,

Desomorphin,

Etorphin,

Heroin,

Ketobemidon,

3-Methylfentanyl,

3-Methylthiofentanyl,

MPPP,

Para-fluorofentanyl,

PEPAP,

Thiofentanyl.

(7) Suchtgifthaltige Arzneimittel dürfen im Bundesgebiet für den medizinischen oder zahnmedizinischen Eigenbedarf des Patienten während einer Auslandsreise für die Dauer von längstens 30 Tagen verschrieben werden.

(8) Die Bezirksverwaltungsbehörde hat Personen, die für ihren persönlichen medizinischen oder zahnmedizinischen Eigenbedarf während der Reise in Länder, die Vertragsparteien des Schengener Durchführungsübereinkommens sind, ein suchtgifthaltiges Arzneimittel benötigen, über Vorlage der ärztlichen oder zahnärztlichen Verschreibung eine Bescheinigung im Sinne des Artikels 75 des Schengener Durchführungsübereinkommens (Muster **Anhang IX**) auszustellen, mit der beglaubigt wird, dass die Person das suchtgifthaltige Arzneimittel vorschriftsgemäß ärztlich oder zahnärztlich verschrieben erhalten hat und es während der Reise benötigt. Die Gültigkeitsdauer der Bescheinigung darf die Dauer der Reise, längstens jedoch 30 Tage nicht überschreiten. Die Bescheinigung kann auch vom verschreibenden Arzt, Zahnarzt oder Dentisten ausgestellt werden, sie ist in diesem Fall von der Bezirksverwaltungsbehörde zu beglaubigen. Für jedes Suchtgift ist eine gesonderte Bescheinigung auszustellen und zu beglaubigen. Eine Kopie der beglaubigten Bescheinigung verbleibt bei der beglaubigenden Behörde.

(9) Das Bundesministerium für Gesundheit hat als zentrale Bundesdienststelle für Fragen im Zusammenhang mit Artikel 75 des Schengener Durchführungsübereinkommens einen Vordruck für die Bescheinigung gemäß Abs. 8 aufzulegen (Muster **Anhang IX**), von dem Kopien hergestellt werden dürfen. Die Bezirksverwaltungsbehörden haben den Vordruck bei Bedarf zu vervielfältigen und den Ärzten, Zahnärzten und Dentisten Kopien unentgeltlich auszufolgen.

(10) Das Bundesministerium für Gesundheit hat ferner einen Vordruck im Sinne der Richtlinie des internationalen Suchtgiftkontrollrates für Vorschriften über Reisende unter Behandlung mit international kontrollierten Suchtmitteln aufzulegen, der den Bezirksverwaltungsbehörden für die Bescheinigung des medizinischen oder zahnmedizinischen Eigenbedarfs suchtgifthaltiger Arzneimittel bei Reisen von Patienten in Länder dient, die nicht Vertragsparteien des Schengener Durchführungsübereinkommens sind (Muster **Anhang X**). Von dem Vordruck dürfen Kopien hergestellt werden. Abs. 9 letzter Satz ist anzuwenden.

Ein-, Aus- und Durchfuhr

§ 25. (1) Die Ein- und Ausfuhr von Suchtgift ist, außer in den Fällen der §§ 24, 27 Abs. 6 und 31a, verboten, sofern der Bundesminister für Gesundheit hiezu nicht eine Bewilligung erteilt hat. Die Durchfuhr von Suchtgift ist verboten, sofern nicht die Ausfuhrbewilligung des Versandlandes vorliegt. Den im § 2 Abs. 3 Genannten kann eine Bewilligung zur Einfuhr von Suchtgift nur nach Maßgabe der gemäß § 2 Abs. 3 erteilten Bewilligung erteilt werden.

(2) Die Bewilligung zur Ein- oder Ausfuhr von Suchtgiften ist beim Bundesministerium für Gesundheit unter Verwendung der hiefür aufgelegten Formblätter oder von Ablichtungen dieser Formblätter zu beantragen.

(3) Eine Bewilligung nach Abs. 1 und 2 ist bei Auslandseinsätzen des Bundesheeres gemäß § 2 Abs. 1 lit. d des Wehrgesetzes 2001 (WG 2001), BGBl. I Nr. 146/2001, zur Sicherstellung der ärztlichen oder zahnärztlichen Versorgung der Angehörigen des Bundesheeres oder der veterinärmedizinischen Behandlung der im Bundesheer in Verwendung stehenden Tiere nicht erforderlich.

§ 26. (1) Im Einfuhrantrag ist anzugeben:

1. der Name und die Anschrift des Importeurs;

2. der Name und die Anschrift des Exporteurs;

3. das Ausfuhrland;

4. a) die Art und Menge der Suchtgifte und das Gewicht der darin enthaltenen Base in Gramm, bei Mohnstroh in Kilogramm; aus Cannabisextrakten isoliertes Delta-9-Tetrahydrocannabinol ist mit dem Zusatz „Cannabisextrakt" zu kennzeichnen; bei Zubereitungen des Anhanges III dieser Verordnung muß das Gewicht der Base nicht angegeben werden;

b) bei Zubereitungen die Zulassungsnummer, die Anzahl der Packungen, die Packungsgröße oder Stückzahl; bei Bulkware das Nettogewicht, der Suchtgiftgehalt pro Stück in Milligramm;

bei unaufgeteilten Zubereitungen wie insbesondere Ampullen oder Durchstichflaschen die nominelle Füllmenge pro Stück, der Suchtgiftgehalt pro 1 Milliliter in Milligramm;

5. der Verwendungszweck;

6. Ort und Datum des Antrags sowie die Unterschrift des Zeichnungsberechtigten.

(2) Eine Einfuhrbewilligung ist nur nach Maßgabe des Bedarfes zu erteilen. Das Bundesministerium für Gesundheit übermittelt eine Ausfertigung der Einfuhrbewilligung an die für die Ausfuhr im betreffenden Ausland zuständige Behörde sowie zwei weitere Ausfertigungen der Einfuhrbewilligung an den Importeur. Dieser übermittelt eine Ausfertigung der Einfuhrbewilligung an den ausländischen Lieferanten; die andere Ausfertigung dient der zollamtlichen Abfertigung.

(3) Sofern Beginn und Ende der Geltungsdauer der Einfuhrbewilligung nicht in dasselbe Kalenderjahr fallen, hat der Antragsteller, wenn die Einfuhr bis zum 20. Dezember des Jahres, in dem der Beginn der Geltungsdauer liegt, erfolgt, die bis dahin erfolgte Einfuhr dem Bundesministerium für Gesundheit anzuzeigen.

(4) Die wiederholte Verwendung einer Einfuhrbewilligung zu Teilbezügen ist nicht zulässig.

(5) Die Einfuhrbewilligung ist nicht übertragbar und gilt für die Dauer von sechs Monaten, vom Tag der Ausstellung an gerechnet. Nicht benützte Einfuhrbewilligungen sind spätestens nach Ablauf der Geltungsdauer an das Bundesministerium für Gesundheit zurückzusenden.

(6) Der Eingang der eingeführten Sendung beim Empfänger im Inland ist von diesem unter Angabe von Art und Menge des eingeführten Stoffes unverzüglich dem Bundesministerium für Gesundheit mit dem von diesem hiefür aufgelegten Formblatt bekanntzugeben.

§ 27. (1) Im Ausfuhrantrag sind anzugeben:

1. der Name und die Anschrift des Exporteurs;

2. der Name und die Anschrift des ausländischen Importeurs;

3. das Bestimmungsland samt Bezeichnung und Anschrift der im Bestimmungsland für die Einfuhr zuständigen Behörde;

4. die Einfuhrbewilligung der Behörde des Bestimmungslandes samt Geschäftszahl und Datum;

5. a) die Art und Menge der Suchtgifte und das Gewicht der darin enthaltenen Base in Gramm, bei Mohnstroh in Kilogramm; aus Cannabisextrakten isoliertes Delta-9-Tetrahydrocannabinol ist durch den Zusatz „Cannabisextrakt" zu kennzeichnen;

b) bei Zubereitungen die Zulassungsnummer, die Anzahl der Packungen, die Packungsgröße oder Stückzahl; bei Bulkware das Nettogewicht, der Suchtgiftgehalt pro Stück in Milligramm;

bei unaufgeteilten Zubereitungen wie insbesondere Ampullen oder Durchstichflaschen die nominelle Füllmenge pro Stück, der Suchtgiftgehalt pro 1 Milliliter in Milligramm;

6. Ort und Datum des Antrags sowie die Unterschrift des Zeichnungsberechtigten.

(2) Bei Ausfuhr nach Ländern, die keine Einfuhrbewilligung ausstellen, ist zu dem Ausfuhrantrag eine Bestätigung der zuständigen Behörde des Bestimmungslandes darüber einzubringen, daß der Empfänger zur Einfuhr der im Antrag bezeichneten Stoffe berechtigt ist.

(3) Sofern Beginn und Ende der Geltungsdauer der Ausfuhrbewilligung nicht in dasselbe Kalenderjahr fallen, hat der Antragsteller, wenn die Ausfuhr bis zum 20. Dezember des Jahres, in dem der Beginn der Geltungsdauer liegt, erfolgt, die bis dahin erfolgte Ausfuhr dem Bundesministerium für Gesundheit anzuzeigen.

(4) Der Bundesminister für Gesundheit bewilligt die Ausfuhr unter Bedachtnahme auf die vom Exporteur beizubringende Einfuhrbewilligung oder Einfuhrbestätigung (Abs. 1 Z 4, Abs. 2) auf dem hiezu aufgelegten Formblatt in dreifacher Ausfertigung.

(5) Das Bundesministerium für Gesundheit übersendet eine Ausfertigung der Ausfuhrbewilligung an die im Importland für die Einfuhr zuständige Behörde. Die beiden weiteren Ausfertigungen übersendet das Bundesministerium für Gesundheit an den Exporteur; eine Ausfertigung dient zur zollamtlichen Abfertigung, die andere ist der Suchtgiftsendung anzuschließen.

(6) Die Ausfuhr von Zubereitungen des Anhanges III dieser Verordnung ist auch ohne Erteilung einer Ausfuhrbewilligung gestattet.

(7) Die Ausfuhrbewilligung ist nicht übertragbar und gilt für die Dauer von sechs Monaten, vom Tag der Ausstellung an gerechnet. Endet die Geltungsdauer der ausländischen Einfuhrbewilligung zu einem früheren Zeitpunkt, so endet gleichzeitig auch die Geltungsdauer der Ausfuhrbewilligung.

(8) Die erfolgte Ausfuhr ist vom Absender unverzüglich dem Bundesministerium für Gesundheit unter Verwendung des hiefür aufgelegten Formblattes anzuzeigen.

(9) Spätestens nach Ablauf der Geltungsdauer sind nicht benützte Ausfuhrbewilligungen an das Bundesministerium für Gesundheit zurückzusenden.

§ 28. (1) Die Ausfuhr von Suchtgift per Post ist nur im Paketverkehr zulässig.

(2) Verboten ist

1. die Ein-, Aus- oder Durchfuhr von Suchtgift sowie dessen Versendung im Inland in Briefsendungen jeder Art;

2. die Ein- oder Ausfuhr von Suchtgift unter der Anschrift eines Postfaches oder einer Bank für Rechnung eines Dritten.

§ 29. (1) Die Durchfuhr von Suchtgiften ist verboten, sofern den Begleitpapieren nicht eine Ausfuhrbewilligung des Versandlandes angeschlossen ist; solche Sendungen sind von den Zollorganen der Bezirksverwaltungsbehörde anzuzeigen.

(2) Soll eine zur Durchfuhr bestimmte Sendung in ein anderes als das in der Ausfuhrbewilligung des Versandlandes bezeichnete Bestimmungsland weitergeleitet werden, so ist gemäß § 27 beim Bundesministerium für Gesundheit um die Bewilligung der Ausfuhr dieser Sendung anzusuchen. Die erteilte Ausfuhrbewilligung ist im weiteren Zollverfahren entsprechend § 27 Abs. 4 und 5 zu behandeln.

(3) Durchfuhrsendungen dürfen auch im Fall einer Zwischenlagerung im Inland keiner ihre Natur verändernden Behandlung unterzogen werden.

§ 30. (1) Für die Ein-, Aus- und Durchfuhr von Mohnstroh gelten die §§ 25 bis 29 sinngemäß.

(2) Mohnstroh darf nur für floristische Zwecke und nur mit einem Zertifikat der Behörde des Ausfuhrlandes nach Österreich eingeführt werden, welches bestätigt, daß die Morphin-Alkaloide entzogen wurden.

Suchtstofflabor der Vereinten Nationen

§ 31. (1) Für die Ein- oder Ausfuhr von Suchtgift durch das Suchtstofflabor der Vereinten Nationen mit Sitz in Wien kann, unbeschadet der §§ 25 Abs. 2, 26 und 27, das in den Abs. 2 bis 5 festgelegte vereinfachte Verfahren angewendet werden.

(2) Das Suchtstofflabor der Vereinten Nationen gibt dem Bundesministerium für Gesundheit den Vornamen sowie Familien- oder Nachnamen sowie die Stellung und Funktion innerhalb der Vereinten Nationen der für die Abwicklung des vereinfachten Verfahrens zur Ein- und Ausfuhr von Suchtgiften verantwortlichen Person schriftlich bekannt. Jede Änderung dieser die verantwortliche Person betreffenden Daten ist dem Bundesministerium für Gesundheit unverzüglich schriftlich anzuzeigen.

(3) Das Bundesministerium für Gesundheit stellt dem Suchtstofflabor der Vereinten Nationen die zur Erteilung der Ein- und Ausfuhrbewilligung für Suchtgifte verwendeten Formulare zur Verfügung. Im Falle einer beabsichtigten Ein- oder Ausfuhr befüllt das Suchtstofflabor der Vereinten Nationen ein entsprechendes Formular mit den gemäß §§ 26 Abs. 1 Z 1 bis 5 oder 27 Abs. 1 Z 1 bis 5 erforderlichen Angaben und legt das soweit ausgefüllte Formular dem Bundesministerium für Gesundheit zur Erteilung der Bewilligung vor.

(4) Nach erteilter Einfuhrbewilligung übermittelt das Bundesministerium für Gesundheit die Bewilligung dem Suchtstofflabor der Vereinten Nationen. Dieses übermittelt eine Ausfertigung der Einfuhrbewilligung an die für die Ausfuhr im betreffenden Ausland zuständige Behörde sowie eine weitere Ausfertigung der Einfuhrbewilligung an den ausländischen Lieferanten; die verbleibende dritte Ausfertigung dient der zollamtlichen Abfertigung.

(5) Nach erteilter Ausfuhrbewilligung übermittelt das Bundesministerium für Gesundheit die Bewilligung dem Suchtstofflabor der Vereinten Nationen. Dieses übermittelt eine Ausfertigung der Ausfuhrbewilligung an die im Importland für die Einfuhr zuständige Behörde. Von den verbleibenden beiden Ausfertigungen dient eine zur zollamtlichen Abfertigung, die andere ist der Suchtgiftsendung anzuschließen.

(6) Die Vereinten Nationen legen dem Bundesministerium für Gesundheit bis zum 31. Jänner jedes Jahres für das jeweils vorangegangene Kalenderjahr eine Gesamtaufstellung der getätigten Ein- und Ausfuhren, geordnet nach Substanzen sowie nach Ein- und Ausfuhrstaaten, vor. Diese Gesamtaufstellung ist von der gemäß Abs. 2 benannten verantwortlichen Person zu zeichnen.

(7) § 26 Abs. 2 erster Satz, 4 und 5 erster Satz sowie § 27 Abs. 2, 4, 6 und 7 gelten auch für vereinfachte Verfahren gemäß Abs. 2 bis 5.

Übermittlung von Proben sichergestellter Suchtgifte zwischen den nationalen Kontaktstellen der Mitgliedstaaten der Europäischen Union für Zwecke der Strafverfolgung, der Justiz oder der kriminaltechnischen Analyse

§ 31a. (1) Das Bundesministerium für Inneres – Bundeskriminalamt ist nationale Kontaktstelle Österreichs gemäß Artikel 3 Abs. 1 des Beschlusses 2001/419/JI des Rates der Europäischen Union vom 28. Mai 2001 über die Übermittlung von Proben kontrollierter Stoffe, ABl. Nr. L 150/1 vom 6. Juni 2001.

(2) Das Bundesministerium für Inneres – Bundeskriminalamt kann Proben sichergestellter Suchtgifte nach dem Verfahren der Abs. 3 bis 9 an die im Amtsblatt der Europäischen Union veröffentlichten nationalen Kontaktstellen anderer Mitgliedstaaten übermitteln sowie von diesen Kontaktstellen übermittelte Suchtgifte in Empfang nehmen.

(3) Das Bundesministerium für Inneres – Bundeskriminalamt vereinbart mit jener nationalen Kontaktstelle des Mitgliedstaates,

1. an die es eine Probe eines Suchtgiftes gemäß Abs. 2 zu übermitteln beabsichtigt oder

2. von der es eine derartige Probe übermittelt erhalten soll,

vor der tatsächlichen Übermittlung die Einzelheiten der Beförderung der Probe. Für die Übermittlung ist das im Beschluss 2001/19/JI vorgesehene Begleitformular zu verwenden. Dieses vollständig und ordnungsgemäß ausgefüllte Begleitformular wird der Probe für die gesamte Beförderungsdauer angeschlossen.

(4) Das Bundesministerium für Inneres – Bundeskriminalamt trifft mit der Kontaktstelle des übermit-

telnden Staates bzw. des empfangenden Mitgliedstaates vor Übermittlung eine Vereinbarung über die Verwendung der Probe. Die Probe kann zur Aufklärung und Verfolgung von Straftaten oder zur kriminaltechnischen Analyse der Probe verwendet werden. Die übermittelte Probe darf nur jene Menge umfassen, die für die Zwecke der Strafverfolgung, der Justiz oder für die kriminaltechnische Analyse der Probe erforderlich ist.

(5) Für die Beförderung der Probe sind Sicherheitsvorkehrungen vorzusehen. Als sicher gelten folgende Beförderungsarten:

1. Beförderung durch einen österreichischen Beamten oder einen Beamten des empfangenden bzw. des übermittelnden Mitgliedstaates,

2. Beförderung durch einen Boten,

3. Beförderung über Diplomatenpost,

4. Beförderung als (Express)-Einschreiben.

(6) Macht die Übermittlung einer Probe die Beförderung durch das Hoheitsgebiet eines anderen Mitgliedstaats (Transit-Mitgliedstaat) erforderlich, so hat das Bundesministerium für Inneres – Bundeskriminalamt die nationale Kontaktstelle des Transit-Mitgliedstaats, durch dessen Hoheitsgebiet die Probe befördert wird, mittels einer Kopie des vollständig ausgefüllten Begleitformulars in Kenntnis zu setzen.

(7) Wird die Beförderungsart gemäß Abs. 5 Z 1 gewählt, so darf der Beamte keine Uniform tragen. Er darf ferner im Zusammenhang mit der Beförderung keine anderen operativen Aufgaben wahrnehmen, es sei denn, dass dies mit den sonstigen Rechtsvorschriften vereinbar ist und zwischen dem die Probe übermittelnden und dem empfangenden Mitgliedstaat sowie einem allfälligen Transitstaat vereinbart wurde. Für Flugreisen im Rahmen der Beförderung einer Probe sind nur in einem Mitgliedstaat registrierte Fluggesellschaften in Anspruch zu nehmen.

(8) Das Bundesministerium für Inneres – Bundeskriminalamt bestätigt dem übermittelnden Mitgliedstaat den Empfang der Probe unverzüglich nach deren Einlangen.

(9) Das Bundesministerium für Inneres – Bundeskriminalamt hat das Bundesministerium für Gesundheit mittels einer Kopie des Begleitformulars über eine bevorstehende Übermittlung bzw. den bevorstehenden Empfang einer Probe in Kenntnis zu setzen. Das Bundesministerium für Inneres – Bundeskriminalamt hat dem Bundesministerium für Gesundheit ferner bis zum 31. Jänner jedes Jahres eine Gesamtaufstellung über alle im vorangegangenen Kalenderjahr übermittelten bzw. empfangenen Proben vorzulegen.

(10) Die Bestimmungen der §§ 25 bis 30 über die Ein-, Aus- und Durchfuhr gelten für das in den Abs. 1 bis 9 geregelte Verfahren nicht.

Erste Hilfe

§ 32. Für Suchtgifte, die in für Erste Hilfe oder andere dringende Fälle an Bord von Schiffen oder Luftfahrzeugen im internationalen Verkehr notwendigen Mengen mitgeführt werden, gelten die §§ 25 bis 29 nicht.

Schluss-, In-Kraft-Tretens- sowie Außer-Kraft-Tretensbestimmungen

§ 33. Soweit in dieser Verordnung personenbezogene Bezeichnungen nur in männlicher Form angeführt sind, beziehen sie sich auf Frauen und Männer in gleicher Weise. Bei der Anwendung auf bestimmte Personen ist die jeweils geschlechtsspezifische Form zu verwenden.

§ 34. (1) Bewilligungen, die vom Bundesminister für Arbeit, Gesundheit und Soziales vor Inkrafttreten dieser Verordnung gemäß § 2 der Suchtgiftverordnung, BGBl. Nr. 390/1979, für das Jahr 1998 ausgestellt worden sind, gelten bis zum Ablauf des 31. Dezember 1998 weiter.

(2) Erzeuger und Arzneimittelgroßhändler, denen für das Jahr 1997 eine Bewilligung gemäß § 2 der Suchtgiftverordnung, BGBl. Nr. 390/1979, erteilt worden ist, haben dem Bundesministerium für Arbeit, Gesundheit und Soziales bis 31. Jänner 1998 in dreifacher Ausfertigung Nachweisungen über den Verkehr mit Suchtgift sowie die Erzeugung, Verarbeitung oder Umwandlung von Suchtgift im Jahr 1997 gemäß § 6 der Verordnung BGBl. Nr. 390/1979 vorzulegen.

§ 35. (1) Diese Verordnung tritt mit 1. Jänner 1998 in Kraft.

(2) Mit dem Inkrafttreten dieser Verordnung tritt die Verordnung BGBl. Nr. 390/1979, zuletzt geändert durch die Verordnung BGBl. II Nr. 177/1997, außer Kraft.

(3) Diese Verordnung in der Fassung BGBl. II Nr. 314/2005 tritt mit 1. Oktober 2005 in Kraft.

(4) Mit Ablauf des 31. Dezember 2005 treten die §§ 36 und 37 dieser Verordnung in der Fassung BGBl. II Nr. 314/2005 außer Kraft und verlieren das Formblatt für die Suchtgift-Einzelverschreibung (Teile I, II und III) sowie das Formblatt für die Suchtgift-Dauerverschreibung (Teile I, II, III und IV) ihre Wirksamkeit. Die Abgabe von Arzneimitteln bei Vorlage solcher Formblätter ist nach diesem Zeitpunkt nicht mehr zulässig. Behörden sowie Ärzte, Tierärzte oder Krankenanstalten haben Restbestände von nicht zur Verwendung gelangten Formblättern längstens bis zum Ablauf des 15. Jänner 2006 zu vernichten.

(5) Diese Verordnung *(Anm.: in der Fassung BGBl. II Nr. 451/2006)* tritt mit 1. März 2007 in Kraft.

(6) Die Bundesministerin für Gesundheit und Frauen hat unter Beiziehung des Ausschusses gemäß § 23k die Erfahrungen mit den Auswirkungen dieser Verordnung auf die Substitutionsbehandlung unter dem Blickwinkel der Patientenversorgung, der Qualitätssi-

cherung der Behandlung sowie der Sicherheit der Gebarung mit den Substitutionsmitteln bis zum Ablauf des 30. Juni 2008 zu erheben.

(7) Diese Verordnung in der Fassung BGBl. II Nr. 50/2007 tritt mit 1. März 2007 in Kraft.

(8) Die vom Bundesministerium für Gesundheit, Familie und Jugend gemäß § 22 in der Fassung der Verordnung BGBl. II Nr. 314/2005 in fortlaufender Nummerierung aufgelegten Vignetten für die Suchtgift-Einzelverschreibung und für die Suchtgift-Dauerverschreibung behalten auch nach Inkrafttreten dieser Verordnung in der Fassung BGBl. II Nr. 166/2008 bis zum Ablauf des 30. Juni 2009 ihre Gültigkeit und können unterschiedslos zur Kennzeichnung eines Rezepts als Suchtgift-Einzelverschreibung oder Suchtgift-Dauerverschreibung verwendet werden. Restbestände der nicht zur Verwendung gelangenden Vignetten sind bis zum Ablauf des 15. Juli 2009 zu vernichten.

(9) § 22 Abs. 3 in der Fassung der Verordnung BGBl. II Nr. 357/2012 tritt mit 1. November 2012 in Kraft

(10) § 21 Abs. 1 zweiter Satz, § 22 Abs. 1 und § 35 Abs. 11 in der Fassung der Verordnung BGBl. II Nr. 242/2014 treten mit 1. Oktober 2014 in Kraft. Der Anhang IV.1. in der Fassung der Verordnung BGBl. II Nr. 242/2014 tritt mit 1. Jänner 2015 in Kraft.

(11) Das vom Bundesministerium für Gesundheit gemäß § 22 in der Fassung der Verordnung BGBl. II Nr. 357/2012 aufgelegte Formblatt für die Substitutionsverschreibung behält auch nach Inkrafttreten dieser Verordnung bis zum Ablauf des 31. März 2015 seine Gültigkeit und kann bis zu diesem Zeitpunkt für Verschreibung gemäß § 21 verwendet werden.

(12) Die Überschrift des § 23a, § 23a Abs. 1 und 3, § 23b, § 23c, § 23e Abs. 2 bis 4 und 6, § 23f Abs. 2, § 23g Abs. 1, 1a, 1b, 1c und 3 in der Fassung der Verordnung BGBl. II Nr. 292/2017 treten mit 01. Jänner 2018 in Kraft. § 23a Abs. 4 bis 6, § 23e Abs. 1 letzter Satz, § 23f Abs. 2 und 4, § 23g Abs. 3 sowie Anhang VI in der Fassung der Verordnung BGBl. II Nr. 257/2015 treten mit Ablauf des 31. Dezember 2017 außer Kraft. § 8 Abs. 2a, § 23, § 23h Abs. 1, 2 und 3 sowie die Anhänge I, II und IV treten mit Ablauf des Tages der Kundmachung der Verordnung BGBl. II Nr. 292/2017 in Kraft. § 23 Abs. 2 und § 23h Abs. 1 in der Fassung der Verordnung BGBl. II Nr. 257/2015 treten mit Ablauf des Tages der Kundmachung der Verordnung BGBl. II Nr. 292/2017 außer Kraft.

(13) Die Anhänge I.1.b., I.2., IV.1., V.1. und V.2. in der Fassung der Verordnung BGBl. II Nr. 167/2019 treten mit Ablauf des Tages der Kundmachung in Kraft.

(14) § 21 Abs. 1 letzter Satz und Abs. 2a und § 23e Abs. 7a treten mit Ablauf des Tages der Kundmachung der Verordnung BGBl. II Nr. 145/2020 in Kraft und § 21 Abs. 2a und § 23e Abs. 7a mit Ablauf des 30. Juni 2022 außer Kraft.

(15) § 19 Abs. 1 Z 5, § 21 Abs. 6, § 23a Abs. 1, § 23d Abs. 1 Z 2, § 23e Abs. 2 und 5 sowie Abs. 6 Z 1 und die Anhänge I.1.b. und IV.1. treten mit Ablauf des Tages der Kundmachung der Verordnung BGBl. II Nr. 215/2020 in Kraft.

(16) Die §§ 1 Abs. 5, 5 Abs. 1, 7 Abs. 1, 2, 2a, 2b, 2c, 2d und 3, 21 Abs. 7, 23g Abs. 1a Z 1, 23k sowie § 35 Abs. 14 und die Anhänge I.1.b., IV.1. sowie V.1. in der Fassung der Verordnung BGBl. II Nr. 9/2021 treten mit 1. Jänner 2021 in Kraft.

(17) § 35 Abs. 14 in der Fassung der Verordnung BGBl. II Nr. 280/2021 tritt mit 1. Juli 2021 in Kraft. Die Anhänge I.1.b., IV.1. sowie V.2. in der Fassung der Verordnung BGBl. II Nr. 280/2021 treten mit Ablauf des Tages der Kundmachung in Kraft.

(18) § 35 Abs. 14 in der Fassung der Verordnung BGBl. II Nr. 596/2021 tritt mit 1. Jänner 2022 in Kraft.

(19) § 35 Abs. 14 in der Fassung der Verordnung BGBl. II Nr. 261/2022 tritt mit 1. Juli 2022 in Kraft.

(20) § 18 Abs. 1 dritter Satz, Abs. 1a und Abs. 3 sowie § 19 Abs. 1 Z 7 erster Teilsatz in der Fassung der Verordnung BGBl. II Nr. 23/2023 treten mit 1. Juli 2023 in Kraft. Die Anhänge I.1.b., IV.1. und V.2. in der Fassung der Verordnung BGBl. II Nr. 23/2023 treten mit Ablauf des Tages der Kundmachung in Kraft.

(21) § 21 Abs. 2a und § 23e Abs. 7 in der Fassung der Verordnung BGBl. II Nr. 209/2023 treten mit 1. Juli 2023 in Kraft. § 21 Abs. 2a und § 23e Abs. 7 zweiter und dritter Satz treten mit Ablauf des 31. Dezember 2026 außer Kraft.

(22) § 7 Abs. 2e, § 8 Abs. 5, § 9 Abs. 1, § 17 Abs. 1 und § 19 Abs. 1 Z 1 und 2 in der Fassung der Verordnung BGBl. II Nr. 440/2023 treten mit 1. Jänner 2024 in Kraft.

(23) Die §§ 8 Abs. 4, 10a Abs. 1 Z 5, 12, 17 Abs. 1 und 2 sowie 19 Abs. 1 Z 2 in der Fassung der Verordnung BGBl. II Nr. 30/2024 treten mit Ablauf des Tages der Kundmachung in Kraft.

(24) Die Anhänge I.1.b. und IV.1. in der Fassung der Verordnung BGBl. II Nr. 90/2024 treten mit Ablauf des Tages der Kundmachung in Kraft.

(25) § 35 Abs. 21 sowie die Anhänge I.1.b. und IV.1. in der Fassung der Verordnung BGBl. II Nr. 394/2024 treten mit Ablauf des Tages der Kundmachung in Kraft.

(26) § 1 Abs. 6 bis 8, § 2 Abs. 4 Z 2a und § 17 Abs. 3 in der Fassung der Verordnung BGBl. II Nr. 10/2025 treten mit dem der Kundmachung folgenden Tag in Kraft.

Anhang I

I.1. Stoffe und Zubereitungen gemäß § 2 Abs. 1 Suchtmittelgesetz:
I.1.a. Folgende Drogen und daraus hergestellte Extrakte, Tinkturen und andere Zubereitungen:

Cannabis (Marihuana)

Blüten- oder Fruchtstände der zur Gattung Cannabis gehörenden Pflanzen, denen das Harz nicht entzogen worden ist

ausgenommen sind

– die Blüten- oder Fruchtstände jener Hanfsorten, die

1. im Gemeinsamen Sortenkatalog für landwirtschaftliche Pflanzenarten gemäß Artikel 17 der Richtlinie 2002/53/EG des Rates vom 13. Juni 2002, ABl. Nr. L 193/2002 S. 1, oder

2. in der österreichischen Sortenliste gemäß § 65 Saatgutgesetz 1997, BGBl. I Nr. 72/1997, in der geltenden Fassung,

angeführt sind und deren Gehalt an Tetrahydrocannabinol 0,3% nicht übersteigt,

– Produkte aus Nutzhanfsorten, die im ersten Spiegelstrich angeführt sind, sofern der Gehalt an Tetrahydrocannabinol 0,3% vor, während und nach dem Produktionsprozess nicht übersteigt und daraus nicht leicht oder wirtschaftlich rentabel Suchtgift in einer zum Missbrauch geeigneten Konzentration oder Menge gewonnen werden kann, sowie

– die nicht mit Blüten- oder Fruchtständen vermengten Samen und Blätter der zur Gattung Cannabis gehörenden Pflanzen.

Cannabisharz (Haschisch)

das abgesonderte Harz der zur Gattung Cannabis gehörenden Pflanzen

Cocablätter; ausgenommen sind jene zur Aromatisierung von Lebensmitteln dienenden Extrakte aus Cocablättern, denen das Cocain, Ecgonin und alle anderen Ecgonin-Alkaloide entzogen worden sind (decocainierte Extrakte). Als decocainiert gilt ein Extrakt, dessen Gehalt an Cocain, Ecgonin oder anderen Ecgonin-Alkaloiden in Summe 1,25 ppm oder 1,25 Milligramm pro Liter oder Kilogramm nicht übersteigt. Ausgenommen sind ferner die mit einem decocainierten Extrakt aromatisierten Lebensmittel, wenn der Gehalt an Cocain, Ecgonin oder anderen Ecgonin-Alkaloiden in Summe 1,25 ppm oder 1,25 Milligramm pro Liter oder Kilogramm des Lebensmittels nicht übersteigt

Hanf siehe Cannabis

Mohnstrohkonzentrat

das Produkt, das bei der Behandlung von Mohnstroh zum Zwecke der Konzentration seiner Alkaloide erhalten wurde

Opium, Rohopium

der geronnene Saft der zur Art Papaver somniferum gehörenden Pflanzen

I.1.b. Folgende Stoffe:

Acetorphin

Acetyl-alpha-methylfentanyl

Acetylfentanyl

Acetylmethadol

Acryloylfentanyl

AH-7921

Alfentanil

Allylprodin

Alphacetylmethadol

Alphameprodin

Alphamethadol

Alpha-methylfentanyl

Alpha-methylthiofentanyl

Alphaprodin

Anileridin

Benzethidin

Benzylmorphin

Betacetylmethadol

SV Beta-hydroxyfentanyl

Beta-hydroxy-3-methylfentanyl

Betameprodin

Betamethadol

Betaprodin

Bezitramid

Brorphin

Butonitazen

Butyrfentanyl

Carfentanil

Clonitazen

Cocain

Codein-N-oxid

Codoxim

Crotonylfentanyl

Desomorphin

Dextromoramid

Diacetylmorphin, Heroin

Diampromid

Diethylthiambuten

Difenoxin

Dihydromorphin

Dimenoxadol

Dimepheptanol

Dimethylthiambuten

Dioxaphetylbutyrat

Diphenoxylat

Dipipanon

Drotebanol

Ecgonin, seine Ester und Derivate, die in Ecgonin und Cocain gewandelt werden können

Etazen

Ethylmethylthiambuten

Etonitazen

Etonitazepyn

Etorphin

Etoxeridin

Fentanyl

4-Fluoroisobutyrfentanyl, 4-FIBF, pFIBF

Furanylfentanyl

Furethidin

Heroin, Diacetylmorphin

Hydrocodon

Hydromorphinol

Hydromorphon

Hydroxypethidin

Isomethadon

Isotonitazen

Ketobemidon

Levacetylmethadol

Levomethorphan, ausgenommen Dextromethorphan

Levomoramid

Levophenacylmorphan

Levo-(R(-)) Methadon (Polamidon)

Levorphanol

Metazocin

Methadon

Methadon-Zwischenprodukt

2-Methyl-AP-237

Methyldesorphin

Methyldihydromorphin

3-Methylfentanyl

3-Methylthiofentanyl

Metonitazen

Metopon

Moramid-Zwischenprodukt

Morpheridin

Morphin

Morphinmethobromid und andere quartäre Salze des Morphins

Morphin-N-oxid

MPPP

MT-45

Myrophin

SV Nicomorphin

Noracymethadol

Norlevorphanol

Normethadon

Normorphin

Norpipanon

Ocfentanil

Oripavin

Orthofluorofentanyl

Oxycodon

Oxymorphon

Para-fluorofentanyl

Parafluorobutyrylfentanyl

PEPAP

Pethidin

Pethidin-Zwischenprodukt A

Pethidin-Zwischenprodukt B

Pethidin-Zwischenprodukt C

Phenadoxon

Phenampromid

Phenazocin

Phenomorphan

Phenoperidin

Piminodin

Piritramid

Proheptazin

Properidin

Protonitazen

Racemethorphan

Racemoramid

Racemorphan

Sufentanil

Tetrahydrofuranylfentanyl, THF-F

Thebacon

Thebain

Thiofentanyl

Tilidin

Trimeperidin

U-47700

Valerylfentanyl

I.1.c. Weiters:

die Isomere der unter I.1.b. angeführten Suchtgifte die Ester, Äther und Molekülverbindungen der unter I.1.b. angeführten Suchtgifte

die Salze der unter I.1.b. angeführten Suchtgifte einschließlich der möglichen Salze der Ester, Äther und Salze der Isomere

sämtliche Zubereitungen der unter I.1.b. angeführten Suchtgifte, wenn sie nicht, ohne am menschlichen oder tierischen Körper angewendet zu werden, ausschließlich diagnostischen oder analytischen Zwecken dienen und ihr Gehalt an einem oder mehreren den Suchtgiftbestimmungen unterliegenden Stoffen jeweils den Prozentsatz von 0,001 nicht übersteigt

I.2. Stoffe und Zubereitungen, die auf Grund ihrer Wirkung und Verbreitung ein den Suchtgiften nach I.1. vergleichbares Gefährdungspotential aufweisen und daher diesen gleichgestellt sind (§ 2 Abs. 3 Suchtmittelgesetz):

Cyclopropylfentanyl

Levacetylmethadol

Methoxyacetylfentanyl

Monoacetylmorphin, 6-Acetyl-Morphin

Remifentanil

Tapentadol

die Isomere der unter I.2. angeführten Suchtgifte

die Ester, Äther und Molekülverbindungen der unter I.2. angeführten Suchtgifte

die Salze der unter I.2. angeführten Suchtgifte einschließlich der möglichen Salze der Ester, Äther und Salze der Isomere

sämtliche Zubereitungen der unter I.2. angeführten Suchtgifte, wenn sie nicht, ohne am menschlichen oder tierischen Körper angewendet zu werden, ausschließlich diagnostischen oder analytischen Zwecken dienen und ihr Gehalt an einem oder mehreren den Suchtgiftbestimmungen unterliegenden Stoffen jeweils den Prozentsatz von 0,001 nicht übersteigt

Anhang II

Acetyldihydrocodein

Äthylmorphin

Codein

Dextropropoxyphen

Dihydrocodein

Ethylmorphin

Nicocodin

Nicodicodin

SV Norcodein

Pholcodin

Propiram

abgesehen von den in Anhang III bezeichneten Zubereitungen

die Isomere der in diesem Anhang angeführten Suchtgifte

die Ester, Äther und Molekülverbindungen der in diesem Anhang angeführten Suchtgifte

die Salze der in diesem Anhang angeführten Suchtgifte einschließlich der möglichen Salze der Ester, Äther und Salze der Isomere

sämtliche Zubereitungen der in diesem Anhang angeführten Suchtgifte, wenn sie nicht, ohne am menschlichen oder tierischen Körper angewendet zu werden, ausschließlich diagnostischen oder analytischen Zwecken dienen und ihr Gehalt an einem oder mehreren den Suchtgiftbestimmungen unterliegenden Stoffen jeweils den Prozentsatz von 0,001 nicht übersteigt

Anhang III

III.1. Pharmazeutische Zubereitungen, die folgende Suchtgifte des Anhanges II enthalten:

Acetyldihydrocodein

Codein

Dihydrocodein

Ethylmorphin

Nicocodin

Nicodicodin

Norcodein

Pholcodin

wenn es sich um Zubereitungen mit einem oder mehreren nicht den Suchtgiftbestimmungen unterliegenden Bestandteilen handelt und diese Zubereitungen je Einzeldosis nicht mehr als 100 mg Suchtgift (berechnet als Base) oder 2,5 Prozent in unaufgeteilten Zubereitungen enthalten

Zubereitungen von Propiram, wenn diese je Einzeldosis nicht mehr als 100 mg Propiram (berechnet als Base) und mindestens die gleiche Menge Methylcellulose enthalten

Zubereitungen von Dextropropoxyphen für die orale Anwendung ohne einen weiteren den österreichischen Suchtgiftbestimmungen unterliegenden Bestandteil, wenn diese je Einzeldosis nicht mehr als 135 mg Dextropropoxyphen (berechnet als Base) oder in unaufgeteilten Zubereitungen nicht mehr als 2,5 Prozent dieses Stoffes enthalten

III.2. Weiters:

Zubereitungen von Tramadol

Zubereitungen von Difenoxin, wenn diese je Einzeldosis nicht mehr als 0,5 mg Difenoxin (berechnet als Base) und mindestens 5 Prozent dieser Menge Atropinsulfat enthalten

Zubereitungen von Diphenoxylat, wenn diese je Einzeldosis nicht mehr als 2,5 mg Diphenoxylat (berechnet als Base) und mindestens 1 Prozent dieser Menge Atropinsulfat enthalten

SV

Anhang IV

IV.1. Stoffe und Zubereitungen des Anhangs II des Übereinkommens der Vereinten Nationen über psychotrope Stoffe (§ 2 Abs. 2 Suchtmittelgesetz):

AB-CHMINACA

AB-FUBINACA

AB-PINACA

ADB-BUTINACA

ADB-FUBINACA

AM-2201

Amphetamin

SV 4-CMC, 4-Chloromethcathinon, Clephedron

CUMYL-PeGACLONE

Dexamphetamin

Delta-9-Tetrahydrocannabinol und dessen stereochemischen Varianten

Dipentylon

Diphenidin

Ethylon

Ethylphenidat

Eutylon

5F-AMB-PINACA, 5F-AMB, 5F-MMB-PINACA

5F-APINACA, 5F-AKB-48

Fenetyllin

4-Fluoroamphetamin, 4-FA

2-Fluorodeschloroketamin, 2-FDCK

4F-MDMB-BINACA

5F-MDMB-PICA, 5F-MDMB-2201

5F-MDMB-PINACA, 5F-ADB

5F-PB-22

FUB-AMB, MMB-FUBINACA, AMB-FUBINACA

Gamma-Hydroxybuttersäure (GHB), ausgenommen in Zubereitungen, wenn sie kein weiteres Suchtmittel enthalten und, ohne am menschlichen oder tierischen Körper angewendet zu werden, nicht mehr als 1 Prozent Gamma-Hydroxybuttersäure (GHB) enthalten

JWH-018

Levamfetamin

Levomethamphetamin

MDMB-CHMICA

MDMB-4en-PINACA

Mecloqualon

3-MeO-PCP
Methamphetamin

Methamphetamin-Razemat

Methaqualon

Methiopropamin, MPA

Methoxetamin, MXE

3,4-Methylendioxypyrovaleron, MDPV

4-Methylethcathinon, 4-MEC

Methylon, beta-keto-MDMA

Methylphenidat

N-Ethylhexedron

N-Ethylnorpentylon, Ephylon

Paramethyl-4-methylaminorex, 4,4‘-DMAR

Pentedron

Phencyclidin

Phenmetrazin

α-Pyrrolidinohexanophenon, α-PHP

α-Pyrrolidinoisohexanophenon, α-PiHP

α-Pyrrolidinovalerophenon, α-PVP

Secobarbital

UR-144

XLR-11

Zipeprol

die Isomere der unter IV.1. angeführten Suchtgifte

die Ester*, Äther und Molekülverbindungen der unter IV.1. angeführten Suchtgifte

die Salze der unter IV.1. angeführten Suchtgifte einschließlich der möglichen Salze der Ester, Äther und Salze der Isomere

sämtliche Zubereitungen der unter IV.1. angeführten Suchtgifte, wenn sie nicht, ohne am menschlichen oder tierischen Körper angewendet zu werden, ausschließlich diagnostischen oder analytischen Zwecken dienen und ihr Gehalt an einem oder mehreren den Suchtgiftbestimmungen unterliegenden Stoffen jeweils den Prozentsatz von 0,001 nicht übersteigt

* ausgenommen Butyro-1,4-lacton (GBL)

IV.2. Stoffe und Zubereitungen, die auf Grund ihrer Wirkung und Verbreitung ein den Suchtgiften nach IV.1. vergleichbares Gefährdungspotential aufweisen und daher diesen gleichgestellt sind (§ 2 Abs. 3 Suchtmittelgesetz):

Buprenorphin

Pentazocin

Tramadol

abgesehen von den in Anhang III bezeichneten Zubereitungen

SV

Anhang V

V.1. Stoffe und Zubereitungen des Anhangs I des Übereinkommens der Vereinten Nationen über psychotrope Stoffe (§ 2 Abs. 2 Suchtmittelgesetz):

N-Äthyl MDA

25B-NBOMe, 2C-B-NBOMe

Brolamfetamin, DOB

Cathinon

2C-B

25C-NBOMe, 2C-C-NBOMe

DET

DMA

DMHP

DMT

DOC

DOET

Eticyclidin, PCE

Etryptamin

N-Hydroxy MDA

25I-NBOMe, 2C-I-NBOMe

Levamphetamin

(+)-Lysergid, LSD, LSD-25

MDMA

Mescalin

Methcathinon

4-Methylaminorex

MMDA

Parahexyl

PMA

Psilocin, Psilotin

Psilocybin

Rolicyclidin, PHP, PCPY

STP, DOM

Tenamfetamin, MDA

Tenocyclidin, TCP

Tetrahydrocannabinol, die folgenden Isomere 6a (10a), 6a (7), 7, 8, 9, 10, 9 (11) und deren stereochemischen Varianten

TMA

die Isomere der unter V.1. angeführten Suchtgifte

die Ester, Äther und Molekülverbindungen der unter V.1. angeführten Suchtgifte

die Salze der unter V.1. angeführten Suchtgifte einschließlich der möglichen Salze der Ester, Äther und Molekülverbindungen sowie Salze der Isomere

sämtliche Zubereitungen der in diesem Anhang angeführten Suchtgifte, wenn sie nicht, ohne am menschlichen oder tierischen Körper angewendet zu werden, ausschließlich diagnostischen oder analytischen Zwecken dienen und ihr Gehalt an einem oder mehreren den Suchtgiftbestimmungen unterliegenden Stoffen jeweils den Prozentsatz von 0,001 nicht übersteigt

V.2. Stoffe und Zubereitungen, die auf Grund ihrer Wirkung und Verbreitung ein den Suchtgiften nach V.1. vergleichbares Gefährdungspotential aufweisen und daher diesen gleichgestellt sind (§ 2 Abs. 3 Suchtmittelgesetz):

ADB-CHMINACA

5-(2-Aminopropyl)indol

3-Chlor-Methcathinon, 3-CMC

2C-I

2C-T-2

2C-T-7

Benzylpiperazin (BZP)

CUMYL-4CN-BINACA

4F-MDMB-BICA

MBDB

MDE

4-Methylamphetamin

4-Methyl-Methcathinon

3-Methyl-Methcathinon, 3-MMC

4-MTA

PMMA

TMA-2

THCA

die Isomere der unter V.2. angeführten Suchtgifte

die Ester, Äther und Molekülverbindungen der unter V.2. angeführten Suchtgifte

die Salze der unter V.2. angeführten Suchtgifte einschließlich der möglichen Salze der Ester, Äther und Molekülverbindungen sowie Salze der Isomere

sämtliche Zubereitungen der in diesem Anhang angeführten Suchtgifte, wenn sie nicht, ohne am menschlichen oder tierischen Körper angewendet zu werden, ausschließlich diagnostischen oder analytischen Zwecken dienen und ihr Gehalt an einem oder mehreren den Suchtgiftbestimmungen unterliegenden Stoffen jeweils den Prozentsatz von 0,001 nicht übersteigt.

Suchtgift-Grenzmengenverordnung

Verordnung des Bundesministers für Gesundheit über die Grenzmengen der Suchtgifte (Suchtgift-Grenzmengenverordnung – SGV)
StF: BGBl. II Nr. 377/1997 idF BGBl. II Nr. 233/2024

Stichwortverzeichnis

SGV

§ 1. Als Untergrenze jener Menge, die, bezogen auf die Reinsubstanz des Wirkstoffes geeignet ist, in großem Ausmaß eine Gefahr für das Leben oder die Gesundheit von Menschen herbeizuführen (Grenzmenge), wird für die einzelnen Suchtgifte, unter Bedachtnahme auch auf deren Eignung, Gewöhnung hervorzurufen, sowie auf das Gewöhnungsverhalten von Suchtkranken, die im Anhang dieser Verordnung jeweils angeführte Menge festgesetzt.

§ 2. Sofern hinsichtlich der im Anhang angeführten Suchtgifte das Bestehen von Salzen möglich ist, beziehen sich die Grenzmengen auf die Base des jeweiligen Suchtgiftes.

§ 3. (1) Diese Verordnung tritt mit 1. Jänner 1998 in Kraft.

(2) Der Anhang in der Fassung der Verordnung BGBl. II Nr. 371/2014 tritt mit 1. Jänner 2015 in Kraft.

(3) Der Anhang in der Fassung der Verordnung BGBl. II Nr. 211/2019 tritt mit Ablauf des Tages der Kundmachung in Kraft.

(4) Der Anhang in der Fassung der Verordnung BGBl. II Nr. 6/2024 tritt mit Ablauf des Tages der Kundmachung in Kraft.

(5) Der Anhang in der Fassung der Verordnung BGBl. II Nr. 233/2024 tritt mit Ablauf des Tages der Kundmachung in Kraft.

Anhang

1. Suchtgifte gemäß Anhang I der Suchtgiftverordnung, BGBl. II Nr. 374/1997:

Substanz:	Mengen in Gramm:
Acetorphin	20,0
Acetyl-alpha-methylfentanyl	1,0
Acetylfentanyl	0,5
Acetylmethadol	20,0
Acryloylfentanyl	0,01
AH-7921	2,5
Alfentanil	1,0
Allylprodin	24,0
Alphacetylmethadol	20,0
Alphameprodin	24,0
Alphamethadol	20,0
Alpha-methylfentanyl	0,5
Alpha-methylthiofentanyl	0,1
Alphaprodin	24,0
Anileridin	13,0
Benzethidin	13,0
Benzylmorphin	20,0
Betacetylmethadol	20,0
Beta-hydroxyfentanyl	1,0
Beta-hydroxy-3-methylfentanyl	0,1
Betameprodin	24,0
Betamethadol	20,0
Betaprodin	24,0
Bezitramid	3,0
Brorphin	3,0
Butyrfentanyl	0,7
Carfentanil	0,005
Clonitazen	3,0
Cocain	15,0
Codein-N-oxid	20,0
Codoxim	20,0
Crotonylfentanyl	0,5
Cyclopropylfentanyl	0,5
Desomorphin	20,0
Dextromoramid	10,0
Diampromid	24,0
Diethylthiambuten	10,0
Difenoxin	0,6
Dihydromorphin	20,0
Dimenoxadol	20,0
Dimepheptanol	20,0

SGV

Dimethylthiambuten	10,0
Dioxaphetylbutyrat	10,0
Diphenoxylat	3,0
Dipipanon	1,5
Drotebanol	20,0
Ecgonin, seine Ester und Derivate, die in Ecgonin und Cocain umgewandelt werden können	20,0
Etazen	3,0
Ethylmethylthiambuten	10,0
Etonitazen	3,0
Etonitazepyn	3,0
Etorphin	20,0
Etoxeridin	3,0
Fentanyl	0,5
4-Fluoroisobutyrfentanyl, 4-FIBF, pFIBF	2,0
Furanylfentanyl	0,05
Furethidin	3,0
Heroin, Diacetylmorphin	3,0
Hydrocodon	20,0
Hydromorphinol	20,0
Hydromorphon	3,0
Hydroxypethidin	20,0
Isomethadon	10,0
Isotonitazen	3,0
Ketobemidon	2,0
Levacetylmethadol	20,0
Levomethorphan, ausgenommen Dextromethorphan	1,2
Levomoramid	10,0
Levophenacylmorphan	1,2
Levo-(R(-)) Methadon (Polamidon)	5,0
Levorphanol	1,2
Metazocin	0,6
Methadon	10,0
Methadon-Zwischenprodukt	20,0
Methoxyacetylfentanyl	0,5
2-Methyl-AP-237	1,0
Methyldesorphin	20,0
Methyldihydromorphin	20,0
3-Methylfentanyl	0,1
3-Methylthiofentanyl	0,1
Metonitazen	3,0
Metopon	3,0
Monoacetylmorphin, 6-Acetyl-Morphin	3,0
Moramid-Zwischenprodukt	20,0
Morpheridin	13,0

Morphin	10,0
Morphinmethobromid und andere quartäre Salze des Morphins	20,0
Morphin-N-oxid	20,0
MPPP	2,0
MT-45	5,0
Myrophin	0,6
Nicomorphin	20,0
Noracymethadol	20,0
Norlevorphanol	1,2
Normethadon	15,0
Normorphin	20,0
Norpipanon	6,0
Ocfentanil	0,2
Oripavin	20,0
Orthofluorofentanyl	0,25
Oxycodon	20,0
Oxymorphon	2,0
Para-fluorofentanyl	0,5
Parafluorobutyrylfentanyl	1,0
PEPAP	2,0
Pethidin	20,0
Pethidin-Zwischenprodukt A	40,0
Pethidin-Zwischenprodukt B	40,0
Pethidin-Zwischenprodukt C	40,0
Phenadoxon	1,5
Phenampromid	1,0
Phenazocin	0,6
Phenomorphan	1,2
Phenoperidin	3,0
Piminodin	3,0
Piritramid	15,0
Proheptazin	20,0
Properidin	3,0
Protonitazen	3,0
Racemethorphan	1,2
Racemoramid	10,0
Racemorphan	1,2
Remifentanil	0,1
Sufentanil	0,01
Tapentadol	20,0
Tetrahydrofuranylfentanyl, THF-F	1,0
Thebacon	3,0
Thebain	15,0
Thiofentanyl	0,5

Tilidin	36,0
Trimeperidin	40,0
U-47700	0,8
Valerylfentanyl	1,0

2. Suchtgifte gemäß Anhang II der Suchtgiftverordnung:

Substanz:	Mengen in Gramm:
Acetyldihydrocodein	30,0
Äthylmorphin	20,0
Codein	30,0
Dextropropoxyphen	40,0
Dihydrocodein	30,0
Ethylmorphin	20,0
Nicocodin	6,0
Nicodicodin	6,0
Norcodein	30,0
Pholcodin	10,0
Propiram	20,0

3. Suchtgifte gemäß Anhang IV der Suchtgiftverordnung:

Substanz:	Mengen in Gramm:
AB-CHMINACA	1,0
AB-FUBINACA	0,5
AB-PINACA	1,5
ADB-BUTINACA	0,5
ADB-FUBINACA	1,0
AM-2201	1,0
Amphetamin	10,0
Buprenorphin	1,0
4-CMC, 4-Chlormethcathinon, Clephedron	30,0
CUMYL-PeGACLONE	0,5
Dexamphetamin	10,0
Delta-9-Tetrahydrocannabinol und dessen stereochemischen Varianten	20,0
Diphenidin	5,0
Ethylon	30,0
Ethylphenidat	10,0
Eutylon	30,0
5F-AMB-PINACA, 5F-AMB, 5F-MMB-PINACA	0,5
5F-APINACA, 5F-AKB-48	1,75
Fenetyllin	25,0
4-Fluoramphetamin, 4-FA	30,0
4F-MDMB-BINACA	0,5
5F-MDMB-PICA, 5F-MDMB-2201	0,5
5F-MDMB-PINACA, 5F-ADB	0,75
5F-PB-22	1,0

FUB-AMB, MMB-FUBINACA, AMB-FUBINACA	0,75
Gamma-Hydroxybuttersäure (GHB)	200,0
JWH-018	2,0
Levamfetamin	10,0
Levomethamphetamin	10,0
MDMB-CHMICA	0,75
MDMB-4en-PINACA	0,5
Mecloqualon	40,0
3-MeO-PCP	1,0
Methamphetamin	10,0
Methamphetamin-Razemat	10,0
Methaqualon	40,0
Methiopropamin, MPA	20,0
Methoxetamin, MXE	3,0
3,4-Methylendioxypyrovaleron, MDPV	5,0
4-Methylethcathinon, 4-MEC	30,0
Methylon, beta-keto-MDMA	30,0
Methylphenidat	10,0
N-Ethylhexedron	4,0
N-Ethylnorpentylon, Ephylon	15,0
Paramethyl-4-methylaminorex, 4,4'-DMAR	10,0
Pentedron	15,0
Pentazocin	50,0
Phencyclidin	1,0
Phenmetrazin	30,0
α-Pyrrolidinohexanophenon, α-PHP	4,0
α-Pyrrolidinoisohexanophenon, α-PiHP	4,0
α-Pyrrolidinovalerophenon, α-PVP	5,0
Secobarbital	10,0
Tramadol	40,0
UR-144	1,0
XLR-11	1,0
Zipeprol	40,0

4. Suchtgifte gemäß Anhang V der Suchtgiftverordnung:

Substanz:	Mengen in Gramm:
ADB-CHMINACA	1,0
5-(2-Aminopropyl)indol	20,0
N-Äthyl MDA	30,0
25B-NBOMe, 2C-B-NBOMe	1,5
Brolamfetamin, DOB	1,0
Benzylpiperazin (BZP)	40,0
Cathinon	4,0
2C-B	12,0
3-Chlor-Methcathinon, 3-CMC	30,0

2C-I	12,0
25C-NBOMe, 2C-C-NBOMe	1,5
2C-T-2	12,0
2C-T-7	12,0
CUMYL-4CN-BINACA	0,75
DET	3,0
DMA	30,0
DMHP	30,0
DMT	3,0
DOC	1,0
DOET	30,0
Eticyclidin, PCE	2,0
Etryptamin	3,0
4-F-MDMB-BICA	2,0
25I-NBOMe, 2C-I-NBOMe	1,5
4-Methylamphetamin	10,0
N-Hydroxy MDA	30,0
(+)-Lysergid, LSD, LSD-25	0,01
MBDB	30,0
MDE	30,0
MDMA	30,0
Mescalin	120,0
Methcathinon	4,0
4-Methylaminorex	10,0
4-Methyl-Methcathinon	60,0
3-Methyl-Methcathinon, 3-MMC	60,0
MMDA	30,0
4-MTA	10,0
Parahexyl	20,0
PMA	30,0
PMMA	30,0
Psilocin, Psilotin	3,0
Psilocybin	3,0
Rolicyclidin, PHP, PCPY	2,0
STP, DOM	1,0
Tenamfetamin, MDA	30,0
Tenocyclidin, TCP	2,0
Tetrahydrocannabinol, die folgenden Isomere Delta 6a (10a), Delta 6a (7), Delta 7, Delta 8, Delta 9, Delta 10, Delta 9 (11) und deren stereochemischen Varianten 20,0	
THCA	40,0
TMA	30,0
TMA-2	18,0

Psychotropenverordnung

Verordnung der Bundesministerin für Arbeit, Gesundheit und Soziales über den Verkehr und die Gebarung mit psychotropen Stoffen (Psychotropenverordnung – PV)
StF: BGBl. II Nr. 375/1997 idF BGBl. II Nr. 10/2025

Inhaltsverzeichnis

Stichwortverzeichnis

Begriffsbestimmung

§ 1. (1) Psychotrope Stoffe im Sinne des § 3 Abs. 1 Suchtmittelgesetz sind die im **Anhang** dieser Verordnung erfaßten Stoffe und Zubereitungen.

(2) Dieser Verordnung unterliegen die im Anhang dieser Verordnung erfaßten Stoffe in Substanz sowie, soweit nicht auf psychotrope Stoffe in Substanz Bezug genommen wird, Zubereitungen, die psychotrope Stoffe enthalten.

(3) Arzneimittel im Sinne dieser Verordnung sind Arzneimittel im Sinne des Arzneimittelgesetzes (AMG), BGBl. Nr. 185/1983, und Tierarzneimittel im Sinne des Tierarzneimittelgesetzes (TAMG), BGBl. I Nr. 186/2023.

(4) Als Arzneimittelgroßhändler im Sinne dieser Verordnung gelten auch Tierarzneimittel-Großhändler im Sinne des TAMG.

Erzeugung, Verarbeitung, Umwandlung, Erwerb, Besitz und Abgabe

§ 2. (1) Die Erzeugung, Verarbeitung, Umwandlung, der Erwerb und Besitz von psychotropen Stoffen ist, außer in den im § 30 Abs. 3 Z 1 Suchtmittelgesetz angeführten Fällen des Erwerbes und Besitzes und, sofern die §§ 6 und 7 nicht anderes bestimmen, unbeschadet allfälliger nach anderen Rechtsvorschriften erforderlicher Bewilligungen nur nach Maßgabe einer Bewilligung des Bundesministers für Gesundheit gestattet.

(2) Bewilligungen gemäß Abs. 1 dürfen, soweit Abs. 3 nicht anderes bestimmt, nur Gewerbetreibenden mit einer Berechtigung zur Herstellung von Arzneimitteln und Giften und zum Großhandel mit Arzneimitteln und Giften gemäß § 94 Z 32 der Gewerbeordnung und jeweils nur im notwendigen Umfang erteilt werden.

(3) Bewilligungen zur Erzeugung, Verarbeitung, zum Erwerb und Besitz von psychotropen Stoffen können unbeschadet des Abs. 2 auch Personen erteilt werden, die zur Herstellung von Erzeugnissen, die keine psychotrope Wirkung entfalten, berechtigt sind, sofern hiefür ein psychotroper Stoff benötigt wird (§ 6 Abs. 5 Suchtmittelgesetz).

(4) Der Antrag auf Erteilung einer Bewilligung gemäß Abs. 2 oder 3 ist beim Bundesministerium für Gesundheit mit dem hiefür aufgelegten Formblatt bis 30. September jeden Jahres zu stellen. Der Antrag hat zumindest nachstehende Angaben und Nachweise zu enthalten:

1. die Firma sowie die Anschrift des Antragstellers,

2. den Nachweis der gewerberechtlichen Berechtigung, auf Grund derer der Antragsteller seine Tätigkeit ausübt,

2a. bei Anträgen gemäß Abs. 2 den Nachweis einer gültigen Bewilligung gemäß § 63 Abs. 1 AMG, sofern Arzneimittel im Sinne des AMG hergestellt, kontrolliert oder in Verkehr gebracht werden, oder einer gültigen Bewilligung gemäß § 30 Abs. 1 TAMG, sofern Tierarzneimittel im Sinne des TAMG hergestellt, kontrolliert, bereitgestellt oder in Verkehr gebracht werden.

2b. jener psychotrope Stoff bzw. eine Auflistung jener psychotropen Stoffe, für den bzw. die um Bewilligung eingekommen wird, einschließlich des Zwecks (der Zwecke) gemäß Abs. 2 oder 3, für den (die) der psychotrope Stoff benötigt wird;

3. die Benennung eines Verantwortlichen im Sinne des § 9 Verwaltungsstrafgesetz 1991,

4. die Art und den Verwendungszweck der psychotropen Stoffe sowie eine schätzungsweise Zusammenstellung jener psychotropen Stoffe, deren Einfuhr oder Erzeugung im folgenden Kalenderjahr beabsichtigt ist,

5. bei Erzeugung, Verarbeitung oder Umwandlung von psychotropen Stoffen eine kurze Beschreibung der Arbeitsvorgänge und die Nennung der Ausgangsstoffe und Endprodukte,

6. eine Beschreibung des Standortes des Betriebes und der Lagerstätte(n) einschließlich der Sicherungsmaßnahmen gegen unbefugte Entnahme der psychotropen Stoffe.

(5) Die Bewilligung wird jeweils bis zum Ende des nächstfolgenden Kalenderjahres erteilt.

(6) Die Bewilligung ist zu versagen, wenn

1. kein Bedarf für einen psychotropen Stoff gegeben ist,

2. ein Verantwortlicher (Abs. 4 Z 3) nicht benannt ist oder

3. Tatsachen vorliegen, aus denen sich begründete Bedenken ergeben, dass der Verantwortliche seine Aufgabe nicht uneingeschränkt erfüllen kann, oder

4. Tatsachen vorliegen, aus denen sich sonstige erhebliche Bedenken hinsichtlich der Zuverlässigkeit des Verantwortlichen, des Antragstellers, seines gesetzlichen Vertreters oder bei juristischen Personen oder nicht rechtsfähigen Personenvereinigungen der nach Gesetz, Satzung oder Gesellschaftsvertrag zur Vertretung oder Geschäftsführung Berechtigten ergeben, oder

5. keine ausreichenden Sicherungen gegen unbefugte Entnahmen von psychotropen Stoffen vorhanden sind oder

6. die Sicherheit oder Kontrolle des Verkehrs oder der Gebarung mit psychotropen Stoffen aus anderen als den in den Ziffern 1 bis 5 genannten Gründen nicht gewährleistet ist.

(7) Die Bewilligung kann versagt werden, wenn dies aus Gründen der Durchführung internationaler Suchtmittelübereinkommen oder wegen Beschlüssen, An-

PV

ordnungen oder Empfehlungen supranationaler oder zwischenstaatlicher Einrichtungen zur Kontrolle von psychotropen Stoffen geboten ist.

§ 3. (1) Sofern dies zur Sicherheit oder Kontrolle des Verkehrs oder der Gebarung mit psychotropen Stoffen oder wegen internationalen Suchtmittelübereinkommen oder Beschlüssen, Anordnungen oder Empfehlungen supranationaler oder zwischenstaatlicher Einrichtungen zur Kontrolle von psychotropen Stoffen geboten ist, kann die Bewilligung

1. unter Bedingungen, mit Auflagen oder unter dem Vorbehalt des Widerrufs oder

2. mit dem Vorbehalt der nachträglichen Aufnahme, Änderung oder Ergänzung von Auflagen oder sonstigen Nebenbestimmungen im Sinne der Ziffer 1

erteilt werden.

(2) Die Bewilligung ist jedenfalls zu widerrufen, wenn die Voraussetzungen für ihre Erteilung schon ursprünglich nicht vorgelegen oder weggefallen sind oder wenn die hinsichtlich des Verkehrs und der Gebarung mit psychotropen Stoffen bestehenden Vorschriften nicht befolgt werden.

PV

§ 4. Personen, denen eine Bewilligung gemäß § 2 erteilt worden ist, haben dem Bundesministerium für Gesundheit jede Änderung der im § 2 Abs. 4 bezeichneten Angaben unverzüglich mitzuteilen. Bei Änderungen hinsichtlich der Art der psychotropen Stoffe, des Verwendungszwecks oder der Erzeugnisse, deren Herstellung beabsichtigt ist, sowie bei Änderungen in der Person des Verantwortlichen (§ 2 Abs. 4 Z 3), des Unternehmers, der Unternehmensform oder in der Lage der Betriebsstätten, ausgenommen innerhalb eines Gebäudes, ist eine neue Bewilligung zu beantragen.

§ 5. (1) Die nach § 2 Abs. 2 Berechtigten dürfen psychotrope Stoffe nur abgeben an Gewerbetreibende mit einer Berechtigung zur Herstellung von Arzneimitteln und Giften und zum Großhandel mit Arzneimitteln und Giften gemäß § 94 Z 32 der Gewerbeordnung 1994, an die im § 6 Abs. 1 genannten wissenschaftlichen Institute und öffentlichen Anstalten, an die Wachkörper des Bundes und die Behörden, denen die Vollziehung des Suchtmittelgesetzes obliegt (§ 7 Abs. 1), an das Bundesministerium für Landesverteidigung und die fachlich befassten Dienststellen des Bundesheeres (§ 7 Abs. 2), an die organisierten Notarztdienste (§ 7 Abs. 2a), an die Einrichtungen und Behörden des Strafvollzuges sowie des Vollzuges der mit Freiheitsentzug verbundenen vorbeugenden Maßnahmen (§ 7 Abs. 2b), an das Bundesministerium für Inneres und den ihm nachgeordneten Landespolizeidirektionen (§ 7 Abs. 2c), an die Gebietskörperschaften (§ 7 Abs. 2d), an die öffentlichen Apotheken und Anstaltsapotheken (§ 7 Abs. 3) sowie gegen Vorweisung der Bewilligung an die nach § 2 Abs. 3 Berechtigten.

(2) Den im § 2 Abs. 3 Genannten ist die Inverkehrsetzung von psychotropen Stoffen oder der unter Verwendung eines psychotropen Stoffes hergestellten Erzeugnisse, sofern eine Rückgewinnung von psychotropen Stoffen durch leicht anwendbare Mittel möglich ist, nicht gestattet (§ 6 Abs. 7 Suchtmittelgesetz).

§ 6. (1) Wissenschaftlichen Instituten oder öffentlichen Lehr-, Versuchs-, Untersuchungs- oder sonstigen Fachanstalten ist die Erzeugung und Verarbeitung, Umwandlung, der Erwerb und Besitz von psychotropen Stoffen gestattet, sofern sie über eine Bestätigung der Aufsichtsbehörde verfügen, daß sie den psychotropen Stoff zur Erfüllung ihrer Aufgabe benötigen; eine Bewilligung des Bundesminister für Gesundheit ist nicht erforderlich.

(2) Die Abgabe von psychotropen Stoffen an solche Institute oder Anstalten darf nur gegen Vorweisung der im Abs. 1 genannten aufsichtsbehördlichen Bestätigung erfolgen. Die Bestätigung ist bei Universitätsinstituten vom Rektor, bei sonstigen öffentlichen wissenschaftlichen Instituten oder bei öffentlichen Anstalten von der mit der Aufsicht hierüber betrauten Behörde auszustellen. Über die Ausstellung oder Versagung der Bestätigung an private wissenschaftliche Institute entscheidet die Bezirksverwaltungsbehörde.

(3) Die im Abs. 2 vorgesehenen Bestätigungen werden einem wissenschaftlichen Institut oder einer öffentlichen Anstalt für den fortlaufenden Bezug auf unbestimmte Dauer dahingehend ausgestellt, daß es/sie bestimmter oder sämtlicher psychotroper Stoffe zur Erfüllung seiner/ihrer Aufgaben bedarf. Die Bestätigung ist von der Behörde, die sie ausgestellt hat, einzuziehen, wenn das Institut aufgelassen wird oder die Notwendigkeit des Bezuges entfällt.

(4) In der Bestätigung ist die zum Empfang des psychotropen Stoffes bevollmächtigte Person, das ist der Leiter oder ein von ihm beauftragter Angestellter des Institutes, zu bezeichnen. Der Bevollmächtigte hat der abgebenden Unternehmung mittels Empfangsbestätigung (Gegenschein) die Abgabe des bezogenen psychotropen Stoffes jeweils zu bestätigen. Bedient sich der Bevollmächtigte zur Abholung oder Übernahme einer Mittelsperson, so ist der psychotrope Stoff nur auf Grund eines vom Bevollmächtigten unterfertigten Bestellscheines auszufolgen, der von der Mittelsperson an Stelle der Empfangsbestätigung abzugeben ist. Die Zusendung von psychotropen Stoffen im Bahn-, Post-, Schiffahrts- und Luftverkehr hat an das Institut oder die Anstalt zu Handen des Bevollmächtigten zu erfolgen; in diesem Falle ersetzen die Belege über die Absendung die Empfangsbestätigung.

(5) Die für die Ausstellung der Bestätigung gemäß Abs. 2 zuständige Behörde hat die Gebarung des wissenschaftlichen Institutes, der öffentlichen Lehr-, Versuchs-, Untersuchungs- oder sonstigen Fachanstalt mit psychotropen Stoffen zu überwachen und dem Bundesministerium für Gesundheit auf Verlangen hierüber Auskunft zu erteilen. Sie hat das Bundesministerium für Gesundheit von jeder Ausstellung oder Einziehung einer Bestätigung im Sinne des Abs. 1 in Kenntnis zu setzen.

§ 7. (1) Die Organe des öffentlichen Sicherheitsdienstes, die Zollorgane sowie die Behörden, denen die Vollziehung des Suchtmittelgesetzes obliegt, benötigen für den Erwerb und Besitz von psychotropen Stoffen insoweit keine Bewilligung des Bundesministers für Soziales, Gesundheit, Pflege und Konsumentenschutz, als sie diese für Schulungs- oder Ausbildungszwecke benötigen oder ihnen psychotrope Stoffe in Vollziehung des Suchtmittelgesetzes zukommen.

(2) Das Bundesministerium für Landesverteidigung und die fachlich befassten Dienststellen des Bundesheeres benötigen für die Verarbeitung, den Erwerb und Besitz von psychotropen Stoffen insoweit keine Bewilligung des Bundesministers für Soziales, Gesundheit, Pflege und Konsumentenschutz, als sie diese für die ärztliche oder zahnärztliche Versorgung der Angehörigen des Bundesheeres benötigen oder sie für die veterinärmedizinische Behandlung sowie für die Ausbildung der im Bundesheer in Verwendung stehenden Tiere notwendig sind.

(2a) Die organisierten Notarztdienste benötigen für die Verarbeitung, den Erwerb und Besitz von psychotropen Stoffen insoweit keine Bewilligung des Bundesministers für Soziales, Gesundheit, Pflege und Konsumentenschutz, als sie diese für die notärztliche Tätigkeit benötigen.

(2b) Die Einrichtungen und Behörden des Strafvollzuges (§ 8 des Strafvollzugsgesetzes – StVG, BGBl. Nr. 144/1969), sowie des Vollzuges der mit Freiheitsentzug verbundenen vorbeugenden Maßnahmen (§§ 158 bis 160 StVG) benötigen für den Erwerb, die Verarbeitung und den Besitz von psychotropen Stoffen insoweit keine Bewilligung des Bundesministers für Soziales, Gesundheit, Pflege und Konsumentenschutz, als sie diese für die gesetzlich vorgesehene ärztliche Betreuung von angehaltenen Beschuldigten, Angeklagten, Strafgefangenen oder Untergebrachten benötigen.

(2c) Das Bundesministerium für Inneres und die ihm nachgeordneten Landespolizeidirektionen benötigen für den Erwerb, die Verarbeitung und den Besitz von psychotropen Stoffen insoweit keine Bewilligung des Bundesministers für Soziales, Gesundheit, Pflege und Konsumentenschutz, als sie diese für die gesetzlich vorgesehene ärztliche Betreuung von angehaltenen Personen benötigen.

(2d) Die Gebietskörperschaften benötigen für den Erwerb, die Verarbeitung und den Besitz von psychotropen Stoffen insoweit keine Bewilligung des Bundesministers für Soziales, Gesundheit, Pflege und Konsumentenschutz, als sie diese für die Erfüllung der gesetzlich vorgesehenen Aufgaben der Tierseuchenbekämpfung benötigen.

(2e) Einrichtungen stationärer Pflege und Betreuung benötigen für den Erwerb und Besitz von psychotropen Stoffen, nach Maßgabe des § 6 Abs. 4f Suchtmittelgesetz, insoweit keine Bewilligung des Bundesministers für Soziales, Gesundheit, Pflege und Konsumentenschutz, als diese der Arzneimittelbevorratung gemäß den für Einrichtungen stationärer Pflege und Betreuung geltenden Bestimmungen dienen.

(3) Die Apotheken benötigen für die Verarbeitung von psychotropen Stoffen zu Arzneimitteln keine Bewilligung des Bundesministers für Soziales, Gesundheit, Pflege und Konsumentenschutz.

(4) Auf den Erwerb und Besitz von psychotropen Stoffen durch Ärzte, Zahnärzte, Dentisten, Tierärzte, Krankenanstalten sowie Personen, an die sie von einer Apotheke auf Grund ärztlicher oder zahnärztlicher Verschreibung abgegeben worden sind, ist § 2 Abs. 1 nicht anzuwenden.

Dokumentation

§ 8. (1) Erzeuger pharmazeutischer Zubereitungen und Arzneimittelgroßhändler sind verpflichtet, über psychotrope Stoffe gesonderte Vormerkungen zu führen. Aus diesen müssen Bezug und Abgabe einschließlich Bezugsquelle und Abnehmer ersichtlich sein, bei Erzeugung, Umwandlung oder Verarbeitung im eigenen Betrieb außerdem die Menge des pro Tag gewonnenen psychotropen Stoffes sowie ein allfälliger Schwund oder Verarbeitungsverlust.

PV

(2) Die im § 2 Abs. 3 Genannten sind verpflichtet, über psychotrope Stoffe gesonderte Vormerkungen zu führen. Aus diesen müssen der Bezug einschließlich der Bezugsquelle ersichtlich sein, bei Erzeugung, Umwandlung oder Verarbeitung im eigenen Betrieb außerdem die Menge des pro Tag gewonnenen psychotropen Stoffes sowie ein allfälliger Schwund oder Verarbeitungsverlust.

(3) Die Vormerkungen nach den Abs. 1 und 2, die auch automationsunterstützt geführt werden können, sind samt den dazu gehörenden Belegen nach Zeitabschnitten geordnet drei Jahre lang aufzubewahren. Über die Eignung der jeweiligen Vormerkungen entscheidet der Bundesminister für Gesundheit. Den mit der Überwachung betrauten Amtsorganen ist der Zugang zu den Betriebsstätten und Lagerstätten zu ermöglichen. Auf Verlangen sind den Amtsorganen die Vormerkungen vorzuweisen oder der Behörde zu übersenden.

(4) Die öffentlichen Apotheken und Anstaltsapotheken, die ärztlichen und tierärztlichen Hausapotheken, die Krankenanstalten, die Einrichtungen stationärer Pflege und Betreuung, die organisierten Notarztdienste und die Kliniken der veterinärmedizinischen Universität, ferner die in § 6 genannten Institute und Anstalten haben über den Bezug von psychotropen Stoffen in Substanz für den Zeitraum von drei Jahren derart genaue Vormerkungen zu führen, dass sie den Behörden über Verlangen hierüber Auskünfte erteilen können. Abs. 3 zweiter bis vierter Satz ist anzuwenden.

Nachweisungen

§ 9. (1) Die im § 2 Abs. 2 genannten Erzeuger und Arzneimittelgroßhändler haben bis zum 31. Jänner jeden Jahres dem Bundesamt für Sicherheit im Gesundheitswesen in zweifacher Ausfertigung Nachweisungen über den Verkehr mit psychotropen Stoffen sowie deren Erzeugung, Verarbeitung und Umwandlung im abgelaufenen Kalenderjahr vorzulegen. Die im § 2 Abs. 3 Genannten haben bis zum 31. Jänner jeden Jahres dem Bundesamt für Sicherheit im Gesundheitswesen in zweifacher Ausfertigung Nachweisungen über den Bezug von psychotropen Stoffen sowie deren Erzeugung, Verarbeitung und Umwandlung von Suchtgift im abgelaufenen Kalenderjahr vorzulegen.

(2) Die Nachweisungen gemäß Abs. 1 haben folgende Angaben zu enthalten:

1. den Namen oder die Firma und den Standort,

2. den Bestand an psychotropen Stoffen,

3. die Verwendung der psychotropen Stoffe,

4. den Bezug von psychotropen Stoffen einschließlich der Einfuhren nach Österreich sowie

5. bei Erzeugern und Arzneimittelgroßhändlern (§ 2 Abs. 2) auch die Abgänge an psychotropen Stoffen einschließlich der Ausfuhr aus Österreich.

(3) Für die Nachweisungen sind die hiefür vom Bundesministerium für Gesundheit aufgelegten Formblätter zu verwenden.

(4) Das Bundesamt für Sicherheit im Gesundheitswesen hat dem Bundesminister für Gesundheit bis längstens 10. Juni jeden Jahres die zur Berichterstattung über psychotrope Stoffe an den Kontrollrat der Vereinten Nationen erforderlichen statistischen Daten vorzulegen.

Behandlung, Verschreibung und Abgabe

§ 10. (1) Arzneimittel, die psychotrope Stoffe enthalten, dürfen nur nach den Erkenntnissen und Erfahrungen der medizinischen, zahnmedizinischen oder veterinärmedizinischen Wissenschaft verschrieben, abgegeben oder im Rahmen einer ärztlichen, zahnärztlichen oder tierärztlichen Behandlung am oder im menschlichen oder tierischen Körper unmittelbar zur Anwendung gebracht werden.

(2) Der Arzt oder Zahnarzt darf pro Verschreibung höchstens den sich aus der Fachinformation ergebenden Bedarf für zwei Monate, den der Patient hinsichtlich eines Arzneimittels, das einen psychotropen Stoffe enthält, hat, in der hiefür in Betracht kommenden Packungsgröße verschreiben. Erweisen sich diese Mengen für einen Patienten als unzureichend, so ist die Verschreibung vom Arzt oder Zahnarzt durch den Vermerk „necesse est" zu kennzeichnen.

(3) Der Bundesminister für Gesundheit kann für einzelne psychotrope Stoffe mittels Vermerks in der **Anlage 1** anordnen, dass sie nur auf Suchtgiftrezept (Suchtgift-Einzelverschreibung) verschrieben werden dürfen. In diesen Fällen gelten die §§ 17 Abs. 2, 18, 19, 20 Abs. 1 bis 3 sowie 23 Abs. 1 der Suchtgiftverordnung, BGBl. II Nr. 374/1997, in der jeweils geltenden Fassung, soweit sie sich nicht auf die Substitutionsbehandlung beziehen, mit der Maßgabe, dass die Verschreibung anstelle eines Suchtgiftes einen psychotropen Stoff, für den die Anordnung gilt, zum Gegenstand hat.

(4) Bei Verschreibung von Arzneimitteln, die psychotrope Stoffe aus der Gruppe der Benzodiazepine enthalten, darf keine wiederholte Abgabe angeordnet werden.

(5) Bei Entnahme von psychotropen Stoffen aus der tierärztlichen Hausapotheke für die unmittelbare Anwendung im Rahmen einer tierärztlichen Behandlung ist kein Suchtgiftrezept erforderlich. Die Abgabe von psychotropen Stoffen aus der tierärztlichen Hausapotheke ist nach Maßgabe des § 52 Abs. 2 TAMG gestattet.

Abgabe durch Apotheken

§ 11. (1) Unbeschadet der arzneimittelrechtlichen Bestimmungen ist den Apotheken die Abgabe von Arzneimitteln, die psychotrope Stoffe enthalten, verboten, soweit das Rezept nicht den Vorschriften des § 10 Abs. 2 entspricht.

(Anm.: Abs. 2 aufgehoben durch Z 1, BGBl. II Nr. 291/2017)

Grenzüberschreitende Verbringung psychotroper Arzneimittel im internationalen Reiseverkehr

§ 11a. (1) Arzneimittel, die psychotrope Stoffe enthalten (kurz: psychotrope Arzneimittel), dürfen von Reisenden, denen sie im Ausland verschrieben wurden und derer sie zur Deckung des persönlichen medizinischen oder zahnmedizinischen Eigenbedarfs während der Reise bedürfen, in einer den Bedarf für höchstens 30 Tage nicht überschreitenden Menge nach Maßgabe der Abs. 2 bis 6 in das Bundesgebiet verbracht, im Bundesgebiet mitgeführt und wieder aus dem Bundesgebiet verbracht werden.

(2) Ohne Nachweis der im Ausland erfolgten ärztlichen oder zahnärztlichen Verschreibung dürfen psychotrope Arzneimittel in das Bundesgebiet verbracht, im Bundesgebiet mitgeführt und wieder aus dem Bundesgebiet verbracht werden, wenn

1. die mitgeführte Menge den Arzneimittelbedarf der reisenden Person für höchstens fünf Tage nicht übersteigt, oder

2. der Gehalt des Arzneimitteln an einem psychotropen Stoff gemäß Abs. 4 die für den betreffenden Stoff in Abs. 4 festgelegte Menge nicht übersteigt, oder

3. ausschließlich andere als die in Abs. 4 oder 5 bezeichneten psychotropen Stoffe enthalten sind.

(3) Arzneimittel,

1. deren Gehalt an einem psychotropen Stoff gemäß Abs. 4 die für den betreffenden Stoff in Abs. 4 festgelegte Menge übersteigt, oder

2. deren Gehalt an einem psychotropen Stoff gemäß Abs. 5 die für den betreffenden Stoff in Abs. 5 festgelegte Menge nicht übersteigt,

dürfen, soweit nicht Abs. 2 anzuwenden ist, im Reiseverkehr nur in das Bundesgebiet verbracht, im Bundesgebiet mitgeführt und wieder aus dem Bundesgebiet verbracht werden, wenn zum Nachweis, dass das Arzneimittel zum persönlichen medizinischen oder zahnmedizinischen Eigenbedarf während der Reise dient, zumindest eine Kopie der ärztlichen oder zahnärztlichen Verschreibung mitgeführt wird. Aus der Verschreibung muss der Name des Reisenden als Patient, der Name des verschreibenden Arztes oder Zahnarztes, die Bezeichnung und Menge sowohl des Arzneimittels als auch des enthaltenen psychotropen Stoffes sowie die Dosierung hervorgehen. Wenn die Verschreibung nicht in lateinischer Schrift oder nicht in deutscher oder englischer Sprache ausgestellt worden ist, muss an Stelle der Verschreibung eine von der im Herkunftsstaat zuständigen Behörde beglaubigte Bescheinigung nach Muster der **Anlage 2** (Bescheinigung für das Mitführen psychotroper Arzneimittel im Reiseverkehr gemäß Artikel 75 des Schengener Durchführungsübereinkommens) oder - im Fall von Reisenden aus Ländern, die nicht Vertragsparteien des Schengener Durchführungsübereinkommens sind, - eine vergleichbare Bescheinigung im Sinne der Richtlinie des internationalen Suchtgiftkontrollrates für Vorschriften über Reisende unter Behandlung mit international kontrollierten Suchtmitteln (Muster **Anlage 3**) mitgeführt werden, aus der hervorgeht, dass die Person das Arzneimittel für ihren persönlichen medizinischen oder zahnmedizinischen Bedarf von einem dazu berechtigten Arzt oder Zahnarzt verschrieben erhalten hat. Die Bescheinigung muss in lateinischer Schrift und in deutscher oder englischer Sprache ausgestellt sein, ihre Gültigkeitsdauer darf die Dauer der Reise, längstens jedoch 30 Tage nicht überschreiten.

(4) Der maximale Gehalt an einem psychotropen Stoff (psychotroper Stoff in Reinsubstanz) beträgt in Arzneimitteln gemäß Abs. 3 Z 1 für

Barbital	15,000 g,
Chlordiazepoxid	1,000 g,
Clorazepat	0,600 g,
Diazepam	0,300 g,
Lorazepam	0,075 g,
Medazepam	0,600 g,
Meprobamat	40,000 g,
Oxazepam	1,500 g,
Phenobarbital	6,000 g,
Prazepam	1,000 g,
Temazepam	0,600 g,
Tetrazepam	3,000 g.

(5) Der maximale Gehalt an einem psychotropen Stoff (psychotroper Stoff in Reinsubstanz) beträgt in Arzneimitteln gemäß Abs. 3 Z 2 für

Butalbital	1,000 g,
Flunitrazepam	0,030 g,
Pentobarbital	3,000 g.

(6) Arzneimittel, die einen psychotropen Stoff gemäß Abs. 5 in einer größeren als der in Abs. 5 festgelegten Menge enthalten, dürfen nur in das Bundesgebiet verbracht, im Bundesgebiet mitgeführt oder wieder aus dem Bundesgebiet verbracht werden, wenn die reisende Person eine von der im Herkunftsstaat zuständigen Behörde beglaubigte Bescheinigung nach Muster **Anlage 2** oder - im Fall von Reisenden aus Ländern, die nicht Vertragsparteien des Schengener Durchführungsübereinkommens sind, - eine vergleichbare Bescheinigung im Sinne der Richtlinie des internationalen Suchtgiftkontrollrates für Vorschriften über Reisende unter Behandlung mit international kontrollierten Suchtmitteln (Muster **Anlage 3**) mit sich führt, dass sie das Arzneimittel ärztlich oder zahnärztlich verschrieben erhalten hat. Abs. 3 letzter Satz gilt.

(7) Psychotrope Arzneimittel dürfen im Bundesgebiet für den medizinischen oder zahnmedizinischen Eigenbedarf des Patienten während einer Auslandsreise für die Dauer von längstens 30 Tagen verschrieben werden.

PV

(8) Die Bezirksverwaltungsbehörde hat Personen, die für ihren persönlichen medizinischen oder zahnmedizinischen Bedarf während der Reise in Länder, die Vertragsparteien des Schengener Durchführungsübereinkommens sind, ein psychotropes Arzneimittel benötigen, über Vorlage der ärztlichen oder zahnärztlichen Verschreibung eine Bescheinigung im Sinne des Artikels 75 des Schengener Durchführungsübereinkommens (Muster **Anlage 2**) auszustellen, mit der beglaubigt wird, dass die Person das psychotrope Arzneimittel vorschriftsgemäß ärztlich oder zahnärztlich verschrieben erhalten hat und es während der Reise benötigt. Die Gültigkeitsdauer der Bescheinigung darf die Dauer der Reise, längstens jedoch 30 Tage, nicht überschreiten. Die Bescheinigung kann auch vom verschreibenden Arzt, Zahnarzt oder Dentisten ausgestellt werden, sie ist in diesem Fall von der Bezirksverwaltungsbehörde zu beglaubigen. Für jeden psychotropen Stoff ist eine gesonderte Bescheinigung auszustellen und zu beglaubigen. Eine Kopie der beglaubigten Bescheinigung verbleibt bei der beglaubigenden Behörde.

(9) Das Bundesministerium für Gesundheit hat als zentrale Bundesdienststelle für Fragen im Zusammenhang mit Artikel 75 des Schengener Durchführungsübereinkommens einen Vordruck für die Bescheinigung gemäß Abs. 8 aufzulegen (Muster **Anlage 2**), von dem Kopien hergestellt werden dürfen. Die Bezirksverwaltungsbehörden haben den Vordruck bei Bedarf zu vervielfältigen und den Ärzten, Zahnärzten und Dentisten Kopien unentgeltlich auszufolgen.

(10) Das Bundesministerium für Gesundheit hat ferner einen Vordruck im Sinne der Richtlinie des internationalen Suchtgiftkontrollrates für Vorschriften über Reisende unter Behandlung mit international kontrollierten Suchtmitteln aufzulegen, der den Bezirksverwaltungsbehörden für die Bescheinigung des medizinischen oder zahnmedizinischen Eigenbedarfs psychotroper Arzneimittel bei Reisen von Patienten in Länder dient, die nicht Vertragsparteien des Schengener Durchführungsübereinkommens sind (Muster **Anlage 3**). Von dem Vordruck dürfen Kopien hergestellt werden. Abs. 9 letzter Satz ist anzuwenden.

Ein-, Aus- und Durchfuhr

§ 12. (1) Die Ein- und Ausfuhr von psychotropen Stoffen ist, außer in den im § 17a dieser Verordnung oder § 30 Abs. 3 Z 1 Suchtmittelgesetz genannten Fällen der Ein- oder Ausfuhr, verboten, sofern der Bundesminister für Gesundheit hiezu nicht eine Bewilligung erteilt hat. Die Durchfuhr von psychotropen Stoffen ist verboten, sofern nicht die Ausfuhrbewilligung des Versandlandes vorliegt. Den im § 2 Abs. 3 Genannten kann eine Bewilligung zur Einfuhr von Suchtgift nur nach Maßgabe der gemäß § 2 Abs. 3 erteilten Bewilligung erteilt werden.

(2) Die Bewilligung zur Ein- oder Ausfuhr von psychotropen Stoffen ist beim Bundesministerium für Gesundheit unter Verwendung der hiefür aufgelegten Formblätter oder von Ablichtungen dieser Formblätter zu beantragen.

(3) Eine Bewilligung nach Abs. 1 und 2 ist bei Auslandseinsätzen des Bundesheeres gemäß § 2 Abs. 1 lit. d des Wehrgesetzes 2001 (WG 2001), BGBl. I Nr. 146, zur Sicherstellung der ärztlichen oder zahnärztlichen Versorgung der Angehörigen des Bundesheeres oder der für die veterinärmedizinische Behandlung der im Bundesheer in Verwendung stehenden Tiere nicht erforderlich.

§ 13. (1) Im Einfuhrantrag ist anzugeben:

1. der Name und die Anschrift des Importeurs;

2. der Name und die Anschrift des Exporteurs;

3. das Ausfuhrland;

4. a) die Art und Menge der psychotropen Stoffe und das Gewicht der darin enthaltenen Base in Gramm;

b) bei Zubereitungen die Zulassungsnummer, die Anzahl der Packungen, die Packungsgröße oder Stückzahl; bei Bulkware das Nettogewicht, der Gehalt an psychotropen Stoffen pro Stück in Milligramm; bei unaufgeteilten Zubereitungen wie insbesondere Ampullen oder Durchstichflaschen die nominelle Füllmenge pro Stück, der Gehalt an psychotropen Stoffen pro 1 Milliliter in Milligramm;

5. der Verwendungszweck;

6. Ort und Datum des Antrags sowie die Unterschrift des Zeichnungsberechtigten.

(2) Eine Einfuhrbewilligung ist nur nach Maßgabe des Bedarfes zu erteilen. Das Bundesministerium für Gesundheit übermittelt eine Ausfertigung der Einfuhrbewilligung an die für die Ausfuhr im betreffenden Ausland zuständige Behörde sowie zwei Ausfertigungen der Einfuhrbewilligung an den Importeur. Dieser übermittelt eine Ausfertigung der Einfuhrbewilligung an den ausländischen Lieferanten; die andere Ausfertigung dient der zollamtlichen Abfertigung.

(3) Sofern Beginn und Ende der Geltungsdauer der Einfuhrbewilligung nicht in dasselbe Kalenderjahr fallen, hat der Antragsteller, wenn die Einfuhr bis zum 20. Dezember des Jahres, in dem der Beginn der Geltungsdauer liegt, erfolgt, die bis dahin erfolgte Einfuhr dem Bundesministerium für Gesundheit anzuzeigen.

(4) Die wiederholte Verwendung einer Einfuhrbewilligung zu Teilbezügen ist nicht zulässig.

(5) Die Einfuhrbewilligung ist nicht übertragbar und gilt für die Dauer von sechs Monaten, vom Tag der Ausstellung an gerechnet. Nicht benützte Einfuhrbewilligungen sind spätestens nach Ablauf der Geltungsdauer an das Bundesministerium für Gesundheit zurückzusenden.

(6) Der Eingang der eingeführten Sendung beim Empfänger im Inland ist von diesem unter Angabe von Art und Menge des eingeführten Stoffes unverzüglich dem Bundesministerium für Gesundheit mit dem von diesem hiefür aufgelegten Formblatt bekanntzugeben.

§ 14. (1) Im Ausfuhrantrag sind anzugeben:

1. der Name und die Anschrift des Exporteurs;

2. der Name und die Anschrift des ausländischen Importeurs;

3. das Bestimmungsland samt Bezeichnung und Anschrift der im Bestimmungsland für die Einfuhr zuständigen Behörde;

4. die Einfuhrbewilligung der Behörde des Bestimmungslandes samt Geschäftszahl und Datum;

5. a) die Art und Menge der psychotropen Stoffe und das Gewicht der darin enthaltenen Base in Gramm;

b) bei Zubereitungen die Zulassungsnummer, die Anzahl der Packungen, die Packungsgröße oder Stückzahl; bei Bulkware das Nettogewicht, der Gehalt an psychotropen Stoffen pro Stück in Milligramm; bei unaufgeteilten Zubereitungen wie insbesondere Ampullen oder Durchstichflaschen die nominelle Füllmenge pro Stück, der Gehalt an psychotropen Stoffen pro 1 Milliliter in Milligramm;

6. Ort und Datum des Antrags sowie die Unterschrift des Zeichnungsberechtigten.

(2) Bei Ausfuhr nach Ländern, die keine Einfuhrbewilligung ausstellen, ist zu dem Ausfuhrantrag eine Bestätigung der zuständigen Behörde des Bestimmungslandes darüber einzubringen, daß der Empfänger zur Einfuhr der im Antrag bezeichneten Stoffe berechtigt ist.

(3) Sofern Beginn und Ende der Geltungsdauer der Ausfuhrbewilligung nicht in dasselbe Kalenderjahr fallen, hat der Antragsteller, wenn die Ausfuhr bis zum 20. Dezember des Jahres, in dem der Beginn der Geltungsdauer liegt, erfolgt, die bis dahin erfolgte Ausfuhr dem Bundesministerium für Gesundheit anzuzeigen.

(4) Der Bundesminister für Gesundheit bewilligt die Ausfuhr unter Bedachtnahme auf die vom Exporteur beizubringende Einfuhrbewilligung oder Einfuhrbestätigung (Abs. 1 Z 4, Abs. 2) auf dem hiezu aufgelegten Formblatt in dreifacher Ausfertigung.

(5) Das Bundesministerium für Gesundheit übersendet eine Ausfertigung der Ausfuhrbewilligung an die im Importland für die Einfuhr zuständige Behörde. Die beiden weiteren Ausfertigungen übersendet das Bundesministerium für Gesundheit an den Exporteur; eine Ausfertigung dient zur zollamtlichen Abfertigung, die andere ist der Sendung anzuschließen.

(6) Die Ausfuhrbewilligung ist nicht übertragbar und gilt für die Dauer von sechs Monaten, vom Tag der Ausstellung an gerechnet. Endet die Geltungsdauer der ausländischen Einfuhrbewilligung zu einem früheren Zeitpunkt, so endet gleichzeitig auch die Geltungsdauer der Ausfuhrbewilligung.

(7) Die erfolgte Ausfuhr ist vom Absender unverzüglich dem Bundesministerium für Gesundheit unter Verwendung des hiefür aufgelegten Formblattes anzuzeigen.

(8) Spätestens nach Ablauf der Geltungsdauer sind nicht benützte Ausfuhrbewilligungen an das Bundesministerium für Gesundheit zurückzusenden.

§ 15. Die Ein- oder Ausfuhr von psychotropen Stoffen unter der Anschrift eines Postfaches oder einer Bank für Rechnung eines Dritten ist verboten.

§ 16. (1) Die Durchfuhr von psychotropen Stoffen ist verboten, sofern den Begleitpapieren nicht eine Ausfuhrbewilligung des Versandlandes angeschlossen ist; solche Sendungen sind von den Zollorganen der Bezirksverwaltungsbehörde anzuzeigen.

(2) Soll eine zur Durchfuhr bestimmte Sendung in ein anderes als das in der Ausfuhrbewilligung des Versandlandes bezeichnete Bestimmungsland weiterge-

leitet werden, so ist gemäß § 14 beim Bundesministerium für Gesundheit um die Bewilligung der Ausfuhr dieser Sendung anzusuchen. Die erteilte Ausfuhrbewilligung ist im weiteren Zollverfahren entsprechend § 14 Abs. 4 und 5 zu behandeln.

(3) Durchfuhrsendungen dürfen auch im Fall einer Zwischenlagerung im Inland keiner ihre Natur verändernden Behandlung unterzogen werden.

Suchtstofflabor der Vereinten Nationen

§ 17. (1) Für die Ein- oder Ausfuhr von psychotropen Stoffen durch das Suchtstofflabor der Vereinten Nationen mit Sitz in Wien kann, unbeschadet der §§ 12 Abs. 2, 13 und 14, das in den Abs. 2 bis 5 festgelegte vereinfachte Verfahren angewendet werden.

(2) Das Suchtstofflabor der Vereinten Nationen gibt dem Bundesministerium für Gesundheit den Vornamen sowie Familien- oder Nachnamen sowie die Stellung und Funktion innerhalb der Vereinten Nationen der für die Abwicklung des vereinfachten Verfahrens zur Ein- und Ausfuhr von psychotropen Stoffen verantwortlichen Person schriftlich bekannt. Jede Änderung dieser die verantwortliche Person betreffenden Daten ist dem Bundesministerium für Gesundheit unverzüglich schriftlich anzuzeigen.

(3) Das Bundesministerium für Gesundheit stellt dem Suchtstofflabor der Vereinten Nationen die zur Erteilung der Ein- und Ausfuhrbewilligung für psychotrope Stoffe verwendeten Formulare zur Verfügung. Im Falle einer beabsichtigten Ein- oder Ausfuhr befüllt das Suchtstofflabor der Vereinten Nationen ein entsprechendes Formular mit den gemäß §§ 13 Abs. 1 Z 1 bis 5 oder 14 Abs. 1 Z 1 bis 5 erforderlichen Angaben und legt das soweit ausgefüllte Formular dem Bundesministerium für Gesundheit zur Erteilung der Bewilligung vor.

(4) Nach erteilter Einfuhrbewilligung übermittelt das Bundesministerium für Gesundheit die Bewilligung dem Suchtstofflabor der Vereinten Nationen. Dieses übermittelt eine Ausfertigung der Einfuhrbewilligung an die für die Ausfuhr im betreffenden Ausland zuständige Behörde sowie eine weitere Ausfertigung der Einfuhrbewilligung an den ausländischen Lieferanten; die verbleibende dritte Ausfertigung dient der zollamtlichen Abfertigung.

(5) Nach erteilter Ausfuhrbewilligung übermittelt das Bundesministerium für Gesundheit die Bewilligung dem Suchtstofflabor der Vereinten Nationen. Dieses übermittelt eine Ausfertigung der Ausfuhrbewilligung an die im Importland für die Einfuhr zuständige Behörde. Von den verbleibenden beiden Ausfertigungen dient eine zur zollamtlichen Abfertigung, die andere ist der Sendung anzuschließen.

(6) Die Vereinten Nationen legen dem Bundesministerium für Gesundheit bis zum 31. Jänner jedes Jahres für das jeweils vorangegangene Kalenderjahr eine Gesamtaufstellung der getätigten Ein- und Ausfuhren, geordnet nach psychotropen Stoffen sowie nach Ein- und Ausfuhrstaaten, vor. Diese Gesamtaufstellung ist von der gemäß Abs. 2 benannten verantwortlichen Person zu zeichnen.

(7) § 13 Abs. 2 erster Satz, 4 und 5 erster Satz sowie § 14 Abs. 2 und 4 und 6 gelten auch für vereinfachte Verfahren gemäß Abs. 2 bis 5.

Übermittlung von Proben sichergestellter psychotroper Stoffe zwischen den nationalen Kontaktstellen der Mitgliedstaaten der Europäischen Union für Zwecke der Strafverfolgung, der Justiz oder der kriminaltechnischen Analyse

§ 17a. (1) Das Bundesministerium für Inneres – Bundeskriminalamt ist nationale Kontaktstelle Österreichs gemäß Artikel 3 Abs. 1 des Beschlusses 2001/419/JI des Rates der Europäischen Union vom 28. Mai 2001 über die Übermittlung von Proben kontrollierter Stoffe, ABl. Nr. L 150/1 vom 6. Juni 2001.

(2) Das Bundesministerium für Inneres – Bundeskriminalamt kann Proben sichergestellter psychotroper Stoffe nach dem Verfahren der Abs. 3 bis 9 an die im Amtsblatt der Europäischen Union veröffentlichten nationalen Kontaktstellen übermitteln sowie von diesen Kontaktstellen übermittelte psychotrope Stoffe in Empfang nehmen.

(3) Das Bundesministerium für Inneres – Bundeskriminalamt vereinbart mit jener nationalen Kontaktstelle des Mitgliedstaates,

1. an die es eine Probe eines psychotropen Stoffes gemäß Abs. 2 zu übermitteln beabsichtigt oder

2. von der es eine derartige Probe übermittelt erhalten soll,

vor der tatsächlichen Übermittlung die Einzelheiten der Beförderung der Probe. Für die Übermittlung ist das im Beschluss 2001/19/JI vorgesehene Begleitformular zu verwenden. Dieses vollständig und ordnungsgemäß ausgefüllte Begleitformular wird der Probe für die gesamte Beförderungsdauer angeschlossen.

(4) Das Bundesministerium für Inneres – Bundeskriminalamt trifft mit der Kontaktstelle des übermittelnden Mitgliedstaates bzw. des empfangenden Mitgliedstaates vor Übermittlung eine Vereinbarung über die Verwendung der Probe. Die Probe kann zur Aufklärung und Verfolgung von Straftaten oder zur kriminaltechnischen Analyse der Probe verwendet werden. Die übermittelte Probe darf nur jene Menge umfassen, die für die Zwecke der Strafverfolgung, der Justiz oder für die kriminaltechnische Analyse der Probe erforderlich ist.

(5) Für die Beförderung der Probe sind Sicherheitsvorkehrungen vorzusehen. Als sicher gelten folgende Beförderungsarten:

1. Beförderung durch einen österreichischen Beamten oder einen Beamten des empfangenden bzw. des übermittelnden Mitgliedstaates,

2. Beförderung durch einen Boten,

3. Beförderung über Diplomatenpost,

4. Beförderung als (Express)-Einschreiben.

(6) Macht die Übermittlung einer Probe die Beförderung durch das Hoheitsgebiet eines anderen Mitgliedstaats (Transit-Mitgliedstaat) erforderlich, so hat das Bundesministerium für Inneres – Bundeskriminalamt die nationale Kontaktstelle des Transit-Mitgliedstaats, durch dessen Hoheitsgebiet die Probe befördert wird, mittels einer Kopie des vollständig ausgefüllten Begleitformulars in Kenntnis zu setzen.

(7) Wird die Beförderungsart gemäß Abs. 5 Z 1 gewählt, so darf der Beamte keine Uniform tragen. Er darf ferner im Zusammenhang mit der Beförderung keine anderen operativen Aufgaben wahrnehmen, es sei denn, dass dies mit den sonstigen Rechtsvorschriften vereinbar ist und zwischen dem die Probe übermittelnden und dem empfangenden Mitgliedstaat sowie einem allfälligen Transitstaat vereinbart wurde. Für Flugreisen im Rahmen der Beförderung einer Probe sind nur in einem Mitgliedstaat registrierte Fluggesellschaften in Anspruch zu nehmen.

(8) Das Bundesministerium für Inneres – Bundeskriminalamt bestätigt dem übermittelnden Mitgliedstaat den Empfang der Probe unmittelbar nach deren Einlagen.

(9) Das Bundesministerium für Inneres – Bundeskriminalamt hat das Bundesministerium für Gesundheit mittels einer Kopie des Begleitformulars über eine bevorstehende Übermittlung bzw. den bevorstehenden Empfang einer Probe in Kenntnis zu setzen. Das Bundesministerium für Inneres – Bundeskriminalamt hat dem Bundesministerium für Gesundheit ferner bis zum 31. Jänner jedes Jahres eine Gesamtaufstellung über alle im vorangegangenen Kalenderjahr übermittelten bzw. empfangenen Proben vorzulegen.

(10) Die Bestimmungen der §§ 13 bis 16 über die Ein-, Aus- und Durchfuhr gelten für das in den Abs. 1 bis 9 geregelte Verfahren nicht.

Erste Hilfe

§ 18. Für psychotrope Stoffe, die in für Erste Hilfe oder andere dringende Fälle an Bord von Straßen- und Schienenfahrzeugen, Schiffen oder Luftfahrzeugen im internationalen Verkehr notwendigen Mengen mitgeführt werden, gelten die §§ 12 bis 16 nicht.

Schluß- und Inkrafttretens- und Übergangsbestimmungen

§ 19. Soweit in dieser Verordnung personenbezogene Bezeichnungen nur in männlicher Form angeführt sind, beziehen sie sich auf Frauen und Männer in gleicher Weise. Bei der Anwendung auf bestimmte Personen ist die jeweils geschlechtsspezifische Form zu verwenden.

§ 20. Für das Jahr 1998 sind Anträge auf Erteilung einer Bewilligung gemäß § 2 Abs. 2 oder 3 beim Bundesministerium für Arbeit, Gesundheit und Soziales mit dem hiefür aufgelegten Formblatt bis längstens 31. März 1998 zu stellen.

§ 21. (1) Diese Verordnung tritt mit 1. Jänner 1998 in Kraft.

(2) § 10 Abs. 3 und 4 in der Fassung der Verordnung BGBl. II Nr. 358/2012 tritt mit 15. Dezember 2012 in Kraft und ist auf alle Verschreibungen anzuwenden, die nach dem 14. Dezember 2012 ausgestellt werden.

(3) Die Anlage 1 in der Fassung der Verordnung BGBl. II Nr. 243/2014 tritt mit 1. Jänner 2015 in Kraft.

(4) Die Anlage 1 in der Fassung der Verordnung BGBl. II Nr. 291/2017 tritt mit Ablauf des Tages der Kundmachung in Kraft. § 11 Abs. 2 in der Fassung der Verordnung BGBl. II Nr. 243/2014 tritt mit Ablauf des Tages der Kundmachung der Verordnung BGBl. II Nr. 291/2017 außer Kraft.

(5) Die §§ 5 Abs. 1 und 7 Abs. 1, 2, 2a, 2b, 2c, 2d und 3, sowie die Anlage 1 in der Fassung der Verordnung BGBl. II Nr. 8/2021 treten mit 1. Jänner 2021 in Kraft.

(6) Die Anlage 1 in der Fassung der Verordnung BGBl. II Nr. 279/2021 tritt mit Ablauf des Tages der Kundmachung in Kraft.

(7) § 7 Abs. 1, 2e und 3 sowie § 8 Abs. 4 in der Fassung der Verordnung BGBl. II Nr. 441/2023 treten mit 1. Jänner 2024 in Kraft.

(8) Die Anlage 1 in der Fassung der Verordnung BGBl. II Nr. 394/2024 tritt mit Ablauf des Tages der Kundmachung in Kraft.

(9) § 1 Abs. 3 und 4, § 2 Abs. 4 Z 2a und § 10 Abs. 5 in der Fassung der Verordnung BGBl. II Nr. 10/2025 treten mit dem der Kundmachung folgenden Tag in Kraft.

Anlage 1

1. Stoffe und Zubereitungen des Anhanges III des Übereinkommens der Vereinten Nationen über Psychotrope Stoffe (§ 3 Abs. 1 Suchtmittelgesetz):

Amobarbital

Butalbital

Cathin; (+)-Norpseudoephedrin

Cyclobarbital

Flunitrazepam*

Glutethimid

Pentobarbital

die Salze der unter 1. angeführten Stoffe, falls das Bestehen solcher Salze möglich ist sämtliche Zubereitungen der in diesem Anhang angeführten psychotropen Stoffe, wenn sie nicht, ohne am menschlichen oder tierischen Körper angewendet zu werden, ausschließlich diagnostischen oder analytischen Zwecken dienen und ihr Gehalt an einem oder mehreren dieser Verordnung unterliegenden psychotropen Stoffen jeweils den Prozentsatz von 0,01 nicht übersteigt

* Verschreibung nur auf Suchtgiftrezept (§ 10 Abs. 3)

2. Stoffe und Zubereitungen des Anhanges IV des Übereinkommens der Vereinten Nationen über Psychotrope Stoffe (§ 3 Abs. 1 Suchtmittelgesetz):

Allobarbital

Alprazolam

Amfepramon

Aminorex

Barbital,ausgenommen in Zubereitungen, wenn sie kein weiteres Suchtmittel enthalten und, ohne am menschlichen oder tierischen Körper angewendet zu werden, ausschließlich diagnostischen oder analytischen Zwecken dienen, und je Packungseinheit nicht mehr als 20g Barbital, berechnet als Säure, enthalten.

Benzfetamin

Bromazepam

Bromazolam

Brotizolam

Butobarbital

Camazepam

Chlordiazepoxid

Clobazam

Clonazepam

Clonazolam

Clorazepat

Clotiazepam

Cloxazolam

Delorazepam

Diazepam

Diclazepam

Estazolam

Ethchlorvynol

Ethinamat

Ethylloflazepate

Etilamfetamin

Etizolam

Fencamfamin

Fenproporex

Flualprazolam

Flubromazolam

Fludiazepam

Flurazepam

Halazepam

Haloxazolam

Ketazolam

Lefetamin

Loprazolam

Lorazepam

Lormetazepam

Mazindol

Medazepam

Mefenorex

Meprobamat

Mesocarb

Methylphenobarbital

Methyprylon

Midazolam

Nimetazepam

Nitrazepam

Nordazepam

Oxazepam

Oxazolam

Pemolin

Phenazepam

Phendimetrazin

Phenobarbital

Phentermin

Pinazepam

Pipradrol

Prazepam

Pyrovaleron

Secbutabarbital

Temazepam

Tetrazepam

Triazolam

Vinylbital

Zolpidem

PV die Salze der unter 2. angeführten Stoffe, falls das Bestehen solcher Salze möglich ist sämtliche Zubereitungen der in diesem Anhang angeführten psychotropen Stoffe, wenn sie nicht, ohne am menschlichen oder tierischen Körper angewendet zu werden, ausschließlich diagnostischen oder analytischen Zwecken dienen und ihr Gehalt an einem oder mehreren dieser Verordnung unterliegenden psychotropen Stoffen jeweils den Prozentsatz von 0,01 nicht übersteigt

Anlage 2

Bescheinigung für das Mitführen psychotroper Arzneimittel im Reiseverkehr gemäß Artikel 75 des Schengener Durchführungsübereinkommens

(Anm.: Anlage 2 als PDF dokumentiert)

BGBl. II - Ausgegeben am 30. Oktober 2012 - Nr. 358 1 von 2

Anlage 2

Bescheinigung für das Mitführen psychotroper Arzneimittel im Reiseverkehr, gemäß Artikel 75 des Schengener Durchführungsübereinkommens

(Land) (Ort) (Datum) (1)

A . Verschreibender Arzt:

(2) (Name) (Vorname) (Telefon)

(Anschrift) (3)

Bei Ausstellung durch den Arzt:

(Stempel des Arztes) (Datum) (Unterschrift des Arztes) (4)

B . Patient:

(Name) (Vorname) (5)

(Nr. des Passes od. eines anderen Ausweisdokumentes) (6)

(Geburtsort) (7)

(Geburtsdatum) (8)

(Staatsangehörigkeit) (9)

(Geschlecht) (10)

(Anschrift) (11)

(Dauer der Reise in Tagen) (12)

(Gültigkeitsdauer der Bescheinigung von/bis - max. 30 Tage) (13)

C . Verschriebenes Arzneimittel:

(Handelsbezeichnung oder (Sonderzubereitung) (14)

(Darreichungsform) (15)

(internationale Bezeichnung des Wirkstoffes) (16)

(Wirkstoff-Konzentration) (17)

(Gebrauchsanweisung) (18)

(Gesamtwirkstoffmenge) (19)

(Reichdauer der Verschreibung in Tagen - max. 30Tage) (20)

(Anmerkungen) (21)

D . Für die Ausstellung/Beglaubigung zuständige Behörde (Nicht Zutreffendes streichen)

(Bezeichnung) (22)

(Anschrift) (Telefon) (23)

(Stempel der Behörde) (Unterschrift der Behörde) (24)

PV

Rückseite der Bescheinigung

Certification to carry drugs and/or psychotropic substances for treatment purposes - Schengen Implementing Convention - Article 75	Certificat pour le transport de stupéfiants et/ou de substances psychotropes à des fins thérapeutiques - Article 75 de la convention d'application de l'Accord de Schengen
(1) country, town, date	pays, délivré à, date
A. Prescribing doctor	**Médecin prescripteur**
(2) name, first name, phone	nom, prénom, téléphone
(3) address	adresse
(4) in cases of issuing by doctor: stamp, date, signature of doctor	en cas de délivrance par un médecin: cachet, date, signature du médecin
B. Patient	**Patient**
(5) name, first name	nom, prénom
(6) no. of passport or other idenfication document	n° du passeport ou du document d'identité
(7) place of birth	lieu de naissance
(8) date of birth	date de naissance
(9) nationality	nationalité
(10) sex	sexe
(11) address	adresse
(12) duration of travel in days	durée du voyage en jours
(13) validity of authorisation from/to - max. 30 days	durée de validité de l'autorisation du/au - max. 30 jours
C. Prescribed drug	**Médicament prescrit**
(14) trade name or special preparation	nom commercial ou préparation spéciale
(15) dosage form	forme pharmaceutique
(16) international name of active substance	dénomination internationale de la substance active
(17) concentration of active substance	concentration de la substance active
(18) instructions for use	mode d'emploi
(19) total quantity of active substance	quantité totale de la substance active
(20) duration of prescription in days - max. 30 days	durée de la prescription, en jours - max. 30 jours
(21) remarks	remarques
D. Issuing/accrediting authority (delete where inapplicable)	**Autorité qui délivre/authentific** (biffer ce qui ne convient pas)
(22) official designation (name) of the authority	désignation officielle (nome) de l'autorité
(23) address, phone	adresse, téléphone
(24) stamp, signature of authority	sceau, signature de l'autorité

PV

Anlage 3

Bescheinigung für das Mitführen psychotroper Arzneimittel im internationalen Reiseverkehr in Länder, die nicht Vertragsparteien des Schengener Durchführungsübereinkommens sind

(Anm.: Anlage 3 als PDF dokumentiert)

Anlage 3

Bescheinigung für das Mitführen psychotroper Arzneimittel im internationalen Reiseverkehr in Länder, die nicht Vertragsparteien des Schengener Durchführungsübereinkommens sind[1]

(Land) (Ort) (Datum) (1)

A . Verschreibender Arzt:

(2) (Name) (Vorname) (Telefon)

(Anschrift) (3)

Bei Ausstellung durch den Arzt:

(Stempel des Arztes) (Datum) (Unterschrift des Arztes) (4)

B . Patient:

(Name) (Vorname) (5)

(Nr. des Passes od. eines anderen Ausweisdokumentes) (6)

(Geburtsort) (7)

(Geburtsdatum) (8)

(Staatsangehörigkeit) (9)

(Geschlecht) (10)

(Anschrift) (11)

(Land - Reiseziel) (12)

(Gültigkeitsdauer der Bescheinigung von/bis - max. 30 Tage) (13)

C . Verschriebenes Arzneimittel:

(Handelsbezeichnung oder (Sonderzubereitung) (14)

(Darreichungsform) (15)

(internationale Bezeichnung des Wirkstoffes) (16)

(Wirkstoff-Konzentration) (17)

(Gebrauchsanweisung) (18)

(Gesamtwirkstoffmenge) (19)

(Reichdauer der Verschreibung in Tagen - max. 30Tage) (20)

(Anmerkungen) (21)

D . Für die Ausstellung/Beglaubigung zuständige Behörde (Nicht Zutreffendes streichen)

(Bezeichnung) (22)

(Anschrift) (Telefon) (23)

(Stempel der Behörde) (Unterschrift der Behörde) (24)

[1] im Sinne der Richtlinie des internationalen Suchtgiftkontrollrates für Vorschriften über Reisende unter Behandlung mit international kontrollierten Suchtmitteln

Rückseite der Bescheinigung

Certification to carry drugs and/or psychotropic substances for treatment purposes	Certificat pour le transport de stupéfiants et/ou de substances psychotropes à des fins thérapeutiques
(1) country, town, date	pays, délivré à, date
A. Prescribing doctor	**Médecin prescripteur**
(2) name, first name, phone	nom, prénom, téléphone
(3) address	adresse
(4) in cases of issuing by doctor: stamp, date, signature of doctor	en cas de délivrance par un médecin: cachet, date, signature du médecin
B. Patient	**Patient**
(5) name, first name	nom, prénom
(6) no. of passport or other identification document	n° du passeport ou du document d'identité
(7) place of birth	lieu de naissance
(8) date of birth	date de naissance
(9) nationality	nationalité
(10) sex	sexe
(11) address	adresse
(12) travel destination	pays de destination envisagé
(13) validity of authorisation from/to - max. 30 days	durée de validité de l'autorisation du/au - max. 30 jours
C. Prescribed drug	**Médicament prescrit**
(14) trade name or special preparation	nom commercial ou préparation spéciale
(15) dosage form	forme pharmaceutique
(16) international name of active substance	dénomination internationale de la substance active
(17) concentration of active substance	concentration de la substance active
(18) instructions for use	mode d'emploi
(19) total quantity of active substance	quantité totale de la substance active
(20) duration of prescription in days - max. 30 days	durée de la prescription, en jours - max. 30 jours
(21) remarks	remarques
D. Issuing/accrediting authority (delete where inapplicable)	**Autorité qui délivre/authentific** (biffer ce qui ne convient pas)
(22) official designation (name) of the authority	désignation officielle (nome) de l'autorité
(23) address, phone	adresse, téléphone
(24) stamp, signature of authority	sceau, signature de l'autorité

PV

Psychotropen-Grenzmengenverordnung

Verordnung der Bundesministerin für Arbeit, Gesundheit und Soziales über die Untergrenzen einer großen Menge (Grenzmengen) bezüglich der psychotropen Stoffe (Psychotropen-Grenzmengenverordnung – PGV)
StF: BGBl. II Nr. 378/1997 idF BGBl. II Nr. 7/2024

§ 1. Als Untergrenze jener Menge, die, bezogen auf die Reinsubstanz des Wirkstoffes geeignet ist, in großem Ausmaß eine Gefahr für das Leben oder die Gesundheit von Menschen herbeizuführen (Grenzmenge), wird für die einzelnen psychotropen Stoffe, unter Bedachtnahme auch auf deren Eignung, Gewöhnung hervorzurufen, sowie auf das Gewöhnungsverhalten von Suchtkranken, die im **Anhang** dieser Verordnung jeweils angeführte Menge festgesetzt.

§ 2. Sofern hinsichtlich der im Anhang angeführten psychotropen Stoffe das Bestehen von Salzen möglich ist, beziehen sich die Grenzmengen auf die Base des jeweiligen psychotropen Stoffes.

§ 3. (1) Diese Verordnung tritt mit 1. Jänner 1998 in Kraft.

(2) Der Anhang in der Fassung der Verordnung BGBl. II Nr. 373/2014 tritt mit 1. Jänner 2015 in Kraft.

(3) Der Anhang in der Fassung der Verordnung BGBl. II Nr. 210/2019 tritt mit Ablauf des Tages der Kundmachung in Kraft.

(4) Der Anhang in der Fassung der Verordnung BGBl. II Nr. 7/2024 tritt mit Ablauf des Tages der Kundmachung in Kraft.

Anhang

1. Stoffe des Anhangs III des Übereinkommens der Vereinten Nationen über psychotrope Stoffe (§ 3 Abs. 1 Suchtmittelgesetz):

Substanz:	Mengen in Gramm:
Amobarbital	40,0
Butalbital	30,0
Cathin	8,0
Cyclobarbital	80,0
Flunitrazepam	0,4
Glutethimid	100,0
Pentobarbital	40,0

2. Stoffe des Anhangs IV des Übereinkommens der Vereinten Nationen über psychotrope Stoffe (§ 3 Abs. 1 Suchtmittelgesetz):

PGV

Substanz:	Mengen in Gramm:
Allobarbital	40,0
Alprazolam	4,0
Amfepramon	30,0
Aminorex	24,0
Barbital	200,0
Benzfetamin	30,0
Bromazepam	4,0
Brotizolam	0,5
Butobarbital	60,0
Camazepam	12,0
Chlordiazepoxid	12,0
Clobazam	8,0
Clonazepam	4,0
Clonazolam	0,5
Clorazepat	8,0
Clotiazepam	6,0
Cloxazolam	4,0
Delorazepam	1,5
Diazepam	4,0
Diclazepam	1,5
Estazolam	1,5
Ethchlorvynol	200,0
Ethinamat	200,0
Ethylloflazepat	1,0
Etilamfetamin	12,0
Etizolam	1,0
Fencamfamin	32,0
Fenproporex	8,0
Flualprazolam	0,5

Flubromazolam	0,5
Fludiazepam	0,3
Flurazepam	12,0
Halazepam	40,0
Haloxazolam	3,0
Ketazolam	12,0
Lefetamin	30,0
Loprazolam	0,4
Lorazepam	1,0
Lormetazepam	0,4
Mazindol	0,4
Medazepam	8,0
Mefenorex	24,0
Meprobamat	480,0
Mesocarb	10,0
Methylphenobarbital	40,0
Methyprylon	80,0
Midazolam	8,0
Nimetazepam	2,0
Nitrazepam	2,0
Nordazepam	6,0
Oxazepam	20,0
Oxazolam	16,0
Pemolin	16,0
Phenazepam	3,0
Phendimetrazin	28,0
Phenobarbital	40,0
Phentermin	6,0
Pinazepam	6,0
Pipradrol	12,0
Prazepam	12,0
Pyrovaleron	16,0
Secbutabarbital	30,0
Temazepam	8,0
Tetrazepam	40,0
Triazolam	0,5
Vinylbital	60,0
Zolpidem	4,0

Finanzstrafgesetz

Bundesgesetz vom 26. Juni 1958, betreffend das Finanzstrafrecht und das Finanzstrafverfahrensrecht (Finanzstrafgesetz – FinStrG.)
StF: BGBl. Nr. 129/1958 idF BGBl. I Nr. 50/2025

Inhaltsverzeichnis

FinStrG

Zum 3. Hauptstück

Zu § 197 und zum 20. Hauptstück

FinStrG

Stichwortverzeichnis

FinStrG

12. FinStrG

ARTIKEL I.

Strafrecht und Strafverfahrensrecht in Angelegenheiten der bundesrechtlich oder durch Rechtsvorschriften der Europäischen Union geregelten Abgaben und der Monopole

ERSTER ABSCHNITT.

Finanzstrafrecht.

I. Hauptstück.

Allgemeiner Teil.

Allgemeine Bestimmungen.

§ 1. (1) Finanzvergehen sind die in den §§ 33 bis 52 mit Strafe bedrohten Taten (Handlungen oder Unterlassungen) natürlicher Personen. Finanzvergehen sind auch andere ausdrücklich mit Strafe bedrohte Taten, wenn sie in einem Bundesgesetz als Finanzvergehen oder als Finanzordnungswidrigkeiten bezeichnet sind.

(2) Nach Maßgabe des § 28a sind auch Verbände im Sinne des Verbandsverantwortlichkeitsgesetzes für Finanzvergehen verantwortlich.

(3) Vorsätzliche Finanzvergehen, die mit einer zwingend zu verhängenden Freiheitsstrafe von mehr als drei Jahren bedroht sind, sind Verbrechen im Sinne des § 17 Abs. 1 StGB.

§ 2. (1) Abgaben im Sinne dieses Artikels sind:

a) die bundesrechtlich geregelten und die durch unmittelbar wirksame Rechtsvorschriften der Europäischen Union geregelten öffentlichen Abgaben sowie die bundesrechtlich geregelten Beiträge an öffentliche Fonds und an Körperschaften des öffentlichen Rechts, die nicht Gebietskörperschaften sind, soweit diese Abgaben und Beiträge bei Erhebung im Inland von Abgabenbehörden des Bundes zu erheben sind;

b) die Grundsteuer und die Lohnsummensteuer;

c) die in einem anderen Mitgliedstaat der Europäischen Union zu erhebende Einfuhrumsatzsteuer oder durch Rechtsvorschriften der Europäischen Union harmonisierte Verbrauchsteuern, sofern der Abgabenanspruch in Zusammenhang mit einem in diesem Staat begangenen Finanzvergehen, das im Inland verfolgt wird, entstanden ist;

d) Umsatzsteuer, die in einem anderen Mitgliedstaat der Europäischen Union in Zusammenhang mit einem grenzüberschreitenden Umsatzsteuerbetrug (§ 40) entstanden ist, wenn die Tat im Inland verfolgt wird.

(2) Die Stempel- und Rechtsgebühren und die Konsulargebühren sind – mit Ausnahme der Wettgebühren nach § 33 TP 17 Abs. 1 Z 1 GebG 1957 – keine Abgaben im Sinne des Abs. 1.

(3) Monopol im Sinne dieses Artikels ist das Tabakmonopol.

§ 3. (1) Die Bestimmungen dieses Hauptstückes sind, soweit sich aus ihnen nicht anderes ergibt, unabhängig davon anzuwenden, ob das Finanzvergehen vom Gericht oder von der Finanzstrafbehörde zu ahnden ist.

(2) Wo in diesem Bundesgesetz von Gerichten die Rede ist, sind darunter die ordentlichen Gerichte zu verstehen.

Allgemeine Voraussetzungen der Strafbarkeit.

§ 4. (1) Eine Strafe wegen eines Finanzvergehens darf nur verhängt werden, wenn die Tat schon zur Zeit ihrer Begehung mit Strafe bedroht war.

(2) Die Strafe richtet sich nach dem zur Zeit der Tat geltenden Recht, es sei denn, dass das zur Zeit der Entscheidung des Gerichtes erster Instanz oder der Finanzstrafbehörde geltende Recht in seiner Gesamtauswirkung für den Täter günstiger wäre.

§ 5. (1) Ein Finanzvergehen ist nur strafbar, wenn es im Inland begangen worden ist.

(2) Ein Finanzvergehen ist im Inland begangen, wenn der Täter im Inland gehandelt hat oder hätte handeln sollen oder wenn der dem Tatbild entsprechende Erfolg im Inland eingetreten ist oder nach der Vorstellung des Täters hätte eintreten sollen. Wird das Finanzvergehen nicht im Inland, aber im Zollgebiet der Europäischen Union begangen und im Inland entdeckt oder wird es von einem österreichischen Staatsangehörigen im Ausland begangen oder wird es gegenüber einem auf Grund eines zwischenstaatlichen Vertrages im Ausland einschreitenden Organ einer Abgabenbehörde begangen, so gilt es als im Inland begangen.

(3) Niemand darf wegen eines Finanzvergehens an einen fremden Staat ausgeliefert werden, und eine von einer ausländischen Behörde wegen eines solchen Vergehens verhängte Strafe darf im Inland nicht vollstreckt werden, es sei denn, dass in zwischenstaatlichen Verträgen oder in Bundesgesetzen anderes vorgesehen ist.

Keine Strafe ohne Schuld.

§ 6. Strafbar ist nur, wer schuldhaft handelt.

Zurechnungsunfähigkeit.

§ 7. (1) Wer zur Zeit der Tat wegen einer Geisteskrankheit, wegen einer geistigen Behinderung, wegen einer tiefgreifenden Bewußtseinsstörung oder wegen einer anderen schweren, einem dieser Zustände gleichwertigen seelischen Störung unfähig ist, das Unrecht seiner Tat einzusehen oder nach dieser Einsicht zu handeln, handelt nicht schuldhaft.

(2) Nicht strafbar ist, wer zur Zeit der Tat das 14. Lebensjahr noch nicht vollendet hat.

(3) Ist der Täter zur Zeit der Tat zwar 14, aber noch nicht 18 Jahre alt, so ist er nicht strafbar, wenn er aus bestimmten Gründen noch nicht reif genug ist, das

Unrecht der Tat einzusehen oder nach dieser Einsicht zu handeln.

Vorsatz, Fahrlässigkeit.

§ 8. (1) Vorsätzlich handelt, wer einen Sachverhalt verwirklichen will, der einem gesetzlichen Tatbild entspricht; dazu genügt es, daß der Täter diese Verwirklichung ernstlich für möglich hält und sich mit ihr abfindet.

(2) Fahrlässig handelt, wer die Sorgfalt außer acht läßt, zu der er nach den Umständen verpflichtet und nach seinen geistigen und körperlichen Verhältnissen befähigt ist und die ihm zuzumuten ist, und deshalb nicht erkennt, daß er einen Sachverhalt verwirklichen könne, der einem gesetzlichen Tatbild entspricht. Fahrlässig handelt auch, wer es für möglich hält, daß er einen solchen Sachverhalt verwirkliche, ihn aber nicht herbeiführen will.

(3) Grob fahrlässig handelt, wer ungewöhnlich und auffallend sorgfaltswidrig handelt, sodass der Eintritt eines dem gesetzlichen Tatbild entsprechenden Sachverhaltes als geradezu wahrscheinlich vorhersehbar war.

Schuldausschließungsgründe und Rechtfertigungsgründe.

§ 9. Dem Täter wird weder Vorsatz noch Fahrlässigkeit zugerechnet, wenn ihm bei einer Tat ein entschuldbarer Irrtum unterlief, der ihn das Vergehen oder das darin liegende Unrecht nicht erkennen ließ; ist der Irrtum unentschuldbar, so ist dem Täter grobe Fahrlässigkeit zuzurechnen. Dem Täter wird Fahrlässigkeit auch dann nicht zugerechnet, wenn ihm bei der Tat eine entschuldbare Fehlleistung unterlief.

§ 10. Eine Tat ist nicht strafbar, wenn sie durch Notstand (§ 10 StGB) entschuldigt oder, obgleich sie dem Tatbild eines Finanzvergehens entspricht, vom Gesetz geboten oder erlaubt ist.

Behandlung aller Beteiligten als Täter.

§ 11. Nicht nur der unmittelbare Täter begeht das Finanzvergehen, sondern auch jeder, der einen anderen dazu bestimmt, es auszuführen, oder der sonst zu seiner Ausführung beiträgt.

§ 12. Waren an der Tat mehrere beteiligt, so ist jeder von ihnen nach seiner Schuld zu bestrafen.

Strafbarkeit des Versuches.

§ 13. (1) Die Strafdrohungen für vorsätzliche Finanzvergehen gelten nicht nur für die vollendete Tat, sondern auch für den Versuch und für jede Beteiligung an einem Versuch.

(2) Die Tat ist versucht, sobald der Täter seinen Entschluß, sie auszuführen oder einen anderen dazu zu bestimmen (§ 11), durch eine der Ausführung unmittelbar vorangehende Handlung betätigt.

(3) Der Versuch und die Beteiligung daran sind nicht strafbar, wenn die Vollendung der Tat nach der Art der Handlung oder des Gegenstands, an dem die Tat begangen wurde, unter keinen Umständen möglich war.

Rücktritt vom Versuch.

§ 14. (1) Der Täter wird wegen des Versuches oder der Beteiligung daran nicht bestraft, wenn er die Ausführung aufgibt oder, falls mehrere daran beteiligt sind, verhindert oder wenn er den Erfolg abwendet. Ein Rücktritt vom Versuch ist bei Betretung auf frischer Tat ausgeschlossen.

(2) Straffreiheit tritt nicht ein, wenn zum Zeitpunkt des Rücktritts vom Versuch

a) Verfolgungshandlungen (Abs. 3) gesetzt waren und dies dem Täter, einem anderen an der Tat Beteiligten oder einem Hehler bekannt war oder

b) anläßlich der Durchführung eines Zollverfahrens bereits eine Erklärung über ein- oder auszuführende Waren abgegeben wurde.

(3) Verfolgungshandlung ist jede nach außen erkennbare Amtshandlung eines Gerichtes, einer Staatsanwaltschaft, einer Finanzstrafbehörde, des Bundesfinanzgerichtes oder eines im § 89 Abs. 2 genannten Organs, die sich gegen eine bestimmte Person als den eines Finanzvergehens Verdächtigen, Beschuldigten oder Angeklagten richtet, und zwar auch dann, wenn das Gericht, die Staatsanwaltschaft, die Finanzstrafbehörde, das Bundesfinanzgericht oder das Organ zu dieser Amtshandlung nicht zuständig war, die Amtshandlung ihr Ziel nicht erreicht oder die Person, gegen die sie gerichtet war, davon keine Kenntnis erlangt hat.

Freiheitsstrafen.

§ 15. (1) Die Freiheitsstrafe beträgt mindestens einen Tag. Über Jugendliche (§ 7 Abs. 3) darf eine Freiheitsstrafe nicht verhängt werden.

(2) Bei Finanzvergehen, die nicht mit einer zwingend zu verhängenden Freiheitsstrafe bedroht sind, darf auf eine solche nur erkannt werden, wenn es ihrer bedarf, um den Täter von weiteren Finanzvergehen abzuhalten oder der Begehung von Finanzvergehen durch andere entgegenzuwirken.

(3) Bei Finanzvergehen, deren Ahndung nicht dem Gericht vorbehalten ist, darf eine Freiheitsstrafe nur in den Fällen des § 58 Abs. 2 lit. a verhängt werden; sie darf das Höchstmaß von drei Monaten nicht übersteigen.

(4) Bei Finanzvergehen, die mit einer zwingend zu verhängenden Freiheitsstrafe bedroht sind, sind die §§ 37 und 41 StGB sinngemäß mit der Maßgabe anzuwenden, dass die an Stelle der Freiheitsstrafe zu verhängende Geldstrafe mit bis zu 500 000 Euro zu bemessen ist.

Geldstrafen.

§ 16. Die Mindestgeldstrafe beträgt 20 Euro. Die Geldstrafen fließen dem Bund zu.

Strafe des Verfalls.

§ 17. (1) Auf die Strafe des Verfalls darf nur in den im II. Hauptstück dieses Abschnittes vorgesehenen Fällen erkannt werden.

(2) Dem Verfall unterliegen:

a) die Sachen, hinsichtlich derer das Finanzvergehen begangen wurde, samt Umschließungen;

b) die zur Begehung des Finanzvergehens benützten Beförderungsmittel und Behältnisse, wie Koffer, Taschen u. dgl., wenn diese Gegenstände mit besonderen Vorrichtungen versehen waren, welche die Begehung des Finanzvergehens erleichtert haben;

c) soweit dies im II. Hauptstück dieses Abschnittes besonders vorgesehen ist,

1. die Geräte und Vorrichtungen, die zur Erzeugung der in lit. a erwähnten Sachen bestimmt gewesen oder benützt worden sind,

2. die Rohstoffe, Hilfsstoffe und Halbfabrikate, die zur Erzeugung der in lit. a erwähnten Sachen bestimmt gewesen sind, samt Umschließungen,

3. die zur Begehung des Finanzvergehens benützten Beförderungsmittel, wenn in ihnen Gegenstände des Finanzvergehens an Stellen verborgen waren, die für die Verwahrung üblicherweise nicht bestimmt sind, oder wenn das betreffende Finanzvergehen wegen der Beschaffenheit der beförderten Sachen ohne Benützung von Beförderungsmitteln nicht hätte begangen werden können.

Beförderungsmittel, die dem allgemeinen Verkehr dienen und unabhängig von den Weisungen des Fahrgastes oder Benützers verkehren, unterliegen nicht dem Verfall.

(3) Die im Abs. 2 genannten Gegenstände sind für verfallen zu erklären, wenn sie zur Zeit der Entscheidung im Eigentum oder Miteigentum des Täters oder eines anderen an der Tat Beteiligten stehen. Weisen andere Personen ihr Eigentum an den Gegenständen nach, so ist auf Verfall nur dann zu erkennen, wenn diesen Personen vorzuwerfen ist, daß sie

a) zumindest in auffallender Sorglosigkeit dazu beigetragen haben, daß mit diesen Gegenständen das Finanzvergehen begangen wurde, oder

b) beim Erwerb der Gegenstände die deren Verfall begründenden Umstände kannten oder aus auffallender Sorglosigkeit nicht kannten.

Hiebei genügt es, wenn der Vorwurf zwar nicht den Eigentümer des Gegenstands, aber eine Person trifft, die für den Eigentümer über den Gegenstand verfügen kann.

(4) Monopolgegenstände unterliegen dem Verfall ohne Rücksicht darauf, wem sie gehören. Dies gilt auch für Behältnisse und Beförderungsmittel der im Abs. 2 lit. b bezeichneten Art, es sei denn, daß deren Eigentümer nicht an der Tat beteiligt war, ihn auch sonst kein Vorwurf im Sinne des Abs. 3 trifft und die besonderen Vorrichtungen vor der Entscheidung entfernt werden können; die Kosten haben der Täter und die anderen an der Tat Beteiligten zu ersetzen.

(5) Wird auf Verfall erkannt, so sind nachgewiesene Pfandrechte oder Zurückbehaltungsrechte dritter Personen an den für verfallen erklärten Gegenständen anzuerkennen, wenn diese Personen kein Vorwurf im Sinne des Abs. 3 trifft.

(6) Stünde der Verfall zur Bedeutung der Tat oder zu dem den Täter treffenden Vorwurf außer Verhältnis, so tritt an die Stelle des Verfalls nach Maßgabe des § 19 die Strafe des Wertersatzes. Dies gilt nicht für Beförderungsmittel und Behältnisse der im Abs. 2 lit. b bezeichneten Art, deren besondere Vorrichtungen nicht entfernt werden können, und für Monopolgegenstände, bei welchen auf Grund ihrer Beschaffenheit oder sonst auf Grund bestimmter Tatsachen zu besorgen ist, dass mit ihnen gegen Monopolvorschriften verstoßen wird.

(7) Das Eigentum an den für verfallen erklärten Gegenständen geht mit der Rechtskraft der Entscheidung auf den Bund über; Rechte dritter Personen erlöschen, sofern sie nicht gemäß Abs. 5 anerkannt wurden.

§ 18. Ist der Verfall angedroht, so ist nach Maßgabe der Bestimmungen des § 17 im selbständigen Verfahren (§§ 148, 243) auf Verfall zu erkennen,

a) wenn sowohl der Täter als auch andere an der Tat Beteiligte unbekannt sind,

b) wenn der Täter oder andere an der Tat Beteiligte zwar bekannt, aber unbekannten Aufenthalts sind und im übrigen die Voraussetzungen des § 147 für die Durchführung einer mündlichen Verhandlung oder des § 427 StPO für die Durchführung einer Hauptverhandlung nicht gegeben sind.

Strafe des Wertersatzes.

§ 19. (1) Statt auf Verfall ist auf die Strafe des Wertersatzes zu erkennen,

a) wenn im Zeitpunkt der Entscheidung feststeht, daß der Verfall unvollziehbar wäre,

b) wenn auf Verfall nur deshalb nicht erkannt wird, weil das Eigentumsrecht einer anderen Person berücksichtigt wird,

c) in den Fällen des § 17 Abs. 6 erster Satz.

(2) Neben dem Verfall ist auf Wertersatz zu erkennen, wenn im Zeitpunkt der Entscheidung noch nicht feststeht, ob der Verfall vollziehbar sein wird, oder wenn Rechte dritter Personen (§ 17 Abs. 5) anerkannt werden.

(3) Die Höhe des Wertersatzes entspricht dem gemeinen Wert, den die dem Verfall unterliegenden Gegenstände im Zeitpunkt der Begehung des Finanzvergehens hatten; ist dieser Zeitpunkt nicht feststellbar, so ist der Zeitpunkt der Aufdeckung des Finanzvergehens maßgebend. Soweit der Wert nicht ermittelt werden kann, ist auf Zahlung eines dem vermutlichen Wert entsprechenden Wertersatzes zu erkennen. Werden Rechte dritter Personen im Sinne des § 17 Abs. 5 anerkannt, so ist der Wertersatz in der Höhe der anerkannten Forderung auszusprechen; er darf aber nur mit dem Betrag eingefordert werden, der zur Befriedigung der anerkannten Forderung aus dem Verwertungserlös aufgewendet wird.

(4) Der Wertersatz ist allen Personen, die als Täter, andere an der Tat Beteiligte oder Hehler vorsätzlich Finanzvergehen hinsichtlich der dem Verfall unterliegenden Gegenstände begangen haben, anteilsmäßig aufzuerlegen.

(5) Stünde der Wertersatz (Abs. 3) oder der Wertersatzanteil (Abs. 4) zur Bedeutung der Tat oder zu dem den Täter treffenden Vorwurf außer Verhältnis, so ist von seiner Auferlegung ganz oder teilweise abzusehen.

(6) Ist der Wertersatz aufzuteilen (Abs. 4) oder ist vom Wertersatz ganz oder teilweise abzusehen (Abs. 5), so sind hiefür die Grundsätze der Strafbemessung (§ 23) anzuwenden.

(7) Der Wertersatz fließt dem Bund zu.

Ersatzfreiheitsstrafen.

§ 20. (1) Wird auf eine Geldstrafe oder auf Wertersatz erkannt, so ist zugleich die für den Fall der Uneinbringlichkeit an deren Stelle tretende Ersatzfreiheitsstrafe festzusetzen.

(2) Die gemäß Abs. 1 anstelle einer Geldstrafe und eines Wertersatzes festzusetzenden Ersatzfreiheitsstrafen dürfen bei Finanzvergehen, deren Ahndung dem Gericht vorbehalten ist, das Höchstmaß von je einem Jahr, wenn jedoch die Geldstrafdrohung das Zweifache des Betrages, nach dem sich sonst die Strafdrohung richtet, übersteigt, das Höchstmaß von je eineinhalb Jahren und wenn dieser Betrag 500.000 Euro übersteigt, das Höchstmaß von je zwei Jahren nicht übersteigen; bei Finanzvergehen, deren Ahndung in den Fällen des § 58 Abs. 2 lit. a dem Spruchsenat vorbehalten ist, dürfen die Ersatzfreiheitsstrafen das Höchstmaß von je drei Monaten und bei den übrigen Finanzvergehen das Höchstmaß von je sechs Wochen nicht übersteigen.

Zusammentreffen strafbarer Handlungen.

§ 21. (1) Hat jemand durch eine Tat oder durch mehrere selbständige Taten mehrere Finanzvergehen derselben oder verschiedener Art begangen und wird über diese Finanzvergehen gleichzeitig erkannt, so ist auf eine einzige Geldstrafe, Freiheitsstrafe oder Geld- und Freiheitsstrafe zu erkennen. Neben diesen Strafen ist auf Verfall oder Wertersatz zu erkennen, wenn eine solche Strafe auch nur für eines der zusammentreffenden Finanzvergehen angedroht ist.

(2) Die einheitliche Geld- oder Freiheitsstrafe ist jeweils nach der Strafdrohung zu bestimmen, welche die höchste Strafe androht. Es darf jedoch keine geringere Strafe als die höchste der in den zusammentreffenden Strafdrohungen vorgesehenen Mindeststrafen verhängt werden. Hängen die zusammentreffenden Strafdrohungen von Wertbeträgen ab, so ist für die einheitliche Geldstrafe die Summe dieser Strafdrohungen maßgebend. Ist in einer der zusammentreffenden Strafdrohungen Geldstrafe, in einer anderen Freiheitsstrafe oder sind auch nur in einer von ihnen Geld- und Freiheitsstrafen nebeneinander angedroht, so ist, wenn beide Strafen zwingend vorgeschrieben sind, auf eine Geldstrafe und auf eine Freiheitsstrafe zu erkennen. Ist eine von ihnen nicht zwingend angedroht, so kann sie verhängt werden.

(3) Wird jemand, der bereits wegen eines Finanzvergehens bestraft worden ist, wegen eines anderen Finanzvergehens bestraft, für das er nach der Zeit der Begehung schon in dem früheren Verfahren hätte bestraft werden können, so ist eine Zusatzstrafe zu verhängen. Diese darf das Höchstmaß der Strafe nicht übersteigen, die für die nun zu bestrafende Tat angedroht ist. Die Summe der Strafen darf jeweils die Strafen nicht übersteigen, die nach den Abs. 1 und 2 zulässig und bei gemeinsamer Bestrafung zu verhängen wären. Wäre bei gemeinsamer Bestrafung keine höhere als die in der früheren Entscheidung ausgesprochene Strafe zu verhängen, so ist von einer Zusatzstrafe abzusehen.

(4) Ist die Zusatzstrafe (Abs. 3) im verwaltungsbehördlichen Finanzstrafverfahren zu verhängen, so ist es ohne Einfluß, ob die vorangegangene Bestrafung durch eine Finanzstrafbehörde anderer sachlicher oder örtlicher Zuständigkeit oder durch das Gericht erfolgt ist. Wird die Zusatzstrafe durch ein Gericht verhängt, so hat dieses auch die vorangegangene Bestrafung durch eine Finanzstrafbehörde zu berücksichtigen.

§ 22. (1) Hat jemand durch eine Tat oder durch mehrere selbständige Taten Finanzvergehen und strafbare Handlungen anderer Art begangen und wird über diese vom Gericht gleichzeitig erkannt, so sind die Strafen für die Finanzvergehen nach Maßgabe des § 21 gesondert von den Strafen für die anderen strafbaren Handlungen zu verhängen.

(2) Ist ein Finanzvergehen auf betrügerische Weise oder durch Täuschung begangen worden, so ist die Tat ausschließlich nach diesem Bundesgesetz zu ahnden.

(3) Sind von einem Täter Finanzvergehen und im Zusammenhang damit strafbare Handlungen nach § 223 StGB, § 225a StGB oder § 293 StGB begangen worden, so sind ausschließlich die Finanzvergehen zu ahnden.

(4) Hat jemand strafbare Handlungen nach §§ 163a oder 163b StGB ausschließlich im Zusammenhang

mit einer Abgabenhinterziehung (§ 33) begangen, indem er eine wesentliche Information wirtschaftlich nachteilig falsch oder unvollständig darstellt, so ist nur das Finanzvergehen zu bestrafen.

Strafbemessung; Anrechnung der Vorhaft.

§ 23. (1) Grundlage für die Bemessung der Strafe ist die Schuld des Täters.

(2) Bei der Bemessung der Strafe sind die Erschwerungs- und die Milderungsgründe, soweit sie nicht schon die Strafdrohung bestimmen, gegeneinander abzuwägen. Dabei ist darauf Bedacht zu nehmen, ob es dem Täter darauf angekommen ist, sich oder einem Verband, als dessen Entscheidungsträger er gehandelt hat, durch die wiederkehrende Begehung der Tat eine nicht nur geringfügige fortlaufende Einnahme zu verschaffen. Eine wiederkehrende Begehung liegt vor, wenn der Täter bereits zwei solche Taten begangen hat oder einmal wegen einer solchen Tat bestraft worden ist. Ebenso ist bei der Bemessung der Strafe darauf Bedacht zu nehmen, ob die Verkürzung oder der Abgabenausfall endgültig oder nur vorübergehend hätte eintreten sollen. Im Übrigen gelten die §§ 32 bis 35 StGB sinngemäß.

(3) Bei Bemessung der Geldstrafe sind auch die persönlichen Verhältnisse und die wirtschaftliche Leistungsfähigkeit des Täters zu berücksichtigen.

(4) Bei Finanzvergehen, deren Strafdrohung sich nach einem Wertbetrag richtet, hat die Bemessung der Geldstrafe mit mindestens einem Zehntel des Höchstmaßes der angedrohten Geldstrafe zu erfolgen. Die Bemessung einer diesen Betrag unterschreitenden Geldstrafe aus besonderen Gründen ist zulässig, wenn die Ahndung der Finanzvergehen nicht dem Gericht obliegt.

(5) Die verwaltungsbehördliche und die gerichtliche Verwahrung sowie die verwaltungsbehördliche und die gerichtliche Untersuchungshaft sind auf die Strafe anzurechnen, wenn der Täter die Haft

a) in dem Verfahren wegen des Finanzvergehens, für das er bestraft wird, oder

b) sonst nach der Begehung dieser Tat wegen des Verdachts eines Finanzvergehens oder, bei Anrechnung durch das Gericht, wegen des Verdachts einer anderen mit Strafe bedrohten Handlung

erlitten hat, jedoch in beiden Fällen nur, soweit die Haft nicht bereits auf eine andere Strafe angerechnet oder der Verhaftete dafür entschädigt worden ist. Wird auf mehrere Strafen erkannt, so hat die Anrechnung zunächst auf diejenigen Strafen zu erfolgen, die nicht bedingt nachgesehen werden, im übrigen zunächst auf die Freiheitsstrafe, sodann auf die Geldstrafe und schließlich auf den Wertersatz.

(6) Für die Anrechnung der Vorhaft auf die Geldstrafe und den Wertersatz sind die an deren Stelle tretenden Ersatzfreiheitsstrafen maßgebend.

(7) Hat der Täter für die Tat, derentwegen er im Inland bestraft wird, schon im Ausland eine Strafe verbüßt, so ist sie auf die im Inland verhängte Strafe anzurechnen.

Sonderbestimmungen für Jugendstraftaten

§ 24. (1) Für Jugendstraftaten (§ 1 Abs. 1 Z 3 Jugendgerichtsgesetz 1988 – JGG, BGBl. Nr. 599/1988), die vom Gericht zu ahnden sind, gelten neben den Bestimmungen dieses Hauptstückes die §§ 5 Z 6, 7, 8 Abs. 1 und 2, und §§ 12 bis 16 des Jugendgerichtsgesetzes 1988 mit der Maßgabe, dass § 204 StPO nicht anzuwenden ist.

(2) Für Jugendstraftaten, die von der Finanzstrafbehörde zu ahnden sind, gelten die §§ 5 Z 6 und 13 bis 15 des Jugendgerichtsgesetzes 1988 sinngemäß.

Absehen von der Strafe; Verwarnung

§ 25. (1) Die Finanzstrafbehörde hat von der Einleitung oder von der weiteren Durchführung eines Finanzstrafverfahrens und von der Verhängung einer Strafe abzusehen, wenn das Verschulden des Täters geringfügig ist und die Tat keine oder nur unbedeutende Folgen nach sich gezogen hat. Sie hat jedoch dem Täter mit Bescheid eine Verwarnung zu erteilen, wenn dies geboten ist, um ihn von weiteren Finanzvergehen abzuhalten.

(2) Unter den im Abs. 1 angeführten Voraussetzungen können die Behörden und Ämter der Bundesfinanzverwaltung von der Erstattung einer Anzeige (§ 80) absehen.

(Anm.: Abs. 3 aufgehoben durch BGBl. I Nr. 44/2007)

Bedingte Strafnachsicht; bedingte Entlassung; nachträgliche Milderung der Strafe

§ 26. (1) Für die bedingte Nachsicht der durch die Gerichte für Finanzvergehen verhängten Geldstrafen, Wertersätze und Freiheitsstrafen sowie für die bedingte Entlassung aus einer solchen Freiheitsstrafe gelten die §§ 43, 43a, 44 Abs. 1, 46, 48 bis 53, 55 und 56 StGB sinngemäß. Die Strafe des Verfalls darf nicht bedingt nachgesehen werden. Eine Geldstrafe darf nur bis zur Hälfte bedingt nachgesehen werden. Der nicht bedingt nachgesehene Teil der Geldstrafe muss jedoch mindestens 10% des strafbestimmenden Wertbetrages betragen.

(2) War mit dem Finanzvergehen eine Abgabenverkürzung oder ein sonstiger Einnahmenausfall verbunden, so hat das Gericht dem Verurteilten die Weisung zu erteilen, den Betrag, den er schuldet oder für den er zur Haftung herangezogen werden kann, zu entrichten. Wäre die unverzügliche Entrichtung für den Verurteilten unmöglich oder mit besonderen Härten verbunden, so ist ihm hiefür eine angemessene Frist zu setzen, die ein Jahr nicht übersteigen darf.

(3) Für die nachträgliche Milderung der durch die Gerichte für Finanzvergehen verhängten Strafen gilt § 31a StGB sinngemäß.

Entzug von Berechtigungen.

§ 27. Wird wegen eines Finanzvergehens vom Gericht eine Freiheitsstrafe verhängt, so kann dem Bestraften eine auf Grund eines Bundesgesetzes erlangte Berechtigung zur Ausübung einer wirtschaftlichen Tätigkeit von der auch sonst für die Entziehung einer solchen Berechtigung zuständigen Behörde für eine bestimmte Zeit oder auf Dauer entzogen werden, wenn die Berechtigung zur Begehung der Tat mißbraucht worden ist. Der in anderen Bundesgesetzen auf Grund einer Bestrafung wegen eines Finanzvergehens vorgesehene Entzug von Berechtigungen wird hiedurch nicht berührt.

Haftung.

§ 28. *(Anm.: Abs. 1 aufgehoben durch BGBl. I Nr. 161/2005)*

(2) Wurde in Vertretungsfällen von einem gesetzlichen oder von einem behördlich oder rechtsgeschäftlich bestellten Vertreter im Rahmen seiner Tätigkeit für den Vertretenen ein Finanzvergehen begangen, so haftet der Vertretene für die über den Vertreter verhängte Geldstrafe und den ihm auferlegten Wertersatz nur dann, wenn ihn ein Verschulden im Sinne des Abs. 4 trifft.

(3) Dienstgeber haften für Geldstrafen und Wertersätze, die einem ihrer Dienstnehmer wegen eines Finanzvergehens auferlegt werden, wenn der Dienstnehmer das Vergehen im Rahmen seiner dienstlichen Obliegenheiten begangen hat und den Dienstgeber hieran ein Verschulden (Abs. 4) trifft.

(4) Ein Verschulden nach Abs. 2 und 3 liegt vor, wenn der Vertretene oder der Dienstgeber

a) sich bei der Auswahl oder Beaufsichtigung des Vertreters oder Dienstnehmers auffallender Sorglosigkeit schuldig machte,

b) vom Finanzvergehen des Vertreters oder Dienstnehmers wußte und es nicht verhinderte, obwohl ihm die Verhinderung zuzumuten war, oder

c) vom Finanzvergehen, dessen Verhinderung ihm zuzumuten gewesen wäre, aus auffallender Sorglosigkeit nicht wußte.

(5) Die Haftung gemäß Abs. 2 und 3 wird bei juristischen Personen und Vermögensmassen, die keine eigene Rechtspersönlichkeit besitzen, aber abgabepflichtig sind, durch das Verschulden (Abs. 4) auch nur einer Person begründet, die einem mit der Geschäftsführung oder mit der Überwachung der Geschäftsführung betrauten Organ angehört; bei Personenvereinigungen genügt das Verschulden eines Mitglieds der Vereinigung, das durch Gesetz oder Vertrag zur Führung der Geschäfte berufen ist. Die Haftung tritt auch dann ein, wenn das Verschulden jemanden trifft, der nicht dem vorgenannten Personenkreis angehört, dem aber für den Gesamtbetrieb oder für das betreffende Sachgebiet die Verantwortung übertragen ist.

(6) Die Personenvereinigung haftet gemäß Abs. 2 und 3 mit ihrem Vermögen. Soweit Wertersätze in diesem Vermögen nicht Deckung finden, haftet darüber hinaus jedes Mitglied der Personenvereinigung mit seinem privaten Vermögen für den Teil des Wertersatzes, der seiner Beteiligung an der Personenvereinigung anteilsmäßig entspricht.

(7) Die Haftung nach den Abs. 2 und 3 darf nur in Anspruch genommen werden, wenn die Geldstrafen oder Wertersätze aus dem beweglichen Vermögen des Bestraften nicht eingebracht werden können. Der Einbringungsversuch kann unterbleiben, wenn Einbringungsmaßnahmen offenkundig aussichtlos sind. Insoweit Einbringungsmaßnahmen beim Haftenden erfolglos blieben, sind die entsprechenden Ersatzfreiheitsstrafen am Bestraften zu vollziehen.

(8) Bei Gesamtrechtsnachfolge geht die Haftung nach Abs. 2 und 3 und die sich daraus ergebenden Rechte und Pflichten auf den Rechtsnachfolger über. Ein solcher Haftungsübergang tritt auch bei den keine Gesamtrechtsnachfolge begründenden Umgründungen nach dem Umgründungssteuergesetz ein.

(9) Die Haftung nach Abs. 2 und 3 darf nur in Anspruch genommen werden, wenn keine Verbandsgeldbuße nach § 28a zu verhängen ist.

Verantwortlichkeit von Verbänden

§ 28a. (1) Für vom Gericht zu ahndende Finanzvergehen von Verbänden (§ 1 Abs. 2) gelten die Bestimmungen des 1. und 2. Abschnittes des Verbandsverantwortlichkeitsgesetzes; die Verbandsgeldbuße ist, sofern in den Tatbeständen nicht anderes bestimmt wird, jedoch nach der für die Finanzvergehen, für die der Verband verantwortlich ist, angedrohten Geldstrafe, unter den Voraussetzungen des § 15 Abs. 2 jedoch nach dem 1,5-fachen dieser angedrohten Geldstrafe, zu bemessen. Im Übrigen gelten die Bestimmungen dieses Abschnittes, soweit sie nicht ausschließlich auf natürliche Personen anwendbar sind.

(2) Für von der Finanzstrafbehörde zu ahndende Finanzvergehen von Verbänden sind die §§ 2, 3, 4 Abs. 1, 5, 10, 11 und 12 Abs. 2 des Verbandsverantwortlichkeitsgesetzes sinngemäß anzuwenden. Die Verbandsgeldbuße ist nach der für das Finanzvergehen, für das der Verband verantwortlich ist, angedrohten Geldstrafe zu bemessen. Im Übrigen gelten die Bestimmungen dieses Abschnittes, soweit sie nicht ausschließlich auf natürliche Personen anwendbar sind.

Selbstanzeige.

§ 29. (1) Wer sich eines Finanzvergehens schuldig gemacht hat, wird insoweit straffrei, als er seine Verfehlung darlegt (Selbstanzeige). Die Darlegung hat, wenn die Handhabung der verletzten Abgaben- oder Monopolvorschriften dem Zollamt Österreich obliegt, gegenüber diesem, sonst gegenüber einem Finanzamt oder dem Amt für Betrugsbekämpfung zu erfolgen. Sie ist bei Betretung auf frischer Tat ausgeschlossen.

(2) War mit einer Verfehlung eine Abgabenverkürzung oder ein sonstiger Einnahmenausfall verbunden, so tritt die Straffreiheit nur insoweit ein, als der Behörde ohne Verzug die für die Feststellung der Verkürzung oder des Ausfalls bedeutsamen Umstände offen gelegt werden, und binnen einer Frist von einem Monat die sich daraus ergebenden Beträge, die vom Anzeiger geschuldet werden, oder für die er zur Haftung herangezogen werden kann, tatsächlich mit schuldbefreiender Wirkung entrichtet werden. Die Monatsfrist beginnt bei selbst zu berechnenden Abgaben (§§ 201 und 202 BAO) mit der Selbstanzeige, in allen übrigen Fällen mit der Bekanntgabe des Abgaben- oder Haftungsbescheides zu laufen und kann durch Gewährung von Zahlungserleichterungen (§ 212 BAO) auf höchstens zwei Jahre verlängert werden. Lebt die Schuld nach Entrichtung ganz oder teilweise wieder auf, so bewirkt dies unbeschadet der Bestimmungen des § 31 insoweit auch das Wiederaufleben der Strafbarkeit.

(3) Straffreiheit tritt nicht ein,

a) wenn zum Zeitpunkt der Selbstanzeige Verfolgungshandlungen (§ 14 Abs. 3) gegen den Anzeiger, gegen andere an der Tat Beteiligte oder gegen Hehler gesetzt waren,

b) wenn zum Zeitpunkt der Selbstanzeige die Tat hinsichtlich ihrer objektiven Tatbestandsmerkmale bereits ganz oder zum Teil entdeckt und dies dem Anzeiger bekannt war oder die Entdeckung der Verletzung einer zollrechtlichen Verpflichtung hinsichtlich ihrer objektiven Tatbestandsmerkmale unmittelbar bevorstand und dies dem Anzeiger bekannt war, oder

c) wenn bei einem vorsätzlich begangenen Finanzvergehen die Selbstanzeige anläßlich einer finanzbehördlichen Nachschau, Beschau, Abfertigung oder Prüfung von Büchern oder Aufzeichnungen nicht schon bei Beginn der Amtshandlung erstattet wird, oder

d) bereits einmal hinsichtlich desselben Abgabenanspruches, ausgenommen Vorauszahlungen, eine Selbstanzeige erstattet worden ist.

(4) Ungeachtet der Straffreiheit ist auf Verfall von Monopolgegenständen zu erkennen. Dies gilt auch für Behältnisse und Beförderungsmittel der im § 17 Abs. 2 lit. b bezeichneten Art, es sei denn, daß die besonderen Vorrichtungen entfernt werden können; die Kosten hat der Anzeiger zu ersetzen. Ein Wertersatz ist nicht aufzuerlegen.

(5) Die Selbstanzeige wirkt nur für den Anzeiger und für die Personen, für die sie erstattet wird.

(6) Werden Selbstanzeigen anlässlich einer finanzbehördlichen Nachschau, Beschau, Abfertigung oder Prüfung von Büchern oder Aufzeichnungen nach deren Anmeldung oder sonstigen Bekanntgabe erstattet, tritt strafbefreiende Wirkung hinsichtlich vorsätzlich oder grob fahrlässig begangener Finanzvergehen nur unter der weiteren Voraussetzung insoweit ein, als auch eine mit einem Bescheid der Abgabenbehörde festzusetzende Abgabenerhöhung unter sinngemäßer Anwendung des Abs. 2 entrichtet wird. Die Abgabenerhöhung beträgt 5 % der Summe der sich aus den Selbstanzeigen ergebenden Mehrbeträgen. Übersteigt die Summe der Mehrbeträge 33 000 Euro, ist die Abgabenerhöhung mit 15 %, übersteigt die Summe der Mehrbeträge 100 000 Euro, mit 20 % und übersteigt die Summe der Mehrbeträge 250 000 Euro, mit 30 % zu bemessen. Insoweit Straffreiheit nicht eintritt, entfällt die Verpflichtung zur Entrichtung der Abgabenerhöhung, dennoch entrichtete Beträge sind gutzuschreiben. Die Abgabenerhöhung gilt als Nebenanspruch im Sinne des § 3 Abs. 2 lit. a BAO.

(7) Wird eine Selbstanzeige betreffend Vorauszahlungen an Umsatzsteuer im Zuge der Umsatzsteuerjahreserklärung erstattet, bedarf es keiner Zuordnung der Verkürzungsbeträge zu den einzelnen davon betroffenen Voranmeldungszeiträumen.

§ 30. (1) Zeigen vom Täter oder von anderen an der Tat Beteiligten verschiedene Personen, denen das Eigentumsrecht oder ein Pfand- oder Zurückbehaltungsrecht an einem verfallsbedrohten Gegenstand zusteht, die Straftat spätestens zu dem Zeitpunkt, bis zu dem auch noch eine Selbstanzeige mit strafbefreiender Wirkung möglich wäre, bei der zuständigen Behörde an (§ 29), so ist ungeachtet des Umstandes, daß diese Personen ein Vorwurf im Sinne des § 17 Abs. 3 trifft, ihr Eigentumsrecht zu berücksichtigen oder ihr Pfand- oder Zurückbehaltungsrecht anzuerkennen. § 29 Abs. 4 gilt sinngemäß.

(2) Eine Haftung nach § 28 tritt dann nicht ein, wenn die Straftat spätestens zu dem Zeitpunkt, bis zu dem auch noch eine Selbstanzeige mit strafbefreiender Wirkung möglich wäre (§ 29), vom Vertretenen oder Dienstgeber bei der zuständigen Behörde (§ 29 Abs. 1) angezeigt wird. Bei Personenvereinigungen genügt es, wenn diese Anzeige von einem Mitglied der Personenvereinigung erstattet wird.

(3) Wird die im § 15 BAO vorgeschriebene Anzeige innerhalb der dort vorgeschriebenen Frist ordnungsgemäß erstattet, so ist sie einer Selbstanzeige derjenigen, welche die im § 15 BAO bezeichnete Erklärung abzugeben unterlassen oder unrichtig oder unvollständig abgegeben haben, gleichzuhalten; die Bestimmungen des § 29 gelten sinngemäß.

Strafaufhebung in besonderen Fällen (Verkürzungszuschlag)

§ 30a. (1) Die Abgabenbehörden sind berechtigt, eine Abgabenerhöhung von 10 % der im Zuge einer abgabenrechtlichen Überprüfungsmaßnahme festgestellten Nachforderungen, soweit hinsichtlich der diese begründenden Unrichtigkeiten der Verdacht eines Finanzvergehens besteht, festzusetzen, sofern dieser Betrag in Summe 33 000 Euro nicht übersteigt, sich der Abgabe- oder Abfuhrpflichtige spätestens 14 Tage nach Festsetzung der Abgabennachforderung mit dem Verkürzungszuschlag einverstanden erklärt oder diesen beantragt und er auf die Erhebung eines Rechtsmittels gegen die Festsetzung der Abgabenerhöhung wirksam verzichtet. Werden die Abgabenerhöhung und die dieser zugrundeliegenden Abgabennachforderungen innerhalb eines Monats nach deren Festsetzung tatsächlich mit schuldbefreiender Wirkung zur Gänze entrichtet, so tritt Straffreiheit hinsichtlich der im Zusammenhang mit diesen Abgabennachforderungen begangenen Finanzvergehen ein. Für die der Abgabenerhöhung zugrundeliegenden Abgabennachforderungen kann die Monatsfrist durch Gewährung von Zahlungserleichterungen (§ 212 BAO) auf höchstens sechs Monate verlängert werden. Für die Abgabenerhöhung darf ein Zahlungsaufschub nicht gewährt werden.

(2) Werden mehrere Überprüfungsmaßnahmen gleichzeitig oder in unmittelbarer Folge durchgeführt, so ist die Summe aller Verkürzungsbeträge für die Zulässigkeit der Festsetzung einer Abgabenerhöhung nach Abs. 1 maßgeblich.

(3) Tritt wegen Nichteinhaltung der Erfordernisse des Abs. 1 Straffreiheit nicht ein, so entfällt ab diesem Zeitpunkt die Verpflichtung zur Entrichtung der Abgabenerhöhung. Allenfalls bis dahin entrichtete Beträge sind gutzuschreiben.

(4) Im Falle einer nachträglichen Herabsetzung der Abgabenschuld hat die Berechnung der Abgabenerhöhung unter rückwirkender Berücksichtigung des Herabsetzungsbetrages zu erfolgen.

(5) Die Festsetzung einer Abgabenerhöhung nach Abs. 1 ist im Zusammenhang mit Eingangs- und Ausgangsabgaben sowie mit § 11 Abs. 3 des Mineralölsteuergesetzes 2022 (MinStG 2022), BGBl. Nr. 630/1994, unzulässig.

(6) Die Festsetzung einer Abgabenerhöhung ist weiters ausgeschlossen, wenn hinsichtlich der betroffenen Abgaben bereits ein Finanzstrafverfahren anhängig ist, eine Selbstanzeige vorliegt oder es einer Bestrafung bedarf, um den Täter von der Begehung weiterer Finanzvergehen abzuhalten.

(7) Die Festsetzung der Abgabenerhöhung stellt keine Verfolgungshandlung dar. Die strafrechtliche Verfolgung einer weiteren, hinsichtlich derselben Abgabenart und desselben Erhebungszeitraumes bewirkten Abgabenverkürzung oder einer Nichtentrichtung (Nichtabfuhr) von Selbstbemessungsabgaben wird dadurch nicht gehindert.

(8) Die Abgabenerhöhung gilt als Nebenanspruch im Sinne des § 3 BAO.

(9) Ungeachtet der Straffreiheit ist auf Verfall von Monopolgegenständen zu erkennen. Dies gilt auch für Behältnisse und Beförderungsmittel der im § 17 Abs. 2 lit. b bezeichneten Art, es sei denn, dass die besonderen Vorrichtungen entfernt werden können; die Kosten hat der Abgabepflichtige zu ersetzen. Ein Wertersatz ist nicht aufzuerlegen.

Verjährung der Strafbarkeit.

§ 31. (1) Die Strafbarkeit eines Finanzvergehens erlischt durch Verjährung. Die Verjährungsfrist beginnt, sobald die mit Strafe bedrohte Tätigkeit abgeschlossen ist oder das mit Strafe bedrohte Verhalten aufhört. Gehört zum Tatbestand ein Erfolg, so beginnt die Verjährungsfrist erst mit dessen Eintritt zu laufen. Sie beginnt aber nie früher zu laufen als die Verjährungsfrist für die Festsetzung der Abgabe, gegen die sich die Straftat richtet.

(2) Die Verjährungsfrist beträgt für den Abgabenbetrug (§ 39) mit einem 500 000 Euro übersteigenden strafbestimmenden Wertbetrag und für den grenzüberschreitenden Umsatzsteuerbetrug (§ 40) zehn Jahre, für Finanzordnungswidrigkeiten nach §§ 49 bis 49e und § 51b drei Jahre, für andere Finanzordnungswidrigkeiten ein Jahr und für die übrigen Finanzvergehen fünf Jahre.

(3) Begeht der Täter während der Verjährungsfrist ein vorsätzliches Finanzvergehen, auf das § 25 oder § 191 StPO nicht anzuwenden ist, so tritt die Verjährung nicht ein, bevor auch für diese Tat die Verjährungsfrist abgelaufen ist.

(4) In die Verjährungsfrist werden nicht eingerechnet:

a) die Zeit, während der nach einer gesetzlichen Vorschrift die Verfolgung nicht eingeleitet oder fortgesetzt werden kann;

b) die Zeit, während der wegen der Tat gegen den Täter ein Strafverfahren bei der Staatsanwaltschaft, bei Gericht, bei einer Finanzstrafbehörde oder beim Bundesfinanzgericht geführt wird;

c) die Zeit von der Einbringung einer Beschwerde an den Verfassungsgerichtshof oder einer Revision an den Verwaltungsgerichtshof bezüglich des Finanzstrafverfahrens oder der mit diesem im Zusammenhang stehenden Abgaben- oder Monopolverfahren bis zur deren Erledigung;

d) die Probezeit nach § 203 Abs. 1 StPO sowie die Fristen zur Zahlung eines Geldbetrages samt allfälliger Schadensgutmachung und zur Erbringung gemeinnütziger Leistungen samt allfälligem Tatfolgenausgleich (§§ 200 Abs. 2 und 3, 201 Abs. 1 und 3 StPO).

(5) Bei Finanzvergehen, für deren Verfolgung die Finanzstrafbehörde zuständig ist, erlischt die Strafbarkeit jedenfalls, wenn seit dem Beginn der Verjährungsfrist zehn Jahre und gegebenenfalls die in Abs. 4 lit. c genannte Zeit verstrichen sind. Bei Finanzvergehen nach § 49a FinStrG erlischt die Strafbarkeit jedenfalls, wenn dieser Zeitraum ab dem Ende der Anzeigefrist gemäß § 121a Abs. 4 BAO oder der Mitteilungsfrist nach § 109b Abs. 6 EStG 1988 verstrichen ist.

(6) Die Bestimmungen der Abs. 1 bis 5 gelten dem Sinne nach auch für die Nebenbeteiligten (§ 76) und für das selbständige Verfahren (§§ 148 und 243).

Verjährung der Vollstreckbarkeit.

§ 32. (1) Die Vollstreckbarkeit von Strafen wegen Finanzvergehen erlischt durch Verjährung. Die Frist für die Verjährung beginnt mit der Rechtskraft der Entscheidung, in der auf die zu vollstreckende Strafe erkannt worden ist. Sie beträgt fünf Jahre.

(2) Wird gegen den Bestraften in der Verjährungsfrist auf eine neue Strafe wegen eines Finanzvergehens erkannt, so tritt die Verjährung der Vollstreckbarkeit nicht ein, bevor nicht auch die Vollstreckbarkeit dieser Strafe erloschen ist.

(3) In die Verjährungsfrist werden nicht eingerechnet:

a) die Probezeit im Fall einer bedingten Nachsicht der Strafe oder im Fall einer bedingten Entlassung;

b) Zeiten, für die dem Bestraften ein Aufschub des Vollzuges einer Freiheitsstrafe, es sei denn wegen Vollzugsuntauglichkeit, oder der Zahlung einer Geldstrafe oder eines Wertersatzes gewährt worden ist;

c) Zeiten, in denen der Bestrafte auf behördliche Anordnung angehalten worden ist;

d) Zeiten, in denen sich der Bestrafte im Ausland aufgehalten hat;

e) Zeiten von der Einbringung einer Beschwerde an den Verfassungsgerichtshof oder einer Revision an den Verwaltungsgerichtshof bezüglich des Strafverfahrens bis zu deren Erledigung.

(4) Der Vollzug der Freiheitsstrafe unterbricht die Verjährung. Hört die Unterbrechung auf, ohne daß der Bestrafte endgültig entlassen wird, so beginnt die Verjährungsfrist unbeschadet der Bestimmungen des Abs. 3 von neuem zu laufen.

(5) Die Bestimmungen der Abs. 1 und 3 gelten dem Sinne nach auch für den Haftungsbeteiligten (§ 76 lit. b).

II. Hauptstück.

Besonderer Teil.

Abgabenhinterziehung.

§ 33. (1) Der Abgabenhinterziehung macht sich schuldig, wer vorsätzlich unter Verletzung einer abgabenrechtlichen Anzeige-, Offenlegungs- oder Wahrheitspflicht eine Abgabenverkürzung bewirkt.

(2) Der Abgabenhinterziehung macht sich weiters schuldig, wer vorsätzlich

a) unter Verletzung der Verpflichtung zur Abgabe von dem § 21 des Umsatzsteuergesetzes 1994 entsprechenden Voranmeldungen eine Verkürzung von Umsatzsteuer (Vorauszahlungen oder Gutschriften) oder

b) unter Verletzung der Verpflichtung zur Führung von dem § 76 des Einkommensteuergesetzes 1988 sowie dazu ergangener Verordnungen entsprechenden Lohnkonten eine Verkürzung von Lohnsteuer, Dienstgeberbeiträgen zum Ausgleichsfonds für Familienbeihilfen oder Zuschlägen zum Dienstgeberbeitrag

bewirkt und dies nicht nur für möglich, sondern für gewiß hält.

(3) Eine Abgabenverkürzung nach Abs. 1 oder 2 ist bewirkt,

a) mit Bekanntgabe des Bescheides oder Erkenntnisses, mit dem bescheidmäßig festzusetzende Abgaben zu niedrig festgesetzt wurden oder wenn diese infolge Unkenntnis der Abgabenbehörde von der Entstehung des Abgabenanspruches mit dem Ablauf der gesetzlichen Erklärungsfrist (Anmeldefrist, Anzeigefrist) nicht festgesetzt werden konnten,

b) wenn Abgaben, die selbst zu berechnen sind, ganz oder teilweise nicht entrichtet (abgeführt) wurden,

c) mit Bekanntgabe des Bescheides oder Erkenntnisses, mit dem Abgabengutschriften, die bescheidmäßig festzusetzen sind, zu Unrecht oder zu hoch festgesetzt wurden,

d) wenn Abgabengutschriften, die nicht bescheidmäßig festzusetzen sind, zu Unrecht oder zu hoch geltend gemacht wurden,

e) wenn eine Abgabe zu Unrecht erstattet oder vergütet oder eine außergewöhnliche Belastung zu Unrecht abgegolten wurde, oder

f) wenn auf einen Abgabenanspruch zu Unrecht ganz oder teilweise verzichtet oder eine Abgabenschuldigkeit zu Unrecht ganz oder teilweise nachgesehen wurde.

(4) Der Abgabenhinterziehung macht sich ferner schuldig, wer vorsätzlich eine Abgabenverkürzung dadurch bewirkt, daß er Sachen, für die eine Abgabenbegünstigung gewährt wurde, zu einem anderen als jenem Zweck verwendet, der für die Abgabenbegünstigung zur Bedingung gemacht war, und es unterläßt, dies der Abgabenbehörde vor der anderweitigen Verwendung anzuzeigen.

(5) Die Abgabenhinterziehung wird mit einer Geldstrafe bis zum Zweifachen des für den Strafrahmen maßgeblichen Verkürzungsbetrages (der ungerechtfertigten Abgabengutschrift) geahndet. Dieser umfasst nur jene Abgabenbeträge (ungerechtfertigte Gutschriften), deren Verkürzung im Zusammenhang mit den Unrichtigkeiten bewirkt wurde, auf die sich der Vorsatz des Täters bezieht. Neben der Geldstrafe ist nach Maßgabe des § 15 auf Freiheitsstrafe bis zu vier Jahren zu erkennen.

(6) Betrifft die Abgabenhinterziehung eine Verbrauchsteuer, so ist auf Verfall nach Maßgabe des § 17 zu erkennen. Der Verfall umfaßt auch die Rohstoffe, Hilfsstoffe, Halbfabrikate, Geräte und Vorrichtungen.

Grob fahrlässige Abgabenverkürzung

§ 34. (1) Der grob fahrlässigen Abgabenverkürzung macht sich schuldig, wer die im § 33 Abs. 1 bezeichnete Tat grob fahrlässig begeht; § 33 Abs. 3 gilt entsprechend.

(2) Der grob fahrlässigen Abgabenverkürzung macht sich auch schuldig, wer die im § 33 Abs. 4 bezeichnete Tat grob fahrlässig begeht.

(3) Die grob fahrlässige Abgabenverkürzung wird mit einer Geldstrafe bis zum Einfachen des maßgeblichen Verkürzungsbetrages (der ungerechtfertigten Abgabengutschrift) geahndet. § 33 Abs. 5 zweiter Satz ist sinngemäß anzuwenden.

Schmuggel und Hinterziehung von Eingangs- oder Ausgangsabgaben.

§ 35. (1) Des Schmuggels macht sich schuldig, wer

a) eingangsabgabepflichtige Waren vorsätzlich vorschriftswidrig in das Zollgebiet der Union verbringt oder der zollamtlichen Überwachung entzieht oder

b) ausgangsabgabepflichtige Waren vorsätzlich vorschriftswidrig aus dem Zollgebiet der Union verbringt.

(2) Der Hinterziehung von Eingangs- oder Ausgangsabgaben macht sich schuldig, wer, ohne den Tatbestand des Abs. 1 zu erfüllen, vorsätzlich unter Verletzung einer zollrechtlichen Anzeige-, Offenlegungs- oder Wahrheitspflicht eine Verkürzung von Eingangs- oder Ausgangsabgaben bewirkt. Die Abgabenverkürzung ist bewirkt, wenn eine entstandene Eingangs- oder Ausgangsabgabenschuld bei ihrer Entstehung nicht oder zu niedrig festgesetzt wird und in den Fällen des § 33 Abs. 3 lit. b bis f.

(3) Der Hinterziehung von Eingangs- oder Ausgangsabgaben macht sich ferner schuldig, wer vorsätzlich eine Verkürzung einer solchen Abgabe dadurch bewirkt, daß er eingangs- oder ausgangsabgabepflichtige Waren vorschriftswidrig im Zollgebiet der Union befördert, veredelt, lagert, vorübergehend verwahrt, verwendet oder verwertet, und es unterläßt, dies dem Zollamt vorher anzuzeigen.

(4) Der Schmuggel wird mit einer Geldstrafe bis zum Zweifachen des auf die Waren entfallenden Abgabenbetrages, die Hinterziehung von Eingangs- oder Ausgangsabgaben mit einer Geldstrafe bis zum Zweifachen des Verkürzungsbetrages geahndet. Der Geldstrafe ist an Stelle des Regelzollsatzes der Präferenzzollsatz zugrunde zu legen, wenn der Beschuldigte nachweist, daß die Voraussetzungen für dessen Inanspruchnahme gegeben waren. Neben der Geldstrafe ist nach Maßgabe des § 15 auf Freiheitsstrafe bis zu zwei Jahren, übersteigt der strafbestimmende Wertbetrag 100 000 Euro, auf Freiheitsstrafe bis zu vier Jahren zu erkennen. Auf Verfall ist nach Maßgabe des § 17 zu erkennen.

(5) Umsatz- und Verbrauchsteuern sind mit jenen Beträgen dem strafbestimmenden Wertbetrag zugrunde zu legen, die bei Entstehung der Steuerschuld im Inland anzusetzen wären, es sei denn, der Beschuldigte weist deren Höhe durch einen rechtskräftigen Bescheid des zur Abgabenerhebung zuständigen anderen Mitgliedstaates der Europäischen Union nach. In den Fällen des Abs. 1 gelten die Eingangsabgaben für Zwecke der Berechnung des strafbestimmenden Wertbetrages jedenfalls als im Inland entstanden.

Verzollungsumgehung; grob fahrlässige Verkürzung von Eingangs- oder Ausgangsabgaben.

§ 36. (1) Der Verzollungsumgehung macht sich schuldig, wer die im § 35 Abs. 1 bezeichnete Tat grob fahrlässig begeht.

(2) Der grob fahrlässigen Verkürzung von Eingangs- oder Ausgangsabgaben macht sich schuldig, wer die im § 35 Abs. 2 und 3 bezeichneten Taten grob fahrlässig begeht.

(3) Die Verzollungsumgehung wird mit einer Geldstrafe bis zum Einfachen des auf die Ware entfallenden Abgabenbetrages, die grob fahrlässige Verkürzung von Eingangs- oder Ausgangsabgaben mit einer Geldstrafe bis zum Einfachen des Verkürzungsbetrages geahndet. § 35 Abs. 4 zweiter Satz und § 35 Abs. 5 sind anzuwenden.

(Anm.: Abs. 4 aufgehoben durch BGBl. Nr. 681/ 1994)

Abgabenhehlerei.

§ 37. (1) Der Abgabenhehlerei macht sich schuldig, wer vorsätzlich

a) eine Sache oder Erzeugnisse aus einer Sache, hinsichtlich welcher ein Schmuggel, eine Verzollungsumgehung, eine Verkürzung von Verbrauchsteuern oder von Eingangs- oder Ausgangsabgaben begangen wurde, kauft, zum Pfand nimmt oder sonst an sich bringt, verheimlicht oder verhandelt;

b) den Täter eines in lit. a bezeichneten Finanzvergehens nach der Tat dabei unterstützt, um eine Sache oder Erzeugnisse aus einer Sache, hinsichtlich welcher das Finanzvergehen begangen wurde, zu verheimlichen oder zu verhandeln.

(2) Die Abgabenhehlerei wird mit einer Geldstrafe bis zum Zweifachen des Verkürzungsbetrages an Verbrauchsteuern oder an Eingangs- oder Ausgangsabgaben geahndet, die auf die verhehlten Sachen oder die Sachen, die in den verhehlten Erzeugnissen enthalten sind, entfallen. Neben der Geldstrafe ist nach Maßgabe des § 15 auf Freiheitsstrafe bis zu zwei Jahren, übersteigt der strafbestimmende Wertbetrag 100 000 Euro, auf Freiheitsstrafe bis zu vier Jahren zu erkennen. Auf Verfall ist nach Maßgabe des § 17 zu erkennen.

(3) Wer eine der im Abs. 1 bezeichneten Taten grob fahrlässig begeht, ist nur mit Geldstrafe bis zum Einfachen des Verkürzungsbetrages (Abs. 2) zu bestrafen.

(4) § 35 Abs. 4 zweiter Satz und § 35 Abs. 5 sind anzuwenden.

(5) Die Abgabenhehlerei ist auch dann strafbar, wenn die Person, die den Schmuggel, die Verzollungsumgehung oder die Verkürzung von Verbrauchsteuern oder von Eingangs- oder Ausgangsabgaben begangen hat, nicht bestraft werden kann.

Strafe bei Begehung als Mitglied einer Bande oder unter Gewaltanwendung

§ 38a. (1) Wer, ohne den Tatbestand des § 39 zu erfüllen,

a) die Abgabenhinterziehung, den Schmuggel, die Hinterziehung von Eingangs- oder Ausgangsabgaben oder die Abgabenhehlerei nach § 37 Abs. 1 als Mitglied einer Bande von mindestens drei Personen, die sich zur Tatbegehung verbunden haben, unter Mitwirkung (§ 11) eines anderen Bandenmitglieds begeht;

b) einen Schmuggel begeht, bei dem er oder mit seinem Wissen ein anderer an der Tat Beteiligter eine Waffe oder ein anderes Mittel bei sich führt, wobei es ihm darauf ankommt, damit den Widerstand einer Person zu überwinden oder zu verhindern,

ist nach Abs. 2 zu bestrafen.

(2) Ist die Ahndung der in Abs. 1 genannten Finanzvergehen

a) ausschließlich dem Gericht vorbehalten, ist auf Freiheitsstrafe bis zu fünf Jahren zu erkennen. Neben einer Freiheitsstrafe von bis zu vier Jahren kann eine Geldstrafe bis zu 1,5 Millionen Euro verhängt werden. Verbände sind mit einer Verbandsgeldbuße bis zum Dreifachen des strafbestimmenden Wertbetrages zu bestrafen;

b) nicht dem Gericht vorbehalten, ist auf Geldstrafe bis zum Dreifachen des Betrages, nach dem sich sonst die Strafdrohung richtet, zu erkennen. Daneben ist nach Maßgabe des § 15 auf Freiheitsstrafe bis zu drei Monaten zu erkennen.

Außerdem sind die Bestimmungen der §§ 33, 35 und 37 über den Verfall anzuwenden; der Verfall umfasst auch die Beförderungsmittel im Sinne des § 17 Abs. 2 lit. c Z 3.

(3) Die Strafdrohung gilt nur für diejenigen Beteiligten, deren Vorsatz die im Abs. 1 bezeichneten erschwerenden Umstände umfasst.

Abgabenbetrug

§ 39. (1) Des Abgabenbetruges macht sich schuldig, wer ausschließlich durch das Gericht zu ahndende Finanzvergehen der Abgabenhinterziehung, des Schmuggels, der Hinterziehung von Eingangs- oder Ausgangsabgaben oder der Abgabenhehlerei nach § 37 Abs. 1

a) unter Verwendung falscher oder verfälschter Urkunden, falscher oder verfälschter Daten oder anderer solcher Beweismittel mit Ausnahme unrichtiger nach abgaben-, monopol- oder zollrechtlichen Vorschriften zu erstellenden Abgabenerklärungen, Anmeldungen, Anzeigen, Aufzeichnungen und Gewinnermittlungen oder

b) unter Verwendung von Scheingeschäften oder anderen Scheinhandlungen (§ 23 BAO) oder

c) unter Verwendung automatisationsunterstützt erstellter, aufgrund abgaben- oder monopolrechtlicher Vorschriften zu führender Bücher oder Aufzeichnungen, welche durch Gestaltung oder Einsatz eines Programms, mit dessen Hilfe Daten verändert, gelöscht oder unterdrückt werden können, beeinflusst wurden

begeht.

(2) Eines Abgabenbetruges macht sich auch schuldig, wer ohne den Tatbestand des Abs. 1 zu erfüllen, durch das Gericht zu ahndende Finanzvergehen der Abgabenhinterziehung dadurch begeht, dass er Vorsteuerbeträge geltend macht, denen keine Lieferungen oder sonstigen Leistungen zugrunde liegen, um dadurch eine Abgabenverkürzung zu bewirken.

(3)

(a) Wer einen Abgabenbetrug begeht, ist mit Freiheitsstrafe bis zu fünf Jahren zu bestrafen. Neben einer vier Jahre nicht übersteigenden Freiheitsstrafe kann eine Geldstrafe bis zu 1,5 Millionen Euro verhängt werden. Verbände sind mit einer Verbandsgeldbuße bis zu fünf Millionen Euro zu bestrafen.

(b) Wer einen Abgabenbetrug mit einem 500 000 Euro übersteigenden strafbestimmenden Wertbetrag begeht, ist mit Freiheitsstrafe von einem bis zu zehn Jahren zu bestrafen. Neben einer acht Jahre nicht übersteigenden Freiheitsstrafe kann eine Geldstrafe bis zu 2,5 Millionen Euro verhängt werden. Verbände sind mit einer Verbandsgeldbuße bis zu acht Millionen Euro zu bestrafen.

Außerdem sind die Bestimmungen der §§ 33, 35 und 37 über den Verfall anzuwenden; der Verfall umfasst auch die Beförderungsmittel im Sinne des § 17 Abs. 2 lit. c Z 3.

Grenzüberschreitender Umsatzsteuerbetrug

§ 40. (1) Eines grenzüberschreitenden Umsatzsteuerbetrugs macht sich schuldig, wer vorsätzlich ein grenzüberschreitendes Betrugssystem, in welchem Lieferungen oder sonstige Leistungen ganz oder zum Teil ausgeführt oder vorgetäuscht werden, schafft oder sich daran beteiligt, indem er

a) falsche, unrichtige oder unvollständige Umsatzsteuererklärungen oder Unterlagen verwendet oder vorlegt, oder

b) umsatzsteuerrelevante Informationen unter Verletzung einer gesetzlichen Verpflichtung verschweigt, oder

c) unter Einreichung von richtigen Umsatzsteuererklärungen betrügerisch einen Einnahmenausfall an Umsatzsteuer herbeiführt, wobei geschuldete Umsatzsteuer nicht spätestens am Fälligkeitstag entrichtet wird oder unrechtmäßig Umsatzsteuergutschriften geltend gemacht werden,

und der Einnahmenausfall an Umsatzsteuer im Gemeinschaftsgebiet (§ 1 Abs. 3 Umsatzsteuergesetz 1994) insgesamt mindestens zehn Millionen Euro beträgt.

(2) Der grenzüberschreitende Umsatzsteuerbetrug ist mit Freiheitsstrafe von einem bis zu zehn Jahren zu ahnden. Neben einer acht Jahre nicht übersteigenden Freiheitsstrafe kann eine Geldstrafe bis zu 2,5 Millionen Euro verhängt werden. Verbände sind mit einer Verbandsgeldbuße bis zu acht Millionen Euro zu bestrafen.

(3) Umsatzsteuern sind der Berechnung des Einnahmenausfalls mit jenen Beträgen zugrunde zu legen, die bei Entstehung der Steuerschuld im Inland anzusetzen wären, es sei denn, der Beschuldigte weist deren Höhe durch einen rechtskräftigen Bescheid des zur Abgabenerhebung zuständigen anderen Mitgliedstaates der Europäischen Union nach.

Strafschärfung bei Rückfall.

§ 41. (1) Ist der Täter schon zweimal wegen eines der in den §§ 33, 35 oder 37 Abs. 1 bezeichneten Finanzvergehen bestraft worden und wurden die Strafen wenigstens zum Teil, wenn auch nur durch Anrechnung einer Vorhaft, vollzogen, so kann, wenn er nach Vollendung des neunzehnten Lebensjahres neuerlich ein solches Finanzvergehen begeht, das Höchstmaß der angedrohten Freiheitsstrafe, bei Finanzvergehen, für deren Verfolgung die Finanzstrafbehörde zuständig ist, das der angedrohten Geldstrafe um die Hälfte überschritten werden.

(2) Eine frühere Strafe bleibt außer Betracht, wenn seit ihrem Vollzug bis zur folgenden Tat mehr als fünf Jahre vergangen sind. In diese Frist werden Zeiten, in denen der Bestrafte auf behördliche Anordnung angehalten worden ist, nicht eingerechnet. Ist die Strafe nur durch Anrechnung einer Vorhaft vollzogen worden, so beginnt die Frist erst mit Rechtskraft der Entscheidung.

(3) Die Strafschärfung gilt nur für diejenigen Beteiligten, bei denen die Voraussetzungen des Abs. 1 vorliegen.

Verbotene Herstellung von Tabakwaren

§ 43. (1) Der verbotenen Herstellung von Tabakwaren (§§ 2 und 3 Tabaksteuergesetz 2022 – TabStG 2022, BGBl. Nr. 704/1994) macht sich schuldig, wer vorsätzlich ohne die nach dem TabStG 2022 erforderliche Bewilligung gewerblich im Steuergebiet Tabakwaren herstellt.

(2) Der verbotenen Herstellung von Tabakwaren macht sich auch schuldig, wer mit dem Vorsatz, sich oder einem anderen die Begehung der in Abs. 1 mit Strafe bedrohten Handlung zu ermöglichen, Räumlichkeiten, Anlagen, Geräte und Vorrichtungen, Rohstoffe, Hilfsstoffe, Halbfabrikate oder Verpackungen, die nach ihrer besonderen Beschaffenheit dazu bestimmt sind, Tabakwaren zu erzeugen, zu bearbeiten oder zu verarbeiten, errichtet, anfertigt, von einem anderen übernimmt, sich oder einem anderen verschafft, einem anderen überlässt oder sonst besitzt.

(3) Die verbotene Herstellung von Tabakwaren wird mit einer Geldstrafe bis zu 100 000 Euro geahndet. Auf Verfall ist nach Maßgabe des § 17 zu erkennen; er umfasst auch die Geräte, Vorrichtungen, Rohstoffe, Hilfsstoffe, Halbfabrikate und Verpackungen.

(4) Wer die im Abs. 1 bezeichnete Tat fahrlässig begeht, ist mit Geldstrafe bis zu 50 000 Euro zu bestrafen.

Vorsätzliche Eingriffe in Monopolrechte

§ 44. (1) Des vorsätzlichen Eingriffes in Monopolrechte macht sich schuldig, wer zu seinem oder eines anderen Vorteil vorsätzlich die in den Vorschriften über das Tabakmonopol enthaltenen Gebote oder Verbote hinsichtlich des Handels mit Monopolgegenständen verletzt; hievon ausgenommen ist der Handel mit Tabakerzeugnissen, für die Tabaksteuer entrichtet wurde oder die von der Tabaksteuer befreit sind.

(2) Der vorsätzliche Eingriff in Monopolrechte wird mit einer Geldstrafe bis zum Einfachen der Bemessungsgrundlage geahndet. Die Bemessungsgrundlage ist für Monopolgegenstände, für die ein Kleinverkaufspreis festgesetzt ist, nach diesem, für andere Monopolgegenstände nach dem Kleinverkaufspreis der nach Beschaffenheit und Qualität am nächsten kommenden Monopolgegenstände und, wenn ein solcher Vergleich nicht möglich ist, nach dem gemeinen Wert zu berechnen.

(3) Auf Verfall ist nach Maßgabe des § 17 zu erkennen; er umfasst auch die Rohstoffe, Hilfsstoffe, Halbfabrikate, Geräte und Vorrichtungen.

Grob fahrlässige Eingriffe in Monopolrechte

§ 45. (1) Des grob fahrlässigen Eingriffes in Monopolrechte macht sich schuldig, wer die im § 44 bezeichneten Handlungen und Unterlassungen grob fahrlässig begeht.

(2) Der grob fahrlässige Eingriff in Monopolrechte wird mit einer Geldstrafe bis zur Hälfte der Bemessungsgrundlage nach § 44 Abs. 2 geahndet.

Monopolhehlerei.

§ 46. (1) Der Monopolhehlerei macht sich schuldig wer vorsätzlich

a) Monopolgegenstände oder Erzeugnisse aus Monopolgegenständen, hinsichtlich welcher in Monopolrechte eingegriffen wurde, kauft, zum Pfand nimmt oder sonst an sich bringt, verheimlicht oder verhandelt,

b) den Täter eines in lit. a bezeichneten Finanzvergehens nach der Tat dabei unterstützt, eine Sache oder Erzeugnisse aus einer Sache, hinsichtlich welcher das Finanzvergehen begangen wurde, zu verheimlichen oder zu verhandeln.

(2) Die Monopolhehlerei wird mit einer Geldstrafe bis zum Einfachen der Bemessungsgrundlage (§ 44 Abs. 2) geahndet. Auf Verfall ist nach Maßgabe des § 17 zu erkennen.

(3) Wer eine der im Abs. 1 bezeichneten Taten grob fahrlässig begeht, ist mit einer Geldstrafe bis zur Hälfte der Bemessungsgrundlage (§ 44 Abs. 2) zu bestrafen.

(4) Die Monopolhehlerei ist ohne Rücksicht darauf strafbar, ob der Eingriff in Monopolrechte geahndet werden kann.

Strafschärfung bei Rückfall.

§ 47. (1) Ist der Täter schon zweimal wegen eines der in den §§ 44 oder 46 Abs. 1 bezeichneten Finanzvergehen bestraft worden und wurden die Strafen wenigstens zum Teil, wenn auch nur durch Anrechnung einer Vorhaft, vollzogen, so kann, wenn er nach Vollendung des neunzehnten Lebensjahres neuerlich ein solches Finanzvergehen begeht, das Höchstmaß der angedrohten Geldstrafe um die Hälfte überschritten werden.

(2) Eine frühere Strafe bleibt außer Betracht, wenn seit ihrem Vollzug bis zur folgenden Tat mehr als fünf Jahre vergangen sind. In diese Frist werden Zeiten, in denen der Bestrafte auf behördliche Anordnung angehalten worden ist, nicht eingerechnet. Ist die Strafe nur durch Anrechnung einer Vorhaft vollzogen worden, so beginnt die Frist erst mit Rechtskraft der Entscheidung.

(3) Die Strafschärfung gilt nur für diejenigen Beteiligten, bei denen die Voraussetzungen des Abs. 1 vorliegen.

Verletzung der Verschlußsicherheit.

§ 48. (1) Der Verletzung der Verschlußsicherheit macht sich schuldig, wer vorsätzlich oder fahrlässig

a) Verschlußmittel oder Nämlichkeitszeichen, die in einem Abgaben- oder Monopolverfahren oder in einem verwaltungsbehördlichen Finanzstrafverfahren angelegt oder anerkannt wurden, beschädigt, ablöst oder unwirksam macht;

b) Räume, Anlagen, Umschließungen oder Vorrichtungen, die durch Verschlußmittel gesichert sind, die in einem Abgaben- oder Monopolverfahren oder in einem verwaltungsbehördlichen Finanzstrafverfahren angelegt oder anerkannt wurden, so verändert, daß die Verschlußsicherheit nicht mehr gegeben ist;

c) Beförderungsmittel, die nach den zollrechtlichen Vorschriften zur Beförderung von Waren unter Zollverschluß zugelassen wurden, so verändert, daß die Voraussetzungen für eine solche Zulassung nicht mehr gegeben sind;

d) Beförderungsmittel, die mit geheimen oder schwer zu entdeckenden, zur Aufnahme von Waren geeigneten Räumen oder mit geheimen oder schwer zu entdeckenden Zugängen versehen sind, entgegen den zollrechtlichen Vorschriften verwendet.

(2) Die Tat wird mit einer Geldstrafe geahndet, deren Höchstmaß bei vorsätzlicher Begehung 20 000 Euro, bei fahrlässiger Begehung 5 000 Euro beträgt. Die Tat unterliegt nicht der gesonderten Verfolgung nach § 272 StGB.

Herbeiführung unrichtiger Präferenznachweise

§ 48a. (1) Der Herbeiführung unrichtiger Präferenznachweise macht sich schuldig, wer

1. in einem Verfahren zur Erteilung eines Präferenznachweises oder

2. bei Ausstellung eines Präferenznachweises oder einer Lieferantenerklärung oder

3. in einem Nachprüfungsverfahren

vorsätzlich oder fahrlässig unrichtige oder unvollständige Angaben macht oder unrichtige oder unvollständige Unterlagen vorlegt.

(2) Die Tat wird mit einer Geldstrafe geahndet, deren Höchstmaß bei vorsätzlicher Begehung 40 000 Euro, bei fahrlässiger Begehung 4 000 Euro beträgt. Die Tat unterliegt nicht der gesonderten Verfolgung nach § 228 StGB.

Verletzung von Verpflichtungen im Barmittelverkehr

§ 48b. (1) Der Verletzung von Verpflichtungen im Barmittelverkehr macht sich schuldig, wer vorsätzlich oder fahrlässig

1. entgegen Artikel 3 der Verordnung (EU) 2018/1672 des Europäischen Parlaments und des Rates vom 23. Oktober 2018 über die Überwachung von Barmitteln, die in die Union oder aus der Union verbracht werden, und zur Aufhebung der Verordnung (EG) Nr. 1889/2005 (ABl. Nr. L 284 vom 12.11.2018 S 6-21) Barmittel nicht, nicht richtig oder nicht vollständig anmeldet oder nicht für eine Kontrolle zur Verfügung stellt oder

2. entgegen Artikel 4 der Verordnung (EU) 2018/1672 eine Offenlegungserklärung nicht, nicht richtig, nicht vollständig oder nicht rechtzeitig abgibt oder

3. den Pflichten nach § 17b Abs. 1 oder Abs. 2 Zollrechts-Durchführungsgesetz (ZollR-DG), BGBl.

Nr. 659/1994, nicht, nicht richtig, nicht vollständig oder nicht fristgerecht nachkommt.

(2) Die Tat wird mit Geldstrafe geahndet, deren Höchstmaß bei vorsätzlicher Begehung 100 000 Euro, bei fahrlässiger Begehung 10 000 Euro beträgt.

Finanzordnungswidrigkeiten.

§ 49. (1) Einer Finanzordnungswidrigkeit macht sich schuldig, wer vorsätzlich

a) Abgaben, die selbst zu berechnen sind, insbesondere Vorauszahlungen an Umsatzsteuer, nicht spätestens am fünften Tag nach Fälligkeit entrichtet oder abführt, es sei denn, daß der zuständigen Abgabenbehörde bis zu diesem Zeitpunkt die Höhe des geschuldeten Betrages bekanntgegeben wird; im übrigen ist die Versäumung eines Zahlungstermines für sich allein nicht strafbar;

b) durch Abgabe unrichtiger Voranmeldungen (§ 21 des Umsatzsteuergesetzes 1994) ungerechtfertigte Abgabengutschriften geltend macht.

(2) Die Finanzordnungswidrigkeit wird mit einer Geldstrafe geahndet, deren Höchstmaß die Hälfte des nicht oder verspätet entrichteten oder abgeführten Abgabenbetrages oder der geltend gemachten Abgabengutschrift beträgt.

§ 49a. (1) Einer Finanzordnungswidrigkeit macht sich schuldig, wer es vorsätzlich unterlässt, die gemäß § 121a BAO anzeigepflichtigen Vorgänge anzuzeigen. Die Finanzordnungswidrigkeit wird mit einer Geldstrafe bis zu 10% des gemeinen Wertes des durch die nicht angezeigten Vorgänge übertragenen Vermögens geahndet.

(2) Straffreiheit einer Selbstanzeige tritt unbeschadet der in § 29 Abs. 3 genannten Gründe auch dann nicht mehr ein, wenn eine solche erst mehr als ein Jahr ab dem Ende der Anzeigefrist des § 121a Abs. 4 BAO erstattet wird.

(3) Ebenso macht sich einer Finanzordnungswidrigkeit schuldig, wer, ohne hiedurch den Tatbestand eines mit strengerer Strafe bedrohten Finanzvergehens zu erfüllen, es vorsätzlich unterlässt, eine dem § 109b EStG 1988 entsprechende Mitteilung zu erstatten. Die Finanzordnungswidrigkeit wird mit einer Geldstrafe bis zu 10 % des mitzuteilenden Betrages, höchstens jedoch bis zu 20 000 Euro, geahndet.

§ 49b. (1) Einer Finanzordnungswidrigkeit macht sich schuldig, wer vorsätzlich die Verpflichtung zur Übermittlung des länderbezogenen Berichts gemäß § 8 Abs. 1 des Bundesgesetzes über die standardisierte Verrechnungspreisdokumentation (VPDG), BGBl. I Nr. 77/2016, dadurch verletzt, dass

1. die Übermittlung nicht fristgerecht erfolgt oder

2. meldepflichtige Punkte der **Anlage 1**, **Anlage 2** oder **Anlage 3** zum VPDG nicht oder unrichtig übermittelt werden,

und ist mit Geldstrafe bis zu 50 000 Euro zu bestrafen.

(2) Wer die Tat nach Abs. 1 grob fahrlässig begeht, ist mit Geldstrafe bis zu 25 000 Euro zu bestrafen. Die fahrlässige Übermittlung unrichtiger Daten ist nach dieser Bestimmung nicht strafbar.

(3) § 29 ist nicht anzuwenden.

§ 49c. (1) Einer Finanzordnungswidrigkeit macht sich schuldig, wer vorsätzlich eine Pflicht nach den Bestimmungen des 2. Teils des EU-Meldepflichtgesetzes (EU-MPfG), BGBl. Nr. 91/2019, dadurch verletzt, dass

1. eine Meldung nicht oder nicht vollständig erstattet wird, oder

2. die Meldepflicht nicht fristgerecht erfüllt wird, oder

3. unrichtige Informationen (§§ 16 und 17 EU-MPfG) gemeldet werden, oder

4. den Pflichten nach § 11 EU-MPfG nicht oder nicht vollständig nachgekommen wird.

(2) Die Finanzordnungswidrigkeit wird mit einer Geldstrafe bis zu 50 000 Euro geahndet.

(3) Wer die Tat nach Abs. 1 grob fahrlässig begeht, ist mit Geldstrafe bis zu 25 000 Euro zu bestrafen.

(4) § 29 ist nicht anzuwenden.

§ 49d. (1) Einer Finanzordnungswidrigkeit macht sich schuldig, wer vorsätzlich die Pflicht zur Führung, Aufbewahrung oder Übermittlung von Aufzeichnungen nach § 18 Abs. 11 oder 12 Umsatzsteuergesetz 1994 verletzt.

Die Finanzordnungswidrigkeit wird mit einer Geldstrafe bis zu 50 000 Euro geahndet.

(2) Wer die Tat nach Abs. 1 grob fahrlässig begeht, ist mit Geldstrafe bis zu 25 000 Euro zu bestrafen.

§ 49e. (1) Einer Finanzordnungswidrigkeit macht sich schuldig, wer vorsätzlich

1. die Pflicht zur Führung von Aufzeichnungen nach § 18a Abs. 1 des Umsatzsteuergesetzes 1994 verletzt, oder

2. entgegen § 18a Abs. 8 Z 2 des Umsatzsteuergesetzes 1994 Informationen nicht, nicht richtig, nicht vollständig oder nicht rechtzeitig übermittelt, oder

3. entgegen § 18a Abs. 8 Z 3 des Umsatzsteuergesetzes 1994 übermittelte Informationen nicht oder nicht rechtzeitig berichtigt beziehungsweise vervollständigt, oder

4. entgegen § 18a Abs. 8 Z 4 des Umsatzsteuergesetzes 1994 der Aufbewahrungspflicht nicht entsprechend nachkommt.

(2) Die Finanzordnungswidrigkeit wird mit einer Geldstrafe bis zu 50 000 Euro geahndet.

(3) Wer die Tat nach Abs. 1 grob fahrlässig begeht, ist mit Geldstrafe bis zu 25 000 Euro zu bestrafen.

(4) Hinsichtlich der Finanzordnungswidrigkeiten nach Abs. 1 Z 2 und 3 tritt Straffreiheit einer Selbstanzeige unbeschadet der in § 29 Abs. 3 genannten Gründe auch dann nicht mehr ein, wenn eine solche erst mehr als ein Jahr ab dem Ende der Frist in § 18a Abs. 8 Z 2 oder 3 des Umsatzsteuergesetzes 1994 erstattet wird.

§ 50. (1) Einer Finanzordnungswidrigkeit macht sich schuldig, wer vorsätzlich unter Verletzung der abgabenrechtlichen Offenlegungs- oder Wahrheitspflicht für die Entrichtung von Abgabenschuldigkeiten ungerechtfertigt Zahlungserleichterungen erwirkt.

(2) Die Finanzordnungswidrigkeit wird mit einer Geldstrafe bis zu 5 000 Euro geahndet.

§ 51. (1) Einer Finanzordnungswidrigkeit macht sich schuldig, wer, ohne hiedurch den Tatbestand eines anderen Finanzvergehens zu erfüllen, vorsätzlich

a) eine abgaben- oder monopolrechtliche Anzeige-, Offenlegungs- oder Wahrheitspflicht verletzt,

b) eine abgaben- oder monopolrechtliche Verwendungspflicht verletzt,

c) eine abgaben- oder monopolrechtliche Pflicht zur Führung oder Aufbewahrung von Büchern oder sonstigen Aufzeichnungen oder zur Einrichtung technischer Sicherheitsvorkehrungen verletzt,

d) eine abgaben- oder monopolrechtliche Pflicht zur Ausstellung oder Aufbewahrung von Belegen verletzt,

e) Maßnahmen der in den Abgaben- oder Monopolvorschriften vorgesehenen Zollaufsicht oder sonstigen amtlichen oder abgabenbehördlichen Aufsicht und Kontrolle erschwert oder verhindert oder die Pflicht, an solchen Maßnahmen mitzuwirken, verletzt,

f) eine zollrechtliche Gestellungspflicht verletzt oder

g) wer ein abgabenrechtliches Verbot zur Leistung oder Entgegennahme von Barzahlungen verletzt.

(2) Die Finanzordnungswidrigkeit wird mit einer Geldstrafe bis zu 5 000 Euro geahndet.

§ 51a. (1) Einer Finanzordnungswidrigkeit macht sich schuldig, wer, ohne hiedurch den Tatbestand eines anderen Finanzvergehens zu erfüllen, vorsätzlich abgaben- oder monopolrechtlich zu führende Bücher, Aufzeichnungen oder Aufzeichnungssysteme, die automatisationsunterstützt geführt werden, durch Gestaltung oder Einsatz eines Programms, mit dessen Hilfe Daten verändert, gelöscht oder unterdrückt werden können, verfälscht.

(2) Die Finanzordnungswidrigkeit wird mit einer Geldstrafe bis zu 25 000 Euro geahndet.

§ 51b. (1) Einer Finanzordnungswidrigkeit macht sich schuldig, wer mit dem Vorsatz, einen Geschäftsvorgang vorzutäuschen oder dessen wahren Gehalt zu verschleiern, für abgaben- oder monopolrechtlich zu führende Bücher oder Aufzeichnungen Belege verfälscht, falsche oder unrichtige Belege herstellt oder verfälschte, falsche oder unrichtige Belege verwendet.

(2) Die Finanzordnungswidrigkeit wird mit einer Geldstrafe bis zu 100 000 Euro geahndet.

Selbstverschuldete Berauschung.

§ 52. (1) Der selbstverschuldeten Berauschung macht sich schuldig, wer sich vorsätzlich oder fahrlässig durch den Genuß von Alkohol oder den Gebrauch eines anderen berauschenden Mittels in einen die Zurechnungsfähigkeit ausschließenden Rausch versetzt und im Rausch eine Handlung begeht, die ihm außer diesem Zustand als Finanzvergehen zugerechnet würde.

(2) Die selbstverschuldete Berauschung wird mit einer Geldstrafe bis zu 2 000 Euro geahndet; die Geldstrafe darf jedoch nicht höher bemessen werden, als sie das Gesetz für das im Rausch begangene Finanzvergehen androht. Daneben ist nach Maßgabe des § 17 auf Verfall zu erkennen; der Umfang des Verfalls richtet sich nach den Strafbestimmungen des Finanzvergehens, das dem Berauschten nicht zugerechnet werden kann.

ZWEITER ABSCHNITT.

Finanzstrafverfahren.

ERSTER UNTERABSCHNITT.

Gemeinsame Bestimmungen.

Abgrenzung der gerichtlichen von der finanzstrafbehördlichen Zuständigkeit.

§ 53. (1) Das Gericht ist zur Ahndung von Finanzvergehen zuständig, wenn das Finanzvergehen vorsätzlich begangen wurde und der maßgebliche Wertbetrag, nach dem sich die Strafdrohung richtet (strafbestimmender Wertbetrag) 150 000 Euro übersteigt oder wenn die Summe der maßgeblichen strafbestimmenden Wertbeträge aus mehreren zusammentreffenden vorsätzlich begangenen Finanzvergehen 150 000 Euro übersteigt und alle diese Vergehen in die sachliche Zuständigkeit derselben Finanzstrafbehörde fielen. Zusammentreffen können nur Finanzvergehen, über die noch nicht rechtskräftig entschieden wurde.

(1a) Zur Ahndung des grenzüberschreitenden Umsatzsteuerbetrugs (§ 40) ist stets das Gericht zuständig.

(2) Im Abs. 1 tritt an die Stelle des Wertbetrages von 150 000 Euro der Wertbetrag von 75 000 Euro in den Fällen

a) des Schmuggels und der Hinterziehung von Eingangs- oder Ausgangsabgaben (§ 35),

b) der Abgabenhehlerei nach § 37 Abs. 1 mit Sachen oder mit Erzeugnissen aus Sachen, hinsichtlich derer ein Schmuggel, eine Verzollungsumgehung oder eine Verkürzung von Eingangs- oder Ausgangsabgaben begangen wurde.

(3) Ist das Gericht nach den Abs. 1, 1a oder 2 zur Ahndung von Finanzvergehen zuständig, so ist es auch zur Ahndung von mit diesen zusammentreffenden anderen Finanzvergehen zuständig, wenn alle diese Vergehen in die sachliche Zuständigkeit derselben Finanzstrafbehörde fielen.

(4) Die Zuständigkeit des Gerichts zur Ahndung von Finanzvergehen des Täters begründet auch dessen Zuständigkeit zur Ahndung von Finanzvergehen der anderen vorsätzlich an der Tat Beteiligten. Wird jemand nach dieser Bestimmung ausschließlich wegen eines sonst in die Zuständigkeit der Finanzstrafbehörde fallenden Finanzvergehens rechtskräftig verurteilt, so sind mit dieser Verurteilung nicht die Folgen einer gerichtlichen Verurteilung, sondern nur die einer Ahndung durch die Finanzstrafbehörde verbunden; dies ist im Urteil festzustellen.

(5) Finanzordnungswidrigkeiten und die selbstverschuldete Berauschung (§ 52) hat das Gericht niemals zu ahnden.

(6) Finanzvergehen, deren Ahndung nicht dem Gericht zukommt, sind von den Finanzstrafbehörden zu ahnden.

(7) Hat sich jemand durch dieselbe Tat einer strafbaren Handlung schuldig gemacht, die dem Gericht, und eines Finanzvergehens, das der Finanzstrafbehörde zufällt, so hat das Gericht die gerichtlich strafbare Handlung, die Finanzstrafbehörde das Finanzvergehen gesondert zu ahnden; die Bestimmungen des Abs. 3 und des § 22 Abs. 2 und 3 werden hievon nicht berührt. Die vorangegangene rechtskräftige Bestrafung ist bei der Bemessung der Geldstrafe und der Freiheitsstrafe angemessen zu berücksichtigen.

(8) Kann eine Prüfung, ob das Gericht nach den Abs. 1 bis 4 zur Ahndung des Finanzvergehens zuständig sei, noch nicht vorgenommen werden, so hat die Finanzstrafbehörde alle zur Sicherung der Beweise erforderlichen Maßnahmen zu treffen. Solche Maßnahmen der Finanzstrafbehörde sind wegen Unzuständigkeit nicht anfechtbar, wenn sich später die gerichtliche Zuständigkeit herausstellt.

§ 54. (1) Findet die Finanzstrafbehörde nach Einleitung des Finanzstrafverfahrens, dass für die Ahndung des Finanzvergehens das Gericht zuständig ist, so hat sie das Strafverfahren nach den Bestimmungen des Dritten Unterabschnittes weiter zu führen und hievon den Beschuldigten und die gemäß § 122 dem Verfahren zugezogenen Nebenbeteiligten zu verständigen; Personen, die sich in vorläufiger Verwahrung oder in Untersuchungshaft der Finanzstrafbehörde befinden, sind dem Gericht zu übergeben. Zugleich ist das verwaltungsbehördliche Finanzstrafverfahren vorläufig einzustellen.

(2) Über die Beschlagnahme von Gegenständen und über Sicherstellungsmaßnahmen ist der Staatsanwaltschaft unverzüglich zu berichten (§ 100 Abs. 2 Z 2 StPO). Sie gelten als gemäß § 110 StPO sichergestellt.

(Anm.: Abs. 3 aufgehoben durch BGBl. I Nr. 44/2007)

(4) Wird ein Strafverfahren wegen eines Finanzvergehens ohne Berichte der Finanzstrafbehörde (§ 100 Abs. 2 StPO) sowohl bei der Staatsanwaltschaft oder bei Gericht als auch bei der Finanzstrafbehörde geführt, so hat die Finanzstrafbehörde, sobald sie davon Kenntnis erlangt, nach den Abs. 1 und 2 vorzugehen.

(5) Wird durch die Staatsanwaltschaft das Ermittlungsverfahren gemäß § 202 Abs. 1 eingestellt oder wird das gerichtliche Verfahren rechtskräftig durch eine Entscheidung, die auf der Ablehnung der Zuständigkeit beruht (Unzuständigkeitsentscheidung), beendet, so hat die Finanzstrafbehörde das Finanzstrafverfahren fortzusetzen; einer Bestrafung darf aber kein höherer strafbestimmender Wertbetrag zugrunde gelegt werden, als er der finanzstrafbehördlichen Zuständigkeit entspricht.

(6) Wird das gerichtliche Verfahren anders als durch Unzuständigkeitsentscheidung rechtskräftig beendet, so hat die Finanzstrafbehörde ihr Verfahren endgültig einzustellen.

ZWEITER UNTERABSCHNITT.

Verwaltungsbehördliches Finanzstrafverfahren.

I. Hauptstück.

A. Allgemeine Bestimmungen

§ 56. (1) Eine Bestrafung wegen eines Finanzvergehens, ein Verfall im selbständigen Verfahren (§ 18), eine Inanspruchnahme aus der Haftung gemäß § 28 und eine Verhängung einer Verbandsgeldbuße gemäß § 28a dürfen nur auf Grund eines nach den folgenden Vorschriften durchgeführten Verfahrens erfolgen.

(2) Für Anbringen, Niederschriften, Aktenvermerke, Vorladungen, Erledigungen, Fristen sowie Zwangs- und Ordnungsstrafen gelten, soweit dieses Bundesgesetz nicht anderes bestimmt, die Bestimmungen des 3. Abschnittes sowie § 114 Abs. 3 der Bundesabgabenordnung sinngemäß. Eine automationsunterstützte Übermittlung von Anbringen an die Finanzstrafbehörde ist nur insoweit zulässig, als dies in einer Verordnung des Bundesministers für Finanzen unter Bestimmung der Übermittlungsmodalität ausdrücklich zugelassen wird.

(3) Für Zustellungen gelten das Zustellgesetz, BGBl. Nr. 200/1982, und sinngemäß die Bestimmungen des 3. Abschnittes der Bundesabgabenordnung. Zustellungen in Verfahren nach den §§ 147 und 148 können auch durch öffentliche Bekanntmachung nach § 25 des Zustellgesetzes erfolgen.

(4) Zwangs- und Ordnungsstrafen fließen dem Bund zu.

(5) Für Verfahren wegen Finanzvergehen gegen Verbände gelten die Bestimmungen über das verwaltungsbehördliche Finanzstrafverfahren, soweit sie nicht ausschließlich auf natürliche Personen anwendbar sind, mit folgender Maßgabe:

1. Der Verband hat in dem gegen ihn und auch in dem gegen den beschuldigten Entscheidungsträger oder Mitarbeiter geführten Verfahren die Rechte eines Beschuldigten (belangter Verband); auch die der Tat verdächtigen Entscheidungsträger und Mitarbeiter haben in beiden Verfahren die Rechtsstellung eines Beschuldigten.

2. Soweit sich die im ersten Satz dieses Absatzes genannten Verfahrensvorschriften auf Verdächtige, Beschuldigte oder Strafen beziehen, sind darunter der belangte Verband oder die Verbandsgeldbuße zu verstehen.

3. Verfahren gegen den Beschuldigten und den belangten Verband sind in der Regel gemeinsam zu führen.

4. Die Finanzstrafbehörde kann von der Verfolgung eines Verbandes absehen, wenn in Abwägung der Schwere der Tat, des Gewichts der Pflichtverletzung oder des Sorgfaltsverstoßes, der Folgen der Tat und der zu erwartenden Höhe der Verbandsgeldbuße eine Verfolgung und Sanktionierung verzichtbar erscheint, es sei denn, dass die Verfolgung geboten ist, um der Begehung von Taten im Rahmen der Tätigkeit anderer Verbände entgegenzuwirken oder wegen eines sonstigen besonderen öffentlichen Interesses.

Ton- und Bildaufnahme

§ 56a. (1) Eine Tonaufnahme oder eine Bild- und Tonaufnahme einer Vernehmung ist zulässig, wenn die vernommene Person ausdrücklich darüber informiert worden ist und die Vernehmung zur Gänze aufgenommen wird. Die Aufnahme ist auf einem geeigneten Medium zu speichern und zum Akt zu nehmen.

(2) Im Falle einer Aufnahme nach Abs. 1 ist eine Niederschrift zu erstellen. Dies kann auch vereinfacht in Form einer schriftlichen Zusammenfassung des Inhalts der Vernehmung erfolgen. Die Zusammenfassung hat zumindest zu enthalten:

1. die Bezeichnung der Behörde und der an der Amtshandlung beteiligten Personen,

2. Ort, Zeit und Gegenstand der Amtshandlung,

3. Zusammenfassung des Inhalts von Aussagen,

4. andere wesentliche Vorgänge während der Amtshandlung,

5. allenfalls gestellte Anträge,

6. die Unterschriften der vernommenen Personen. Wird eine Unterschrift verweigert oder unterbleibt sie aus anderen Gründen, so sind die hiefür maßgebenden Umstände zu vermerken.

Gestellte Fragen sind nur soweit aufzunehmen, als dies für das Verständnis der Antworten erforderlich ist.

(3) Soweit dies für die Beurteilung der Sache und der Ergebnisse der Amtshandlung erforderlich ist oder eine vernommene Person es verlangt, ist ihre Aussage wörtlich wieder zu geben. Über dieses Recht ist die vernommene Person zu belehren.

Vernehmung mittels technischer Einrichtung zur Ton- und Bildübertragung

§ 56b. (1) Eine Vernehmung kann aus verfahrensökonomischen Gründen unter Verwendung einer technischen Einrichtung zur Tonübertragung oder Ton- und Bildübertragung erfolgen. Die zu vernehmende Person ist in die Amtsräumlichkeit zu laden, in welcher die Tonübertragung oder Ton- und Bildübertragung vorgenommen werden soll.

(1a) Ist die zu vernehmende Person wegen Krankheit, Gebrechlichkeit oder wegen eines sonstigen begründeten Hindernisses nicht in der Lage, der Ladung nachzukommen, kann die Vernehmung unter Verwendung einer technischen Einrichtung zur Tonübertragung oder Ton- und Bildübertragung jeweils in Anwesenheit eines Organs der Finanzstrafbehörde auch außerhalb einer Amtsräumlichkeit erfolgen.

(2) Hält sich die einzuvernehmende Person im Ausland auf, ist eine Vernehmung unter Verwendung einer technischen Einrichtung zur Tonübertragung oder Ton- und Bildübertragung nur zulässig, wenn die zuständige ausländische Behörde Amts- oder Rechtshilfe leistet.

(3) Wird von der Vernehmung auch eine Tonaufnahme oder eine Ton- und Bildaufnahme angefertigt, gilt § 56a sinngemäß. In Fällen des Abs. 1a kann die Unterschrift der vernommenen Person entfallen und ist dieser eine Abschrift der Niederschrift zuzustellen. Diesfalls kann die vernommene Person innerhalb von zwei Wochen ab Zustellung Einwendungen zur Niederschrift erheben.

§ 57. (1) Finanzvergehen sind von Amts wegen zu verfolgen.

(2) Die Finanzstrafbehörde und ihre Organe haben ihr Amt unparteilich und unvoreingenommen auszuüben und jeden Anschein der Befangenheit zu vermeiden. Sie haben die zur Belastung und die zur Verteidigung des Beschuldigten dienenden Umstände mit der gleichen Sorgfalt zu ermitteln.

(3) Jeder Beschuldigte ist durch die Finanzstrafbehörde sobald wie möglich über das gegen ihn geführte Ermittlungsverfahren und den gegen ihn bestehenden Tatverdacht sowie über seine wesentlichen Rechte im Verfahren (§§ 77, 79, 83, 84, 113, 114, 125, 151 und 152) zu informieren. Dies darf nur so lange unterbleiben, als besondere Umstände befürchten lassen, dass

ansonsten der Zweck der Ermittlungen gefährdet wäre, insbesondere weil Ermittlungen oder Beweisaufnahmen durchzuführen sind, deren Erfolg voraussetzt, dass der Beschuldigte keine Kenntnis von den gegen ihn geführten Ermittlungen hat. Das gleiche gilt, wenn sich durch im Zuge des Ermittlungsverfahrens hervortretende Umstände eine Änderung des Tatverdachtes ergibt. Auch alle anderen vom Finanzstrafverfahren betroffenen Personen sind über ihre wesentlichen Rechte zu belehren. Die Informationen und Belehrungen können auch mündlich erteilt werden, worüber erforderlichenfalls ein Aktenvermerk aufzunehmen ist.

(4) Soweit es im Interesse eines fairen Verfahrens und der Wahrung der Verteidigungsrechte eines Beschuldigten, der sich in der Verfahrenssprache nicht hinreichend verständigen kann, erforderlich ist, ist ihm mündliche Übersetzungshilfe durch Beistellung eines Dolmetschers zu leisten; dies gilt insbesondere für die Rechtsbelehrung, für Beweisaufnahmen, an denen der Beschuldigte teilnimmt, und für Verhandlungen. Ist der Beschuldigte gehörlos oder hochgradig hör- oder sprachbehindert, so ist ein Dolmetscher für die Gebärdensprache beizuziehen, sofern sich der Beschuldigte in dieser verständigen kann. Über die Erforderlichkeit einer Übersetzungshilfe entscheidet der Leiter der Amtshandlung. Gegen die Nichtgewährung von Übersetzungshilfe ist ein abgesondertes Rechtsmittel nicht zulässig. Im Rechtsmittel gegen die Strafentscheidung können auch die Verteidigungsrechte beeinträchtigende Mängel in der Qualität der Übersetzungshilfe geltend gemacht werden, sofern im Verfahren nicht ohnedies Abhilfe geschaffen worden ist.

(4a) Ist Übersetzungshilfe gemäß Abs. 4 zu leisten, gilt in Verfahren, in denen die Durchführung der mündlichen Verhandlung und die Fällung des Erkenntnisses gemäß § 58 Abs. 2 einem Spruchsenat obliegt, sowie im Rechtsmittelverfahren darüber hinaus Folgendes:

a) Mündliche Übersetzungshilfe ist auch für den Kontakt des Beschuldigten mit seinem Verteidiger zu leisten, sofern dies im Interesse einer zweckentsprechenden Verteidigung erforderlich ist. Dazu ist auf Antrag in unmittelbarem Zusammenhang mit einer mündlichen Verhandlung oder sonstigen Amtshandlung, an der der Beschuldigte teilnimmt, ein Dolmetscher am Ort der Amtshandlung zur Verfügung zu stellen. Ein diesbezüglicher Antrag ist spätestens eine Woche vor Beginn der Amtshandlung einzubringen.

b) Für die Verteidigung wesentliche Aktenstücke sind innerhalb einer angemessenen Frist schriftlich zu übersetzen. Als für die Verteidigung wesentlich gelten jedenfalls die Festnahmeanordnung, die Verhängung der Untersuchungshaft, die Stellungnahme des Amtsbeauftragten, die schriftliche Ausfertigung des noch nicht rechtskräftigen Erkenntnisses und ein gegen das Erkenntnis vom Amtsbeauftragten erhobenes Rechtsmittel. Sofern es den in Abs. 4 genannten Interessen nicht widerspricht, darf die schriftliche Übersetzung durch eine bloß auszugsweise Darstellung, durch mündliche Übersetzung oder, wenn der Beschuldigte durch einen Verteidiger vertreten ist, auch durch mündliche Zusammenfassung ersetzt werden. Auf Antrag des Beschuldigten sind ihm weitere konkret zu bezeichnende Aktenstücke schriftlich zu übersetzen, soweit die Erforderlichkeit einer Übersetzung im Sinne des Abs. 4 begründet wird oder offenkundig ist. Ein Verzicht des Beschuldigten auf schriftliche Übersetzung ist nur zulässig, wenn er zuvor über sein Recht und die Folgen des Verzichts belehrt wurde. Belehrung und Verzicht sind schriftlich festzuhalten.

(5) Die Finanzstrafbehörde darf bei der Ausübung von Befugnissen und bei der Aufnahme von Beweisen nur soweit in Rechte von Personen eingreifen, als dies gesetzlich ausdrücklich vorgesehen und zur Aufgabenerfüllung erforderlich ist. Jede dadurch bewirkte Rechtsgutbeeinträchtigung muss in einem angemessenen Verhältnis zum Gewicht des Finanzvergehens, zum Grad des Verdachts und zum angestrebten Erfolg stehen. Unter mehreren zielführenden Ermittlungshandlungen und Zwangsmaßnahmen hat die Finanzstrafbehörde jene zu ergreifen, welche die Rechte der Betroffenen am Geringsten beeinträchtigen. Gesetzlich eingeräumte Befugnisse sind in jeder Lage des Verfahrens in einer Art und Weise auszuüben, die unnötiges Aufsehen vermeidet, die Würde der betroffenen Personen achtet und deren Rechte und schutzwürdigen Interessen wahrt.

(6) Das Finanzstrafverfahren ist stets zügig und ohne unnötige Verzögerung durchzuführen und innerhalb angemessener Frist zu beenden. Verfahren, in denen ein Beschuldigter in Haft gehalten wird, sind mit besonderer Beschleunigung zu führen. Ist eine Finanzstrafbehörde mit der Vornahme einer Verfahrenshandlung säumig, so kann der Beschuldigte bei dieser Finanzstrafbehörde den an das Bundesministerium für Finanzen gerichteten Antrag stellen, es möge der Finanzstrafbehörde für die Vornahme der Verfahrenshandlung eine angemessene Frist setzen. Hat die Finanzstrafbehörde die versäumte Verfahrenshandlung bis zur Entscheidung über den Antrag durchgeführt, so gilt der Antrag als zurückgezogen. Der Antrag ist innerhalb von zwei Jahren ab Eintritt der Verpflichtung der Behörde zur Vornahme der Verfahrenshandlung zu stellen. Wegen der Säumigkeit eines Spruchsenates oder eines Vorsitzenden des Spruchsenates ist ein Fristsetzungsantrag nicht zulässig.

(7) Bis zum gesetzlichen Nachweis seiner Schuld gilt der eines Finanzvergehens Verdächtige als unschuldig.

(8) Nach rechtswirksamer Beendigung eines Finanzstrafverfahrens ist die neuerliche Verfolgung desselben Verdächtigen wegen derselben Tat unzulässig. Die Bestimmungen über die Wiederaufnahme des Verfahrens und die Wiedereinsetzung in den vorigen Stand sowie die Fortführung des Verfahrens nach § 170 bleiben hievon unberührt.

B. Datenschutz

Grundsätze

§ 57a. (1) Für die Verarbeitung personenbezogener Daten zum Zweck der Verhütung, Ermittlung, Aufdeckung oder Verfolgung von Finanzvergehen sowie des Vollzuges von nach diesem Bundesgesetz verhängten Strafen gelten die Bestimmungen dieses Bundesgesetzes. Die Bestimmungen des dritten Hauptstückes des Datenschutzgesetzes (DSG), BGBl. Nr. 165/1999, sind nur dann anzuwenden, wenn in diesem Bundesgesetz ausdrücklich darauf verwiesen wird. Die §§ 36 Abs. 2, 46 bis 49, 50 Abs. 1, 2, 4 und 5 sowie 51 bis 59 DSG sind anzuwenden. Auf die Übermittlung personenbezogener Daten auf Grundlage völkerrechtlicher Übereinkommen, die vor dem 6. Mai 2016 abgeschlossen wurden und zu diesem Zeitpunkt mit dem Recht der Europäischen Union vereinbar waren, sind die §§ 58 und 59 DSG nicht anzuwenden.

(2) Die ganz oder teilweise automatisierte sowie die nichtautomatisierte Verarbeitung personenbezogener Daten durch die Finanzstrafbehörden, die für sie tätigen Organe oder durch den Bundesminister für Finanzen ist zulässig, wenn sie für Zwecke der Finanzstrafrechtspflege oder sonst zur Erfüllung ihrer Aufgaben erforderlich ist.

(3) Die Verarbeitung personenbezogener Daten zu einem anderen Zweck als zu demjenigen, zu dem sie erhoben oder erfasst wurden, ist nur zulässig, wenn dies für die in Abs. 2 genannten Zwecke, insbesondere auch für Zwecke der Abgabenerhebung, der Betrugsbekämpfung oder der Aufsicht oder für statistische Zwecke oder das Risikomanagement oder Ausbildungs- und Schulungsmaßnahmen im Sinne des § 48c Abs. 3 BAO oder bei einer gesetzlichen Verpflichtung zur Informationserteilung aufgrund des Informationsfreiheitsgesetzes – IFG, BGBl. I Nr. 5/2024,, erforderlich ist.

(4) Soweit möglich ist zwischen faktenbasierten und auf persönlichen Einschätzungen beruhenden personenbezogenen Daten zu unterscheiden.

(5) Besondere Kategorien personenbezogener Daten im Sinne des § 39 DSG dürfen insoweit verarbeitet werden, als dies für finanzstrafrechtliche Zwecke unbedingt erforderlich ist.

(6) Die §§ 31 bis 35 DSG gelten sinngemäß. Die von den Spruchsenaten oder deren Vorsitzenden und die vom Bundesfinanzgericht im Rahmen der richterlichen Tätigkeit vorgenommenen Datenverarbeitungen unterliegen nicht der Aufsicht der Datenschutzbehörde.

(7) Für die Verarbeitung personenbezogener Daten, die in den Anwendungsbereich der Verordnung (EU) 2016/679 zum Schutz natürlicher Personen bei der Verarbeitung personenbezogener Daten, zum freien Datenverkehr und zur Aufhebung der Richtlinie 95/46/EG (Datenschutz-Grundverordnung), ABl. Nr. L 119 vom 4.5.2016 S. 1, fällt, sind die §§ 48b und 48e bis 48g BAO sinngemäß anzuwenden.

Informationspflicht und Auskunftsrecht

§ 57b. (1) Die zu erteilende Information hat zu enthalten:

1. den Namen und die Kontaktdaten des Verantwortlichen,
2. die Kontaktdaten des Datenschutzbeauftragten,
3. die Zwecke, für die die personenbezogenen Daten verarbeitet werden,
4. das Bestehen eines Beschwerderechts bei der Datenschutzbehörde sowie deren Kontaktdaten,
5. das Bestehen eines Rechts auf Auskunft und Berichtigung oder Löschung personenbezogener Daten sowie
6. die Rechtsgrundlage der Verarbeitung.

Diese Information ist auf der Homepage des Bundesministeriums für Finanzen zu veröffentlichen.

(2) Soweit in diesem Bundesgesetz nicht anderes bestimmt ist, ist das Recht auf Auskunft nur unter den Voraussetzungen des § 79 zu gewähren.

Berichtigung personenbezogener Daten

§ 57c. (1) Das Recht auf Berichtigung, Aktualisierung oder Vervollständigung personenbezogener Daten, die in einer behördlichen Erledigung oder einer Niederschrift enthalten sind, besteht nur insoweit, als dies in diesem Bundesgesetz vorgesehen ist.

(2) Mit Ausnahme des Inhalts von Beweismitteln sind in den nicht von Abs. 1 erfassten Fällen unrichtige, unrichtig gewordene oder unvollständige personenbezogene Daten von Amts wegen oder auf Antrag der betroffenen Person unverzüglich richtig zu stellen oder zu vervollständigen. Ist eine nachträgliche Änderung mit dem Dokumentationszweck unvereinbar, hat eine Berichtigung, Aktualisierung oder Vervollständigung mittels eines ergänzenden Vermerks zu erfolgen, soweit in diesem Bundesgesetz nicht anderes bestimmt ist. Ist die Berichtigung, Aktualisierung oder Vervollständigung nicht möglich, ist dies zu vermerken.

Fristen für die Aufbewahrung und Löschung personenbezogener Daten

§ 57d. (1) Soweit in diesem Bundesgesetz nicht anderes bestimmt ist, ist zehn Jahre nach Absehen von der Einleitung, rechtskräftiger Einstellung des Strafverfahrens oder nach Eintritt der Tilgung zu prüfen, ob die Aufbewahrung personenbezogener Daten weiterhin erforderlich ist. Ergibt diese Prüfung, dass die Aufbewahrung der personenbezogenen Daten weiterhin erforderlich ist, so sind sie nach Wegfall des Aufbewahrungsgrundes, längstens jedoch nach Ablauf von sechzig Jahren ab Erfassung zu löschen. Ist die weitere Aufbewahrung der personenbezogenen Daten nicht erforderlich, sind sie zu löschen. Ist die Löschung nicht möglich oder mit den Dokumentationszwecken unvereinbar, so ist an geeigneter Stelle ein ergänzender Vermerk aufzunehmen.

(2) Sofern gesetzlich nicht ausdrücklich anderes angeordnet ist, sind die Protokolldaten (§ 50 DSG) drei Jahre lang aufzubewahren. Davon darf in jenem Ausmaß abgewichen werden, als der von der Protokollierung betroffene Datenbestand zulässigerweise früher gelöscht oder länger aufbewahrt wird."

Datenschutzbeschwerde

§ 57e. (1) Wer behauptet, durch ein Mitglied des Spruchsenates in Ausübung dessen richterlicher Tätigkeit in seinem Recht auf Datenschutz verletzt zu sein, kann die Feststellung dieser Verletzung durch das Bundesfinanzgericht begehren (Datenschutzbeschwerde).

(2) Auf den erforderlichen Inhalt der Beschwerde und das Verfahren sind § 24a Abs. 2 bis 4 Bundesfinanzgerichtsgesetz (BFGG) sowie die §§ 62 Abs. 2 zweiter und dritter Satz, 150 Abs. 3, 155, 156 Abs. 1 bis 4, 157, 158 erster Satz, 160, 161 Abs. 1 erster Satz, 162 und 163 sinngemäß anzuwenden.

II. Hauptstück.
Behörden des verwaltungsbehördlichen Finanzstrafverfahrens und organisatorische Bestimmungen zum Beschwerdeverfahren.

A. Zuständigkeit.

§ 58. (1) Zur Durchführung des Finanzstrafverfahrens sind zuständig:

a) für Finanzvergehen, die bei oder im Zusammenhang mit der Ein-, Aus- oder Durchfuhr von Waren begangen werden sowie für Abgabenhehlerei und Monopolhehlerei, und für Finanzvergehen, durch welche sonst Abgaben- oder Monopolvorschriften oder andere Rechtsvorschriften, deren Handhabung der Zollverwaltung oder ihren Organen obliegt, verletzt werden, das Zollamt Österreich als Finanzstrafbehörde;

b) für alle übrigen Finanzvergehen das Amt für Betrugsbekämpfung als Finanzstrafbehörde;

c) in den Fällen des § 52 jene Finanzstrafbehörde, die für die Verfolgung des dem Berauschten nicht zurechenbaren Finanzvergehens zuständig wäre.

Dem Vorstand der Finanzstrafbehörde obliegt die Erstellung der jeweiligen Geschäftsverteilung. Diese ist auf der Internet-Seite des Bundesministeriums für Finanzen zu veröffentlichen.

(2) Die Durchführung der mündlichen Verhandlung und die Fällung des Erkenntnisses obliegt, soweit nicht gerichtliche Zuständigkeit gemäß § 53 gegeben ist, einem Spruchsenat (§ 65) als Organ der Finanzstrafbehörde,

a) wenn der strafbestimmende Wertbetrag bei den im § 53 Abs. 2 bezeichneten Finanzvergehen 10 000 Euro, bei allen übrigen Finanzvergehen 33 000 Euro übersteigt,

b) wenn der Beschuldigte oder ein Nebenbeteiligter die Fällung des Erkenntnisses durch einen Spruchsenat beantragt. Im Fall eines vorausgegangenen vereinfachten Verfahrens (§ 143) ist ein solcher Antrag im Einspruch gegen die Strafverfügung, in den übrigen Fällen bis zum Beginn der mündlichen Verhandlung oder, wenn eine solche gemäß § 125 Abs. 3 nicht stattfindet, bis zur Abgabe der Verzichtserklärung zu stellen.

(3) Die Finanzstrafbehörden sind im Rahmen ihrer sachlichen Zuständigkeit auch zur Leistung von Amts- und Rechtshilfe zuständig, wenn die Amts- oder Rechtshilfehandlung in ihrem Amtsbereich vorzunehmen ist.

§ 59. Zur Durchführung der mündlichen Verhandlung und zur Fällung des Erkenntnisses ist hinsichtlich des Täters und anderer an der Tat Beteiligten sowie jener Personen, welche sich einer Hehlerei mit Beziehung auf das Finanzvergehen schuldig gemacht haben, mit Ausnahme jener, die keinen Einspruch gegen die Strafverfügung erhoben haben, ein Spruchsenat berufen, wenn die Voraussetzungen des § 58 Abs. 2 auch nur hinsichtlich einer dieser Personen zutreffen.

§ 61. (1) Liegen einem Täter mehrere Taten zur Last oder haben sich an derselben Tat mehrere Personen beteiligt oder stehen die Taten mehrerer Personen sonst in einem engen Zusammenhang und ist in allen diesen Fällen dieselbe Finanzstrafbehörde zur Durchführung des Strafverfahrens zuständig, so hat die Finanzstrafbehörde die Strafverfahren wegen aller Taten zu verbinden.

(2) Von einer Verbindung nach Abs. 1 kann abgesehen werden, wenn dies zur Vermeidung von Verzögerungen oder Erschwerungen des Verfahrens oder zur Verkürzung der Verwahrung oder der Untersuchungshaft eines Beschuldigten dienlich scheint.

§ 62. (1) Über Beschwerden entscheidet das Bundesfinanzgericht.

(2) Die Durchführung der mündlichen Verhandlung und die Entscheidung über die Beschwerde obliegt einem Senat des Bundesfinanzgerichtes,

a) wenn die Beschwerde sich gegen ein Erkenntnis oder einen sonstigen Bescheid eines Spruchsenates richtet,

b) wenn der Beschuldigte oder ein Nebenbeteiligter dies in der Beschwerde gegen ein Erkenntnis oder in der Beschwerde gegen einen Bescheid gemäß § 149 Abs. 4 begehrt.

Die Durchführung des Beschwerdeverfahrens vor der

mündlichen Verhandlung obliegt dem Senatsvorsitzenden. Diesem obliegt auch die Entscheidung über die Beschwerde, wenn eine mündliche Verhandlung aus den Gründen des § 160 Abs. 1 nicht stattfindet und die Parteien des Beschwerdeverfahrens Gelegenheit hatten, dazu Stellung zu nehmen.

(3) Die Entscheidung über alle anderen Rechtsmittel obliegt einem Richter eines Senates für Finanzstrafrecht beim Bundesfinanzgericht als Einzelrichter.

§ 64. (1) Die Finanzstrafbehörden haben ihre Zuständigkeit von Amts wegen wahrzunehmen. Untersuchungshandlungen sind nicht deswegen anfechtbar, weil sie von einer unzuständigen Behörde vorgenommen wurden.

(2) Der Spruchsenat hat auch dann das Verfahren zu Ende zu führen, wenn sich im Zuge der mündlichen Verhandlung ergibt, daß die im § 58 Abs. 2 umschriebenen Voraussetzungen für seine Entscheidungsbefugnis nicht gegeben sind. Ergibt sich jedoch, daß das Gericht oder ein anderer Senat zuständig wäre, so hat der Senat seine Nichtzuständigkeit auszusprechen.

(3) Wenn zwei Spruchsenate die Zuständigkeit zur Durchführung der mündlichen Verhandlung und zur Entscheidung in demselben Strafverfahren in Anspruch nehmen oder ablehnen, so hat jener Senat das Verfahren weiterzuführen, der zuerst mit der Sache befasst wurde.

B. Spruchsenate und Senate für Finanzstrafrecht beim Bundesfinanzgericht.

1. Spruchsenate.

§ 65. (1) Spruchsenate haben als Organe des Amtes für Betrugsbekämpfung und des Zollamtes Österreich in Feldkirch, Graz, Innsbruck, Klagenfurt, Linz, Salzburg und Wien zu bestehen.

(2) Zur organisatorischen Abwicklung der Spruchsenatsverfahren sind jeweils Geschäftsstellen einzurichten.

§ 66. (1) **(Verfassungsbestimmung)** Die Mitglieder der Spruchsenate sind in Ausübung ihres Amtes an keine Weisungen gebunden.

(Anm.: (2)) Die Spruchsenate bestehen aus drei Mitgliedern. Den Vorsitz im Spruchsenat führt ein Richter des Dienststandes, die weiteren Mitglieder sind ein Finanzbeamter der Verwendungsgruppe A oder A1 oder ein Finanzbediensteter der Entlohnungsgruppe a oder v1 als Behördenbeisitzer und ein Laienbeisitzer.

§ 67. (1) Die Personen, die als Mitglieder der Spruchsenate herangezogen werden können, sind vom Bundespräsidenten zu bestellen; hiebei ist jene Finanzstrafbehörde zu bezeichnen, für deren Senate sie in Betracht kommen.

(2) Die Personen, die gemäß Abs. 1 zur Bestellung als Laienbeisitzer vorgeschlagen werden, sind aus dem Kreis der von den gesetzlichen Berufsvertretungen in die Senate beim Bundesfinanzgericht entsendeten Mitglieder zu entnehmen.

(3) Die Bestellung gemäß Abs. 1 gilt jeweils für die Dauer von sechs Jahren. Eine Wiederbestellung ist zulässig. Die infolge Ablaufes der Amtsdauer ausscheidenden Senatsmitglieder haben bis zur Wiederbesetzung der Stellen im Amt zu bleiben.

§ 68. (1) Vor Ablauf jedes Jahres sind für die Dauer des nächsten Jahres unter Berücksichtigung des voraussichtlichen Bedarfes die Anzahl der Spruchsenate, deren Vorsitzende und die übrigen Mitglieder sowie die Reihenfolge, in der diese im Falle der Verhinderung des zunächst berufenen Senatsmitgliedes einzutreten haben, zu bestimmen. Jedes Mitglied kann auch mehreren Senaten angehören.

(2) Bei der Einrichtung der Spruchsenate ist jeweils vorzusehen

a) mindestens ein Senat, dessen Laienbeisitzer von gesetzlichen Berufsvertretungen selbständiger Berufe entsendet sind, und

b) mindestens ein Senat, dessen Laienbeisitzer von gesetzlichen Berufsvertretungen unselbständiger Berufe entsendet sind.

FinStrG

(3) Die Geschäfte sind für jedes Jahr im Voraus unter die Senate so zu verteilen, dass die Durchführung des Verfahrens und die Fällung der Entscheidung bei selbständig berufstätigen Beschuldigten einem nach Abs. 2 lit. a zusammengesetzten Senat oder dessen Mitglied und bei unselbständig berufstätigen Beschuldigten einem nach Abs. 2 lit. b zusammengesetzten Senat oder dessen Mitglied obliegt. Die Zuordnung zu einer Berufsgruppe bleibt bei Pensionierung oder Arbeitslosigkeit bestehen. Wird gegen einen Beschuldigten, der beiden oder keiner der vorgenannten Berufsgruppen angehört, oder wird im selben Verfahren gegen mehrere Beschuldigte verhandelt, die verschiedenen der vorgenannten Berufsgruppen angehören, so obliegt die Führung des Verfahrens einem nach Abs. 2 lit. a zusammengesetzten Senat; gleiches gilt, wenn gegen ein Mitglied eines zur gesetzlichen Vertretung berufenen Organs einer juristischen Person (§ 36 Abs. 2 Z 1 des Arbeitsverfassungsgesetzes) oder gegen einen leitenden Angestellten (§ 36 Abs. 2 Z 3 des Arbeitsverfassungsgesetzes) wegen eines im Rahmen dieser Funktion begangenen Finanzvergehens verhandelt wird.

(4) Soweit dies für den ordentlichen Geschäftsgang erforderlich ist, kann die Zusammensetzung der Senate und deren Geschäftsverteilung für den Rest des Jahres geändert werden, wenn Veränderungen im Stand der Senatsmitglieder eingetreten sind oder wenn dies wegen Überlastung eines Senates oder einzelner Mitglieder notwendig ist.

(5) Bedarf die Zusammensetzung der Senate und deren Geschäftsverteilung in den folgenden Jahren keiner Änderung, so bleibt die nach Abs. 1 bis 4 bestimmte Zusammensetzung und Geschäftsverteilung bis zu ihrer Änderung in Kraft.

(6) Die Zusammensetzung der Spruchsenate und deren Geschäftsverteilung hat der Vorstand der Finanzstrafbehörde, bei der die Spruchsenate eingerichtet sind, zu bestimmen.

§ 69. Die Zusammensetzung der Senate und deren Geschäftsverteilung sind auf der Internet-Seite des Bundesministeriums für Finanzen (www.bmf.gv.at) zu veröffentlichen. Sie sind auch zur Einsicht in der jeweils gemäß § 65 Abs. 2 eingerichteten Geschäftsstelle aufzulegen oder an einer dortigen Amtstafel anzuschlagen.

§ 70. (1) Die Tätigkeit der Richter in den Spruchsenaten stellt eine Nebentätigkeit im Sinne der dienstrechtlichen Vorschriften dar; hiefür gebührt den Richtern eine angemessene Vergütung. Die Bemessung der Vergütung obliegt dem Amt für Betrugsbekämpfung und dem Zollamt Österreich für die bei ihnen eingerichteten Senate. Gegen die Bemessung der Vergütung ist nach Maßgabe der dienstrechtlichen Vorschriften die Beschwerde an das Bundesverwaltungsgericht zulässig.

(2) Die Laienbeisitzer haben Anspruch auf Vergütung der Reise(Fahrt)auslagen und der Aufenthaltskosten, die ihnen durch ihre Tätigkeit in den Spruchsenaten erwachsen. Sie haben ferner Anspruch auf Entschädigung für die durch diese Tätigkeit verursachte Zeitversäumnis. Hinsichtlich der Höhe der Vergütungen und Entschädigungen und hinsichtlich der Voraussetzungen, unter denen sie zu leisten sind, sind die für Schöffen im gerichtlichen Strafverfahren geltenden Bestimmungen anzuwenden. Die Bemessung der Vergütung obliegt dem Amt für Betrugsbekämpfung und dem Zollamt Österreich für die bei ihnen eingerichteten Spruchsenate.

§ 71. Die Angelobung der Mitglieder der Spruchsenate ist durch den Vorstand der Finanzstrafbehörde, bei der der Senat eingerichtet ist, nach den Angelobungsbestimmungen des Bundesfinanzgerichtsgesetzes (BFGG), BGBl. I Nr. 14/2013, vorzunehmen.

2. Senate für Finanzstrafrecht beim Bundesfinanzgericht.

§ 71a. (1) Beim Bundesfinanzgericht haben Senate für Finanzstrafrecht zu bestehen.

(2) Die Senate für Finanzstrafrecht beim Bundesfinanzgericht bestehen aus vier Mitgliedern. Den Vorsitz führt ein dazu aus dem Kreis der Richter des Bundesfinanzgerichtes nach den Bestimmungen des BFGG bestellter Vorsitzender. Die weiteren Mitglieder sind ein Richter des Bundesfinanzgerichtes und zwei fachkundige Laienrichter.

(3) Für die Bestellung der Personen, die als fachkundige Laienrichter herangezogen werden können, ist § 67 sinngemäß anzuwenden. Die Bestellung der übrigen Mitglieder richtet sich nach den Bestimmungen des BFGG.

(4) Für die vom Bundesfinanzgericht zu erlassende Geschäftsverteilung der Senate für Finanzstrafrecht ist § 68 sinngemäß anzuwenden. Die Veröffentlichung richtet sich nach den Bestimmungen des BFGG.

(5) Die fachkundigen Laienrichter der Senate für Finanzstrafrecht beim Bundesfinanzgericht haben Anspruch auf Vergütung gemäß § 70. Die Bemessung obliegt dem Bundesfinanzgericht.

C. Befangenheit von Organen.

§ 72. (1) Die Organe der Finanzstrafbehörden und des Bundesfinanzgerichtes haben sich der Ausübung ihres Amtes zu enthalten und ihre Vertretung zu veranlassen:

a) wenn es sich um ihre eigene Finanzstrafsache oder um jene eines ihrer Angehörigen (§ 72 StGB) oder jene einer Person unter ihrer gesetzlichen Vertretung handelt;

b) wenn sie als Vertreter des Beschuldigten oder eines Nebenbeteiligten bestellt sind oder innerhalb der letzten fünf Jahre bestellt waren, als Zeugen oder Sachverständige vernommen wurden oder vernommen werden sollen oder als Anzeiger aufgetreten sind.

c) als Mitglieder eines Spruchsenates in jenen Strafsachen, in denen sie im Untersuchungsverfahren, insbesondere auch nach den §§ 85 Abs. 2, 86 Abs. 1, 89 Abs. 5 und 93 Abs. 1, oder in dem damit im Zusammenhang stehenden Abgabenverfahren tätig waren;

d) bei der Entscheidung über Rechtsmittel in jenen Strafsachen, in denen sie im Untersuchungsverfahren, insbesondere auch nach den §§ 85 Abs. 7, 87 Abs. 2, 89 Abs. 6 und 93 Abs. 7, oder in dem damit im Zusammenhang stehenden Abgabenverfahren tätig waren oder an der Erlassung des angefochtenen Erkenntnisses (Bescheides) mitgewirkt haben;

e) wenn sonstige wichtige Gründe vorliegen, die geeignet sind, ihre volle Unbefangenheit in Zweifel zu ziehen.

(2) Bei Gefahr im Verzug hat, wenn die Vertretung durch ein anderes Organ nicht sogleich bewirkt werden kann, auch das befangene Organ die unaufschiebbaren Amtshandlungen vozunehmen; dies gilt nicht in den im Abs. 1 lit. a bezeichneten Fällen.

§ 73. Dem Beschuldigten, den Nebenbeteiligten und dem Amtsbeauftragten steht in jeder Lage des Verfahrens das Recht zu, am Verfahren beteiligte Organe der Finanzstrafbehörde und des Bundesfinanzgerichtes mit der Begründung abzulehnen, daß Umstände der im § 72 bezeichneten Art vorliegen.

§ 74. (1) Die Ablehnung ist, wenn sie sich auf ein Mitglied oder den Schriftführer eines Senates bezieht, beim Vorsitzenden des Senates binnen drei Tagen nach Zustellung der Vorladung zur mündlichen Verhandlung geltend zu machen. Über die Ablehnung entscheidet in Abwesenheit des Abgelehnten der Senat.

Bei Stimmengleichheit gibt die Stimme des Vorsitzenden den Ausschlag. Werden der Vorsitzende oder wenigstens zwei Mitglieder eines Spruchsenates abgelehnt, so entscheidet über die Ablehnung der Vorstand der Finanzstrafbehörde, bei der der Spruchsenat eingerichtet ist; werden der Vorsitzende oder wenigstens zwei Mitglieder eines Senates für Finanzstrafrecht beim Bundesfinanzgericht abgelehnt, so entscheidet über die Ablehnung der Präsident des Bundesfinanzgerichtes. Der über die Ablehnung ergehende Bescheid oder Beschluss ist dem Antragsteller spätestens vor Beginn der mündlichen Verhandlung zu eröffnen.

(2) Kommen erst nach Ablauf der Frist von drei Tagen ab Zustellung der Vorladung zum ersten Termin der mündlichen Verhandlung Umstände hervor, die die Befangenheit eines Senatsmitgliedes oder des Schriftführers begründen können, ist die Ablehnung unverzüglich nach Kenntnis eines Ablehnungsgrundes, spätestens jedoch bis zum Ende der Beweisaufnahme in der mündlichen Verhandlung geltend zu machen. In diesem Fall entscheidet über die Ablehnung der Senat selbst.

(3) In allen übrigen Fällen ist die Ablehnung spätestens vor Beginn der Amtshandlung, durch die sich der Beschuldigte oder Nebenbeteiligte wegen Befangenheit des Organes beschwert erachtet, und zwar im Verfahren bei der Finanzstrafbehörde bei deren Vorstand, im Verfahren beim Bundesfinanzgericht bei dessen Präsidenten geltend zu machen. Die Entscheidung obliegt im Verfahren bei der Finanzstrafbehörde deren Vorstand, im Verfahren beim Bundesfinanzgericht dessen Präsidenten. Wird der Vorstand der Finanzstrafbehörde abgelehnt, entscheidet das Bundesministerium für Finanzen. Wird der Präsident des Bundesfinanzgerichtes abgelehnt, so entscheidet die gemäß § 5 Abs. 3 BFGG berufene Vertretung.

(4) Gegen die gemäß Abs. 1 bis 3 über die Ablehnung ergehenden Entscheidungen ist ein abgesondertes Rechtsmittel nicht zulässig. Wird die Ablehnung als begründet anerkannt, so hat sich der Abgelehnte von diesem Zeitpunkt an der Ausübung seines Amtes zu enthalten.

D. Rechtsschutzbeauftragter

§ 74a. (1) Zur Wahrnehmung des besonderen Rechtsschutzes im verwaltungsbehördlichen Finanzstrafverfahren ist beim Bundesminister für Finanzen ein Rechtsschutzbeauftragter mit zwei Stellvertretern eingerichtet. Sie sind bei der Besorgung der ihnen nach dem Finanzstrafgesetz zukommenden Aufgaben unabhängig und weisungsfrei. Sie sind verpflichtet, die ihnen ausschließlich aus ihrer amtlichen Tätigkeit bekannt gewordenen Tatsachen geheim zu halten, soweit und solange dies aus den in § 6 Abs. 1 des IFG genannten Gründen erforderlich und verhältnismäßig ist, und sie unterliegen der abgabenrechtlichen Geheimhaltungspflicht (§ 48a BAO).

(2) Der Rechtsschutzbeauftragte und seine Stellvertreter müssen besondere Kenntnisse und Erfahrungen auf dem Gebiet der Grund- und Freiheitsrechte aufweisen und mindestens fünf Jahre in einem Beruf tätig gewesen sein, in dem der Abschluss des Studiums der Rechtswissenschaften Berufsvoraussetzung ist. Beamte des Dienststandes und Vertragsbedienstete des Bundesministeriums für Finanzen sowie dessen nachgeordneter Dienststellen, Richter und Staatsanwälte des Dienststandes, Rechtsanwälte, die in die Liste der Rechtsanwälte eingetragen sind, und andere Personen, die vom Amt eines Geschworenen oder Schöffen ausgeschlossen oder zu diesem nicht zu berufen sind (§§ 2 und 3 des Geschworenen- und Schöffengesetzes 1990) dürfen nicht bestellt werden.

(3) Die Bestellung des Rechtsschutzbeauftragten und seiner Stellvertreter erlischt bei Verzicht, im Todesfall oder mit Wirksamkeit der Neu- oder Wiederbestellung. Bei Vorliegen von Befangenheitsgründen im Sinne des § 72 Abs. 1 hat sich der Rechtsschutzbeauftragte von dem Zeitpunkt, zu dem ihm der Grund bekannt geworden ist, des Einschreitens in der Sache zu enthalten.

(4) Der Rechtsschutzbeauftragte und seine Stellvertreter haben gleiche Rechte und Pflichten. Sie werden vom Bundesminister für Finanzen nach Anhörung der Präsidenten des Nationalrates sowie der Präsidenten des Verfassungsgerichtshofes und des Verwaltungsgerichtshofes auf die Dauer von fünf Jahren bestellt. Wiederbestellungen sind zulässig.

(5) Der Bundesminister für Finanzen stellt dem Rechtsschutzbeauftragten die zur Bewältigung der administrativen Tätigkeit notwendigen Personal- und Sacherfordernisse zur Verfügung. Dem Rechtsschutzbeauftragten und seinen Stellvertretern gebührt für die Erfüllung ihrer Aufgaben eine Entschädigung. Der Bundesminister für Finanzen ist ermächtigt, mit Verordnung Pauschalsätze für die Bemessung dieser Entschädigung festzusetzen.

§ 74b. (1) Die Finanzstrafbehörden sind verpflichtet, den Rechtsschutzbeauftragten über Auskunftsverlangen (§ 99 Abs. 3a) und die Information Betroffener darüber ehestmöglich zu informieren. Dem Rechtschutzbeauftragten obliegt die Prüfung der nach diesem Absatz erstatteten Meldungen. Dem Rechtsschutzbeauftragten steht gegen die Anordnung nach § 99 Abs. 3a Beschwerde an das Bundesfinanzgericht zu; dieses Recht erlischt mit dem Ablauf der Beschwerdefrist des Beschuldigten.

(2) Wurde gemäß § 99 Abs. 6 die Zustellung an den Beschuldigten und die Verfügungsberechtigten vorläufig aufgeschoben, ist dies dem Rechtsschutzbeauftragten unter Anschluss der Anordnung samt Auskunftsersuchen unverzüglich mitzuteilen. Dem Rechtsschutzbeauftragten steht in diesem Fall gegen die Anordnung nach § 99 Abs. 6 erster Satz Beschwerde an das Bundesfinanzgericht zu. Die Beschwerde-frist (§ 150 Abs. 2) beginnt mit dem Einlangen der Mitteilung zu laufen.

(3) Die Finanzstrafbehörden haben dem Rechtsschutzbeauftragten bei der Wahrnehmung seiner Aufgaben jederzeit Einblick in alle erforderlichen Unterlagen und Aufzeichnungen zu gewähren, ihm auf Verlangen Abschriften (Ablichtungen) einzelner Aktenstücke unentgeltlich auszufolgen und alle erforderlichen Auskünfte zu erteilen; insofern kann ihm gegenüber eine gesetzliche Pflicht zur Geheimhaltung nicht geltend gemacht werden.

(4) Der Rechtsschutzbeauftragte erstattet dem Bundesminister für Finanzen jährlich bis spätestens 31. März des Folgejahres einen Bericht über seine Tätigkeit und Wahrnehmungen im Rahmen seiner Aufgabenerfüllung nach dem Finanzstrafgesetz.

III. Hauptstück.

Beschuldigte, Nebenbeteiligte und deren Vertretung; Akteneinsicht.

§ 75. Beschuldigter ist die im Verdacht eines Finanzvergehens stehende Person (Verdächtiger) vom Zeitpunkt der Verständigung über die Einleitung des Strafverfahrens (§ 83 Abs. 2) oder der ersten Vernehmung gemäß § 83 Abs. 3 bis zum rechtskräftigen Abschluß des Strafverfahrens. Die für den Beschuldigten geltenden Bestimmungen sind auch auf den Verdächtigen anzuwenden, wenn gegen ihn schon vor der Einleitung des Strafverfahrens eine Verfolgungshandlung (§ 14 Abs. 3) gerichtet wurde.

§ 76. Nebenbeteiligte sind

a) vom Beschuldigten verschiedene Personen, denen das Eigentumsrecht oder ein Pfand- oder Zurückbehaltungsrecht an der verfallsbedrohten Sache zusteht (Verfallsbeteiligte). Verfallsbeteiligt ist auch, wer ein solches Recht behauptet;

b) Personen, die nach § 28 zur Haftung herangezogen werden können (Haftungsbeteiligte).

§ 77. (1) Beschuldigte haben das Recht, in jeder Lage des Verfahrens den Beistand eines Verteidigers in Anspruch zu nehmen oder über ausdrückliche Erklärung auf die Inanspruchnahme eines Verteidigers zu verzichten und sich selbst zu verteidigen. Die Erklärung ist für das weitere Verfahren nicht bindend. Im Falle des Verzichts ist der Beschuldigte auf die Folgen dieses Verzichts und die jederzeitige Möglichkeit, diesen zu widerrufen, hinzuweisen. Die Erklärung ist in der Niederschrift über die Vernehmung festzuhalten Beschuldigte können sich durch Verteidiger auch vertreten lassen, soweit nicht ihr persönliches Erscheinen ausdrücklich gefordert wird. Als Verteidiger sind die in § 48 Abs. 1 Z 5 StPO genannten Personen sowie Steuerberater zugelassen. Bevollmächtigte Gesellschaften dürfen nur durch selbständig berufsbefugte natürliche Personen handeln. Nicht zugelassen sind Personen, gegen die ein Verfahren wegen Beteiligung an demselben Finanzvergehen oder wegen Begünstigung hinsichtlich dieses Finanzvergehens anhängig ist. Nebenbeteiligte können sich durch voll handlungsfähige Personen (Bevollmächtigte) vertreten lassen, soweit nicht ihr persönliches Erscheinen ausdrücklich gefordert wird. Widersprechen Erklärungen des Beschuldigten jenen des Verteidigers, so gelten die Erklärungen des Beschuldigten; Entsprechendes gilt für einander widersprechende Erklärungen des Nebenbeteiligten und des Bevollmächtigten.

(2) Die Vorschriften der Bundesabgabenordnung über die Bevollmächtigung gelten mit Ausnahme von § 83 Abs. 4 sinngemäß.

(3) Ist in Verfahren, in denen die Durchführung der mündlichen Verhandlung und die Fällung des Erkenntnisses gemäß § 58 Abs. 2 einem Spruchsenat obliegt, der Beschuldigte außerstande, ohne Beeinträchtigung des für ihn und seine Familie, für deren Unterhalt er zu sorgen hat, zu einer einfachen Lebensführung notwendigen Unterhalts die Kosten der Verteidigung zu tragen, so hat die Finanzstrafbehörde auf Antrag des Beschuldigten, wenn und soweit dies im Interesse der Rechtspflege, vor allem im Interesse einer zweckentsprechenden Verteidigung, erforderlich ist, dem Beschuldigten für das gesamte Verfahren oder für einzelne Verfahrenshandlungen einen Verteidiger beizugeben, dessen Kosten er nicht zu tragen hat.

(3a) Im Falle der Entscheidung über die Verwahrung nach § 85 oder einer Untersuchungshaft nach § 86 hat die Finanzstrafbehörde dem im Sinne des § 77 Abs. 3 bedürftigen Beschuldigten auf dessen Antrag einen Verteidiger beizugeben, dessen Kosten er nicht zu tragen hat.

(4) Ist ein Verteidiger beizugeben, so hat die Finanzstrafbehörde dies der Kammer der Steuerberater und Wirtschaftsprüfer mitzuteilen, damit diese einen Steuerberater als Verteidiger bestelle. Von der Bestellung hat die Kammer die Finanzstrafbehörde zu verständigen. Die Kosten der Verteidigung trägt die Kammer.

(5) Mehreren Beschuldigten eines Verfahrens kann ein gemeinsamer Verteidiger beigegeben werden, doch ist für eine abgesonderte Verteidigung der Beschuldigten zu sorgen, bei denen sich ein Widerstreit der Interessen zeigt.

(6) Beantragt der Beschuldigte die Beigabe eines Verteidigers innerhalb einer für eine Verfahrenshandlung offenstehenden Frist, so beginnt diese Frist mit der Zustellung der Mitteilung, wen die Kammer als Verteidiger bestellt hat, oder des Bescheides, mit dem der Antrag abgewiesen wurde, von neuem zu laufen.

(7) Die Beigabe eines Verteidigers ist zu widerrufen, wenn die Voraussetzungen des Abs. 3 nicht mehr gegeben sind oder wenn sich herausstellt, daß die seinerzeit angenommenen Voraussetzungen nicht gegeben waren.

§ 78. (1) In der mündlichen Verhandlung sind Personen, die als Zeugen für diese Verhandlung geladen sind, als Verteidiger nicht zugelassen. Im Untersuchungsverfahren kann die Finanzstrafbehörde Personen, die als Zeugen vernommen wurden, sowie Personen, die als Zeugen geladen sind oder deren Vernehmung als Zeugen beantragt ist, als Verteidiger ausschließen, wenn dies zur Ermittlung des Sachverhaltes geboten ist. Gegen einen solchen Bescheid ist die Beschwerde (§ 152) zulässig.

(2) Im Untersuchungsverfahren darf die Finanzstrafbehörde den Verteidiger von der Teilnahme an Beweisaufnahmen, die eine spätere Wiederholung nicht zulassen, nicht, von der Teilnahme an anderen Beweisaufnahmen nur dann ausschließen, wenn besondere Umstände befürchten lassen, daß durch die Beteiligung die weitere Untersuchung erschwert werden könnte. Gegen den Ausschluß des Verteidigers ist ein abgesondertes Rechtsmittel zulässig.

(3) Der verhaftete Beschuldigte kann sich mit seinem Verteidiger verständigen, ohne dabei überwacht zu werden.

§ 79. (1) Die Finanzstrafbehörde hat dem Beschuldigten und den Nebenbeteiligten in jeder Lage des Verfahrens und auch nach dessen Abschluß die Einsicht und Abschriftnahme der Akten oder Aktenteile zu gestatten, deren Kenntnis zur Geltendmachung oder Verteidigung ihrer finanzstrafrechtlichen oder abgabenrechtlichen Interessen oder zur Erfüllung solcher Pflichten erforderlich ist; sie kann ihnen statt dessen auch Abschriften (Ablichtungen) ausfolgen. Sind Beschuldigte oder Nebenbeteiligte blind oder hochgradig sehbehindert und nicht durch Verteidiger oder Bevollmächtigte vertreten, so hat ihnen die Finanzstrafbehörde auf Verlangen den Inhalt der Akten oder Aktenteile durch Verlesung oder nach Maßgabe der vorhandenen technischen Möglichkeiten in sonst geeigneter Weise zur Kenntnis zu bringen.

(2) Von der Akteneinsicht ausgenommen sind Beratungsprotokolle, Amtsvorträge, Erledigungsentwürfe und sonstige Schriftstücke (Mitteilungen anderer Behörden, Meldungen, Berichte und dergleichen), deren Einsichtnahme eine Schädigung berechtigter Interessen dritter Personen herbeiführen würde.

(3) Im Untersuchungsverfahren können Aktenstücke vorläufig von der Einsichtnahme ausgenommen werden, wenn besondere Umstände befürchten lassen, daß durch eine sofortige Kenntnisnahme die Untersuchung erschwert werden könnte; die Einsichtnahme ist jedoch noch vor Abschluß des Untersuchungsverfahrens zu gestatten.

(4) Gegen die Verweigerung der Akteneinsicht ist ein abgesondertes Rechtsmittel nicht zulässig.

IV. Hauptstück.

Aufdeckung und Verfolgung der Finanzvergehen.

A. Anzeigen und Einleitung des Strafverfahrens.

§ 80. (1) Die Behörden und Ämter der Bundesfinanzverwaltung haben, wenn sich innerhalb ihres dienstlichen Wirkungsbereiches ein Verdacht auf das Vorliegen eines Finanzvergehens ergibt, hievon die gemäß § 58 zuständige Finanzstrafbehörde zu verständigen, soweit sie nicht selbst als solche einzuschreiten haben. Überdies sind die Abgabenbehörden ermächtigt, der zuständigen Finanzstrafbehörde die Ergebnisse von Prüfungs-, Kontroll- und Überwachungsmaßnahmen zur finanzstrafrechtlichen Würdigung und Verarbeitung der Daten zu übermitteln.

(2) Die Finanzstrafbehörden sowie der Bundesminister für Finanzen sind berechtigt, für finanzstrafrechtliche Zwecke oder sonst zur Erfüllung ihrer Aufgaben in alle Daten der Abgabenbehörden und der Finanzstrafbehörden Einsicht zu nehmen und diese zu verarbeiten.

§ 81. Alle Dienststellen der Gebietskörperschaften mit behördlichem Aufgabenbereich, die Österreichische Gesundheitskasse und das Arbeitsmarktservice sind verpflichtet, die entweder von ihnen selbst wahrgenommenen oder sonst zu ihrer Kenntnis gelangten Finanzvergehen der nächsten Finanzstrafbehörde mitzuteilen.

§ 82. (1) Die Finanzstrafbehörde hat die ihr gemäß §§ 80 oder 81 zukommenden Verständigungen und Mitteilungen darauf zu prüfen, ob genügende Verdachtsgründe für die Einleitung eines Finanzstrafverfahrens gegeben sind. Das gleiche gilt, wenn sie in anderer Weise, insbesondere aus eigener Wahrnehmung vom Verdacht eines Finanzvergehens Kenntnis erlangt. Die Prüfung ist nach den für die Feststellung des maßgebenden Sachverhalts im Untersuchungsverfahren geltenden Bestimmungen vorzunehmen.

(2) Ergibt diese Prüfung, dass für die Ahndung des Finanzvergehens das Gericht zuständig ist, so hat die Finanzstrafbehörde das Strafverfahren nach den Bestimmungen des Dritten Unterabschnittes zu führen.

(3) Ergibt die Prüfung gemäß Abs. 1, daß die Durchführung des Strafverfahrens nicht in die Zuständigkeit des Gerichtes fällt, so hat die Finanzstrafbehörde das Strafverfahren einzuleiten. Von der Einleitung eines Strafverfahrens hat sie nur dann abzusehen und darüber einen Aktenvermerk mit Begründung aufzunehmen,

a) wenn die Tat mangels ausreichender Anhaltspunkte voraussichtlich nicht erwiesen werden kann,

b) wenn die Tat kein Finanzvergehen bildet,

c) wenn der Verdächtige die ihm zur Last gelegte Tat nicht begangen hat oder Umstände vorliegen, welche die Tat rechtfertigen, die Schuld des Täters ausschließen, die Strafbarkeit ausschließen oder aufheben,

d) wenn Umstände vorliegen, welche die Verfolgung des Täters hindern, oder

e) wenn die Tat im Ausland begangen und der Täter dafür schon im Ausland gestraft worden ist und nicht anzunehmen ist, daß die Finanzstrafbehörde eine strengere Strafe verhängen werde.

§ 83. (1) Die Einleitung des Strafverfahrens ist aktenkundig zu machen.

FinStrG

(2) Von der Einleitung des Strafverfahrens ist der Verdächtige unter Bekanntgabe der zur Last gelegten Tat sowie der in Betracht kommenden Strafbestimmung unverzüglich zu verständigen. In den Fällen der §§ 85 und 93 kann die Verständigung auch anläßlich der ersten Vernehmung durch die Finanzstrafbehörde erfolgen.

(3) Der Einleitung eines Strafverfahrens ist die erste Vernehmung einer Person als Beschuldigter durch eine andere Dienststelle der Finanzverwaltung als durch die Finanzstrafbehörde gleichzuhalten.

§ 84. (1) Dem Beschuldigten ist vor Beginn der ersten Vernehmung mitzuteilen, welcher Tat er verdächtig ist; er ist im Sinne des Abs. 2 und darüber zu informieren, dass er berechtigt sei, sich zur Sache zu äußern oder nicht auszusagen und sich zuvor mit einem Verteidiger zu beraten. Der Beschuldigte ist auch darauf aufmerksam zu machen, dass seine Aussage seiner Verteidigung dienen, aber auch als Beweis gegen ihn Verwendung finden könne.

(2) Der Beschuldigte hat das Recht, seiner Vernehmung einen Verteidiger beizuziehen. § 77 Abs. 1 gilt sinngemäß. Der Verteidiger darf sich an der Vernehmung beteiligen, indem er nach deren Abschluss oder nach thematisch zusammenhängenden Abschnitten ergänzende Fragen an den Beschuldigten richtet oder Erklärungen abgibt. Während der Vernehmung darf sich der Beschuldigte nicht mit dem Verteidiger über die Beantwortung einzelner Fragen beraten. Von der Beiziehung eines Verteidigers darf nur abgesehen werden, soweit dies auf Grund besonderer Umstände unbedingt erforderlich erscheint, um eine erhebliche Gefährdung der Ermittlungen oder eine Beeinträchtigung von Beweismitteln abzuwenden. In diesem Fall ist dem Beschuldigten sogleich oder innerhalb von 24 Stunden eine Begründung bekanntzugeben. Gegen die Absehung von der Beiziehung eines Verteidigers ist eine Beschwerde an das Bundesfinanzgericht zulässig.

(3) Beschuldigte und Nebenbeteiligte sind bei Beginn ihrer ersten Vernehmung über Vor- und Zunamen, Tag und Ort der Geburt, Staatsbürgerschaft, Familienstand, Beschäftigung und Wohnort, die Beschuldigten überdies über Vermögens-, Einkommens- und Familienverhältnisse sowie über allfällige Vorstrafen wegen Finanzvergehen zu befragen. Sind die Angaben hierüber schon in den Akten enthalten, so sind sie zur Anerkennung oder Richtigstellung vorzuhalten.

(4) Beschuldigte und Nebenbeteiligte dürfen zur Beantwortung der an sie gestellten Fragen nicht gezwungen werden. Sie dürfen nicht durch Zwangsmittel, Drohungen, Versprechungen oder Vorspiegelungen zu Äußerungen genötigt oder bewogen werden. Die Stellung von Fragen, in welchen eine nicht zugestandene Tatsache als bereits zugestanden angenommen wird, ist nicht zulässig. Fragen, wodurch Umstände vorgehalten werden, die erst durch die Antwort festgestellt werden sollen, dürfen erst dann gestellt werden, wenn die Befragten nicht in anderer Weise zu einer Erklärung über dieselben geführt werden konnten; die Fragen sind in solchen Fällen wörtlich in die Niederschrift über die Vernehmung aufzunehmen. Beschuldigte und Nebenbeteiligte dürfen nicht durch Zwangsstrafen zur Herausgabe von Tatgegenständen und Beweismitteln verhalten werden.

(5) Der Vernehmung ist ein Dolmetscher gemäß § 57 Abs. 4 beizuziehen, wenn der Beschuldigte oder ein Nebenbeteiligter der Verhandlungssprache nicht hinreichend kundig, gehörlos oder hochgradig hör- oder sprachbehindert ist.

B. Festnahme, Vorführung, vorläufige Verwahrung und Untersuchungshaft.

§ 85. (1) Die Finanzstrafbehörde kann zum Zweck der Vorführung und vorläufigen Verwahrung die Festnahme des eines vorsätzlichen Finanzvergehens, mit Ausnahme einer Finanzordnungswidrigkeit, Verdächtigen anordnen:

a) wenn der Verdächtige auf frischer Tat betreten oder unmittelbar nach Begehung eines Finanzvergehens mit Gegenständen betreten wird, die vom Finanzvergehen herrühren oder sonst auf seine Beteiligung an dem Finanzvergehen hinweisen;

b) wenn er flüchtig ist oder sich verborgen hält oder wenn auf Grund bestimmter Tatsachen die Gefahr besteht, er werde wegen der Größe der ihm mutmaßlich bevorstehenden Strafe oder aus anderen Gründen flüchten oder sich verborgen halten;

c) wenn er andere an der Tat Beteiligte, Hehler, Zeugen oder Sachverständige zu beeinflussen, die Spuren der Tat zu beseitigen oder sonst die Ermittlung der Wahrheit zu erschweren versucht hat oder wenn auf Grund bestimmter Tatsachen die Gefahr besteht, er werde dies versuchen; oder

d) wenn auf Grund bestimmter Tatsachen anzunehmen ist, er werde das ihm angelastete versuchte Finanzvergehen ausführen oder in unmittelbarer Folge ein weiteres gleichartiges Finanzvergehen begehen.

(2) Die Anordnung der Festnahme bedarf eines Bescheides des Vorsitzenden des Spruchsenates, dem gemäß § 58 Abs. 2 unter den dort vorgesehenen Voraussetzungen die Durchführung der mündlichen Verhandlung und die Fällung des Erkenntnisses obliegen würde. Auf Grund dieser Anordnung sind die Organe der Finanzstrafbehörden, des Zollamtes Österreich und des öffentlichen Sicherheitsdienstes zur Festnahme der verdächtigen Personen befugt. Der Bescheid muß sogleich bei der Festnahme oder doch innerhalb der nächsten 24 Stunden dem Festgenommenen zugestellt werden.

(3) Ausnahmsweise kann die Festnahme durch die im Abs. 2 genannten Organe auch ohne schriftliche Anordnung vorgenommen werden

a) in den Fällen des Abs. 1 lit. a sowie

b) in den Fällen des Abs. 1 lit. b bis d, wenn die Einholung der schriftlichen Anordnung wegen Gefahr im Verzug nicht tunlich ist.

Dem Festgenommenen sind die Gründe für die Festnahme und für die Annahme von Gefahr im Verzug mündlich bekanntzugeben.

(3a) Der Beschuldigte ist sogleich oder unmittelbar nach seiner Festnahme schriftlich in einer für ihn verständlichen Sprache und Art über seine Rechte (§§ 57 Abs. 3 und 85 Abs. 4 und 6) und darüber zu informieren, dass er berechtigt ist, Beschwerde gegen die Anordnung der Festnahme zu erheben und jederzeit seine Freilassung zu beantragen und Zugang zu ärztlicher Betreuung zu erhalten (§§ 66 bis 74 StVG). Ist die schriftliche Belehrung in einer Sprache, die der Beschuldigte versteht, nicht verfügbar, so ist er mündlich unter Beziehung eines Dolmetschers zu belehren und ihm die schriftliche Übersetzung nachzureichen. Über die Erteilung der Belehrung ist ein Aktenvermerk aufzunehmen.

(4) Jeder Festgenommene ist unverzüglich der zuständigen Finanzstrafbehörde vorzuführen und von dieser ohne unnötigen Aufschub zur Sache und zu den Voraussetzungen der Verwahrung zu vernehmen. Nimmt der Festgenommene sein Recht auf Beiziehung eines Verteidigers in Anspruch, so ist die Vernehmung bis zum Eintreffen des Verteidigers aufzuschieben. § 77 Abs. 1 gilt sinngemäß. Ergibt sich, daß kein Grund zu seiner weiteren Verwahrung vorhanden ist, oder ist der Zweck der Verwahrung durch die Anwendung eines oder mehrerer gelinderer Mittel (§ 88 Abs. 1) oder durch eine Sicherheitsleistung (§ 88 Abs. 2) erreicht, so ist er sogleich freizulassen; sonst aber hat die Finanzstrafbehörde spätestens vor Ablauf von 48 Stunden nach der Festnahme zu veranlassen, daß die Untersuchungshaft (§ 86) verhängt wird.

(5) Bei der Festnahme, Vorführung und vorläufigen Verwahrung ist mit möglichster Schonung der Person und der Ehre des Festgenommenen vorzugehen.

(6) Dem Festgenommenen ist ohne unnötigen Aufschub zu gestatten, eine von ihm namhaft gemachte Person von der Festnahme zu verständigen. Bestehen gegen eine Verständigung durch den Festgenommenen selbst Bedenken, so hat die Finanzstrafbehörde die Verständigung vorzunehmen. Handelt es sich bei dem Festgenommenen um einen Ausländer, hat er das Recht seine konsularische oder diplomatische Vertretung von der Festnahme unterrichten zu lassen und mit dieser Kontakt aufzunehmen. Dem Festgenommenen ist weiters zu gestatten, mit einer Person, die gemäß § 77 Abs. 1 als Verteidiger zugelassen ist, Kontakt aufzunehmen und diese zu bevollmächtigen.

(Anm.: Abs. 7 aufgehoben durch BGBl. I Nr. 14/ 2013)

§ 86. (1) Die Untersuchungshaft ist vom Vorsitzenden des Spruchsenates zu verhängen, dem gemäß § 58 Abs. 2 unter den dort vorgesehenen Voraussetzungen die Durchführung der mündlichen Verhandlung und die Fällung des Erkenntnisses obliegen würde. Sie darf nur verhängt werden, wenn der Verwahrte auch nach seiner Vernehmung dringend eines vorsätzlichen Finanzvergehens, mit Ausnahme einer Finanzordnungswidrigkeit, verdächtig bleibt und auf Grund bestimmter Tatsachen die Gefahr besteht, er werde auf freiem Fuße

a) wegen der Größe der ihm mutmaßlich bevorstehenden Strafe oder aus anderen Gründen flüchten oder sich verborgen halten (Fluchtgefahr),

b) andere an der Tat Beteiligte, Hehler, Zeugen oder Sachverständige zu beeinflussen, die Spuren der Tat zu beseitigen oder sonst die Ermittlung der Wahrheit zu erschweren versuchen (Verdunkelungsgefahr) oder

c) das ihm angelastete versuchte Finanzvergehen ausführen (Ausführungsgefahr) oder in unmittelbarer Folge ein weiteres gleichartiges Finanzvergehen begehen (Begehungsgefahr).

(2) Fluchtgefahr ist jedenfalls nicht anzunehmen, wenn der Beschuldigte sich in geordneten Lebensverhältnissen befindet und einen festen Wohnsitz im Inland hat, es sei denn, daß er bereits Anstalten zur Flucht getroffen hat.

§ 87. (1) Die Verhängung der Untersuchungshaft bedarf eines Bescheides. In der Begründung sind insbesondere auch die Tatsachen anzugeben, auf Grund derer die Finanzstrafbehörde das Vorliegen eines oder mehrerer der im § 86 Abs. 1 angeführten Haftgründe angenommen hat. Dieser Bescheid samt Begründung ist dem Beschuldigten sofort bekanntzugeben und binnen 24 Stunden auch schriftlich zuzustellen. Die mündliche Bekanntgabe ist in einer Niederschrift festzuhalten.

(Anm.: Abs. 2 aufgehoben durch BGBl. I Nr. 14/ 2013)

(3) Alle am Finanzstrafverfahren in amtlicher Eigenschaft teilnehmenden Person sind verpflichtet, auf die möglichste Abkürzung der Haft hinzuwirken.

(4) Die Untersuchungshaft ist aufzuheben, sobald ihre Voraussetzungen nicht mehr vorliegen. Die Untersuchungshaft ist auch aufzuheben, sobald ihre Dauer im Verhältnis zu den zu erwartenden Strafen offenbar unangemessen ist. Sie darf einen Monat, bei Fluchtgefahr zwei Monate nicht übersteigen.

(5) Über Enthaftungsanträge hat der Vorsitzende des Spruchsenates (§ 86 Abs. 1) unverzüglich zu entscheiden. Erachtet die Finanzstrafbehörde, daß dem Enthaftungsantrag zu entsprechen ist, so hat sie auch ohne Befassung des Vorsitzenden des Spruchsenates die Untersuchungshaft aufzuheben.

(Anm.: Abs. 6 aufgehoben durch BGBl. I Nr. 14/ 2013)

(7) Die vorläufige Verwahrung und die Untersuchungshaft sind in dem dem Ort der Festnahme nächstgelegenen Haftraum der Sicherheitsbehörden

oder in der nächstgelegenen Justizanstalt, jedoch möglichst abgesondert von Häftlingen der polizeilichen und gerichtlichen Strafrechtspflege, zu vollziehen. Für die Behandlung der verwahrten oder verhafteten Personen in Justizanstalten gelten die Bestimmungen über den Vollzug der Untersuchungshaft gemäß §§ 182 bis 189 StPO sinngemäß mit der Maßgabe, dass die der Staatsanwaltschaft oder dem Gericht übertragenen Aufgaben der zuständigen Finanzstrafbehörde zukommen. Entscheidungen nach § 16 Abs. 2 Z 2, 4 und 5 des Strafvollzugsgesetzes (§ 189 Abs. 2 StPO) stehen dem im § 86 Abs. 1 bezeichneten Vorsitzenden des Spruchsenates zu. Für die Behandlung der verwahrten oder verhafteten Personen in den Hafträumen der Sicherheitsbehörden gelten die einschlägigen Bestimmungen des Verwaltungsstrafgesetzes mit der Maßgabe, dass der Vollzug der Verwahrung und Untersuchungshaft so vorzunehmen ist, dass keine Verdunkelungsgefahr (§ 86 Abs. 1 lit. b) besteht.

§ 88. (1) Die Untersuchungshaft darf nicht verhängt oder aufrechterhalten werden, wenn die Haftzwecke auch durch Anwendung eines oder mehrerer gelinderer Mittel erreicht werden können. Als gelindere Mittel sind anwendbar:

a) das Gelöbnis des Beschuldigten, bis zur rechtskräftigen Beendigung des Finanzstrafverfahrens weder zu flüchten noch sich verborgen zu halten noch sich ohne Genehmigung der Finanzstrafbehörde von seinem Aufenthaltsort zu entfernen;

b) das Gelöbnis, keinen Versuch zu unternehmen, die Untersuchung zu vereiteln;

c) die Weisung, jeden Wechsel des Aufenthaltsortes anzuzeigen oder sich in bestimmten Zeitabständen bei der Finanzstrafbehörde oder bei einer anderen Stelle zu melden;

d) die vorübergehende Abnahme der Reisepapiere;

e) die vorübergehende Abnahme der zur Führung eines Fahrzeuges nötigen Papiere.

Die Anwendung gelinderer Mittel ist aufzuheben, sobald ihre Voraussetzungen nicht mehr vorliegen.

(2) Eine vorläufige Verwahrung oder Untersuchungshaft wegen Fluchtverdachtes (§ 85 Abs. 1 lit. b und § 86 Abs. 1 lit. a) muß gegen Sicherheitsleistung und gegen Ablegung der im Abs. 1 lit. a und b erwähnten Gelöbnisse auf Verlangen unterbleiben oder aufgehoben werden. Die Sicherheitssumme ist mit Rücksicht auf die Folgen des Finanzvergehens, die Verhältnisse des Beschuldigten und das Vermögen des die Sicherheit Leistenden festzusetzen.

(3) Die Sicherheitssumme ist entweder in barem Geld oder in solchen Wertpapieren, die nach den bestehenden Gesetzen zur Anlage der Gelder von Minderjährigen oder sonstigen schutzberechtigten Personen verwendet werden dürfen, nach dem Börsenkurs des Erlagstages berechnet, bei der Finanzstrafbehörde zu hinterlegen oder durch Pfandbestellung auf unbewegliche Güter oder durch taugliche Bürgen (§ 1374 ABGB), die sich zugleich als Zahler verpflichten (§ 1357 ABGB), sicherzustellen. Kann eine solche Sicherheit nicht oder nur schwer beschafft werden, so kann auch eine andere im § 222 BAO im Abgabenverfahren vorgesehene Sicherheitsleistung zugelassen werden.

(4) Wird die geleistete Sicherheit unzureichend, so ist sie zu ergänzen oder es ist eine anderweitige Sicherheit zu leisten; die Abs. 2 und 3 gelten sinngemäß.

(5) Die Sicherheitssumme ist von der Finanzstrafbehörde mit Bescheid für verfallen zu erklären, wenn der Beschuldigte flüchtet oder sich verbirgt oder wenn er einer den Verfall der Sicherheit androhenden Vorladung unentschuldigt keine Folge leistet. Die verfallene Sicherheitssumme ist nach den für Abgaben geltenden Vorschriften einzubringen; sie fließt dem Bund zu.

(6) Wenn der Beschuldigte Anstalten zur Flucht trifft oder wenn neue Umstände hervorkommen, die seine Festnahme erfordern, so ist ungeachtet der Sicherheitsleistung die gemäß Abs. 2 unterbliebene vorläufige Verwahrung anzuordnen oder die Untersuchungshaft zu verhängen; eine aufgehobene Verwahrung oder Untersuchungshaft ist fortzusetzen.

(7) Die Sicherheitssumme wird, sofern sie nicht bereits nach Abs. 5 für verfallen erklärt wurde, frei,

a) wenn die Voraussetzungen für die vorläufige Verwahrung oder für die Untersuchungshaft nicht mehr vorliegen,

b) wenn der Beschuldigte gemäß Abs. 6 festgenommen wurde,

c) wenn das Finanzstrafverfahren ohne Verhängung einer Freiheitsstrafe rechtskräftig beendet wurde oder

d) wenn der Vollzug einer verhängten Freiheitsstrafe begonnen hat.

C. Beschlagnahme.

§ 89. (1) Die Finanzstrafbehörde hat mit Bescheid die Beschlagnahme von verfallsbedrohten Gegenständen und von Gegenständen, die als Beweismittel in Betracht kommen, anzuordnen, wenn dies zur Sicherung des Verfalls oder zur Beweissicherung geboten ist. Der Bescheid ist dem anwesenden Inhaber des in Beschlag zu nehmenden Gegenstandes bei der Beschlagnahme zuzustellen; ist der Inhaber nicht anwesend, so ist der Bescheid nach § 23 des Zustellgesetzes zu hinterlegen.

(2) Bei Gefahr im Verzug sind neben den Organen der Finanzstrafbehörden auch die Organe der Abgabenbehörden und des öffentlichen Sicherheitsdienstes berechtigt, die im Abs. 1 bezeichneten Gegenstände auch dann in Beschlag zu nehmen, wenn eine Anordnung der Finanzstrafbehörde nicht vorliegt. In diesem Fall sind dem anwesenden Inhaber die Gründe für die Beschlagnahme und für die Annahme von Gefahr im

Verzug mündlich bekanntzugeben und in einer Niederschrift festzuhalten. Die beschlagnahmten Gegenstände sind, falls nicht nach § 90 Abs. 1 zweiter Satz vorgegangen wird, der zuständigen Finanzstrafbehörde abzuführen.

(3) Beweismittel, auf die sich eine gesetzlich anerkannte Pflicht zur Verschwiegenheit erstreckt, unterliegen bei dem zur Verschwiegenheit Verpflichteten der Beschlagnahme nur,

a) soweit begründeter Verdacht besteht, daß dieser selbst Beteiligter, Hehler oder Begünstigender in bezug auf das Finanzvergehen ist, oder

b) wenn es sich um Bücher oder Aufzeichnungen nach den §§ 124 bis 130 BAO oder um dazugehörende Belege oder um solche Gegenstände, welche zur Begehung des Finanzvergehens bestimmt waren oder diese erleichtert haben oder die aus dem Finanzvergehen herrühren, handelt.

(4) In den Fällen des Abs. 3 lit. b unterliegen Gegenstände, die zum Zwecke der Beratung oder Verteidigung des Beschuldigten durch eine gemäß § 77 Abs. 1 als Verteidiger zugelassene Person zu deren Information von dieser oder vom Beschuldigten hergestellt wurden, in keinem Fall der Beschlagnahme, auch wenn sich diese Gegenstände in der Verfügungsmacht des Beschuldigten oder anderer an der Tat Beteiligten befinden. Bei Kreditinstituten und den im § 38 Abs. 4 des Bankwesengesetzes genannten Unternehmen unterliegen Gegenstände, die Geheimnisse im Sinne des § 38 Abs. 1 des genannten Gesetzes betreffen, der Beschlagnahme nur für Finanzvergehen, für die das Bankgeheimnis gemäß § 38 Abs. 2 Z 1 des genannten Gesetzes oder in Amtshilfefällen gem. § 2 Abs. 2 ADG aufgehoben ist und für vorsätzliche Finanzvergehen, ausgenommen Finanzordnungswidrigkeiten, die mit Finanzvergehen, für die das Bankgeheimnis aufgehoben ist, unmittelbar zusammenhängen.

(5) Behauptet der zur Verschwiegenheit Verpflichtete oder der Beschuldigte, daß die Voraussetzungen für eine Beschlagnahme nach Abs. 3 und 4 nicht vorliegen, oder ist er bei der Beschlagnahme nicht anwesend, so ist der Gegenstand ohne weitere Untersuchung unter Siegel zu nehmen und ohne Verzug dem Vorsitzenden des Spruchsenates vorzulegen, dem gemäß § 58 Abs. 2 unter den dort vorgesehenen Voraussetzungen die Durchführung der mündlichen Verhandlung und die Fällung des Erkenntnisses obliegen würde. Der Vorsitzende des Spruchsenates hat mit Bescheid festzustellen, ob die Beweismittel der Beschlagnahme unterliegen.

(Anm.: Abs. 6 aufgehoben durch BGBl. I Nr. 14/2013)

(7) Von der Beschlagnahme verfallsbedrohter Gegenstände kann abgesehen und eine bereits erfolgte Beschlagnahme solcher Gegenstände kann aufgehoben werden, wenn ein Geldbetrag erlegt wird, der dem Wert dieser Gegenstände entspricht (Freigabe). Der Geldbetrag tritt an die Stelle dieser Gegenstände und unterliegt nach Maßgabe des § 17 dem Verfall. Eine Freigabe hat insbesondere zu unterbleiben,

a) solange die Gegenstände auch für Beweiszwecke benötigt werden,

b) wenn es sich um Monopolgegenstände oder andere Gegenstände handelt, die gesetzlichen Verkehrsbeschränkungen unterliegen,

c) wenn eine gesetzwidrige Verwendung der Gegenstände zu besorgen ist,

d) wenn die Gegenstände auch in einem anderen Verfahren beschlagnahmt sind oder wenn die ihnen in einem anderen Verfahren drohende Beschlagnahme aktenkundig ist.

(8) Verschlossene Briefe oder andere verschlossene Schriftstücke dürfen nur in den Fällen einer Hausdurchsuchung oder Festnahme beschlagnahmt und eröffnet werden.

(9) Postsendungen, die im Gewahrsam der Post sind, dürfen nur beschlagnahmt werden,

a) in den Fällen einer Hausdurchsuchung oder Festnahme, wenn es sich um Sendungen handelt, die der Beschuldigte abschickt oder die an ihn gerichtet werden, oder

b) wenn bezüglich des Inhalts der Sendungen der Verdacht eines Schmuggels oder einer Hinterziehung von Eingangs- oder Ausgangsabgaben besteht.

§ 90. (1) Die beschlagnahmten Gegenstände sind amtlich zu verwahren. Bereitet die amtliche Verwahrung Schwierigkeiten, so sind die Gegenstände einer dritten Person in Verwahrung zu geben; sie können aber auch dem bisherigen Inhaber belassen werden, wenn hiedurch der Zweck der Beschlagnahme nicht gefährdet wird. In solchen Fällen ist ein Verbot zu erlassen, über die Gegenstände zu verfügen, wobei hinsichtlich der Benützung, Pflege und Wertsicherung der Gegenstände die erforderlichen Bedingungen und Auflagen festzulegen sind. Die Gegenstände können auch durch amtliche Verschlüsse gesichert werden.

(2) Unterliegen die beschlagnahmten Gegenstände raschem Verderben oder einer erheblichen Wertminderung oder lassen sie sich nur mit unverhältnismäßigen Kosten aufbewahren, so können sie von der Finanzstrafbehörde wie finanzbehördlich gepfändete Gegenstände verwertet werden; in Grenznähe beschlagnahmte Gegenstände, die raschem Verderben unterliegen, können auch von Organen der Zollstelle im kurzem Weg bestmöglich verwertet werden. Der Beschuldigte und der Eigentümer sind tunlichst vor der Verwertung zu verständigen. Der Erlös tritt an die Stelle der veräußerten Gegenstände und unterliegt nach Maßgabe des § 17 dem Verfall. Die Verwertung wegen unverhältnismäßiger Aufbewahrungskosten unterbleibt, wenn rechtzeitig ein zur Deckung dieser Kosten ausreichender Betrag erlegt wird.

(3) Die Verwertung nach Abs. 2 hat jedoch solange zu unterbleiben, als die verfallsbedrohten Gegenstände für Beweiszwecke benötigt werden.

§ 91. (1) In allen Fällen, in denen beschlagnahmte Gegenstände abgenommen werden, ist dem bisherigen Inhaber eine Bestätigung auszustellen, in der die Gegenstände nach ihren wesentlichen Merkmalen, wie Stückzahl, Gewicht, Maß und Gattung, genau zu verzeichnen sind.

(2) Beschlagnahmte Gegenstände sind unverzüglich zurückzugeben, wenn die Aufrechterhaltung der Beschlagnahme nicht gerechtfertigt ist.

§ 92. Beschlagnahmte Geschäftsbücher, Aufzeichnungen und Belege sind dem Eigentümer oder einer von diesem hiezu bevollmächtigten Person auf Verlangen zur Einsicht zugänglich zu machen, sofern hiedurch die Tatbestandsermittlung nicht beeinträchtigt und das Verfahren nicht ungebührlich verzögert wird. Die Abschriftnahme ist zu bewilligen, wenn nicht Verdunkelungsgefahr oder Verabredungsgefahr besteht. Gegen die Verweigerung der Einsichtnahme oder der Abschriftnahme ist ein abgesondertes Rechtsmittel nicht zulässig.

D. Hausdurchsuchung und Personendurchsuchung.

§ 93. (1) Die Durchführung einer Hausdurchsuchung (Abs. 2) oder einer Personendurchsuchung (Abs. 3) bedarf einer mit Gründen versehenen schriftlichen Anordnung des Vorsitzenden des Spruchsenates, dem gemäß § 58 Abs. 2 unter den dort vorgesehenen Voraussetzungen die Durchführung der mündlichen Verhandlung und die Fällung des Erkenntnisses obliegen würde. Die Anordnung richtet sich an die mit der Durchführung betraute Finanzstrafbehörde. Eine Kopie dieser Anordnung ist einem anwesenden Betroffenen bei Beginn der Durchsuchung auszuhändigen. Ist kein Betroffener anwesend, so ist die Kopie nach § 23 des Zustellgesetzes zu hinterlegen. Wurde jedoch die Anordnung vorerst mündlich erteilt, weil die Übermittlung der schriftlichen Ausfertigung an die mit der Durchsuchung beauftragten Organe wegen Gefahr im Verzug nicht abgewartet werden konnte, so ist die Kopie innerhalb der nächsten 24 Stunden zuzustellen.

(2) Hausdurchsuchungen, das sind Durchsuchungen von Wohnungen und sonstigen zum Hauswesen gehörigen Räumlichkeiten sowie von Wirtschafts-, Gewerbe- oder Betriebsräumen, dürfen nur dann vorgenommen werden, wenn begründeter Verdacht besteht, daß sich darin eine eines Finanzvergehens, mit Ausnahme einer Finanzordnungswidrigkeit, verdächtige Person aufhält oder daß sich daselbst Gegenstände befinden, die voraussichtlich dem Verfall unterliegen oder die im Finanzstrafverfahren als Beweismittel in Betracht kommen.

(3) Personen dürfen nur dann durchsucht werden, wenn hohe Wahrscheinlichkeit für die Innehabung von Gegenständen der in Abs. 2 bezeichneten Art spricht oder die zu durchsuchende Person eines Finanzvergehens verdächtig ist.

(4) Ist wegen Gefahr im Verzug die Einholung weder einer schriftlichen noch einer mündlichen Anordnung gemäß Abs. 1 möglich, so stehen die im Abs. 2 und 3 geregelten Befugnisse den im § 89 Abs. 2 genannten Organen ausnahmsweise auch ohne Anordnung zu. In diesem Fall sind dem anwesenden Betroffenen die Gründe für die Durchsuchung und für die Annahme von Gefahr im Verzug mündlich bekanntzugeben und in einer Niederschrift festzuhalten.

(5) Auf Verlangen des Betroffenen sind der Hausdurchsuchung oder Personendurchsuchung bis zu zwei von ihm namhaft gemachte Personen seines Vertrauens, die nicht der gleichen oder einer damit im Zusammenhang stehenden Straftat verdächtigt sind, zuzuziehen. Bei einer Durchsuchung in Abwesenheit des Betroffenen ist, wenn dieser nicht selbst Wohnungsinhaber ist, der Wohnungsinhaber, in dessen Abwesenheit ein Wohnungsgenosse, berechtigt, die Zuziehung der Vertrauenspersonen zu verlangen. Mit der Durchsuchung ist bis zum Eintreffen der Vertrauenspersonen zuzuwarten, sofern hiedurch nicht die Amtshandlung unangemessen verzögert oder ihr Erfolg gefährdet wird. Vertrauenspersonen haben sich jeder Einmengung in eine Hausdurchsuchung oder Personendurchsuchung zu enthalten, widrigenfalls sie entfernt werden können.

(6) Über das Ergebnis der Durchsuchung ist eine Niederschrift aufzunehmen. Dem Betroffenen ist auf sein Verlangen sogleich oder doch binnen der nächsten 24 Stunden eine Bescheinigung über die Vornahme der Durchsuchung, deren Gründe und deren Ergebnis auszufolgen.

(7) Jeder, der durch die Durchsuchung in seinem Hausrecht betroffen ist, ist berechtigt, sowohl gegen die Anordnung als auch gegen die Durchführung der Durchsuchung Beschwerde an das Bundesfinanzgericht zu erheben.

§ 94. (1) Hausdurchsuchungen sind mit möglichster Schonung unter Vermeidung unnötigen Aufsehens und jeder nicht unumgänglichen Belästigung oder Störung der Betroffenen vorzunehmen.

(2) Dem Betroffenen ist vor Beginn der Durchsuchung Gelegenheit zu geben, das Gesuchte herauszugeben oder sonst die Gründe für die Durchsuchung zu beseitigen. Hievon kann abgesehen werden, wenn Gefahr im Verzug ist.

(3) Der Inhaber der Räumlichkeiten, die durchsucht werden sollen, ist aufzufordern, der Durchsuchung beizuwohnen. Er ist verpflichtet, dem die Durchsuchung vornehmenden Organ Räume und Behältnisse auf Verlangen zu öffnen und die darin aufbewahrten Gegenstände vorzuweisen.

(4) Ist der Inhaber der zu durchsuchenden Räumlichkeiten verhindert oder abwesend, so ist ein erwachsenes Mitglied seiner Familie und in dessen Er-

mangelung eine andere erwachsene Person aufzufordern, der Amtshandlung beizuwohnen.

(5) Wird die Öffnung der zu durchsuchenden Räume oder Behältnisse verweigert, so kann sie das mit der Durchsuchung befaßte Organ entweder selbst öffnen oder aber die Öffnung durch andere Personen veranlassen.

§ 95. Zur Personendurchsuchung ist die zu durchsuchende Person auf ihr Verlangen in die nächste Amtsräumlichkeit der Bundesfinanzverwaltung oder der nächsten Sicherheitsdienststelle vorzuführen. Diese Vorführung hat stets einzutreten, wenn die Herausgabe der am Körper oder in der Kleidung verborgenen Gegenstände oder die Vornahme der Durchsuchung am Betretungsort untunlich erscheint. Personen dürfen nur von Personen desselben Geschlechts und nicht im Beisein von Personen des anderen Geschlechts durchsucht werden § 94 Abs. 2 gilt sinngemäß.

§ 96. Werden die gesuchten Beweismittel vorgefunden, so sind sie zu beschlagnahmen, ohne daß es hiezu einer besonderen Anordnung bedarf. Andere Beweismittel, die auf die Begehung eines Finanzvergehens schließen lassen, sind nur dann in Beschlag zu nehmen, wenn Gefahr im Verzug ist. Im übrigen sind die für Beschlagnahmen geltenden Bestimmungen anzuwenden.

E. Gemeinsame Bestimmungen.

§ 97. Die den Organen des Zollamtes Österreich zur Ausübung ihres Dienstes in den Zollvorschriften eingeräumten Befugnisse bleiben unberührt.

V. Hauptstück.
Beweise und deren Durchführung.

A. Beweismittel.
1. Allgemeines.

§ 98. (1) Als Beweismittel im Finanzstrafverfahren kommt unbeschadet des Abs. 4 alles in Betracht, was zur Feststellung des maßgebenden Sachverhalts geeignet und nach der Lage des einzelnen Falles zweckdienlich ist.

(2) Tatsachen, die bei der Behörde offenkundig sind und solche, für deren Vorhandensein das Gesetz eine Vermutung aufstellt, bedürfen keines Beweises.

(3) Die Finanzstrafbehörde hat unter sorgfältiger Berücksichtigung der Ergebnisse des Verfahrens nach freier Überzeugung zu beurteilen, ob eine Tatsache erwiesen ist oder nicht; bleiben Zweifel bestehen, so darf die Tatsache nicht zum Nachteil des Beschuldigten oder der Nebenbeteiligten als erwiesen angenommen werden.

(4) Beweismittel, die unter Verletzung der Bestimmungen des § 84 Abs. 4 erster und letzter Satz, des § 89 Abs. 3, 4, 8 oder 9, des § 103 lit. a bis c oder des § 106 Abs. 2 gewonnen wurden, dürfen zur Fällung des Erkenntnisses (der Strafverfügung) zum Nachteil des Beschuldigten oder der Nebenbeteiligten nicht herangezogen werden.

(5) Die Kriminalpolizei, Staatsanwaltschaften und Gerichte sind unter den Bedingungen des § 76 Abs. 4 StPO ermächtigt, nach der StPO erlangte personenbezogene Daten, die für die Durchführung eines Finanzstrafverfahrens erforderlich sind, den Finanzstrafbehörden für Zwecke der Finanzstrafrechtspflege zu übermitteln.

§ 99. (1) Die Finanzstrafbehörde ist berechtigt, von jedermann Auskunft für Zwecke des Finanzstrafverfahrens zu verlangen. Die Auskunft ist wahrheitsgemäß nach bestem Wissen und Gewissen zu erteilen. Die Verpflichtung zur Auskunftserteilung schließt die Verbindlichkeit in sich, Urkunden, Daten in allgemein lesbarer Form und andere Unterlagen, die für das Finanzstrafverfahren von Bedeutung sind, vorzulegen oder die Einsichtnahme in diese zu gestatten. Im übrigen gelten die §§ 102 bis 106 und § 108 sinngemäß. Soweit dies der zur Auskunft verpflichteten Person zumutbar ist, sind elektronische Daten in einem allgemein gebräuchlichen Dateiformat in strukturierter Form so zu übermitteln, dass diese elektronisch weiterverarbeitet werden können.

(2) Die Finanzstrafbehörde ist auch befugt, zur Klärung des Sachverhaltes Nachschauen und Prüfungen im Sinne der Abgaben- oder Monopolvorschriften anzuordnen oder selbst durchzuführen. Die mit einer solchen Maßnahme betrauten Organe der Abgabenbehörden haben insoweit auch die Befugnisse der Organe der Finanzstrafbehörden. Führen Organe der Finanzstrafbehörden die Nachschau oder Prüfung selbst durch, haben sie insoweit auch die Befugnisse der Organe der Abgabenbehörden. Das Ergebnis einer durch die Finanzstrafbehörde durchgeführten Nachschau oder Prüfung ist der Abgabenbehörde zur Wahrnehmung der dieser obliegenden Aufgaben zu übermitteln. Die einschränkenden Bestimmungen des § 148 Abs. 3 und 5 BAO gelten für Prüfungen gemäß diesem Absatz nicht.

(3) Die Finanzstrafbehörde ist ferner berechtigt, für Zwecke des Finanzstrafverfahrens von den Betreibern öffentlicher Telekommunikationsdienste Auskunft über Namen, Anschrift und Nutzernummer eines bestimmten Anschlusses zu verlangen. Die ersuchte Stelle ist verpflichtet, diese Auskunft unverzüglich und kostenlos zu erteilen.

(3a) Bei Verdacht auf ein gemäß § 58 Abs. 2 lit. a in die Zuständigkeit des Spruchsenates fallendes vorsätzliches Finanzvergehen, ausgenommen Finanzordnungswidrigkeiten, ist die Finanzstrafbehörde auf Anordnung des Vorsitzenden des Spruchsenates, dem gemäß § 58 Abs. 2 die Durchführung der mündlichen Verhandlung und die Fällung des Erkenntnisses obliegen würde, berechtigt, von Betreibern öffentlicher Telekommunikationsdienste (§ 160 Abs. 3 Z 1 Telekommunikationsgesetz 2021 – TKG 2021, BGBl. I Nr. 190/2021) und sonstigen Diensteanbietern (§ 3 Z 2

E-Commerce-Gesetz – ECG, BGBl. I Nr. 152/2001) auch folgende Auskünfte zu verlangen:

1. die Internetprotokolladresse (IP-Adresse) zu einer bestimmten Nachricht und den Zeitpunkt ihrer Übermittlung, soweit dies für eine Auskunft nach Z 2 erforderlich ist;

2. Namen und Anschrift eines Benutzers, dem eine IP-Adresse zu einem bestimmten Zeitpunkt zugewiesen war,

wenn die dafür erforderlichen Daten zum Zeitpunkt der Anfrage noch rechtmäßig verarbeitet werden (§ 167 Abs. 1 und 5 TKG 2021).

Die ersuchte Stelle ist verpflichtet, die Auskunft unverzüglich und kostenlos zu erteilen. Die Anordnung des Vorsitzenden des Spruchsenates hat schriftlich und mit einer Begründung versehen zu ergehen. Nach Beendigung der Ermittlungsmaßnahme hat die Finanzstrafbehörde die Anordnung des Vorsitzenden des Spruchsenates dem Beschuldigten und den von der Durchführung der Ermittlungsmaßnahme Betroffenen unverzüglich zuzustellen. Die Zustellung kann jedoch aufgeschoben werden, solange durch sie der Zweck dieses oder eines damit zusammenhängenden anderen Strafverfahrens gefährdet wäre und dies notwendig und verhältnismäßig ist. Der Beschuldigte und jeder durch die Ermittlungsmaßnahme Betroffene ist berechtigt, gegen die Anordnung Beschwerde an das Bundesfinanzgericht zu erheben.

FinStrG

(3b) Die näheren Bestimmungen im Hinblick auf die zugangsberechtigten Behörden, die Datenfelder sowie die Protokollierung über die Durchlaufstelle sind durch den Bundesminister für Verkehr, Innovation und Technologie im Einvernehmen mit den Bundesministern für Finanzen, für Inneres und für Justiz in der Datensicherheitsverordnung – TKG-DSVO, BGBl. II Nr. 402/2011, festzusetzen.

(4) Die Finanzstrafbehörde ist weiters berechtigt, für Zwecke des Finanzstrafverfahrens von den Betreibern von Post- und Paketdiensten Auskünfte über Post- und Paketsendungen zu verlangen. Die ersuchte Stelle ist verpflichtet, diese Auskunft unverzüglich und kostenlos zu erteilen.

(5) Die Finanzstrafbehörden sind berechtigt, zur Identitätsfeststellung einer Person, die eines Finanzvergehens verdächtig ist oder als Zeuge (Auskunftsperson) in Betracht kommt, deren Namen, Geburtsdatum, Geburtsort, Beruf und Wohnanschrift zu ermitteln. Sie ist auch befugt, deren Größe festzustellen und sie zu fotografieren, soweit dies zur Identitätsfeststellung erforderlich ist. Soweit es für die Aufklärung von gemäß § 58 Abs. 2 lit. a in die Zuständigkeit eines Spruchsenates fallenden Finanzvergehen, deren Verfolgung in die Zuständigkeit des Zollamtes Österreich fällt, zweckdienlich ist, ist die Finanzstrafbehörde auch befugt, von Beschuldigten, von denen auf Grund bestimmter Tatsachen angenommen werden kann, dass sie Spuren hinterlassen haben, Papillarlinienabdrücke abzunehmen. Deren zwangsweise Durchsetzung unterliegt in besonderem Maße dem Grundsatz der Verhältnismäßigkeit und ist mit möglichster Schonung der Person vorzunehmen. Jede Person ist verpflichtet, in angemessener Weise an der Feststellung ihrer Identität mitzuwirken. Auf Aufforderung ist ihr der Anlass der Identitätsfeststellung mitzuteilen. Ein erkennungsdienstlicher Abgleich der abgenommenen Papillarlinienabdrücke mit Datenbanken ist unzulässig. Nach rechtskräftiger Erledigung des Finanzstrafverfahrens, in dem die nach dieser Bestimmung abgenommenen Papillarlinienabdrücke als Beweismittel dienten, sind diese zu vernichten.

(6) Ersuchen um Auskünfte im Sinne des § 38 Abs. 2 Z 1 des Bankwesengesetzes – BWG, BGBl. Nr. 532/1993, ausgenommen die Einsicht in das Kontenregister (§ 4 Abs. 1 Kontenregister- und Konteneinschaugesetz – KontRegG, BGBl I Nr. 116/2015) bedürfen einer Anordnung des Vorsitzenden des Spruchsenates, dem gemäß § 58 Abs. 2 die Durchführung der mündlichen Verhandlung und die Fällung des Erkenntnisses obliegen würde. Die Anordnung samt Auskunftsersuchen ist dem Kredit- oder Finanzinstitut, dem Beschuldigten sowie den aus der Geschäftsverbindung verfügungsberechtigten Personen zuzustellen, sobald diese der Finanzstrafbehörde bekannt geworden sind. Die Ausfertigung an das Kredit- oder Finanzinstitut hat keine Begründung zu enthalten. Die Zustellung an den Beschuldigten und die Verfügungsberechtigten kann aufgeschoben werden, solange durch sie der Zweck der Ermittlungen gefährdet wäre. Hierüber ist das Kredit- oder Finanzinstitut zu informieren, das die Anordnung und alle mit ihr verbundenen Tatsachen und Vorgänge gegenüber Kunden und Dritten geheim zu halten hat. Kredit- oder Finanzinstitute und deren Mitarbeiter sind verpflichtet, die verlangten Auskünfte zu erteilen sowie Urkunden und Unterlagen einsehen zu lassen und herauszugeben. Dies hat auf einem elektronischen Datenträger in einem allgemein gebräuchlichen Dateiformat in strukturierter Form so zu erfolgen, dass die Daten elektronisch weiterverarbeitet werden können. Gegen die Anordnung des Vorsitzenden des Spruchsenates steht dem Beschuldigten und den aus der Geschäftsverbindung verfügungsberechtigten Personen das Rechtsmittel der Beschwerde zu. Insoweit das Bundesfinanzgericht die Unzulässigkeit der Anordnung feststellt, unterliegen die dadurch erlangten Auskünfte dem Verwertungsverbot im Sinne des § 98 Abs. 4.

§ 100. Den Organen der in den §§ 80 und 81 bezeichneten Dienststellen ist es untersagt, auf die Gewinnung von Verdachtsgründen gegen eine Person oder auf deren Überführung dadurch hinzuwirken, daß diese zur Begehung, Fortsetzung oder Vollendung eines Finanzvergehens verleitet oder durch insgeheim bestellte Personen zu Geständnissen verlockt wird, die sodann der Finanzstrafbehörde hinterbracht werden. Von der Verfolgung einer Person wegen des Finanzvergehens, zu deren Begehung sie entgegen dieser Bestimmung verleitet wurde, hat die Finanzstrafbehörde abzusehen.

2. Urkunden.

§ 101. Die Beweiskraft von öffentlichen und Privaturkunden ist nach den Vorschriften der §§ 292 bis 294, 296, 310 und 311 ZPO. zu beurteilen.

3. Zeugen.

§ 102. (1) Soweit sich aus diesem Bundesgesetz nicht anderes ergibt, ist jedermann verpflichtet, als Zeuge über alle ihm bekannten, für ein Finanzstrafverfahren maßgebenden Tatsachen auszusagen.

(2) Wenn die Finanzstrafbehörde das persönliche Erscheinen des Zeugen für erforderlich erachtet, hat sie ihn vorzuladen. In der Vorladung ist anzugeben, was den Gegenstand der Vernehmung bildet und welche Beweismittel und Gegenstände (Abs. 4) mitzubringen sind. Die Bekanntgabe des Gegenstandes der Vernehmung hat insoweit zu unterbleiben, als besondere Umstände die Befürchtung rechtfertigen, daß hiedurch die Untersuchung erschwert werden könnte. Gegebenenfalls kann nach § 56b vorgegangen werden.

(3) Wenn die Finanzstrafbehörde das persönliche Erscheinen des Zeugen nicht für erforderlich erachtet, kann die Aussage des Zeugen auch schriftlich eingeholt und abgegeben werden.

(4) Soweit jemand als Zeuge zur Aussage verpflichtet ist, hat er auf Verlangen der Finanzstrafbehörde auch Schriftstücke, Urkunden, die einschlägigen Stellen seiner Geschäftsbücher und Daten in allgemein lesbarer Form zur Einsicht vorzulegen, die sich auf bestimmt zu bezeichnende Tatsachen beziehen; er hat Gegenstände, die er für den Beschuldigten verwahrt, vorzulegen und Einsicht in verschlossene Behältnisse zu gewähren, die er dem Beschuldigten überlassen hat.

§ 103. Als Zeugen dürfen nicht vernommen werden:

a) Personen, die zur Mitteilung ihrer Wahrnehmungen unfähig sind oder die zur Zeit, auf die sich ihre Aussage beziehen soll, zur Wahrnehmung der zu beweisenden Tatsache unfähig waren;

b) Geistliche darüber, was ihnen in der Beichte oder sonst unter dem Siegel geistlicher Amtsverschwiegenheit zur Kenntnis gelangt ist;

c) Organe des Bundes und der übrigen Gebietskörperschaften, wenn sie durch ihre Aussage eine sie treffende gesetzliche Pflicht zur Geheimhaltung verletzen würden, insofern sie der Pflicht zur Geheimhaltung nicht entbunden sind;

d) in jedem Finanzstrafverfahren die Nebenbeteiligten des Verfahrens.

§ 104. (1) Die Aussage darf von einem Zeugen verweigert werden:

a) wenn er ein Angehöriger (§ 72 StGB) des Beschuldigten oder eines Nebenbeteiligten des Finanzstrafverfahrens ist;

b) über Fragen, deren Beantwortung dem Zeugen oder seinen Angehörigen, seinem gesetzlichen Vertreter oder einer Person unter seiner gesetzlichen Vertretung die Gefahr einer strafgerichtlichen oder finanzstrafbehördlichen Verfolgung zuziehen würde;

c) über Fragen, deren Beantwortung dem Zeugen oder einer der in lit. b genannten Personen unmittelbar einen bedeutenden Vermögensnachteil bringen oder zur Schande gereichen würde, es sei denn, daß der Auskunft voraussichtlich für das Verfahren entscheidende Bedeutung zukommt und die Finanzstrafbehörde unter Hinweis darauf vom Zeugen die Auskunft verlangt;

d) über Fragen, die der Zeuge nicht beantworten könnte, ohne eine ihm obliegende gesetzlich anerkannte Pflicht zur Verschwiegenheit, von der er nicht gültig entbunden wurde, zu verletzen oder ein Kunst- oder technisches Betriebsgeheimnis zu offenbaren.

(2) Die zur berufsmäßigen Parteienvertretung befugten Personen und ihre Hilfskräfte können die Zeugenaussage auch darüber verweigern, was ihnen in ihrer Eigenschaft als Vertreter der Partei über diese zur Kenntnis gelangt ist.

(3) Will ein Zeuge die Aussage verweigern, so hat er die Gründe seiner Weigerung glaubhaft zu machen.

§ 105. Einem Zeugen, der einer Vorladung, ohne durch Krankheit, Gebrechlichkeit oder ein sonstiges begründetes Hindernis entschuldigt zu sein, nicht Folge leistet oder die Auskunft ohne zutreffende Berufung auf einen gesetzlichen Weigerungsgrund verweigert oder seinen Verpflichtungen gemäß § 102 Abs. 4 nicht nachkommt, kann die Finanzstrafbehörde, abgesehen von Zwangsstrafen, den Ersatz aller durch seine Säumnis oder Weigerung verursachten Barauslagen durch Bescheid auferlegen. Das gleiche gilt in den Fällen des § 104 Abs. 1 lit. c, wenn die Finanzstrafbehörde vom Zeugen die Auskunft verlangt, dieser sie aber verweigert. Wenn es die Finanzstrafbehörde zur Feststellung des maßgeblichen Sachverhaltes (§ 115) für geboten hält, kann der Zeuge auf Grund einer schriftlichen Anordnung der Finanzstrafbehörde durch die im § 89 Abs. 2 genannten Organe zwangsweise vorgeführt werden, wenn dies in der Vorladung angedroht war. Die Sicherheitsdienststellen haben den Vorführungsersuchen der Finanzstrafbehörden zu entsprechen.

§ 106. (1) Jeder Zeuge ist zu Beginn seiner Vernehmung über die für die Vernehmung maßgebenden persönlichen Verhältnisse zu befragen, erforderlichenfalls über die gesetzlichen Weigerungsgründe zu belehren und zu ermahnen, daß er die Wahrheit anzugeben habe und nichts verschweigen dürfe; er ist auch auf die strafrechtlichen Folgen einer falschen Aussage aufmerksam zu machen. Entsprechendes gilt bei Einholung einer Zeugenauskunft auf schriftlichem Weg.

(2) Zeugen dürfen, abgesehen von Zwangsstrafen, zur Beantwortung der an sie gestellten Fragen nicht gezwungen werden.

(3) Fragen durch welche dem Zeugen Tatumstände vorgehalten werden, welche erst durch seine Antwort festgestellt werden sollen, sind möglichst zu vermeiden und, wenn sie gestellt werden müssen, in der Niederschrift über die Vernehmung ersichtlich zu machen.

§ 107. (1) Hält die Finanzstrafbehörde die eidliche Einvernahme eines Zeugen über bestimmte Tatsachen von besonderer Tragweite für unbedingt erforderlich, so kann der Zeuge unter Beiziehung eines Schriftführers, außerhalb der mündlichen Verhandlung durch den Leiter der Finanzstrafbehörde oder durch einen ihr zugewiesenen rechtskundigen Bediensteten, in der mündlichen Verhandlung durch den Verhandlungsleiter eidlich vernommen werden. Die Bestimmungen des Gesetzes vom 3. Mai 1868, RGBl. Nr. 33, zur Regelung des Verfahrens bei den Eidesablegungen vor Gericht finden sinngemäß Anwendung.

(2) Zeugen, die im Untersuchungsverfahren vereidigt worden sind, sind bei ihrer Vernehmung in einer mündlichen Verhandlung an den abgelegten Eid zu erinnern.

(3) Nicht vereidigt werden dürfen Personen,

a) die selbst überwiesen sind oder im Verdacht stehen, daß sie die strafbare Handlung, wegen der sie vernommen werden, begangen oder daran teilgenommen haben oder an ihr mitschuldig sind,

b) die sich wegen eines Verbrechens in Untersuchung befinden oder wegen eines solchen zu einer Freiheitsstrafe verurteilt sind, die sie noch zu verbüßen haben,

c) die schon einmal wegen falschen Zeugnisses oder falschen Eides verurteilt worden sind,

d) die zur Zeit ihrer Vernehmung das 14. Lebensjahr noch nicht vollendet haben,

e) die an einer erheblichen Schwäche des Wahrnehmungs- oder Erinnerungsvermögens leiden,

f) die mit dem Beschuldigten oder den Nebenbeteiligten in einer Feindschaft leben, die mit Rücksicht auf die Persönlichkeit der Beteiligten und die sonstigen Begleitumstände der Feindschaft geeignet ist, die volle Glaubwürdigkeit auszuschließen,

g) die bei ihrer Auskunftserteilung wesentliche Umstände angegeben haben, deren Unwahrheit bewiesen ist und worüber sie nicht einen bloßen Irrtum nachweisen können.

§ 108. (1) Zeugen haben Anspruch auf Ersatz von Reise- und Aufenthaltskosten und auf Entschädigung für Zeitversäumnis unter den gleichen Voraussetzungen und im gleichen Ausmaß wie Zeugen im gerichtlichen Verfahren sowie Anspruch auf Ersatz von notwendigen Barauslagen. Der Ersatzanspruch ist bei sonstigem Verlust binnen zwei Wochen nach der Vernehmung bei der Behörde geltend zu machen, welche die Einvernahme durchgeführt hat. Hierüber ist der Zeuge zu belehren.

(2) Über den Anspruch entscheidet die vernehmende Behörde, bei Einvernahmen durch einen Senat die Finanzstrafbehörde, bei der der Senat gebildet ist.

4. Sachverständige und Dolmetscher

§ 109. (1) Wird die Aufnahme eines Beweises durch Sachverständige notwendig, so sind die für Gutachten der erforderlichen Art öffentlich bestellten Sachverständigen beizuziehen.

(2) Die Finanzstrafbehörde kann aber ausnahmsweise auch andere geeignete Personen als Sachverständige heranziehen, wenn es mit Rücksicht auf die Besonderheit des Falles geboten erscheint.

(3) Der Bestellung zum Sachverständigen hat Folge zu leisten, wer zur Erstattung von Gutachten der erforderlichen Art öffentlich bestellt ist oder wer die Wissenschaft, die Kunst oder die Tätigkeit, deren Kenntnis die Voraussetzung der Begutachtung ist, öffentlich als Erwerb ausübt oder zu deren Ausübung öffentlich angestellt oder ermächtigt ist.

(4) Auf Antrag des Beschuldigten oder eines Nebenbeteiligten ist aus zutreffenden wichtigen Gründen ein weiterer Sachverständiger beizuziehen.

§ 110. (1) Aus den Gründen, welche einen Zeugen zur Verweigerung der Aussage berechtigen (§ 104), kann die Enthebung von der Bestellung als Sachverständiger begehrt werden.

(2) Öffentlich Bedienstete sind überdies auch dann als Sachverständige zu entheben oder nicht beizuziehen, wenn ihnen die Tätigkeit als Sachverständige von ihren Vorgesetzten aus dienstlichen Gründen untersagt wird oder wenn sie durch besondere Anordnungen der Pflicht, sich als Sachverständige verwenden zu lassen, enthoben sind.

(3) Die Bestimmungen der §§ 72 bis 74 gelten sinngemäß; Beschuldigte und Nebenbeteiligte können Sachverständige auch ablehnen, wenn sie Umstände glaubhaft machen, die die Fachkunde des Sachverständigen in Zweifel stellen.

§ 111. Ist der Sachverständige für die Erstattung von Gutachten der erforderlichen Art im allgemeinen vereidigt, so genügt die Erinnerung an den geleisteten Eid. Ist er noch nicht vereidigt, so hat er, falls es die Finanzstrafbehörde wegen der besonderen Tragweite des Falles für erforderlich hält, vor Beginn der Beweisaufnahme den Sachverständigeneid zu leisten. Bei der Vereidigung sind die Bestimmungen des § 107 Abs. 1 und 2 sinngemäß anzuwenden.

§ 112. (1) Sachverständige haben Anspruch auf Ersatz der Reise- und Aufenthaltskosten sowie der notwendigen Barauslagen, auf Entschädigung für Zeitversäumnis und auf Entlohnung ihrer Mühewaltung unter den gleichen Voraussetzungen und im gleichen Ausmaß wie Sachverständige im gerichtlichen Verfahren.

(2) Der Ersatzanspruch ist bei sonstigem Verlust binnen zwei Wochen ab Erstattung des Gutachtens oder, wenn dieses entfällt, nach Entlassung des Sachverständigen mündlich oder schriftlich bei der Behörde geltend zu machen, bei der der Sachverständige vernommen worden ist. Hierüber ist der Sachverständige zu belehren.

(3) § 108 Abs. 2 gilt sinngemäß.

§ 112a. Für Ersatzansprüche von Dolmetschern gilt § 112 sinngemäß.

5. Augenschein.

§ 113. (1) Zur Aufklärung der Sache kann die Finanzstrafbehörde auch einen Augenschein, nötigenfalls mit Beiziehung von Sachverständigen, vornehmen und mittels Ton- oder Bildaufnahme dokumentieren. Der Beschuldigte und die Nebenbeteiligten sind beizuziehen, wenn dies zweckdienlich ist. In allen übrigen Fällen sind sie von der Anberaumung eines Augenscheines rechtzeitig mit dem Hinweis zu verständigen, daß ihnen die Teilnahme freisteht. Ein bereits bestellter Verteidiger ist von der Vornahme des Augenscheines zu verständigen. Die Beteiligung am Augenschein kann ihm nicht versagt werden. Der Beschuldigte, der dem Augenschein nicht zugezogen wird und keinen Verteidiger bestellt hat, kann beantragen, daß dem Augenschein eine Person seines Vertrauens beigezogen wird.

(2) Die Finanzstrafbehörde hat darüber zu wachen, daß die Vornahme eines Augenscheines nicht zur Verletzung eines Kunst-, Geschäfts- oder Betriebsgeheimnisses mißbraucht werde.

B. Durchführung der Beweise.

§ 114. (1) Im Finanzstrafverfahren sind alle Beweise aufzunehmen, die die Finanzstrafbehörde zur Erforschung der Wahrheit für erforderlich hält. Erforderlichenfalls ist der Beweisaufnahme ein Dolmetscher beizuziehen.

(2) Der Beschuldigte und die Nebenbeteiligten können die Durchführung bestimmter Beweise und die Vereidigung vorgeladener Zeugen beantragen. Diesen Anträgen ist stattzugeben, falls dies im Interesse der Wahrheitsfindung notwendig erscheint. Findet die Finanzstrafbehörde, daß dem gestellten Antrag nicht stattzugeben sei, so hat sie die Ablehnung samt Gründen zu verkünden und protokollarisch festzuhalten. Gegen die Ablehnung ist ein abgesondertes Rechtsmittel nicht zulässig.

(3) Der Beschuldigte und die Nebenbeteiligten dürfen von der Anwesenheit und Mitwirkung bei Beweisaufnahmen, die eine spätere Wiederholung nicht zulassen, nicht ausgeschlossen werden. Von anderen Beweisaufnahmen dürfen sie nur dann ausgeschlossen werden, wenn besondere Umstände gegen ihre Beteiligung sprechen. Dem Beschuldigten und den Nebenbeteiligten ist jedoch auch in diesem Fall noch vor Abschluß des Untersuchungsverfahrens Gelegenheit zu geben, von den durchgeführten Beweisen und vom Ergebnis der Beweisaufnahme Kenntnis zu nehmen und sich dazu zu äußern. Von Beweisaufnahmen, von denen der Beschuldigte und die Nebenbeteiligten nicht ausgeschlossen sind, sind sie zu verständigen. Gegen den Ausschluß des Beschuldigten oder der Nebenbeteiligten ist ein abgesondertes Rechtsmittel nicht zulässig.

(4) Das Ergebnis der Beweisaufnahmen (Abs. 1 und 2) ist in einer Niederschrift festzuhalten, in der auch durchgeführte Vereidigungen ersichtlich zu machen sind; für diese Niederschrift gelten § 87 Abs. 3 bis 6 und § 88 BAO sinngemäß. Der vernommenen Person ist auf ihr spätestens unmittelbar nach Beginn der Beweisaufnahme gestelltes Verlangen eine Ausfertigung der Niederschrift auszufolgen, wenn nicht besondere Umstände befürchten lassen, daß durch die Ausfolgung die Untersuchung erschwert werden könnte.

VI. Hauptstück.

Gang des Verfahrens.

A. Untersuchungsverfahren.

§ 115. Die Finanzstrafbehörde hat im Untersuchungsverfahren den für die Erledigung der Strafsache maßgebenden Sachverhalt von Amts wegen festzustellen und dem Beschuldigten sowie den Nebenbeteiligten Gelegenheit zu geben, ihre Rechte und rechtlichen Interessen geltend zu machen.

§ 116. (1) Die Finanzstrafbehörde hat den Beschuldigten zur Vernehmung vorzuladen oder ihn aufzufordern, sich bis zu einem bestimmten Zeitpunkt schriftlich zu rechtfertigen. Dies kann gelegentlich der Verständigung von der Einleitung des Strafverfahrens geschehen.

(2) Ist bereits eine Beschuldigtenvernehmung gemäß § 83 Abs. 3 erfolgt, so kann eine Vorladung oder Aufforderung zur schriftlichen Rechtfertigung unterbleiben.

§ 117. (1) In der Vorladung des Beschuldigten und in der Aufforderung zur schriftlichen Rechtfertigung sind die zur Last gelegte Tat sowie die in Betracht kommende Strafbestimmung zu bezeichnen. Der Beschuldigte ist auch aufzufordern, die seiner Verteidigung dienlichen Beweismittel mitzubringen oder der Behörde so rechtzeitig anzuzeigen, daß sie zur Vernehmung noch herbeigeschafft werden können.

(2) Ein Beschuldigter, der einer Vorladung, mit der sein persönliches Erscheinen ausdrücklich gefordert wurde, nicht entsprochen hat, ohne durch Krankheit, Behinderung oder ein sonstiges begründetes Hindernis vom Erscheinen abgehalten zu sein, kann, wenn dies zur Feststellung des maßgebenden Sachverhaltes (§ 115) geboten ist, auf Grund einer schriftlichen Anordnung der Finanzstrafbehörde durch die im § 89 Abs. 2 genannten Organe zwangsweise vorgeführt werden, wenn dies in der Vorladung angedroht war.

Die Sicherheitsdienststellen haben den Vorführungsersuchen der Finanzstrafbehörde zu entsprechen.

§ 118. Ist eine Vorladung zur Beschuldigtenvernehmung oder eine Aufforderung zur schriftlichen Rechtfertigung im Sinne des § 116 Abs. 1 im Interesse der Wahrheitsfindung untunlich, so kann die Finanzstrafbehörde hievon Abstand nehmen; es muß jedoch auch in diesem Fall dem Beschuldigten Gelegenheit zur Rechtfertigung gegeben werden.

§ 119. Zur Untersuchung des Sachverhaltes kann die Finanzstrafbehörde Ermittlungen und Beweisaufnahmen jeder Art selbst durchführen oder andere Dienststellen der Bundesfinanzverwaltung um deren Durchführung ersuchen.

§ 120. (1) Die Finanzstrafbehörde ist berechtigt, zum Zwecke der Finanzstrafrechtspflege die Unterstützung aller Behörden und öffentlichen Dienststellen des Bundes, der Länder und der Gemeinden sowie anderer durch Gesetz eingerichteter Körperschaften und Anstalten des öffentlichen Rechts sowie der Oesterreichischen Nationalbank in Bezug auf ihre Aufgaben nach dem Devisengesetz 2004, BGBl. I Nr. 123/2003, unmittelbar in Anspruch zu nehmen. Solchen Ersuchen ist ehest möglich zu entsprechen oder es sind entgegenstehende Hindernisse unverzüglich bekannt zu geben. Erforderlichenfalls ist Akteneinsicht zu gewähren.

(2) Ersuchen der Finanzstrafbehörde, die sich auf Straftaten einer bestimmten Person beziehen, dürfen mit dem Hinweis auf gesetzliche Verpflichtungen zur Geheimhaltung oder darauf, daß es sich um automationsunterstützt verarbeitete personenbezogene Daten handelt, nur dann abgelehnt werden, wenn diese Verpflichtungen Abgabenbehörden gegenüber ausdrücklich auferlegt sind oder wenn der Beantwortung überwiegende öffentliche Interessen entgegenstehen, die im einzelnen anzuführen und zu begründen sind.

(3) Die im § 158 Abs. 4 BAO den Abgabenbehörden eingeräumten Befugnisse stehen auch den Finanzstrafbehörden und dem Bundesminister für Finanzen für Zwecke des Finanzstrafverfahrens oder sonst zur Erfüllung ihrer Aufgaben zu. Darüber hinaus sind die Finanzstrafbehörden berechtigt, die gemäß § 57 Abs. 1 Z 1 bis 6, 10 bis 11 und 12 des Sicherheitspolizeigesetzes – SPG, BGBl. Nr. 566/1991, die zur Sachenfahndung gemäß § 57 Abs. 2 SPG, die gemäß § 22b Abs. 2 des Passgesetzes 1992, BGBl. Nr. 839/1992 sowie die gemäß § 55 Abs. 4 des Waffengesetzes 1996 – WaffG, BGBl. I Nr. 12/1997, soweit Waffenverbote betroffen sind, verarbeiteten Daten für Zwecke der Finanzstrafrechtspflege einzusehen, soweit dies für die Durchführung eines Finanzstrafverfahrens wegen des Verdachtes auf ein gemäß § 58 Abs. 2 lit. a in die Zuständigkeit eines Spruchsenates fallendes Finanzvergehen erforderlich ist. Die Einsichtnahme hat zu unterbleiben, wenn im Einzelfall schutzwürdige Geheimhaltungsinteressen (§ 1 Abs. 1 DSG) die mit der Einsichtnahme verfolgten Zwecke überwiegen.

(4) Auf den Verkehr mit ausländischen Behörden sowie Dienststellen und Einrichtungen der Europäischen Union sind völkerrechtliche Verträge, unmittelbar wirksame Rechtsvorschriften der Europäischen Union, das EU-Amtshilfegesetz (EU-AHG), BGBl. I Nr. 112/2012, das Zollrechts-Durchführungsgesetz (ZollR-DG), BGBl. Nr. 659/1994 sowie das Finanzstrafzusammenarbeitsgesetz (FinStrZG), BGBl. I Nr. 105/2014 anzuwenden.

(5) Soweit dies zur Durchführung von Abgaben- oder Monopolverfahren erforderlich ist, haben die Finanzstrafbehörden Daten an die Abgabenbehörden und die Monopolbehörde zu übermitteln.

§ 121. Kommt der Beschuldigte im Verlauf des Untersuchungsverfahrens einer Vorladung oder sonstigen amtlichen Aufforderung nicht nach, so hindert dies nicht den weiteren Ablauf des Untersuchungsverfahrens; § 115 wird hiedurch nicht berührt.

§ 122. (1) Die Finanzstrafbehörde hat Verfallsbeteiligte sowie Haftungsbeteiligte, deren Haftung in Anspruch genommen werden soll, dem Verfahren zuzuziehen, wenn ihr Aufenthalt bekannt ist. Ist ihr Aufenthalt unbekannt, so ist, wenn die Wichtigkeit der Sache es erfordert, für sie ein Kurator zu bestellen; für die Bestellung gilt § 147 sinngemäß. Den zugezogenen Nebenbeteiligten ist die Person des Beschuldigten und die diesem zur Last gelegte Tat bekanntzugeben; Verfallsbeteiligten auch der verfallsbedrohte Gegenstand.

(2) Von der Zuziehung nach Abs. 1 kann abgesehen werden, wenn dies zur Vermeidung von Verzögerungen oder Erschwerungen des Verfahrens oder zur Verkürzung der Verwahrung oder der Untersuchungshaft des Beschuldigten dienlich scheint. In solchen Fällen ist die Entscheidung über den Verfall oder Wertersatz sowie über die Rechte des Verfallsbeteiligten oder über die Inanspruchnahme des Haftungsbeteiligten einem abgesonderten Verfahren (§ 149) vorzubehalten.

(3) § 121 gilt sinngemäß auch für Nebenbeteiligte.

§ 123. (1) Die Finanzstrafbehörde ist berechtigt, Vorfragen, die als Hauptfragen von anderen Verwaltungsbehörden oder von den Gerichten zu entscheiden wären, nach der über die maßgebenden Verhältnisse gewonnenen eigenen Anschauung zu beurteilen und diese Beurteilung ihrer Entscheidung zugrunde zu legen.

(2) An Entscheidungen der Gerichte, mit denen im Finanzstrafverfahren auftauchende privatrechtliche Vorfragen als Hauptfragen entschieden worden sind, sind die Finanzstrafbehörden nicht gebunden, es sei denn, daß in dem Verfahren, in dem die Entscheidung ergangen ist, bei der Ermittlung des Sachverhaltes von Amts wegen vorzugehen war.

§ 124. (1) Wenn im Zuge des Untersuchungsverfahrens festgestellt wird, daß die dem Beschuldigten zur Last gelegte Tat nicht erwiesen werden kann oder daß einer der im § 82 Abs. 3 lit. b bis e genannten Gründe vorliegt, so hat die Finanzstrafbehörde das Strafverfahren mit Bescheid einzustellen. Ausfertigungen des Bescheides sind dem Beschuldigten und den gemäß § 122 dem Verfahren zugezogenen Nebenbeteiligten zuzustellen. Gegen diesen Bescheid ist ein Rechtsmittel unzulässig. Der Beschuldigte hat nach Ablauf von sechs Monaten ab der Einleitung des Finanzstrafverfahrens oder der Rechtskraft der Entscheidung über einen solchen Antrag das Recht, die Einstellung des Untersuchungsverfahrens aus den oben genannten Gründen zu beantragen. Die Abweisung dieses Antrags hat mit Bescheid zu erfolgen. Nach Abschluss des Untersuchungsverfahrens noch unerledigte Anträge auf Einstellung oder Beschwerden gegen Abweisungsbescheide sind gegenstandslos.

(2) Obliegt die Durchführung der mündlichen Verhandlung und die Fällung des Erkenntnisses einem Spruchsenat (§ 58 Abs. 2), so hat der Vorstand der Finanzstrafbehörde einen Amtsbeauftragten zu bestellen. Als Amtsbeauftragter kann auch ein Organ der Finanzstrafbehörde tätig werden, das vom Vorstand der Finanzstrafbehörde ständig mit der Funktion eines Amtsbeauftragten betraut wurde. Der Amtsbeauftragte hat die Akten dem Spruchsenat mit seiner schriftlichen Stellungnahme zu den Ergebnissen des Untersuchungsverfahrens zuzuleiten. Die Stellungnahme hat insbesondere die deutliche Beschreibung der dem Beschuldigten zur Last gelegten Tat unter Angabe der anzuwendenden Strafvorschrift und des strafbestimmenden Wertbetrages zu enthalten und die Beweismittel zu bezeichnen. Ausfertigungen der Stellungnahme sind dem Beschuldigten und den gemäß § 122 dem Verfahren zugezogenen Nebenbeteiligten zuzustellen.

B. Mündliche Verhandlung; Beschlußfassung der Spruchsenate.

§ 125. (1) Stellt der Vorsitzende des Spruchsenates, dem gemäß § 124 Abs. 2 die Akten zugeleitet wurden, fest, dass Ergänzungen des Untersuchungsverfahrens erforderlich sind, so kann er diese anordnen. Stellt er hingegen, allenfalls auch erst nach Ergänzung des Untersuchungsverfahrens, fest, dass die Voraussetzungen für das Tätigwerden des Spruchsenates nicht gegeben sind, so hat er dies mit Bescheid auszusprechen; dieser Bescheid ist dem Beschuldigten, dem gemäß § 122 dem Verfahren zugezogenen Nebenbeteiligten und dem Amtsbeauftragten zuzustellen und kann von diesen mit Beschwerde angefochten werden. Andernfalls hat der Vorsitzende des Spruchsenates die mündliche Verhandlung so anzuberaumen, dass in der Regel zwischen der Zustellung der Vorladungen und dem Tag der mündlichen Verhandlung ein Zeitraum von wenigstens zwei Wochen liegt. Zur mündlichen Verhandlung sind unter Bekanntgabe der Namen der Senatsmitglieder, des Schriftführers und des Amtsbeauftragten der Beschuldigte und die gemäß § 122 dem Verfahren zugezogenen Nebenbeteiligten vorzuladen. Ist der Beschuldigte durch einen Verteidiger vertreten, so ist diesem die Anberaumung der mündlichen Verhandlung bekannt zu geben. Dem Amtsbeauftragten ist im Verfahren vor dem Spruchsenat Akteneinsicht und Parteiengehör zu gewähren.

(2) Obliegt die Durchführung der mündlichen Verhandlung und die Fällung des Erkenntnisses nicht einem Spruchsenat, so hat die Finanzstrafbehörde die mündliche Verhandlung nach Maßgabe des Abs. 1 anzuberaumen. Das gleiche gilt, wenn der Spruchsenat festgestellt hat, daß die Voraussetzungen für sein Tätigwerden nicht gegeben sind; in diesem Fall darf der Bestrafung bei den im § 53 Abs. 2 bezeichneten Finanzvergehen kein 10 000 Euro, bei allen übrigen Finanzvergehen kein 33 000 Euro übersteigender strafbestimmender Wertbetrag (§ 58 Abs. 2 lit. a) zugrunde gelegt werden.

(3) Die mündliche Verhandlung unterbleibt, wenn der Beschuldigte und die gemäß § 122 dem Verfahren zugezogenen Nebenbeteiligten sowie der Amtsbeauftragte auf die Durchführung einer solchen verzichtet haben. Von der Durchführung einer mündlichen Verhandlung kann abgesehen werden, wenn das Verfahren einzustellen ist.

(4) Unterbleibt nach Abs. 3 eine mündliche Verhandlung vor einem Spruchsenat, kann der Vorsitzende die Beratung und Beschlussfassung des Senates unter Verwendung geeigneter technischer Kommunikationsmittel veranlassen. Der Vorsitzende kann außerdem die Beratung und Beschlussfassung durch die Einholung der Zustimmung der anderen Senatsmitglieder zu einem Entscheidungsentwurf im Umlaufwege ersetzen, wenn keines dieser Mitglieder widerspricht.

§ 126. Kommt der Beschuldigte oder ein Nebenbeteiligter einer Vorladung zu einer gemäß § 125 anberaumten mündlichen Verhandlung oder einer sonstigen amtlichen Aufforderung nicht nach, ohne durch Krankheit, Behinderung oder ein sonstiges begründetes Hindernis abgehalten zu sein, so hindert dies nicht die Durchführung der mündlichen Verhandlung und die Fällung des Erkenntnisses auf Grund der Verfahrensergebnisse. Darüber ist der Beschuldigte oder der Nebenbeteiligte in der Vorladung zu informieren. Der Beschuldigte kann jedoch unter den Voraussetzungen des § 117 Abs. 2 vorgeführt werden, wobei die Unterstützung durch die Organe des öffentlichen Sicherheitsdienstes in Anspruch genommen werden kann.

§ 127. (1) Die mündliche Verhandlung wird vom Vorsitzenden des Spruchsenates, in den Fällen des § 125 Abs. 2 von einem Einzelbeamten der Finanzstrafbehörde geleitet (Verhandlungsleiter). Der mündlichen Verhandlung ist ein Schriftführer und wenn der Beschuldigte oder ein Nebenbeteiligter der Verhandlungssprache nicht hinreichend kundig, gehörlos oder hochgradig hör- oder sprachbehindert ist, ein Dolmetscher gemäß § 57 Abs. 4 beizuziehen. Der Verhandlungsleiter kann, wenn er es für notwendig erachtet, die mündliche Verhandlung vertagen.

(2) Die mündliche Verhandlung vor dem Spruchsenat ist öffentlich.

Die Öffentlichkeit ist auszuschließen:

a) von Amts wegen oder auf Antrag des Amtsbeauftragten, des Beschuldigten, eines Nebenbeteiligten oder eines Zeugen, wenn und solange zur Aufklärung des Finanzvergehens Verhältnisse oder Umstände des Beschuldigten, des Nebenbeteiligten oder des Zeugen erörtert werden müssen, die unter die Geheimhaltungspflicht nach § 48a BAO fallen;

b) von Amts wegen oder auf Antrag des jugendlichen Beschuldigten (§ 1 Abs. 1 Z 2 JGG) oder dessen gesetzlichen Vertreters bzw. der Vertrauensperson (§ 182 Abs. 1) oder der in § 182 Abs. 5 genannten Person, wenn dies in einem Verfahren gegen einen jugendlichen Beschuldigten in dessen Interesse geboten ist.

(3) Obliegt die Durchführung der mündlichen Verhandlung einem Einzelbeamten, so ist sie nicht öffentlich.

(4) Ist die mündliche Verhandlung nicht öffentlich oder ist die Öffentlichkeit ausgeschlossen, so haben der Beschuldigte und die Nebenbeteiligten das Recht, zur Verhandlung zwei an der Sache nicht beteiligte Personen ihres Vertrauens beizuziehen. Personen, die im Verfahren als Zeugen oder Sachverständige in Betracht kommen, dürfen als Vertrauenspersonen nicht beigezogen werden.

(5) Sachverständige können, wenn es zur Erforschung der Wahrheit zweckdienlich erscheint, der Verhandlung schon vor Erstattung ihres Gutachtens zugezogen werden.

(6) Der Verhandlungsleiter hat dafür zu sorgen, daß Erörterungen, die das Verfahren ohne Nutzen für die Aufklärung der Sache verzögern würden, unterbleiben. Er erteilt das Wort und kann es bei Mißbrauch entziehen; ihm obliegt die Erhaltung der Ruhe und Ordnung im Verhandlungsraum. Dabei ist er befugt, den Beschuldigten ausnahmsweise während der Vernehmung eines Mitbeschuldigten oder eines Zeugen aus dem Verhandlungssaal zu entfernen. Er muß ihn aber, sobald er ihn nach seiner Wiederzulassung über den in seiner Abwesenheit verhandelten Gegenstand vernommen hat, von allem in Kenntnis setzen, was in seiner Abwesenheit vorgebracht wurde, insbesondere von den Aussagen, die inzwischen gemacht worden sind. Der Verhandlungsleiter kann die vorübergehende oder endgültige Entfernung eines Zeugen gestatten oder anordnen.

(7) Personen, die die mündliche Verhandlung stören oder durch ungeziemendes Benehmen den Anstand verletzen, sind vom Verhandlungsleiter zu ermahnen; bleibt die Ermahnung erfolglos, so kann ihnen nach vorausgegangener Androhung das Wort entzogen, ihre Entfernung aus dem Verhandlungsraum verfügt und über sie eine Ordnungsstrafe bis zu 700 Euro verhängt werden. Wird die Ordnungsstrafe vom Vorsitzenden des Spruchsenates verhängt, ist ein Rechtsmittel nicht zulässig. Bei Entfernung eines Beschuldigten kann die Verhandlung in seiner Abwesenheit fortgesetzt werden. Bei Entfernung eines Verteidigers oder Bevollmächtigten ist dem Beschuldigten oder den Nebenbeteiligten auf Antrag eine angemessene Frist zur Bestellung eines anderen Verteidigers oder Bevollmächtigten einzuräumen.

(8) Macht sich ein Parteienvertreter, der der Disziplinargewalt einer Standesbehörde unterliegt, des im Abs. 7 umschriebenen Verhaltens schuldig, so ist keine Ordnungsstrafe zu verhängen, sondern die Anzeige an die zuständige Standesbehörde zu erstatten. Die sonstigen im Abs. 7 vorgesehenen Maßnahmen können auch in diesen Fällen vom Verhandlungsleiter getroffen werden.

(9) Fernseh- und Hörfunkaufnahmen und -übertragungen sowie Film- und Fotoaufnahmen von Verhandlungen sind unzulässig. Tonaufnahmen sind nur über Anordnung des Verhandlungsleiters für die Abfassung der Niederschrift zulässig. Diese sind jedenfalls bis zur Rechtskraft der Entscheidung aufzubewahren. Darüber hinaus sind Vernehmungen von Zeugen mittels technischer Einrichtungen gemäß § 56b über Anordnung des Verhandlungsleiters zulässig.

§ 128. (1) Der Verhandlungsleiter hat den Sachverhalt und die Ergebnisse des Untersuchungsverfahrens vorzutragen, falls nicht die mündliche Verhandlung sofort nach Abschluß des Untersuchungsverfahrens stattfindet. Er hat hiezu den Beschuldigten zu vernehmen und von diesem beantragte ergänzende Beweisaufnahmen unter Bedachtnahme auf die Bestimmungen des § 114 Abs. 2 sowie jene weiteren Beweisaufnahmen durchzuführen, die er für die Klärung des Sachverhaltes für erforderlich erachtet, wobei auch die §§ 119, 120 und 123 anzuwenden sind. Der Verhandlungsleiter kann jedoch zu diesem Zweck auch die Ergänzung des Untersuchungsverfahrens anordnen.

(2) Bei der Durchführung von Beweisaufnahmen steht dem Beschuldigten und den Nebenbeteiligten ein Fragerecht zu, doch kann der Verhandlungsleiter Fragen zurückweisen, die ihm unangemessen erscheinen.

(3) Auf Antrag des Beschuldigten sind bei der mündlichen Verhandlung jene im Untersuchungsverfahren aufgenommenen Beweise, bei deren Aufnahme er nicht zugegen war, in seiner Anwesenheit zu wiederholen. Gegen die Ablehnung des Antrages ist ein abgesondertes Rechtsmittel nicht zulässig.

(4) Wird in einer gemäß § 125 Abs. 2 durchgeführten mündlichen Verhandlung befunden, daß die Durchführung der Verhandlung und die Fällung des Erkenntnisses einem Spruchsenat obliege, so ist die Verhandlung abzubrechen; für das weitere Verfahren gilt § 124 Abs. 2 sinngemäß.

§ 129. Der mündlichen Verhandlung vor dem Spruchsenat haben alle Mitglieder des Senates und der Amtsbeauftragte (§ 124 Abs. 2) beizuwohnen. Der Amtsbeauftragte nimmt an den Beratungen des Senates nicht teil.

§ 130. (1) Für den Ablauf der mündlichen Verhandlung vor dem Spruchsenat gelten die Bestimmungen der § 128 mit der Maßgabe, daß

a) die Darstellung des Sachverhaltes und der Ergebnisse des Untersuchungsverfahrens dem Behördenbeisitzer obliegt, der dem Senat angehört;

b) der Amtsbeauftragte Beweisanträge stellen kann;

c) das Recht der Fragestellung auch den Mitgliedern des Spruchsenates und dem Amtsbeauftragten zusteht.

(2) Nach Beendigung der Beweisaufnahmen erhält zuerst der Amtsbeauftragte das Wort, um die Ergebnisse der Beweisführung zusammenzufassen und hinsichtlich der Schuld des Beschuldigten sowie wegen der gegen ihn anzuwendenden Strafbestimmungen Anträge zu stellen und zu begründen. Einen bestimmten Antrag über Art und Höhe der Strafe hat der Amtsbeauftragte nicht zu stellen.

(3) Dem Beschuldigten und den Nebenbeteiligten steht das Recht zu, auf die Ausführungen des Amtsbeauftragten zu antworten. Findet dieser hierauf etwas zu erwidern, so gebührt dem Beschuldigten jedenfalls das Schlußwort. Sodann hat der Verhandlungsleiter den Schluß der mündlichen Verhandlung bekanntzugeben.

§ 131. (1) Jeder Abstimmung eines Senates hat eine Beratung voranzugehen, an der alle Mitglieder des Senates teilzunehmen haben. Der Schriftführer ist beizuziehen.

(2) Der Laienbeisitzer gibt seine Stimme als erster ab; ihm folgt der Behördenbeisitzer. Der Vorsitzende stimmt zuletzt.

(3) Zu jedem Beschluß eines Senates ist mehr als die Hälfte der Stimmen erforderlich.

(4) Teilen sich die Stimmen in mehr als zwei verschiedene Meinungen, sodaß keine dieser Meinungen die erforderliche Mehrheit für sich hat, hat der Vorsitzende die Erreichung eines Beschlusses dadurch zu versuchen, daß er die Frage teilt und über die Teilfrage abstimmen läßt. Bleibt dieser Versuch erfolglos, so wird die dem Beschuldigten nachteiligste Stimme der zunächst minder nachteiligen zugezählt.

(5) Gehen die Ansichten darüber auseinander, welche von zwei Meinungen für den Beschuldigten minder nachteilig ist, so ist darüber besonders abzustimmen.

§ 132. (1) Über die Zuständigkeit des Senates, über die Notwendigkeit von Ergänzungen des Verfahrens und über Vorfragen muß immer zuerst abgestimmt werden. Entscheidet sich die Mehrheit der Stimmen dahin, daß ungeachtet der über die Vorfrage erhobenen Zweifel zur Hauptentscheidung zu schreiten sei, so ist auch das in der Minderheit gebliebene Mitglied des Senates verpflichtet, über die Hauptsache mitabzustimmen.

(2) Bei der Entscheidung über die Hauptsache ist die Frage, ob der Beschuldigte der ihm zur Last gelegten Tat schuldig sei, immer von der Frage über die Strafe zu sondern und vor dieser Frage zur Abstimmung zu bringen. Liegen dem Beschuldigten mehrere strafbare Taten zur Last, so muß über jede einzelne Tat ein eigener Beschluß über die Schuld oder Nichtschuld des Beschuldigten gefaßt werden. Die Abstimmung über die Strafe hat sich auf jene strafbaren Taten zu beschränken, deren der Beschuldigte für schuldig erklärt worden ist. Hiebei steht es einem Senatsmitglied, das den Beschuldigten wegen einer ihm zur Last gelegten strafbaren Tat nicht schuldig gefunden hat, frei, auf Grund des über die Schuldfrage gefaßten Beschlusses seine Stimme über die Strafe abzugeben oder sich der Abstimmung zu enthalten. Enthält ein Senatsmitglied sich der Abgabe der Stimme über die Frage der Strafe, so ist seine Stimme so zu zählen, als ob es der für den Beschuldigten günstigeren Meinung beigetreten wäre.

§ 133. Über die Beratung und Abstimmung des Senates ist eine gesonderte Niederschrift aufzunehmen, die vom Vorsitzenden und vom Schriftführer zu unterfertigen ist. Beratung und Abstimmung des Senates sind geheim.

§ 134. Im Verfahren vor dem Spruchsenat hat der Vorsitzende nach Schluß der mündlichen Verhandlung auf Grund der Ergebnisse der Beratung und Abstimmung das Erkenntnis öffentlich zu verkünden und hiebei die wesentlichen Entscheidungsgründe bekanntzugeben. War die Öffentlichkeit der mündlichen Verhandlung ausgeschlossen, so ist sie auch bei der Bekanntgabe der Entscheidungsgründe des Erkenntnisses auszuschließen, soweit dabei Verhältnisse oder Umstände zur Sprache kommen, die unter die Geheimhaltungspflicht nach § 48a BAO fallen. Im Verfahren vor dem Einzelbeamten ist die Verkündung des Erkenntnisses nicht öffentlich; das Erkenntnis kann auch der schriftlichen Ausfertigung vorbehalten werden. Nach mündlicher Verkündung des Erkenntnisses hat der Verhandlungsleiter Belehrung über das Erfordernis der Anmeldung einer Beschwerde zu erteilen.

§ 135. (1) Der Ablauf der mündlichen Verhandlung ist durch den Schriftführer, erforderlichenfalls nach den Angaben des Verhandlungsleiters, festzuhalten. Die Niederschrift hat zu enthalten

a) die Bezeichnung der Finanzstrafbehörde, den Namen des Verhandlungsleiters, im Verfahren vor einem Spruchsenat die Namen der Mitglieder des Spruchsenates und des Amtsbeauftragten; den Namen des Schriftführers;

b) Vor- und Zunamen, Tag und Ort der Geburt, Staatsbürgerschaft, Familienstand, Beschäftigung und Wohnort des Beschuldigten und, soweit solche am Strafverfahren beteiligt sind, auch Vor- und Zunamen, Beschäftigung und Wohnort der Nebenbeteiligten;

c) die Namen der als Verteidiger und Bevollmächtigte auftretenden Personen;

d) die deutliche Bezeichnung der dem Beschuldigten zur Last gelegten Tat;

e) die Rechtfertigung oder das Geständnis des Beschuldigten;

f) die wesentlichen Aussagen der Zeugen und Sachverständigen und die sonstigen Beweisaufnahmen;

g) wenn das Erkenntnis nach Schluß der mündlichen Verhandlung verkündet worden ist, dessen Inhalt und die wesentlichen Gründe, sonst den Vorbehalt der schriftlichen Ausfertigung.

(2) Alle Angaben in der Niederschrift sind mit möglichster Kürze abzufassen. Soweit die in Abs. 1 lit. b bis f bezeichneten Angaben bereits schriftlich im Akt niedergelegt sind, genügt in der Niederschrift ein kurzer Hinweis auf die bezüglichen Aktenstücke. Liegen die Voraussetzungen des § 141 Abs. 3 vor, so kann sich der Inhalt der Niederschrift auf die in Abs. 1 lit. a bis d und g genannten Bestandteile beschränken. Wurde nach § 56b vorgegangen, ist dies in der Niederschrift festzuhalten.

(3) Die Verhandlungsniederschrift ist vom Verhandlungsleiter und vom Schriftführer zu unterfertigen. Dem Beschuldigten und den Nebenbeteiligten ist auf Verlangen eine Ausfertigung dieser Niederschrift auszufolgen.

C. Inhalt des Erkenntnisses.

§ 136. (1) Wenn einer der im § 82 Abs. 3 lit. b bis e genannten Gründe vorliegt oder wenn die dem Beschuldigten zur Last gelegte Tat nicht erwiesen werden kann, ist im Erkenntnis die Einstellung des Strafverfahrens auszusprechen. Sonst ist im Erkenntnis über Schuld und Strafe zu entscheiden.

(2) Im Verfahren vor dem Spruchsenat kann dieser im Spruch des Erkenntnisses aussprechen, dass im Falle einer nach § 15 Abs. 3 verhängten Freiheitsstrafe eine Anhaltung im elektronisch überwachten Hausarrest (§ 156b StVG) zur Gänze oder für einen bestimmten Zeitraum nicht in Betracht kommt, wenn auf Grund bestimmter Tatsachen anzunehmen ist, dass eine solche Anhaltung nicht genügen werde, um den Bestraften von weiteren strafbaren Handlungen abzuhalten, oder es ausnahmsweise der Vollstreckung der Strafe in einer Anstalt bedarf, um der Begehung strafbarer Handlungen durch andere entgegen zu wirken. Dabei sind insbesondere die Art der Tat, die Person des Täters, der Grad seiner Schuld, sein Vorleben und sein Verhalten nach der Tat zu berücksichtigen.

§ 137. Die Urschrift und die Ausfertigung des Erkenntnisses haben zu enthalten:

a) Die Bezeichnung der Finanzstrafbehörde; wenn eine mündliche Verhandlung stattgefunden hat, die Namen des Verhandlungsleiters und des Schriftführers; bei Erkenntnissen eines Spruchsenates auch die Namen der Senatsmitglieder und des Amtsbeauftragten;

b) Vor- und Zunamen, Tag und Ort der Geburt sowie Beschäftigung und Wohnort des Beschuldigten; Vor- und Zunamen sowie Wohnort der Nebenbeteiligten; die Namen des Verteidigers und der Bevollmächtigten;

c) den Spruch;

d) die Begründung;

e) die Rechtsmittelbelehrung und die Zahlungsaufforderung;

f) im Verfahren vor einem Spruchsenat die Unterschrift des Vorsitzenden; in den übrigen Fällen, wenn eine mündliche Verhandlung stattgefunden hat, die Unterschrift des Verhandlungsleiters, sonst die Unterschrift des Vorstandes der Finanzstrafbehörde oder des Amtsorgans, das durch diesen mit der Befugnis, Straferkenntnisse zu erlassen, betraut wurde; an die Stelle der Unterschrift kann die Beglaubigung der Kanzlei treten, dass die Ausfertigung mit der Urschrift übereinstimmt und diese die eigenhändig beigesetzte Unterschrift aufweist; Ausfertigungen in Form von elektronischen Dokumenten müssen an Stelle der Unterschrift oder Beglaubigung mit einer Amtssignatur (§ 19 E-Government-Gesetz) versehen sein; Ausfertigungen in Form von Ausdrucken von mit einer Amtssignatur versehenen elektronischen Dokumenten oder von Kopien solcher Ausdrucke brauchen keine weiteren Voraussetzungen erfüllen;

g) das Datum der mündlichen Verkündung, sonst das Datum der Unterfertigung.

§ 138. (1) Der Spruch hat, soweit er auf Einstellung lautet, die dem Beschuldigten zur Last gelegte Tat zu bezeichnen und die Einstellung des Strafverfahrens anzuordnen.

(2) Der Spruch hat, soweit er nicht auf Einstellung lautet, zu enthalten:

a) die Bezeichnung der Tat, die als erwiesen angenommen wird;

b) die angewendete Strafvorschrift;

c) den Ausspruch über die Strafe; in den Fällen des § 24 Abs. 2 den Ausspruch über den Aufschub der Strafe;

d) die Anrechnung einer allfälligen vorläufigen Verwahrung oder Untersuchungshaft (§ 23 Abs. 5) oder einer im Ausland verbüßten Strafe (§ 23 Abs. 7);

e) den Ausspruch über den Kostenersatz (§ 185);

f) die allfällige Feststellung, daß bestimmte Personen den Verfall gegen sich gelten zu lassen haben;

g) die allfällige Entscheidung darüber, welche Pfand- oder Zurückbehaltungsrechte Dritter an für verfallen erklärten Gegenständen anerkannt oder nicht anerkannt werden, in welcher Höhe die gesicherten Forderungen anerkannt werden und welcher Rang ihnen zukommt; werden sie anerkannt, so ist auch auszusprechen, daß der festgesetzte Wertsatz (§ 19 Abs. 3) nur mit dem Betrag einzufordern ist, der zur Befriedigung der anerkannten Forderungen aus dem Verwertungserlös aufgewendet wird;

h) die allfällige Feststellung, daß eine Haftungspflicht für die verhängte Geldstrafe und den auferlegten Wertersatz gemäß § 28 gegeben ist, und die Nennung der Haftungsbeteiligten;

i) in den Fällen des § 122 Abs. 2 den Vorbehalt der Entscheidung.

§ 139. Die Begründung hat sich auf alle Teile des Spruches (§ 138) zu erstrecken; sie hat in gedrängter Darstellung, aber mit voller Bestimmtheit anzugeben, welche Tatsachen die Finanzstrafbehörde als erwiesen oder als nicht erwiesen angenommen hat und aus welchen Gründen dies geschehen ist, ferner, von welchen Erwägungen sie bei der Würdigung der vorgebrachten Einwendungen und bei der Entscheidung von Rechtsfragen geleitet wurde.

§ 140. (1) Die Rechtsmittelbelehrung hat anzugeben, ob gegen das Erkenntnis eine Beschwerde zulässig ist oder nicht und bejahendenfalls, innerhalb welcher Frist und bei welcher Behörde sie einzubringen ist. Die Rechtsmittelbelehrung hat, wenn ein Rechtsmittel zulässig ist, darauf hinzuweisen, daß dieses begründet werden muß.

(2) Enthält das Erkenntnis keine Rechtsmittelbelehrung oder keine Angaben über die Rechtsmittelfrist oder erklärt es zu Unrecht ein Rechtsmittel für unzulässig, so wird die Rechtsmittelfrist nicht in Lauf gesetzt.

(3) Ist in dem Erkenntnis eine längere als die gesetzliche Frist angegeben, so ist das innerhalb der angegebenen Frist eingebrachte Rechtsmittel rechtzeitig.

(4) Enthält das Erkenntnis keine oder eine unrichtige Angabe über die Behörde, bei welcher das Rechtsmittel einzubringen ist, so ist das Rechtsmittel richtig eingebracht, wenn es bei der Behörde, die das Erkenntnis ausgefertigt hat, oder bei der angegebenen Behörde eingebracht wurde.

(5) In der Zahlungsaufforderung ist der Beschuldigte aufzufordern, die Geldstrafe, den Wertersatz und die Kosten bei Fälligkeit zu bezahlen; die Aufforderung hat den Hinweis zu enthalten, daß bei Nichtzahlung die Zwangsvollstreckung durchgeführt und bei Uneinbringlichkeit der Geldstrafe und des Wertersatzes die Ersatzfreiheitsstrafe vollzogen werden muß.

§ 141. (1) Das Erkenntnis ist schriftlich auszufertigen. Ausfertigungen des Erkenntnisses sind dem Beschuldigten, den gemäß § 122 dem Verfahren zugezogenen Nebenbeteiligten und dem Amtsbeauftragten zuzustellen.

(2) Ist in einem Gesetz vorgesehen, daß die Bestrafung wegen eines Finanzvergehens den Verlust eines Rechtes nach sich zieht oder nach sich ziehen könnte, so hat die Finanzstrafbehörde die rechtskräftige Bestrafung der in Betracht kommenden Stelle bekanntzugeben. Sofern dieser Stelle nicht schon nach anderen gesetzlichen Bestimmungen eine Ausfertigung des Erkenntnisses zugestellt werden muß, ist ihr auf ihr Ersuchen eine Ausfertigung zu übersenden.

(3) Waren alle zur Erhebung einer Beschwerde berechtigten Personen bei der mündlichen Verkündung des Erkenntnisses anwesend oder vertreten und wurde ein Rechtsmittel nicht fristgerecht angemeldet (§ 150 Abs. 4), kann eine vereinfachte schriftliche Ausfertigung des Erkenntnisses ergehen. Diese hat die in § 137 angeführten Elemente mit Ausnahme der Begründung zu enthalten.

D. Sonderbestimmung für Freiheitsstrafen.

§ 142. (1) Wurde im Erkenntnis eine Freiheitsstrafe verhängt und besteht Fluchtgefahr, so kann der Verhandlungsleiter über den Beschuldigten bis zur Rechtskraft des Erkenntnisses, jedoch längstens auf die Dauer der im Erkenntnis angeordneten Freiheitsstrafe, die Haft verhängen.

(Anm.: Abs. 2 aufgehoben durch BGBl. I Nr. 14/2013)

(3) Die Bestimmungen der §§ 87 und 88 gelten sinngemäß.

E. Vereinfachtes Verfahren.

§ 143. (1) Die Finanzstrafbehörde kann ein Strafverfahren ohne mündliche Verhandlung und ohne Fällung eines Erkenntnisses durch Strafverfügung beenden, wenn der Sachverhalt nach Ansicht der Finanzstrafbehörde durch die Angaben des Beschuldigten oder durch das Untersuchungsergebnis, zu dem der Beschuldigte Stellung zu nehmen Gelegenheit hatte, ausreichend geklärt ist; ist der Sachverhalt schon durch das Ermittlungsergebnis des Abgabenverfahrens oder des Vorverfahrens (§ 82 Abs. 1), zu welchem der Täter Stellung zu nehmen Gelegenheit hatte, ausreichend geklärt, so kann das Finanzvergehen auch ohne Durchführung eines Untersuchungsverfahrens durch Strafverfügung geahndet werden (vereinfachtes Verfahren).

(2) Für die Zuziehung von Nebenbeteiligten gilt § 122.

(3) Eine Strafverfügung ist ausgeschlossen,

a) wenn die Durchführung der mündlichen Verhandlung und die Fällung des Erkenntnisses gemäß § 58 Abs. 2 einem Spruchsenat obliegt,

b) wenn die Voraussetzungen für ein Verfahren gegen Personen unbekannten Aufenthaltes (§ 147) oder für ein selbständiges Verfahren (§ 148) gegeben sind.

§ 144. Für die Strafverfügung und deren Zustellung gelten die Bestimmungen sinngemäß, die für die nicht auf Einstellung lautenden Erkenntnisse gelten

(§§ 137, 138 Abs. 2, 140 Abs. 2 bis 5 und 141). Statt der Rechtsmittelbelehrung ist die Belehrung über das Einspruchsrecht zu geben.

§ 145. (1) Der Beschuldigte und die Nebenbeteiligten können gegen die Strafverfügung binnen einem Monat nach der Zustellung bei der Finanzstrafbehörde, die die Strafverfügung erlassen hat, Einspruch erheben; sie können zugleich die der Verteidigung und der Wahrung ihrer Rechte dienlichen Beweismittel vorbringen.

(2) Durch die rechtzeitige Einbringung eines Einspruches tritt die Strafverfügung außer Kraft. Das Verfahren ist nach den Bestimmungen der §§ 115 bis 142 durchzuführen. In diesem Verfahren hat die Finanzstrafbehörde auf den Inhalt der außer Kraft getretenen Strafverfügung keine Rücksicht zu nehmen und kann auch eine andere Entscheidung fällen. Erheben nur Nebenbeteiligte rechtzeitig Einspruch, so ist in einem abgesonderten Verfahren (§ 149) über ihre Rechte zu entscheiden.

(3) Auf die Erhebung eines Einspruches kann schriftlich oder zur Niederschrift verzichtet werden. Vor Erlassung der Strafverfügung kann ein Verzicht rechtswirksam nur abgegeben werden, wenn aus der Verzichtserklärung hervorgeht, daß dem Verzichtenden im Zeitpunkt ihrer Abgabe der Inhalt der zu erwartenden Strafverfügung bekannt war. Wurde der Verzicht nicht von einem berufsmäßigen Parteienvertreter oder im Beisein eines solchen abgegeben, so kann er binnen drei Tagen schriftlich oder zur Niederschrift widerrufen werden.

(4) Die Finanzstrafbehörde hat den Einspruch durch Bescheid zurückzuweisen, wenn er unzulässig ist oder nicht fristgerecht eingebracht wurde.

(5) Ist ein Einspruch nicht mehr zulässig, so hat die Strafverfügung die Wirkung eines rechtskräftigen Erkenntnisses.

§ 146. (1) Das Zollamt Österreich kann bei geringfügigen Finanzvergehen durch Strafverfügung Geldstrafen nach Maßgabe der Strafsätze der §§ 33 bis 37, 44 bis 46, 48 bis 48b und 51 sowie des § 91 Alkoholsteuergesetz 2022 – AlkStG 2022, BGBl. Nr. 703/1994 und des § 11 Mineralölsteuergesetz 2022 – MinStG 2022, BGBl. Nr. 630/1994, jedoch nur bis zu einem Höchstausmaß von 3 000 Euro, verhängen und, soweit dies in den §§ 33, 35, 37, 44 und 46 sowie in § 91 AlkStG 2022 und in § 11 MinStG 2022 vorgesehen ist, den Verfall aussprechen (vereinfachte Strafverfügung). Eine solche Strafverfügung darf nur erlassen werden, wenn sich der Beschuldigte nach Bekanntgabe der in Aussicht genommenen Strafe mit der Erlassung der vereinfachten Strafverfügung einverstanden erklärt und auf die Erhebung eines Einspruchs schriftlich verzichtet. Kosten des Strafverfahrens sind nicht zu ersetzen.

(2) Als geringfügige Finanzvergehen gelten:

1. Finanzordnungswidrigkeiten nach § 51;

2. die Finanzvergehen nach den §§ 33, 35 und 37 Abs. 1, sofern der strafbestimmende Wertbetrag oder die Summe der strafbestimmenden Wertbeträge (§ 53 Abs. 1) 1 500 Euro nicht übersteigt; als strafbestimmender Wertbetrag hat der auf die Ware entfallende Abgabenbetrag oder der hinterzogene Abgabenbetrag zu gelten;

3. die Finanzvergehen nach den §§ 34, 36, 37 Abs. 3 und 44 bis 46, sofern der strafbestimmende Wertbetrag oder die Summe der strafbestimmenden Wertbeträge (§ 53 Abs. 1) 3 000 Euro nicht übersteigt; als strafbestimmender Wertbetrag hat der auf die Ware entfallende Abgabenbetrag oder der verkürzte Abgabenbetrag bzw. das Einfache der Bemessungsgrundlage gemäß § 44 Abs. 2 zu gelten;

4. die Finanzvergehen nach den §§ 48 und 48a, sofern durch die Tat weder Abgaben hinterzogen noch verkürzt wurden;

5. das Finanzvergehen nach § 48b, sofern die Barmittel den Betrag von 30 000 Euro nicht übersteigen;

6. die Finanzvergehen nach § 91 AlkStG 2022 und § 11 MinStG 2022, sofern die hinterzogenen Abgaben den Betrag von 1 500 Euro oder die verkürzten Abgaben den Betrag von 3 000 Euro nicht übersteigen.

F. Verfahren gegen Personen unbekannten Aufenthaltes.

§ 147. Ist der Aufenthalt einer Person, die eines Finanzvergehens verdächtig ist, unbekannt, so hat die Finanzstrafbehörde dennoch den für die Erledigung der Strafsache maßgeblichen Sachverhalt von Amts wegen festzustellen und den Verdächtigen auszuforschen. Eine mündliche Verhandlung darf aber nur durchgeführt werden, wenn feststeht, daß der Verdächtige von der Einleitung des Strafverfahrens oder einer anderen gegen ihn gerichteten Verfolgungshandlung (§ 14 Abs. 3) persönlich Kenntnis erlangt hat. Wenn die Wichtigkeit der Sache es erfordert, so hat die Finanzstrafbehörde durch ein in ihrem Amtsbereich gelegenes Bezirksgericht einen Kurator bestellen zu lassen. Dieser Kurator hat im Verfahren die Rechte und rechtlichen Interessen des Beschuldigten wahrzunehmen. Seine Kosten sind vom Beschuldigten zu tragen. In diesem Verfahren sind im übrigen die Bestimmungen dieses Unterabschnittes anzuwenden.

G. Selbständiges Verfahren.

§ 148. Soll gemäß § 18 im selbständigen Verfahren auf Verfall erkannt werden, so sind die Verfahrensbestimmungen dieses Unterabschnittes, mit Ausnahme des § 147, sinngemäß anzuwenden. Die mündliche Verhandlung hat jedoch zu unterbleiben, wenn die Fällung des Erkenntnisses nicht dem Spruchsenat obliegt.

H. Abgesondertes Verfahren.

§ 149. (1) Ein abgesondertes Verfahren ist durchzuführen

a) von Amts wegen oder auf Antrag eines Nebenbeteiligten, wenn dessen Zuziehung gemäß § 122 Abs. 2 unterblieben ist,

b) auf Antrag eines Verfallsbeteiligten, wenn dieser dem Verfahren, in welchem auf Verfall erkannt wurde, ohne sein Verschulden nicht zugezogen war,

c) von Amts wegen in den Fällen des § 145 Abs. 2 letzter Satz.

(2) In den Fällen des Abs. 1 lit. a ist die gemäß § 122 Abs. 2 vorbehaltene Entscheidung zu fällen.

(3) In den Fällen des Abs. 1 lit. b und c ist über die Rechte des Verfallsbeteiligten und über die Inanspruchnahme des Haftungsbeteiligten zu entscheiden. Wird der Verfall aufgehoben oder ein Pfand- oder Zurückbehaltungsrecht anerkannt, so ist auf den vom Bestraften zu leistenden Wertersatz zu erkennen. Andernfalls ist auszusprechen, daß der verfallsbeteiligte Eigentümer den Verfall gegen sich gelten zu lassen habe oder daß die Pfand- oder Zurückbehaltungsrechte nicht anerkannt werden.

(4) Für das abgesonderte Verfahren gelten die Bestimmungen dieses Unterabschnittes mit der Maßgabe, daß die Entscheidung mit Bescheid zu ergehen hat. Der Bestrafte des vorangegangenen Verfahrens hat die Stellung eines Beschuldigten.

(5) Nach Ablauf von drei Jahren, von der Rechtskraft der Entscheidung im vorangegangenen Verfahren an gerechnet, ist ein Antrag auf Durchführung des abgesonderten Verfahrens nicht mehr zulässig.

VII. Hauptstück.

Beschwerde; Wiederaufnahme des Verfahrens, Wiedereinsetzung in den vorigen Stand.

A. Beschwerde.

1. Allgemeines.

§ 150. (1) Rechtsmittel im Finanzstrafverfahren ist die Beschwerde an das Bundesfinanzgericht.

(2) Die Rechtsmittelfrist beträgt einen Monat. Sie beginnt mit der Zustellung des angefochtenen Erkenntnisses oder sonstigen Bescheides, bei Beschwerden gegen die Ausübung unmittelbarer finanzstrafbehördlicher Befehls- und Zwangsgewalt mit deren Kenntnis, sofern der Beschwerdeführer aber durch den Verwaltungsakt behindert war, von seinem Beschwerderecht Gebrauch zu machen, ab dem Wegfall dieser Behinderung.

(3) Die Beschwerde ist bei der Behörde einzubringen, die das angefochtene Erkenntnis (den Bescheid) erlassen hat oder deren Säumigkeit behauptet wird. Sie gilt auch als rechtzeitig eingebracht, wenn sie innerhalb der Beschwerdefrist beim Bundesfinanzgericht eingebracht worden ist. Dies gilt für eine Beschwerde gegen die Ausübung unmittelbarer finanzstrafbehördlicher Befehls- und Zwangsgewalt sinngemäß; eine solche Beschwerde kann auch bei der Finanzstrafbehörde eingebracht werden, in deren Bereich der angefochtene Verwaltungsakt gesetzt worden ist. Die Einbringung bei einer anderen Stelle gilt, sofern nicht § 140 Abs. 4 anzuwenden ist, nur dann als rechtzeitig, wenn die Beschwerde noch vor Ablauf der Beschwerdefrist einer zuständigen Behörde oder dem Bundesfinanzgericht zukommt.

(4) Wurde ein Erkenntnis mündlich verkündet, so ist die Erhebung einer Beschwerde dagegen innerhalb einer Woche bei der Behörde, die das anzufechtende Erkenntnis erlassen hat, schriftlich oder mündlich zu Protokoll anzumelden. Eine angemeldete Beschwerde ist innerhalb der Frist gemäß Abs. 2 einzubringen. Eine nicht oder verspätet angemeldete Beschwerde ist zurückzuweisen, es sei denn, sie wurde von einer gemäß § 151 Abs. 1 berechtigten Person eingebracht, die bei der mündlichen Verhandlung weder anwesend noch vertreten war.

§ 151. (1) Zur Erhebung einer Beschwerde gegen Erkenntnisse sind berechtigt:

FinStrG

a) der Beschuldigte, soweit das Erkenntnis nicht auf Einstellung lautet;

b) wenn das Erkenntnis von einem Spruchsenat gefällt worden ist, auch der Amtsbeauftragte;

c) wenn der Spruch Feststellungen oder Entscheidungen der im § 138 Abs. 2 lit. f bis i bezeichneten Art enthält, auch die hievon betroffenen Nebenbeteiligten.

(2) Die rechtzeitig eingebrachte Beschwerde gegen Erkenntnisse hat aufschiebende Wirkung, ausgenommen in den Fällen der gemäß § 142 Abs. 1 wegen Fluchtgefahr verhängten Haft.

§ 152. (1) Eine Beschwerde gegen alle sonstigen im Finanzstrafverfahren ergehenden Bescheide sowie gegen die Ausübung unmittelbarer finanzstrafbehördlicher Befehls- und Zwangsgewalt ist zulässig, soweit nicht ein Rechtsmittel für unzulässig erklärt ist. Gegen das Verfahren betreffende Anordnungen ist, soweit nicht ein Rechtsmittel für zulässig erklärt ist, eine abgesonderte Beschwerde nicht zulässig; sie können erst mit einer Beschwerde gegen das das Verfahren abschließende Erkenntnis (Bescheid) angefochten werden. Zur Erhebung der Beschwerde ist derjenige berechtigt, an den der angefochtene Bescheid ergangen ist oder der behauptet, durch die Ausübung unmittelbarer finanzstrafbehördlicher Befehls- und Zwangsgewalt in seinen Rechten verletzt worden zu sein sowie bei einem Bescheid eines Spruchsenates oder eines Spruchsenatsvorsitzenden auch der Amtsbeauftragte.

(2) Der Beschwerde nach Abs. 1 kommt eine aufschiebende Wirkung kraft Gesetzes nicht zu. Die Behörde, deren Bescheid angefochten wird, hat jedoch auf Antrag des Beschwerdeführers die aufschiebende Wirkung zuzuerkennen, wenn durch die Vollziehung

des Bescheides ein nicht wieder gutzumachender Schaden eintreten würde und nicht öffentliche Rücksichten die sofortige Vollziehung gebieten. Gegen die Verweigerung der aufschiebenden Wirkung ist eine abgesonderte Beschwerde nicht zulässig; bei Bescheiden eines Spruchsenatsvorsitzenden entscheidet dieser über den Antrag.

(3) Eine Beschwerde wegen Verletzung der Entscheidungspflicht (Säumnisbeschwerde) nach Art. 130 Abs. 1 Z 3 B-VG ist nur zulässig, wenn über Anträge, die dieses Bundesgesetz im verwaltungsbehördlichen Finanzstrafverfahren vorsieht, innerhalb von sechs Monaten nicht entschieden worden ist. Die Frist läuft von dem Tag, an dem der Antrag bei der zuständigen Finanzstrafbehörde eingelangt ist. Das Bundesfinanzgericht hat der säumigen Finanzstrafbehörde aufzutragen, innerhalb einer Frist bis zu drei Monaten über den Antrag zu entscheiden und dem Bundesfinanzgericht den Bescheid oder die entsprechenden Aktenteile in Kopie vorzulegen oder anzugeben, warum eine Verletzung der Entscheidungspflicht nicht vorliegt. Die Frist kann einmal verlängert werden, wenn die Finanzstrafbehörde das Vorliegen von in der Sache gelegenen Gründen nachzuweisen vermag, die eine fristgerechte Erlassung des Bescheides oder Vornahme der Verfahrenshandlung unmöglich machen. Ist die Finanzstrafbehörde innerhalb der gesetzten Frist tätig geworden, ist das Verfahren über die Säumnisbeschwerde einzustellen, andernfalls geht die Zuständigkeit zur Entscheidung über den nicht erledigten Antrag auf das Bundesfinanzgericht über.

§ 153. (1) Die Beschwerde gegen Erkenntnisse (Bescheide) hat zu enthalten:

a) die Bezeichnung des Erkenntnisses (Bescheides), gegen das sie sich richtet;

b) die Erklärung, in welchen Punkten das Erkenntnis (der Bescheid) angefochten wird;

c) die Erklärung, welche Änderungen beantragt werden;

d) eine Begründung;

e) wenn neue Tatsachen oder neue Beweismittel vorgebracht werden, deren Bezeichnung.

(2) Beschwerden des Amtsbeauftragten sind in so vielen Ausfertigungen einzubringen, daß auch jedem Beschuldigten und Nebenbeteiligten des Verfahrens eine Ausfertigung zugestellt werden kann.

(3) Die Beschwerde gegen die Ausübung unmittelbarer finanzstrafbehördlicher Befehls- und Zwangsgewalt hat zu enthalten:

a) die Bezeichnung des angefochtenen Verwaltungsaktes;

b) soweit dies zumutbar ist, eine Angabe darüber, welches Organ den angefochtenen Verwaltungsakt gesetzt hat;

c) den Sachverhalt;

d) die Gründe, auf die sich die Behauptung der Rechtswidrigkeit stützt;

e) das Begehren, den angefochtenen Verwaltungsakt für rechtswidrig zu erklären;

f) die Angaben, die zur Beurteilung der fristgerechten Einbringung der Beschwerde erforderlich sind.

(4) Die Säumnisbeschwerde hat zu enthalten:

a) die Bezeichnung der Behörde, deren Entscheidung in der Rechtssache verlangt wurde;

b) den Sachverhalt;

c) die bestimmte Bezeichnung des Rechtes, in dem der Beschwerdeführer verletzt zu sein behauptet;

d) ein bestimmtes Begehren;

e) die Glaubhaftmachung, dass die sechsmonatige Frist (§ 152 Abs. 3) abgelaufen ist.

§ 154. Ein Rechtsmittel ist nicht mehr zulässig, wenn nach Verkündung oder Zustellung des Erkenntnisses (Bescheides) ausdrücklich auf ein Rechtsmittel verzichtet wurde. Der Verzicht ist der Behörde, die das Erkenntnis (den Bescheid) erlassen hat, schriftlich bekanntzugeben oder zu Protokoll zu erklären. Wurde der Verzicht nicht von einem berufsmäßigen Parteienvertreter oder im Beisein eines solchen abgegeben, so kann er binnen drei Tagen schriftlich oder zur Niederschrift widerrufen werden.

§ 155. Rechtsmittel können ganz oder teilweise zurückgenommen werden. Die Zurücknahme ist bis zur Unterzeichnung der Rechtsmittelentscheidung, falls aber mündlich verhandelt wird, bis zum Schluß der mündlichen Verhandlung zulässig. Die Zurücknahme ist schriftlich bekanntzugeben oder zu Protokoll zu erklären. Sie hat für den Rechtsmittelwerber im Umfang der Zurücknahme den Verlust des Rechtsmittels zur Folge.

2. Beschwerdeverfahren.

§ 156. (1) Die Finanzstrafbehörde hat eine Beschwerde, die gegen ein von ihr erlassenes Erkenntnis (einen Bescheid) oder gegen die Ausübung unmittelbarer finanzstrafbehördlicher Befehls- und Zwangsgewalt oder wegen Verletzung der Entscheidungspflicht eingebracht worden ist, durch Bescheid zurückzuweisen, wenn die Beschwerde nicht zulässig ist oder nicht fristgerecht eingebracht wurde.

(2) Wenn eine Beschwerde nicht den im § 153 umschriebenen Erfordernissen entspricht oder wenn sie ein Formgebrechen aufweist, so hat die Finanzstrafbehörde dem Beschwerdeführer die Behebung der Mängel mit dem Hinweis aufzutragen, dass die Beschwerde nach fruchtlosem Ablauf einer gleichzeitig zu bestimmenden angemessenen Frist als zurückgenommen gilt.

(3) Liegt ein Anlass zur Zurückweisung nach Abs. 1 oder zur Erteilung eines Auftrages nach Abs. 2 nicht vor oder sind etwaige Formgebrechen oder inhaltliche Mängel behoben, so ist die Beschwerde ungesäumt dem Bundesfinanzgericht unter Anschluss eines Vorlageberichtes vorzulegen. Der Vorlagebericht hat jedenfalls eine Stellungnahme zu den im Beschwerdeverfahren strittigen Tat- und Rechtsfragen sowie allfällige Anträge der Finanzstrafbehörde zu enthalten. Ausfertigungen der Beschwerde des Amtsbeauftragten (§ 153 Abs. 2) sind dem Beschuldigten und den gemäß § 122 dem Verfahren zugezogenen Nebenbeteiligten zuzustellen.

(4) Das Bundesfinanzgericht hat zunächst zu prüfen, ob ein von der Finanzstrafbehörde nicht aufgegriffener Grund zur Zurückweisung oder für einen Auftrag zur Mängelbehebung vorliegt, und hat erforderlichenfalls selbst sinngemäß nach den Abs. 1 und 2 mit Beschluss vorzugehen.

(5) Die Bestimmungen der Abs. 1 bis 4 gelten sinngemäß für Beschwerden gegen Bescheide des Bundesministeriums für Finanzen.

§ 157. Soweit für das Beschwerdeverfahren nicht besondere Regelungen getroffen werden, sind die für das verwaltungsbehördliche Finanzstrafverfahren geltenden Bestimmungen sinngemäß anzuwenden. Das Bundesfinanzgericht hat insoweit dieselben Befugnisse wie die Finanzstrafbehörden. Über Ersatzansprüche von Zeugen, Dolmetschern und Sachverständigen entscheidet der Einzelrichter, in Senatsverfahren der Vorsitzende. Für die vom Bundesfinanzgericht mit Beschluss festzusetzenden Zwangs-, Ordnungs- und Mutwillensstrafen sowie deren Einhebung und zwangsweise Einbringung gilt § 287 BAO sinngemäß. Die Bestimmung des § 131 ist mit der Maßgabe sinngemäß anzuwenden, dass die fachkundigen Laienrichter ihre Stimmen in alphabetischer Reihenfolge abgeben.

§ 158. Das Bundesfinanzgericht kann eine Finanzstrafbehörde um Amtshilfe ersuchen. Beweisaufnahmen, die schon im verwaltungsbehördlichen Verfahren durchgeführt worden sind, müssen im Beschwerdeverfahren nur wiederholt werden, sofern dies zur Ermittlung des wahren Sachverhaltes notwendig ist.

§ 159. Die Bestellung des Amtsbeauftragten gemäß § 124 Abs. 2 gilt auch für das Beschwerdeverfahren. Ist die Bestellung eines anderen Amtsbeauftragten erforderlich oder zweckmäßig oder ist noch kein Amtsbeauftragter bestellt worden, so hat der Vorstand der Finanzstrafbehörde anlässlich der Vorlage der Beschwerde an das Bundesfinanzgericht einen Amtsbeauftragten für das Beschwerdeverfahren zu bestellen. Ist das Bundesministerium für Finanzen belangte Behörde, so ist dieses Partei im Beschwerdeverfahren, ein Amtsbeauftragter ist diesfalls nicht zu bestellen.

§ 160. (1) Über Beschwerden ist nach vorangegangener mündlicher Verhandlung zu entscheiden, es sei denn, die Beschwerde ist zurückzuweisen oder der angefochtene Bescheid bereits aufgrund der Aktenlage aufzuheben, das Verfahren einzustellen oder es ist nach § 161 Abs. 4 vorzugehen.

(2) Das Bundesfinanzgericht kann von der Durchführung einer mündlichen Verhandlung absehen, wenn

a) in der Beschwerde nur eine unrichtige rechtliche Beurteilung behauptet wird oder

b) nur die Höhe der Strafe bekämpft wird oder

c) im angefochtenen Bescheid eine 500 Euro nicht übersteigende Geldstrafe verhängt wurde oder

d) sich die Beschwerde nicht gegen ein Erkenntnis richtet

und keine Partei die Durchführung einer mündlichen Verhandlung in der Beschwerde beantragt hat. Ein solcher Antrag kann nur mit Zustimmung der anderen Parteien zurückgezogen werden.

(3) Das Bundesfinanzgericht kann von der Durchführung oder Fortsetzung einer mündlichen Verhandlung absehen, wenn die Parteien ausdrücklich darauf bis zum Beginn der (fortgesetzten) Verhandlung verzichten.

(4) Die mündliche Verhandlung ist öffentlich. Die Öffentlichkeit ist unter den Voraussetzungen des § 127 Abs. 2 auszuschließen. Die §§ 127 Abs. 4 und 134 sind sinngemäß anzuwenden.

(5) Unterbleibt nach Abs. 2 oder 3 eine mündliche Verhandlung vor einem Senat für Finanzstrafrecht beim Bundesfinanzgericht, kann der Vorsitzende die Beratung und Beschlussfassung des Senates unter Verwendung geeigneter technischer Kommunikationsmittel veranlassen. Der Vorsitzende kann außerdem die Beratung und Beschlussfassung durch die Einholung der Zustimmung der anderen Senatsmitglieder zu einem Entscheidungsentwurf im Umlaufwege ersetzen, wenn keines dieser Mitglieder widerspricht.

3. Entscheidungen über Beschwerden.

§ 161. (1) Das Bundesfinanzgericht hat, sofern die Beschwerde nicht gemäß § 156 mit Beschluss zurückzuweisen ist, grundsätzlich in der Sache selbst mit Erkenntnis zu entscheiden. Es ist berechtigt, sowohl im Spruch als auch hinsichtlich der Begründung des Erkenntnisses seine Anschauung an die Stelle jener der Finanzstrafbehörde zu setzen und das angefochtene Erkenntnis (den Bescheid) abzuändern oder aufzuheben, den angefochtenen Verwaltungsakt für rechtswidrig zu erklären oder die Beschwerde als unbegründet abzuweisen.

(2) Anerkennt das Bundesfinanzgericht das Eigentumsrecht eines Verfallsbeteiligten, so ist der Verfall aufzuheben und auf den vom Täter, von den anderen an der Tat Beteiligten und vom Hehler zu leistenden Wertersatz zu erkennen, wobei diesen Personen die Stellung eines Beschuldigten zukommt, auch wenn sie selbst keine Beschwerde erhoben haben; werden

Pfand- oder Zurückbehaltungsrechte anerkannt, so ist gleichfalls auf Wertersatz zu erkennen.

(3) Eine Änderung des angefochtenen Erkenntnisses zum Nachteil des Beschuldigten oder der Nebenbeteiligten ist nur bei Anfechtung durch den Amtsbeauftragten zulässig. Überzeugt sich das Bundesfinanzgericht aus Anlass der Beschwerde, dass zum Nachteil eines anderen Beschuldigten oder Nebenbeteiligten, welcher keine Beschwerde eingebracht hat, das Gesetz unrichtig angewendet wurde, so hat es so vorzugehen, als wäre auch von diesen Personen eine Beschwerde eingebracht worden.

(4) Das Bundesfinanzgericht kann auch die Aufhebung des angefochtenen Erkenntnisses (Bescheides) unter Zurückverweisung der Sache an die Finanzstrafbehörde mit Beschluss verfügen, wenn es umfangreiche Ergänzungen des Untersuchungsverfahrens für erforderlich hält; die Finanzstrafbehörde ist im weiteren Verfahren an die in dem zurückverweisenden Beschluss niedergelegte Rechtsanschauung gebunden. Für das neue verwaltungsbehördliche Erkenntnis gelten die Abs. 2 und 3 sinngemäß.

(5) Säumnisbeschwerden sind mit Erkenntnis abzuweisen, wenn die Verspätung nicht auf ein überwiegendes Verschulden der Finanzstrafbehörde zurückzuführen ist.

§ 162. (1) Erkenntnisse des Bundesfinanzgerichtes haben im Namen der Republik zu ergehen.

(2) Die Urschrift und die Ausfertigung eines Erkenntnisses oder Beschlusses haben soweit zutreffend zu enthalten:

a) den Namen des Richters; wenn eine mündliche Verhandlung stattgefunden hat, die Namen des Verhandlungsleiters und des Schriftführers; bei Entscheidungen eines Senates auch die Namen des Senatsvorsitzenden, der übrigen Senatsmitglieder und des Amtsbeauftragten;

b) Vor- und Zunamen des Beschwerdeführers; den Namen seines Verteidigers (Bevollmächtigten);

c) die Bezeichnung des angefochtenen Bescheides oder des sonstigen angefochtenen Verwaltungsaktes;

d) den Spruch;

e) die Begründung;

f) die Zahlungsaufforderung;

g) im Verfahren vor einem Senat die Unterschrift des Vorsitzenden, in den übrigen Fällen die Unterschrift des Mitgliedes des Bundesfinanzgerichtes, das die Rechtsmittelentscheidung erlassen hat; an die Stelle der Unterschrift kann die Beglaubigung der Kanzlei treten, dass die Ausfertigung mit der Urschrift übereinstimmt und diese die eigenhändig beigesetzte Unterschrift aufweist; Ausfertigungen in Form von elektronischen Dokumenten müssen an Stelle der Unterschrift oder Beglaubigung mit einer Amtssignatur (§ 19 E-Government-Gesetz) versehen sein; Ausfertigungen in Form von Ausdrucken von mit einer Amtssignatur versehenen elektronischen Dokumenten oder von Kopien solcher Ausdrucke brauchen keine weiteren Voraussetzungen erfüllen;

h) das Datum der mündlichen Verkündung, sonst das Datum der Unterfertigung.

(3) Der Spruch hat die Entscheidung in der Sache und die Entscheidung über die Kosten oder die Aufhebung des angefochtenen Erkenntnisses (Bescheides) unter Zurückverweisung der Sache an die Finanzstrafbehörde oder die Aufhebung der Entscheidung wegen Unzuständigkeit der Finanzstrafbehörde sowie den Ausspruch über die Zulässigkeit einer Revision an den Verwaltungsgerichtshof zu enthalten. Im Übrigen gelten für den Spruch, die Begründung und die Zahlungsaufforderung die §§ 138 und 139 sowie § 140 Abs. 5 sinngemäß.

(4) Ausfertigungen von Erkenntnissen haben eine Belehrung über die Möglichkeit der Erhebung einer Beschwerde an den Verfassungsgerichtshof und einer ordentlichen oder außerordentlichen Revision an den Verwaltungsgerichtshof zu enthalten. Das Verwaltungsgericht hat ferner hinzuweisen:

a) auf die bei der Einbringung einer solchen Beschwerde bzw. Revision einzuhaltenden Fristen;

b) auf die gesetzlichen Erfordernisse der Einbringung einer solchen Beschwerde bzw. Revision durch einen bevollmächtigten Rechtsanwalt (bei Beschwerden) bzw. durch einen bevollmächtigten Rechtsanwalt oder Wirtschaftstreuhänder (bei Revisionen);

c) auf die für eine solche Beschwerde bzw. Revision zu entrichtenden Eingabengebühren.

§ 163. (1) Das Erkenntnis des Bundesfinanzgerichtes ist schriftlich auszufertigen. Ausfertigungen sind dem Amtsbeauftragten des Beschwerdeverfahrens, der Finanzstrafbehörde als der belangten Behörde des Beschwerdeverfahrens, dem Beschuldigten und den gemäß § 122 dem Verfahren zugezogenen Nebenbeteiligten zuzustellen. Ist das Bundesministerium für Finanzen belangte Behörde, so sind Ausfertigungen des Erkenntnisses diesem sowie dem Beschwerdeführer zuzustellen.

(2) § 141 Abs. 2 gilt entsprechend.

B. Wiederaufnahme des Verfahrens und Wiedereinsetzung in den vorigen Stand.

1. Wiederaufnahme des Verfahrens.

§ 165. (1) Die Wiederaufnahme eines durch Erkenntnis (Bescheid, Rechtsmittelentscheidung) abgeschlossenen Finanzstrafverfahrens ist auf Antrag oder von Amts wegen zu verfügen, wenn ein ordentliches Rechtsmittel gegen die Entscheidung nicht oder nicht mehr zulässig ist und

a) die Entscheidung durch Fälschung einer Urkunde, falsches Zeugnis oder eine andere gerichtlich strafbare Tat herbeigeführt oder sonstwie erschlichen worden ist oder

b) Tatsachen oder Beweismittel neu hervorkommen, die im abgeschlossenen Verfahren nicht geltend gemacht werden konnten, oder

c) die Entscheidung von Vorfragen abhängig war und nachträglich über eine solche Vorfrage von der hiefür zuständigen Behörde (Gericht) in wesentlichen Punkten anders entschieden wurde oder

d) der Abgabenbetrag, der der Ermittlung des strafbestimmenden Wertbetrages zugrunde gelegt wurde, nachträglich nach den Bestimmungen des Abgabenverfahrens geändert wurde oder

e) die strafbefreiende Wirkung einer Selbstanzeige gemäß § 29 Abs. 2 außer Kraft getreten ist

und die Kenntnis dieser Umstände allein oder in Verbindung mit dem sonstigen Ergebnis des Verfahrens voraussichtlich eine im Spruch anders lautende Entscheidung herbeigeführt hätte.

(2) In den Fällen des Abs. 1 lit. b bis d darf die Wiederaufnahme des Verfahrens von Amts wegen nur verfügt werden, wenn das abgeschlossene Verfahren durch Einstellung beendet worden ist.

(3) Antragsberechtigt sind die Beschuldigten und die Nebenbeteiligten des abgeschlossenen Finanzstrafverfahrens, die letzteren jedoch nur, wenn der Spruch der Entscheidung Feststellungen der im § 138 Abs. 2 lit. f bis h bezeichneten Art enthält. Wurde das Verfahren durch ein Erkenntnis eines Spruchsenates oder eine Beschwerdeentscheidung des Bundesfinanzgerichtes abgeschlossen, so steht auch dem Amtsbeauftragten das Recht zu, eine Wiederaufnahme unter den Voraussetzungen des Abs. 2 zu beantragen.

(4) Der Antrag auf Wiederaufnahme ist innerhalb von drei Monaten von dem Zeitpunkt an, in dem der Antragsteller nachweislich von dem Wiederaufnahmsgrund Kenntnis erlangt hat, bei der Finanzstrafbehörde einzubringen, die im abgeschlossenen Verfahren die Entscheidung erlassen hat. Falls das Bundesfinanzgericht die das Verfahren abschließende Entscheidung erlassen hat, ist der Antrag auf Wiederaufnahme innerhalb der im ersten Satz genannten Frist bei diesem einzubringen.

(5) Dem Antrag auf Wiederaufnahme kommt eine aufschiebende Wirkung kraft Gesetzes nicht zu. Die Behörde, die über den Antrag zu entscheiden hat, hat diesem jedoch die aufschiebende Wirkung zuzuerkennen, wenn durch die Vollziehung der im abgeschlossenen Verfahren ergangenen Entscheidung ein nicht wiedergutzumachender Schaden eintreten würde und nicht öffentliche Rücksichten die sofortige Vollziehung gebieten. Obliegt dem Bundesfinanzgericht die Entscheidung über den Antrag, so hat dieses über die aufschiebende Wirkung mit Beschluss zu erkennen.

(6) Sind seit der Rechtskraft der Entscheidung im abgeschlossenen Verfahren die im § 31 Abs. 2 genannten Fristen verstrichen, so ist die Einbringung eines Antrages auf Wiederaufnahme oder die Wiederaufnahme des Verfahrens von Amts wegen ausgeschlossen. Im übrigen steht ein Ablauf der Verjährungsfrist nach Rechtskraft der Entscheidung im abgeschlossenen Verfahren einer Bestrafung im wiederaufgenommenen Verfahren nicht entgegen.

§ 166. (1) Die Entscheidung über die Wiederaufnahme steht der Finanzstrafbehörde zu, die die Entscheidung im abgeschlossenen Verfahren gefällt hat. Die Entscheidung über die Wiederaufnahme steht dem Bundesfinanzgericht mit Beschluss zu, wenn dieses die das Verfahren abschließende Entscheidung gefällt hat.

(2) In dem die Wiederaufnahme bewilligenden oder anordnenden Bescheid oder Beschluss ist auszusprechen, inwieweit das Verfahren wiederaufzunehmen ist. Durch diesen Bescheid oder Beschluss wird der weitere Rechtsbestand der Entscheidung des abgeschlossenen Verfahrens nicht berührt. Die die Wiederaufnahme verfügende Finanzstrafbehörde oder das die Wiederaufnahme verfügende Bundesfinanzgericht hat jedoch die Vollziehung der im abgeschlossenen Verfahren ergangenen Entscheidung auszusetzen, wenn durch sie ein nicht wiedergutzumachender Schaden eintreten würde und nicht öffentliche Rücksichten die sofortige Vollziehung gebieten. Gegen die Verfügung der Wiederaufnahme ist eine Beschwerde oder Revision nicht zulässig.

(3) Durch die Wiederaufnahme tritt die Strafsache, wenn über sie bereits durch das Bundesfinanzgericht abgesprochen wurde, in den Stand des Beschwerdeverfahrens, in allen übrigen Fällen in den Stand des Untersuchungsverfahrens zurück. Frühere Erhebungen und Beweisaufnahmen, die durch die Wiederaufnahmsgründe nicht betroffen werden, sind nicht zu wiederholen.

(4) Im wiederaufgenommenen Verfahren ist unter gänzlicher oder teilweiser Aufhebung der früheren Entscheidung insoweit in der Sache selbst zu entscheiden, als die frühere Entscheidung nicht mehr für zutreffend befunden wird. Kommt eine Entscheidung in der Sache selbst nicht in Betracht, so ist das wiederaufgenommene Verfahren durch Bescheid, im Verfahren vor dem Bundesfinanzgericht durch Beschluss einzustellen.

(5) Wird im wiederaufgenommenen Verfahren das Eigentumsrecht eines Verfallsbeteiligten anerkannt, so ist der Verfall aufzuheben und auf den vom Täter, von den anderen an der Tat Beteiligten und vom Hehler zu leistenden Wertersatz zu erkennen; werden Pfand- oder Zurückbehaltungsrechte anerkannt, so ist gleichfalls auf Wertersatz zu erkennen.

(6) Ist die Wiederaufnahme des Verfahrens über Antrag bewilligt worden, so darf die Entscheidung im wiederaufgenommenen Verfahren nicht ungünstiger lauten als die Entscheidung des früheren Verfahrens.

Überzeugt sich die Finanzstrafbehörde oder das Bundesfinanzgericht aus Anlass der Wiederaufnahme, dass auch ein anderer Beschuldigter oder Nebenbeteiligter antragsberechtigt gewesen wäre (§ 165 Abs. 3), so hat es so vorzugehen, als wäre auch von diesen Personen ein Antrag auf Wiederaufnahme des Verfahrens eingebracht worden.

2. Wiedereinsetzung in den vorigen Stand.

§ 167. (1) Gegen die Versäumung einer Frist oder einer mündlichen Verhandlung ist auf Antrag des Beschuldigten oder der Nebenbeteiligten eines anhängigen oder abgeschlossenen Finanzstrafverfahrens die Wiedereinsetzung in den vorigen Stand zu bewilligen, wenn der Antragsteller durch die Versäumung einen Rechtsnachteil erleidet und glaubhaft macht, daß er durch ein unvorhergesehenes oder unabwendbares Ereignis verhindert war, die Frist einzuhalten oder zur Verhandlung zu erscheinen. Daß dem Beschuldigten oder dem Nebenbeteiligten ein Verschulden an der Versäumung zur Last liegt, hindert die Bewilligung der Wiedereinsetzung nicht, wenn es sich nur um einen minderen Grad des Versehens handelt.

(2) Der Antrag auf Wiedereinsetzung muss binnen Monatsfrist nach Aufhören des Hindernisses bei der Finanzstrafbehörde oder beim Bundesfinanzgericht gestellt werden, je nachdem, ob die Frist bei der Finanzstrafbehörde oder beim Bundesfinanzgericht wahrzunehmen war oder dort die Verhandlung stattfinden sollte. Diese sind auch jeweils zur Entscheidung über den Antrag berufen. Das Bundesfinanzgericht entscheidet mit Beschluss. War die Frist beim Spruchsenat wahrzunehmen oder sollte die Verhandlung vor dem Spruchsenat stattfinden, entscheidet der Vorsitzende des Spruchsenates über den Wiedereinsetzungsantrag.

(3) Im Fall der Versäumung einer Frist hat der Antragsteller die versäumte Handlung gleichzeitig mit dem Wiedereinsetzungsantrag nachzuholen.

(4) Die Behörde, die über den Wiedereinsetzungsantrag zu entscheiden hat, kann diesem aufschiebende Wirkung beilegen.

(5) Der Wiedereinsetzungsantrag kann nicht auf Umstände gestützt werden, die schon früher für unzureichend befunden worden sind, um die Verlängerung der versäumten Frist oder die Verlegung der versäumten Verhandlung zu bewilligen.

§ 168. (1) Durch die Bewilligung der Wiedereinsetzung tritt das Verfahren in die Lage zurück, in der es sich vor dem Eintreten der Versäumung befunden hat.

(2) Durch den Antrag auf Wiedereinsetzung gegen die Versäumung einer mündlichen Verhandlung wird die Frist zur Anfechtung des infolge der Versäumung erlassenen Erkenntnisses nicht verlängert.

(3) Ist Wiedereinsetzung wegen Versäumung einer mündlichen Verhandlung beantragt und gegen das Erkenntnis Beschwerde eingelegt, so ist auf die Erledigung der Beschwerde erst einzugehen, wenn der Antrag auf Wiedereinsetzung zurückgewiesen oder abgewiesen worden ist.

(4) Nach Ablauf eines Jahres, vom Ende der versäumten Frist oder vom Zeitpunkt der versäumten Verhandlung an gerechnet, ist ein Antrag auf Wiedereinsetzung nicht mehr zulässig.

C. Besondere Bestimmungen.

§ 169. Die Finanzstrafbehörde, vertreten durch den Amtsbeauftragten, kann gegen eine Entscheidung des Bundesfinanzgerichtes Revision gemäß Art. 133 B-VG an den Verwaltungsgerichtshof erheben. Dies kann sowohl zugunsten als auch zum Nachteil der durch die Entscheidung Betroffenen geschehen. Die Revisionsfrist beginnt mit der Zustellung der Entscheidung an den Amtsbeauftragten zu laufen.

§ 170. (1) Die Behörde, welche die Entscheidung erlassen hat, kann bis zum Eintritt der Verjährung der Strafbarkeit in der Entscheidung unterlaufene Schreib- und Rechenfehler oder andere offenbar auf einem ähnlichen Versehen beruhende tatsächliche Unrichtigkeiten berichtigen.

(2) Die Oberbehörde kann Entscheidungen der Finanzstrafbehörden in Ausübung des Aufsichtsrechtes aus den Gründen des § 289 Abs. 1 lit. a bis d BAO aufheben. Entscheidungen der Spruchsenate oder deren Vorsitzenden dürfen in Ausübung des Aufsichtsrechtes nicht aufgehoben werden.

(3) Die Senate des Bundesfinanzgerichtes oder ein Richter des Bundesfinanzgerichtes können eine von ihnen erlassene Entscheidung unbeschadet der sich aus Abs. 1 ergebenden Befugnisse aus den Gründen des § 289 BAO ändern oder aufheben, wenn sie mit Revision beim Verwaltungsgerichtshof oder mit Beschwerde beim Verfassungsgerichtshof angefochten ist.

(4) Durch die Aufhebung einer Entscheidung tritt das Verfahren in die Lage zurück, in der es sich vor Erlassung der aufgehobenen Entscheidung befunden hat. Die Behörde, deren Entscheidung aufgehoben wurde, ist an die Rechtsansicht der aufhebenden Behörde gebunden. Eine Strafentscheidung darf jedoch für den Beschuldigten nicht nachteiliger sein als die aufgehobene Entscheidung. Maßnahmen gemäß Abs. 2 und 3 sind nur innerhalb eines Jahres nach Eintritt der Rechtskraft der Entscheidung zulässig. Auf die Ausübung der der Behörde gemäß Abs. 1 bis 3 zustehenden Rechte steht niemandem ein Anspruch zu.

VIII. Hauptstück.

Fälligkeit, Einhebung, Sicherung und Einbringung der Geldstrafen und Wertersätze; Vollziehung des Verfalles; Verwertung verfallener Gegenstände.

§ 171. (1) Geldstrafen und Wertersätze werden mit Ablauf eines Monats nach Rechtskraft der Entscheidung fällig. Tritt die Fälligkeit an einem Samstag,

Sonntag, gesetzlichen Feiertag, Karfreitag oder 24. Dezember ein, so gilt als Fälligkeitstag der nächste Tag, der nicht einer der vorgenannten Tage ist.

(2) Die Finanzstrafbehörde hat verfallene Gegenstände, die sich nicht in ihrer Verwahrung befinden, dem, der sie in seinem Gewahrsam hat, erforderlichenfalls auch zwangsweise abzunehmen. Die Organe des öffentlichen Sicherheitsdienstes haben hiebei über Ersuchen Unterstützung zu gewähren.

(3) Wurde neben dem Verfall auf Wertersatz erkannt, weil im Zeitpunkt der Entscheidung noch nicht feststand, ob der Verfall vollziehbar sein wird (§ 19 Abs. 2 erster Fall), so wird der Wertersatz fällig, wenn die verfallenen Gegenstände nicht in den Gewahrsam der Finanzstrafbehörde gebracht werden können. Kann nur ein Teil der verfallenen Gegenstände in den Gewahrsam der Finanzstrafbehörde gebracht werden, so hat diese durch Bescheid den Betrag zu bestimmen, der als Wertersatz für die nicht zustandegebrachten Gegenstände vom Bestraften einzuheben ist; für die Fälligkeit dieses Wertersatzes gilt Abs. 1 sinngemäß.

(4) Wurde neben dem Verfall auf Wertersatz erkannt, weil Pfand- oder Zurückbehaltungsrechte dritter Personen anerkannt worden sind (§ 19 Abs. 2 zweiter Fall), so hat die Finanzstrafbehörde die verfallenen Gegenstände zu verwerten und die gesicherten Forderungen aus dem Erlös zu befriedigen. Sind hiebei die Forderungen mehrerer Gläubiger zu befriedigen, so ist bei unzureichendem Verwertungserlös der Rang der Pfand- oder Zurückbehaltungsrechte zu berücksichtigen. Forderungen mit gleichem Rang, die im Erlös keine Deckung finden, sind im Verhältnis ihrer Höhe zu befriedigen. Der Betrag, der zur Befriedigung der gesicherten Forderungen aufgewendet worden ist, ist mit Bescheid vom Bestraften als Wertersatz einzufordern; für die Fälligkeit dieses Wertersatzes gilt Abs. 1 sinngemäß.

(5) Für die Fälligkeit von Zwangs- und Ordnungsstrafen gelten die Bestimmungen der Bundesabgabenordnung.

§ 172. (1) Die Einhebung, Sicherung und Einbringung der Geldstrafen und Wertersätze sowie der Zwangs- und Ordnungsstrafen und die Geltendmachung der Haftung obliegt den Finanzstrafbehörden, die dazu auch Amtshilfe durch Abgabenbehörden in Anspruch nehmen können. Hiebei gelten, soweit dieses Bundesgesetz nicht anderes bestimmt, die Bundesabgabenordnung und die Abgabenexekutionsordnung sinngemäß.

(2) Ein Sicherstellungsauftrag darf erst nach Einleitung des Finanzstrafverfahrens (§ 82 Abs. 3 und § 83 Abs. 3) erlassen werden.

§ 173. Stirbt der Beschuldigte vor Eintritt der Rechtskraft des Erkenntnisses (der Strafverfügung), so ist das Strafverfahren einzustellen. Stirbt der Bestrafte nach Rechtskraft des Erkenntnisses (der Strafverfügung), so geht die Verbindlichkeit zur Entrichtung von Geldstrafen, Wertersätzen und Kosten nicht auf die Erben über.

§ 174. (1) Verfallene Gegenstände sind unter sinngemäßer Anwendung der Bestimmungen der Abgabenexekutionsordnung über die Verwertung gepfändeter beweglicher Sachen zu verwerten. Sie können aber auch, wenn sie nicht nach § 171 Abs. 4 zu verwerten sind, für die Deckung des Sachaufwandes des Bundes verwendet werden. Gegenstände, die weder verwertet noch verwendet werden können, sind zu vernichten.

(2) In Grenznähe für verfallen erklärte Sachen, die raschem Verderben unterliegen, sind von Organen der Zollstellen auf kurzem Weg bestmöglich zu verwerten.

IX. Hauptstück.

Vollzug der Freiheitsstrafen (Ersatzfreiheitsstrafen).

§ 175. (1) Die Freiheitsstrafen sind in den gerichtlichen Gefangenenhäusern und in den Strafvollzugsanstalten zu vollziehen. Der Vollzug in einer Strafvollzugsanstalt ist jedoch nur in unmittelbarem Anschluß an eine gerichtliche Freiheitsstrafe und mit Zustimmung des Bestraften zulässig. Soweit dieses Bundesgesetz nicht besondere Bestimmungen enthält, sind für den Vollzug die Bestimmungen des Strafvollzugsgesetzes über den Vollzug von Freiheitsstrafen, deren Strafzeit achtzehn Monate nicht übersteigt, mit folgender Maßgabe sinngemäß anzuwenden, soweit dies nicht zu Anlaß und Dauer der Freiheitsstrafe außer Verhältnis steht:

a) §§ 31 Abs. 2, 32, 45 Abs. 1, 54 Abs. 3, 115, 127, 128, 132 Abs.4 und 149 Abs. 1 und 4 des Strafvollzugsgesetzes sind nicht anzuwenden;

b) soweit Häftlinge eine Arbeitsvergütung zu erhalten haben, ist ihnen diese nach Abzug des Vollzugskostenbeitrages (§ 32 Abs. 2 erster Fall und Abs. 3 des Strafvollzugsgesetzes) zur Gänze als Hausgeld gutzuschreiben;

c) wird eine Freiheitsstrafe in einer Strafvollzugsanstalt vollzogen, so bleiben die im Strafvollzug gewährten Vergünstigungen und Lockerungen auch für den Vollzug der Freiheitsstrafe aufrecht.

(2) Ist eine Freiheitsstrafe zu vollziehen, so hat die Finanzstrafbehörde den auf freiem Fuß befindlichen rechtskräftig Bestraften schriftlich aufzufordern, die Strafe binnen einem Monat nach der Zustellung der Aufforderung anzutreten. Die Aufforderung hat die Bezeichnung des zuständigen gerichtlichen Gefangenenhauses (§ 9 des Strafvollzugsgesetzes) und die Androhung zu enthalten, daß der Bestrafte im Falle seines Ausbleibens vorgeführt wird. Kommt der Bestrafte dieser Aufforderung nicht nach, so hat ihn die Finanzstrafbehörde durch Anwendung unmittelbaren Zwanges zum Strafantritt vorführen zu lassen; sie ist berechtigt, hiebei die Unterstützung der Organe des öffentlichen Sicherheitsdienstes in Anspruch zu neh-

men. An Stelle der Aufforderung zum Strafantritt ist die sofortige Vorführung zu veranlassen, wenn Fluchtgefahr (§ 86 Abs. 1 lit. a und Abs. 2) besteht. Kann die Vorführung nicht vollzogen werden, weil der Bestrafte flüchtig oder sein Aufenthalt unbekannt ist, ist die Finanzstrafbehörde befugt, eine Sachenfahndung und Personenfahndung zur Festnahme zu veranlassen. Den Finanzstrafbehörden sind die erforderlichen Daten aus der von den Sicherheitsbehörden geführten zentralen Informationssammlung zu übermitteln.

(3) Die Finanzstrafbehörde hat zugleich den Leiter des zuständigen gerichtlichen Gefangenenhauses oder der Strafvollzugsanstalt um den Vollzug der Freiheitsstrafe zu ersuchen.

(4) Eine gemäß § 142 Abs. 1 verhängte Haft ist beim Strafvollzug zu berücksichtigen.

(5) Personen, die eine Freiheitsstrafe verbüßen, dürfen sich angemessen beschäftigen. Mit ihrer Zustimmung dürfen sie zu einer ihren Fähigkeiten und Kenntnissen entsprechenden Tätigkeit herangezogen werden.

(6) Wird gegen die Verhängung einer Freiheitsstrafe Beschwerde an den Verfassungsgerichtshof oder Revision an den Verwaltungsgerichtshof eingebracht, so ist mit dem Vollzug dieser Strafe bis zur Entscheidung des Gerichtshofes zuzuwarten, es sei denn, daß Fluchtgefahr (§ 86 Abs. 1 lit. a und Abs. 2) besteht.

§ 176. (1) Ist ein dem Wesen der Freiheitsstrafe entsprechender Strafvollzug wegen einer Krankheit oder Verletzung, wegen Invalidität oder eines sonstigen körperlichen oder geistigen Schwächezustandes des Bestraften nicht durchführbar, so hat die Finanzstrafbehörde den Strafvollzug so lange aufzuschieben, bis dieser Zustand aufgehört hat.

(2) Ist die bestrafte Person schwanger oder hat sie entbunden, so hat die Finanzstrafbehörde den Strafvollzug bis zum Ablauf der sechsten Woche nach der Entbindung und darüber hinaus solange aufzuschieben, als sich das Kind in der Pflege der Bestraften befindet, höchstens aber bis zum Ablauf eines Jahres nach der Entbindung. Die Strafe ist jedoch zu vollziehen, sobald es die Bestrafte selbst verlangt, vom Strafvollzug keine Gefährdung ihrer Gesundheit oder des Kindes zu besorgen und ein dem Wesen der Freiheitsstrafe entsprechender Vollzug durchführbar ist.

(3) Stellt sich nachträglich heraus, daß der Strafvollzug wegen eines der in den Abs. 1 und 2 bezeichneten Umstände aufzuschieben gewesen wäre und bestehen die den Aufschub begründenden Umstände fort, so sind die Abs. 1 und 2 dem Sinne nach anzuwenden.

(4) Auf Antrag des Standeskörpers darf aus militärdienstlichen Gründen eine Freiheitsstrafe nicht vollzogen werden

a) an Soldaten, die den Grundwehrdienst oder die ersten sechs Monate des Ausbildungsdienstes leisten,

b) an Soldaten, die dem Bundesheer auf Grund eines Dienstverhältnisses angehören, im Falle eines Einsatzes des Bundesheeres nach § 2 Abs. 1 des Wehrgesetzes oder im Falle der unmittelbaren Vorbereitung dieses Einsatzes.

§ 177. (1) Auf Antrag des Bestraften kann die Finanzstrafbehörde bei Vorliegen triftiger Gründe den Strafvollzug aufschieben. Triftige Gründe liegen insbesondere dann vor, wenn durch den unverzüglichen Strafantritt der Erwerb des Bestraften oder der Unterhalt seiner schuldlosen Familie gefährdet würde oder wenn der Aufschub zur Ordnung von Familienangelegenheiten dringend geboten ist. Der Aufschub darf das unbedingt notwendige Maß nicht überschreiten; er soll in der Regel nicht mehr als sechs Monate betragen. Die Bewilligung kann an die Leistung einer Sicherheit geknüpft werden; § 88 Abs. 3 bis 5 und Abs. 7 lit. d gilt sinngemäß mit der Maßgabe, daß die Sicherheit auch für verfallen zu erklären ist, wenn der Bestrafte die Strafe aus seinem Verschulden nicht rechtzeitig antritt.

(2) Anträgen auf Aufschub des Vollzuges kommt eine aufschiebende Wirkung kraft Gesetzes nicht zu. Die Finanzstrafbehörde hat jedoch auf Antrag des Bestraften die aufschiebende Wirkung zuzuerkennen, wenn durch den sofortigen Vollzug ein nicht wiedergutzumachender Schaden eintreten würde und nicht öffentliche Rücksichten den Vollzug gebieten.

(3) Gegen Bescheide, mit denen ein Antrag auf Aufschub des Strafvollzuges abgewiesen wird, ist die Beschwerde an das Bundesfinanzgericht zulässig.

§ 178. Der Aufschub des Strafvollzuges ist durch die Finanzstrafbehörde zu widerrufen, wenn sich herausstellt, daß die Voraussetzungen für seine Bewilligung nicht zugetroffen haben. Der Bestrafte ist aufzufordern, die Strafe unverzüglich anzutreten; im übrigen gilt § 175 Abs. 2 zweiter und dritter Satz sinngemäß. Der Aufschub ist auch zu widerrufen, wenn der Bestrafte versucht, sich dem Strafvollzug durch Flucht zu entziehen, oder wenn begründete Besorgnis besteht, daß er dies versuchen werde; in diesen Fällen gilt § 175 Abs. 2 vierter Satz sinngemäß.

§ 179. (1) Die Bestimmungen für den Vollzug von Freiheitsstrafen gelten auch für den Vollzug von Ersatzfreiheitsstrafen.

(2) Die Ersatzfreiheitsstrafe darf nur in dem Umfang vollzogen werden, der dem nicht bezahlten oder nicht eingebrachten Teil der Geldstrafe oder des Wertersatzes entspricht. Das gleiche gilt auch dann, wenn die Bezahlung oder Einbringung der Geldstrafe oder des Wertersatzes erst nach Strafantritt erfolgt.

(3) Der Vollzug einer Ersatzfreiheitsstrafe hat zu unterbleiben, wenn der Bestrafte gemeinnützige Leistungen (§ 3a StVG) erbringt. Darüber ist er in der Aufforderung zum Strafantritt zu informieren, wobei ihm auch das Ausmaß der zu erbringenden gemeinnützigen Leistungen mitzuteilen ist. Eine Gleichschrift dieser Mitteilung darf auch einer in der Sozialarbeit er-

fahrenen Person (§ 29b des Bewährungshilfegesetzes, BGBl. Nr. 146/1969) übermittelt werden. § 3a Abs. 1 bis 4 StVG und § 29b Bewährungshilfegesetz sind mit der Maßgabe sinngemäß anzuwenden, dass an Stelle des Gerichtes die Finanzstrafbehörde tritt. Die Vermittlung gemeinnütziger Leistungen hat nur über Ersuchen des Bestraften zu erfolgen.

X. Hauptstück.
Sonderbestimmungen für das Verfahren gegen Jugendliche.

§ 180. (1) Die Finanzstrafbehörden sollen sich in Strafverfahren gegen Jugendliche (§ 1 Abs. 1 Z 2 JGG) nach Möglichkeit der Mithilfe der öffentlichen Unterrichts- und Erziehungsanstalten und der mit der Jugendfürsorge betrauten Behörden (Kinder- und Jugendhilfe) sowie solcher Personen und Körperschaften bedienen, die in der Jugendfürsorge tätig sind und sich den Behörden zur Verfügung stellen (Jugendgerichtshilfe). Die Mithilfe kann insbesondere in der Erhebung der persönlichen Verhältnisse des Jugendlichen, in der Fürsorge für seine Person und in dem Beistand bestehen, dessen er im Verfahren bedarf. Strafverfahren wegen einer Jugendstraftat (§ 24 Abs. 2) sind ohne Verzug sowie unter besonderer Berücksichtigung von Alter und Reifegrad des Beschuldigten durchzuführen.

(2) Soweit es zur Wahrung der Verteidigungsrechte des Jugendlichen unter Berücksichtigung der Schwere des Finanzvergehens erforderlich ist, ist einem jugendlichen Beschuldigten vor der Vernehmung von Amts wegen ein Verteidiger für das gesamte Verfahren beizugeben, dessen Kosten er nicht zu tragen hat. Dies gilt insbesondere, wenn der gesetzliche Vertreter nicht bekannt, nicht erreichbar oder an der strafbaren Tat beteiligt ist oder der gesetzliche Vertreter außerstande ist (§ 77 Abs. 3), die Kosten der Verteidigung zu tragen. Die Beigabe des Verteidigers bleibt aufrecht, auch wenn der jugendliche Beschuldigte im Laufe des Verfahrens das achtzehnte Lebensjahr überschreitet.

(3) Der jugendliche Beschuldigte ist unbeschadet des § 57 Abs. 3 sobald wie möglich zu informieren über:

1. das Recht auf Ausschluss der Öffentlichkeit (§ 127 Abs. 2 lit. b),

2. das Recht auf Unterstützung durch einen Verteidiger gemäß Abs. 2,

3. die Information des gesetzlichen Vertreters bzw. der Vertrauensperson (§ 182 Abs. 1),

4. die Möglichkeit der Begleitung durch den gesetzlichen Vertreter bzw. die Vertrauensperson (§ 182 Abs. 2).

§ 181. Jugendliche dürfen weder nach § 85 festgenommen noch darf über sie eine Untersuchungshaft nach § 86 verhängt werden.

§ 182. (1) Die Finanzstrafbehörde hat den gesetzlichen Vertreter eines jugendlichen Beschuldigten von den dem Beschuldigten gemäß § 180 Abs. 3 zukommenden Rechten, von den ihm in seiner Eigenschaft als gesetzlicher Vertreter im Finanzstrafverfahren zukommenden Rechten, von der Einleitung des Strafverfahrens und vom Erkenntnis (von der Strafverfügung) zu verständigen. Sofern der gesetzliche Vertreter nicht bekannt oder nicht erreichbar ist, oder dessen Verständigung dem Wohl des Jugendlichen abträglich wäre oder das Strafverfahren erheblich gefährden könnte, kann der jugendliche Beschuldigte anstelle des gesetzlichen Vertreters eine andere geeignete Person benennen (Vertrauensperson). Dieser Person kommen für die Zeit, während der die genannten Voraussetzungen vorliegen, die Rechte des gesetzlichen Vertreters zu. Wird keine Vertrauensperson benannt, hat die Finanzstrafbehörde unter Berücksichtigung des Wohles des jugendlichen Beschuldigten eine solche zu bestellen und den Jugendlichen darüber zu informieren.

(2) Der gesetzliche Vertreter bzw. die Vertrauensperson ist in jeder Lage des Verfahrens berechtigt, den jugendlichen Beschuldigten zu begleiten. Die förmliche Vernehmung des jugendlichen Beschuldigten ist mittels Ton- und Bildaufnahme (§ 56a) zu dokumentieren, soweit der jugendliche Beschuldigte keinen Verteidiger beizieht oder kein Verteidiger beizugeben ist und auch kein gesetzlicher Vertreter bzw. keine Vertrauensperson anwesend ist. Eine Dokumentation ausschließlich mittels einer Niederschrift ist zulässig, wenn eine Ton- und Bildaufnahme aufgrund eines unüberwindbaren technischen Problems nicht möglich ist, sofern angemessene Anstrengungen zur Behebung des Problems unternommen wurden, und eine Verschiebung der Vernehmung unangemessen wäre.

(3) Ist die mündliche Verhandlung nicht öffentlich oder ist die Öffentlichkeit ausgeschlossen, so können der Verhandlung neben dem gesetzlichen Vertreter bzw. der Vertrauensperson auch die Erziehungsberechtigten, Vertreter der Kinder- und Jugendhilfe und der Jugendgerichtshilfe sowie ein allenfalls bestellter Bewährungshelfer beiwohnen.

(4) Der gesetzliche Vertreter eines jugendlichen Beschuldigten hat das Recht, auch gegen den Willen des Beschuldigten zu dessen Gunsten Beweisanträge zu stellen und innerhalb der dem Beschuldigten offenstehenden Frist Einspruch gegen eine Strafverfügung zu erheben, Rechtsmittel einzulegen und Anträge auf Wiedereinsetzung in den vorigen Stand oder auf Wiederaufnahme des Verfahrens zu stellen. Ein Rechtsmittelverzicht oder ein Einspruchsverzicht des jugendlichen Beschuldigten bedarf der Mitunterfertigung des gesetzlichen Vertreters bzw. der Vertrauensperson oder des gemäß § 180 bestellten Verteidigers.

(5) Ist der Finanzstrafbehörde bekannt, dass die Pflege und Erziehung des jugendlichen Beschuldigten einer anderen Person als dem gesetzlichen Vertreter zukommen, so sind die in den Abs. 1 bis 4 angeführten Rechte auch dieser Person einzuräumen.

§ 183. Die Finanzstrafbehörde hat dem Pflegschaftsgericht sowie der Kinder- und Jugendhilfe eine Abschrift des Erkenntnisses (der Strafverfügung) zu übersenden und Umstände mitzuteilen, die eine pflegschaftsbehördliche Maßnahme erfordern.

§ 184. Für Personen, die zum Zeitpunkt des Antrittes einer Ersatzfreiheitsstrafe das 18. Lebensjahr noch nicht vollendet haben, gelten die Bestimmungen des Jugendgerichtsgesetzes 1988 über den Jugendstrafvollzug sinngemäß.

XI. Hauptstück.

Kosten des Strafverfahrens und des Strafvollzuges.

§ 185. (1) Die vom Bestraften zu ersetzenden Kosten umfassen:

a) einen Pauschalbetrag als Beitrag zu den Kosten des Finanzstrafverfahrens (Pauschalkostenbeitrag); dieser Beitrag ist mit 10 v. H. der verhängten Geldstrafe zu bemessen; bei Freiheitsstrafen ist der Beitrag für einen Tag Freiheitsstrafe mit 5 Euro zu bemessen; der Pauschalbetrag darf 500 Euro nicht übersteigen;

b) die der Finanzstrafbehörde und dem Bundesfinanzgericht erwachsenen Barauslagen für Beweisaufnahmen und andere Verfahrensmaßnahmen, soweit sie nicht gemäß § 105 einem säumigen Zeugen aufzuerlegen sind; bei einer Mehrheit von Bestraften sind diese Barauslagen nach dem Verhältnis der verhängten Geldstrafen aufzuteilen;

c) die Barauslagen für die Beförderung und Aufbewahrung von beschlagnahmten Gegenständen, für die Beförderung und Bewachung von Personen sowie die Kosten der vorläufigen Verwahrung und der Untersuchungshaft;

d) die Kosten des Strafvollzuges.

Die in lit. b und c bezeichneten Kosten sind nur insoweit zu ersetzen, als sie den Pauschalkostenbeitrag übersteigen. Die Kosten für die Beiziehung eines Dolmetschers sind nicht zu berücksichtigen, wenn die Beiziehung notwendig war, weil der Beschuldigte der Verhandlungssprache nicht hinreichend kundig, gehörlos oder hochgradig hörbehindert war.

(2) Nebenbeteiligte, die von Feststellungen der im § 138 Abs. 2 lit. f bis h bezeichneten Art betroffen werden, haben folgende durch sie veranlaßte Kosten zu ersetzen:

a) die der Finanzstrafbehörde und dem Bundesfinanzgericht erwachsenen Barauslagen für Beweisaufnahmen und andere Verfahrensmaßnahmen, soweit sie nicht gemäß § 105 einem säumigen Zeugen aufzuerlegen sind;

b) Barauslagen für die Beförderung und Aufbewahrung von beschlagnahmten Gegenständen.

Die Kosten für die Beiziehung eines Dolmetschers sind nicht zu berücksichtigen, wenn die Beiziehung notwendig war, weil der Nebenbeteiligte der Verhandlungssprache nicht hinreichend kundig, gehörlos oder hochgradig hörbehindert war.

(3) Die im Abs. 1 lit. a bis c und im Abs. 2 bezeichneten Kosten sind, wenn möglich, in der Strafentscheidung festzusetzen. Stehen Kosten nach Abs. 1 lit. b und c und nach Abs. 2 im Zeitpunkt dieser Entscheidung noch nicht fest, so sind sie in einem gesonderten Bescheid vorzuschreiben; in einer Beschwerde gegen diesen Bescheid kann nur die ziffernmäßige Höhe des auferlegten Kostenersatzes angefochten werden.

(4) Die in den Abs. 1 und 2 bezeichneten Kosten, ausgenommen die Kosten des Vollzuges einer Freiheitsstrafe (Ersatzfreiheitsstrafe), werden mit Ablauf eines Monats nach Rechtskraft der Entscheidung, mit der die Kosten festgesetzt wurden, fällig; § 171 Abs. 1 Satz 2 gilt entsprechend.

(5) Die Einhebung, Sicherung und Einbringung der Kosten, ausgenommen jener für den Vollzug einer Freiheitsstrafe (Ersatzfreiheitsstrafe), obliegt den Finanzstrafbehörden. Hiebei gelten, soweit dieses Bundesgesetz nicht anderes bestimmt, die Bundesabgabenordnung und die Abgabenexekutionsordnung sinngemäß. § 172 gilt entsprechend.

(6) Außer dem Fall des § 175 Abs. 1 lit. b haben Personen, an denen eine Freiheitsstrafe (Ersatzfreiheitsstrafe) vollzogen wird, für jeden Tag einen Beitrag zu den Kosten des Vollzuges in der im § 32 Abs. 2 zweiter Fall des Strafvollzugsgesetzes bestimmten Höhe zu leisten, für Stunden den entsprechenden Teil. Die Verpflichtung zur Leistung eines solchen Kostenbeitrages entfällt, soweit diese Personen daran, daß sie zu keiner Tätigkeit im Sinne des § 175 Abs. 5 herangezogen werden können oder daß sie im Rahmen ihrer Heranziehung zu einer solchen Tätigkeit eine zufriedenstellende Arbeitsleistung nicht erbracht haben, weder ein vorsätzliches noch ein grob fahrlässiges Verschulden trifft. Den Kostenbeitrag hat das Vollzugsgericht nach Beendigung des Strafvollzuges zu bestimmen und seine Eintreibung nach den für die Einbringung der Kosten des Vollzuges gerichtlicher Strafen geltenden gesetzlichen Vorschriften zu veranlassen; hievon ist abzusehen, wenn die um den Vollzug ersuchende Finanzstrafbehörde mitteilt, daß der Bestrafte offenbar nicht in der Lage ist, einen Kostenbeitrag zu leisten, oder wenn das Gericht auf Grund der ihm bekannten Verhältnisse des Bestraften den Kostenbeitrag in sinngemäßer Anwendung des § 391 StPO für uneinbringlich erklärt.

(7) Für die Kosten des Strafverfahrens und des Strafvollzuges wegen einer Jugendstraftat (§ 1 Abs. 1 Z 3 JGG) gelten die §§ 45 und 60 des Jugendgerichtsgesetzes 1988.

(8) Wird einem Antrag auf Wiederaufnahme des Finanzstrafverfahrens nicht stattgegeben, so gelten hin-

sichtlich des Kostenersatzes die Abs. 1 bis 5 und 7 sinngemäß.

XII. Hauptstück.

Tilgung.

§ 186. (1) Bestrafungen durch Finanzstrafbehörden gelten mit Ablauf der im Abs. 3 genannten Fristen als getilgt. Mit der Tilgung erlöschen, sofern gesetzlich nicht anderes bestimmt ist, die kraft Gesetzes mit der Bestrafung verbundenen Folgen. Dies gilt auch für Bestrafungen durch das Bundesfinanzgericht oder den Verwaltungsgerichtshof.

(2) Getilgte Bestrafungen dürfen bei der Strafbemessung nicht berücksichtigt und in Auskünfte an Gerichte oder andere Behörden nicht aufgenommen werden. Der Bestrafte ist nicht verpflichtet, getilgte Bestrafungen auf Befragen vor Gericht oder einer anderen Behörde anzugeben.

(3) Die Tilgungsfrist beginnt, sobald die Strafen vollzogen oder nachgesehen worden sind oder die Vollstreckbarkeit verjährt ist. Sie beträgt drei Jahre bei Bestrafungen wegen Finanzordnungswidrigkeiten und fünf Jahre bei Bestrafungen wegen aller übrigen Finanzvergehen.

(4) Wird jemand rechtskräftig wegen eines Finanzvergehens bestraft, bevor eine oder mehrere frühere Bestrafungen wegen Finanzvergehen getilgt sind, so tritt die Tilgung aller Bestrafungen nur gemeinsam und zwar erst mit dem Ablauf der Tilgungsfrist ein, die am spätesten endet.

XIII. Hauptstück.

Gnadenrecht.

§ 187. (1) Bei Vorliegen berücksichtigungswürdiger Umstände kann das Bundesministerium für Finanzen über Ansuchen des Bestraften durch die Finanzstrafbehörden verhängte Strafen ganz oder teilweise nachsehen oder Freiheitsstrafen in Geldstrafen umwandeln. Unter denselben Voraussetzungen können über Ansuchen verfallene Gegenstände und Beförderungsmittel dem früheren Eigentümer ohne Entgelt oder gegen Leistung eines Geldbetrages freigegeben werden.

(2) Die gnadenweise Nachsicht von durch das Bundesfinanzgericht oder den Verwaltungsgerichtshof verhängten Strafen steht nur dem Bundespräsidenten über Vorschlag der Bundesregierung oder des von ihr ermächtigten Bundesministers für Finanzen zu (Art. 65 Abs. 2 lit. c, Art. 67 Abs. 1 B-VG). Ansuchen um gnadenweise Nachsicht sind beim Bundesministerium für Finanzen einzubringen. Bei den Finanzstrafbehörden oder beim Bundesfinanzgericht einlangende Gesuche sind unverzüglich an das Bundesministerium für Finanzen weiterzuleiten. Eine vom Bundespräsidenten ausgesprochene gnadenweise Nachsicht ist dem Bestraften vom Bundesministerium für Finanzen mitzuteilen. Dieses hat den Bestraften auch zu verständigen, wenn das Gnadengesuch erfolglos bleibt.

(3) Ein Recht auf gnadenweise Nachsicht besteht nicht.

XIV. Hauptstück.

Entschädigung

§ 188. (1) Der Bund hat für Schäden, die durch ein verwaltungsbehördliches Finanzstrafverfahren entstanden sind, dem Geschädigten auf dessen Verlangen nach Maßgabe der folgenden Bestimmungen Entschädigung in Geld zu leisten. Der Entschädigungsanspruch wegen des Entzugs der persönlichen Freiheit umfasst auch eine angemessene Entschädigung für die durch die Festnahme oder die Anhaltung erlittene Beeinträchtigung. Bei der Beurteilung der Angemessenheit sind die Dauer der Anhaltung sowie die persönlichen Verhältnisse der geschädigten Person und deren Änderung durch die Festnahme oder Anhaltung zu berücksichtigen.

(2) Der Entschädigungsanspruch besteht,

a) wenn der Geschädigte gesetzwidrig in vorläufige Verwahrung oder in Untersuchungshaft genommen oder in einer solchen Haft gehalten worden ist;

b) wenn der Geschädigte in vorläufige Verwahrung oder in Untersuchungshaft genommen worden ist und in der Folge das Strafverfahren eingestellt wurde;

c) wenn an dem Geschädigten eine Freiheitsstrafe oder eine Ersatzfreiheitsstrafe vollzogen worden ist und nach Wiederaufnahme des Strafverfahrens oder sonst nach Aufhebung der Entscheidung das Verfahren eingestellt oder über den Geschädigten eine kürzere Freiheitsstrafe (Ersatzfreiheitsstrafe) als die bereits verbüßte verhängt wurde;

d) wenn in der Entscheidung auf Verfall erkannt worden ist und im abgesonderten Verfahren (§ 149) oder nach Wiederaufnahme des Strafverfahrens oder sonst nach Aufhebung der Entscheidung nicht mehr auf Verfall erkannt wurde und eine Rückgabe des Verfallsgegenstandes nicht mehr möglich ist, in Höhe des dadurch entstandenen vermögensrechtlichen Nachteils.

(3) Der Entschädigungsanspruch ist ausgeschlossen,

a) wenn der Geschädigte den Verdacht, der den Freiheitsentzug oder den Verfall begründete, vorsätzlich herbeigeführt hat;

b) in den Fällen des Abs. 2 lit. a und b, soweit eine Anrechnung der Vorhaft (§ 23 Abs. 4) auf eine Strafe erfolgt ist;

c) in den Fällen des Abs. 2 lit. b und c, wenn die Verfolgung lediglich deshalb ausgeschlossen war, weil der Geschädigte die Tat im Zustand der Zurechnungsunfähigkeit begangen hat;

d) in den Fällen des Abs. 2 lit. c und d, wenn an die Stelle der aufgehobenen Entscheidung lediglich deshalb eine für den Geschädigten günstigere getreten ist, weil inzwischen das Gesetz geändert worden ist.

(4) Abgesehen von den Fällen des Abs. 3 lit. a kann der Entschädigungsanspruch wegen eines Mitverschuldens nach § 1304 des Allgemeinen Bürgerlichen Gesetzbuchs (ABGB), JGS Nr. 936/1811, eingeschränkt oder ausgeschlossen werden, wenn die geschädigte Person an ihrer Festnahme oder Anhaltung ein Verschulden trifft.

(5) In den Fällen des Abs. 2 lit. b und c kann die Haftung des Bundes gemindert oder ausgeschlossen werden, soweit ein Ersatz unter Bedachtnahme auf die Verdachtslage zur Zeit der Festnahme oder Anhaltung, auf die Haftgründe und auf die Gründe, die zur Einstellung des Verfahrens geführt haben, unangemessen wäre. Wird jedoch hinsichtlich einer geschädigten Person in einem Finanzstrafverfahren gemäß § 136 im Erkenntnis die Einstellung des Strafverfahrens ausgesprochen, so kann dabei die Verdachtslage nicht berücksichtigt werden.

(6) Die Haftung des Bundes kann jedoch im Fall des Abs. 2 lit. a weder ausgeschlossen noch gemindert werden, wenn die Festnahme oder Anhaltung unter Verletzung der Bestimmungen des Art. 5 der Europäischen Menschenrechtskonvention, BGBl. Nr. 210/1958, oder des Bundesverfassungsgesetzes über den Schutz der persönlichen Freiheit, BGBl. Nr. 684/1988, erfolgte.

§ 189. Der Entschädigungsanspruch kann durch Exekutions- oder Sicherungsmaßnahmen nicht getroffen werden, außer zugunsten einer Forderung auf Leistung des gesetzlichen Unterhaltes oder auf Ersatz von Unterhaltsaufwendungen, die der Geschädigte nach dem Gesetz zu machen gehabt hätte (§ 1042 ABGB). Soweit Exekutions- und Sicherungsmaßnahmen ausgeschlossen sind, ist auch jede Verpflichtung und Verfügung des Geschädigten durch Abtretung, Anweisung, Verpfändung oder durch ein anderes Rechtsgeschäft unter Lebenden ohne rechtliche Wirkung.

§ 190. (1) Der Geschädigte hat zunächst den Bund zur Anerkennung der von ihm begehrten Entschädigung schriftlich aufzufordern. Die Aufforderung ist an die Finanzprokuratur zu richten. Das im § 192 Abs. 1 genannte Gericht hat dem Geschädigten für das Aufforderungsverfahren nach den Bestimmungen der ZPO über die Verfahrenshilfe einen Rechtsanwalt beizugeben.

(2) Kommt dem Geschädigten die Erklärung der Finanzprokuratur nicht binnen sechs Monaten zu, nachdem diese die Aufforderung erhalten hat, oder wird innerhalb dieser Frist die Entschädigung zur Gänze oder zum Teil verweigert, so kann der Geschädigte den Entschädigungsanspruch durch Klage gegen den Bund geltend machen.

§ 191. Der Entschädigungsanspruch verjährt in drei Jahren. Die Verjährungsfrist beginnt nach Ablauf des Jahres, in dem sämtliche den Entschädigungsanspruch begründenden Voraussetzungen (§ 188 Abs. 2) vorlagen.

§ 192. (1) Zur Entscheidung über Rechtsstreitigkeiten, die einen Entschädigungsanspruch betreffen, ist das mit der Ausübung der Gerichtsbarkeit in bürgerlichen Rechtssachen betraute Landesgericht ausschließlich zuständig, in dessen Sprengel der einen Entschädigungsanspruch bewirkende Freiheitsentzug oder Verfallsausspruch erfolgt ist. Ist eine örtliche Zuständigkeit im Inland nicht begründet, so ist das Landesgericht für Zivilrechtssachen Wien zuständig.

(2) Die Gerichtsbarkeit wird unbeschadet des § 7a der Jurisdiktionsnorm ohne Rücksicht auf den Wert des Streitgegenstandes durch Senate ausgeübt.

§ 193. (1) Entschädigungen nach diesem Hauptstück unterliegen keiner bundesgesetzlich geregelten Abgabe.

(2) Vergleiche, die zwischen dem Bund und dem Geschädigten über einen Entschädigungsanspruch abgeschlossen werden, unterliegen keiner Stempel- und Rechtsgebühr.

(3) Über den Entschädigungsanspruch nach diesem Hauptstück hinausgehende Ansprüche auf Grund des Amtshaftungsgesetzes, BGBl. Nr. 20/1949, bleiben unberührt.

§ 194. (1) Wird zum Nachteil des Geschädigten das Finanzstrafverfahren wiederaufgenommen, so ist die Erklärung nach § 190 Abs. 2 oder die Zahlung der anerkannten Entschädigung bis zur rechtskräftigen Beendigung des wiederaufgenommenen Strafverfahrens aufzuschieben. Hievon hat die Finanzprokuratur den Geschädigten in Kenntnis zu setzen. Vor Eintritt der Rechtskraft der Entscheidung im wiederaufgenommenen Strafverfahren kann der Entschädigungsanspruch nicht durch Klage geltend gemacht werden. Ist ein solcher Rechtsstreit bereits anhängig, so hat das Gericht (§ 192) das Verfahren zu unterbrechen.

(2) Nach Rechtskraft der Entscheidung im wiederaufgenommenen Strafverfahren sind die nach Abs. 1 aufgeschobenen Rechtshandlungen nachzuholen, das unterbrochene Gerichtsverfahren aufzunehmen oder bereits geleistete Entschädigungsbeträge zurückzufordern, es sei denn, daß der Geschädigte diese Beträge gutgläubig verbraucht hat.

XV. Hauptstück
Finanzstrafregister

§ 194a. Zum Zweck der Evidenthaltung der verwaltungsbehördlichen Finanzstrafverfahren hat das Amt für Betrugsbekämpfung für das gesamte Bundesgebiet ein Finanzstrafregister zu führen.

§ 194b. (1) In das Finanzstrafregister sind aufzunehmen:

– die persönlichen Daten des Beschuldigten, das sind Namen, frühere Namen und Aliasnamen, Titel, Anschrift, Geburtsdatum und -ort, Staatsangehörigkeit, Geschlecht, Beruf bzw. Tätigkeit, Sozialversicherungsnummer,

– die Daten des belangten Verbandes,

– die Daten des Finanzvergehens,

– die Daten der Verfahrenseinleitung, der Abtretung an eine andere Finanzstrafbehörde und des ersten Berichts an die Staatsanwaltschaft,

– die Daten der das Strafverfahren abschließenden Entscheidung,

– die Daten des Strafvollzuges und der Ausübung des Gnadenrechts,

– das Datum des Tilgungseintritts.

(2) Die Finanzstrafbehörden haben die nach Abs. 1 erforderlichen Daten der von ihnen geführten Verfahren laufend dem Finanzstrafregister zu übermitteln.

(3) Vor Beginn der Führung des Finanzstrafregisters (§ 194e Abs. 1) angefallene Daten nach Abs. 1 sind nur dann in das Finanzstrafregister aufzunehmen, wenn zu diesem Zeitpunkt die ab der Rechtskraft der Strafentscheidung zu berechnenden Tilgungsfristen nach § 186 Abs. 3 und 4 noch nicht abgelaufen sind.

§ 194c. (1) Unrichtige, unrichtig gewordene oder unvollständige Daten sind nach den Bestimmungen des § 57c zu berichtigen.

(2) Die erfassten Daten sind spätestens zwei Jahre nach rechtskräftiger Einstellung des Strafverfahrens, nach Eintritt der Tilgung oder nach Kenntnis des Todes des Beschuldigten zu löschen. Unzulässig aufgenommene Daten sind auf begründeten Antrag der betroffenen Person oder von Amts wegen unverzüglich zu löschen.

§ 194d. (1) Auskünfte aus dem Finanzstrafregister sind für finanzstrafrechtliche Zwecke allen Finanzstrafbehörden, Strafgerichten und Staatsanwaltschaften, dem Bundesfinanzgericht sowie dem Bundesministerium für Finanzen zu erteilen. Nur den Finanzstrafbehörden, dem Bundesfinanzgericht und dem Bundesministerium für Finanzen sind auch Auskünfte zu erteilen, wenn eine Bestrafung bereits getilgt ist.

(2) Anderen inländischen Stellen sind über rechtskräftige, noch nicht getilgte Bestrafungen Auskünfte zu erteilen, sofern eine gesetzliche Verpflichtung zur Auskunftserteilung besteht oder die Stellen Gesetze zu vollziehen haben, die an eine Bestrafung wegen eines Finanzvergehens Rechtsfolgen knüpfen. Ausländischen Stellen dürfen Auskünfte über die Daten von Bestraften und von Finanzvergehen nur insoweit erteilt werden, als diesen Stellen Amtshilfe gewährt werden kann.

(3) Die betroffene Person hat das Recht, auf begründeten Antrag Auskunft über die im Finanzstrafregister über sie erfassten Daten zu erlangen. Wird dem Antrag ganz oder teilweise nicht entsprochen, so sind dem Antragsteller die Gründe hiefür schriftlich mitzuteilen. Diese Mitteilung hat nicht in Bescheidform zu ergehen, jedoch eine Information über das Recht auf eine Beschwerde an die Datenschutzbehörde zu enthalten.

§ 194e. (1) Das Finanzstrafregister ist automationsunterstützt zu führen. Der Bundesminister für Finanzen hat den Beginn der Führung nach den technisch-organisatorischen Gegebenheiten mit Verordnung festzulegen.

(2) Mit der Führung des Finanzstrafregisters ist die Bundesrechenzentrum GmbH beauftragt. Die Bundesrechenzentrum GmbH hat den Finanzstrafbehörden, dem Bundesfinanzgericht und dem Bundesministerium für Finanzen im Umfang der gemäß § 194d eingeräumten Berechtigungen einen direkten Zugang zum Finanzstrafregister einzurichten.

DRITTER UNTERABSCHNITT.

Sonderbestimmungen für das Verfahren wegen gerichtlich strafbarer Finanzvergehen

1. Allgemeines.

§ 195. (1) Soweit im Folgenden nicht etwas Besonderes vorgeschrieben ist, gelten für das Verfahren wegen gerichtlich strafbarer Finanzvergehen die Bestimmungen der Strafprozessordnung. Bei Zuständigkeit der Europäischen Staatsanwaltschaft gelten die Verordnung (EU) 2017/1939 zur Durchführung einer Verstärkten Zusammenarbeit zur Errichtung der Europäischen Staatsanwaltschaft (EUStA), ABl. Nr. L 283 vom 31.10.2017 S. 1, in ihrer jeweils geltenden Fassung, sowie die Bestimmungen des Bundesgesetzes zur Durchführung der Europäischen Staatsanwaltschaft (EUStA-DG).

(2) Die besonderen Vorschriften dieses Unterabschnittes gelten auch für das Verfahren wegen einer Tat, die zugleich den Tatbestand eines Finanzvergehens und den einer gerichtlich strafbaren Handlung anderer Art erfüllt.

(3) Für Verfahren wegen Finanzvergehen gegen Verbände gelten, soweit im Folgenden nicht etwas Besonderes vorgeschrieben ist, die Bestimmungen des 3. Abschnittes des Verbandsverantwortlichkeitsgesetzes.

(4) Soweit personenbezogene Daten durch die Finanzstrafbehörden, die für sie tätigen Organe oder durch den Bundesminister für Finanzen verarbeitet werden, sind die Bestimmungen der §§ 57a bis 57d über die Verarbeitung personenbezogener Daten sinngemäß anzuwenden.

§ 196. (1) Bei der Aufklärung und Verfolgung gerichtlich strafbarer Finanzvergehen werden die Finanzstrafbehörden im Dienste der Strafrechtspflege (Art. 10 Abs. 1 Z 6 B-VG) tätig. Die in der Strafprozessordnung der Kriminalpolizei zukommenden Aufgaben und Befugnisse haben bei gerichtlich strafbaren Finanzvergehen an Stelle der Sicherheitsbehörden die Finanzstrafbehörden und ihre Organe wahrzunehmen.

(2) Nur wenn die Finanzstrafbehörden oder ihre Organe nicht rechtzeitig einschreiten können oder das

aufzuklärende Finanzvergehen auch den Tatbestand einer gerichtlich strafbaren Handlung erfüllt, die kein Finanzvergehen ist, haben auf Anordnung der Staatsanwaltschaft die Sicherheitsbehörden einzuschreiten.

(3) Wo in den folgenden Bestimmungen die Finanzstrafbehörde genannt wird, ist darunter die Behörde zu verstehen, der das verwaltungsbehördliche Finanzstrafverfahren wegen eines Finanzvergehens zustünde, wenn dieses nicht von den Gerichten zu ahnden wäre.

(4) Auch im Ermittlungsverfahren wegen gerichtlich strafbarer Finanzvergehen stehen der Finanzstrafbehörde die in den §§ 99 Abs. 1 bis 4 und 120 Abs. 3 eingeräumten Befugnisse zu und, wenn es sich bei der Finanzstrafbehörde um das Zollamt Österreich handelt, die dem Zollamt Österreich und seinen Organen in den Zollvorschriften eingeräumten Befugnisse. § 120 Abs. 4 gilt sinngemäß.

2. Ergänzungen der Strafprozeßordnung.

Zum 2. Hauptstück

Zu § 31

§ 196a. Das Hauptverfahren wegen gerichtlich strafbarer Finanzvergehen obliegt dem Landesgericht als Schöffengericht.

Zu § 25

§ 197. (1) Für das Ermittlungsverfahren wegen gerichtlich strafbarer Finanzvergehen ist die Staatsanwaltschaft örtlich zuständig (§ 25 StPO), in deren Sprengel der Beschuldigte seinen Wohnsitz gemäß § 1 Abs. 7 Meldegesetz 1991 hat oder zuletzt hatte. Fehlt es an einem solchen Ort oder kann er nicht festgestellt werden, so ist jene Staatsanwaltschaft zuständig, in deren Sprengel der Beschuldigte seinen gewöhnlichen Aufenthalt hat oder zuletzt hatte. Fehlt es auch an einem solchen Ort oder kann er nicht festgestellt werden, so ist jene Staatsanwaltschaft zuständig, in deren Sprengel das Finanzvergehen ausgeführt wurde oder ausgeführt werden sollte. Kann danach keine Zuständigkeit festgestellt werden, so ist jene Staatsanwaltschaft zuständig, in deren Sprengel die Tat entdeckt oder der Beschuldigte betreten wurde.

(2) Die Staatsanwaltschaft, die zuerst von einem gerichtlich strafbaren Finanzvergehen Kenntnis erlangt, hat das Ermittlungsverfahren so lange zu führen, bis die Zuständigkeit einer anderen Staatsanwaltschaft nach Abs. 1 festgestellt werden kann.

(3) Im Übrigen ist § 25 Abs. 4, 5 und 7 StPO sinngemäß anzuwenden.

Zu § 36

§ 198. (1) Für das Hauptverfahren wegen gerichtlich strafbarer Finanzvergehen ist das Gericht örtlich zuständig (§ 36 StPO), in dessen Sprengel der Beschuldigte zum Zeitpunkt des Beginns des Strafverfahrens (§ 1 Abs. 2 StPO) seinen Wohnsitz gemäß § 1 Abs. 7 Meldegesetz 1991 hatte oder davor zuletzt gehabt hatte. Fehlt es an einem solchen Ort oder kann er nicht festgestellt werden, so ist jenes Gericht zuständig, in dessen Sprengel der Beschuldigte zum Zeitpunkt des Beginns des Strafverfahrens (§ 1 Abs. 2 StPO) seinen gewöhnlichen Aufenthalt hatte oder davor zuletzt gehabt hatte. Fehlt es auch an einem solchen Ort oder kann er nicht festgestellt werden, so ist jenes Gericht zuständig, in dessen Sprengel das Finanzvergehen ausgeführt wurde oder ausgeführt werden sollte. Kann danach keine Zuständigkeit festgestellt werden, so ist jenes Gericht zuständig, in dessen Sprengel die Tat entdeckt oder der Beschuldigte betreten wurde.

(2) Kann nach Abs. 1 eine örtliche Zuständigkeit des Gerichts nicht bestimmt werden, so ist jenes Gericht zuständig, an dessen Sitz sich die Staatsanwaltschaft befindet, die Anklage einbringt.

Zum 3. Hauptstück

§ 199. (1) Der Beschuldigte kann zur Unterstützung seines Verteidigers einen Steuerberater beiziehen.

(2) Für den Steuerberater gelten § 57, § 58 Abs. 1, 3 und 4 und § 60 StPO sinngemäß. Er kann gleich einem Verteidiger an mündlichen Verhandlungen teilnehmen. Zu Anträgen und Willenserklärungen für den Vertretenen und zur Ausführung von Rechtsmitteln ist er nicht berechtigt.

(3) Haftungsbeteiligte im Sinne des § 64 StPO sind auch Personen, die für Wertersätze (§ 19) haften.

Zu den §§ 67 bis 70

§ 200. (1) Der Finanzstrafbehörde kommt in dem nicht von ihr geführten Ermittlungsverfahren sowie im Haupt- und im Rechtsmittelverfahren wegen Finanzvergehen kraft Gesetzes die Stellung eines Privatbeteiligten zu.

(2) Außer den Rechten des Opfers, des Privatbeteiligten und des Subsidiaranklägers hat die Finanzstrafbehörde noch folgende Rechte:

a) Sie kann im gleichen Umfang wie die Staatsanwaltschaft gerichtliche Entscheidungen bekämpfen und die Wiederaufnahme des Strafverfahrens verlangen.

b) Ihre Nichtigkeitsbeschwerde bedarf nicht der Unterschrift eines Verteidigers.

c) Die Anberaumung von Haftverhandlungen (§§ 175 und 176 StPO), die Freilassung des Beschuldigten und die Anberaumung von mündlichen Verhandlungen im Rechtsmittelverfahren ist ihr mitzuteilen.

d) Ihre Vertreter können bei den Haftverhandlungen und bei den mündlichen Verhandlungen im Rechtsmittelverfahren das Wort ergreifen und Anträge stellen.

e) Die Akteneinsicht (§ 68 StPO) darf nicht verweigert oder beschränkt werden.

(3) Die Vermutung des Rücktrittes von der Verfolgung (§ 72 Abs. 2 und 3 StPO) ist gegenüber der Finanzstrafbehörde als Ankläger ausgeschlossen.

(4) Die besonderen Rechte der Finanzstrafbehörde erstrecken sich auch auf gerichtlich strafbare Handlungen, die keine Finanzvergehen sind, aber mit solchen in derselben Tat zusammentreffen.

Zu den §§ 81 bis 83

§ 200a. Der Finanzstrafbehörde sind gerichtliche Erledigungen und andere Schriftstücke, die ihr nach den Bestimmungen dieses Bundesgesetzes mitzuteilen sind, grundsätzlich ohne Zustellnachweis zuzustellen. Die Ladung zur Hauptverhandlung, gerichtliche Erledigungen und andere Schriftstücke, gegen die der Finanzstrafbehörde ein Rechtsmittel oder ein Rechtsbehelf zusteht, sind ihr mit Zustellnachweis (§§ 13 bis 20 des Zustellgesetzes) zuzustellen oder durch Telefax oder im elektronischen Rechtsverkehr (§ 89a GOG) zu übermitteln.

Zu § 100

§ 200b. Die Finanzstrafbehörden unterliegen nicht der Berichtspflicht nach § 100 Abs. 3a StPO.

Zu § 108

§ 201. Ein Antrag auf Einstellung gemäß § 108 Abs. 2 Z 2 StPO darf frühestens sechs Monate ab dem ersten an die Staatsanwaltschaft erstatteten Bericht (§ 100 Abs. 2 StPO) gestellt werden.

Zum 10. Hauptstück

§ 202. (1) Die Staatsanwaltschaft hat das Ermittlungsverfahren gemäß § 190 StPO insoweit einzustellen, als eine Zuständigkeit der Gerichte im Hauptverfahren nicht gegeben wäre (§ 53). Eine Einstellung wegen Unzuständigkeit der Gerichte zur Ahndung des Finanzvergehens hat ohne Rücksicht darauf zu erfolgen, ob auch aus anderen Gründen von der Verfolgung abzusehen wäre.

(2) Die Finanzstrafbehörde ist hiervon zu verständigen (§ 194 StPO).

Zum 11. Hauptstück

§ 202a. Vor einer Mitteilung nach den §§ 200 Abs. 4, 201 Abs. 4 oder 203 Abs. 3 StPO hat die Staatsanwaltschaft oder das Gericht die Finanzstrafbehörde zu hören.

§ 203. Ein Vorgehen nach §§ 198 bis 209 StPO und nach § 19 VbVG ist in Finanzstrafsachen vorbehaltlich der Sonderbestimmungen für Jugendstrafsachen (§ 24) nicht zulässig.

Zu den §§ 195, 196, 197b und 197c

§ 205. Hat die Staatsanwaltschaft von der Einleitung eines Ermittlungsverfahrens wegen eines Finanzvergehens abgesehen, so ist die Finanzstrafbehörde hiervon zu verständigen und berechtigt, einen Antrag auf Verfolgung nach § 197c StPO zu stellen. Hat die Staatsanwaltschaft von der Verfolgung eines Finanzvergehens abgesehen und das Ermittlungsverfahren eingestellt, so ist die Finanzstrafbehörde berechtigt, die Fortführung des Ermittlungsverfahrens nach § 195 StPO zu beantragen. Ein Pauschalkostenbeitrag nach § 196 Abs. 2 StPO ist ihr in keinem Fall aufzuerlegen.

Zu den §§ 109 bis 115

§ 206. (1) Die Staatsanwaltschaft hat von der Anordnung der Sicherstellung und von einem Antrag auf Beschlagnahme verfallsbedrohter Gegenstände abzusehen und eine bereits erfolgte Beschlagnahme solcher Gegenstände aufzuheben, wenn ein Geldbetrag erlegt wird, der dem Wert dieser Gegenstände entspricht (Freigabe). Der Geldbetrag tritt an die Stelle dieser Gegenstände und unterliegt nach Maßgabe des § 17 dem Verfall.

(2) Eine Freigabe gemäß Abs. 1 hat insbesondere zu unterbleiben, FinStrG

a) solange die Gegenstände auch für Beweiszwecke benötigt werden,

b) wenn es sich um Monopolgegenstände oder andere Gegenstände handelt, die gesetzlichen Verkehrsbeschränkungen unterliegen,

c) wenn eine gesetzwidrige Verwendung der Gegenstände zu besorgen ist,

d) wenn die Gegenstände auch in einem anderen Verfahren beschlagnahmt sind oder wenn die ihnen in einem anderen Verfahren drohende Beschlagnahme aktenkundig ist.

§ 207. (1) Verfallsbedrohte Gegenstände, die von raschem Verderb oder erheblicher Wertminderung bedroht sind oder sich nur mit unverhältnismäßigen Kosten aufbewahren lassen, kann das Gericht durch die Finanzstrafbehörde verwerten lassen. Die Verwertung wegen unverhältnismäßiger Aufbewahrungskosten unterbleibt, wenn rechtzeitig ein zur Deckung dieser Kosten ausreichender Betrag erlegt wird. Für die Verwertung der Gegenstände durch die Finanzstrafbehörde gilt § 90 Abs. 2 sinngemäß.

(2) Ein Verfallsausspruch erfaßt an Stelle der verwerteten Gegenstände deren Erlös.

(3) Die Verwertung nach dem ersten Absatz hat jedoch so lange zu unterbleiben, als die verfallsbedrohten Gegenstände für Beweiszwecke benötigt werden.

§ 207a. (1) Eine Sicherstellung gemäß § 109 Z 1 und § 110 Abs. 1 Z 3 StPO und eine Beschlagnahme ge-mäß § 109 Z 2 und § 115 Abs. 1 Z 3 StPO ist auch zur Sicherung der Geldstrafe und des Ausspruches der Haftung gemäß § 28 zulässig.

(2) In dem Beschluss, mit dem eine Beschlagnahme bewilligt wird, ist ein Geldbetrag zu bestimmen, durch dessen Erlag die Vollziehung der Beschlagnahme gehemmt wird. Nach dem Erlag ist die Beschlagnahme auf Antrag des Betroffenen aufzuheben. Der Geldbetrag ist so zu bestimmen, dass darin die voraussichtliche Geldstrafe, der voraussichtliche Wertersatz oder der Wert eines verfallsbedrohten Gegenstandes Deckung findet.

(3) Folgt eine Beschlagnahme auf eine Sicherstellungsmaßnahme der Finanzstrafbehörde, so bleibt deren Rangordnung für die gerichtliche Sicherstellung gewahrt.

(4) Gegen den Beschluss, mit dem eine Beschlagnahme abgelehnt wird, steht auch der Finanzstrafbehörde die Beschwerde nach § 87 StPO zu.

Zu § 155

§ 208. Im Strafverfahren wegen eines Finanzvergehens haben Zeugen und Sachverständige auch über Verhältnisse und Umstände auszusagen, die unter die Geheimhaltungspflicht nach § 48a BAO fallen.

Zu § 213

§ 209. Jede Anklageschrift wegen eines Finanzvergehens ist auch der Finanzstrafbehörde zuzustellen; die Staatsanwaltschaft hat hierauf Bedacht zu nehmen und dem Gerichte auch eine Ausfertigung der Anklageschrift für die Finanzstrafbehörde zu überreichen.

Zu § 215

§ 210. (1) Erachtet das Oberlandesgericht bei der Entscheidung über den Einspruch gegen eine Anklage wegen Finanzvergehens, daß die Gerichte zur Ahndung nicht zuständig seien, so hat es der Anklage keine Folge zu geben und das Verfahren wegen Unzuständigkeit einzustellen.

(2) Unter den Voraussetzungen des Abs. 1 ist eine Unzuständigkeitsentscheidung ohne Rücksicht darauf zu fällen, ob der Anklage auch aus anderen Gründen nicht Folge gegeben werden könnte.

(3) Erfüllt die Anklagetat auch den Tatbestand einer gerichtlich strafbaren Handlung, die kein Finanzvergehen ist, so hat die Einstellung des Strafverfahrens wegen des Finanzvergehens keinen Einfluß auf die Zulässigkeit der Anklage im übrigen.

(4) Das Oberlandesgericht hat in der Einspruchsentscheidung darzulegen, aus welchen Gründen es die gerichtliche Zuständigkeit zur Ahndung des Finanzvergehens ablehne. Ist diese Zuständigkeit im Anklageeinspruch ausdrücklich angefochten, so hat es auch darzulegen, aus welchen Gründen es sie annehme.

(5) Eine Einspruchsentscheidung, in der die gerichtliche Zuständigkeit zur Ahndung des Finanzvergehens abgelehnt wird, ist der Finanzstrafbehörde auch zuzustellen, wenn sie nicht als Ankläger statt der Staatsanwaltschaft einschreitet.

(6) Eine Einspruchsentscheidung, die die gerichtliche Zuständigkeit zur Ahndung des Finanzvergehens ausspricht, bindet das Gericht im weiteren Verfahren nicht.

(7) Nach der Einstellung des Strafverfahrens wegen eines Finanzvergehens durch das Oberlandesgericht kann das gerichtliche Verfahren wegen dieses Vergehens nur fortgesetzt werden, wenn die Wiederaufnahme nach § 220 bewilligt worden ist.

Zu § 227.

§ 211. (1) Tritt die Staatsanwaltschaft außerhalb einer Hauptverhandlung von der Anklage eines Finanzvergehens zurück, so hat sie die Gründe hiefür sogleich der Finanzstrafbehörde mitzuteilen.

(2) Für den Rücktritt von der Anklage in der Hauptverhandlung gilt dies dann, wenn die Finanzstrafbehörde in der Verhandlung nicht vertreten ist.

§ 212. (1) Außerhalb der Hauptverhandlung hat die Staatsanwaltschaft, statt die Anklage wegen Unzuständigkeit des Gerichtes zur Ahndung eines Finanzvergehens zurückzuziehen, die Zuständigkeitsentscheidung des Landesgerichts (§ 32 Abs. 3 StPO) einzuholen.

(2) Das Landesgericht hat sich in seinem Beschluss auf die Entscheidung zu beschränken, ob dem Gericht die Ahndung der Tat als Finanzvergehen zukomme. Es hat im Beschluss darzulegen, aus welchen Gründen es die gerichtliche Zuständigkeit annehme oder ablehne.

(3) Der Beschluss des Landesgerichts kann von der Staatsanwaltschaft, der Finanzstrafbehörde und dem Beschuldigten mit Beschwerde an das Oberlandesgericht angefochten werden; für die Beschwerde steht eine Frist von vierzehn Tagen seit der Zustellung des Beschlusses offen.

(4) Ein Beschluss des Landesgerichts oder des Oberlandesgerichts, der die gerichtliche Zuständigkeit ausspricht, bindet das Gericht im weiteren Verfahren nicht.

(5) Nach rechtskräftiger Ablehnung der Zuständigkeit kann ein Strafverfahren nur geführt werden, wenn die Wiederaufnahme nach § 220 bewilligt worden ist.

(6) Auch wenn die Staatsanwaltschaft in der Hauptverhandlung zur Überzeugung kommt, daß die Gerichte zur Ahndung eines Finanzvergehens nicht zuständig seien, darf sie der gerichtlichen Zuständigkeitsentscheidung nicht durch den Rücktritt von der Anklage vorgreifen.

Zu den §§ 229 und 268

§ 213. (1) Die Öffentlichkeit der Hauptverhandlung über die Anklage wegen eines Finanzvergehens ist auch auszuschließen, von Amts wegen oder auf Antrag der Staatsanwaltschaft, der Finanzstrafbehörde, des Angeklagten, eines Nebenbeteiligten oder eines Zeugen, wenn und solange zur Aufklärung des Finanzvergehens Verhältnisse oder Umstände des Angeklagten, eines Nebenbeteiligten oder eines Zeugen, die unter die Geheimhaltungspflicht nach § 48a BAO fallen, erörtert werden müssen.

(2) War die Öffentlichkeit der Hauptverhandlung nach Abs. 1 ausgeschlossen, so ist sie auch bei der Verkündung der Urteilsentscheidungsgründe auszuschließen, soweit dabei Verhältnisse oder Umstände im Sinne des Abs. 1 zur Sprache kommen.

Zu § 259.

§ 214. (1) Der Freispruch wegen Unzuständigkeit der Gerichte zur Ahndung eines Finanzvergehens steht der Verurteilung wegen einer anderen strafbaren Handlung nicht entgegen, deren sich der Angeklagte durch dieselbe Tat schuldig gemacht hat.

(2) Ein Freispruch wegen Unzuständigkeit ist zu fällen, wenngleich ein Schuldspruch auch aus anderen Gründen nicht gefällt werden kann.

(Anm.: Abs. 3 aufgehoben durch BGBl. I Nr. 44/2007)

(4) Nach rechtskräftigem Freispruch wegen Unzuständigkeit kann das Finanzvergehen nur dann gerichtlich verfolgt und geahndet werden, wenn die Wiederaufnahme nach § 220 bewilligt worden ist.

Zu § 260.

§ 215. (1) Im Strafurteil ist auch auszusprechen,

a) welche vom Angeklagten verschiedene Personen durch einen Verfall ihr Eigentum verliere;

b) welche Pfand- und Zurückbehaltungsrechte Dritter an verfallenen Gegenständen anerkannt oder abgelehnt würden, in welcher Höhe die gesicherten Forderungen anerkannt würden und welcher Rang ihnen zukomme;

c) welche Personen für die Geldstrafe und den Wertersatz nach § 28 hafteten und

d) daß die Strafe, die wegen desselben Finanzvergehens in einem verwaltungsbehördlichen Finanzstrafverfahren verhängt und vollstreckt worden ist, auf die gerichtliche Strafe für die Vergehen angerechnet werde.

(2) Werden Pfand- oder Zurückbehaltungsrechte Dritter an verfallenen Gegenständen anerkannt, so ist im Urteil auch auszusprechen, daß der festgesetzte Wertersatz (§ 19 Abs. 3) nur mit dem Betrag einzufordern sei, der zur Befriedigung der anerkannten Forderungen aus dem Verwertungserlös aufgewendet wird (§ 229 Abs. 3).

Zu § 270.

§ 217. In die Urteilsausfertigung sind auch die Namen der Nebenbeteiligten (§ 76) und ihrer Vertreter aufzunehmen.

Zu den §§ 281 und 283.

§ 218. Enthält ein Urteil gesonderte Strafen für Finanzvergehen und strafbare Handlungen anderer Art (§ 22), so ist die Zulässigkeit der Rechtsmittel gegen den Strafausspruch auch gesondert zu beurteilen.

Zu den §§ 284, 285 und 294.

§ 219. (1) War die Finanzstrafbehörde bei der Urteilsverkündung nicht vertreten, so ist ihr eine Urteilsausfertigung zuzustellen. Die Frist zur Anmeldung von Rechtsmitteln läuft dann von der Urteilszustellung, die Frist zur Ausführung des Rechtsmittels von dessen Anmeldung an. War die Finanzstrafbehörde bei der Urteilsverkündung nicht vertreten und sind die Voraussetzungen des § 270 Abs. 4 StPO den anderen Beteiligten gegenüber erfüllt, kann auch eine gekürzte Urteilsausfertigung zugestellt werden. In diesem Falle ist nach fristgerechter Rechtsmittelanmeldung eine Urteilsausfertigung gemäß § 270 Abs. 2 StPO zuzustellen, womit die Frist zur Ausführung des Rechtsmittels in Gang gesetzt wird.

(2) Die Beschwerdeschrift (§ 285 Abs. 1 StPO), die Anmeldung der Berufung, die die Berufungsgründe enthält, und die rechtzeitig eingebrachte Ausführung (§ 294 Abs. 2 StPO) sind auch der Finanzstrafbehörde mitzuteilen; dieser steht das Recht zu, binnen vier Wochen ihre Gegenausführungen zu überreichen.

Zum 16. Hauptstück

§ 220. (1) Auch wenn die gerichtliche Zuständigkeit zur Ahndung eines Finanzvergehens rechtskräftig abgelehnt oder wegen gerichtlicher Unzuständigkeit der Anklage keine Folge gegeben oder der Angeklagte freigesprochen worden ist, kann das Strafverfahren wegen dieses Vergehens nur nach Wiederaufnahme eingeleitet oder fortgesetzt werden.

(2) Die Wiederaufnahme ist zu bewilligen, wenn sich neue Tatsachen oder Beweise ergeben, die für die gerichtliche Zuständigkeit sprechen. Auf Finanzvergehen, die der Beschuldigte (Angeklagte) nach der Fällung einer Unzuständigkeitsentscheidung in erster Instanz begangen hat, kann die Wiederaufnahme nicht gegründet werden.

(3) Der Wiederaufnahme wegen eines Finanzvergehens steht nicht entgegen, daß die Tat als strafbare Handlung anderer Art verfolgt wurde oder noch verfolgt wird.

(4) Durch die Bewilligung der Wiederaufnahme tritt das Verfahren wegen des Finanzvergehens auch dann in den Stand des Ermittlungsverfahrens, wenn die Tat bereits als eine andere mit gerichtlicher Strafe bedrohte Handlung verfolgt wird und das Verfahren schon weiter gediehen ist.

(5) Berechtigt zum Antrag auf Wiederaufnahme sind die Staatsanwaltschaft und die Finanzstrafbehörde.

§ 221. (1) Wenn nach der rechtskräftigen Verurteilung des Angeklagten wegen eines Finanzvergehens neue Tatsachen oder Beweise beigebracht werden, die für die Zuständigkeit der Finanzstrafbehörde zur Ahndung des Vergehens sprechen, so hat das Landesgericht (§ 32 Abs. 3 StPO) über die gerichtliche Zuständigkeit zu entscheiden.

(2) Lehnt das Landesgericht (§ 32 Abs. 3 StPO) die gerichtliche Zuständigkeit ab, so hat es das Urteil im Schuld- und Strafausspruch wegen des Finanzvergehens aufzuheben.

(3) Im Übrigen sind die Bestimmungen des § 212 Abs. 2 bis 5 anzuwenden.

§ 222. Die Wiederaufnahme ist auch zu bewilligen, wenn nach rechtskräftiger Verurteilung neue Tatsachen oder Beweise beigebracht werden, aus denen sich ergibt, daß das Gericht seinem Urteil einen zu hohen strafbestimmenden Wertbetrag zugrunde gelegt hat.

§ 223. Neuen Tatsachen und Beweisen stehen bei einer Wiederaufnahme zugunsten des Verurteilten rechtskräftige Entscheidungen und Verfügungen der Abgabenbehörden gleich, die von den Strafurteilen, wenn auch nicht in der Tatsachengrundlage, so doch in der rechtlichen Beurteilung abweichen.

§ 224. (1) Läßt die Wiederaufnahmsbewilligung einen Teil des Schuldspruches wegen eines oder mehrerer Finanzvergehen unberührt, so darf das Gericht die Fortsetzung des Verfahrens wegen Unzuständigkeit zur Ahndung dieser Vergehen nie ablehnen. Es hat daher im neuen Urteil die Strafe für das eine oder die mehreren Finanzvergehen zu bestimmen, deren der Verurteilte auch nach der Wiederaufnahme des Verfahrens schuldig erkannt geblieben ist, wenngleich sie sonst von der Finanzstrafbehörde zu ahnden wären.

(2) Hat das Gericht die Strafe für Finanzvergehen, zu deren Ahndung die Finanzstrafbehörde zuständig wäre, nach dem ersten Absatz bestimmt, so sind mit dieser Bestrafung nicht die Folgen einer gerichtlichen Verurteilung, sondern nur die einer Ahndung durch die Finanzstrafbehörde verbunden; dies ist im Urteil festzustellen.

(3) Die Bestimmungen der Abs. 1 und 2 sind dem Sinne nach anzuwenden, wenn die Wiederaufnahmsbewilligung zwar den strafbestimmenden Wertbetrag unberührt läßt, aber Gründe für die Zuständigkeit der Finanzstrafbehörde sprechen.

§ 226. Werden neue Tatsachen und Beweismittel, die gegen die gerichtliche Zuständigkeit sprechen, während eines Rechtsmittelverfahrens beigebracht, so entscheidet das Rechtsmittelgericht endgültig, ob die gerichtliche Zuständigkeit zur Ahndung des Finanzvergehens gegeben sei.

Zu § 381.

§ 227. (1) Zu den Kosten des Strafverfahrens gehören auch die Auslagen, die der Finanzstrafbehörde als Privatbeteiligtem oder Ankläger an Stelle der Staatsanwaltschaft erwachsen; sie fallen nicht unter die Pauschalkosten.

(2) Die Kosten, die der Bundesfinanzverwaltung im Dienste der Strafjustiz erwachsen, sind bei der Bestimmung des Pauschalkostenbeitrages zu berücksichtigen, soweit sie nicht nach § 381 Abs. 1, Z 3, 4 oder 5 StPO. besonders zu ersetzen sind.

(3) Der Bundesfinanzverwaltung werden nur Barauslagen und außerdem die Kosten erstattet, die der Finanzprokuratur nach § 8 Abs. 1 des Finanzprokuraturgesetzes, BGBl. I Nr. 110/2008, gebühren.

Zu § 390.

§ 228. Die Finanzstrafbehörde kann als Privatbeteiligter oder Ankläger an Stelle der Staatsanwaltschaft nicht zum Ersatz der Strafverfahrenskosten verurteilt werden.

Zu § 196a und § 393a

§ 228a. (1) Hat die Staatsanwaltschaft von der Verfolgung eines Finanzvergehens abgesehen und das Ermittlungsverfahren eingestellt, gilt für den Ersatzanspruch § 196a StPO.

(2) Wird ein wegen eines Finanzvergehens Angeklagter freigesprochen (§ 214) oder das wegen eines Finanzvergehens geführte Strafverfahren gemäß § 212 oder § 221 beendet, gilt für den Ersatzanspruch § 393a StPO.

Zu § 408.

§ 229. (1) Das Gericht hat verfallene Gegenstände, die sich nicht in amtlicher Verwahrung befinden, dem, der sie in seinem Gewahrsam hat, erforderlichenfalls auch zwangsweise abzunehmen. Wurde neben dem Verfall auf Wertersatz erkannt, weil im Zeitpunkt der Entscheidung noch nicht feststand, ob der Verfall vollziehbar sein wird (§ 19 Abs. 2 erster Fall), und können die verfallenen Gegenstände nicht in amtlichen Gewahrsam gebracht werden, so ist vom Verurteilten Wertersatz einzufordern. Kann nur ein Teil der verfallenen Gegenstände in amtlichen Gewahrsam gebracht werden, so hat das Gericht mit Beschluß den Betrag zu bestimmen, der als Wertersatz für die nicht zustande gebrachten Gegenstände einzuheben ist. Nach Rechtskraft des Beschlusses ist der festgesetzte Betrag als Wertersatz einzufordern.

(2) Die Verwertung verfallener Gegenstände ist der Finanzstrafbehörde zu überlassen.

(3) Wurde neben dem Verfall auf Wertersatz erkannt, weil Pfand- oder Zurückbehaltungsrechte Dritter an den verfallenen Gegenständen anerkannt worden sind (§ 19 Abs. 2 zweiter Fall), so hat das Gericht die verfallenen Gegenstände zu verwerten, die gesicherten Forderungen aus dem Erlös zu befriedigen und den Betrag, der zur Befriedigung der Forderungen aufgewendet worden ist, als Wertersatz einzufordern.

(4) Sind nach dem Abs. 3 die Forderungen mehrerer Gläubiger zu befriedigen, so ist bei unzureichendem Verwertungserlös der Rang der Pfand- und Zurückbehaltungsrechte zu berücksichtigen (§ 215 Abs. 1 lit. b). Forderungen mit gleichem Rang, die im Erlös keine Deckung finden, sind im Verhältnis ihrer Höhe zu befriedigen. Gegen den Verteilungsbeschluß steht dem Betroffenen die Beschwerde an das Oberlandesgericht offen; die Beschwerde ist binnen vierzehn Tagen einzubringen. Personen, die am Verfahren nicht beteiligt waren, steht es frei, ihr besseres Recht im Zivilrechtsweg geltend zu machen.

Zu den §§ 409 und 409a.

§ 230. (1) Die Geldstrafe kann auch nach dem Antritt der Ersatzfreiheitsstrafe bezahlt werden. Sie verringert sich im Verhältnis zu dem verbüßten Teil der Ersatzfreiheitsstrafe. Wird nicht die ganze hiernach aushaftende Geldstrafe bezahlt, so ist die Ersatzfreiheitsstrafe im Verhältnis des geschuldeten Restes weiter zu vollziehen.

(2) Die Bestimmungen der §§ 409 und 409a StPO., des § 12 des Gerichtlichen Einbringungsgesetzes 1962, in der jeweils geltenden Fassung, und des ersten Absatzes gelten auch für den Wertersatz.

Zu § 197 und zum 20. Hauptstück.

§ 231. Flüchtig ist, wer sich der inländischen Gerichtsbarkeit dadurch entzieht, daß er sich im Ausland aufhält oder im Inland verbirgt. Wie ein Flüchtiger wird auch behandelt, wer sonst unauffindbar ist.

§ 232. Flüchtigen Beschuldigten ist im Verfahren von Amts wegen ein Verteidiger zu bestellen.

§ 233. (1) Besteht hinreichend Verdacht, dass sich ein Flüchtiger eines Finanzvergehens schuldig gemacht habe, so hat das Gericht auf Antrag der Staatsanwaltschaft zur Sicherung der Geldstrafe, des Verfalls und des Wertersatzes eine Beschlagnahme gemäß §§ 109 Z 2 und 115 Abs. 1 Z 3 StPO anzuordnen, wenn zu befürchten ist, dass andernfalls die Einbringung gefährdet oder wesentlich erschwert würde.

(2) § 207a Abs. 2 bis 4 gilt dem Sinne nach.

§ 235. Die Zustellung von Gerichtsstücken an den Flüchtigen gilt als bewirkt, sobald sie seinem Verteidiger zugestellt sind.

Zu § 444.

§ 236. Soweit in diesem Bundesgesetz nicht anderes bestimmt ist, gilt § 444 StPO dem Sinne nach auch für die Nebenbeteiligten (§ 76).

§ 237. Hat eine Person, die als Nebenbeteiligter in Betracht kommt, ihren Wohnsitz im Ausland oder hält sie sich nicht nur vorübergehend im Ausland auf, so hat ihr das Gericht, ohne daß dadurch der Fortgang des Verfahrens gehindert würde, anheim zu stellen, einen im Inland wohnhaften Bevollmächtigten zu nennen. Zugleich hat das Gericht sie zu belehren, daß in diesem Fall von der Nennung des Bevollmächtigten an nur dieser am Verfahren beteiligt werde, daß es dem Nebenbeteiligten jedoch unbenommen sei, selbst bei Gericht zu erscheinen und seine Rechte zu vertreten.

§ 238. Der Staatsanwaltschaft und allen anderen Verfahrensbeteiligten steht die Berufung zu:

a) gegen die ausdrückliche oder stillschweigende Entscheidung darüber, ob ein Nebenbeteiligter das Eigentum an den verfallsbedrohten Gegenständen verliere, ob ein Pfand- oder Zurückbehaltungsrecht eines Nebenbeteiligten an einem verfallsbedrohten Gegenstand anerkannt werde oder ob ein Nebenbeteiligter für die Geldstrafe oder den Wertersatz hafte;

b) gegen den Ausspruch über den Rang und die Höhe der gesicherten Forderung.

§ 239. Soweit der Staatsanwaltschaft, der Finanzstrafbehörde, den betroffenen Nebenbeteiligten und dem Angeklagten die Berufung nach § 238 zusteht, können sie auch die Wiederaufnahme des Verfahrens begehren.

§ 240. (1) Hat die Wiederaufnahme Erfolg zugunsten eines Nebenbeteiligten, so ist er vom Bund für vermögensrechtliche Nachteile zu entschädigen, die ihm durch das vorangegangene Verfahren und Urteil entstanden sind. Sein Anspruch gegen den Bund geht auf den Verurteilten, der ihm den Schaden ersetzt hat, oder dessen Rechtsnachfolger über.

(2) Für die Auseinandersetzung zwischen dem Entschädigungswerber und dem Bund sind die Vorschriften der §§ 9 und 12 des Strafrechtlichen Entschädigungsgesetzes 2005 (StEG 2005), BGBl. I Nr. 125/2004 sinngemäß anzuwenden.

§ 241. Nebenbeteiligte können nur zum Ersatz der Strafverfahrenskosten verurteilt werden, die ohne ihr Einschreiten nicht entstanden wären.

§ 242. (1) Hat das Gericht mit Urteil ausgesprochen, daß eine vom Angeklagten verschiedene Person durch den Verfall ihr Eigentum verliere, ist in dem Urteil die Anerkennung eines Pfand- oder Zurückbehaltungsrechtes unterblieben oder die Haftung für die Geldstrafe oder den Wertersatz ausgesprochen worden, so ist auf Antrag des Betroffenen über den Verfall, das Pfand- oder Zurückbehaltungsrecht oder die Haftung gleichfalls in mündlicher Verhandlung mit Ergänzungsurteil zum Haupturteil zu entscheiden. Antragsberechtigt ist der Betroffene, wenn er ohne seine oder seines Bevollmächtigten Schuld durch einen unabwendbaren Umstand daran gehindert war, am Verfahren teilzunehmen. Der Antrag kann nur binnen sechs Wochen nach Wegfall des Hindernisses und niemals später als drei Jahre nach Rechtskraft des Urteils gestellt werden.

(2) Wird in dem Ergänzungsurteil der Verfall aufgehoben oder ein Pfand- oder Zurückbehaltungsrecht eines Dritten anerkannt, so hat das Gericht zugleich auf den vom Verurteilten zu leistenden entsprechenden Wertersatz zu erkennen.

(3) Wenn in dem nachträglichen Verfahren zu entscheiden ist, ob ein Nebenbeteiligter sein Eigentum an dem verfallen erklärten Gegenstand verloren habe, sind auch die Personen der Verhandlung zuzuziehen, die im Hauptturteil schuldig gesprochen worden sind; sie haben auch in dem nachträglichen Verfahren die Stellung eines Beschuldigten (Angeklagten).

(4) Weist das Gericht den Antrag zurück, das nachträgliche Verfahren einzuleiten, so kann der betroffene Nebenbeteiligte die Beschwerde an das Oberlandesgericht erheben; hiefür steht eine Frist von vierzehn Tagen seit Zustellung des ablehnenden Beschlusses offen.

(5) Die Zulässigkeit des nachträglichen Verfahrens kann nur mit Berufung gegen das Ergänzungsurteil angefochten werden.

(6) Für das nachträgliche Verfahren gelten die Vorschriften über die Hauptverhandlung, das Urteil, dessen Anfechtung und Vollziehung, die Wiederaufnahme des Verfahrens und die Entschädigung für vermögensrechtliche Nachteile.

Zu den §§ 445 und 446.

§ 243. Die §§ 445 und 446 StPO gelten dem Sinne nach auch für den Verfall nach § 18 mit der Maßgabe, dass bei einem Freispruch wegen gerichtlicher Unzuständigkeit zur Ahndung des Finanzvergehens eine Entscheidung des Gerichts über den Verfall nicht zulässig ist.

§ 244. Die Bestimmungen über die Wiederaufnahme des Strafverfahrens gelten dem Sinne nach auch für das selbständige Verfahren.

§ 245. (1) Werden die Täter oder andere an der Tat Beteiligte später entdeckt, aber des Finanzvergehens nicht schuldig erkannt, so sind jene Personen, die durch den Verfall vermögensrechtliche Nachteile erlitten haben (Abs. 3), vom Bund für vermögensrechtliche Nachteile zu entschädigen.

(2) Klagsberechtigt sind die früheren Eigentümer der verfallenen Gegenstände und Personen, deren Pfand- oder Zurückbehaltungsrechte an den verfallenen Gegenständen nicht anerkannt worden sind.

(3) Für die Auseinandersetzung zwischen dem Entschädigungswerber und dem Bund sind die §§ 9 und 12 des Strafrechtlichen Entschädigungsgesetzes 2005 (StEG 2005), BGBl. I Nr. 125/2004, dem Sinne nach anzuwenden.

ARTIKEL II

Gerichtlich strafbare Handlungen, die keine Finanzvergehen sind.

Begünstigung.

§ 248. (1) Wer einen anderen, der ein Finanzvergehen begangen hat, das von der Finanzstrafbehörde zu ahnden ist, der Verfolgung oder der Vollstreckung der Strafe absichtlich ganz oder zum Teil entzieht, ist vom Gericht mit Freiheitsstrafe bis zu einem Jahr oder mit Geldstrafe bis zu 360 Tagessätzen zu bestrafen.

(2) § 299 Abs. 2 bis 4 StGB gilt dem Sinne nach.

Falsche Verdächtigung.

§ 250. (1) Wer einen anderen dadurch der Gefahr einer behördlichen Verfolgung aussetzt, daß er ihn eines von der Finanzstrafbehörde zu verfolgenden Finanzvergehens mit Ausnahme der Finanzordnungswidrigkeiten falsch verdächtigt, ist, wenn er weiß (§ 5 Abs. 3 StGB), daß die Verdächtigung falsch ist, vom Gericht mit Freiheitsstrafe bis zu einem Jahr oder mit Geldstrafe bis zu 360 Tagessätzen zu bestrafen.

(2) § 297 Abs. 2 StGB gilt dem Sinne nach.

ARTIKEL III.

Bestimmungen für den Bereich des landesgesetzlichen und kommunalsteuerlichen Abgabenstrafrechts

§ 254. (1) Für den Bereich des landesgesetzlichen und kommunalsteuerlichen Abgabenstrafrechts gelten § 29 sinngemäß und das Verwaltungsstrafgesetz 1991 – VStG, BGBl. Nr. 52/1991.

(2) Abs. 1 gilt nicht für jene Fälle, in denen zur Durchführung des Strafverfahrens eine Finanzstrafbehörde des Bundes zuständig ist. In diesen Fällen gelten für das verwaltungsbehördliche und das verwaltungsgerichtliche Verfahren die verfahrensrechtlichen Bestimmungen des Art. I.

Artikel IV.

Übergangs- und Schlußbestimmungen.

§ 256. Soweit in diesem Bundesgesetz auf Bestimmungen anderer Bundesgesetze verwiesen wird, sind diese Bestimmungen in ihrer jeweils geltenden Fassung anzuwenden.

Umsetzung von Unionsrecht

§ 257. (1) Mit den §§ 57 Abs. 4 und 4a, 84 Abs. 5 und 127 Abs. 1 dieses Bundesgesetzes wird die Richtlinie 2010/64/EU über das Recht auf Dolmetschleistungen und Übersetzungen in Strafverfahren, ABl. Nr. L 280 vom 26.10.2010 S. 1, umgesetzt.

(2) Mit den §§ 57 Abs. 3 und 85 Abs. 3a dieses Bundesgesetzes wird die Richtlinie 2012/13/EU über das Recht auf Belehrung und Unterrichtung in Strafverfahren, ABl. Nr. L 142 vom 01.06.2012 S. 1, umgesetzt.

(3) Mit den §§ 77 Abs. 1, 78 Abs. 3, 84 Abs. 2, 85 Abs. 4 und 6 sowie 89 Abs. 4 dieses Bundesgesetzes wird die Richtlinie 2013/48/EU über das Recht auf Zugang zu einem Rechtsbeistand in Strafverfahren und in Verfahren zur Vollstreckung des Europäischen

Haftbefehls sowie über das Recht auf Benachrichtigung eines Dritten bei Freiheitsentzug und das Recht auf Kommunikation mit Dritten und mit Konsularbehörden während des Freiheitsentzugs, ABl. Nr. L 294 vom 6.11.2013 S. 1, umgesetzt.

(4) Mit den §§ 57a bis 57e, § 80, § 120 Abs. 3 und 5, § 194c, § 194d Abs. 3, § 194e Abs. 2 und 195 Abs. 4 dieses Bundesgesetzes wird die Richtlinie (EU) 2016/680 zum Schutz natürlicher Personen bei der Verarbeitung personenbezogener Daten durch die zuständigen Behörden zum Zwecke der Verhütung, Ermittlung, Aufdeckung oder Verfolgung von Straftaten oder der Strafvollstreckung sowie zum freien Datenverkehr und zur Aufhebung des Rahmenbeschlusses 2008/977/JI des Rates, ABl. Nr. L 119 vom 4.5.2016 S. 89, für den Bereich des Finanzstrafrechtes umgesetzt.

(5) Mit den §§ 2, 35 Abs. 4, 37 Abs. 2, 40 und 53 Abs. 1a dieses Bundesgesetzes wird die Richtlinie (EU) 2017/1371 über die strafrechtliche Bekämpfung von gegen die finanziellen Interessen der Union gerichtetem Betrug, ABl. Nr. L 198 vom 28.7.2017 S. 29, für den Bereich des Finanzstrafrechtes umgesetzt.

(6) Mit § 77 Abs. 3a dieses Bundesgesetzes wird die Richtlinie (EU) 2016/1919 über Prozesskostenhilfe für Verdächtige und beschuldigte Personen in Strafverfahren sowie für gesuchte Personen in Verfahren zur Vollstreckung eines Europäischen Haftbefehls, ABl. Nr. L 297 vom 04.11.2016 S. 1, für den Bereich des Finanzstrafrechtes umgesetzt.

(7) Mit den §§ 180, 181 und 182 dieses Bundesgesetzes wird die Richtlinie (EU) 2016/800 über Verfahrensgarantien in Strafverfahren für Kinder, die Verdächtige oder beschuldigte Personen in Strafverfahren sind, ABl. Nr. L 132 vom 21.05.2016 S. 1, für den Bereich des Finanzstrafrechtes umgesetzt.

(8) Mit § 49c dieses Bundesgesetzes wird die Richtlinie (EU) 2018/822 des Rates vom 25. Mai 2018 zur Änderung der Richtlinie 2011/16/EU bezüglich des verpflichtenden automatischen Informationsaustauschs im Bereich der Besteuerung über meldepflichtige grenzüberschreitende Gestaltungen, ABl. Nr. L 139 vom 5.6.2018 S. 1-13 für den Bereich des Finanzstrafrechtes umgesetzt.

§ 262. Durch § 264 dieses Bundesgesetzes nicht ausdrücklich aufgehobene Bestimmungen der Abgaben- und Monopolvorschriften gelten insoweit sinngemäß abgeändert, als sie mit den Bestimmungen des Artikels I dieses Bundesgesetzes im Zusammenhang stehen.

§ 263. Wo in bundesgesetzlichen Bestimmungen auf Vorschriften hingewiesen wird, die durch dieses Bundesgesetz ersetzt werden, treten an deren Stelle sinngemäß die Bestimmungen dieses Bundesgesetzes.

§ 264. Mit dem Wirksamkeitsbeginn dieses Bundesgesetzes werden aufgehoben:

1. § 4 Abs. 2 Z 5 und die §§ 22, 391 bis 419 sowie 477 der Abgabenordnung vom 22. Mai 1931, Deutsches RGBl. I S. 161, in der durch das Gesetz vom 4. Juli 1939, Deutsches RGBl. I S. 1181, geänderten Fassung;

2. die §§ 110a, 119 bis 128 und § 132 des Gesetzes über das Branntweinmonopol vom 8. April 1922, Deutsches RGBl. I S. 405, in der durch das Gesetz vom 25. März 1939, Deutsches RGBl. I S. 604, geänderten Fassung;

3. das Strafgesetz über Gefällsübertretungen vom 11. Juli 1835, PolGesSlg. Bd. 63 Nr. 112;

4. die §§ 8 und 20 bis 26 des Bundesgesetzes vom 13. Juli 1949, BGBl. Nr. 186, über das Tabakmonopol;

5. a) die §§ 24 bis 36 des Lottopatentes vom 13. März 1813 in der Fassung der Kaiserlichen Entschließungen vom 26. Juni 1841 und 28. April 1853; diese Bestimmungen bleiben jedoch insoweit in Geltung, als sie gesetzliche Grundlage der Wertausspielungsverordnung, BGBl. Nr. 68/1928, in der Fassung der Wertausspielungsnovelle, BGBl. Nr. 541/1933, sind;

b) § 4 des Gesetzes über die Einführung der Klassenlotterie vom 3. Jänner 1913, RGBl. Nr. 94, in der Fassung des Bundesgesetzes vom 29. Februar 1924, BGBl. Nr. 64;

c) § 9 Abs. 1 der Wertausspielungsverordnung, BGBl. Nr. 68/1928, in der Fassung der Wertausspielungsnovelle, BGBl. Nr. 541/1933;

d) § 14 der Spielbankverordnung, BGBl. Nr. 463/1933;

e) §§ 6 und 7 des Sporttoto-Gesetzes, BGBl. Nr. 55/1949, und § 6 des Pferdetoto-Gesetzes, BGBl. Nr. 129/1952;

f) die §§ 7 und 8 des Gesetzes vom 7. November 1862, RGBl. Nr. 85, betreffend das Promessengeschäft mit Anlehenslosen;

g) § 5 des Gesetzes vom 30. Juni 1878, RGBl. Nr. 90, enthaltend einige Bestimmungen über die Veräußerung von Staats- und anderen Losen oder deren Gewinsthoffnung;

h) die §§ 6 und 7 des Gesetzes vom 28. März 1889, RGBl. Nr. 32, betreffend die Schuldverschreibungen mit Prämien, ferner die Ankündigung und Anempfehlung verbotener Lose und Lotterien;

6. § 34 Abs. 3 des Gebührengesetzes 1957, BGBl. Nr. 267.

§ 265. (1) Dieses Bundesgesetz tritt am 1. Jänner 1959, die Regelung der Abs. 3 und 6 jedoch am 30. Juni 1958 in Kraft.

(1a) § 176 Abs. 4 lit. a in der Fassung des Bundesgesetzes BGBl. I Nr. 30/1998 tritt mit 1. Jänner 1998 in Kraft.

(1b) Die §§ 62, 65, 67, 68, 70, 71, 74, 152, 157, 159, 162, 169, 170 in der Fassung des Bundesgesetzes BGBl. I Nr. 97/2002 treten mit 1. Jänner 2003 in Kraft und sind auf alle an diesem Tag unerledigten Rechtsmittel anzuwenden. Die zu diesem Zeitpunkt bestellten Mitglieder der Spruchsenate bleiben bis zum Ablauf ihrer Bestellungsdauer im Amt. Die als Mitglieder der Berufungssenate bestellten Laienbeisitzer gelten als für den unabhängigen Finanzsenat bestellt und bleiben bis zum Ablauf ihrer Bestellungsdauer im Amt. Die Maßnahmen, die für eine unverzügliche Aufnahme der Tätigkeit des unabhängigen Finanzsenates erforderlich sind, dürfen bereits von dem der Kundmachung des Bundesgesetzes BGBl. I Nr. 97/2002 folgenden Tag an getroffen werden.

(Anm.: Abs. 1c wurde durch Art. 2 § 2 Abs. 2 Z 2, BGBl. I Nr. 2/2008, als nicht mehr geltend festgestellt)

(1d) § 58 Abs. 1 lit. e und § 65 Abs. 1 lit. a in der Fassung des Bundesgesetzes BGBl. I Nr. 124/2003 treten mit 1. Jänner 2004 in Kraft. § 5 Abs. 2, § 58 Abs. 1 lit. a und Abs. 3, § 68 Abs. 5, § 70, § 71, § 85 Abs. 2, § 89 Abs. 2, § 95, § 97, § 181 Abs. 3, § 197 Abs. 1, 3 und 5 und § 227 Abs. 2 in der Fassung des Bundesgesetzes BGBl. I Nr. 124/2003 treten mit 1. Mai 2004 in Kraft. Die von den Präsidenten der Finanzlandesdirektionen gemäß § 85 Abs. 2 vorgenommenen Bestellungen von Organen der Finanzämter bleiben von der Änderung dieser Bestimmung unberührt.

FinStrG

(1e) § 48b und § 146 Abs. 1 in der Fassung des Bundesgesetzes BGBl. I Nr. 26/2004 treten mit 1. Mai 2004 in Kraft.

(1f) § 65 Abs. 1 lit. a und § 194a in der Fassung des Bundesgesetzes BGBl. I Nr. 180/2004 treten mit 1. Jänner 2005 in Kraft.

(1g) § 38 Abs. 1 in der Fassung des Bundesgesetzes BGBl. I Nr. 103/2005 tritt mit 1. Jänner 2006 in Kraft.

(1h) Die §§ 68 und 99 Abs. 4 in der Fassung des Bundesgesetzes BGBl. I Nr. 161/2005 treten mit 1. Jänner 2006 in Kraft. § 28 Abs. 1 in der vor In-Kraft-Treten des Bundesgesetzes BGBl. I Nr. 161/2005 geltenden Fassung ist auf vor In-Kraft-Treten des Bundesgesetzes BGBl. I Nr. 161/2005 begangene Finanzvergehen weiter anzuwenden.

(1i) Die §§ 58 Abs. 1 lit. a, b und 65 Abs. 1 lit. b sowie 146 Abs. 1 jeweils in der Fassung des Bundesgesetzes BGBl. I Nr. 99/2006 treten mit 1. März 2007 in Kraft. § 58 Abs. 1 lit. g in der Fassung des Bundesgesetzes BGBl. I Nr. 99/2006 tritt mit Ablauf des 28. Februar 2007 außer Kraft.

(1j) Die §§ 5 Abs. 3, 6, 24 Abs. 1, 31 Abs. 3 und 4, 32 Abs. 3, 53 Abs. 1 und 4, 54, 57, 77 Abs. 1, 78 Abs. 3, 82 Abs. 2, 83 Abs. 2, 84, 85 Abs. 2, 87 Abs. 7, 89 Abs. 4, 114 Abs. 3, 124 Abs. 2, 195 Abs. 1, 196, 196a, 199 Abs. 2, 200, 201, 202, 202a, 205, 206 Abs. 1, 207 Abs. 1, 207a, 209, 212, 220, 221 Abs. 1 und 2, 233 und 251 Abs. 1 sowie die Überschriften vor den §§ 25, 196a, 199, 200, 200a, 201, 202, 202a, 205, 206, 208, 209, 210 und 220 und die Überschrift des Dritten Unterabschnittes jeweils in der Fassung des Bundesgesetzes BGBl. I Nr. 44/2007 treten mit 1. Jänner 2008 in Kraft. Die §§ 6 Abs. 2, 25 Abs. 3, 54 Abs. 3, 197, 198, 203, 204 und 214 Abs. 3 sowie die Überschriften vor den §§ 197 und 203 treten mit Ablauf des 31. Dezember 2007 außer Kraft.

(1k) § 232 sowie die Überschriften vor den §§ 220, 231 und 246 treten mit 1. Jänner 2008 in Kraft.

(1l) § 176 Abs. 4 lit. a in der Fassung BGBl. I Nr. 99/2007 tritt mit 1. Jänner 2008 in Kraft.

(1m) Die §§ 31 Abs. 2, § 49a und § 58 Abs. 1 lit. c jeweils in der Fassung des Bundesgesetzes BGBl. I Nr. 85/2008 treten mit 1. August 2008 in Kraft.

(1n) § 58 Abs. 1 lit. e in der Fassung des Bundesgesetzes BGBl. I Nr. 9/2010 tritt mit 1. Juli 2010 in Kraft.

(1o) § 2 Abs. 2 in der Fassung des Bundesgesetzes, BGBl. I Nr. 54/2010, tritt mit 1. Jänner 2011 in Kraft.

(1p) Die Änderungen im Finanzstrafgesetz in der Fassung des Bundesgesetzes, BGBl. I Nr. 104/2010, treten mit 1. Jänner 2011 in Kraft. Dabei gilt: Die §§ 38, 39, 40 und 44 in der vor Inkrafttreten des Bundesgesetzes BGBl. I Nr. 104/2010 geltenden Fassung sind auf vor Inkrafttreten des Bundesgesetzes BGBl. I Nr. 104/2010 begangene Finanzvergehen weiterhin anzuwenden. Auf zum 1. Jänner 2011 anhängige Rechtsmittel gegen Bescheide über die Einleitung eines Finanzstrafverfahrens ist § 83 Abs. 2 in der Fassung dieses Bundesgesetzes nicht anzuwenden.

(1q) **(Verfassungsbestimmung)** § 66 in der Fassung des Bundesgesetzes BGBl. I Nr. 51/2012 tritt mit 1. Jänner 2014 in Kraft.

(1r) § 58 Abs. 1 lit. g, § 65 Abs. 1 lit. a und § 194a jeweils in der Fassung des Bundesgesetzes BGBl. I Nr. 112/2012 treten mit 1. Jänner 2013 in Kraft.

(1s) Die §§ 30a Abs. 5, 33 Abs. 3 lit. a und c, 46 Abs. 1 lit. a, 54 Abs. 2, 199 Abs. 3, 200 Abs. 2 lit. a, 210 Abs. 1, 4, 5 und 7, 211 Abs. 1, 213 Abs. 1 lit. b, 227 Abs. 1, 228, 229 Abs. 4, 238, 239, 240 Abs. 2, 242 Abs. 4 und 245 sowie die Überschrift vor § 213 jeweils in der Fassung des BGBl. I Nr. 14/2013 treten mit dem der Kundmachung des BGBl. I Nr. 14/2013 folgenden Tag in Kraft; zugleich treten § 229 Abs. 1 vierter Satz und § 246 außer Kraft. Die §§ 3, 4 Abs. 2, 14 Abs. 3, 31 Abs. 4 lit. b, 57 Abs. 6, 58 Abs. 1, 2 und 3, 59 Abs. 1, 2 und 3, 60 Abs. 1, 61 Abs. 1, 62, 64 Abs. 3, 65 Abs. 2, 66 Abs. 2, 67, 68 Abs. 1, 2 und 6, 69, 70 Abs. 2, 71, 71a, 72 Abs. 1, 74 Abs. 1 und 3, 80, 81, 82 Abs. 1 und 3, 83 Abs. 2 und 3, 85 Abs. 1 und 4, 87 Abs. 1 und 7, 88 Abs. 1 lit. a und c, Abs. 3 und 5, 90 Abs. 2, 93 Abs. 7, 95, 99 Abs. 6, 102 Abs. 4, 115, 116 Abs. 1, 117 Abs. 2, 118, 119, 120 Abs. 1, 122 Abs. 1, 123 Abs. 1, 124 Abs. 1 und 2, 125 Abs. 2, 127 Abs. 1, 130 Abs. 1 lit. a, 131 Abs. 2, 134, 135 Abs. 1 lit. a, 137 lit. a, 139, 140 Abs. 1, 141 Abs. 2 und 3, 143 Abs. 1, 145 Abs. 1, 2 und 4, 147, 150 Abs. 1, 3 und 4,

151 Abs. 1 und 2, 152, 153 Abs. 1, 2 und 4, 156, 157, 158, 159, 160, 161, 162, 163 Abs. 1, 165 Abs. 3, 4 und 5, 166 Abs. 1, 2, 3, 4 und 6, 167 Abs. 2, 168 Abs. 3, 169, 170 Abs. 2 und 3, 171 Abs. 2, 172 Abs. 1, 175 Abs. 2, 176 Abs. 1, 177 Abs. 1 und 3, 178, 180 Abs. 2, 185 Abs. 5, 187, 194a, 194d Abs. 1, 196 Abs. 3 und 207 Abs. 1 sowie die Überschriften vor den §§ 62, 65, 71a, 156, 161, und die Überschrift des VII. Hauptstückes und dessen Ziffer A jeweils in der Fassung des Bundesgesetzes BGBl. I Nr. 14/2013 treten mit 1. Jänner 2014 in Kraft; zugleich treten die §§ 63, 85 Abs. 7, 87 Abs. 2, Abs. 5 zweiter Satz und Abs. 6, 89 Abs. 6, 142 Abs. 2 und 164 außer Kraft. Dabei gilt:

a) Die zum 31. Dezember 2013 beim unabhängigen Finanzsenat als Finanzstrafbehörde zweiter Instanz anhängigen Rechtsmittel sind vom Bundesfinanzgericht als Beschwerden im Sinne des Art. 130 Abs. 1 B-VG zu erledigen und wirken bereits gestellte Anträge auch gegenüber dem Bundesfinanzgericht. Die Ausfertigung von noch vor dem 1. Jänner 2014 verkündeten Rechtsmittelentscheidungen hat jedoch noch im Namen des unabhängigen Finanzsenates als Finanzstrafbehörde zweiter Instanz nach den zum 31. Dezember 2013 geltenden Verfahrensbestimmungen zu erfolgen. Nach dem 31. Dezember 2013 wirksam werdende Erledigungen des unabhängigen Finanzsenates als Finanzstrafbehörde zweiter Instanz gelten als Erledigungen des Bundesfinanzgerichtes.

b) Die gemäß § 71a Abs. 4 iVm § 68 zu erlassende Geschäftsverteilung für das Jahr 2014 kann bereits vor dem 1. Jänner 2014 durch den Präsidenten des Bundesfinanzgerichtes mit Wirksamkeit bis zum Inkrafttreten einer nach den Bestimmungen des Organisationsgesetzes zustande gekommenen Geschäftsverteilung provisorisch erlassen werden. Sie hat vorzusehen, dass die am 31. Dezember 2013 beim unabhängigen Finanzsenat als Finanzstrafbehörde zweiter Instanz anhängigen Rechtsmittel tunlichst denselben Personen als Richter des Bundesfinanzgerichtshofes, bei Senatszuständigkeit Senaten mit denselben Vorsitzenden zugewiesen werden.

c) Bis zum 31. Dezember 2013 vorgenommene Bestellungen gemäß § 67 in der vor dem Bundesgesetz BGBl. I Nr. 14/2013 geltenden Fassung gelten als für das Bundesfinanzgericht bis 31. Dezember 2017 erfolgt.

(1t) § 254 Abs. 1 in der Fassung des Bundesgesetzes BGBl. I Nr. 33/2013 tritt mit 1. Jänner 2014 in Kraft.

(1u) Die §§ 67 Abs. 2, 70 Abs. 1, 71a Abs. 1 *(Anm.: richtig: Abs. 2)* und 73 jeweils in der Fassung des Bundesgesetzes BGBl. I Nr. 70/2013 treten mit 1. Jänner 2014 in Kraft.

(1v) Wurde eine Erklärung über die Bereitschaft zur Erbringung von gemeinnützigen Leistungen vor Inkrafttreten des § 179 Abs. 3 FinStrG in der Fassung BGBl. I Nr. 155/2013 gegenüber der Finanzstrafbehörde abgegeben, so beginnt die Monatsfrist gemäß § 3a Abs. 2 StVG zur Erreichung eines Einvernehmens mit einer geeigneten Einrichtung erst ab der Kontaktaufnahme mit einem Vermittler gemäß § 3a Abs. 1 StVG, spätestens jedoch mit Inkrafttreten dieses Bundesgesetzes zu laufen.

(1w) § 29 Abs. 3 und 6 treten mit 1. Oktober 2014 in Kraft. § 29 in der Fassung des Bundesgesetzes BGBl. I Nr. 65/2014 ist auf Selbstanzeigen, die nach dem 30. September 2014 erstattet werden, anzuwenden.

(1x) Die §§ 8 Abs. 3, 9, 34, 36, 39 Abs. 1 lit. b und c, 51 Abs. 1 lit. c, f und g, 51a, 58, 74a, 74b, 83 Abs. 2, 99 Abs. 3a bis 6 und 120 Abs. 1 bis 3 in der Fassung des Bundesgesetzes BGBl. I Nr. 118/2015 treten mit 1. Jänner 2016 in Kraft. § 98 Abs. 5 in der Fassung des Bundesgesetzes BGBl. I Nr. 118/2015 tritt mit Ablauf des Tages der Kundmachung in Kraft.

(1y) Die §§ 22 Abs. 4, 38 und 203, jeweils in der Fassung des Bundesgesetzes BGBl. I Nr. 163/2015, treten mit 1. Jänner 2016 in Kraft. Der § 35 in der Fassung des Bundesgesetzes BGBl. I Nr. 163/2015 tritt am 1. Mai 2016 in Kraft. Die §§ 47 Abs. 1, 146 Abs. 2 lit. b, 157 und 160 Abs. 1 treten am Tag nach der Kundmachung in Kraft.

(1z) Die Überschrift vor § 56, §§ 57a bis 57d samt Überschriften und Unterhauptstücksüberschrift, § 80, § 120 Abs. 3 und 5, § 194c, § 194d Abs. 3, § 194e Abs. 2, § 195 Abs. 4 sowie § 257 Abs. 4, jeweils in der Fassung des Materien-Datenschutz-Anpassungsgesetzes 2018, BGBl. I Nr. 32/2018, treten mit 25. Mai 2018 in Kraft.

(2) § 60 tritt mit Ablauf des 31. Dezember 2020 außer Kraft. Die §§ 29 Abs. 1, 53 Abs. 1 und 3, 56 Abs. 5 Z 3, 58 Abs. 1, 59, 64 Abs. 1, 65, 67 Abs. 1, 69, 70 Abs. 1 und 2, 85 Abs. 2, 90 Abs. 2, 95, 97, 99 Abs. 2 und 5, 146 Abs. 1, 174 Abs. 2, 194a, 196 Abs. 3 und 4, die Überschrift vor § 196a, 197, und 227 Abs. 2 jeweils in der Fassung des Bundesgesetzes BGBl. I Nr. 104/2019 treten mit 1. Jänner 2021 in Kraft. Dabei gilt:

a) Das Amt für Betrugsbekämpfung als Finanzstrafbehörde tritt mit 1. Jänner 2021 an die Stelle des zum 31. Dezember 2020 jeweils zuständigen Finanzamtes als Finanzstrafbehörde. Das Zollamt Österreich als Finanzstrafbehörde tritt an die Stelle des zum 31. Dezember 2020 jeweils zuständigen Zollamtes als Finanzstrafbehörde. Die zum 31. Dezember 2020 bei den Finanzstrafbehörden anhängigen Verfahren sind von den gemäß § 58 Abs. 1 in der Fassung BGBl. I Nr. 104/2019 zuständigen Finanzstrafbehörden fortzuführen.

b) Ausfertigungen der vor dem 1. Jänner 2021 verkündeten, jedoch noch nicht zugestellten Erkenntnisse einer Finanzstrafbehörde haben im Namen der im Zeitpunkt der Verkündigung zuständigen Finanzstrafbehörde zu erfolgen. Nach dem 31. Dezember 2020 wirksam werdende Erledigungen der zum 31. Dezember 2020 zuständigen Finanzstrafbehörden gelten als Erledigungen der Finanzstrafbehörden gemäß § 58 Abs. 1 in der Fassung des Bundesgesetzes BGBl. I Nr. 104/2019.

c) Die gemäß § 58 Abs. 1 zu erlassende Geschäftsverteilung ab 1. Jänner 2021 kann bereits vor dem 1. Jänner 2021 durch den Vorstand der gemäß § 58 in der Fassung des Bundesgesetzes BGBl. I Nr. 104/2019 zuständigen Finanzstrafbehörde erlassen werden.

d) Die zum 31. Dezember 2020 gemäß § 67 bestellten Mitglieder der Spruchsenate gelten jeweils bis zum Ende ihrer jeweiligen Funktionsperiode als für die Spruchsenate nach § 65 in der Fassung des Bundesgesetzes BGBl. I Nr. 104/2019 bestellt.

e) Die zum 31. Dezember 2020 bereits einem Spruchsenat zugeleiteten Akten fallen in die Zuständigkeit eines in der Stadt bestehenden Spruchsenates, in der sich die Geschäftsstelle des bisher zuständigen Spruchsenates befunden hat. Die nach § 68 vor Ablauf des Jahres 2019 für das Jahr 2020 erlassene Geschäftsverteilung gilt bis 31. Dezember 2020. Die Geschäftsverteilung für das Jahr 2021 kann bereits vor dem 1. Jänner 2021 durch den Vorstand der gemäß § 58 in der Fassung des Bundesgesetzes BGBl. I Nr. 104/2019 zuständigen Finanzstrafbehörde erlassen werden und hat vorzusehen, dass die zum 31. Dezember 2020 bereits einem Spruchsenat zugeleiteten Akten tunlichst denselben Personen als Vorsitzenden der Spruchsenate, bei Senatszuständigkeit Senaten mit denselben Vorsitzenden zugewiesen werden.

f) Die zum 31. Dezember 2020 gemäß § 124 oder § 159 durch den Vorstand der Finanzstrafbehörde bestellten Amtsbeauftragten gelten jeweils als vom Vorstand der Finanzstrafbehörde in der Fassung des Bundesgesetzes BGBl. I Nr. 104/2019 bestellt.

(Anm.: lit. g und h aufgehoben durch Art. 2 Z 14, BGBl. I Nr. 99/2020)

i) Wird in einer Rechtsvorschrift des Bundes, eines Landes oder einer Gemeinde die Bezeichnung „Amt für Betrugsbekämpfung als Finanzstrafbehörde“ oder „Zollamt Österreich als Finanzstrafbehörde“ verwendet, ist darunter bis zum Ablauf des 31. Dezember 2020 jene Einrichtung zu verstehen, die aufgrund des Finanzstrafgesetzes in der Fassung vor dem Bundesgesetz BGBl. I Nr. 104/2019 zuständig gewesen ist.

(2a) § 53 Abs. 3, § 99 Abs. 2, die Überschrift vor § 196a sowie § 197, jeweils in der Fassung des Bundesgesetzes BGBl. I Nr. 104/2019, treten nicht in Kraft. § 265 Abs. 2 lit. g und h treten außer Kraft.

(2b) § 53 Abs. 3, § 56b Abs. 1, 1a, 2 und 3, § 87 Abs. 7, § 99 Abs. 2, die Überschrift vor § 196a, sowie die §§ 197 und 198 samt Überschriften, jeweils in der Fassung des Bundesgesetzes BGBl. I Nr. 99/2020, treten mit 1. Jänner 2021 in Kraft.

(2c) Hinsichtlich der Zuständigkeit des Spruchsenates nach § 58 Abs. 2 lit. a für Finanzvergehen, die vor dem 1. Jänner 2021 begangen wurden, tritt durch das Inkrafttreten des § 58 Abs. 1 in der Fassung des Bundesgesetzes BGBl. I Nr. 104/2019 keine Änderung zu der am 31. Dezember 2020 geltenden Rechtslage ein, wenn einem Spruchsenat ausschließlich aufgrund des Inkrafttretens von Bestimmungen des Finanz-Organisationsreformgesetzes, BGBl. I Nr. 104/2019, oder des 2. Finanz-Organisationsreformgesetzes, BGBl. I Nr. 99/2020, oder auch beider Gesetze, die Durchführung der mündlichen Verhandlung und Fällung des Erkenntnisses obläge.

(2d) Hinsichtlich der Zuständigkeit zur Ahndung von Finanzvergehen, die vor dem 1. Jänner 2021 begangen wurden, tritt durch das Inkrafttreten der §§ 53 Abs. 1 und 58 Abs. 1 in der Fassung des Bundesgesetzes BGBl. I Nr. 104/2019 keine Änderung zu der am 31. Dezember 2020 geltenden Rechtslage ein, wenn das Gericht ausschließlich aufgrund des Inkrafttretens von Bestimmungen des Finanz-Organisationsreformgesetzes, BGBl. I Nr. 104/2019, oder des 2. Finanz-Organisationsreformgesetzes, BGBl. I Nr. 99/2020, oder auch beider Gesetze, zu deren Ahndung zuständig wäre.

(2e) Hinsichtlich der Zuständigkeit zur Ahndung von mit gerichtlich zu ahndenden Finanzvergehen zusammentreffenden anderen Finanzvergehen, die vor dem 1. Jänner 2021 begangen wurden, tritt durch das Inkrafttreten des § 53 Abs. 3 in der Fassung des Bundesgesetzes BGBl. I Nr. 99/2020 keine Änderung zu der am 31. Dezember 2020 geltenden Rechtslage ein, wenn das Gericht ausschließlich aufgrund des Inkrafttretens von Bestimmungen des Finanz-Organisationsreformgesetzes, BGBl. I Nr. 104/2019, oder des 2. Finanz-Organisationsreformgesetzes, BGBl. I Nr. 99/2020, oder auch beider Gesetze, zu deren Ahndung zuständig wäre.

(2f) Hinsichtlich der örtlichen Zuständigkeit der Staatsanwaltschaft oder des Gerichts für zum 31. Dezember 2020 bei diesen anhängigen Finanzstrafverfahren tritt durch das Inkrafttreten der §§ 197 und 198 samt Überschriften in der Fassung des Bundesgesetzes BGBl. I Nr. 99/2020 keine Änderung ein.

(2g) In zum Ablauf des 31. Dezember 2020 bereits anhängigen Finanzstrafverfahren können Anbringen nach diesem Zeitpunkt auch noch unter Verwendung der Bezeichnung der bis zum 31. Dezember 2020 zuständig gewesenen Finanzstrafbehörde sowie unter Verwendung der bis zu diesem Zeitpunkt kundgemachten Anschrift dieser Finanzstrafbehörde wirksam eingebracht werden.

(3) § 49c in der Fassung des Bundesgesetzes BGBl. I Nr. 91/2019 tritt mit 1. Juli 2020 in Kraft. § 49d in der Fassung des Bundesgesetzes BGBl. I Nr. 91/2019 tritt mit 1. Jänner 2020 in Kraft.

(4) § 49e in der Fassung des Bundesgesetzes BGBl. I Nr. 106/2023 *(Anm.: BGBl. I Nr. 106/2023)* tritt mit 1. Jänner 2024 in Kraft.

(5) § 77 Abs. 1, § 84 Abs. 2, § 85 Abs. 4 und § 182 Abs. 5 in der Fassung des Bundesgesetzes BGBl. I

Nr. 34/2024 treten mit dem der Kundmachung folgenden Tag in Kraft.

(6) § 228a in der Fassung des Bundesgesetzes BGBl. I Nr. 157/2024 tritt mit dem der Kundmachung folgenden Tag in Kraft. Dabei gilt: § 228a ist auf Verfahren anzuwenden, in denen die in § 228a genannten verfahrensbeendenden Entscheidungen ab dem 1. Jänner 2024 rechtskräftig geworden sind. Ist in diesen Verfahren bereits über einen Beitrag zu den Kosten der Verteidigung nach § 228a in der Fassung des Bundesgesetzes BGBl. Nr. 571/1985 entschieden worden, so kann ein neuerlicher Antrag auf Zuerkennung eines Beitrags zu den Kosten für die Verteidigung gestellt werden. Für die Entscheidung über diesen Antrag ist § 228a in der Fassung des Bundesgesetzes BGBl. I Nr. 157/2024 anzuwenden, wobei bei der Festsetzung der Höhe des Beitrags zu den Kosten der Verteidigung der bereits zugesprochene Beitrag zu berücksichtigen ist. Für vor dem 1. Jänner 2024 rechtskräftig gewordene verfahrensbeendende Entscheidungen gilt weiterhin § 228a in der Fassung des Bundesgesetzes BGBl. Nr. 571/1985.

(6a) § 57 Abs. 4, § 84 Abs. 5, § 127 Abs. 1, § 201 und § 205 in der Fassung des Bundesgesetzes BGBl. I Nr. 157/2024 treten mit 1. Jänner 2025 in Kraft.

(7) § 22 Abs. 3, § 30a Abs. 1 und 5, § 31 Abs. 2, § 35 Abs. 5, § 43 Abs. 1 § 51b, § 146 Abs. 1 und § 200b in der Fassung des Bundesgesetzes BGBl. I Nr. 107/2024 treten mit dem der Kundmachung folgenden Tag in Kraft.

(8) § 98 Abs. 5 in der Fassung des Bundesgesetzes BGBl. I Nr. 9/2025 tritt mit dem der Kundmachung folgenden Tag in Kraft.

(9) Die §§ 57a Abs. 3 und 7, 74a Abs. 1, 74b Abs. 3, 103 lit. c, 120 Abs. 2, 127 Abs. 2, 180 Abs. 3 und 213 Abs. 1 in der Fassung des Informationsfreiheits-Anpassungsgesetzes, BGBl. I Nr. 50/2025, treten mit 1. September 2025 in Kraft; gleichzeitig treten die §§ 251 und 252 samt Überschrift außer Kraft.

Sonderregelungen aufgrund der Maßnahmen zur Bekämpfung von COVID-19

§ 265a. (1) Der Lauf der Einspruchsfrist (§ 145 Abs. 1), der Rechtsmittelfrist (§ 150 Abs. 2), der Frist zur Anmeldung einer Beschwerde (§ 150 Abs. 4), der Frist zur Einbringung eines Antrages auf Wiederaufnahme des Verfahrens (§ 165 Abs. 4), der Frist zur Stellung eines Antrages auf Wiedereinsetzung in den vorigen Stand (§ 167 Abs. 2) sowie der Frist auf Erhebung von Einwendungen zur Niederschrift (§ 56b Abs. 3) wird jeweils unterbrochen, wenn die Frist mit Ablauf des 16. März 2020 noch nicht abgelaufen war oder der Beginn des Fristenlaufs in die Zeit von 16. März 2020 bis zum Ablauf des 30. April 2020 fällt. Die genannten Fristen beginnen mit 1. Mai 2020 neu zu laufen.

(2) Die Finanzstrafbehörde kann jedoch im jeweiligen Verfahren aussprechen, dass eine Frist nicht für die in Abs. 1 festgelegte Dauer unterbrochen wird. Diesfalls hat sie gleichzeitig eine neue angemessene Frist festzusetzen.

(3) Nach Abs. 2 ist nur vorzugehen, wenn nach sorgfältiger Abwägung aller Umstände die Fortsetzung des Verfahrens zur Abwendung einer Gefahr für Leib und Leben, Sicherheit und Freiheit oder zur Abwehr eines erheblichen und unwiederbringlichen Schadens einer Partei dringend geboten ist und nicht das Interesse der Allgemeinheit an der Verhütung und Bekämpfung der Verbreitung von COVID-19 sowie der Schutz der Aufrechterhaltung eines geordneten Verwaltungsbetriebes die Einzelinteressen überwiegen.

(Anm.: Abs. 3a aufgehoben durch Art. 19 Z 28, BGBl. I Nr. 108/2022)

(4) Solange Maßnahmen zur Verhinderung der Verbreitung von COVID-19 aufrecht sind, längstens jedoch bis 30. Juni 2022, gilt für Vernehmungen, mündliche Verhandlungen, Beweisaufnahmen und sonstige Amtshandlungen:

a) Der Leiter einer Amtshandlung kann unter Berücksichtigung der jeweiligen Gefährdungslage und der örtlichen Gegebenheiten gegenüber den an der Amtshandlung teilnehmenden Personen Maßnahmen anordnen, die zur Verhinderung der Verbreitung von COVID-19 erforderlich und zweckmäßig erscheinen. Der Leiter der Amtshandlung hat für die Einhaltung dieser Maßnahmen zu sorgen. Bei einer mündlichen Verhandlung oder Vernehmung einer Person sollen tunlichst Schutzmaßnahmen angeordnet werden, die die Mimik der an der Amtshandlung beteiligten Personen nicht verbergen.

b) Ist die Anwesenheit der im Finanzstrafverfahren Beteiligten zur Aufrechterhaltung einer geordneten Finanzstrafrechtspflege nicht unbedingt erforderlich, kann die Behörde in jenen Fällen, in denen nicht das Gericht zur Ahndung des Finanzvergehens zuständig ist, Vernehmungen und Beweisaufnahmen auch unter Verwendung geeigneter technischer Einrichtungen zur Tonübertragung oder Ton- und Bildübertragung durchführen; § 56b Abs. 3 gilt sinngemäß. Ebenso können mündliche Verhandlungen auch unter Verwendung geeigneter technischer Einrichtungen zur Ton- und Bildübertragung durchgeführt werden. In diesen Fällen ist eine Niederschrift lediglich vom Verhandlungsleiter und gegebenenfalls vom Schriftführer zu unterfertigen.

(Anm.: Abs. 5 aufgehoben durch Art. 5 Z 3 lit. b, BGBl. I Nr. 227/2021)

§ 266. (1) Das Bundesministerium für Finanzen kann die zur Vollziehung diese Bundesgesetzes erforderlichen Verordnungen schon vor den im § 265 Abs. 1 genannten Zeitpunkten erlassen. Solche Verordnungen treten jedoch frühestens mit dem gemäß § 265 Abs. 1 in Betracht kommenden Wirksamkeitsbeginn ihrer gesetzlichen Grundlage in Kraft.

(2) Im Art. I des Bundesgesetzes vom 17. Dezember 1957, BGBl. Nr. 286, betreffend die Verlängerung der Geltungsdauer des Bundesgesetzes, womit der Dritte Teil der Abgabenordnung abgeändert und das gerichtliche Steuerstrafverfahren geregelt wird, treten an die Stelle der Worte „30. Juni 1958“ die Worte „31. Dezember 1958“.

(3) Mit der Vollziehung dieses Bundesgesetzes sind betraut:

a) Hinsichtlich des § 67 Abs. 1 die Bundesregierung;

b) hinsichtlich der übrigen Bestimmungen mit Ausnahme des Abs. 3 des vorliegenden Paragraphen nach Maßgabe des Bundesministeriengesetzes 1986, BGBl. Nr. 76, alle Bundesminister.

(4) Für die Vollziehung des Abs. 3 gilt der Art. III § 6 des Bundesgesetzes vom 17. Dezember 1956, BGBl. Nr. 248, womit der Dritte Teil der Abgabenordnung abgeändert und das gerichtliche Steuerstrafverfahren geregelt wird, sinngemäß.

Verbotsgesetz 1947

Bundesverfassungsgesetz über das Verbot der NSDAP (Verbotsgesetz 1947 – VerbotsG)
StF: StGBl. Nr. 13/1945 idF BGBl. I Nr. 177/2023

Inhaltsverzeichnis

13. VerbotsG

Stichwortverzeichnis

Artikel I: Verbot der NSDAP.

§ 1. Die NSDAP, ihre Wehrverbände (SS, SA, NSKK, NSFK), ihre Gliederungen und angeschlossenen Verbände sowie alle nationalsozialistischen Organisationen und Einrichtungen überhaupt sind aufgelöst; ihre Neubildung ist verboten.

Ihr Vermögen ist der Republik verfallen.

§ 2. Mandate der Mitglieder von Gebietskörperschaften oder Berufsvertretungen, die unmittelbar oder mittelbar auf Grund von Vorschlägen der NSDAP, der in § 1 genannten Organisationen und Einrichtungen oder ihrer Mitglieder erlangt worden sind, sind erloschen.

§ 3. Es ist jedermann untersagt, sich, sei es auch außerhalb dieser Organisationen, für die NSDAP oder ihre Ziele irgendwie zu betätigen.

Nationalsozialistische Vereinigung

§ 3a. (1) Wer

1. versucht, eine gesetzlich aufgelöste nationalsozialistische Organisation aufrechtzuerhalten oder wiederherzustellen oder mit einer solchen Organisation oder einer in ihrem Namen handelnden Person in Verbindung zu treten; als nationalsozialistische Organisationen (§ 1) gelten: die NSDAP, die SS, die SA, das NSKK, das NSFK, der NS-Soldatenring, der NS-Offiziersbund, alle sonstigen Gliederungen der NSDAP und die ihr angeschlossenen Verbände sowie jede andere nationalsozialistische Organisation;

2. eine Verbindung gründet, deren Zweck es ist, durch Betätigung ihrer Mitglieder im nationalsozialistischen Sinn die Selbständigkeit und Unabhängigkeit der Republik Österreich zu untergraben oder den öffentlichen Frieden zu verletzen, oder wer sich in einer Verbindung dieser Art führend betätigt;

3. den Ausbau einer der in der Z 1 und der Z 2 bezeichneten Organisationen und Verbindungen durch Anwerbung von Mitgliedern, Bereitstellung von Geldmitteln oder in ähnlicher Weise fördert, die Mitglieder einer solchen Organisation oder Verbindung mit Kampfmitteln, Verkehrsmitteln oder Einrichtungen zur Nachrichtenübermittlung ausrüstet oder in ähnlicher Weise die Tätigkeit einer solchen Organisation oder Verbindung ermöglicht oder unterstützt

4. für eine solche Organisation oder Verbindung Kampfmittel, Verkehrsmittel oder Einrichtungen zur Nachrichtenübermittlung herstellt, sich verschafft oder bereithält,

ist mit Freiheitsstrafe von zehn bis zu zwanzig Jahren zu bestrafen.

(2) Bei besonderer Gefährlichkeit des Täters oder der Betätigung ist der Täter mit lebenslanger Freiheitsstrafe zu bestrafen.

Unterstützung und Teilnahme an einer nationalsozialistischen Vereinigung

§ 3b. (1) Wer an einer Organisation oder Verbindung der in § 3a bezeichneten Art teilnimmt oder sie durch Geldzuwendungen oder in anderer Weise unterstützt, ist, wenn er nicht nach § 3a mit Strafe bedroht ist, mit Freiheitsstrafe von fünf bis zu zehn Jahren zu bestrafen.

(2) Bei besonderer Gefährlichkeit des Täters oder der Betätigung ist der Täter mit Freiheitsstrafe von zehn bis zu zwanzig Jahren zu bestrafen.

Tätige Reue

§ 3c. Die Strafbarkeit der in den §§ 3a und 3b bezeichneten Handlungen erlischt, wenn der Schuldige aus eigenem Antrieb, ehe die Behörde sein Verschulden erfährt, alles, was ihm von der Organisation oder Verbindung und ihren Plänen bekannt ist, zu einer Zeit, da es noch geheim war und ein Schaden verhütet werden konnte, der Behörde entdeckt.

Aufforderung zu nationalsozialistischer Wiederbetätigung

§ 3d. (1) Wer öffentlich oder vor mehreren Menschen, in Druckwerken, verbreiteten Schriften oder bildlichen Darstellungen zu einer der nach § 1 oder § 3 verbotenen Handlungen auffordert, aneifert oder zu verleiten sucht, insbesondere zu diesem Zweck die Ziele der NSDAP, ihre Einrichtungen oder Maßnahmen verherrlicht oder anpreist, ist, sofern er nicht nach einer anderen Bestimmung mit strengerer Strafe bedroht ist, mit Freiheitsstrafe von fünf bis zu zehn Jahren zu bestrafen.

(2) Bei besonderer Gefährlichkeit des Täters oder der Betätigung ist der Täter mit Freiheitsstrafe von zehn bis zu zwanzig Jahren zu bestrafen.

Verabredung zu schweren Straftaten als Mittel nationalsozialistischer Betätigung

§ 3e. (1) Wer die Begehung eines Mordes (§ 75 des Strafgesetzbuches – StGB, BGBl. Nr. 74/1974), eines Raubes (§ 142 StGB), einer Brandstiftung (§ 169 StGB), einer schweren Sachbeschädigung (§ 126 StGB) oder einer gemeingefährlichen strafbaren Handlung nach den §§ 171, 173 oder 176 StGB als Mittel der Betätigung im nationalsozialistischen Sinn mit einem anderen verabredet, ist mit Freiheitsstrafe von zehn bis zu zwanzig Jahren zu bestrafen.

(2) Bei besonderer Gefährlichkeit des Täters oder der Betätigung ist der Täter mit lebenslanger Freiheitsstrafe zu bestrafen.

(3) Nach Abs. 1 ist nicht zu bestrafen, wer sich in eine Verabredung der dort bezeichneten Art eingelassen hat, in der Folge aber aus eigenem Antrieb, ehe die Behörde sein Verschulden erfährt, alles, was ihm von der Verabredung bekannt ist, der Behörde zu einer Zeit entdeckt, da es noch geheim war und das beabsichtigte Verbrechen verhütet werden konnte.

Schwere Straftaten als Mittel nationalsozialistischer Betätigung

§ 3f. (1) Wer einen Mord (§ 75 StGB), einen Raub (§ 142 StGB), eine Brandstiftung (§ 169 StGB), eine schwere Sachbeschädigung (§ 126 StGB) oder eine gemeingefährliche strafbare Handlung nach den §§ 171, 173 oder 176 StGB als Mittel der Betätigung im nationalsozialistischen Sinn versucht oder vollbringt, ist mit Freiheitsstrafe von zehn bis zu zwanzig Jahren zu bestrafen.

(2) Bei besonderer Gefährlichkeit des Täters oder der Betätigung ist der Täter mit lebenslanger Freiheitsstrafe zu bestrafen.

Nationalsozialistische Wiederbetätigung

§ 3g. (1) Wer sich auf andere als die in den §§ 3a bis 3f bezeichnete Weise im nationalsozialistischen Sinn betätigt, ist mit Freiheitsstrafe von sechs Monaten bis zu fünf Jahren zu bestrafen.

(2) Wer die Tat auf eine Weise begeht, dass sie vielen Menschen zugänglich wird, ist mit Freiheitsstrafe von einem bis zu zehn Jahren zu bestrafen.

(3) Bei besonderer Gefährlichkeit des Täters oder der Betätigung ist der Täter mit Freiheitsstrafe von zehn bis zu zwanzig Jahren zu bestrafen.

(4) Der Täter ist nach Abs. 1 bis 3 nicht zu bestrafen, wenn die Tat nach einer anderen Bestimmung mit strengerer Strafe bedroht ist.

Leugnung des nationalsozialistischen Völkermords und der nationalsozialistischen Verbrechen gegen die Menschlichkeit

§ 3h. (1) Wer öffentlich den nationalsozialistischen Völkermord oder andere nationalsozialistische Verbrechen gegen die Menschlichkeit leugnet, verharmlost, gutheißt oder zu rechtfertigen sucht, ist, wenn die Tat nicht nach § 3g mit Strafe bedroht ist, mit Freiheitsstrafe von sechs Monaten bis zu fünf Jahren zu bestrafen.

(2) Wer die Tat in einem Druckwerk, im Rundfunk oder in einem anderen Medium oder sonst auf eine Weise begeht, dass sie vielen Menschen zugänglich wird, ist mit Freiheitsstrafe von einem bis zu zehn Jahren zu bestrafen.

(3) Bei besonderer Gefährlichkeit des Täters oder der Tat ist der Täter mit Freiheitsstrafe von zehn bis zu zwanzig Jahren zu bestrafen.

Unterlassung der Verhinderung einer nach §§ 3a, 3b, 3d oder 3e mit Strafe bedrohten Handlung

§ 3i. Wer von einem Unternehmen der in §§ 3a, 3b, 3d oder 3e bezeichneten Art oder von einer Person, die sich in ein solches Unternehmen eingelassen hat, zu einer Zeit, in der ein Schaden verhütet werden konnte, glaubhafte Kenntnis erhält und es vorsätzlich unterläßt, der Behörde Anzeige zu erstatten, obgleich er sie machen konnte, ohne sich, seine Angehörigen (§ 72 StGB) oder unter seinem gesetzlichen Schutze stehende Personen einer Gefahr auszusetzen, wird mit Freiheitsstrafe von einem bis zu zehn Jahren bestraft.

Zuständigkeit des Landesgerichts als Geschworenengericht

§ 3j. Die Hauptverhandlung und Urteilsfällung wegen der in den §§ 3a bis 3i bezeichneten Verbrechen obliegt dem Geschworenengericht.

Amts- und Funktionsverlust

§ 3k. Mit der Verurteilung durch ein inländisches Gericht wegen einer oder mehrerer strafbarer Handlungen nach diesem Bundesverfassungsgesetz ist bei einem Beamten der Verlust des Amtes und bei einem Vertragsbediensteten des Bundes, eines Landes, einer Gemeinde oder eines Gemeindeverbandes die vorzeitige Auflösung des Dienstverhältnisses verbunden.

Strafbare Handlungen nach § 3a und § 3b im Ausland, die ohne Rücksicht auf die Gesetze des Tatorts bestraft werden

§ 3l. § 3a und § 3b gelten für im Ausland begangene Taten außer in den in den §§ 62 bis 65 StGB geregelten Fällen unabhängig von den Gesetzen des Tatorts, wenn

1. der Täter zur Zeit der Tat Österreicher war oder wenn er die österreichische Staatsbürgerschaft später erworben hat und zur Zeit der Einleitung des Strafverfahrens noch besitzt oder

2. der Täter zur Zeit der Tat Ausländer war, sich in Österreich aufhält und nicht ausgeliefert oder übergeben werden kann.

Strafbare Handlungen nach § 3d, § 3g und § 3h, bei denen der Täter im Ausland gehandelt hat

§ 3m. (1) § 3d gilt für im Ausland begangene Taten unabhängig von den Gesetzen des Tatorts, wenn

1. der Täter zur Zeit der Tat Österreicher war oder wenn er die österreichische Staatsbürgerschaft später erworben hat und zur Zeit der Einleitung des Strafverfahrens noch besitzt und

2. es sich um eine Mitteilung oder Darbietung in einem Medium handelt, die im Inland verbreitet worden ist, abgerufen oder empfangen werden konnte und geeignet ist, den öffentlichen Frieden zu verletzen.

(2) § 3g Abs. 2 und § 3h Abs. 2 gelten für im Ausland begangene Taten unabhängig von den Gesetzen des Tatorts, wenn

1. der Täter zur Zeit der Tat Österreicher war oder wenn er die österreichische Staatsbürgerschaft später erworben hat und zur Zeit der Einleitung des Strafverfahrens noch besitzt und

2. die Tat geeignet ist, den öffentlichen Frieden zu verletzen.

(3) § 3g Abs. 2 und § 3h Abs. 2 gelten für Taten, bei denen der Täter im Ausland gehandelt hat und ein dem Tatbild entsprechender Erfolg ganz oder zum Teil im Inland eingetreten ist oder nach der Vorstellung des Täters hätte eintreten sollen, nur unter den Voraussetzungen des Abs. 2 Z 1 und 2.

Einziehung

§ 3n. (1) Gegenstände, die auf Grund ihrer besonderen Beschaffenheit dazu geeignet sind, zur Begehung mit Strafe bedrohter Handlungen nach diesem Bundesverfassungsgesetz verwendet zu werden, sind, sofern nicht bereits die Voraussetzungen der Einziehung nach § 26 StGB oder nach § 33 des Mediengesetzes, BGBl. Nr. 314/1981, vorliegen, auch einzuziehen, wenn keine bestimmte Person wegen einer Straftat nach diesem Bundesverfassungsgesetz verfolgt oder verurteilt werden kann, es sei denn, der Verfügungsberechtigte bietet Gewähr dafür, dass die Gegenstände nicht zur Begehung strafbarer Handlungen verwendet werden.

(2) Für das Verfahren gelten die §§ 443 bis 446 der Strafprozeßordnung 1975 (StPO), BGBl. Nr. 631/1975, entsprechend. Für die Anwendung von § 445a StPO sind Gegenstände im Sinne des Abs. 1 als Gegenstände zu behandeln, deren Besitz allgemein verboten ist.

Kostentragung bei Rücktritt von der Verfolgung (Diversion)

§ 3o. (1) Hat sich ein Beschuldigter oder Angeklagter bereit erklärt, während der Probezeit die Pflicht zu erfüllen, ein pädagogisch begleitetes Programm zur Sensibilisierung für den nationalsozialistischen Völkermord oder andere nationalsozialistische Verbrechen gegen die Menschlichkeit zu absolvieren (§ 203 Abs. 2 StPO), so hat die Kosten des Programms der Bund zu übernehmen. Dem Beschuldigten oder Angeklagten ist jedoch für die Kosten des Programms ein Pauschalkostenbeitrag bis zu 500 Euro aufzuerlegen, soweit dadurch nicht der zu einer einfachen Lebensführung notwendige Unterhalt des Beschuldigten oder Angeklagten und der Personen, zu deren Unterhalt er verpflichtet ist, gefährdet wäre. Bei Jugendlichen und jungen Erwachsenen ist von einem Pauschalkostenbeitrag abzusehen, wenn die Zahlung dieses Beitrags ihr Fortkommen erschweren würde. § 381 Abs. 5 StPO ist anzuwenden.

(2) Die vom Bund zu übernehmenden Kosten hat das Gericht, das für das Ermittlungsverfahren zuständig gewesen wäre, mit Beschluss zu bestimmen und anzuweisen. Gegen diesen Beschluss steht dem Beschuldigten oder Angeklagten, der Staatsanwaltschaft und der Einrichtung oder Vereinigung, die das Programm ausrichtet, die binnen 14 Tagen einzubringende Beschwerde an das übergeordnete Gericht zu.

(3) Die Bundesministerin für Justiz kann mit Einrichtungen oder Vereinigungen über die Höhe der vom Bund zu übernehmenden Kosten Verträge nach bürgerlichem Recht abschließen. Die Vereinbarung von verbindlichen Pauschalbeträgen ist zulässig.

(4) Die Einrichtungen und Vereinigungen haben ihre Tätigkeit laufend zu dokumentieren und der Bundesministerin für Justiz bis zum 30. April jeden Jahres in der vertraglich vereinbarten Form einen schriftlichen Bericht über ihre Tätigkeit während des Vorjahres vorzulegen. Dabei ist in anonymisierter Form auch darüber zu berichten, ob die von der Einrichtung oder Vereinigung betreuten Beschuldigten oder Angeklagten bei der Zuweisung an die Einrichtung oder Vereinigung durch das Gericht oder die Staatsanwaltschaft eine gegenüber diesem Verfassungsgesetz grundsätzlich ablehnende, nationalsozialistische Einstellung aufwiesen.

Artikel II: Registrierung der Nationalsozialisten.

§ 4. (1) Alle Personen, die ihren ordentlichen Wohnsitz oder dauernden Aufenthalt im Gebiet der Republik Österreich haben und – wenn auch nur zeitweise – zwischen dem 1. Juli 1933 und dem 27. April 1945

a) der NSDAP oder ihren Wehrverbänden SS oder SA oder

b) dem NS-Soldatenring oder dem NS-Offiziersbund angehört haben oder

c) Führer in den Wehrverbänden NSKK oder NSFK vom Untersturmführer oder Gleichgestellten aufwärts oder Funktionäre in einer sonstigen Gliederung, Organisation oder in einem sonstigen angeschlossenen Verband von dem einem Ortsgruppenleiter der NSDAP entsprechenden Rang aufwärts oder Angehörige der Gestapo oder des SD waren,

werden in besonderen Listen verzeichnet.

Desgleichen werden verzeichnet

d) Verfasser von Druckschriften jedweder Art oder von Filmdrehbüchern, die von der beim Bundesministerium für Unterricht gebildeten Kommission wegen ihres nationalsozialistischen Gehaltes als verbotene Werke erklärt wurden,

e) Leiter von industriellen, finanziellen und sonstigen wirtschaftlichen Unternehmungen, die nach amtlichen und gehörig belegten Berichten der zuständigen Standesvertretungen, der Gewerkschaften oder der Parteien von der im § 7 genannten Kommission für schuldig befunden wurden, tatkräftig an der Erreichung der Ziele der NSDAP oder ihrer angeschlossenen Organisationen mitgearbeitet, die Grundsätze des Nationalsozialismus unterstützt, für diese Propaganda gemacht oder nationalsozialistische Organisationen oder ihr Tätigkeiten finanziert und durch eine dieser Handlungen die Interessen eines unabhängigen und demokratischen Österreich geschädigt zu haben.

(2) Als Angehöriger der NSDAP ist anzusehen, wer als Mitglied in diese Partei aufgenommen worden ist (Parteimitglied) oder wer durch Aufnahme als Parteianwärter die Anwartschaft auf die Parteimitglied-

schaft und das Recht zum vorläufigen Tragen des Parteiabzeichens erworben hat (Parteianwärter).

(3) Die Dauer des die Registrierungspflicht begründenden Zustandes, Parteiauszeichnungen, Funktionen sowie die besonderen mit Rechtsfolgen verbundenen Umstände, insbesondere auch die Zugehörigkeit zu einer bestimmten Personengruppe (§ 17), sind in den Listen besonders zu vermerken.

(4) Durch Verordnung kann bestimmt werden, welche Personen als Funktionäre im Sinne dieses Verfassungsgesetzes anzusehen sind.

(5) Von der Verzeichnung gemäß Abs. (1) sind ausgenommen:

a) Parteianwärter, deren Aufnahme in die NSDAP aus politischen Gründen abgelehnt wurde, soweit dies von der im § 7 genannten Kommission auf Grund der vorgebrachten Beweise mit Bescheid festgestellt worden ist;

b) Parteimitglieder, Angehörige der SA und Parteianwärter, die aus politischen Gründen vor dem 1. Jänner 1945 ausgeschlossen wurden und dagegen keine Berufung eingelegt haben oder vor dem 1. Jänner 1944 ausgetreten sind;

c) Parteimitglieder und Parteianwärter, die sich aus politischen Gründen während der nationalsozialistischen Gewaltherrschaft entweder in gerichtlicher oder polizeilicher Haft von mindestens einem Monat befunden haben oder die beweisen können, daß sie durch gerichtliche oder staatspolizeiliche Maßnahmen aus solchen Gründen größere Schädigungen erlitten haben, sofern sie sich nicht später im Sinne der NSDAP betätigt haben;

d) Personen, die lediglich einer Betriebs-SA oder SA-Wehrmannschaft angehört haben, ohne eine Funktion vom Untersturmführer oder Gleichgestellten aufwärts bekleidet zu haben;

e) Personen, denen die Provisorische Staatsregierung eine Ausnahme von der Behandlung nach den Bestimmungen des Artikels II zugebilligt hat;

f) Personen, die nachweisen können, daß sie mit der Waffe in der Hand in den Reihen der alliierten Armeen gekämpft haben.

§ 5. (1) Jeder nach § 4 zu Verzeichnende hat die Anmeldung selbst zu erstatten. Jedermann, jede Behörde und jede Körperschaft des öffentlichen Rechtes ist zur Auskunftserteilung verpflichtet.

(2) Registrierungspflichtige, die ihren Wohnsitz innerhalb der Republik Österreich seit 13. März 1938 gewechselt haben, sind verpflichtet, alle Anschriften bei der Anmeldung anzugeben.

(3) Die Registrierungsbehörde ist verpflichtet, die Anmeldung den Registrierungsbehörden mitzuteilen, die für die früheren Wohnsitze zuständig waren. Diese Mitteilungen sind den Verzeichnissen nach Abs. (1) als Anhang anzuschließen.

§ 6. Die Listen sind nach Ortsgemeinden, in Wien und anderen großen Städten nach Bezirken, Gassen, beziehungsweise nach Hausnummern anzulegen. Sie sind öffentlich aufzulegen. Jedermann kann davon Abschriften herstellen.

§ 7. (1) Außer in den im § 4, Abs. (5), a, erwähnten Fällen kann wegen der Aufnahme vermeintlich nicht Registrierungspflichtiger oder der Nichtaufnahme vermeintlich Registrierungspflichtiger jedermann mündlich oder schriftlich Einspruch und Beschwerde erheben. Dies gilt auch für Vermerke im Sinne des § 4, Abs. (3). Über Einsprüche und Beschwerden entscheiden die Verwaltungsbehörden, in letzter Instanz eine Kommission beim Staatsamt für Inneres, die aus einem Richter als Vorsitzenden und sechs anderen Mitgliedern besteht, von denen mindestens zwei die Eignung zum Richteramt haben müssen.

(2) Die in den besonderen Listen nach rechtskräftigem Abschluß des Registrierungsverfahrens verzeichneten und vermerkten Umstände sind für alle Gerichte und Verwaltungsbehörden bindend festgestellt, für die Gerichte jedoch, soweit sie im Strafverfahren nach der Strafprozeßordnung zu entscheiden haben, nur dann, wenn die Kommission beim Bundesministerium für Inneres schon entschieden hat.

(3) Ist die Entscheidung eines Gerichtes oder einer Verwaltungsbehörde von der Feststellung von Umständen abhängig, die in den besonderen Listen zu verzeichnen oder zu vermerken sind, so haben diese Behörden ihr Verfahren von Amts wegen bis zur rechtskräftigen Beendigung des Verfahrens nach Abs. (1) zu unterbrechen, zugleich alle ihnen bekanntgewordenen Umstände der nach Abs. (1) zuständigen Behörde anzuzeigen und erforderlichenfalls um Einleitung des Verfahrens nach Abs. (1) zu ersuchen. Die Fortsetzung des unterbrochenen Verfahrens erfolgt auf Antrag oder von Amts wegen. Diese Bestimmungen gelten nicht für das gerichtliche Strafverfahren.

(4) Die Registrierungsbehörden haben nach rechtskräftiger Beendigung des Registrierungsverfahrens auf Antrag oder auf Ersuchen von Behörden über den Inhalt der Eintragungen in die besonderen Listen Auszüge aus dem Register zu erteilen sowie Registrierungskarten auszustellen. Das Nähere über die Registrierungskarten wird durch Verordnung bestimmt.

§ 8. Wer die Anmeldung unterläßt oder über wesentliche Umstände unvollständige oder unrichtige Angaben macht oder etwas unternimmt, um die Aufnahme eines Registrierpflichtigen in die Liste oder die Vornahme eines Vermerkes zu vereiteln oder die Aufnahme eines Nichtregistrierpflichtigen oder eines unrichtigen Vermerkes zu erwirken, macht sich des Verbrechens des Betruges schuldig und ist hiefür mit Freiheitsstrafe von einem bis zu fünf Jahren zu bestrafen.

§ 9. Die näheren Vorschriften über die Anlegung und Auflegung der Listen, das hiebei einzuhaltende Verfahren sowie über das Rechtsmittelverfahren werden durch Verordnung getroffen.

Artikel III: Strafrechtliche Sonderbestimmungen.

§ 10. (1) Wer in der Zeit zwischen dem 1. Juli 1933 und dem 13. März 1938 nach Vollendung des 18. Lebensjahres jemals der NSDAP angehört hat und während dieser Zeit oder später sich für die nationalsozialistische Bewegung betätigt hat oder Angehöriger eines der Wehrverbände der NSDAP (SS, SA, NSKK, NSFK) oder des NS-Soldatenringes oder des NS-Offiziersbundes gewesen ist oder wer von der NSDAP als "Altparteigenosse" oder "Alter Kämpfer" anerkannt worden ist, hat sich des Verbrechens des Hochverrates im Sinne des § 58 des St. G. schuldig gemacht und ist wegen dieses Verbrechens mit Freiheitsstrafe in der Dauer von fünf bis zu zehn Jahren zu bestrafen.

(2) Die Verfolgung auf Grund dieser Bestimmung findet statt, wenn nach Ansicht der Bundesregierung hochverräterische Umtriebe zunehmen oder wenn nach dem Inkrafttreten dieses Verfassungsgesetzes in seiner ursprünglichen Fassung der Täter sich für die NSDAP, für eine ihrer Gliederungen oder einen ihrer Verbände irgendwie betätigt hat, sich eines Verbrechens oder eines gegen die öffentliche Ruhe und Ordnung verstoßenden Vergehens oder einer solchen Übertretung schuldig gemacht oder sonst eine strafbare Handlung aus habsüchtigen oder anderen verwerflichen Beweggründen begangen hat.

§ 11. (1) Ist eine der im § 10, Abs. (1), genannten Personen politischer Leiter vom Ortsgruppenleiter oder Gleichgestellten aufwärts gewesen oder hat sie einem der Wehrverbände oder einer anderen Gliederung mit dem Rang vom Untersturmführer oder Gleichgestellten aufwärts angehört oder ist sie Blutordensträger oder Träger einer sonstigen Parteiauszeichnung gewesen oder hat sie in Verbindung mit ihrer Betätigung für die NSDAP, für einen ihrer Wehrverbände oder für den NS-Soldatenring oder den NS-Offiziersbund Handlungen aus besonders verwerflicher Gesinnung, besonders schimpfliche Handlungen oder Handlungen, die den Gesetzen der Menschlichkeit gröblich widersprechen, begangen, so wird sie mit Freiheitsstrafe von 10 bis zu 20 Jahren bestraft, wenn die Tat nicht nach einer anderen Bestimmung strenger strafbar ist.

(2) Durch Verordnung kann bestimmt werden, welche Auszeichnungen als Parteiauszeichnungen zu gelten haben.

§ 12. In gleicher Weise ist strafbar, wer in der Zeit zwischen dem 1. Juli 1933 und dem 13. März 1938 durch beträchtliche finanzielle Zuwendungen die NSDAP, einen ihrer Wehrverbände (SS, SA, NSKK, NSFK, den NS-Soldatenring, den NS-Offiziersbund) ihre Gliederungen und angeschlossenen Verbände oder eine nationalsozialistische Organisation oder Einrichtung überhaupt gefördert hat oder wer durch Schädigung des österreichischen Wirtschaftslebens für Zwecke einer der angeführten Organisationen den Bestand des selbständigen Staates Österreich zu untergraben unternommen hat.

§ 13. Nach §§ 10, 11 oder 12 dieses Verfassungsgesetzes oder nach dem Kriegsverbrechergesetz vom 26. Juni 1945, St. G. Bl. Nr. 32, in der Fassung der Kriegsverbrechergesetznovelle vom 18. Oktober 1945, St. G. Bl. Nr. 199, rechtskräftig verurteilte Personen sind in den besonderen Listen von Amts wegen zu verzeichnen. Es gelten für ihre Verzeichnung im übrigen die Bestimmungen des § 4.

§ 14. Amnestiebestimmungen und Gnadenerlässe stehen der Verurteilung wegen eines nach diesem Artikel strafbaren Verhaltens nicht entgegen.

§ 16. Die Verjährung der in diesem Verfassungsgesetz unter Strafe gestellten Handlungen beginnt frühestens mit dem 6. Juni 1945.

Artikel IV: Bestimmungen über sühnepflichtige Personen.

§ 17. (1) Die in die besonderen Listen einzutragenden Personen sind mit Ausnahme der im Abs. (4) genannten sühnepflichtig. Die Sühnepflichtigen werden in belastete und minderbelastete Personen unterschieden.

(2) Belastete Personen sind:

a) Personen, die jemals politische Leiter vom Zellenleiter oder Gleichgestellten aufwärts waren;

b) Angehörige der SS;

c) Angehörige der SA, des NSKK und des NSFK, die jemals Führer vom Untersturmführer oder Gleichgestellten aufwärts waren, ferner Angehörige der Gestapo oder des SD;

d) Funktionäre sonstiger Gliederungen, Organisationen oder angeschlossener Verbände, die einen Posten bekleideten, der dem Ortsgruppenleiter der NSDAP, beziehungsweise dem Untersturmführer im Rang zumindest gleich war, und Leiter von industriellen, finanziellen und sonstigen wirtschaftlichen Unternehmungen und die im § 4, Abs. (1), d, erwähnten Personen, diese beiden Gruppen, wenn sie von den im § 4 erwähnten Kommissionen als belastet befunden wurden;

e) Personen, die für ihre Tätigkeit für die NSDAP mit dem Blutorden vom 9. November 1923, dem Goldenen Ehrenzeichen der NSDAP, einer Dienstauszeichnung der NSDAP (in Bronze, Silber oder Gold) oder dem Goldenen Ehrenzeichen der Hitler-Jugend ausgezeichnet wurden;

f) Personen, die nach §§ 10, 11 oder 12 dieses Verfassungsgesetzes oder nach dem Kriegsverbrechergesetz vom 26. Juni 1945, St. G. Bl. Nr. 32, in der Fassung der Kriegsverbrechergesetznovelle vom 18. Oktober 1945, St. G. Bl. Nr. 199, rechtskräftig verurteilt worden sind.

(3) Minderbelastete Personen sind alle übrigen gemäß § 4 in die besonderen Listen einzutragenden Personen.

(4) Von der Sühnepflicht sind ausgenommen:

a) Minderbelastete Personen von der Vollendung des 70. Lebensjahres an,

b) minderbelastete Personen, wenn sie der Versehrtenstufe III angehören,

c) belastete Personen, wenn sie der Versehrtenstufe IV angehören,

von der Verpflichtung zur Entrichtung der Sühneabgabe (IX. Hauptstück des Nationalsozialistengesetzes) jedoch nur, wenn ihr Einkommen nicht 200 S im Monat überschreitet zuzüglich 50 S pro Monat für jedes Familienmitglied, für dessen Unterhalt der Abgabepflichtige zu sorgen hat. Überschreitet das Einkommen diese Grenze, so wird die laufende Sühneabgabe nur von dem Mehreinkommen eingehoben.

§ 18. Belastete Personen im Sinne des § 17, Abs. (2), haben die nachstehenden Sühnefolgen zu tragen:

a) Sie unterliegen unbeschadet eines Strafverfahrens nach anderen Bestimmungen dieses Verfassungsgesetzes und unabhängig von seinem Ausgang einer laufenden und einer einmaligen Sühneabgabe nach den Bestimmungen des IX. Hauptstückes des Nationalsozialistengesetzes.

b) Sie sind aus einem öffentlich-rechtlichen oder sonstigen Dienstverhältnis zum Bund, zu den Ländern (zu der Stadt Wien), zu den Gemeinden, zu sonstigen öffentlich-rechtlichen Körperschaften und zu von diesen verwalteten oder beaufsichtigten Körperschaften, Fonds, Anstalten, Betrieben und Unternehmungen sowie zur Österreichischen Nationalbank entlassen. Die Entlassenen haben aus diesem Dienstverhältnis keinen Anspruch auf Ruhegenuß oder Abfertigung, ihre Angehörigen keinen solchen auf Versorgungsgenuß. Empfängern von Ruhegenüssen aus einem öffentlich-rechtlichen Dienstverhältnis oder von Versorgungsgenüssen nach einem öffentlichen Bediensteten wird der Ruhe- oder Versorgungsgenuß eingestellt. Die genannten Personen können nicht in den öffentlichen Dienst aufgenommen werden. In Fällen äußerster Not können Unterhaltsbeiträge unter sinngemäßer Anwendung der Bestimmungen des § 98 des Gesetzes vom 25. Jänner 1914, R. G. Bl. Nr. 15 (Dienstpragmatik), von der Dienstbehörde (dem Dienstgeber) zuerkannt werden. Sie können an einer Hochschule als Privatdozent nicht zugelassen werden.

c) Sie sind in der gesamten Wirtschaft von der Bekleidung eines leitenden Postens (einschließlich der Stellung eines Prokuristen, Handlungsbevollmächtigten oder Abteilungsleiters) ausgeschlossen.

d) Sie sind von der Führung eines Unternehmens oder Betriebes, aus welchem Titel immer, ausgeschlossen, in denen mindestens ein Dienstnehmer beschäftigt ist. Dies gilt auch für Unternehmen oder Betriebe, in denen kein Dienstnehmer beschäftigt ist, wenn am 1. Jänner 1945 mindestens ein Dienstnehmer beschäftigt war. Als Dienstnehmer gelten nicht der Ehegatte, die Eltern und die Kinder des Unternehmers sowie deren Ehegatten.

e) Sie können die Berufe eines öffentlichen Wirtschaftsprüfers, eines Steuerberaters, eines Helfers in Steuersachen, eines vereidigten Buchprüfers, eines gewerblichen Buchrevisors, eines Finanz- und Wirtschaftsberaters sowie eines Gebäudeverwalters nicht bekleiden; ferner nicht das Fremdenbeherbergungsgewerbe, die Gewerbe, die auf mechanischem oder chemischem Wege die Vervielfältigung von literarischen Erzeugnissen oder den Handel mit solchen zum Gegenstand haben, mit Ausnahme des im § 21, Abs. (5), Gew.O. umschriebenen Handels mit Presseerzeugnissen, sowie Theater-, Konzert-, Kino-, Varieté-, Zirkus- und andere Veranstaltungsunternehmungen, Filmverleihunternehmungen, Tabakverschleißgeschäfte, Geschäftsstellen der Klassenlotterie oder Lottokollekturen betreiben.

f) Sie können weder den Beruf eines Rechtsanwaltes (Rechtsanwaltsanwärters), eines Notars (Notariatskandidaten), eines Verteidigers in Strafsachen, eines Patentanwaltes (Patentanwaltsanwärters) ausüben noch in den Kanzleien der obengenannten Personen beschäftigt sein. Sie können ferner den Beruf eines beratenden Ingenieurs oder eines behördlich autorisierten und beeideten Ziviltechnikers und den Beruf eines Arztes nicht ausüben. Schließlich können sie bis zum 30. April 1955 den Beruf eines Zahnarztes, Pharmazeuten, Dentisten (Zahntechnikers) oder eines Tierarztes nicht ausüben.

g) Sie können das Gast- und Schankgewerbe und den Großhandel mit Lebensmitteln bis 30. April 1950 nicht betreiben.

h) Sie können sich nicht an der Gestaltung des Inhaltes einer Zeitung [§ 2, Abs. (2), des Pressegesetzes], einer Zeitungskorrespondenz oder eines Sammelwerkes, sei es durch regelmäßige Beiträge, sei es durch unregelmäßige Mitarbeit oder in irgendeiner anderen Weise, beteiligen; sie können ferner nicht ein Werk der Literatur, dessen Urheber sie sind [§§ 2 und 10, Abs. (1), des Urheberrechtsgesetzes, B. G. Bl. Nr. 111/1936], der Öffentlichkeit zugänglich machen.

i) Auf sie finden die besonderen Bestimmungen der Gesetze über Wohnungsanforderung, Wirtschaftssäuberung und Arbeitspflicht Anwendung. Mit ihnen als Mieter oder Pächter abgeschlossene Bestandverträge können unter Einhaltung der gesetzlichen Kündigungsfrist aufgelöst werden.

j) 1. Sie müssen zu Arbeiten herangezogen werden. Sie können in einem Lager angehalten werden, wenn außer den Umständen, die ihre Behandlung als belastete Personen begründen, erwiesenermaßen noch andere Tatsachen vorliegen, die sie für die demokratische Regierungsform der Republik Österreich als äußerst gefährlich erscheinen lassen. Die Dauer der Anhaltung soll erstmalig sechs Monate nicht überschreiten, kann aber jeweils für weitere Zeiträume von je sechs Monaten durch Verfügung bis auf insgesamt zwei Jahre verlängert werden.

2. Die Anhaltung in einem Lager kann nur vom Volksgericht verfügt werden, das unter seiner normalen Prozeßordnung arbeitet.

3. In der Regel kann eine Person in diesem Verfahren nur auf Grund eines richterlichen Befehles verhaftet werden. Ist sie vorher von der Sicherheitsbehörde in Verwahrung genommen worden, so muß das Gericht innerhalb von 15 Tagen, von dem Tag der Festnahme gerechnet, über die Fortdauer der Haft entscheiden, widrigenfalls der Festgenommene auf freien Fuß zu setzen ist.

4. Jeder in einem Lager Angehaltene ist berechtigt, den Antrag zu stellen, daß er vorzeitig entlassen oder die Notwendigkeit der Anhaltung neuerlich überprüft werde. Ein solcher Antrag darf jedoch erst nach Ablauf von sechs Monaten gestellt oder wiederholt werden.

5. Die Lager stehen unter der Aufsicht des Präsidenten des mit Strafsachen befaßten Gerichtshofes I. Instanz, in dessen Sprengel sie sich befinden.

6. Die näheren Bestimmungen, insbesondere über den Vorgang, wie belastete Personen vor das Volksgericht gestellt werden, und über das in der Z 4 vorgesehene Überprüfungsverfahren werden durch Bundesgesetz erlassen.

k) Sie sind auf Lebenszeit vom passiven Wahlrecht in eine gesetzgebende oder andere öffentlich-rechtliche Körperschaft ausgeschlossen. Sie sind bis 30. April 1950 vom aktiven Wahlrecht sowie bis zum 30. April 1955 von dem Amt eines Geschworenen oder Schöffen ausgeschlossen.

l) Sie können bis 30. April 1950 einer politischen Partei nicht angehören.

m) Sie können Ausschüssen, Vorständen, Leitungen, Verwaltungsräten, Aufsichtsräten und sonstigen Vertretungs- oder Verwaltungskörpern von Vereinen und allen sonstigen mit Rechtspersönlichkeit ausgestatteten Einrichtungen nicht angehören.

n) Sie können der Akademie der Wissenschaften (der Österreichischen Akademie der Wissenschaften in Wien) weder als wirkliche noch als korrespondierende Mitglieder angehören.

o) Sie müssen bis zum 30. April 1950 von der Zulassung zum Hochschulstudium ausgeschlossen werden.

p) Sie müssen bis zum 30. April 1950 vom öffentlichen Auftreten als frei schaffende oder als darstellende Künstler (Schauspieler, Sänger, Tänzer), als Dirigenten, Musiker, Regisseure, Bühnenbildner ausgeschlossen werden, außer in den Fällen, in denen eine beim Bundesministerium für Unterricht eingesetzte besondere Kommission nach gehöriger Prüfung entscheidet, daß eine dieser Personen ihren Beruf weiter ausüben darf.

§ 19. (1) Minderbelastete Personen im Sinne des § 17, Abs. (3), haben die nachstehenden Sühnefolgen zu tragen:

a) Sie unterliegen unbeschadet eines Strafverfahrens nach anderen Bestimmungen dieses Verfassungsgesetzes und unabhängig von seinem Ausgang einer laufenden und einer einmaligen Sühneabgabe nach den Bestimmungen des IX. Hauptstückes des Nationalsozialistengesetzes.

b) Sie können im öffentlichen Dienst nur bei Bedarf und nur nach besonderer Prüfung ihres politischen Verhaltens vor dem 27. April 1945 verwendet werden. Jedenfalls gelten die nachfolgenden Bestimmungen:

aa) Sie können eine Lehrkanzel für Philosophie, Psychologie, Pädagogik, Geschichte, mittlere oder neuere deutsche Literaturgeschichte, Volkswirtschaftslehre, Volkswirtschaftspolitik, Sozialpolitik, Gesellschaftslehre, ein Rechtsfach oder für ein Teilgebiet dieser Fächer nur innehaben, wenn auf ihren Antrag die beim Bundesministerium für Unterricht zu errichtende Komission *(Anm.: richtig: Kommission)* diese Tätigkeit gestattet. Die Bestätigung der Lehrbefugnis als Privatdozent kann widerrufen werden. Eine solche Bestätigung ist zu widerrufen, wenn die Lehrbefugnis die im ersten Satz besonders genannten Fächer oder eines ihrer Teilgebiete umfaßt. In diesem Fall kann die Lehrbefugnis auf Ansuchen des betroffenen Privatdozenten auf Antrag der beim Bundesministerium für Unterricht zu errichtenden Kommission wieder erteilt werden. Sie können ferner als Hochschulassistenten für ein solches Fach nur tätig sein, wenn auf ihren Antrag diese Kommission eine derartige Berufstätigkeit gestattet;

bb) sie können außer in den Fällen des Abs. (2) nicht bei Polizeidienststellen, im Sicherheitswach-, im Gendarmerie-, im Kriminal-, im Zollwach- und im Justizwachdienst verwendet werden;

cc) sie können außer in den Fällen des Abs. (2) nicht bei der Strafrechtspflege und beim Strafvollzug verwendet werden;

dd) sie können sonst nicht auf Leiterposten im Lehr- und Erziehungsberuf bis 30. April 1948 verwendet werden, außer in Schulen, in denen nur eine Lehrperson als Klassenlehrer beschäftigt ist, höchstens jedoch für einen Zeitraum von sechs Monaten vom Tage des Inkrafttretens des Nationalsozialistengesetzes gerechnet, sofern sie nicht eine Erlaubnis von der im Abs. (2) genannten Kommission erhalten;

ee) sie können im öffentlichen Dienst während des Dienststandes bis 30. April 1950 höchstens auf Dienstposten verwendet werden, die einem Dienstposten der VI. Dienstklasse der allgemeinen Verwaltung des Bundes (im Sinne des Gehaltsgesetzes 1927), wenn sie aber einem Dienstzweig der Verwendungsgruppe 8 der allgemeinen Verwaltung des Bundes angehören, einem Dienstposten der V. Dienstklasse dieser Verwaltung entsprechen. Ihr Dienstbezug kann den

Höchstbezug der vorbezeichneten Dienstposten der allgemeinen Verwaltung nicht übersteigen. Haben oder hatten sie bereits einen höheren Dienstposten inne, dann sind sie für die Zeit des Dienststandes auf einen der vorstehenden Bestimmung entsprechenden Dienstposten mit der Maßgabe rückzureihen, daß hiedurch ihre Dienstbezüge nicht um mehr als ein Drittel vermindert werden; andernfalls sind die Bezüge durch Zulagen so zu erhöhen, daß sie zwei Drittel der früheren Bezüge erreichen. Rückgereihte können in der Zeit vom 1. Mai 1945 bis 30. April 1950 nicht auf einen höheren Dienstposten befördert werden. Erfolgt keine Rückreihung, so kann die Zeit vom 1. Mai 1945 bis 30. April 1950 für die Vorrückung in höhere Bezüge nicht angerechnet werden.

c) Ihre Ruhegenüsse aus einem öffentlichen Dienstverhältnis oder ihre Versorgungsgenüsse nach einem öffentlichen Bediensteten werden bis 30. April 1955 um ein Drittel gekürzt; diese Kürzung findet jedoch nur soweit statt, als dadurch die um die Einkommen(Lohn)steuer verminderte monatliche Auszahlung nicht unter den Betrag von 150 S sinkt. Ihre Ruhe- und Versorgungsgenüsse entfallen jedoch bis zur Vollendung des 60. Lebensjahres oder bis zur amtsärztlich festgestellten dauernden Arbeitsunfähigkeit soweit, als die eben bezeichnete Mindestgrenze von 150 S überschritten wird. Zur Vermeidung unbilliger Härten können Unterhaltsbeiträge unter sinngemäßer Anwendung der Bestimmungen des § 98 des Gesetzes vom 25. Jänner 1914, R. G. Bl. Nr. 15 (Dienstpragmatik), von der Dienstbehörde (dem Dienstgeber) zuerkannt werden.

d) Sie sind von der Führung eines Unternehmens oder Betriebes aus welchem Titel immer bis 30. April 1950 ausgeschlossen, sofern das Unternehmen oder der Betrieb nach der Höhe des Anlagekapitals, des Umsatzes, der Zahl der Beschäftigten oder nach sonstigen Merkmalen über den Rahmen eines Mittelbetriebes hinausgeht. Die näheren Bestimmungen über die Merkmale eines Mittelbetriebes werden durch Verordnung getroffen.

e) Es treffen sie ferner die Sühnefolgen nach § 18, lit. c und m, bis zum 30. April 1950; dasselbe gilt von dem Betrieb des Fremdenbeherbergungsgewerbes, sofern das Unternehmen nach dem Stand vom Jahre 1944 über Nächtigungsmöglichkeiten für mehr als 15 Gäste verfügt, und von dem Betrieb der Gewerbe, die auf mechanischem oder chemischem Wege die Vervielfältigung von literarischen Erzeugnissen oder den Handel mit solchen zum Gegenstand haben, mit Ausnahme des im § 21, Abs. (5), Gew.O. umschriebenen Handels mit Presseerzeugnissen. Sie können ferner außer in den Fällen des Abs. (2) innerhalb dieser Zeit die Berufe eines Rechtsanwaltes (oder Rechtsanwaltsanwärters) – auch nicht als Angestellter in Rechtsanwaltskanzleien –, eines Verteidigers in Strafsachen (oder Anwärters in diesem Berufe) – auch nicht als Angestellter in der Kanzlei eines Verteidigers in Strafsachen –, eines Notars (Notariatskandidaten) – auch nicht als Angestellter in einer Notariatskanzlei –, eines Patentanwalts(Patentanwaltsanwärters) – auch nicht als Angestellter in einer Patentanwaltskanzlei –, eines Arztes, eines Zahnarztes, eines Pharmazeuten, eines Tierarztes, eines behördlich autorisierten und beeideten Ziviltechnikers, eines öffentlichen Wirtschaftsprüfers, eines Steuerberaters oder eines Gebäudeverwalters nicht ausüben und ein Theater-, Konzert-, Kino-, Varieté-, Zirkusunternehmen oder ein anderes Veranstaltungsunternehmen oder ein Filmverleihunternehmen nicht betreiben.

f) Sie können sich bis zum 30. April 1950 nicht an der Gestaltung des Inhaltes einer Zeitung [§ 2, Abs. (2), Pressegesetz] mit Ausnahme von Fachzeitschriften, einer Zeitungskorrespondenz oder eines Sammelwerkes durch Beiträge beteiligen.

g) Sie sind von der Bekleidung eines leitenden Postens im Lehr- und Erziehungsberuf bis 30. April 1950 ausgeschlossen. Sie können überdies bis zum gleichen Zeitpunkt von der zuständigen Aufsichtsbehörde von der Verwendung als Lehrer an Privatschulen ausgeschlossen werden.

h) Sie sind bis zum 30. April 1950 vom passiven Wahlrecht in die gesetzgebenden Körperschaften und von dem Amt eines Geschworenen oder Schöffen ausgeschlossen.

i) Sie können bis zum 30. April 1950 durch einseitige Verfügung der Aufsichtsbehörde vom Betrieb von Tabakverschleißgeschäften, Geschäftsstellen der Klassenlotterie und Lottokollekturen ausgeschlossen werden.

j) Sie können bis zum 30. April 1950 der Akademie der Wissenschaften (der Österreichischen Akademie der Wissenschaften in Wien) nicht als wirkliche Mitglieder angehören; sie können bis zu diesem Zeitpunkt nicht zu korrespondierenden Mitgliedern ernannt werden.

k) Sie müssen bis zum 30. April 1950 von der Zulassung zum Hochschulstudium ausgeschlossen werden.

l) Sie können bis zum 30. April 1950 vom öffentlichen Auftreten als frei schaffende Künstler oder als darstellende Künstler (Schauspieler, Sänger, Tänzer), als Dirigenten, Musiker, Regisseure, Bühnenbildner durch eine beim Bundesministerium für Unterricht eingesetzte Kommission ausgeschlossen werden. Das Nähere über die Zusammensetzung, die Geschäftsführung und das Verfahren vor dieser Kommission wird durch Verordnung bestimmt.

m) Sie können, wenn sie von den im Abs. (2) genannten Kommissionen zur Berufsausübung nicht zugelassen werden, zu Arbeiten herangezogen werden.

n) Gesetzliche Maßnahmen, betreffend Wohnungsanforderung, die im § 18, lit. i, vorgesehen sind, sind auch gegen minderbelastete Personen anzuwenden, wenn dies zugunsten von Kriegsopfern und Opfern der nationalsozialistischen Unterdrückung notwendig erscheint, jedoch unbeschadet der Bestimmungen über die Rückstellung von arisiertem oder sonst entzogenem Vermögen.

(2) Minderbelastete Personen können nur auf besondere Entscheidung von besonders zu diesem Zweck gebildeten Kommissionen bei Polizeidienststellen, im Sicherheitswach-, im Gendarmerie-, im Kriminal-, im Zollwach- und im Justizwachdienst, bei der Strafrechtspflege und beim Strafvollzug verwendet werden oder die Berufe eines Rechtsanwaltes (Rechtsanwaltsanwärters), eines Verteidigers in Strafsachen (Anwärters in diesem Berufe), eines Notars (Notariatskandidaten), eines Patentanwaltes (Patentanwaltsanwärters) ausüben oder in den Kanzleien der vorgenannten Berufe angestellt sein oder die Berufe eines Arztes, Zahnarztes, Pharmazeuten oder Tierarztes, eines behördlich autorisierten und beeideten Ziviltechnikers, eines öffentlichen Wirtschaftsprüfers, eines Steuerberaters oder eines Gebäudeverwalters ausüben oder ein Theater-, Konzert-, Kino-, Varieté-, Zirkusunternehmen oder ein anderes Veranstaltungsunternehmen oder ein Filmverleihunternehmen betreiben. Das gleiche gilt für die Ausübung des Lehrberufes nach den Bestimmungen des Abs. (1), lit. b, dd.

(3) Die Kommissionen bestehen aus dem zuständigen Bundesminister oder einem von ihm bestellten Vertreter als Vorsitzendem, einem Vertreter des Bundesministeriums, einem Angehörigen der Berufsvertretung des Betroffenen und aus je einem Vertreter der drei anerkannten politischen Parteien. Die Entscheidungen der Kommissionen werden mit einer Mehrheit von vier Stimmen getroffen. Der Vorsitzende stimmt nicht mit. Nähere Bestimmungen werden durch ein Bundesverfassungsgesetz festgelegt, das spätestens drei Monate nach Kundmachung des Nationalsozialistengesetzes zu erlassen ist.

§ 20. (1) Personen, die die laufende oder einmalige Sühneabgabe zu entrichten haben, dürfen bis zur vollständigen Erfüllung dieser Abgabepflicht durch rechtsgeschäftliche Verfügungen (Rechtshandlungen oder Unterlassungen) ihr unbewegliches Vermögen weder veräußern noch belasten. Das gleiche gilt für Veräußerungen oder Belastungen ihres beweglichen Vermögens oder für die Übernahme von Verpflichtungen, sofern diese Verfügungen über den Rahmen der laufenden Verwaltung oder der Fortführung des Haushaltes hinausgehen. Gegen diese Verbote verstoßende Rechtsgeschäfte sind nichtig. Desgleichen sind Verfügungen der genannten Art nichtig, die nach dem 31. März 1945 getroffen worden sind. Der rechtsgeschäftlichen Verfügung steht, soweit es sich um unbewegliche Sachen handelt, eine Verfügung im Wege der Zwangsvollstreckung gleich.

(2) Eintragungen in die öffentlichen Bücher dürfen von Gerichten nur bewilligt werden,

1. wenn derjenige, dessen bücherliche Rechte beschränkt, belastet, aufgehoben oder auf eine andere Person übertragen werden sollen, in einer schriftlichen Erklärung an Eides Statt versichert, daß er nicht zu den im § 17, Abs. (2) und (3), aufgezählten Personen gehört, oder

2. wenn durch Vorlage einer Bestätigung der zur Einhebung der Sühneabgabe zuständigen Behörde nachgewiesen wird, daß er die Verpflichtung zur Leistung der laufenden und einmaligen Sühneabgabe vollständig erfüllt hat oder daß er von dieser Verbindlichkeit gemäß § 17, Abs. (4), befreit ist. Die Unterschrift der Erklärung nach Z 1 muß gerichtlich oder notariell beglaubigt werden. Einer solchen Erklärung bedarf es nicht, wenn die Bestätigung einer Bezirksverwaltungsbehörde, eines Amtes der Landesregierung (Wiener Magistrat) oder des Bundesministeriums für Inneres vorliegt, daß derjenige, der sonst die Erklärung nach Z 1 abzugeben hätte, nicht zu den im § 17, Abs. (2) und (3), aufgezählten Personen gehört.

(3) Abs. (2) gilt sinngemäß für die Bewilligung oder Fortsetzung einer Zwangsvollstreckung auf unbewegliche Sachen. Schon bewilligte Zwangsvollstreckungen sind aufzuschieben, bis die Voraussetzungen für die Fortsetzung gegeben sind. Liegt ein urkundlicher Nachweis im Sinne des Abs. (2) nicht vor, so hat das Gericht auf Antrag des betreibenden Gläubigers eine Tagsatzung anzuordnen und dem Verpflichteten den Eid darüber abzunehmen, ob er zu den im § 17, Abs. (2) und (3), genannten Personen gehört (§§ 48 ff. EO.). Die vorstehenden Bestimmungen gelten auch für die Fortsetzung eines bereits anhängigen oder neu anfallenden Zwangsvollstreckungsverfahrens, das nicht auf unbewegliche Sachen gerichtet ist, wenn sich begründeter Verdacht ergibt, daß die Voraussetzungen des Abs. (1) vorliegen.

(4) Von der Anwendung der Bestimmungen des Abs. (1) können Ausnahmen bewilligt werden. Das Nähere wird durch Verordnung geregelt.

(5) Wer unter Eid oder in einer schriftlichen Erklärung an Eides Statt [Abs. (2)] unwahre Angaben darüber macht, daß er nicht zu den im § 17, Abs. (2) oder (3), aufgezählten Personen gehört, ist wegen Verbrechens nach § 8 zu bestrafen.

§ 23. Bezüge welcher Art immer, die aus Mitteln des Staates, der Länder (Stadt Wien), der Gemeinden oder öffentlich-rechtlicher Körperschaften wegen einer Betätigung für die NSDAP oder einen ihrer Wehrverbände (SS, SA, NSKK, NSFK) gewährt worden sind, beispielsweise die Bezüge der sogenannten Opfer der Bewegung und ihrer Hinterbliebenen, oder die sogenannten Wiedergutmachungsbeträge, werden sofort eingestellt; die erhaltenen Beträge sind von den Empfängern oder deren Rechtsnachfolgern sofort zu erstatten.

Der Nachlaß von Verbindlichkeiten, insbesondere von Steuer- und Abgabeschulden an den Staat, die Länder (Stadt Wien), die Gemeinden, öffentlich-rechtliche Körperschaften sowie der Österreichischen *(Anm.: richtig: Oesterreichischen)* Nationalbank und Anstalten, der mit Rücksicht auf eine Tätigkeit für die NSDAP oder einen ihrer Wehrverbände (SS, SA, NSKK, NSFK) oder mit Rücksicht auf die Zugehörigkeit zu ihnen gewährt worden ist, ist unwirksam. Auch diese Beträge sind sofort zu erstatten.

Artikel VI: Ausnahmebestimmungen.

§ 27. (1) Der Bundespräsident kann auf Antrag der zuständigen Bundesminister Ausnahmen von der Behandlung nach den Bestimmungen der Artikel III und IV und von den in besonderen Gesetzen enthaltenen Sühnefolgen in Einzelfällen teilweise oder ganz bewilligen, wenn der Betreffende seine Zugehörigkeit zur NSDAP, zu einem ihrer Wehrverbände (SS, SA, NSKK, NSFK), zum NS-Soldatenring oder zum NS-Offiziersbund niemals mißbraucht hat, mit Sicherheit auf seine positive Einstellung zur unabhängigen Republik Österreich geschlossen werden kann und die Ausnahme im öffentlichen Interesse oder sonst aus einem besonders berücksichtigungswürdigen Grund gerechtfertigt erscheint. Ein solcher berücksichtigungswürdiger Fall liegt insbesondere bei Personen vor, die – wenn auch nicht in den Reihen der alliierten Armeen – mit der Waffe in der Hand gegen den Nationalsozialismus gekämpft haben.

(2) Die Überreichung eines Gesuches nach Abs. (1) ist durch Anschlag bei der zuständigen Registrierungsbehörde mit der Aufforderung zu veröffentlichen, Bedenken gegen die Genehmigung des Gesuches innerhalb einer Frist von 14 Tagen nach Anschlag bekanntzugeben.

(3) Die Überreichung des Gesuches und die darüber ergangene Entscheidung sind in den besonderen Listen anzumerken.

Inkrafttretensbestimmungen zu Novellen ab der Verbotsgesetz-Novelle 2023

§ 28. Der Titel, die Überschriften von § 3c, § 3i und § 3j sowie § 3a, § 3b, § 3e, § 3f, § 3g, § 3h, § 3k, § 3l, § 3m, § 3n und § 3o samt Überschriften in der Fassung des Bundesgesetzes BGBl. I Nr. 177/2023 treten mit 1. Jänner 2024 in Kraft.

§ 29. Mit der Vollziehung dieses Bundesverfassungsgesetzes ist die Bundesregierung betraut.

Waffengebrauchsgesetz 1969

Bundesgesetz vom 27. März 1969 über den Waffengebrauch von Organen der Bundespolizei und der Gemeindewachkörper (Waffengebrauchsgesetz 1969)
StF: BGBl. Nr. 149/1969 idF BGBl. I Nr. 61/2016

ABSCHNITT I

Allgemeine Bestimmungen

§ 1. Dieses Bundesgesetz regelt den Waffengebrauch im Rahmen der polizeilichen Zwangsbefugnisse.

§ 2. Angehörige des Wachkörpers Bundespolizei und der Gemeindewachkörper sowie Angehörige des rechtskundigen Dienstes und sonstige Angehörige der Landespolizeidirektionen und des Bundesministeriums für Inneres, die zur Ausübung unmittelbarer Befehls- und Zwangsgewalt ermächtigt sind, dürfen in Ausübung des Dienstes nach Maßgabe der Bestimmungen dieses Bundesgesetzes von Dienstwaffen Gebrauch machen:

1. im Falle gerechter Notwehr;

2. zur Überwindung eines auf die Vereitlung einer rechtmäßigen Amtshandlung gerichteten Widerstandes;

3. zur Erzwingung einer rechtmäßigen Festnahme;

4. zur Verhinderung des Entkommens einer rechtmäßig festgehaltenen Person;

5. zur Abwehr einer von einer Sache drohenden Gefahr.

§ 3. Dienstwaffen im Sinne dieses Bundesgesetzes sind

1. Gummiknüppel und andere Einsatzstöcke,

2. Tränengas und andere reizauslösende Mittel, die lediglich eine kurzfristige Beeinträchtigung des Gesundheitszustandes herbeiführen,

3. Wasserwerfer,

4. Schusswaffen, mit Ausnahme der in Kategorie I, Z 3 des Annexes I zum Staatsvertrag betreffend die Wiederherstellung eines unabhängigen und demokratischen Österreich, BGBl. Nr. 152/1955, angeführten Art,

die den im § 2 bezeichneten Organen zur Erfüllung ihrer Aufgaben von ihrer vorgesetzten Behörde oder Dienststelle zugeteilt sind.

§ 4. Der Waffengebrauch ist nur zulässig, wenn ungefährliche oder weniger gefährliche Maßnahmen, wie insbesondere die Aufforderung zur Herstellung des gesetzmäßigen Zustandes, die Androhung des Waffengebrauches, die Verfolgung eines Flüchtenden, die Anwendung von Körperkraft oder verfügbare gelindere Mittel, wie insbesondere Handfesseln oder technische Sperren, ungeeignet scheinen oder sich als wirkungslos erwiesen haben.

§ 5. Stehen verschiedene Waffen zur Verfügung, darf nur von der am wenigsten gefährlichen, nach der jeweiligen Lage noch geeignet scheinenden Waffe Gebrauch gemacht werden.

§ 6. (1) Zweck des Waffengebrauches gegen Menschen darf nur sein, angriffs-, widerstands- oder fluchtunfähig zu machen. In den Fällen des § 2 Z 2 bis 5 darf der durch den Waffengebrauch zu erwartende Schaden nicht offensichtlich außer Verhältnis zu dem beabsichtigten Erfolg stehen.

(2) Jede Waffe ist mit möglichster Schonung von Menschen und Sachen zu gebrauchen. Gegen Menschen dürfen Waffen nur angewendet werden, wenn der Zweck ihrer Anwendung nicht durch Waffenwirkung gegen Sachen erreicht werden kann.

ABSCHNITT II

Lebensgefährdender Waffengebrauch

§ 7. Der mit Lebensgefährdung verbundene Gebrauch einer Waffe gegen Menschen ist nur zulässig:

1. im Falle gerechter Notwehr zur Verteidigung eines Menschen;

2. zur Unterdrückung eines Aufstandes oder Aufruhrs;

3. zur Erzwingung der Festnahme oder Verhinderung des Entkommens einer Person, die einer gerichtlich strafbaren Handlung, die nur vorsätzlich begangen werden kann und mit mehr als einjähriger Freiheitsstrafe bedroht ist, überwiesen oder dringend verdächtig ist, das für sich allein oder in Verbindung mit ihrem Verhalten bei der Festnahme oder Entweichung sie als einen für die Sicherheit des Staates, der Person oder des Eigentums allgemein gefährlichen Menschen kennzeichnet;

4. zur Erzwingung der Festnahme oder Verhinderung des Entkommens eines Geisteskranken, der für die Sicherheit der Person oder des Eigentums allgemein gefährlich ist.

§ 8. (1) Der lebensgefährdende Waffengebrauch gegen Menschen ist ausdrücklich, zeitlich unmittelbar vorangehend und deutlich wahrnehmbar anzudrohen. Gegenüber einer Menschenmenge ist die Androhung zu wiederholen. Als Androhung des Schußwaffengebrauches gilt auch die Abgabe eines Warnschusses.

(2) Der lebensgefährdende Waffengebrauch ist nur dann zulässig, wenn dadurch Unbeteiligte voraussichtlich nicht gefährdet werden, es sei denn, daß er unvermeidbar scheint, um eine Menschenmenge von Gewalttaten abzuhalten, durch die die Sicherheit von Personen mittelbar oder unmittelbar gefährdet wird.

(3) Im Falle gerechter Notwehr finden die Bestimmungen der Abs. 1 und 2 keine Anwendung.

Gebrauch von anderen als Dienstwaffen und von Mitteln mit Waffenwirkung

§ 9. Steht eine geeignet scheinende Dienstwaffe nicht zur Verfügung, dürfen unter sinngemäßer Anwendung der Bestimmungen dieses Bundesgesetzes auch andere Waffen gebraucht oder Mittel angewendet werden, deren Wirkung der einer Waffe gleichkommt.

Diensthunde

§ 10. Der scharfe Einsatz eines Diensthundes gegen Menschen ist unter sinngemäßer Anwendung der Bestimmungen des Abschnittes 1 zulässig:

1. im Falle gerechter Notwehr;

2. zur Überwindung eines aktiven gewaltsamen Widerstandes gegen die Staatsgewalt;

3. zur Erzwingung der rechtmäßigen Festnahme oder zur Verhinderung des Entkommens einer rechtmäßig festgehaltenen Person, die gerichtlich strafbare Handlungen, die nur vorsätzlich begangen werden können und mit mehr als einjähriger Freiheitsstrafe bedroht sind überwiesen oder dringend verdächtig ist oder eines Geisteskranken, der für die Sicherheit der Person oder des Eigentums als allgemein gefährlich anzusehen ist.

Waffengebrauch geschlossener Einheiten

§ 11. Eine geschlossene Einheit ist eine in militärischer Ordnung unter einheitlichem Kommando mit gemeinsamer Zielsetzung auftretende Formation.

§ 12. (1) Der Waffengebrauch einer geschlossenen Einheit ist nur auf ausdrückliche Weisung des Leiters der zuständigen Sicherheitsbehörde oder dessen Vertreters an den Kommandanten der geschlossenen Einheit zulässig. Die Weisung darf erst nach Anhören des Kommandanten erteilt werden und hat auch die Art der anzuwendenden Waffen zu bestimmen. Die Befehlsgebung an die geschlossene Einheit und die Durchführung der behördlichen Anordnung obliegen dem Kommandanten.

(2) Das Notwehrrecht des einzelnen Angehörigen der geschlossenen Einheit wird durch die Bestimmungen des Abs. 1 nicht berührt.

§ 13. Kann die behördliche Anordnung nicht rechtzeitig erteilt werden und ist Gefahr im Verzuge, kommt die Entscheidungsbefugnis dem Kommandanten zu.

§ 14. Der Waffengebrauch einer geschlossenen Einheit darf, außer bei Gefahr im Verzuge, erst angeordnet werden, wenn alle erfolgversprechenden Möglichkeiten zur Vermeidung des Waffengebrauches (§ 4), insbesondere die wiederholte Aufforderung zur Herstellung des gesetzlichen Zustandes und die wiederholte Androhung des Waffengebrauches, erfolglos geblieben sind.

ABSCHNITT III

Schlußbestimmungen

§ 15. (1) Dieses Bundesgesetz tritt am 1. September 1969 in Kraft.

(2) Gleichzeitig tritt § 12 des Gesetzes vom 25. Dezember 1894, RGBl. Nr. 1/1895, betreffend die Gendarmerie der im Reichsrate vertretenen Königreiche und Länder, außer Kraft.

(3) § 3 Abs. 1 Z 1 in der Fassung des Bundesgesetzes BGBl. I Nr. 146/1999 tritt mit 1. September 1999 in Kraft.

(4) § 3 Z 4 in der Fassung des Bundesgesetzes BGBl. I Nr. 113/2006 tritt mit Ablauf des Tages der Kundmachung in Kraft.

(5) § 2 in der Fassung des Bundesgesetzes BGBl. I Nr. 61/2016 tritt mit 1. August 2016 in Kraft.

§ 16. Mit der Vollziehung dieses Bundesgesetzes ist der Bundesminister für Inneres betraut.

Strafregistergesetz 1968

Bundesgesetz vom 3. Juli 1968 über die Evidenthaltung strafgerichtlicher Verurteilungen (Strafregistergesetz 1968)
StF: BGBl. Nr. 277/1968 idF BGBl. I Nr. 223/2022

Inhaltsverzeichnis

Strafregister

§ 1. (1) Zum Zwecke der Evidenthaltung strafgerichtlicher Verurteilungen wird für das gesamte Bundesgebiet ein Strafregister geführt.

(2) Die Führung des Strafregisters obliegt der Landespolizeidirektion Wien als Verantwortliche gemäß Art. 4 Z 7 in Verbindung mit Art. 24 der Verordnung (EU) 2016/679 zum Schutz natürlicher Personen bei der Verarbeitung personenbezogener Daten, zum freien Datenverkehr und zur Aufhebung der Richtlinie 95/46/EG (Datenschutz-Grundverordnung), ABl. Nr. L 119 vom 4.5.2016 S. 1.

(3) Der Bundesminister für Inneres übt die Funktion des Auftragsverarbeiters gemäß Art. 4 Z 8 iVm Art. 28 Abs. 1 der Datenschutz-Grundverordnung aus. Er ist in dieser Funktion verpflichtet, die Datenschutzpflichten gemäß Art. 28 Abs. 3 lit. a bis h Datenschutz-Grundverordnung wahrzunehmen. Zudem ist er berechtigt, weitere Auftragsverarbeiter in Anspruch zu nehmen.

Gegenstand der Aufnahme in das Strafregister

§ 2. (1) In das Strafregister sind aufzunehmen:

1. alle rechtskräftigen Verurteilungen durch inländische Strafgerichte sowie die auf Grund solcher Verurteilungen im Zusammenhang mit einer Übernahme der Überwachung oder der Vollstreckung getroffenen Entscheidungen ausländischer Strafgerichte;

2. alle rechtskräftigen Verurteilungen österreichischer Staatsbürger und solcher Personen, die in Österreich ihren Wohnsitz oder gewöhnlichen Aufenthalt haben, durch ausländische Strafgerichte sowie die auf Grund solcher Verurteilungen im Zusammenhang mit einer Übernahme der Überwachung oder der Vollstreckung getroffenen Entscheidungen inländischer Strafgerichte;

3. alle rechtskräftigen Verurteilungen durch ausländische Strafgerichte, zu deren gegenseitiger Mitteilung sich die vertragschließenden Staaten in dem Internationalen Abkommen vom 4. Mai 1910, RGBl. Nr. 116/1912, betreffend die Bekämpfung der Verbreitung unzüchtiger Veröffentlichungen, dem Internationalen Abkommen zur Bekämpfung der Falschmünzerei vom 20. April 1929, BGBl. Nr. 347/1931, dem Abkommen zur Beschränkung der Herstellung und zur Regelung der Verteilung der Betäubungsmittel vom 13. Juli 1931, BGBl. Nr. 198/1934 II, und dem Internationalen Abkommen zur Unterdrückung des Handels mit volljährigen Frauen vom 11. Oktober 1933, BGBl. Nr. 317/1936, verpflichtet haben;

4. alle sich auf eine der in den Z 1 bis 3 angeführten Verurteilungen beziehenden Entschließungen des Bundespräsidenten und Entscheidungen der inländischen ordentlichen Gerichte über

a) die nachträgliche Festsetzung einer Strafe;

b) die nachträgliche Bestellung eines Bewährungshelfers oder die Aufhebung der Bewährungshilfe;

c) die Begnadigung des Verurteilten, die Milderung, Umwandlung oder Neubemessung einer Strafe;

d) die Verlängerung einer Probezeit;

e) den Widerruf einer bedingten Strafnachsicht oder der bedingten Nachsicht einer mit Freiheitsentziehung verbundenen vorbeugenden Maßnahme;

f) die endgültige Nachsicht einer Strafe oder einer mit Freiheitsentziehung verbundenen vorbeugenden Maßnahme;

g) das Absehen von der Vollstreckung einer Freiheitsstrafe;

h) die bedingte Entlassung aus einer Freiheitsstrafe, die bedingte Entlassung aus einer mit Freiheitsentziehung verbundenen vorbeugenden Maßnahme oder darüber, daß die Gefährlichkeit, gegen die sich die Maßnahme richtet, nicht mehr besteht (§ 24 Abs. 2 StGB, § 157 Abs. 2 StVG);

i) den Widerruf der bedingten Entlassung aus einer Freiheitsstrafe oder der bedingten Entlassung bei einer vorbeugenden Maßnahme;

j) die endgültige Entlassung;

k) die Aufhebung oder Änderung einer Verurteilung oder späteren Entscheidung;

l) das endgültige Absehen von der Verhängung einer Strafe;

m) die Tilgung einer Verurteilung;

n) das vorläufige Absehen vom Strafvollzug (§ 133a Abs. 1 und Abs. 2 StVG) und den Vollzug der Reststrafe (§ 133a Abs. 5 StVG);

5. alle sich auf eine der in den Z 1 bis 3 angeführten Verurteilungen beziehenden Mitteilungen darüber, wann alle in einer Verurteilung ausgesprochenen Freiheitsstrafen, Geldstrafen (Verfallsersatz- und Wertersatzstrafen) und mit Freiheitsentziehung verbundenen vorbeugenden Maßnahmen vollzogen sind, als vollzogen gelten, nachgesehen worden sind oder nicht mehr vollzogen werden dürfen;

6. alle sich auf in das Strafregister aufgenommene Verurteilungen durch ausländische Strafgerichte beziehenden Entscheidungen, Verfügungen und Mitteilungen ausländischer Organe, die den in Z 4 und 5 genannten Entschließungen, Entscheidungen und Mitteilungen gleichstehen;

7. die Anordnung der gerichtlichen Aufsicht gemäß § 52a StGB sowie Weisungen gemäß § 51 StGB, die einem wegen einer strafbaren Handlung gegen die sexuelle Integrität und Selbstbestimmung Verurteilten erteilt wurden;

7a. die Anordnung der gerichtlichen Aufsicht nach § 52b StGB sowie Weisungen gemäß § 51 oder

§ 52b Abs. 4 StGB, die einem wegen terroristischer Vereinigung (§ 278b StGB), terroristischer Straftaten (§ 278c StGB), Terrorismusfinanzierung (§ 278d StGB) oder nach den §§ 278e bis 278g oder 282a StGB („terroristische Strafsachen"), wegen einer strafbaren Handlung nach dem Verbotsgesetz oder wegen staatsfeindlicher Verbindung (§ 246 StGB), staatsfeindlicher Bewegung (§ 247a StGB) oder religiös motivierter extremistischer Verbindung (§ 247b StGB), oder wegen einer strafbaren Handlung nach dem fünfundzwanzigsten Abschnitt des StGB Verurteilten erteilt wurden;

8. rechtskräftige Tätigkeitsverbote gemäß § 220b StGB sowie gemäß vergleichbarer Bestimmungen anderer Mitgliedstaaten ausgesprochene Tätigkeitsverbote gemeinsam mit Daten gemäß § 3 Abs. 2 Z 1 bis 3;

9. ausschließlich zum Zwecke der Übermittlung eines Anhangs zu einer Strafregisterauskunft (§ 9b) alle rechtskräftigen Verurteilungen österreichischer Staatsbürger durch Strafgerichte anderer Mitgliedstaaten der Europäischen Union, und zwar unabhängig davon, ob das zugrunde liegende Verhalten nach österreichischem Recht gerichtlich strafbar ist, und die mit den Verurteilungen zusammenhängenden Informationen, insbesondere zur Person des Verurteilten, zu Art und Inhalt der Verurteilung, und zu den im Zusammenhang mit der Verurteilung ausgesprochenen Tätigkeitsverboten.

(1a) Verurteilungen wegen einer strafbaren Handlung gegen die sexuelle Integrität und Selbstbestimmung, die nach Z 1 bis 3 in das Strafregister aufgenommen wurden, sind für Zwecke der Beauskunftung nach § 9a gesondert zu kennzeichnen. Ebenso sind die Eintragungen nach Abs. 1 Z 9 für die Zwecke des § 9b gesondert zu kennzeichnen.

(1b) Verurteilungen wegen terroristischer oder staatsfeindlicher Strafsachen, Völkermord, Verbrechen gegen die Menschlichkeit oder Kriegsverbrechen (Z 7a), die nach Abs. 1 Z 1 bis 3 in das Strafregister aufgenommen wurden, sind für Zwecke der Beauskunftung nach § 9d gesondert zu kennzeichnen.

(2) Mit dem Inkrafttreten dieses Bundesgesetzes gelten folgende Verurteilungen als getilgt und sind in das Strafregister nicht aufzunehmen:

a) alle vor dem 27. April 1945 erfolgten Verurteilungen durch inländische oder ausländische Strafgerichte, sofern sie nicht auf Todesstrafe oder lebenslange Freiheitsstrafe lauten;

b) alle vor dem 26. Oktober 1955 erfolgten Verurteilungen österreichischer Staatsbürger durch ausländische Strafgerichte zu nicht mehr als fünf Jahren Freiheitsstrafe;

c) alle vor dem 26. Oktober 1955 erfolgten Verurteilungen österreichischer Staatsbürger durch ausländische Militärgerichte.

(3) Als Verurteilung im Sinne dieses Bundesgesetzes ist jedes Erkenntnis anzusehen, mit dem wegen einer nach österreichischem Recht von den ordentlichen Gerichten nach der Strafprozessordnung 1975 (StPO), BGBl. Nr. 631 abzuurteilenden Handlung in einem den Grundsätzen des Artikels 6 der Konvention zum Schutze der Menschenrechte und Grundfreiheiten, BGBl. Nr. 210/1958, entsprechenden Verfahren über eine Person eine Strafe oder eine vorbeugende Maßnahme verhängt wird oder doch ein Schuldspruch ergeht.

Strafkarten

§ 3. (1) Die Verurteilungen durch inländische Strafgerichte sind nach Eintritt der Rechtskraft von den ordentlichen Gerichten, die in erster Instanz erkannt haben, der Landespolizeidirektion Wien durch Übersendung von Strafkarten mitzuteilen.

(2) Die Strafkarten haben folgende Angaben zu enthalten:

1. die Bezeichnung und das Aktenzeichen des Strafgerichtes (erster Instanz);

2. Vor- und Familiennamen sowie alle früher geführten Namen des Verurteilten, Tag und Ort seiner Geburt sein Geschlecht, seine Staatsangehörigkeit oder seine Staatsangehörigkeiten, seinen Wohnort und seine Anschrift;

3. Vornamen der Eltern des Verurteilten;

4. den Tag des Erkenntnisses erster Instanz und den Tag des Eintritts der Rechtskraft der Verurteilung;

5. die Bezeichnung der strafbaren Handlung, derentwegen die Verurteilung erfolgt ist und die Zeit ihrer Begehung;

6. alle vom Strafgericht ausgesprochenen Strafen, ausgenommen einen Verfall, oder die Angabe, daß keine Strafe ausgesprochen worden ist;

alle vom Strafgericht ausgesprochenen mit Freiheitsentziehung verbundenen vorbeugenden Maßnahmen, im Falle des Ausspruches der Unterbringung in einer Anstalt für geistig abnorme Rechtsbrecher einschließlich der Angabe, ob die Unterbringung nach § 21 Abs. 1 oder 2 StGB angeordnet worden ist; die Feststellung, daß wegen einer Vorsatztat eine Freiheitsstrafe von mehr als einem Jahr verhängt worden ist; die Angabe, daß die Rechtsfolgen bedingt nachgesehen worden sind; die Angabe, daß ein Bewährungshelfer bestellt worden ist; bei einer in Tagessätzen festgesetzten Geldstrafe sind die Anzahl der Tagessätze und deren Höhe und bei bedingt nachgesehenen Strafen oder vorbeugenden Maßnahmen auch die Dauer der Probezeit, bei befristeten Strafen der Endtag der Frist anzuführen;

7. ob der Täter eine der Taten unter Einwirkung eines berauschenden Mittels oder eines Suchtmittels begangen hat;

8. ob eine der Taten ein Verkehrsdelikt war;

9. ob es sich um die erste Verurteilung handelt, oder die Zahl der früheren Verurteilungen, auf die deshalb Bedacht genommen wurde, weil sie wegen einer auf der gleichen schädlichen Neigung beruhenden strafbaren Handlung ergangen sind (§§ 33 Z 2 und 39 StGB);

10. einen Ausspruch über den Ausschluss des Wahlrechts gemäß § 446a StPO.

(2a) Die Landespolizeidirektion Wien hat bei gekennzeichneten Verurteilungen gemäß § 2 Abs. 1a und 1b die vom ordentlichen Gericht gemäß Abs. 2 Z 2 mitgeteilten Daten über Wohnort und Anschrift alle 6 Monate ab Rechtskraft oder nach Verständigung über die Entlassung durch automationsunterstützte Abfrage im zentralen Melderegister zu überprüfen und erforderlichenfalls zu aktualisieren. Die Änderung der Wohnanschrift ist jener Sicherheitsbehörde, in deren Sprengel der Entlassene zuletzt Unterkunft genommen hat, und gemeinsam mit den Daten nach § 9a und § 9d jener, in deren Sprengel er gegenwärtig Unterkunft nimmt, bekanntzugeben.

(3) Wurde bei der Verurteilung nach § 31 StGB auf eine frühere Verurteilung Bedacht genommen, so ist unter Hinweis auf § 31 StGB auch die frühere Verurteilung anzugeben (Abs. 2 Z 1 und 4).

(4) Wurde jemand wegen einer Tat verurteilt, derentwegen er bereits im Ausland verurteilt worden ist, so ist unter Hinweis auf diese Tatsache auch die ausländische Verurteilung anzugeben.

(4a) Gleichzeitig mit der Übermittlung der Strafkarte an die Landespolizeidirektion Wien hat das ordentliche Gericht der gemäß § 2 Abs. 1 des Wählerevidenzgesetzes 1973 bzw. § 2 Abs. 1 des Europa-Wählerevidenzgesetzes zuständigen Gemeinde die Tatsache des Ausspruchs über den Ausschluss vom Wahlrecht im Sinne des § 22 der Nationalrats-Wahlordnung 1992 - NRWO sowie die Höhe der Haftstrafe unmittelbar mitzuteilen. In gleicher Weise hat das ordentliche Gericht Gemeinden in jenen Ländern zu verständigen, in denen aufgrund landesgesetzlicher Bestimmungen eigene Wählerevidenzen geführt werden.

(5) Die näheren Vorschriften über die Form der Strafkarten sind von den mit der Vollziehung dieses Bundesgesetzes betrauten Bundesministerien einvernehmlich durch Dienstanweisungen zu erlassen.

Sonstige Mitteilungen

§ 4. (1) Die sich auf eine der in den Z 1 bis 3 des § 2 Abs. 1 angeführten Verurteilungen beziehenden Entschließungen des Bundespräsidenten und rechtskräftigen Entscheidungen inländischer Strafgerichte sind der Landespolizeidirektion Wien von dem ordentlichen Gerichte mitzuteilen, das den Verurteilten davon zu verständigen hat. In der Mitteilung ist die Verurteilung anzugeben, auf die sich die Entschließung oder Entscheidung bezieht. Die näheren Vorschriften über die äußere Form dieser Mitteilungen sind von den mit der Vollziehung dieses Bundesgesetzes betrauten Bundesministerien einvernehmlich durch Dienstanweisungen zu erlassen.

(2) Der Umstand, wann alle in einer Verurteilung ausgesprochenen Freiheitsstrafen, Geldstrafen (Verfallsersatz- und Wertersatzstrafen) und mit Freiheitsentziehung verbundenen vorbeugenden Maßnahmen vollzogen sind, als vollzogen gelten, nachgesehen werden dürfen (§ 2 Abs. 1 Z 5), ist der Landespolizeidirektion Wien durch das ordentliche Gericht, das in erster Instanz erkannt hat, mitzuteilen. Liegt in den Fällen einer Verurteilung im Sinne des § 6 Abs. 4 des Tilgungsgesetzes 1972, BGBl. Nr. 68, zu einer nicht bedingt nachgesehenen Freiheitsstrafe oder zu einer ganz oder zum Teil bedingt nachgesehenen Freiheitsstrafe, deren Nachsicht widerrufen worden ist, der Zeitpunkt der Entlassung aus der Freiheitsstrafe vor dem im ersten Satz angegebenen Zeitpunkt, so ist auch diese Entlassung mitzuteilen.

(3) Die Verurteilungen und die sich auf Verurteilungen beziehenden Entscheidungen, Verfügungen und Mitteilungen ausländischer Organe sind der Landespolizeidirektion Wien von allen inländischen Behörden und Ämtern mitzuteilen, die hievon Kenntnis erlangen, falls ihnen nicht bekannt ist, daß der Landespolizeidirektion Wien bereits eine entsprechende Mitteilung zugegangen ist.

(4) Erlangen inländische Behörden oder Ämter Kenntnis vom Ableben einer Person, deren Verurteilung in das Strafregister aufzunehmen war, so haben sie hievon der Landespolizeidirektion Wien Mitteilung zu machen, falls ihnen nicht bekannt ist, daß dieser Behörde eine entsprechende Mitteilung bereits zugegangen ist.

(5) Die ordentlichen Gerichte haben der Landespolizeidirektion Wien die Anordnung der gerichtlichen Aufsicht gemäß § 52a StGB, Weisungen gemäß § 51 StGB, die einem wegen einer strafbaren Handlungen gegen die sexuelle Integrität und Selbstbestimmung Verurteilten erteilt wurden, rechtskräftige Tätigkeitsverbote und ihre Aufhebung gemäß § 220b StGB sowie Beschlüsse, mit denen die Verlängerung der Tilgungsfrist beendet oder die Tilgbarkeit ausgesprochen wird (§§ 4a Abs. 3 und 5 Abs. 2 des Tilgungsgesetzes 1972, BGBl. Nr. 68), für die Aufnahme in das Strafregister zu übermitteln. Gleiches gilt für die Anordnung der gerichtlichen Aufsicht nach § 52b StGB und in deren Rahmen erteilte Weisungen.

Berichtigung früherer Mitteilungen

§ 5. (1) Gelangt einem inländischen Strafgericht zur Kenntnis, daß in den persönlichen Verhältnissen eines Verurteilten (§ 3 Abs. 2 Z 2) eine Änderung eingetreten ist oder daß die im Strafregister enthaltenen Angaben über einen Verurteilten oder eine Verurteilung unrichtig sind oder daß eine Person Verurteilungen erlitten hat, die in das Strafregister nicht aufgenommen worden sind, so hat es hievon der Landespolizeidirektion Wien Mitteilung zu machen.

(2) Die Leiter von Justizanstalten haben solche Umstände, sobald sie ihnen zur Kenntnis kommen, dem zur Mitteilung der betreffenden Verurteilung zuständigen ordentlichen Gericht zu berichten.

(3) Erlangen inländische Behörden oder Ämter hinsichtlich einer der Landespolizeidirektion Wien mitgeteilten ausländischen Verurteilung Kenntnis von Umständen der in Abs. 1 bezeichneten Art, so haben sie davon der Landespolizeidirektion Wien Mitteilung zu machen, falls ihnen nicht bekannt ist, daß dieser Behörde eine entsprechende Mitteilung bereits zugegangen ist.

Mitteilungen über das Ableben von Verurteilten

§ 6. Die Landespolizeidirektion Wien hat von dem ihr von einer Behörde oder Dienststelle mitgeteilten Ableben eines Verurteilten zu benachrichtigen:

1. im Falle einer bedingten Verurteilung oder einer Verurteilung unter bedingter Strafnachsicht oder bedingter Nachsicht der mit Freiheitsentziehung verbundenen vorbeugenden Maßnahme das zur Mitteilung der betreffenden Verurteilung zuständige ordentliche Gericht;

2. wenn der Verurteilte aus einer Freiheitsstrafe oder aus einer mit Freiheitsentziehung verbundenen vorbeugenden Maßnahme bedingt entlassen worden war, das ordentliche Gericht, das die bedingte Entlassung ausgesprochen hat.

Mitteilungen über spätere Verurteilungen

§ 7. Wird der Landespolizeidirektion Wien die neuerliche Verurteilung einer Person mitgeteilt, die bedingt verurteilt worden ist oder deren Strafe oder mit Freiheitsentziehung verbundene vorbeugende Maßnahme bedingt nachgesehen oder die bedingt entlassen worden ist, ohne daß bereits eine der im § 2 Abs. 1 Z 4 lit. a, e, f, i, j oder l vorgesehenen Entscheidungen mitgeteilt worden ist, so hat die Landespolizeidirektion Wien von der neuerlichen Verurteilung das für die in Betracht kommende Entscheidung zuständige ordentliche Gericht zu benachrichtigen.

Rechtsschutz gegen Aufnahmen in das Strafregister

§ 8. (1) Die Rechte gemäß Art. 16, 17 und 18 Datenschutz-Grundverordnung können nur derart ausgeübt werden, dass jede Person, hinsichtlich der eine Verurteilung, eine sich darauf beziehende Entschließung des Bundespräsidenten oder eine sonstige sich darauf beziehende Entscheidung, Verfügung oder Mitteilung in das Strafregister aufgenommen oder nicht aufgenommen worden ist, die Feststellung beantragen kann, dass die Aufnahme in das Strafregister unrichtig erfolgte oder unzulässig war und daher mit einem anderen Inhalt zu erfolgen hat oder rückgängig zu machen ist, dass sie hätte erfolgen müssen oder dass die Verurteilung getilgt ist. Dies gilt nicht für Einträge gemäß § 2 Abs. 1 Z 9.

(2) Der Antrag gemäß Abs. 1 ist bei der Landespolizeidirektion Wien einzubringen, die hierüber zu entscheiden hat.

(3) Wird einem Antrag gemäß Abs. 1 ganz oder teilweise Folge gegeben, so ist das Strafregister zu berichtigen.

(4) Betrifft der Antrag gemäß Abs. 1 eine Verurteilung durch ein ausländisches Strafgericht oder eine sonstige sich darauf beziehende Entscheidung, Verfügung oder Mitteilung und kann über diesen aus Gründen, die nicht vom Antragsteller zu vertreten sind, nicht innerhalb von sechs Monaten nach dem Einlangen entschieden werden, so ist der Umstand des anhängigen Verfahrens über die Aufnahme der betreffenden Verurteilung oder der sonstigen sich darauf beziehenden Entscheidung, Verfügung oder Mitteilung bis zur rechtskräftigen Entscheidung über den Antrag im Strafregister zu vermerken Der Antragsteller ist entsprechend in Kenntnis zu setzen.

(5) Hinsichtlich der Verarbeitung personenbezogener Daten nach diesem Bundesgesetz besteht kein Widerspruchsrecht gemäß Art. 21 der Datenschutz-Grundverordnung. Darüber sind die Betroffenen in geeigneter Weise zu informieren.

Strafregisterauskünfte

§ 9. (1) Von den in anderen Bundesgesetzen und in zwischenstaatlichen Vereinbarungen vorgesehenen Fällen abgesehen, hat die Landespolizeidirektion Wien über Verlangen kostenfrei aus dem Strafregister Auskunft über die gemäß § 2 Abs. 1 Z 1 bis 6 aufgenommenen Daten zu erteilen:

1. allen inländischen Behörden, den Dienststellen der Bundespolizei sowie hinsichtlich der Angehörigen des Bundesheeres auch den militärischen Kommanden,

2. Behörden eines Mitgliedstaates der Europäischen Union für Zwecke der Sicherheitsverwaltung, sowie allen ausländischen Behörden, sofern Gegenseitigkeit besteht,

2a. Behörden eines Mitgliedstaates der Europäischen Union für sonstige Zwecke, sofern Gegenseitigkeit besteht,

2b. allen ausländischen Behörden nach Maßgabe der Bestimmungen des Kapitels V der Datenschutz-Grundverordnung,

3. nach Maßgabe besonderer gesetzlicher Regelungen Kinder- und Jugendhilfeträgern zur Vermeidung oder zur Abwehr einer konkreten von einer bestimmten Person ausgehenden Gefährdung eines bestimmten minderjährigen Kindes,

4. nach Maßgabe besonderer gesetzlicher Regelungen Vereinen und Einrichtungen gemäß § 220b StGB zur Vermeidung oder zur Abwehr einer konkreten von einer bestimmten Person ausgehenden Gefährdung einer bestimmten wegen Gebrechlichkeit,

Krankheit oder einer geistigen Behinderung wehrlosen Person.

(2) Zwischenstaatliche Vereinbarungen, nach denen Verurteilungen durch inländische Strafgerichte und die sich darauf beziehenden Entschließungen des Bundespräsidenten und rechtskräftige Entscheidungen inländischer Strafgerichte ausländischen Staaten ohne besonderes Verlangen mitzuteilen sind, bleiben unberührt.

Sonderauskünfte zu Sexualstraftätern und über Tätigkeitsverbote

§ 9a. (1) Die Landespolizeidirektion Wien hat kostenfrei und wenn möglich im Wege des Datenfernverkehrs

1. ordentlichen Gerichten in Strafverfahren, Verfahren nach dem Strafvollzugsgesetz, in Verfahren über die Annahme an Kindes statt und über die Regelung der Obsorge und des persönlichen Verkehrs zwischen Eltern und minderjährigen Kindern, über den Erwachsenenschutz sowie in Unterbringungsverfahren,

2. Staatsanwaltschaften, Sicherheitsbehörden und Sicherheitsdienststellen für Zwecke der Strafverfolgung und der Überwachung der gerichtlichen Aufsicht und der Überprüfung von Tätigkeitsverboten,

3. Strafvollzugsbehörden für Zwecke des Strafvollzugs,

4. Sicherheitsbehörden und Sicherheitsdienststellen für Zwecke der Vorbeugung und Abwehr gefährlicher Angriffe und

5. Gerichten, Staatsanwaltschaften und Sicherheitsbehörden eines Mitgliedstaates der Europäischen Union in Strafverfahren sowie

6. anderen ausländischen Gerichten, Staatsanwaltschaften und Sicherheitsbehörden in Strafverfahren nach Maßgabe der Bestimmungen des Kapitels V der Datenschutz-Grundverordnung

Auskunft über die gemäß § 2 Abs. 1a gekennzeichnete Verurteilungen sowie Daten gemäß § 2 Abs. 1 Z 7 und 8 zu erteilen.

(2) Nach Maßgabe besonderer gesetzlicher Regelungen hat die Landespolizeidirektion Wien Auskunft über die gemäß § 2 Abs. 1a gekennzeichneten Verurteilungen sowie über Daten gemäß § 2 Abs. 1 Z 7 und 8 zu erteilen:

1. Kinder- und Jugendhilfeträgern, Schulbehörden sowie Dienstbehörden und Personalstellen der Gebietskörperschaften im Zusammenhang mit der Anstellung von Personen an Einrichtungen zur Betreuung, Erziehung oder Unterrichtung von Kindern und Jugendlichen sowie zur Eignungsbeurteilung von Pflege- und Adoptivwerberinnen und -werbern,

2. Vereinen und Einrichtungen gemäß § 220b StGB im Zusammenhang mit der Anstellung von Personen in der Pflege und Betreuung solcher wehrlosen Personen.

(3) Für Auskünfte gemäß Abs. 1 und 2 gelten die Auskunftsbeschränkungen des § 6 Tilgungsgesetz nicht.

Anhang zu Strafregisterauskünften an andere Mitgliedstaaten der Europäischen Union

§ 9b. (1) Im Verhältnis zu den anderen Mitgliedstaaten der Europäischen Union ist der Auskunft aus dem Strafregister (§§ 9 und 9a) ein Anhang über alle gemäß § 2 Abs. 1 Z 9 aufgenommenen Daten anzuschließen. Die Auskunftserteilung erfolgt unter Verwendung des Formulars laut **Anhang IX** zum Bundesgesetz über die justizielle Zusammenarbeit in Strafsachen mit den Mitgliedstaaten der Europäischen Union (EU-JZG), BGBl. I Nr. 36/2004, idF BGBl. I Nr. 134/2011. Der Anschluss einer Übersetzung ist nicht erforderlich.

(2) Die Auskünfte sind unverzüglich, längstens aber innerhalb von zehn Arbeitstagen ab Eingang des Ersuchens zu erteilen. Benötigt die Landespolizeidirektion Wien weitere Informationen zur Identifizierung der Person, auf die sich das Ersuchen bezieht, so hat sie unverzüglich die Zentralbehörde des anfragenden Mitgliedstaates zu konsultieren, um die erbetene Auskunft innerhalb von zehn Arbeitstagen nach Erhalt der weiteren Informationen erteilen zu können.

(3) Hat die Zentralbehörde des Urteilsstaats die Landespolizeidirektion Wien anlässlich der Übermittlung von Informationen aus dem Strafregister davon in Kenntnis gesetzt, dass diese nicht zu anderen Zwecken als jenen eines Strafverfahrens weitergeleitet werden dürfen, so ist die Auskunft entsprechend zu kennzeichnen. In einem solchen Fall ist der anfragende Mitgliedstaat hinsichtlich weiterer Informationen an den Urteilsstaat zu verweisen.

Einholung von Strafregisterauskünften aus den anderen Mitgliedstaaten der Europäischen Union

§ 9c. Die Landespolizeidirektion Wien hat Ersuchen inländischer Behörden um Einholung von Informationen aus dem Strafregister eines anderen Mitgliedstaates an die Zentralbehörde des Herkunftsstaats des Betroffenen zu übermitteln und die einlangenden Auskünfte an die anfragende Behörde weiterzuleiten.

Sonderauskünfte bei terroristischen und staatsfeindlichen Strafsachen sowie Völkermord, Verbrechen gegen die Menschlichkeit, Kriegsverbrechen

§ 9d. (1) Die Landespolizeidirektion Wien hat kostenfrei und wenn möglich im Wege des Datenfernverkehrs

1. ordentlichen Gerichten in Strafverfahren und Verfahren nach dem Strafvollzugsgesetz,

2. Staatsanwaltschaften, Sicherheitsbehörden und Sicherheitsdienststellen für Zwecke der Strafverfolgung, der Überwachung der gerichtlichen Aufsicht und der Einhaltung von Weisungen nach § 52b Abs. 4 StGB,

3. Strafvollzugsbehörden für Zwecke des Strafvollzugs,

4. Sicherheitsbehörden und Sicherheitsdienststellen für Zwecke der Vorbeugung und Abwehr gefährlicher Angriffe,

5. der für die Nichtgestattung der Vereinsgründung oder Auflösung eines Vereins, die Untersagung oder Auflösung einer Versammlung, die Ausstellung oder Entziehung von Reisedokumenten, die Erteilung oder Entziehung von Pyrotechnik-Ausweisen, die Erteilung von Bewilligungen nach dem Pyrotechnikgesetz 2010 – PyroTG 2010, BGBl. I Nr. 131/2009, oder dem Sprengmittelgesetz 2010 – SprG, BGBl. I Nr. 121/2009, oder den Ausspruch eines Waffenverbots zuständigen Behörde,

6. Gerichten, Staatsanwaltschaften und Sicherheitsbehörden eines Mitgliedstaates der Europäischen Union in Strafverfahren und

7. anderen ausländischen Gerichten, Staatsanwaltschaften und Sicherheitsbehörden in Strafverfahren nach Maßgabe der Bestimmungen des Kapitels V der Datenschutz-Grundverordnung Auskunft über die gemäß § 2 Abs. 1b gekennzeichneten Verurteilungen sowie Daten gemäß § 2 Abs. 1 Z 7a zu erteilen.

(2) Nach Maßgabe besonderer gesetzlicher Regelungen hat die Landespolizeidirektion Wien Auskunft über die gemäß § 2 Abs. 1b gekennzeichneten Verurteilungen sowie über Daten gemäß § 2 Abs. 1 Z 7a zu erteilen:

1. Personalstellen der Gebietskörperschaften im Zusammenhang mit der Anstellung von Personen,

2. Arbeitgebern im Bereich der kritischen Infrastruktur (§ 74 Abs. 1 Z 11 StGB) oder des Sicherheitsgewerbes (§ 129 Gewerbeordnung 1994 – GewO 1994, BGBl. Nr. 194/1994).

(3) Für Auskünfte gemäß Abs. 1 und 2 gelten die Auskunftsbeschränkungen des § 6 Tilgungsgesetz 1972 nicht.

Strafregisterbescheinigungen

§ 10. (1) Die Bürgermeister, im Gebiet einer Gemeinde, für das die Landespolizeidirektion zugleich Sicherheitsbehörde erster Instanz ist, die Landespolizeidirektion, sowie die österreichischen Vertretungsbehörden im Ausland haben auf Antrag auf Grund der bei der Landespolizeidirektion Wien gesammelten Unterlagen Bescheinigungen über die im Strafregister enthaltenen Verurteilungen des Antragstellers mit Ausnahme von Daten gemäß § 2 Abs. 1 Z 7, 7a, 8 und Z 9 oder darüber auszustellen, daß das Strafregister keine solche Verurteilung enthält (Strafregisterbescheinigungen).

(1a) Über besonderen Antrag ist eine mit „Strafregisterbescheinigung Kinder- und Jugendfürsorge" bezeichnete Bescheinigung über sämtliche gemäß § 2 Abs. 1a gekennzeichneten Verurteilungen des Antragstellers, über Daten gemäß § 2 Abs. 1 Z 7 und 8 oder darüber, dass das Strafregister keine solche Verurteilungen oder Einträge enthält, auszustellen. Für diese Strafregisterbescheinigung gelten die Auskunftsbeschränkungen des § 6 des Tilgungsgesetzes 1972, BGBl. Nr. 68, nicht.

(1b) Einem Antrag nach Abs. 1a hat der Antragsteller eine an ihn ergangene schriftliche Aufforderung zur Vorlage einer Bescheinigung nach Abs. 1a anzuschließen, in der der Aussteller bestätigt, dass diese Bescheinigung für die Prüfung der Eignung zur Ausübung einer bestimmten in seinem Verantwortungsbereich liegenden beruflichen oder organisierten ehrenamtlichen Tätigkeit, die hauptsächlich die Beaufsichtigung, Betreuung, Erziehung, Pflege oder Ausbildung Minderjähriger umfasst, benötigt wird.

(1c) Über besonderen Antrag ist eine mit „Strafregisterbescheinigung Pflege und Betreuung" bezeichnete Bescheinigung über sämtliche gemäß § 2 Abs. 1a gekennzeichneten Verurteilungen des Antragstellers, über Daten gemäß § 2 Abs. 1 Z 7 und 8 oder darüber, dass das Strafregister keine solchen Verurteilungen oder Einträge enthält, auszustellen. Für diese Strafregisterbescheinigung gelten die Auskunftsbeschränkungen des § 6 des Tilgungsgesetzes 1972, BGBl. Nr. 68, nicht.

(1d) Einem Antrag nach Abs. 1c hat der Antragsteller eine an ihn ergangene schriftliche Aufforderung zur Vorlage einer Bescheinigung nach Abs. 1c anzuschließen, in der der Aussteller bestätigt, dass diese Bescheinigung für die Prüfung der Eignung zur Ausübung einer bestimmten in seinem Verantwortungsbereich liegenden beruflichen oder organisierten ehrenamtlichen Tätigkeit, die hauptsächlich die Pflege und Betreuung wehrloser Personen (§ 220b StGB) umfasst, benötigt wird.

(1e) Über besonderen Antrag ist eine mit „Strafregisterbescheinigung terroristische und staatsfeindliche Strafsachen sowie Völkermord, Verbrechen gegen die Menschlichkeit, Kriegsverbrechen" bezeichnete Bescheinigung über sämtliche gemäß § 2 Abs. 1b gekennzeichneten Verurteilungen des Antragstellers, über Daten gemäß § 2 Abs. 1 Z 7a oder darüber, dass das Strafregister keine solchen Verurteilungen oder Einträge enthält, auszustellen. Für diese Strafregisterbescheinigung gelten die Auskunftsbeschränkungen des § 6 Tilgungsgesetz 1972 nicht.

(1f) Einem Antrag nach Abs. 1e hat der Antragsteller eine an ihn ergangene schriftliche Aufforderung zur Vorlage einer Bescheinigung nach Abs. 1e anzuschließen, in der der Aussteller bestätigt, dass diese Bescheinigung für die Prüfung der Eignung zur Ausübung einer bestimmten in seinem Verantwortungsbereich liegenden beruflichen Tätigkeit

1. im Bereich der kritischen Infrastruktur (§ 74 Abs. 1 Z 11 StGB), der Herstellung, der Verarbeitung oder des Handels von oder mit Schieß- und Sprengmitteln (§ 13 und § 19 SprG 2010), des Erwerbs, des Verbringens, des Besitzes oder der Verwendung von beschränkten Ausgangsstoffen für Explosivstoffe (§ 10 Chemikaliengesetz 1996 – ChemG 1996, BGBl. I Nr. 53/1997) oder

2. in einem Sprengungsunternehmen (§ 132 GewO 1994), Pyrotechnikunternehmen (§ 107 GewO 1994), im Sicherheitsgewerbe (§ 129 GewO 1994) oder Waffengewerbe (§ 139 GewO 1994)

benötigt wird.

(2) Die örtliche Zuständigkeit zur Ausstellung dieser Bescheinigungen richtet sich nach dem Aufenthaltsort des Antragstellers.

(3) Der Antrag ist abzulehnen, wenn sich der Antragsteller über seine Person nicht auszuweisen vermag. Der Antrag ist weiters abzulehnen, wenn nach dem Antragsteller zum Zwecke der Aufenthaltsermittlung, Verhaftung oder Festnahme gefahndet wird.

(4) Auskünfte gemäß Art. 15 der Datenschutz-Grundverordnung ergehen in Form einer Strafregisterbescheinigung.

(5) Wo in bestehenden bundesgesetzlichen Vorschriften von Sitten-, Leumunds- oder Führungszeugnissen die Rede ist, treten an deren Stelle die in Abs. 1 genannten Bescheinigungen.

Strafregisterbescheinigungen für Staatsangehörige anderer Mitgliedstaaten der Europäischen Union

§ 10a. (1) Wird ein Antrag auf Ausstellung einer Strafregisterbescheinigung von einem Staatsangehörigen eines anderen Mitgliedstaates gestellt, so hat die zuständige Behörde nach § 10 vorzugehen. Auf Verlangen des Antragstellers hat sie die Landespolizeidirektion Wien darüber hinaus zwecks Abfragen aus dem Strafregister des Herkunftsstaates des Antragstellers mittels Formulars laut Anhang IX zum EU-JZG durch die Zentralbehörde des Herkunftsstaates des Antragstellers zu befassen. Die erfolgte Auskunft durch den Herkunftsstaat ist dem Betroffenen zu übermitteln.

(2) Erfolgt seitens des Herkunftsstaates innerhalb von zwei Monaten ab dem Zeitpunkt des Auskunftsersuchens keine Reaktion, so ist der Betroffene von der Landespolizeidirektion Wien davon in Kenntnis zu setzen, dass vom angefragten Herkunftsstaat keine Informationen aus dem nationalen Strafregister übermittelt wurden.

(3) Die nach § 10 für die Ausstellung einer Strafregisterbescheinigung zuständigen Behörden sind im Zusammenhang mit einem Auskunftsersuchen an den Herkunftsstaat, insbesondere bei der Feststellung der Identität der abgefragten Person, zur Mitwirkung verpflichtet. Die Zuständigkeit zur Mitwirkung richtet sich zunächst nach dem Hauptwohnsitz des Antragstellers im Inland, in Ermangelung eines solchen nach seinem Aufenthalt im Inland, dann nach seinem letzten Hauptwohnsitz im Inland und schließlich nach seinem letzten Aufenthalt im Inland.

Beantwortung eines über die Zentralbehörde eines anderen Mitgliedstaates einlangenden Ersuchens um Information aus dem Strafregister

§ 10b. (1) Die Landespolizeidirektion Wien hat von Zentralbehörden der anderen Mitgliedstaaten übermittelte Ersuchen um Abfrage aus dem Strafregister zum Zwecke der Auskunft an den betroffenen österreichischen Staatsbürger innerhalb von zwanzig Arbeitstagen ab Eingang des Ersuchens zu beantworten. Die inhaltlichen Beschränkungen des § 10 Abs. 1 in Bezug auf Daten gemäß § 2 Abs. 1 Z 7 bis 9 und der in § 10 Abs. 3 zweiter Satz geregelte Ablehnungsgrund sind dabei zu berücksichtigen.

(2) Wird von Zentralbehörden der anderen Mitgliedstaaten mit Zustimmung des Betroffenen um Abfragen aus dem Strafregister ersucht, weil dieser eine berufliche oder organisierte ehrenamtliche Tätigkeit ausüben will, die hauptsächlich die Beaufsichtigung, Betreuung, Erziehung, Pflege oder Ausbildung Minderjähriger oder die Pflege und Betreuung wehrloser Personen (§ 220b StGB) umfasst, so ist über die gemäß § 2 Abs. 1a gekennzeichneten Verurteilungen sowie Daten gemäß § 2 Abs. 1 Z 7 und 8 innerhalb von zehn Arbeitstagen ab Eingang des Ersuchens Auskunft zu erteilen. Die Ablehnungsgründe nach § 10 Abs. 3 und die Auskunftsbeschränkungen nach § 6 des Tilgungsgesetzes 1972 sind dabei nicht zu berücksichtigen. § 10 Abs. 1b und Abs. 1d sind nicht anzuwenden.

Gemeinsame Bestimmungen für Auskünfte und Bescheinigungen

§ 11. (1) Die Verurteilungen einer Person und die sich darauf beziehenden Entschließungen, Entscheidungen und Verfügungen (§ 2) dürfen in Auskünfte oder Bescheinigungen im Sinne der §§ 9, 9a, 9d und 10 nicht mehr aufgenommen werden, wenn seit dem Tode dieser Person fünf Jahre verstrichen sind oder diese Person das 90. Lebensjahr vollendet hat.

(2) Die in anderen Gesetzen bestehenden Verbote, bestimmte Verurteilungen in Auskünfte oder Bescheinigungen im Sinne der §§ 9, 9a, 9d und 10 aufzunehmen, bleiben unberührt.

(3) Tilgungen ausländischer Verurteilungen nach dem Recht des Staates, in dem die Verurteilung erfolgt ist, sind in Auskünften und Bescheinigungen zu berücksichtigen, sobald die Tilgung der Landespolizeidirektion Wien mit einer öffentlichen Urkunde mitgeteilt worden ist.

(4) Sind im Strafregister keine oder nur solche Verurteilungen enthalten, die in die Auskunft bzw. Be-

scheinigung nicht aufgenommen werden dürfen, so hat die Auskunft bzw. Bescheinigung zu lauten:

„Im Strafregister der Republik Österreich – geführt von der Landespolizeidirektion Wien – scheint keine Verurteilung auf.“

(4a) Sind im Strafregister keine Verurteilungen oder Einträge im Sinne des § 10 Abs. 1a und Abs. 1c enthalten, so hat die Auskunft bzw. Bescheinigung zu lauten: „Im Strafregister der Republik Österreich – geführt von der Landespolizeidirektion Wien – scheinen keine gemäß § 2 Abs. 1a Strafregistergesetz 1968 gekennzeichneten Verurteilungen wegen einer strafbaren Handlung gegen die sexuelle Integrität und Selbstbestimmung sowie keine Einträge gemäß § 2 Abs. 1 Z 7 und 8 Strafregistergesetz 1968 (gerichtliche Aufsicht bei Sexualstraftätern und sexuell motivierten Gewalttätern, entsprechende Weisungen oder Tätigkeitsverbote) auf.“

(4b) Sind im Strafregister keine Verurteilungen oder Einträge im Sinne des § 10 Abs. 1e enthalten, so hat die Auskunft bzw. Bescheinigung zu lauten: „Im Strafregister der Republik Österreich – geführt von der Landespolizeidirektion Wien – scheinen keine gemäß § 2 Abs. 1b Strafregistergesetz 1968 gekennzeichneten Verurteilungen wegen einer strafbaren Handlung nach den §§ 278b bis 278g und 282a StGB sowie keine Einträge gemäß § 2 Abs. 1 Z 7a Strafregistergesetz 1968 (gerichtliche Aufsicht bei terroristischen und staatsfeindlichen Strafsachen sowie Völkermord, Verbrechen gegen die Menschlichkeit, Kriegsverbrechen, entsprechende Weisungen) auf.“

(5) Strafregisterbescheinigungen, die auf Verlangen gemäß § 10a Abs. 1 2. Satz auf Grund der Informationen aus dem Strafregister der Republik Österreich ausgestellt werden, haben folgenden Hinweis zu enthalten: „Den Vorgaben des Rahmenbeschlusses 2009/315/JI über die Durchführung und den Inhalt des Austauschs von Informationen aus dem Strafregister zwischen den Mitgliedstaaten, ABl. L 93 vom 7.4.2009, folgend, wird aus Anlass Ihres Antrags auf Ausstellung einer Strafregisterbescheinigung gemäß § 10a Strafregistergesetz eine Auskunft aus dem Strafregister Ihres Herkunftsstaates eingeholt. Diese wird Ihnen vom Strafregisteramt der Landespolizeidirektion Wien gesondert übermittelt.“

(6) Die nach den §§ 9c und 10a Abs. 1 von anderen Mitgliedstaaten der Europäischen Union erlangten personenbezogenen Daten dürfen nur zu dem Zweck verarbeitet werden, für den sie abgefragt wurden.

Mitteilungen an Mitgliedstaaten der Europäischen Union

§ 11a. Die Landespolizeidirektion Wien hat die Zentralbehörde des Herkunftsstaates des Verurteilten und, sofern ihr bekannt ist, dass der Verurteilte die Staatsangehörigkeit mehrerer Mitgliedstaaten besitzt, die Zentralbehörden der betreffenden Herkunftsstaaten so schnell wie möglich von jeder deren Staatsangehörige betreffenden, im Strafregister eingetragenen Verurteilung sowie über spätere Änderungen oder Tilgungen bzw. über Löschungen der Einträge in Kenntnis zu setzen. Ersuchen der Zentralbehörde des Herkunftsstaates im Einzelfall um Übermittlung einer Abschrift des der Verurteilung zugrunde liegenden Urteils und um Erteilung zusätzlicher Auskünfte sind dem ordentlichen Gericht, das in erster Instanz erkannt hat, zur weiteren Veranlassung weiterzuleiten.

Aufbewahrung und Löschung von Strafregisterdaten

§ 12. (1) Nach Ablauf von zwei Jahren nach Eintritt der Tilgung sind die die getilgte Verurteilung und den Verurteilten betreffenden Daten im Strafregister zu löschen. Die Löschung von Tätigkeitsverboten nach § 220b StGB erfolgt nach der Mitteilung des ordentlichen Gerichtes über dessen rechtskräftig erfolgte Aufhebung. Von den übrigen Mitgliedstaaten ausgesprochene Tätigkeitsverbote gemäß § 2 Abs. 1 Z 8 sind über Mitteilung des Urteilsstaates, in Ermangelung einer solchen nach Ablauf von zehn Jahren ab Eintragung zu löschen.

(2) § 50 des Datenschutzgesetzes (DSG), BGBl. I Nr. 165/1999, gilt mit der Maßgabe, dass Protokolldaten drei Jahre lang aufzubewahren sind.

§ 13. Die Landespolizeidirektion Wien hat innerhalb der ersten sechs Monate jedes Kalenderjahres dem Österreichischen Statistischen Zentralamt die zur Erstellung der Kriminalstatistik erforderlichen Daten des Strafregisters bekanntzugeben.

Übermittlung von Strafregisterdaten zu wissenschaftlichen Zwecken

§ 13a. (1) Die Landespolizeidirektion Wien hat über die Bestimmungen der §§ 9, 9a, 9d und 10 hinaus, soweit dies mit den Grundsätzen einer sparsamen, wirtschaftlichen und zweckmäßigen Verwaltung vereinbar ist, und nach Maßgabe der technischen Erfordernisse der Führung des Strafregisters den inländischen Hochschulen und den Bundesministerien auf Verlangen im Strafregister enthaltene Daten zur Auswertung bei nicht personenbezogenen wissenschaftlichen Arbeiten zu übermitteln.

(2) Soweit im Strafregister gespeicherte personenbezogene Daten zu wissenschaftlichen oder historischen Forschungszwecken oder zu statistischen Zwecken übermittelt werden, kommt dem Betroffenen das Recht gemäß Art. 15 der Datenschutz-Grundverordnung nicht zu.

Bereinigung des Strafregisters

§ 13b. (1) Durch ein inländisches ordentliches Gericht verhängte Strafen gelten mit 1. Jänner 2005 als nachgesehen, soweit sie bis zum Zeitpunkt des Inkrafttretens dieses Bundesgesetzes nicht vollstreckt sind, die Verurteilung spätestens am 31. Dezember 1989 in Rechtskraft erwachsen ist und die Freiheitsstrafe oder Ersatzfreiheitsstrafe oder die Summe dieser Strafen ein Jahr nicht übersteigt.

(2) Die Landespolizeidirektion Wien hat jene Verurteilungen zu erfassen, auf die Abs. 1 zur Anwendung kommt, ihnen den 1. Jänner 2005 als Beginn der Tilgungsfrist zuzuordnen und sie dem ordentlichen Gericht, das in erster Instanz erkannt hat, unter Angabe der Personaldaten des Verurteilten mitzuteilen.

(3) Das ordentliche Gericht hat nach Anhörung der Staatsanwaltschaft den Verurteilten nach Möglichkeit von der Strafnachsicht in Kenntnis zu setzen, sofern Abs. 1 anzuwenden ist. Andernfalls hat das ordentliche Gericht das Strafregisteramt davon zu verständigen, dass die Voraussetzungen nach Abs. 1 nicht vorliegen, und die Berichtigung des Strafregisters zu veranlassen.

Beschwerden

§ 13c. Über Beschwerden gegen Bescheide nach diesem Bundesgesetz entscheidet das Landesverwaltungsgericht.

Schlußbestimmungen

§ 14. (1) Dieses Bundesgesetz tritt mit 1. Oktober 1968 in Kraft.

(2) Gleichzeitig treten folgende Rechtsvorschriften außer Kraft:

1. die Strafregisterverordnung 1933, BGBl. Nr. 258;

2. § 21 der Vollzugsanweisung der Staatsämter für Justiz, für Inneres und Unterricht und für soziale Verwaltung im Einvernehmen mit dem Staatsamt für Finanzen vom 23. September 1920, StGBl. Nr. 438, zur Durchführung des Gesetzes über die bedingte Verurteilung;

3. § 8 Abs. 3 der Durchführungsverordnung zum Arbeitshausgesetz, BGBl. Nr. 232/1933;

4. Abs. 2 und 3 des § 22 der Verordnung der Bundesministerien für Justiz, für Inneres und für soziale Verwaltung vom 4. August 1960, BGBl. Nr. 172, über die bedingte Entlassung.

StrafregG

(3) § 10 Abs. 4 und die Bezeichnung des früheren Abs. 4 als Abs. 5 in der Fassung des Bundesgesetzes BGBl. Nr. 257/1993 treten mit 1. Juli 1993 in Kraft. Auf zu diesem Zeitpunkt anhängige Verfahren sind sie jedoch noch nicht anzuwenden.

(4) § 2 Abs. 3 in der Fassung des Bundesgesetzes, BGBl. I Nr. 112/2007 tritt am 1. Jänner 2008 in Kraft.

(5) Die §§ 2 Abs. 1 Z 6 bis 8, 2 Abs. 1a, 4 Abs. 5, 9 Abs. 1, 10 Abs. 1, 11 Abs. 1 und 2, 12, 13a und 14a in der Fassung des Bundesgesetzes, BGBl. I Nr. 40/2009 treten am 1. Juni 2009 in Kraft.

(6) Die §§ 3 Abs. 2a und 9a in der Fassung des Bundesgesetzes, BGBl. I Nr. 40/2009 treten am 1. Dezember 2009 in Kraft.

(7) § 2 Abs. 1 Z 4 in der Fassung des Bundesgesetzes, BGBl. I Nr. 142/2009 tritt am 1. Jänner 2010 in Kraft.

(8) § 13b samt Überschrift in der Fassung des Budgetbegleitgesetzes 2011, BGBl. I Nr. 111/2010, tritt mit 1. Jänner 2011 in Kraft.

(9) § 3 Abs. 2 Z 9 und 10 und Abs. 4a in der Fassung des Bundesgesetzes BGBl. I Nr. 42/2011 treten mit 1. Oktober 2011 in Kraft.

(10) Die §§ 2 Abs. 1 Z 8 und 9, 2 Abs. 1a, 3 Abs. 2 Z 2 und 5 und Abs. 4a, 8 Abs. 1 und 4, 9 Abs. 1 Z 2 und 3, 9a Abs. 1 Z 5 und Abs. 2, 9b, 9c, 10, 10a, 10b, 11 Abs. 4, 5 und 6, 11a, 12 und 14a in der Fassung des Bundesgesetzes, BGBl. I Nr. 29/2012, treten am 27. April 2012 in Kraft.

(11) § 1 Abs. 2, § 3 Abs. 1, 2a und 4a, § 4 Abs. 1 bis 5, § 5 Abs. 1 und 3, §§ 6 und 7, § 9 Abs. 1, § 9a Abs. 1 und 2, § 10 Abs. 1 und 4, § 11 Abs. 3, §§ 13 und 13a sowie § 13b Abs. 2 in der Fassung des Bundesgesetzes BGBl. I Nr. 50/2012 treten mit 1. September 2012 in Kraft.

(12) § 2 Abs. 1 Z 4 und Abs. 3, § 3 Abs. 1, 2a und 4a, § 4 Abs. 1, 2 und 5, § 5 Abs. 2, § 6 Z 1 und 2, § 7, § 9a Abs. 1 Z 1, § 11a, § 12, § 13b Abs. 1, 2 und 3 sowie § 13c samt Überschrift in der Fassung des Bundesgesetzes BGBl. I Nr. 161/2013 treten mit 1. Jänner 2014 in Kraft; gleichzeitig tritt § 10 Abs. 4 außer Kraft.

(12) Die §§ 10 Abs. 1a und 1b, sowie 11 Abs. 4a in der Fassung des Bundesgesetzes BGBl. I Nr. 195/2013 treten mit 1. Jänner 2014 in Kraft.

(13) Die §§ 10a, 10b Abs. 1 und 2, 11 Abs. 5 und 14b in der Fassung des Bundesgesetzes, BGBl. I Nr. 107/2014, treten mit 1. April 2015 in Kraft.

(14) § 1 Abs. 2 und 3, § 8 Abs. 1, 2 und 5, § 9 Abs. 1 Z 2a und 2b, § 9a Abs. 1 Z 5 und 6, § 10 Abs. 1a und 4, § 10a Abs. 1 und 3, § 10b Abs. 1 und 2, § 11 Abs. 6, § 12 samt Überschrift, § 13a samt Überschrift sowie § 14a Abs. 1 in der Fassung des Materien-Datenschutz-Anpassungsgesetzes 2018, BGBl. I Nr. 32/2018, treten mit 25. Mai 2018 in Kraft.

(15) § 4 Abs. 5, § 9 Abs. 1 Z 3 und Z 4, die Überschrift zu § 9a, § 9a Abs. 1 Z 1 und Abs. 2, § 10b Abs. 2 erster und dritter Satz und § 12 Abs. 1 zweiter Satz in der Fassung des Dritten Gewaltschutzgesetzes, BGBl. I Nr. 105/2019, treten mit 1. Jänner 2020, § 10 Abs. 1c und Abs. 1d und § 11 Abs. 4a treten mit 1. Juli 2020 in Kraft.

(16) § 2 Abs. 1 Z 7a und Abs. 1b, § 3 Abs. 2a, § 4 Abs. 5, § 9d samt Überschrift, § 10 Abs. 1, 1e und 1f, § 11 Abs. 1, 2 und 4b und § 13a Abs. 1 in der Fassung des Bundesgesetzes BGBl. I Nr. 223/2022 treten mit 1. März 2023 in Kraft.

Übergangsbestimmung

§ 14a. (1) Die Bundespolizeidirektion Wien ist ermächtigt, mit Inkrafttreten dieses Bundesgesetzes (§ 14 Abs. 6) Übermittlungen gemäß § 4 Abs. 5 nachträglich zu erfassen und Kennzeichnungen gemäß § 2 Abs. 1a vorzunehmen.

(2) Für die Dauer des Ausfalls des elektronischen Übermittlungswegs hat die Datenübermittlung in einer Form zu erfolgen, die die Erstellung einer schriftlichen Fassung unter Bedingungen ermöglicht, die dem Empfänger die Feststellung der Echtheit gestatten.

Umsetzung von Richtlinien der Europäischen Union

§ 14b. § 10 Abs. 1a und 1b in der Fassung des Bundesgesetzes, BGBl. I Nr. 195/2013, und § 10b Abs. 2 in der Fassung des Bundesgesetzes, BGBl. I Nr. 107/2014, dienen der Umsetzung der Richtlinie 2011/93/EU zur Bekämpfung des sexuellen Missbrauchs und der sexuellen Ausbeutung von Kindern sowie der Kinderpornografie sowie zur Ersetzung des Rahmenbeschlusses 2004/68/JI, ABl. Nr. L 335 vom 17.12.2011 S 1, in der Fassung der Berichtigung ABl. Nr. L 18 vom 21.01.2012 S 7.

Vollziehungsklausel

§ 15. Mit der Vollziehung dieses Bundesgesetzes sind die Bundesministerien für Inneres und für Justiz, je nach ihrem Wirkungskreis, betraut.

Tilgungsgesetz 1972

Bundesgesetz vom 15. Feber 1972 über die Tilgung von Verurteilungen und die Beschränkung der Auskunft (Tilgungsgesetz 1972)
StF: BGBl. Nr. 68/1972 idF BGBl. I Nr. 25/2025

Inhaltsverzeichnis

Tilgung von Verurteilungen

§ 1. (1) Die Tilgung gerichtlicher Verurteilungen tritt, sofern sie nicht ausgeschlossen ist (§ 5), mit Ablauf der Tilgungsfrist kraft Gesetzes ein.

(2) Mit der Tilgung einer Verurteilung erlöschen alle nachteiligen Folgen, die kraft Gesetzes mit der Verurteilung verbunden sind, soweit sie nicht in dem Verlust besonderer auf Wahl, Verleihung oder Ernennung beruhender Rechte bestehen.

(3) Rechte dritter Personen, die sich auf die Verurteilung gründen, werden durch die Tilgung nicht berührt.

(4) Ist eine Verurteilung getilgt, so gilt der Verurteilte fortan als gerichtlich unbescholten, soweit dem nicht eine andere noch ungetilgte Verurteilung entgegensteht. Er ist nicht verpflichtet, die getilgte Verurteilung anzugeben.

(5) Eine getilgte Verurteilung darf weder in Strafregisterauskünfte und in Strafregisterbescheinigungen aufgenommen, noch darin auf irgendeine Art ersichtlich gemacht werden. Dies gilt nicht für Auskünfte gemäß §§ 9b und10a Strafregistergesetz.

(6) Unter Verurteilungen sind in diesem Bundesgesetz auch Urteile zu verstehen, mit denen die Unterbringung in einer Anstalt für geistig abnorme Rechtsbrecher nach § 21 Abs. 1 des Strafgesetzbuches angeordnet wird.

Beginn der Tilgungsfrist

§ 2. (1) Die Tilgungsfrist beginnt, sobald alle Freiheits- oder Geldstrafen und die mit Freiheitsentzug verbundenen vorbeugenden Maßnahmen vollzogen sind, als vollzogen gelten, nachgesehen worden sind oder nicht mehr vollzogen werden dürfen.

(2) Ist keine Freiheits- oder Geldstrafe verhängt worden oder sind die verhängten Freiheits- oder Geldstrafen durch Anrechnung einer Vorhaft zur Gänze verbüßt und ist auch keine mit Freiheitsentziehung verbundene vorbeugende Maßnahme angeordnet worden, so beginnt die Frist mit Rechtskraft der Verurteilung.

(3) Unter Geldstrafen sind in diesem Bundesgesetz jeweils auch Verfallsersatz- und Wertersatzstrafen zu verstehen.

Tilgungsfrist bei einer einzigen Verurteilung

§ 3. (1) Ist jemand nur einmal verurteilt worden, so beträgt die Tilgungsfrist

1. drei Jahre,

wenn er wegen Jugendstraftaten nach den §§ 12 oder 13 des Jugendgerichtsgesetzes 1988 verurteilt worden ist, endet im Fall des § 13 jedoch nicht, bevor das Gericht ausgesprochen hat, daß von der Verhängung einer Strafe endgültig abgesehen wird;

2. fünf Jahre,

wenn er zu einer höchstens einjährigen Freiheitsstrafe oder nur zu einer Geldstrafe oder weder zu einer Freiheitsstrafe noch zu einer Geldstrafe verurteilt worden ist oder wenn er außer im Falle der Z 1 nur wegen Jugendstraftaten verurteilt worden ist;

3. zehn Jahre,

wenn er zu einer Freiheitsstrafe von mehr als einem Jahr und höchstens drei Jahren verurteilt worden ist;

4. fünfzehn Jahre,

wenn er zu einer mehr als dreijährigen Freiheitsstrafe verurteilt oder seine Unterbringung in einer Anstalt für geistig abnorme Rechtsbrecher nach § 21 Abs. 1 des Strafgesetzbuches angeordnet worden ist.

(2) Sind eine Freiheitsstrafe und eine Geldstrafe nebeneinander verhängt worden, so ist zur Berechnung der Tilgungsfrist die Ersatzfreiheitsstrafe zur Freiheitsstrafe hinzuzurechnen.

(3) Bei Strafen die nicht auf ganze Monate lauten, ist der Monat mit dreißig Tagen zu berechnen.

(4) Andere Strafen als Freiheits- oder Geldstrafen und vorbeugende Maßnahmen haben unbeschadet der Z 3 des Abs. 1 auf das Ausmaß der Tilgungsfristen keinen Einfluß.

Tilgungsfrist bei mehreren Verurteilungen

§ 4. (1) Wird jemand rechtskräftig verurteilt, bevor eine oder mehrere frühere Verurteilungen getilgt sind, so tritt die Tilgung aller Verurteilungen nur gemeinsam ein.

(2) Die Tilgungsfrist ist im Falle des Abs. 1 unter Zugrundelegung der Summe der in allen noch nicht getilgten Verurteilungen verhängten Strafen nach § 3 zu bestimmen, sie muß aber mindestens die nach § 3 bestimmte Einzelfrist, die am spätesten enden würde, um so viele Jahre übersteigen, als rechtskräftige und noch nicht getilgte Verurteilungen vorliegen. Die zuletzt rechtskräftig gewordene Verurteilung ist mitzuzählen.

(3) Verurteilungen, bei denen die verhängte Freiheits- oder Ersatzfreiheitsstrafe oder deren Summe einen Monat nicht übersteigt, bewirken keine Verlängerung der Tilgungsfrist nach Abs. 2; ebensowenig werden ihre Tilgungsfristen durch andere Verurteilungen verlängert. Die Tilgung aller Verurteilungen tritt jedoch auch in diesem Fall nur gemeinsam ein (Abs. 1).

(4) Die Tilgung der Anordnung der Unterbringung in einer Anstalt für geistig abnorme Rechtsbrecher nach § 21 Abs. 1 des Strafgesetzbuches tritt unabhängig davon ein, ob andere Verurteilungen vorliegen. Eine solche Anordnung hindert weder die Tilgung anderer Verurteilungen, noch bewirkt sie eine Verlängerung der Tilgungsfrist nach Abs. 2; ebensowenig wird die Tilgungsfrist einer solchen Anordnung durch andere Verurteilungen verlängert.

(4a) Eine Verlängerung der Tilgungsfrist gemäß § 4a hindert weder die Tilgung anderer Verurteilungen, noch bewirkt sie eine Verlängerung der Tilgungsfrist anderer noch nicht getilgter Verurteilungen nach Abs. 2.

(5) Verurteilungen, die zueinander im Verhältnis des § 265 der Strafprozessordnung 1975 (StPO), BGBl. Nr. 631, stehen, gelten für die Tilgung nicht als gesonderte Verurteilungen. Die Tilgungsfrist ist unter Zugrundelegung der Summe der verhängten Strafen nach § 3 zu bestimmen. Das gleiche gilt für Verurteilungen, die wegen derselben Tat im Inland und im Ausland erfolgt sind.

Tilgung von Verurteilungen wegen Sexualstraftaten

§ 4a. (1) Im Fall einer Verurteilung wegen einer strafbaren Handlung nach den §§ 201, 202, 205, 205a, 206, 207, 207a oder 207b StGB zu einer unbedingten Freiheitsstrafe oder im Fall einer Anordnung einer Unterbringung gemäß § 21 Abs. 1 StGB wegen einer solchen Tat verlängert sich die Tilgungsfrist (§ 3) um das Einfache.

(2) Im Fall einer Verurteilung wegen einer sonstigen im 10. Abschnitt des Besonderen Teils des StGB bezeichneten strafbaren Handlung zu einer unbedingten Freiheitsstrafe oder im Fall einer Anordnung einer Unterbringung gemäß § 21 Abs. 1 StGB wegen einer solchen Tat verlängert sich die Tilgungsfrist (§ 3) um die Hälfte.

(3) Das erkennende Gericht hat auf Antrag des Verurteilten zu prüfen, ob unter Berücksichtigung der gesamten Umstände, insbesondere der Persönlichkeit des Täters und seiner Entwicklung die Verlängerung der Tilgung gemäß Abs. 1 oder 2 zu beenden ist. Ein solcher Antrag ist frühestens nach Ablauf der Tilgungsfrist nach § 3 zulässig. Wird der Antrag abgewiesen, so ist eine erneute Antragstellung erst nach Ablauf von fünf Jahren ab Rechtskraft der Entscheidung zulässig.

Untilgbare Verurteilungen

§ 5. (1) Verurteilungen zu lebenslanger Freiheitsstrafe werden nicht getilgt und schließen auch die Tilgung aller anderen Verurteilungen aus.

(2) Verurteilungen wegen einer im 10. Abschnitt des Besonderen Teils des StGB bezeichneten strafbaren Handlung zu einer Freiheitsstrafe von mehr als fünf Jahren werden nicht getilgt. Das erkennende Gericht hat auf Antrag des Verurteilten zu prüfen, ob unter Berücksichtigung der gesamten Umstände, insbesondere der Persönlichkeit des Täters und seiner Entwicklung die Tilgbarkeit auszusprechen ist. Ein solcher Antrag ist frühestens fünfzehn Jahre nach dem Beginn der Tilgungsfrist (§ 2) zulässig. Wird der Antrag abgewiesen, so ist eine erneute Antragstellung erst nach Ablauf von fünf Jahren ab Rechtskraft der Entscheidung zulässig.

Beschränkung der Auskunft

§ 6. (1) Schon vor der Tilgung darf über Verurteilungen aus dem Strafregister bei Vorliegen der in den Abs. 2 und 3 genannten Voraussetzungen lediglich Auskunft erteilt werden

1. den Gerichten, Staatsanwaltschaften, Sicherheitsbehörden und Sicherheitsdienststellen zum Zwecke eines gerichtlichen Straf- oder Unterbringungsverfahrens gegen den Verurteilten oder gegen jemand, der verdächtig ist, an derselben strafbaren Handlung beteiligt zu sein,

1a. den Finanzstrafbehörden zum Zwecke eines verwaltungsbehördlichen Finanzstrafverfahrens gegen den Verurteilten oder gegen jemand, der verdächtig ist, an derselben strafbaren Handlung beteiligt zu sein,

1b. den Gerichten zum Zweck eines gerichtlichen Verfahrens, das dem Wohl von schutzberechtigten Personen dient, hinsichtlich der Parteien, ihrer gesetzlichen Vertreter und der Personen, die zum gesetzlichen Vertreter bestellt werden sollen, sowie jeweils deren engen familiären Umfelds,

2. in einem Gnadenverfahren des Verurteilten, das ein gerichtliches Strafverfahren oder eine Verurteilung durch die Strafgerichte betrifft, den damit befaßten Behörden,

2a. den zur Einleitung und Durchführung des Strafvollzuges zuständigen Anstalten zum Zweck der Vorbereitung der Klassifizierung (§§ 134, 161 des Strafvollzugsgesetzes),

3. den Behörden nach § 18 Abs. 2 des Waffengesetzes 1996 zum Zwecke der Vollziehung dieser Bestimmung sowie den Sicherheitsbehörden zum Zwecke der Überprüfung der in den waffenrechtlichen und sprengmittelrechtlichen Vorschriften geforderten Verlässlichkeit oder der in den luftfahrtrechtlichen Vorschriften geforderten Zuverlässigkeit,

4. den Sicherheitsbehörden zum Zwecke der Mitwirkung an der Vollziehung der gewerberechtlichen Bestimmungen über Waffengewerbe, Erzeugung von pyrotechnischen Artikeln sowie von Zündmitteln und sonstigen Sprengmitteln, die nicht dem Schieß- und Sprengmittelgesetz unterliegen, und Handel mit diesen Erzeugnissen, Sprengungsunternehmen, Herstellung von Arzneimitteln und Großhandel mit Arzneimitteln, Pfandleiher, Berufsdetektive, Bewachungsgewerbe und Errichtung von Alarmanlagen,

5. den Sicherheitsbehörden zur Durchführung einer Sicherheitsüberprüfung (§ 55 des Sicherheitspolizeigesetzes),

6. den mit Aufgaben der nachrichtendienstlichen Abwehr betrauten militärischen Dienststellen zur Durchführung einer Verlässlichkeitsprüfung (§ 23 des Militärbefugnisgesetzes),

6a. den Behörden gemäß § 1 Abs. 3 Staatsschutz- und Nachrichtendienst-Gesetz – SNG, BGBl. I

Nr. 148/2021, für Zwecke des § 1 Abs. 2 und § 2a SNG,

7. den Passbehörden, den Staatsbürgerschaftsbehörden, den Fremdenpolizeibehörden, dem Bundesamt für Fremdenwesen und Asyl, dem Asylgerichtshof und den mit der Erteilung, Versagung und Entziehung von Aufenthaltstiteln befassten Behörden zur Durchführung von Verfahren nach dem Passgesetz 1992, dem Staatsbürgerschaftsgesetz 1985, dem Fremdenpolizeigesetz 2005, dem Asylgesetz 2005 und dem Niederlassungs- und Aufenthaltsgesetz,

8. den Kinder- und Jugendhilfeträgern, soweit dies zur Vermeidung oder zur Abwehr einer konkreten von einer bestimmten Person ausgehenden Gefährdung eines bestimmten minderjährigen Kindes erforderlich ist,

9. Vereinen und Einrichtungen gemäß § 220b StGB, soweit dies zur Vermeidung oder zur Abwehr einer konkreten von einer bestimmten Person ausgehenden Gefährdung einer bestimmten wehrlosen Person (§ 220b StGB) erforderlich ist.

(2) Die Beschränkung nach Abs. 1 tritt sofort mit Rechtskraft des Urteils ein, wenn

1. keine strengere Strafe als eine höchstens dreimonatige Freiheitsstrafe verhängt worden ist,

2. die Verurteilung nur wegen Straftaten erfolgt ist, die vor Vollendung des einundzwanzigsten Lebensjahres begangen wurden, und keine strengere Strafe als eine höchstens sechsmonatige Freiheitsstrafe verhängt worden ist, oder

3. auf Unterbringung in einer Anstalt für geistig abnorme Rechtsbrecher nach § 21 Abs. 1 des Strafgesetzbuches erkannt worden ist.

Bei Geldstrafen ist die Ersatzfreiheitsstrafe maßgebend, bei Verhängung einer Freiheitsstrafe und einer Geldstrafe sind Freiheitsstrafe und Ersatzfreiheitsstrafe zusammenzuzählen. Dabei ist ein Monat dreißig Tagen gleichzuhalten.

(3) Übersteigt in den Fällen des Abs. 2 das Ausmaß der Freiheitsstrafe, der Ersatzfreiheitsstrafe oder deren Summe drei Monate (Z. 1), nicht aber sechs Monate, oder sechs Monate (Z. 2), nicht aber ein Jahr, so tritt die Beschränkung nach Abs. 1 erst ein, wenn seit dem Beginn der Tilgungsfrist, im Fall einer Strafe, die ganz oder zum Teil bedingt nachgesehen oder aus der der Verurteilte bedingt entlassen worden ist, aber seit Rechtskraft der bedingten Nachsicht oder dem Zeitpunkt der bedingten Entlassung drei Jahre verstrichen sind.

(4) Ist über Verurteilungen nur beschränkte Auskunft zu erteilen, so dürfen sie außer für die im Abs. 1 bezeichneten Zwecke in Auskünfte aus dem Strafregister und in Strafregisterbescheinigungen nicht aufgenommen oder darin sonst in irgendeiner Art ersichtlich gemacht werden.

(5) Der Verurteilte ist außerhalb der in Abs. 1 Z 1 bis 3 genannten Verfahren nicht verpflichtet, die Verurteilung anzugeben.

(6) Urteile, in denen auf Unterbringung in einer Anstalt für geistig abnorme Rechtsbrecher nach § 21 Abs. 1 des Strafgesetzbuches erkannt worden ist, unterliegen der Beschränkung der Auskunft auch dann, wenn über andere Verurteilungen unbeschränkt Auskunft zu erteilen ist. Ist jemand sonst mehrmals verurteilt worden, so sind die Bestimmungen der Abs. 1 bis 4 nur anzuwenden, wenn für jede der Verurteilungen die Voraussetzungen des Abs. 2 oder 3 erfüllt sind und die Zahl der Verurteilungen vier und die Summe der Freiheitsstrafen und Ersatzfreiheitsstrafen neun Monate, wenn es sich aber um Verurteilungen nur wegen Straftaten handelt, die vor Vollendung des einundzwanzigsten Lebensjahres begangen wurden, achtzehn Monate nicht übersteigt.

Ausländische Verurteilungen

§ 7. (1) Ausländische Verurteilungen stehen tilgungsrechtlich inländischen Verurteilungen gleich, wenn sie den Rechtsbrecher wegen einer Tat schuldig sprechen, die auch nach österreichischem Recht gerichtlich strafbar ist, und in einem den Grundsätzen des Art. 6 der Europäischen Konvention zum Schutze der Menschenrechte und Grundfreiheiten, BGBl. Nr. 210/1958, entsprechenden Verfahren ergangen sind.

(2) Die Tilgungsfrist ausländischer Verurteilungen beginnt mit dem Tag, der sich ergibt, wenn man dem Tag ihrer Rechtskraft die Dauer der mit ihr ausgesprochenen Freiheits- oder Ersatzfreiheitsstrafe oder der Summe dieser Strafen hinzurechnet. Ist keine Freiheits- oder Ersatzfreiheitsstrafe verhängt worden, so beginnt die Tilgungsfrist mit Rechtskraft der Verurteilung.

(3) Ausländische Verurteilungen gelten aber auch dann als getilgt, wenn sie nach dem Recht des Staates, in dem sie erfolgt sind, getilgt sind, sobald dies durch eine öffentliche Urkunde bescheinigt wird.

(4) §§ 4a und 5 Abs. 2 gelten für ausländische Verurteilungen wegen solcher Taten sinngemäß. Abs. 3 gilt hingegen für derartige Verurteilungen nicht.

(5) Die gemäß § 2 Abs. 1 Z 9 Strafregistergesetz gespeicherten Verurteilungen eines Mitgliedstaats der Europäischen Union und die damit zusammenhängenden Informationen sind über Mitteilung des Urteilsstaates zu löschen.

Übergangsbestimmungen

§ 8. (1) Die Bestimmungen dieses Bundesgesetzes sind auch auf Verurteilungen anzuwenden, die vor seinem Inkrafttreten rechtskräftig geworden sind.

(2) Bei Verurteilungen vor dem 1. Juli 1972 beginnt die Frist für die Tilgung der Verurteilung stets mit Rechtskraft der Verurteilung. Sie verlängert sich jedoch außer in den Fällen des § 2 Abs. 2 um die Dauer

der ausgesprochenen Freiheits- und Ersatzfreiheitsstrafe. Die Tilgung tritt aber auch nach Ablauf der verlängerten Frist erst ein, bis die verhängten Freiheits- und Ersatzfreiheitsstrafen und die mit Freiheitsentziehung verbundenen vorbeugenden Maßnahmen vollzogen worden sind, als vollzogen gelten, nachgesehen worden sind oder nicht mehr vollzogen werden dürfen.

(3) Auf Verurteilungen, die im Zeitpunkt des Inkrafttretens dieses Bundesgesetzes nach den durch § 9 Abs. 2 Z 1 aufgehobenen bundesgesetzlichen Bestimmungen tilgbar sind, sind die dort genannten Bestimmungen weiterhin anzuwenden, falls im Zeitpunkt des Inkrafttretens dieses Bundesgesetzes bereits ein Tilgungsantrag gestellt war oder ein solcher Antrag binnen einem Jahr nach diesem Zeitpunkt gestellt wird und die Verurteilung nach diesem Bundesgesetz noch nicht getilgt ist.

Inkrafttreten und Aufhebung von Rechtsvorschriften

§ 9. (1) Dieses Bundesgesetz tritt mit 1. Jänner 1974 in Kraft.

(1a) § 6 Abs. 1 in der Fassung des Bundesgesetzes BGBl. I Nr. 146/1999 tritt mit 1. September 1999 in Kraft.

(1b) § 6 Abs. 1 Z 6 und 7 in der Fassung des Bundesgesetzes BGBl. I Nr. 44/2001 tritt mit 1. Juli 2001, § 6 Abs. 2 Z 2 und Abs. 6 in der Fassung dieses Bundesgesetzes tritt mit 1. Juli 2002 in Kraft.

(1c) § 6 Abs. 1 Z 7 in der Fassung des Bundesgesetzes BGBl. I Nr. 100/2005 tritt mit 1. Jänner 2006 in Kraft.

(1d) § 6 Abs. 1 Z 2a in der Fassung des Bundesgesetzes BGBl. I Nr. 119/2005 tritt mit 1.Jänner 2006 in Kraft.

(1e) § 6 Abs. 1 Z 7 in der Fassung des Bundesgesetzes BGBl. I Nr. 37/2006 tritt mit 1. Jänner 2006 in Kraft.

(1f) Die Bestimmung des § 4 Abs. 5 in der Fassung des Bundesgesetzes, BGBl. I Nr. 112/2007 tritt mit 1. Jänner 2008 in Kraft.

(1g) Die Bestimmungen der §§ 4, 4a, 5 und 7 Abs. 4 in der Fassung des Bundesgesetzes BGBl. I Nr. 40/2009 treten mit 1. Juni 2009 in Kraft. §§ 4, 4a und 5 Abs. 2 gelten für alle Verurteilungen, die nach dem Inkrafttreten des Bundesgesetzes BGBl. I Nr. 40/2009 ausgesprochen werden.

(1h) § 6 Abs. 1 Z 1b in der Fassung des Bundesgesetzes BGBl. I Nr. 75/2009 tritt mit 1. Jänner 2010 in Kraft.

(1i) Der § 6 Abs. 1 Z 7 in der Fassung des Bundesgesetzes BGBl. I Nr. 122/2009 tritt mit 1. Jänner 2010 in Kraft.

(1j) Die §§ 1 Abs. 5, 6 Abs. 1 Z 8, 7 Abs. 5 in der Fassung des Bundesgesetzes BGBl. I Nr. 29/2012, treten mit 27. April 2012 in Kraft.

(1k) § 6 Abs. 1 Z 8 und Z 9 in der Fassung des Gewaltschutzgesetz 2019, BGBl. I Nr. 105/2019, tritt mit 01.01.2020 in Kraft.

(1l) § 6 Abs. 1 Z 1b in der Fassung des Bundesgesetzes BGBl. I Nr. 20/2020 tritt mit dem der Kundmachung des bezeichneten Bundesgesetzes folgenden Tag in Kraft.

(1m) § 6 Abs. 1 Z 3 und 6a in der Fassung des Bundesgesetzes BGBl. I Nr. 148/2021 treten am 1. Dezember 2021 in Kraft.

(1n) § 4a Abs. 1 in der Fassung des Budgetbegleitgesetzes 2025, BGBl. I Nr. 25/2025, tritt mit 1. September 2025 in Kraft.

(2) Mit Ablauf des 31. Dezember 1973 verlieren die folgenden bundesgesetzlichen Bestimmungen ihre Wirksamkeit:

1. nach Maßgabe der Bestimmungen des § 8 das Tilgungsgesetz 1951, BGBl. Nr. 155, sowie alle Bestimmungen über die Tilgung von Verurteilungen durch Richterspruch in anderen Bundesgesetzen,

2. der letzte Satz im § 45 Abs. 6 und § 48 des Jugendgerichtsgesetzes 1961, BGBl. Nr. 278.

Vollziehungsklausel

§ 10. Mit der Vollziehung des § 1 Abs. 5 des § 6 Abs. 1, 2, 3, 4 und 6 ist der Bundesminister für Inneres betraut. Mit der Vollziehung aller anderen Bestimmungen dieses Bundesgesetzes ist der Bundesminister für Justiz betraut.

Strafvollzugsgesetz

Bundesgesetz vom 26. März 1969 über den Vollzug der Freiheitsstrafen und der mit Freiheitsentziehung verbundenen vorbeugenden Maßnahmen (Strafvollzugsgesetz – StVG)
StF: BGBl. Nr. 144/1969 idF BGBl. I Nr. 31/2025

Inhaltsverzeichnis

Stichwortverzeichnis

ERSTER TEIL

Allgemeine Bestimmungen

Begriffsbestimmungen

§ 1. Im Sinne dieses Bundesgesetzes ist:

1. Strafurteil: jedes Erkenntnis eines Strafgerichtes, mit dem wegen einer den Gerichten zur Aburteilung zugewiesenen strafbaren Handlung eine Freiheitsstrafe verhängt worden ist;

2. Verurteilter: jede Person, über die in einem Strafurteil eine Freiheitsstrafe verhängt worden ist;

3. Strafgefangener: jeder Verurteilte, an dem eine in einem Strafurteil verhängte Freiheitsstrafe vollzogen wird;

4. Untergebrachter: jede Person, an der eine mit Freiheitsentziehung verbundene vorbeugende Maßnahme vollzogen wird;

5. Strafzeit: die Zeit, die der Verurteilte auf Grund eines Strafurteiles oder mehrerer unmittelbar nacheinander zu vollziehender Strafurteile in Strafhaft zuzubringen hat. Als Strafhaft ist jede dem Vollzug eines Strafurteiles dienende Haft anzusehen. Übersteigt eine auf die Strafe anzurechnende Zeit einen Monat, so ist sie in Monaten, Tagen und Stunden, sonst in Tagen oder Stunden anzurechnen. Soweit Bruchteile von Jahren, Monaten oder Wochen der Strafzeit zu bilden sind, die keine ganzen Jahre, Monate oder Wochen ergeben, ist ein Jahr zwölf Monaten, ein Monat dreißig Tagen und eine Woche sieben Tagen gleichzusetzen.

Anwendung des Gesetzes auf Jugendliche

StVG

§ 2. Für den Jugendstrafvollzug und für den Vollzug der mit Freiheitsentziehung verbundenen vorbeugenden Maßnahmen an Jugendlichen gilt dieses Bundesgesetz nur insoweit, als das Jugendgerichtsgesetz 1988 nicht etwas anderes bestimmt.

ZWEITER TEIL

Anordnung des Vollzuges der auf Freiheitsstrafe lautenden Strafurteile

Anordnung des Vollzuges

§ 3. (1) Ist an einem Verurteilten eine Freiheitsstrafe zu vollziehen, so ist der Strafvollzug anzuordnen und die nach § 9 zur Einleitung oder Durchführung des Strafvollzuges zuständige Anstalt von der Anordnung zu verständigen. Zugleich mit dieser Verständigung oder so bald wie möglich ist der Anstalt auch eine Ausfertigung des Strafurteiles zu übersenden. Der Vollzug einer Ersatzfreiheitsstrafe hat jedoch zu unterbleiben, soweit der Verurteilte die ausständige Geldstrafe erlegt, durch eine öffentliche Urkunde nachweist, dass sie gezahlt ist, oder gemeinnützige Leistungen (§ 3a) erbringt. Darüber ist er in der Aufforderung zum Strafantritt zu informieren, wobei ihm auch das Ausmaß der zu erbringenden gemeinnützigen Leistungen mitzuteilen ist. Eine Gleichschrift dieser Mitteilung ist auch einer in der Sozialarbeit erfahrenen Person (§ 29b Bewährungshilfegesetz) zu übermitteln. Ist der psychische Zustand des Verurteilten oder sein sonstiger Gesundheitszustand im Zuge des Strafverfahrens durch sachverständige Personen untersucht worden, so ist der Verständigung auch eine Abschrift des Gutachtens anzuschließen.

(2) Tritt ein Verurteilter, der sich auf freiem Fuße befindet, die Strafe nicht sofort an, so ist er schriftlich aufzufordern, die Strafe binnen einem Monat nach der Zustellung anzutreten. Die Aufforderung hat die Bezeichnung der zuständigen Anstalt und die Androhung zu enthalten, daß der Verurteilte im Falle seines Ausbleibens vorgeführt wird. In der Aufforderung zum Strafantritt ist der Verurteilte darüber zu informieren, dass er unter den in § 156c genannten Voraussetzungen einen Antrag auf Verbüßung der Strafe im elektronisch überwachten Hausarrest bei der in der Aufforderung bezeichneten Anstalt einbringen kann. Kommt der Verurteilte dieser Aufforderung nicht nach, so ist seine Vorführung zum Strafantritt anzuordnen. Die Vorführung ist auch anzuordnen, wenn der Verurteilte versucht, sich dem Vollzuge der Freiheitsstrafe durch die Flucht zu entziehen, wenn begründete Besorgnis besteht, daß er das versuchen werde, oder wenn seine strafrechtliche Unterbringung in einem forensisch-therapeutischen Zentrum oder seine Unterbringung in einer Anstalt für entwöhnungsbedürftige Rechtsbrecher oder für gefährliche Rückfallstäter angeordnet worden ist.

(3) Kann die Vorführung nicht vollzogen werden, weil der Verurteilte flüchtig oder sein Aufenthalt unbekannt ist, so ist neben einer Sachenfahndung und der Personenfahndung zur Festnahme auch

1. eine Sicherstellung und Beschlagnahme von Gegenständen,

2. eine Identitätsfeststellung, eine Durchsuchung von Orten und Gegenständen,

3. Observation und verdeckte Ermittlung,

4. Beschlagnahme von Briefen, Auskunft über Daten einer Nachrichtenübermittlung sowie Überwachung von Nachrichten und die optische und akustische Überwachung von Personen

zulässig, wenn auf Grund bestimmter Tatsachen zu erwarten ist, dass dadurch der Aufenthalt des Verurteilten ermittelt werden kann. Observation nach § 130 Abs. 3 StPO, verdeckte Ermittlung nach § 131 Abs. 2 StPO, Beschlagnahme von Briefen nach § 135 Abs. 1 StPO und Auskunft über Daten einer Nachrichtenübermittlung sowie Überwachung von Nachrichten nach § 135 Abs. 2 und 3 StPO und die optische Überwachung von Personen nach § 136 Abs. 3 Z 2 StPO sind überdies nur zulässig, wenn die Verurteilung wegen einer vorsätzlich begangenen Straftat, die mit mehr als einjähriger Freiheitsstrafe bedroht ist, ausgesprochen worden ist. Im Fall einer optischen und akustischen Überwachung nach § 136 Abs. 1 Z 3 muss die

Verurteilung wegen einer dort angeführten Straftat erfolgt sein. Die Bestimmungen der §§ 5, 93, 109 Z 1 lit. a und Z 2 lit. a, 110 Abs. 2 bis 4, 111 bis 115, 117 Z 1 und Z 2, 118 bis 120, 129 Z 1 und 2, 130 bis 133, 134 Z 2 bis 4, 135 bis 140 und 167 bis 169 StPO sind sinngemäß anzuwenden, wobei das Gericht (§ 7 Abs. 1) für das Verfahren der Anordnung und Durchführung dieser Ermittlungsmaßnahmen § 210 Abs. 3 erster und zweiter Satz StPO anzuwenden hat.

(4) Verurteilte, die sich bereits in der zuständigen Anstalt zum Vollzug von Freiheitsstrafen in Haft befinden, sind in den Strafvollzug zu übernehmen. Verurteilte, die sich in einer anderen Anstalt in Haft befinden, sind in die zuständige Anstalt zu überstellen.

(5) Muss ein Beamter (§ 74 Abs. 1 Z 4 StGB) zum Vollzug einer Freiheitsstrafe in Haft genommen werden, so ist der Leiter der Dienststelle davon zu verständigen.

Erbringung gemeinnütziger Leistungen

§ 3a. (1) Gemeinnützige Leistungen sind in der Freizeit bei einer geeigneten Einrichtung (§ 202 StPO) zu erbringen, mit der das Einvernehmen herzustellen ist. Vier Stunden gemeinnütziger Leistungen entsprechen einem Tag der Freiheitsstrafe. Nach vollständiger Erbringung gilt die Strafe als vollzogen. Der Vermittler erarbeitet gemeinsam mit dem Verurteilten den für die Erbringung der gemeinnützigen Leistung benötigten Zeitraum, wobei auf eine gleichzeitige Aus- und Fortbildung, eine Berufstätigkeit oder eine Verpflichtung aus einer Arbeitsvermittlung Bedacht zu nehmen ist, und unterstützt ihn bei den erforderlichen Eingaben bei Gericht. Der Zeitraum für die Erbringung der gemeinnützigen Leistungen darf nicht länger bemessen werden, als der Verurteilte bei wöchentlich zehn Arbeitsstunden benötigen würde. § 202 Abs. 1 letzter Satz sowie Abs. 3 bis 5 StPO gilt sinngemäß. Die Erbringung gemeinnütziger Leistungen bei Freiheitsstrafen, die neun Monate oder länger dauern, ist nicht zulässig.

(2) Teilt der Verurteilte innerhalb der Frist des § 3 Abs. 2 dem Gericht mit, dass er sich bereit erkläre, gemeinnützige Leistungen zu erbringen und ist dies rechtlich zulässig, so wird diese Frist gehemmt. Danach muss der Verurteilte innerhalb eines Monats ein Einvernehmen mit einer geeigneten Einrichtung erreichen und dies dem Gericht mitteilen. Wird innerhalb dieser Frist kein Einvernehmen erzielt, so läuft die Frist des § 3 Abs. 2 fort. Teilt der Verurteilte hingegen die erreichte Einigung rechtzeitig mit, so gilt der Strafvollzug mit dem Tag des Einlangens der Mitteilung bei Gericht bis zum Nachweis der Erbringung der gemeinnützigen Leistungen als aufgeschoben.

(3) Entspricht die Einigung nicht den gesetzlichen Voraussetzungen, so hat das Gericht dem Verurteilten mitzuteilen, welche Änderungen der Einigung erforderlich wären, und ihm aufzutragen, die geänderte Einigung binnen 14 Tagen vorzulegen, widrigenfalls die Strafe zu vollziehen ist.

(4) Der Aufschub ist zu widerrufen und die Freiheitsstrafe zu vollziehen, wenn der Verurteilte die gemeinnützigen Leistungen nicht oder nicht vollständig erbringt; bereits erbrachte Leistungen sind entsprechend zu berücksichtigen. Weist der Verurteilte nach, dass er an der vollständigen Erbringung der gemeinnützigen Leistungen durch unvorhersehbare oder unabwendbare Ereignisse gehindert war, so hat das Gericht den Aufschub für die notwendige und angemessene Dauer zu verlängern.

(5) Für das Verfahren gilt § 7.

Absehen vom Strafvollzug wegen Auslieferung

§ 4. Wird der Verurteilte an eine ausländische Behörde ausgeliefert, so ist vom Vollzug einer über ihn verhängten Freiheitsstrafe vorläufig abzusehen, es sei denn, daß es aus besonderen Gründen des unverzüglichen Vollzuges bedarf, um der Begehung strafbarer Handlungen durch andere entgegenzuwirken. Kehrt der Ausgelieferte in das Bundesgebiet zurück, so ist die Strafe zu vollziehen. Vom nachträglichen Strafvollzug ist aber abzusehen und die Strafe ganz oder teilweise bedingt nachzusehen, soweit an dem Verurteilten im Ausland eine Strafe vollzogen worden ist und der Verurteilte durch den Strafvollzug ungünstiger gestellt wäre, als wenn über alle Handlungen ein österreichisches Gericht entschieden hätte.

Aufschub des Strafvollzuges wegen Vollzugsuntauglichkeit

§ 5. (1) Ist ein dem Wesen der Freiheitsstrafe (§ 20) entsprechender Strafvollzug wegen einer Krankheit oder Verletzung, wegen Invalidität oder eines sonstigen körperlichen oder geistigen Schwächezustandes auch unter Berücksichtigung der Möglichkeit einer Strafvollzugsortsänderung (§ 10) mit den Einrichtungen der in Betracht kommenden Anstalten zum Vollzug von Freiheitsstrafen nicht durchführbar oder wäre im Hinblick auf einen dieser Zustände das Leben des Verurteilten durch die Überstellung in die betreffende Anstalt gefährdet, so ist die Einleitung des Strafvollzuges so lange aufzuschieben, bis der Zustand aufgehört hat.

(2) Ist die verurteilte Person schwanger oder hat sie innerhalb des letzten Jahres entbunden, so ist die Einleitung des Strafvollzuges bis zum Ablauf der sechsten Woche nach der Entbindung und darüber hinaus so lange aufzuschieben, als sich das Kind in der Pflege der Verurteilten befindet, höchstens aber bis zum Ablauf eines Jahres nach der Entbindung. Der Vollzug ist jedoch einzuleiten, sobald es die Verurteilte selbst verlangt, vom Vollzug keine Gefährdung ihrer Gesundheit oder des Kindes zu besorgen und ein dem Wesen der Freiheitsstrafe entsprechender Vollzug durchführbar ist.

(3) An Verurteilten, an denen nach Abs. 1 oder 2 eine Freiheitsstrafe nicht vollzogen werden kann, ist statt dessen eine Haft nach Maßgabe der folgenden Bestimmungen zu vollziehen, wenn

1. der Verurteilte nach der Art oder dem Beweggrund der strafbaren Handlung, derentwegen er verurteilt worden ist, oder nach seinem Lebenswandel

a) für die Sicherheit des Staates oder der Person oder

b) für die Sicherheit des Eigentums besonders gefährlich ist;

2. die Freiheitsstrafe drei Jahre übersteigt und anzunehmen ist, daß sich der Verurteilte im Falle des Aufschubes dem Vollzug der Freiheitsstrafe entziehen würde, oder

3. die strafrechtliche Unterbringung des Verurteilten in einem forensisch-therapeutischen Zentrum oder in einer Anstalt für entwöhnungsbedürftige Rechtsbrecher oder für gefährliche Rückfallstäter angeordnet worden ist.

In den Fällen der Z. 1 lit. b sowie in den Fällen der Z. 2 darf diese Haft jedoch nur vollzogen werden, wenn der Verurteilte in der dafür unter Berücksichtigung der Möglichkeit einer Strafvollzugsortsänderung (§ 10) in Betracht kommenden Anstalt zum Vollzug von Freiheitsstrafen sachgemäß behandelt werden kann und sein Leben durch die Überstellung in diese Anstalt nicht gefährdet wäre; in den Fällen der Z. 1 lit. a oder 3 ist dagegen erforderlichenfalls der Vollzug in einer öffentlichen Krankenanstalt (§ 71 Abs. 2) durchzuführen.

(4) Für die an die Stelle der Freiheitsstrafe tretende Haft gelten sinngemäß die Vorschriften dieses Bundesgesetzes für den Vollzug von Freiheitsstrafen. Die Freiheitsstrafe gilt nach Maßgabe der Dauer der Haft als vollzogen.

(Anm.: Abs. 5 aufgehoben durch BGBl. Nr. 424/1974)

Aufschub des Strafvollzuges aus anderen Gründen

§ 6. (1) Ist der Verurteilte nach der Art und dem Beweggrund der strafbaren Handlung, derentwegen er verurteilt worden ist, und nach seinem Lebenswandel weder für die Sicherheit des Staates, noch für die der Person oder des Eigentums besonders gefährlich und ist auch nicht seine strafrechtliche Unterbringung in einem forensisch-therapeutischen Zentrum oder in einer Anstalt für entwöhnungsbedüftige Rechtsbrecher oder für gefährliche Rückfallstäter angeordnet worden, so ist die Einleitung des Vollzuges einer Freiheitsstrafe aufzuschieben,

1. wenn das Ausmaß der zu vollziehenden Freiheitsstrafe drei Jahre nicht übersteigt und der Verurteilte den Aufschub aus wichtigen persönlichen Gründen beantragt, insbesondere um im Inland

a) einen Angehörigen (§ 72 des Strafgesetzbuches) oder einen anderen ihm besonders nahestehenden Menschen, der lebensgefährlich erkrankt oder verletzt ist, aufzusuchen,

b) an dem Begräbnis einer dieser Personen teilzunehmen oder

c) wichtige Familienangelegenheiten im Zusammenhang mit einem der in den lit. a und b angeführten Anlässe oder mit der Ehescheidung eines Angehörigen zu ordnen;

2. wenn das Ausmaß der zu vollziehenden Freiheitsstrafe ein Jahr nicht übersteigt

a) auf Antrag des Verurteilten, wenn der Aufschub für das spätere Fortkommen des Verurteilten, für den Wirtschaftsbetrieb, in dem der Verurteilte tätig ist, für den Unterhalt der ihm gegenüber unterhaltsberechtigten Personen oder für die Gutmachung des Schadens zweckmäßiger erscheint als der sofortige Vollzug,

b) auf Antrag des Standeskörpers aus militärdienstlichen Gründen im Falle eines Einsatzes des Bundesheeres nach § 2 Abs. 1 des Wehrgesetzes 1990, BGBl. Nr. 305, in der jeweils geltenden Fassung, wenn der Verurteilte Soldat ist.

Der Aufschub darf jedoch in den Fällen der Z. 1 nur für die Dauer von höchstens einem Monat und in den Fällen der Z. 2 lit. a nur für die Dauer von höchstens einem Jahr gestattet werden, in allen Fällen gerechnet von dem Tage an, an dem der Verurteilte die Strafe ohne Aufschub hätte antreten müssen. Einem Antrag des Verurteilten gemäß Z. 1 oder Z. 2 lit. a steht ein Antrag eines Angehörigen, im Fall der Z. 2 lit. a auch ein Antrag des Dienstgebers gleich, wenn der Verurteilte dem Antrag zustimmt.

(2) Die Einleitung des Vollzuges einer Freiheitsstrafe ist ferner nach Anhörung des Verurteilten aufzuschieben, wenn und solange im Falle eines Verfahrens zur Entscheidung über den nachträglichen Ausspruch der Strafe (§§ 15 Abs. 1, 16 Abs. 1 des Jugendgerichtsgesetzes 1988) oder den Widerruf der bedingten Nachsicht einer Freiheitsstrafe, des Teiles einer Freiheitsstrafe oder einer bedingten Entlassung das dafür nach § 495 StPO oder den §§ 16 oder 179 dieses Bundesgesetzes zuständige Gericht hierüber noch nicht entschieden und im Fall eines nachträglichen Strafausspruches oder Widerrufes nicht ebenfalls den Strafvollzug angeordnet hat.

(3) Bewilligt das Gericht einen Aufschub des Vollzuges gemäß Abs. 1 Z. 2 lit. a, so hat es dem Verurteilten Weisungen (§ 51 des Strafgesetzbuches) zu erteilen, wenn dies geboten ist, um den Verurteilten vor einem Rückfall zu bewahren.

(4) Der Aufschub ist zu widerrufen und die Freiheitsstrafe zu vollziehen:

1. wenn der Verurteilte den Weisungen des Gerichtes nicht nachkommt;

2. wenn er versucht, sich dem Strafvollzug durch Flucht zu entziehen oder begründete Besorgnis besteht, daß er es versuchen werde;

3. wenn dringender Verdacht besteht, daß er aufs neue eine gerichtlich strafbare Handlung begangen hat.

Zuständigkeit und Verfahren

§ 7. (1) Die Anordnung des Vollzuges (§ 3) und die Entscheidungen nach den §§ 4 bis 6 stehen dem Vorsitzenden (Einzelrichter) des erkennenden Gerichtes zu.

(2) Für das Verfahren nach den §§ 4 bis 6 gelten, soweit im Einzelnen nicht anderes angeordnet wird, die Bestimmungen der StPO sinngemäß. Der Verurteilte hat die Rechte des Beschuldigten.

(3) Kann über einen Antrag auf eine der Entscheidungen nach den §§ 4 bis 6 nicht sofort entschieden werden oder wird gegen eine dieser Entscheidungen Beschwerde erhoben, so ist die Anordnung des Strafvollzuges bis zur Entscheidung erster oder zweiter Instanz vorläufig zu hemmen, wenn es nicht des unverzüglichen Vollzuges bedarf, um der Begehung strafbarer Handlungen durch andere entgegenzuwirken, und der Antrag oder die Beschwerde nicht offenbar aussichtslos ist.

DRITTER TEIL
Vollzug der Freiheitsstrafen

Erster Abschnitt
EINRICHTUNGEN UND BEHÖRDEN DES STRAFVOLLZUGES

Erster Unterabschnitt
Anstalten zum Vollzug von Freiheitsstrafen

Strafvollzugsanstalten und gerichtliche Gefangenenhäuser

§ 8. (1) Gerichtliche Freiheitsstrafen sind in Strafvollzugsanstalten und gerichtlichen Gefangenenhäusern zu vollziehen, soweit in diesem Bundesgesetz nichts anderes bestimmt wird.

(2) Die Strafvollzugsanstalten sind als allgemeine Anstalten oder als Sonderanstalten zu führen. In den allgemeinen Anstalten und den gerichtlichen Gefangenenhäusern ist nach Maßgabe des § 9 der Strafvollzug an allen Strafgefangenen durchzuführen, soweit für diesen Vollzug nicht Sonderanstalten eingerichtet sind.

(3) Als Sonderanstalten sind die nachfolgenden Anstalten zu errichten und zu erhalten:

1. zur Durchführung des Erstvollzuges (§ 127);

2. zur Durchführung des Strafvollzuges an Strafgefangenen, die wegen einer fahrlässig begangenen strafbaren Handlung verurteilt worden sind (§ 128);

3. zur Durchführung des Strafvollzuges an Strafgefangenen, die an Lungentuberkulose erkrankt sind;

4. zur Durchführung des Strafvollzuges an Strafgefangenen, die sich wegen ihrer psychischen Besonderheiten nicht für den allgemeinen Vollzug eignen (§ 129).

(4) Die Anstalten sind als Männer- oder Frauenanstalten oder so zu führen, daß die in derselben Anstalt angehaltenen männlichen und weiblichen Strafgefangenen voneinander getrennt sind. Soweit bestimmte Strafgefangene in besonderen Abteilungen der Anstalten anzuhalten sind, dürfen die Einzelunterbringung in einer besonders gesicherten Zelle (§ 103 Abs. 2 Z. 4), die Anhaltung in einem besonderen Einzelraum (§ 114 Abs. 1) und die Absonderung in einem besonderen Einzelraum (§ 116 Abs. 2) gleichwohl in Räumen vollzogen werden, die sonst auch für andere Strafgefangene bestimmt sind.

Zuständigkeit

§ 9. (1) Freiheitsstrafen, deren Strafzeit achtzehn Monate übersteigt, sind in der nach § 134 zu bestimmenden Strafvollzugsanstalt zu vollziehen; bis zur Bestimmung der zuständigen Strafvollzugsanstalt ist der Strafvollzug jedoch im Gefangenenhaus (Justizanstalt eines Landesgerichtes) einzuleiten.

(2) Freiheitsstrafen, deren Strafzeit achtzehn Monate nicht übersteigt, sind in den Gefangenenhäusern oder in Strafvollzugsanstalten, Freiheitsstrafen, deren Strafzeit drei Monate nicht übersteigt, ausschließlich in den Gefangenenhäusern zu vollziehen. Sind Strafen in einer Strafvollzugsanstalt zu vollziehen, die für die Einleitung des Strafvollzuges nicht eingerichtet ist, so ist der Strafvollzug im Gefangenenhaus einzuleiten. Das gleiche gilt, wenn es dem Verurteilten im Hinblick auf die Entfernung zwischen seinem Wohnsitz oder Aufenthalt (Abs. 3) und der Strafvollzugsanstalt offenbar nicht zumutbar ist, die Strafe in der Strafvollzugsanstalt anzutreten.

(3) Ist der Vollzug einer Freiheitsstrafe im Gefangenenhaus einzuleiten oder durchzuführen, so ist örtlich zuständig das Gefangenenhaus desjenigen Landesgerichtes, in dessen Sprengel der Verurteilte seinen Wohnsitz hat. Hat der Verurteilte keinen inländischen Wohnsitz, so ist der gewöhnliche Aufenthalt des Verurteilten, in Ermangelung eines solchen Aufenthaltes im Inland aber jeder andere Aufenthalt des Verurteilten im Inland maßgebend. Ist der Verurteilte in gerichtlicher Haft, so ist an Stelle des Wohnsitzes, gewöhnlichen Aufenthaltes oder Aufenthaltes der Ort der Haft maßgebend.

(4) Besteht für einen Verurteilten kein nach Abs. 3 örtlich zuständiges Gefangenenhaus, so ist der Sitz des Gerichtes maßgebend, das in erster Instanz erkannt hat. Liegt der Wohnsitz oder Aufenthalt im Sprengel des Landesgerichtes Steyr, so ist jedoch das Gefangenenhaus Linz örtlich zuständig.

(5) Das Bundesministerium für Verfassung, Reformen, Deregulierung und Justiz hat durch Verordnung die Sprengel der Anstalten zum Vollzug von Freiheits-

strafen unter Bedachtnahme auf die Grundsätze des Strafvollzuges so festzusetzen, daß die zur Verfügung stehenden Einrichtungen am besten ausgenützt werden können.

Strafvollzugsortsänderung

§ 10. (1) Das Bundesministerium für Verfassung, Reformen, Deregulierung und Justiz hat allgemein oder im Einzelfall die Zuständigkeit einer anderen als der nach § 9 zuständigen Anstalt anzuordnen,

1. wenn dies unter Bedachtnahme auf die Grundsätze des Strafvollzuges (§ 20) zur besseren Ausnützung der Vollzugseinrichtungen oder aus Gründen der Sicherheit des Strafvollzuges zweckmäßig ist oder

2. wenn dadurch die Wiedereingliederung des Verurteilten in die Gesellschaft gefördert wird und weder das Erfordernis einer zweckmäßigen Ausnützung der Vollzugseinrichtungen noch Gründe der Sicherheit des Strafvollzuges entgegenstehen.

(1a) Während offener Beschwerdefrist nach Zustellung eines Bescheides über ein Ansuchen um Strafvollzugsortsänderung nach Abs. 1 Z 2 sowie während anhängigen Beschwerdeverfahrens wegen eines solchen Bescheides ist die Einbringung eines weiteren Ansuchens nach Abs. 1 Z 2 nicht zulässig.

(2) Freiheitsstrafen, deren Strafzeit drei Monate nicht übersteigt, dürfen nur dann in Strafvollzugsanstalten vollzogen werden, wenn dadurch keine Beeinträchtigung der Zwecke des Strafvollzuges zu besorgen ist und

1. der Verurteilte damit einverstanden ist oder

2. dies dem Verurteilten auch ohne sein Einverständnis nach seinen persönlichen Verhältnissen und unter Berücksichtigung der Entfernung zwischen seinem Wohnsitz oder Aufenthalt (§ 9 Abs. 3 StVG) und der Strafvollzugsanstalt nicht unzumutbar ist.

Zweiter Unterabschnitt

Vollzugsbehörden, Aufsicht und innere Revision

Vollzugsbehörde erster Instanz

§ 11. (1) Vollzugsbehörde erster Instanz ist der Anstaltsleiter.

(2) Dem Anstaltsleiter stehen nach Maßgabe der Bestimmungen dieses Bundesgesetzes die Aufsicht über den Strafvollzug in der ihm unterstellten Anstalt sowie die Entscheidung über Beschwerden gegen Strafvollzugsbedienstete oder deren Anordnungen zu.

Oberste Vollzugsbehörde

§ 13. Oberste Vollzugsbehörde ist das Bundesministerium für Justiz; in ihm ist eine Generaldirektion für den Strafvollzug und den Vollzug freiheitsentziehender Maßnahmen samt Chefärztlichem Dienst und Begutachtungs- und Evaluationsstelle für Gewalt- und Sexualstraftäter einzurichten. Die Bildungseinrichtung für den Strafvollzug und den Maßnahmenvollzug ist dem Bundesministerium für Verfassung, Reformen, Deregulierung und Justiz als eigene Organisationseinheit unterstellt.

Justizwache

§ 13a. Die Justizwache ist als Wachkörper den Vollzugsbehörden beigegeben.

Aufsicht über den Strafvollzug

§ 14. (1) Die Einhaltung der Bestimmungen dieses Bundesgesetzes und der darauf gegründeten Vorschriften und Anordnungen ist von den Leitern der Anstalten zum Vollzug innerhalb des Bereiches der ihnen unterstellten Einrichtungen und im ganzen Bundesgebiet durch das Bundesministerium für Verfassung, Reformen, Deregulierung und Justiz zu überwachen.

(2) Die Vollzugsbehörden haben sich von dem gesamten Verwaltungs- und Vollzugsbetrieb in den von ihnen zu beaufsichtigenden Einrichtungen durch eigene Wahrnehmung Kenntnis zu verschaffen.

(3) Über Missstände, die im eigenen Wirkungsbereich nicht abgestellt werden können, haben die Leiter der Justizanstalten dem Bundesministerium für Verfassung, Reformen, Deregulierung und Justiz zu berichten.

(Anm.: Abs. 4 aufgehoben durch BGBl. I Nr. 1/2012)

Innere Revision des Strafvollzuges

§ 14a. (1) Zur Sicherstellung einer gesetzmäßigen, zweckmäßigen, wirtschaftlichen und sparsamen Vollziehung hat das Bundesministerium für Verfassung, Reformen, Deregulierung und Justiz eine innere Revision einzurichten, die in allen Anstalten regelmäßig Untersuchungen durchzuführen hat.

(2) Die innere Revision hat unter besonderer Bedachtnahme auf die Wahrung der Menschenwürde die Realisierung der Vollzugszwecke, die Gestaltung des Vollzuges, die Effizienz und die Funktionstüchtigkeit des Anstaltsbetriebes, die aufbau- und ablauforganisatorischen Gegebenheiten, die Gewährleistung der Sicherheit und Ordnung sowie das Erscheinungsbild zu untersuchen, Abweichungen von den Bestimmungen dieses Bundesgesetzes und der darauf gegründeten Vorschriften und Anordnungen festzustellen, ihre Ursachen zu analysieren, auf Grund der Ergebnisse die untersuchte Anstalt zu beraten, über die Ergebnisse einen Bericht abzufassen und dabei

1. Empfehlungen, die sich auch auf die Wahrnehmung der Aufsicht selbst zu beziehen haben, an die Aufsichtsorgane zu richten und

2. Vorschläge für eine zweckentsprechendere Aufgabenerfüllung unmittelbar an den Bundesminister für Verfassung, Reformen, Deregulierung und Justiz zu erstatten.

(3) Der Bundesminister für Verfassung, Reformen, Deregulierung und Justiz ist ermächtigt, durch Verordnung die nähere Organisation der inneren Revision, insbesondere die Zuordnung und Ausgestaltung der Revisionseinrichtung und die Berufung und Stellung der Revisionsorgane, zu regeln.

Gebühren der Sachverständigen im Verfahren der Vollzugsbehörden

§ 15. Sachverständige haben für ihre Tätigkeit im Verfahren der Vollzugsbehörden Anspruch auf Gebühren nach dem Gebührenanspruchsgesetz 1975.

Einsatz der Informationstechnik

§ 15a. (1) Die Vollzugsverwaltung kann sich für Zwecke des Strafvollzuges der automationsunterstützten Datenverarbeitung bedienen. Für diese Zwecke dürfen die zuständigen Stellen auch personenbezogene, einschließlich der in § 39 Datenschutzgesetz – DSG, BGBl. I Nr. 165/1999, genannten Daten über Insassen der Justizanstalten automationsunterstützt verarbeiten, soweit sich diese Daten auf strafbare Handlungen der Insassen oder auf ihre vollzugsrelevanten Lebensumstände in und außerhalb der Justizanstalt beziehen, die Verarbeitung dieser Daten in den Fällen des § 38 DSG erforderlich, in den Fällen des § 39 DSG unbedingt erforderlich und in beiden Fällen verhältnismäßig ist und wirksame Maßnahmen zum Schutz der Rechte und Freiheiten der betroffenen Personen getroffen werden.

(2) Die Vollzugsverwaltung darf auch personenbezogene Daten (§§ 38, 39 DSG)

1. von Personen, die im Rahmen der Seelsorge (§ 85) oder des Verkehrs mit der Außenwelt (§§ 86 bis 100) mit Insassen verkehren oder die Anstalt nach § 101 Abs. 2 betreten,

2. von Unternehmern, die mit der Vollzugsverwaltung in vollzugs- (§ 46) oder privatwirtschaftlichem Kontakt stehen,

3. von Opfern, insbesondere zur Gewährleistung der Verständigungspflicht nach § 149 Abs. 5,

4. von Personen, die im begründeten Verdacht stehen, eine Verwaltungsübertretung nach § 180a oder eine strafbare Handlung nach § 300 StGB begangen zu haben, sowie

5. von Personen, mit denen der Strafgefangene im Rahmen des elektronisch überwachten Hausarrests in Kontakt tritt,

automationsunterstützt verarbeiten, soweit dies in den Fällen des § 38 DSG erforderlich, in den Fällen des § 39 DSG unbedingt erforderlich und in beiden Fällen verhältnismäßig ist und wirksame Maßnahmen zum Schutz der Rechte und Freiheiten der betroffenen Personen getroffen werden.

(3) Das Bundesministerium für Verfassung, Reformen, Deregulierung und Justiz (§ 13) und die Vollzugsbehörden erster Instanz (§ 11) sind gemeinsame Verantwortliche (§ 47 DSG). Die Pflichten des Verantwortlichen nach den §§ 46, 52 und 54 DSG werden für die zentralen, vom Bundesministerium für Verfassung, Reformen, Deregulierung und Justiz vorgegeben Datenanwendungen von diesem, für andere im Verzeichnis der Verarbeitungstätigkeiten der Vollzugsbehörde erster Instanz aufgenommene Datenverarbeitungen von den Vollzugsbehörden erster Instanz wahrgenommen. Das Verzeichnis der Verarbeitungstätigkeiten (§ 49 DSG) wird für die zentralen Datenanwendungen vom Bundesministerium für Verfassung, Reformen, Deregulierung und Justiz und im Übrigen bei den Vollzugsbehörden erster Instanz geführt. Die Wahrnehmung der Rechte nach den §§ 42 bis 45 DSG der betroffenen Personen gemäß Abs. 1 und 2 obliegt den Vollzugsbehörden erster Instanz für die in ihrem Verzeichnis der Verarbeitungstätigkeiten aufgenommenen Datenverarbeitungen.

(4) Die Vollzugsverwaltung kann nach Maßgabe des § 48 DSG zur Datenverarbeitung einen Auftragsverarbeiter (§ 36 Abs. 9 Z 9 DSG) heranziehen, soweit dies der Einfachheit, Zweckmäßigkeit und Kostenersparnis dient.

(5) Die Übermittlung von Daten im Sinne der Abs. 1 und 2 durch den Auftragsverarbeiter an andere Rechtsträger ist nur auf Grund einer Weisung eines Verantwortlichen (§ 48 Abs. 6 DSG) zulässig.

Datenverkehr und Datenverarbeitung

§ 15b. (1) Die Übermittlung von Daten gemäß § 15a Abs. 1 und 2 zwischen Vollzugsbehörden untereinander sowie zwischen Vollzugsbehörden und Gerichten, Staatsanwaltschaften, Sicherheitsbehörden und Einrichtungen der Bewährungshilfe sowie anderen Stellen, mit denen die Vollzugsbehörden kraft Gesetzes oder kraft Vereinbarung Daten auszutauschen haben, hat nach Maßgabe der technischen Möglichkeiten und unter Bedachtnahme auf die wirtschaftliche Vertretbarkeit automationsunterstützt zu erfolgen. Vor jeder Übermittlung personenbezogener Daten ist deren Richtigkeit, Vollständigkeit, Aktualität und Zuverlässigkeit soweit als möglich zu überprüfen.

(2) Die in Abs. 1 genannten Stellen sind ermächtigt, personenbezogene Daten, die sie rechtmäßig verarbeitet haben, auch für einen anderen in § 36 Abs. 1 DSG angeführten Verwendungszweck zu verarbeiten, sofern die Voraussetzungen der §§ 38 und 39 DSG erfüllt sind.

(3) Wird eine Person, die polizeilich angehalten wird, einer Justizanstalt überstellt (eingeliefert), dann hat die Sicherheitsbehörde alle personenbezogene Daten nach Maßgabe des Abs. 1 an die Justizanstalt zu übermitteln, die dort zum Vollzug benötigt werden.

(4) Wird eine Person, die von einer Justizanstalt angehalten wird, an eine Sicherheitsbehörde übergeben, dann hat die Justizanstalt alle personenbezogene Daten nach Maßgabe des Abs. 1 an die Sicherheitsbehörde zu übermitteln, die dort zum Vollzug benötigt werden.

(5) Die Vollzugsbehörden dürfen Daten gemäß § 15a Abs. 1 und 2 nach Maßgabe des Abs. 1 sowie unter sinngemäßer Anwendung des § 77 Abs. 2 StPO auch für im öffentlichen Interesse liegende Archivzwecke, wissenschaftliche oder historische Forschungszwecke oder statistische Zwecke übermitteln.

Eingeschränkter Datenzugriff

§ 15c. (1) Auf Daten von ehemaligen Strafgefangenen – mit Ausnahme der in Abs. 3 angeführten Daten – ist nach Ablauf von zehn Jahren ab dem Zeitpunkt, zu dem die letzte Haft oder Unterbringung beendet wurde, der Zugriff nur durch den Bundesminister für Verfassung, Reformen, Deregulierung und Justiz, den Anstaltsleiter oder durch von diesen dazu bestimmte Bedienstete zulässig (eingeschränkter Datenzugriff). Solche Abfragen sind besonders zu protokollieren. Die Protokolldatei über diese Datenzugriffe ist dem Bundesministerium für Verfassung, Reformen, Deregulierung und Justiz vierteljährlich vorzulegen und mindestens ein Jahr zu speichern.

(2) Die Daten unterliegen nicht dem eingeschränkten Datenzugriff, sobald die betreffende Person neuerlich in einer Justizanstalt angehalten wird.

(3) Nicht dem eingeschränkten Datenzugriff unterliegen:

1. Name, Vorname,

2. Geburtsdatum, Geburtsort,

3. Vornamen der Eltern und Alias-Namen sowie weitere Daten, wenn sie zur eindeutigen Identifizierung bei der Aufnahme dienen.

(4) Sämtliche Daten sind jedenfalls 80 Jahre nach dem Zeitpunkt, zu dem die letzte Haft oder Unterbringung beendet wurde, zu löschen.

(5) In den Fällen des § 15a Abs. 2 Z 1 bis 3 sind die Daten der betroffenen Personen, die keine Insassen sind, drei Jahre, mit Zustimmung der Betroffenen fünf Jahre nach dem letzten Kontakt zur Vollzugsbehörde von Amts wegen oder auf Antrag zu löschen, in den Fällen des § 15a Abs. 2 Z 4 zehn Jahre nach dem letzten Kontakt zur Vollzugsbehörde.

Dritter Unterabschnitt
Vollzugsgericht

Zuständigkeit

§ 16. (1) Vollzugsgericht ist das in Strafsachen tätige Landesgericht, in dessen Sprengel die Freiheitsstrafe vollzogen wird. Die Entscheidung steht dem Einzelrichter zu.

(2) Das Vollzugsgericht entscheidet

1. über den Beitrag des Verurteilten zu den Kosten des Strafvollzuges (§ 32);

(Anm.: Z 2 aufgehoben durch BGBl. I Nr. 52/2009)

3. über die Nichteinrechnung der Zeit einer Unterbrechung oder der außerhalb der Strafe verbrachten Zeit in die Strafzeit (§ 99);

3a. über die Nichteinrechnung der Zeit eines Ausganges oder der außerhalb der Strafe verbrachten Zeit in die Strafzeit (§§ 99a, 147);

4. über die Aufrechterhaltung der im § 103 Abs. 2 Z. 4 vorgesehenen Sicherheitsmaßnahme, wenn diese mehr als eine Woche dauert;

5. über die Aufrechterhaltung einer der im § 103 Abs. 2 Z. 5 vorgesehenen Sicherheitsmaßnahmen, wenn diese mehr als 48 Stunden dauern;

6. über die Nichteinrechnung einer im Hausarrest zugebrachten Zeit in die Strafzeit (§ 115);

7. über die Anhaltung eines Strafgefangenen in Einzelhaft gegen seinen Willen, wenn diese mehr als vier Wochen dauert (§ 125);

(Anm.: Z 8 aufgehoben durch BGBl. Nr. 799/1993)

9. über den nachträglichen Aufschub des Strafvollzuges (§ 133);

10. über das vorläufige Absehen vom Strafvollzug wegen Einreiseverbotes oder Aufenthaltsverbotes (§ 133a);

(Anm.: Z 11 aufgehoben durch BGBl. Nr. 799/1993)

12. über die bedingte Entlassung und die damit zusammenhängenden Anordnungen, über den Widerruf der bedingten Entlassung und darüber, daß die bedingte Entlassung endgültig geworden ist, soweit in den §§ 179 und 180 nichts anderes bestimmt wird (§§ 46, 48 bis 53 und 56 des Strafgesetzbuches).

(3) Das Vollzugsgericht am Sitz des Oberlandesgerichts, in dessen Sprengel die Freiheitsstrafe vollzogen wird, entscheidet über Beschwerden

1. gegen eine Entscheidung oder Anordnung des Anstaltsleiters,

2. wegen Verletzung eines subjektiven Rechts durch ein Verhalten des Anstaltsleiters,

3. wegen Verletzung der Entscheidungspflicht durch den Anstaltsleiter.

§ 16a. (1) Das Oberlandesgericht Wien entscheidet für das gesamte Bundesgebiet über Beschwerden

1. gegen einen Beschluss des Vollzugsgerichts nach § 16 Abs. 3 wegen Rechtswidrigkeit,

2. gegen einen Bescheid des Bundesministeriums für Verfassung, Reformen, Deregulierung und Justiz,

3. wegen Verletzung der Entscheidungspflicht durch das Bundesministerium für Verfassung, Reformen, Deregulierung und Justiz.

(2) Rechtswidrigkeit nach Abs. 1 Z 1 liegt nicht vor, soweit das Vollzugsgericht Ermessen im Sinne des Gesetzes geübt hat.

(3) Gegen den Beschluss des Vollzugsgerichts nach § 16 Abs. 3 ist eine Beschwerde nur zulässig, wenn die Entscheidung von der Lösung einer Rechtsfrage abhängt, der zur Wahrung der Rechtseinheit, Rechtssicherheit oder Rechtsentwicklung erhebliche Bedeutung zukommt, insbesondere weil das Vollzugsgericht von der bisherigen höchstgerichtlichen Rechtsprechung in Strafvollzugssachen abweicht, eine solche Rechtsprechung fehlt oder uneinheitlich ist.

Gerichtliches Verfahren

§ 17. (1) Für Entscheidungen des Gerichts nach § 16 Abs. 2 gelten die folgenden Bestimmungen:

1. Das Gericht hat vor jeder Entscheidung eine Äußerung des Anstaltsleiters, der Staatsanwaltschaft sowie des Verurteilten einzuholen.

2. Soweit der Sachverhalt im Hinblick auf den Gesundheitszustand oder die Wesensart des Verurteilten nicht genügend geklärt erscheint, sind vor der Entscheidung auch der in der Anstalt tätige Arzt, Psychotherapeut oder Psychologe und erforderlichenfalls auch andere ärztliche, psychotherapeutische oder psychologische Sachverständige zu hören.

3. Für das Verfahren des Vollzugsgerichts gelten, soweit im Einzelnen nicht anderes angeordnet wird, die Bestimmungen der StPO sinngemäß. Der Verurteilte hat die Rechte des Beschuldigten. Der Beschluss ist dem Verurteilten stets selbst bekannt zu machen, eine Ausfertigung des Beschlusses jedoch auf sein Verlangen auch seinem Verteidiger zuzustellen, wodurch für diesen die Frist zur Erhebung einer Beschwerde (§ 88 Abs. 1 StPO) ausgelöst wird.

4. Die Beschwerde gegen die Bewilligung einer der im § 16 Abs. 2 Z 1 bis 3a, 6, 9, 10 und 12 bezeichneten Maßnahmen hat aufschiebende Wirkung, es sei denn, sie richte sich gegen die Nichteinrechnung einer Zeit in die Strafzeit und wäre offenbar aussichtslos.

(2) Im Verfahren nach den §§ 16 Abs. 3 und 16a hat das Gericht, soweit in diesem Bundesgesetz nicht anderes bestimmt ist, folgende Bestimmungen sinngemäß anzuwenden:

1. im Beschwerdeverfahren nach den §§ 16 Abs. 3 Z 1 und 2 sowie 16a Abs. 1 Z 1 und 2 außer wegen eines Ordnungsstraferkenntnisses das AVG mit Ausnahme der §§ 2 bis 4, 38, 40 bis 44g, 51, 55, 57, 58a, 63 bis 66, 68 Abs. 2 bis 7, 73 Abs. 2 und 3 und 75 bis 80,

! Fassung ab **01.07.2026**

(Anm.: Z 1 aufgehoben durch VfGH, BGBl. I Nr. 31/2025)

2. im Beschwerdeverfahren nach den §§ 16 Abs. 3 Z 1 und 16a Abs. 1 Z 1 wegen eines Ordnungsstraferkenntnisses das AVG in dem in Z 1 genannten Umfang mit Ausnahme des § 11, und die §§ 1 bis 8, 19, 19a, 22, 25, 31, 32, 38, 44a Z 1 bis 3 und 5, 45, 51 Abs. 7, 52 und 55 VStG sowie die §§ 42 und 52 VwGVG, mit der Maßgabe dass der im § 52 Abs. 2 VwGVG genannte Mindestverfahrenskostenbeitrag entfällt,

3. im Beschwerdeverfahren nach den §§ 16 Abs. 3 Z 3 und 16a Abs. 1 Z 3 jene Bestimmungen in Bundesgesetzen, die die säumige Vollzugsbehörde anzuwenden gehabt hätte.

Vierter Unterabschnitt

Vollzugssenate

§ 18. (1) Im Verfahren nach den §§ 16 Abs. 3 und 16a steht die Entscheidung einem Senat zu. Die Senate setzen sich aus zwei Richtern, von denen einer den Vorsitz führt, und einem fachkundigen Laienrichter zusammen.

(Anm.: Abs. 2 aufgehoben durch BGBl. I Nr. 13/2015)

(3) Von der Entscheidung im Beschwerdeverfahren ist ausgeschlossen

1. ein fachkundiger Laienrichter, wenn er an der in Beschwerde gezogenen Entscheidung mitgewirkt hat;

2. ein Mitglied des Vollzugssenates, wenn andere Gründe vorliegen, die geeignet sind, seine volle Unbefangenheit in Zweifel zu setzen.

(4) Der Vorsitzende hat für jede Beschwerdesache ein Senatsmitglied zum Referenten zu bestellen, die Sitzungen des Senates nach Bedarf anzuberaumen, die zur Vorbereitung der Sitzung dienenden Verfügungen zu treffen und die Sitzungen zu leiten.

(5) Ein Senat ist beschlussfähig, wenn alle Mitglieder anwesend sind. Verhinderte Mitglieder des Senates sind durch die Ersatzmitglieder in der in der Geschäftsverteilung festgelegten Reihenfolge zu vertreten.

(6) Jeder Abstimmung hat eine Beratung vorauszugehen. Der fachkundige Laienrichter gibt seine Stimme vor den Richtern ab. Der Vorsitzende stimmt zuletzt ab. Das Gericht entscheidet mit der Mehrheit der Stimmen. Eine Stimmenthaltung ist unzulässig.

(7) Über die Beratung und Abstimmung ist ein Protokoll zu führen.

(8) Der Vorsitzende kann die Beratung und Beschlussfassung über die Zurückweisung von Beschwerden durch Einholung der Zustimmung der anderen Mitglieder des Senates im Umlaufweg ersetzen, wenn keines dieser Mitglieder widerspricht. Die Zustimmung kann nur schriftlich erteilt werden.

Fachkundige Laienrichter

§ 18a. (1) Die Tätigkeit als fachkundiger Laienrichter und Ersatzlaienrichter ist eine dienstliche Aufgabe.

Die fachkundigen Laienrichter und Ersatzlaienrichter sind in Ausübung ihres Amtes unabhängig; sie haben hiebei die mit dem Richteramt verbundenen Befugnisse in vollem Umfang.

(2) Fachkundige Laienrichter müssen österreichische Staatsbürger sein. Sie dürfen nicht wegen einer vorsätzlich begangenen strafbaren Handlung rechtskräftig verurteilt worden sein, außer die Strafe ist getilgt. Als fachkundige Laienrichter dürfen nur Bundesbedienstete des Dienststandes aus dem Kreis der Anstaltsleiter, deren Stellvertreter oder sonstiger erfahrener Strafvollzugsbediensteter bestellt werden.

(3) Der Bundesminister für Verfassung, Reformen, Deregulierung und Justiz hat nach Einholung eines Vorschlages des Präsidenten des Oberlandesgerichts die erforderliche Anzahl von fachkundigen Laienrichtern jeweils für die Dauer von sechs Jahren zu bestellen. Für jeden Laienrichter sind mindestens zwei Ersatzlaienrichter zu bestellen. Der Ersatzlaienrichter hat den fachkundigen Laienrichter im Fall von dessen Verhinderung zu vertreten.

(4) Die erste Funktionsperiode beginnt mit 1. Jänner 2014. Die fachkundigen Laienrichter sind vor Antritt ihres Amtes vom Präsidenten des Oberlandesgerichts zu beeiden. Das Amt beginnt mit der Angelobung. Eine Wiederbestellung ist zulässig.

(5) Die fachkundigen Laienrichter und Ersatzlaienrichter haben dem Präsidenten des Gerichts (dem Vorsitzenden des Senates) umgehend bekanntzugeben:

1. jeden Umstand, der sie daran hindert, einer Ladung als fachkundiger Laienrichter nachzukommen,

2. das Eintreten einer länger dauernden Verhinderung an ihrer Amtsausübung.

(6) Die von den fachkundigen Laienrichtern zur Wahrnehmung ihrer Funktion unternommenen Reisen sind nach Maßgabe der Reisegebührenvorschrift 1955, BGBl. Nr. 133, wie Dienstreisen zu vergüten, wobei als Dienstort der Dienstort der Haupttätigkeit gilt.

§ 18b. (1) Das Amt als fachkundiger Laienrichter oder Ersatzlaienrichter ruht während der Zeit einer (vorläufigen) Suspendierung, einstweiligen Enthebung oder Außerdienststellung sowie während eines Urlaubs von mehr als drei Monaten und der Ableistung eines Wehr-, Ausbildungs- oder Zivildienstes.

(2) Das Amt als fachkundiger Laienrichter oder Ersatzlaienrichter endet

1. mit Ablauf der Bestelldauer, wenn aber die Bestellung des nachfolgenden fachkundigen Laienrichters oder Ersatzlaienrichters nach diesem Zeitpunkt erfolgt, mit dem Amtsantritt des nachfolgenden fachkundigen Laienrichters oder Ersatzlaienrichters,

2. durch Tod,

3. mit dem Ausscheiden aus dem Dienststand,

4. durch Amtsenthebung oder

5. mit der rechtskräftigen Verhängung einer anderen Disziplinarstrafe als des Verweises.

(3) Ein fachkundiger Laienrichter oder Ersatzlaienrichter ist seines Amtes zu entheben, wenn dieser

1. eine der gesetzlichen Bestellungsvoraussetzungen verliert,

2. auf Grund seiner gesundheitlichen Verfassung seine richterlichen Aufgaben nicht mehr erfüllen kann,

3. die ihm obliegenden Amtspflichten als fachkundiger Laienrichter oder Ersatzlaienrichter grob verletzt oder vernachlässigt hat oder

4. ein Verhalten setzt, das mit dem Ansehen des Amtes unvereinbar ist.

(4) Über die Enthebung nach Abs. 3 Z 1, 2 und 4 hat das Gericht, das im Sinne des § 90 RStDG, BGBl. Nr. 305/1961, Dienstgericht wäre, in dem nach § 93 Abs. 1 RStDG vorgesehenen Verfahren, über die Enthebung nach Abs. 3 Z 3 das Gericht, das im Sinne des § 111 RStDG Disziplinargericht wäre, in dem nach §§ 112 bis 120, 122 bis 149, 151, 152 lit. a, 153, 154, 155 Abs. 1, 157, 161 bis 165 RStDG vorgesehenen Verfahren mit der Maßgabe zu entscheiden, dass außer der Enthebung keine Strafe verhängt werden darf.

Fassung ab **01.01.2026**

Senate für bedingte Entlassungen

§ 18c. (1) In Verfahren nach § 16 Abs. 2 Z 12, sofern die Strafzeit mehr als drei Jahre beträgt oder bei lebenslangen Freiheitsstrafen, steht die Entscheidung einem Senat zu. Der Senat setzt sich aus einem Richter, welcher den Vorsitz führt, und zwei fachkundigen Laienrichtern zusammen.

(2) Von der Entscheidung in Verfahren gemäß Abs. 1 ist ausgeschlossen:

1. ein fachkundiger Laienrichter, der sich in diesem Verfahren nach § 152 Abs. 2 geäußert hat oder nach § 152a Abs. 2 gehört wurde, oder der gegenüber einer Person, die eine solche Stellungnahme abgegeben hat, weisungsgebunden ist;

2. ein Mitglied des Senates, wenn andere Gründe vorliegen, die geeignet sind, seine volle Unbefangenheit in Zweifel zu ziehen.

(3) Der Vorsitzende hat für jedes Verfahren die Sitzungen des Senates nach Bedarf anzuberaumen, die zur Vorbereitung der Sitzung dienenden Verfügungen zu treffen und die Sitzungen zu leiten.

(4) Ein Senat ist beschlussfähig, wenn alle Mitglieder anwesend sind. Verhinderte Mitglieder des Senates sind durch die Ersatzmitglieder in der in der Geschäftsverteilung festgelegten Reihenfolge zu vertreten.

(5) Jeder Abstimmung hat eine Beratung vorauszugehen. Die fachkundigen Laienrichter geben ihre Stimme vor dem Richter ab. Das Gericht entscheidet

mit der Mehrheit der Stimmen. Eine Stimmenthaltung ist unzulässig.

(6) Über die Beratung und Abstimmung ist ein Protokoll zu führen.

(7) Über eine Zurückweisung eines Antrags, welcher die zeitliche Voraussetzung (§ 46 Abs. 1 StGB) nicht erfüllt oder von einer nicht berechtigten Person eingebracht wurde (§ 152 Abs. 1), entscheidet der Vorsitzende mit Beschluss.

Fassung ab **01.01.2026**

Fachkundige Laienrichter für bedingte Entlassungen

§ 18d. (1) Die Tätigkeit als fachkundiger Laienrichter gemäß Abs. 2 Z 1 ist eine dienstliche Aufgabe. Das Amt des fachkundigen Laienrichters gemäß Abs. 2 Z 2 ist ein Ehrenamt. Die fachkundigen Laienrichter und Ersatzlaienrichter sind in Ausübung ihres Amtes unabhängig; sie haben hiebei die mit dem Richteramt verbundenen Befugnisse in vollem Umfang.

(2) Fachkundige Laienrichter müssen österreichische Staatsbürger sein. Sie dürfen nicht wegen einer vorsätzlich begangenen strafbaren Handlung rechtskräftig verurteilt worden sein, außer die Strafe ist getilgt. Als fachkundige Laienrichter sind zu bestellen:

1. ein Bundesbediensteter des Dienststandes aus dem Kreis der Anstaltsleiter, deren Stellvertreter oder sonstiger erfahrener Strafvollzugsbediensteter sowie

2. eine im Geschäftsfeld der Bewährungshilfe erfahrene und hauptamtlich tätige Person aus einer Dienst- und Geschäftsstelle für Bewährungshilfe oder einer Vereinigung, die mit Aufgaben der Bewährungshilfe betraut ist.

(3) § 18a Abs. 3, Abs. 4 zweiter bis vierter Satz und Abs. 5 sowie § 18b Abs. 4 sind anzuwenden, bei fachkundigen Laienrichtern gemäß Abs. 2 Z 1 zusätzlich auch § 18a Abs. 6 und § 18b Abs. 1 bis 3. Für fachkundige Laienrichter gemäß Abs. 2 Z 2 gilt § 18b Abs. 1 bis 3 sinngemäß. Die erste Funktionsperiode beginnt mit 1. Jänner 2026.

(4) Fachkundige Laienrichter gemäß Abs. 2 Z 2 haben Anspruch auf Ersatz der Reise- und Aufenthaltskosten entsprechend den für Zeugen geltenden Bestimmungen des GebAG.

Fünfter Unterabschnitt

Vollzugsunterlagen

§ 19. (1) In jeder Anstalt zum Vollzug von Freiheitsstrafen ist ein Verzeichnis aller Strafgefangenen zu führen.

(2) Alle denselben Strafgefangenen betreffenden Geschäftsstücke sind als Personalakt dieses Strafgefangenen zu vereinigen.

Zweiter Abschnitt

GRUNDSÄTZE DES STRAFVOLLZUGES

Erster Unterabschnitt

Allgemeine Grundsätze

Zwecke des Strafvollzuges

§ 20. (1) Der Vollzug der Freiheitsstrafen soll den Verurteilten zu einer rechtschaffenen und den Erfordernissen des Gemeinschaftslebens angepaßten Lebenseinstellung verhelfen und sie abhalten, schädlichen Neigungen nachzugehen. Der Vollzug soll außerdem den Unwert des der Verurteilung zugrunde liegenden Verhaltens aufzeigen.

(2) Zur Erreichung dieser Zwecke und zur Aufrechterhaltung der Sicherheit und Ordnung in den Anstalten zum Vollzug von Freiheitsstrafen sind die Strafgefangenen nach Maßgabe der Bestimmungen dieses Bundesgesetzes und der darauf gegründeten Vorschriften von der Außenwelt abzuschließen, sonstigen Beschränkungen ihrer Lebensführung zu unterwerfen und erzieherisch zu beeinflussen.

(3) Wird eine Untersuchungshaft nur deshalb nicht verhängt oder aufrechterhalten, weil sich der Beschuldigte in Strafhaft befindet, so haben die im Vollzug der Freiheitsstrafen gegenüber dem Vollzug der Untersuchungshaft vorgesehenen Lockerungen in der Abschließung des Strafgefangenen von der Außenwelt so lange und in dem Ausmaß zu entfallen, als es der Zweck der Untersuchungshaft im Einzelfall erfordert.

Abschließung

§ 21. (1) Die Strafgefangenen dürfen, soweit in diesem Bundesgesetz nichts anderes bestimmt ist, die Anstalt zum Vollzug von Freiheitsstrafen bis zu ihrer Entlassung nicht verlassen, Außenarbeiten nur unter Aufsicht verrichten und mit Personen außerhalb der Anstalt nicht verkehren. StVG

(2) Art und Ausmaß des Verkehrs zwischen den im Strafvollzug tätigen Personen, den sonst für die Anstalt tätigen Personen sowie den Bediensteten der öffentlichen Verwaltung, Unternehmern, anderen privaten Auftraggebern (§ 45 Abs. 2) und deren Bediensteten einerseits und den Strafgefangenen anderseits haben sich nach den Zwecken des Strafvollzuges zu richten.

Behandlung der Strafgefangenen

§ 22. (1) Die Strafgefangenen sind mit Ruhe, Ernst und Festigkeit, gerecht sowie unter Achtung ihres Ehrgefühls und der Menschenwürde zu behandeln. Sie sind mit „Sie„ und, wenn ein einzelner Strafgefangener mit seinem Familiennamen angesprochen wird, mit „Herr„ oder „Frau„ und mit diesem Namen anzureden.

(2) Den Strafgefangenen dürfen nur nach Maßgabe der Gesetze Beschränkungen auferlegt oder Vergünsti-

gungen und Lockerungen des Strafvollzuges gewährt werden.

(3) Alle im Strafvollzug außerhalb eines gerichtlichen Verfahrens ergehenden Anordnungen und Entscheidungen sind, soweit im folgenden nichts anderes bestimmt wird, ohne förmliches Verfahren und ohne Erlassung eines Bescheides zu treffen; soweit es nötig scheint, ist jedoch der wesentliche Inhalt der Anordnung oder Entscheidung im Personalakt des Strafgefangenen festzuhalten. In den Fällen der §§ 116 und 121 ist hingegen vom Anstaltsleiter oder dem damit besonders beauftragten Strafvollzugsbediensteten ein Ermittlungsverfahren durchzuführen und ein Bescheid zu erlassen. Alle im Strafvollzug ergehenden Anordnungen und Entscheidungen einschließlich der Bescheide, jedoch mit Ausnahme der Ordnungsstrafverfügungen (§ 116a), sind den Strafgefangenen mündlich bekanntzugeben. Das Recht, eine schriftliche Ausfertigung der Entscheidung zu verlangen, steht den Strafgefangenen nur in den Fällen der §§ 17, 116 und 121 zu.

(4) Die Strafgefangenen sind erforderlichenfalls über den Inhalt und auch über den Sinn jeder in Ansehung ihrer Person getroffenen oder bevorstehenden Maßnahme zu belehren und bei der Erfüllung ihrer Pflichten anzuleiten.

Vergünstigungen

§ 24. (1) Einem Strafgefangenen, der erkennen läßt, daß er an der Erreichung der Zwecke des Strafvollzuges mitwirkt, sind auf sein Ansuchen geeignete Vergünstigungen zu gewähren.

(2) Als Vergünstigungen dürfen nur solche Abweichungen von der in diesem Bundesgesetz bestimmten allgemeinen Art des Strafvollzuges gestattet werden, die die Zwecke dieses Vollzuges (§ 20) nicht beeinträchtigen, insbesondere solche, die die Vorbereitung des Strafgefangenen auf ein straffreies Leben in Freiheit fördern.

(3) Über die Gewährung, Beschränkung und Entziehung von Vergünstigungen hat unbeschadet der Bestimmungen dieses Bundesgesetzes über das Verfahren bei Ordnungswidrigkeiten und bei Beschwerden der Anstaltsleiter zu entscheiden. Andere als die im folgenden besonders angeführten Vergünstigungen dürfen nur mit Genehmigung des Bundesministeriums für Verfassung, Reformen, Deregulierung und Justiz gewährt werden:

(Anm.: Z 1 aufgehoben durch BGBl. I Nr. 52/2009)

2. Benutzung eigener Sportgeräte und -bekleidung;

3. Benutzung eigener Fernseh- oder Radioapparate sowie sonstiger technischer Geräte;

4. Musizieren auf eigenen Instrumenten;

5. längere Beleuchtung des Haftraumes (§ 40 Abs. 3 letzter Satz).

(3a) Der Strafgefangene hat der Anstalt aus dem Betrieb von Vergünstigungen nach Abs. 3 Z 3 entstehende, über die einfache Lebensführung hinausgehende Kosten zu ersetzen. Der Kostenersatz hat sich an den dafür durchschnittlich anfallenden Kosten zu orientieren und ist vom Hausgeld einzubehalten. Zur Bestreitung des Kostenersatzes dürfen die Strafgefangenen auch Eigengeld verwenden.

(4) Soweit ein Strafgefangener die ihm gewährten Vergünstigungen mißbraucht oder sonst die Voraussetzungen, unter denen sie gewährt worden sind, nachträglich wieder wegfallen, sind die Vergünstigungen zu beschränken oder zu entziehen.

Hausordnung

§ 25. (1) Der Anstaltsleiter hat die Anordnungen über die Besuchszeiten (§ 94 Abs. 1), über das mündliche Vorbringen von Ansuchen und Beschwerden (§§ 119 und 120 Abs. 2) und andere unter Berücksichtigung der Verhältnisse der Anstalt ergehende allgemeine Anordnungen über den Vollzug, soweit sie das Verhalten der Strafgefangenen betreffen und ihrer Art nach nicht bloß vorübergehender Natur sind, in einer Hausordnung zusammenzufassen.

(2) Je ein Abdruck der Hausordnung und der das Verhalten der Strafgefangenen betreffenden Bestimmungen dieses Bundesgesetzes ist in jedem Haftraum aufzulegen.

Allgemeine Pflichten der Strafgefangenen

§ 26. (1) Die Strafgefangenen haben den Anordnungen der im Strafvollzug tätigen Personen Folge zu leisten. Sie dürfen die Befolgung von Anordnungen nur ablehnen, wenn die Anordnung gegen strafgesetzliche Vorschriften verstößt oder die Befolgung dagegen verstoßen oder offensichtlich die Menschenwürde verletzen würde.

(2) Die Strafgefangenen haben alles zu unterlassen, was die Sicherheit und Ordnung in der Anstalt oder sonst die Verwirklichung der Grundsätze des Strafvollzuges gefährden könnte. Sie haben sich so zu benehmen, wie es der Anstand gebietet.

(3) Die Strafgefangenen dürfen nicht eigenmächtig die ihnen zum Aufenthalt angewiesenen Räume verlassen oder die ihnen bei der Arbeit, bei der Bewegung im Freien, im gemeinsamen Schlafraum oder sonst zugewiesenen Plätze wechseln. Sie haben sich an die Tageseinteilung zu halten.

(4) Die Strafgefangenen haben die auf die Vermittlung einer rechtschaffenen Lebenseinstellung und auf ihre Wiedereingliederung in das Gemeinschaftsleben gerichteten Bemühungen nach Kräften zu unterstützen.

Verbot der Selbstbeschädigung und des Tätowierens

§ 27. (1) Die Strafgefangenen dürfen sich nicht am Körper verletzen oder an der Gesundheit schädigen, um sich zur Erfüllung ihrer Pflichten untauglich zu machen; sie dürfen sich auch nicht zu diesem Zweck durch einen anderen verletzen oder schädigen lassen.

(2) Das Tätowieren ist verboten.

Geschäfts- und Spielverbot

§ 30. (1) Die Strafgefangenen dürfen weder mit einer im Strafvollzug tätigen Person noch mit einem in derselben Anstalt angehaltenen Strafgefangenen oder Untersuchungshäftling Geschäfte abschließen.

(2) Die Strafgefangenen dürfen sich an Lotteriespielen und anderen Spielen um einen Einsatz nicht beteiligen.

(3) Soweit in diesem Bundesgesetz nichts anderes bestimmt und davon keine Gefährdung der Ordnung des Strafvollzuges zu befürchten ist, dürfen die Strafgefangenen Nahrungs- und Genußmittel geringen Wertes als Geschenk annehmen; die Entscheidung darüber steht dem Anstaltsleiter oder dem von ihm hiezu ermächtigten unmittelbar aufsichtführenden Strafvollzugsbediensteten zu.

Unterhalt

§ 31. (1) Die Anstalten zum Vollzug von Freiheitsstrafen haben nach Maßgabe der Bestimmungen dieses Bundesgesetzes für den Unterhalt der Strafgefangenen zu sorgen.

(2) Soweit die Strafgefangenen sich Sachgüter oder Leistungen gegen Entgelt verschaffen dürfen, können sie dafür außer in den in diesem Bundesgesetze bestimmten Fällen nur das Hausgeld verwenden.

Kosten des Strafvollzuges

§ 32. (1) Soweit im folgenden nichts anderes bestimmt wird, hat jeder Verurteilte für seinen Unterhalt (§ 31 Abs. 1) einen Beitrag zu den Kosten des Strafvollzuges zu leisten.

(2) Der Kostenbeitrag beträgt, wenn der Strafgefangene eine Arbeitsvergütung bezieht, 75 vH der jeweiligen Arbeitsvergütung, sonst das Vierfache der Arbeitsvergütung je Arbeitsstunde in der höchsten Vergütungsstufe (§ 52 Abs. 1) für jeden Tag der Strafzeit.

(3) Die Einhebung eines Kostenbeitrages nach Abs. 2 erster Fall erfolgt durch Abzug von der Arbeitsvergütung.

(4) Die Verpflichtung zur Leistung eines Kostenbeitrages nach Abs. 2 zweiter Fall entfällt, soweit den Strafgefangenen daran, daß er keine oder keine zufriedenstellende Arbeitsleistung erbracht hat, weder ein vorsätzliches noch ein grob fahrlässiges Verschulden trifft oder eine Einhebung des Kostenbeitrages unter sinngemäßer Anwendung des § 391 StPO nicht in Betracht kommt.

(5) Ist der Leiter der Anstalt, in der an dem Verurteilten zuletzt die Strafe vollzogen worden ist, der Ansicht, daß die Verpflichtung des Verurteilten zur Leistung eines Kostenbeitrages nach Abs. 2 zweiter Fall nicht gemäß Abs. 4 entfällt, so hat er binnen acht Tagen nach der Entlassung beim Vollzugsgericht den Antrag auf Festsetzung eines Kostenbeitrages zu stellen. Das Vollzugsgericht hat über diesen Antrag binnen einem Monat zu entscheiden (§ 16 Abs. 2 Z 1).

Ersatz für besondere Aufwendungen und Schäden am Anstaltsgut

§ 32a. (1) Führt ein Strafgefangener durch eine Flucht, durch eine vorsätzliche Selbstbeschädigung oder durch wiederholte grundlose Inanspruchnahme ärztlicher Betreuung besondere Aufwendungen herbei, so hat er diese zu ersetzen.

(2) Würde durch den Ersatz für besondere Aufwendungen (Abs. 1) oder für Schäden, die ein Strafgefangener am Anstaltsgut herbeigeführt und nach den Bestimmungen des bürgerlichen Rechtes zu ersetzen hat, der Unterhalt des Ersatzpflichtigen oder der ihm gegenüber Unterhaltsberechtigten oder sein Fortkommen gefährdet, so ist auf die Geltendmachung von Ersatzansprüchen bis zu einem Betrag von 3 000 Euro ganz oder teilweise zu verzichten. Der Verzicht steht dem Anstaltsleiter zu.

(3) Zur Sicherung des Ersatzanspruches steht dem Bund schon vor der Entscheidung über den Anspruch ein Zurückbehaltungsrecht an den Verwahrnissen des Strafgefangenen zu. Das Zurückbehaltungsrecht unterliegt den gleichen Beschränkungen, die bei der Eintreibung der zu sichernden Beträge zu beachten sind.

(4) Der Aufwandsersatz für die wiederholte grundlose Inanspruchnahme ärztlicher Betreuung ist erforderlichenfalls in angemessenen Teilbeträgen vom Hausgeld einzubehalten. Zur Bestreitung des Aufwandsersatzes dürfen die Strafgefangenen auch Gelder verwenden, die ihnen sonst für die Verschaffung von Leistungen im Strafvollzug nicht zur Verfügung stehen.

Besitz von Gegenständen

§ 33. (1) Die Strafgefangenen dürfen weder Geld noch andere als die ihnen bei der Aufnahme belassenen oder später ordnungsgemäß überlassenen Gegenstände in ihrem Gewahrsam haben.

(2) Außer den in diesem Bundesgesetz sonst bestimmten Fällen sind den Strafgefangenen nur solche eigene Gegenstände zu überlassen, die ihnen bei der Aufnahme zu belassen gewesen wären (§ 132 Abs. 2).

(3) Alle den Strafgefangenen überlassenen Gegenstände sind zu verzeichnen. Ist ein Mißbrauch zu besorgen, so sind die Gegenstände wieder abzunehmen.

Bezug von Bedarfsgegenständen

§ 34. (1) Die Strafgefangenen sind berechtigt, unbeschadet der §§ 112 Abs. 2 und 114 Abs. 2 einmal in der Woche auf eigene Kosten vom Anstaltsleiter zugelassene Nahrungs- und Genußmittel sowie Körperpflegemittel und andere einfache Gegenstände des täglichen Bedarfs durch Vermittlung der Anstalt zu beziehen. Berauschende Mittel dürfen nicht zugelassen werden, alkoholhältige Körperpflegemittel nur, soweit ein Mißbrauch nicht zu besorgen ist.

(2) Nach der Aufnahme oder einer Strafvollzugsortsänderung ist jedem Strafgefangenen alsbald ein Erstbezug solcher Bedarfsgegenstände in angemessenem Umfang, auch unter Verwendung seines Eigengeldes, zu ermöglichen. Soweit der Strafgefangene nicht selbst über entsprechende Geldmittel verfügt, ist ihm auf sein Ansuchen ein Vorschuß bis zum Doppelten der Arbeitsvergütung je Stunde in der höchsten Vergütungsstufe zu gewähren, der durch Einbehaltung angemessener Teilbeträge vom Hausgeld auszugleichen ist.

Behandlung von Anstaltsgut

§ 35. Die Strafgefangenen haben von ihnen benützte Anstaltsräume und deren Einrichtung sauber und in Ordnung zu halten und die ihnen überlassenen Anstaltssachen sowie die Gegenstände, mit denen sie bei Verrichtung der ihnen zugewiesenen Arbeit zu tun haben, schonend zu behandeln, soweit es notwendig ist zu pflegen und nur ihrer Zweckbestimmung entsprechend zu gebrauchen.

Meldepflicht

§ 36. (1) Jeder Strafgefangene, der erkrankt, verletzt oder von Ungeziefer befallen ist, hat dies unverzüglich zu melden.

(2) Ebenso ist jeder Strafgefangene, der etwas wahrnimmt, woraus eine ernste Gefahr für die körperliche Sicherheit von Menschen oder für die im § 35 bezeichneten Gegenstände in großem Ausmaß entstehen könnte, verpflichtet, dies unverzüglich zu melden, wenn er die Meldung leicht und ohne sich einer Gefahr auszusetzen erstatten kann.

Verfall von Geld und Gegenständen

§ 37. (1) Werden bei einem Strafgefangenen Geld oder Gegenstände entdeckt, die ihm nicht ordnungsgemäß überlassen worden sind, so sind das Geld und die Gegenstände zugunsten des Bundes für verfallen zu erklären, soweit nicht dritte Personen ein nach § 367 des Allgemeinen bürgerlichen Gesetzbuches geschütztes Eigentum nachweisen und sie an dem Zustandekommen des verbotenen Besitzes kein Verschulden trifft. Ebenso ist vorzugehen, wenn sonst im Bereich einer Anstalt zum Vollzug von Freiheitsstrafen verborgenes Geld oder verborgene Gegenstände (§ 395 des Allgemeinen bürgerlichen Gesetzbuches) oder Sachen entdeckt werden, die offensichtlich dazu bestimmt sind, daß sie einem Strafgefangenen entgegen den Bestimmungen dieses Bundesgesetzes zukommen.

(2) Die Entscheidung über den Verfall steht dem Anstaltsleiter zu.

Zweiter Unterabschnitt

Verpflegung, Bekleidung und Unterbringung

Verpflegung

§ 38. (1) Die Strafgefangenen sind mit einfacher Anstaltskost ausreichend zu verpflegen. Die Kost muß den ernährungswissenschaftlichen Erkenntnissen entsprechen und schmackhaft sein; sie ist zu den für die Einnahme von Mahlzeiten allgemein üblichen Tageszeiten auszugeben.

(2) Bei der Verpflegung ist auf eine reichlichere Kost für Strafgefangene, die Arbeit verrichten, auf Abweichungen von der allgemeinen Kost, die der Anstaltsarzt für einzelne Strafgefangene wegen ihres Gesundheitszustandes verordnet, sowie auf die dem Glaubensbekenntnis der Strafgefangenen entsprechenden Speisegebote Rücksicht zu nehmen; ist eine Rücksichtnahme auf diese Speisegebote nach den Einrichtungen der Anstalt nicht möglich, so ist den Strafgefangenen zu gestatten, sich insoweit eine diesen Geboten entsprechende Verpflegung unter Bedachtnahme auf Art und Maß der Anstaltskost von dritter Seite zur Verfügung stellen zu lassen.

Bekleidung

§ 39. (1) Die Strafgefangenen sind berechtigt, eigene Leibwäsche sowie einfache und zweckmäßige eigene Oberbekleidung zu tragen, soweit die regelmäßige Reinigung der Wäsche in der Anstalt möglich ist oder außerhalb der Anstalt durch deren Vermittlung besorgt werden kann und keine Gefährdung der Sicherheit und Ordnung zu befürchten ist.

(2) Im übrigen haben die Strafgefangenen in den in diesem Bundesgesetz bestimmten Fällen Anstaltskleidung zu tragen. Auch das Bettzeug sowie Hand- und Taschentücher sind von der Anstalt beizustellen.

Unterbringung

§ 40. (1) Die Strafgefangenen sind in einfach und zweckmäßig eingerichteten Räumen mit ausreichendem Luftraum und genügendem Tageslicht unterzubringen. Nichtraucher sind nach Möglichkeit nicht gemeinsam mit Rauchern in einem Haftraum unterzubringen, es sei denn, daß sie der gemeinsamen Unterbringung ausdrücklich zustimmen. Die Hafträume sind gut zu lüften und in der kalten Jahreszeit entsprechend zu heizen.

(2) Die Strafgefangenen sind berechtigt, den Haftraum nach ihren Vorstellungen insbesondere mit Blumen und Bildern auszuschmücken, soweit dadurch Sicherheit und Ordnung in der Anstalt nicht beeinträchtigt werden.

(3) Bei Dunkelheit sind die Hafträume außerhalb der Zeit der Nachtruhe so zu beleuchten, daß die Strafgefangenen ohne Gefährdung des Augenlichtes lesen und arbeiten können. Die Strafgefangenen sind berechtigt, im Haftraum ein- und ausschaltbare elektrische Lampen, insbesondere wenn sie bloß den ein-

zelnen Haftplatz ausleuchten, auch während der Zeit der Nachtruhe zu gebrauchen, soweit und solange dadurch andere Strafgefangene nicht unzumutbar belästigt werden und ein Mißbrauch nicht zu befürchten ist. Soweit die Hafträume nicht mit solchen Lampen ausgestattet sind, kann den Strafgefangenen die längere Beleuchtung des Haftraumes am Abend als Vergünstigung gewährt werden.

Verwahrnisse

§ 41. (1) Gegenstände, die dem Strafgefangenen bei der Aufnahme abgenommen werden oder die später für ihn einlangen, ihm aber nicht überlassen werden, sind zu verzeichnen und aufzubewahren. Gegenstände, zu deren Verwahrung es besonderer Vorkehrungen oder Räumlichkeiten bedürfte, sind zurückzuweisen. Das gleiche gilt unbeschadet des § 38 Abs. 2 auch für Gegenstände, die dem Verderb unterliegen. Benötigt der Strafgefangene die ihm bei der Aufnahme abgenommenen oder die später für ihn eingelangten und von der Anstalt aufbewahrten Gegenstände auch bei der Entlassung nicht und beträgt die Strafzeit mehr als drei Monate, so ist der Strafgefangene aufzufordern, eine Person zu bezeichnen, damit die Gegenstände dieser Person so rasch wie möglich ausgefolgt werden können. Stellt sich erst nach der Annahme eines Gegenstandes heraus, daß er zurückzuweisen gewesen wäre, so ist der Strafgefangene ohne Rücksicht auf die Strafzeit sofort aufzufordern, einen Empfänger namhaft zu machen. In beiden Fällen ist der Strafgefangene darauf hinzuweisen, daß die Gegenstände andernfalls zu seinen Gunsten veräußert oder, wenn sie unverwertbar sind, vernichtet werden.

(2) Geld, das der Strafgefangene bei der Aufnahme bei sich hat oder das später für ihn einlangt, ist ihm als Eigengeld gutzuschreiben. Beträgt die Strafzeit mehr als drei Monate, so ist ausländisches Geld vor der Gutschrift in einem Geldinstitut in inländisches Geld umzuwechseln.

(3) Die Strafgefangenen können über die verwahrten Gegenstände und das Eigengeldguthaben jederzeit verfügen, soweit dem nicht etwa bestehende Rechte anderer einschließlich des Zurückbehaltungsrechtes nach § 32a und nach § 5 des Gerichtlichen Einbringungsgesetzes 1962 entgegenstehen. Verwahrte Eigengeldbeträge bis zur Höhe desjenigen Teiles eines Arbeitseinkommens, der nach § 291a Abs. 1 in Verbindung mit § 291 der Exekutionsordnung, RGBl. Nr. 79/1896 in der jeweils geltenden Fassung, nicht der Pfändung unterliegt, dürfen nur zugunsten von Ansprüchen auf Ersatz für vorsätzlich herbeigeführte Schäden am Anstaltsgut (§ 32a Abs. 2) gepfändet werden. Bei der Entlassung sind dem Strafgefangenen die Gegenstände und das Geld auszufolgen, soweit sich aus dem Vorstehenden nichts anderes ergibt.

(4) Für Verwahrnisse, die nicht nach den vorstehenden Bestimmungen veräußert, vernichtet oder ausgefolgt werden können, gelten dem Sinne nach die hinsichtlich strafgerichtlicher Verwahrnisse im Bundesgesetz über die Hinterlegung und Einziehung von Verwahrnissen, BGBl. I Nr. 111/2010, enthaltenen Bestimmungen mit folgender Maßgabe:

1. Die Hinterlegung ist vom Anstaltsleiter zu veranlassen.

2. Personaldokumente sind nicht zu hinterlegen, sondern zu den Personalakten zu nehmen. Sie sind nicht auszufolgen, wenn und solange Tatsachen die Annahme rechtfertigen, daß der Verurteilte die Dokumente benützen will, um sich einer wegen einer gerichtlich strafbaren Handlung, die mit mehr als sechs Monaten Freiheitsstrafe bedroht ist, eingeleiteten Strafverfolgung oder Strafvollstreckung, die im Inland gegen ihn schwebt, zu entziehen.

Hygiene

§ 42. (1) Die Anstalten sind sauber zu halten.

(2) Die Strafgefangenen haben ihren Körper so zu pflegen, wie es Gesundheit und Reinlichkeit erfordern. Bei einer Überwachung der Körperpflege sind Ehrgefühl und Menschenwürde zu wahren. Soweit eine Gefährdung oder ein Mißbrauch zu befürchten ist, haben Haarschneiden und Rasieren in Gegenwart eines Strafvollzugsbediensteten stattzufinden. Weigert sich ein Strafgefangener trotz Belehrung, seinen Körper zu pflegen oder pflegen zu lassen, sodaß er Ekel erregt oder sich oder andere an der Gesundheit gefährdet, so ist er insoweit einer zwangsweisen Körperpflege zu unterwerfen, als es zur Behebung dieses Zustandes erforderlich ist.

(3) Die Strafgefangenen haben täglich so viel warmes Wasser zu bekommen, daß sie sich gründlich reinigen können. Darüber hinaus ist ihnen so oft, wie es nötig ist, mindestens aber zweimal wöchentlich, Gelegenheit zu einem warmen Brause- oder Vollbad zu geben.

(4) Die sanitären Anlagen müssen hygienisch eingerichtet und so beschaffen sein, daß die Strafgefangenen jederzeit in sauberer und schicklicher Weise ihren Bedürfnissen nachkommen können. Die Hafträume haben über abgetrennte WC-Anlagen zu verfügen. Hafträume, in denen mehr als ein Strafgefangener untergebracht werden soll, müssen über eine baulich abgetrennte WC-Anlage verfügen.

Aufenthalt im Freien

§ 43. Wenn es die Witterung nicht ausschließt, haben Strafgefangene, die nicht im Freien arbeiten, täglich, andere Strafgefangene an arbeitsfreien Tagen das Recht, sich unter Rücksichtnahme auf ihren Gesundheitszustand eine Stunde im Freien aufzuhalten. Der Aufenthalt im Freien ist darüber hinaus auszudehnen, wenn dies ohne Beeinträchtigung des übrigen Dienstes und der Ordnung in der Anstalt möglich ist. Während der Zeit des Aufenthaltes im Freien ist eine sportliche Betätigung zu gestatten, soweit dies nach den zur Verfügung stehenden Einrichtungen möglich ist und nach dem Alter und Gesundheitszustand der Strafgefangenen angemessen erscheint.

Dritter Unterabschnitt

Arbeit

Arbeitspflicht

§ 44. (1) Jeder arbeitsfähige Strafgefangene ist verpflichtet, Arbeit zu leisten.

(2) Zur Arbeit verpflichtete Strafgefangene haben die Arbeiten zu verrichten, die ihnen zugewiesen werden. Zu Arbeiten, die für die Strafgefangenen mit einer Lebensgefahr oder Gefahr schweren Schadens an ihrer Gesundheit verbunden sind, dürfen sie nicht herangezogen werden.

Arbeitsbeschaffung

§ 45. (1) Es ist Vorsorge dafür zu treffen, daß jeder Strafgefangene nützliche Arbeit verrichten kann.

(2) Alle im Betrieb der Anstalten zum Vollzug von Freiheitsstrafen anfallenden Arbeiten, die durch Strafgefangene verrichtet werden können, sind durch Strafgefangene zu besorgen. Im übrigen sind die Strafgefangenen mit sonstigen Arbeiten für die öffentliche Verwaltung, mit gemeinnützigen Arbeiten oder mit der Erzeugung von Gegenständen zum Vertrieb sowie mit Arbeiten für Unternehmen der gewerblichen Wirtschaft oder für andere private Auftraggeber zu beschäftigen.

Bedachtnahme auf die Volkswirtschaft

§ 46. (1) Die Preise der von den Strafgefangenen erzeugten Gegenstände sind den für Gegenstände gleicher Art und Güte üblichen Preisen anzugleichen, die für die Arbeit Strafgefangener an die Anstalt zu zahlende Vergütung den für Arbeiten gleicher Art und Güte üblichen Löhnen.

(2) Betriebe, die der Erzeugung von Gegenständen zum Vertrieb dienen oder in denen Arbeiten für Unternehmen der gewerblichen Wirtschaft erbracht werden, sind in den Anstalten zum Vollzug von Freiheitsstrafen nur soweit einzurichten, als dies volkswirtschaftlich gerechtfertigt ist. Der Anstaltsleiter hat vor der Errichtung jedes solchen Betriebes eine Stellungnahme des Landesarbeitsamtes des Bundeslandes einzuholen, in dem die Anstalt gelegen ist.

(3) Die Anstalten zum Vollzug von Freiheitsstrafen dürfen Verträge über Gefangenenarbeit für Unternehmen der gewerblichen Wirtschaft abschließen.

(4) Beim Vertrieb von Gegenständen an Justizbedienstete und bei Arbeiten für diese Bediensteten sind die Preise und Vergütungen unter Berücksichtigung des Entfalles an Werbungs- und Verkaufskosten und der Verringerung des Unternehmerrisikos zu bemessen.

Arbeitszuweisung

§ 47. (1) Bei der Zuweisung der Arbeit ist auf den Gesundheitszustand, das Alter, die Kenntnisse und Fähigkeiten des Strafgefangenen, die Dauer der Strafe, das Verhalten des Strafgefangenen im Vollzuge und sein Fortkommen nach der Entlassung, endlich auch auf seine Neigungen angemessene Rücksicht zu nehmen. Die Art der Beschäftigung darf nur geändert werden, wenn es zur sparsamen, wirtschaftlichen und zweckmäßigen Führung der Anstalt geboten ist.

(2) Zu Hausarbeiten sind Strafgefangene heranzuziehen, die sich gut führen und von denen ein Mißbrauch dieser Stellung nicht zu befürchten ist.

(3) Arbeiten, die Einblick in die persönlichen Verhältnisse anderer Personen oder in Personal-, Gerichts- oder Verwaltungsakten ermöglichen, dürfen Strafgefangenen nicht übertragen werden.

(4) Zur Arbeit außerhalb einer Anstalt dürfen nur Strafgefangene herangezogen werden, von denen ein Mißbrauch der mit der Außenarbeit verbundenen Lockerung des Vollzuges nicht zu befürchten ist.

Berufsausbildung

§ 48. (1) Strafgefangene, die keinen Beruf erlernt haben oder im erlernten Beruf nicht beschäftigt werden können, sind in einem ihren Kenntnissen, Fähigkeiten und womöglich auch ihren Neigungen entsprechenden Beruf auszubilden, wenn und soweit dies unter Berücksichtigung der Möglichkeit einer Strafvollzugsortsänderung (§ 10) mit den Einrichtungen der in Betracht kommenden Anstalten innerhalb der Strafzeit möglich ist. Zeugnisse über eine Berufsausbildung sind so auszufertigen, daß nicht erkennbar ist, daß die Prüfung oder Ausbildung im Strafvollzug stattgefunden hat.

(2) Lehrgänge zur Berufsausbildung und -fortbildung dürfen auch in der zur Verrichtung von Arbeiten bestimmten Zeit abgehalten werden. An solchen Lehrgängen außerhalb einer Anstalt teilzunehmen, darf nur Strafgefangenen gestattet werden, von denen ein Mißbrauch nicht zu befürchten ist. Strafgefangene, die an Lehrgängen zur Berufsausbildung und -fortbildung teilnehmen, haben für die damit zugebrachte Zeit eine Arbeitsvergütung in der Höhe der mittleren (dritten) Vergütungsstufe zu erhalten.

(3) Strafgefangenen, die arbeitstherapeutisch beschäftigt werden, ist monatlich im Nachhinein ein Betrag von acht vH der niedrigsten Arbeitsvergütung als Hausgeld gutzuschreiben.

Arbeitseinrichtungen

§ 49. (1) Die Arbeitsbetriebe sind zeitgemäß einzurichten.

(2) Arbeiten mit stärkerer Staubentwicklung dürfen in Schlafräumen nicht verrichtet werden, andere Arbeiten nur, wenn davon keine gesundheitliche Gefährdung der Strafgefangenen zu besorgen ist.

(3) Für die von den Strafgefangenen zu benützenden Arbeitseinrichtungen und zu verrichtenden Arbeitsvorgänge gelten die allgemeinen Vorschriften zum Schutz des Lebens, der Gesundheit und der körperli-

chen Sicherheit der Arbeitnehmer sinngemäß, soweit sich nicht aus diesen Vorschriften oder aus den Bestimmungen dieses Bundesgesetzes etwas anderes ergibt.

Arbeitszeit und Arbeitsleistung

§ 50. (1) Das Ausmaß der Arbeitszeit ist den in der gewerblichen Wirtschaft üblichen Verhältnissen, soweit es sich aber um land- und forstwirtschaftliche Arbeiten handelt, den in der Land- und Forstwirtschaft üblichen Verhältnissen möglichst anzugleichen. Das Ausmaß der gesetzlich zulässigen Höchstarbeitszeit darf jedoch unbeschadet des im § 61 genannten Rechtes nicht überschritten werden.

(2) Soweit es die Art der Arbeit zuläßt, hat der Anstaltsleiter unter Berücksichtigung der mittleren Leistung eines freien Arbeiters und der Arbeitsbedingungen in der Anstalt die Arbeitsleistung festzusetzen, die von einem Strafgefangenen an einem Arbeitstag zu erbringen ist.

(3) An Sonntagen und an den gesetzlichen Feiertagen hat die Arbeit zu ruhen, soweit sie nicht für die Anstaltswirtschaft oder für sonstige Fälle unaufschiebbaren Bedarfes der Anstalt oder deshalb notwendig ist, weil die Arbeit ihrer Art nach keine Unterbrechung duldet. Mit der gleichen Einschränkung dürfen Strafgefangene auch zu anderen Zeiten, für die nach ihrem Glaubensbekenntnis Arbeitsruhe geboten ist, nicht beschäftigt werden.

Arbeitsertrag und Arbeitsvergütung

§ 51. (1) Der Ertrag der Arbeit fließt dem Bund zu.

(2) Strafgefangene, die eine befriedigende Arbeitsleistung erbringen, haben für die von ihnen geleistete Arbeit eine Arbeitsvergütung zu erhalten.

(3) Bei unbefriedigender Arbeitsleistung eines Strafgefangenen, die auf Bosheit, Mutwillen oder Trägheit zurückzuführen ist, ist die Arbeitsvergütung nach vorangegangener Ermahnung in einem der Leistungsminderung entsprechenden Ausmaß zu kürzen oder zu entziehen.

Höhe der Arbeitsvergütung

§ 52. (1) Die Höhe der Arbeitsvergütung beträgt für die geleistete Arbeitsstunde

a) für leichte Hilfsarbeiten .... 3,98 Euro *(Anm. 1)*

b) für schwere Hilfsarbeiten .... 4,48 Euro *(Anm. 2)*

c) für handwerksgemäße Arbeiten .... 4,98 Euro *(Anm. 3)*

d) für Facharbeiten .... 5,47 Euro *(Anm. 4)*

e) für Arbeiten eines Vorarbeiters .... 5,97 Euro *(Anm. 5)*.

(2) Erhöht sich nach dem 1. Jänner 2001 bis zum 1. März eines Kalenderjahres der von der Statistik Österreich errechnete Tariflohnindex gegenüber dem Stand zum 1. März 2000 in einem Ausmaß, dass eine entsprechende Erhöhung des im Abs. 1 lit. a genannten Betrages 4 Cent beträgt, so hat der Bundesminister für Verfassung, Reformen, Deregulierung und Justiz durch Verordnung für das folgende Kalenderjahr die im Abs. 1 genannten Beträge entsprechend zu erhöhen.

(3) Die Arbeitsvergütung kann statt als Zeitvergütung als Stückvergütung gewährt werden, insoweit dadurch ein Anreiz zu Mehrleistung zu erwarten ist. Die Höhe der Stückvergütung ist auf der Grundlage der Zeitvergütung nach Abs. 1 vom Anstaltsleiter festzusetzen.

(4) Zeiten, die ein Strafgefangener während seiner Arbeitszeit in therapeutischer Betreuung oder mit Gesprächen im Rahmen der sozialen Betreuung zubringt, gelten bis zu einem Höchstmaß von fünf Stunden pro Woche für die Gewährung der Arbeitsvergütung als Arbeitsstunden.

(______________

Anm. 1: gemäß BGBl. II Nr. 6/2018 für 2018: 5,93 €

gemäß BGBl. II Nr. 328/2018 für 2019: 6,07 €

gemäß BGBl. II Nr. 382/2019 für 2020: 6,26 €

gemäß BGBl. II Nr. 593/2020 für 2021: 6,42 €

gemäß BGBl. II Nr. 579/2021 für 2022: 6,53 €

gemäß BGBl. II Nr. 479/2022 für 2023: 6,70 €

gemäß BGBl. II Nr. 411/2023 für 2024: 7,14 €

gemäß BGBl. II Nr. 497/2024 für 2025: 7,79 €

Anm. 2: für 2018: 6,67 €

für 2019: 6,83 €

für 2020: 7,04 €

für 2021: 7,23 €

für 2022: 7,35 €

für 2023: 7,54 €

für 2024: 8,04 €

für 2025: 8,77 €

Anm. 3: für 2018: 7,42 €

für 2019: 7,59 €

für 2020: 7,83 €

für 2021: 8,03 €

StVG

für 2022: 8,17 €
für 2023: 8,38 €
für 2024: 8,94 €
für 2025: 9,74 €
Anm. 4: für 2018: 8,15 €
für 2019: 8,34 €
für 2020: 8,60 €
für 2021: 8,82 €
für 2022: 8,97 €
für 2023: 9,20 €
für 2024: 9,82 €
für 2025: 10,70 €
Anm. 5: für 2018: 8,89 €
für 2019: 9,10 €
für 2020: 9,38 €
für 2021: 9,63 €
für 2022: 9,79 €
für 2023: 10,04 €
für 2024: 10,71 €
für 2025: 11,68 €)

Außerordentliche Arbeitsvergütung

§ 53. (1) Erbringt ein Strafgefangener bei der Arbeit besondere Leistungen, so ist ihm eine außerordentliche Arbeitsvergütung bis zum Höchstmaß des nach Abzug des Vollzugskostenbeitrages (§ 32 Abs. 2 erster Fall und Abs. 3) sowie des auf ihn entfallenden Anteils am Arbeitslosenversicherungsbeitrag verbleibenden Teils einer Monatsvergütung der höchsten Vergütungsstufe zu gewähren. Der Gesamtbetrag der einem Strafgefangenen gewährten außerordentlichen Arbeitsvergütungen darf innerhalb eines Kalenderjahres das Doppelte dieses Höchstmaßes nicht übersteigen. Erstreckt sich die Strafzeit nur über einen Teil des Kalenderjahres, so verringert sich der zulässige Gesamtbetrag entsprechend.

(2) Strafgefangene dürfen Geldzuwendungen von privaten Auftraggebern im Ausmaß des Abs. 1 als weitere außerordentliche Arbeitsvergütung annehmen (§ 54 Abs. 1). Eine Anrechnung solcher Zuwendungen auf die an die Anstalt zu zahlende Vergütung ist unzulässig.

Hausgeld und Rücklage

§ 54. (1) Die Arbeitsvergütung ist dem Strafgefangenen monatlich im nachhinein nach Abzug des Vollzugskostenbeitrages (§ 32 Abs. 2 erster Fall und Abs. 3) sowie des auf ihn entfallenden Anteils am Arbeitslosenversicherungsbeitrag je zur Hälfte als Hausgeld und als Rücklage gutzuschreiben. Die im § 53 angeführten außerordentlichen Arbeitsvergütungen sind zur Gänze dem Hausgeld zuzuschreiben. Für die Bemessung des Hausgeldes ist die Höhe der Arbeitsvergütung im Zeitpunkt der Gutschrift maßgebend. Die Bemessung der Rücklage richtet sich nach der Höhe der Arbeitsvergütung im Zeitpunkt der Auszahlung oder Verwendung.

(2) Das Hausgeld steht dem Strafgefangenen unbeschadet der §§ 24 Abs. 3a, 32a Abs. 4, 54a, 107 Abs. 4, 112 Abs. 2, 113, 114 Abs. 2 und 156b Abs. 3b für die Verschaffung von Sachgütern und Leistungen nach Maßgabe der Bestimmungen dieses Bundesgesetzes zur Verfügung. Die Rücklage dient unbeschadet des § 54a der Vorsorge für den Unterhalt in der ersten Zeit nach der Entlassung.

(3) Kann der Strafgefangene außer dem Fall des § 48 Abs. 3 ohne sein vorsätzliches oder grob fahrlässiges Verschulden keine Arbeitsvergütung bekommen, so sind ihm monatlich im nachhinein ein Betrag von fünf vH der niedrigsten Arbeitsvergütung als Hausgeld gutzuschreiben.

(4) Dem Strafgefangenen ist mindestens einmal im Vierteljahr und bei der Entlassung in die Verrechnung seines Guthabens Einsicht zu gewähren.

(5) Bei der Entlassung sind dem Strafgefangenen als Hausgeld und als Rücklage gutgeschriebene Geldbeträge auszuzahlen. Stirbt der Strafgefangene, so fallen die Ansprüche auf diese Geldbeträge in seinen Nachlaß.

(6) Die Exekutionsordnung regelt, inwieweit der Anspruch auf Arbeitsvergütung sowie daraus herrührende Beträge übertragen, gepfändet oder verpfändet werden dürfen. Der Abs. 2 sowie die §§ 54a und 113 bleiben unberührt.

§ 54a. (1) Dem Strafgefangenen stehen das Hausgeld sowie die Hälfte der Rücklage, sofern diese die Hälfte des nach § 291a Abs. 1 in Verbindung mit § 291 der Exekutionsordnung, RGBl. Nr. 79/1896, in der jeweils geltenden Fassung, nicht der Pfändung unterliegenden Betrags übersteigt, auch für Leistungen an unterhaltsberechtigte Angehörige oder an Personen, die durch die strafbare Handlung in ihren Rechten verletzt worden sind, sowie zur Schuldentilgung zur Verfügung.

(2) Strafgefangene, die eine Freiheitsstrafe mit einer Strafzeit von mehr als einem Jahr zu verbüßen haben, sind bei Strafantritt und sobald die Rücklage 1 000 Euro übersteigt, über die nach Abs. 1 bestehenden Verwendungsmöglichkeiten von Hausgeld und Rücklage zu informieren sowie nach Maßgabe der bestehenden Einrichtungen zu einer sinnvollen Verwendung anzuleiten und dabei zu unterstützen.

(3) Außer den Fällen des Abs. 1 sowie des § 54 Abs. 2 dürfen die Strafgefangenen Hausgeld und Rücklage im Vollzug auch für Anschaffungen verwenden, die ihr Fortkommen nach der Entlassung fördern. Die Entscheidung darüber steht dem Anstaltsleiter zu.

Geldbelohnung

§ 55. Einem Strafgefangenen, der sich durch besonderen persönlichen Einsatz auszeichnet oder Anregungen gibt, die sich in den Arbeitsbetrieben nutzbringend verwerten lassen, kann eine Geldbelohnung bis zum Doppelten der höchsten außerordentlichen Arbeitsvergütung (§ 53) als Hausgeld (§ 54) gutgeschrieben werden.

Vierter Unterabschnitt

Erzieherische Betreuung und Beschäftigung der Strafgefangenen in der Freizeit

Erzieherische Betreuung

§ 56. (1) Bei der Durchführung aller Maßnahmen des Strafvollzuges ist eine erzieherische Einwirkung auf die Strafgefangenen anzustreben. Außerdem sollen die Strafgefangenen in Einzel- und Gruppenaussprachen sowie auf andere geeignete Weise noch besonders erzieherisch betreut werden.

(2) In Anstalten, in denen dies im Hinblick auf die durchschnittliche Zahl der dort angehaltenen Strafgefangenen und die durchschnittliche Dauer ihrer Strafzeit den Grundsätzen einer sparsamen, wirtschaftlichen und zweckmäßigen Verwaltung nicht widerspricht, sind Strafgefangene, bei denen dies zur Erreichung des erzieherischen Zweckes der Freiheitsstrafe (§ 20 Abs. 1) zweckmäßig erscheint, auch psychohygienisch und psychotherapeutisch zu betreuen.

Unterricht und Fortbildung

§ 57. (1) In Anstalten, in denen dies im Hinblick auf die durchschnittliche Zahl der dort angehaltenen Strafgefangenen und die durchschnittliche Dauer ihrer Strafzeit mit den Grundsätzen einer sparsamen, wirtschaftlichen und zweckmäßigen Verwaltung vereinbar ist, ist Vorsorge dafür zu treffen, daß Strafgefangene, denen die Kenntnisse und Fertigkeiten mangeln, deren Vermittlung Aufgabe der Volksschulen ist, den erforderlichen Unterricht erhalten können. Unter den gleichen Voraussetzungen sind in den Anstalten für geeignete Strafgefangene regelmäßige Fortbildungskurse abzuhalten.

(2) Die Strafgefangenen dürfen an Fernlehrgängen teilnehmen. Sie dürfen hiefür auch Gelder verwenden, die ihnen sonst im Strafvollzuge nicht zur Verfügung stehen. Im Falle eines Mißbrauches ist die weitere Teilnahme an dem Lehrgang zu untersagen.

(3) Der Unterricht und die mit der Teilnahme an Fernlehrgängen verbundenen Tätigkeiten sind in der arbeitsfreien Zeit vorzunehmen.

Beschäftigung der Strafgefangenen in der Freizeit

§ 58. (1) Die Strafgefangenen sind zu einer sinnvollen Verwendung ihrer Freizeit anzuhalten und dabei erforderlichenfalls anzuleiten. Zu diesem Zweck ist ihnen insbesondere Gelegenheit zum Lesen, zur Teilnahme am Empfang von Rundfunksendungen (Hörfunk und Fernsehen), zu sportlicher Betätigung oder, unbeschadet des § 30 Abs. 2, zu Gesellschaftsspielen zu geben.

(2) Soweit es unter Berücksichtigung der Verhältnisse der Anstalt ohne Beeinträchtigung des Dienstes und der Sicherheit und Ordnung möglich ist, sind die Strafgefangenen berechtigt, sich eigene Bücher und Zeitschriften zu verschaffen (§ 60), in der Freizeit zu arbeiten (§ 61), schriftliche Aufzeichnungen zu führen (§ 62) sowie zu zeichnen und zu malen (§ 63) und an Veranstaltungen teilzunehmen (§ 65).

Gefangenenbücherei

§ 59. In jeder Anstalt zum Vollzug von Freiheitsstrafen ist eine Bücherei einzurichten, aus der die Strafgefangenen Bücher und Zeitschriften entlehnen können. Bei der Ausstattung der Büchereien ist auf den Standard öffentlicher Büchereien Bedacht zu nehmen.

Eigene Bücher und Zeitschriften

§ 60. (1) Die Strafgefangenen dürfen sich zum Zwecke ihrer Fortbildung oder Unterhaltung auf eigene Kosten Bücher beschaffen und eine Zeitung oder Zeitschrift halten, soweit davon keine Gefährdung der Sicherheit und Ordnung in der Anstalt oder des erzieherischen Zwecks der Strafe zu befürchten ist. Für die Beschaffung von Büchern, die ihrer Fortbildung dienen, dürfen Strafgefangene auch Gelder verwenden, die ihnen sonst für die Verschaffung von Leistungen im Strafvollzug nicht zur Verfügung stehen.

(2) Zeitungen und Zeitschriften sind ausschließlich durch Vermittlung der Anstalt zu beziehen. Die Anstalt hat Einzelnummern oder Teile derselben, von denen eine Gefährdung der im Abs. 1 bezeichneten Art zu besorgen ist, zurückzuhalten oder in einer dem Gebote der Wirtschaftlichkeit entsprechenden Weise unkenntlich zu machen. Zeitungen, die Strafgefangenen eingehändigt worden sind, sind ihnen wenigstens eine Woche hindurch zu belassen und sodann wieder abzunehmen; mit der Abnahme gehen sie in das Eigentum des Bundes über.

StVG

Arbeit in der Freizeit

§ 61. Die Strafgefangenen dürfen in der Freizeit in ihren Hafträumen Arbeiten der im § 45 Abs. 2 zweiter Satz bezeichneten Art für Rechnung des Bundes (§ 51) verrichten oder für wohltätige Zwecke arbeiten. Ebenso dürfen sie für sich und ihre Angehörigen Gegenstände anfertigen, die zum persönlichen Gebrauch bestimmt sind. Arbeiten, durch die die Sicherheit und Ordnung in der Anstalt gefährdet oder Mitgefangene belästigt würden, sind verboten.

Schriftliche Aufzeichnungen

§ 62. Die Strafgefangenen dürfen in der Freizeit persönliche Aufzeichungen führen. Ist auf Grund bestimmter Tatsachen ein Mißbrauch zu befürchten, so kann der Anstaltsleiter oder ein von ihm damit besonders beauftragter Strafvollzugsbediensteter Einsicht in diese Aufzeichnungen nehmen; bestätigt sich dabei eine solche Befürchtung, so sind die Aufzeichnungen dem Strafgefangenen abzunehmen. In diesem Falle sind sie zu den Personalakten zu nehmen und dem Strafgefangenen bei seiner Entlassung auszuhändigen, soweit nicht zu befürchten ist, daß der Entlassene davon zum Zwecke der Begehung einer gerichtlich strafbaren Handlung Gebrauch machen werde.

Zeichnen und Malen

§ 63. Die Strafgefangenen sind berechtigt, in der Freizeit in angemessenem Umfang zu zeichnen, zu malen oder sich sonst bildnerisch zu betätigen.

Gemeinsame Bestimmungen

§ 64. (1) Die zur Ausübung der in den §§ 62 und 63 genannten Rechte erforderlichen Gegenstände sind auf Kosten des Strafgefangenen durch die Anstalt zu beschaffen. Hiefür dürfen Strafgefangene auch Gelder verwenden, die ihnen sonst für die Verschaffung von Leistungen im Strafvollzug nicht zur Verfügung stehen.

(2) Die Aufzeichnungen und die Erzeugnisse der bildnerischen Betätigung des Strafgefangenen sind ihm auf sein Verlangen zu belassen, soweit nicht auf Grund bestimmter Tatsachen ein Mißbrauch zu befürchten ist oder die Ordnung im Haftraum leidet. Im übrigen sind sie unbeschadet des § 62 letzter Satz wie Verwahrnisse zu behandeln.

(3) Abs. 1 und 2 gelten dem Sinne nach auch für die Gegenstände, die der Strafgefangene in Ausübung des im § 61 genannten Rechtes für sich oder seine Angehörigen anfertigt.

Veranstaltungen

§ 65. In den Strafvollzugsanstalten und in den Gefangenenhäusern ist wenigstens einmal im Vierteljahr eine belehrende, künstlerische oder unterhaltende Veranstaltung abzuhalten.

Bedachtnahme auf fremdsprachige Strafgefangene

§ 65a. Bei der erzieherischen Betreuung und der Beschäftigung der Strafgefangenen, insbesondere bei der Ausstattung der Büchereien, der Beschaffung von Büchern und Zeitschriften und bei der Abhaltung von Fortbildungs- und Sprachkursen sowie von Veranstaltungen, ist nach Möglichkeit auch auf die Bedürfnisse von Strafgefangenen Bedacht zu nehmen, deren Muttersprache nicht deutsch ist.

Fünfter Unterabschnitt

Ärztliche Betreuung

Gesundheitspflege

§ 66. (1) Für die Erhaltung der körperlichen und geistigen Gesundheit der Strafgefangenen ist Sorge zu tragen. Der Gesundheitszustand der Strafgefangenen und ihr Körpergewicht sind zu überwachen.

(2) Die von ansteckenden Krankheiten betroffenen und von Ungeziefer befallenen Strafgefangenen sind abzusondern. Gegenstände, die von ihnen benützt worden sind, sind zu entseuchen oder zu entwesen; ist das nicht möglich oder nicht tunlich, so sind diese Gegenstände ohne Rücksicht darauf, wem sie gehören, zu vernichten. Räume, in denen sich solche Strafgefangene aufgehalten haben oder die von Ungeziefer befallen sind, sind zu entseuchen oder zu entwesen.

Unzulässigkeit ärztlicher Experimente

§ 67. Die Vornahme eines ärztlichen Experimentes an einem Strafgefangenen ist auch dann unzulässig, wenn der Strafgefangene dazu seine Einwilligung erteilt.

Erkrankung von Strafgefangenen

§ 68. (1) Wenn ein Strafgefangener sich krank meldet, wenn er einen Unfall erlitten hat oder auf andere Weise verletzt worden ist, wenn er einen Selbstmordversuch unternommen oder sich selbst beschädigt hat oder wenn sein Aussehen oder Verhalten sonst die Annahme nahelegt, daß er körperlich oder geistig krank sei, so ist davon dem Anstaltsarzt Mitteilung zu machen.

(2) Der Anstaltsarzt hat in diesen Fällen den Strafgefangenen zu untersuchen und dafür Sorge zu tragen, daß ihm die nötige ärztliche, gegebenenfalls fachärztliche Behandlung und Pflege zuteil wird. Er hat ferner festzustellen, ob der Strafgefangene krank, ob er bettlägerig krank und wo er unterzubringen ist und ob und in welchem Umfang er arbeiten kann.

Entwöhnungsbehandlung eines Strafgefangenen

§ 68a. (1) Ein Strafgefangener ist einer Entwöhnungsbehandlung zu unterziehen,

a) wenn nach der Erklärung des Anstaltsarztes der Strafgefangene dem Mißbrauch eines berauschenden Mittels oder Suchtmittels ergeben ist und die Behandlung im Hinblick auf die Dauer der Strafzeit zweckmäßig ist oder

b) wenn die Strafzeit mehr als zwei Jahre beträgt und nur aus diesem Grund von einer Einweisung in eine Anstalt für entwöhnungsbedürftige Rechtsbrecher (§ 22 des Strafgesetzbuches) abgesehen worden ist.

(2) Von der Einleitung oder Fortsetzung einer Entwöhnungsbehandlung ist abzusehen, wenn der Versuch einer solchen Behandlung von vornherein aus-

sichtslos erscheint oder ihre Fortsetzung keinen Erfolg verspräche.

Zwangsuntersuchung, Zwangsbehandlung und Zwangsernährung

§ 69. (1) Verweigert ein Strafgefangener trotz Belehrung die Mitwirkung an einer nach den Umständen des Falles unbedingt erforderlichen ärztlichen Untersuchung oder Heilbehandlung, so ist er diesen Maßnahmen zwangsweise zu unterwerfen, soweit dies nicht mit Lebensgefahr verbunden und ihm auch sonst zumutbar ist. Einer unzumutbaren Untersuchung oder Heilbehandlung steht jeder Eingriff gleich, der nach seinen äußeren Merkmalen als schwere Körperverletzung (§ 84 Abs. 1 des Strafgesetzbuches) zu beurteilen wäre. Sofern nicht Gefahr im Verzug ist, muß vor jeder Anordnung einer zwangsweisen Untersuchung oder Heilbehandlung die Genehmigung des Bundesministeriums für Verfassung, Reformen, Deregulierung und Justiz eingeholt werden.

(2) Verweigert ein Strafgefangener beharrlich die Aufnahme von Nahrung, so ist er ärztlich zu beobachten. Sobald es erforderlich ist, ist er nach Anordnung und unter Aufsicht des Arztes zwangsweise zu ernähren.

Beiziehung eines anderen Arztes

§ 70. Kann der Anstaltsarzt nicht erreicht werden, so ist in dringenden Fällen ein anderer Arzt herbeizurufen. Ein anderer Arzt ist ferner zuzuziehen, wenn der Anstaltsarzt dies nach Art und Schwere des Falles für zweckmäßig hält oder wenn der Strafgefangene bei Verdacht einer ernsten Erkrankung darum ansucht und die Kosten dafür übernimmt; zur Bestreitung dieser Kosten darf der Strafgefangene auch Gelder verwenden, die ihm sonst für die Verschaffung von Leistungen im Strafvollzug nicht zur Verfügung stehen.

Überstellung in eine andere Anstalt

§ 71. (1) Kann ein kranker oder verletzter Strafgefangener in der Anstalt nicht sachgemäß behandelt werden oder geht von ihm eine anders nicht abwendbare Gefährdung für die Gesundheit anderer aus, so ist er in die nächste Anstalt zu überstellen, die über Einrichtungen verfügt, die die erforderliche Behandlung oder Absonderung gewährleisten.

(2) Kann der Strafgefangene auch in einer anderen Anstalt nicht sachgemäß behandelt werden oder wäre sein Leben durch die Überstellung dorthin gefährdet, so ist er in eine geeignete öffentliche Krankenanstalt zu bringen und dort erforderlichenfalls auch bewachen zu lassen. Die öffentlichen Krankenanstalten sind verpflichtet, den Strafgefangenen aufzunehmen und seine Bewachung zuzulassen. Die für die Unterbringung in öffentlichen Krankenanstalten anfallenden Kosten trägt der Bund, gegebenenfalls nach Maßgabe einer zwischen dem Bund und den Ländern diesbezüglich abgeschlossenen Vereinbarung gemäß Artikel 15a des Bundes-Verfassungsgesetzes (B-VG) oder einer diesbezüglich mit dem jeweiligen privaten Krankenanstaltenträger abgeschlossenen Vereinbarung, bis zu dem Zeitpunkt, in dem der Strafvollzug nachträglich aufgeschoben oder beendet wird.

(3) Im Falle der Überstellung in eine öffentliche Krankenanstalt für Psychiatrie oder eine psychiatrische Abteilung eines öffentlichen allgemeinen Krankenhauses gelten im übrigen die Bestimmungen des Unterbringungsgesetzes, BGBl. Nr. 155/1990, in der jeweils geltenden Fassung mit folgenden Maßgaben:

1. Die Überstellung ist ohne das in den §§ 8 und 9 des Unterbringungsgesetzes vorgesehene Verfahren unmittelbar vorzunehmen.

2. Die Aufnahme- und Anhaltepflicht der Krankenanstalten richtet sich nach Abs. 2 erster und zweiter Satz. Untergebracht werden im Sinne des Unterbringungsgesetzes darf der Strafgefangene nur bei Vorliegen der Voraussetzungen des § 3 des Unterbringungsgesetzes.

3. Bei Prüfung der Voraussetzungen des § 3 Z 2 des Unterbringungsgesetzes ist darauf Bedacht zu nehmen, daß die ausreichende ärztliche Behandlung oder Betreuung im Sinne dieser Bestimmung im Rahmen und mit den Mitteln des allgemeinen Strafvollzuges gewährleistet sein muß.

4. Der Wirkungskreis des Patientenanwalts umfaßt ausschließlich die sich aus der Unterbringung ergebenden Beziehungen des Strafgefangenen zur Krankenanstalt.

Verständigungen

§ 72. (1) Jede mit Lebensgefahr verbundene oder auch nur beschränkt anzeige- oder meldepflichtige Erkrankung oder Verletzung eines Strafgefangenen und jeder Verdacht einer solchen Erkrankung oder Verletzung sind dem Anstaltsleiter zu melden.

(2) Ist ein Strafgefangener nicht imstande, seine Angehörigen davon zu verständigen, daß er lebensgefährlich krank oder verletzt ist, so hat diese Verständigung der Anstaltsleiter zu übernehmen. Zu verständigen ist die Person, die der Strafgefangene bezeichnet; hat der Strafgefangene aber keine bestimmte Person bezeichnet, so ist die jeweils nächste der im folgenden genannten Personen zu verständigen, deren Aufenthalt bekannt ist: der Ehegatte des Strafgefangenen, sein ältestes volljähriges Kind, sein Vater, seine Mutter oder der nächste seiner übrigen volljährigen Angehörigen (§ 72 des Strafgesetzbuches), von gleich nahen aber der älteste. Eine Person, die sich nicht im Inland aufhält, ist nur zu verständigen, wenn sich keine der überhaupt in Betracht kommenden Personen im Inland aufhält. Auf verständigen Wunsch des Strafgefangenen hat der Anstaltsleiter auch andere Personen zu benachrichtigen.

(3) Die Bestimmung des Abs. 2 gilt dem Sinne nach für den Fall des Ablebens eines Strafgefangenen.

Zahnbehandlung und Zahnersatz

§ 73. (1) Dem Strafgefangenen ist die notwendige Zahnbehandlung zu gewähren. Die konservierende Zahnbehandlung erfolgt in einfacher Form, soweit der Strafgefangene nicht eine besondere Ausführung auf seine Kosten begehrt.

(2) Zahnersatz ist grundsätzlich nur auf Kosten des Strafgefangenen zu gewähren. Soweit der Strafgefangene nicht über die entsprechenden Mittel (Abs. 3) verfügt, sind aber die Kosten des Zahnersatzes, wenn seine Herstellung oder Umarbeitung nicht ohne Gefährdung der Gesundheit des Strafgefangenen bis zur Entlassung aufgeschoben werden kann, vom Bunde zu tragen.

(3) Zur Bestreitung der Kosten, die dem Strafgefangenen nach den vorstehenden Absätzen erwachsen können, darf er auch Gelder verwenden, die ihm sonst für die Verschaffung von Leistungen im Strafvollzuge nicht zur Verfügung stehen.

§ 73a. Hat der Bund infolge eines Ereignisses, das die Erkrankung oder Verletzung eines Strafgefangenen bewirkt hat, nach den Bestimmungen dieses Unterabschnitts Leistungen erbracht oder Kosten getragen und stehen dem Strafgefangenen auf Grund des Ereignisses Schadenersatzansprüche gegen einen Dritten zu, so gehen diese Ansprüche bis zur Höhe des dem Bund erwachsenden Aufwandes auf den Bund über.

Schwangerschaft

§ 74. (1) Die Bestimmungen dieses Bundesgesetzes über die Betreuung kranker oder verletzter Strafgefangener gelten für die Betreuung schwangerer oder solcher Strafgefangener, die kürzlich entbunden haben, dem Sinne nach. Zur Entbindung sind Schwangere in eine öffentliche Krankenanstalt zu bringen. Für die Zulässigkeit der Heranziehung zur Arbeit gelten die §§ 3 bis 7 und 9 des Mutterschutzgesetzes 1979, BGBl. Nr. 221, in der jeweils geltenden Fassung, dem Sinne nach.

(2) Weibliche Strafgefangene, denen das Recht auf Pflege und Erziehung ihrer Kinder zusteht, dürfen diese bis zur Vollendung des zweiten Lebensjahres bei sich behalten, es sei denn, daß davon ein Nachteil für das Kind zu besorgen wäre. Mit den gleichen Einschränkungen kann der Anstaltsleiter, soweit die erforderlichen Einrichtungen zur Verfügung stehen, auch gestatten, daß die Strafgefangenen diese Kinder, wenn im Zeitpunkt der Vollendung des zweiten Lebensjahres nur noch ein weiterer Strafrest von nicht mehr als einem Jahr zu vollziehen ist, längstens bis zur Vollendung des dritten Lebensjahres bei sich behalten dürfen.

(3) Solange eine Strafgefangene ihr Kind bei sich behält, hat die Anstalt auch für den Unterhalt des Kindes zu sorgen. Die Kosten dafür sind vom Bund zu tragen.

Sechster Unterabschnitt

Soziale Fürsorge

Soziale Betreuung

§ 75. (1) Die Strafgefangenen sind anzuleiten, Beziehungen zu ihren Angehörigen zu pflegen, soweit dies ohne Beeinträchtigung des geordneten Dienstbetriebes in der Anstalt möglich und soweit zu erwarten ist, daß dies die Strafgefangenen günstig beeinflussen, ihr späteres Fortkommen fördern oder sonst für sie von Nutzen sein werde.

(2) Die Strafgefangenen sind auch anzuleiten, für die Betreuung ihres Vermögens Vorsorge zu treffen. Ihre darauf gerichteten Bemühungen sind auf ihr Ansuchen im Zusammenwirken mit den zuständigen Behörden und Stellen der freien Wohlfahrtspflege mit Rat und Tat zu unterstützen.

(3) Die Strafgefangenen sind über die Möglichkeiten und Vorteile der freiwilligen Weiterversicherung und Höherversicherung in der Sozialversicherung zu belehren. Für die Entrichtung von Beiträgen zur Sozialversicherung dürfen die Strafgefangenen auch Gelder verwenden, die ihnen sonst für die Verschaffung von Leistungen im Strafvollzuge nicht zur Verfügung stehen.

(4) Die Strafgefangenen sind erforderlichenfalls ferner anzuleiten, Vorsorge zu treffen, daß ihnen nach ihrer Entlassung Unterkunft und Arbeit zur Verfügung stehen. Ihre darauf gerichteten Bemühungen sind auf ihr Ansuchen im Zusammenwirken mit den für die Berufsberatung und Arbeitsvermittlung zuständigen Behörden sowie den Stellen der freien Wohlfahrtspflege mit Rat und Tat zu unterstützen.

Unfallfürsorge

§ 76. (1) Einem Strafgefangenen, der einen nicht von ihm selbst vorsätzlich herbeigeführten Arbeitsunfall erleidet, ist auch über die in diesem Bundesgesetz hinsichtlich der ärztlichen Betreuung sonst getroffenen Vorschriften hinaus Unfallfürsorge zu gewähren.

(2) Arbeitsunfälle sind Unfälle, die sich im örtlichen, zeitlichen und ursächlichen Zusammenhang mit der einem Strafgefangenen zugewiesenen oder auf Rechnung des Bundes oder für wohltätige Zwecke in der Freizeit geleisteten Arbeit ereignen.

(3) Den Arbeitsunfällen sind Unfälle gleichgestellt, die sich auf einem mit der dem Strafgefangenen zugewiesenen oder auf Rechnung des Bundes oder für wohltätige Zwecke in der Freizeit geleisteten Arbeit zusammenhängenden Weg zur oder von der Arbeitsstätte, bei Rettung eines Menschen aus tatsächlicher oder vermuteter Lebensgefahr, dem Versuch einer solchen Rettung, bei der Hilfeleistung in sonstigen Unglücksfällen oder allgemeiner Gefahr oder Not oder bei Heranziehung zum Blutspenden ereignen.

(4) Einem Strafgefangenen ist Unfallfürsorge unter den in der Anlage 1 des Allgemeinen Sozialversiche-

rungsgesetzes, BGBl. Nr. 189/1955, in der jeweils geltenden Fassung, angeführten Voraussetzungen auch im Falle einer der dort bezeichneten, nicht von ihm selbst vorsätzlich herbeigeführten Krankheit zu gewähren, sofern die Krankheit durch eine dem Strafgefangenen zugewiesene oder auf Rechnung des Bundes oder für wohltätige Zwecke in der Freizeit geleistete Arbeit verursacht ist.

§ 77. (1) Die Unfallfürsorge umfaßt die zur Wiederherstellung der Gesundheit, Wiedererlangung der Erwerbsfähigkeit, Linderung der Beschwerden und Verhütung einer Verschlimmerung notwendige Heilfürsorge und die zur Wiedergewinnung oder Erhöhung der geminderten Erwerbsfähigkeit und die zur Behebung oder Erleichterung der Unfall(Krankheits)folgen erforderliche Versorgung mit Körperersatzstücken, orthopädischen und anderen Hilfsmitteln sowie deren Wiederherstellung und Erneuerung.

(2) Die Heilfürsorge umfaßt die notwendige Heilbehandlung (ärztliche Hilfe, Zahnbehandlung, Beistellung von Heilmitteln und Heilbehelfen, Pflege in Kranken-, Kur- und sonstigen Anstalten) sowie ab dem Zeitpunkt der Entlassung aus der Strafhaft die Gewährung von Tag- und Familiengeld.

(3) Die Vorschriften der §§ 190, 195 und 196 des Allgemeinen Sozialversicherungsgesetzes, BGBl. Nr. 189/1955, in der jeweils geltenden Fassung, über die Dauer der Unfallheilbehandlung, das Familien- und Taggeld bei Gewährung der Anstaltspflege als Unfallheilbehandlung und die besondere Unterstützung gelten dem Sinne nach.

(4) Heilfürsorge und Versorgung nach Abs. 1 sind erforderlichenfalls auch nach der Entlassung fortzusetzen, soweit der Verletzte nicht Anspruch auf entsprechende Leistungen aus einer gesetzlichen Krankenversicherung hat. Der Verletzte ist zur fortgesetzten Heilfürsorge und Versorgung der Österreichischen Gesundheitskasse seines Wohnsitzes zuzuteilen. Zugeteilte erhalten die Heilfürsorge und Versorgung nach Art und Umfang, wie sie die Österreichische Gesundheitskasse den bei ihr Pflichtversicherten auf Grund gesetzlicher oder satzungsmäßiger Vorschriften zu gewähren hat, Tag- und Familiengeld jedoch nur in der durch Abs. 3 festgesetzten Höhe.

Ersatzansprüche der Österreichischen Gesundheitskasse

§ 78. (1) Der nach den Vorschriften dieses Bundesgesetzes zur Gewährung von Unfallfürsorge verpflichteten Österreichischen Gesundheitskasse werden die ihr entstandenen Kosten und der entsprechende Anteil an den Verwaltungskosten ersetzt. Der Bund kann diesen Ersatz in Pauschbeträgen gewähren. Das Bundesministerium für Verfassung, Reformen, Deregulierung und Justiz hat die Pauschbeträge nach Anhörung des Dachverbandes der Sozialversicherungsträger (§ 31 des Allgemeinen Sozialversicherungsgesetzes, BGBl. Nr. 189/1955, in der jeweils geltenden Fassung) im Einvernehmen mit dem Bundesministerium für Finanzen festzusetzen.

(2) Die Ersatzansprüche nach Abs. 1 sind ausgeschlossen, wenn sie nicht spätestens sechs Monate nach Beendigung der Leistungen beim Bundesministerium für Verfassung, Reformen, Deregulierung und Justiz geltend gemacht werden.

(3) Für Streitigkeiten über Ersatzansprüche gelten die Vorschriften über das Verfahren bei Streitigkeiten über Ersatzansprüche der Fürsorgeträger gemäß Abschnitt II des Fünften Teiles des Allgemeinen Sozialversicherungsgesetzes, BGBl. Nr. 189/1955, in der jeweils geltenden Fassung, dem Sinne nach.

Unfallrente

§ 79. (1) Wurde die Erwerbstätigkeit des Strafgefangenen durch die Folgen eines nicht von ihm selbst vorsätzlich herbeigeführten Unfalles (§ 76 Abs. 2 und 3) oder einer nicht von ihm selbst vorsätzlich herbeigeführten Krankheit (§ 76 Abs. 4) um mindestens 20 v. H. über drei Monate nach Eintritt des Anlaßfalles hinaus herabgesetzt und dauert dieser Zustand auch noch nach der Entlassung aus der Strafhaft an, so hat der Verletzte ab dem Zeitpunkt der Entlassung Anspruch auf eine Rente. Die Rente gebührt für die Dauer der Minderung der Erwerbsfähigkeit um mindestens 20 v. H.

(2) Die Vorschriften der §§ 182a, 183, 184, 205, 205a, 207, 215, 215a und 217 bis 220 des Allgemeinen Sozialversicherungsgesetzes, BGBl. Nr. 189/1955, in der jeweils geltenden Fassung, über das Ausmaß der monatlichen Rente, die Neufeststellung der Rente, die Abfindung von Renten, die Bemessung der Versehrtenrente, die Zusatzrente für Schwerversehrte, den Kinderzuschuß, die Witwen(Witwer)rente, die Abfertigung und das Wiederaufleben der Witwen(Witwer)rente, die Eheschließung nach Eintritt des Versicherungsfalles, die Waisenrente, die Eltern- und Geschwisterrente und das Höchstausmaß der Hinterbliebenenrenten gelten dem Sinne nach.

StVG

§ 80. (1) Für die aus Anlaß eines Unfalles (§ 76 Abs. 2 und 3) oder einer Krankheit (§ 76 Abs. 4) zu gewährenden Leistungen gelten die Vorschriften der §§ 85, 86, 89, 97, 98, 98a, 99, 100 Abs. 1 lit. b, 101, 102 Abs. 2 und 3, 103 Abs. 1 Z. 2 und 3 und Abs. 2, 104, 105, 106 bis 108, 110, 197, 208 bis 212 und 214 des Allgemeinen Sozialversicherungsgesetzes, BGBl. Nr. 189/1955, in der jeweils geltenden Fassung, über das Entstehen der Leistungsansprüche, den Anfall der Leistungen, das Ruhen der Leistungsansprüche bei Haft und Auslandsaufenthalt, den Wirksamkeitsbeginn von Änderungen in den Rentenansprüchen aus der Unfall- und Pensionsversicherung, die Übertragung und Verpfändung von Leistungsansprüchen, die Pfändung von Leistungsansprüchen, die Entziehung von Leistungsansprüchen, das Erlöschen von Leistungsansprüchen, die rückwirkende Herstellung des gesetzlichen Zustandes bei Geldleistungen, den Verfall von Leistungsansprüchen infolge Zeitablaufes, die

Aufrechnung, die Auszahlung der Leistungen, die Rentensonderzahlungen, den Zahlungsempfänger, die Rückforderung zu Unrecht erbrachter Leistungen, die Bezugsberechtigung im Falle des Todes des Rentenempfängers, die sachliche Abgabenfreiheit, die Versagung der Versehrtenrente bei Zuwiderhandlung, das Ruhen der Versehrtenrente bei Anstaltspflege, die vorläufige Versehrtenrente, die Gesamtvergütung, die Entschädigung aus mehreren Versicherungsfällen, die Übergangsrente und das Übergangsgeld, das Versehrtengeld aus der Unfallversicherung und den Teilersatz der Bestattungskosten dem Sinne nach.

(2) Die Rentenempfänger sind verpflichtet, jede Änderung in den für den Fortbestand ihrer Bezugsberechtigung maßgebenden Verhältnissen sowie jede Änderung ihres Wohnsitzes binnen zwei Wochen auch dem Bundesministerium für Verfassung, Reformen, Deregulierung und Justiz anzuzeigen.

Bemessungsgrundlage für Geldleistungen

§ 81. Als Bemessungsgrundlage für Geldleistungen aus der Unfallfürsorge und für die Unfallrente gilt im Kalenderjahr das Eineinhalbfache des Betrages, der sich aus dem § 181 Abs. 2 des Allgemeinen Sozialversicherungsgesetzes, BGBl. Nr. 189/1955, ergibt.

Anpassung der Unfallrente

§ 82. Mit Wirksamkeit vom 1. Jänner eines jeden Jahres sind die Unfallrenten mit dem Anpassungsfaktor zu vervielfachen, der in Anwendung der Vorschriften des § 108f des Allgemeinen Sozialversicherungsgesetzes, BGBl. Nr. 189/1955, in der jeweils geltenden Fassung, für diesen Zeitraum festgesetzt worden ist. Die Vorschriften des § 108g des Allgemeinen Sozialversicherungsgesetzes, BGBl. Nr. 189/1955, in der jeweils geltenden Fassung, gelten dem Sinne nach.

Übergang von Schadenersatzansprüchen auf den Bund

§ 83. (1) Können Personen, denen nach den Bestimmungen dieses Bundesgesetzes Leistungen zustehen, den Ersatz des Schadens, der ihnen aus einer der im § 76 genannten Ursachen erwachsen ist, auf Grund anderer gesetzlicher Vorschriften beanspruchen, so geht der Anspruch auf den Bund insoweit über, als dieser Leistungen zu erbringen hat. Ansprüche auf Schmerzengeld gehen auf den Bund nicht über.

(2) Erbringt der Bund Leistungen nach diesem Bundesgesetz, die der Berechtigte auch auf Grund der Vorschriften des Amtshaftungsgesetzes, BGBl. Nr. 20/1949, in der jeweils geltenden Fassung, hätte beanspruchen können, so kann der Bund Rückersatz nach den Vorschriften des Amtshaftungsgesetzes begehren.

Verfahren

§ 84. (1) Über die nach diesem Bundesgesetz gebührenden Leistungen entscheidet das Bundesministerium für Verfassung, Reformen, Deregulierung und Justiz.

(2) Für das Verfahren in Angelegenheiten der Unfallfürsorge und Rentenversorgung gelten die auf die Unfallversicherung anwendbaren Bestimmungen des Siebenten Teiles des Allgemeinen Sozialversicherungsgesetzes, BGBl. Nr. 189/1955, in der jeweils geltenden Fassung, dem Sinne nach.

(3) Insoweit die Leistung der Unfallfürsorge der Österreichischen Gesundheitskasse übertragen ist, sind Streitigkeiten zwischen dem Verletzten und der Österreichischen Gesundheitskasse nach den im Siebenten Teil des Allgemeinen Sozialversicherungsgesetzes, BGBl. Nr. 189/1955, in der jeweils geltenden Fassung für Leistungssachen (§ 354 ASVG) vorgesehenen Verfahrensbestimmungen, zu entscheiden; dieses Verfahren greift nicht Platz, wenn nur die Frage strittig ist, ob ein Unfall (§ 76 Abs. 2 und 3) oder eine Krankheit (§ 76 Abs. 4) mit der dem Verletzten zugewiesenen oder in der Freizeit auf Rechnung des Bundes oder für wohltätige Zwecke geleisteten Arbeit ursächlich zusammenhängt. Die Entscheidung darüber steht dem Bundesministerium für Verfassung, Reformen, Deregulierung und Justiz zu.

Siebenter Unterabschnitt

Seelsorge

§ 85. (1) Jeder Strafgefangene hat das Recht, in der Anstalt am gemeinschaftlichen Gottesdienst und an anderen gemeinsamen religiösen Veranstaltungen teilzunehmen und Heilsmittel sowie den Zuspruch eines an der Anstalt bestellten oder zugelassenen Seelsorgers zu empfangen. Der Anstaltsleiter kann aus Gründen der Sicherheit und Ordnung nach Anhörung des Seelsorgers Strafgefangene von der Teilnahme am Gottesdienst und an anderen Veranstaltungen ausschließen.

(2) Einem Strafgefangenen ist auf sein ernstliches Verlangen auch zu gestatten, in der Anstalt den Zuspruch eines nicht für die Anstalt bestellten oder zugelassenen Seelsorgers seines eigenen Bekenntnisses zu empfangen. Die Entscheidung hierüber steht dem Anstaltsleiter zu.

(3) Ist in der Anstalt für ein Bekenntnis ein Seelsorger weder bestellt noch zugelassen, so ist dem Strafgefangenen auf sein Verlangen nach Möglichkeit ein Seelsorger namhaft zu machen, an den er sich wenden kann. Diesem ist der Besuch des Strafgefangenen zu dessen seelsorgerischer Betreuung zu gestatten.

(4) Strafgefangenen ist zu gestatten, auch außerhalb der Besuchszeiten (§ 94 Abs. 1) während der Amtsstunden den Besuch eines Seelsorgers zu empfangen. Der Inhalt der zwischen dem Strafgefangenen und dem Seelsorger geführten Gespräche ist nicht zu überwachen. Im übrigen gelten für solche Besuche die §§ 94 und 95 dem Sinne nach.

Achter Unterabschnitt

Verkehr mit der Außenwelt

Gemeinsame Bestimmungen für Briefverkehr, Telefongespräche und Besuche

§ 86. (1) Die Strafgefangenen dürfen nach Maßgabe der Bestimmungen dieses Bundesgesetzes mit anderen Personen und Stellen schriftlich verkehren und Telefongespräche führen sowie Besuche empfangen. Die §§ 103 Abs. 3, 112 Abs. 2 und 114 Abs. 2 bleiben unberührt.

(2) Briefverkehr, Telefongespräche und Besuche sind jedoch zu untersagen, soweit davon eine Gefährdung der Sicherheit und Ordnung in der Anstalt oder ein ungünstiger Einfluß auf den Strafgefangenen zu befürchten ist. § 96 bleibt unberührt.

Briefverkehr

§ 87. (1) Soweit dieses Bundesgesetz nichts anderes bestimmt, sind Strafgefangene berechtigt, Briefe, Karten und Telegramme ohne Beschränkungen und unter Wahrung des Briefgeheimnisses abzusenden und zu empfangen. Gehen solche Schreiben für einen Strafgefangenen ein, so dürfen sie ihm nur durch den Anstaltsleiter oder durch einen von diesem hiezu bestimmten Strafvollzugsbediensteten ausgehändigt werden. Eingehende Telegramme sind ohne Verzug auszuhändigen.

(2) Wird durch den außerordentlichen Umfang des Briefverkehrs eines Strafgefangenen die Überwachung (§ 90) beeinträchtigt, so hat der Anstaltsleiter diejenigen Beschränkungen anzuordnen, die für eine einwandfreie Überwachung notwendig sind. Eine solche Anordnung darf sich nicht auf den Schriftverkehr eines Strafgefangenen in persönlichen Angelegenheiten von besonderer Bedeutung, in wichtigen Rechts- oder Geschäftsangelegenheiten und zu ernstlichen Fragen des späteren Fortkommens des Strafgefangenen beziehen.

(3) Die Briefe müssen leserlich, verständlich, im allgemeinen in deutscher Sprache abgefaßt und in Vollschrift geschrieben sein. Angehörige einer inländischen sprachlichen Minderheit sind zum Gebrauch ihrer Sprache berechtigt. Ist der Strafgefangene der deutschen Sprache nicht hinreichend mächtig, so ist der Gebrauch einer Fremdsprache zulässig; dies gilt, soweit keine Bedenken bestehen, auch dann, wenn der Empfänger des Schreibens der deutschen Sprache nicht hinreichend mächtig ist.

(4) Briefe, die Strafgefangenen eingehändigt worden sind, sind ihnen eine Woche hindurch zu belassen, sodann wieder abzunehmen und je nach dem Verlangen des Strafgefangenen entweder zu vernichten oder für ihn aufzubewahren. Auf Verlangen des Strafgefangenen sind ihm Briefe auch zu belassen, soweit kein Mißbrauch zu befürchten ist und die Ordnung im Haftraum nicht leidet.

Schreiben

§ 89. (1) Die Strafgefangenen dürfen Briefe im allgemeinen nur in der Freizeit schreiben. In dringenden Fällen ist den Strafgefangenen aber auch zu gestatten, während der Arbeitszeit zu schreiben.

(2) Den Strafgefangenen sind für ihre Briefe und Eingaben das nötige Schreibzeug und, soweit sie darüber auch unter Heranziehung von Geldern, die ihnen sonst für die Verschaffung von Leistungen im Strafvollzug nicht zur Verfügung stehen, nicht verfügen, in angemessenem Umfang Briefpapier zur Verfügung zu stellen.

(3) Strafgefangenen, die nicht lesen und schreiben können, ist durch einen Strafvollzugsbediensteten Hilfe zu leisten.

Überwachung des Briefverkehrs

§ 90. (1) Von Strafgefangenen verfaßte Schreiben sind vor ihrer Absendung und für Strafgefangene eingehende Schreiben vor ihrer Aushändigung im allgemeinen nur zu überwachen, soweit dies notwendig ist, um allenfalls darin enthaltene unerlaubte Sendungen von Geld und anderen Gegenständen zurückzuhalten. Außerdem sind sie vom Anstaltsleiter oder einem von diesem hiezu bestimmten Strafvollzugsbediensteten stichprobenweise und ansonsten insoweit zu lesen, als dies mit Rücksicht auf die psychiatrische, psychotherapeutische oder psychologische Betreuung des Strafgefangenen oder deswegen erforderlich ist, weil der Verdacht besteht, daß ein Schreiben nach § 90a zurückzuhalten sein werde.

(2) Wird ein Schreiben eines Strafgefangenen gelesen, so ist dafür zu sorgen, daß der Inhalt anderen Personen nicht bekannt wird, es sei denn, daß der Brief nach § 90a zurückzuhalten oder die Kenntnisnahme durch andere Personen für die psychiatrische, psychotherapeutische oder psychologische Betreuung des Strafgefangenen erforderlich ist. Vor dem Lesen eines Briefes oder einer Eingabe ist erforderlichenfalls die Herstellung einer Übersetzung zu veranlassen.

Zurückbehaltung von Schreiben

§ 90a. (1) Dürfen Schreiben nach den Vorschriften dieses Bundesgesetzes nicht abgesendet oder nicht ausgefolgt werden, verstoßen sie aus anderen Gründen gegen die Zwecke des Strafvollzuges, wird durch sie der Tatbestand einer gerichtlich strafbaren Handlung verwirklicht oder dienen sie der Vorbereitung einer solchen Handlung, so sind sie zurückzuhalten.

(2) Wird ein Schreiben zurückgehalten, so ist dies dem Strafgefangenen unverzüglich mitzuteilen, im Falle eines Schreibens an eine der im § 90b Abs. 4 bis 6 genannten Personen oder Stellen oder eines Schreibens einer dieser Personen oder Stellen auch der Person oder Stelle. Die Mitteilung kann unterbleiben, solange sie den Zweck des Zurückhaltens beeinträchtigen würde oder wenn das Schreiben – außer in den Fällen des § 90b Abs. 1 – auf eine Art und Weise be-

fördert werden sollte, die es einer Überwachung nach § 90 Abs. 1 entzogen hätte. Einwandfreie Teile eines wegen seines Inhalts angehaltenen Schreibens, das für einen Strafgefangenen eingegangen ist, sind ihm bekanntzugeben oder auszuhändigen.

(3) Die zurückgehaltenen Schreiben sind zu den Personalakten zu nehmen und dem Strafgefangenen bei seiner Entlassung auszuhändigen, soweit nicht zu befürchten ist, daß der Entlassene davon zum Zwecke der Begehung einer gerichtlich strafbaren Handlung Gebrauch machen werde.

Schriftverkehr mit öffentlichen Stellen, Rechtsbeiständen und Betreuungsstellen

§ 90b. (1) Schreiben, die ein Strafgefangener unter zutreffender Angabe des Absenders an öffentliche Stellen (Abs. 4), Rechtsbeistände (Abs. 5) oder Betreuungsstellen (Abs. 6) richtet, dürfen in einem verschlossenen Umschlag zur Absendung gegeben werden.

(2) Sind solche Schreiben an öffentliche Stellen (Abs. 4) gerichtet, so dürfen sie nur im Falle eines begründeten und nicht auf andere Weise überprüfbaren Verdachts einer unerlaubten Sendung von Geld oder Gegenständen und nur in Gegenwart des Strafgefangenen geöffnet werden.

(3) Sind solche Schreiben an Rechtsbeistände (Abs. 5) oder Betreuungsstellen (Abs. 6) gerichtet oder handelt es sich um Schreiben dieser Personen und Stellen oder um Schreiben öffentlicher Stellen (Abs. 4) an einen Strafgefangenen, so dürfen sie nur in dessen Gegenwart und nur

1. aus dem Grunde des Abs. 2 oder

StVG

2. im Falle eines begründeten Verdachts, daß

a) auf dem Schreiben ein falscher Absender angegeben ist,

b) der Inhalt des Schreibens eine Gefahr für die Sicherheit der Anstalt darstellt oder

c) der Inhalt des Schreibens den Tatbestand einer gerichtlich strafbaren Handlung verwirklicht oder der Vorbereitung einer solchen Handlung dient,

geöffnet werden. Gelesen werden dürfen solche Schreiben nur in den Fällen der Z 2 lit. b und c; soweit sich dabei der Verdacht bestätigt, sind die Schreiben zurückzuhalten.

(4) Als öffentliche Stellen gelten

1. der Bundespräsident, die Mitglieder der Bundesregierung, inländische allgemeine Vertretungskörper, Gerichte und andere Behörden, die Volksanwaltschaft sowie Angehörige einer dieser Stellen;

1a. das Europäische Parlament, der Rat der Europäischen Union sowie die Kommission und der Gerichtshof der Europäischen Gemeinschaften;

2. der Europäische Gerichtshof für Menschenrechte sowie der nach dem Europäischen Übereinkommen zur Verhütung der Folter eingerichtete Ausschuß;

2a. die Internationalen Gerichte (§ 1 des Bundesgesetzes BGBl. Nr. 263/1996) und der Internationale Strafgerichtshof;

3. bei ausländischen Strafgefangenen auch die konsularische Vertretung ihres Heimatstaates.

(5) Als Rechtsbeistände gelten Rechtsanwälte, Notare, Verteidiger und Wirtschaftstreuhänder.

(6) Als Betreuungsstellen gelten

1. der Bewährungshelfer des Strafgefangenen, Dienst- und Geschäftsstellen für Bewährungshilfe sowie Vereinigungen, die mit Aufgaben der Bewährungshilfe betraut sind;

2. allgemein anerkannte Vereinigungen und Einrichtungen, die sich mit der Beratung und Unterstützung von Angehörigen der Strafgefangenen und mit der Entlassenenbetreuung befassen.

Paket- und Geldsendungen sowie Erläge

§ 91. (1) Pakete, die für einen Strafgefangenen einlangen, sind in seiner Gegenwart zu öffnen. Die darin enthaltenen Gegenstände sind dem Strafgefangenen auszufolgen, wenn ihm nach den Bestimmungen dieses Bundesgesetzes ihr Besitz gestattet wird. Andernfalls ist damit nach der Vorschrift des § 41 zu verfahren.

(2) Die Sendung von Nahrungs- und Genussmitteln im Paketweg ist nicht zulässig. Strafgefangene sind jedoch berechtigt, einmal im Vierteljahr Eigengeld bis zum Ausmaß von 50 vH des Höchstmaßes einer außerordentlichen Arbeitsvergütung (§ 53 Abs. 1 erster Satz) für den Bezug von Nahrungs- und Genussmitteln zu verwenden.

(Anm.: Abs. 3 und 4 aufgehoben durch BGBl. I Nr. 142/2009)

(5) Mit Geldsendungen und Erlägen ist nach der Vorschrift des § 41 zu verfahren.

Postgebühren

§ 92. (1) Postsendungen der Strafgefangenen dürfen nur abgesendet werden, wenn die Beförderungsgebühr hiefür entrichtet worden ist. Die Postgebühren tragen die Strafgefangenen.

(2) Eingehende Postsendungen, die mit Gebühren belastet sind, sind nur anzunehmen, wenn der Strafgefangene für die Gebühr aufkommt.

(3) Zur Bestreitung der Postgebühren dürfen die Strafgefangenen auch Gelder verwenden, die ihnen sonst für die Verschaffung von Leistungen im Strafvollzuge nicht zur Verfügung stehen. Ist ein Strafgefangener ohne sein Verschulden nicht imstande, die Gebühren zu bestreiten, so sind sie vom Bunde zu tragen.

Besuche

§ 93. (1) Strafgefangene dürfen Besuche innerhalb der festgesetzten Besuchszeiten so oft und in dem zeitlichen Ausmaß empfangen, als deren Abwicklung mit vertretbarem Aufwand gewährleistet werden kann. Es darf ihnen nicht verwehrt werden, jede Woche wenigstens einen Besuch in der Dauer von mindestens einer halben Stunde zu empfangen; wenigstens einmal innerhalb von sechs Wochen ist die Besuchsdauer auf mindestens eine Stunde zu verlängern. Erhält ein Strafgefangener selten Besuch oder hat ein Besucher einen langen Anreiseweg, so ist die Besuchsdauer jedenfalls angemessen zu verlängern.

(2) Zur Regelung wichtiger persönlicher, wirtschaftlicher oder rechtlicher Angelegenheiten, die weder schriftlich erledigt noch bis zur Entlassung aufgeschoben werden können, sowie zur Aufrechterhaltung familiärer und sonstiger persönlicher Bindungen ist den Strafgefangenen in geeigneten Räumlichkeiten Gelegenheit zum Empfang von Besuchen in hiefür angemessener Häufigkeit und Dauer, erforderlichenfalls auch außerhalb der Besuchszeiten, zu geben. Auf eine Überwachung solcher Besuche kann, soweit keine Bedenken bestehen, verzichtet werden.

(3) Besucher, die das 14. Lebensjahr noch nicht vollendet haben, sind nur in Begleitung Erwachsener zum Besuch zuzulassen. Mehr als drei Besucher sollen nicht gleichzeitig zum Besuch eines Strafgefangenen zugelassen werden.

§ 94. (1) Außer in den Fällen des § 93 Abs. 2 sind Besuche nur während der Besuchszeiten zu gestatten. Diese sind vom Anstaltsleiter an mindestens vier Wochentagen, davon wenigstens einmal am Abend oder am Wochenende, festzusetzen; auf Besucher, die berufstätig sind oder eine weite Anreise haben, ist hiebei Rücksicht zu nehmen. Die Besuche haben in den dafür vorgesehenen Besuchsräumen oder, wenn es die Witterung gestattet, innerhalb dafür vorgesehener Teile des Anstaltsbereiches im Freien stattzufinden. Soweit ein Mißbrauch nicht zu besorgen ist, kann der Anstaltsleiter, insbesondere bei Besuchen von Angehörigen, ein Unterbleiben der Überwachung des Gespräches oder andere Lockerungen der Besuchsgestaltung bewilligen. Bei bettlägerigen oder ihrer Krankheit wegen abgesonderten Strafgefangenen hat der Anstaltsleiter nach Anhörung des Anstaltsarztes Besuche im Krankenraum zu gestatten, es sei denn, daß davon eine Gefährdung der Sicherheit und Ordnung in der Anstalt oder der Gesundheit des Strafgefangenen, des Besuchers oder dritter Personen zu besorgen wäre.

(2) Die Besucher haben sich, wenn sie nicht bekannt sind, über ihre Person auszuweisen. Sie sind in kurzen und einfachen Worten darüber zu belehren, wie sie sich beim Besuche zu verhalten haben.

(3) Die Besucher haben sich so zu verhalten, daß die Zwecke des Strafvollzuges nicht gefährdet werden und der Anstand nicht verletzt wird. Die Besucher und die Strafgefangenen dürfen einander keine Gegenstände übergeben.

(4) Soweit nicht nach den Bestimmungen dieses Bundesgesetzes eine Überwachung des Inhalts des Gespräches zwischen dem Strafgefangenen und dem Besucher zu unterbleiben hat, ist das Gespräch verständlich, in deutscher Sprache und auch sonst so zu führen, daß es leicht überwacht werden kann. Angehörige einer inländischen sprachlichen Minderheit sind zum Gebrauch ihrer Sprache berechtigt. Ist ein Strafgefangener der deutschen Sprache nicht hinreichend mächtig, so ist der Gebrauch einer Fremdsprache zulässig; dies gilt, soweit keine Bedenken bestehen, auch dann, wenn der Besucher der deutschen Sprache nicht hinreichend mächtig ist.

Überwachung der Besuche

§ 95. Die Besuche sind schonend zu überwachen. Soweit in diesem Bundesgesetz nichts anderes bestimmt wird, kann sich die Überwachung auch auf den Inhalt des zwischen dem Strafgefangenen und dem Besucher geführten Gespräches erstrecken, soll sich jedoch auf Stichproben beschränken. Erforderlichenfalls ist ein fremdsprachenkundiger Strafvollzugsbediensteter oder ein Dolmetscher beizuziehen. Von der Beiziehung eines Dolmetschers ist jedoch abzusehen, wenn die damit verbundenen Kosten im Hinblick darauf, daß von dem Gespräch eine Gefährdung der Sicherheit und Ordnung der Anstalt nicht zu befürchten ist, mit dem Grundsatz einer sparsamen Verwaltung nicht in Einklang stünden. Verstoßen die Strafgefangenen oder die Besucher gegen die Bestimmungen des § 94 Abs. 3 und 4, so sind sie in leichten Fällen abzumahnen. Im Wiederholungsfalle oder bei ernsten Verstößen ist der Besuch unbeschadet der Zulässigkeit einer strafrechtlichen oder verwaltungsstrafrechtlichen Verfolgung abzubrechen.

Besuche von Vertretern öffentlicher Stellen und von Betreuungsstellen sowie von Rechtsbeiständen

§ 96. (1) Besuche von Vertretern öffentlicher Stellen und von Betreuungsstellen sowie Besuche von Rechtsbeiständen (§ 90b Abs. 4 bis 6) sind auch außerhalb der im § 93 Abs. 1 genannten Zeitabstände während der Amtsstunden zu gestatten.

(2) Der Inhalt der zwischen den Strafgefangenen und den im Abs. 1 genannten Besuchern geführten Gespräche ist nicht zu überwachen. Eine inhaltliche Überprüfung der von diesen Besuchern mitgeführten Schriftstücke und sonstigen Unterlagen ist nur in den Fällen des § 90b Abs. 3 Z 2 lit. b und c zulässig.

Telefongespräche

§ 96a. Aus berücksichtigungswürdigen Gründen sind Strafgefangenen Telefongespräche, insbesondere mit Angehörigen, Sachwaltern und sozialen Einrichtungen sowie mit öffentlichen Stellen, Rechtsbeiständen und Betreuungsstellen (§ 90b Abs. 4 bis 6), zu ermöglichen. Der Inhalt der zwischen den Strafgefangenen und den im § 90b Abs. 4 bis 6 genannten Personen und Stellen geführten Gespräche ist nicht zu überwachen; im übrigen kann auf eine Überwachung des Gesprächsinhalts verzichtet werden, soweit keine Bedenken bestehen. Soweit der Gesprächsinhalt überwacht wird, gelten die §§ 94 Abs. 3 und 4 und 95 sinngemäß. Für die Bestreitung der Kosten gilt § 92 sinngemäß.

Vernehmungen

§ 97. Auf Ersuchen von Behörden oder Sicherheitsdienststellen ist deren Organen Gelegenheit zu geben, einen Strafgefangenen in der Anstalt zum Vollzug von Freiheitsstrafen im Beisein eines Strafvollzugsbediensteten zu vernehmen. Organen ausländischer Behörden oder Sicherheitsdienststellen ist dies aber nur dann zu gestatten, wenn das Bundesministerium für Verfassung, Reformen, Deregulierung und Justiz die Zulässigkeit der Vernehmung bestätigt hat.

Ausführungen und Überstellungen

§ 98. (1) Ein Strafgefangener darf ausgeführt werden, wenn eine inländische Behörde oder Sicherheitsdienststelle darum ersucht oder wenn dazu aus Vollzugs- oder anderen Verwaltungsgründen Veranlassung besteht.

(2) Eine Ausführung, um die der Strafgefangene ersucht, ist bis zum Höchstausmaß von vierundzwanzig Stunden zu gestatten, soweit zur Erledigung besonders wichtiger und unaufschiebbarer Angelegenheiten persönlicher, wirtschaftlicher oder rechtlicher Natur die Anwesenheit des Strafgefangenen an einem Ort außerhalb der Anstalt dringend erforderlich und die Ausführung nach der Wesensart des Strafgefangenen, seinem Vorleben und seiner Aufführung während der Anhaltung unbedenklich und ohne Beeinträchtigung des Dienstes und der Ordnung in der Anstalt möglich ist. Die durch eine solche Ausführung entstehenden Kosten hat der Strafgefangene zu tragen. Zur Bestreitung dieser Kosten darf er auch Gelder verwenden, die ihm sonst für die Verschaffung von Leistungen im Strafvollzug nicht zur Verfügung stehen. In Ermangelung solcher Mittel sind die Kosten in berücksichtigungswürdigen Fällen vom Bunde zu tragen.

StVG

(3) Bei der Ausführung eines Strafgefangenen, bei dem keine Fluchtgefahr besteht, ist der Gebrauch der eigenen Kleidung zu gestatten. Das gleiche gilt für Überstellungen, die nicht ausschließlich in einem geschlossenen Beförderungsmittel durchgeführt werden. Eine unvermeidliche Nächtigung während der Ausführung hat in der nächstgelegenen Anstalt zum Vollzug von Freiheitsstrafen zu geschehen.

(4) Vor und nach jeder Ausführung oder Überstellung ist der Strafgefangene zu durchsuchen.

Unterbrechung der Freiheitsstrafe

§ 99. (1) Ist ein Strafgefangener nach der Art und dem Beweggrund der strafbaren Handlung, derentwegen er verurteilt worden ist, sowie nach seinem Lebenswandel vor der Anhaltung und seiner Aufführung während dieser weder für die Sicherheit des Staates, noch für die der Person oder des Eigentums besonders gefährlich, so ist ihm auf seinen Antrag eine Unterbrechung der Freiheitsstrafe in der Dauer von höchstens acht Tagen zu gewähren,

1. wenn die voraussichtlich noch zu verbüßende Strafzeit drei Jahre nicht übersteigt und der Strafgefangene die Unterbrechung benötigt, um im Inland

a) einen Angehörigen oder einen anderen ihm besonders nahestehenden Menschen, der lebensgefährlich erkrankt oder verletzt ist, aufzusuchen,

b) an dem Begräbnis einer dieser Personen teilzunehmen oder

c) wichtige Familienangelegenheiten im Zusammenhang mit einem der in den lit. a und b angeführten Anlässe oder mit der Ehescheidung eines Angehörigen oder unaufschiebbare persönliche Angelegenheiten zu ordnen;

2. wenn die voraussichtlich noch zu verbüßende Strafzeit ein Jahr nicht übersteigt und die Unterbrechung für den Wirtschaftsbetrieb, in dem der Strafgefangene tätig war, notwendig erscheint.

Die Unterbrechung darf nur gewährt werden, wenn eine Unterkunft und der Unterhalt des Strafgefangenen für die Zeit der Unterbrechung gesichert sind. Von der Bewilligung einer Unterbrechung ist die Sicherheitsbehörde des für die Zeit der Unterbrechung in Aussicht genommenen Aufenthaltsortes des Strafgefangenen zu verständigen.

(2) Die Unterbrechung ist zu widerrufen, wenn der Verurteilte versucht, sich dem weiteren Strafvollzug zu entziehen, wenn begründete Besorgnis besteht, daß er dies versuchen werde, oder wenn der dringende Verdacht besteht, daß er aufs neue eine gerichtlich strafbare Handlung begangen habe oder begehen werde.

(3) Der Verurteilte hat die Strafe spätestens mit Ablauf des Zeitraumes, für den die Unterbrechung bewilligt worden ist, wieder anzutreten. Kommt er dieser Verpflichtung nicht nach, so hat der Anstaltsleiter die Vorführung zu veranlassen.

(4) Die Zeit der Unterbrechung ist in die Strafzeit einzurechnen. Wird jedoch die Unterbrechung widerrufen oder tritt der Verurteilte die Strafe nicht rechtzeitig wieder an, so ist die außerhalb der Strafhaft verbrachte Zeit in die Strafzeit nicht einzurechnen.

(5) Die Entscheidung über die Unterbrechung der Freiheitsstrafe und den Widerruf steht dem Anstaltsleiter zu. Wird die Unterbrechung widerrufen, hat der Anstaltsleiter zugleich die sofortige Vorführung zu veranlassen. Soweit dies zur Beurteilung der Voraussetzungen des Abs. 1 erster Satz zweckmäßig erscheint, ist vor der Entscheidung über die Unterbrechung und ihren Widerruf eine Äußerung der Begutachtungs- und Evaluationsstelle für Gewalt- und Sexualstraftäter einzuholen. Soweit dies nach der Person des Strafgefangenen und seiner Entwicklung erforderlich ist, um die Einhaltung der Bestimmungen des Abs. 1 zweiter Satz, Abs. 2 und 3 zu sichern, ist die Unterbrechung nur unter Auflagen und Bedingungen

zu gestatten und sind nach Maßgabe ihrer Verfügbarkeit in der Anstalt angemessene, technisch geeignete Mittel der elektronischen Aufsicht anzuordnen.

(5a) Der Bundesminister für Verfassung, Reformen, Deregulierung und Justiz ist ermächtigt, durch Verordnung Richtlinien über die Art und die Durchführung der elektronischen Aufsicht zu erlassen.

(6) Die Entscheidung über die Nichteinrechnung der Zeit der Unterbrechung oder der außerhalb der Strafe verbrachten Zeit in die Strafzeit (Abs. 4) steht dem Vollzugsgericht zu (§ 16 Abs. 2 Z 3).

Ausgang

§ 99a. (1) Einem im Sinne des § 99 Abs. 1 nicht besonders gefährlichen Strafgefangenen ist auf sein Ansuchen höchstens zweimal im Vierteljahr zu gestatten, die Anstalt in der Dauer von höchstens zwölf Stunden am Tag zu verlassen, wenn die voraussichtlich noch zu verbüßende Strafzeit drei Jahre nicht übersteigt und der Strafgefangene den Ausgang zu einem der im § 93 Abs. 2 genannten Zwecke benötigt. Soweit es nach dem Zweck des Ausganges unter Bedachtnahme auf allfällige Reisebewegungen notwendig erscheint, darf die Dauer der Abwesenheit bis zu 48 Stunden betragen.

(2) § 99 Abs. 1 zweiter und dritter Satz sowie Abs. 2 bis 4 gilt dem Sinne nach.

(3) Die Entscheidung über den Ausgang und über den Widerruf steht dem Anstaltsleiter zu, der § 99 Abs. 5 dritten und letzten Satz sinngemäß anzuwenden hat.

(4) Die Entscheidung über die Nichteinrechnung der Zeit des Ausganges oder der außerhalb der Strafe verbrachten Zeit in die Strafzeit (§ 99 Abs. 4) steht dem Vollzugsgericht zu (§ 16 Abs. 2 Z 3a).

Eheschließung

§ 100. (1) Wünscht ein Strafgefangener eine Ehe zu schließen, so ist ihm hiezu unbeschadet der Bestimmungen der §§ 98 und 99 in der Anstalt Gelegenheit zu geben.

(2) Abs. 1 gilt auch, wenn ein Strafgefangener wünscht, eine Trauung vor dem Seelsorger einer gesetzlich anerkannten Kirche oder Religionsgemeinschaft zu erwirken.

Neunter Unterabschnitt
Aufsicht

Sicherung der Abschließung

§ 101. (1) Auch außer den in diesem Bundesgesetze besonders vorgesehenen Fällen ist über die Abschließung der Strafgefangenen von der Außenwelt zu wachen.

(2) Personen, die nicht in der Anstalt beschäftigt sind, dürfen die Anstalt außer in den in diesem Bundesgesetz besonders vorgesehenen Fällen nur mit Genehmigung des Anstaltsleiters, wenn es sich aber um einen Besuch zum Zwecke der Besichtigung der Anstalt handelt, nur mit Genehmigung des Bundesministeriums für Verfassung, Reformen, Deregulierung und Justiz betreten. Die Genehmigung darf nur erteilt werden, wenn der Besuch mit den Zwecken des Strafvollzuges vereinbar ist. Besucher, die nicht bekannt sind, müssen sich über ihre Person ausweisen. Hievon kann jedoch abgesehen werden, wenn es sich um einen Besuch zum Zwecke der Besichtigung der Anstalt handelt und der Besucher von einer bekannten Person oder von einer Person, die sich ausweisen kann, begleitet wird.

(3) Die Besucher haben Gegenstände, von deren Mitnahme eine Gefahr für die Sicherheit und Ordnung des Strafvollzuges zu befürchten wäre, abzugeben. Dies gilt auch für Waffen, zu deren Tragen der Besucher wegen seines öffentlichen Dienstes verpflichtet ist. Lichtbild- und Tonaufnahmegeräte sind abzugeben, soweit nicht das Bundesministerium für Verfassung, Reformen, Deregulierung und Justiz ausnahmsweise eine schriftliche Erlaubnis zur Verwendung solcher Geräte im Anstaltsbereich erteilt hat. Eine solche Erlaubnis darf nur erteilt werden, wenn die Verwendung der Geräte mit den Zwecken des Strafvollzuges vereinbar und nach der Person des Besuchers sowie nach den mit ihm getroffenen Vereinbarungen Gewähr dafür geboten ist, daß von den Lichtbildern und Tonaufnahmen kein Gebrauch gemacht wird, der geeignet wäre, den Strafvollzug oder rechtliche Interessen der Strafgefangenen zu schädigen.

(4) Die Strafvollzugsbediensteten sind ermächtigt, Personen, die nicht in der Anstalt beschäftigt sind, im Anstaltsbereich zu durchsuchen, sofern diese im begründeten Verdacht einer Verwaltungsübertretung nach § 180a stehen oder auf Grund bestimmter Tatsachen anzunehmen ist, daß sie einen Gegenstand bei sich haben, von dem sonst eine Gefahr für die Sicherheit und Ordnung des Strafvollzuges ausgeht. Im übrigen sind Fahrzeuge, Taschen und sonstige Behältnisse, die in den Anstaltsbereich gebracht oder von dort herausgebracht werden, wenigstens stichprobenweise zu durchsuchen.

(5) Die Anwendung unmittelbaren Zwanges zur Durchsetzung einer Durchsuchung nach Abs. 4 ist nur zulässig, wenn eine Gefahr für die Sicherheit und Ordnung des Strafvollzuges nicht mit anderen Mitteln abgewendet werden kann. Personsdurchsuchungen sind von Bediensteten des Geschlechts der zu durchsuchenden Person und möglichst schonend durchzuführen. Die Strafvollzugsbediensteten haben sich dabei auf eine Durchsuchung der Kleidung und eine Besichtigung des Körpers zu beschränken, es sei denn, es wäre auf Grund bestimmter Tatsachen anzunehmen, die zu durchsuchende Person habe einen Gegenstand in ihrem Körper versteckt; in solchen Fällen ist mit der Durchsuchung ein Arzt zu betrauen.

Mobilfunkverkehr

§ 101a. (1) Der Besitz und Betrieb von Endeinrichtungen im Sinne des § 4 Z 34 des Telekommunikationsgesetzes 2021 – TKG 2021, BGBl. I Nr. 190/2021, ist in Justizanstalten, insbesondere in den besonders zutrittsgesicherten Anstaltsbereichen (Gesperre), verboten, soweit diese nicht dienstlich oder vom Anstaltsleiter im Einzelfall zugelassen oder unbeschadet des § 101 Abs. 3 in sonstigen ausgewählten Anstaltsbereichen vom Anstaltsleiter mit Genehmigung des Bundesministeriums für Justiz gestattet sind.

(2) Die Anstalt darf unbeschadet der Bewilligungspflicht gemäß § 28 Abs. 4 und 5 TKG 2021 technische Geräte betreiben, die

1. das Auffinden von Endeinrichtungen ermöglichen,

2. Endeinrichtungen zum Zweck des Auffindens aktivieren können oder

3. Frequenzen stören oder unterdrücken, die der Herstellung oder Aufrechterhaltung unerlaubter Funkverbindungen im Anstaltsbereich dienen.

Der Antrag auf Bewilligung nach dem Telekommunikationsgesetz 2021 ist durch die Bundesministerin für Justiz zu stellen.

Sicherung der Ordnung in der Anstalt

§ 102. (1) Es ist darüber zu wachen, daß sich die Strafgefangenen so verhalten, wie es in diesem Bundesgesetze und den darauf gegründeten Vorschriften und Verfügungen allgemein oder im Einzelfall angeordnet ist. Insbesondere ist angemessene Vorsorge dafür zu treffen, daß sowohl die Begehung strafbarer Handlungen durch Strafgefangene als auch die Begehung strafbarer Handlungen an Strafgefangenen hintangehalten werden.

(2) Die Strafgefangenen sind auch in der Freizeit und Ruhezeit in den ihnen zum Aufenthalt zugewiesenen Räumen unvermutet zu beobachten oder aufzusuchen. Zu diesem Zweck können diese Räume auch während der Nachtruhe vorübergehend beleuchtet werden. Die Strafgefangenen, ihre Sachen und die von ihnen benutzten Räume sind von Zeit zu Zeit zu durchsuchen. Durchsuchungen sind möglichst schonend, Personsdurchsuchungen von Bediensteten des Geschlechts des Strafgefangenen durchzuführen. § 101 Abs. 5 letzter Satz gilt entsprechend. Die mit einer Entblößung verbundene körperliche Durchsuchung ist in Anwesenheit zweier Bediensteter des Geschlechtes des Strafgefangenen und in Abwesenheit von Mitgefangenen und Personen des anderen Geschlechtes durchzuführen.

(3) Anstaltsschlüssel, Waffen, Munition und andere Sicherungsmittel sowie Dienstbekleidungsstücke, die nicht ausgegeben sind oder gebraucht werden, sind unter sicherem Verschluß zu halten.

(4) Arbeitsgeräte, Werkstoffe und andere Gegenstände, die die Sicherheit gefährden können, sind sicher zu verwahren und dürfen Strafgefangenen nur unter Aufsicht und nicht länger als nötig überlassen werden.

(5) Der Verlust eines der in den Abs. 3 und 4 genannten Gegenstände ist unverzüglich zu melden.

§ 102a. Zur Sicherung der Ordnung in der Anstalt sind der Anstaltsleiter oder damit besonders beauftragte Strafvollzugsbedienstete dazu ermächtigt, einen Strafgefangenen stichprobenweise oder bei Verdacht geeigneten Maßnahmen zur Feststellung des Konsums eines berauschenden Mittels zu unterziehen. Diese Maßnahmen haben unter Achtung des Ehrgefühls und der Menschenwürde des Strafgefangenen stattzufinden und dürfen nicht mit einem körperlichen Eingriff verbunden sein.

Videoüberwachung

§ 102b. (1) Zur Sicherung der Abschließung der Strafgefangenen von der Außenwelt und zur Sicherung der Ordnung in der Anstalt, insbesondere zur Vorbeugung und Abwehr der Begehung strafbarer Handlungen durch Strafgefangene sowie der Begehung strafbarer Handlungen an Strafgefangenen, und bei einer ernstlichen und erheblichen Gefährdung des Lebens oder der Gesundheit eines Strafgefangenen ist der Anstaltsleiter ermächtigt, technische Mittel zur Bildübertragung in Echtzeit in der Anstalt und an deren Außengrenzen einzusetzen (Echtzeitüberwachung).

(2) Das Ermitteln personenbezogener Daten Anwesender mit technischen Mitteln zur Bildaufnahme ist nur aus den im Abs. 1 genannten Gründen und überdies nur im Eingangsbereich, in den Besucher- und Vernehmungszonen, den Gängen im Gesperre, den Örtlichkeiten, die der Beschäftigung und dem Aufenthalt von Strafgefangenen außerhalb der Hafträume dienen, und in vergleichbaren Bereichen sowie an den Außengrenzen der Anstalt zulässig. Die auf diese Weise ermittelten Daten dürfen auch zur Verfolgung einer gerichtlich strafbaren Handlung oder einer Ordnungswidrigkeit verwendet werden.

(2a) Zum Zweck der Dokumentation von Amtshandlungen, bei denen die Ausübung unmittelbaren Zwanges zu erwarten ist, einschließlich Zwangsbehandlungen, ist der offene Einsatz von Bild- und Tonaufzeichnungsgeräten nach Maßgabe der Bestimmungen dieses Absatzes zulässig. Vor Beginn der Aufzeichnungen ist der Einsatz in verständlicher Weise anzukündigen. Eine Aufzeichnung hat auch auf Verlangen des betroffenen Strafgefangen zu erfolgen. Die auf diese Weise ermittelten personenbezogenen Daten dürfen nur zur Verfolgung von strafbaren Handlungen, die sich während der Amtshandlung ereignet haben, sowie zur Kontrolle der Rechtmäßigkeit der Amtshandlung ausgewertet werden. Bis zu ihrer Auswertung und Löschung sind die Aufzeichnungen gemäß den Bestimmungen des § 54 DSG vor unberechtigter Verarbeitung, insbesondere durch Protokollierung jedes Zugriffs und Verschlüsselung der Daten, zu sichern. Sie sind nach sechs Monaten zu löschen, es sei denn, dass innerhalb dieser Frist wegen der betroffenen Amtshandlung ein Rechtsschutz- oder Strafverfahren eingeleitet wird, in welchem Fall die Aufzeichnungen erst nach rechtskräftigem Abschluss dieses Verfahrens zu löschen sind. Beim Einsatz dieser Bild- und Tonaufzeichnungsgeräte ist besonders darauf zu achten, dass Eingriffe in die Privatsphäre der Betroffenen die Verhältnismäßigkeit zum Anlass wahren.

(3) Für andere als in den vorstehenden Absätzen genannte Zwecke, insbesondere zur Leistungskontrolle der Strafvollzugsbediensteten, ist die Videoüberwachung nicht zulässig. In gewöhnlichen Hafträumen, gemeinschaftlichen Sanitärräumen und Räumen, die ausschließlich dem Aufenthalt von Vollzugsbediensteten vorbehalten sind, ist die Videoüberwachung, außer nach Abs. 2a, nicht zulässig.

(4) Bei jeglicher Videoüberwachung, insbesondere beim Einsatz von technischen Mitteln zur Bildaufnahme, ist darauf zu achten, dass Eingriffe in die Privatsphäre der Betroffenen die Verhältnismäßigkeit zum Anlass wahren. Im Fall der Überwachung der Außengrenzen der Anstalt ist darauf zu achten, dass der überwachte Bereich im öffentlichen Raum möglichst gering gehalten wird.

(5) Der Umstand der Videoüberwachung ist durch geeignete Maßnahmen erkennbar zu machen. Diese Kennzeichnung hat außerhalb der Anstalt örtlich derart zu erfolgen, dass jeder potentiell Betroffene, der ein überwachtes Objekt passieren möchte, tunlichst die Möglichkeit hat, der Videoüberwachung auszuweichen.

(6) Aufgezeichnete Daten sind, sofern sie nicht zur weiteren Verfolgung einer gerichtlich strafbaren Handlung oder einer Ordnungswidrigkeit benötigt werden, spätestens nach Ablauf von 72 Stunden, gerechnet vom Zeitpunkt der erstmaligen Aufnahme, zu löschen.

(7) Jeder Verwendungsvorgang einer Videoüberwachung ist zu protokollieren. Dies gilt nicht für Fälle der Echtzeitüberwachung.

Besondere Sicherheitsmaßnahmen

§ 103. (1) Gegen Strafgefangene, bei denen Fluchtgefahr, die Gefahr von Gewalttätigkeiten gegen Personen oder Sachen oder die Gefahr eines Selbstmordes oder der Selbstbeschädigung besteht oder von denen sonst eine beträchtliche Gefahr für die Sicherheit oder Ordnung ausgeht, sind die erforderlichen besonderen Sicherheitsmaßnahmen anzuordnen.

(2) Als besondere Sicherheitsmaßnahmen, die eine zusätzliche Beschränkung der Lebensführung des Strafgefangenen mit sich bringen, kommen nur in Betracht:

1. die häufigere Durchsuchung des Strafgefangenen, seiner Sachen und seines Haftraumes;

1a. die Unterbringung eines Strafgefangenen, der entweder während der täglichen Arbeit oder während einer täglichen Freizeit von mindestens zwei Stunden in Gemeinschaft angehalten wird, für die verbleibende Zeit in einem Einzelhaftraum;

2. die nächtliche Beleuchtung des Haftraumes;

3. die Entziehung von Einrichtungs- oder Gebrauchsgegenständen oder Bekleidungsstücken, deren Mißbrauch zu befürchten ist;

4. die Unterbringung in einer besonders gesicherten Zelle, aus der alle Gegenstände entfernt sind, mit denen der Strafgefangene Schaden anrichten kann;

5. die Anlegung von Fesseln oder die mechanische Fixierung.

(3) Strafgefangene, hinsichtlich derer Maßnahmen nach Abs. 2 Z 4 oder 5 angeordnet werden, sind für die Dauer der Maßnahmen grundsätzlich vom Recht auf Besuchsempfang und auf Telefongespräche ausgeschlossen. Es obliegt aber dem Anstaltsleiter, im Einzelfall derartigen Verkehr mit der Außenwelt zu gewähren, soweit dadurch ein günstiger Einfluss auf den Strafgefangenen zu erwarten ist. Strafgefangene sind unbeschadet der besonderen Überwachung durch Vollzugsbedienstete alsbald, längstens binnen 24 Stunden, von einem Arzt aufzusuchen, der insbesondere zu prüfen hat, ob eine Überstellung nach § 71 angezeigt ist. In der Folge sind solche Strafgefangene vom Anstaltsarzt täglich aufzusuchen; versieht der Anstaltsarzt nicht täglich in der Anstalt Dienst, so sind sie an Tagen, an denen der Arzt nicht anwesend ist, von einem im Sanitätsdienst erfahrenen Strafvollzugsbediensteten aufzusuchen. Soweit das tunlich erscheint, ist ein Psychiater, ein Psychotherapeut oder ein Psychologe beizuziehen. Im Falle der mechanischen Fixierung (Abs. 2 Z 5 zweiter Fall) ist der Strafgefangene ständig durch einen Bediensteten persönlich zu betreuen und zu überwachen.

(3a) In der besonders gesicherten Zelle dürfen nur Strafgefangene untergebracht werden, deren Gefährlichkeit für sich selbst, andere Personen oder Sachen die Unterbringung in einem anderen Haftraum nicht gestattet. Die besonders gesicherte Zelle muß ausreichende Luftzufuhr und genügendes Tageslicht aufweisen. Soweit keine Bedenken bestehen, sind einem in der besonders gesicherten Zelle Untergebrachten jedenfalls eine Matratze und zur Einnahme der Mahlzeiten ein Löffel zur Verfügung zu stellen.

(4) Fesseln dürfen einem Strafgefangenen außer bei Ausführungen und Überstellungen nur angelegt werden, wenn er Gewalttätigkeiten gegen Personen oder Sachen, Selbstverletzung, Selbstmord oder Flucht angedroht, vorbereitet oder versucht hat, die ernste Gefahr einer Wiederholung oder Ausführung besteht und andere Sicherheitsmaßnahmen den Umständen nach nicht möglich sind oder nicht ausreichen. Die Fesseln sind an den Händen, wenn aber sonst der Zweck der Fesselung nicht erreicht werden kann, auch an den Füßen anzulegen.

(5) Besondere Sicherheitsmaßnahmen sind aufrechtzuerhalten, soweit und solange dies das Ausmaß und der Fortbestand der Gefahr, die zu ihrer Anordnung geführt hat, unbedingt erfordern.

(6) Die Anordnung besonderer Sicherheitsmaßnahmen steht dem aufsichtführenden Strafvollzugsbediensteten zu. Dieser hat jede solche Anordnung unverzüglich dem Anstaltsleiter zu melden. Der Anstaltsleiter hat unverzüglich über die Aufrechterhaltung der besonderen Sicherheitsmaßnahme zu entscheiden. Die Aufrechterhaltung einer Maßnahme nach Abs. 2 Z 4 über eine Woche oder einer Maßnahme nach Abs. 2 Z 5 über 48 Stunden hinaus kann nur das Vollzugsgericht anordnen, das hierüber auf Antrag des Anstaltsleiters zu entscheiden hat (§ 16 Abs. 2 Z 4 und 5). Ordnet das Vollzugsgericht die Aufrechterhaltung der Maßnahme an, so hat es zugleich deren zulässige Höchstdauer zu bestimmen; fallen die Gründe, die zur Anordnung einer solchen Maßnahme geführt haben, vor Ablauf dieses Zeitraumes weg, so hat der Anstaltsleiter die Maßnahme unverzüglich aufzuheben (Abs. 5).

Unmittelbarer Zwang

§ 104. (1) Die Strafvollzugsbediensteten dürfen unmittelbare Gewalt nur anwenden:

1. im Falle der Notwehr (§ 3 des Strafgesetzbuches);

2. zur Überwindung eines Widerstandes gegen die Staatsgewalt oder eines tätlichen Angriffes auf einen Beamten (§§ 269, 270 des Strafgesetzbuches);

3. zur Verhinderung der Flucht eines Strafgefangenen oder zu seiner Wiederergreifung;

StVG

4. gegenüber einer Person, die in die Anstalt eindringt oder einzudringen oder einen Strafgefangenen zu befreien versucht;

5. zur Überwindung einer sonstigen die Sicherheit und Ordnung des Strafvollzuges gefährdenden Nichtbefolgung einer Anordnung.

(2) Die Anwendung von Gewalt hat sich auf das notwendige Maß zu beschränken. Sie darf nur nach vorheriger Androhung erfolgen, es sei denn, daß dadurch der Zweck der Gewaltanwendung gefährdet würde.

Bewaffnung und Waffengebrauch

§ 105. (1) Die Justizwachebediensteten, die Strafgefangene auszuführen oder zu überstellen oder über die Sicherung der Abschließung und der Ordnung in der Anstalt zu wachen haben (§§ 98, 101, 101b und 102), sind ermächtigt, bei Ausübung ihres Dienstes Dienstwaffen zu führen, soweit dies zur Aufrechterhaltung der Sicherheit und Ordnung geboten erscheint. Inwieweit andere Vollzugsbedienstete Waffen führen und welche Waffen zu führen sind, bestimmt die Bundesministerin für Justiz mit Verordnung.

(2) Dienstwaffen im Sinne dieses Bundesgesetzes sind

1. Gummiknüppel und andere Einsatzstöcke,

2. Tränengas und andere reizauslösende Mittel, die lediglich eine kurzfristige Beeinträchtigung des Gesundheitszustandes herbeiführen,

3. Schusswaffen, einschließlich Distanz-Elektroimpulswaffen, mit Ausnahme der in Kategorie I, Z 3 des Annexes I zum Staatsvertrag betreffend die Wiederherstellung eines unabhängigen und demokratischen Österreich, BGBl. Nr. 152/1955, angeführten Art; soweit es sich um Langfeuerwaffen handelt, jedoch nur für den Postendienst in Anstalten, in denen dies im Hinblick auf die große Zahl oder die besondere Gefährlichkeit dort angehaltener Strafgefangener erforderlich erscheint,

die den in Abs. 1 bezeichneten Organen zur Erfüllung ihrer Aufgaben von ihrer vorgesetzten Behörde oder Dienststelle zugewiesen sind.

(3) Die Strafvollzugsbediensteten dürfen von ihren Waffen nur in den Fällen des § 104 Abs. 1 Z 1 bis 4 Gebrauch machen.

(4) Der Waffengebrauch ist nur zulässig, wenn ungefährliche oder weniger gefährliche Maßnahmen, wie insbesondere die Aufforderung zur Herstellung des gesetzmäßigen Zustandes, die Androhung des Waffengebrauches, die Verfolgung eines Flüchtenden, die Anwendung von Körperkraft oder verfügbare gelindere Mittel, wie insbesondere Handfesseln oder technische Sperren, ungeeignet scheinen oder sich als wirkungslos erwiesen haben. Stehen verschiedene Waffen zur Verfügung, darf nur von der am wenigsten gefährlichen, nach der jeweiligen Lage noch geeignet scheinenden Waffe Gebrauch gemacht werden. Steht eine geeignet scheinende Dienstwaffe nicht zur Verfügung, dürfen unter sinngemäßer Anwendung der Bestimmungen dieses Bundesgesetzes auch andere Waffen gebraucht oder Mittel angewendet werden, deren Wirkung der einer Waffe gleichkommt.

(5) Zweck des Waffengebrauches gegen Menschen darf nur sein, angriffs-, widerstands- oder fluchtunfähig zu machen. In den Fällen des § 104 Abs. 1 Z. 2 bis 4 darf der durch den Waffengebrauch zu erwartende Schaden nicht offensichtlich außer Verhältnis zu dem beabsichtigten Erfolg stehen. Jede Waffe ist mit möglichster Schonung von Menschen und Sachen zu gebrauchen. Gegen Menschen dürfen Waffen nur angewendet werden, wenn der Zweck ihrer Anwendung nicht durch Waffenwirkung gegen Sachen erreicht werden kann.

(6) Der mit Lebensgefährdung verbundene Gebrauch einer Waffe gegen Menschen ist nur zulässig:

1. im Falle der Notwehr (§ 3 des Strafgesetzbuches) zur Verteidigung eines Menschen;

2. zur Unterdrückung eines Aufstandes oder Aufruhrs;

3. zur Verhinderung der Flucht oder zur Wiederergreifung eines Strafgefangenen, der wegen eines

Verbrechens verurteilt worden ist, das ihn als einen für die Sicherheit des Staates, der Person oder des Eigentums allgemein gefährlichen Menschen kennzeichnet.

(7) Der lebensgefährdende Waffengebrauch gegen Menschen ist außer dem Fall der Notwehr (§ 3 des Strafgesetzbuches) ausdrücklich, zeitlich unmittelbar vorangehend und deutlich wahrnehmbar anzudrohen; er ist nur dann zulässig, wenn dadurch Unbeteiligte voraussichtlich nicht gefährdet werden.

Wegweisung Unbeteiligter

§ 105a. Die Strafvollzugsbediensteten, die Strafgefangene auszuführen, zu überstellen oder außerhalb der Anstalt zu bewachen haben, sind ermächtigt, Unbeteiligte aus der unmittelbaren Umgebung eines Strafgefangenen wegzuweisen, soweit dies zum Schutz des Strafgefangenen oder zur Hintanhaltung der Behinderung einer Amtshandlung erforderlich ist.

Flucht

§ 106. (1) Ein Strafgefangener, der flüchtet, ist, soweit dies ohne Vernachlässigung der Aufsicht über andere Strafgefangene geschehen kann, unverzüglich und nachdrücklich zu verfolgen und wieder einzubringen. Die Strafvollzugsbediensteten sind ermächtigt, im Zuge der Nacheile Grundstücke und Räume zu betreten, sofern dies zur Wiedereinbringung des flüchtenden Strafgefangenen erforderlich ist, sowie Grundstücke, Räume und Kraftfahrzeuge nach dem flüchtenden Strafgefangenen zu durchsuchen, sofern auf Grund bestimmter Tatsachen anzunehmen ist, daß dieser sich dort aufhält. Für Durchsuchungen gelten die Bestimmungen der §§ 122 Abs. 3“ sowie 121 Abs. 2 und 3 sinngemäß. Auch beim Betreten von Grundstücken und Räumen haben die Strafvollzugsbediensteten mit Vermeidung unnötigen Aufsehens, jeder nicht unumgänglich nötigen Belästigung oder Störung betroffener Personen sowie mit möglichster Schonung ihres Rufes vorzugehen.

(2) Kann man eines geflohenen Strafgefangenen nicht sogleich habhaft werden, so hat der Anstaltsleiter im Wege der nächsten Sicherheitsbehörde oder -dienststelle die Fahndung zu erwirken und rechtzeitig die Ausschreibung zur Festnahme zu beantragen.

(3) Der unmittelbar aufsichtführende Strafvollzugsbedienstete hat jeden Fall einer gelungenen oder versuchten Flucht unverzüglich dem Anstaltsleiter zu melden. Dieser hat den Fall zu untersuchen. Die Untersuchung hat sich insbesondere auch darauf zu erstrecken, ob die Flucht durch ein pflichtwidriges Verhalten einer im Strafvollzug tätigen Person oder durch Mängel der Anstaltseinrichtungen begünstigt worden ist. Über Ausbrüche und aufsehenerregende Fluchtfälle sowie über solche Fluchtfälle, die durch pflichtwidriges Verhalten im Strafvollzug tätiger Personen ermöglicht worden sind, haben die Anstaltsleiter sogleich unmittelbar dem Bundesministerium für Verfassung, Reformen, Deregulierung und Justiz zu berichten.

(4) § 149 Abs. 5 gilt sinngemäß, wobei nach Maßgabe dieser Bestimmung auch eine Verständigung im Fall der Wiedereinbringung des Geflohenen zu erfolgen hat.

Aufgaben und Befugnisse von Strafvollzugsbediensteten im Auslandseinsatz

§ 106a. (1) Die Wahrnehmung der den Strafvollzugsbediensteten nach diesem Bundesgesetz zukommenden Aufgaben und Befugnisse, insbesondere auch zur Ausübung unmittelbaren Zwanges und zum Waffengebrauch nach den §§ 101 Abs. 4 und 5, 104 bis 106 (Exekutivbefugnisse) ist nach Maßgabe der Abs. 2 und 3 auch im Ausland zulässig.

(2) Strafvollzugsbedienstete dürfen im Ausland Exekutivbefugnisse auf der Grundlage einer Entsendung durch die Bundesregierung im Einvernehmen mit dem Hauptausschuss des Nationalrates nach dem Bundesverfassungsgesetz über Kooperation und Solidarität bei der Entsendung von Einheiten und Einzelpersonen in das Ausland (KSE-BVG), BGBl. I Nr. 38/1997, in der Fassung BGBl. I Nr. 35/1998, ausüben. Ihre Tätigkeit hat sich dabei auf den Umfang zu beschränken, der vom Entsendebeschluss nach § 2 Abs. 1 KSE-BVG und den diesem zu Grunde liegenden internationalen Beschlüssen oder Übereinkommen gedeckt ist.

(3) Das Einschreiten unter Ausübung von Exekutivbefugnissen muss sowohl nach österreichischem Recht als auch nach dem im Einsatzgebiet anzuwendenden Recht zulässig sein. Es muss zu den durch Weisungen von Organen nach § 4 Abs. 3 KSE-BVG im Zuge der Entsendung zugewiesenen Aufgaben gehören.

Zehnter Unterabschnitt

Ordnungswidrigkeiten

Begriffsbestimmung

§ 107. (1) Eine Ordnungswidrigkeit begeht der Strafgefangene, der entgegen den Bestimmungen dieses Bundesgesetzes vorsätzlich

1. die Anstalt verläßt oder sonst flüchtet;

2. mit einer Person außerhalb der Anstalt, einer im Strafvollzuge oder sonst für die Anstalt tätigen Person, einem Bediensteten der öffentlichen Verwaltung, einem Unternehmer, anderen privaten Auftraggeber (§ 45 Abs. 2) oder einem seiner Bediensteten, einem Besucher oder mit einem anderen Strafgefangenen verkehrt;

3. sich selbst am Körper verletzt oder an der Gesundheit schädigt oder durch einen anderen verletzen oder schädigen läßt, um sich zur Erfüllung seiner Pflichten untauglich zu machen, oder sich tätowiert oder tätowieren läßt;

4. Äußerungen macht, in denen zu gerichtlich oder disziplinär strafbaren Handlungen aufgefordert

wird oder in denen solche Handlungen gutgeheißen werden, oder den Anstand gröblich verletzt;

5. Gegenstände in seiner Gewahrsame hat;

6. eine der im § 36 angeführten Meldungen unterläßt oder eine solche Meldung wider besseres Wissen erstattet;

7. trotz Abmahnung eine ihm zugewiesene Arbeit nicht verrichtet;

8. die Strafe nach einer Unterbrechung der Freiheitsstrafe oder nach einem Ausgang nicht unverzüglich wieder antritt;

9. sich einer im Strafvollzuge oder sonst für die Anstalt tätigen Person, einem Bediensteten der öffentlichen Verwaltung, einem Unternehmer, anderen privaten Auftraggeber (§ 45 Abs. 2) oder einem seiner Bediensteten oder einem Besucher gegenüber ungebührlich benimmt; oder

10. sonst den allgemeinen Pflichten der Strafgefangenen nach § 26 zuwiderhandelt.

(2) Eine Ordnungswidrigkeit begeht auch der Strafgefangene, der vorsätzlich oder grob fahrlässig einen Schaden am Anstaltsgut oder an den übrigen im § 35 genannten Gegenständen herbeiführt oder dieses Gut oder diese Gegenstände stark beschmutzt.

(3) Eine Ordnungswidrigkeit begeht ferner unbeschadet des § 118 Abs. 1 der Strafgefangene, der sich einer in die Zuständigkeit der Bezirksgerichte fallenden strafbaren Handlung gegen die körperliche Sicherheit, gegen die Ehre oder gegen das Vermögen einer der im Abs. 1 Z. 9 genannten Personen oder eines Mitgefangenen oder einer in die Zuständigkeit der Bezirksgerichte fallenden strafbaren Handlung gegen das Anstaltsgut schuldig macht.

(4) Für Ordnungswidrigkeiten gelten im Verfahren erster Instanz die allgemeinen Bestimmungen sowie die §§ 31, 32, 38, 44a Z 1 bis 3 und 5, 45, 52, 55 und 64 des Verwaltungsstrafgesetzes 1991, BGBl. Nr. 52, in der jeweils geltenden Fassung, soweit in diesem Unterabschnitt nicht anderes bestimmt ist. Der Versuch ist strafbar. Der im Ordnungsstrafverfahren bestimmte Verfahrenskostenbeitrag ist vom Hausgeld, gegebenenfalls in Teilbeträgen, einzubehalten. Zur Bestreitung dieses Verfahrenskostenbeitrages dürfen Strafgefangene auch Gelder verwenden, die ihnen sonst für die Verschaffung von Leistungen im Strafvollzug nicht zur Verfügung stehen. Ein Mindestverfahrenskostenbeitrag ist entgegen § 64 Abs. 2 VStG nicht festzusetzen.

Ahndung von Ordnungswidrigkeiten

§ 108. (1) Begeht ein Strafgefangener eine Ordnungswidrigkeit, so ist er in jedem Fall durch den aufsichtführenden Strafvollzugsbediensteten abzumahnen.

(2) Ist die Schuld des Strafgefangenen gering, hat die Ordnungswidrigkeit keine oder nur unbedeutende Folgen nach sich gezogen und scheint die Bestrafung auch nicht geboten, um den Strafgefangenen von künftigen Verfehlungen abzuhalten, so hat es bei der Abmahnung sein Bewenden. Andernfalls ist gegen den Strafgefangenen eine Strafe zu verhängen.

(3) Der aufsichtführende Strafvollzugsbedienstete hat die Begehung einer Ordnungswidrigkeit dem Anstaltsleiter zu melden, wenn er der Ansicht ist, daß nach Abs. 2 eine Strafe zu verhängen sei, oder wenn er dies zumindest für möglich hält.

(4) Hat der aufsichtführende Strafvollzugsbedienstete die Begehung einer Ordnungswidrigkeit gemeldet und ist der Strafgefangene geständig oder erscheint der Sachverhalt sonst hinreichend geklärt, so kann der Anstaltsleiter ohne weiteres Verfahren durch Ordnungsstrafverfügung (§ 116a StVG) die Ordnungsstrafe des Verweises oder einer Geldbuße bis zu 70 Euro verhängen.

Strafen für Ordnungswidrigkeiten

§ 109. Als Strafen für Ordnungswidrigkeiten kommen nur eine oder mehrere der folgenden Maßnahmen in Betracht:

1. der Verweis;

2. die Beschränkung oder Entziehung von Vergünstigungen;

3. die Beschränkung oder Entziehung der Rechte auf Verfügung über das Hausgeld (§ 54), Fernsehempfang (§ 58), Briefverkehr (§ 87), Besuchsempfang (§ 93) oder Telefongespräche (§ 96a);

4. die Geldbuße;

5. der Hausarrest.

Verweis

§ 110. Der Verweis besteht in einem nachdrücklichen Tadel, der außer im Falle einer Ordnungsstrafverfügung (§ 116a) dem Strafgefangenen vom Anstaltsleiter oder von einem von diesem beauftragten Strafvollzugsbediensteten auszusprechen ist.

Beschränkung oder Entziehung von Vergünstigungen

§ 111. Vergünstigungen dürfen höchstens für die Dauer von drei Monaten beschränkt oder entzogen werden. Mit dem Ablauf der Zeit der Beschränkung oder Entziehung können sie unter den sonst erforderlichen Voraussetzungen (§ 24) wieder ohne die angeordnete Beschränkung oder von neuem erworben werden.

Beschränkung oder Entziehung von Rechten

§ 112. (1) Die Strafe der Beschränkung oder zeitweiligen Entziehung des Rechtes auf Briefverkehr, Besuchsempfang oder Telefongespräche darf nur wegen eines Mißbrauchs dieses Rechtes verhängt werden.

(2) Das Recht auf Fernsehempfang darf höchstens für die Dauer von acht Wochen, jenes auf Briefverkehr oder Telefongespräche höchstens für die Dauer von vier Wochen entzogen oder beschränkt werden. Das Recht auf Verfügung über das Hausgeld darf höchstens für die Dauer von vier Wochen entzogen und höchstens für die Dauer von acht Wochen beschränkt werden. Das Recht auf Besuchsempfang darf höchstens in der Weise entzogen oder beschränkt werden, daß der Strafgefangene bis zu dreimal in ununterbrochener Folge zu den sonst vorgesehenen Zeitpunkten keine oder nur bestimmte Besuche empfangen darf.

(3) Wird das Recht eines Strafgefangenen auf Verfügung über das Hausgeld entzogen, so sind die Beträge, die ihm für die Zeit der Wirksamkeit der Entziehung als Hausgeld gutzuschreiben wären, als Rücklage gutzuschreiben. Wird das Recht auf Verfügung über das Hausgeld nur beschränkt, so hat die Gutschreibung als Rücklage statt als Hausgeld nach Maßgabe des Ausmaßes der Beschränkung zu geschehen.

(4) Das Recht auf schriftlichen Verkehr mit den im § 90b Abs. 4 bis 6 genannten Personen und Stellen sowie das Recht, von diesen Personen und von Vertretern der im § 90b Abs. 4 bis 6 genannten Stellen Besuche zu empfangen, bleiben von jeder Beschränkung oder Entziehung des Rechtes auf Briefverkehr oder Besuchsempfang unberührt.

Geldbuße

§ 113. Die Geldbuße darf den Betrag von 200 Euro nicht übersteigen. Sie ist vom Hausgeld in angemessenen Teilbeträgen einzubehalten.

Hausarrest

§ 114. (1) Die Strafe des einfachen oder strengen Hausarrestes darf nur bei Überwiegen erschwerender Umstände verhängt werden. Der Hausarrest darf vier Wochen nicht übersteigen.

(2) Während der Zeit des Hausarrestes ist der Strafgefangene in einem besonderen Einzelraum anzuhalten; bei Strafgefangenen, die in Einzelhaft angehalten werden, kann in leichteren Fällen im Straferkenntnis angeordnet werden, daß sie den Hausarrest in ihrem gewöhnlichen Haftraum zu verbüßen haben. Der Strafgefangene entbehrt während dieser Anhaltung die im § 109 Z 3 genannten Rechte und die ihm gewährten Vergünstigungen, soweit nicht bei einfachem Hausarrest einzelne dieser Rechte oder Vergünstigungen zur Erreichung des erzieherischen Strafzweckes im Straferkenntnis ausdrücklich aufrechterhalten werden. Bei der Bewegung im Freien ist der Strafgefangene von anderen getrennt zu halten. Der Strafgefangene darf nur mit Arbeiten beschäftigt werden, die im Haftraum verrichtet werden können.

(3) Wird strenger Hausarrest verhängt, so ist im Straferkenntnis für die Dauer des Hausarrestes zumindest eine der nachstehend angeführten Maßnahmen anzuordnen:

1. Beschränkung der Zeit, in der der Haftraum künstlich beleuchtet wird;

2. Entzug der Arbeit.

Nichteinrechnung in die Strafzeit

§ 115. Hat sich ein Strafgefangener durch eine Selbstbeschädigung oder durch eine andere Ordnungswidrigkeit vorsätzlich seiner Arbeitspflicht entzogen, so ist dem Strafgefangenen die wegen dieser Ordnungswidrigkeit im Hausarrest zugebrachte Zeit ganz oder teilweise nicht in die Strafzeit einzurechnen. Hierüber hat das Vollzugsgericht auf Antrag des Anstaltsleiters zu entscheiden (§ 16 Abs. 2 Z. 6).

Verfahren bei Ordnungswidrigkeiten

§ 116. (1) Über die Verhängung von Ordnungsstrafen hat unbeschadet der Bestimmung des § 108 die Vollzugsbehörde erster Instanz zu entscheiden. Richtet sich die Ordnungswidrigkeit aber gegen die Person des Anstaltsleiters, so steht die Entscheidung dem Bundesministerium für Verfassung, Reformen, Deregulierung und Justiz zu. Die Zuständigkeit bleibt auch erhalten, wenn der Strafgefangene während eines anhängigen Ordnungsstrafverfahrens in eine andere Anstalt überstellt wird.

(2) Ist ein Strafgefangener einer mit einer Strafe zu ahndenden Ordnungswidrigkeit verdächtig und erscheint seine Absonderung von den übrigen Strafgefangenen zur Aufrechterhaltung der Sicherheit und Ordnung in der Anstalt notwendig, so hat ihn der unmittelbar aufsichtführende Vollzugsbedienstete in einen Einzelraum oder, falls der Strafgefangene in Einzelhaft angehalten wird, in seinen Haftraum einzuweisen.

(3) Wird ein Strafgefangener einer Ordnungswidrigkeit beschuldigt, wegen der eine Strafe zu verhängen wäre, so ist er zu dieser Anschuldigung zu hören. Er hat auch das Recht weitere Erhebungen zu beantragen. Soweit danach der Sachverhalt nicht genügend geklärt erscheint, sind weitere Erhebungen anzustellen. Wäre nach dem Ergebnis dieser Erhebungen eine Strafe zu verhängen, so ist der Strafgefangene neuerlich zu hören.

(4) Ein Straferkenntnis hat der Anstaltsleiter oder ein von ihm beauftragter Strafvollzugsbediensteter dem Strafgefangenen zu verkünden. Richtet sich die Ordnungswidrigkeit gegen die Person des Anstaltsleiters, hat dessen Stellvertreter oder ein von diesem beauftragter Strafvollzugsbediensteter das Straferkenntnis zu verkünden. Zugleich ist der Strafgefangene über die Möglichkeit einer Beschwerde (§ 120) zu belehren. Auf sein Verlangen ist ihm eine schriftliche Ausfertigung des Erkenntnisses zuzustellen. Der wesentliche Inhalt des Erkenntnisses ist in den Personalakten des Strafgefangenen ersichtlich zu machen.

(5) Ist ein Strafgefangener der deutschen Sprache nicht hinreichend mächtig, so ist ihm im Ordnungs-

strafverfahren die erforderliche Übersetzungshilfe zu leisten.

(6) Soweit in diesem Bundesgesetz nichts anderes bestimmt wird, sind Strafen unverzüglich zu vollziehen. Ist an einem Strafgefangenen die Strafe des Hausarrestes vollzogen worden, so darf eine solche Strafe an ihm erst wieder nach Verstreichen eines der Dauer des vollzogenen Hausarrestes entsprechenden Zeitraumes vollzogen werden.

(7) Die erkennende Behörde (Abs. 1) kann die im § 109 Z 2 bis 5 angeführten Strafen ganz oder teilweise unbedingt oder unter Bestimmung einer Probezeit von einem bis zu sechs Monaten bedingt nachsehen, mildern oder mildernd umwandeln, wenn dies bei Berücksichtigung aller Umstände zweckmäßiger ist als der Vollzug oder weitere Vollzug der verhängten Strafe. Die Probezeit endet spätestens mit der Entlassung aus der Strafhaft. Wird der Strafgefangene innerhalb der Probezeit wegen einer weiteren Ordnungswidrigkeit schuldig erkannt, so ist die bedingte Nachsicht nach Anhörung des Strafgefangenen zu widerrufen und die Strafe zu vollziehen, sofern es nicht aus besonderen Gründen zweckmäßig erscheint, trotzdem von einem Widerruf abzusehen. Wegen einer in der Probezeit begangenen Ordnungswidrigkeit kann der Widerruf auch noch binnen sechs Wochen nach Ablauf der Probezeit stattfinden.

Abgekürztes Verfahren bei Ordnungswidrigkeiten

§ 116a. (1) Eine gemäß § 108 Abs. 4 zu erlassende Ordnungsstrafverfügung muss enthalten:

1. die Behörde, die die Ordnungsstrafverfügung erlässt;

2. den Vor- und Familiennamen des Beschuldigten;

3. die Tat, die als erwiesen angenommen ist, ferner die Zeit und den Ort ihrer Begehung;

4. die hierdurch begangene Ordnungswidrigkeit;

5. die verhängte Strafe und die angewendete Gesetzesbestimmung;

6. die Belehrung über den Einspruch.

(2) Die Bestimmung des § 116 Abs. 7 ist anzuwenden. Im abgekürzten Verfahren fällt kein Verfahrenskostenbeitrag an.

(3) Ordnungsstrafverfügungen sind nachweislich auszuhändigen. Der Beschuldigte kann gegen die Ordnungsstrafverfügung Einspruch erheben. § 120 Abs. 2 gilt sinngemäß. Wird ein Einspruch rechtzeitig erhoben, ist das Ordnungsstrafverfahren (§ 116) einzuleiten.

(4) Wird ein Einspruch nicht oder nicht rechtzeitig erhoben, so ist die Ordnungsstrafverfügung zu vollziehen.

Mitwirkung des Arztes

§ 117. Die Strafe des Hausarrestes darf nicht vollzogen werden, wenn und solange nach der Erklärung des Anstaltsarztes die Gesundheit des Strafgefangenen dadurch gefährdet würde.

Strafrechtliche Verfolgung

§ 118. (1) Es hindert die strafrechtliche Verfolgung einer Tat nicht, daß sie auch als Ordnungswidrigkeit geahndet werden kann.

(2) Die Strafvollzugsbehörden haben jeden Verdacht einer mit gerichtlicher Strafe bedrohten Handlung eines Strafgefangenen, die nicht bloß auf Verlangen des Opfers zu verfolgen ist, unverzüglich der Staatsanwaltschaft am Sitz des Landesgerichts, in dessen Sprengel die Anstalt gelegen ist, anzuzeigen.

(3) Die Staatsanwaltschaft hat von der Verfolgung einer Straftat eines Strafgefangenen abzusehen und das Ermittlungsverfahren einzustellen, wenn die Tat geringfügig ist und die verhängte Strafe eine strafrechtliche Verfolgung entbehrlich macht.

Elfter Unterabschnitt

Ansuchen und Beschwerden

Ansuchen

§ 119. Die Strafgefangenen haben das Recht, hinsichtlich des ihre Person betreffenden Vollzuges in angemessener Form mündlich oder schriftlich Ansuchen zu stellen. Zu diesem Zweck haben sie sich in Fällen, die keinen Aufschub dulden, an den zunächst erreichbaren Strafvollzugsbediensteten, sonst zu der in der Hausordnung festzusetzenden Tageszeit an den hiefür zuständigen Strafvollzugsbediensteten zu wenden.

Beschwerden

§ 120. (1) Die Strafgefangenen können sich gegen jede ihre Rechte betreffende Entscheidung oder Anordnung und über jedes ihre Rechte betreffende Verhalten der Strafvollzugsbediensteten beschweren. Über die Art der ärztlichen Behandlung können sich die Strafgefangenen jedoch nur nach § 122 beschweren. Die Beschwerde hat die angefochtene Entscheidung, Anordnung oder das Verhalten zu bezeichnen und die Gründe für die Erhebung der Beschwerde, soweit sie nicht offenkundig sind, darzulegen.

(2) Beschwerde gegen eine Entscheidung kann spätestens am vierzehnten Tag nach jenem Tag erhoben werden, an welchem die Entscheidung dem Strafgefangenen verkündet oder zugestellt worden ist. Hat der Beschwerdeführer spätestens am dritten Tag nach dem Tag der Verkündung eine schriftliche Ausfertigung der Entscheidung verlangt, so ist für den Lauf der Frist die Zustellung der schriftlichen Ausfertigung maßgeblich. In allen übrigen Fällen kann eine Beschwerde außer bei Gefahr im Verzug frühestens am ersten Tag, spätestens aber am vierzehnten Tag nach jenem Tag

erhoben werden, an welchem dem Strafgefangenen der Beschwerdegrund bekanntgeworden ist. Eine Beschwerde ist nicht mehr zulässig, wenn der Strafgefangene nach der Zustellung oder Verkündung der Entscheidung ausdrücklich auf die Beschwerde verzichtet hat. Beschwerden sind schriftlich oder zu der vom Anstaltsleiter festzusetzenden Tageszeit mündlich bei dem hiefür zuständigen Strafvollzugsbediensteten einzubringen.

(3) Die Erhebung einer Beschwerde hat keine aufschiebende Wirkung. Der Anstaltsleiter und das mit der Beschwerde angerufene Gericht können jedoch vom Amts wegen oder auf Antrag des Beschwerdeführers die aufschiebende Wirkung zuerkennen, wenn dem nicht zwingende öffentliche Interessen entgegenstehen und wenn nach Abwägung aller berührten Interessen mit dem Vollzug der angefochtenen Anordnung oder Entscheidung für den Beschwerdeführer ein unverhältnismäßiger Nachteil verbunden wäre.

(Anm.: Abs. 4 aufgehoben durch BGBl. Nr. 799/ 1993)

Verfahren bei Beschwerden

§ 121. (1) Über Beschwerden gegen Strafvollzugsbedienstete oder deren Anordnungen hat der Anstaltsleiter zu entscheiden. Richtet sich eine Beschwerde gegen eine Entscheidung, Anordnung oder ein Verhalten des Anstaltsleiters oder gegen die Verletzung der Entscheidungspflicht durch den Anstaltsleiter, und hilft er der Beschwerde nicht selbst ab, so hat darüber das Vollzugsgericht (§ 16 Abs. 3) zu entscheiden.

(2) Soweit der Sachverhalt nicht genügend bekannt ist, sind vor der Erledigung Erhebungen anzustellen. Bei der Vorlage von Beschwerden hat der Anstaltsleiter einen kurzen Bericht anzuschließen, soweit sich der Sachverhalt nicht schon aus den etwa mitvorgelegten Akten ergibt. Das Gericht kann auch das in Strafsachen tätige Landesgericht, in dessen Sprengel die betroffene Anstalt gelegen ist, um Erhebungen im Rechtshilfeweg ersuchen.

(3) Vor der Entscheidung ist der Beschwerdeführer zu hören, es sei denn, dass eine solche Anhörung nach den Umständen des Falls nicht erforderlich erscheint, insbesondere weil der Sachverhalt bereits hinreichend geklärt scheint oder der Beschwerde insoweit zur Gänze stattgegeben wird.

(4) Ein Beschwerdeerkenntnis hat der Anstaltsleiter oder ein von ihm beauftragter Strafvollzugsbediensteter dem Strafgefangenen zu verkünden. Richtet sich die Beschwerde gegen die Person des Anstaltsleiters, hat dessen Stellvertreter oder ein von diesem beauftragter Strafvollzugsbediensteter das Beschwerdeerkenntnis zu verkünden. Zugleich ist der Strafgefangene über die Möglichkeit einer weiteren Beschwerde zu belehren. Auf sein Verlangen ist dem Strafgefangenen auch eine schriftliche Ausfertigung der Entscheidung zuzustellen.

(5) Gegen die Entscheidung des Vollzugsgerichts können der Strafgefangene und der Bundesminister für Verfassung, Reformen, Deregulierung und Justiz binnen sechs Wochen Beschwerde an das Oberlandesgericht Wien wegen Rechtswidrigkeit erheben.

Gerichtliches Beschwerdeverfahren

§ 121a. (1) Die §§ 120, 121 sind auf das gerichtliche Beschwerdeverfahren nach den §§ 16 Abs. 3 und 16a Abs. 1 sinngemäß mit folgender Maßgabe anzuwenden:

1. Zur Erhebung der Beschwerde ist berechtigt, wer behauptet, in einem subjektiven Recht nach diesem Bundesgesetz verletzt zu sein.

2. Beschwerden sind bei der Behörde einzubringen, gegen die sich die Beschwerde richtet. Wird eine Beschwerde innerhalb der Beschwerdefrist beim zuständigen Gericht eingebracht, so gilt dies als rechtzeitige Einbringung. In diesem Fall hat das Gericht die bei ihr eingebrachte Beschwerde unverzüglich an die Behörde weiterzuleiten, gegen die sich die Beschwerde richtet.

(2) Soweit eine an ein Gericht gerichtete Beschwerde die Wahrnehmung des Aufsichtsrechts über die von der Beschwerde betroffene Vollzugseinrichtung erfordert, hat das Gericht die Beschwerde an die nach den §§ 11 bis 14 zuständige Vollzugsbehörde weiterzuleiten.

Beschlüsse

§ 121b. (1) Entscheidungen des Gerichts nach den §§ 16 Abs. 3 und 16a ergehen mit Beschluss. Ein Beschluss hat Spruch, Begründung und Rechtsmittelbelehrung zu enthalten.

(2) Hat die Behörde notwendige Ermittlungen des Sachverhalts unterlassen, so kann das Gericht die angefochtene Entscheidung mit Beschluss aufheben und die Angelegenheit zur Erlassung einer neuen Entscheidung an die Behörde zurückverweisen. Die Behörde ist hiebei an die rechtliche Beurteilung gebunden, von der das Gericht bei seinem Beschluss ausgegangen ist.

(3) Außer dem in Abs. 2 erwähnten Fall hat das Gericht, sofern die Beschwerde nicht als unzulässig oder verspätet zurückzuweisen ist, immer in der Sache selbst zu entscheiden. Mit Ausnahme von Beschwerden wegen eines Ordnungsstraferkenntnisses ist das Gericht berechtigt, die angefochtene Entscheidung nach jeder Richtung abzuändern.

(4) Eine schriftliche Ausfertigung des Beschlusses ist der beschwerdeführenden Person und ihrer Vertretung sowie der betroffenen Justizanstalt zuzustellen. Ein Beschluss nach § 16 Abs. 3 ist überdies auch dem Bundesministerium für Verfassung, Reformen, Deregulierung und Justiz zuzustellen.

Beschwerde wegen Verletzung der Entscheidungspflicht

§ 121c. (1) Wegen Verletzung der Entscheidungspflicht nach den §§ 16 Abs. 3 Z 3 und 16a Abs. 1 Z 3 kann Beschwerde an das Gericht erheben, wer im vollzugsbehördlichen Verfahren zur Geltendmachung der Entscheidungspflicht berechtigt zu sein behauptet.

(2) Die Beschwerde kann erst erhoben werden, wenn die Vollzugsbehörde die Sache nicht innerhalb von sechs Monaten, wenn gesetzlich eine kürzere oder längere Entscheidungsfrist vorgesehen ist, innerhalb dieser entschieden hat. Die Frist beginnt mit dem Zeitpunkt, in dem der Antrag auf Sachentscheidung bei der Stelle eingelangt ist, bei der er einzubringen war. Die Beschwerde ist abzuweisen, wenn die Verzögerung nicht auf ein überwiegendes Verschulden der Vollzugsbehörde zurückzuführen ist.

(3) Die Vollzugsbehörde kann innerhalb einer Frist von drei Monaten den Bescheid erlassen. Wird der Bescheid erlassen oder wurde er vor Einleitung des Verfahrens erlassen, so ist das Verfahren einzustellen.

(4) Holt die Vollzugsbehörde den Bescheid nicht nach, hat sie dem Gericht die Beschwerde unter Anschluss der Akten des vollzugsbehördlichen Verfahrens vorzulegen.

Anrufung des Aufsichtsrechtes der Vollzugsbehörden

§ 122. Die Strafgefangenen haben das Recht, durch Ansuchen und Beschwerden das Aufsichtsrecht der Vollzugsbehörden anzurufen. Auf solche Ansuchen oder Beschwerden braucht den Strafgefangenen jedoch kein Bescheid erteilt zu werden.

StVG

Zwölfter Unterabschnitt

Formen des Strafvollzuges

Differenzierung

§ 123. Innerhalb des durch die Bestimmungen dieses Bundesgesetzes geschaffenen Rahmens sind unterschiedliche Formen des Strafvollzuges zu entwickeln, die geeignet sind, die Erreichung der Zwecke des Strafvollzuges (§ 20) zu fördern.

Formen der Unterbringung

§ 124. (1) Die Strafgefangenen sind bei Tag so lange wie möglich in Gemeinschaft mit anderen, während der Zeit der Nachtruhe möglichst einzeln unterzubringen. Soweit es nach der Art des Vollzuges und den sonstigen Umständen zweckmäßig ist, hat die Unterbringung in Wohngruppen oder sonst ohne Verschließung der Haft- oder Aufenthaltsräume bei Tag zu erfolgen.

(2) Insbesondere bei der Bildung von Wohn-, Arbeits- und Freizeitgruppen der Strafgefangenen ist darauf Rücksicht zu nehmen, daß möglichst ein schädlicher Einfluß auf oder durch Mitgefangene vermieden und ein nützlicher Einfluß gefördert wird.

(3) Von der Unterbringung eines Strafgefangenen in Gemeinschaft mit anderen bei Tag ist abzusehen, soweit das aus gesundheitlichen Gründen oder sonst zur Erreichung der Zwecke des Strafvollzuges (§ 20) um seiner selbst oder um seiner Mitgefangenen willen notwendig ist.

(4) Von der Einzelunterbringung Strafgefangener bei Nacht darf nur abgesehen werden, soweit die Einrichtungen der Anstalt eine solche nicht zulassen, organisatorische Gründe entgegenstehen oder wenn der Strafgefangene die Unterbringung in Gemeinschaft mit anderen wünscht. Die Einzelunterbringung bei Nacht hat jedoch zu unterbleiben, soweit durch sie eine Gefährdung des körperlichen oder geistigen Zustandes des Strafgefangenen zu besorgen wäre.

(5) Die Bestimmungen der §§ 103, 114 und 116 Abs. 2 bleiben unberührt.

§ 125. (1) Ist ein Strafgefangener, aus welchem Grund immer, bei Tag und bei Nacht einzeln untergebracht (Einzelhaft), so muß er, soweit er keine Besuche erhält (§ 93), mindestens einmal täglich von einem geeigneten Vollzugsbediensteten aufgesucht werden.

(2) Über vier Wochen hinaus darf ein Strafgefangener gegen seinen Willen ununterbrochen in Einzelhaft nur auf Anordnung des Vollzugsgerichtes angehalten werden, das hierüber auf Antrag des Anstaltsleiters zu entscheiden hat (§ 16 Abs. 2 Z 7). Ordnet das Vollzugsgericht die Aufrechterhaltung der Einzelhaft an, so hat es zugleich die Dauer der Aufrechterhaltung zu bestimmen. Über sechs Monate hinaus darf ein Strafgefangener nur auf sein Verlangen und nur mit Zustimmung des Anstaltsarztes ununterbrochen in Einzelhaft angehalten werden.

Strafvollzug in gelockerter Form

§ 126. (1) Strafgefangene, an denen zeitliche Freiheitsstrafen vollzogen werden, sind im Strafvollzug in gelockerter Form anzuhalten, soweit Einrichtungen für einen solchen Vollzug bestehen, diese Einrichtungen dadurch am besten genützt werden und zu erwarten ist, daß die Strafgefangenen die Lockerungen nicht mißbrauchen werden.

(2) Im Strafvollzug in gelockerter Form sind den Strafgefangenen eine oder mehrere der folgenden Lockerungen zu gewähren:

1. Anhaltung ohne Verschließung der Aufenthaltsräume oder auch der Tore am Tage;

2. Beschränkung oder Entfall der Bewachung bei der Arbeit, auch außerhalb der Anstalt;

3. Verlassen der Anstalt zum Zweck der Berufsausbildung und -fortbildung oder der Inanspruchnahme ambulanter Behandlungsmaßnahmen;

4. ein oder zwei Ausgänge im Sinne des § 99a im Monat auch zu anderen als den dort genannten Zwecken.

(3) Die Anordnung, daß ein Strafgefangener Arbeiten ohne Bewachung außerhalb der Anstalt und nicht für einen zur Anstalt gehörenden Wirtschaftsbetrieb zu verrichten hat (Freigang), darf nur mit Zustimmung des Strafgefangenen getroffen werden. Hiebei sowie in den Fällen des Abs. 2 Z 3 und 4 ist auch anzuordnen, wann der Strafgefangene in die Anstalt zurückzukehren hat.

(4) Strafgefangenen, die im Strafvollzug in gelockerter Form angehalten werden, kann auch die Teilnahme an einem Ausgang in kleiner Gruppe und in Begleitung einer im Strafvollzug tätigen Person gestattet werden. Bei diesen Ausgängen dürfen die Strafgefangenen ihre eigene Kleidung tragen. Strafgefangenen, denen Lockerungen nach Abs. 2 Z 2 und 3 gewährt werden, kann auch gestattet werden, die Bewegung im Freien (§ 43) außerhalb der Anstalt vorzunehmen.

(5) Die Entscheidung darüber, ob ein Strafgefangener im Strafvollzug in gelockerter Form anzuhalten ist, steht unbeschadet des § 134 dem Anstaltsleiter zu, der § 99 Abs. 5 dritter Satz sinngemäß anzuwenden und, soweit dies zur Verhinderung eines Missbrauchs der Lockerungen erforderlich ist, diese unter Auflagen und Bedingungen zu gestatten sowie Mittel der elektronischen Aufsicht gemäß § 99 Abs. 5 letzter Satz anzuordnen hat.

Erstvollzug

§ 127. (1) Strafgefangene, die zum ersten Mal eine Freiheitsstrafe verbüßen, sind getrennt von Strafgefangenen anzuhalten, bei denen dies nicht der Fall ist; bei Strafgefangenen, deren Strafzeit drei Jahre übersteigt, kann mit ihrer Zustimmung von einer solchen Trennung abgesehen werden.

(2) Bei der Bewegung im Freien, bei der Arbeit, beim Gottesdienst und bei Veranstaltungen ist von der Trennung nach Abs. 1 abzusehen, soweit diese nach den zur Verfügung stehenden Einrichtungen nicht möglich ist. Das Gleiche gilt im Fall der Anhaltung im gelockerten Vollzug.

(3) Strafgefangene im Erstvollzug sind, soweit sie dessen bedürfen, in vermehrtem Ausmaß erzieherisch (§ 56) zu betreuen.

(4) Strafgefangene, die bereits eine oder mehrere Freiheitsstrafen verbüßt haben, können in den Erstvollzug aufgenommen werden, wenn das nach der Art der strafbaren Handlungen, derentwegen sie verurteilt wurden, vertretbar erscheint und wenn dadurch die Erreichung der erzieherischen Zwecke des Strafvollzuges gefördert wird.

(5) Strafgefangene, von denen ein schädlicher Einfluß auf Mitgefangene zu befürchten ist, sind in den Erstvollzug nicht aufzunehmen.

Vollzug an Strafgefangenen, die wegen fahrlässig begangener strafbarer Handlungen verurteilt worden sind

§ 128. (1) Strafgefangene, die ausschließlich oder überwiegend wegen fahrlässig begangener strafbarer Handlungen oder wegen Begehung einer mit Strafe bedrohten Handlung im Zustand voller Berauschung (§ 287 des Strafgesetzbuches) in bezug auf eine fahrlässig begangene Handlung oder Unterlassung verurteilt worden sind, sind getrennt von Strafgefangenen anzuhalten, bei denen dies nicht der Fall ist. § 127 Abs. 2 gilt dem Sinne nach.

(2) Für Strafgefangene, die wegen fahrlässig begangener strafbarer Handlungen gegen Leib oder Leben oder wegen Begehung einer mit Strafe bedrohten Handlung im Zustand voller Berauschung (§ 287 des Strafgesetzbuches) in bezug auf solche Handlungen oder Unterlassungen verurteilt worden sind, ist, soweit dies den Grundsätzen einer sparsamen, wirtschaftlichen und zweckmäßigen Verwaltung nicht widerspricht, ein Unterricht über die Verhütung von Unfällen und über Erste Hilfe abzuhalten.

(3) Auf Strafgefangene, die bereits früher zweimal oder öfter wegen vorsätzlich begangener strafbarer Handlungen schuldig erkannt worden sind oder von denen sonst ein schädlicher Einfluß auf Mitgefangene zu befürchten ist, sind die vorstehenden Bestimmungen nicht anzuwenden.

Vollzug an Strafgefangenen, die sich wegen psychischer Besonderheiten nicht für den allgemeinen Strafvollzug eignen

§ 129. Strafgefangene, die sich wegen psychischer Besonderheiten nicht für den allgemeinen Strafvollzug eignen, sind unbeschadet des § 133 getrennt von anderen Strafgefangenen zu verwahren und entsprechend ihrem Zustand zu betreuen. § 127 Abs. 2 gilt dem Sinne nach. Würde die Durchführung des Strafvollzuges auf die regelmäßige Art einem solchen Strafgefangenen schaden, so hat der Anstaltsleiter die der Eigenart des Strafgefangenen angepaßten Abweichungen von den Vorschriften dieses Bundesgesetzes anzuordnen. Dabei dürfen jedoch die den Strafgefangenen eingeräumten Rechte nicht beeinträchtigt werden.

Dritter Abschnitt

VOLLZUG VON FREIHEITSSTRAFEN, DEREN STRAFZEIT ACHTZEHN MONATE ÜBERSTEIGT

Erster Unterabschnitt

Aufnahme

Aufnahme

§ 131. (1) Findet sich jemand zur Einleitung des Vollzuges einer Freiheitsstrafe, deren Strafzeit achtzehn Monate übersteigt, im zuständigen Gefangenenhaus (§ 9 Abs. 1) während der Amtsstunden ein oder wird er zu diesem Zwecke dorthin vorgeführt oder überstellt, so ist festzustellen, ob er der Verurteilte sei; bejahendenfalls ist er als Strafgefangener aufzunehmen.

(2) Die Vorschriften über die Aufnahme gelten dem Sinne nach auch für die Übernahme eines Verurteilten in den Strafvollzug.

(3) Weibliche Verurteilte, denen das Recht auf die Pflege und Erziehung ihrer Kinder zusteht, dürfen diese nach Maßgabe des § 74 Abs. 2 bei sich behalten. § 74 Abs. 3 gilt auch für diese Fälle.

§ 132. (1) Die Aufnahme ist in den dafür besonders vorgesehenen Räumen durchzuführen. Die Strafgefangenen haben sich dabei zu entkleiden und sind zu durchsuchen; die Bestimmungen des § 102 Abs. 2 über Durchsuchungen sind dem Sinne nach anzuwenden. Nach der Durchsuchung haben die Strafgefangenen ein Bad (§ 42 Abs. 3) zu nehmen und, soweit sie darüber nicht verfügen oder dies wünschen, Anstaltskleidung, Leibwäsche und die zur einfachen Körperpflege erforderlichen Gegenstände zu erhalten.

(2) Gegenstände, die die Strafgefangenen mitbringen, sind ihnen nach Maßgabe der räumlichen Verhältnisse, insbesondere unter Bedachtnahme auf den Platzbedarf Mitgefangener, so weit zu belassen, als kein Mißbrauch zu befürchten und die erforderliche Überwachung möglich ist. Erinnerungsstücke von persönlichem Wert und Gegenstände, die der Körperpflege dienen, soweit sie ungefährlich sind, Lichtbilder ihnen nahestehender Personen, der Ehering, eine Armband- oder Taschenuhr, eigene Wäsche nach Maßgabe des § 39 Abs. 1 sowie Gegenstände zur Ausschmückung des Haftraums im Sinne des § 40 Abs. 2 sind den Strafgefangenen jedenfalls zu belassen. Ebenso sind den Strafgefangenen die grundlegende Schrift sowie ein Andachtsbuch und Andachtsgegenstände ihres Glaubensbekenntnisses zu belassen. Im § 24 Abs. 3 genannte Gegenstände können den Strafgefangenen nur als Vergünstigung überlassen werden. Die Überlassung von Nahrungs- und Genussmitteln ist nur in den in den §§ 30, 34 und 38 bestimmten Fällen gestattet.

(3) Körperersatzstücke, orthopädische und andere Hilfsmittel, die die Strafgefangenen benützen, sind ihnen zu belassen, soweit sie dieser Gegenstände im Hinblick auf ihren Zustand bedürfen. Entstehen hierüber Zweifel, so ist dazu der Anstaltsarzt zu hören. Mitgeführte Arznei- und Heilmittel dürfen dem Strafgefangenen nur belassen werden, wenn dagegen nach der Erklärung des Anstaltsarztes vom Standpunkt der Gesundheitspflege keine Bedenken bestehen.

(4) Bei der Aufnahme oder soweit dies sonst zu erkennungsdienstlichen Zwecken notwendig ist, dürfen auch gegen den Willen der Strafgefangenen von ihnen Lichtbilder und Fingerabdrücke aufgenommen und Messungen an ihnen vorgenommen werden. Im übrigen ist den Sicherheitsbehörden die erkennungsdienstliche Behandlung der Strafgefangenen nach Maßgabe der Bestimmungen des Sicherheitspolizeigesetzes, BGBl. Nr. 566/1991, in der jeweils geltenden Fassung zu ermöglichen.

(5) Die Strafgefangenen sind bei der Aufnahme oder alsbald danach ärztlich zu untersuchen. Ist nach dem Ergebnis der Untersuchung anzunehmen, daß der Strafvollzug nachträglich aufzuschieben sei (§ 133), so ist davon das Vollzugsgericht zu verständigen.

(6) Die aufgenommenen Strafgefangenen sind bis zur Entscheidung, wie die über sie verhängte Strafe an ihnen vollzogen werden soll (§ 134), so zu verwahren, daß ein schädlicher Einfluß auf sie durch Mitgefangene sowie ein schädlicher Einfluß durch sie auf Mitgefangene ausgeschlossen werden kann.

(7) Von jeder Aufnahme eines Strafgefangenen ist die Landespolizeidirektion des Bundeslandes, in dem sich die Anstalt befindet, unter Anschluß von Ausfertigungen der nach Abs. 4 gewonnenen Unterlagen und einer Handschriftenprobe (§ 135 Abs. 2) zu verständigen.

Nachträglicher Aufschub des Strafvollzuges

§ 133. (1) Stellt sich nachträglich heraus, daß die Einleitung des Strafvollzuges wegen Vollzugsuntauglichkeit aufzuschieben gewesen wäre, und bestehen die dafür maßgebenden Umstände fort, so ist § 5 dem Sinne nach anzuwenden.

(2) Ebenso ist vorzugehen, wenn ein Strafgefangener während der Haft schwer erkrankt, einen Unfall mit schweren Folgen erleidet oder in einen sonstigen schweren körperlichen oder geistigen Schwächezustand verfällt und anzunehmen ist, daß sein Zustand mit naher Lebensgefahr verbunden ist oder für immer oder für lange Zeit fortbestehen wird.

(3) Die Entscheidung über den nachträglichen Aufschub steht dem Vollzugsgericht zu (§ 16 Abs. 2 Z 9).

Vorläufiges Absehen vom Strafvollzug wegen Einreiseverbotes oder Aufenthaltsverbotes

§ 133a. (1) Hat ein Verurteilter die Hälfte der Strafzeit, mindestens aber drei Monate, verbüßt, so ist vom weiteren Vollzug der Strafe vorläufig abzusehen, wenn

1. gegen ihn ein Einreiseverbot oder Aufenthaltsverbot besteht,

2. er sich bereit erklärt, seiner Ausreiseverpflichtung in den Herkunftsstaat (§ 2 Abs. 1 Z 17 AsylG) unverzüglich nachzukommen, und zu erwarten ist, dass er dieser Verpflichtung auch nachkommen wird, und

3. der Ausreise keine rechtlichen oder tatsächlichen Hindernisse entgegenstehen.

(2) Hat ein Verurteilter die Hälfte, aber noch nicht zwei Drittel einer Freiheitsstrafe verbüßt, so ist trotz Vorliegens der Voraussetzungen nach Abs. 1 solange

nicht vorläufig vom weiteren Vollzug der Strafe abzusehen, als es im Hinblick auf die Schwere der Tat ausnahmsweise des weiteren Vollzuges bedarf, um der Begehung strafbarer Handlungen durch andere entgegenzuwirken.

(3) Der Anstaltsleiter hat Verurteilte, die innerhalb des nächsten Vierteljahres die Voraussetzungen gemäß Abs. 1 und 2 erreichen und über die ein Einreiseverbot oder Aufenthaltsverbot verhängt wurde, über die sonstigen Voraussetzungen des vorläufigen Absehens zu informieren und die zuständige Fremdenbehörde um Stellungnahme zu ersuchen, ob einer Ausreise Hindernisse entgegenstehen.

(4) Die Entscheidung über das vorläufige Absehen vom Strafvollzug wegen Einreiseverbotes oder Aufenthaltsverbotes steht dem Vollzugsgericht zu (§ 16 Abs. 2 Z 10).

(5) Der Anstaltsleiter hat die zuständige Fremdenbehörde vom vorläufigen Absehen wegen Einreiseverbotes oder Aufenthaltsverbotes zu informieren und im Einvernehmen mit dieser Behörde erforderlichenfalls die Überstellung des Verurteilten in die zur Erfüllung der Ausreiseverpflichtung am zweckmäßigsten erscheinende Justizanstalt zu veranlassen. Die zuständige Fremdenbehörde hat dann die Überwachung der Ausreise in den Herkunftsstaat sicher zu stellen und die Justizanstalt sowie das Vollzugsgericht von der erfolgten Ausreise in Kenntnis zu setzen. Bei freizügigkeitsberechtigten EWR-Bürgern, Schweizer Bürgern und begünstigten Drittstaatsangehörigen sowie Inhabern eines Aufenthaltstitels „Daueraufenthalt-EG" eines anderen Mitgliedstaates der Europäischen Union, ist die Überwachung der Ausreise bis zur Grenze sicher zu stellen. Kommt der Verurteilte seiner Ausreiseverpflichtung nicht nach oder kehrt er während der Dauer des Einreiseverbotes oder Aufenthaltsverbotes in das Bundesgebiet zurück, so ist er von den Organen des öffentlichen Sicherheitsdienstes wieder in Haft zu nehmen und in die nächstgelegene Justizanstalt zu überstellen.

(6) Die zuständige Fremdenbehörde hat die Justizanstalt vom Zeitpunkt des Ablaufs der Gültigkeitsdauer oder der Aufhebung des Einreiseverbotes oder Aufenthaltsverbotes zu verständigen. Mit diesem Zeitpunkt gilt die Freiheitsstrafe als vollzogen.

Zweiter Unterabschnitt
Vollzugsplan

Klassifizierung

§ 134. (1) Das Bundesministerium für Verfassung, Reformen, Deregulierung und Justiz hat längstens binnen sechs Wochen nach der Aufnahme zu bestimmen, in welcher Strafvollzugsanstalt, in welcher Form und nach welchen Grundsätzen innerhalb des durch die Bestimmungen dieses Bundesgesetzes geschaffenen Rahmens die Strafe im Einzelfall zu vollziehen ist.

(2) Bei der Bestimmung ist auf die Wesensart des Strafgefangenen, sein Vorleben, seine persönlichen Verhältnisse und die Beschaffenheit der Straftat, deren er schuldig erkannt worden ist, insoweit Bedacht zu nehmen, als es erforderlich ist, um die Erreichung der Zwecke des Strafvollzuges unter bestmöglicher Ausnützung der Vollzugseinrichtungen zu gewährleisten.

(3) Zur Vorbereitung der Entscheidung sind die notwendigen Erhebungen zu pflegen. Erforderlichenfalls kann auch angeordnet werden, dass der Strafgefangene zum Zwecke der Beobachtung durch sachverständige Personen vorübergehend in einer hiezu besonders eingerichteten Anstalt angehalten wird.

(4) Ist die nähere Erforschung der Wesensart eines Strafgefangenen erforderlich, so ist er einer besonderen psychiatrischen psychotherapeutischen oder psychologischen Beobachtung und Untersuchung zu unterziehen. Das hierüber erstellte Gutachten hat auch Vorschläge darüber zu enthalten, wie die Strafe vollzogen werden soll.

(5) Vom Ergebnis der Klassifizierung sind die Leiter der zur Einleitung und Durchführung des Strafvollzuges zuständigen Anstalten zu verständigen. Der Strafgefangene ist davon insoweit in Kenntnis zu setzen, als es sich auf den unmittelbar anschließenden Strafvollzug bezieht, und in die zur Durchführung des weiteren Strafvollzuges zuständige Anstalt zu überstellen.

(6) Erscheint es im späteren Verlauf des Strafvollzuges unter Bedachtnahme auf die im Abs. 2 angeführten Umstände und zur Erreichung der dort genannten Zwecke erforderlich, den Strafvollzug in einer anderen Anstalt, in anderer Form oder nach anderen Grundsätzen fortzusetzen, so hat das Bundesministerium für Verfassung, Reformen, Deregulierung und Justiz die entsprechenden Änderungen ohne förmliches Verfahren und ohne Erlassung eines Bescheides anzuordnen. Die Abs. 3 bis 5 sind hiebei dem Sinne nach anzuwenden.

Vollzugsplan

§ 135. (1) Der Leiter der zum Strafvollzug bestimmten Anstalt hat festzulegen, wie die Strafe innerhalb des durch die Bestimmungen dieses Bundesgesetzes und das Ergebnis der Klassifizierung geschaffenen Rahmens vollzogen werden soll (Vollzugsplan). Der Vollzugsplan hat sich auf die Form des Strafvollzuges, auf die Arbeit, die erzieherische und ärztliche Betreuung, den Verkehr mit der Außenwelt und die Aufsicht zu erstrecken.

(2) Jeder Strafgefangene hat zur Vorbereitung des Vollzugsplanes eigenhändig einen Lebenslauf zu schreiben; zu dem gleichen Zweck ist er zu hören. Wenn es zweckmäßig ist, können auch der Anstaltsarzt, der Anstaltspsychiater oder Anstaltspsychologe und andere mit der Wesensart des Strafgefangenen oder mit dem in Aussicht genommenen Vollzug vertraute Strafvollzugsbedienstete gehört werden. Hält der Anstaltsleiter eine Strafvollzugsortsänderung für zweckmäßig oder kann den im Ergebnis der Klassifi-

zierung zum Ausdruck gebrachten Vorschlägen nicht Rechnung getragen werden, so bedarf der Vollzugsplan der Genehmigung des Bundesministeriums für Verfassung, Reformen, Deregulierung und Justiz.

(3) Mit dem Strafgefangenen ist ein Gespräch über die für die Klassifizierung maßgebenden Erwägungen sowie über den Inhalt des Vollzugsplanes zu führen. Dies gilt für den Fall einer Strafvollzugsortsänderung dem Sinne nach.

(4) Im übrigen gilt § 134 dem Sinne nach.

Dritter Unterabschnitt

Vorbereitung der Entlassung

Entlassungsvollzug

§ 144. (1) Vor der Entlassung sind die Strafgefangenen zur Vorbereitung auf das Leben in Freiheit im vermehrten Ausmaß erzieherisch (§ 56) und fürsorgerisch zu betreuen.

(2) Soweit dies nach den Einrichtungen der Anstalt möglich ist, sind Strafgefangenen, von denen zu erwarten ist, daß sie die Lockerungen nicht mißbrauchen werden, im Entlassungsvollzug eine oder mehrere der im § 126 erwähnten Lockerungen zu gewähren.

Fassung ab **01.01.2026**

(3) Zur Vorbereitung einer Entscheidung nach den §§ 144 und 145 oder einer bedingten Entlassung sollen die Vollzugsbehörde erster Instanz, die Staatsanwaltschaft und das Vollzugsgericht im Einzelfall die hierzu notwendigen Informationen zeitgerecht austauschen. Zu diesem Zweck hat zumindest vierteljährlich ein gemeinsamer Austausch stattzufinden, sofern eine der beteiligten Justizbehörden dies für erforderlich hält.

Fassung ab **01.01.2026**

(4) Vor Beginn des Entlassungsvollzugs ist seitens der Justizanstalt zu prüfen, ob der Strafgefangene die Reststrafe im elektronisch überwachten Hausarrest verbüßen kann. Sofern die Voraussetzungen des § 156c Abs. 1 und 1a vorliegen, ist der Strafgefangene darüber zu informieren und gegebenenfalls zur Antragstellung anzuleiten.

Entlassungskonferenz

§ 144a. (1) Der Anstaltsleiter kann im Rahmen der Vorbereitung der bedingten Entlassung (§§ 144, 145 Abs. 2) einen Leiter einer Geschäftsstelle für Bewährungshilfe mit der Ausrichtung einer Sozialnetzkonferenz (§ 29e BewHG) betrauen, um die Voraussetzungen einer bedingten Entlassung zu beurteilen und jene Maßnahmen festzulegen, die dazu dienen, den Verurteilten von der Begehung strafbarer Handlungen abzuhalten. Dem Vollzugsgericht und der Staatsanwaltschaft ist Gelegenheit zur Mitwirkung zu geben.

(2) Eine Entlassungskonferenz ist so rechtzeitig durchzuführen, dass eine Entlassung nach Verbüßung der Hälfte der Freiheitsstrafe, spätestens aber nach zwei Dritteln, möglich wird. Über das Ergebnis einer solchen Konferenz hat die Bewährungshilfe dem Vollzugsgericht, gegebenenfalls mit Empfehlungen für Weisungen zu berichten.

(3) Entlassungskonferenzen bedürfen der Zustimmung des Verurteilten.

Beginn des Entlassungsvollzuges

§ 145. (1) Der Entlassungsvollzug beginnt je nach dem Ausmaß der zu vollziehenden Freiheitsstrafe drei bis zwölf Monate vor der voraussichtlichen Entlassung.

Fassung ab **01.01.2026**

(1) Der Entlassungsvollzug beginnt je nach dem Ausmaß der zu vollziehenden Freiheitsstrafe drei bis ~~zwölf~~ 24 Monate vor der voraussichtlichen Entlassung.

(2) Ist der Anstaltsleiter der Auffassung, dass der Strafgefangene voraussichtlich bedingt entlassen wird, so ist im Sinne des Abs. 1 der Zeitpunkt der voraussichtlichen bedingten Entlassung maßgebend.

(3) Sind im Entlassungsvollzug nach § 144 Abs. 2 Lockerungen gewährt worden, so dürfen sie dem Strafgefangenen nicht lediglich deshalb entzogen werden, weil seine bedingte Entlassung abgelehnt worden ist.

Vorbereitung der Entlassung

§ 146. (1) Die Strafgefangenen sind durch eine rechtskundige Person darüber zu belehren, welche nach der Entlassung fortdauernden Rechtsnachteile ihnen aus der Verurteilung erwachsen sind und welche rechtlichen Möglichkeiten bestehen, diese Nachteile wieder zu beseitigen.

(2) Den Strafgefangenen ist erforderlichenfalls nahezulegen, rechtzeitig Vorsorge dafür zu treffen, daß sie nach ihrer Entlassung eine geeignete Unterkunft sowie einen redlichen Erwerb finden und bei der Entlassung über eine ordentliche Bekleidung und über die Mittel verfügen, die für die Zureise zu ihrem künftigen Aufenthaltsort und ihren Unterhalt in der ersten Zeit nach der Entlassung notwendig sind. Kranken, verletzten oder schwangeren Strafgefangenen ist nahezulegen, für ihre ärztliche Betreuung nach der Entlassung Vorsorge zu treffen. Die Bemühungen der Strafgefangenen sind im Zusammenwirken mit den Landesarbeitsämtern sowie mit den öffentlichen und privaten Fürsorgestellen mit Rat und Tat zu unterstützen.

(3) Soweit davon eine Förderung der Wiedereingliederung in das Leben in Freiheit, insbesondere der Aussichten auf ein redliches Fortkommen, zu erwarten ist, kann Strafgefangenen im Rahmen der Grundsätze des Strafvollzuges die Benützung von Einrichtungen und die Teilnahme an Veranstaltungen gestattet werden,

die andere Rechtsträger als der Bund für vergleichbare Zwecke betreiben oder durchführen. Werden die Kosten dafür nicht von anderer Seite getragen, so kann sie der Bund bis zu dem Ausmaß übernehmen, das für vergleichbare Einrichtungen oder Veranstaltungen des Bundes aufgewendet werden müßte.

Ausgang

§ 147. (1) Während des Entlassungsvollzuges sind einem Strafgefangenen auf sein Ansuchen zur Vorbereitung auf das Leben in Freiheit und zur Ordnung seiner Angelegenheiten ein oder mehrere Ausgänge im Inland in der Dauer von jeweils höchstens drei Tagen zuzüglich erforderlicher Reisebewegungen zu gestatten, wenn nach seiner Person, seinem Vorleben und seiner Aufführung während der Anhaltung zu erwarten ist, daß er den Ausgang nicht mißbrauchen werde, und wenn eine Unterkunft und der Unterhalt des Strafgefangenen für die Zeit des Ausganges gesichert sind. Von der Bewilligung eines Ausganges ist die Sicherheitsbehörde des für die Zeit des Ausganges in Aussicht genommenen Aufenthaltsortes des Strafgefangenen zu verständigen.

(2) § 99 Abs. 2 bis 4 und 5 dritter und letzter Satz gilt dem Sinne nach.

(3) Die Entscheidung über den Ausgang und über den Widerruf steht dem Anstaltsleiter zu.

(4) Die Entscheidung über die Nichteinrechnung der Zeit des Ausganges oder der außerhalb der Strafe verbrachten Zeit in die Strafzeit (§ 99 Abs. 4) steht dem Vollzugsgericht zu (§ 16 Abs. 2 Z 3a).

Vierter Unterabschnitt

Entlassung

Zeitpunkt der Entlassung

§ 148. (1) Hat ein Strafgefangener die Strafzeit abzüglich des davon etwa unbedingt oder bedingt nachgesehenen oder nachgelassenen Teiles in Strafhaft zugebracht, so ist er zu entlassen.

(2) Die Strafgefangenen sind jeweils innerhalb der ersten beiden Amtsstunden des Entlassungstages zu entlassen. Endet die Strafzeit (Abs. 1) jedoch vor dem Beginn der Amtsstunden oder an einem Tag, an dem keine Amtsstunden abgehalten werden, so ist so vorzugehen, als ob die Strafzeit an dem letzten vorangehenden Tag endete, an dem Amtsstunden abgehalten werden.

Fassung ab **01.01.2026**

(2) Die Strafgefangenen sind jeweils innerhalb der ersten beiden Amtsstunden des Entlassungstages zu entlassen. Endet die Strafzeit (Abs. 1) jedoch vor dem Beginn der Amtsstunden oder an einem Tag, an dem keine Amtsstunden abgehalten werden, so ist so vorzugehen, als ob die Strafzeit an dem letzten vorangehenden Tag endete, an dem Amtsstunden abgehalten werden. Dies gilt auch, wenn die Strafzeit am Karfreitag, am 2. November, sofern dieser Tag auf einen Freitag fällt, am 24. Dezember oder am 31. Dezember endet.

Fassung ab **01.01.2026**

(3) Erfolgt die Entlassung auf richterliche Anordnung, so ist der Strafgefangene zur Durchführung der unbedingt erforderlichen Entlassungsformalitäten unverzüglich in die nächstgelegene Justizanstalt, im Falle seiner Zustimmung in die Anstalt, in der die bisherige Anhaltung vollzogen wurde, zu verbringen. In diesen Fällen ist die Entlassung erforderlichenfalls auch außerhalb der Amtsstunden vorzunehmen.

Entlassung

§ 149. (1) Vor der Entlassung hat der Anstaltsleiter mit dem Strafgefangenen ein abschließendes Gespräch zu führen. Der Strafgefangene ist über die Entlassung zu belehren. Es ist ihm ein Merkblatt zu übergeben, das kurz und in einfachen Worten die auch nach der Entlassung fortdauernden Rechtsnachteile, die ihm aus der Verurteilung erwachsen sind, sowie die Verpflichtungen, die ihm auferlegt sind, und im Falle einer bedingten Entlassung auch die Gründe angibt, aus denen die Entlassung widerrufen werden kann.

(2) Die Entlassung ist in den dafür besonders vorgesehenen Räumen durchzuführen. Die Strafgefangenen haben sich zu entkleiden und sind körperlich zu durchsuchen; die Bestimmungen des § 102 Abs. 2 über Durchsuchungen sind dem Sinne nach anzuwenden. Die Strafgefangenen haben ein Bad (§ 42 Abs. 3) zu nehmen. Die Anstaltskleidung und die übrigen den Strafgefangenen zum Gebrauche überlassenen Anstaltssachen sind ihnen abzunehmen.

(3) Die Strafgefangenen sind vor der Entlassung ärztlich zu untersuchen.

(4) Von der Entlassung ist die Sicherheitsbehörde des künftigen Aufenthaltsortes des Strafgefangenen zu verständigen.

(5) Soweit ein Opfer (§ 65 Z 1 StPO) dies beantragt hat, ist es unverzüglich vom ersten unbewachten Verlassen und der bevorstehenden oder erfolgten Entlassung des Strafgefangenen einschließlich allfälliger ihm zum Schutz des Opfers erteilter Weisungen zu verständigen. Die Verständigung hat der Anstaltsleiter zu veranlassen.

Entlassungshilfe

§ 150. (1) Ist es einem Strafgefangenen nach seinen Verhältnissen offenbar nicht zumutbar, die notwendigen Kosten der Zureise zu seinem künftigen Aufenthaltsort innerhalb des Bundesgebietes zur Gänze aus eigenem zu tragen, so ist ihm eine Fahrkarte für die Benützung des in Betracht kommenden Massenbeförderungsmittels (§ 8 des Gebührenanspruchsgesetzes 1965) zu beschaffen und der die Verhältnisse des

Strafgefangenen übersteigende Teil der Kosten von Amts wegen zu tragen. Liegt der künftige Aufenthaltsort im Ausland, so ist unter den gleichen Voraussetzungen eine Fahrkarte bis zu dem diesem Aufenthaltsort nächstgelegenen Grenzbahnhof innerhalb des Bundesgebietes zu beschaffen. Kann der Strafgefangene seinen künftigen Aufenthaltsort erst nach mehr als sechs Stunden erreichen, so ist ihm auf sein Ersuchen Reiseverpflegung mitzugeben.

(2) Strafgefangenen, deren Kleidung instandzusetzen nicht tunlich wäre oder deren Kleidung wegen der Jahreszeit oder des Gesundheitszustandes des Strafgefangenen nicht ausreicht und die sich ordentliche Entlassungsbekleidung auf andere Weise nicht beschaffen können, sind die notwendigen einfachen Kleidungsstücke von Amts wegen zuzuteilen.

(3) Erreichen die dem Strafgefangenen bei der Entlassung nach § 54 Abs. 5 auszuzahlenden Beträge ohne sein Verschulden nicht die Hälfte des unpfändbaren Freibetrags nach § 291a Abs. 1 in Verbindung mit § 291 der Exekutionsordnung, RGBl. Nr. 79/1896, in der jeweils geltenden Fassung, und ist für den Unterhalt des Strafgefangenen in der ersten Zeit nach der Entlassung nicht anderweitig ausreichend vorgesorgt, so ist ihm ein Zuschuss bis zur Höhe dieses Betrages zu gewähren.

Abschluß der Berufsausbildung

§ 150a. Verurteilten, die in einer in der Haft begonnenen oder fortgesetzten Berufsausbildung (§ 48) einen zufriedenstellenden Fortschritt erzielt haben, kann nach ihrer Entlassung Gelegenheit gegeben werden, die Berufsausbildung bis zum vorgesehenen Abschluß in der Anstalt fortzusetzen.

Fünfter Unterabschnitt

Vollzug an Strafgefangenen, deren Unterbringung in einer Anstalt für gefährliche Rückfallstäter angeordnet ist

§ 151. (1) Auf die Anordnung der Unterbringung eines Strafgefangenen in einer Anstalt für gefährliche Rückfallstäter ist im Strafvollzug im allgemeinen und bei der Arbeitszuweisung (§ 47), bei Ausführungen und Überstellungen (§ 98) sowie bei der Unterbringung (§§ 124, 125) besonders Bedacht zu nehmen.

(2) Solange nicht entschieden ist, daß die Überstellung des Rechtsbrechers in die Anstalt für gefährliche Rückfallstäter nicht mehr notwendig ist (§ 24 Abs. 2 des Strafgesetzbuches), sind die §§ 144 bis 150 nicht anzuwenden, es sei denn, der Strafgefangene wird voraussichtlich bedingt entlassen (§ 145 Abs. 2 und 3).

(3) Wird der Strafgefangene nicht vorzeitig entlassen, so hat das Gericht die Prüfung, ob die Unterbringung in einer Anstalt für gefährliche Rückfallstäter noch notwendig ist (§ 24 Abs. 2 des Strafgesetzbuches), spätestens drei Monate vor dem Ende der Strafzeit vorzunehmen. Wird der Strafgefangene bedingt entlassen, so ist zugleich auszusprechen, daß die Unterbringung nicht mehr notwendig ist (§§ 24 Abs. 2 und 47 Abs. 4 des Strafgesetzbuches).

(4) Ist der Verurteilte aus der Strafhaft in eine Anstalt für gefährliche Rückfallstäter zu überstellen, so ist die Überstellung so zeitig vorzunehmen, daß sich der Verurteilte in dem Zeitpunkt, in dem die Strafzeit endet, schon in der Anstalt für gefährliche Rückfallstäter befindet. Zu diesem Zweck kann die Überstellung bis zu zwei Wochen vor dem Ende der Strafzeit eingeleitet werden. Die im Strafvollzug als Eigengeld, Hausgeld oder Rücklage gutgeschriebenen Geldbeträge sind dem Verurteilten mit dem Tag der Überstellung im Vollzug der Unterbringung in einer Anstalt für gefährliche Rückfallstäter gutzuschreiben. Soweit Ordnungsstrafen im Zeitpunkt der Überstellung noch nicht oder noch nicht zur Gänze vollzogen sind, ist ihr Vollzug unbeschadet des § 116 Abs. 6 in der Anstalt für gefährliche Rückfallstäter durchzuführen.

Sechster Unterabschnitt

Entscheidung über eine bedingte Entlassung

§ 152. (1) Über die bedingte Entlassung eines Strafgefangenen ist auf dessen Antrag oder auf Antrag des Anstaltsleiters oder der Staatsanwaltschaft zu entscheiden. Einem Antrag des Verurteilten steht ein Antrag eines Angehörigen gleich. Von Amts wegen ist über die bedingte Entlassung eines Strafgefangenen zu entscheiden, der innerhalb des nächsten Vierteljahres

1. die Hälfte der zeitlichen Freiheitsstrafe oder

2. zwei Drittel der zeitlichen Freiheitsstrafe verbüßt haben wird.

Die Entscheidung steht in jedem Fall dem Vollzugsgericht zu (§ 16 Abs. 2 Z 12). Das Gericht kann in der Entscheidung aussprechen, dass die bedingte Entlassung erst zu einem späteren, nicht mehr als drei Monate nach der Entscheidung gelegenen Zeitpunkt wirksam wird, wenn das zur Vorbereitung des Strafgefangenen auf das Leben in Freiheit notwendig oder zweckmäßig erscheint. Zu diesem Zweck kann es auch unmittelbar Bewährungshilfe (§ 52 StGB) anordnen.

(2) Vor jeder Entscheidung über eine bedingte Entlassung hat das Gericht in die Akten über das Strafverfahren und in den Personalakt des Strafgefangenen Einsicht zu nehmen. Wenn eine bedingte Entlassung nicht schon mangels Erfüllung der zeitlichen Voraussetzungen ausgeschlossen ist, hat das Gericht ferner eine Äußerung des Strafgefangenen, des Anstaltsleiters und der Staatsanwaltschaft einzuholen. Der Anstaltsleiter hat in seiner Äußerung insbesondere dazu Stellung zu nehmen, welche Anhaltspunkte sich aus der Person des Strafgefangenen, seiner Aufführung im Vollzug und aus den zu erwartenden äußeren Umständen im Zeitpunkt einer allfälligen Entlassung für die Lebensführung des Verurteilten in Freiheit ergeben. Der Einholung von Äußerungen bedarf es insoweit nicht, als der Strafgefangene, der Anstaltsleiter

oder die Staatsanwaltschaft selbst den Entlassungsantrag gestellt und entsprechend begründet haben. Vor jeder Entscheidung über die bedingte Entlassung eines wegen einer strafbaren Handlung gegen die sexuelle Integrität und Selbstbestimmung Verurteilten ist eine Äußerung der Begutachtungs- und Evaluationsstelle für Gewalt- und Sexualstraftäter einzuholen. Das Gericht hat dem Bundesminister für Inneres zur Vorbeugung und Verhinderung von mit Strafe bedrohter Handlungen gegen die sexuelle Integrität und Selbstbestimmung mittels Analyse (§ 58d Sicherheitspolizeigesetz BGBl. Nr. 566/1991) eine Ausfertigung oder Ablichtung dieser Äußerung zu übersenden.

(2a) Vor jeder Entscheidung über die bedingte Entlassung eines wegen einer strafbaren Handlung nach dem Verbotsgesetz, wegen staatsfeindlicher Verbindung (§ 246 StGB), staatsfeindlicher Bewegung (§ 247a StGB) oder religiös motivierter extremistischer Verbindung (§ 247b StGB), wegen terroristischer Vereinigung (§ 278b StGB), terroristischer Straftaten (§ 278c StGB), Terrorismusfinanzierung (§ 278d StGB), Ausbildung für terroristische Zwecke (§ 278e StGB), Anleitung zur Begehung einer terroristischen Straftat (§ 278f StGB), Reisen für terroristische Zwecke (§ 278g StGB) oder Aufforderung zu terroristischen Straftaten und Gutheißung terroristischer Straftaten (§ 282a StGB) oder nach dem fünfundzwanzigsten Abschnitt des Besonderen Teils des StGB Verurteilten hat das Vollzugsgericht eine Fallkonferenz (§ 52b Abs. 3 StGB) einzuberufen. Die Organisationseinheien gemäß § 1 Abs. 3 Bundesgesetz über die Organisation, Aufgaben und Befugnisse des Verfassungsschutzes (Staatsschutz- und Nachrichtendienst-Gesetz – SNG), BGBl. I Nr. 5/2016, und die Koordinationsstelle für Extremismusprävention und Deradikalisierung im Straf- und Maßnahmenvollzug haben daran mitzuwirken.

(3) Ist die Unterbringung des Strafgefangenen in einer Anstalt für gefährliche Rückfallstäter angeordnet, so ist vor der Entscheidung über eine bedingte Entlassung auch den Sicherheitsbehörden, in deren Sprengel sich der Entlassene zuletzt aufgehalten hat und voraussichtlich aufhalten wird, Gelegenheit zur Stellungnahme zu geben.

§ 152a. (1) Vor der Entscheidung hat das Gericht den Strafgefangenen zu hören, es sei denn, daß eine solche Anhörung nach den Umständen des Falles nicht erforderlich erscheint. Beantragt der Strafgefangene zum Zwecke einer bedingten Entlassung zum ersten Mal selbst seine Anhörung, so darf diese nur unterbleiben, wenn das Gericht die Entlassung bewilligt. Im Fall seiner Anhörung ist dem Strafgefangenen womöglich auch die Entscheidung durch das Gericht mündlich zu verkünden.

Fassung ab **01.01.2026**

(1) Vor der Entscheidung hat das Gericht den Strafgefangenen zu hören, es sei denn, daß eine solche Anhörung nach den Umständen des Falles nicht erforderlich erscheint. Beantragt der Strafgefangene zum Zwecke einer bedingten Entlassung zum ersten Mal selbst seine Anhörung, so darf diese nur unterbleiben, wenn das Gericht die Entlassung bewilligt. Im Fall seiner Anhörung ist dem Strafgefangenen womöglich auch die Entscheidung durch das Gericht mündlich zu verkünden. Die Anhörung ist unter Verwendung technischer Einrichtungen zur Wort- und Bildübertragung durchzuführen, sofern keine besonderen Gründe vorliegen, die eine Vorführung vor das zuständige Gericht unbedingt erforderlich machen.

(2) Soweit es zur Vorhersage über das künftige Verhalten des Verurteilten zweckmäßig erscheint, hat das Gericht hiezu geeignete Auskunftspersonen wie den Anstaltsleiter oder einen von diesem dazu besonders bestellten Strafvollzugsbediensteten und andere im Strafvollzug oder in der Bewährungshilfe tätige Personen sowie erforderlichenfalls auch einen ärztlichen, psychotherapeutischen oder psychologischen Sachverständigen zu hören.

(3) Meldet im Falle der mündlichen Verkündung der Entscheidung der Verurteilte oder die Staatsanwaltschaft, sofern sie bei der Verkündung vertreten war, binnen drei Tagen nach der Verkündung eine Beschwerde an, so ist dem Beschwerdeführer und auf Verlangen des Verurteilten dessen Verteidiger eine Abschrift des Beschlusses zuzustellen. In diesem Fall kann er die Beschwerde binnen vierzehn Tagen nach Zustellung näher ausführen. Verzichten die Staatsanwaltschaft und der Verurteilte auf Rechtsmittel gegen den Beschluß oder melden sie innerhalb der hiefür offenstehenden Frist kein Rechtsmittel an, so können das Protokoll über die Vernehmungen nach Abs. 1 und 2 und die Ausfertigung des Beschlusses durch einen vom Vorsitzenden und vom Schriftführer zu unterschreibenden Vermerk ersetzt werden, der die Namen der vernommenen und bei der Vernehmung anwesenden Personen sowie in Schlagworten die für die Entscheidung maßgebenden Umstände zu enthalten hat.

Fassung ab **01.01.2026**

Neufestsetzung des Zeitpunkts der bedingten Entlassung

§ 152b. Kehrt ein Strafgefangener nach Bewilligung der bedingten Entlassung nicht rechtzeitig von einem Ausgang oder einer Unterbrechung zurück oder flüchtet er in diesem Zeitraum, so hat das Gericht über die Nichteinrechnung dieser Zeiten zu entscheiden und den Zeitpunkt der bedingten Entlassung neu festzusetzen.

Vierter Abschnitt

VOLLZUG VON FREIHEITSSTRAFEN, DEREN STRAFZEIT ACHTZEHN MONATE NICHT ÜBERSTEIGT

Allgemeine Vorschrift

§ 153. Für den Vollzug von Freiheitsstrafen, deren Strafzeit achtzehn Monate nicht übersteigt, gelten die

§§ 131 bis 133a und 147 bis 152 dem Sinne nach, soweit im folgenden nichts anderes bestimmt wird.

Fassung ab **01.01.2026**

Vierter Abschnitt

VOLLZUG VON FREIHEITSSTRAFEN, DEREN STRAFZEIT ACHTZEHN MONATE NICHT ÜBERSTEIGT

Allgemeine Vorschrift

§ 153. Für den Vollzug von Freiheitsstrafen, deren Strafzeit achtzehn Monate nicht übersteigt, gelten die §§ 131 bis 133a und 147 bis 152b dem Sinne nach, soweit im folgenden nichts anderes bestimmt wird.

Besonderheiten des Strafvollzuges

§ 154. (1) Eine ärztliche Untersuchung der Strafgefangenen bei der Aufnahme oder alsbald danach hat unbeschadet des § 68 zu unterbleiben, wenn die Strafzeit zwei Wochen nicht übersteigt.

(2) Strafgefangene, an denen Freiheitsstrafen vollzogen werden, deren Strafzeit mehr als drei Monate beträgt, sind auf ihre Entlassung im Sinne des § 146 vorzubereiten.

Entlassung

§ 156. (1) Die Entlassung von Strafgefangenen, deren Strafzeit zwei Wochen nicht übersteigt, darf nicht gemäß § 148 Abs. 2 vor dem Ende der Strafzeit vorgenommen werden. Wäre darnach ein Strafgefangener in der Zeit zwischen achtzehn und acht Uhr zu entlassen, so ist ihm auf sein Verlangen zu gestatten, bis acht Uhr in der Anstalt zu bleiben.

StVG

(2) Strafgefangene, an denen Freiheitsstrafen vollzogen werden, deren Strafzeit nicht mehr als einen Monat beträgt, sind vor der Entlassung nur dann ärztlich zu untersuchen, wenn sie offenbar krank, verletzt oder schwanger sind.

Fassung ab **01.01.2026**

(2) Auf Strafgefangene, an denen Freiheitsstrafen vollzogen werden, deren Strafzeit nicht mehr als einen Monat beträgt, ist § 148 Abs. 2 letzter Satz nicht anzuwenden. Sie sind im Übrigen vor der Entlassung nur dann ärztlich zu untersuchen, wenn sie offenbar krank, verletzt oder schwanger sind.

(3) Strafgefangenen, an denen Freiheitsstrafen vollzogen werden, deren Strafzeit drei Monate übersteigt, ist unter den im § 150 Abs. 3 bezeichneten Voraussetzungen ein Zuschuß bis zur Höhe eines Viertels des dort genannten Geldbetrages zu gewähren, übersteigt die Strafzeit aber sechs Monate, bis zur Höhe der Hälfte dieses Betrages, und übersteigt die Strafzeit neun Monate, bis zur Höhe von drei Vierteln. Strafgefangenen, deren Strafzeit nicht mehr als drei Monate beträgt, ist ein Zuschuß nicht zu gewähren.

Berechnung von Fristen

§ 156a. Wird die Strafhaft in unmittelbarem Anschluß an die Untersuchungshaft vollzogen, so ist für die Berechnung der Fristen nach den §§ 154 Abs. 2 und 156 die gemäß den §§ 38 und 66 des Strafgesetzbuches anzurechnende Zeit der Vorhaft der Strafzeit hinzuzurechnen.

FÜNFTER ABSCHNITT

Strafvollzug durch elektronisch überwachten Hausarrest

Grundsätze des Strafvollzugs durch elektronisch überwachten Hausarrest

§ 156b. (1) Der Vollzug der Strafe in Form des elektronisch überwachten Hausarrests bedeutet, dass der Strafgefangene sich in seiner Unterkunft aufzuhalten, einer geeigneten Beschäftigung (insbesondere einer Erwerbstätigkeit, einer Ausbildung, der Kinderbetreuung, gemeinnütziger Arbeit oder einer vergleichbaren der Wiedereingliederung dienenden Tätigkeit) nachzugehen und sich angemessenen Bedingungen seiner Lebensführung außerhalb der Anstalt (Abs. 2) zu unterwerfen hat. Dem Strafgefangenen ist es untersagt, die Unterkunft außer zur Ausübung seiner Beschäftigung, zur Beschaffung des notwendigen Lebensbedarfs, zur Inanspruchnahme notwendiger medizinischer Hilfe oder aus sonstigen in den Bedingungen genannten Gründen zu verlassen. Er ist durch geeignete Mittel der elektronischen Aufsicht zu überwachen und soweit zu betreuen, als dies zur Erreichung des erzieherischen Strafzwecks erforderlich ist.

(2) Die Bedingungen sollen eine den Zwecken des Strafvollzugs dienende Lebensführung sicherstellen und insbesondere die in der Unterkunft zu verbringenden Zeiten sowie die Beschäftigungszeiten, welche tunlichst der Normalarbeitszeit zu entsprechen haben, festlegen. Der Bundesminister für Verfassung, Reformen, Deregulierung und Justiz ist ermächtigt, durch Verordnung Richtlinien für die Gestaltung der Bedingungen der Lebensführung außerhalb der Anstalt sowie über die Art und die Durchführung der elektronischen Überwachung, einschließlich der Festlegung jener Justizanstalten, die über Einrichtungen zur elektronischen Aufsicht zu verfügen haben, zu erlassen.

(3) Der Strafgefangene hat die mit Verordnung des Bundesministers für Verfassung, Reformen, Deregulierung und Justiz festzusetzenden Kosten des elektronischen Hausarrests zu ersetzen. Diese Verpflichtung entfällt, soweit durch ihre Erfüllung der zu einer einfachen Lebensführung notwendige Unterhalt des Strafgefangenen und der Personen, zu deren Unterhalt er verpflichtet ist, gefährdet wäre. Die Kosten sind monatlich im Nachhinein bis zum Fünften des Folgemonats zu entrichten. Die Verpflichtung zum Kostenersatz bildet einen gesonderten Ausspruch der Bewilligung (§ 156d Abs. 2).

(3a) Werden die Kosten nach Abs. 3 nicht sogleich entrichtet oder ist die Einziehung erfolglos geblieben, so sind die ausständigen Beträge durch schriftlichen Bescheid zu bestimmen und zur Zahlung vorzuschreiben. Der Bescheid hat eine Aufstellung der geschuldeten Beträge und die Aufforderung zu enthalten, den Betrag binnen 14 Tagen bei sonstiger Exekution zu zahlen.

(3b) Auf Antrag kann die Entrichtung des Kostenersatzes in Teilbeträgen gestattet werden, wenn die Einbringung mit besonderer Härte für den Strafgefangenen verbunden wäre. Im Fall des Widerrufs der Anhaltung im elektronisch überwachten Hausarrest (§ 156c Abs. 2) sind rückständige Kostenbeiträge vom Hausgeld, gegebenenfalls in Teilbeträgen, einzubehalten. Zur Bestreitung dieser Kosten darf der Strafgefangene auch Gelder verwenden, die ihm sonst für die Verschaffung von Leistungen im Strafvollzug nicht zur Verfügung stehen. Zum Zeitpunkt der Entlassung rückständige Kostenbeiträge sind nach den Bestimmungen des Gerichtlichen Einbringungsgesetzes einzutreiben.

(4) Die §§ 1 bis 3, 4 bis 20, 22, 26, 27, 30 Abs. 1, 32a, 35, 36 Abs. 1, 64 Abs. 2 letzter Satz, 72, 99, 99a, 102 Abs. 1, 102a, 103 Abs. 4 bis Abs. 6, 104 bis 106, 107, 108, 109 Z 1, 110, 113 bis 116a, 118, 119 bis 122, 123, 126 Abs. 2 Z 4, 133, 144 Abs. 2, 145, 146 Abs. 1, 147, 148, 149 Abs. 1, Abs. 4 und Abs.5, 152, 152a, 152b, 153, 154, 156 Abs. 1 erster Satz, 156a, 179, 179a, 180 und 180a gelten sinngemäß. § 43 erster Satz ist mit der Maßgabe anzuwenden, dass eine sinnvolle Aktivität, welche den in § 20 Abs. 1 angeführten Zwecken nicht widerspricht, im Vorhinein für eine Stunde auch ohne Vorliegen der Voraussetzungen des § 43 erster Satz festzulegen ist und der Aufenthalt im Freien an Samstagen, Sonn- und Feiertagen jeweils auf drei Stunden verlängert werden kann, sofern zu erwarten ist, dass der Strafgefangene dies nicht missbrauchen wird.

Bewilligung und Widerruf

§ 156c. (1) Der Vollzug einer zeitlichen Freiheitsstrafe in Form des elektronisch überwachten Hausarrests ist auf Antrag des Strafgefangenen oder auf Grund eines schon vor Strafantritt zulässigen Antrags des Verurteilten zu bewilligen, wenn

1. die zu verbüßende oder noch zu verbüßende Strafzeit 24 Monate, bei Verurteilungen nach den §§ 75, 76, 87, 107b Abs. 3a Z 3, 143 Abs. 2, 201, 202, 205, 205a, 206, 207, 207a, 207b, 278b, 278c, 278d, 278e, 278f oder 278g StGB zwölf Monate, nicht übersteigt oder nach sinngemäßer Anwendung des § 145 Abs. 2 voraussichtlich nicht übersteigen wird,

2. der Rechtsbrecher im Inland

a. über eine geeignete Unterkunft verfügt,

b. einer geeigneten Beschäftigung nachgeht,

c. Einkommen bezieht, mit dem er seinen Lebensunterhalt bestreiten kann,

d. Krankenversicherungsschutz und – sofern der Versicherungsfall eintreten kann – auch Unfallversicherungsschutz genießt,

3. die schriftliche Einwilligung der mit ihm im gemeinsamen Haushalt lebenden Personen vorliegt, und

4. nach Prüfung der Wohnverhältnisse, des sozialen Umfelds und allfälliger Risikofaktoren sowie bei Einhaltung der Bedingungen (§ 156b Abs. 2) anzunehmen ist, dass der Rechtsbrecher diese Vollzugsform nicht missbrauchen wird.

(1a) Wurde der Rechtsbrecher wegen einer strafbaren Handlung nach den §§ 107b Abs. 3a Z 3, 201, 202, 205, 205a, 206, 207, 207a, 207b, 278b, 278c, 278d, 278e, 278f oder 278g StGB verurteilt, so kommt ein Vollzug in Form des elektronisch überwachten Hausarrests nicht in Betracht, bevor die zeitlichen Voraussetzungen des § 46 Abs. 1 StGB erfüllt sind. Im Übrigen kommt bei ihm sowie bei einem Rechtsbrecher, der wegen einer anderen im § 52a Abs. 1 StGB genannten strafbaren Handlung verurteilt wurde, diese Vollzugsform nur dann in Betracht, wenn aus besonderen Gründen Gewähr dafür geboten ist, dass er den elektronisch überwachten Hausarrest nicht missbrauchen werde.

(2) Die Anhaltung im elektronisch überwachten Hausarrest ist zu widerrufen, wenn

1. eine für ihre Anordnung notwendige Voraussetzung wegfällt, wobei § 145 Abs. 3 sinngemäß gilt,

2. der Strafgefangene eine Anordnung oder eine ihm auferlegte Bedingung entweder in schwerwiegender Weise oder trotz einer förmlicher Mahnung nicht einhält,

3. der Strafgefangene länger als einen Monat mit der Zahlung des Kostenbeitrags in Verzug ist, wobei eine neuerliche Bewilligung nicht in Betracht kommt, bevor der rückständige Kostenbeitrag entrichtet worden ist,

4. der Strafgefangene erklärt, die Bedingungen nicht mehr einhalten zu können, oder

5. gegen den Strafgefangenen der dringende Verdacht besteht, eine vorsätzliche gerichtlich strafbare Handlung während des elektronisch überwachten Hausarrests oder eine vorsätzliche oder fahrlässige gerichtlich strafbare Handlung, deren Aburteilung nach Abs. 1 Z 4 einer Bewilligung des Strafvollzugs durch elektronisch überwachten Hausarrest entgegenstehen würde, begangen zu haben oder sich dem weiteren Strafvollzug entziehen zu wollen.

Zuständigkeit und Verfahren

§ 156d. (1) Die Entscheidungen über die Anhaltung im elektronisch überwachten Hausarrest und den Widerruf stehen dem Leiter jener Anstalt zu, die im Sprengel des Landesgerichtes liegt, in dem auch die Unterkunft des Strafgefangenen oder Verurteilten gelegen ist, und die über Einrichtungen zur elektronischen Überwachung verfügt (Zielanstalt). Ist die Zielanstalt nicht die Anstalt, in der die Freiheitsstrafe im Zeitpunkt der Antragstellung vollzogen wird oder in der sie anzutreten wäre, so wird sie mit Rechtskraft der die Anhaltung im elektronisch überwachten Hausarrest bewilligenden Entscheidung Strafvollzugsort. § 135 Abs. 2 erster Satz letzter Halbsatz und zweiter Satz sowie Abs. 3 ist sinngemäß anzuwenden.

(2) Zugleich mit der Bewilligung des Vollzugs der Strafe in Form des elektronisch überwachten Hausarrests sind dem Strafgefangenen die Bedingungen seiner Lebensführung außerhalb der Anstalt (§ 156b Abs. 2) sowie der von ihm zu entrichtende Betrag des Kostenersatzes (§ 156b Abs. 3) aufzuerlegen und ihm erforderlichenfalls Betreuung durch eine in der Sozialarbeit erfahrene Person (§ 29c Bewährungshilfegesetz in der Fassung BGBl. I Nr. 64/2010) zu gewähren.

(3) Wurde der Rechtsbrecher wegen einer im § 52a Abs. 1 StGB genannten strafbaren Handlung verurteilt, so ist vor der Entscheidung zur Prüfung der Voraussetzungen des § 156c Abs. 1 Z 4 eine Äußerung der Begutachtungs- und Evaluationsstelle für Gewalt- und Sexualstraftäter einzuholen und einem Opfer einer solchen strafbaren Handlung, das eine Verständigung nach § 149 Abs. 5 beantragt hat, unbeschadet des § 156c Abs. 1 Z 3 Gelegenheit zur Äußerung zu geben. Ein solches Opfer ist von der Bewilligung des Vollzugs der Strafe in Form des elektronisch überwachten Hausarrests zu verständigen. Für die Wahrnehmung dieser Antrags- und Anhörungsrechte hat das Opfer einer im § 52a Abs. 1 StGB genannten strafbaren Handlung Anspruch auf psychosoziale Prozessbegleitung in sinngemäßer Anwendung des § 66 Abs. 2 StPO.

StVG

(4) Kann über den binnen der Frist des § 3 Abs. 2 bei der zuständigen Anstalt eingelangten Antrag eines Verurteilten nicht innerhalb dieser Frist entschieden werden, so ist die Anordnung des Strafvollzuges bis zur rechtskräftigen Entscheidung vorläufig zu hemmen, es sei denn, dass der Antrag offenbar aussichtslos ist. Wird dem Antrag stattgegeben, hat sich die Aufnahme auf die in den §§ 131 Abs. 1 sowie 132 Abs. 4 und 7 vorgesehenen Maßnahmen zu beschränken.

VIERTER TEIL

Vollzug der mit Freiheitsentziehung verbundenen vorbeugenden Maßnahmen

Erster Abschnitt

ANORDNUNG DES VOLLZUGES DER MIT FREIHEITSENTZIEHUNG VERBUNDENEN VORBEUGENDEN MASSNAHMEN

§ 157. (1) Für die Anordnung des Vollzuges der mit Freiheitsentziehung verbundenen vorbeugenden Maßnahmen gelten die §§ 3 bis 5 und 7 dem Sinne nach, soweit im folgenden nichts anderes bestimmt wird.

(2) Ist der Vollzug einer mit Freiheitsentziehung verbundenen vorbeugenden Maßnahme drei Jahre, nachdem die Maßnahme vollstreckbar geworden ist, noch nicht eingeleitet worden, so darf die Maßnahme nur vollzogen werden, wenn festgestellt wird, daß die Gefährlichkeit, gegen die sich die Maßnahme richtet, noch besteht. Die Entscheidung, daß die Gefährlichkeit nicht mehr besteht, steht einer bedingten Entlassung aus der betreffenden Maßnahme gleich.

(3) Für die Entscheidung nach Abs. 2 gilt § 7 dem Sinne nach.

Vorläufiges Absehen vom Vollzug

§ 157a. (1) Vom Vollzug der strafrechtlichen Unterbringung ist vorläufig abzusehen, wenn und solange der Betroffene außerhalb eines forensisch-therapeutischen Zentrums behandelt und betreut werden kann und so sowie durch allfällige weitere Maßnahmen der Gefahr, der die strafrechtliche Unterbringung entgegenwirken soll (§ 21 StGB), begegnet werden kann. Dabei sind insbesondere die Person des Betroffenen, sein Vorleben, Art und Schwere der Anlasstat, der Gesundheitszustand des Betroffenen und die daraus resultierende Gefährlichkeit, der bisher erzielte Behandlungserfolg sowie die Möglichkeiten und Notwendigkeiten einer angemessenen Betreuung und die Aussichten auf das redliche Fortkommen zu berücksichtigen. Wird der Betroffene auch zu einer Strafe verurteilt (§ 21 Abs. 2 StGB), so darf vom Vollzug der strafrechtlichen Unterbringung nur dann vorläufig abgesehen werden, wenn die Strafe bedingt nachgesehen wird.

(2) Über das vorläufige Absehen vom Vollzug entscheidet das erkennende Gericht (§ 434g der Strafprozeßordnung 1975 – StPO, BGBl. Nr. 631/1975).

(3) Das Gericht hat die Bedingungen festzusetzen, unter denen vom Vollzug vorläufig abgesehen wird, und die erforderlichen Anordnungen zu treffen.

(4) Das Gericht hat in seinem Beschluss (§ 434g Abs. 6 StPO) eine Probezeit von einem bis zu fünf Jahren festzusetzen. Dabei sind insbesondere die in Abs. 1 genannten Kriterien zu berücksichtigen.

(5) Die Probezeit kann in den letzten sechs Monaten vor ihrem Ablauf um höchstens drei Jahre verlängert werden, wenn es aus zwingenden Gründen der weiteren Erprobung des Betroffenen bedarf. Dies kann auch mehrfach geschehen.

(6) Mit Ablauf der Probezeit wird von der strafrechtlichen Unterbringung endgültig abgesehen, wenn nicht das vorläufige Absehen vom Vollzug innerhalb der ursprünglichen oder verlängerten Probezeit widerrufen und der Vollzug der strafrechtlichen Unterbringung angeordnet wird.

Festlegung von Bedingungen und Anordnung der Bewährungshilfe

§ 157b. (1) Wird vom Vollzug der strafrechtlichen Unterbringung vorläufig abgesehen, so hat das Gericht jene Bedingungen für das Absehen festzulegen, die notwendig oder zweckmäßig sind, um die Gefahr hintanzuhalten, derentwegen die strafrechtliche Unterbringung angeordnet wurde.

(2) Bewährungshilfe ist anzuordnen, soweit sie nicht aus besonderen Gründen entbehrlich ist.

(3) Die Bedingungen sowie die Anordnung der Bewährungshilfe gelten für die Dauer des vom Gericht bestimmten Zeitraums, höchstens bis zum Ende der Probezeit, soweit sie nicht vorher aufgehoben oder gegenstandslos werden. Die Bedingungen können von Amts wegen oder auf Antrag des Betroffenen oder der Staatsanwaltschaft jederzeit geändert oder aufgehoben werden. Sie sind zu ändern, wenn es erforderlich ist, um der Gefahr der Begehung einer mit gerichtlicher Strafe bedrohten Handlung mit schweren Folgen entgegenzuwirken; sie sind aufzuheben, wenn sie entbehrlich werden.

Bedingungen

§ 157c. (1) Als Bedingungen kommen alle Anordnungen und Aufträge in Betracht, deren Einhaltung geeignet erscheint, den Betroffenen von weiteren mit gerichtlicher Strafe bedrohten Handlungen abzuhalten. Bedingungen, die einen unzumutbaren Eingriff in die Persönlichkeitsrechte oder in die Lebensführung des Betroffenen darstellen würden, sind unzulässig.

(2) Dem Betroffenen kann insbesondere aufgetragen werden,

1. an einem bestimmten Ort, bei einer bestimmten Familie, in einem bestimmten Heim oder in einer sozialtherapeutischen Wohneinrichtung zu wohnen;

2. sich einer sonstigen ambulanten Betreuungsform zu unterziehen oder sich sonst in einer Tagesstruktur betreuen zu lassen;

3. eine bestimmte Wohnung, bestimmte Orte oder einen bestimmten Umgang, insbesondere den Kontakt zu gefährdeten Personen, zu meiden;

4. sich alkoholischer Getränke oder anderer berauschender Mittel zu enthalten;

5. einen geeigneten, seinen Kenntnissen, Fähigkeiten und Neigungen tunlichst entsprechenden Beruf zu erlernen oder auszuüben;

6. jeden Wechsel seines Aufenthaltsortes oder Arbeitsplatzes anzuzeigen und

7. sich in bestimmten Zeitabständen bei Gericht oder einer anderen Stelle zu melden.

(3) Mit seiner Einwilligung kann dem Betroffenen unter den Voraussetzungen des Abs. 1 auch aufgetragen werden, sich einer Entwöhnungsbehandlung, einer medizinischen, einer klinisch-psychologischen oder einer psycho- oder sozialtherapeutischen Behandlung zu unterziehen. Die Anordnung, dass sich der Betroffene einem operativen Eingriff unterziehen müsse, darf jedoch auch mit Zustimmung des Betroffenen nicht getroffen werden.

(4) Ist der Betroffene nicht entscheidungsfähig, so darf eine Behandlung im Sinne des Abs. 3 nur mit Zustimmung seines gesetzlichen Vertreters (§ 1034 ABGB) als Bedingung festgelegt werden. Abs. 3 letzter Satz gilt sinngemäß. Im Übrigen bedarf eine medizinische Behandlung, die gewöhnlich mit einer schweren oder nachhaltigen Beeinträchtigung der körperlichen Unversehrtheit oder der Persönlichkeit verbunden ist, der schriftlichen Zustimmung des gesetzlichen Vertreters.

(5) Personen und Einrichtungen, die den Betroffenen im Rahmen der Erfüllung einer Bedingung behandeln oder betreuen, haben das Gericht zu verständigen, soweit sie Grund zur Annahme haben, dass sich der Gesundheitszustand des Betroffenen in einer für die Erfüllung der Bedingung relevanten Weise erheblich verschlechtert, die Bedingung in erheblichem Maße nicht eingehalten wird oder nicht ausreicht und dadurch die konkrete Gefahr besteht, dass der Betroffene aufgrund seines psychischen Zustandes eine mit gerichtlicher Strafe bedrohte Handlung mit schweren Folgen begehen werde.

(6) Das Gericht hat während der Probezeit Anordnungen auch nachträglich zu erteilen oder erteilte Anordnungen zu ändern oder aufzuheben, soweit dies geboten erscheint (§ 157b Abs. 3).

Kosten

§ 157d. Wird dem Betroffenen aufgetragen, sich einer Entwöhnungsbehandlung, einer medizinischen, einer klinisch-psychologischen oder einer therapeutischen Behandlung zu unterziehen, in einer geeigneten sozialtherapeutischen Wohneinrichtung oder einem geeigneten Heim zu wohnen, sich einer sonstigen ambulanten Betreuungsform zu unterziehen oder sich sonst in einer Tagesstruktur betreuen zu lassen, so gilt § 179a sinngemäß.

Bewährungshilfe

§ 157e. (1) Wurde Bewährungshilfe angeordnet (§ 157b Abs. 2), so hat der Leiter der zuständigen Geschäftsstelle für Bewährungshilfe dem Betroffenen einen Bewährungshelfer zu bestellen und diesen dem Gericht bekanntzugeben. Der Bewährungshelfer hat den Betroffenen mit Rat und Tat zu unterstützen. Er hat im Interesse des Betroffenen und der Allgemeinheit darauf hinzuwirken, dass sich der Betroffene entsprechend seinem psychischen Zustand behandeln und betreuen lässt und die festgesetzten Bedingungen einhält. Soweit es dazu nötig ist, hat er ihn auf geeignete Weise bei seinen Bemühungen zu unterstützen, wesentliche Lebensbedürfnisse zu decken, insbesondere Unterkunft und Arbeit zu finden.

(2) Der Bewährungshelfer hat dem Gericht über seine Tätigkeit und seine Wahrnehmungen zu berichten,

1. wenn es das Gericht verlangt;

2. soweit es erforderlich oder zweckmäßig ist, um den Zweck der Bewährungshilfe zu erreichen;

3. wenn Anlass besteht, die Bewährungshilfe aufzuheben;

4. jedenfalls sechs Monate nach Anordnung der Bewährungshilfe sowie bei deren Beendigung.

(3) Soweit Umstände im Sinne des § 157c Abs. 5 für den Bewährungshelfer erkennbar sind, hat auch dieser das Gericht entsprechend zu verständigen.

Widerruf des vorläufigen Absehens vom Vollzug

§ 157f. Das Gericht hat das vorläufige Absehen vom Vollzug zu widerrufen und die strafrechtliche Unterbringung vollziehen zu lassen, wenn die festgesetzten Bedingungen in erheblichem Maße nicht eingehalten werden oder sich – insbesondere weil sich der Gesundheitszustand des Betroffenen verschlechtert hat – als unzureichend erweisen und auch durch eine Änderung und Ergänzung der Bedingungen (§ 157b Abs. 3) nicht erreicht werden kann, dass außerhalb eines forensisch-therapeutischen Zentrums der Gefahr, derentwegen die strafrechtliche Unterbringung angeordnet wurde, hinreichend entgegengewirkt wird.

Krisenintervention

§ 157g. (1) Anstelle eines Widerrufs hat das Gericht das vorläufige Absehen vom Vollzug (§ 157a) für eine Dauer von höchstens drei Monaten auszusetzen und die strafrechtliche Unterbringung vorübergehend in Vollzug zu setzen, wenn angenommen werden kann, dass durch die Behandlung und Betreuung in einem forensisch-therapeutischen Zentrum, in einer öffentlichen Krankenanstalt für Psychiatrie oder in einer öffentlichen Krankenanstalt mit einer Abteilung für Psychiatrie während dieser Zeit der Zustand des Betroffenen so weit gebessert werden kann, dass eine Fortsetzung des vorläufigen Absehens vom Vollzug wieder möglich ist.

(2) Die Krisenintervention hat in jener Anstalt zu erfolgen, in der der Betroffene zuletzt strafrechtlich untergebracht war. War er bisher noch nicht strafrechtlich untergebracht, so ist er zur Krisenintervention in jene Anstalt aufzunehmen, die für den Vollzug einer vorläufigen strafrechtlichen Unterbringung zuständig wäre (§ 432 Abs. 2 StPO), wobei an die Stelle der Nähe zum Gericht die Nähe zum gewöhnlichen Aufenthalt des Betroffenen tritt. Für einen Wechsel des Unterbringungsortes gilt § 161.

Weiteres Vorgehen bei der Krisenintervention

§ 157h. (1) Das Gericht kann die Krisenintervention nach Einholung eines Gutachtens eines Sachverständigen der Psychiatrie, vorzugsweise eines solchen, der auch für das Fachgebiet psychiatrische Kriminalprognostik eingetragen ist, oder, sofern ein solcher nicht oder nicht rechtzeitig zur Verfügung steht, eines Sachverständigen der klinischen Psychologie bis auf insgesamt sechs Monate verlängern. Es hat die Krisenintervention vor Ablauf ihrer festgesetzten Dauer aufzuheben, wenn ihr Zweck früher erreicht ist.

(2) Erweist sich die Krisenintervention als nicht erfolgreich, hat das Gericht das vorläufige Absehen vom Vollzug zu widerrufen und die Unterbringung vollziehen zu lassen.

Begehung einer mit gerichtlicher Strafe bedrohten Handlung durch den Betroffenen

§ 157i. Wird gegen eine Person, deren strafrechtliche Unterbringung angeordnet ist, ein Ermittlungsverfahren geführt, hat die Staatsanwaltschaft das erkennende Gericht unverzüglich zu verständigen. Über den Fortgang des Verfahrens ist es auf dem Laufenden zu halten. Aufgrund dessen hat das erkennende Gericht zu prüfen, ob es erforderlich ist, die festgelegten Bedingungen anzupassen, eine Krisenintervention zu veranlassen oder das vorläufige Absehen zu widerrufen und die strafrechtliche Unterbringung in Vollzug zu setzen.

Entscheidungsbefugnis

§ 157j. (1) Über eine Krisenintervention (§ 157g), einen Widerruf des vorläufigen Absehens vom Vollzug der strafrechtlichen Unterbringung (§ 157f), eine Änderung oder Aufhebung der Bedingungen (§ 157b Abs. 3) sowie eine Verlängerung der Probezeit (§ 157a Abs. 5) entscheidet der Vorsitzende des erkennenden Gerichts mit Beschluss.

(2) Vor der Entscheidung sind die Staatsanwaltschaft, der Betroffene, sein gesetzlicher Vertreter und der Bewährungshelfer zu hören.

Festnahme

§ 157k. (1) Ist auf Grund bestimmter Tatsachen anzunehmen, dass die Voraussetzungen für die Krisenintervention (§ 157g) oder für einen Widerruf des vorläufigen Absehens vom Vollzug (§ 157f) vorliegen und

1. der Betroffene aus diesem Grund flüchten oder sich verborgen halten werde (§ 173 Abs. 2 Z 1 und Abs. 3 StPO) oder

2. dass die Begehung mit gerichtlicher Strafe bedrohter Handlungen mit schweren Folgen unmittelbar bevorstehe,

so kann der Betroffene auf Anordnung des erkennenden Gerichts festgenommen werden. Er ist unverzüglich in das zuständige (§ 157g Abs. 2) forensisch-therapeutische Zentrum, in die zuständige öffentliche Krankenanstalt für Psychiatrie oder in die zuständige öffentliche Krankenanstalt mit einer Abteilung für Psychiatrie zu überstellen und dort wie bei einer Krisenintervention (§ 157h) zu behandeln.

(2) Der Betroffene kann aufgrund einer Anordnung nach Abs. 1 bis zur gerichtlichen Entscheidung über die Krisenintervention oder den Widerruf des vorläufigen Absehens vom Vollzug, längstens aber einen Monat, im forensisch-therapeutischen Zentrum, in der öffentlichen Krankenanstalt für Psychiatrie oder in der öffentlichen Krankenanstalt mit einer Abteilung für

Psychiatrie angehalten werden, wenn dies notwendig ist, um der Gefahr nach Abs. 1 Z 1 oder 2 zu begegnen; auf seinen Antrag entscheidet das Gericht unverzüglich über die Zulässigkeit dieser Anhaltung.

(3) Im Übrigen gelten die Bestimmungen des 9. Hauptstücks der StPO sinngemäß.

Zweiter Abschnitt

EINRICHTUNGEN UND BEHÖRDEN DES VOLLZUGES DER MIT FREIHEITSENTZIEHUNG VERBUNDENEN VORBEUGENDEN MASSNAHMEN

Forensisch-therapeutische Zentren

§ 158. (1) Die strafrechtliche Unterbringung in einem forensisch-therapeutischen Zentrum ist in den dafür besonders bestimmten Anstalten oder in den dafür besonders bestimmten Außenstellen der Anstalten zum Vollzug von Freiheitsstrafen zu vollziehen, soweit in diesem Bundesgesetz nichts anderes bestimmt wird. § 8 Abs. 4 gilt dem Sinne nach.

(2) In den forensisch-therapeutischen Zentren darf auch der Strafvollzug an Strafgefangenen durchgeführt werden, die wegen ihres psychischen Zustandes in anderen Vollzugsanstalten nicht sachgemäß behandelt werden können oder die sich wegen psychischer Besonderheiten nicht für den allgemeinen Vollzug eignen. Dies gilt für den Vollzug der Unterbringung in einer Anstalt für entwöhnungsbedürftige Rechtsbrecher und für den Vollzug der Unterbringung in einer Anstalt für gefährliche Rückfallstäter dem Sinne nach.

(3) Bei der Einrichtung von Anstalten, die der Unterbringung nach § 21 Abs. 1 des Strafgesetzbuches dienen, ist insbesondere auf die Erfordernisse Bedacht zu nehmen, die sich im Zusammenhang mit der psychiatrischen Behandlung der Untergebrachten (§ 165) ergeben. Die Anstalten sind zur Führung und Aufbewahrung von Krankengeschichten zu verpflichten.

(4) Die Unterbringung nach § 21 Abs. 1 des Strafgesetzbuches darf durch Aufnahme in eine öffentliche Krankenanstalt für Psychiatrie vollzogen werden, wenn

1. unter Berücksichtigung des Zustandes des unterzubringenden Rechtsbrechers mit den Einrichtungen das Auslangen gefunden werden kann, wie sie in der öffentlichen Krankenanstalt für die Unterbringung von psychisch Kranken nach dem Unterbringungsgesetz bestehen, im Fall einer besonderen Vereinbarung (§ 167a Abs. 3 zweiter Satz) aber mit den danach vorgesehenen Einrichtungen;

2. der Rechtsbrecher und sein gesetzlicher Vertreter ihre Zustimmung erteilen und

3. dem Leiter der Krankenanstalt Gelegenheit zu einer Äußerung gegeben worden ist.

(5) Die Unterbringung nach § 21 Abs. 2 des Strafgesetzbuches darf auch in besonderen Abteilungen der Anstalten zum Vollzug von Freiheitsstrafen vollzogen werden.

Anstalten für entwöhnungsbedürftige Rechtsbrecher

§ 159. (1) Die Unterbringung entwöhnungsbedürftiger Rechtsbrecher ist in den dafür besonders bestimmten Anstalten oder in besonderen Abteilungen der Anstalten zum Vollzug von Freiheitsstrafen zu vollziehen, soweit in diesem Bundesgesetz nichts anderes bestimmt wird. § 8 Abs. 4 gilt dem Sinn nach.

(2) In den Anstalten und besonderen Abteilungen für entwöhnungsbedürftige Rechtsbrecher darf auch der Strafvollzug an entwöhnungsbedürftigen Strafgefangenen (§ 68a) durchgeführt werden.

Anstalten für gefährliche Rückfallstäter

§ 160. (1) Die Unterbringung gefährlicher Rückfallstäter ist in den dafür besonders bestimmten Anstalten oder in besonderen Abteilungen der Anstalten zum Vollzug von Freiheitsstrafen zu vollziehen, soweit in diesem Bundesgesetz nichts anderes bestimmt wird. § 8 Abs. 4 gilt dem Sinn nach.

(2) In besonderen Abteilungen für gefährliche Rückfallstäter darf auch der Strafvollzug an Strafgefangenen durchgeführt werden (§ 10).

Bestimmung der Zuständigkeit

§ 161. Die Entscheidung darüber, in welchem forensisch-therapeutischen Zentrum oder in welcher Anstalt für entwöhnungsbedürftige Rechtsbrecher oder für gefährliche Rückfallstäter der Vollzug allgemein oder im Einzelfall durchzuführen ist, steht der Bundesministerin für Justiz zu. Ebenso stehen die Entscheidungen darüber, wo ein Vollzug in den Fällen der §§ 158 Abs. 2, 4 und 5, 159 Abs. 1 und 2 und 160 Abs. 1 und 2 durchzuführen ist, der Bundesministerin für Justiz zu. § 10 Abs. 1 und Abs. 1a gilt dem Sinne nach.

Vollzugsgericht

§ 162. (1) Vollzugsgericht (§ 16) ist auch das in Strafsachen tätige Landesgericht, in dessen Sprengel die mit Freiheitsentziehung verbundene vorbeugende Maßnahme vollzogen wird.

(2) Das Vollzugsgericht nach Abs. 1, in den Fällen des § 24 Abs. 2 des Strafgesetzbuches aber das Vollzugsgericht nach § 16, entscheidet auch:

1. über die Notwendigkeit der Unterbringung oder weiteren Unterbringung in einem forensisch-therapeutischen Zentrum, in einer Anstalt für entwöhnungsbedürftige Rechtsbrecher oder in einer Anstalt für gefährliche Rückfallstäter (§§ 24, 25 des Strafgesetzbuches), über die bedingte Entlassung aus einer dieser Einrichtungen und die damit zusammenhängenden Anordnungen, über den Widerruf der bedingten Entlassung und darüber, daß die bedingte Entlassung endgültig geworden ist, soweit in den §§ 179 und 180

nichts anderes bestimmt wird (§§ 47 bis 52, 54 und 56 des Strafgesetzbuches);

2. über die unbedingte Entlassung aus einer Anstalt für entwöhnungsbedürftige Rechtsbrecher, wenn eine Fortsetzung oder Ergänzung der Entwöhnungsbehandlung keinen Erfolg verspräche (§ 47 des Strafgesetzbuches);

3. über die Zulässigkeit von Beschränkungen der Bewegungsfreiheit und des Verkehrs mit der Außenwelt sowie von Behandlungsmaßnahmen im Falle der strafrechtlichen Unterbringung nach § 21 Abs. 1 des Strafgesetzbuches in einer öffentlichen Krankenanstalt für Psychiatrie oder in einer öffentlichen Krankenanstalt mit einer Abteilung für Psychiatrie (§ 167a).

(3) Über die Notwendigkeit der Unterbringung oder weiteren Unterbringung in einem forensisch-therapeutischen Zentrum, in einer Anstalt für entwöhnungsbedürftige Rechtsbrecher oder in einer Anstalt für gefährliche Rückfallstäter (§§ 24, 25 des Strafgesetzbuches), über die bedingte Entlassung aus einer dieser Einrichtungen und die damit zusammenhängenden Anordnungen, sofern es sich nicht ausschließlich um die Erteilung von Weisungen oder die Bestellung eines Bewährungshelfers handelt, sowie über den Widerruf der bedingten Entlassung entscheidet das Vollzugsgericht in einem Senat von drei Richtern, sonst als Einzelrichter.

Ergänzende Bestimmungen

§ 163. Die §§ 11 bis 15 und 17 bis 19 gelten dem Sinne nach.

Dritter Abschnitt
Unterbringung in einem forensisch-therapeutischen Zentrum

Zwecke der Unterbringung

§ 164. (1) Die strafrechtliche Unterbringung in einem forensisch-therapeutischen Zentrum soll die Untergebrachten davon abhalten, unter dem maßgeblichen Einfluss ihrer schwerwiegenden und nachhaltigen psychischen Störung mit Strafe bedrohte Handlungen zu begehen. Die Unterbringung soll den Zustand der Untergebrachten soweit bessern, daß von ihnen die Begehung mit Strafe bedrohter Handlungen nicht mehr zu erwarten ist, und den Untergebrachten zu einer rechtschaffenen und den Erfordernissen des Gemeinschaftslebens angepaßten Lebenseinstellung verhelfen.

(2) Soweit die Zeit der Anhaltung auf die zugleich mit ihrer Anordnung ausgesprochene Strafe anzurechnen ist (§ 24 Abs. 1 des Strafgesetzbuches), soll der Vollzug auch den Unwert des der Verurteilung zugrunde liegenden Verhaltens aufzeigen.

Unterbringung nach § 21 Abs. 1 des Strafgesetzbuches

§ 165. (1) Für den Vollzug der Unterbringung nach § 21 Abs. 1 des Strafgesetzbuches gelten folgende besondere Bestimmungen:

1. Die Untergebrachten sind unter Berücksichtigung ihres Zustandes zur Erreichung der Vollzugszwecke (§ 164) und zur Aufrechterhaltung der Sicherheit und Ordnung in den Anstalten so zu behandeln, wie es den Grundsätzen und anerkannten Methoden der Psychiatrie, Psychologie und Pädagogik entspricht. Rechte der Untergebrachten, die den in den §§ 20 bis 129 den Strafgefangenen eingeräumten Rechten entsprechen, dürfen dabei nur insoweit beschränkt werden, als dies zur Erreichung der vorgenannten Zwecke unerläßlich ist. Die Rechte der Untergebrachten, die den in den §§ 119 bis 122 den Strafgefangenen eingeräumten Rechten entsprechen, sowie die Menschenwürde der Untergebrachten dürfen nicht beeinträchtigt werden. Beschwerden, von denen es offensichtlich ist, daß ihre Erhebung ausschließlich auf die geistige oder seelische Abartigkeit des Untergebrachten und nicht auf eine Beeinträchtigung seiner Rechte zurückzuführen ist, sind jedoch ohne förmliches Verfahren zurückzulegen.

2. Die Z. 1 gilt dem Sinne nach auch für allgemein oder im Einzelfall getroffene Anordnungen hinsichtlich der Pflichten der Untergebrachten sowie hinsichtlich der Maßnahmen gegenüber Untergebrachten, die Handlungen begangen haben, die bei einem Strafgefangenen als Ordnungswidrigkeiten anzusehen wären; solche Maßnahmen dürfen außerdem den Untergebrachten in ihrer Gesamtauswirkung keiner ungünstigeren Behandlung unterwerfen, als dies bei einem Strafgefangenen zulässig wäre.

(2) Soweit sich aus Abs. 1 nichts anderes ergibt, gelten auch für den Vollzug der Unterbringung nach § 21 Abs. 1 des Strafgesetzbuches die Bestimmungen des § 166.

Unterbringung nach § 21 Abs. 2 des Strafgesetzbuches

§ 166. Für den Vollzug der Unterbringung nach § 21 Abs. 2 des Strafgesetzbuches gelten folgende besondere Bestimmungen:

1. Die Untergebrachten sind zur Erreichung der Vollzugszwecke (§ 164) entsprechend ihrem Zustand ärztlich, insbesondere psychiatrisch, psychotherapeutisch, psychohygienisch und erzieherisch zu betreuen. Soweit danach Abweichungen von den Bestimmungen über den Vollzug der Unterbringung (§ 167) erforderlich sind, hat der Anstaltsleiter diese Abweichungen im Rahmen des § 165 Abs. 1 Z 1 und 2 anzuordnen.

2. Eine Unterbrechung der Unterbringung darf nur gewährt werden, wenn anzunehmen ist, daß der Untergebrachte während der Zeit der Unterbrechung keine gerichtlich strafbare Handlung begehen wird. Im

übrigen gilt hiefür § 99 dem Sinne nach mit folgenden Maßgaben:

a) Eine Unterbrechung im Sinne des § 99 Abs. 1 Z 1 ist zulässig, sobald die voraussichtlich noch zu verbüßende Strafzeit drei Jahre nicht übersteigen würde, eine Unterbrechung im Sinne des § 99 Abs. 1 Z 2, sobald diese Strafzeit ein Jahr nicht übersteigen würde.

b) Eine Unterbrechung darf auch gewährt werden, soweit dies zur Behandlung des Zustandes des Untergebrachten (Z 1) oder zur Vorbereitung auf das Leben in Freiheit notwendig oder zweckmäßig erscheint. In diesem Fall darf das zeitliche Ausmaß der Unterbrechung bis zu einem Monat betragen. Über eine Unterbrechung von mehr als vierzehn Tagen entscheidet das Vollzugsgericht.

Ergänzende Bestimmungen

§ 167. (1) Soweit die §§ 164 bis 166 nichts anderes bestimmen, gelten die §§ 20 bis 129, 131 bis 135, 146 bis 150 und 152 dem Sinne nach. Eine Anhörung des Untergebrachten durch das Gericht vor der Entscheidung über die bedingte Entlassung (§ 152a) hat mindestens einmal innerhalb von zwei Jahren stattzufinden.

(2) Vor der Entscheidung über eine bedingte Entlassung ist auch den Sicherheitsbehörden, in deren Sprengel sich der Entlassene zuletzt aufgehalten hat und voraussichtlich aufhalten wird, Gelegenheit zur Stellungnahme zu geben.

Vollzug durch Aufnahme in öffentliche Krankenanstalten für Psychiatrie

§ 167a. (1) Die öffentlichen Krankenanstalten für Psychiatrie und die öffentlichen Krankenanstalten mit einer Abteilung für Psychiatrie sind verpflichtet, die nach den §§ 158 Abs. 4 und 161 eingewiesenen Personen aufzunehmen und anzuhalten.

(2) Unterbrechungen, Ausgänge und Entlassungen sind nur nach Maßgabe der §§ 162 und 166 Z 2 dieses Bundesgesetzes sowie des § 47 des Strafgesetzbuches zulässig. Im übrigen gelten für die Vollziehung der Anhaltung die §§ 33 bis 38 des Unterbringungsgesetzes, BGBl. Nr. 155/1990, in der jeweils geltenden Fassung mit folgenden Maßgaben sinngemäß:

1. Anstelle des Unterbringungsgerichtes entscheidet das Vollzugsgericht.

2. Beschränkungen der Bewegungsfreiheit, des Verkehrs mit der Außenwelt oder eines sonstigen Rechts sind auch zulässig, soweit sie zur Abwehr einer Gefahr im Sinne des § 21 Abs. 1 des Strafgesetzbuches notwendig sind.

3. Auf § 164 ist nach Möglichkeit Bedacht zu nehmen.

(3) § 71 Abs. 2 letzter Satz gilt sinngemäß. Soweit ein Bedarf danach besteht, daß hinsichtlich der zur Anhaltung von psychisch Kranken bestehenden Einrichtungen (§ 158 Abs. 4 Z 1) zur strafrechtlichen Unterbringung nach § 21 Abs. 1 StGB zusätzliche Aufwendungen vorgenommen werden, kann der Bund mit dem Rechtsträger der Krankenanstalt eine Vereinbarung über die Vergütung solcher Aufwendungen abschließen.

(4) § 48 Abs. 3 gilt dem Sinne nach, ebenso § 54 Abs. 3 mit der Maßgabe, daß der Bund die entsprechenden Beträge für die Untergebrachten zu überweisen hat. Die Krankenanstalten haben die zur Beurteilung der Anspruchsvoraussetzungen erforderlichen Auskünfte zu erteilen.

(Anm.: § 167a iVm 158 Z 4 StVG)

Vierter Abschnitt

UNTERBRINGUNG IN EINER ANSTALT FÜR ENTWÖHNUNGSBEDÜRFTIGE RECHTSBRECHER

Zwecke der Unterbringung

§ 168. (1) Die Unterbringung in einer Anstalt für entwöhnungsbedürftige Rechtsbrecher soll die Untergebrachten je nach ihrem Zustand vom Mißbrauch berauschender Mittel oder Suchtmittel entwöhnen, den Untergebrachten zu einer rechtschaffenen und den Erfordernissen des Gemeinschaftslebens angepaßten Lebenseinstellung verhelfen und sie davon abhalten, schädlichen Neigungen nachzugehen.

(2) Soweit die Zeit der Anhaltung auf die zugleich mit ihrer Anordnung ausgesprochene Strafe anzurechnen ist (§ 24 Abs. 1 des Strafgesetzbuches), soll der Vollzug auch den Unwert des der Verurteilung zugrunde liegenden Verhaltens aufzeigen.

Besondere Bestimmungen

§ 169. Für die Unterbringung in einer Anstalt für entwöhnungsbedürftige Rechtsbrecher gelten folgende besondere Bestimmungen:

1. Die Untergebrachten sind zur Erreichung der Vollzugszwecke (§ 168) einer Entwöhnungsbehandlung zu unterziehen und entsprechend ihrem Zustand ärztlich, insbesondere psychotherapeutisch, psychohygienisch und erzieherisch zu betreuen.

2. Für Unterbrechungen der Unterbringung gilt § 166 Z 2 entsprechend.

3. Wird ein Untergebrachter nicht voraussichtlich bedingt entlassen, so hat der Entlassungsvollzug drei Monate vor dem Ablauf der Anhaltezeit (§ 25 Abs. 1 des Strafgesetzbuches) zu beginnen.

Ergänzende Bestimmungen

§ 170. Soweit die §§ 168 und 169 nichts anderes bestimmen, gelten die §§ 20 bis 129, 131 bis 135, 144 bis 150 und 152 dem Sinne nach. Eine Anhörung des Untergebrachten durch das Gericht vor der Entscheidung über die bedingte Entlassung (§ 152a) hat mindestens einmal innerhalb von zwei Jahren stattzufinden.

Fünfter Abschnitt

UNTERBRINGUNG IN EINER ANSTALT FÜR GEFÄHRLICHE RÜCKFALLSTÄTER

Zwecke der Unterbringung

§ 171. Die Unterbringung in einer Anstalt für gefährliche Rückfallstäter soll die Untergebrachten davon abhalten, schädlichen Neigungen nachzugehen, und ihnen zu einer rechtschaffenen und den Erfordernissen des Gemeinschaftslebens angepaßten Lebenseinstellung verhelfen.

Beginn des Entlassungsvollzuges

§ 177. Wird ein Untergebrachter nicht voraussichtlich bedingt entlassen, so hat der Entlassungsvollzug sechs Monate vor dem Ablauf der Anhaltezeit (§ 25 Abs. 1 des Strafgesetzbuches) zu beginnen.

Ergänzende Bestimmungen

§ 178. Soweit die §§ 171 bis 177 nichts anderes bestimmen, gelten die §§ 20 bis 98, 100 bis 129, 131 bis 135, 144 bis 150 und 152 dem Sinne nach. Eine Anhörung des Untergebrachten durch das Gericht vor der Entscheidung über die bedingte Entlassung (§ 152a) hat mindestens einmal innerhalb von zwei Jahren stattzufinden.

Sechster Abschnitt

ZUSAMMENTREFFEN VON FREIHEITSSTRAFEN UND VORBEUGENDEN MASSNAHMEN

StVG

§ 178a. (1) Bei der Unterbringung in einem forensisch-therapeutischen Zentrum und in einer Anstalt für gefährliche Rückfallstäter ist die im § 24 des Strafgesetzbuches bestimmte Reihenfolge des Vollzuges gegenüber einer an demselben Rechtsbrecher zu vollziehenden Freiheitsstrafe auch dann einzuhalten, wenn die Freiheitsstrafe nicht zugleich mit der Anordnung der Unterbringung verhängt worden ist.

(2) Sind an derselben Person die Unterbringung in einer Anstalt für entwöhnungsbedürftige Rechtsbrecher und eine oder mehrere Freiheitsstrafen, deren Strafzeit insgesamt zwei Jahre übersteigt, zu vollziehen, so ist nach § 68a Abs. 1 lit. b vorzugehen.

(3) Die Zeit der Anhaltung in einem forensisch-therapeutischen Zentrum oder einer Anstalt für entwöhnungsbedürftige Rechtsbrecher ist auch auf Strafen anzurechnen, die nicht zugleich mit der Unterbringung angeordnet worden sind.

FÜNFTER TEIL

Verfahren nach bedingter Entlassung

Zuständiges Gericht

§ 179. (1) Werden einem Verurteilten im Zusammenhang mit einer bedingten Entlassung Weisungen erteilt oder ein Bewährungshelfer bestellt und nimmt der Verurteilte seinen Wohnsitz oder gewöhnlichen Aufenthalt im Sprengel eines Landesgerichts, das nicht im selben Bundesland liegt wie das Vollzugsgericht, so geht mit dem Eintritt der Rechtskraft der Entscheidung über die bedingte Entlassung und die damit zusammenhängenden Anordnungen die weitere Zuständigkeit auf dieses Landesgericht über.

(2) Über den Widerruf einer bedingten Entlassung aus Anlaß einer neuen Verurteilung entscheidet das nach Maßgabe des § 494a StPO zuständige Gericht.

Ärztliche Nachbetreuung

§ 179a. (1) Einem Rechtsbrecher, der bedingt entlassen wird, kann die Weisung, sich weiterhin einer Entwöhnungsbehandlung, einer psychotherapeutischen oder einer medizinischen Behandlung zu unterziehen (§ 51 Abs. 3 StGB) oder in einer sozialtherapeutischen Wohneinrichtung Aufenthalt zu nehmen (§ 51 Abs. 2 StGB), auch mit der Maßgabe erteilt werden, dass die Behandlung oder die sozialtherapeutische Betreuung für den Verurteilten unentgeltlich durch eine Forensische Ambulanz, durch eine sozialtherapeutische Wohneinrichtung, durch einen Psychotherapeuten oder durch einen Arzt durchgeführt wird, die oder der sich zur Durchführung solcher Behandlungen und Betreuungen dem Bundesministerium für Verfassung, Reformen, Deregulierung und Justiz gegenüber verpflichtet hat. Die Durchführung einer solchen Behandlung oder Betreuung schließt erforderlichenfalls unbeschadet des § 3 des Ärztegesetzes 1998, BGBl. Nr. 169 *(Anm.: richtig: BGBl. I Nr. 169)*, ihre Unterstützung durch andere hiefür geeignete Personen ein, die sich hiezu in gleicher Weise verpflichtet haben.

(2) Ist einem bedingt Entlassenen sonst die Weisung erteilt worden, sich einer Entwöhnungsbehandlung, einer psychotherapeutischen oder einer medizinischen Behandlung zu unterziehen oder in einer sozialtherapeutischen Wohneinrichtung Aufenthalt zu nehmen, hat der Verurteilte nicht Anspruch auf entsprechende Leistungen aus einer Krankenversicherung und würde durch die Verpflichtung zur Zahlung der Behandlungskosten sein Fortkommen erschwert, so hat die Kosten der Behandlung oder des Aufenthaltes ganz oder teilweise der Bund zu übernehmen. Der Höhe nach übernimmt der Bund die Kosten jedoch grundsätzlich nur bis zu dem Ausmaß, in dem die Versicherungsanstalt öffentlich Bediensteter, Eisenbahnen und Bergbau für die Kosten aufkommen könnte, wenn der Entlassene in der Krankenversicherung öffentlich Bediensteter versichert wäre; einen Behandlungsbeitrag (§ 63 Abs. 4 des Beamten-Kranken- und Unfall-

versicherungsgesetzes, BGBl. Nr. 200/1967) hat der Rechtsbrecher nicht zu erbringen. Die Entscheidung über die Übernahme der Kosten steht dem für die Erteilung der Weisung zuständigen Gericht zu und soll nach Möglichkeit zumindest dem Grunde nach bereits bei der Entscheidung über die bedingte Entlassung in geeigneter Form berücksichtigt werden.

(3) Der Bundesminister für Verfassung, Reformen, Deregulierung und Justiz kann mit gemeinnützigen therapeutischen Einrichtungen oder Vereinigungen über die Höhe der nach Abs. 2 vom Bund zu übernehmenden Kosten Verträge nach bürgerlichem Recht abschließen. Die Vereinbarung von verbindlichen Pauschalbeträgen ist zulässig. Der Bundesminister für Verfassung, Reformen, Deregulierung und Justiz kann die Grundsätze der Pauschalierung mit Verordnung festlegen. Dabei ist insbesondere das Betreuungsangebot der gemeinnützigen therapeutischen Einrichtung oder Vereinigung zu berücksichtigen.

Verfahren

§ 180. (1) Für das Verfahren nach einer bedingten Entlassung gilt § 17 dem Sinne nach.

(2) Vor der Entscheidung über den Widerruf der bedingten Entlassung hat das Gericht stets in die Akten über das Strafverfahren Einsicht zu nehmen und womöglich den Entlassenen, wenn ein Bewährungshelfer bestellt worden ist, auch diesen zu hören. Vor einer beabsichtigten Verlängerung der Probezeit nach den §§ 53 Abs. 4 oder 54 Abs. 3 des Strafgesetzbuches ist ein ärztlicher, psychotherapeutischer oder psychologischer Sachverständiger zu hören. Vor dem Ausspruch, daß die Entlassung endgültig geworden ist, ist der Sicherheitsbehörde, in deren Sprengel sich der Entlassene aufhält, Gelegenheit zur Stellungnahme zu geben. Außerdem ist vor dieser Entscheidung eine Strafregisterauskunft einzuholen und, wenn ein Bewährungshelfer bestellt worden ist, auch dieser zu hören.

(3) Wenn auf Grund bestimmter Tatsachen anzunehmen ist, dass die bedingte Entlassung widerrufen und der Entlassene aus diesem Grund flüchten werde (§ 173 Abs. 2 Z 1 und Abs. 3 StPO) oder die Begehung weiterer mit Strafe bedrohter Handlungen unmittelbar bevorsteht, ist seine Festnahme zulässig, zu der die Kriminalpolizei von sich aus berechtigt ist, wenn wegen Gefahr im Verzug eine Anordnung der Staatsanwaltschaft nicht rechtzeitig eingeholt werden kann. Für das weitere Verfahren gelten die Bestimmungen des 9. Hauptstücks sinngemäß mit der Maßgabe, dass die Haft bis zur Entscheidung über den Widerruf einen Monat nicht übersteigen darf.

(4) Davon, daß eine bedingte Entlassung endgültig geworden ist, ist die Sicherheitsbehörde des Aufenthaltsortes des Entlassenen zu benachrichtigen.

Sechster Teil
Unerlaubter Verkehr mit Gefangenen

§ 180a. (1) Sofern die Tat nicht den Tatbestand einer in die Zuständigkeit der Gerichte fallenden strafbaren Handlung bildet, begeht eine Verwaltungsübertretung und ist mit Geldstrafe bis zu 1 000 Euro, im Wiederholungsfall bis zu 2 000 Euro zu bestrafen, wer vorsätzlich in ungesetzlicher Weise

1. mit einer Person, die sich in vorläufiger Verwahrung oder in ordentlicher Untersuchungshaft befindet, mit einem Strafgefangenen oder einem in einer Justizanstalt zum Vollzug einer mit Freiheitsentziehung verbundenen vorbeugenden Maßnahme Untergebrachten schriftlich oder mündlich verkehrt oder sich auf andere Weise verständigt oder

2. Geld oder Gegenstände einer der in der Z 1 bezeichneten Personen übermittelt oder von einer solchen Person empfängt.

(2) Der Versuch ist strafbar.

(3) Die Strafvollzugsbediensteten sind zur Feststellung der Identität einer bei einer Verwaltungsübertretung nach Abs. 1 auf frischer Tat betretenen Person ermächtigt. Die Bestimmungen des § 35 Abs. 2 und 3 des Sicherheitspolizeigesetzes, BGBl. Nr. 566/1991, gelten sinngemäß.

(4) Ist die Identität einer bei einer Verwaltungsübertretung nach Abs. 1 auf frischer Tat betretenen Person nicht feststellbar, so dürfen die Strafvollzugsbediensteten die Person zum Zweck ihrer unverzüglichen Vorführung vor die Behörde (Abs. 5) festnehmen, soweit diese Maßnahme zu Art und Gewicht der Verwaltungsübertretung nicht außer Verhältnis steht.

(5) Die Untersuchung und Bestrafung der Verwaltungsübertretung steht der Bezirksverwaltungsbehörde, im Gebiet einer Gemeinde, für das die Landespolizeidirektion zugleich Sicherheitsbehörde erster Instanz ist, aber der Landespolizeidirektion zu.

Siebenter Teil
Schlußbestimmungen

§ 181. (1) Dieses Bundesgesetz tritt, soweit im folgenden nichts anderes bestimmt ist, mit Ausnahme der §§ 8 Abs. 3, 18, 144 Abs. 2 und 145 mit 1. Jänner 1970 in Kraft. Soweit aber § 43 die Bewegung im Freien auch an Sonn- und Feiertagen vorschreibt, tritt er für die Strafvollzugsanstalten erst mit 1. Jänner 1972, für die gerichtlichen Gefangenenhäuser erst mit 1. Jänner 1973 in Kraft.

(2) Unbeschadet bestehender Einrichtungen treten die §§ 8 Abs. 3 und 18 mit 1. Jänner 1972, die §§ 144 Abs. 2 und 145 mit 1. Jänner 1975 in Kraft.

(3) Die Änderungen und Ergänzungen dieses Bundesgesetzes durch das Strafvollzugsanpassungsgesetz treten mit dem 1. Jänner 1975 in Kraft. Vorbereitungen zur Errichtung und zum Betrieb besonderer An-

stalten für geistig abnorme Rechtsbrecher können jedoch schon mit der Kundmachung des Strafvollzugsanpassungsgesetzes getroffen werden.

(4) Die §§ 2, 6 Abs. 1 und 2, 16, 18 Abs. 8, 22 Abs. 1, 24 Abs. 1 bis 3, 30 Abs. 2, 32, 32a, 34, 38 Abs. 2, 39, 40, 41 Abs. 3, 42 Abs. 2, 46 Abs. 3, 48 Abs. 1 und 2, 49 Abs. 3, 52 bis 55, 58, 59, 62, 63, 64 Abs. 1 und 2, 65a, 71 Abs. 3, 74 Abs. 1 und 3, 79 Abs. 2, 80 Abs. 1, 85 Abs. 1, 86, 87, 89 Abs. 2, 90 bis 90b, 91 Abs. 2 bis 5, 93, 94 Abs. 1, 3 und 4, 95 bis 96a, 99 Abs. 1 und 2, 99a, 100 Abs. 1, 103 Abs. 2, 3, 3a und 6, 107, 109 Z 3, 112 Abs. 1, 2 und 4, 113, 114, 116 Abs. 2 und 5 bis 7, 120 Abs. 2, 124 bis 127, 128 Abs. 1, 129, 132 Abs. 1, 2 und 4, 133, 135 Abs. 3 und 4, 144 Abs. 2, 147 Abs. 1 und 4, 150 Abs. 3, 150a, 152a Abs. 3, 153, 154 Abs. 2, 156a, 158 Abs. 4, 162 Abs. 2, 166, 167a, 169 und 182 in der Fassung des Bundesgesetzes BGBl. Nr. 799/1993 treten mit 1. Jänner 1994 in Kraft, § 42 Abs. 3 in der Fassung dieses Bundesgesetzes mit 1. Jänner 1996.

(5) Die §§ 28, 29, 88, 120 Abs. 4, 136 bis 143, 155 und 172 bis 176 treten mit Ablauf des 31. Dezember 1993 außer Kraft.

(6) Die §§ 13 Abs. 2, 14a, 96 Abs. 2, 101 Abs. 4 und 5, 102 Abs. 2, 104 Abs. 1 Z 5, 105 Abs. 2 und 3, 105a und 106 in der Fassung des Bundesgesetzes BGBl. Nr. 763/1996 treten mit 1. Jänner 1997 in Kraft.

(7) § 132 Abs. 4 in der Fassung des Bundesgesetzes BGBl. I Nr. 146/1999 tritt mit 1. September 1999 in Kraft.

(8) Die §§ 15a bis 15c und 48 Abs. 3 in der Fassung des Bundesgesetzes BGBl. I Nr. 26/2000 treten mit 1. Juni 2000 in Kraft.

StVG

(9) Die §§ 9 Abs. 1 und 2, 17 Abs. 5, 52 Abs. 1 und 2, 131 Abs. 1 und 153 sowie die Überschrift des Dritten und Vierten Abschnittes im Dritten Teil in der Fassung des Bundesgesetzes BGBl. I Nr. 138/2000 treten mit 1. Jänner 2001 in Kraft, die §§ 11 bis 14, 107 Abs. 4, 116 Abs. 1, 120 und 121 Abs. 1 bis 3a und 5 mit 1. Jänner 2002.

(10) Die §§ 32a Abs. 2 erster Satz, 52 Abs. 1 und 2, 54a Abs. 2, 113 sowie § 180 Abs. 2 und 3 in der Fassung des Bundesgesetzes BGBl. I Nr. 130/2001 treten mit 1. Jänner 2002 in Kraft.

(11) Die §§ 38 Abs. 2, 71 Abs. 2, 90b Abs. 4, 126 Abs. 4, 167a Abs. 3 und 179a Abs. 3 in der Fassung des Bundesgesetzes BGBl. I Nr. 134/2002 treten mit 1. Oktober 2002 in Kraft.

(12) Die §§ 6 Abs. 1, 11h, 15c und 116 Abs. 7 in der Fassung des Bundesgesetzes BGBl. I Nr. 15/2004 treten mit 1. Mai 2004 in Kraft.

(13) Die §§ 32a Abs. 2, 54a Abs. 2 und 113 in der Fassung des Bundesgesetzes BGBl. I Nr. 136/2004 treten mit 1.Jänner 2005 in Kraft.

(14) Die §§ 10 Abs. 1, 12, 13 Abs. 2, 14, 14a, 15b Abs. 1, 18 Abs. 6 und 8, 24 Abs. 3, 25 Abs. 1, 52 Abs. 3, 64 Abs. 2, 78 Abs. 2, 80 Abs. 2, 84 Abs. 1 und 3, 91 Abs. 3, 101 Abs. 2, 106 Abs. 3, 121 Abs. 5, 134 Abs. 1 und 6, 135 Abs. 2 und 161 in der Fassung des Bundesgesetzes BGBl. I Nr. 102/2006 treten mit 1. Jänner 2007 in Kraft. Administrative Vorbereitungsmaßnahmen können bereits mit Kundmachung dieses Bundesgesetzes getroffen werden.

(15) § 101 sowie der Sechste und der Siebente Teil in der Fassung des Bundesgesetzes BGBl. I Nr. 113/2006 treten mit 1. Jänner 2007 in Kraft.

(16) Die §§ 3 Abs. 1, 3 und 5, 3a, 7 Abs. 2, 9 Abs. 1 bis 3, 15, 16, 17, 32 Abs. 4, 65, 99 Abs. 5, 99a Abs. 3, 106 Abs. 1, 118 Abs. 1 bis 3, 121 Abs. 3, 126 Abs. 5, 131 Abs. 1, 133a, 147 Abs. 2, 152 Abs. 1 und 2, 152a Abs. 1 und 3, 162 Abs. 1, 179 Abs. 1 und 2 und 180 Abs. 3 in der Fassung des Bundesgesetzes BGBl. I Nr. 109/2007 treten mit 1. Jänner 2008 in Kraft.

(17) Die Bestimmungen der §§ 152 Abs. 2 und 179a Abs. 1 und Abs. 2 in der Fassung des Bundesgesetzes, BGBl. I Nr. 40/2009 treten mit 1. Juni 2009 in Kraft.

(18) Die Bestimmungen der §§ 3 Abs. 3, 10 Abs. 1a, 12 Abs. 2, 13 Abs. 2, 15c, 16, 22 Abs. 3, 24 Abs. 3, 25 Abs. 1, 32a Abs. 1 und 4, 37 Abs. 2, 39, 41 Abs. 1 und 3, 43, 54 Abs. 2, 99 Abs. 5 und 6, 101 Abs. 3, 103 Abs. 2, 107 Abs. 4, 108 Abs. 4, 110, 116 Abs. 4, 116a, 121 Abs. 4 und 5, 132 Abs. 1, 133a, 134 Abs. 3 und 6, 162 Abs. 1 und 3 sowie 166 in der Fassung des Bundesgesetzes, BGBl. I Nr. 52/2009 treten mit 18. Juni 2009 in Kraft.

(19) Die §§ 3 Abs. 1 und 3, 3a Abs. 1 und 2, 12 Abs. 2, 13a, 15c, 17 Abs. 2, 41 Abs. 1, 90 Abs. 1 und 2, 91, 99 Abs. 5, 102a, 103 Abs. 3, 116 Abs. 3, 126 Abs. 5, 132 Abs. 2, 133a Abs. 5 und 6, 134 Abs. 4, 145 Abs. 2, 149 Abs. 5, 152a Abs. 2, 153, 166, 180 Abs. 2 und 180a Abs. 1 in der Fassung des Bundesgesetzes, BGBl. I Nr. 142/2009 treten mit 1. Jänner 2010 in Kraft, § 42 Abs. 4 letzter Satz mit 1. Jänner 2017.

(20) § 167a Abs. 2 Z 2 in der Fassung des Bundesgesetzes BGBl. I Nr. 18/2010 tritt mit 1. Juli 2010 in Kraft.

(21) Die §§ 17 und 99 sowie 156b bis 156d in der Fassung des Bundesgesetzes, BGBl. I Nr. 64/2010 treten mit 1. September 2010 in Kraft.

(22) §§ 54a Abs. 1 und 150 Abs. 3 in der Fassung des Budgetbegleitgesetzes 2011, BGBl. I Nr. 111/2010, treten mit 1. Jänner 2011 in Kraft.

(23) § 12 Abs. 2 und § 13 Abs. 2 in der Fassung des Bundesgesetzes BGBl. I Nr. 1/2012 treten mit 1. Juli 2012 in Kraft. Gleichzeitig treten § 14 Abs. 4 und § 18 samt Überschrift außer Kraft. Die am 31. Dezember 2011 gemäß § 18 Abs. 3 bestellten Vertrauenspersonen gelten als bis zum Ablauf des 30. Juni 2012 bestellt.

(24) § 132 Abs. 7 und § 180a Abs. 5 in der Fassung des Bundesgesetzes BGBl. I Nr. 50/2012 treten mit 1. September 2012 in Kraft.

(25) Die §§ 9 Abs. 4, 10 Abs. 2, 24 Abs. 3a, § 41 Abs. 4, 54 Abs. 2, 102b, 106a, 121 Abs. 5, 133a Abs. 1 und Abs. 3 bis 6, 147 Abs. 1,156c Abs. 1a, 156d Abs. 1 und Abs. 3 und 158 Abs. 1 in der Fassung des Bundesgesetzes BGBl. I Nr. 2/2013, treten mit 1. Jänner 2013 in Kraft. § 156c Abs. 1a in der Fassung des Bundesgesetzes BGBl. I Nr. 2/2013, gilt jedoch für Verurteilte nicht, die am 1. Jänner 2013 bereits im elektronisch überwachten Hausarrest angehalten werden.

(26) Die §§ 10 Abs. 1a, 12 Abs. 2, 13 Abs. 2, 16 Abs. 3, 16a, 17, 18 samt Überschrift, 18a samt Überschrift, 18b, 107 Abs. 4, 116 Abs. 1, 120 Abs. 2 und 3, 121, 121a bis 121c samt Überschriften, 181a Abs. 1 bis 8 in der Fassung des Bundesgesetzes BGBl. I Nr. 190/2013 treten mit 1. Jänner 2014 in Kraft. § 181a Abs. 9 in der Fassung dieses Bundesgesetzes tritt mit 1. November 2013 in Kraft. Mit Ablauf des 31. Dezember 2013 treten die §§ 11a bis 11h außer Kraft. Administrative Vorbereitungsmaßnahmen zur Einrichtung der Laienbeteiligung bei den Gerichten können bereits mit Kundmachung dieses Bundesgesetzes getroffen werden.

(27) Die §§ 10 Abs. 1, 13, 14 Abs. 1, 14 Abs. 3, 14a Abs. 1, 14a Abs. 2, 15b Abs. 1, 15c Abs. 1, 16a Abs. 1, 24 Abs. 3, 25 Abs. 1, 52 Abs. 3, 64 Abs. 2, 78 Abs. 2, 80 Abs. 2, 84 Abs. 1 und 3, 101 Abs. 2 und 3, 106 Abs. 3, 116 Abs. 1, 121 Abs. 5, 134 Abs. 1 und 6, 135 Abs. 2 und 161 in der Fassung des Bundesgesetzes BGBl. I Nr. 13/2015 treten mit 1. Juli 2015 in Kraft. § 12 tritt mit Ablauf des 30. Juni 2015 außer Kraft.

(28) §§ 106 Abs. 4 und 149 Abs. 5 in der Fassung des Bundesgesetzes BGBl. I Nr. 26/2016 treten mit 1. Juni 2016 in Kraft.

(29) Die §§ 9 Abs. 5, 10 Abs. 1, 13, 14 Abs. 1 und 3, 14a Abs. 1, Abs. 2 Z 2 und Abs. 3, 15a, 15b samt Überschrift, 15c Abs. 1 und 5, 16a Abs. 1 Z 2 und 3, 18a Abs. 3, 24 Abs. 3, 52 Abs. 2, 69 Abs. 1, 78 Abs. 1 und 2, 80 Abs. 2, 84 Abs. 1 und 3, 97, 99 Abs. 5a, 101 Abs. 2 und 3, 106 Abs. 3, 116 Abs. 1, 121 Abs. 5, 121b Abs. 4, 134 Abs. 1 und 6, 135 Abs. 2, 156b Abs. 2 und 3, 161, 179a Abs. 1 und 3 sowie 182 samt Überschrift in der Fassung des Materien-Datenschutz-Anpassungsgesetzes 2018, BGBl. I Nr. 32/2018, treten mit 25. Mai 2018 in Kraft.

(30) § 144a und § 152 Abs. 2a in der Fassung des Bundesgesetzes BGBl. I Nr. 159/2021 treten mit 1. Jänner 2022 in Kraft.

(31) § 54 Abs. 2 und § 156b Abs. 3a und 3b in der Fassung des Bundesgesetzes BGBl. I Nr. 61/2022 treten mit 1. Mai 2022 in Kraft.

(32) Die §§ 3 Abs. 2, 5 Abs. 3 Z 3, 6 Abs. 1, 152 Abs. 2a, 157a bis 157k samt Überschriften, die Überschrift des § 158, § 158 Abs. 1 und 2, die §§ 161, 162 Abs. 2 und 3, die Überschrift des Dritten Abschnitts des Vierten Teils, die §§ 164 Abs. 1, 167a Abs. 1 und 3 sowie 178a Abs. 1 und 3 in der Fassung des Bundesgesetzes BGBl. I Nr. 223/2022 treten mit 1. März 2023 in Kraft.

(33) Der Titel, § 3 Abs. 2, § 101a samt Überschrift, § 102b Abs. 2a und 3, § 103 Abs. 2 Z 5 und Abs. 3 und 4, § 105 Abs. 1 bis 3, § 156b Abs. 4, § 156c Abs. 1 Z 1 und 2 lit. d und Abs. 1a sowie § 156d Abs. 4 in der Fassung des Budgetbegleitgesetzes 2025, BGBl. I Nr. 25/2025 treten mit 1. September 2025 in Kraft. Die §§ 18c und 18d samt Überschriften, § 144 Abs. 3 und 4, § 145 Abs. 1, § 148 Abs. 2 und 3, § 152a Abs. 1, § 152b samt Überschrift, § 153 sowie § 156 Abs. 2 in der Fassung des genannten Bundesgesetzes treten mit 1. Jänner 2026 in Kraft.

Übergangsbestimmungen

§ 181a. (1) Die Zuständigkeit zur Weiterführung der mit Ablauf des 31. Dezember 2013 bei den Vollzugskammern anhängigen Verfahren geht mit Ausnahme von Verfahren wegen gegen die Person des Anstaltsleiters gerichteter Ordnungswidrigkeiten (§ 116 Abs. 1) mit 1. Jänner 2014 auf das Vollzugsgericht (§ 16 Abs. 3) über; dies gilt auch für die bei der Vollzugsdirektion anhängigen Verfahren, in denen diese Behörde sachlich in Betracht kommende Oberbehörde ist.

(2) Die Zuständigkeit zur Weiterführung der mit Ablauf des 31. Dezember 2013 bei den Vollzugskammern anhängigen Verfahren wegen gegen die Person des Anstaltsleiters gerichteter Ordnungswidrigkeiten (§ 116 Abs. 1) geht mit 1. Jänner 2014 auf die Vollzugsdirektion über.

(3) Im Fall des Übergangs der Zuständigkeit nach Abs. 1 und 2 sind die Akten des Verfahrens an die mit 1. Jänner 2014 zuständige Behörde zu übermitteln.

(4) Der Verwaltungsgerichtshof bleibt zur Weiterführung der mit Ablauf des 31. Dezember 2013 anhängigen Verfahren über Beschwerden nach diesem Bundesgesetz zuständig.

(5) Ist der Bescheid einer Vollzugskammer oder einer Vollzugsbehörde, die mit Ende des 31. Dezember 2013 zur Erlassung dieses Bescheides zuständig ist, die mit 1. Jänner 2014 zur Erlassung dieses Bescheides jedoch nicht mehr zuständig ist, dessen Zustellung vor dem Ablauf des 31. Dezember 2013 veranlasst worden ist, bis zum Ablauf dieses Tages nicht gültig zugestellt worden, so gilt dieser Bescheid dennoch gegenüber allen Parteien, denen gegenüber die Zustellung veranlasst worden ist, als zugestellt.

(6) Wird durch die Zustellung der Lauf einer Frist bestimmt, so beginnt diese Frist mit jenem Zeitpunkt zu laufen, in dem der Bescheid nach den Bestimmungen des Zustellgesetzes – ZustG, BGBl. Nr. 200/1982, als zugestellt gelten würde. Der Vollzug des Bescheides ist bis zu diesem Zeitpunkt gehemmt. Tritt der im ersten Satz genannte Fall nicht bis zum Ablauf des 30. Juni 2014 ein, tritt der Bescheid von Gesetzes wegen außer Kraft.

(7) Ist ein Bescheid nach diesem Bundesgesetz, gegen den eine Beschwerde an die Vollzugskammer oder eine Berufung zulässig ist, vor Ablauf des 31. Dezember 2013 erlassen worden, läuft die Berufungs- oder Beschwerdefrist mit Ende des 31. Dezember 2013 noch und wurde gegen diesen Bescheid nicht bereits bis zum Ablauf des 31. Dezember 2013 Berufung oder Beschwerde erhoben, so kann gegen ihn vom 1. Jänner bis zum Ablauf des 15. Jänner 2014 Beschwerde an das nach den §§ 16 Abs. 3 und 16a Abs. 1 zuständige Gericht erhoben werden. Eine gegen einen solchen Bescheid bis zum Ablauf des 31. Dezember 2013 erhobene Berufung gilt als rechtzeitig erhobene Beschwerde nach den §§ 16 Abs. 3 und 16a Abs. 1.

(8) Ist ein Bescheid nach diesem Bundesgesetz, gegen den eine Beschwerde nach Art. 130 Abs. 1 lit. a B-VG in der bis zum Ablauf des 31. Dezember 2013 geltenden Fassung beim Verwaltungsgerichtshof zulässig ist, vor Ablauf des 31. Dezember 2013 erlassen worden, läuft die Beschwerdefrist mit Ende des 31. Dezember 2013 noch und wurde gegen diesen Bescheid nicht bereits bis zum Ablauf des 31. Dezember 2013 Beschwerde beim Verwaltungsgerichtshof erhoben, so kann gegen ihn vom 1. Jänner bis zum Ablauf des 12. Februar 2014 Beschwerde an das Oberlandesgericht Wien erhoben werden.

(9) Jeder Bescheid, der nach Ablauf des 31. Oktober 2013 genehmigt wird, hat einen Hinweis auf die Rechtsfolgen des Abs. 7 und 8 zu enthalten.

Umsetzung von Richtlinien der Europäischen Union

§ 181b. §§ 106 Abs. 4 und 149 Abs. 5 in der Fassung des Bundesgesetzblattes BGBl. I Nr. 26/2016 dienen der Umsetzung der Richtlinie 2012/29/EU über Mindeststandards für die Rechte, die Unterstützung und den Schutz von Opfern von Straftaten sowie zur Ersetzung des Rahmenbeschlusses 2001/220/JI ABl. Nr. L 315 vom 14.11.2012 S 57.

Vollziehung

§ 182. Mit der Vollziehung dieses Bundesgesetzes ist der Bundesminister für Verfassung, Reformen, Deregulierung und Justiz betraut. Der Bundesminister für Verfassung, Reformen, Deregulierung und Justiz hat bei der Vollziehung der §§ 44 bis 55, 66 bis 84 und 164 bis 170 das Einvernehmen mit der Bundesministerin für Arbeit, Soziales, Gesundheit und Konsumentenschutz zu pflegen.

[...]

(Anm.: aus BGBl. I Nr. 190/2013, zu den §§ 10, 12, 13, 16, 16a, 17, 18, 18a, 18b, 107, 116, 120, 121, 121a-121c und 181a, BGBl. Nr. 144/1969)

§ 6. Die in diesem Bundesgesetz verwendeten personenbezogenen Ausdrücke betreffen, soweit dies inhaltlich in Betracht kommt, Frauen und Männer gleichermaßen.

Justizielle Zusammenarbeit in Strafsachen mit den Mitgliedstaaten der Europäischen Union

Bundesgesetz über die justizielle Zusammenarbeit in Strafsachen mit den Mitgliedstaaten der Europäischen Union (EU-JZG)
StF: BGBl. I Nr. 36/2004 idF BGBl. I Nr. 50/2025

Inhaltsverzeichnis

EU-JZG

18. EU-JZG

Stichwortverzeichnis

EU-JZG

I. Hauptstück

Allgemeine Bestimmungen

Anwendungsbereich

§ 1. (1) Dieses Bundesgesetz regelt die Zusammenarbeit zwischen den Justizbehörden der Republik Österreich und jenen der anderen Mitgliedstaaten der Europäischen Union in Strafverfahren gegen natürliche Personen und gegen Verbände (§ 1 Abs. 2 und 3 des Verbandsverantwortlichkeitsgesetzes – VbVG, BGBl. I Nr. 151/2005). Diese Zusammenarbeit umfasst

1. die Anerkennung und Vollstreckung justizieller Entscheidungen, insbesondere durch

a) Übergabe von Personen;

b) Sicherstellung von Beweismitteln und Vermögensgegenständen;

c) Vollstreckung von vermögensrechtlichen Anordnungen;

d) Vollstreckung von Geldsanktionen;

e) Überwachung von Entscheidungen, in denen Bewährungsmaßnahmen angeordnet oder alternative Sanktionen verhängt wurden;

f) Überwachung von Entscheidungen über die Anwendung gelinderer Mittel;

g) Anerkennung Europäischer Schutzanordnungen und Erteilung nationaler Anordnungen, und

h) Anerkennung und Vollstreckung einer Europäischen Ermittlungsanordnung.

2. die Rechtshilfe in Strafsachen, einschließlich der Bildung gemeinsamer Ermittlungsgruppen, der Zusammenarbeit mit Eurojust und dem Europäischen Justiziellen Netz (EJN) sowie der Zustellung von Urkunden;

3. die Übertragung der Strafverfolgung und die Übertragung der Strafvollstreckung.

(2) Soweit sich aus den Bestimmungen dieses Bundesgesetzes nichts anderes ergibt, gilt das Auslieferungs- und Rechtshilfegesetz (ARHG), BGBl. Nr. 529/1979, sinngemäß.

Begriffsbestimmungen

§ 2. (1) Im Sinne dieses Bundesgesetz bedeutet

1. „Europäischer Haftbefehl" eine Entscheidung einer Justizbehörde eines Mitgliedstaats, die auf die Festnahme und Übergabe einer Person durch die Justizbehörde eines anderen Mitgliedstaats zur Strafverfolgung oder zur Vollstreckung einer Freiheitsstrafe oder einer mit Freiheitsentziehung verbundenen vorbeugenden Maßnahme gerichtet ist;

2. „Sicherstellungsentscheidung" jede von einer zuständigen Justizbehörde eines Mitgliedstaats in einem Strafverfahren getroffene Maßnahme, mit der vorläufig jede Vernichtung, Veränderung, Verbringung, Übertragung oder Veräußerung von Vermögensgegenständen verhindert werden soll, die der Sicherung einer vermögensrechtlichen Anordnung dienen oder die ein Beweismittel darstellen könnten;

3. „Ausstellungsstaat" der Staat,

a) dessen Justizbehörde den Europäischen Haftbefehl oder dessen Behörde die Europäische Ermittlungsanordnung erlassen hat;

b) in dem ein Urteil ergangen ist, mit dem eine Freiheitsstrafe oder eine mit Freiheitsentziehung verbundene vorbeugende Maßnahme verhängt wurde; oder

c) in dem eine Entscheidung getroffen wurde, in der Bewährungsmaßnahmen angeordnet oder alternative Sanktionen verhängt wurden;

3a. „Anordnungsstaat" der Staat, in dem eine Entscheidung über die Anwendung gelinderer Mittel getroffen oder der Staat, in dem eine Schutzmaßnahme angeordnet wurde, auf deren Grundlage eine Europäische Schutzanordnung erlassen wurde;

4. „ausstellende Justizbehörde" die Justizbehörde

a) des Ausstellungsstaats, die nach dessen Recht für die Ausstellung eines Europäischen Haftbefehls zuständig ist, oder

b) des Entscheidungsstaats, die eine Sicherstellungsentscheidung erlassen, für vollstreckbar erklärt oder auf andere Weise bestätigt hat;

4a. „ausstellende Behörde" die Behörde des Ausstellungsstaates, die nach dessen Recht für die Ausstellung einer Europäischen Ermittlungsanordnung oder die Übermittlung einer Unterrichtung zuständig ist;

5. „vollstreckende Justizbehörde" die Justizbehörde des Vollstreckungsstaats, die nach dessen Recht für die Entscheidung über die Vollstreckung des Europäischen Haftbefehls zuständig ist;

5a. „vollstreckende Behörde", die Behörde des Vollstreckungsstaates, die nach dessen Recht für die Entscheidung über die Vollstreckung einer Europäischen Ermittlungsanordnung oder für den Empfang einer Unterrichtung zuständig ist;

6. „Entscheidungsstaat" der Staat,

a) dessen Justizbehörde eine Sicherstellungsentscheidung erlassen, für vollstreckbar erklärt oder auf andere Weise bestätigt hat,

b) dessen Gericht oder andere Justizbehörde eine Entscheidung erlassen hat, mit der eine Geldsanktion ausgesprochen worden ist, oder

c) dessen Gericht eine vermögensrechtliche Anordnung erlassen hat;

7. „Vollstreckungsstaat" der Staat,

a) dessen Justizbehörde über die Vollstreckung des Europäischen Haftbefehls oder dessen Behörde über die Vollstreckung der Europäischen Ermittlungsanordnung entscheidet,

b) in dessen Hoheitsgebiet sich der Vermögensgegenstand oder das Beweismittel befindet,

c) in dessen Hoheitsgebiet die Person, über die die Geldsanktion verhängt worden ist, ihren Wohnsitz oder ihren Aufenthalt hat, über Vermögen verfügt oder Einkommen bezieht, im Fall eines Verbandes (§ 1 Abs. 2 und 3 VbVG) in dessen Hoheitsgebiet dieser seinen eingetragenen Sitz hat, über Vermögen verfügt oder Einkommen bezieht;

d) in dessen Hoheitsgebiet sich die von der vermögensrechtlichen Anordnung erfassten Vermögenswerte oder Gegenstände befinden, oder die Person, gegen die die vermögensrechtliche Anordnung ergangen ist, ihren Wohnsitz oder Aufenthalt hat, über Vermögen verfügt oder Einkommen bezieht, im Fall eines Verbandes (§ 1 Abs. 2 und 3 VbVG) in dessen Hoheitsgebiet sich die von der vermögensrechtlichen Anordnung erfassten Vermögenswerte oder Gegenstände befinden, der Verband seinen eingetragenen Sitz hat, über Vermögen verfügt oder Einkommen bezieht;

e) dem ein Urteil, mit dem eine Freiheitsstrafe oder eine mit Freiheitsentziehung verbundene vorbeugende Maßnahme verhängt wurde, zum Zweck der Vollstreckung übermittelt worden ist;

f) in dem Entscheidungen, in denen Bewährungsmaßnahmen angeordnet oder alternative Sanktionen verhängt wurden, überwacht und Folgeentscheidungen getroffen werden;

g) in dem Entscheidungen über die Anwendung gelinderer Mittel überwacht werden;

h) dem eine Europäische Schutzanordnung zum Zwecke der Anerkennung und Erteilung nationaler Anordnungen übermittelt wurde;

8. „Mitgliedstaat" ein Staat, der Mitglied der Europäischen Union ist;

9. „Drittstaat" ein Staat, der kein Mitglied der Europäischen Union ist;

10. „Eurojust" die durch Art. 1 der Verordnung (EU) 2018/1727 betreffend die Agentur der Europäischen Union für justizielle Zusammenarbeit in Strafsachen (Eurojust) und zur Ersetzung und Aufhebung des Beschlusses 2002/187/JI des Rats, ABl. Nr. L 295 vom 21.11.2018, S. 138, eingerichtete Agentur;

11. „Vermögensrechtliche Anordnung" Konfiskation (§ 19a Strafgesetzbuch – StGB, BGBl. Nr. 60/1974), Verfall (§§ 20, 20b StGB), Einziehung (§ 26 StGB) und jede andere im Entzug eines Vermögenswertes oder Gegenstandes bestehende Strafe, vorbeugende Maßnahme oder Rechtsfolge, die nach Durchführung eines strafgerichtlichen Verfahrens im In- oder Ausland ausgesprochen wird, mit Ausnahme von Geldstrafen, Geldbußen, Opferentschädigungen und Verfahrenskosten;

12. „Europäische Schutzanordnung" eine von einer Justizbehörde oder sonstigen zuständigen Behörde eines Mitgliedstaats im Zusammenhang mit einer Schutzmaßnahme (Z 13) erteilte Anordnung, auf deren Grundlage die zuständige Behörde eines anderen Mitgliedstaats nach nationalem Recht Anordnungen zur Fortsetzung des Schutzes der geschützten Person in diesem Mitgliedstaat erteilt;

13. „Schutzmaßnahme" eine im anordnenden Staat in einem Strafverfahren ergangene Entscheidung, mit der einer natürlichen Person („gefährdende Person") eine oder mehrere Anordnungen erteilt werden, um eine andere Person („geschützte Person") vor einer strafbaren Handlung gegen ihr Leben, ihre körperliche oder seelische Integrität, ihre Würde, ihre persönliche Freiheit oder ihre sexuelle Integrität zu schützen;

14. „Europäische Ermittlungsanordnung" eine Entscheidung der ausstellenden Behörde (Z 4a), die auf die Durchführung einer Ermittlungsmaßnahme oder die Aufnahme von Beweisen in einem anderen Mitgliedstaat, Übermittlung von Ermittlungsergebnissen oder der Beweismitteln oder die Überstellung inhaftierter Personen gerichtet ist;

15. „Rechtshilfe" jede nicht von § 1 Abs. 1 erfasste Unterstützung, die für ein ausländisches Verfahren in einer strafrechtlichen Angelegenheit gewährt wird; sie umfasst auch die Genehmigung von Tätigkeiten im Rahmen von grenzüberschreitenden Observationen auf Grund zwischenstaatlicher Vereinbarungen, von gemeinsamen Ermittlungsgruppen und von verdeckten Ermittlungen.

(2) Im Anwendungsbereich der Verordnung (EU) 2018/1805 über die gegenseitige Anerkennung von Sicherstellungs- und Einziehungsentscheidungen, ABl. Nr. L 303 vom 28.11.2018 S. 1, richten sich die Begriffsbestimmungen nach Art. 2 der Verordnung (EU) 2018/1805.

II. Hauptstück

Europäischer Haftbefehl und Übergabeverfahren zwischen den Mitgliedstaaten

Erster Abschnitt

Allgemeine Voraussetzungen

Grundlagen

§ 3. (1) Die Übergabe von Personen zwischen den Mitgliedstaaten erfolgt nach dem Grundsatz der gegenseitigen Anerkennung justizieller Entscheidungen in Strafsachen durch Festnahme und Übergabe der gesuchten Person nach Maßgabe der Bestimmungen dieses Hauptstücks durch die vollstreckende Justizbehörde.

(2) Die im Geltungsbereich dieses Hauptstücks unmittelbar anwendbaren völkerrechtlichen Vereinbarungen sind nur insoweit anzuwenden, als in diesem Bundesgesetz nichts anderes angeordnet wird.

(3) Bestimmungen über die Auslieferung in anderen Bundesgesetzen beziehen sich auch auf die in diesem Bundesgesetz geregelte Übergabe zwischen den Mitgliedstaaten.

(4) Die Verpflichtungen der Republik Österreich aus dem Römischen Statut des Internationalen Strafgerichtshofs, BGBl. III Nr. 180/2002, sowie die Bestimmungen der Bundesgesetze über die Zusammenarbeit mit den internationalen Gerichten, BGBl. Nr. 263/1996, und über die Zusammenarbeit mit dem Internationalen Strafgerichtshof, BGBl. III Nr. 135/2002, bleiben unberührt.

Anwendungsbereich des Europäischen Haftbefehls

§ 4. (1) Ein Europäischer Haftbefehl kann zur Strafverfolgung wegen einer Handlung erlassen oder vollstreckt werden, deren Begehung nach dem Recht des Ausstellungsstaats mit einer Freiheitsstrafe, deren Obergrenze mindestens ein Jahr beträgt, oder einer mit Freiheitsentziehung verbundenen vorbeugenden Maßnahme in dieser Dauer bedroht ist, wenn sie unabhängig von ihrer gesetzlichen Bezeichnung auch nach dem Recht des Vollstreckungsstaats eine mit gerichtlicher Strafe bedrohte Handlung darstellt. Ob in einem anderen Ausstellungsstaat ein nach österreichischem Recht zur Verfolgung notwendiger Antrag oder eine solche Ermächtigung vorliegt, ist unbeachtlich.

(2) Ein Europäischer Haftbefehl kann zur Vollstreckung einer Freiheitsstrafe oder einer mit Freiheitsentziehung verbundenen vorbeugenden Maßnahme erlassen oder vollstreckt werden, wenn noch mindestens vier Monate zu vollstrecken sind und die zugrunde liegende Handlung unabhängig von ihrer gesetzlichen Bezeichnung auch nach dem Recht des Vollstreckungsstaats einc mit gerichtlicher Strafe bedrohte Handlung darstellt. Mehrere Freiheitsstrafen oder ihre zu vollstreckenden Reste sind zusammenzurechnen.

(3) Für eine Entscheidung nach Abs. 1 oder 2 ist die beiderseitige Strafbarkeit nicht zu prüfen, wenn die dem Europäischen Haftbefehl zu Grunde liegende mit Strafe bedrohte Handlung von der ausstellenden Justizbehörde einer der in Anhang I, Teil A, angeführten Kategorie von Straftaten zugeordnet wurde und nach dem Recht des Ausstellungsstaats mit einer Freiheitsstrafe, deren Obergrenze mindestens drei Jahre beträgt, oder einer mit Freiheitsentziehung verbundenen vorbeugenden Maßnahme in dieser Dauer bedroht ist.

(4) Für die Einordnung einer Handlung in eine der Kategorien von Straftaten nach Anhang I, Teil A, durch die ausstellende Justizbehörde ist die wörtliche Übereinstimmung mit Begriffen des Rechts des Vollstreckungsstaats nicht erforderlich.

(5) Ist nach Abs. 1 oder 2 die Vollstreckung eines Europäischen Haftbefehls zulässig, so erfolgt die Übergabe auf Grund dieses Europäischen Haftbefehls zusätzlich auch zur Verfolgung wegen anderer Straftaten oder zur Vollstreckung anderer Freiheitsstrafen oder anderer mit Freiheitsentziehung verbundener vorbeugender Maßnahmen, wenn die Vollstreckung sonst wegen der Höhe der Strafdrohung (Abs. 1) oder des Ausmaßes der Strafe oder Maßnahme (Abs. 2) unzulässig wäre.

Zweiter Abschnitt

Vollstreckung eines Europäischen Haftbefehls

Vollstreckung eines Europäischen Haftbefehls gegen österreichische Staatsbürger

§ 5. (Verfassungsbestimmung) (1) Die Vollstreckung eines Europäischen Haftbefehls gegen einen österreichischen Staatsbürger durch eine österreichische Justizbehörde ist nur nach Maßgabe der folgenden Bestimmungen zulässig.

(2) Die Vollstreckung eines Europäischen Haftbefehls gegen einen österreichischen Staatsbürger wegen Taten, die dem Geltungsbereich der österreichischen Strafgesetze unterliegen, ist unzulässig.

(3) Die Vollstreckung eines Europäischen Haftbefehls gegen einen österreichischen Staatsbürger ist unzulässig, wenn

1. der Betroffene keine Taten im Hoheitsgebiets des Ausstellungsstaats begangen hat, und

2. nach österreichischem Recht außerhalb des Bundesgebiets begangene Taten gleicher Art nicht dem Geltungsbereich der österreichischen Strafgesetze unterlägen.

(4) Die Vollstreckung eines Europäischen Haftbefehls gegen einen österreichischen Staatsbürger zum Vollzug einer Freiheitsstrafe oder einer mit Freiheitsentziehung verbundenen vorbeugenden Maßnahme ist unzulässig. Wird eine österreichische Justizbehörde um die Vollstreckung eines solchen Haftbefehls ersucht, so ist die im Ausstellungsstaat verhängte Strafe oder Maßnahme nach § 41j Z 1 auch ohne gesonderten Antrag der ausstellenden Justizbehörde in Österreich zu vollziehen, wenn sonst die Vollstreckung dieses Europäischen Haftbefehls zulässig wäre.

(5) Die Vollstreckung eines Europäischen Haftbefehls durch Übergabe eines österreichischen Staatsbürgers zur Strafverfolgung ist stets nur unter der Bedingung zulässig, dass der von der Übergabe Betroffene nach Gewährung des rechtlichen Gehörs zum Vollzug der vom Gericht des Ausstellungsstaats verhängten Freiheitsstrafe oder der mit Freiheitsentziehung verbundenen vorbeugenden Maßnahme nach Österreich rücküberstellt wird.

(6) Befindet sich der betroffene österreichische Staatsbürger in Untersuchungs- oder Übergabehaft, so kann er auf Ablehnungsgründe und Bedingungen nach diesem Bundesgesetz nur ausdrücklich und frühestens in der in § 20 Abs. 1 (§§ 32 Abs. 1 ARHG, 175 Abs. 2 Z 1 Strafprozessordnung 1975 – StPO, BGBl. Nr. 631/1975) bezeichneten Haftverhandlung verzichten. Ein solcher Verzicht wird jedenfalls nur dann wirksam, wenn er gerichtlich zu Protokoll gegeben wird.

Vollstreckung eines Europäischen Haftbefehls gegen Unionsbürger

§ 5a. § 5 Abs. 4 bis 6 ist sinngemäß auf einen Unionsbürger, gegen den ein Europäischer Haftbefehl ausgestellt wurde, anzuwenden, wenn

1. der Unionsbürger seinen Wohnsitz oder ständigen Aufenthalt im Inland hat,

2. davon auszugehen ist, dass die Vollstreckung einer Freiheitsstrafe im Inland der Erleichterung der Resozialisierung und der Wiedereingliederung des Verurteilten in die Gesellschaft dient, und

3. er sein Recht auf Aufenthalt nicht durch ein Verhalten verwirkt hat, das eine tatsächliche, gegenwärtige und erhebliche Gefahr für die öffentliche Ordnung oder Sicherheit darstellt.

Österreichischer Tatort

§ 6. Die Vollstreckung eines Europäischen Haftbefehls durch eine österreichische Justizbehörde ist unzulässig, wenn er sich auf Taten bezieht, die im Inland (§ 62 StGB) oder an Bord eines österreichischen Schiffs oder Luftfahrzeugs (§ 63 StGB) begangen worden sind (§ 67 Abs. 2 StGB). Dies gilt auch, wenn die Taten nach österreichischem Recht nicht gerichtlich strafbar sind.

Österreichische Gerichtsbarkeit

§ 7. (1) Die Vollstreckung eines Europäischen Haftbefehls ist jedenfalls unzulässig, wenn gegen die gesuchte Person im Inland wegen derselben Tat eine endgültige Entscheidung ergangen ist, die nur unter den Voraussetzungen der ordentlichen Wiederaufnahme aufgehoben werden kann und der weiteren Strafverfolgung im Ausstellungsstaat entgegensteht.

(2) Die Vollstreckung eines Europäischen Haftbefehls wegen Taten, die dem Geltungsbereich der österreichischen Strafgesetze unterliegen, ist überdies unzulässig, wenn

1. gegen die gesuchte Person wegen derselben Tat ein Strafverfahren anhängig ist oder bis zur Entscheidung des Gerichts über die Vollstreckung des Europäischen Haftbefehls eingeleitet wird, oder

2. die Staatsanwaltschaft entschieden hat, eine Anzeige oder das Verfahren wegen derselben Tat zurückzulegen oder einzustellen oder die gesuchte Person sonst außer Verfolgung zu setzen.

(3) § 6 und Abs. 2 stehen der Vollstreckung eines Europäischen Haftbefehls gegen eine Person, die nicht österreichischer Staatsbürger ist, nicht entgegen, wenn

1. der Durchführung des Strafverfahrens im Ausstellungsstaat mit Rücksicht auf die besonderen Umstände des Falles, insbesondere aus Gründen der Wahrheitsfindung und eines fairen Verfahrens, des Schutzes der berechtigten Interessen der durch die Tat verletzten Personen, der Strafbemessung oder der Vollstreckung, der Vorzug zu geben ist, oder

2. die Verfahrensbeendigung aus Mangel an Beweisen oder wegen fehlenden Antrags oder fehlender Ermächtigung des Verletzten vorgenommen wurde, oder

3. sich die Geltung der österreichischen Strafgesetze ausschließlich auf § 65 StGB gründet.

Entscheidungen dritter Staaten oder internationaler Gerichte

§ 8. Die Vollstreckung eines Europäischen Haftbefehls ist unzulässig, wenn die gesuchte Person wegen derselben Tat

1. von einem Gericht eines Mitgliedstaats rechtskräftig freigesprochen oder verurteilt wurde und die Strafe oder vorbeugende Maßnahme bereits vollstreckt worden ist, gerade vollstreckt wird oder für den noch nicht vollstreckten Teil bedingt nachgesehen wurde oder nach dem Recht des Urteilsstaats nicht mehr vollstreckt werden kann,

2. von einer Staatsanwaltschaft eines Mitgliedstaats, in dessen Hoheitsgebiet die Tat zumindest teilweise begangen wurde, durch eine endgültige Entscheidung mit den Wirkungen nach § 7 Abs. 1 außer Verfolgung gesetzt wurde,

3. von einem Gericht eines Drittstaats verurteilt wurde und die Strafe oder vorbeugende Maßnahme bereits vollstreckt worden ist, gerade vollstreckt wird oder für den noch nicht vollstreckten Teil bedingt nachgesehen wurde oder nach dem Recht des Urteilsstaats nicht mehr vollstreckt werden kann,

4. im Tatortstaat rechtskräftig freigesprochen wurde, oder

5. vom Internationalen Strafgerichtshof, vom Internationalen Gericht für das ehemalige Jugoslawien oder vom Internationalen Gericht für Ruanda rechtskräftig verurteilt oder freigesprochen wurde.

Strafunmündige

§ 9. (1) Die Vollstreckung eines Europäischen Haftbefehls gegen Personen, die nach österreichischem Recht zur Zeit der Tat strafunmündig waren, ist unzulässig.

(2) Die ausstellende Justizbehörde ist unverzüglich über Umstände zu unterrichten, die zur Annahme berechtigen, dass die gesuchte Person auf Grund ihres Alters für die Tat, die dem Europäischen Haftbefehl zu

Grunde liegt, nach dem Recht des Ausstellungsstaats nicht strafbar ist.

Verjährung und Amnestie

§ 10. Die Vollstreckung eines Europäischen Haftbefehls durch eine österreichische Justizbehörde ist unzulässig, wenn die Taten, auf Grund derer der Europäische Haftbefehl erlassen worden ist, dem Geltungsbereich der österreichischen Strafgesetze unterliegen und die Verfolgung oder die Vollstreckung nach österreichischem Recht verjährt oder wegen einer in Österreich erlassenen Amnestie unzulässig ist.

Abwesenheitsurteile

§ 11. (1) Aufgrund eines Europäischen Haftbefehls ist die Übergabe zur Vollstreckung einer in Abwesenheit verhängten Freiheitsstrafe oder zur Vollziehung einer in Abwesenheit angeordneten vorbeugenden Maßnahme, die mit Freiheitsentziehung verbunden ist, nur zulässig, wenn aus der Bescheinigung hervorgeht, dass der Betroffene im Einklang mit den Verfahrensvorschriften des Ausstellungsstaats

1. fristgerecht durch persönliche Ladung oder auf andere Weise von Zeit und Ort der Verhandlung, die zu der Entscheidung geführt hat, tatsächlich Kenntnis erlangt hat und darüber belehrt worden ist, dass das Urteil in seiner Abwesenheit ergehen kann,

2. in Kenntnis der anberaumten Verhandlung einen selbst gewählten oder vom Gericht beigegebenen Verteidiger mit seiner Vertretung in der Verhandlung betraut hat und von diesem in der Verhandlung tatsächlich vertreten wurde,

3. nach Zustellung des in Abwesenheit ergangenen Urteils und nach Belehrung über das Recht, die Neudurchführung der Verhandlung zu beantragen oder ein Rechtsmittel zu ergreifen und auf diesem Weg eine neuerliche Prüfung des Sachverhalts, auch unter Berücksichtigung neuer Beweise, in seiner Anwesenheit und eine Aufhebung der Entscheidung zu erreichen,

a) ausdrücklich erklärt hat, keine Neudurchführung der Verhandlung zu beantragen oder kein Rechtsmittel zu ergreifen; oder

b) innerhalb der bestehenden Fristen keine Neudurchführung der Verhandlung beantragt oder kein Rechtsmittel ergriffen hat; oder

4. das Urteil nicht persönlich zugestellt erhalten hat, dieses jedoch unverzüglich nach seiner Übergabe persönlich zugestellt erhalten und dabei ausdrücklich von seinem Recht, die Neudurchführung der Verhandlung zu beantragen oder ein Rechtsmittel zu ergreifen und auf diesem Weg eine neuerliche Prüfung des Sachverhalts, auch unter Berücksichtigung neuer Beweise, in seiner Anwesenheit und eine Aufhebung der Entscheidung zu erreichen, und den dafür bestehenden Fristen in Kenntnis gesetzt werden wird.

(2) Ist der Betroffene im Fall des Abs. 1 Z 4 zuvor nicht offiziell davon in Kenntnis gesetzt worden, dass gegen ihn im Ausstellungsstaat ein Strafverfahren anhängig ist, so kann er anlässlich der Vernehmung zum Europäischen Haftbefehl die Aushändigung einer Urteilsausfertigung vor seiner Übergabe beantragen, die im Wege der ausstellenden Justizbehörde beizuschaffen ist. Durch einen solchen Antrag werden die nach §§ 21 und 24 bestehenden Fristen ebenso wenig berührt wie jene für einen Antrag auf Neudurchführung der Verhandlung oder für die Ergreifung eines Rechtsmittels. Ist das Urteil nicht in einer dem Betroffenen verständlichen Sprache abgefasst oder mit einer Übersetzung in eine solche Sprache versehen, so ist die ausstellende Justizbehörde um Nachreichung einer Übersetzung zumindest des Urteilsspruchs und der Rechtsbelehrung zu ersuchen.

Fiskalische strafbare Handlungen

§ 12. In Steuer-, Zoll- und Währungsangelegenheiten darf die Vollstreckung eines Europäischen Haftbefehls durch eine österreichische Justizbehörde nicht mit der Begründung abgelehnt werden, dass das österreichische Recht keine gleichartigen Steuern vorschreibt oder keine gleichartigen Steuer-, Zoll- und Währungsbestimmungen enthält wie das Recht des Ausstellungsstaats.

Dritter Abschnitt
Verfahren zur Bewilligung der Übergabe

Zuständigkeit

§ 13. Die Zuständigkeit für das Verfahren und die Entscheidung über die Vollstreckung eines Europäischen Haftbefehls und die Verhängung der Übergabehaft durch eine österreichische Justizbehörde sowie für das Anbot der Übergabe richtet sich nach § 26 ARHG.

Geschäftsverkehr

§ 14. (1) Der Geschäftsverkehr zur Vollstreckung eines Europäischen Haftbefehls findet grundsätzlich unmittelbar zwischen der ausstellenden und der vollstreckenden Justizbehörde statt.

(2) Hat die vollstreckende Justizbehörde oder die ausstellende Justizbehörde im Europäischen Haftbefehl eine zentrale Übermittlungsbehörde namhaft gemacht, so findet der Geschäftsverkehr im Weg dieser Behörde statt. Der Bundesminister für Justiz hat durch Verordnung eine Liste solcher zentraler Übermittlungsbehörden zu verlautbaren.

(3) Ein Europäischer Haftbefehl und sonstige Unterlagen nach diesem Bundesgesetz sind im Postweg, durch Telefax, elektronische Datenübermittlung oder durch jedes andere sichere technische Mittel zu übermitteln, das die Erstellung einer schriftlichen Fassung unter Bedingungen ermöglicht, die dem Empfänger die Feststellung der Echtheit gestatten.

(4) Zur Feststellung der zuständigen vollstreckenden Justizbehörde können Erhebungen mit Hilfe von

Eurojust oder der Kontaktstellen des Europäischen Justiziellen Netzes durchgeführt werden.

(5) Die Übermittlung des Europäischen Haftbefehls und sonstiger Unterlagen kann auch unter Vermittlung des Bundesministeriums für Justiz stattfinden, wenn Schwierigkeiten bei der Übermittlung oder Prüfung der Echtheit der Unterlagen bestehen, die im unmittelbaren Geschäftsverkehr nach Abs. 1 nicht behoben werden können.

(6) Ist eine österreichische Justizbehörde, an die ein Europäischer Haftbefehl zugestellt wird, für dessen Vollstreckung nicht zuständig, so leitet sie diesen an das zuständige Gericht weiter und verständigt die ausstellende Justizbehörde davon.

Vorrang der Übergabe

§ 15. Liegt ein Europäischer Haftbefehl eines anderen Mitgliedstaats oder sonst ein hinreichender Grund vor, einem anderen Mitgliedstaat die Übergabe anzubieten, so ist es unzulässig, die betroffene Person auf Grund anderer gesetzlicher Bestimmungen außer Landes zu bringen.

Einleitung des Übergabeverfahrens

§ 16. (1) Die Staatsanwaltschaft hat ein Übergabeverfahren einzuleiten, wenn ein Übergabeersuchen eines Mitgliedstaats einlangt oder auf Grund bestimmter Tatsachen anzunehmen ist, dass sich eine Person im Inland aufhält, gegen die ein Europäischer Haftbefehl erlassen wurde oder die im Schengener Informationssystem zur Festnahme ausgeschrieben ist. Die ausstellende Justizbehörde ist zur Vorlage eines Europäischen Haftbefehls aufzufordern, wenn sich die gesuchte Person im Inland aufhält.

(2) In allen anderen Fällen hat das Bundesministerium für Inneres zu prüfen, ob im Weg eines automationsunterstützt geführten Fahndungssystems, im Weg der Internationalen Kriminalpolizeilichen Organisation – INTERPOL oder sonst im Weg der kriminalpolizeilichen Amtshilfe eingelangte Ersuchen anderer Mitgliedstaaten um Übergabe einer Person Anlass für deren Ausschreibung in den Fahndungsbehelfen zur Ausforschung zum Zwecke der Festnahme und Einlieferung in die Justizanstalt des zuständigen Gerichts geben.

Rechtsbelehrung

§ 16a. (1) Wer aufgrund eines Europäischen Haftbefehls festgenommen wurde, ist sogleich schriftlich in einer für ihn verständlichen Sprache über seine Rechte zu informieren (§ 171 Abs. 4 StPO). Die Belehrung hat jedenfalls zu umfassen:

1. Das Recht, anlässlich der Vernehmung durch das Gericht über den Inhalt des Europäischen Haftbefehls informiert zu werden (§ 18, § 29 Abs. 3 ARHG);

2. das Recht, eine schriftliche Übersetzung des Europäischen Haftbefehls zu erhalten (§ 56 StPO);

3. das Recht, im Fall der Festnahme einen Verteidiger beizuziehen, einschließlich des Rechts auf Kontaktaufnahme mit einem Verteidiger in Bereitschaft, (§ 18, § 29 Abs. 3 ARHG, § 59 StPO), sowie das Recht, im Fall der Verhängung der Übergabehaft durch einen Verteidiger vertreten zu werden (notwendige Verteidigung; § 18, § 29 Abs. 4 ARHG, § 61 Abs. 1 StPO);

4. die Möglichkeit, sich mit der Übergabe nach Beratung mit einem Verteidiger frühestens in der ersten Haftverhandlung einverstanden zu erklären, und die Rechtsfolgen einer derartigen Erklärung (vereinfachte Übergabe; § 20, § 32 Abs. 1 bis 3 ARHG);

5. das Recht, im Ausstellungsstaat durch einen Verteidiger vertreten zu werden, dessen Aufgabe darin besteht, den inländischen Verteidiger durch Information und Beratung zu unterstützen.

(2) Die Staatsanwaltschaft hat die ausstellende Justizbehörde unverzüglich in Kenntnis zu setzen, wenn die betroffene Person von dem in Abs. 1 Z 5 erwähnten Recht Gebrauch machen will und im Ausstellungsstaat noch nicht durch einen Verteidiger vertreten ist.

(3) Ist die Person, gegen die der Europäische Haftbefehl erlassen wurde, jugendlich, so ist sie über ihre Rechte in sinngemäßer Anwendung des § 32a des Jugendgerichtsgesetzes 1988, BGBl. Nr. 599/1988, zu belehren. Die Belehrung ist so bald wie möglich auch dem gesetzlichen Vertreter zur Kenntnis zu bringen.

Anbot der Übergabe

§ 17. (1) Die Staatsanwaltschaft hat auch ohne, dass ihr ein Europäischer Haftbefehl vorliegt, zu prüfen, ob Anlass für ein Anbot der Übergabe einer im Inland betretenen Person an den in Betracht kommenden Mitgliedstaat besteht, wenn auf Grund bestimmter Tatsachen anzunehmen ist, diese habe Taten begangen, die der Vollstreckung eines solchen Haftbefehls unterliegen.

(2) Besteht Anlass für ein Anbot der Übergabe, so hat die Staatsanwaltschaft die Einleitung eines Übergabeverfahrens, die Vernehmung der betroffenen Person durch das Gericht und die Befragung der Justizbehörde des in Betracht kommenden Mitgliedstaats zu beantragen.

(3) Das Gericht hat auf Antrag der Staatsanwaltschaft nach § 18 die Übergabehaft über die betroffene Person unter sinngemäßer Anwendung der Bestimmungen des § 29 ARHG zu verhängen, soweit dies nicht unzulässig erscheint, und die Justizbehörde des in Betracht kommenden Mitgliedstaats unter Anschluss einer Sachverhaltsdarstellung zu befragen, ob gegen die betroffene Person ein Europäischer Haftbefehl erlassen werden wird. Für die Erlassung eines solchen Haftbefehls ist eine angemessene Frist mit dem Hinweis zu setzen, dass bei deren fruchtlosem Ablauf ein Verzicht auf die Übergabe angenommen und die betroffene Person freigelassen werden wird. Die Frist darf in keinem Fall 40 Tage ab Festnahme der

betroffenen Person überschreiten. Nach ungenütztem Ablauf der Frist ist die betroffene Person unverzüglich freizulassen, es sei denn, dass die Staatsanwaltschaft sogleich die Verhängung der Untersuchungshaft beantragt.

Übergabehaft

§ 18. (1) Ein Europäischer Haftbefehl oder eine Ausschreibung nach Art. 95 des Schengener Durchführungsübereinkommens (SDÜ), BGBl. III Nr. 90/1997, gilt als Ersuchen um Durchführung eines Übergabeverfahrens und Verhängung der Übergabehaft.

(2) Für die Übergabehaft gelten die Bestimmungen über die Auslieferungshaft nach § 29 ARHG sinngemäß.

Prüfung des Europäischen Haftbefehls

§ 19. (1) Die Voraussetzungen für eine Übergabe (§§ 4 bis 13 sowie Abs. 4) sind an Hand des Inhalts des Europäischen Haftbefehls zu prüfen.

(2) Ist das Gericht der Ansicht, dass der Inhalt des Europäischen Haftbefehls und die sonst von der ausstellenden Justizbehörde zur Verfügung gestellten Angaben nicht ausreichen, um über die Übergabe entscheiden zu können, so hat es von der ausstellenden Justizbehörde unverzüglich die erforderlichen zusätzlichen Angaben zu verlangen. Für das Einlangen der zusätzlichen Angaben ist eine angemessene Frist zu bestimmen. Die Entscheidungsfristen nach den §§ 20 und 21 bleiben dadurch unverändert.

(3) Ist die rechtliche Würdigung als Straftat nach Anhang I, Teil A, offensichtlich fehlerhaft oder hat die betroffene Person dagegen begründete Einwände erhoben, so hat das Gericht nach Abs. 2 vorzugehen, wenn sonst die Übergabe unzulässig wäre.

(4) Die Vollstreckung des Europäischen Haftbefehls ist auf Grund von Einwänden der betroffenen Person abzulehnen, wenn ihre Übergabe die in Art. 6 des Vertrags über die Europäische Union anerkannten Grundsätze verletzen würde oder objektive Anhaltspunkte dafür vorliegen, dass der Haftbefehl zum Zweck der Verfolgung oder Bestrafung der betroffenen Person aus Gründen ihres Geschlechts, ihrer Rasse, Religion, ethnischen Herkunft, Staatsangehörigkeit, Sprache oder politischen Überzeugung oder sexuellen Ausrichtung erlassen worden ist oder die Stellung dieser Person aus einem dieser Gründe sonst beeinträchtigt würde. Eine Prüfung der Einwände kann unterbleiben, wenn die betroffene Person die Einwände vor den zuständigen Justizbehörden des Ausstellungsstaats, vor dem Europäischen Gerichtshof für Menschenrechte oder vor dem Gerichtshof der Europäischen Union hätte geltend machen können.

Vernehmung oder bedingte Übergabe vor Entscheidung über die Übergabe

§ 19a. Bis zur Entscheidung über die Übergabe ist auf Ersuchen der ausstellenden Justizbehörde die betroffene Person

1. zu vernehmen, wobei die §§ 55h und 55k sinngemäß anzuwenden sind, oder

2. vorübergehend zu überstellen, wenn ihre Anwesenheit bei der Verhandlung über die Zulässigkeit der Übergabe gewährleistet werden kann; § 26 ist sinngemäß anzuwenden.

Vereinfachte Übergabe

§ 20. (1) Das Gericht hat die betroffene Person bei der Vernehmung zum Europäischen Haftbefehl über die Möglichkeit einer vereinfachten Übergabe zu belehren. Im Übrigen gilt § 32 Abs. 1 bis 3 ARHG sinngemäß.

(2) Hat sich die betroffene Person zu gerichtlichem Protokoll mit der Vollstreckung des Europäischen Haftbefehls einverstanden erklärt und eingewilligt, ohne Durchführung eines förmlichen Verfahrens übergeben zu werden, so hat das Gericht, soweit die Voraussetzungen für eine Übergabe vorliegen, sogleich den Beschluss über die Anordnung der Übergabe zu verkünden und eine schriftliche Ausfertigung unverzüglich dem Betroffenen und der Staatsanwaltschaft zuzustellen. Die Ausfertigung hat den zu Grunde liegenden Europäischen Haftbefehl zu bezeichnen und darauf hinzuweisen, dass mit dieser vereinfachten Übergabe keine Spezialitätswirkungen verbunden sind. In diesem Beschluss ist auch über einen allfälligen Aufschub der Übergabe zu entscheiden. Liegen die Voraussetzungen für eine Übergabe nicht vor, so ist nach § 21 vorzugehen.

(3) Gegen einen Beschluss nach Abs. 2 steht der betroffenen Person und der Staatsanwaltschaft die binnen 3 Tagen ab Bekanntmachung des Beschlusses einzubringende Beschwerde an das Oberlandesgericht zu. Die Beschwerde hat aufschiebende Wirkung. Über eine Beschwerde gegen den Beschluss auf Übergabe hat das Oberlandesgericht binnen 40 Tagen nach Einwilligung der betroffenen Person zu entscheiden.

(4) Das Gericht hat die ausstellende Justizbehörde binnen 10 Tagen nach Einwilligung der betroffenen Person über den Verfahrensstand zu unterrichten oder ihr unverzüglich eine Ausfertigung des rechtskräftigen Beschlusses als Entscheidung über den Europäischen Haftbefehl zu übermitteln.

Entscheidung über die Übergabe

§ 21. (1) Das Gericht hat über die Bewilligung oder Ablehnung der Übergabe der betroffenen Person binnen 30 Tagen nach deren Festnahme durch Beschluss zu entscheiden, der schriftlich auszufertigen ist. Die Verfahrensvorschriften über die Zulässigkeit der Auslieferung nach § 31 Abs. 1 erster Satz, Abs. 2 bis 5 und Abs. 6 erster bis dritter Satz ARHG gelten sinngemäß.

(2) Über die Vollstreckung des Europäischen Haftbefehls ist binnen 60 Tagen ab Festnahme rechtskräftig zu entscheiden. Kann diese Frist insbesondere auf Grund der besonderen Schwierigkeiten des Falles nicht eingehalten werden, so hat das Gericht die ausstellende Justizbehörde darüber vor Ablauf der Frist in Kenntnis zu setzen. In diesem Fall verlängert sich die Entscheidungsfrist um weitere 30 Tage.

(2a) Die Fristen nach Abs. 1 und 2 werden durch das Recht der betroffenen Person nach § 16a Abs. 1 Z 5 nicht berührt.

(3) Über die nach Abs. 2 letzter Satz verlängerte Frist hinaus darf die Übergabehaft nur aufrecht erhalten werden, wenn dies wegen besonderer Schwierigkeiten oder besonderen Umfangs der Prüfung der Voraussetzungen einer Vollstreckung des Haftbefehls im Hinblick auf das Gewicht des Haftgrundes unvermeidbar ist. Die Fristen nach § 18 Abs. 2 bleiben unberührt.

(4) Eine Ausfertigung des rechtskräftigen Beschlusses hat das Gericht der ausstellenden Justizbehörde unverzüglich als Entscheidung über den Europäischen Haftbefehl zu übermitteln.

Europäische Haftbefehle mehrerer Mitgliedstaaten

§ 22. (1) Ersuchen zwei oder mehrere Mitgliedstaaten um die Vollstreckung eines Europäischen Haftbefehls gegen dieselbe Person, so hat das Gericht unter Abwägung aller Umstände zu entscheiden, welchem Europäischen Haftbefehl der Vorrang eingeräumt wird. Zu diesen Umständen zählen insbesondere die Schwere der Tat, der Tatort, der Zeitpunkt, zu dem der Europäische Haftbefehl erlassen wurde, sowie der Umstand, ob der Haftbefehl zur Strafverfolgung oder zur Vollstreckung einer Freiheitsstrafe oder einer mit Freiheitsentziehung verbundenen vorbeugenden Maßnahme erlassen wurde. Vor einer Entscheidung kann eine Stellungnahme von Eurojust eingeholt werden.

(2) Zugleich mit der Entscheidung nach Abs. 1 ist über die Zulässigkeit der weiteren Übergabe zur Vollstreckung des anderen Europäischen Haftbefehls zu entscheiden, wenn die Übergabe an den Ausstellungsstaat unter Vorbehalt der Spezialität stattfindet.

(3) Diese Entscheidungen sind allen beteiligten Mitgliedstaaten bekannt zu geben.

Zusammentreffen eines Europäischen Haftbefehls mit einem Auslieferungsersuchen

§ 23. (1) Liegen ein Europäischer Haftbefehl und zumindest ein Auslieferungsersuchen eines Drittstaats vor, so hat der Bundesminister für Justiz unter Abwägung aller Umstände nach § 22 Abs. 1 und nach Maßgabe der anwendbaren völkerrechtlichen Vereinbarungen zu entscheiden, ob dem Europäischen Haftbefehl oder dem Auslieferungsersuchen der Vorrang einzuräumen ist.

(2) Das Gericht hat über die Vollstreckung des Europäischen Haftbefehls zu entscheiden und den Beschluss der ausstellenden Justizbehörde mit dem Hinweis zu übermitteln, dass über den Vorrang des Europäischen Haftbefehls der Bundesminister für Justiz entscheiden wird. Das Gericht hat die Akten zusammen mit dem nach den Bestimmungen des ARHG zu fassenden Beschluss über die Zulässigkeit der Auslieferung oder der Zustimmung zur vereinfachten Auslieferung dem Bundesministerium für Justiz vorzulegen. Die Verständigung des Ausstellungsstaats von der Entscheidung des Bundesministers für Justiz erfolgt durch das Gericht.

Durchführung der Übergabe

§ 24. (1) Für die Durchführung der Übergabe der betroffenen Person gilt § 36 ARHG nach Maßgabe der folgenden Bestimmungen. Hinsichtlich der Notwendigkeit von Reisedokumenten gilt § 7 ARHG.

(2) Erfolgt die Übergabe an einen Nachbarstaat oder liegen bereits die erforderlichen Durchlieferungsbewilligungen vor, so hat das Gericht unter gleichzeitiger Verständigung der ausstellenden Justizbehörde anzuordnen, dass die betroffene Person binnen 10 Tagen nach Rechtskraft der Bewilligung der Übergabe an einem bestimmten Grenzübergang oder vereinbarten Übergabeort den Behörden des Nachbarstaats übergeben wird. In allen übrigen Fällen hat das Gericht die ausstellende Justizbehörde unverzüglich schriftlich aufzufordern, die betroffene Person binnen 10 Tagen ab Rechtskraft der Bewilligung der Übergabe zu übernehmen sowie Zeitpunkt und Ort der Abholung vorzuschlagen. Diese Aufforderung ist auch dem Bundesministerium für Inneres (Bundeskriminalamt) unverzüglich zu übermitteln.

(3) Wird die betroffene Person nicht binnen 10 Tagen ab Rechtskraft der Bewilligung der Übergabe übernommen, so ist sie freizulassen, es sei denn, dass binnen dieser Frist ein späterer Übergabetermin vereinbart wurde oder Umstände vorliegen, die sich dem Einfluss der beteiligten Mitgliedstaaten entziehen. Liegen solche Umstände vor, so hat das Gericht die ausstellende Justizbehörde abermals im Sinne des Abs. 2 schriftlich aufzufordern, die betroffene Person binnen 10 Tagen ab Wegfall des Hindernisses zu übernehmen und einen Vorschlag für die Übergabe zu erstatten. Wird die Person nicht binnen dieser Frist übernommen, so ist sie freizulassen.

(4) Die Ausfolgung von Gegenständen im Zusammenhang mit der Vollstreckung eines Europäischen Haftbefehls richtet sich nach §§ 25 und 41 ARHG, soweit diese Gegenstände nicht zur persönlichen Habe der betroffenen Person gehören. Unterliegen im Inland befindliche Gegenstände der Konfiskation oder der Einziehung, so dürfen diese Gegenstände dem Ausstellungsstaat nur unter der Bedingung übergeben

werden, dass sie spätestens nach Abschluss des Strafverfahrens kostenlos zurückgegeben werden.

Aufschub der Übergabe

§ 25. (1) Das Gericht hat auf Antrag der betroffenen Person oder der Staatsanwaltschaft oder von Amts wegen die Übergabe aufzuschieben, wenn

1. die betroffene Person nicht transportfähig ist oder ernsthafte Gründe für die Annahme vorliegen, dass die Durchführung der Übergabe eine Gefährdung für Leib oder Leben der betroffenen Person nach sich ziehen könnte,

(Anm.: Z 2 aufgehoben durch BGBl. I Nr. 112/2007)

3. sich die betroffene Person in Untersuchungshaft befindet,

4. die Anwesenheit der auf freiem Fuß befindlichen Person für ein inländisches Strafverfahren unbedingt erforderlich ist,

5. die betroffene Person in finanzbehördlicher Untersuchungshaft zu halten ist, oder

6. an der betroffenen Person eine von einem Gericht oder einer Verwaltungsbehörde verhängte Freiheitsstrafe oder mit Freiheitsentziehung verbundene vorbeugende Maßnahme zu vollziehen ist.

(2) Wird von der Verfolgung oder von der Vollstreckung wegen Übergabe abgesehen (§ 192 Abs. 1 Z 2 StPO, §§ 4 und 157 Abs. 1 des Strafvollzugsgesetzes) und sind alle Aufschubsgründe nach Abs. 1 weggefallen, so ist die Person nach Maßgabe des § 24 unverzüglich zu übergeben.

Bedingte Übergabe

§ 26. (1) Wurde ein Aufschub der Übergabe nach § 25 Abs. 1 Z 6 angeordnet, so kann die betroffene Person der ausstellenden Justizbehörde zur Durchführung bestimmter Verfahrenshandlungen in jenem Verfahren vorläufig übergeben werden, für das die Vollstreckung des Europäischen Haftbefehls bewilligt wurde, insbesondere zur Hauptverhandlung und Urteilsfällung, wenn die Rückstellung der Person nach Durchführung der Verfahrenshandlungen zugesichert und eine schriftliche Vereinbarung nach Abs. 3 abgeschlossen wird. Die vorläufige Übergabe hat zu unterbleiben, wenn sie unangemessene Nachteile für die betroffene Person zur Folge hätte.

(2) Die vorläufige Übergabe unterbricht den Vollzug der inländischen Freiheitsstrafe oder vorbeugenden Maßnahme nicht.

(3) Die Vereinbarung hat zumindest zu enthalten:

1. die Bezeichnung jener Verfahrenshandlungen, zu deren Zweck die bedingte Übergabe stattfinden soll;

2. die Verpflichtung zur ehestmöglichen Rückstellung der betroffenen Person nach Durchführung der Verfahrenshandlungen;

3. eine Befristung, nach deren Ablauf die betroffene Person jedenfalls rückzustellen ist, sofern nicht vor Ablauf dieser Frist eine Verlängerung der bedingten Übergabe vereinbart worden ist;

4. die Verpflichtung, die übergebene Person weiterhin in Haft zu halten und nur auf Anordnung des zuständigen Gerichts des Vollstreckungsstaats freizulassen;

5. eine Bestimmung, dass die bedingte Übergabe den Vollzug der im Vollstreckungsstaat verhängten Freiheitsstrafe oder vorbeugenden Maßnahme nicht unterbricht und die im Ausstellungsstaat in Haft zugebrachten Zeiten ausschließlich im Verfahren des Vollstreckungsstaats angerechnet werden;

6. eine Bestimmung, dass alle Kosten im Zusammenhang mit der bedingten Übergabe vom Ausstellungsstaat zu tragen sind.

(4) Besteht Anlass eine bedingte Übergabe aus einem anderen Mitgliedstaat zu erwirken, hat das Gericht auf Antrag der Staatsanwaltschaft mit der vollstreckenden Justizbehörde eine schriftliche Vereinbarung nach Abs. 3 abzuschließen.

Nachträgliches Übergabeverfahren

§ 27a. (1) Ersucht nach rechtskräftiger Bewilligung der Übergabe (§ 21) derselbe Mitgliedstaat um Zustimmung zur Verfolgung wegen anderer, vor der Übergabe begangener strafbarer Handlungen oder zur Vollstreckung einer wegen derartiger Handlungen verhängten Freiheitsstrafe oder mit Freiheitsentziehung verbundenen vorbeugenden Maßnahme, oder wird von diesem Mitgliedstaat ein Europäischer Haftbefehl eines anderen Mitgliedstaats mit dem Ersuchen um Zustimmung zur weiteren Übergabe an den anderen Mitgliedstaat übermittelt, so hat das Gericht, das über die Vollstreckung des Europäischen Haftbefehls entschieden hat, auf Antrag der Staatsanwaltschaft die Zustimmung zur weiteren Verfolgung oder weiteren Übergabe zu erteilen, wenn die Voraussetzungen für eine Übergabe nach dem Zweiten Abschnitt des II. Hauptstücks dieses Bundesgesetzes vorliegen. Die Staatsanwaltschaft hat die ausstellende Justizbehörde zur Übermittlung eines Protokolls über die Erklärung der betroffenen Person zum Ersuchen oder zum Europäischen Haftbefehl aufzufordern, wenn dieses nicht übermittelt und die betroffene Person bereits übergeben wurde.

(2) Die Verfahrensvorschriften über die Zulässigkeit der Auslieferung nach § 31 Abs. 1 erster Satz, Abs. 2 bis 5 und Abs. 6 erster und dritter Satz ARHG gelten sinngemäß; eine Verhandlung findet jedoch nicht statt, wenn die betroffene Person bereits übergeben wurde.

(3) Die in § 21 Abs. 1 und 2 angeführten Fristen gelten sinngemäß.

(4) Wird nach rechtskräftiger Bewilligung der Übergabe (§ 21) aus demselben Mitgliedstaat ein Auslieferungsersuchen eines Drittstaats mit dem Ersuchen um Zustimmung zur Weiterlieferung der betroffenen Person übermittelt, ist § 40 ARHG anzuwenden. Die Staatsanwaltschaft hat die Justizbehörde des anderen Mitgliedstaats zur Übermittlung eines Protokolls über die Erklärung der betroffenen Person zum Ersuchen um Weiterlieferung aufzufordern, wenn dieses nicht übermittelt und die betroffene Person bereits übergeben wurde.

Kosten

§ 28. Kosten, die durch die Vollstreckung des Europäischen Haftbefehls im Inland entstehen, hat die Republik Österreich zu tragen. Alle sonstigen Kosten, einschließlich der Kosten der bedingten Übergabe, gehen zu Lasten des Ausstellungsstaats.

Vierter Abschnitt

Erwirkung der Vollstreckung eines Europäischen Haftbefehls

Fahndung

§ 29. (1) Die Staatsanwaltschaft ordnet die Festnahme mittels eines gerichtlich bewilligten Europäischen Haftbefehls an und veranlasst gegebenenfalls die Ausschreibung der gesuchten Person im Schengener Informationssystem gemäß Art. 95 SDÜ im Wege der zuständigen Sicherheitsbehörden, wenn Anlass für die Einleitung einer Personenfahndung zur Festnahme in zumindest einem Mitgliedstaat besteht. Kann durch eine Ausschreibung im Schengener Informationssystem die Fahndung nicht in allen Mitgliedstaaten erreicht werden, so sind auch die Dienste der Internationalen Kriminalpolizeilichen Organisation- INTERPOL in Anspruch zu nehmen.

(2) Die Staatsanwaltschaft hat den Europäischen Haftbefehl samt der gerichtlichen Bewilligung unmittelbar der zuständigen vollstreckenden Justizbehörde zu übermitteln, wenn der Aufenthaltsort der gesuchten Person in einem Mitgliedstaat bekannt ist oder bestimmte Anhaltspunkte für einen solchen Aufenthaltsort bestehen.

(2a) Nach Einbringung der Anklage ist die Festnahme mittels eines Europäischen Haftbefehls auf Antrag der Staatsanwaltschaft durch das Gericht anzuordnen. Die Übermittlung des Europäischen Haftbefehls an die zuständige vollstreckende Justizbehörde erfolgt in diesen Fällen ebenfalls durch das Gericht.

(2b) Die Übermittlung des Europäischen Haftbefehls nach Abs. 2 und 2a kann mit dem Ersuchen verbunden werden, den Beschuldigten oder Angeklagten

1. zu vernehmen, wobei darum ersucht werden kann, sinngemäß nach den §§ 55h und 55k vorzugehen, oder

2. vorübergehend zu überstellen, wobei zuzusagen ist, dass seine Anwesenheit bei der Verhandlung über die Zulässigkeit der Übergabe gewährleistet werden wird.

(3) Macht ein Mitgliedstaat die Vollstreckung eines Europäischen Haftbefehls, der von einer österreichischen Justizbehörde gegen eine Person erlassen wird, die Staatsangehörige dieses Mitgliedstaats ist oder ihren Wohnsitz oder ständigen Aufenthalt in diesem Mitgliedstaat hat, von der Zusicherung abhängig, dass die von der Übergabe betroffene Person nach ihrer Anhörung zum Vollzug einer vom österreichischen Gericht verhängten Freiheitsstrafe oder mit Freiheitsentziehung verbundenen vorbeugenden Maßnahme in diesen Mitgliedstaat rücküberstellt wird, so hat das Gericht auf Antrag der Staatsanwaltschaft diese Zusicherung abzugeben, wenn weiterhin Anlass besteht, den Europäischen Haftbefehl in diesem Mitgliedstaat zu vollstrecken. Diese Zusicherung ist für die österreichischen Justizbehörden bindend.

Inhalt und Form des Europäischen Haftbefehls

§ 30. (1) Der Europäische Haftbefehl ist unter Verwendung des Formblatts laut Anhang II dieses Bundesgesetzes auszufertigen und hat die dort angeführten Angaben zu enthalten.

(2) Der Europäische Haftbefehl ist in die oder eine der Amtssprachen des Vollstreckungsstaats zu übersetzen.

(3) Wenn Mitgliedstaaten den Europäischen Haftbefehl auch in anderen als ihren eigenen Amtssprachen akzeptieren, hat der Bundesminister für Justiz dies durch Verordnung zu verlautbaren.

Recht auf einen Verteidiger

§ 30a. (1) Eine Person, die aufgrund eines von einer österreichischen Justizbehörde erlassenen Europäischen Haftbefehls festgenommen wurde, hat das Recht, einen Verteidiger zu bevollmächtigen.

(2) Teilt die vollstreckende Justizbehörde mit, dass die betroffene Person von diesem Recht Gebrauch machen will, hat die Staatsanwaltschaft unverzüglich die betroffene Person über die Möglichkeit der Beiziehung eines Verteidigers in Bereitschaft (§ 59 Abs. 4 StPO) und Möglichkeiten zur Bevollmächtigung eines Verteidigers sowie die Voraussetzungen, unter denen ein Verfahrenshilfeverteidiger beigegeben werden kann (§ 61 Abs. 2 StPO), zu informieren.

(3) Ist der Person ein Verfahrenshilfeverteidiger nach § 61 Abs. 2 StPO beigegeben, so umfasst dessen Tätigkeit erforderlichenfalls auch die Unterstützung ihres Verteidigers im Vollstreckungsstaat.

Spezialität und weitere Übergabe oder Weiterlieferung

§ 31. (1) Eine Person, die auf Grund eines von einer österreichischen Justizbehörde erlassenen Europäischen Haftbefehls an Österreich übergeben wurde, darf ohne die Zustimmung des Vollstreckungsstaats wegen einer vor ihrer Übergabe begangenen anderen Handlung, auf die sich der Europäische Haftbefehl nicht erstreckt hat, weder verfolgt noch verurteilt noch einer Freiheitsstrafe oder mit Freiheitsentziehung verbundenen vorbeugenden Maßnahme unterworfen noch auf Grund eines weiteren Europäischen Haftbefehls an einen anderen Mitgliedstaat übergeben werden. Eine Weiterlieferung an einen Drittstaat bedarf immer der Zustimmung des Vollstreckungsstaats.

(2) Die Spezialität der Übergabe findet keine Anwendung, wenn

1. die Person innerhalb von 45 Tagen nach ihrer endgültigen Freilassung das Gebiet der Republik Österreich nicht verlassen hat, obwohl sie es verlassen konnte und durfte,

2. die Person das Gebiet der Republik Österreich verlassen hat und freiwillig zurückkehrt oder aus einem dritten Staat rechtmäßig zurückgebracht wird,

3. die zu verfolgende Tat weder mit Freiheitsstrafe noch mit einer mit Freiheitsentziehung verbundenen vorbeugenden Maßnahme bedroht ist oder die Strafverfolgung nicht zur Anwendung einer die persönliche Freiheit beschränkenden Maßnahme führt,

4. gegen die Person eine nicht mit Freiheitsentziehung verbundene Strafe oder Maßnahme, insbesondere eine Geldstrafe oder eine vermögensrechtliche Anordnung, vollstreckt wird, selbst wenn diese Vollstreckung insbesondere durch den Vollzug einer Ersatzfreiheitsstrafe zu einer Einschränkung der persönlichen Freiheit führt,

5. die Person nach ihrer Übergabe ausdrücklich auf die Beachtung des Grundsatzes der Spezialität verzichtet oder der Verfolgung wegen bestimmter vor der Übergabe begangener strafbarer Handlungen zustimmt,

6. die Person vor der vollstreckenden Justizbehörde ihrer Übergabe zugestimmt und ausdrücklich auf die Beachtung des Grundsatzes der Spezialität verzichtet hat, oder

7. die vollstreckende Justizbehörde auf die Einhaltung des Grundsatzes der Spezialität verzichtet oder ihre Zustimmung zur Verfolgung wegen anderer vor der Übergabe begangener strafbarer Handlungen erteilt hat.

(3) Der Verzicht auf die Beachtung des Grundsatzes der Spezialität oder die Zustimmung zur Verfolgung wegen bestimmter vor der Übergabe begangener strafbarer Handlungen nach Abs. 2 Z 5 ist nur wirksam, wenn die betroffene Person diese Erklärungen in einem von der Staatsanwaltschaft oder dem Gericht aufgenommenen Protokoll abgibt. Die betroffene Person ist über die Wirkungen des Verzichts und der Zustimmung zu belehren sowie darauf hinzuweisen, dass es ihr freistehe, sich zuvor mit einem Verteidiger zu verständigen.

(4) Liegen Ausnahmen nach Abs. 2 nicht vor und besteht Anlass, die betroffene Person auch wegen Taten zu verfolgen oder gegen die betroffene Person eine Freiheitsstrafe oder eine mit Freiheitsentziehung verbundene vorbeugende Maßnahme zu vollstrecken, auf die sich der Europäische Haftbefehl nicht erstreckt, so ist zwecks Ergänzung des bereits erlassenen Europäischen Haftbefehls mit Anordnung auf Grund gerichtlicher Bewilligung ein neuer Europäischer Haftbefehl zu erlassen, der die Angaben nach Anhang II zu enthalten hat; dieser ist der vollstreckenden Justizbehörde unter Anschluss eines von der Staatsanwaltschaft oder dem Gericht aufgenommenen Protokolls über die Erklärung der betroffenen Person mit dem Ersuchen um Erteilung der Zustimmung zu übermitteln. § 70 Abs. 3 und 4 ARHG gilt sinngemäß.

(5) Liegen Ausnahmen nach Abs. 2 nicht vor und ersucht ein anderer Mitgliedstaat um die Vollstreckung eines Europäischen Haftbefehls, so ist dieser Haftbefehl der vollstreckenden Justizbehörde mit dem Ersuchen um Erteilung der Zustimmung zur weiteren Übergabe zu übermitteln.

(6) Ersucht ein Drittstaat um die Auslieferung der übergebenen Person, so hat das Gericht auf Antrag der Staatsanwaltschaft die vollstreckende Justizbehörde immer um ihre Zustimmung zu dieser Weiterlieferung zu ersuchen, sofern die Zustimmung des Vollstreckungsstaats nicht nach Abs. 7 als erteilt gilt. Dieses Ersuchen hat das Gericht vor der Vorlage der Akten an den Bundesminister für Justiz nach § 32 Abs. 4 ARHG oder vor seiner Entscheidung nach § 31 ARHG zu stellen. Dem Ersuchen sind Ausfertigungen der Auslieferungsunterlagen des Drittstaats sowie ein mit der betroffenen Person aufgenommenes gerichtliches Protokoll über ihre Erklärungen zum Auslieferungsersuchen anzuschließen.'

(7) Der Bundesminister für Justiz hat durch Verordnung eine Liste jener Mitgliedstaaten zu verlautbaren, die dem Generalsekretär des Rates der Europäischen Union mitgeteilt haben, dass in ihren Beziehungen zu anderen Mitgliedstaaten, die eine gleiche Mitteilung gemacht haben, die Zustimmung zur weiteren Verfolgung, Verurteilung oder Vollstreckung einer Freiheitsstrafe oder mit Freiheitsentziehung verbundenen vorbeugenden Maßnahme oder zur Übergabe an einen anderen Mitgliedstaat als erteilt gilt, sofern die vollstreckende Justizbehörde im Einzelfall in ihrer Übergabeentscheidung keine anders lautende Erklärung abgibt.

(8) Wurde die betroffene Person zuvor von einem Drittstaat nach Österreich ausgeliefert und stehen der weiteren Übergabe die Bestimmungen der Spezialität oder Bedingungen entgegen, die der Drittstaat anlässlich der Auslieferung gestellt hat und die die Republik Österreich übernommen hat, so hat die Staatsanwaltschaft unverzüglich die ausstellende Justizbehörde unter Hinweis auf das der Übergabe entgegenstehende Hindernis um die Übermittlung der für die Erwirkung der Auslieferung erforderlichen Unterlagen unter Anschluss einer Übersetzung in eine vom Drittstaat akzeptierte Sprache zu ersuchen. Nach deren Einlangen

sind diese der Bundesministerin für Justiz zur Erwirkung der Zustimmung des Drittstaats zur Übergabe vorzulegen. Die in den §§ 20 und 21 vorgesehenen Fristen beginnen erst an dem Tag zu laufen, an dem die Spezialität oder die gestellten Bedingungen der Übergabe nicht mehr entgegenstehen.

Fünfter Abschnitt

Durchlieferung

Zulässigkeit der Durchlieferung

§ 32. (1) Die Durchlieferung einer Person durch das Gebiet der Republik Österreich an einen Mitgliedstaat wird auf Grund eines zuvor gestellten Ersuchens bewilligt.

(2) Die Durchlieferung bedarf keiner Bewilligung, wenn der Luftweg benützt werden soll und eine Zwischenlandung auf dem Gebiet der Republik Österreich nicht vorgesehen ist. Im Fall einer außerplanmäßigen Zwischenlandung wird die Durchlieferung auf Grund eines vom Ausstellungsstaat zu stellenden Ersuchens bewilligt.

(3) Ein inländischer Strafanspruch gegen die durchzuliefernde Person steht einer Durchlieferung nicht entgegen. Die Staatsanwaltschaft hat jedoch in diesem Fall zu prüfen, ob Anlass besteht, die weitere Übergabe oder Auslieferung der durchzuliefernden Person zu begehren oder den Ausstellungsstaat um die Übernahme der Strafverfolgung zu ersuchen.

(4) Die Bestimmungen über die Durchlieferung gelten sinngemäß auch auf Ersuchen um Durchbeförderung von Personen durch das Gebiet der Republik Österreich in einen Mitgliedstaat zum Zweck der Übernahme der Strafverfolgung.

Durchlieferung österreichischer Staatsbürger

§ 33. (Verfassungsbestimmung) (1) Die Durchlieferung österreichischer Staatsbürger durch das Gebiet der Republik Österreich ist nur nach Maßgabe der Bestimmungen dieses Bundesgesetzes zulässig.

(2) Die Durchlieferung österreichischer Staatsbürger zum Zweck der Vollstreckung einer Freiheitsstrafe oder einer mit Freiheitsentziehung verbundenen vorbeugenden Maßnahme ist unzulässig.

(3) Die Durchlieferung österreichischer Staatsbürger hat immer unter der Bedingung zu erfolgen, dass der österreichische Staatsbürger nach Gewährung rechtlichen Gehörs zur Vollstreckung der vom Gericht des Ausstellungsstaats verhängten Freiheitsstrafe oder mit Freiheitsentziehung verbundenen vorbeugenden Maßnahme nach Österreich rücküberstellt wird.

Durchlieferung von Unionsbürgern

§ 33a. Nach § 33 Abs. 2 und 3 ist auch vorzugehen, wenn der Europäische Haftbefehl gegen einen Unionsbürger ausgestellt wurde und

1. der Unionsbürger seinen Wohnsitz oder ständigen Aufenthalt im Inland hat,

2. davon auszugehen ist, dass die Vollstreckung einer Freiheitsstrafe im Inland der Erleichterung der Resozialisierung und der Wiedereingliederung des Verurteilten in die Gesellschaft dient, und

3. er sein Recht auf Aufenthalt nicht durch ein Verhalten verwirkt hat, das eine tatsächliche, gegenwärtige und erhebliche Gefahr für die öffentliche Ordnung oder Sicherheit darstellt.

Durchlieferungsunterlagen

§ 34. (1) Die Durchlieferung ist ausschließlich an Hand des Inhalts des Ersuchens zu prüfen. Dieses Ersuchen hat folgende Angaben zu enthalten:

1. die Identität und die Staatsangehörigkeit der betroffenen Person,

2. das Vorliegen eines Europäischen Haftbefehls oder eines Auslieferungsersuchens,

3. die Art und die rechtliche Würdigung der Straftat,

4. die Beschreibung der Umstände, unter denen die Straftat begangen wurde, einschließlich der Tatzeit und des Tatorts.

(2) Der Bundesminister für Justiz kann vom ersuchenden Staat eine Ergänzung der Unterlagen verlangen und hiefür eine angemessene Frist bestimmen. Bei fruchtlosem Ablauf dieser Frist ist auf Grund der vorhandenen Unterlagen zu entscheiden.

(3) Für die Durchführung der Durchlieferung gilt § 49 ARHG.

Entscheidung über die Durchlieferung

§ 35. Über die Durchlieferung entscheidet der Bundesminister für Justiz im Einvernehmen mit dem Bundesminister für Inneres. Er hat seine Entscheidung unmittelbar der ersuchenden Behörde zu übermitteln.

Erwirkung der Durchlieferung

§ 36. (1) Besteht auf Grund eines inländischen Europäischen Haftbefehls Anlass zur Durchlieferung durch einen Mitgliedstaat, so hat das Gericht oder die Staatsanwaltschaft die in § 34 bezeichneten Unterlagen der zuständigen Behörde dieses Mitgliedstaats mit dem Ersuchen um Bewilligung zu übermitteln. Der Bundesminister für Justiz hat durch Verordnung eine Liste der für die Entgegennahme von Ersuchen um Durchlieferung zuständigen Behörden der Mitgliedstaaten zu verlautbaren.

(2) Besteht Anlass, einen Mitgliedstaat auf Grund eines Auslieferungsersuchens um die Durchlieferung einer Person aus einem Drittstaat zu ersuchen, so sind dem Bundesministerium für Justiz die in § 34 bezeichneten Unterlagen zur Erwirkung der Durchlieferung vorzulegen.

Kosten der Durchlieferung

§ 37. Ein Ersatz für die Kosten einer Durchlieferung durch das Gebiet der Republik Österreich ist vom ersuchenden Mitgliedstaat nur zu verlangen, wenn dieser nicht die Kosten eines gleichartigen österreichischen Ersuchens selbst tragen würde. Über die Gegenseitigkeit ist im Zweifelsfall eine Auskunft des Bundesministers für Justiz einzuholen.

III. Hauptstück

Anerkennung und Vollstreckung justizieller Entscheidungen

Erster Abschnitt

Vollstreckung von Freiheitsstrafen und mit Freiheitsentziehung verbundenen vorbeugenden Maßnahmen

Erster Unterabschnitt

Vollstreckung von Entscheidungen anderer Mitgliedstaaten

Voraussetzungen

§ 39. (1) Eine über eine natürliche Person, die sich entweder im Ausstellungsstaat oder im Inland befindet, von einem Gericht eines anderen Mitgliedstaats nach Durchführung eines Strafverfahrens rechtskräftig verhängte lebenslange oder zeitliche Freiheitsstrafe oder mit Freiheitsentziehung verbundene vorbeugende Maßnahme wird unter folgenden Voraussetzungen nach den Bestimmungen dieses Unterabschnitts vollstreckt:

1. unabhängig von der Zustimmung des Verurteilten, wenn dieser

a) die österreichische Staatsbürgerschaft besitzt und seinen Wohnsitz oder ständigen Aufenthalt im Inland hat;

b) seinen Wohnsitz oder ständigen Aufenthalt im Inland hat und dorthin im Hinblick auf das gegen ihn im Ausstellungsstaat anhängige Strafverfahren oder das in diesem Staat ergangene Urteil geflohen oder sonst zurückgekehrt ist;

c) aufgrund eines Ausweisungsbescheides, einer Abschiebungsanordnung oder eines Aufenthaltsverbotes, unabhängig davon, ob diese Entscheidung im Urteil oder einer infolge des Urteils getroffenen gerichtlichen oder verwaltungsbehördlichen Entscheidung enthalten ist, nach Beendigung des Straf- oder Maßnahmenvollzuges nach Österreich abgeschoben würde;

2. mit Zustimmung des Verurteilten und nur im Verhältnis zu jenen Mitgliedstaaten, die eine entsprechende Erklärung abgegeben haben, wenn der Verurteilte nicht die österreichische Staatsbürgerschaft besitzt, jedoch seit mindestens fünf Jahren ununterbrochen seinen rechtmäßigen Aufenthalt im Inland hat und sein Recht auf Daueraufenthalt oder auf langfristigen Aufenthalt in Österreich aufgrund der Verurteilung nicht verliert; oder

3. mit Zustimmung des Verurteilten, wenn aufgrund bestimmter Umstände Bindungen des Verurteilten zu Österreich von solcher Intensität bestehen, dass davon auszugehen ist, dass die Vollstreckung im Inland der Erleichterung der Resozialisierung und der Wiedereingliederung des Verurteilten in die Gesellschaft dient, selbst wenn die Voraussetzungen nach Z 1 und 2 nicht vorliegen, sofern der Verurteilte sein Aufenthaltsrecht in Österreich aufgrund der Verurteilung nicht verliert.

(2) Die Bundesministerin für Justiz hat durch Verordnung zu verlautbaren, welche Mitgliedstaaten eine Erklärung nach Abs. 1 Z 2 abgegeben haben.

Unzulässigkeit der Vollstreckung

§ 40. Die Vollstreckung einer von einem Gericht eines anderen Mitgliedstaats rechtskräftig verhängten Freiheitsstrafe oder mit Freiheitsentziehung verbundenen vorbeugenden Maßnahme ist auch bei Vorliegen der Voraussetzungen nach § 39 Abs. 1 unzulässig,

1. wenn die dem Urteil zugrunde liegende Tat nach österreichischem Recht nicht gerichtlich strafbar ist; für fiskalische strafbare Handlungen ist § 12 sinngemäß anzuwenden;

2. wenn zum Zeitpunkt des Einlangens der in § 41a Abs. 1 angeführten Unterlagen beim zuständigen Gericht weniger als sechs Monate der verhängten Freiheitsstrafe oder mit Freiheitsentziehung verbundenen vorbeugenden Maßnahme zu vollstrecken sind , wobei mehrere Freiheitsstrafen oder ihre zu vollstreckenden Reste zusammenzurechnen sind;

3. wenn die dem Urteil zugrunde liegende Tat zur Gänze oder zu einem großen oder wesentlichen Teil im Inland oder an Bord eines österreichischen Schiffs oder Luftfahrzeugs begangen wurde und die Staatsanwaltschaft entschieden hat, das Verfahren wegen derselben Tat einzustellen oder die Person sonst außer Verfolgung zu setzen;

4. wenn gegen den Verurteilten wegen der dem Urteil zugrunde liegenden Tat ein rechtskräftiges Urteil im Inland oder ein rechtskräftiges, bereits vollstrecktes Urteil in einem anderen Staat ergangen ist;

5. wenn die dem Urteil zugrunde liegende Tat von einer Person begangen wurde, die nach österreichischem Recht zur Zeit der Tat strafunmündig war;

6. wenn die Vollstreckbarkeit der verhängten Freiheitsstrafe oder der mit Freiheitsentziehung verbundenen vorbeugenden Maßnahme nach österreichischem Recht verjährt ist;

7. soweit dem Verurteilten im Inland oder im Ausstellungsstaat Amnestie oder Begnadigung gewährt worden ist;

8. soweit die Vollstreckung gegen Bestimmungen über die Immunität verstoßen würde;

9. wenn das Urteil in Abwesenheit des Verurteilten ergangen ist, es sei denn, dass aus der Bescheinigung hervorgeht, dass dieser im Einklang mit den Verfahrensvorschriften des Ausstellungsstaats

a) fristgerecht durch persönliche Ladung oder auf andere Weise von Zeit und Ort der Verhandlung, die zu dem Urteil geführt hat, tatsächlich Kenntnis erlangt hat und darüber belehrt worden ist, dass die Entscheidung in seiner Abwesenheit ergehen kann; oder

b) in Kenntnis der anberaumten Verhandlung einen selbst gewählten oder vom Gericht beigegebenen Verteidiger mit seiner Vertretung in der Verhandlung betraut hat und von diesem in der Verhandlung tatsächlich vertreten wurde; oder

c) nach Zustellung des in Abwesenheit ergangenen Urteils und nach Belehrung über das Recht, die Neudurchführung der Verhandlung zu beantragen oder ein Rechtsmittel zu ergreifen und auf diese Weise eine neuerliche Prüfung des Sachverhalts, auch unter Berücksichtigung neuer Beweise, in seiner Anwesenheit und eine Aufhebung der Entscheidung zu erreichen,

aa) ausdrücklich erklärt hat, keine Neudurchführung der Verhandlung zu beantragen oder kein Rechtmittel zu ergreifen, oder

bb) innerhalb der bestehenden Fristen keine Neudurchführung der Verhandlung beantragt oder kein Rechtsmittel ergriffen hat;

10. wenn die verhängte Freiheitsstrafe eine mit Freiheitsentziehung verbundene vorbeugende Maßnahme umfasst, die auch unter Berücksichtigung der in § 41b Abs. 3 und 4 vorgesehenen Herabsetzungs- oder Anpassungsmöglichkeit in Österreich nicht vollstreckt werden kann;

11. wenn der Ausstellungsstaat zu einem bis zur Entscheidung über die Vollstreckung gestellten Ersuchen gemäß § 41e Abs. 4 seine nach § 41e Abs. 2 Z 7 erforderliche Zustimmung dazu versagt, dass die verurteilte Person im Inland wegen einer vor der Überstellung begangenen anderen Straftat als derjenigen, die der Überstellung zugrunde liegt, verfolgt, verurteilt oder dem Vollzug einer Freiheitsstrafe oder einer mit Freiheitsentziehung verbundenen vorbeugenden Maßnahme unterworfen wird; oder

12. wenn objektive Anhaltspunkte dafür vorliegen, dass das Urteil unter Verletzung von Grundrechten oder wesentlichen Rechtsgrundsätzen im Sinne von Art. 6 des Vertrags über die Europäische Union zustande gekommen ist, insbesondere die Freiheitsstrafe oder die mit Freiheitsentziehung verbundene vorbeugende Maßnahme zum Zwecke der Bestrafung des Verurteilten aus Gründen seines Geschlechts, seiner Rasse, Religion, ethnischen Herkunft, Staatsangehörigkeit, Sprache, politischen Überzeugung oder sexuellen Ausrichtung verhängt worden ist, und der Verurteilte keine Möglichkeit hatte, diese Umstände vor dem Europäischen Gerichtshof für Menschenrechte oder vor dem Gerichtshof der Europäischen Union geltend zu machen.

Zuständigkeit

§ 40a. (1) Zur Entscheidung über die Vollstreckung der Freiheitsstrafe oder der mit Freiheitsentziehung verbundenen vorbeugenden Maßnahme ist das Landesgericht sachlich zuständig. Beträgt das Ausmaß der zu vollstreckenden Freiheitsstrafe oder der mit Freiheitsentziehung verbundenen vorbeugenden Maßnahme mindestens fünf Jahre, so entscheidet das Landesgericht als Senat von drei Richtern (§ 31 Abs. 6 StPO).

(2) Die örtliche Zuständigkeit richtet sich nach dem Ort, in dem die verurteilte Person ihren Wohnsitz oder Aufenthalt hat; befindet sie sich in gerichtlicher Haft im Inland, so ist der Haftort maßgebend. Ist nach diesen Bestimmungen die Zuständigkeit eines bestimmten Gerichts nicht feststellbar, so ist das Landesgericht für Strafsachen Wien zuständig.

(3) Ist das Gericht, das mit der Vollstreckung befasst worden ist, nicht zuständig, so tritt es die Sache an das zuständige Gericht ab.

Haft zur Sicherung der Vollstreckung

§ 41. (1) Auf Antrag der Staatsanwaltschaft kann das Gericht über den Verurteilten vor Übermittlung des Urteils samt Bescheinigung oder vor der Entscheidung über die Vollstreckung zur Sicherung der Vollstreckung die Haft verhängen, wenn

1. ein entsprechendes Ersuchen des Ausstellungsstaats vorliegt, der Verurteilte sich im Inland aufhält und die Vollstreckung nicht von vornherein unzulässig erscheint;

2. auf Grund bestimmter Tatsachen der dringende Verdacht besteht, dass sich der Verurteilte der Vollstreckung wegen des Ausmaßes der zu vollstreckenden Freiheitsstrafe oder mit Freiheitsentziehung verbundenen vorbeugenden Maßnahme entziehen werde; und

3. die Zustimmung des Verurteilten zur inländischen Vollstreckung nicht erforderlich ist.

(2) Auf das Verfahren zur Verhängung, Fortsetzung und Aufhebung einer Haft nach Abs. 1 sind die Bestimmungen über die Untersuchungshaft nach Einbringen der Anklage (§ 175 Abs. 5 StPO) sinngemäß anwendbar. Sie ist jedenfalls aufzuheben, wenn die Frist nach § 41a Abs. 4 abgelaufen ist oder die Vollstreckung eingestellt wird (§ 41f).

Verfahren

§ 41a. (1) Die Vollstreckung setzt voraus, dass dem Gericht

1. das zu vollstreckende Urteil;

2. die von der zuständigen Behörde des Ausstellungsstaats unterzeichnete Bescheinigung **(Anhang VII)** und, sofern der Ausstellungsstaat nicht die Erklärung abgegeben hat, als Vollstreckungsstaat Bescheinigungen auch in deutscher Sprache zu akzeptieren (§ 42b Abs. 5), deren Übersetzung in die deutsche Sprache;

3. die Stellungnahme des Verurteilten zur Übermittlung der in Z 1 und 2 angeführten Unterlagen oder das mit diesem aufgenommene Protokoll; und

4. für den Fall, dass sich der Verurteilte bereits im Inland befindet, das ausgefüllte Formblatt zur Unterrichtung der verurteilten Person **(Anhang VIII)**

übermittelt wird.

(2) Bei Vorliegen der Voraussetzungen nach § 39 Abs. 1 kann das inländische Gericht die zuständige Behörde des Ausstellungsstaats, gegebenenfalls über Ersuchen des Verurteilten, um Übermittlung der in Abs. 1 angeführten Unterlagen ersuchen.

(3) In den Fällen des § 39 Abs. 1 Z 3 hat das Gericht zunächst mit der zuständigen Behörde des Ausstellungsstaats Konsultationen über das Vorliegen der in dieser Bestimmung angeführten Voraussetzungen zu führen. Hat sich das Gericht aufgrund der Ergebnisse der Konsultationen davon überzeugt, dass die Vollstreckung im Inland der Erleichterung der Resozialisierung und der Wiedereingliederung des Verurteilten in die Gesellschaft dient, so ist die zuständige Behörde des Ausstellungsstaats unverzüglich davon in Kenntnis zu setzen, dass die Übermittlung der in Abs. 1 angeführten Unterlagen erfolgen kann.

(4) Wenn

1. die Bescheinigung nicht übermittelt worden, in wesentlichen Teilen unvollständig ist oder dem Urteil offensichtlich widerspricht; oder

2. Anhaltspunkte bestehen, dass die Voraussetzungen nach § 39 Abs. 1 nicht vorliegen oder dass einer der in § 40 Z 3, 4, 9, 10 und 12 angeführten Gründe für die Unzulässigkeit der Vollstreckung vorliegt,

ist die zuständige Behörde des Ausstellungsstaats um Nachreichung, Vervollständigung oder ergänzende Information binnen einer festzusetzenden angemessenen Frist mit dem Hinweis zu ersuchen, dass bei fruchtlosem Ablauf der Frist die Vollstreckung zur Gänze oder zum Teil verweigert und der Verurteilte freigelassen werden wird.

(5) Vor der Entscheidung ist der zuständigen Behörde des Ausstellungsstaats gegebenenfalls eine begründete Stellungnahme zu übermitteln, dass die Vollstreckung der Freiheitsstrafe oder der mit Freiheitsentziehung verbundenen vorbeugenden Maßnahme im Inland in den in § 39 Abs. 1 Z 1 und 2 angeführten Fällen nicht der Erleichterung der Resozialisierung und der Wiedereingliederung des Verurteilten in die Gesellschaft dient, insbesondere weil dessen Angehörige im Ausstellungsstaat oder in einem anderen (Mitglied)Staat wohnhaft sind oder weil der Verurteilte im Ausstellungsstaat oder in einem anderen (Mitglied)Staat einer Beschäftigung nachgeht. Teilt die zuständige Behörde des Ausstellungsstaats nach Prüfung dieser Stellungnahme mit, dass die Bescheinigung nicht zurückgezogen wird, so ist die Vollstreckung bei Vorliegen der sonstigen Voraussetzungen zu übernehmen.

(6) Vor der Entscheidung über die teilweise Unzulässigkeit der Vollstreckung ist die zuständige Behörde des Ausstellungsstaats um eine Mitteilung zu ersuchen, ob und gegebenenfalls unter welchen Bedingungen der teilweisen Vollstreckung zugestimmt wird oder ob die Bescheinigung zurückgezogen wird.

(7) Bei der Entscheidung über die Unzulässigkeit der Vollstreckung aus dem Grunde des § 40 Z 3 ist insbesondere zu berücksichtigen, ob die dem Urteil zugrunde liegende Tat zu einem großen oder zu einem wesentlichen Teil im Hoheitsgebiet des Ausstellungsstaats begangen wurde.

(8) Zu den Voraussetzungen der Vollstreckung (§§ 39 und 40) ist der Verurteilte unter Aushändigung des ausgefüllten Formblattes nach **Anhang VIII** zu hören, sofern er sich im Inland befindet.

(9) Auf den Geschäftsweg ist § 14 Abs. 1 bis 5 sinngemäß anwendbar.

Entscheidung

§ 41b. (1) Über die Vollstreckung ist mit Beschluss zu entscheiden. Der Beschluss hat die Bezeichnung des Gerichts, dessen Urteil vollstreckt wird, dessen Aktenzeichen, eine kurze Darstellung des Sachverhalts einschließlich Ort und Zeit der Tat, die Bezeichnung der strafbaren Handlung sowie die angewendeten Rechtsvorschriften des Ausstellungsstaats zu enthalten.

(2) Wird die Vollstreckung übernommen, so ist die im Inland zu vollstreckende Freiheitsstrafe oder mit Freiheitsentziehung verbundene vorbeugende Maßnahme vorbehaltlich der Bestimmungen der Abs. 3 und 4 in der Art und Dauer festzusetzen, die in dem zu vollstreckenden Urteil ausgesprochen ist. Die §§ 38 und 66 StGB gelten sinngemäß.

(3) Übersteigt die verhängte Freiheitsstrafe oder mit Freiheitsentziehung verbundene vorbeugende Maßnahme das nach österreichischem Recht für eine entsprechende Straftat oder für vergleichbare Straftaten vorgesehene Höchstmaß, so ist sie auf das nach österreichischem Recht für derartige Straftaten vorgesehene Höchstmaß herabzusetzen.

(4) Ist die verhängte Freiheitsstrafe oder mit Freiheitsentziehung verbundene vorbeugende Maßnahme nach ihrer Art nicht mit dem österreichischen Recht vereinbar, so ist sie an die nach österreichischem Recht für vergleichbare Straftaten vorgesehene Freiheitsstrafe oder mit Freiheitsentziehung verbundene vorbeugende Maßnahme anzupassen. Die angepasste Freiheitsstrafe oder mit Freiheitsentziehung verbunde-

ne vorbeugende Maßnahme muss soweit wie möglich der im Ausstellungsstaat verhängten Sanktion entsprechen und darf diese nicht verschärfen.

(5) Gegen den Beschluss steht der Staatsanwaltschaft und dem Verurteilten die binnen 14 Tagen einzubringende Beschwerde an das Oberlandesgericht offen.

(6) Für den Vollzug, die bedingte Entlassung und das Gnadenrecht gelten die Bestimmungen des österreichischen Rechts.

Aufschub der Entscheidung über die Vollstreckung

§ 41c. Die Entscheidung über die Vollstreckung der Freiheitsstrafe oder der mit Freiheitsentziehung verbundenen vorbeugenden Maßnahme ist aufzuschieben,

1. solange über eine zulässige Beschwerde (§ 41b Abs. 5) nicht rechtskräftig entschieden wurde;

2. für die Dauer der vom Gericht für erforderlich erachteten, auf seine Kosten anzufertigenden Übersetzung des zu vollstreckenden Urteils;

3. bis zum Einlangen der von der zuständigen Behörde des Ausstellungsstaats begehrten ergänzenden Informationen oder Unterlagen.

Fristen für die Entscheidung

§ 41d. Sofern kein Grund für den Aufschub der Entscheidung über die Vollstreckung nach § 41c vorliegt, ist über die Vollstreckung binnen 90 Tagen ab Einlangen der in § 41a Abs. 1 angeführten Unterlagen beim zuständigen Gericht zu entscheiden. Kann diese Frist in Ausnahmefällen nicht eingehalten werden, so hat das Gericht die zuständige Behörde des Ausstellungsstaats darüber unter Angabe der Gründe und der Zeit, die voraussichtlich für eine endgültige Entscheidung benötigt wird, in Kenntnis zu setzen.

Spezialität

§ 41e. (1) Eine Person, die nach den Bestimmungen dieses Abschnitts zur Vollstreckung der über sie im Ausstellungsstaat verhängten Freiheitsstrafe oder mit Freiheitsentziehung verbundenen vorbeugenden Maßnahme an Österreich überstellt wurde, darf vorbehaltlich des Abs. 2 wegen einer vor ihrer Überstellung begangenen anderen Handlung als derjenigen, die der Überstellung zugrunde liegt, weder verfolgt noch verurteilt noch der Vollstreckung einer Freiheitsstrafe oder einer mit Freiheitsentziehung verbundenen vorbeugenden Maßnahme unterworfen werden.

(2) Die Spezialität der Überstellung findet keine Anwendung, wenn

1. der Verurteilte innerhalb von 45 Tagen nach seiner endgültigen Freilassung das Gebiet der Republik Österreich nicht verlassen hat, obwohl er es verlassen konnte und durfte;

2. der Verurteilte das Gebiet der Republik Österreich verlassen hat und freiwillig zurückkehrt oder aus einem dritten Staat rechtmäßig zurückgebracht wird;

3. die zu verfolgende Tat weder mit Freiheitsstrafe noch mit einer mit Freiheitsentziehung verbundenen vorbeugenden Maßnahme bedroht ist oder die Strafverfolgung nicht zur Anwendung einer die persönliche Freiheit beschränkenden Maßnahme führt;

4. gegen den Verurteilten eine nicht mit Freiheitsentziehung verbundene Strafe oder Maßnahme, insbesondere eine Geldstrafe oder eine vermögensrechtliche Anordnung, vollstreckt wird, selbst wenn diese Vollstreckung, insbesondere durch den Vollzug einer Ersatzfreiheitsstrafe, zu einer Einschränkung der persönlichen Freiheit führt;

5. der Verurteilte der Überstellung zugestimmt hat;

6. der Verurteilte nach der Überstellung ausdrücklich auf die Beachtung des Grundsatzes der Spezialität verzichtet; oder

7. die zuständige Behörde des Ausstellungsstaats der Verfolgung, Verurteilung oder Vollstreckung der Freiheitsstrafe oder der mit Freiheitsentziehung verbundenen vorbeugenden Maßnahme zustimmt.

(3) Der Verzicht auf die Beachtung des Grundsatzes der Spezialität nach Abs. 1 Z 6 ist nur wirksam, wenn er vom Verurteilten gerichtlich zu Protokoll gegeben wird. Dabei ist dieser über die Wirkungen des Verzichts zu belehren und darauf hinzuweisen, dass es ihm freistehe, sich zuvor mit einem Verteidiger zu verständigen.

(4) Das Ersuchen um Zustimmung nach Abs. 1 Z 7, dem vorbehaltlich der Bestimmung des § 30 Abs. 3 eine Übersetzung in die oder eine der Amtssprachen des Vollstreckungsstaats anzuschließen ist, hat die in Betracht kommenden Angaben eines Europäischen Haftbefehls nach **Anhang II** zu enthalten. Es kann mit dem Hinweis versehen werden, dass die Zustimmung als erteilt angenommen wird, wenn die zuständige Behörde des Ausstellungsstaats nicht binnen 30 Tagen nach Eingang des Ersuchens eine Entscheidung oder sonstige Antwort übermittelt.

Einstellung der Vollstreckung

§ 41f. Teilt die zuständige Behörde des Ausstellungsstaats mit, dass das Urteil, mit dem eine Freiheitsstrafe oder eine mit Freiheitsentziehung verbundene vorbeugende Maßnahme verhängt wurde, oder seine Vollstreckbarkeit aufgehoben worden ist oder dass die Vollstreckung aus anderen Gründen nicht mehr begehrt werde, so ist die Vollstreckung einzustellen; entsprechendes gilt für den Fall der Zurückziehung der Bescheinigung **(Anhang VII)** durch die zuständige Behörde des Ausstellungsstaats.

Verständigung des Ausstellungsstaats

§ 41g. Das Gericht hat die zuständige Behörde des Ausstellungsstaats unverzüglich auf die in § 14 Abs. 3 angeführte Weise in Kenntnis zu setzen,

1. wenn es die Sache an das zuständige Gericht abgibt (§ 40a Abs. 3);

2. über entsprechendes Ersuchen in der Bescheinigung, von den Bestimmungen des österreichischen Rechts über die bedingte Entlassung unter Angabe des dafür in Betracht kommenden frühestmöglichen Zeitpunkts und der Dauer der Probezeit;

3. wenn die Sanktion nicht vollstreckt werden kann, weil die verurteilte Person nach Übermittlung der in § 41a Abs. 1 angeführten Unterlagen in Österreich nicht mehr auffindbar ist;

4. über die rechtskräftige Entscheidung über die Vollstreckung, unter Angabe des Zeitpunkts der Rechtskraft;

5. wenn die Vollstreckung zur Gänze oder zum Teil verweigert wird, unter Angabe der Gründe;

6. wenn die Freiheitsstrafe oder die mit Freiheitsentziehung verbundene vorbeugende Maßnahme herabgesetzt oder angepasst wird, unter Angabe der Gründe (§ 41b Abs. 3 und 4);

7. wenn die Sanktion wegen einer dem Verurteilten gewährten Amnestie oder Begnadigung nicht vollstreckt wird;

8. wenn der Verurteilte vor Beendigung des Vollzugs aus der Strafhaft geflohen ist; oder

9. wenn die Sanktion vollstreckt worden ist.

Kosten

§ 41h. Die durch die Vollstreckung eines ausländischen Urteils entstandenen Kosten sind mit Ausnahme der Kosten der Überstellung des Verurteilten nach Österreich und der ausschließlich im Hoheitsgebiet des Ausstellungsstaats entstandenen Kosten vom Bund zu tragen.

Durchbeförderung

§ 41i. (1) Die Durchbeförderung eines Verurteilten durch das Gebiet der Republik Österreich an einen anderen Mitgliedstaat wird auf Grund eines zuvor gestellten Ersuchens, dem eine Kopie der Bescheinigung **(Anhang VII)** anzuschließen ist und das auf die in § 14 Abs. 3 angeführte Weise übermittelt werden kann, bewilligt.

(2) Ist der Bescheinigung keine Übersetzung in die deutsche Sprache angeschlossen, so kann der um Durchbeförderung ersuchende Mitgliedstaat um Nachreichung einer Übersetzung der Bescheinigung in die deutsche oder englische Sprache ersucht werden.

(3) Die Durchbeförderung bedarf keiner Bewilligung, wenn der Luftweg benützt wird und eine Zwischenlandung auf dem Gebiet der Republik Österreich nicht vorgesehen ist. Im Fall einer außerplanmäßigen Zwischenlandung wird die Durchbeförderung auf Grund eines vom Ausstellungsstaat innerhalb von 72 Stunden zu übermittelnden Ersuchens, dem eine Kopie der Bescheinigung **(Anhang VII)** anzuschließen ist, bewilligt; Abs. 2 findet Anwendung.

(4) Ein inländischer Strafanspruch gegen die durchzubefördernde Person steht einer Durchbeförderung nicht entgegen. Die Staatsanwaltschaft hat jedoch in diesem Fall zu prüfen, ob Anlass besteht, die Übergabe der durchzubefördernden Person zu begehren oder den Vollstreckungsstaat um Übernahme der Strafverfolgung oder um Vollstreckung der im Inland verhängten Freiheitsstrafe oder mit Freiheitsentziehung verhängten vorbeugenden Maßnahme zu ersuchen.

(5) Über die Durchbeförderung entscheidet die Bundesministerin für Justiz im Einvernehmen mit der Bundesministerin für Inneres binnen 7 Tagen nach Einlangen des Ersuchens. Die Entscheidung ist bis zum Einlangen der nach Abs. 2 begehrten Übersetzung aufzuschieben. Sie ist der zuständigen Behörde des ersuchenden Staats unmittelbar auf die in § 14 Abs. 3 angeführte Weise zu übermitteln.

(6) Für die Dauer der Durchbeförderung ist die verurteilte Person in Haft zu halten. Auf die Durchführung der Durchbeförderung findet § 49 ARHG sinngemäß Anwendung.

(7) Der ersuchende Mitgliedstaat ist um Ersatz der Kosten der Durchbeförderung durch das Gebiet der Republik Österreich zu ersuchen, es sei denn, dass er die Kosten eines gleichartigen österreichischen Ersuchens selbst tragen würde. Über die Gegenseitigkeit ist im Zweifelsfall eine Auskunft der Bundesministerin für Justiz einzuholen.

Fälle des Europäischen Haftbefehls

§ 41j. Die Bestimmungen dieses Unterabschnitts mit Ausnahme der §§ 39, 40, 41 Abs. 1 Z 1 und 3, 41a Abs. 1 Z 3 und Abs. 2 bis 8, hinsichtlich der Fälle nach Z 2 auch mit Ausnahme des § 41e, finden mit der Maßgabe ebenfalls Anwendung, dass die Vollstreckung für den Fall der nicht fristgerechten Nachreichung, Ergänzung oder Berichtigung der Bescheinigung **(Anhang VII)** nicht verweigert werden darf:

1. wenn eine österreichische Justizbehörde um Vollstreckung eines Europäischen Haftbefehls gegen einen österreichischen Staatsbürger oder gegen einen Unionsbürger, hinsichtlich dessen die Voraussetzungen nach § 5a vorliegen, zum Vollzug einer Freiheitsstrafe oder einer mit Freiheitsentziehung verbundenen vorbeugenden Maßnahme ersucht wird und alle sonstigen Voraussetzungen für eine Übergabe des Betroffenen nach dem II. Hauptstück dieses Bundesgesetzes vorliegen (§ 5 Abs. 4), oder

2. wenn die Vollstreckung eines Europäischen Haftbefehls gegen einen österreichischen Staatsbürger unter der Bedingung der Rücküberstellung zum Voll-

zug der vom Gericht des Ausstellungsstaats verhängten Freiheitsstrafe oder der mit Freiheitsentziehung verbundenen vorbeugenden Maßnahme bewilligt wurde (§ 5 Abs. 5).

Zweiter Unterabschnitt

Erwirkung der Vollstreckung in einem anderen Mitgliedstaat

Voraussetzungen

§ 42. (1) Die Vollstreckung einer von einem inländischen Gericht nach Durchführung eines Strafverfahrens über eine natürliche Person, die sich entweder im Inland oder im Vollstreckungsstaat befindet, rechtskräftig verhängten lebenslangen oder zeitlichen Freiheitsstrafe oder mit Freiheitsentziehung verbundenen vorbeugenden Maßnahme, in einem anderen Mitgliedstaat ist unter folgenden Voraussetzungen nach den Bestimmungen dieses Unterabschnitts zu erwirken:

1. unabhängig von der Zustimmung des Verurteilten, wenn dieser

a) die Staatsangehörigkeit des Vollstreckungsstaats besitzt und in diesem Staat seinen Wohnsitz oder ständigen Aufenthalt hat;

b) seinen Wohnsitz oder ständigen Aufenthalt im Vollstreckungsstaat hat und dorthin im Hinblick auf das gegen ihn im Inland anhängige Strafverfahren oder das in Österreich ergangene Urteil geflohen oder sonst zurückgekehrt ist;

c) aufgrund eines Ausweisungsbescheides, einer Abschiebungsanordnung oder eines Aufenthaltsverbotes, unabhängig davon, ob diese Entscheidung im Urteil oder einer infolge des Urteils getroffenen gerichtlichen oder verwaltungsbehördlichen Entscheidung enthalten ist, nach Beendigung des Straf- oder Maßnahmenvollzuges in den Vollstreckungsstaat abgeschoben würde;

EU-JZG

2. mit Zustimmung des Verurteilten und sofern der Vollstreckungsstaat eine entsprechende Erklärung abgegeben hat, wenn der Verurteilte nicht die Staatsangehörigkeit des Vollstreckungsstaats besitzt, jedoch seit mindestens fünf Jahren ununterbrochen seinen rechtmäßigen Aufenthalt in diesem Staat hat und sein Recht auf Daueraufenthalt bzw. auf langfristigen Aufenthalt im Vollstreckungsstaat aufgrund der Verurteilung nicht verliert; oder

3. mit Zustimmung des Verurteilten und der zuständigen Behörde des Vollstreckungsstaats, wenn ungeachtet des Nichtvorliegens der Voraussetzungen nach Z 1 und 2 aufgrund bestimmter Umstände Bindungen des Verurteilten zum Vollstreckungsstaat von solcher Intensität bestehen, dass davon auszugehen ist, dass die Vollstreckung in diesem Staat der Erleichterung der sozialen Wiedereingliederung des Verurteilten dient.

(2) Die Bundesministerin für Justiz hat durch Verordnung zu verlautbaren, welche Mitgliedstaaten eine Erklärung nach Abs. 1 Z 2 abgegeben haben.

Rolle des Anstaltsleiters

§ 42a. Der Anstaltsleiter hat mit einem Verurteilten, bei dem die Voraussetzungen nach § 42 vorliegen oder voraussichtlich vorliegen werden, ohne unnötigen Aufschub nach seiner Einlieferung eine Niederschrift über dessen Erklärung zur Erwirkung der Vollstreckung der verhängten Freiheitsstrafe oder der mit Freiheitsentziehung verbundenen vorbeugenden Maßnahme im Vollstreckungsstaat aufzunehmen. In der Niederschrift ist der genaue Wohnsitz oder der ständige Aufenthalt des Verurteilten im Vollstreckungsstaat festzuhalten und gegebenenfalls anzugeben, ob gegen den Verurteilten aufgrund des inländischen Urteils bereits ein Ausweisungsbescheid oder eine Abschiebungsanordnung erlassen oder ein Aufenthaltsverbot verhängt wurde. Die Niederschrift ist dem Bundesministerium für Justiz zwecks Prüfung der Erwirkung der Vollstreckung vorzulegen.

Befassung eines anderen Mitgliedstaats

§ 42b. (1) Nach Vorlage der in § 42a angeführten Unterlage durch den Anstaltsleiter hat das Bundesministerium für Justiz zu prüfen, ob die Voraussetzungen nach § 42 vorliegen oder voraussichtlich vorliegen werden. Gegebenenfalls ist die Veranlassung der Vollstreckung der verhängten Freiheitsstrafe oder der mit Freiheitsentziehung verbundenen vorbeugenden Maßnahme durch die zuständige Behörde des Vollstreckungsstaats zu erwirken.

(2) Das Bundesministerium für Justiz hat vor Übermittlung der in Abs. 4 angeführten Unterlagen die zuständige Behörde des Vollstreckungsstaats auf jede geeignete Weise zu konsultieren, um die nach § 42 Abs. 1 Z 3 erforderliche Zustimmung einzuholen. Es hat dabei darzulegen, aus welchen Gründen die Vollstreckung der verhängten Freiheitsstrafe oder der mit Freiheitsentziehung verbundenen vorbeugenden Maßnahme im Vollstreckungsstaat der Erleichterung der Resozialisierung und der Wiedereingliederung des Verurteilten in die Gesellschaft dient.

(3) Von der Erwirkung der Vollstreckung der verhängten Freiheitsstrafe oder der mit Freiheitsentziehung verbundenen vorbeugenden Maßnahme im Vollstreckungsstaat kann im Einzelfall abgesehen werden, wenn aufgrund bestimmter Umstände Bindungen des Verurteilten zu Österreich von solcher Intensität bestehen, dass davon auszugehen ist, dass die Vollstreckung der verhängten Freiheitsstrafe oder der mit Freiheitsentziehung verbundenen vorbeugenden Maßnahme im Inland der Erleichterung der Resozialisierung und der Wiedereingliederung des Verurteilten in die Gesellschaft dient.

(4) Das Bundesministerium für Justiz hat der zuständigen Behörde des Vollstreckungsstaats

1. das Urteil samt Übersetzung, sofern eine solche für den ausländischen Verurteilten im Inlandsverfahren bereits angefertigt wurde;

2. eine ausgefüllte und unterzeichnete Bescheinigung **(Anhang VII)** mit dem Ersuchen um Bekanntgabe der anwendbaren Bestimmungen des Vollstreckungsstaats über die bedingte oder vorzeitige Entlassung und, sofern der Vollstreckungsstaat nicht erklärt hat, Bescheinigungen auch in deutscher Sprache zu akzeptieren, deren Übersetzung in eine Amtssprache des Vollstreckungsstaats oder in eine andere von diesem akzeptierte Sprache;

3. die Niederschrift über die Erklärung des Verurteilten nach § 42a; und

4. für den Fall, dass sich der Verurteilte bereits im Vollstreckungsstaat befindet, das ausgefüllte Formblatt zur Unterrichtung der verurteilten Person **(Anhang VIII)**

zu übermitteln.

(5) Wenn die zuständige Behörde des Vollstreckungsstaats die Bescheinigung nicht als ausreichend für die Entscheidung über die Vollstreckung erachtet, so ist ihr über entsprechendes Ersuchen eine Übersetzung des Urteils oder der wesentlichen Teile desselben in die Amtssprache oder eine der Amtssprachen des Vollstreckungsstaats oder in eine andere von diesem akzeptierte Amtssprache der Organe der Europäischen Union zu übermitteln; die gegebenenfalls zu übersetzenden wesentlichen Teile des Urteils werden dabei im Rahmen von Konsultationen durch die zuständige Behörde des Vollstreckungsstaats bekannt gegeben. Ein Ersuchen um Übersetzung des Urteils oder der wesentlichen Teile desselben kommt nur in Betracht, wenn vom Vollstreckungsstaat eine entsprechende Erklärung abgegeben wurde.

(6) Ein Ersuchen der zuständigen Behörde des Vollstreckungsstaats oder des Verurteilten um Übermittlung der in Abs. 4 angeführten Unterlagen begründet keine Verpflichtung zu deren Übermittlung.

(7) Wenn die zuständige Behörde des Vollstreckungsstaats nach Übermittlung der in Abs. 4 angeführten Unterlagen eine begründete Stellungnahme übermittelt, wonach die Vollstreckung der verhängten Freiheitsstrafe oder der mit Freiheitsentziehung verbundenen vorbeugenden Maßnahme im Vollstreckungsstaat in den Fällen nach § 42 Abs. 1 Z 1 und 2 nicht der Erleichterung der Resozialisierung und der Wiedereingliederung des Verurteilten in die Gesellschaft dient, so hat das Bundesministerium für Justiz zu prüfen, ob Anlass zur Zurückziehung der Bescheinigung **(Anhang VII)** besteht. Vom Ergebnis der Prüfung ist die zuständige Behörde des Vollstreckungsstaats unter Angabe der Gründe in Kenntnis zu setzen.

(7a) Wurde die Freiheitsstrafe oder die mit Freiheitsentziehung verbundene vorbeugende Maßnahme wegen mehrerer Straftaten verhängt und teilt die zuständige Behörde des Vollstreckungsstaats mit, dass die Vollstreckung im Hinblick auf eine bestimmte Tat nicht übernommen werden kann, so hat das Gericht, das in erster Instanz erkannt hat, auf Antrag der Staatsanwaltschaft mit Beschluss festzustellen, welcher Teil der verhängten Freiheitsstrafe oder mit Freiheitsentziehung verbundenen vorbeugenden Maßnahme auf diejenige Straftat entfällt, hinsichtlich derer die Vollstreckung übernommen wird. Wurde eine Freiheitsstrafe oder mit Freiheitsentziehung verbundene vorbeugende Maßnahme von mindestens fünf Jahren verhängt, so entscheidet das Landesgericht als Senat von drei Richtern (§ 31 Abs. 6 StPO). Gegen den Beschluss steht der Staatsanwaltschaft und dem Verurteilten die binnen 14 Tagen einzubringende Beschwerde an das Oberlandesgericht offen. Nach Rechtskraft des Beschlusses hat das Bundesministerium für Justiz diesen der zuständigen Behörde des Vollstreckungsstaats zu übermitteln.

(8) Auf den Geschäftsverkehr ist § 14 Abs. 1 bis 5 sinngemäß anzuwenden. Sind das Urteil und die Bescheinigung nicht auf dem Postweg übermittelt worden, so sind der zuständigen Behörde des Vollstreckungsstaats auf deren Ersuchen eine Ausfertigung oder beglaubigte Abschrift des Urteils sowie das Original der Bescheinigung auf dem Postweg nachzureichen.

(9) Die gleichzeitige Befassung eines weiteren Mitgliedstaats mit der Vollstreckung ist unzulässig.

(10) Von der Entscheidung über die Erwirkung der Vollstreckung im Vollstreckungsstaat ist der im Inland aufhältige Verurteilte in einer ihm verständlichen Sprache unter Verwendung des ausgefüllten Formblattes nach **Anhang VIII** in Kenntnis zu setzen.

(11) Die Bundesministerin für Justiz hat durch Verordnung zu verlautbaren, welche Mitgliedstaaten welche Amtssprachen akzeptieren (Abs. 4 Z 2) und welche Mitgliedstaaten die in Abs. 5 angeführte Erklärung abgegeben haben.

Widerruf der Befassung

§ 42c. Das Bundesministerium für Justiz hat die zuständige Behörde des Vollstreckungsstaats unverzüglich davon in Kenntnis zu setzen, wenn

1. das Urteil, mit dem die Freiheitsstrafe oder die mit Freiheitsentziehung verbundene vorbeugende Maßnahme verhängt worden ist, oder seine Vollstreckbarkeit nachträglich aufgehoben, abgeändert oder das Ausmaß der Freiheitsstrafe oder der mit Freiheitsentziehung verbundenen vorbeugenden Maßnahme herabgesetzt worden ist;

2. die Vollstreckung aus anderen Gründen, etwa weil der Verurteilte nach den anwendbaren Bestimmungen des Vollstreckungsstaats über die bedingte oder vorzeitige Entlassung vor Verbüßung von der Hälfte der verhängten Freiheitsstrafe entlassen würde, nicht mehr begehrt und daher die Bescheinigung zurückgezogen wird.

Vollstreckung im Inland

§ 42d. (1) Sobald im Vollstreckungsstaat mit der Vollstreckung der Freiheitsstrafe oder der mit Freiheitsentziehung verbundenen vorbeugenden Maßnahme begonnen wurde, ist deren weitere Vollstreckung im Inland unzulässig.

(2) Das Vollstreckungsverfahren kann jedoch fortgesetzt werden,

1. nachdem der zuständigen Behörde des Vollstreckungsstaats mitgeteilt worden ist, dass die Vollstreckung nicht mehr begehrt werde;

2. nachdem die zuständige Behörde des Vollstreckungsstaats mitgeteilt hat, dass die Sanktion infolge Flucht des Verurteilten aus der Strafhaft vor Beendigung des Vollzuges nicht zur Gänze vollstreckt worden ist;

3. wenn die Sanktion im Vollstreckungsstaat nicht vollstreckt werden konnte, weil der Verurteilte in diesem nicht aufgefunden werden konnte.

Durchführung der Überstellung

§ 42e. (1) Befindet sich die verurteilte Person in Österreich, so ist sie an einem mit der zuständigen Behörde des Vollstreckungsstaats zu vereinbarenden Zeitpunkt, jedoch spätestens 30 Tage nach Rechtskraft der Entscheidung über die Vollstreckung, in den Vollstreckungsstaat zu überstellen. In den in § 42b Abs. 7a angeführten Fällen darf die Überstellung der verurteilten Person erst zu dem Zeitpunkt erfolgen, zu dem sie jenen Teil der verhängten Freiheitsstrafe oder mit Freiheitsentziehung verbundenen vorbeugenden Maßnahme, hinsichtlich dessen die Vollstreckung nicht übernommen wird, im Inland verbüßt hat.

(2) Ist die Überstellung innerhalb der in Abs. 1 genannten Frist aufgrund unvorhergesehener Umstände nicht möglich, so ist die zuständige Behörde des Vollstreckungsstaats unverzüglich in Kenntnis zu setzen. In einem solchen Fall erfolgt die Überstellung binnen 10 Tagen nach dem mit der zuständigen Behörde des Vollstreckungsstaats nach Wegfall des Hindernisses vereinbarten neuen Zeitpunkt.

(3) Die Übergabe der verurteilten Person an die zuständige Behörde des Vollstreckungsstaats hat das Gericht , dessen Strafe gerade vollstreckt wird, in sinngemäßer Anwendung des § 24 zu veranlassen.

Zustimmung zur Verfolgung, Verurteilung oder Strafvollstreckung wegen weiterer Straftaten

§ 42f. (1) Die Verfolgung oder Verurteilung des Verurteilten wegen einer vor der Übergabe begangenen anderen Handlung als derjenigen, die der Überstellung zugrunde liegt, sowie die Vollstreckung einer wegen einer derartigen Handlung verhängten Freiheitsstrafe oder einer mit Freiheitsentziehung verbundenen vorbeugenden Maßnahme ist von dem Gericht, dessen Strafe bei Einlangen eines Ersuchens vollstreckt wird oder zuletzt vollstreckt wurde, über entsprechendes Ersuchen der zuständigen Behörde des Vollstreckungsstaats, gegebenenfalls nach Maßgabe der Bestimmung des § 11 Z 3, zu bewilligen, wenn die Voraussetzungen für eine Übergabe nach dem II. Hauptstück dieses Bundesgesetzes vorliegen. Die Entscheidung ist spätestens 30 Tage nach Einlangen des Ersuchens zu treffen.

(2) Das Ersuchen hat die in Betracht kommenden Angaben eines Europäischen Haftbefehls nach **Anhang II** zu enthalten und ist vorbehaltlich der Bestimmung des § 30 Abs. 3 mit einer Übersetzung in die deutsche Sprache zu versehen.

Erwirkung der Durchbeförderung

§ 42g. (1) Besteht auf Grund eines von einem inländischen Gericht verhängten Urteils Anlass zur Durchbeförderung des Verurteilten durch einen anderen Mitgliedstaat, so hat das Bundesministerium für Justiz ein Ersuchen um Durchbeförderung, das auf die in § 14 Abs. 3 angeführte Weise übermittelt werden kann, unter Anschluss einer Kopie der Bescheinigung **(Anhang VII)** an die zuständige Behörde des betreffenden Mitgliedstaats zu übermitteln.

(2) Über entsprechendes Ersuchen des um Bewilligung der Durchbeförderung ersuchten Mitgliedstaats ist diesem eine Übersetzung der Bescheinigung in eine der im Ersuchen anzugebenden Sprachen, die der um Bewilligung der Durchbeförderung ersuchte Mitgliedstaat akzeptiert, zu übermitteln.

Erster Unterabschnitt

Durchführung der Verordnung (EU) 2018/1805

Vollstreckung von Sicherstellungsentscheidungen

§ 43. (1) Eine Sicherstellungsentscheidung (Art. 2 Abs. 1 Verordnung (EU) 2018/1805) eines anderen Mitgliedstaats außer Dänemark oder Irland über Vermögensgegenstände (Art. 2 Abs. 3 Verordnung (EU) 2018/1805), die einer nachfolgenden Einziehungsentscheidung (Art. 2 Abs. 2 Verordnung (EU) 2018/1805) unterliegen könnten, ist nach den Bestimmungen der Verordnung (EU) 2018/1805 sowie den Bestimmungen dieses Unterabschnitts zu vollstrecken.

(2) Die Staatsanwaltschaft hat ein Verfahren zur Vollstreckung einer Sicherstellungsentscheidung einzuleiten, wenn ein anderer Mitgliedstaat eine Bescheinigung (Art. 6 Verordnung (EU) 2018/1805) übermittelt oder aufgrund bestimmter Tatsachen anzunehmen ist, dass sich ein Vermögensgegenstand, der im Schengener Informationssystem zur Fahndung ausgeschrieben ist, im Inland befindet. Die Entscheidungsbehörde ist zur Vorlage einer Bescheinigung oder eines Rechtshilfeersuchens unter Setzung einer angemessenen Frist aufzufordern, wenn der Vermögensgegenstand im Inland aufgefunden wird.

(3) Liegt der Sicherstellungsentscheidung keine der in Art. 3 Abs. 1 der Verordnung (EU) 2018/1805 genannten strafbaren Handlungen zugrunde, ist die bei-

EU-JZG

derseitige Strafbarkeit zu prüfen (Art. 8 Abs. 1 lit. e Verordnung (EU) 2018/1805).

(4) Für das Verfahren zur Vollstreckung einer Sicherstellungsentscheidung ist jene Staatsanwaltschaft als Vollstreckungsbehörde (Art. 2 Abs. 9 Verordnung (EU) 2018/1805) zuständig, in deren Sprengel sich der Vermögensgegenstand befindet oder der Betroffene über Vermögen verfügt, in das die Entscheidung vollstreckt werden kann. Kann danach die Zuständigkeit nicht festgestellt werden, so ist der Ort maßgebend, an dem der Betroffene seinen Wohnsitz oder Aufenthalt hat; handelt es sich um einen Verband (§ 1 Abs. 2 und 3 VbVG), auch der Ort, an dem dieser seinen Sitz, seinen Betrieb oder seine Niederlassung hat. Ist nach diesen Bestimmungen die Zuständigkeit nicht feststellbar, so ist die Staatsanwaltschaft Wien zuständig. Wird jedoch von der Entscheidungsbehörde unter einem auch eine Einziehungsentscheidung zur Anerkennung und Vollstreckung übermittelt, bestimmt sich die Zuständigkeit nach § 52 Abs. 3 und 4 EU-JZG.

(5) Wäre zur Vollstreckung der Sicherstellungsentscheidung in einem vergleichbaren innerstaatlichen Fall nach innerstaatlichen Rechtsvorschriften die Beschlagnahme zu beantragen, so hat die Staatsanwaltschaft die erforderlichen Anträge bei Gericht zu stellen. Soweit es das Gericht im Verfahren über einen Antrag der Staatsanwaltschaft oder nach Vollstreckung der Sicherstellungsentscheidung aus rechtlichen oder tatsächlichen Gründen für erforderlich erachtet, weitere Informationen von der Entscheidungsbehörde einzuholen oder ein Ersuchen nach Art. 12 Abs. 2 der Verordnung (EU) 2018/1805 an diese zu richten, hat es der Staatsanwaltschaft die erforderlichen Anordnungen zu erteilen.

(6) Ist nicht nach Abs. 5 vorzugehen, so obliegt es der Staatsanwaltschaft, die Vollstreckung der Sicherstellungsentscheidung anzuordnen. Die Anordnung hat zu enthalten:

1. die in § 102 Abs. 2 Z 1, 2 und 4 StPO genannten Angaben,

2. eine Begründung, aus der sich die Zulässigkeit der Vollstreckung ergibt, und

3. eine Ablichtung der Sicherstellungsbescheinigung.

(7) Gegen die Anordnung der Staatsanwaltschaft, gegen den Beschluss des Gerichts sowie gegen Rechtsverletzungen im Rahmen der Durchführung der Sicherstellung stehen die nach innerstaatlichen Rechtsvorschriften vorgesehenen Rechtsbehelfe unbeschadet von Art. 33 Abs. 2 der Verordnung (EU) 2018/1805 zu.

Erwirkung der Vollstreckung von Sicherstellungsentscheidungen

§ 44. Ist im Ermittlungsverfahren eine Sicherstellung in einem anderen Mitgliedstaat außer Dänemark und Irland zu erwirken, so hat die Staatsanwaltschaft die Beschlagnahme (§ 109 Z 2 StPO) bei Gericht zu beantragen. Die Sicherstellungsbescheinigung (Anhang I der Verordnung (EU) 2018/1805) ist sodann vom Gericht zu erlassen und zu übermitteln

Zweiter Unterabschnitt
Vollstreckung von Sicherstellungsentscheidungen aus Dänemark und Irland

Voraussetzungen

§ 45. (1) Im Verhältnis zu Dänemark und Irland kann eine Sicherstellungsentscheidung über Beweismittel wegen Straftaten erlassen oder vollstreckt werden, die nach dem Recht des Entscheidungsstaats und, vorbehaltlich der Bestimmung des Abs. 3, nach dem Recht des Vollstreckungsstaats mit gerichtlicher Strafe bedroht sind.

(2) Im Verhältnis zu Dänemark und Irland kann eine Sicherstellungsentscheidung über Vermögensgegenstände, die einer nachfolgenden vermögensrechtlichen Anordnung unterliegen könnten, wegen Straftaten erlassen oder vollstreckt werden, die nach dem Recht des Entscheidungsstaats und des Vollstreckungsstaats gemäß Abs. 3 eine Sicherstellung ermöglichen.

(3) Für eine Entscheidung nach Abs. 1 und 2 ist die beiderseitige Strafbarkeit nicht zu prüfen, wenn die der Sicherstellungsentscheidung zu Grunde liegende Straftat von der ausstellenden Justizbehörde einer der im Anhang I angeführten Kategorie von Straftaten zugeordnet wurde und nach dem Recht des Ausstellungsstaats mit einer Freiheitsstrafe bedroht ist, deren Obergrenze mindestens drei Jahre beträgt.

(4) Die Sicherstellungsentscheidung wird nur vollstreckt, wenn sie von einer Bescheinigung in der im Anhang III bezeichneten Form begleitet ist. Ist die Bescheinigung unvollständig oder entspricht sie offensichtlich nicht der Sicherstellungsentscheidung, so kann der ausstellenden Justizbehörde eine Frist zur Vervollständigung oder Berichtigung gesetzt werden, sofern die vorhandenen Unterlagen für die Entscheidung über die Vollstreckung der Sicherstellungsentscheidung nicht ausreichend sind.

Zuständigkeit und Verfahren

§ 46. (1) § 43 Abs. 2 und 4 bis 7 gilt sinngemäß. Die ausstellende Justizbehörde ist von der Einbringung einer Beschwerde sowie vom Ausgang des Beschwerdeverfahrens zu verständigen.

(2) Einem Ersuchen um Vollstreckung einer Sicherstellungsentscheidung, das ein vom österreichischen Strafverfahrensrecht abweichendes Vorgehen erfordert, ist zu entsprechen, wenn dies mit dem Strafverfahren und seinen Grundsätzen gemäß den Bestimmungen des 1. Hauptstückes der StPO vereinbar ist.

(3) Über die Vollstreckung einer Sicherstellungsentscheidung ist nach Möglichkeit innerhalb von

24 Stunden zu entscheiden. Die ausstellende Justizbehörde ist über die Entscheidung zu informieren.

Ablehnung der Vollstreckung

§ 47. (1) Die Vollstreckung einer Sicherstellungsentscheidung durch eine österreichische Justizbehörde ist unzulässig, wenn

1. die Voraussetzungen nach § 45 nicht vorliegen,

2. nach österreichischem Recht Privilegien oder Immunitäten bestehen, die die Vollstreckung der Sicherstellungsentscheidung unmöglich machen, oder

3. sich aus der Bescheinigung (§ 45 Abs. 4) ergibt, dass durch Vollstreckung einer Konfiskations- oder Einziehungsentscheidung der in § 7 Abs. 1 angeführte Grundsatz verletzt wäre.

(2) In Abgaben-, Steuer-, Zoll- und Devisenstrafsachen kann die Vollstreckung der Sicherstellungsentscheidung nicht mit der Begründung abgelehnt werden, dass nach österreichischem Recht nicht dieselbe Art von Abgaben oder Steuern oder keine Abgaben-, Steuern-, Zoll- oder Devisenbestimmungen derselben Art wie nach dem Recht des Ausstellungsstaats vorgesehen sind.

Aufschub der Vollstreckung

§ 48. (1) Die Vollstreckung einer Sicherstellungsentscheidung ist aufzuschieben, wenn der Vermögensgegenstand oder das Beweismittel bereits im Zuge eines im Inland anhängigen Verfahrens beschlagnahmt oder sichergestellt worden ist.

(2) Wird die Beschlagnahme oder Sicherstellung im inländischen Verfahren aufgehoben, so ist unverzüglich über die Vollstreckung der Sicherstellungsentscheidung zu entscheiden.

(3) Die Vollstreckung einer Sicherstellungsentscheidung kann aufgeschoben werden, solange der Zweck laufender Ermittlungen durch sie gefährdet wäre.

Dauer der Beschlagnahme oder Sicherstellung

§ 49. Ist der Sicherstellungsentscheidung kein Ersuchen um Übergabe des Beweismittels oder um Vollstreckung einer Verfalls- oder Einziehungsentscheidung unter Anschluss der zu vollstreckenden Entscheidung angeschlossen, so ist die Beschlagnahme oder Sicherstellung bis zur Entscheidung über ein das Beweismittel oder den Vermögensgegenstand betreffendes Rechtshilfeersuchen des Ausstellungsstaats aufrecht zu erhalten, soweit die Voraussetzungen für die Beschlagnahme oder Sicherstellung nach diesem Abschnitt fortbestehen. Im Übrigen ist nach § 58 zweiter Satz ARHG vorzugehen.

Verständigungspflicht

§ 50. Erweist sich die Vollstreckung einer Sicherstellungsentscheidung als unzulässig, tatsächlich unmöglich oder ist die Vollstreckung aufzuschieben, so hat die Staatsanwaltschaft die ausstellende Justizbehörde davon unverzüglich zu verständigen. Gleiches gilt für die Erhebung eines Rechtsmittels gegen die Vollstreckung und für die vollzogene Vollstreckung der Sicherstellungsentscheidung.

Geschäftsweg und Übersetzung

§ 51. (1) Für den Geschäftsverkehr zur Vollstreckung einer Sicherstellungsentscheidung findet § 14 sinngemäß Anwendung.

(2) Die Bescheinigung nach Anhang III zu Sicherstellungsentscheidungen inländischer Gerichte ist in die Amtssprache des Mitgliedstaats zu übersetzen, in dem die Sicherstellungsentscheidung vollstreckt werden soll, soweit dieser nicht die Erklärung abgegeben hat, eine Übersetzung in die deutsche oder eine andere Sprache zu akzeptieren.

Dritter Abschnitt

Vollstreckung vermögensrechtlicher Anordnungen

Erster Unterabschnitt

Durchführung der Verordnung (EU) 2018/1805

Vollstreckung von Einziehungsentscheidungen

§ 52. (1) Eine Einziehungsentscheidung (Art. 2 Abs. 2 Verordnung (EU) 2018/1805) eines anderen Mitgliedstaats außer Dänemark und Irland über Vermögensgegenstände (Art. 2 Abs. 3 Verordnung (EU) 2018/1805) ist nach den Bestimmungen der Verordnung (EU) 2018/1805 sowie den Bestimmungen dieses Unterabschnitts zu vollstrecken.

(2) Liegt der Einziehungsentscheidung keine der in Art. 3 Abs. 1 der Verordnung (EU) 2018/1805 genannten strafbaren Handlungen zugrunde, so ist die beiderseitige Strafbarkeit zu prüfen (Art. 19 Abs. 1 lit. f Verordnung (EU) 2018/1805).

(3) Zur Entscheidung über die Vollstreckung einer Einziehungsentscheidung ist der Einzelrichter des Landesgerichts zuständig.

(4) Die örtliche Zuständigkeit richtet sich nach dem Ort, an dem sich der von der Einziehungsentscheidung erfasste Vermögensgegenstand befindet oder an dem der Betroffene über Vermögen verfügt, in das die Entscheidung vollstreckt werden kann. Kann danach die Zuständigkeit nicht festgestellt werden, so ist der Ort maßgebend, an dem der Betroffene seinen Wohnsitz oder Aufenthalt hat; handelt es sich um einen Verband (§ 1 Abs. 2 und 3 VbVG), auch der Ort, an dem dieser seinen Sitz, seinen Betrieb oder seine Niederlassung hat. Ist nach diesen Bestimmungen die Zuständigkeit eines bestimmten Gerichtes nicht feststellbar, so ist das Landesgericht für Strafsachen Wien zuständig.

(5) Sind Vermögenswerte, die der Einziehung unterliegen, nicht sichergestellt, kann das Gericht auf Antrag der Staatsanwaltschaft deren Sicherstellung anordnen (Art. 18 Abs. 5 Verordnung (EU) 2018/1805),

wenn dies zur Sicherung der Einziehung erforderlich scheint und nicht auf Grund bestimmter Tatsachen anzunehmen ist, dass die Einziehungsentscheidung abzulehnen sein wird.

(6) Der betroffenen Person ist die Einziehungsentscheidung zuzustellen und sie ist zu den Voraussetzungen der Vollstreckung zu hören, sofern sie im Inland geladen werden kann.

(7) Über die Vollstreckung der Einziehungsentscheidung ist mit Beschluss zu entscheiden. Der Beschluss hat die Bezeichnung der Behörde, deren Entscheidung vollstreckt wird, deren Aktenzeichen, eine kurze Darstellung des Sachverhalts einschließlich Ort und Zeit der Tat und der angeordneten Maßnahmen sowie die Bezeichnung der strafbaren Handlung zu enthalten.

(8) Wird die Vollstreckung einer auf einen Geldbetrag lautenden Einziehungsentscheidung übernommen, so ist der im Inland zu vollstreckende Betrag in Höhe des Betrages festzusetzen, der in der zu vollsteckenden Entscheidung ausgesprochen ist. Ist dieser Betrag nicht in Euro angegeben, so hat die Umrechnung nach dem am Tag der Erlassung der zu vollstreckenden Entscheidung geltenden Wechselkurs zu erfolgen. Bereits geleistete Zahlungen und eingebrachte Beträge sind anzurechnen.

(9) Gegen einen Beschluss nach Abs. 7 und 8 steht der Staatsanwaltschaft und der von der Entscheidung betroffenen Person die binnen 14 Tagen einzubringende Beschwerde an das Oberlandesgericht offen. Einer rechtzeitig erhobenen Beschwerde gegen die Vollstreckung einer Einziehungsentscheidung kommt aufschiebende Wirkung zu.

(10) Nach Rechtskraft des Beschlusses ist nach § 408 Abs. 1 StPO vorzugehen.

(11) Wird die Vollstreckung für unzulässig erklärt, so hat die Staatsanwaltschaft dem Bundesministerium für Justiz durch Übermittlung einer Beschlussausfertigung und einer Ablichtung der Einziehungsentscheidung zu berichten.

Zweiter Unterabschnitt

Vollstreckung von Einziehungsentscheidungen der Mitgliedstaaten Dänemark und Irland

Voraussetzungen

§ 52a. Eine von einem dänischen oder irischen Gericht rechtskräftig ausgesprochene vermögensrechtliche Anordnung (§ 2 Z 11) wird nach den Bestimmungen dieses Unterabschnitts vollstreckt.

Unzulässigkeit der Vollstreckung

§ 52a1. (1) Die Vollstreckung der vermögensrechtlichen Anordnung durch ein österreichisches Gericht ist unzulässig,

1. wenn die der vermögensrechtlichen Anordnung zu Grunde liegende Tat oder, sofern es sich bei dieser um Geldwäscherei nach § 165 StGB handelt, deren Vortat

a) im Inland oder an Bord eines österreichischen Schiffs oder Luftfahrzeugs begangen worden ist; oder

b) außerhalb des Hoheitsgebiets des Entscheidungsstaates begangen wurde, wenn nach österreichischem Recht außerhalb des Bundesgebietes begangene Taten dieser Art nicht dem Geltungsbereich der österreichischen Strafgesetze unterlägen;

2. wenn gegen den Betroffenen wegen der der vermögensrechtlichen Anordnung zugrunde liegenden Tat eine endgültige

vermögensrechtliche Anordnung im Inland oder eine endgültige, bereits vollstreckte vermögensrechtliche Anordnung in einem anderen Staat ergangen ist;

3. wenn die der vermögensrechtlichen Anordnung zu Grunde liegende Tat nach österreichischem Recht nicht gerichtlich strafbar ist, es sei denn, die Tat ist einer der in Anhang I, Teil A, angeführten Kategorien von Straftaten zuzuordnen; die vom Entscheidungsstaat getroffene Zuordnung ist vorbehaltlich des § 52c Abs. 2 Z 3 bindend;

4. wenn die Vollstreckbarkeit der vermögensrechtlichen Anordnung, der eine Tat zu Grunde liegt, die dem Geltungsbereich der österreichischen Strafgesetze unterliegt, nach österreichischem Recht verjährt ist;

5. soweit dem Betroffenen im Inland oder im Entscheidungsstaat Amnestie oder Begnadigung gewährt worden ist;

6. soweit die Vollstreckung gegen Bestimmungen über Immunität verstoßen würde;

7. soweit der Vollstreckung Rechte gutgläubiger Dritter entgegenstehen;

EU-JZG

8. wenn die vermögensrechtliche Anordnung in Abwesenheit des Betroffenen ergangen ist, es sei denn, dass dieser im Einklang mit den Verfahrensvorschriften des Entscheidungsstaats

a) fristgerecht durch persönliche Ladung oder auf andere Weise von Zeit und Ort der Verhandlung, die zu der vermögensrechtlichen Anordnung geführt hat, tatsächlich Kenntnis erlangt hat und darüber belehrt worden ist, dass die vermögensrechtliche Anordnung in seiner Abwesenheit ergehen kann;

b) in Kenntnis der anberaumten Verhandlung einen selbst gewählten oder vom Gericht beigegebenen Verteidiger mit seiner Vertretung in der Verhandlung betraut hat und von diesem in der Verhandlung tatsächlich vertreten wurde; oder

c) nach Zustellung der in Abwesenheit ergangenen vermögensrechtlichen Anordnung und nach Belehrung über das Recht, die Neudurchführung der Verhandlung zu beantragen oder ein Rechtsmittel zu ergreifen und auf diesem Weg eine neuerliche Prüfung des Sachverhalts, auch unter Berücksichtigung neuer Beweise, in seiner Anwesenheit und eine Aufhebung der Entscheidung zu erreichen,

aa) ausdrücklich erklärt hat, keine Neudurchführung der Verhandlung zu beantragen oder kein Rechtmittel zu ergreifen; oder

bb) innerhalb der bestehenden Fristen keine Neudurchführung der Verhandlung beantragt oder kein Rechtsmittel ergriffen hat.

9. soweit die vermögensrechtliche Anordnung einen erweiterten Verfall umfasst, der nach § 20b StGB nicht ausgesprochen werden könnte;

10. wenn objektive Anhaltspunkte dafür vorliegen, dass die Entscheidung unter Verletzung von Grundrechten oder wesentlicher Rechtsgrundsätze im Sinne von Art. 6 des Vertrags über die Europäische Union zustande gekommen ist, insbesondere die vermögensrechtliche Anordnung zum Zwecke der Bestrafung des Betroffenen aus Gründen seines Geschlechts, seiner Rasse, Religion, ethnischen Herkunft, Staatsangehörigkeit, Sprache, politischen Überzeugung oder sexuellen Ausrichtung getroffen wurde und der Betroffene keine Möglichkeit hatte, diesen Umstand vor dem Europäischen Gerichtshof für Menschenrechte oder vor dem Gerichtshof der Europäischen Union geltend zu machen.

(2) In Abgaben-, Steuer-, Zoll- und Währungsangelegenheiten darf die Vollstreckung der vermögensrechtlichen Anordnung nicht mit der Begründung abgelehnt werden, dass das österreichische Recht keine gleichartigen Abgaben oder Steuern vorschreibt oder keine gleichartigen Abgaben-, Steuer-, Zoll- und Währungsbestimmungen enthält wie das Recht des Entscheidungsstaates.

EU-JZG

Zuständigkeit

§ 52b. § 52 Abs. 3 und 4 ist anzuwenden. Ist das Gericht, das mit der Vollstreckung befasst worden ist, nicht zuständig, so tritt es die Sache an das zuständige Gericht ab.

Verfahren

§ 52c. (1) Die Vollstreckung setzt voraus, dass dem inländischen Gericht

1. die zu vollstreckende Entscheidung und

2. die von der zuständigen Behörde unterzeichnete Bescheinigung (Anhang V) und, sofern der Entscheidungsstaat nicht die Erklärung abgegeben hat, als Vollstreckungsstaat Bescheinigungen auch in deutscher Sprache zu akzeptieren (§ 52k Abs. 2), deren Übersetzung in die deutsche Sprache

übermittelt wird.

(2) Wenn

1. die Bescheinigung nicht übermittelt worden, in wesentlichen Teilen unvollständig ist oder der vermögensrechtlichen Anordnung offensichtlich widerspricht,

2. Anhaltspunkte bestehen, dass einer der in § 52a1 Abs. 1 Z 1, 2 und 7 bis 10 angeführten Gründe für die Unzulässigkeit der Vollstreckung vorliegt,

3. die rechtliche Würdigung als Straftat nach Anhang I, Teil A, offensichtlich fehlerhaft ist oder der Betroffene dagegen begründete Einwände erhoben hat, oder

4. der Betroffene bescheinigt, dass der von der vermögensrechtlichen Anordnung erfasste Vermögenswert oder Gegenstand bereits eingezogen wurde, die auf einen Geldbetrag lautende vermögensrechtliche Anordnung bereits teilweise vollstreckt wurde oder er auf Grund einer solchen Entscheidung bereits einen Geldbetrag gezahlt hat,

ist die Behörde des Entscheidungsstaates um Nachreichung, Vervollständigung oder ergänzende Information binnen einer festzusetzenden angemessenen Frist mit dem Hinweis zu ersuchen, dass bei fruchtlosem Ablauf der Frist die Vollstreckung zur Gänze oder zum Teil verweigert werden werde.

(3) Auf den Geschäftsverkehr ist § 14 Abs. 1 bis 5 sinngemäß anzuwenden.

(4) Zu den Voraussetzungen der Vollstreckung (§ 52a1), zur Frage einer bereits erfolgten Einziehung des von der vermögensrechtlichen Anordnung erfassten Vermögenswertes oder Gegenstands und zur Höhe des zu vollstreckenden Betrages ist der von der Entscheidung Betroffene zu hören, sofern er im Inland geladen werden kann.

Entscheidung

§ 52d. § 52 Abs. 5 und 7 bis 11 ist anzuwenden.

Aufschub der Vollstreckung

§ 52e. (1) Die Vollstreckung der vermögensrechtlichen Anordnung ist aufzuschieben,

1. solange über eine zulässige Beschwerde nicht rechtskräftig entschieden wurde;

2. wenn der Entscheidungsstaat auch andere Mitgliedstaaten mit der Vollstreckung der vermögensrechtlichen Anordnung befasst hat und der insgesamt vollstreckte Betrag den in der vermögensrechtlichen Anordnung festgelegten Betrag übersteigen könnte;

3. solange der Vermögenswert oder Gegenstand Grundlage eines auf eine vermögensrechtliche Anordnung gerichteten Inlandsverfahrens ist;

4. solange der Zweck laufender Ermittlungen durch sie gefährdet wäre;

5. für die Dauer der vom Gericht für erforderlich erachteten, auf seine Kosten anzufertigenden Übersetzung der vermögensrechtlichen Anordnung;

6. bis zum Einlangen der von der zuständigen Behörde des Entscheidungsstaates begehrten ergänzenden Informationen.

(2) Ist zu besorgen, dass der Vermögenswert oder Gegenstand nach Wegfall des Grundes für den Aufschub nicht mehr zum Zwecke der Vollstreckung der vermögensrechtlichen Anordnung zur Verfügung steht, so hat das Gericht während der Dauer des Aufschubs sämtliche zulässigen Maßnahmen, einschließlich der Erlassung einer einstweiligen Verfügung nach § 144a StPO, zu ergreifen.

Vermögensrechtliche Anordnungen mehrerer Mitgliedstaaten

§ 52f. Werden von zwei oder mehreren Mitgliedstaaten vermögensrechtliche Anordnungen

1. über denselben Gegenstand oder

2. über einen demselben Betroffenen zuzuordnenden Vermögenswert, ohne dass dieser über Mittel im Inland verfügt, die zur Vollstreckung sämtlicher Entscheidungen ausreichen,

übermittelt, so ist unter gebührender Berücksichtigung aller Umstände, insbesondere ob der Vermögenswert oder Gegenstand bereits nach dem Zweiten Abschnitt des III. Hauptstücks dieses Bundesgesetzes sichergestellt wurde, der Schwere der den vermögensrechtlichen Anordnungen zu Grunde liegenden strafbaren Handlungen, des Tatortes, des Zeitpunkts der Erlassung der vermögensrechtlichen Anordnungen und der zeitlichen Reihenfolge ihrer Übermittlung, zu entscheiden, welche vermögensrechtliche Anordnung bzw. welche vermögensrechtlichen Anordnungen zu vollstrecken sind.

Erlös aus der Vollstreckung

§ 52g. (1) Durch die Vollstreckung der vermögensrechtlichen Anordnung erlangte Geldbeträge, die 10 000 Euro oder den Gegenwert dieses Betrages nicht erreichen, fallen dem Bund zu. Erreicht oder übersteigt der durch die Vollstreckung der vermögensrechtlichen Anordnung erlangte Geldbetrag 10 000 Euro, so sind 50 % des Betrages an den Entscheidungsstaat zu überweisen.

(2) Gegenstände, die durch die Vollstreckung der vermögensrechtlichen Anordnung erlangt worden sind, sind auf die in § 377 StPO angeordnete Weise zu veräußern. Über den Ertrag ist nach Abs. 1 zu verfügen. Kommt eine solche Vorgangsweise nicht in Betracht und stimmt der Entscheidungsstaat der Übermittlung der Gegenstände nicht zu, so fallen diese dem Bund zu.

(3) Abs. 1 und 2 sind nur anzuwenden, soweit nicht eine andere Vereinbarung mit dem Entscheidungsstaat getroffen worden ist.

(4) Gegenstände, die zum österreichischen Kulturerbe gehören, fallen jedenfalls dem Bund zu.

Einstellung der Vollstreckung

§ 52h. Teilt die zuständige Behörde des Entscheidungsstaates mit, dass die vermögensrechtliche Anordnung oder ihre Vollstreckbarkeit aufgehoben worden ist oder dass die Vollstreckung aus anderen Gründen nicht mehr begehrt werde, so ist die Vollstreckung einzustellen.

Verständigung des Entscheidungsstaates

§ 52i. Das Gericht hat die zuständige Behörde des Entscheidungsstaates unverzüglich davon in Kenntnis zu setzen, wenn

1. es die Sache an das zuständige Gericht abgibt (§ 52b zweiter Satz),

2. der zu vollstreckende Betrag niedriger als mit dem in der vermögensrechtlichen Anordnung ausgesprochenen Betrag festgesetzt wird (§§ 52d, 52 Abs. 8),

3. die Vollstreckung aufgeschoben worden ist, unter Angabe der Gründe und nach Möglichkeit der voraussichtlichen Dauer des Aufschubs,

4. die Entscheidung vollstreckt worden ist,

5. die Vollstreckung zur Gänze oder zum Teil verweigert wird, unter Angabe der Gründe,

6. die vermögensrechtliche Anordnung nicht vollstreckt werden kann, weil der einzuziehende Vermögenswert oder Gegenstand verschwunden ist, vernichtet worden ist, im Inland nicht einbringlich ist oder an dem in der Bescheinigung angegebenen Ort nicht aufzufinden ist, weil der Ort, an dem sich der Vermögenswert oder Gegenstand befindet, nicht hinreichend genau angegeben wurde, oder weil in den Vermögenswert oder Gegenstand bereits eine andere vermögensrechtliche Anordnung vollstreckt worden ist (§ 52f), jeweils unter Angabe der Gründe.

Kosten

§ 52j. Die durch die Vollstreckung einer ausländischen vermögensrechtlichen Anordnung entstandenen Kosten sind unbeschadet ihrer Einbringung beim Betroffenen vom Bund zu tragen. Sind durch die Vollstreckung erhebliche oder außergewöhnliche Kosten angefallen, so ist der Behörde des Entscheidungsstaates unter Anschluss einer detaillierten Kostenaufstellung eine Teilung der Kosten vorzuschlagen.

Dritter Unterabschnitt

Erwirkung der Vollstreckung in einem anderen Mitgliedstaat

Befassung eines anderen Mitgliedstaates

§ 52k. (1) Besteht Anlass, einen anderen Mitgliedstaat mit der Vollstreckung einer vermögensrechtlichen Anordnung zu befassen, so hat das Gericht, das in erster Instanz erkannt hat, zunächst der Staatsanwaltschaft Gelegenheit zur Äußerung zu geben und den Betroffenen zu hören, sofern dieser im Inland geladen werden kann.

(1a) Im Verhältnis zu den Mitgliedstaaten mit Ausnahme von Dänemark und Irland ist nach der Verordnung (EU) 2018/1805 vorzugehen. Soll die Vollstreckung durch Dänemark oder Irland erwirkt werden, sind die weiteren Bestimmungen dieses Unterabschnitts anzuwenden.

(2) Das Gericht hat der zuständigen Behörde des Vollstreckungsstaates

1. die zu vollstreckende Entscheidung samt Übersetzung, sofern eine solche für den ausländischen Betroffenen im Inlandsverfahren bereits angefertigt wurde, sowie

2. eine ausgefüllte und unterzeichnete Bescheinigung (Anhang V) und, sofern der Vollstreckungsstaat nicht erklärt hat, Bescheinigungen auch in deutscher Sprache zu akzeptieren, deren Übersetzung in eine Amtssprache des Vollstreckungsstaates oder in eine andere von diesem akzeptierte Sprache

zu übermitteln. Die Bundesministerin für Justiz hat durch Verordnung zu verlautbaren, welche Mitgliedstaaten welche Amtssprachen akzeptieren.

(3) Auf den Geschäftsverkehr ist § 14 Abs. 1 bis 5 sinngemäß anzuwenden. Sind die Entscheidung und die Bescheinigung nicht auf dem Postweg übermittelt worden, so sind der zuständigen Behörde des Vollstreckungsstaates auf ihr Ersuchen eine Ausfertigung oder beglaubigte Abschrift der Entscheidung sowie das Original der Bescheinigung auf dem Postweg nachzureichen.

Übermittlung einer vermögensrechtlichen Anordnung an mehrere Vollstreckungsstaaten

EU-JZG

§ 52l. (1) Vorbehaltlich der Abs. 2 und 3 darf eine vermögensrechtliche Anordnung jeweils nur an einen Vollstreckungsstaat übermittelt werden.

(2) Eine auf bestimmte Gegenstände lautende vermögensrechtliche Anordnung kann gleichzeitig an mehrere Vollstreckungsstaaten übermittelt werden, wenn

1. Grund zu der Annahme besteht, dass sich in mehreren Vollstreckungsstaaten von der vermögensrechtlichen Anordnung erfasste Gegenstände befinden,

2. die Vollstreckung der vermögensrechtlichen Anordnung Maßnahmen in mehreren Vollstreckungsstaaten erfordert, oder

3. Grund zur Annahme besteht, dass sich ein von der vermögensrechtlichen Anordnung erfasster Gegenstand in einem von zwei oder mehreren bekannten Vollstreckungsstaaten befindet.

(3) Eine auf einen Vermögenswert lautende vermögensrechtliche Anordnung kann gleichzeitig an mehrere Vollstreckungsstaaten übermittelt werden, wenn dies zu dessen Einbringung erforderlich ist, insbesondere wenn der Vermögenswert nicht nach den Bestimmungen des Zweiten Abschnitts des III. Hauptstücks dieses Bundesgesetzes sichergestellt wurde oder die Vollstreckung durch nur einen Vollstreckungsstaat voraussichtlich nicht zur Einbringung des gesamten in der vermögensrechtlichen Anordnung ausgesprochenen Betrages ausreicht.

Vollstreckung im Inland

§ 52m. Das inländische Vollstreckungsverfahren kann trotz Übermittlung der vermögensrechtlichen Anordnung an einen oder mehrere Vollstreckungsstaaten fortgesetzt werden, doch darf der aus der Vollstreckung der auf einen Geldbetrag lautenden Verfallsentscheidung erlangte Gesamtbetrag den in der Entscheidung ausgesprochenen Betrag nicht übersteigen.

Verständigung des Vollstreckungsstaates

§ 52n. Das Gericht, das in erster Instanz erkannt hat, hat die zuständige Behörde des Vollstreckungsstaates unverzüglich davon in Kenntnis zu setzen, wenn

1. die Gefahr einer Vollstreckung über den in der auf einen Geldbetrag lautenden vermögensrechtlichen Anordnung ausgesprochenen Betrag hinaus besteht und sobald diese weggefallen ist,

2. die Entscheidung im Inland oder in einem anderen Vollstreckungsstaat ganz oder teilweise vollstreckt worden ist, gegebenenfalls unter Angabe des Betrages, hinsichtlich dessen noch keine Vollstreckung erfolgt ist,

3. der Betroffene auf Grund der vermögensrechtlichen Anordnung bereits einen Geldbetrag gezahlt hat,

4. die vermögensrechtliche Anordnung oder ihre Vollstreckbarkeit nachträglich aufgehoben oder abgeändert worden ist oder die Vollstreckung aus anderen Gründen nicht mehr begehrt wird.

Vierter Abschnitt

Vollstreckung von Geldsanktionen

Erster Unterabschnitt

Vollstreckung von Entscheidungen anderer Mitgliedstaaten

Voraussetzungen

§ 53. (1) Eine rechtskräftige Entscheidung eines Gerichtes eines anderen Mitgliedstaates, mit der eine Geldsanktion (Abs. 3) wegen einer nach dem Recht dieses Staates gerichtlich strafbaren Handlung ausgesprochen worden ist, wird nach den Bestimmungen dieses Abschnitts vollstreckt.

(2) Einer Entscheidung nach Abs. 1 ist gleichzuhalten:

1. die Entscheidung einer anderen Justizbehörde, insbesondere einer Staatsanwaltschaft, wenn der Betroffene die Möglichkeit hatte, die Sache vor ein auch in Strafsachen zuständiges Gericht zu bringen, sowie

2. die Entscheidung eines auch in Strafsachen zuständigen Gerichtes, das gegen eine Entscheidung angerufen wurde, die eine nicht gerichtliche Behörde wegen einer nach dem Recht des Entscheidungsstaates gerichtlich strafbaren Handlung, Verwaltungsübertretung oder Ordnungswidrigkeit gefällt hat.

(3) Eine Geldsanktion ist

1. eine Geldstrafe oder eine Geldbuße,

2. eine in derselben Entscheidung ausgesprochene Verpflichtung zur Zahlung einer Entschädigung an das Opfer, wenn dieses im Rahmen des Verfahrens keine zivilrechtlichen Ansprüche geltend machen konnte und das Gericht in Ausübung seiner strafrechtlichen Zuständigkeit tätig wurde,

3. die Verpflichtung zum Ersatz der Kosten des zur Entscheidung führenden Verfahrens, oder

4. eine in derselben Entscheidung ausgesprochene Verpflichtung zur Zahlung eines Geldbetrages an eine öffentliche Kasse oder eine Organisation zur Unterstützung von Opfern.

Keine Geldsanktionen sind vermögensrechtliche Anordnungen (§ 2 Z 11) sowie Erkenntnisse über privatrechtliche Ansprüche.

Unzulässigkeit der Vollstreckung

§ 53a. Die Vollstreckung der Entscheidung eines anderen Mitgliedstaates, mit der eine Geldsanktion ausgesprochen worden ist, durch ein österreichisches Gericht ist unzulässig,

1. wenn die Geldsanktion den Betrag von 70 Euro oder dessen Gegenwert nicht erreicht,

2. wenn die der Entscheidung zugrunde liegende Tat

a) im Inland oder an Bord eines österreichischen Schiffes oder Luftfahrzeuges begangen worden ist; oder

b) außerhalb des Hoheitsgebietes des Entscheidungsstaats begangen worden ist, wenn nach österreichischem Recht außerhalb des Bundesgebietes begangene Taten dieser Art nicht dem Geltungsbereich der österreichischen Strafgesetze unterlägen,

3. wenn gegen den Betroffenen wegen der der Entscheidung zugrunde liegenden Tat eine rechtskräftige Entscheidung im Inland oder eine rechtskräftige, bereits vollstreckte Entscheidung in einem anderen Staat ergangen ist,

4. wenn die der Entscheidung zugrunde liegende Tat nach österreichischem Recht weder gerichtlich noch als Verwaltungsübertretung strafbar ist, es sei denn, die Tat ist einer der in Anhang I, Teil A oder B, angeführten Kategorien von Straftaten und Verwaltungsübertretungen zuzuordnen; die vom Entscheidungsstaat getroffene Zuordnung ist vorbehaltlich des § 53c Abs. 3 Z 3 bindend;

5. wenn die der Entscheidung zugrunde liegende Tat von einer Person begangen wurde, die nach österreichischem Recht zur Zeit der Tat strafunmündig war,

6. wenn die Vollstreckung einer der Entscheidung zugrunde liegenden Tat, die dem Geltungsbereich der österreichischen Strafgesetze unterliegt, nach österreichischem Recht verjährt ist;

7. wenn dem Betroffenen im Inland oder im Entscheidungsstaat Amnestie oder Begnadigung gewährt worden ist,

8. soweit die Vollstreckung gegen Bestimmungen über Immunität verstoßen würde,

9. wenn die Entscheidung in einem schriftlichen Verfahren ergangen ist und der Betroffene nicht persönlich oder über einen nach dem Recht des Entscheidungsstaates befugten Vertreter von bestehenden Rechtsmittelmöglichkeiten und den dafür geltenden Fristen in Kenntnis gesetzt worden ist;

10. wenn die Entscheidung in Abwesenheit des Betroffenen ergangen ist, es sei denn, dass dieser im Einklang mit den Verfahrensvorschriften des Entscheidungsstaats

a) fristgerecht durch persönliche Ladung oder auf andere Weise von Zeit und Ort der Verhandlung, die zu der Entscheidung geführt hat, tatsächlich Kenntnis erlangt hat und darüber belehrt worden ist, dass die Entscheidung in seiner Abwesenheit ergehen kann;

b) in Kenntnis der anberaumten Verhandlung einen selbst gewählten oder vom Gericht beigegebenen Verteidiger mit seiner Vertretung in der Verhandlung betraut hat und von diesem in der Verhandlung tatsächlich vertreten wurde; oder

c) nach Zustellung der in Abwesenheit ergangenen Entscheidung und nach Belehrung über das Recht, die Neudurchführung der Verhandlung zu beantragen oder ein Rechtsmittel zu ergreifen und auf diesem Weg einer neuerliche Prüfung des Sachverhalts, auch unter Berücksichtigung neuer Beweise, in seiner Anwesenheit und eine Aufhebung der Entscheidung zu erreichen,

aa) ausdrücklich erklärt hat, keine Neudurchführung der Verhandlung zu beantragen oder kein Rechtsmittel zu ergreifen; oder

bb) innerhalb der bestehenden Fristen keine Neudurchführung der Verhandlung beantragt oder kein Rechtsmittel ergriffen hat.

10a. wenn die Entscheidung in Abwesenheit des Betroffenen ergangen ist, es sei denn, dass dieser nach ausdrücklicher Unterrichtung über das Verfahren und die Möglichkeit, zu der Verhandlung persönlich zu erscheinen, ausdrücklich erklärt hat, auf das Recht auf mündliche Anhörung zu verzichten und kein Rechtsmittel gegen die Entscheidung zu ergreifen.

11. wenn objektive Anhaltspunkte dafür vorliegen, dass die Entscheidung unter Verletzung von Grundrechten oder wesentlicher Rechtsgrundsätze im Sinne von Art. 6 des Vertrags über die Europäische Union zustande gekommen ist, insbesondere die Geldsanktion zum Zwecke der Bestrafung des Betroffenen aus Gründen seines Geschlechts, seiner Rasse, Religion, ethnischen Herkunft, Staatsangehörigkeit, Sprache, politischen Überzeugung oder sexuellen Ausrichtung verhängt worden ist, und der Betroffene keine Möglichkeit hatte, diese Umstände vor dem Europäischen Gerichtshof für Menschenrechte oder vor dem Gerichtshof der Europäischen Union geltend zu machen.

Zuständigkeit

§ 53b. (1) Zur Entscheidung über die Vollstreckung einer Entscheidung, mit der eine Geldsanktion ausgesprochen worden ist, ist das Landesgericht sachlich zuständig.

(2) Die örtliche Zuständigkeit richtet sich nach dem Wohnsitz oder Aufenthalt der Person, gegen die die Geldsanktion ausgesprochen worden ist; handelt es sich um einen Verband (§ 1 Abs. 2 und 3 VbVG), nach dessen Sitz oder nach dem Ort dessen Betriebes oder dessen Niederlassung. Können diese Orte nicht festgestellt werden, so ist der Ort maßgebend, an dem sich Vermögen befindet, in das die Entscheidung vollstreckt werden soll. Ist nach diesen Bestimmungen die Zuständigkeit eines bestimmten Gerichtes nicht feststellbar, so ist das Landesgericht für Strafsachen Wien zuständig.

(3) Ist das Gericht, das mit der Vollstreckung befasst worden ist, nicht zuständig, so tritt es die Sache an das zuständige Gericht ab.

(4) Ist die Entscheidung, mit der eine Geldsanktion ausgesprochen worden ist, keine Entscheidung im Sinn von § 53 Abs. 1 oder 2, so ist die Sache der zuständigen Bezirksverwaltungsbehörde oder – im Gebiet einer Gemeinde, für das die Landespolizeidirektion zugleich Sicherheitsbehörde erster Instanz ist – Landespolizeidirektion abzutreten.

Verfahren

§ 53c. (1) Die Vollstreckung setzt voraus, dass dem inländischen Gericht

1. die zu vollstreckende Entscheidung und

2. die von der zuständigen Behörde unterzeichnete Bescheinigung (Anhang VI) und, sofern der Entscheidungsstaat nicht die Erklärung abgegeben hat, als Vollstreckungsstaat Bescheinigungen auch in deutscher Sprache zu akzeptieren (§ 53k Abs. 2), deren Übersetzung in die deutsche Sprache

übermittelt wird.

(2) Hat die Behörde des Entscheidungsstaates die zugrunde liegende Straftat der in Anhang I, Teil B Z 7, angeführten Kategorie zugeordnet, so haben aus der Bescheinigung die näheren Umstände der Tat, die angewandten innerstaatlichen Rechtsvorschriften und jene Bestimmung des aufgrund des Vertrags über die Gründung der Europäischen Gemeinschaften oder des Vertrags über die Europäische Union erlassenen Rechtsaktes, die durch die innerstaatlichen Rechtsvorschriften umgesetzt werden, hervorzugehen.

(3) Wenn

1. die Bescheinigung nicht übermittelt worden, in wesentlichen Teilen unvollständig ist oder offensichtlich der Entscheidung widerspricht,

2. Anhaltspunkte bestehen, dass einer der in § 53a Z 6, 9, 10 und 11 angeführten Gründe für die Unzulässigkeit der Vollstreckung vorliegt,

3. die rechtliche Würdigung als Straftat nach Anhang I, Teil A oder B, offensichtlich fehlerhaft ist oder der Betroffene dagegen begründete Einwände erhoben hat, oder

4. der Betroffene bescheinigt, dass die Geldsanktion zur Gänze oder zum Teil bezahlt oder eingebracht worden ist,

so ist die Behörde des Entscheidungsstaates um Nachreichung, Vervollständigung oder ergänzende Information binnen einer festzusetzenden angemessenen Frist mit dem Hinweis zu ersuchen, dass bei fruchtlosem Ablauf der Frist die Vollstreckung zur Gänze oder zum Teil verweigert werden werde.

(4) Auf den Geschäftsverkehr ist § 14 Abs. 1 bis 5 sinngemäß anzuwenden.

(5) Zu den Voraussetzungen der Vollstreckung (§§ 53, 53a), zur Höhe des zu vollstreckenden Betrages (§ 53d Abs. 2) und zur Höhe der Tagessätze der nicht bereits in der zu vollstreckenden Entscheidung festgesetzten Ersatzfreiheitsstrafe (§ 53d Abs. 3) ist der Betroffene zu hören, sofern er im Inland geladen werden kann.

Entscheidung

§ 53d. (1) Über die Vollstreckung ist mit Beschluss zu entscheiden. Der Beschluss hat die Bezeichnung der Behörde, deren Entscheidung vollstreckt wird, deren Aktenzeichen, eine kurze Darstellung des Sachverhalts einschließlich Ort und Zeit der Tat, die Bezeichnung der strafbaren Handlung sowie die angewendeten Rechtsvorschriften des Entscheidungsstaates zu enthalten.

(2) Wird die Vollstreckung übernommen, so ist der im Inland zu vollstreckende Betrag in Höhe des Betrages festzusetzen, der in der zu vollstreckenden Entscheidung ausgesprochen ist. Ist der Betrag nicht in Euro angegeben, so hat die Umrechnung nach dem am Tag der Erlassung der zu vollstreckenden Entschei-

dung geltenden Wechselkurs zu erfolgen. Der zu vollstreckende Betrag ist jedoch auf das nach österreichischem Recht zulässige Höchstmaß herabzusetzen, wenn die der Entscheidung zugrunde liegende Tat außerhalb des Hoheitsgebietes des Entscheidungsstaates begangen wurde und dem Geltungsbereich der österreichischen Strafgesetze unterliegt. Bereits geleistete Zahlungen und eingebrachte Beträge sind anzurechnen.

(3) Ist in einer zu vollstreckenden Entscheidung, mit der eine Geldstrafe oder eine Geldbuße ausgesprochen wurde, nicht bereits eine Ersatzfreiheitsstrafe festgesetzt, ist in der Bescheinigung jedoch angegeben, dass Ersatzfreiheitsstrafen nach dem Recht des Entscheidungsstaates zulässig sind, so ist in dem Beschluss über die Vollstreckung eine Ersatzfreiheitsstrafe für den Fall der Uneinbringlichkeit der Geldstrafe oder Geldbuße festzusetzen. Ihre Dauer ist mit jener Dauer zu bestimmen, die der Anzahl von Tagessätzen entspricht (§ 19 Abs. 3 StGB), die nach österreichischem Recht für die Tat festzusetzen wäre, oder die sonst nach österreichischem Recht zu bestimmen wäre, darf jedoch eine in der Bescheinigung angegebene Höchstdauer nicht überschreiten.

(4) Gegen den Beschluss steht der Staatsanwaltschaft und dem Betroffenen die binnen 14 Tagen einzubringende Beschwerde an das Oberlandesgericht offen. Einer rechtzeitig erhobenen Beschwerde des Betroffenen kommt aufschiebende Wirkung zu.

(5) Nach Rechtskraft des Beschlusses ist nach § 409 StPO vorzugehen.

(6) Wurde die Vollstreckung aus dem Grunde des § 53a Z 11 verweigert, so hat die zuständige Staatsanwaltschaft dem Bundesministerium für Justiz unter Anschluss einer Beschlussausfertigung zu berichten.

Aufschub der Vollstreckung

§ 53e. (1) Die Vollstreckung der Entscheidung, mit der eine Geldsanktion ausgesprochen worden ist, ist aufzuschieben,

1. solange über eine zulässige Beschwerde (§ 53d Abs. 4) nicht rechtskräftig entschieden wurde;

2. für die Dauer der vom Gericht für erforderlich erachteten, auf seine Kosten anzufertigenden Übersetzung der Entscheidung;

3. bis zum Einlangen der von der Behörde des Entscheidungsstaates begehrten ergänzenden Informationen.

(2) Für die Dauer des Aufschubs sind sämtliche zulässigen Maßnahmen zu ergreifen, um zu verhindern, dass der einzubringende Geldbetrag nach Wegfall des Grundes für den Aufschub nicht mehr zum Zwecke der Vollstreckung der Entscheidung zur Verfügung steht.

Erlös aus der Vollstreckung

§ 53f. Der Erlös aus der Vollstreckung fällt dem Bund zu, sofern nicht eine anders lautende Vereinbarung mit dem Entscheidungsstaat getroffen worden ist.

Ersatzfreiheitsstrafe

§ 53g. Kann eine Geldstrafe oder eine Geldbuße nicht eingebracht werden, so ist der Vollzug der in der zu vollstreckenden Entscheidung oder im Beschluss über die Vollstreckung (§ 53d Abs. 3) festgesetzten Ersatzfreiheitsstrafe anzuordnen.

Einstellung der Vollstreckung

§ 53h. Teilt die zuständige Behörde des Entscheidungsstaates mit, dass die Entscheidung, mit der die Geldsanktion ausgesprochen wurde, oder ihre Vollstreckbarkeit aufgehoben worden ist oder dass die Vollstreckung aus anderen Gründen nicht mehr begehrt werde, so ist die Vollstreckung einzustellen.

Verständigung des Entscheidungsstaates

§ 53i. Das Gericht hat die zuständige Behörde des Entscheidungsstaates unverzüglich davon in Kenntnis zu setzen, wenn

1. es die Sache an das zuständige Gericht oder die zuständige Bezirksverwaltungsbehörde oder – im Gebiet einer Gemeinde, für das die Landespolizeidirektion zugleich Sicherheitsbehörde erster Instanz ist – Landespolizeidirektion abgibt (§ 53b Abs. 3 und 4),

2. der zu vollstreckende Betrag niedriger als mit dem in der Entscheidung ausgesprochenen Betrag festgesetzt wird (§ 53d Abs. 2),

3. eine Ersatzfreiheitsstrafe festgesetzt und ihr Vollzug angeordnet wird (§ 53g),

4. die Entscheidung vollstreckt worden ist,

5. die Vollstreckung zur Gänze oder zum Teil verweigert wird, unter Angabe der Gründe,

6. die Entscheidung mangels Einbringlichkeit im Inland nicht vollstreckt werden kann.

Kosten

§ 53j. Die durch die Vollstreckung einer ausländischen Entscheidung, in welcher eine Geldsanktion verhängt wurde, entstandenen Kosten sind unbeschadet ihrer Einbringung beim Betroffenen vom Bund zu tragen.

Zweiter Unterabschnitt

Erwirkung der Vollstreckung in einem anderen Mitgliedstaat

Befassung eines anderen Mitgliedstaates

§ 53k. (1) Besteht Anlass, einen anderen Mitgliedstaat mit der Vollstreckung einer gerichtlichen Entscheidung zu befassen, mit der eine Geldsanktion

(§ 53 Abs. 2) ausgesprochen worden ist, so hat das Gericht, das in erster Instanz erkannt hat, zunächst der Staatsanwaltschaft Gelegenheit zur Äußerung zu geben und den Betroffenen zu hören, sofern er im Inland geladen werden kann.

(2) Das Gericht hat der zuständigen Behörde des Vollstreckungsstaates

1. die zu vollstreckende Entscheidung samt Übersetzung, sofern eine solche für den ausländischen Betroffenen im Inlandsverfahren bereits angefertigt wurde, sowie

2. eine ausgefüllte und unterzeichnete Bescheinigung (Anhang VI) und, sofern der Vollstreckungsstaat nicht erklärt hat, Bescheinigungen auch in deutscher Sprache zu akzeptieren, deren Übersetzung in eine Amtssprache des Vollstreckungsstaates oder in eine andere von diesem akzeptierte Sprache

zu übermitteln. Die Bundesministerin für Justiz hat durch Verordnung zu verlautbaren, welche Mitgliedstaaten welche Amtssprachen akzeptieren.

(3) Auf den Geschäftsverkehr ist § 14 Abs. 1 bis 5 sinngemäß anzuwenden. Sind die Entscheidung und die Bescheinigung nicht auf dem Postweg übermittelt worden, so sind der zuständigen Behörde des Vollstreckungsstaates auf ihr Ersuchen eine Ausfertigung oder beglaubigte Abschrift der Entscheidung sowie das Original der Bescheinigung auf dem Postweg nachzureichen.

(4) Die gleichzeitige Befassung eines weiteren Mitgliedstaates mit der Vollstreckung ist unzulässig.

Widerruf der Befassung

§ 53l. Das Gericht hat die zuständige Behörde des Vollstreckungsstaates unverzüglich davon in Kenntnis zu setzen, wenn

1. der Betroffene auf Grund der Entscheidung, mit der die Geldsanktion ausgesprochen worden ist, bereits einen Geldbetrag gezahlt hat,

2. die Entscheidung, mit der die Geldsanktion ausgesprochen worden ist, oder ihre Vollstreckbarkeit nachträglich aufgehoben, abgeändert oder das Ausmaß der Geldsanktion herabgesetzt worden ist, oder

3. die Vollstreckung aus anderen Gründen nicht mehr begehrt wird.

Vollstreckung im Inland

§ 53m. (1) Wurde ein Mitgliedstaat mit der Vollstreckung befasst, so ist eine Vollstreckung im Inland unzulässig.

(2) Das Vollstreckungsverfahren kann jedoch fortgesetzt werden

1. nachdem der zuständigen Behörde des Vollstreckungsstaates mitgeteilt worden ist, dass die Vollstreckung nicht mehr begehrt werde,

2. wenn im Vollstreckungsstaat eine Begnadigung oder Amnestie dazu geführt hat, dass die Vollstreckung unterbleibt,

3. wenn die Vollstreckung im Vollstreckungsstaat mangels Einbringlichkeit nicht möglich ist, oder

4. wenn der Vollstreckungsstaat die Vollstreckung verweigert, es sei denn die Verweigerung ist auf den in § 53a Z 3 genannten Grund gestützt worden.

IV. Hauptstück

Europäische Ermittlungsanordnung, Rechtshilfe und sonstige Zusammenarbeit in Strafsachen

Erster Abschnitt

Europäische Ermittlungsanordnung

Erster Unterabschnitt

Vollstreckung einer Europäischen Ermittlungsanordnung

Voraussetzungen

§ 55. (1) Eine Europäische Ermittlungsanordnung eines anderen Mitgliedstaats außer Dänemark oder Irland wird nach den Bestimmungen dieses Unterabschnitts vollstreckt.

(2) Dieser Unterabschnitt findet keine Anwendung auf die:

1. Bildung gemeinsamer Ermittlungsgruppen (§§ 60 ff und 76),

2. Zustellung von Verfahrensurkunden (§ 75),

3. Einholung von Strafregisterauskünften über Staatsangehörige anderer Mitgliedstaaten (§§ 77 ff) sowie

4. grenzüberschreitende Nacheile und Observation, soweit es sich um polizeiliche Maßnahmen handelt (§ 1 Abs. 2 Z 2 PolKG);

(3) Wird das Verfahren im Ausstellungsstaat nicht von einer Justizbehörde geführt, so kann eine Europäische Ermittlungsanordnung nur vollstreckt werden, wenn gegen die Entscheidung der ausstellenden Behörde ein Gericht angerufen werden kann und die Ermittlungsanordnung von einer Justizbehörde des Ausstellungsstaates genehmigt wurde.

Unzulässigkeit der Vollstreckung

§ 55a. (1) Die Vollstreckung einer Europäischen Ermittlungsanordnung ist unzulässig, wenn:

1. vorbehaltlich des Abs. 2 die ihr zugrundeliegende Handlung nach österreichischem Recht nicht mit gerichtlicher Strafe bedroht ist; für fiskalisch strafbare Handlungen ist § 12 sinngemäß anzuwenden;

2. sie sich auf eine strafbare Handlung bezieht, die außerhalb des Hoheitsgebiets des Anordnungs-

staats und ganz oder teilweise im Inland oder an Bord eines österreichischen Schiffs oder Luftfahrzeugs begangen worden sein soll, und die Handlung nach österreichischem Recht nicht mit gerichtlicher Strafe bedroht ist;

3. das Recht, wegen derselben Straftat nicht zweimal strafrechtlich verfolgt oder bestraft zu werden, verletzt werden würde (Art. 54 SDÜ), es sei denn, dass ihr ein Antrag des Beschuldigten auf Durchführung bestimmter Ermittlungsmaßnahmen oder Aufnahme bestimmter Beweise im Verfahren vor der ausstellenden Behörde zu Grunde liegt;

4. die Ermittlungsmaßnahme nach österreichischem Recht nur zur Aufklärung besonders bezeichneter strafbarer Handlungen oder solcher Handlungen, deren Begehung mit einer im Gesetz bestimmten Strafe bedroht sind, angeordnet werden darf und die der Europäischen Ermittlungsanordnung zugrundeliegende strafbare Handlung diese Voraussetzung nicht erfüllt, es sei denn, es handelt sich um eine in § 55b Abs. 2 genannte Ermittlungsmaßnahme;

5. ihr Bestimmungen über die Immunität entgegenstehen;

6. sie wesentlichen nationalen Sicherheitsinteressen schaden, Informationsquellen gefährden oder die Verwendung von klassifizierten Informationen über nachrichtendienstliche Tätigkeiten voraussetzen würde;

7. berechtigte Gründe für die Annahme bestehen, dass sie die in Art. 6 des Vertrags über die Europäische Union anerkannten Grundsätze oder die durch die Charta der Grundrechte der Europäischen Union gewährten Rechte verletzen würde;

8. das Recht einer in §§ 155 Abs. 1 Z 1 und 157 Abs. 1 Z 2 bis 5 StPO genannten Person, die Aussage zu verweigern, umgangen würde, es sei denn, dass die zur Verweigerung der Aussage berechtigte Person im Verfahren der ausstellenden Behörde als Beschuldigter geführt wird;

9. die Voraussetzungen des § 55 Abs. 3 – vorbehaltlich des § 55d Abs. 2 Z 1 – nicht gegeben sind;

10. im Fall einer Europäischen Ermittlungsanordnung zur Überstellung einer inhaftierten Person die Überstellung aus dem Bundesgebiet geeignet ist, die Dauer der Anhaltung zu verlängern;

11. der Beschuldigte der Vernehmung mittels technischer Einrichtung zur Wort- und Bildübertragung im Fall einer darauf gerichteten Europäischen Ermittlungsanordnung nicht zugestimmt hat oder die Europäische Ermittlungsanordnung auf eine Vernehmung des Beschuldigten mittels Telefonkonferenz gerichtet ist;

12. im Fall einer Europäischen Ermittlungsanordnung zur Durchführung einer kontrollierten Lieferung die Voraussetzungen des § 99 Abs. 4 StPO nicht vorliegen;

13. im Fall einer Europäischen Ermittlungsanordnung zur Durchführung einer Observation, einer Überwachung von Nachrichten oder einer optischen und akustischen Überwachung von Personen die Überwachung in einem vergleichbaren innerstaatlichen Fall nicht genehmigt würde.(2) Die beiderseitige Strafbarkeit nach Abs. 1 Z 1 ist nicht zu prüfen, wenn

1. die der Europäischen Ermittlungsanordnung zugrundeliegende Tat von der ausstellenden Behörde einer der in Anhang I, Teil A angeführten Kategorie von Straftaten zugeordnet wurde und nach dem Recht des Ausstellungsstaates mit Freiheitsstrafe, deren Obergrenze mindestens drei Jahre beträgt, oder mit Freiheitsstrafe verbundenen vorbeugenden Maßnahmen in dieser Dauer bedroht ist, wobei die von der ausstellenden Behörde getroffene Zuordnung vorbehaltlich des § 55d Abs. 2 Z 2 bindend ist; oder

2. es sich um eine in § 55b Abs. 2 genannte Maßnahme handelt.

Rückgriff auf eine andere Ermittlungsmaßnahme

§ 55b. (1) Die Europäische Ermittlungsanordnung ist durch Rückgriff auf eine andere als die in ihr genannte Maßnahme zu vollstrecken, wenn

1. der mit ihrer Vollstreckung verbundene Eingriff in Rechte von Personen gesetzlich nicht ausdrücklich vorgesehen (§ 5 Abs. 1 StPO) ist, oder ihre Vollstreckung sonst aus dem Grund des § 55a Abs. 1 Z 4 unzulässig wäre, oder

2. durch die Durchführung einer anderen Maßnahme, die die Rechte des Betroffenen weniger beeinträchtigt, das gleiche Ergebnis erzielt werden kann, wie es mit der in der Europäischen Ermittlungsanordnung genannten Maßnahme erzielt werden soll.

(2) Ein Rückgriff aus dem Grund des Abs. 1 Z 1 ist jedenfalls in folgenden Fällen ausgeschlossen:

1. Übermittlung von Ermittlungsergebnissen oder Beweismitteln, die in einem inländischen Strafverfahren gewonnen oder aufgenommen wurden;

2. Übermittlung von Informationen, die sich aus öffentlichen oder den Polizei- oder den Justizbehörden in einem Strafverfahren unmittelbar zugänglichen Datenbanken ergeben;

3. Vernehmung von Beteiligten eines Strafverfahrens, Opfern, Zeugen oder Sachverständigen;

4. Durchführung von Maßnahmen, die nicht mit einer Ausübung von Zwang gegen den Betroffenen verbunden sind;

5. Auskunft über Stamm- und Zugangsdaten nach § 135 Abs. 1a StPO.

(3) Gibt es im Fall des Abs. 1 Z 1 keine Maßnahme, mit der das gleiche Ergebnis erzielt werden kann wie mit der Durchführung der in der Europäischen Ermittlungsanordnung genannten Maßnahme, so ist der aus-

stellenden Behörde mitzuteilen, dass es nicht möglich war, die Europäische Ermittlungsanordnung zu vollstrecken.

Zuständigkeit

§ 55c. (1) Für das Verfahren zur Vollstreckung einer Europäischen Ermittlungsanordnung ist jene Staatsanwaltschaft zuständig, in deren Sprengel die begehrte Maßnahme durchzuführen ist.

(2) Handelt es sich um eine Europäische Ermittlungsanordnung, die auf die Durchführung einer grenzüberschreitenden Observation oder einer kontrollierten Lieferung gerichtet ist, so ist jene Staatsanwaltschaft zuständig, in deren Sprengel voraussichtlich die Grenze überschritten werden wird oder von deren Sprengel aus die Observation oder kontrollierte Lieferung ausgehen soll; im Fall einer Observation in einem nach Österreich fliegenden Luftfahrzeug aber die Staatsanwaltschaft, in deren Sprengel der Ort der Landung liegt. Für Unterrichtungen (**Anhang XIX**) ist jene Staatsanwaltschaft zuständig, in deren Sprengel sich die überwachte Person zum Zeitpunkt der Überwachung aufgehalten hat, aufhält oder aufhalten wird. Ist eine Zuständigkeit danach nicht feststellbar, so ist die Staatsanwaltschaft Wien zuständig.

(3) Richtet sich die Europäische Ermittlungsanordnungen auf die Übermittlung von Auskünften über das Hauptverfahren oder über die Vollstreckung der ausgesprochenen Strafe oder einer vorbeugenden Maßnahme, so ist das erkennende Gericht zuständig. Gleiches gilt für die Überlassung von Akten oder die Durchführung von Vernehmungen, soweit im inländischen Verfahren bereits Anklage eingebracht worden ist und die Vollstreckung der Europäischen Ermittlungsanordnung mit dem inländischen Verfahren im Zusammenhang steht. Im Fall der Vernehmung ist der Einzelrichter (§ 31 Abs. 1 Z 1 StPO) zuständig.

(4) Für die Entscheidung über die Vollstreckung einer in § 55g Abs. 1 genannten Europäischen Ermittlungsanordnung ist der Einzelrichter des in § 16 StVG bezeichneten Gerichts, ansonsten das Gericht, auf dessen Anordnung die Haft beruht, zuständig.

(5) Liegt der Europäischen Ermittlungsanordnung eine Handlung zu Grunde, die nach innerstaatlichen Rechtsvorschriften als eine in die Zuständigkeit der Verwaltungsbehörden fallende Verwaltungsübertretung oder als ein in die Zuständigkeit der Finanzstrafbehörden fallendes Finanzvergehen zu beurteilen ist, so ist das Verfahren der nach den innerstaatlichen Rechtsvorschriften zuständigen Behörde abzutreten.

Verfahren

§ 55d. (1) Die Vollstreckung der Europäischen Ermittlungsanordnung setzt voraus, dass die unterzeichnete und gegebenenfalls genehmigte (§ 55 Abs. 3) Bescheinigung (**Anhang XVII**) und, sofern der Ausstellungsstaat nicht die Erklärung abgegeben hat, als Vollstreckungsstaat Bescheinigungen auch in deutscher Sprache zu akzeptieren (§ 56 Abs. 3), deren Übersetzung in die deutsche Sprache übermittelt wird.

(2) Wenn

1. die Bescheinigung unvollständig, widersprüchlich, offensichtlich unrichtig ist oder nicht von einer Justizbehörde des Ausstellungsstaates genehmigt wurde (§ 55 Abs. 3),

2. die rechtliche Würdigung als Straftat nach Anhang I Teil A. offensichtlich fehlerhaft ist oder der Beschuldigte dagegen begründete Einwände erhoben hat,

ist die ausstellende Behörde um Nachreichung, Vervollständigung oder ergänzende Information binnen einer festzusetzenden, angemessenen Frist zu ersuchen.

(3) Bestehen Anhaltspunkte für das Vorliegen von den in § 55a Abs. 1 Z 3, 5 bis 8 genannten Gründen oder scheint es sachgerecht, zunächst andere als die in der Europäischen Ermittlungsanordnung genannten Maßnahmen durchzuführen, so ist die ausstellende Behörde zu informieren und im Wege von Konsultationen darauf hinzuwirken, dass dem Zweck der Ermittlungsanordnung so weit wie möglich entsprochen wird.

(4) Vor einem Vorgehen nach § 55b Abs. 1 ist der ausstellenden Behörde Gelegenheit zur Stellungnahme zu geben.

(5) Steht der Vollstreckung einer Europäischen Ermittlungsanordnung eine Immunität entgegen, für deren Aufhebung eine Zuständigkeit im Inland besteht, sind die nach den vorgesehenen Voraussetzungen notwendigen Anträge zu stellen und die Europäische Ermittlungsanordnung nach Aufhebung der Immunität zu vollstrecken.

(6) Einem Ersuchen um Vollstreckung einer Europäischen Ermittlungsanordnung, das ein vom österreichischen Recht abweichendes Vorgehen erfordert, ist zu entsprechen, wenn diesem Vorgehen keine wesentlichen innerstaatlichen Rechtsgrundsätze entgegenstehen.

(7) Langt bei der Staatsanwaltschaft eine Unterrichtung (**Anhang XIX**) ein, so hat sie der ausstellenden Behörde im Fall des Vorliegens der in § 55a Abs. 1 Z 1 bis 5, 8 und 13 genannten Gründe binnen 96 Stunden mitzuteilen, dass die Überwachung von Nachrichten nicht durchgeführt werden kann oder zu beenden ist, sowie bereits gesammelte Ergebnisse der Überwachung von Nachrichten nicht verwendet werden dürfen.

(8) Auf den Geschäftsweg ist § 14 Abs. 1 bis 5 sinngemäß anzuwenden.

Entscheidung über die Vollstreckung

§ 55e. (1) Ist nach den Bestimmungen der StPO zur Vollstreckung der in der Europäischen Ermittlungsanordnung vorgesehenen Maßnahme eine Anordnung der Staatsanwaltschaft erforderlich, so hat die Anordnung zu enthalten:

1. die in § 102 Abs. 2 Z 1, 2 und 4 StPO genannten Angaben,

2. eine Beschreibung der durchzuführenden Maßnahme,

3. eine Begründung, aus der sich die Zulässigkeit der Vollstreckung ergibt,

4. eine Ablichtung der Europäischen Ermittlungsanordnung.

(2) Die Staatsanwaltschaft hat gegebenenfalls die für die gerichtliche Entscheidung über die Durchführung der begehrten Maßnahme oder die Genehmigung oder Bewilligung von Zwangsmitteln nach der StPO (§§ 104, 105 StPO) erforderlichen Anträge zu stellen.

(3) Soweit es das Gericht im Verfahren über einen Antrag der Staatsanwaltschaft nach Abs. 2 aus rechtlichen oder tatsächlichen Gründen erforderlich erachtet, nach § 55d Abs. 2 bis 5 vorzugehen, oder weitere Informationen von der ausstellenden Behörde einzuholen, hat es der Staatsanwaltschaft anzuordnen, nach § 55d Abs. 2 bis 5 vorzugehen oder weitere Informationen einzuholen.

(4) Gegen die Entscheidung der Staatsanwaltschaft, die Europäische Ermittlungsanordnung zu vollstrecken, gegen den Beschluss des Gerichts sowie gegen Rechtsverletzungen im Rahmen der Durchführung der Maßnahme stehen die nach innerstaatlichen Rechtsvorschriften vorgesehenen Rechtsbehelfe zu. Die Gründe für die Ausstellung der Europäischen Ermittlungsanordnung können jedoch nur im Ausstellungsstaat überprüft werden.

(5) Über die Vollstreckung einer Europäischen Ermittlungsanordnung ist längstens binnen 30 Tagen zu entscheiden. Kann diese Frist nicht eingehalten werden, verlängert sie sich um weitere 30 Tage. Wenn jedoch eine vorläufige Maßnahme vollstreckt werden soll, um zu verhindern, dass Gegenstände, die als Beweismittel dienen können, vernichtet, verändert, entfernt, übertragen oder veräußert werden, ist, soweit möglich, innerhalb von 24 Stunden über die Vollstreckung zu entscheiden.

Durchführung

§ 55f. (1) Die in der Europäischen Ermittlungsanordnung genannten Maßnahmen sind unverzüglich, längstens binnen 90 Tagen durchzuführen, davon zeitlich abweichende Ersuchen der Ausstellungsbehörde sind soweit wie möglich zu berücksichtigen.

(2) Die Durchführung einer in der Europäischen Ermittlungsanordnung genannten Maßnahme ist aufzuschieben, solange

1. der Zweck laufender Ermittlungen durch sie gefährdet wäre oder

2. die Beweismittel in einem inländischen Strafverfahren benötigt werden.

Überstellung inhaftierter Personen

§ 55g. (1) Ist eine Europäische Ermittlungsanordnung zu vollstrecken, die darauf gerichtet ist, dass eine Person, die im Inland in Untersuchungs- oder Strafhaft oder in einer mit Freiheitsentzug verbundenen vorbeugenden Maßnahme angehalten wird, zur Durchführung bestimmter Verfahrenshandlungen in den Ausstellungsstaat überstellt werden soll, so hat das zuständige Gericht (§ 55c Abs. 4) nach Anhörung der inhaftierten Person und gegebenenfalls ihres gesetzlichen Vertreters eine schriftliche Vereinbarung (Abs. 3) mit der zuständigen Behörde des Ausstellungsstaates zu schließen.

(2) Ist eine Europäische Ermittlungsanordnung zu vollstrecken, die darauf gerichtet ist, dass eine im Ausstellungsstaat inhaftierte Person zur Durchführung bestimmter Verfahrenshandlungen in das Inland überstellt werden soll, so hat die zuständige Staatsanwaltschaft (§ 55c Abs. 1) eine schriftliche Vereinbarung (Abs. 3) mit der zuständigen Behörde des Ausstellungsstaates zu schließen.

(3) Die Vereinbarung hat zumindest zu enthalten:

1. die Bezeichnung der Verfahrenshandlungen, zu deren Zweck die Überstellung stattfinden soll;

2. die Verpflichtung zur ehestmöglichen Rücküberstellung nach Durchführung der Verfahrenshandlungen;

3. eine Befristung, nach deren Ablauf die inhaftierte Person jedenfalls rückzustellen ist, sofern nicht vor Ablauf dieser Frist eine Verlängerung der Überstellung vereinbart worden ist;

4. die Verpflichtung, die überstellte Person weiterhin in Haft zu halten und nur auf Anordnung der zuständigen Behörde freizulassen sowie die Verpflichtung, die überstellte Person nach ihrer Freilassung nicht aufgrund einer Entscheidung im Ausstellungsstaat die Freiheit zu entziehen, vorbehaltlich der in Abs. 6 Z 1 und 2 genannten Fälle oder ihrer Zustimmung;

5. eine Bestimmung, dass die Überstellung den Vollzug der Haft oder vorbeugenden Maßnahme nicht unterbricht und für die Dauer der Überstellung in Haft zugebrachten Zeiten auf die Haft oder vorbeugende Maßnahme angerechnet werden;

6. eine Bestimmung, dass alle Kosten im Zusammenhang mit der Überstellung vom Ausstellungsstaat zu tragen sind.

(4) Die Überstellung unterbricht den Vollzug der Haft oder vorbeugenden Maßnahme nicht.

(5) Eine Entlassung der in das Bundesgebiet überstellten Person (Abs. 2) aus der Haft oder vorbeugenden Maßnahme kommt nur aufgrund einer Entscheidung der zuständigen Behörde des Ausstellungsstaates in Betracht.

(6) Eine in das Bundesgebiet überstellte Person (Abs. 2) darf im Inland wegen einer vor ihrer Über-

stellung begangenen strafbaren Handlung weder verfolgt noch einer Freiheitsstrafe oder mit Freiheitsentziehung verbundenen vorbeugenden Maßnahme unterworfen werden (Spezialität), es sei denn, die Person hat

1. innerhalb von 15 Tagen nach ihrer Entlassung das Bundesgebiet nicht verlassen, obwohl sie es verlassen konnte und durfte, oder

2. das Bundesgebiet verlassen und kehrt freiwillig zurück.

(7) Wurde die Entlassung einer Person, die in den Ausstellungsstaat überstellt wurde (Abs. 1), aus der inländischen Haft oder vorbeugenden Maßnahme verfügt, ist die zuständige Behörde des Ausstellungsstaates unverzüglich um die Entlassung zu ersuchen.

(8) Für die Durchlieferung gelten die §§ 32, 34 und 35 sinngemäß.

Durchführung einer Vernehmung mittels technischer Einrichtung zur Wort- und Bildübertragung oder im Wege einer Telefonkonferenz

§ 55h. (1) Vor der Vernehmung ist die Identität der zu vernehmenden Person festzustellen. Sie ist über ihre Rechte nach innerstaatlichem Recht und nach dem Recht des Ausstellungsstaats zu belehren.

(2) Die Vernehmung wird von oder unter Leitung eines Organs der ausstellenden Behörde nach deren Rechtvorschriften durchgeführt. Die Staatsanwaltschaft hat bei der Durchführung der Vernehmung auf die Einhaltung der wesentlichen innerstaatlichen Rechtsgrundsätze zu achten und gegebenenfalls unverzüglich Maßnahmen zu deren Einhaltung zu setzen.

EU-JZG

(3) Die Vollstreckungsbehörde erstellt ein Protokoll, das Angaben zum Termin und zum Ort der Vernehmung, zur Identität der vernommenen Person, zur Frage, ob sie vereidigt wurde, zur Identität und zur Funktion aller anderen an der Vernehmung teilnehmenden Personen sowie über die technischen Bedingungen der Vernehmung enthält.

(4) Wird die Aussage trotz Aussagepflicht verweigert oder falsch ausgesagt, gelten die innerstaatlichen Rechtsvorschriften.

Durchführung einer kontrollierten Lieferung

§ 55i. Die kontrollierte Lieferung durch das, in das oder aus dem Bundesgebiet ist von österreichischen Behörden zu übernehmen, zu leiten und so durchzuführen, dass ein Zugriff auf die Beschuldigten und die Waren jederzeit möglich ist.

Verständigungspflichten

§ 55j. Die ausstellende Behörde ist auf die in § 14 Abs. 3 genannte Weise in Kenntnis zu setzen:

1. unverzüglich, längstens jedoch innerhalb einer Woche, vom Einlangen und, in den Fällen der Unzuständigkeit nach § 55c, von der Weiterleitung einer Europäischen Ermittlungsanordnung unter Verwendung der Bescheinigung in **Anhang XVIII**;

2. von der Unmöglichkeit, die in der Europäischen Ermittlungsanordnung angeführten Formvorschriften (§ 55d Abs. 6) einzuhalten;

3. unverzüglich von der Weigerung, die Europäische Ermittlungsanordnung zur Gänze oder zum Teil zu vollstrecken, unter Angabe der Gründe oder unter Anschluss des gerichtlichen Beschlusses, mit dem die Bewilligung der Europäischen Ermittlungsanordnung abgewiesen wurde (§ 55d Abs. 6);

4. von einem Vorgehen nach § 55a;

5. unverzüglich vom Aufschub der Durchführung, unter Angabe der Gründe und nach Möglichkeit der voraussichtlichen Dauer des Aufschubs (§ 55f Abs. 2);

6. unverzüglich von der Beendigung des Aufschubs der Durchführung;

7. von der Nichteinhaltung der in §§ 55e Abs. 5 und 55f Abs. 1 vorgesehenen Fristen unter Angabe von Gründen sowie von der Unmöglichkeit, einen bestimmten, von der ausstellenden Behörde genannten Zeitpunkt für die Durchführung einzuhalten; im letzten Fall ist mit der ausstellenden Behörde ein neuer Zeitpunkt für die Durchführung der Maßnahme abzustimmen;

8. von der Einbringung eines Rechtsmittels gegen die Vollstreckung der Europäischen Ermittlungsanordnung.

Mitwirkung ausländischer Organe und am Verfahren Beteiligter bei der Vollstreckung

§ 55k. (1) Die Anwesenheit ausländischer Organe sowie von anderen am Verfahren beteiligten Personen und ihren Rechtsbeiständen bei der Durchführung der in der Europäischen Ermittlungsanordnung genannten Maßnahme ist auf Ersuchen der ausstellenden Behörde durch die zuständige Staatsanwaltschaft zu bewilligen, sofern dadurch nicht wesentliche Verfahrensgrundsätze verletzt werden.

(2) Die Vornahme selbständiger Ermittlungen oder Verfahrenshandlungen im Inland durch Organe des Ausstellungsstaats ist unzulässig. Die ausländischen Organe sind an die österreichischen Rechtsvorschriften gebunden. Die Durchführung der in der Europäischen Ermittlungsanordnung genannten Maßnahme hat unter Leitung einer österreichischen Behörde zu erfolgen. Ausländische verdeckte Ermittler sind ausschließlich vom Bundesministerium für Inneres (Bundeskriminalamt) zu führen und zu überwachen.

(3) Beamte der Mitgliedstaaten sind bei Einsätzen im Inland nach diesem Bundesgesetz und nach Maßgabe zwischenstaatlicher Vereinbarungen in Bezug

auf Straftaten, die gegen sie begangen werden oder die sie selbst begehen, österreichischen Beamten gleichgestellt.

(4) Wenn Beamte eines anderen Mitgliedstaates auf österreichischem Hoheitsgebiet nach diesem Bundesgesetz im Einsatz sind, ersetzt dieser Mitgliedstaat nach Maßgabe des österreichischen Rechts, insbesondere nach den Bestimmungen des Amtshaftungsgesetzes, BGBl. Nr. 20/1949, den durch die Beamten bei ihrem Einsatz verursachten Schaden.

(5) Wird der Schaden auf österreichischem Hoheitsgebiet verursacht, so hat die Republik Österreich den Schaden so zu ersetzen, wie wenn ihn österreichische Beamte verursacht hätten. Für die Geltendmachung von Schadenersatzansprüchen gilt das Amtshaftungsgesetz.

(6) Der andere Mitgliedstaat, dessen Beamte einen Schaden auf österreichischem Hoheitsgebiet verursacht haben, erstattet der Republik Österreich den Gesamtbetrag des Schadenersatzes, den diese an die Geschädigten oder ihre Rechtsnachfolger geleistet hat.

(7) Unbeschadet der Ausübung ihrer Rechte gegenüber Dritten und mit Ausnahme von Abs. 4 verzichten der andere Mitgliedstaat und die Republik Österreich in dem Fall des Abs. 2 darauf, den Betrag des erlittenen Schadens anderen Mitgliedstaaten gegenüber geltend zu machen.

Übermittlung der Ermittlungsergebnisse und Beweismittel

§ 55l. (1) Ermittlungsergebnisse und Beweismittel, die durch die Vollstreckung der Europäischen Ermittlungsanordnung erlangt wurden, sind unverzüglich an die ausstellende Behörde zu übermitteln oder an ein für diese handelndes Organ zu übergeben, es sei denn, dass in der Europäischen Ermittlungsanordnung angegeben wurde, dass sie im Inland verbleiben sollen.

(2) Im Fall der Vernehmung mittels technischer Einrichtung zur Wort- und Bildübertragung oder im Wege einer Telefonkonferenz ist der ausstellenden Behörde abweichend von Abs. 1 das Protokoll (§ 55h Abs. 3) zu übermitteln.

(3) Im Fall der Durchführung einer Überwachung von Nachrichten (§§ 134 Z 3, 135 Abs. 3 StPO) sind die Ergebnisse (§ 134 Z 5 StPO) an die ausstellende Behörde mit der Bedingung zu übermitteln, dass sie ohne vorherige Zustimmung in einem anderen Verfahren wegen einer anderen als der in der Europäischen Ermittlungsanordnung angeführten strafbaren Handlung nicht verwendet werden dürfen.

(4) Im Fall des § 55e Abs. 4 hat das zur Entscheidung über den Rechtsbehelf zuständige Gericht (§§ 31 Abs. 1 Z 3, 33 Abs. 1 Z 1 StPO) – soweit eine Beschwerde nach dem Gesetz nicht ohnedies aufschiebende Wirkung hat – auf Antrag oder von Amts wegen die Übermittlung bis zur Entscheidung über den Rechtsbehelf aufzuschieben, es sei denn, dass die Dringlichkeit des von der ausstellenden Behörde geführten Verfahrens oder die Wahrung von subjektiven Rechten in diesem Verfahren das Rechtsschutzinteresse überwiegen. Die Übermittlung ist jedenfalls aufzuschieben, wenn der betroffenen Person durch die Übermittlung ein schwerer und unwiederbringlicher Schaden in ihren Rechten entstünde.

(5) Die ausstellende Behörde ist gegebenenfalls unter Setzung einer angemessenen Frist, die auf begründetes Ersuchen der ausstellenden Behörde erstreckt werden kann, aufzufordern, die Beweismittel nach deren Verwendung zurück zu übermitteln. Hat die ausstellende Behörde angegeben, dass die Ermittlungsergebnisse oder Beweismittel im Inland verbleiben sollen, kann für die Dauer der Aufbewahrung im Inland eine angemessene Frist gesetzt werden, die auf begründetes Ersuchen der ausstellenden Behörde erstreckt werden kann.

Kosten

§ 55m. (1) Kosten, die durch die Durchführung der in der Europäischen Ermittlungsanordnung genannten Maßnahme im Inland entstehen, trägt der Bund.

(2) Abweichend von Abs. 1 hat der Ausstellungsstaat die Kosten der Übertragung der Ergebnisse einer Überwachung von Nachrichten in Bild- oder Schriftform zu tragen.

(3) Bestehen Anhaltspunkte dafür, dass die Kosten der Durchführung einer in der Europäischen Ermittlungsanordnung genannten Maßnahme ein außergewöhnlich hohes Ausmaß erreichen werden, so kann die ausstellende Behörde zum Zwecke der Teilung der Kosten konsultiert werden. Der ausstellenden Behörde ist der als außergewöhnlich hoch erachtete Teil der Kosten bekannt zu geben. Kann keine Einigung erzielt werden, ist die ausstellende Behörde unter Setzung einer angemessenen Frist aufzufordern, sich mit der Tragung des Teils der Kosten einverstanden zu erklären, widrigenfalls angenommen werden würde, dass die Europäische Ermittlungsanordnung im Hinblick auf diese Maßnahme zurückgezogen wird.

Verständigung vor Veröffentlichung

§ 55n. Die Anordnungsbehörde ist zu verständigen, bevor Sachverhalt oder Inhalt einer Europäischen Ermittlungsanordnung veröffentlicht werden.

Zweiter Unterabschnitt

Erwirkung der Vollstreckung einer Europäischen Ermittlungsanordnung

Befassung eines anderen Mitgliedstaates

§ 56. (1) Sind in einem Strafverfahren Ermittlungsmaßnahmen angeordnet worden, die in einem anderen Mitgliedstaat außer Dänemark oder Irland zu vollstrecken sind, sind Beweise dort aufzunehmen, ist die Übermittlung von Ermittlungsergebnissen oder die Überstellung einer inhaftierten Person zu erwirken, so kann eine Europäische Ermittlungsanordnung erlassen werden. Dabei ist zu berücksichtigen, ob die Befassung eines anderen Mitgliedstaats in einem angemessenen Verhältnis zum Gewicht der Straftat, zur Schwere der Schuld, zu den Folgen der Tat, zum Grad des Verdachts und zum angestrebten Erfolg steht. § 55 Abs. 2 gilt sinngemäß.

(2) Die Europäische Ermittlungsanordnung wird im Ermittlungsverfahren von der Staatsanwaltschaft erlassen und bedarf keiner gerichtlichen Bewilligung. Im Fall einer gerichtlichen Beweisaufnahme (§ 104 StPO) oder nach Einbringung der Anklage wird die Europäische Ermittlungsanordnung vom zuständigen Gericht erlassen.

(3) Der vollstreckenden Behörde ist die ausgefüllte und unterzeichnete Bescheinigung (**Anhang XVII**) und, sofern der Vollstreckungsstaat nicht erklärt hat, Bescheinigungen auch in deutscher Sprache zu akzeptieren, deren Übersetzung in eine Amtssprache des Vollstreckungsstaates oder in eine andere von diesem akzeptierte Sprache zu übermitteln. Der Bundesminister für Verfassung, Reform, Deregulierung und Justiz hat durch Verordnung zu verlautbaren, welche Mitgliedstaaten welche Amtssprachen akzeptieren.

(4) Wird die Europäische Ermittlungsanordnung zur Überstellung einer im Inland inhaftierten Person ausgestellt, so hat der Einzelrichter des in § 16 StVG bezeichneten Gerichts, ansonsten das Gericht, auf dessen Anordnung die Haft beruht, mit der vollstreckenden Behörde eine schriftliche Vereinbarung nach § 55g Abs. 3 abzuschließen. Im Fall einer Überstellung einer in einem anderen Mitgliedstaat inhaftierten Person hat die Staatsanwaltschaft diese Vereinbarung abzuschließen. Der Europäischen Ermittlungsanordnung zur Überstellung einer im Inland inhaftierten Person ist die Zustimmung dieser Person und gegebenenfalls die Äußerung ihres gesetzlichen Vertreters anzuschließen. Nach Freilassung aus der Haft auf Ersuchen der Behörde des Vollstreckungsstaats kann eine Haft oder freiheitsentziehende Maßnahme im Inland wegen der in der Europäischen Ermittlungsanordnung genannten Handlung nur unter den in § 55g Abs. 6 Z 1 und 2 genannten Voraussetzungen oder mit Zustimmung der überstellten Person begründet werden. §§ 36 und 55g Abs. 4 bis 8 gelten sinngemäß.

(5) Die Ausstellung einer Europäische Ermittlungsanordnung zur Vernehmung einer verdächtigen oder beschuldigten Person mittels Telefonkonferenz ist unzulässig.

(6) Kann die Überwachung von Nachrichten einer Person, die sich im Vollstreckungsstaat befindet, ohne Mitwirkung nach § 138 Abs. 3 StPO durchgeführt werden, so ist der vollstreckenden Behörde die ausgefüllte und unterzeichnete Unterrichtung (**Anhang XIX**) und, sofern der Vollstreckungsstaat nicht erklärt hat, Bescheinigungen auch in deutscher Sprache zu akzeptieren, deren Übersetzung in eine Amtssprache des Vollstreckungsstaates oder in eine andere von diesem akzeptierte Sprache zu übermitteln, und zwar

1. vor Durchführung der Überwachung, wenn bereits bekannt ist, dass sich die Zielperson im Vollstreckungsstaat befindet oder währenddessen dorthin begeben wird;

2. während oder nach Durchführung der Überwachung, wenn der Aufenthalt der Zielperson im Vollstreckungsstaat nach dem in Z 1 genannten Zeitpunkt bekannt wird.

(7) Auf den Geschäftsverkehr ist § 14 sinngemäß anzuwenden. Ist die Europäische Ermittlungsanordnung nicht auf dem Postweg übermittelt worden, so ist sie der vollstreckenden Behörde auf ihr Ersuchen im Original auf dem Postweg nachzureichen.

Verständigung

§ 56a. Die vollstreckende Behörde ist zu verständigen, wenn gegen die in der Europäischen Ermittlungsanordnung genannte Maßnahme ein Einspruch wegen Rechtsverletzung nach § 106 StPO oder eine Beschwerde nach § 87 StPO eingebracht wurde, sie aufgehoben wurde oder die Vollstreckung der Europäischen Ermittlungsanordnung aus anderen Gründen nicht mehr begehrt wird.

Nachträgliche Unzulässigkeit im Vollstreckungsstaat

§ 56b. Bereits übermittelte Ergebnisse, die durch eine Ermittlungsmaßnahme nach dem 5. und 6. Abschnitts des 8. Hauptstücks der StPO (§§ 134 bis 143) erlangt wurden, sind zu vernichten, wenn die Vollstreckung der Europäische Ermittlungsanordnung oder die Durchführung der in ihr genannten Maßnahme im Vollstreckungsstaat nachträglich für unzulässig erklärt wurde. Gleiches gilt, wenn die vollstreckende Behörde im Fall des § 56 Abs. 6 Z 2 mitteilt, dass die Überwachung zu beenden ist.

Zweiter Abschnitt

Rechtshilfe und sonstige Zusammenarbeit in Strafsachen

Erster Unterabschnitt

Grundsätze

Voraussetzungen

§ 57. (1) Die Bestimmungen dieses Abschnitts gelten nur insoweit, als in unmittelbar anwendbaren zwischenstaatlichen Vereinbarungen nichts anderes bestimmt ist.

(2) Rechtshilfe kann vorbehaltlich der Anwendung des ersten Abschnitts dieses Hauptstücks auf Ersuchen einer Behörde eines Mitgliedstaates für folgende Verfahren geleistet werden:

1. in Strafsachen, auch wenn für die Handlungen im ersuchenden Mitgliedstaat eine juristische Person verantwortlich gemacht werden kann, einschließlich

der Verfahren zur Anordnung vorbeugender Maßnahmen, zur Aussetzung des Strafausspruchs, zum Aufschub oder zur Unterbrechung der Vollstreckung einer Strafe oder vorbeugenden Maßnahme, zur bedingten Entlassung und zum Ausspruch einer vermögensrechtlichen Anordnung;

2. in Verfahren wegen Handlungen, die als Verwaltungsübertretungen oder Ordnungswidrigkeiten geahndet werden, soweit gegen die Entscheidung der zuständigen Behörde ein auch in Strafsachen zuständiges Gericht angerufen werden kann; dies gilt auch für Taten, für die im ersuchenden Mitgliedstaat eine juristische Person verantwortlich gemacht werden kann;

3. durch Zustellung von Verfahrensurkunden;

4. in Zivilsachen, die mit einer Anklage verbunden sind, solange das Strafgericht noch nicht endgültig über die Anklage entschieden hat;

5. in Angelegenheiten des Strafregisters einschließlich der Tilgung,

6. in Verfahren über die Entschädigung für Strafverfolgungsmaßnahmen, strafgerichtliche Anhaltung und ungerechtfertigte Verurteilung;

7. in Gnadensachen und in Angelegenheiten des Straf- und Maßnahmenvollzuges.

(3) Als Behörde im Sinn des Abs. 2 ist ein Gericht, eine Staatsanwaltschaft oder eine Verwaltungsbehörde, gegen deren Entscheidung ein auch in Strafsachen zuständiges Gericht angerufen werden kann, sowie eine in Angelegenheiten des Straf- oder Maßnahmenvollzuges tätige Behörde anzusehen.

(4) §§ 55c, 55e Abs. 1 bis 4 und 55k gelten sinngemäß.

Zustimmung zur Übermittlung von Daten und Ergebnissen einer Ermittlung durch die Sicherheitsbehörden oder Finanzstrafbehörden

§ 57a. (1) Die Staatsanwaltschaft (Abs. 5) hat einer inländischen Sicherheitsbehörde oder Finanzstrafbehörde über deren Ersuchen zu genehmigen, der zuständigen Sicherheitsbehörde oder Finanzstrafbehörde eines anderen Mitgliedstaats auf deren Ersuchen Daten und sonstige Ergebnisse aus einem inländischen Strafverfahren, die ihr berichtet (§ 100 StPO) wurden, ohne Vorliegen eines Rechtshilfeersuchens einer Justizbehörde oder einer Europäischen Ermittlungsanordnung zu übermitteln, wenn dies nach § 76 Abs. 4 StPO zulässig ist.

(Anm.: Abs. 2 aufgehoben durch BGBl. I Nr. 175/2013)

(3) Die Übermittlung ist auch ohne Vorliegen eines Ersuchens einer Sicherheitsbehörde oder Finanzstrafbehörde eines anderen Mitgliedstaats zu genehmigen, wenn auf Grund bestimmter Tatsachen anzunehmen ist, dass dadurch die Verfolgung einer Straftat von erheblicher Bedeutung, die einer der in **Anhang I.A** genannten Kategorien von Straftaten zuzuordnen ist, gefördert oder die Begehung einer solchen Straftat verhindert werden kann.

(4) Zugleich mit der Genehmigung hat die Staatsanwaltschaft die Zustimmung zur Verwendung der übermittelten Daten und Ergebnisse einer Ermittlung als Beweismittel in einem Strafverfahren im ersuchenden Mitgliedstaat zu erteilen. Bei Daten oder sonstigen Ergebnissen aus einem inländischen Strafverfahren, die durch Ermittlungshandlungen und Beweisaufnahmen erlangt wurden, die einer gerichtlichen Bewilligung bedürfen oder vom Gericht angeordnet und durchgeführt werden, kann diese Zustimmung nur aufgrund eines Rechtshilfeersuchens einer Justizbehörde oder einer Europäischen Ermittlungsanordnung erteilt werden.

(5) Zur Genehmigung ist die Staatsanwaltschaft zuständig, in deren Sprengel das Strafverfahren, in dem die Ermittlungen geführt werden, anhängig ist oder war.

Ersuchen an Private

§ 58. Ein Ersuchen um Übermittlung von Stammdaten (§ 134 Z 1a, § 135 Abs. 1a erster Fall StPO), von Zugangsdaten (§ 134 Z 1b, § 135 Abs. 1a zweiter Fall StPO), um Auskunft über Daten einer Nachrichtenübermittlung (§ 134 Z 2, § 135 Abs. 2 StPO) sowie um Sicherstellung (§ 110 StPO) kann unmittelbar an einen Anbieter (§ 134 Z 6 StPO) in einem anderen Mitgliedstaat übermittelt werden, wenn

1. die begehrten Informationen zur Verhinderung, Untersuchung, Aufdeckung oder Verfolgung von Straftaten oder zur Strafvollstreckung unbedingt erforderlich sind, und

2. die Übermittlung an die zuständige Behörde wirkungslos oder ungeeignet wäre.

Zweiter Unterabschnitt
Vermeidung paralleler Verfahren

Mitteilung über ein Verfahren im Inland an eine Justizbehörde eines anderen Mitgliedstaates

§ 59a. (1) Wird im Inland gegen eine bestimmte Person ein Verfahren wegen einer Straftat geführt und besteht Grund zur Annahme, dass in einem anderen Mitgliedstaat außer dem Vereinigten Königreich von Großbritannien und Nordirland ein Verfahren gegen dieselbe Person wegen derselben Tat geführt wird (paralleles Verfahren), so hat die Staatsanwaltschaft die zuständige Justizbehörde des anderen Mitgliedstaates zu verständigen, sofern diese noch nicht vom Verfahren im Inland Kenntnis erlangt hat.

(2) Die Mitteilung hat zumindest zu enthalten:

1. Zeit, Ort und die näheren Umstände der Tat,

2. Namen des Beschuldigten und der Opfer sowie weitere Angaben zur Person oder sachdienliche Hinweise dazu,

3. Stand des Verfahrens,

4. gegebenenfalls der Umstand, dass sich der Beschuldigte in Haft befindet, und

5. Bezeichnung der Staatsanwaltschaft.

(3) Die Mitteilung hat in einer der Amtssprachen des anderen Mitgliedstaats zu erfolgen, sofern dieser nicht erklärt hat, Mitteilungen auch in deutscher Sprache zu akzeptieren.

Beantwortung einer Mitteilung einer Justizbehörde eines anderen Mitgliedstaates

§ 59b. Langt bei der Staatsanwaltschaft eine Mitteilung einer Justizbehörde eines anderen Mitgliedstaats – die in die deutsche Sprache übersetzt sein muss, sofern dieser Mitgliedstaat nicht erklärt hat, Mitteilungen auch in deutscher Sprache zu akzeptieren – über ein dort geführtes Verfahren ein, so hat sie unverzüglich oder binnen der angegebenen Frist zu antworten, ob ein paralleles Verfahren geführt wird oder wurde, und gegebenenfalls zumindest folgende weitere Angaben zu machen:

1. Zeit, Ort und die näheren Umstände der Tat, die zum Teil oder zur Gänze Gegenstand des parallelen Verfahrens im Inland ist,

2. Angaben zum Stand des Verfahrens und

3. Bezeichnung der Staatsanwaltschaft.

Kann eine unverzügliche oder fristgerechte Antwort nicht erteilt werden, so sind der ersuchenden Behörde die Gründe der Verzögerung und die Frist, innerhalb derer die Verständigung erfolgen wird, mitzuteilen; § 59a Abs. 3 ist anzuwenden.

Aufnahme von Konsultationen

§ 59c. (1) Ergibt sich aus einem Vorgehen nach § 59a oder nach § 59b, dass in einem anderen Mitgliedstaat ein paralleles Verfahren geführt wird, so hat die Staatsanwaltschaft Konsultationen mit der zuständigen Justizbehörde des anderen Mitgliedstaates mit dem Ziel aufzunehmen, gegebenenfalls durch Übernahme der Strafverfolgung (§ 60 ARHG) oder Erwirkung der Übernahme der Strafverfolgung (§ 74 ARHG) eine effiziente Bearbeitung zu gewährleisten und nachteilige Folgen paralleler Verfahrensführung zu vermeiden. Wird kein Einvernehmen erzielt, kann Eurojust um Unterstützung ersucht werden.

(2) Bis zum Abschluss der Konsultationen hat die Staatsanwaltschaft die Justizbehörde des anderen Mitgliedstaates über die wesentlichen Verfahrensschritte zu informieren, insbesondere das Verfahren beendigende Entscheidungen zu übermitteln und Ersuchen um Übermittlung zusätzlicher Informationen nachzukommen, soweit nicht österreichische Sicherheitsinteressen beeinträchtigt oder die Sicherheit von Personen gefährdet wären. In jedem Fall ist der Verfahrensausgang mitzuteilen.

Dritter Unterabschnitt

Bildung gemeinsamer Ermittlungsgruppen

Allgemeine Voraussetzungen

§ 60. (1) Gemeinsame Ermittlungsgruppen zur Durchführung strafrechtlicher Ermittlungen werden durch besondere Vereinbarung zwischen den zuständigen Behörden von zwei oder mehreren Mitgliedstaaten für einen bestimmten Zweck und einen bestimmten Zeitraum gebildet. Zweck, Dauer und Zusammensetzung der gemeinsamen Ermittlungsgruppe können im Einvernehmen aller beteiligten Mitgliedstaaten geändert werden.

(2) Eine gemeinsame Ermittlungsgruppe kann insbesondere gebildet werden,

1. wenn in einem Ermittlungsverfahren eines Mitgliedstaats zur Aufklärung von Straftaten schwierige und aufwändige Ermittlungen mit Bezug zu Ermittlungen in anderen Mitgliedstaaten durchzuführen sind;

2. wenn mehrere Mitgliedstaaten Ermittlungen zur Aufklärung von Straftaten durchführen, die infolge des zu Grunde liegenden Sachverhalts ein koordiniertes und abgestimmtes Vorgehen in den beteiligten Mitgliedstaaten erforderlich machen.

(3) Das Ersuchen um Bildung einer gemeinsamen Ermittlungsgruppe kann von jedem Mitgliedstaat gestellt werden und hat die im Formblatt Anhang IV angeführten Angaben zu enthalten.

Bildung einer gemeinsamen Ermittlungsgruppe im Inland

§ 61. (1) Erweist sich in einem inländischen Strafverfahren die Bildung einer gemeinsamen Ermittlungsgruppe als erforderlich (§ 60 Abs. 2) und sollen im Inland Ermittlungen durchgeführt werden, an denen die Beteiligung von Beamten anderer Mitgliedstaaten zweckmäßig ist, so hat die Staatsanwaltschaft den in Betracht kommenden Justizbehörden der anderen Mitgliedstaaten im unmittelbaren Geschäftsverkehr die Bildung einer gemeinsamen Ermittlungsgruppe vorzuschlagen. Dieser Vorschlag hat auch an die zuständige österreichische Sicherheitsbehörde zu ergehen, die weitere Mitglieder vorschlagen kann, und ist dem Leiter der Staatsanwaltschaft und dem zu Eurojust entsandten nationalen Mitglied zur Kenntnis zu bringen.

(2) Über ein Ersuchen eines Mitgliedstaats um Bildung einer gemeinsamen Ermittlungsgruppe entscheidet die Staatsanwaltschaft.

(3) Eine im Inland tätig werdende gemeinsame Ermittlungsgruppe ist von der Staatsanwaltschaft zu leiten und organisatorisch zu unterstützen. Ihre Befugnisse richten sich nach den im Inland geltenden Vorschriften über das Strafverfahren.

(4) Personen, die nicht Vertreter der zuständigen Behörden eines Mitgliedstaats sind, ist die Teilnahme

an einer gemeinsamen Ermittlungsgruppe im Inland zu gestatten, wenn alle Mitglieder der gemeinsamen Ermittlungsgruppe zustimmen und sonst die Voraussetzungen für eine Rechtshilfeleistung oder die Vollstreckung einer Europäischen Ermittlungsanordnung in Anwesenheit dieser Personen vorliegen. Der Leiter kann ausländische Beamte von der Anwesenheit bei bestimmten Ermittlungshandlungen ausschließen, wenn die Durchführung ansonsten erheblich erschwert oder der Erfolg gefährdet wäre.

(5) Von Anordnungen auf Bildung einer gemeinsamen Ermittlungsgruppe im Inland und deren Ergebnis hat die Staatsanwaltschaft dem Bundesministerium für Justiz unter Anschluss einer Darstellung des zugrunde liegenden Sachverhalts zu berichten.

(6) Auf den Geschäftsverkehr ist § 14 Abs. 1 bis 5 sinngemäß anzuwenden.

Informationsaustausch

§ 62. (1) Die im Rahmen einer gemeinsamen Ermittlungsgruppe im Inland erlangten Informationen dürfen von den Behörden der beteiligten Mitgliedstaaten in dem Umfang verwendet werden, in dem sie auch durch Rechtshilfe oder Vollstreckung einer Europäischen Ermittlungsanordnung hätten erlangt werden können.

(2) Soweit die Rechtsvorschriften jenes Staats, in dem die gemeinsame Ermittlungsgruppe tätig geworden ist, nichts anderes bestimmen, dürfen von einem österreichischen Mitglied im Ausland rechtmäßig erlangte Informationen, die den österreichischen Justizbehörden nicht anderweitig zugänglich sind, nur für die Zwecke, für welche die Gruppe gebildet wurde, sowie zur Abwehr einer unmittelbaren und ernsthaften Gefahr für die öffentliche Sicherheit verwendet werden.

(3) Zur Verwendung der von einem österreichischen Mitglied im Ausland erlangten Informationen zu anderen als in Abs. 2 genannten Zwecken und Verfahren ist die vorherige Zustimmung jenes Mitgliedstaats einzuholen, in dem die Informationen erlangt worden sind.

Vierter Unterabschnitt

Eurojust

Durchführung der Verordnung (EU) 2018/1727

§ 63. Dieser Unterabschnitt dient der Durchführung der Verordnung (EU) 2018/1727.

Nationales Mitglied

§ 64. (1) Die Bundesministerin für Justiz hat ein nationales Mitglied, einen Stellvertreter und einen Assistenten zu Eurojust zu entsenden (§ 39a des Beamten-Dienstrechtsgesetzes 1979, BGBl. Nr. 333/1979).

(2) Das nationale Mitglied, sein Stellvertreter und der Assistent unterliegen bei der Erfüllung ihrer Aufgaben den fachlichen Weisungen der Bundesministerin für Justiz und der Oberstaatsanwaltschaften; der Stellvertreter und der Assistent darüber hinaus auch jenen des nationalen Mitgliedes.

(3) Das nationale Mitglied übt seine Befugnisse nach Artikel 8 Abs. 1, 3 und 4 der Verordnung (EU) 2018/1727 im Rahmen der Zuständigkeit und Aufgaben der Staatsanwaltschaft, wie sie in der StPO vorgesehen sind, aus. Erstattet das nationale Mitglied nach Artikel 8 Abs. 5 der Verordnung (EU) 2018/1727 einen Vorschlag, so hat das Gericht oder die Staatsanwaltschaft diesen unverzüglich zu behandeln.

(4) Das nationale Mitglied hat im Umfang der Aufgaben der Staatsanwaltschaft Zugang zu den innerstaatlichen automationsunterstützten Datenverarbeitungen; in diesem Umfang dürfen verarbeitete Daten an das nationale Mitglied übermittelt oder von diesem abgefragt werden.

(Anm.: Abs. 5 bis 7 aufgehoben durch Art. 4 Z 36, BGBl. I Nr. 20/2020)

Weiterübermittlung von personenbezogenen Daten durch Eurojust

§ 65. Die Erteilung der Zustimmung zu einer Weiterübermittlung von personenbezogenen Daten (Art. 47 Abs. 5 der Verordnung (EU) 2018/1727), die zuvor von einer österreichischen Justizbehörde übermittelt wurden, obliegt der zuständigen Justizbehörde.

Ersuchen an Eurojust

§ 66. Eine österreichische Justizbehörde kann sich im Rahmen eines inländischen Strafverfahrens im unmittelbaren Geschäftsverkehr an das nationale Mitglied wenden und Ersuchen um Unterstützung nach Maßgabe der Zuständigkeit von Eurojust stellen. Sicherheitsbehörden haben Ersuchen im Wege der zuständigen Justizbehörde zu stellen.

Verständigungspflichten

§ 67. (1) Die in Artikel 21 der Verordnung (EU) 2018/1727 vorgesehenen Verständigungspflichten sind für die Dauer des Ermittlungsverfahrens von der Staatsanwaltschaft und nach Einbringung der Anklage vom Gericht wahrzunehmen.

(2) Die Eurojust-Anlaufstelle in Terrorismusfragen (§ 68a Abs. 1 Z 3) hat Eurojust von der Einleitung und der Art der Beendigung eines Strafverfahrens sowie von der Einbringung einer Anklage wegen Taten nach §§ 278b bis 278g und 282a StGB zu informieren, wenn zumindest ein weiterer Mitgliedstaat betroffen ist oder betroffen sein könnte. Die Information an Eurojust hat zumindest Daten zur Identifizierung des Beschuldigten, des Verbandes und der terroristischen Organisation, Angaben zur Straftat und zum Sachverhalt und gegebenenfalls Angaben zu Europäischen Ermittlungsanordnungen oder Rechtshilfeersuchen, die an

einen oder von einem anderen Mitgliedstaat übermittelt wurden, und das jeweilige Ergebnis zu enthalten.

(3) Können die in § 20 Abs. 4 und § 21 Abs. 2 vorgesehenen Fristen aufgrund außergewöhnlicher Umstände nicht eingehalten werden, so hat die Staatsanwaltschaft das nationale Mitglied unter Angabe dieser Umstände zu verständigen.

Nationales Eurojust-Koordinierungssystem

§ 68a. Am nationalen Eurojust-Koordinierungssystem nehmen folgende Anlauf- und Kontaktstellen teil:

1. die im Bundesministerium für Justiz eingerichtete nationale Eurojust-Anlaufstelle,

2. die im Bundesministerium für Justiz eingerichtete nationale Anlaufstelle für das EJN und die in den Sprengeln der Oberstaatsanwaltschaften eingerichteten weiteren Kontaktstellen des EJN (§ 70),

3. die im Bundesministerium für Justiz eingerichtete nationale Eurojust-Anlaufstelle in Terrorismusfragen,

4. die im Bundesministerium für Justiz eingerichtete Kontaktstelle des Netzes Gemeinsamer Ermittlungsgruppen,

5. die im Bundesministerium für Justiz eingerichtete Anlaufstelle nach dem Beschluss 2002/494/JI zur Einrichtung eines Europäischen Netzes von Anlaufstellen betreffend Personen, die für Völkermord, Verbrechen gegen die Menschlichkeit und Kriegsverbrechen verantwortlich sind, ABl. L 2002/167, 1,

6. die im Bundeskriminalamt eingerichtete Kontaktstelle nach dem Beschluss 2007/845/JI über die Zusammenarbeit zwischen den Vermögensabschöpfungsstellen der Mitgliedstaaten auf dem Gebiet des Aufspürens und der Ermittlung von Erträgen aus Straftaten oder anderen Vermögensgegenständen im Zusammenhang mit Straftaten, ABl. L 2008/301, 3 und

7. die in der Zentralen Staatsanwaltschaft zur Verfolgung von Wirtschaftsstrafsachen und Korruption (§ 20a StPO) und im Bundesamt zur Korruptionsprävention und Korruptionsbekämpfung eingerichteten Kontaktstellen nach dem Beschluss 2008/852/JI über ein Kontaktstellennetz zur Korruptionsbekämpfung, ABl. L 2008/301, 38.

Fünfter Unterabschnitt

Europäisches Justizielles Netz

Aufgaben und Ziele

§ 69. Das Europäische Justizielle Netz (EJN) dient der Erleichterung des unmittelbaren Behördenverkehrs und der Zusammenarbeit zwischen Justizbehörden der Mitgliedstaaten durch aktive Vermittlung und Herstellung von direkten Kontakten unter Einschaltung der zuständigen Kontaktstellen anderer Mitgliedstaaten. Das EJN besteht aus den von den Mitgliedstaaten benannten Kontaktstellen. Darüber hinaus ergeben sich Aufgaben, Zusammensetzung und Arbeitsweise des EJN aus dem Beschluss 2008/976/JI über das Europäische Justizielle Netz, ABl. L 2008/348, 130.

Einrichtung von Kontaktstellen

§ 70. (1) Bei den Staatsanwaltschaften am Sitz der Oberstaatsanwaltschaft und beim Bundesministerium für Justiz werden Kontaktstellen des Europäischen Justiziellen Netzes eingerichtet.

(2) Die Oberstaatsanwaltschaften haben dem Bundesministerium für Justiz Staatsanwälte bekannt zu geben, die für die Erfüllung der Aufgaben einer Kontaktstelle geeignet sind. Die Namhaftmachung der österreichischen Kontaktstellen beim Europäischen Justiziellen Netz erfolgt durch den Bundesminister für Justiz.

(3) Die Gerichte und Staatsanwaltschaften haben die Kontaktstellen in ihrer Arbeit zu unterstützen und sich der Kontaktstellen zur Erleichterung der justiziellen Zusammenarbeit, insbesondere zur Einholung kurzer Auskünfte über die ausländische Rechtslage sowie von Informationen über den Fortgang ausländischer Straf- und Rechtshilfeverfahren zu bedienen, soweit diese Auskünfte nicht im unmittelbaren Behördenverkehr mit der befassten ausländischen Behörde erlangt werden konnten.

Sechster Unterabschnitt

Kontrollierte Lieferung

Allgemeiner Grundsatz

§ 71. Die kontrollierte Lieferung ist der Transport von Gegenständen aus dem, in das oder durch das Bundesgebiet, soweit die Staatsanwaltschaft berechtigt wäre, gemäß § 99 Abs. 4 StPO vorzugehen.

Zuständigkeit und Verfahren

§ 72. (1) Zur Entscheidung über eine kontrollierte Lieferung durch Österreich ist die Staatsanwaltschaft zuständig, in deren Sprengel die Grenze voraussichtlich überschritten wird oder von deren Sprengel die kontrollierte Lieferung ausgehen soll. Bestehen keine Anhaltspunkte im Hinblick auf den Ort des geplanten Grenzübertritts, so ist die Staatsanwaltschaft Wien zuständig. Die Kriminalpolizei hat die zuständige Staatsanwaltschaft unverzüglich von einer geplanten kontrollierten Lieferung zu verständigen.

(2) Auf Ersuchen eines Mitgliedstaats oder im Einvernehmen mit einem anderen Mitgliedstaat ist eine kontrollierte Lieferung durch Österreich oder aus Österreich in einen Mitgliedstaat zu bewilligen, wenn

1. die der kontrollierten Lieferung oder dem ausländischen Strafverfahren zu Grunde liegenden Taten die Voraussetzungen für die Erlassung eines Europäischen Haftbefehls erfüllen, und

2. durch die kontrollierte Lieferung die Aufklärung solcher Straftaten oder die Ausforschung eines an der Begehung der strafbaren Handlungen nicht bloß untergeordnet Beteiligten gefördert wird.

(3) Eine kontrollierte Lieferung ist zu untersagen, wenn

1. sie wegen der besonderen Beschaffenheit der Waren oder der Tätergruppe eine ernste Gefahr für Leben, Gesundheit, körperliche Unversehrtheit oder Freiheit einer Person bewirken könnte,

2. sie gegen § 5 Abs. 3 StPO verstoßen würde, oder

3. die weitere Überwachung des Transports sowie ein Zugriff im anderen Staat nicht sichergestellt erscheint.

(4) Die kontrollierte Lieferung durch das oder aus dem Bundesgebiet ist von österreichischen Behörden zu übernehmen und zu leiten. Sie ist so zu gestalten, dass ein Zugriff auf die Verdächtigen und die Waren jederzeit möglich ist. Die Durchführung einer kontrollierten Lieferung durch oder in Begleitung von Beamten ist nur unter Beachtung der Grundsätze des § 5 Abs. 3 StPO zu bewilligen.

(5) Nach Abschluss der kontrollierten Lieferung hat die Staatsanwaltschaft zu prüfen, ob Anlass besteht, jenen Staat, in dem die Verdächtigen betreten wurden, um die Übernahme der Strafverfolgung zu ersuchen.

Siebenter Unterabschnitt

Verdeckte Ermittlungen

Voraussetzungen

§ 73. (1) Der Einsatz eines verdeckt oder unter falscher Identität handelnden Beamten eines Mitgliedstaats im Inland ist nur auf Grund einer vor Beginn des Einsatzes erfolgten Anordnung jener Staatsanwaltschaft, in deren Sprengel der Einsatz voraussichtlich beginnen soll, und nur auf Grund eines Ersuchens einer Justizbehörde eines Mitgliedstaats zulässig, die diesen Einsatz in einem bereits eingeleiteten Strafverfahren oder Ermittlungsverfahren bewilligt hat.

(2) Der Einsatz eines ausländischen verdeckten Ermittlers im Inland ist anzuordnen, wenn

1. die dem ausländischen Strafverfahren zu Grunde liegenden Taten die Voraussetzungen für die Erlassung eines Europäischen Haftbefehls erfüllen, und

2. die Aufklärung der Taten ohne die geplanten Ermittlungshandlungen aussichtslos oder wesentlich erschwert wäre.

(3) Der Einsatz darf nur für jenen Zeitraum angeordnet werden, der zur Erreichung seines Zwecks voraussichtlich erforderlich ist, längstens jedoch für einen Monat. Eine neuerliche Anordnung ist nur zulässig, soweit die Voraussetzungen fortbestehen und auf Grund bestimmter Tatsachen anzunehmen ist, dass die weitere Durchführung Erfolg haben werde. Sobald die Voraussetzungen für die weitere Durchführung wegfallen oder der Zweck der Ermittlungshandlungen nicht mehr erreicht wird oder voraussichtlich nicht mehr erreicht werden kann, ist der Einsatz sofort zu beenden.

Durchführung der verdeckten Ermittlung

§ 74. (1) Der ausländische verdeckte Ermittler ist ausschließlich durch das Bundesministerium für Inneres (Bundeskriminalamt) zu führen und zu überwachen. Die Staatsanwaltschaft hat dieser Behörde die Anordnung einer verdeckten Ermittlung nach den Bestimmungen der Verschlusssachenordnung, BGBl. II Nr. 256/1998, zu übermitteln.

(2) Der verdeckte Ermittler darf nur auf Grund der österreichischen Gesetze handeln. Er hat das Prinzip der Gesetz- und Verhältnismäßigkeit (§ 5 StPO) zu wahren. Eine Tatprovokation (§ 5 Abs. 3 StPO) ist unzulässig. Die näheren Bedingungen für den Einsatz eines verdeckten Ermittlers sind in enger Zusammenarbeit mit der ersuchenden Behörde festzulegen und in die Anordnung der Staatsanwaltschaft aufzunehmen. Sie sind ebenso wie Auskünfte und Mitteilungen, die durch die verdeckte Ermittlung erlangt werden, in einem Bericht (§ 100 StPO) oder einem Amtsvermerk (§ 95 StPO) festzuhalten.

(3) Der verdeckte Ermittler ist berechtigt, Informationen zu sammeln und Kontakt zu Tatverdächtigen oder anderen Personen in deren Umfeld herzustellen. Ergibt sich im Rahmen der verdeckten Ermittlung der Verdacht neuer Straftaten, so hat der verdeckte Ermittler ehest möglich, jedoch unter Bedachtnahme auf seine eigene Sicherheit und den Fortgang der Ermittlungen, Anzeige (§§ 2 Abs. 1, 78 Abs. 1 StPO) an die den Einsatz leitende Behörde zu erstatten. Die durch den Einsatz erlangten Ermittlungsergebnisse sind in einem Bericht festzuhalten, der der anordnenden Staatsanwaltschaft vorzulegen ist; darin ist auch auszuführen, welche Scheingeschäfte der verdeckte Ermittler vorgenommen hat.

(4) Für ausländische verdeckte Ermittler, die kriminalpolizeiliche Organe (§ 129 Z 2 StPO) sind, gelten die Bestimmungen der §§ 131 Abs. 2 letzter Satz, Abs. 4 und 132 StPO.

(Anm.: Abs. 5 aufgehoben durch BGBl. I Nr. 112/2007)

Dritter Abschnitt

Besondere Formen der Zusammenarbeit

Erster Unterabschnitt

Zustellung von Verfahrensurkunden

§ 75. (1) Verfahrensurkunden und andere gerichtliche oder staatsanwaltschaftliche Schriftstücke sind an

Personen, die sich im Hoheitsgebiet der Mitgliedstaaten befinden, unmittelbar durch die Post zuzustellen.

(2) Eine Zustellung durch die Justizbehörden des ersuchten Mitgliedstaats darf nur erfolgen, wenn

1. die Anschrift des Empfängers unbekannt oder nicht genau bekannt ist,

2. die Zustellvorschriften einen anderen als den im zwischenstaatlichem Postverkehr vorgesehenen Nachweis über die Zustellung des Schriftstücks an den Empfänger verlangen,

3. eine Zustellung auf dem Postweg nicht möglich war, oder

4. berechtigte Gründe für die Annahme bestehen, dass der Postweg nicht zum Ziel führen wird oder ungeeignet ist.

(3) Wenn Anhaltspunkte dafür vorliegen, dass der Zustellungsempfänger der Sprache, in der das Schriftstück abgefasst ist, unkundig ist, so ist das Schriftstück oder zumindest dessen wesentlicher Inhalt in die Sprache oder in eine der Sprachen des Mitgliedstaats, in dessen Hoheitsgebiet der Empfänger sich aufhält, zu übersetzen. Ist jedoch dem Gericht oder der Staatsanwaltschaft bekannt, dass der Empfänger nur einer anderen Sprache kundig ist, so ist das Schriftstück oder zumindest dessen wesentlicher Inhalt in diese Sprache zu übersetzen.

(4) Soweit dem zuzustellenden Schriftstück eine Rechtsbelehrung nicht angeschlossen ist, muss im Schriftstück oder in einem beigefügten Vermerk jene Stelle bezeichnet werden, die dem Zustellempfänger auf sein Verlangen Auskünfte über seine Rechte und Pflichten im Zusammenhang mit der Zustellung des Schriftstücks erteilen kann.

Zweiter Unterabschnitt

Ersuchen um Bildung einer gemeinsamen Ermittlungsgruppe

§ 76. (1) Sind im Rahmen eines inländischen Strafverfahrens Ermittlungen in einem oder mehreren Mitgliedstaaten durchzuführen, die Anlass zur Bildung einer gemeinsamen Ermittlungsgruppe geben, so kann die Staatsanwaltschaft nach Maßgabe des § 60 Abs. 2 die zuständigen Justizbehörden dieser Mitgliedstaaten um die Bildung einer gemeinsamen Ermittlungsgruppe ersuchen.

(2) Eine Beteiligung österreichischer Justizbehörden an einer in einem anderen Mitgliedstaat gebildeten gemeinsamen Ermittlungsgruppe kann stattfinden, wenn die zu Grunde liegenden Straftaten auch nach österreichischem Recht mit gerichtlicher Strafe bedroht sind und die Teilnahme auch der Aufklärung einer unter die Geltung der österreichischen Gesetze fallenden Straftat dient.

(3) Über das Ergebnis der Teilnahme hat die Staatsanwaltschaft dem Bundesministerium für Justiz unter Anschluss einer Darstellung des zugrunde liegenden Sachverhalts zu berichten.

(4) Auf den Geschäftsverkehr ist § 14 Abs. 1 bis 5 sinngemäß anzuwenden.

Dritter Unterabschnitt

Einholung von Strafregisterauskünften über Staatsangehörige anderer Mitgliedstaaten

Voraussetzungen

§ 77. Wird in einem inländischen Strafverfahren eine Strafregisterauskunft über einen Staatsangehörigen eines anderen Mitgliedstaats benötigt, so ist die Zentralbehörde dieses Mitgliedstaats nach den Bestimmungen dieses Unterabschnitts um die Übermittlung einer Strafregisterauskunft zu ersuchen.

Inhalt und Form des Ersuchens

§ 78. (1) Ersuchen um Übermittlung einer Strafregisterauskunft sind unter Verwendung des Formblatts laut **Anhang IX** dieses Bundesgesetzes zu stellen und haben die dort angeführten Angaben zu enthalten.

(2) Ersuchen um Übermittlung einer Strafregisterauskunft sind in der oder in einer der Amtssprachen des ersuchten Mitgliedstaats zu stellen.

(3) Wenn Mitgliedstaaten Ersuchen um Übermittlung einer Strafregisterauskunft auch in anderen als ihren eigenen Amtssprachen akzeptieren, hat die Bundesministerin für Justiz dies durch Verordnung zu verlautbaren.

Geschäftsweg

§ 79. (1) Ersuchen um Übermittlung einer Strafregisterauskunft nach diesem Bundesgesetz sind im Wege des Strafregisteramts der Landespolizeidirektion Wien zu übermitteln.

(2) Art. 13 in Verbindung mit Art. 15 des Europäischen Übereinkommens über die Rechtshilfe in Strafsachen vom 20.4.1959, BGBl Nr. 41/1969, bleibt unberührt.

Bedingungen für die Verwendung personenbezogener Daten

§ 80. Nach den Bestimmungen dieses Unterabschnitts erlangte personenbezogene Daten dürfen nur für die Zwecke des Strafverfahrens verwendet werden, für das sie erbeten wurden.

V. Hauptstück
Überwachung justizieller Entscheidungen

Erster Abschnitt
Überwachung von Entscheidungen über Bewährungsmaßnahmen und alternative Sanktionen, und Folgeentscheidungen

Erster Unterabschnitt
Überwachung von Entscheidungen anderer Mitgliedstaaten

Voraussetzungen

§ 81. (1) Wurde in Bezug auf eine in einem anderen Mitgliedstaat außer dem Vereinigten Königreich von Großbritannien und Nordirland verurteilte Person, die ihren Wohnsitz oder ständigen Aufenthalt im Inland hat und bereits nach Österreich zurückgekehrt ist oder zurückkehren will, in dem Urteil oder einer auf dessen Grundlage ergangenen behördlichen Entscheidung, in dem oder in der eine bedingte Strafnachsicht erteilt wurde, ein Schuldspruch unter Vorbehalt der Strafe erfolgt ist oder eine bedingte Entlassung aus einer Freiheitsstrafe oder mit Freiheitsentziehung verbundenen vorbeugenden Maßnahme gewährt wurde, eine Bewährungsmaßnahme angeordnet oder eine alternative Sanktion verhängt, so ist über entsprechendes Ersuchen des Ausstellungsstaats nach den Bestimmungen dieses Unterabschnitts im Inland zu überwachen, dass der Verurteilte der Anordnung entspricht.

(2) Bewährungsmaßnahmen und alternative Sanktionen im Sinne von Abs. 1 sind:

1. Verpflichtung des Verurteilten zur Bekanntgabe jedes Wohnsitz- oder Arbeitsplatzwechsels;

2. Verpflichtung, bestimmte Orte, Plätze oder festgelegte Gebiete nicht zu betreten;

3. Beschränkung des Rechts auf Verlassen des Hoheitsgebiets des Vollstreckungsstaats;

4. Weisungen, die das Verhalten, den Aufenthalt, die Ausbildung und Schulung oder die Freizeitgestaltung des Verurteilten betreffen oder die Beschränkungen oder Modalitäten der Ausübung einer beruflichen Tätigkeit beinhalten;

5. Verpflichtung, sich zu bestimmten Zeiten bei einer bestimmten Behörde zu melden;

6. Verpflichtung, den Kontakt mit bestimmten Personen zu meiden;

7. Verpflichtung, den Kontakt mit bestimmten Gegenständen, die vom Verurteilten zur Begehung der Straftat verwendet wurden oder verwendet werden könnten, zu meiden;

8. Verpflichtung, den durch die Tat verursachten Schaden finanziell gutzumachen und/oder einen Nachweis über die Entsprechung dieser Verpflichtung zu erbringen;

9. Verpflichtung zur Erbringung einer gemeinnützigen Leistung;

10. Verpflichtung zur Zusammenarbeit mit einem Bewährungshelfer oder einem Vertreter eines für verurteilte Personen zuständigen Sozialdienstes; und

11. Verpflichtung, sich einer Heilbehandlung oder einer Entziehungskur zu unterziehen.

Unzulässigkeit der Überwachung

§ 82. (1) Die Überwachung der Bewährungsmaßnahme oder der alternativen Sanktion ist unzulässig,

1. wenn der Verurteilte im Inland nicht seinen Wohnsitz oder ständigen Aufenthalt hat;

2. wenn der Entscheidung keine der in § 81 Abs. 2 angeführten Bewährungsmaßnahmen oder alternativen Sanktionen zugrunde liegen;

3. wenn gegen den Verurteilten wegen der der Entscheidung zugrunde liegenden Tat eine rechtskräftige Entscheidung im Inland oder eine rechtskräftige, bereits vollstreckte Entscheidung in einem anderen Staat ergangen ist;

4. wenn die der Entscheidung zugrunde liegende Tat nach österreichischem Recht nicht gerichtlich strafbar ist, es sei denn, die Tat ist einer der in Anhang I, Teil A, angeführten Kategorien von Straftaten zuzuordnen; die vom Ausstellungsstaat getroffene Zuordnung ist vorbehaltlich des § 84 Abs. 2 Z 3 bindend;

5. wenn die Vollstreckbarkeit der Strafe, die sich auf eine Tat bezieht, die dem Geltungsbereich der österreichischen Strafgesetze unterliegt, nach österreichischem Recht verjährt ist;

6. soweit dem Verurteilten im Inland oder im Ausstellungsstaat eine Amnestie oder Begnadigung gewährt worden ist;

7. soweit die Überwachung der Bewährungsmaßnahme oder der alternativen Sanktion gegen Bestimmungen über Immunität verstoßen würde;

8. wenn die der Entscheidung zugrunde liegende Tat von einer Person begangen wurde, die nach österreichischem Recht zur Zeit der Tat strafunmündig war;

9. wenn die Entscheidung in Abwesenheit des Verurteilten ergangen ist, es sei denn, dass aus der Bescheinigung hervorgeht, dass dieser im Einklang mit den Verfahrensvorschriften des Ausstellungsstaats

a) fristgerecht durch persönliche Ladung oder auf andere Weise von Zeit und Ort der Verhandlung, die zur Entscheidung geführt hat, tatsächlich Kenntnis erlangt hat und darüber belehrt worden ist, dass die Entscheidung in seiner Abwesenheit ergehen kann; oder

b) in Kenntnis der anberaumten Verhandlung einen selbst gewählten oder vom Gericht beigegebenen Verteidiger mit seiner Vertretung in der Verhandlung betraut hat und von diesem in der Verhandlung tatsächlich vertreten wurde; oder

c) nach Zustellung der in Abwesenheit ergangenen Entscheidung und nach Belehrung über das Recht, die Neudurchführung der Verhandlung zu beantragen oder ein Rechtsmittel zu ergreifen und auf diese Weise eine neuerliche Prüfung des Sachverhalts, auch unter Berücksichtigung neuer Beweise, in seiner Anwesenheit und eine Aufhebung der Entscheidung zu erreichen,

aa) ausdrücklich erklärt hat, keine Neudurchführung der Verhandlung zu beantragen oder kein Rechtsmittel zu ergreifen; oder

bb) innerhalb der bestehenden Fristen keine Neudurchführung der Verhandlung beantragt oder kein Rechtsmittel ergriffen hat;

10. wenn die Bewährungsmaßnahme eine medizinisch-therapeutische Maßnahme umfasst, die auch unter Berücksichtigung der in § 87 vorgesehenen Anpassungsmöglichkeit in Österreich nicht überwacht werden kann;

11. wenn die Dauer der Bewährungsmaßnahme oder alternativen Sanktion weniger als sechs Monate beträgt;

12. wenn objektive Anhaltspunkte dafür vorliegen, dass die Entscheidung unter Verletzung von Grundrechten oder wesentlicher Rechtsgrundsätze im Sinne von Art. 6 des Vertrags über die Europäische Union zustande gekommen ist, insbesondere die Entscheidung zum Zwecke der Bestrafung des Verurteilten aus Gründen seines Geschlechts, seiner Rasse, Religion, ethnischen Herkunft, Staatsangehörigkeit, Sprache, politischen Überzeugung oder sexuellen Ausrichtung getroffen wurde, und der Verurteilte keine Möglichkeit hatte, diesen Umstand vor dem Europäischen Gerichtshof für Menschenrechte oder vor dem Gerichtshof der Europäischen Union geltend zu machen.

(2) Wenn der Verurteilte im Inland keinen Wohnsitz oder ständigen Aufenthalt hat, kann der Überwachung über entsprechendes Ersuchen der zuständigen Behörde des Ausstellungsstaats dennoch zugestimmt werden, wenn aufgrund bestimmter Umstände Bindungen des Verurteilten zu Österreich von solcher Intensität bestehen, dass davon auszugehen ist, dass die Überwachung im Inland der Erleichterung der Resozialisierung und der Wiedereingliederung des Verurteilten in die Gesellschaft dient.

(3) In den Fällen nach Abs. 1 Z 4 kann die Überwachung nach Herstellung des Einvernehmens mit der zuständigen Behörde des Ausstellungsstaats unter ausdrücklicher Ablehnung der Übernahme der Zuständigkeit für Entscheidungen nach § 90 Abs. 1 Z 2 bis 4 dennoch übernommen werden.

(4) In Abgaben-, Steuer-, Zoll- und Währungsangelegenheiten darf die Überwachung nicht mit der Begründung abgelehnt werden, dass das österreichische Recht keine gleichartigen Abgaben oder Steuern vorschreibt oder keine gleichartigen Abgaben-, Steuer-, Zoll- und Währungsbestimmungen enthält wie das Recht des Ausstellungsstaats.

Zuständigkeit

§ 83. (1) Für die Entscheidung über die Überwachung von Bewährungsmaßnahmen und alternativen Sanktionen und für Folgeentscheidungen ist das Landesgericht sachlich zuständig. Beträgt das Ausmaß der im Falle einer Folgeentscheidung nach § 90 Abs. 1 Z 2 bis 4 zu vollstreckenden Freiheitsstrafe oder mit Freiheitsentziehung verbundenen vorbeugenden Maßnahme mindestens fünf Jahre, so entscheidet das Landesgericht als Senat von drei Richtern (§ 31 Abs. 6 StPO).

(2) Die örtliche Zuständigkeit richtet sich nach dem Ort, an dem der Verurteilte seinen Wohnsitz oder ständigen Aufenthalt hat, in den Fällen nach § 82 Abs. 2 nach dem Ort, zu dem die besonderen Bindungen des Verurteilten bestehen.

(3) Ist das Gericht, das mit der Überwachung befasst worden ist, nicht zuständig, so tritt es die Sache an das zuständige Gericht ab und verständigt die zuständige Behörde des Ausstellungsstaats davon.

Verfahren

§ 84. (1) Die Überwachung setzt voraus, dass dem inländischen Gericht

1. das zu überwachende Urteil oder die sonstige Entscheidung; und

2. die von der zuständigen Behörde unterzeichnete Bescheinigung (**Anhang X**) und, sofern der Ausstellungsstaat nicht die Erklärung abgegeben hat, als Vollstreckungsstaat Bescheinigungen auch in deutscher Sprache zu akzeptieren (§ 95 Abs. 4 Z 2), deren Übersetzung in die deutsche Sprache

übermittelt wird.

(2) Wenn

1. die Bescheinigung nicht übermittelt worden ist, in wesentlichen Teilen unvollständig ist oder dem Urteil oder der Entscheidung offensichtlich widerspricht;

2. Anhaltspunkte dafür bestehen, dass einer der in § 82 Abs. 1 Z 1 bis 3 und 9 bis 12 angeführten Gründe für die Unzulässigkeit der Überwachung vorliegt; oder

3. die rechtliche Würdigung als Straftat nach Anhang I, Teil A, offensichtlich fehlerhaft ist oder der Verurteilte dagegen begründete Einwände erhoben hat,

ist die zuständige Behörde des Ausstellungsstaats um Nachreichung, Vervollständigung oder ergänzende Information binnen einer festzusetzenden angemessenen Frist mit dem Hinweis zu ersuchen, dass bei fruchtlosem Ablauf der Frist die Überwachung vorbehaltlich eines Vorgehens nach § 82 Abs. 3 zur Gänze oder zum Teil verweigert werden wird.

(3) Über entsprechendes Ersuchen hat das Gericht die zuständige Behörde des Ausstellungsstaats unverzüglich nach Erhalt der Entscheidung samt der Bescheinigung nach **Anhang X** über die höchstzulässige Dauer der Freiheitsstrafe oder mit Freiheitsentziehung verbundenen vorbeugenden Maßnahme, die nach österreichischem Recht wegen der dem Urteil zugrunde liegenden Straftat im Falle eines Verstoßes gegen die Bewährungsmaßnahme verhängt werden kann, in Kenntnis zu setzen.

(4) Auf den Geschäftsweg ist § 14 Abs. 1 bis 5 sinngemäß anzuwenden.

(5) Zu den Voraussetzungen der Überwachung (§ 81) und zu den im Inland anzuordnenden Maßnahmen ist der Verurteilte zu hören.

(6) Die zuständige Behörde des Ausstellungsstaats kann jederzeit konsultiert werden, um Informationen zwecks Überprüfung der Identität und des Wohnortes des Verurteilten zu erhalten oder die reibungslose und effiziente Durchführung der Überwachung sonst zu erleichtern.

Entscheidung

§ 85. (1) Über die Übernahme der Überwachung ist mit Beschluss zu entscheiden. Der Beschluss hat die Bezeichnung der Behörde, deren Entscheidung überwacht wird, deren Aktenzeichen, eine kurze Darstellung des Sachverhalts einschließlich Ort und Zeit der Tat und der angeordneten Bewährungsmaßnahme, die Bezeichnung der strafbaren Handlung sowie die angewendeten Rechtsvorschriften des Ausstellungsstaats zu enthalten. Darüber hinaus ist auszusprechen, welcher Art einer inländischen Entscheidung die übernommene Entscheidung entspricht und welche Maßnahmen im Inland zu treffen sind, sowie gegebenenfalls die Dauer der Bewährungsmaßnahme sowie der Probezeit zu bestimmen (§ 87).

(2) Gegen den Beschluss steht der Staatsanwaltschaft und dem von der Entscheidung Betroffenen die binnen 14 Tagen einzubringende Beschwerde an das Oberlandesgericht offen. Einer rechtzeitig erhobenen Beschwerde kommt aufschiebende Wirkung zu.

(3) Nach Rechtskraft des Beschlusses sind unverzüglich die für die Überwachung der Bewährungsmaßnahme erforderlichen Maßnahmen zu ergreifen.

Wirkung der Übernahme der Überwachung

§ 86. Nach erfolgter Übernahme der Überwachung richten sich die weiteren Maßnahmen vorbehaltlich der Regelung des § 91 nach österreichischem Recht. Die Überwachung der Bewährungsmaßnahme nach § 81 Abs. 2 Z 8 erfolgt dabei in der Weise, dass dem Verurteilten aufgetragen wird, einen Nachweis über die Entsprechung der Verpflichtung zur finanziellen Gutmachung des durch die Tat verursachten Schadens zu erbringen.

Anpassung der Bewährungsmaßnahmen

§ 87. (1) Ist die Art oder Dauer der Bewährungsmaßnahme oder alternativen Sanktion oder die Dauer der Probezeit mit dem österreichischen Recht nicht vereinbar, so ist sie vom Gericht an die nach österreichischem Recht vorgesehene Art oder Dauer anzupassen.

(2) Die angepasste Bewährungsmaßnahme und deren Dauer sowie die Dauer der angepassten Probezeit hat so weit wie möglich der im Ausstellungsstaat angeordneten Bewährungsmaßnahme oder alternativen Sanktion und deren Dauer sowie der Dauer der ursprünglich festgesetzten Probezeit zu entsprechen. Übersteigt die im Ausstellungsstaat angeordnete Dauer der Bewährungsmaßnahme oder der Probezeit die nach österreichischem Recht vorgesehene Höchstdauer, so ist diese entsprechend der nach österreichischem Recht vorgesehenen Höchstdauer festzusetzen.

(3) Die angepasste Bewährungsmaßnahme oder Dauer der Probezeit darf nicht strenger oder länger sein als die im Ausstellungsstaat angeordnete Bewährungsmaßnahme oder alternative Sanktion oder die in diesem Staat festgesetzte Probezeit.

Fristen

§ 88. (1) Über die Übernahme der Überwachung ist vorbehaltlich der Regelung des § 89 binnen 60 Tagen nach Einlangen der Entscheidung samt Bescheinigung nach **Anhang X** beim zuständigen Gericht zu entscheiden.

(2) Kann die in Abs. 1 genannte Frist im Einzelfall nicht eingehalten werden, so ist die zuständige Behörde des Ausstellungsstaats davon auf jede beliebige Weise unter Angabe der Gründe und der voraussichtlichen Dauer bis zum Ergehen einer endgültigen Entscheidung in Kenntnis zu setzen.

Aufschub der Entscheidung

§ 89. Die Entscheidung über die Übernahme der Überwachung ist aufzuschieben

1. bis zur Nachreichung oder Vervollständigung der Bescheinigung;

2. bis zum Einlangen der von der zuständigen Behörde des Ausstellungsstaats begehrten ergänzenden Informationen.

Folgeentscheidungen im Inland

§ 90. (1) Das Gericht hat vorbehaltlich der Regelung des § 91 alle Folgeentscheidungen im Zusammenhang mit der Überwachung einer Bewährungsmaßnahme zu treffen, insbesondere

1. die Änderung der Bewährungsmaßnahme oder alternativen Sanktion oder die Verlängerung der Dauer der Probezeit;

2. den Widerruf der bedingten Strafnachsicht;

3. den Widerruf der bedingten Entlassung; und

4. den nachträglichen Ausspruch einer Freiheitsstrafe oder einer mit Freiheitsentziehung verbundenen vorbeugenden Maßnahme (im Falle eines Schuldspruchs unter Vorbehalt der Strafe).

(2) Von den in Abs. 1 angeführten Entscheidungen ist die zuständige Behörde des Ausstellungsstaats in Kenntnis zu setzen.

Rückübertragung und Folgeentscheidungen im Ausstellungsstaat

§ 91. (1) Im Fall des § 82 Abs. 1 Z 4 und Abs. 3 sowie für den Fall, dass das Urteil, in dem eine alternative Sanktion verhängt wurde, keine Freiheitsstrafe oder mit Freiheitsentziehung verbundene vorbeugende Maßnahme vorsieht, die im Falle eines Verstoßes zu vollstrecken ist, und das Gericht in diesen Fällen eine Folgeentscheidung nach § 90 Abs. 1 Z 2, 3 oder 4 für erforderlich hält, hat es die Überwachung an die zuständige Behörde des Ausstellungsstaats zurück zu übertragen, sofern ein Vorgehen in sinngemäßer Anwendung von § 15 und 16 JGG nicht in Betracht kommt.

(2) In den Fällen nach Abs. 1 hat das Gericht die zuständige Behörde des Ausstellungsstaats auf die in § 14 Abs. 3 vorgesehene Weise unverzüglich in Kenntnis zu setzen, wobei die entsprechende Mitteilung unter Verwendung des Formblatts nach **Anhang XI** erfolgt:

1. von jedem Verstoß des Verurteilten gegen die Bewährungsmaßnahme;

2. von jeder Entscheidung, die voraussichtlich zum Widerruf der bedingten Strafnachsicht oder der bedingten Entlassung führt;

EU-JZG

3. von jeder Entscheidung, die voraussichtlich die Verhängung einer Freiheitsstrafe oder mit Freiheitsentziehung verbundenen vorbeugenden Maßnahme zur Folge hat; und

4. von allen weiteren Umständen, die für die zuständige Behörde des Ausstellungsstaats für die Folgeentscheidungen von Bedeutung sind.

(3) Eine Rückübertragung der Überwachung an die zuständige Behörde des Ausstellungsstaats hat auch zu erfolgen,

1. wenn der Verurteilte flieht, im Inland keinen Wohnsitz oder ständigen Aufenthalt oder zu diesem keine Bindungen im Sinne von § 82 Abs. 2 mehr hat;

2. über entsprechendes Ersuchen der zuständigen Behörde des Ausstellungsstaats für den Fall, dass gegen den Verurteilten in diesem Staat ein neues Strafverfahren anhängig ist.

Verständigung des Ausstellungsstaats in allen Fällen

§ 92. Das Gericht hat die zuständige Behörde des Ausstellungsstaats auf die in § 14 Abs. 3 vorgesehene Weise unverzüglich in Kenntnis zu setzen

1. von der Weiterleitung der Entscheidung samt Bescheinigung nach **Anhang X** an die für die Überwachung der Bewährungsmaßnahme oder alternativen Sanktion zuständige Behörde;

2. von der Unmöglichkeit der Überwachung der Bewährungsmaßnahme oder alternativen Sanktion wegen Unauffindbarkeit des Verurteilten im Inland nach erfolgter Übermittlung der Entscheidung samt Bescheinigung nach **Anhang X**. In diesem Fall besteht keine Verpflichtung zur Überwachung;

3. von der rechtskräftigen Entscheidung über die Übernahme der Überwachung;

4. von der Entscheidung über die Unzulässigkeit der Überwachung, unter Angabe der Gründe;

5. von der Entscheidung über die Anpassung der Bewährungsmaßnahme oder alternativen Sanktion, unter Angabe der Gründe;

6. von einer dem Verurteilten gewährten Amnestie oder Begnadigung;

7. von der Befolgung der Bewährungsmaßnahme oder alternativen Sanktion.

Wiederaufnahme des Verfahrens

§ 93. Über Anträge auf Wiederaufnahme des der Entscheidung zugrunde liegenden Verfahrens entscheidet der Ausstellungsstaat.

Kosten

§ 94. Für die durch die Überwachung einer ausländischen Bewährungsmaßnahme oder alternativen Sanktion entstandenen Kosten kann ein Kostenersatz vom Ausstellungsstaat nicht begehrt werden.

Zweiter Unterabschnitt

Erwirkung der Überwachung in einem anderen Mitgliedstaat

Befassung eines anderen Mitgliedstaats

§ 95. (1) Besteht Anlass, einen anderen Mitgliedstaat außer dem Vereinigten Königreich von Großbritannien und Nordirland um Überwachung einer Entscheidung, der eine oder mehrere Bewährungsmaßnahmen zugrunde liegen, zu ersuchen, weil der Verurteilte in diesem Staat seinen Wohnsitz oder ständigen Aufenthalt hat und bereits dorthin zurückgekehrt ist oder zurückkehren will, so hat das Gericht, das zuletzt in erster Instanz erkannt hat, zunächst der Staatsanwaltschaft Gelegenheit zur Äußerung zu geben und den Verurteilten zu hören.

(2) Bewährungsmaßnahmen im Sinne von Abs. 1 sind:

1. Erteilung von Weisungen nach § 51 Abs. 1 und 2 StGB;

2. Anordnung der Bewährungshilfe nach § 52 StGB;

3. gerichtliche Aufsicht bei Sexualstraftätern nach § 52a StGB;

4. Vornahme einer gesundheitsbezogenen Maßnahme nach § 39 SMG;

5. Erteilung der Weisung, sich einer Entwöhnungsbehandlung, einer psychotherapeutischen oder einer medizinischen Behandlung bzw. einer ärztlichen Nachbetreuung zu unterziehen (§§ 52 Abs. 3 StGB, 179a StVG); und

6. gemeinnützige Leistungen nach §§ 3, 3a StVG.

(3) Die Voraussetzungen, unter denen die Mitgliedstaaten über entsprechendes Ersuchen auf Antrag des Verurteilten ungeachtet des Nichtvorliegens eines Wohnsitzes oder ständigen Aufenthalts des Verurteilten im Vollstreckungsstaat zur Überwachung bereit sind, hat die Bundesministerin für Justiz durch Verordnung zu verlautbaren.

(4) Das Gericht hat der zuständigen Behörde des Vollstreckungsstaats

1. die zu überwachende Entscheidung samt Übersetzung, sofern eine solche für den Verurteilten im Inlandsverfahren bereits angefertigt wurde; sowie

2. eine ausgefüllte und unterzeichnete Bescheinigung (**Anhang X**) und, sofern der Vollstreckungsstaat nicht erklärt hat, Bescheinigungen auch in deutscher Sprache zu akzeptieren, deren Übersetzung in eine Amtssprache des Vollstreckungsstaats oder in eine andere von diesem akzeptierte Sprache

zu übermitteln. Die Bundesministerin für Justiz hat durch Verordnung zu verlautbaren, welche Mitgliedstaaten welche Amtssprachen akzeptieren.

(5) Wurde in der Entscheidung ein Schuldspruch unter Vorbehalt der Strafe (§ 13 JGG) ausgesprochen, so hat das Gericht die zuständige Behörde des Vollstreckungsstaats um eine Mitteilung über die höchstzulässige Dauer der Freiheitsstrafe oder mit Freiheitsentziehung verbundenen vorbeugenden Maßnahme zu ersuchen, die nach dem Recht des Vollstreckungsstaats wegen der der Entscheidung zugrunde liegenden Straftat im Falle eines Verstoßes gegen die Bewährungsmaßnahme verhängt werden kann.

(6) Auf den Geschäftsverkehr ist § 14 Abs. 1 bis 5 sinngemäß anzuwenden. Sind die Entscheidung und die Bescheinigung nicht auf dem Postweg übermittelt worden, so sind der zuständigen Behörde des Vollstreckungsstaats auf ihr Ersuchen eine Ausfertigung oder eine beglaubigte Abschrift der Entscheidung sowie das Original der Bescheinigung auf dem Postweg nachzureichen.

(7) Die gleichzeitige Befassung eines weiteren Mitgliedstaats mit der Überwachung ist unzulässig.

Zurückziehung der Bescheinigung

§ 96. Spätestens innerhalb von zehn Tagen nach Einlangen der nach § 95 Abs. 5 erbetenen Mitteilung oder der Anpassungsentscheidung kann das Gericht, solange mit der Überwachung im Vollstreckungsstaat noch nicht begonnen wurde, für den Fall, dass es die angepasste Bewährungsmaßnahme für unzureichend oder die im Falle eines Verstoßes gegen die Bewährungsmaßnahme nach dem Recht des Vollstreckungsstaats höchstzulässige Dauer der Freiheitsstrafe oder mit Freiheitsentziehung verbundenen vorbeugenden Maßnahme im Verhältnis zu der nach österreichischem Recht zu verbüßenden Freiheitsstrafe oder mit Freiheitsentziehung verbundenen vorbeugenden Maßnahme für unverhältnismäßig niedrig erachtet, die zuständige Behörde des Vollstreckungsstaats davon in Kenntnis setzen, dass die Bescheinigung zurückgezogen wird.

Wirkung der Übernahme der Überwachung

§ 97. Nach erfolgter Übernahme der Überwachung durch den Vollstreckungsstaat richten sich die weiteren Maßnahmen vorbehaltlich der Regelung des § 98 nach dem Recht des Vollstreckungsstaats.

Verständigung nach Übernahme der Überwachung durch den Vollstreckungsstaat

§ 97a. Das Gericht hat die zuständige Behörde des Vollstreckungsstaats auf die in § 14 Abs. 3 vorgesehene Weise unverzüglich in den in § 91 Abs. 2 angeführten Fällen zu verständigen.

Rückübertragung der Überwachung

§ 98. Wenn die zuständige Behörde des Vollstreckungsstaats die Überwachung aus den in § 91 Abs. 1 und 3 angeführten Gründen an das inländische Gericht rücküberträgt, so hat dieses die Überwachung wieder wahrzunehmen, wobei es die Dauer und den Grad der Befolgung der Bewährungsmaßnahme durch den Verurteilten im Vollstreckungsstaat und jede in diesem Staat ergangene Entscheidung entsprechend § 90 Abs. 1 Z 1 berücksichtigt. Entsprechendes gilt für den Fall der Zurückziehung der Bescheinigung nach § 96.

Verständigung des Vollstreckungsstaats nach Rückübertragung

§ 99. Wurde dem Gericht die Überwachung rückübertragen (§ 98), hat es die zuständige Behörde des Vollstreckungsstaats auf die in § 14 Abs. 3 vorgesehene Weise unverzüglich in Kenntnis zu setzen

1. vom Widerruf der bedingten Strafnachsicht oder der bedingten Entlassung;

2. von der Entscheidung über die Vollstreckung der im Urteil ausgesprochenen Freiheitsstrafe oder mit Freiheitsentziehung verbundenen Maßnahme;

3. vom nachträglichen Strafausspruch im Falle eines Schuldspruchs unter Vorbehalt der Strafe;

4. von der Befolgung der Bewährungsmaßnahme.

Zweiter Abschnitt

Überwachung von Entscheidungen über die Anwendung gelinderer Mittel

Erster Unterabschnitt

Überwachung von Entscheidungen anderer Mitgliedstaaten

Voraussetzungen

§ 100. (1) Wurde im Zuge eines in einem anderen Mitgliedstaat anhängigen Strafverfahrens gegen eine natürliche Person, die ihren Wohnsitz oder ständigen Aufenthalt im Inland hat und der Rückkehr nach Österreich nach Rechtsbelehrung zugestimmt hat, von einer Justizbehörde oder einer sonstigen Behörde, die nach dem Recht dieses Mitgliedstaats für solche Entscheidungen zuständig ist, eine Entscheidung über die Anwendung gelinderer Mittel getroffen, so ist über entsprechendes Ersuchen des Anordnungsstaats nach den Bestimmungen dieses Abschnitts im Inland sicherzustellen und zu überwachen, dass der Betroffene der Anordnung entspricht. Entscheidungen über die Ausstellung eines Haftbefehls oder die Erlassung einer sonstigen vollstreckbaren Entscheidung mit gleicher Rechtswirkung müssen von einer Justizbehörde getroffen worden sein.

EU JZG

(2) Gelindere Mittel im Sinne von Abs. 1 sind:

1. Verpflichtung des Betroffenen zur Bekanntgabe jedes Wohnsitzwechsels;

2. Verpflichtung, bestimmte Orte, Plätze oder festgelegte Gebiete nicht zu betreten;

3. Verpflichtung, sich, gegebenenfalls zu bestimmten Zeiten, an einem bestimmten Ort aufzuhalten;

4. Einschränkung des Rechts auf Verlassen des Hoheitsgebiets des Vollstreckungsstaats;

5. Verpflichtung, sich zu bestimmten Zeiten bei einer bestimmten Behörde zu melden;

6. Verpflichtung, den Kontakt mit bestimmten Personen, die mit der oder den zur Last gelegten Straftat/en in Zusammenhang stehen, zu meiden;

7. Verpflichtung zur Leistung einer Sicherheit;

8. Verpflichtung, sich einer Entwöhnungsbehandlung oder sonst einer medizinischen Behandlung zu unterziehen, sofern der Betroffene dieser Maßnahme zustimmt;

9. vorübergehende Abnahme der Kraftfahrzeugsdokumente;

10. vorläufige Bewährungshilfe, sofern der Betroffene dieser Maßnahme zustimmt.

(3) Die Bundesministerin für Justiz hat die für Entscheidungen nach diesem Abschnitt zuständigen Behörden der Mitgliedstaaten, die keine Justizbehörden sind, durch Verordnung zu verlautbaren.

Unzulässigkeit der Überwachung

§ 101. (1) Die Überwachung von in einem anderen Mitgliedstaat angewandten gelinderen Mittel ist unzulässig

1. wenn der Betroffene seinen Wohnsitz oder ständigen Aufenthalt nicht im Inland hat;

2. wenn der Entscheidung keine der in § 100 Abs. 2 angeführten gelinderen Mittel zugrunde liegen;

3. wenn gegen den Betroffenen wegen der der Entscheidung zugrunde liegenden Tat eine rechtskräftige Entscheidung im Inland oder eine rechtskräftige bereits vollstreckte Entscheidung in einem anderen Staat ergangen ist;

4. wenn die der Entscheidung zugrunde liegende Tat nach österreichischem Recht nicht gerichtlich strafbar ist, es sei denn, die Tat ist einer der in Anhang I, Teil A, angeführten Kategorien von Straftaten zuzuordnen; die vom Ausstellungsstaat getroffene Zuordnung ist vorbehaltlich des § 103 Abs. 2 Z 3 bindend;

5. wenn die Strafbarkeit der Tat, die dem Geltungsbereich der österreichischen Strafgesetze unterliegt, nach österreichischem Recht verjährt ist;

6. soweit die Überwachung gegen Bestimmungen über Immunität verstoßen würde;

7. wenn der Betroffene zur Zeit der Tat, die der Entscheidung über die Anwendung gelinderer Mittel zugrunde liegt, nach österreichischem Recht strafunmündig war;

8. wenn im Falle eines Verstoßes des Betroffenen gegen das angewandte gelindere Mittel die Vollstreckung eines Europäischen Haftbefehls abgelehnt werden müsste;

9. wenn objektive Anhaltspunkte dafür vorliegen, dass die Entscheidung über die Anwendung gelinderer Mittel unter Verletzung von Grundrechten oder wesentlicher Rechtsgrundsätze im Sinne von Art. 6 des Vertrags über die Europäische Union zustande gekommen ist, insbesondere die betreffende Entscheidung zum Zwecke der Bestrafung des Verurteilten aus Gründen seines Geschlechts, seiner Rasse, Religion, ethnischen Herkunft, Staatsangehörigkeit, Sprache, politischen Überzeugung oder sexuellen Ausrichtung getroffen wurde, und der Betroffene keine Möglichkeit hatte, diesen Umstand vor den zuständigen Behörden des Anordnungsstaats, vor dem Europäischen Gerichtshof für Menschenrechte oder vor

dem Gerichtshof der Europäischen Union geltend zu machen.

(2) Wenn der Betroffene im Inland keinen Wohnsitz oder ständigen Aufenthalt hat, kann der Überwachung über entsprechendes Ersuchen der zuständigen Behörde des Anordnungsstaats auf Antrag des Betroffenen dennoch zugestimmt werden, wenn aufgrund bestimmter Umstände Bindungen des Betroffenen zu Österreich von solcher Intensität bestehen, dass davon auszugehen ist, dass die Überwachung im Inland der Erleichterung der Resozialisierung und der Wiedereingliederung des Betroffenen in die Gesellschaft dient.

(3) In den Fällen nach Abs. 1 Z 8 kann die Überwachung nach Herstellung des Einvernehmens mit der zuständigen Behörde des Anordnungsstaats unter ausdrücklichem Hinweis darauf, dass im Falle eines Verstoßes des Betroffenen gegen die angewandten gelinderen Mittel die Vollstreckung eines Europäischen Haftbefehls abgelehnt werden müsste, dennoch übernommen werden.

(4) In Abgaben-, Steuer-, Zoll- und Währungsangelegenheiten darf die Überwachung nicht mit der Begründung abgelehnt werden, dass das österreichische Recht keine gleichartigen Abgaben oder Steuern vorschreibt oder keine gleichartigen Abgaben-, Steuer-, Zoll- und Währungsbestimmungen enthält wie das Recht des Anordnungsstaats.

Zuständigkeit

§ 102. (1) Zur Entscheidung über die Überwachung einer Entscheidung über die Anwendung gelinderer Mittel ist das Landesgericht sachlich zuständig.

(2) Die örtliche Zuständigkeit richtet sich nach dem Ort, an dem der Betroffene seinen Wohnsitz oder ständigen Aufenthalt hat, in den Fällen nach § 101 Abs. 2 nach dem Ort, zu dem die besonderen Bindungen des Betroffenen bestehen.

(3) Ist das Gericht, das mit der Überwachung befasst worden ist, nicht zuständig, so tritt es die Sache an das zuständige Gericht ab und verständigt die zuständige Behörde des Anordnungsstaats davon.

Verfahren

§ 103. (1) Die Überwachung setzt voraus, dass dem inländischen Gericht die zu überwachende Entscheidung über die Anwendung gelinderer Mittel und die von der zuständigen Behörde unterzeichnete Bescheinigung (**Anhang XII**) und, sofern der Anordnungsstaat nicht die Erklärung abgegeben hat, als Vollstreckungsstaat Bescheinigungen auch in deutscher Sprache zu akzeptieren (§ 115 Abs. 3 Z 2), deren Übersetzung in die deutsche Sprache, übermittelt wird.

(2) Wenn

1. die Bescheinigung nicht übermittelt worden ist, in wesentlichen Teilen unvollständig ist oder der Entscheidung über Überwachungsmaßnahmen offensichtlich widerspricht;

2. Anhaltspunkte dafür bestehen, dass einer der in § 101 Abs. 1 Z 1 bis 3 und 9 angeführten Gründe für die Unzulässigkeit der Überwachung vorliegt; oder

3. die rechtliche Würdigung als Straftat nach Anhang I, Teil A, offensichtlich fehlerhaft ist oder der Betroffene dagegen begründete Einwände erhoben hat,

ist die zuständige Behörde des Anordnungsstaats um Nachreichung, Vervollständigung oder ergänzende Information binnen einer festzusetzenden angemessenen Frist mit dem Hinweis zu ersuchen, dass bei fruchtlosem Ablauf der Frist die Überwachung vorbehaltlich eines Vorgehens nach § 101 Abs. 3 zur Gänze oder zum Teil verweigert werden wird.

(3) Auf den Geschäftsweg ist § 14 Abs. 1 bis 5 sinngemäß anzuwenden.

(4) Zu den Voraussetzungen der Überwachung (§ 100) und zu den im Inland anzuordnenden Maßnahmen ist der Betroffene zu hören.

(5) Die zuständige Behörde des Anordnungsstaats kann jederzeit konsultiert werden, um Informationen zwecks Überprüfung der Identität und des Wohnortes des Betroffenen zu erhalten oder die reibungslose und effiziente Durchführung der Überwachung sonst zu erleichtern.

Entscheidung

§ 104. (1) Über die Übernahme der Überwachung ist mit Beschluss zu entscheiden. Der Beschluss hat die Bezeichnung der Behörde, deren Entscheidung überwacht wird, deren Aktenzeichen, eine kurze Darstellung des Sachverhalts einschließlich Ort und Zeit der Tat, die der Entscheidung zugrunde liegt, und des angewandten gelinderen Mittels, die Bezeichnung der dem Betroffenen zur Last gelegten strafbaren Handlung sowie die angewendeten Rechtsvorschriften des Anordnungsstaats zu enthalten. Darüber hinaus ist auszusprechen, welche Maßnahmen im Inland zu treffen sind.

(2) Gegen den Beschluss steht der Staatsanwaltschaft und dem Betroffenen die binnen 14 Tagen einzubringende Beschwerde an das Oberlandesgericht offen. Einer rechtzeitig erhobenen Beschwerde kommt aufschiebende Wirkung zu.

(3) Nach Rechtskraft des Beschlusses sind unverzüglich die für die Überwachung des gelinderen Mittels erforderlichen Maßnahmen zu ergreifen.

Wirkung der Übernahme der Überwachung

§ 105. Nach erfolgter Übernahme der Überwachung richten sich die weiteren Maßnahmen vorbehaltlich der Regelung des § 109 nach österreichischem Recht. Die Überwachung des gelinderen Mittels nach § 100 Abs. 2 Z 7 erfolgt dabei in der Weise, dass dem Betroffenen aufgetragen wird, einen Nachweis über die erfolgte Sicherheitsleistung zu erbringen.

Anpassung der gelinderen Mittel

§ 106. (1) Ist die Art des angewandten gelinderen Mittels mit dem österreichischen Recht nicht vereinbar, so ist es vom Gericht an die nach österreichischem Recht vorgesehene gelinderen Mittel anzupassen.

(2) Das angepasste gelindere Mittel hat so weit wie möglich dem im Anordnungsstaat angeordneten gelinderen Mittel zu entsprechen. Es darf nicht schwerwiegender sein als das im Anordnungsstaat angeordnete gelindere Mittel.

Fristen

§ 107. (1) Über die Übernahme der Überwachung hat das Gericht vorbehaltlich der Regelung des § 108 binnen 20 Arbeitstagen nach dem Zeitpunkt zu entscheiden, zu dem die Entscheidung samt Bescheinigung nach **Anhang XII** einlangt. Im Falle einer Beschwerde nach § 104 Abs. 2 verlängert sich diese Frist um weitere 20 Arbeitstage.

(2) Kann die in Abs. 1 genannte Frist im Einzelfall nicht eingehalten werden, so ist die zuständige Behörde des Anordnungsstaats davon auf jede beliebige Weise unter Angabe der Gründe und der voraussichtlichen Dauer bis zum Ergehen einer endgültigen Entscheidung in Kenntnis zu setzen.

Aufschub der Entscheidung

§ 108. Die Entscheidung über die Übernahme der Überwachung ist bis zum Ablauf einer der zuständigen Behörde des Anordnungsstaats zu setzenden angemessenen Frist aufzuschieben

1. bis zur Nachreichung oder Vervollständigung der Bescheinigung;

2. bis zum Einlangen der von der zuständigen Behörde des Anordnungsstaats begehrten ergänzenden Informationen.

Zuständigkeit für Folgeentscheidungen

§ 109. (1) Die zuständige Behörde des Anordnungsstaats ist für alle Folgeentscheidungen im Zusammenhang mit einer Entscheidung über die Anwendung gelinderer Mittel zuständig. Diese Folgeentscheidungen umfassen insbesondere

1. die Erneuerung, Überprüfung und Aufhebung oder Abänderung der Entscheidung über die Anordnung gelinderer Mittel;

2. die Änderung der gelinderen Mittel; und

3. die Ausstellung eines Haftbefehls oder die Erlassung einer sonstigen vollstreckbaren Entscheidung mit gleicher Rechtswirkung.

(2) Im Falle einer Änderung der gelinderen Mittel gemäß Abs. 1 Z 2 hat das inländische Gericht

1. die geänderten gelinderen Mittel anzupassen, wenn sie ihrer Art nach mit dem österreichischen Recht nicht vereinbar sind (§ 106); oder

2. die Überwachung der geänderten gelinderen Mittel abzulehnen, wenn diese nicht unter die in § 100 Abs. 2 angeführten gelinderen Mittel fallen.

Auskunftsersuchen

§ 110. Während der Überwachung kann das Gericht die zuständige Behörde des Anordnungsstaats jederzeit um Auskunft darüber ersuchen, ob die Überwachung im Hinblick auf die Umstände des Einzelfalles fortgesetzt werden soll.

Verständigung des Anordnungsstaats

§ 111. Das Gericht hat die zuständige Behörde des Anordnungsstaats auf die in § 14 Abs. 3 vorgesehene Weise unverzüglich in Kenntnis zu setzen

1. von der Weiterleitung des Entscheidung über die Anordnung gelinderer Mittel samt Bescheinigung nach **Anhang XII** an die für die Überwachung zuständige Behörde;

2. von der Unmöglichkeit der Überwachung wegen Unauffindbarkeit des Betroffenen im Inland nach erfolgter Übermittlung der Entscheidung samt Bescheinigung nach **Anhang XII**. In diesem Fall besteht keine Verpflichtung zur Überwachung;

3. vom Umstand, dass eine Beschwerde gegen den Beschluss nach § 104 Abs. 1 eingelegt wurde;

4. von der rechtskräftigen Entscheidung über die Übernahme der Überwachung;

5. von der Entscheidung über die Unzulässigkeit der Überwachung, unter Angabe der Gründe;

6. von der Entscheidung über die Anpassung der gelinderen Mittel, unter Angabe der Gründe;

7. von jedem Wohnsitzwechsel des Betroffenen;

8. von jedem Verstoß gegen das angewandte gelindere Mittel und allen sonstigen Umständen, die eine Entscheidung nach § 109 Abs. 1 zur Folge haben könnten, wobei die Verständigung unter Verwendung des Formblattes nach **Anhang XIII** erfolgt;

9. von der Entscheidung über die Beendigung der Überwachung gemäß § 112 Abs. 2, 3 oder 4.

Unbeantwortete Verständigungen und Beendigung der Überwachung

§ 112. (1) Hat das Gericht mindestens zwei Meldungen nach § 111 Z 8 an die zuständige Behörde des Anordnungsstaats übermittelt, ohne dass diese eine Entscheidung nach § 109 Abs. 1 getroffen hat, so ist diese Behörde zu ersuchen, innerhalb einer ihr zu setzenden angemessenen Frist eine solche Entscheidung zu treffen.

(2) Wird von der zuständigen Behörde des Anordnungsstaats innerhalb dieser Frist keine Entscheidung getroffen, so ist die Überwachung zu beenden.

(3) Nach Ablauf von sechs Monaten nach erfolgter Übernahme der Überwachung ist die zuständige Behörde des Anordnungsstaats unter Setzung einer angemessenen Frist um Bestätigung der Notwendigkeit der Fortsetzung der Überwachung zu ersuchen. Nach Ablauf von zwei Jahren nach erfolgter Übernahme der Überwachung ist diese jedenfalls zu beenden.

(4) Erfolgt seitens der zuständigen Behörde des Anordnungsstaats weder auf ein Ersuchen nach Abs. 3 noch auf ein weiteres entsprechendes Ersuchen unter Hinweis darauf, dass die Überwachung nach fruchtlosem Ablauf der Frist beendet werden wird, keine Reaktion, so ist die Überwachung zu beenden.

(5) Neben den in Abs. 2 bis 4 angeführten Fällen ist die Überwachung zu beenden, wenn die zuständige Behörde des Anordnungsstaats die Bescheinigung zurückgezogen hat (§ 116).

Übergabe des Betroffenen

§ 113. Hat die zuständige Behörde des Anordnungsstaats gegen den Betroffenen einen Haftbefehl erlassen oder eine sonstige vollstreckbare Entscheidung mit gleicher Rechtswirkung getroffen, so ist dieser dem Anordnungsstaat im Einklang mit den Bestimmungen des Zweiten und Dritten Abschnitts des II. Hauptstücks zu übergeben.

Kosten

§ 114. Für die durch die Überwachung einer ausländischen Entscheidung über die Anwendung gelinderer Mittel entstandenen Kosten kann ein Kostenersatz vom Anordnungsstaat nicht begehrt werden.

Zweiter Unterabschnitt

Erwirkung der Überwachung in einem anderen Mitgliedstaat

Befassung eines anderen Mitgliedstaats

§ 115. (1) Besteht Anlass, einen anderen Mitgliedstaat um Überwachung einer Entscheidung über die Anwendung eines oder mehrerer der in § 100 Abs. 2 angeführten gelinderen Mittel gemäß § 173 Abs. 5 StPO oder, falls der Vollstreckungsstaat die Überwachung auch anderer gelinderer Mittel akzeptiert hat, derartiger gelinderer Mittel zu ersuchen, weil der Betroffene in diesem Staat seinen Wohnsitz oder ständigen Aufenthalt hat und der Rückkehr in diesen Staat zugestimmt hat, nachdem er von den angewandten gelinderen Mitteln in Kenntnis gesetzt wurde, so hat das Gericht, das in erster Instanz entschieden hat, zunächst der Staatsanwaltschaft Gelegenheit zur Äußerung zu geben und den Betroffenen zu hören.

(2) Die Bundesministerin für Justiz hat durch Verordnung zu verlautbaren

1. die Voraussetzungen, unter denen die Mitgliedstaaten über entsprechendes Ersuchen auf Antrag des Betroffenen ungeachtet des Nichtvorliegens eines Wohnsitzes oder ständigen Aufenthalts des Betroffenen im Vollstreckungsstaat zur Überwachung bereit sind;

2. welche Mitgliedstaaten die Überwachung auch anderer als der in § 100 Abs. 2 angeführten gelinderen Mittel akzeptieren.

(3) Das Gericht hat der zuständigen Behörde des Vollstreckungsstaats

1. die zu überwachende Entscheidung samt Übersetzung, sofern eine solche für den Betroffenen im Inlandsverfahren bereits angefertigt wurde; sowie

2. eine ausgefüllte und unterzeichnete Bescheinigung (**Anhang XII**) und, sofern der Vollstreckungsstaat nicht erklärt hat, Bescheinigungen auch in deutscher Sprache zu akzeptieren, deren Übersetzung in eine Amtssprache des Vollstreckungsstaats oder in eine andere von diesem akzeptierte Sprache

zu übermitteln. Die Bundesministerin für Justiz hat durch Verordnung zu verlautbaren, welche Mitgliedstaaten welche Amtssprachen akzeptieren.

(4) Auf den Geschäftsverkehr ist § 14 Abs. 1 bis 5 sinngemäß anzuwenden. Sind die Entscheidung und die Bescheinigung nicht auf dem Postweg übermittelt worden, so sind der zuständigen Behörde des Vollstreckungsstaats auf ihr Ersuchen eine Ausfertigung oder eine beglaubigte Abschrift der Entscheidung sowie das Original der Bescheinigung auf dem Postweg nachzureichen.

(5) Die gleichzeitige Befassung eines weiteren Mitgliedstaats mit der Überwachung ist unzulässig.

Zurückziehung der Bescheinigung

§ 116. Spätestens innerhalb von zehn Tagen nach Einlangen der Anpassungsentscheidung oder einer Mitteilung der zuständigen Behörde des Vollstreckungsstaats über den höchstzulässigen Zeitraum für die Überwachung, und solange mit der Überwachung im Vollstreckungsstaat noch nicht begonnen wurde, kann das Gericht für den Fall, dass es das angepasste gelindere Mittel oder den höchstzulässigen Zeitraum, während dessen die Überwachung durchgeführt werden kann, nicht für angemessen erachtet, die zuständige Behörde des Vollstreckungsstaats davon in Kenntnis setzen, dass die Bescheinigung zurückgezogen wird. Entsprechendes gilt für den Fall des Erhalts einer Mitteilung entsprechend § 101 Abs. 3.

Ersuchen um Fortsetzung der Überwachung

§ 117. Nach Ablauf des von der zuständigen Behörde des Vollstreckungsstaats mitgeteilten höchstzulässigen Zeitraums für die Überwachung kann das Gericht diese Behörde ersuchen, die Überwachung für einen von ihm bekannt zu gebenden weiteren Zeitraum fortzusetzen, wenn es dies im Hinblick auf die Umstände des Falles für erforderlich erachtet.

Entscheidung über Folgemaßnahmen

§ 118. Nach Erhalt einer Mitteilung entsprechend § 111 Z 8 sowie aufgrund einer Anfrage entsprechend § 110 ist zu prüfen, ob Anlass zur Fällung einer Entscheidung gemäß § 109 Abs. 1 besteht. Dabei sind allfällige, von der zuständigen Behörde des Vollstreckungsstaats übermittelte Informationen über die Gefahr, die vom Betroffenen für das Opfer und für die Allgemeinheit ausgehen könnte, entsprechend zu berücksichtigen.

Wirkung der Übernahme der Überwachung

§ 119. Nach Übernahme der Überwachung durch den Vollstreckungsstaat richten sich die weiteren Maßnahmen vorbehaltlich der Regelung des § 120 nach dem Recht des Vollstreckungsstaats.

Fortsetzung der Überwachung im Inland

§ 120. (1) Die Fortsetzung der Überwachung im Inland ist in folgenden Fällen zulässig:

1. wenn der Betroffene seinen Wohnsitz oder ständigen Aufenthalt in einen anderen Staat als den Vollstreckungsstaat verlegt hat;

2. nach Zurückziehung der Bescheinigung nach § 116;

3. in den Fällen entsprechend § 109 Abs. 2 Z 2;

4. nach Ablauf des von der zuständigen Behörde des Vollstreckungsstaats mitgeteilten höchstzulässigen Zeitraums für die Überwachung, sofern dem Ersuchen um Fortsetzung der Überwachung von dieser nicht entsprochen wird;

5. nach Beendigung der Überwachung gemäß § 112 Abs. 2, 3, oder 4.

(2) In den in Abs. 1 angeführten Fällen ist die zuständige Behörde des Vollstreckungsstaats zu konsultieren, um jede Unterbrechung der Überwachung nach Möglichkeit zu vermeiden.

EU-JZG

Verständigung des Vollstreckungsstaats

§ 121. Das Gericht hat die zuständige Behörde des Vollstreckungstaats auf die in § 14 Abs. 3 vorgesehene Weise unverzüglich in Kenntnis zu setzen

1. für welchen zusätzlichen Zeitraum es die Überwachung für erforderlich erachtet, wobei die entsprechende Mitteilung vor Ablauf des von der zuständigen Behörde des Vollstreckungsstaats mitgeteilten höchstzulässigen Zeitraums für die Überwachung erfolgt;

2. von jeder Entscheidung entsprechend § 109 Abs. 1 und der allfälligen Einlegung eines Rechtsmittels gegen eine solche Entscheidung.

VI. Hauptstück

Anerkennung Europäischer Schutzanordnungen in Strafsachen

Erster Abschnitt

Anerkennung von Entscheidungen anderer Mitgliedstaaten

Voraussetzungen

§ 122. (1) Wurde im Zuge eines in einem anderen Mitgliedstaat außer Dänemark oder Irland anhängigen Strafverfahrens von einer Justizbehörde oder sonstigen zuständigen Behörde zum Schutz einer natürlichen Person, die ihren Wohnsitz oder Aufenthalt im Inland hat oder in das Inland verlegen will, eine Schutzmaßnahme angeordnet und auf deren Grundlage eine Europäische Schutzanordnung erlassen, so wird diese über entsprechendes Ersuchen des Anordnungsstaates nach den Bestimmungen dieses Abschnitts im Inland anerkannt, und es werden die nach österreichischem Recht in einem vergleichbaren Fall zulässigen Anordnungen zur Fortsetzung des Schutzes der geschützten Person erteilt.

(2) Schutzmaßnahmen im Sinne von Abs. 1 sind:

1. das Verbot des Betretens bestimmter Räumlichkeiten, Orte oder festgelegter Gebiete in bzw. an denen sich die geschützte Person aufhält oder die sie aufsucht;

2. das Verbot oder die Regelung der jeglicher Form der Kontaktaufnahme – auch telefonisch, auf elektronischem Weg, per Post, Telefax oder mit anderen Mitteln – mit der geschützten Person; und

3. das Verbot, sich der geschützten Person auf eine geringere als die festgelegte Entfernung zu nähern, oder eine Weisung ähnlichen Inhalts.

Antrag der geschützten Person im Inland

§ 123. Ein von der geschützten Person bei einem österreichischen Gericht gestellter Antrag auf Erlass einer Europäischen Schutzanordnung im Zusammenhang mit einer in einem anderen Mitgliedstaat angeordneten Schutzmaßnahme ist so rasch wie möglich an die zuständige Behörde des Anordnungsstaats zu übermitteln.

Unzulässigkeit der Anerkennung

§ 124. Die Anerkennung einer Europäischen Schutzanordnung ist unzulässig,

1. wenn die Voraussetzungen für eine Anerkennung und Überwachung im Inland nach dem V. Hauptstück oder für eine Anerkennung und Vollstreckung nach

a. der Verordnung (EG) Nr. 44/2001 über die gerichtliche Zuständigkeit und die Anerkennung und Vollstreckung von Entscheidungen in Zivil- und Handelssachen, ABl. L 2001/12, 1,

b. der Verordnung (EG) Nr. 2201/2003 über die Zuständigkeit und die Anerkennung und Vollstreckung von Entscheidungen in Ehesachen und in Verfahren betreffend die elterliche Verantwortung und zur Aufhebung der Verordnung (EG) Nr. 1347/2000, ABl. L 2003/338, 1,

c. dem Haager Übereinkommen vom 19. Oktober 1996 über die Zuständigkeit, das anzuwendende Recht, die Anerkennung, Vollstreckung und Zusammenarbeit auf dem Gebiet der elterlichen Verantwortung und der Maßnahmen zum Schutz von Kindern, BGBl. III Nr. 49/2011, oder

d. dem Haager Übereinkommen vom 25. Oktober 1980 über die zivilrechtlichen Aspekte internationaler Kindesentführung, BGBl Nr. 512/1988,

vorliegen;

2. wenn die geschützte Person im Inland keinen Wohnsitz oder Aufenthalt hat und diesen auch nicht in das Inland verlegen will;

3. wenn der Europäischen Schutzanordnung keine der in § 122 Abs. 2 angeführten Schutzmaßnahmen zugrunde liegt;

4. wenn die Schutzmaßnahme im Zusammenhang mit einer Handlung angeordnet wurde, die nach österreichischem Recht nicht gerichtlich strafbar ist;

5. wenn die Schutzmaßnahme in einem Urteil angeordnet wurde, dem eine Handlung zugrunde liegt, die dem Geltungsbereich der österreichischen Strafgesetze unterliegt, und das im Inland unter eine Amnestie fällt;

6. soweit die Anerkennung der Europäischen Schutzanordnung und die Erteilung nationaler Anordnungen gegen Bestimmungen über Immunität verstoßen würde;

7. wenn die Verfolgung der gefährdenden Person wegen der Handlung, aufgrund derer die Schutzmaßnahme angeordnet wurde, nach österreichischem Recht verjährt ist, sofern die Handlung dem Geltungsbereich der österreichischen Strafgesetze unterliegt;

8. wenn die Anerkennung der Europäischen Schutzanordnung dem Verbot der Doppelbestrafung („ne bis in idem") zuwiderlaufen würde;

9. wenn die der Schutzmaßnahme zugrunde liegende Handlung von einer Person begangen wurde, die nach österreichischem Recht zur Zeit der Tat strafunmündig war; oder

10. wenn objektive Anhaltspunkte dafür vorliegen, dass die Entscheidung, in der die Schutzmaßnahme angeordnet wurde, unter Verletzung von Grundrechten oder wesentlichen Rechtsgrundsätzen im Sinne von Art. 6 des Vertrags über die Europäische Union zustande gekommen ist, und die gefährdende Person keine Möglichkeit hatte, diese Umstände vor den zuständigen Behörden des Anordnungsstaats, vor dem Europäischen Gerichtshof für Menschenrechte oder vor dem Gerichtshof der Europäischen Union geltend zu machen.

Zuständigkeit

§ 125. (1) Zur Entscheidung über die Anerkennung einer Europäischen Schutzanordnung und die Erteilung nationaler Anordnungen ist das Landesgericht sachlich zuständig.

(2) Die örtliche Zuständigkeit richtet sich nach dem Ort, an dem die geschützte Person ihren Wohnsitz oder Aufenthalt genommen hat oder nehmen wird.

(3) Ist das Gericht, das mit der Anerkennung befasst worden ist, nicht zuständig, so tritt es die Sache an das zuständige Gericht ab und verständigt die zuständige Behörde des anordnenden Staates davon.

Verfahren

§ 126. (1) Die Anerkennung setzt voraus, dass dem inländischen Gericht die Europäische Schutzanordnung (Anhang XV) und, sofern der Anordnungsstaat nicht die Erklärung abgegeben hat, als Vollstreckungsstaat Europäische Schutzanordnungen auch in deutscher Sprache zu akzeptieren (§ 135 Abs. 1), deren Übersetzung in die deutsche Sprache übermittelt wird.

(2) Wenn die Europäische Schutzanordnung in wesentlichen Teilen unvollständig ist oder Anhaltspunkte dafür vorliegen, dass der in § 124 Z 10 angeführte Grund für die Unzulässigkeit der Anerkennung der Europäischen Schutzanordnung vorliegt, ist die zuständige Behörde des Anordnungsstaates auf die in § 14 Abs. 3 vorgesehene Weise um Vervollständigung binnen einer festzusetzenden angemessenen Frist mit dem Hinweis zu ersuchen, dass bei fruchtlosem Ablauf der Frist die Anerkennung verweigert werden wird. Die Entscheidung über die Anerkennung der Europäischen Schutzanordnung ist bis zum Einlangen der begehrten ergänzenden Informationen aufzuschieben.

(3) Auf den Geschäftsweg ist § 14 Abs. 1 bis 5 sinngemäß anzuwenden.

(4) Zu den Voraussetzungen der Anerkennung (§ 124) ist die geschützte Person und, sofern sie im Inland geladen werden kann, auch die gefährdende Person zu hören. Auf die Anhörung der gefährdenden Person kann verzichtet werden, wenn dadurch der Schutzzweck gefährdet wäre.

Entscheidung

§ 127. (1) Über die Anerkennung ist mit Beschluss zu entscheiden. Der Beschluss hat die Bezeichnung der Behörde, deren Entscheidung anerkannt wird, deren Aktenzeichen, eine kurze Darstellung des Sachverhalts einschließlich Ort und Zeit der Tat, soweit bekannt, und der angeordneten Schutzmaßnahme, die Bezeichnung der strafbaren Handlung sowie die bekannt gegebenen angewendeten Rechtsvorschriften des Anordnungsstaates zu enthalten. Die Entscheidung ist unter Berücksichtigung der Dringlichkeit der Angelegenheit, des vorgesehenen Zeitpunkts der Ankunft der geschützten Person in Österreich, sofern diese nicht bereits im Inland wohnhaft oder aufhältig ist, und, soweit möglich, der Gefahrenlage der geschützten Person zu treffen.

(2) Soweit dies in einem vergleichbaren inländischen Verfahren zulässig wäre, hat das Gericht nach erfolgter Anerkennung der Europäischen Schutzanordnung unverzüglich für einen angemessenen Zeitraum der gefährdenden Person Weisungen zu erteilen (§ 51 Abs. 2 StGB) oder gelindere Mittel anzuwenden (§ 173 Abs. 5 Z 3 bis 5 StPO), die so weit wie möglich den im anordnenden Staat angeordneten Schutzmaßnahmen zu entsprechen haben.

(3) Gegen den Beschluss steht der Staatsanwaltschaft, der geschützten und der gefährdenden Person die binnen 14 Tagen einzubringende Beschwerde an das Oberlandesgericht offen.

(4) Die Überwachung der Befolgung der Weisungen oder gelinderen Mitteln sowie die Rechtsfolgen der Nichtbefolgung richten sich vorbehaltlich § 130 nach österreichischem Recht.

Verständigungspflichten des Vollstreckungsstaates

§ 128. (1) Das Gericht hat die zuständige Behörde des Anordnungsstaates auf die in § 14 Abs. 3 vorgesehene Weise in Kenntnis zu setzen

1. von der Ablehnung der Anerkennung der Europäischen Schutzanordnung, unter Angabe der Gründe;

2. von Anordnungen gemäß § 127 Abs. 2 und den inländischen Rechtsfolgen eines Verstoßes (§ 129);

3. von jedem Verstoß gegen Anordnungen gemäß § 127 Abs. 2 unter Verwendung des Formblatts nach Anhang XVI. Sofern der Anordnungsstaat nicht die Erklärung abgegeben hat, Formblätter auch in deutscher Sprache zu akzeptieren, ist dem Formblatt eine Übersetzung in eine Amtssprache des Anordnungsstaates anzuschließen. Der Bundesminister für Justiz hat durch Verordnung zu verlautbaren, welche Mitgliedstaaten welche Amtssprachen akzeptieren;

4. von jedem Verstoß gegen die in der Europäischen Schutzanordnung enthaltene Schutzmaßnahme, von dem das Gericht Kenntnis erlangt, sofern in einem vergleichbaren inländischen Verfahren keine Anordnung gemäß § 127 Abs. 2 in Betracht kommt, weshalb eine solche nicht erteilt werden konnte;

5. von der Entscheidung über die Aufhebung der aufgrund der Europäischen Schutzanordnung erteilten Anordnungen (§ 132).

(2) Die geschützte Person ist in den Fällen des Abs. 1 Z 1, 2 und 5 zu verständigen, im Falle der Ablehnung der Anerkennung der Europäischen Schutzanordnung unter Belehrung über die Beschwerdemöglichkeit nach § 127 Abs. 3 und gegebenenfalls über die Möglichkeit, die Anordnung einer Schutzmaßnahme nach österreichischem Recht zu beantragen. In den Fällen des Abs. 1 Z 2 ist auch die gefährdende Person in Kenntnis zu setzen, wobei eine Mitteilung der Anschrift oder sonstiger Kontaktdaten der geschützten Person an die gefährdende Person dabei zu unterbleiben hat, es sei denn, dass diese Daten zur Entsprechung der erteilten Anordnung erforderlich sind. In den Fällen des Abs. 1 Z 3 ist gegebenenfalls auch die zuständige Behörde des vollstreckenden Staates im Sinn von § 2 Z 7 lit. f zu unterrichten.

Rechtsfolgen eines Verstoßes im Vollstreckungsstaat

§ 129. Im Falle eines Verstoßes gegen eine oder mehrere Anordnungen gemäß § 127 Abs. 2 hat das Gericht

1. umgehend vorläufige Maßnahmen zu veranlassen, um den Verstoß zu beenden, bis der Anordnungsstaat gegebenenfalls eine Entscheidung gemäß § 130 getroffen hat, und

2. bei Verdacht auf eine strafbare Handlung im Inland Anzeige an die zuständige Staatsanwaltschaft zu erstatten.

Zuständigkeit des Anordnungsstaates

§ 130. Die zuständige Behörde des Anordnungsstaates ist ausschließlich zuständig für folgende Entscheidungen:

1. die Überprüfung, die Verlängerung, die Abänderung, den Widerruf und die Aufhebung der Schutzmaßnahme und dementsprechend der Europäischen Schutzanordnung; und

2. die Anordnung einer Freiheitsstrafe oder einer mit Freiheitsentziehung verbundenen vorbeugenden Maßnahme als Folge des Widerrufs der Schutzmaßnahme.

Folgen einer Änderung der Europäischen Schutzanordnung

§ 131. Übermittelt die zuständige Behörde des Anordnungsstaates eine geänderte Europäische Schutzanordnung, so hat das Gericht

1. die auf der Grundlage der Europäischen Schutzmaßnahme erteilten Anordnungen entsprechend zu ändern,

2. die Anerkennung der geänderten Europäischen Schutzmaßnahme abzulehnen, wenn dieser keine der in § 122 Abs. 2 angeführten Schutzmaßnahmen mehr zugrunde liegt, oder

3. nach § 126 Abs. 2 vorzugehen.

Aufhebung der erteilten Anordnungen

§ 132. (1) Das Gericht hat die aufgrund der Europäischen Schutzanordnung erteilten Anordnungen aufzuheben, wenn

1. klare Hinweise darauf vorliegen, dass die geschützte Person nicht im Inland wohnhaft oder aufhältig ist oder das österreichische Hoheitsgebiet verlassen hat,

2. die Aufrechterhaltung der Weisung oder des gelinderen Mittels in einem vergleichbaren inländischen Verfahren nicht mehr zulässig wäre,

3. der Fall des § 131 Z 2 vorliegt,

4. einem inländischen Gericht nach erfolgter Anerkennung der Europäischen Schutzanordnung eine Entscheidung nach dem V. Hauptstück oder ein Ersuchen um Anerkennung und Vollstreckung nach einer der in § 124 Z 1 lit. a oder b genannten Verordnung oder nach einem der in § 124 Z 1 lit. c oder d genannten Übereinkommen übermittelt wird, oder

5. die zuständige Behörde des Anordnungsstaates die Europäische Schutzanordnung widerruft (§ 130 Z 1).

(2) In den Fällen nach Abs. 1 Z 2 kann das Gericht die zuständige Behörde des Anordnungsstaates vor Aufhebung der erteilten Anordnungen um Mitteilung ersuchen, ob der aufgrund der Europäischen Schutzanordnung vorgesehene Schutz der geschützten Person noch erforderlich ist.

Kosten

§ 133. Die durch die Anerkennung einer Europäischen Schutzanordnung und die Erteilung von Anordnungen entstandenen Kosten mit Ausnahme jener, die ausschließlich im Hoheitsgebiet des Anordnungsstaates entstehen, sind vom Bund zu tragen.

Zweiter Abschnitt
Erwirkung der Anerkennung in einem anderen Mitgliedstaat

Erlass einer Europäischen Schutzanordnung

§ 134. (1) Wurden einer natürlichen Person („gefährdende Person") in einem Strafverfahren zum Schutz einer anderen Person („geschützte Person") vor einer strafbaren Handlung gegen ihr Leben, ihre körperliche oder seelische Integrität, ihre Würde, ihre persönliche Freiheit oder ihre sexuelle Integrität Weisungen nach § 51 Abs. 2 StGB erteilt oder gelindere Mittel nach 173 Abs. 5 Z 3 bis 5 StPO angewendet, die den in § 122 Abs. 2 angeführten entsprechen, so hat das Gericht, das in erster Instanz erkannt hat, auf Antrag der geschützten Person, die ihren Wohnsitz oder Aufenthalt in einen anderen Mitgliedstaat außer Dänemark oder Irland verlegt hat oder verlegen will, eine Europäische Schutzanordnung zu erlassen, sofern dies zur Fortsetzung des Schutzes der geschützten Person im betreffenden Mitgliedstaat erforderlich ist.

(2) Bei der Entscheidung über den Erlass einer Europäischen Schutzanordnung ist insbesondere die voraussichtliche Dauer des Aufenthalts der geschützten Person im Vollstreckungsstaat und deren Gefahrenlage zu berücksichtigen.

(3) Vor dem Erlass einer Europäischen Schutzanordnung ist der Staatsanwaltschaft Gelegenheit zur Äußerung zu geben; es sind, sofern dies nicht bereits im Zuge der Antragstellung erfolgt ist, die geschützte Person und, sofern sie bisher zur Schutzmaßnahme nicht gehört wurde, die gefährdende Person zu hören.

(4) Der Erlass einer Europäischen Schutzanordnung kommt nicht in Betracht, wenn die Voraussetzungen für die Erwirkung der Anerkennung und Überwachung nach dem V. Hauptstück oder für ein Ersuchen um Anerkennung und Vollstreckung nach einer der in § 124 Z 1 lit. a oder b genannten Verordnung oder nach einem der in § 124 Z 1 lit. c oder d genannten Übereinkommen vorliegen.

(5) Gegen die Erlassung oder Nichterlassung einer Europäischen Schutzanordnung steht der Staatsanwaltschaft, der geschützten und, sofern sie bisher zur Schutzmaßnahme nicht gehört wurde, der gefährdenden Person die binnen 14 Tagen einzubringende Beschwerde an das Oberlandesgericht offen. Darüber sind die geschützte Person und gegebenenfalls auch die gefährdende Person zu belehren.

Befassung eines anderen Mitgliedstaats

§ 135. (1) Das Gericht hat der zuständigen Behörde des Vollstreckungsstaates die ausgefüllte und unterzeichnete Europäische Schutzanordnung (Anhang XV) und, sofern dieser Staat nicht erklärt hat, Europäische Schutzanordnungen auch in deutscher Sprache zu akzeptieren, deren Übersetzung in eine Amtssprache des vollstreckenden Staates oder in eine andere von diesem akzeptierte Sprache zu übermitteln. Der Bundesminister für Justiz hat durch Verordnung zu verlautbaren, welche Mitgliedstaaten welche Amtssprachen akzeptieren.

(2) Auf den Geschäftsverkehr ist § 14 Abs. 1 bis 5 sinngemäß anzuwenden. Ist die Europäische Schutzanordnung nicht auf dem Postweg übermittelt worden, so ist der zuständigen Behörde des Vollstreckungsstaats auf ihr Ersuchen das Original der Europäischen Schutzanordnung auf dem Postweg nachzureichen.

Änderung oder Zurückziehung der Europäischen Schutzanordnung

§ 136. (1) Nach Verständigung durch die zuständige Behörde des Vollstreckungsstaats über einen Verstoß gegen die nach Anerkennung der Europäischen Schutzanordnung von dieser angeordneten Schutzmaßnahmen hat das Gericht zu prüfen, ob Anlass zur Verlängerung der Probezeit, zur Änderung der Anordnung, zum Widerruf der bedingten Strafnachsicht oder der bedingten Entlassung, zu einem nachträglichen Strafausspruch oder zur Verhängung der Untersuchungshaft und dementsprechend zur Änderung oder Aufhebung der Anordnung und zum Widerruf der Europäischen Schutzanordnung besteht. Vom Ergebnis der Prüfung ist die zuständige Behörde des Vollstreckungsstaates, gegebenenfalls unter Anschluss einer entsprechend geänderten Europäischen Schutzanordnung, so rasch wie möglich in Kenntnis zu setzen.

(2) Ist die Anordnung in einer Entscheidung nach dem V. Hauptstück enthalten, die einem anderen Mitgliedstaat übermittelt wurde oder nach Erlass der Europäischen Schutzanordnung übermittelt wird, und hat die zuständige Behörde des vollstreckenden Staates im Sinn von § 2 Z 7 lit. f Folgeentscheidungen nach § 90 Abs. 1 getroffen, die sich auf die der Europäischen Schutzanordnung zugrunde liegende Schutzmaßnahme auswirken, so hat das Gericht die Europäische Schutzanordnung unverzüglich entsprechend zu ändern oder zu widerrufen.

Beantwortung von Ersuchen

§ 137. Ein Ersuchen der zuständigen Behörde des Vollstreckungsstaats um Mitteilung, ob der aufgrund der Europäischen Schutzanordnung vorgesehene Schutz noch erforderlich ist, ist unverzüglich zu beantworten.

VII. Hauptstück

Schluss-, Inkrafttretens- und Übergangsbestimmungen

Verweisungen

§ 138. In diesem Bundesgesetz enthaltene Verweisungen auf andere Rechtsvorschriften des Bundes oder völkerrechtliche Vereinbarungen sind als Verweisungen auf die jeweils geltende Fassung zu verstehen.

Inkrafttretens- und Übergangsbestimmungen zur Stammfassung

§ 139. (1) Dieses Bundesgesetz tritt mit Ausnahme des Zweiten Abschnitts des III. Hauptstücks mit 1. Mai 2004 in Kraft. Ab diesem Zeitpunkt sind im Verhältnis zu jenen Mitgliedstaaten, die den europäischen Haftbefehl bereits anwenden, folgende völkerrechtliche Vereinbarungen durch dieses Bundesgesetz ersetzt:

1. das Europäische Auslieferungsübereinkommen vom 13. Dezember 1957, BGBl. Nr. 320/1969, das dazugehörige Zweite Zusatzprotokoll vom 17. März 1978, BGBl. Nr. 297/1983, der Vertrag vom 31. Jänner 1972 zwischen der Republik Österreich und der Bundesrepublik Deutschland über die Ergänzung des Europäischen Auslieferungsübereinkommens vom 13. Dezember 1957 und die Erleichterung seiner Anwendung, BGBl. Nr. 35/1977, der Vertrag vom 20. Februar 1973 zwischen der Republik Österreich und der Italienischen Republik über die Ergänzung des Europäischen Auslieferungsübereinkommens vom 13. Dezember 1957 und die Erleichterung seiner Anwendung, BGBl. Nr. 559/1977, und das Europäische Übereinkommen zur Bekämpfung des Terrorismus vom 27. Jänner 1977, BGBl. Nr. 446/1978, soweit es sich auf die Auslieferung bezieht,

2. das Übereinkommen zwischen den Mitgliedstaaten der Europäischen Gemeinschaften über die Vereinfachung und Modernisierung der Verfahren zur Übermittlung von Auslieferungsersuchen vom 26. Mai 1989, BGBl. III Nr. 136/1999,

3. das Übereinkommen vom 10. März 1995 über das vereinfachte Auslieferungsverfahren zwischen den Mitgliedstaaten der Europäischen Union, BGBl. III Nr. 169/2000,

4. das Übereinkommen vom 27. September 1996 über die Auslieferung zwischen den Mitgliedstaaten der Europäischen Union, BGBl. III Nr. 143/2001,

5. der Titel III Kapitel 4 des Übereinkommens vom 19. Juni 1990 zur Durchführung des Übereinkommens von Schengen vom 14. Juni 1985 betreffend den schrittweisen Abbau der Kontrollen an den gemeinsamen Grenzen, BGBl. III Nr. 90/1997.

(2) **(Verfassungsbestimmung)** Bis zum 1. Jänner 2009 ist die Vollstreckung eines Europäischen Haftbefehls gegen einen österreichischen Staatsbürger auch dann abzulehnen, wenn die Tat, derentwegen der Europäische Haftbefehl erlassen worden ist, nach österreichischem Recht nicht mit gerichtlicher Strafe bedroht ist.

(3) Dieses Bundesgesetz findet auf Auslieferungsersuchen keine Anwendung, die vor dem In-Kraft-Treten dieses Bundesgesetzes bei den österreichischen Behörden eingegangen sind.

(4) Dieses Bundesgesetz gilt nicht für die Vollstreckung Europäischer Haftbefehle anderer Mitgliedstaaten, wenn die diesen Haftbefehlen zu Grunde liegenden Taten zumindest teilweise vor dem 7. August 2002 begangen worden sind. Auf solche Europäischen Haftbefehle sind das ARHG in der im Zeitpunkt der Entscheidung geltenden Fassung, in diesem Zeitpunkt geltendes Recht der Europäischen Union sowie andere zwischenstaatliche Vereinbarungen anzuwenden, die am 1. Jänner 2004 in Geltung standen.

(5) Ersucht ein Mitgliedstaat nach dem In-Kraft-Treten dieses Bundesgesetzes um die Übergabe einer Person wegen Taten, die ausschließlich nach dem 7. August 2002 begangen worden sind, ohne dass ein Europäischer Haftbefehl besteht, so ist dieses Bundesgesetz auch anzuwenden, wenn ein gerichtlicher Haftbefehl oder eine Urkunde gleicher Wirksamkeit oder eine vollstreckbare verurteilende Entscheidung dieses Staats vorliegt, die die Angaben eines Europäischen Haftbefehls enthält. § 19 Abs. 2 gilt sinngemäß.

(6) Die Erwirkung einer Übergabe aus Frankreich wegen Taten, die zumindest teilweise vor dem 1. November 1993 begangen worden sind, und aus Italien wegen Taten, die zumindest teilweise vor dem 7. August 2002 begangen worden sind, richtet sich nach den Bestimmungen des ARHG und den am 7. August 2002 mit diesen Staaten in Geltung gestandenen zwischenstaatlichen Vereinbarungen.

(7) Der Zweite Abschnitt des III. Hauptstücks tritt mit 1. Jänner 2005 in Kraft.

Inkrafttretens- und Übergangsbestimmungen zu Novellen

§ 140. (1) Die §§ 24 und 29 Abs. 3 in der Fassung des Bundesgesetzes BGBl. I Nr. 164/2004, treten mit 1. Jänner 2005 in Kraft.

(2) Die §§ 1, 2, 52 bis 52n und 53 bis 53m sowie die Anhänge I, V und VI in der Fassung des Bundesgesetzes BGBl. I Nr. 38/2007 treten mit 1. Juli 2007 in Kraft.

(3) Die Bestimmungen der §§ 3 Abs. 1, 4 Abs. 2, 7 Abs. 3, 16 Abs. 1 und Abs. 2, 17 Abs. 2 und Abs. 3, 19 Abs. 2 und Abs. 3, 20 Abs. 1 bis Abs. 4, 21 Abs. 1, Abs. 2 und Abs. 4, 23 Abs. 2, 24 Abs. 2 bis Abs. 4, 25 Abs. 1 und Abs. 2, 27 Abs. 1, 29 Abs. 1 bis Abs. 3, 31 Abs. 4 und Abs. 6, 43 Abs. 1 und Abs. 2, 44 Abs. 1, 46 Abs. 1 und Abs. 2, 48 Abs. 1, 50, 61 Abs. 1 bis Abs. 3 und Abs. 5, 68 Abs. 1, 70 Abs. 1 und Abs. 2, 71, 72 Abs. 1 und Abs. 3, 73 Abs. 1 und Abs. 2, 74, 76 Abs. 1 und Abs. 3 sowie die Überschrift vor § 13 in der Fassung des Bundesgesetzes, BGBl. I Nr. 112/2007 treten mit 1. Jänner 2008 in Kraft.

(4) **(Verfassungsbestimmung)** § 5 Abs. 6 in der Fassung des Bundesgesetzes, BGBl. I Nr. 112/2007 tritt mit 1. Jänner 2008 in Kraft.

(5) Vorbehaltlich Abs. 7 treten die §§ 2, 11, 21 Abs. 1, 29 Abs. 1, 32 Abs. 4, 39 bis 42g, 49, 52a Abs. 1 Z 8, 52b Abs. 1, 52d Abs. 3, 53a Z 10 und 10a, 53b Abs.1, und 53d Abs. 4 und 57a sowie die **Anhänge II, V, VI, VII und VIII** in der Fassung des Bundesgesetzes BGBl. I Nr. 134/2011 mit 1. Jänner 2012 in Kraft. Ab diesem Zeitpunkt ersetzen die §§ 39 bis 42g im Verhältnis zu jedem Mitgliedstaat, in dem entsprechende Regelungen zur Vollstreckung ausländischer Freiheitsstrafen und mit Freiheitsentziehung verbundener vorbeugender Maßnahmen in Kraft getreten sind, zum Zeitpunkt deren Inkrafttretens die folgenden völkerrechtlichen Vereinbarungen:

1. das Übereinkommen über die Überstellung verurteilter Personen vom 21. März.1983, ETS Nr. 112, BGBl. Nr. 524/1986, und das dazugehörige Zusatzprotokoll vom 18. Dezember 1997, ETS Nr. 167, BGBl. III Nr. 26/2001;

2. das Übereinkommen über die internationale Geltung von Strafurteilen vom 28. Mai 1970, ETS Nr. 70, BGBl. Nr. 249/1980; und

3. Titel III Kapitel 5 des Übereinkommens vom 19. Juni 1990 zur Durchführung des Übereinkommens von Schengen vom 14. Juni 1985 betreffend den schrittweisen Abbau der Kontrollen an den gemeinsamen Grenzen, BGBl. III Nr. 90/1997.

(6) Die §§ 77 bis 80 sowie der **Anhang IX** in der Fassung des Bundesgesetzes BGBl. I Nr. 134/2011 treten mit 27. April 2012 in Kraft.

(7) Im Verhältnis zu Italien treten die §§ 11, 40 Z 9, 52a Abs. 1 Z 8, 53a Z 10 und 10a sowie die **Anhänge II, V und VI** in der Fassung des Bundesgesetzes BGBl. I Nr. 134/2011 mit 1. Jänner 2014 in Kraft.

(8) Die Bestimmungen des Ersten Unterabschnitts des Ersten Abschnitts des III. Hauptstücks finden auf Urteile samt Bescheinigungen nach **Anhang VII**, die vor dem 5. Dezember 2011 bei den österreichischen Behörden eingegangen sind, keine Anwendung.

(Anm.: Abs. 9 aufgehoben durch Art. 4 Z 43, BGBl. I Nr. 20/2020)

(10) Im Verhältnis zu Polen setzt in jenen Fällen, in denen das Urteil vor Ablauf des 5. Dezember 2016 ergangen ist,

1. die Zulässigkeit der Vollstreckung abweichend von § 39 Abs. 1 Z 1 lit. a sowie

2. die Erwirkung der Vollstreckung abweichend von § 42 Abs. 1 Z 1 lit. a

die Zustimmung des Verurteilten voraus.

(11) § 53b Abs. 4, § 53i Z 1 und § 79 Abs. 1 in der Fassung des Bundesgesetzes BGBl. I Nr. 50/2012 treten mit 1. September 2012 in Kraft.

(12) Die §§ 1 Abs. 1 Z 1 lit. e und f, 2 Z 2, Z 3, Z 3a, Z 7 lit. c, d, f und g sowie Z 11, 5a, 16a, 24 Abs. 4, 29 Abs. 2a, 41j Z 1, 42b, 42e Abs. 1 und 3, 42f Abs. 1, 45 Abs. 2, 47 Abs. 1 Z 3, 52, 52a Abs. 1 Z 9, 52b Abs. 2, 52c Abs. 2 Z 4 und Abs. 4, 52e Abs. 1 Z 3 und Abs. 3 *(Anm.: richtig: Abs. 2)*, 52f Z 2, 52i Z 6, 52l Abs. 3, 52m, 53 Abs. 3, 57a, 59a bis 59c, 63, 64, 65 Abs. 2, 67, 68, 68a, 69, 70 Abs. 1 und 2, sowie §§ 81 bis 99 und 100 bis 121 und die **Anhänge X bis XIII** in der Fassung des Bundesgesetzes BGBl. I Nr. 175/2013 treten mit 1. August 2013 in Kraft.

(Anm.: Abs. 13 aufgehoben durch Art. 1 Z 23, BGBl. I Nr. 28/2018)

(14) § 1 Abs. 1 Z 1 lit. g, § 2 Z 3a, Z 7 lit. h, Z 12 und 13, die §§ 5a, 39 Abs. 1 Z 1 und 3, 41i Abs. 3, 41j Z 1, 42 Abs. 1 Z 1, 42b Abs. 4, 42c Z 2, 57 Abs. 3, 59a Abs. 3, 59b sowie die §§ 122 bis 137 und die Anhänge XV und XVI in der Fassung des Bundesgesetzes BGBl. I Nr. 107/2014 treten mit 1.1.2015 in Kraft.

(15) § 16a Abs. 1 Z 3 und 5 sowie Abs. 2, § 21 Abs. 2a und § 30a in der Fassung des Bundesgesetzes BGBl. I Nr. 121/2016 treten mit 1. Jänner 2017 in Kraft.

(16) §§ 1 Abs. 1 lit. h, 2 Z 3, 4a, 5a, 7 lit. a, 14, 15, §§ 45 Abs. 1 und 2, 55 bis 59a, 61 Abs. 4, 62 Abs. 1, 95 Abs. 1, 134 Abs. 1 und die Anhänge XVII bis XIX in der Fassung des Bundesgesetzes BGBl. I Nr. 28/2018 treten mit 1. Juli 2018 in Kraft.

(17) Die Einträge im Inhaltsverzeichnis zu §§ 16a, 27a, 38, 63, 65, 97a und zu den Anhängen, die § 2 Z 10 und 11, § 3 Abs. 4, § 16a Abs. 1 Z 3, Abs. 2 und 3 samt Überschrift, § 19 Abs. 4, § 27a samt Überschrift, § 30a Abs. 2 und 3, § 31 Abs. 8, §§ 36, 40

Z 2, § 42b Abs. 7a, § 42e Abs. 3, § 42f Abs. 1, § 52a Abs. 1 Z 10, § 53a Z 11, § 55c Abs. 3 und 5, § 57a Abs. 1, § 63 samt Überschrift, § 64 Abs. 1 bis 4, § 65 samt Überschrift, §§ 67, 68a Abs. 1 Z 3, § 97a samt Überschrift, § 120 Abs. 2 und die Änderung des Anhangs IV samt Anlagen in der Fassung des Bundesgesetzes BGBl. I Nr. 20/2020 treten mit mit 1. Juni 2020 in Kraft. Gleichzeitig treten § 38 samt Überschrift, § 64 Abs. 5 bis 7, § 68 samt Überschrift, § 68a Abs. 2 bis 4, § 140 Abs. 9 sowie Anhang XIV außer Kraft.

(18) **(Verfassungsbestimmung)** § 5 Abs. 4 und 6 in der Fassung des Bundesgesetzes BGBl. I Nr. 20/2020 treten mit 1. Juni 2020 in Kraft.

(19) Die Einträge im Inhaltsverzeichnis, § 2, § 5a, § 19 Abs. 1, § 19a samt Überschrift, § 21 Abs. 2, § 29 Abs. 2 und 2b, § 31 Abs. 4 und 5, § 33a samt Überschrift, der Erste Unterabschnitt des Zweiten Abschnitts des III. Hauptstücks, Bezeichnung und Überschrift des Zweiten Unterabschnitts des Zweiten Abschnitts des III. Hauptstücks, § 45 Abs. 2, § 46 Abs. 1 und 3, § 50, die Überschrift des Ersten Unterabschnitts des Dritten Abschnitts des III. Hauptstücks, § 52 samt Überschrift, die Bezeichnung des § 52a1, § 52b, § 52c Abs. 2 Z 2 und Abs. 4, § 52c, § 52e Abs. 1 Z 1, § 52i Z 1 und 2, die Bezeichnung des Dritten Unterabschnitts des Dritten Abschnitts des III. Hauptstücks, § 52k Abs. 1a, § 55a Abs. 1 Z 13, § 56 Abs. 1, § 61 Abs. 6, Bezeichnung und Überschrift des Dritten Abschnitts des IV. Hauptstücks, § 76 Abs. 4 und § 80 in der Fassung des Bundesgesetzes BGBl. I Nr. 94/2021 treten mit dem der Kundmachung folgenden Tag in Kraft. Der Eintrag zu § 27 im Inhaltsverzeichnis und § 27 samt Überschrift treten mit Ablauf des Tages der Kundmachung außer Kraft.

(20) Der Eintrag zu § 58 im Inhaltsverzeichnis, § 55b Abs. 2 Z 5 und § 58 samt Überschrift in der Fassung des Bundesgesetzes BGBl. I Nr. 182/2023 treten mit 17. Februar 2024 in Kraft.

(Anm.: Abs. 21 wurde nicht vergeben)

(22) Der Eintrag im Inhaltsverzeichnis zu § 55n sowie § 55n samt Überschrift in der Fassung des Informationsfreiheits-Anpassungsgesetzes, BGBl. I Nr. 50/2025, treten mit 1. September 2025 in Kraft.

Umsetzung von Richtlinien der Europäischen Union

§ 141. (1) § 1 Abs. 1 Z 1 lit. g, § 2 Z 3a, Z 7 lit. h, Z 12 und 13, die §§ 122 bis 138 sowie die Anhänge XV und XVI in der Fassung des Bundesgesetzes BGBl. I Nr. 107/2014 dienen der Umsetzung der Richtlinie 2011/99/EU über die Europäische Schutzanordnung, ABl. L 2011/338, 2.

(2) § 16a Abs. 1 Z 3 und 5 sowie Abs. 2, § 21 Abs. 2a und § 30a in der Fassung des Bundesgesetzes BGBl. I Nr. 121/2016 dienen der Umsetzung der Richtlinie 2013/48/EU über das Recht auf Zugang zu einem Rechtsbeistand in Strafverfahren und in Verfahren zur Vollstreckung des Europäischen Haftbefehls sowie über das Recht auf Benachrichtigung eines Dritten bei Freiheitsentzug und das Recht auf Kommunikation mit Dritten und mit Konsularbehörden während des Freiheitsentzugs, ABl. Nr. L 294 vom 06.11.2013 S. 1.

(3) § 1 Abs. 1 lit. h, § 2 Z 3 lit. a, 4a, 5a und 7 lit. a und 14, § 45 Abs. 1 und 2, §§ 55 bis 56b, § 57a, § 61 Abs. 4 und § 62 Abs. 1 sowie die Anhänge XVII bis XIX in der Fassung des Bundesgesetzes BGBl. I Nr. 28/2018 dienen der Umsetzung der Richtlinie 2014/41/EU über die Europäische Ermittlungsanordnung, ABl. L 2014/130, 1

(4) Die §§ 5 bis 38 dienen der Umsetzung der Richtlinie (EU) 2016/800 über Verfahrensgarantien in Strafverfahren für Kinder, die Verdächtige oder beschuldigte Personen in Strafverfahren sind, ABl. Nr. L 132 vom 21.5.2016 S. 1.

(5) Die §§ 5 bis 38 dienen der Umsetzung der Richtlinie (EU) 2016/1919 über Prozesskostenhilfe für Verdächtige und beschuldigte Personen in Strafverfahren sowie für gesuchte Personen in Verfahren zur Vollstreckung eines Europäischen Haftbefehls, ABl. Nr. L 297 vom 4.11.2016 S. 1.

Vollziehung

§ 142. Mit der Vollziehung dieses Bundesgesetzes sind die Bundesminister für Justiz und für Inneres – je nach ihrem Wirkungsbereich – betraut.

Anhang I

Liste von Straftaten, bei denen die beiderseitige Strafbarkeit nicht geprüft wird

Teil A

1. Beteiligung an einer kriminellen Vereinigung,
2. Terrorismus,
3. Menschenhandel,
4. sexuelle Ausbeutung von Kindern und Kinderpornografie,
5. illegaler Handel mit Drogen und psychotropen Stoffen,
6. illegaler Handel mit Waffen, Munition und Sprengstoffen,
7. Korruption,
8. Betrugsdelikte, einschließlich Betrug zum Nachteil der finanziellen Interessen der Europäischen Union im Sinne des Übereinkommens vom 26. Juli 1995 über den Schutz der finanziellen Interessen der Europäischen Union,
9. Wäsche von Erträgen aus Straftaten,
10. Geldfälschung, einschließlich der Euro-Fälschung,
11. Cyberkriminalität,
12. Umweltkriminalität, einschließlich des illegalen Handels mit bedrohten Tierarten oder mit bedrohten Pflanzen- und Baumarten,
13. Beihilfe zur illegalen Einreise und zum illegalen Aufenthalt,
14. vorsätzliche Tötung, schwere Körperverletzung,
15. illegaler Handel mit Organen und menschlichem Gewebe,
16. Entführung, Freiheitsberaubung und Geiselnahme,
17. Rassismus und Fremdenfeindlichkeit,
18. Diebstahl in organisierter Form oder mit Waffen,
19. illegaler Handel mit Kulturgütern, einschließlich Antiquitäten und Kunstgegenstände,
20. Betrug,
21. Erpressung und Schutzgelderpressung,
22. Nachahmung und Produktpiraterie,
23. Fälschung von amtlichen Dokumenten und Handel damit,
24. Fälschung von Zahlungsmitteln,
25. illegaler Handel mit Hormonen und anderen Wachstumsförderern,
26. illegaler Handel mit nuklearen und radioaktiven Substanzen,
27. Handel mit gestohlenen Kraftfahrzeugen,
28. Vergewaltigung,
29. Brandstiftung,
30. Verbrechen, die in die Zuständigkeit des Internationalen Strafgerichtshofs fallen,
31. Flugzeug- und Schiffsentführung,
32. Sabotage.

Teil B

1. Gegen die den Straßenverkehr regelnden Vorschriften verstoßende Verhaltensweise, einschließlich Verstößen gegen Vorschriften über Lenk- und Ruhezeiten und des Gefahrgutrechts,
2. Warenschmuggel,

3. Verletzung von Rechten an geistigem Eigentum,

4. Bedrohungen von Personen und Gewalttaten gegen sie, einschließlich Gewalttätigkeit bei Sportveranstaltungen,

5. Sachbeschädigung,

6. Diebstahl,

7. Straftatbestände, die vom Entscheidungsstaat festgelegt wurden und durch Verpflichtungen abgedeckt sind, die sich aus im Rahmen des EG-Vertrags oder des Titels VI des EU-Vertrags erlassenen Rechtsakten ergeben.

Anhang II

EUROPÄISCHER HAFTBEFEHL

(Anm.: Anhang II und die Änderung BGBl. I Nr. 134/2011 sind als PDF dokumentiert.)

31. In Anhang II lautet das Kästchen d) wie folgt:o

„d) Geben Sie an, ob die Person zu der Verhandlung, die zu der Entscheidung geführt hat, persönlich erschienen ist:

1. ☐ Ja, die Person ist zu der Verhandlung, die zu der Entscheidung geführt hat, persönlich erschienen.

2. ☐ Nein, die Person ist zu der Verhandlung, die zu der Entscheidung geführt hat, nicht persönlich erschienen.

3. ☐ Bitte geben Sie zu der unter Nummer 2 angekreuzten Möglichkeit an, dass eine der folgenden Möglichkeiten zutrifft:

☐ 3.1a Die Person wurde am …………….(Tag/Monat/Jahr) persönlich vorgeladen und dabei von dem vorgesehenen Termin und Ort der Verhandlung in Kenntnis gesetzt, die zu der Entscheidung geführt hat, sowie davon in Kenntnis gesetzt, dass eine Entscheidung auch dann ergehen kann, wenn sie zu der Verhandlung nicht erscheint;

ODER

☐ 3.1b die Person wurde nicht persönlich vorgeladen, aber auf andere Weise tatsächlich offiziell von dem vorgesehenen Termin und Ort der Verhandlung, die zu der Entscheidung geführt hat, in Kenntnis gesetzt, und zwar auf eine Weise, dass zweifelsfrei nachgewiesen wurde, dass sie von der anberaumten Verhandlung Kenntnis hatte, sowie davon in Kenntnis gesetzt wurde, dass eine Entscheidung auch dann ergehen kann, wenn sie zu der Verhandlung nicht erscheint;

ODER

☐ 3.2 die Person hat in Kenntnis anberaumter Verhandlung ein Mandat an einen Rechtsbeistand, der entweder von der betroffenen Person oder vom Staat bestellt wurde, erteilt, sie bei der Verhandlung zu verteidigen, und ist bei der Verhandlung von diesem Rechtsbeistand tatsächlich verteidigt worden;

ODER

☐ 3.3 der Person wurde die Entscheidung am ………. (Tag/Monat/Jahr) zugestellt, und sie wurde ausdrücklich von ihrem Recht auf Wiederaufnahme des Verfahrens oder auf ein Berufungsverfahren in Kenntnis gesetzt, an dem die Person teilnehmen kann und bei dem der Sachverhalt, einschließlich neuer Beweismittel, erneut geprüft werden und die ursprünglich ergangene Entscheidung aufgehoben werden kann, und die Person hat ausdrücklich erklärt, dass sie diese Entscheidung nicht anficht;

ODER

die Person hat innerhalb der geltenden Frist keine Wiederaufnahme des Verfahrens bzw. kein Berufungsverfahren beantragt;

ODER

☐ 3.4 der Person wurde die Entscheidung nicht persönlich zugestellt, aber

www.ris.bka.gv.at

EU-JZG

- sie wird die Entscheidung unverzüglich nach der Übergabe persönlich zugestellt erhalten, und
- sie wird bei Zustellung der Entscheidung ausdrücklich von ihrem Recht auf Wiederaufnahme des Verfahrens oder auf ein Berufungsverfahren in Kenntnis gesetzt werden, an dem die Person teilnehmen kann und bei dem der Sachverhalt, einschließlich neuer Beweismittel, erneut geprüft werden und die ursprünglich ergangene Entscheidung aufgehoben werden kann, und
- sie wird von der Frist in Kenntnis gesetzt werden, über die sie verfügt, um eine Wiederaufnahme des Verfahrens bzw. ein Berufungsverfahren zu beantragen, die.......... Tage beträgt.

4. Bitte geben Sie zu der unter Nummer 3.1b, 3.2 oder 3.3 angekreuzten Möglichkeit an, wie die entsprechende Voraussetzung erfüllt wurde:

....

....

....................................“

Anhang II

EUROPÄISCHER HAFTBEFEHL

Dieser Haftbefehl ist von einer zuständigen Justizbehörde ausgestellt worden. Ich beantrage, dass die unten genannte Person zum Zwecke der Strafverfolgung oder der Vollstreckung einer Freiheitsstrafe oder einer mit Freiheitsentziehung verbundenen vorbeugenden Maßnahme festgenommen und übergeben wird.

a) Angaben zur Identität der gesuchten Person:

Familienname: ....

Vorname(n): ....

ggf. Geburtsname: ....

ggf. Aliasname: ....

Geschlecht: ....

Staatsangehörigkeit: ....

Geburtsdatum: ....

Geburtsort: ....

Wohnort und/oder bekannte Anschrift: ....

....

Falls bekannt: Sprache oder Sprachen, die die gesuchte Person versteht:

....

Besondere Kennzeichen/Beschreibung der gesuchten Person: ....

....

Foto und Fingerabdrücke der gesuchten Person, sofern diese vorhanden sind und übermittelt werden können, oder Kontaktadresse der Person, die diese oder ein DNS-Profil übermitteln kann (sofern diese Daten zur Übermittlung verfügbar sind und nicht beigefügt waren)

b) Entscheidung, die dem Haftbefehl zugrunde liegt

1. Haftbefehl oder justizielle Entscheidung mit gleicher Wirkung: ....

Art: ....

2. Vollstreckbares Urteil: ....

....

Aktenzeichen: ....

EU-JZG

c) Angaben zur Dauer der Strafe

Höchstdauer der Freiheitsstrafe oder der mit Freiheitsentziehung verbundenen vorbeugenden Maßnahme, die für die Straftat(en) verhängt werden können:

....

....

Dauer der verhängten Freiheitsstrafe oder der mit Freiheitsentziehung verbundenen vorbeugenden Maßnahme:

....

Noch zu verbüßende Strafe: ....

....

....

d) Entscheidung in einem Abwesenheitsurteil:

Die betreffende Person wurde persönlich vorgeladen oder auf andere Weise vom Termin und vom Ort der Verhandlung unterrichtet, die zu dem Abwesenheitsurteil geführt hat,

oder

die betreffende Person wurde nicht persönlich vorgeladen oder auf andere Weise vom Termin und vom Ort der Verhandlung, die zum Abwesenheitsurteil geführt hat, unterrichtet, verfügt aber nach der Übergabe an die Justizbehörde über folgende rechtliche Garantien (diese Garantien können im Voraus gegeben werden):

Nähere Angaben zu den Garantien:

....

....

e) Straftat(en)

Dieser Haftbefehl bezieht sich auf insgesamt .... Straftaten.

Beschreibung der Umstände, unter denen die Straftat(en) begangen wurde(n), einschließlich Tatzeit (Datum und Uhrzeit), Tatort und Art der Beteiligung der gesuchten Person an der(n) Straftat(en)

....

....

Art und rechtliche Würdigung der Straftat(en) und anwendbare gesetzliche Bestimmungen:

....

....

I. Bitte kreuzen Sie gegebenenfalls an, ob es sich um eine oder mehrere der folgenden - nach dem Recht des Ausstellungsstaats definierten - Straftaten handelt, die im Ausstellungsmitgliedstaat mit einer Freiheitsstrafe oder einer mit Freiheitsentziehung verbundenen vorbeugenden Maßnahme im Höchstmaß von mindestens drei Jahren bedroht sind:

O Beteiligung an einer kriminellen Vereinigung,

O Terrorismus,

O Menschenhandel,

O sexuelle Ausbeutung von Kindern und Kinderpornografie,

O illegaler Handel mit Drogen und psychotropen Stoffen,

O illegaler Handel mit Waffen, Munition und Sprengstoffen,

O Korruption,

O Betrugsdelikte, einschließlich des Betrugs zum Nachteil der finanziellen Interessen der Europäischen Gemeinschaften im Sinne des Übereinkommens vom 26. Juli 1995 über den Schutz der finanziellen Interessen der Europäischen Gemeinschaften,

O Wäsche von Erträgen aus Straftaten,

O Geldfälschung einschließlich der Euro-Fälschung,

O Cyberkriminalität,

O Umweltkriminalität einschließlich des illegalen Handels mit bedrohten Tierarten oder mit bedrohten Pflanzen- und Baumarten,

O Beihilfe zur illegalen Einreise und zum illegalen Aufenthalt

O vorsätzliche Tötung, schwere Körperverletzung,

O illegaler Handel mit Organen und menschlichem Gewebe,

O Entführung, Freiheitsberaubung und Geiselnahme,

O Rassismus und Fremdenfeindlichkeit,

O Diebstahl in organisierter Form oder schwerer Raub,

O illegaler Handel mit Kulturgütern, einschließlich Antiquitäten und Kunstgegenständen,

O Betrug,

O Erpressung und Schutzgelderpressung

O Nachahmung und Produktpiraterie

O Fälschung von amtlichen Dokumenten und Handel damit,

O Fälschung von Zahlungsmitteln,

O illegaler Handel mit Hormonen und anderen Wachstumsförderern,

O illegaler Handel mit nuklearen und radioaktiven Substanzen,

O Handel mit gestohlenen Kraftfahrzeugen,

O Vergewaltigung,

O Brandstiftung,

O Verbrechen, die in die Zuständigkeit des Internationalen Strafgerichtshofs fallen,

O Flugzeug-/Schiffsentführung,

O Sabotage.

II. Vollständige Beschreibung der Straftat oder der Straftaten, die nicht unter die Fälle nach Abschnitt I fallen

....

....

....

....

f) Sonstige für den Fall relevante Umstände (fakultative Angaben):

(NB. Hierunter könnten Bemerkungen zur Extraterritorialität, zur Unterbrechung der Verjährungsfristen und zu sonstigen Folgen der Straftat fallen)

....

....

g) Dieser Haftbefehl betrifft auch die Beschlagnahme und Übergabe von Gegenständen, die als Beweisstücke dienen können.

Dieser Haftbefehl betrifft auch die Beschlagnahme und Übergabe von Gegenständen, die die gesuchte Person aus der Straftat erlangt hat:

Beschreibung (und Lokalisierung) der Gegenstände (falls bekannt):

....

....

....

h) Die Straftat/Straftaten, auf Grund deren dieser Haftbefehl ausgestellt wurde, ist/sind mit einer lebenslangen Freiheitsstrafe oder einer mit lebenslanger Freiheitsentziehung verbundenen vorbeugenden Maßnahme bedroht oder hat/haben zur Verhängung einer solchen Strafe bzw. Maßnahme geführt:

Nach der Rechtsordnung des Ausstellungsmitgliedstaats kann die verhängte Strafe - auf Antrag oder nach spätestens 20 Jahren - daraufhin überprüft werden, ob die Vollstreckung dieser Strafe oder Maßnahme auszusetzen ist

und/oder

nach der Rechtsordnung des Ausstellungsmitgliedstaats können Gnadenakte, auf die die Person nach dem innerstaatlichen Recht oder der Rechtspraxis des Ausstellungsmitgliedstaats Anspruch hat, mit dem Ziel der Nichtvollstreckung dieser Strafe oder Maßnahme angewandt werden.

i) Justizbehörde, die den Haftbefehl ausgestellt hat:
Offizielle Bezeichnung: ....
....
Name ihres Vertreters: ....
....
Funktion (Titel/Dienstrang): ....
....
Aktenzeichen:..
Anschrift: ....
....
Telefonnummer: (Ländervorwahl) (Ortsnetzkennzahl) (...)..
Fax-Nummer: (Ländervorwahl) (Ortsnetzkennzahl) (...)...
E-Mail: ....
Kontaktadresse der Person, die die erforderlichen praktischen Vorkehrungen für die Übergabe treffen kann:..

Im Falle der Benennung einer zentralen Behörde für die Übermittlung und administrative Entgegennahme von Europäischen Haftbefehlen:
Bezeichnung der zentralen Behörde:...
....
gegebenenfalls zu kontaktierende Person (Titel/Dienstrang und Name): ....
....
Anschrift: ....
....
Telefonnummer: (Ländervorwahl) (Ortsnetzkennzahl) (...)...
Fax-Nr.: (Ländervorwahl) (Ortsnetzkennzahl) (...)..
E-Mail: ....

Unterschrift der ausstellenden Justizbehörde und/oder ihres Vertreters:
....
Name: ....
Funktion (Titel/Dienstrang):...
Datum: ....

(gegebenenfalls) amtlicher Stempel

EU-JZG

Anhang III

BESCHEINIGUNG NACH ARTIKEL 9 DES RAHMENBESCHLUSSES VOM 22. JULI 2003 ÜBER DIE VOLLSTRECKUNG VON ENTSCHEIDUNGEN ÜBER DIE SICHERSTELLUNG VON VERMÖGENSGEGENSTÄNDEN ODER BEWEISMITTELN IN DER EUROPÄISCHEN UNION

(Anm.: Anhang III ist als PDF dokumentiert.)

Anhang III

BESCHEINIGUNG NACH ARTIKEL 9 DES RAHMENBESCHLUSSES VOM 22. JULI 2003 ÜBER DIE VOLLSTRECKUNG VON ENTSCHEIDUNGEN ÜBER DIE SICHERSTELLUNG VON VERMÖGENSGEGENSTÄNDEN ODER BEWEISMITTELN IN DER EUROPÄISCHEN UNION

a) Justizbehörde, die die Sicherstellungsentscheidung erlassen hat:

Offizielle Bezeichnung:...

Name ihres Vertreters:...
Funktion (Titel/Dienstrang):...
Aktenzeichen:...
Anschrift:..
....
....
Tel. Nr.: (Ländervorwahl) (Ortsnetzkennzahl) (...) ....
Fax Nr.: (Ländervorwahl) (Ortsnetzkennzahl) (...)..
E-Mail:..
Sprachen, in denen mit der ausstellenden Justizbehörde verkehrt werden kann: ....
....
....
(Ggf.) Angaben zu der/den Person(en), die zu kontaktieren ist/sind, wenn zusätzliche Informationen über die Vollstreckung der Entscheidung erforderlich sind oder praktische Vorkehrungen für die Übergabe des Beweismittels getroffen werden müssen (einschließlich der Sprachen, in denen mit der/den betreffenden Person(en) verkehrt werden kann):...

....

b) Behörde, die im Entscheidungsstaat für die Vollstreckung der Sicherstellungsentscheidung zuständig ist (falls es sich um eine andere als die unter Buchstabe a genannte Behörde handelt):

Offizielle Bezeichnung: ....
Name ihres Vertreters: ....
Funktion (Titel/Dienstgrad): ....
Aktenzeichen: ....
Anschrift: ....
Tel. Nr.: (Ländervorwahl) (Ortsnetzkennzahl) (…) ....
Fax Nr.: (Ländervorwahl) (Ortsnetzkennzahl) (…) ....
E-Mail: ....
Sprachen, in denen mit der für die Vollstreckung zuständigen Behörde verkehrt werden kann: ....
....
....
(Ggf.) Angaben zu der/den Person(en), die zu kontaktieren ist/sind, wenn zusätzliche Informationen über die Vollstreckung der Entscheidung erforderlich sind oder praktische Vorkehrungen für die Übergabe des Beweismittels getroffen werden müssen (einschließlich Angabe der Sprachen, in denen mit der/den betreffenden Person(en) verkehrt werden kann):..
....

c) Wurden die Buchstaben a und b ausgefüllt, so ist unter diesem Buchstaben anzugeben, welche der beiden Behörden zu kontaktieren ist oder ob beide Behörden zu kontaktieren sind:
Behörde unter Buchstabe a)
Behörde unter Buchstabe b)

d) Im Falle der Benennung einer zentralen Behörde für die Übermittlung und administrative Entgegennahme der Sicherstellungsentscheidungen (gilt nur für Irland und das Vereinigte Königreich):
Name der zentralen Behörde: ....
....
Ggf. zu kontaktierende Person (Titel/Dienstrang und Name): ....
....
Anschrift: ....
....
Aktenzeichen: ....
Tel. Nr.:(Ländervorwahl) (Ortsnetzkennzahl) (...) ....
Tel. Nr.: (Ländervorwahl) (Ortsnetzkennzahl) ....
Fax Nr.: (Ländervorwahl) (Ortsnetzkennzahl) ....
E-Mail: ....

e) Die Sicherstellungsentscheidung:

1. Datum und gegebenenfalls Bezugsnummer
2. Angabe des Zwecks der Entscheidung
2.1. Spätere Einziehung
2.2. Beweisaufnahme
3. (Ggf.) Beschreibung etwaiger Formvorschriften und Verfahren, die bei der Vollstreckung einer Entscheidung zur Sicherstellung von Beweismitteln einzuhalten sind

f) Angaben zum Vermögensgegenstand oder zum Beweismittel im Vollstreckungsstaat, der bzw. das Gegenstand der Sicherstellungsentscheidung ist:

Beschreibung des Vermögensgegenstands oder des Beweismittels und Lokalisierung:

1. a) Genaue Beschreibung des Vermögensgegenstands und gegebenenfalls Angabe des Höchstbetrags, um dessen Wiedererlangung ersucht wird (falls in der Sicherstellungsentscheidung betreffend den Wert des Ertrags ein Höchstbetrag angegeben ist)
   b) Genaue Beschreibung des Beweismittels
2. Genaue Belegenheit des Vermögensgegenstands oder des Beweismittels (soweit nicht bekannt, Angabe der letzten bekannten Belegenheit)
3. Partei, die den Vermögensgegenstand oder das Beweismittel verwahrt, oder bekannter Nutzungsberechtigter des Vermögensgegenstands oder des Beweismittels, sofern es sich nicht um die Person handelt, die der Straftat verdächtigt ist oder wegen der Straftat verurteilt wurde (sofern nach den einzelstaatlichen Rechtsvorschriften des Entscheidungsstaats anwendbar).
   ....
   ....

g) (Soweit vorhanden) Angaben zur Identität (1.) der natürlichen oder (2.) juristischen Person(en), die der Straftat verdächtig ist oder wegen der Straftat verurteilt wurde(n) (sofern nach den einzelstaatlichen Rechtsvorschriften des Entscheidungsstaats anwendbar) oder/und zu der/den Person(en), auf die sich die Sicherstellungsentscheidung bezieht:

1. Natürliche Personen
Familienname: ....
Vorname(n): ....
(ggf.) Mädchenname: ....
(ggf.) Aliasnamen: ....
Geschlecht: ....
Staatsangehörigkeit: ....
Geburtsdatum: ....
Geburtsort: ....
Wohnort und/oder bekannte Anschrift: (soweit nicht bekannt, Angabe der letzten bekannten Anschrift):
....
....
Falls bekannt: Sprache oder Sprachen, die die betreffende Person versteht: ....
....

2. Juristische Personen
Name: ....
Art der juristischen Person: ....
Registrierungsnummer: ....
Eingetragener Sitz: ....

h) Vom Vollstreckungsstaat nach der Vollstreckung der Sicherstellungsentscheidung zu treffende Maßnahmen

Einziehung
1.1. Vermögensgegenstand muss zum Zwecke seiner späteren Einziehung im Vollstreckungsstaat verbleiben
1.1.1. Siehe beigefügtes Ersuchen um Vollstreckung einer am .... (Datum) im Entscheidungsstaat erlassenen Einziehungsentscheidung
1.1.2. Siehe beigefügtes Ersuchen um Einziehung im Vollstreckungsstaat und spätere Vollstreckung einer solchen Entscheidung
1.1.3. Voraussichtlicher Termin für die Vorlage eines Ersuchens nach den Nummern 1.1.1 bzw. 1.1.2

oder

Sicherstellung von Beweismitteln
2.1. Vermögensgegenstand muss zum Zwecke der Beweisaufnahme dem Entscheidungsstaat übergeben werden
2.1.1. Siehe beigefügtes Ersuchen um Übergabe des Vermögensgegenstands

oder

2.2. Vermögensgegenstand muss im Vollstreckungsstaat verbleiben, um zu einem späteren Zeitpunkt im Entscheidungsstaat als Beweismittel verwendet werden zu können
2.2.2. Termin für die Vorlage eines Ersuchens nach Nummer 2.1.1 ....

i) Straftaten

Darlegung der einschlägigen Gründe für die Sicherstellungsentscheidung und zusammenfassende Darstellung des Sachverhalts nach Kenntnis der Justizbehörde, die die Sicherstellungsentscheidung und Bescheinigung ausstellt:

....

....

Art und rechtliche Würdigung der Straftat(en) und anwendbare gesetzliche Bestimmungen, auf deren Grundlage die Sicherstellungsentscheidung ergangen ist:

....

....

....

1. Bitte kreuzen Sie gegebenenfalls eine oder mehrere der nachstehenden Straftaten an, auf die sich die oben genannte(n) Straftat(en) bezieht/beziehen, sofern die Straftaten im Entscheidungsstaat mit einer Freiheitsstrafe im Höchstmaß von mindestens drei Jahren bedroht sind:
   - Beteiligung an einer kriminellen Vereinigung
   - Terrorismus
   - Menschenhandel
   - Sexuelle Ausbeutung von Kindern und Kinderpornografie
   - Illegaler Handel mit Drogen und psychotropen Stoffen
   - Illegaler Handel mit Waffen, Munition und Sprengstoffen
   - Korruption
   - Betrugsdelikte, einschließlich Betrug zum Nachteil der finanziellen Interessen der Europäischen Gemeinschaften im Sinne des Übereinkommens vom 26. Juli 1995 über den Schutz der finanziellen Interessen der Europäischen Gemeinschaften
   - Wäsche von Erträgen aus Straftaten
   - Geldfälschung, einschließlich der Euro-Fälschung
   - Cyberkriminalität
   - Umweltkriminalität einschließlich des illegalen Handels mit bedrohten Tierarten oder mit bedrohten Pflanzen- und Baumarten
   - Beihilfe zur illegalen Einreise und zum illegalen Aufenthalt
   - Vorsätzliche Tötung, schwere Körperverletzung
   - Illegaler Handel mit menschlichen Organen und menschlichem Gewebe
   - Entführung, Freiheitsberaubung und Geiselnahme
   - Rassismus und Fremdenfeindlichkeit
   - Diebstahl in organisierter Form oder mit Waffen
   - Illegaler Handel mit Kulturgütern, einschließlich Antiquitäten und Kunstgegenständen
   - Betrug
   - Erpressung und Schutzgelderpressung
   - Nachahmung und Produktpiraterie
   - Fälschung von amtlichen Dokumenten und Handel damit
   - Fälschung von Zahlungsmitteln
   - Illegaler Handel mit Hormonen und anderen Wachstumsförderern
   - Illegaler Handel mit nuklearen und radioaktiven Substanzen
   - Handel mit gestohlenen Kraftfahrzeugen
   - Vergewaltigung
   - Brandstiftung
   - Verbrechen, die in die Zuständigkeit des Internationalen Strafgerichtshofs fallen
   - Flugzeug- und Schiffsentführung
   - Sabotage
2. Vollständige Beschreibung der Straftat oder der Straftaten, die von Nummer 1 nicht erfasst werden:

....

....

EU-JZG

j) Rechtsbehelfe gegen die Sicherstellungsentscheidung, die die betroffenen Parteien, einschließlich gutgläubiger Dritter, im Entscheidungsstaat einlegen können:

Beschreibung der möglichen Rechtsbehelfe einschließlich der jeweils notwendigen Schritte

Gericht, bei dem Klage erhoben werden kann: ....

Angabe, welche Person einen Rechtsbehelf einlegen kann: ....

Frist für die Klageerhebung: ....

Behörde im Entscheidungsstaat, die weitere Auskunft über die Verfahren zur Einlegung eines Rechtsbehelfs im Entscheidungsstaat sowie über die Verfügbarkeit von Prozesskostenhilfe und Übersetzungsdiensten erteilen kann:
Bezeichnung:
(Ggf.) Kontaktperson:...
Anschrift: ....
Tel. Nr.: (Ländervorwahl) (Ortsnetzkennzahl) ....
Fax Nr.: (Ländervorwahl) (Ortsnetzkennzahl) ....
E-Mail: ....

k) Sonstige für den Fall relevante Umstände (fakultative Angaben): ....
....
....

l) Der Wortlaut der Sicherstellungsentscheidung ist der Bescheinigung beigefügt.

Unterschrift der ausstellenden Justizbehörde und/oder ihres Vertreters zur Bestätigung der Richtigkeit des Inhalts der Bescheinigung:
....
Name: ....
Funktion (Titel/Dienstrang): ....
Datum: ....

(Gegebenenfalls) Amtlicher Stempel

EU-JZG

ANHANG IV

Vereinbarung über die Bildung einer gemeinsamen Ermittlungsgruppe samt Anlagen

(Anm.: Anhang IV als PDF dokumentiert)

ANLAGE

MODELL FÜR EINE VEREINBARUNG ÜBER DIE BILDUNG EINER GEMEINSAMEN ERMITTLUNGSGRUPPE

Im Einklang mit

[*Bitte hier die anwendbaren Rechtsgrundlagen angeben, die — jedoch nicht ausschließlich — der folgenden Liste von Rechtsakten entnommen werden können:*

— *Artikel 13 des Übereinkommens über die Rechtshilfe in Strafsachen zwischen den Mitgliedstaaten der Europäischen Union vom 29. Mai 2000* ([1]);

— *Rahmenbeschluss des Rates vom 13. Juni 2002 über gemeinsame Ermittlungsgruppen* ([2]);

— *Artikel 1 des Übereinkommen zwischen der Europäischen Union sowie der Republik Island und dem Königreich Norwegen über die Anwendung einiger Bestimmungen des Übereinkommens vom 29. Mai 2000 über die Rechtshilfe in Strafsachen zwischen den Mitgliedstaaten der Europäischen Union und des dazugehörigen Protokolls von 2001, unterzeichnet am 29. Dezember 2003* ([3]);

— *Artikel 5 des Abkommens zwischen der Europäischen Union und den Vereinigten Staaten von Amerika über Rechtshilfe* ([4]);

— *Artikel 20 des Zweiten Zusatzprotokolls zum Europäischen Übereinkommen über die Rechtshilfe in Strafsachen vom 20. April 1959* ([5]);

— *Artikel 9 Absatz 1 Buchstabe c des Übereinkommens der Vereinten Nationen gegen den unerlaubten Verkehr mit Suchtstoffen und psychotropen Stoffen (1988)* ([6]);

— *Artikel 19 des Übereinkommens der Vereinten Nationen gegen die grenzüberschreitende organisierte Kriminalität (2000)* ([7]);

— *Artikel 49 des Übereinkommens der Vereinten Nationen gegen Korruption (2003)* ([8]);

— *Artikel 27 der Polizeikooperationskonvention für Südosteuropa (2006)* ([9]).]

1. **Parteien der Vereinbarung**

Die folgenden Parteien haben eine Vereinbarung über die Bildung einer gemeinsamen Ermittlungsgruppe (im Folgenden „GEG") geschlossen:

1. [*Name der ersten zuständigen Behörde/Verwaltung eines Staates als Partei der Vereinbarung einfügen*]

und

2. [*Name der zweiten zuständigen Behörde/Verwaltung eines Staates als Partei der Vereinbarung einfügen*]

Die Parteien dieser Vereinbarung können einvernehmlich beschließen, Behörden oder Verwaltungen anderer Staaten zu ersuchen, Partei dieser Vereinbarung zu werden.

2. **Zweck der GEG**

Diese Vereinbarung betrifft die Bildung einer GEG zu folgendem Zweck:

[*Bitte Beschreibung des konkreten Zwecks der GEG einfügen.*

In der Beschreibung sollten die Tatumstände (Zeitpunkt, Ort und Art der Straftat) der in dem betreffenden Staat aufzuklärenden Straftat(en) angegeben und sollte gegebenenfalls auf die laufenden innerstaatlichen Verfahren verwiesen werden. Bezugnahmen auf fallbezogene personenbezogene Daten sollten auf ein Mindestmaß beschränkt bleiben.

([1]) ABl. C 197 vom 12.7.2000, S. 3.
([2]) ABl. L 162 vom 20.6.2002, S. 1.
([3]) ABl. L 26 vom 29.1.2004, S. 3.
([4]) ABl. L 181 vom 19.7.2003, S. 34.
([5]) SEV-Nr. 182.
([6]) Vertragssammlung der Vereinten Nationen, Band 1582, S. 95.
([7]) Vertragssammlung der Vereinten Nationen, Band 2225, S. 209, Dok. A/RES/55/25.
([8]) Vertragssammlung der Vereinten Nationen, Band 2349, S. 41, Dok. A/58/422.
([9]) Registrierung beim Sekretariat der Vereinten Nationen: Albanien, 3. Juni 2009, Nr. 46240.

Dieser Abschnitt sollte außerdem eine kurze Beschreibung der Ziele der GEG (z. B. Beweiserhebung, koordinierte Festnahme von Tatverdächtigen, Einfrieren von Vermögenswerten usw.) enthalten. In diesem Zusammenhang sollten die Parteien erwägen, auch die Einleitung und den Abschluss einer Finanzermittlung in die Ziele der GEG aufzunehmen. [1]]

3. **Geltungsdauer der Vereinbarung**

Die Parteien sind sich darin einig, dass die GEG ab dem Inkrafttreten dieser Vereinbarung [*bitte genaue Dauer angeben*] lang tätig sein wird.

Die Vereinbarung tritt in Kraft, sobald die letzte an der GEG teilnehmende Partei sie unterzeichnet hat. Die Geltungsdauer kann im gegenseitigen Einvernehmen verlängert werden.

4. **Staaten, in denen die GEG tätig sein wird**

Die GEG wird in den Staaten der Parteien dieser Vereinbarung tätig sein.

Die Gruppe führt ihren Einsatz in Übereinstimmung mit den Rechtsvorschriften des Staates durch, in dem sie gerade tätig ist.

5. **Der/die Leiter der GEG**

Die Leiter der Gruppe sind Vertreter der an den strafrechtlichen Ermittlungen beteiligten zuständigen Behörden der Staaten, in denen der Einsatz der Gruppe gerade erfolgt; unter ihrer Leitung nehmen die Mitglieder der GEG ihre Aufgaben wahr.

Die Parteien haben folgende Personen zu Leitern der GEG ernannt:

Name	Dienstliche Stellung/ Dienstgrad	Behörde/Stelle	Staat

Ist eine der oben genannten Personen nicht in der Lage, ihre Aufgaben wahrzunehmen, so wird unverzüglich eine Ersatzperson benannt. An alle betroffenen Parteien ergeht bezüglich dieser Ersatzperson eine schriftliche Mitteilung, die dieser Vereinbarung als Anlage beigefügt wird.

6. **Mitglieder der GEG**

Zusätzlich zu den in Nummer 5 genannten Personen legen die Parteien in einem speziellen Anhang zu dieser Vereinbarung eine Liste der Mitglieder der GEG vor [2].

Ist ein Mitglied der GEG nicht in der Lage, seine Aufgaben wahrzunehmen, so wird unverzüglich eine Ersatzperson benannt und vom zuständigen Leiter der GEG schriftlich mitgeteilt.

7. **Teilnehmer der GEG**

Die Parteien der GEG kommen überein, [*hier z. B. Eurojust, Europol, OLAF usw. einfügen*] als Teilnehmer an der GEG einzubeziehen. Spezifische Bestimmungen in Bezug auf die Teilnahme von [*Name einfügen*] werden in dem betreffenden Anhang zu dieser Vereinbarung dargelegt.

8. **Erhebung von Informationen und Beweismitteln**

Die Leiter der GEG können sich auf spezifische Verfahren für die Erhebung von Informationen und Beweismitteln durch die GEG in den Staaten, in denen sie tätig ist, verständigen.

Die Parteien betrauen die Leiter der GEG mit der Beratung in Fragen der Beweiserhebung.

9. **Zugang zu Informationen und Beweismitteln**

Die Leiter der GEG bestimmen die Vorgehensweisen und Verfahren, die anzuwenden sind, wenn es darum geht, die von der GEG in den Mitgliedstaaten erhaltenen Informationen und Beweismittel untereinander auszutauschen.

[*Darüber hinaus können die Parteien eine Klausel vereinbaren, die spezifischere Vorschriften über den Zugang, die Verarbeitung und die Verwendung von Informationen und Beweismitteln enthält. Eine solche Klausel kann insbesondere dann angebracht sein, wenn sich die GEG weder auf das Übereinkommen der EU noch auf den Rahmenbeschluss (die beide diesbezüglich schon spezifische Bestimmungen enthalten — siehe Artikel 13 Absatz 10 des Übereinkommens) stützt.*]

[1] Die Parteien sollten sich in diesem Zusammenhang auf die Schlussfolgerungen des Rates und den Aktionsplan zum weiteren Vorgehen im Hinblick auf Finanzermittlungen (Ratsdokument 10125/16 + COR 1) beziehen.

[2] Zur GEG können bei Bedarf auch nationale Experten für die Einziehung von Vermögenswerten gehören.

10. **Austausch von Informationen und Beweismitteln, die vor Bildung der GEG vorliegen**

Informationen oder Beweismittel, die zum Zeitpunkt des Inkrafttretens dieser Vereinbarung bereits vorliegen und die in Zusammenhang mit den in dieser Vereinbarung beschriebenen Ermittlungen stehen, können im Rahmen dieser Vereinbarung zwischen den Parteien ausgetauscht werden.

11. **Informationen und Beweismittel von Staaten, die sich nicht an der GEG beteiligen**

Sollte es notwendig werden, ein Rechtshilfeersuchen an einen Staat zu richten, der nicht an der GEG beteiligt ist, so prüft der ersuchende Staat, ob für den Austausch der bei der Ausführung des Rechtshilfeersuchens erhaltenen Informationen oder Beweismittel mit (einer) anderen Partei(en) der GEG die Zustimmung des ersuchten Staates einzuholen ist.

12. **Spezifische Regelungen in Bezug auf entsandte Mitglieder**

[*So es zweckmäßig erscheint, können die Parteien im Rahmen dieser Bestimmung spezifische Bedingungen vereinbaren, unter denen entsandte Mitglieder Folgendes unternehmen können:*

— *Durchführung von Ermittlungen — insbesondere einschließlich Zwangsmaßnahmen — im Einsatzstaat (so es zweckmäßig erscheint, können an dieser Stelle nationale Rechtsvorschriften zitiert oder ansonsten dieser Vereinbarung als Anhang beigefügt werden),*

— *Ersuchen, Maßnahmen im Staat der Entsendung durchzuführen,*

— *Austausch der von der Gruppe erhobenen Informationen,*

— *Mitführen/Tragen von Waffen*].

13. **Änderung der Vereinbarung**

Diese Vereinbarung kann im gegenseitigen Einvernehmen der Parteien geändert werden. Sofern in dieser Vereinbarung nichts anderes festgelegt ist, können Änderungen in einer von den Parteien vereinbarten schriftlichen Form vorgenommen werden (1).

14. **Beratung und Koordinierung**

Die Parteien stellen sicher, dass sie sich untereinander beraten, wenn dies zur Koordinierung der Tätigkeiten der Gruppe notwendig ist; dies betrifft unter anderem

— die Überprüfung der erzielten Fortschritte und der Leistung des Teams,

— den Zeitpunkt und die Art der Intervention der Ermittler,

— die beste Art und Weise der Einleitung möglicher Gerichtsverfahren, Prüfung des geeigneten Orts des Verfahrens und Einziehung.

15. **Kommunikation mit den Medien**

Sofern geplant, werden Zeitpunkt und Inhalt der Kommunikation mit den Medien von den Parteien vereinbart und von den Beteiligten befolgt.

16. **Evaluierung**

Die Parteien können eine Evaluierung der Leistung der GEG, der angewandten bewährten Verfahren und der daraus gezogenen Lehren in Betracht ziehen. Für die Durchführung der Evaluierung kann eine spezielle Sitzung anberaumt werden.

[*In diesem Zusammenhang können die Parteien das spezifische GEG-Evaluierungsformular verwenden, das vom EU-Netz der GEG-Experten entwickelt wurde. Es können EU-Mittel zur Unterstützung der Evaluierungssitzung beantragt werden.*]

17. **Spezifische Regelungen**

[*Gegebenenfalls einzufügen. Die folgenden Unterkapitel sollen auf mögliche Bereiche hinweisen, für die eine spezifische Beschreibung vorgelegt werden kann.*]

17.1. *Offenlegungsvorschriften*

[*Die Parteien möchten an dieser Stelle möglicherweise die geltenden nationalen Vorschriften zur Kommunikation mit der Verteidigung präzisieren und/oder eine Kopie oder eine Zusammenfassung davon beifügen.*]

(1) Beispiele für Formulierungen finden sich in den Anhängen 2 und 3.

17.2. *Vorschriften zur Verwaltung/Einziehung von Vermögenswerten*

17.3. *Haftung*

[*Die Parteien möchten hierfür möglicherwiese Regelungen treffen, insbesondere wenn die GEG weder auf dem EU-Rechtshilfeübereinkommen noch auf dem Rahmenbeschluss basiert (die bereits spezielle Vorschriften hierzu enthalten — s. Artikel 15 und 16 des Übereinkommens).*]

18. **Organisatorische Modalitäten**

[*Gegebenenfalls einzufügen. Die folgenden Unterkapitel sollen auf mögliche Bereiche hinweisen, für die eine spezifische Beschreibung vorgelegt werden kann.*]

18.1. *Einrichtungen (Büroräume, Fahrzeuge, sonstige technische Ausrüstung)*

18.2. *Kosten/Ausgaben/Versicherung*

18.3. *Finanzielle Unterstützung der GEG*

[*In Rahmen dieser Klausel können die Parteien spezifische Regelungen zu Aufgaben und Zuständigkeiten innerhalb der Gruppe für die Beantragung von EU-Mitteln vereinbaren.*]

18.4. *Kommunikationssprache*

Geschehen zu … [Ort der Unterzeichnung] am … [Datum]

[Unterschriften aller Parteien]

Anhang I

ZU DEM MODELL FÜR EINE VEREINBARUNG ÜBER DIE BILDUNG EINER GEMEINSAMEN ERMITTLUNGSGRUPPE

Teilnehmer einer GEG

Regelung mit Europol/Eurojust/der Kommission (OLAF), mit Einrichtungen, die gemäß den im Rahmen der Verträge angenommenen Bestimmungen zuständig sind, und mit anderen internationalen Einrichtungen.

1. **Teilnehmer der GEG**

Die nachstehenden Personen werden an der gemeinsamen Ermittlungsgruppe teilnehmen:

Name	Dienstliche Stellung/Rang	Organisation

[*Name des Mitgliedstaats* einfügen] hat beschlossen, dass sein nationales Mitglied von Eurojust im Namen von Eurojust/als zuständige nationale Behörde [1] an der gemeinsamen Ermittlungsgruppe teilnehmen wird.

Ist eine der oben genannten Personen nicht in der Lage, ihre Aufgaben wahrzunehmen, so wird eine Ersatzperson benannt. Der Name dieser Ersatzperson muss allen betroffenen Parteien schriftlich mitgeteilt und die Mitteilung dieser Vereinbarung als Anhang beigefügt werden.

2. **Spezifische Regelungen**

Die Teilnahme der oben genannten Personen unterliegt den folgenden Voraussetzungen und erfolgt nur für die folgenden Zwecke:

2.1. *Erster Teilnehmer der Vereinbarung*

2.1.1. Zweck der Teilnahme

2.1.2. Den Personen übertragene Rechte (falls zutreffend)

2.1.3. Bestimmungen zu den Kosten

2.1.4. Zweck und Umfang der Teilnahme

2.2. *Zweiter Teilnehmer der Vereinbarung (falls zutreffend)*

2.2.1. …

3. **Bedingungen für die Teilnahme von Europol-Bediensteten**

3.1. Die an der GEG teilnehmenden Europol-Bediensteten unterstützen alle Teilnehmer der Gruppe und leisten für die gemeinsamen Ermittlungen sämtliche Unterstützungsdienste von Europol im Einklang mit der Europol-Verordnung und wie darin angegeben. Sie wenden keinerlei Zwangsmaßnahmen an. Die an der GEG teilnehmenden Europol-Bediensteten können jedoch auf Anweisung und unter der Führung des (der) Gruppenleiters (Gruppenleiter) bei operativen Tätigkeiten der GEG anwesend sein, um vor Ort die Gruppenmitglieder, die die Zwangsmaßnahmen ergreifen, zu beraten und zu unterstützen, sofern in dem Land, in dem der Einsatz der Gruppe erfolgt, keine rechtlichen Beschränkungen bestehen.

[1] Nichtzutreffendes bitte streichen.

3.2. Artikel 11 Buchstabe a des Protokolls über die Vorrechte und Befreiungen der Europäischen Union findet keine Anwendung auf Europol-Bedienstete während ihrer Teilnahme an der GEG ([1]). Die Europol-Bediensteten unterliegen bei Einsätzen der GEG in Bezug auf Straftaten, die gegen sie begangen werden oder die sie selbst begehen, dem innerstaatlichen Recht des Einsatzmitgliedstaats, das auf Personen mit vergleichbaren Aufgaben Anwendung findet.

3.3. Europol-Bedienstete können direkt mit den Mitgliedern der GEG in Kontakt treten und allen Mitgliedern der GEG sämtliche erforderlichen Informationen im Einklang mit der Europol-Verordnung zur Verfügung stellen.

([1]) Protokoll über die Vorrechte und Befreiungen der Europäischen Union (konsolidierte Fassung), (ABl. C 326 vom 26.10.2012, S. 266).

Anhang II

ZU DEM MODELL FÜR EINE VEREINBARUNG ÜBER DIE BILDUNG EINER GEMEINSAMEN ERMITTLUNGSGRUPPE

Vereinbarung zur Verlängerung des Einsatzes einer gemeinsamen Ermittlungsgruppe

Die Parteien kommen überein, den Zeitraum zu verlängern, für den die gemeinsame Ermittlungsgruppe (im Folgenden „GEG") mit der Vereinbarung eingesetzt wurde, die am [*Datum einsetzen*] in [*Ort der Unterzeichnung einsetzen*] unterzeichnet wurde und als Kopie beigefügt ist.

Die Parteien sind der Auffassung, dass der Zeitraum, für den die GEG eingesetzt wurde, über seinen Endtermin [*Datum einsetzen, an dem der Zeitraum endet*] hinaus verlängert werden sollte, da der in Artikel [*Artikel über den Zweck der GEG einsetzen*] festgelegte Zweck der GEG noch nicht erfüllt ist.

Die Umstände, die eine Verlängerung des Zeitraums, für den die GEG eingesetzt wurde, erforderlich machen, sind von allen Parteien sorgfältig geprüft worden. Die Verlängerung dieses Zeitraums wird als erforderlich betrachtet, damit der Zweck, für den die GEG eingesetzt wurde, erfüllt wird.

Die GEG bleibt daher für einen weiteren Zeitraum von [*spezifischen Zeitraum einsetzen*] nach Inkrafttreten dieser Vereinbarung tätig. Der oben genannte Zeitraum kann von den Parteien im gegenseitigen Einvernehmen nochmals verlängert werden.

Datum/Unterschrift

EU-JZG

Anhang III

ZU DEM MODELL FÜR EINE VEREINBARUNG ÜBER DIE BILDUNG EINER GEMEINSAMEN ERMITTLUNGSGRUPPE

Die Parteien kommen überein, die als Kopie beigefügte schriftliche Vereinbarung, mit der die gemeinsame Ermittlungsgruppe (im Folgenden „GEG") am [*Datum einsetzen*] in [*Ort einsetzen*] eingesetzt wurde, zu ändern.

Die Unterzeichner kommen überein, dass die nachstehenden Artikel wie folgt geändert werden:

1. (Änderung ...)

2. (Änderung ...)

Die Umstände, die eine Änderung der Vereinbarung über die GEG erforderlich machen, sind von allen Parteien sorgfältig geprüft worden. Die Änderung/en der Vereinbarung über die GEG wird/werden als erforderlich betrachtet, damit der Zweck, für den die GEG eingesetzt worden ist, erfüllt wird.

Datum/Unterschrift

EU-JZG

ANHANG

BESCHEINIGUNG

nach Artikel 4 des Rahmenbeschlusses 2006/783/JI des Rates über die Anwendung des Grundsatzes der gegenseitigen Anerkennung auf Einziehungsentscheidungen

(Anm.: Anhang V und die Änderung BGBl. I Nr. 134/2011 sind als PDF dokumentiert.)

32. In Anhang V lautet das Kästchen j) wie folgt:

„j) Verfahren, das zu der Einziehungsentscheidung geführt hat

Geben Sie an, ob die Person zu der Verhandlung, die zu der Einziehungsentscheidung geführt hat, persönlich erschienen ist:

1. ☐ Ja, die Person ist zu der Verhandlung, die zu der Einziehungsentscheidung geführt hat, persönlich erschienen.

2. ☐ Nein, die Person ist zu der Verhandlung, die zu der Einziehungsentscheidung geführt hat, nicht persönlich erschienen.

3. ☐ Bitte geben Sie zu der unter Nummer 2 angekreuzten Möglichkeit an, dass eine der folgenden Möglichkeiten zutrifft:

☐ 3.1 a Die Person wurde am ……… (Tag/Monat/Jahr) persönlich vorgeladen und dabei von dem vorgesehenen Termin und Ort der Verhandlung in Kenntnis gesetzt, die zu der Einziehungsentscheidung geführt hat, sowie davon in Kenntnis gesetzt, dass eine Entscheidung auch dann ergehen kann, wenn sie zu der Verhandlung nicht erscheint;

ODER

☐ 3.1b die Person wurde nicht persönlich vorgeladen, aber auf andere Weise tatsächlich offiziell von dem vorgesehenen Termin und Ort der Verhandlung, die zu der Einziehungsentscheidung geführt hat, in Kenntnis gesetzt, und zwar auf eine Weise, dass zweifelsfrei nachgewiesen wurde, dass sie von der anberaumten Verhandlung Kenntnis hatte, sowie davon in Kenntnis gesetzt wurde, dass eine Entscheidung auch dann ergehen kann, wenn sie zu der Verhandlung nicht erscheint;

ODER

☐ 3.2 die Person hat in Kenntnis der anberaumten Verhandlung ein Mandat an einen Rechtsbeistand, der entweder von der betroffenen Person oder vom Staat bestellt wurde, erteilt, sie bei der Verhandlung zu verteidigen, und ist bei der Verhandlung von diesem Rechtsbeistand tatsächlich verteidigt worden;

ODER

☐ 3.3 der Person wurde die Einziehungsentscheidung am ………(Tag/Monat/Jahr) zugestellt und sie wurde ausdrücklich von ihrem Recht auf Wiederaufnahme des Verfahrens oder auf ein Berufungsverfahren in Kenntnis gesetzt, an dem die Person teilnehmen kann und bei dem der Sachverhalt, einschließlich neuer Beweismittel, erneut geprüft werden und die ursprünglich ergangene Entscheidung aufgehoben werden kann, und

die Person hat ausdrücklich erklärt, dass sie diese Entscheidung nicht anficht.

www.ris.bka.gv.at

ODER

die Person hat innerhalb der geltenden Frist keine Wiederaufnahme des Verfahrens oder kein Berufungsverfahren beantragt;

4. Bitte geben Sie zu der unter Nummer 3.1b, 3.2 oder 3.3 angekreuzten Möglichkeit an, wie die entsprechende Voraussetzung erfüllt wurde:

....
....
........................“

ANHANG

BESCHEINIGUNG

nach Artikel 4 des Rahmenbeschlusses 2006/783/JI des Rates über die Anwendung des Grundsatzes der gegenseitigen Anerkennung auf Einziehungsentscheidungen

a) Entscheidungsstaat und Vollstreckungsstaat:

Entscheidungsstaat: ....

Vollstreckungsstaat: ....

b) Gericht, das die Einziehungsentscheidung erlassen hat:

Offizielle Bezeichnung: ....

Anschrift: ....

....

Aktenzeichen: ....

Tel. (Ländervorwahl) (Ortsnetzkennzahl): ....

Fax (Ländervorwahl) (Ortsnetzkennzahl): ....

E-Mail (sofern vorhanden): ....

Sprachen, in denen mit dem Gericht verkehrt werden kann: ....

....

Angaben zu der/den Person(en), die zu kontaktieren ist/sind, wenn zusätzliche Informationen für die Zwecke der Vollstreckung der Einziehungsentscheidung oder gegebenenfalls für die Zwecke der Koordinierung der Vollstreckung einer Einziehungsentscheidung, die an zwei oder mehr Vollstreckungsstaaten übermittelt wurde, oder für die Zwecke der Überweisung von Geld oder Vermögenswerten aus der Vollstreckung an den Entscheidungsstaat eingeholt werden sollen (Name, Titel/Dienstrang, Tel., Fax und — sofern vorhanden — E-Mail):

....

....

....

c) Behörde, die im Entscheidungsstaat für die Vollstreckung der Einziehungsentscheidung zuständig ist (falls es sich um eine andere Behörde als das unter Buchstabe b genannte Gericht handelt):

Offizielle Bezeichnung: ...

Anschrift: ...

Tel. (Ländervorwahl) (Ortsnetzkennzahl): ...

Fax (Ländervorwahl) (Ortsnetzkennzahl): ...

E-Mail (sofern vorhanden): ...

Sprachen, in denen mit der für die Vollstreckung zuständigen Behörde verkehrt werden kann: ...

Angaben zu der/den Person(en), die zu kontaktieren ist/sind, wenn zusätzliche Informationen für die Zwecke der Vollstreckung der Einziehungsentscheidung oder gegebenenfalls für die Zwecke der Koordinierung der Vollstreckung einer Einziehungsentscheidung, die an zwei oder mehr Vollstreckungsstaaten übermittelt wurde, oder für die Zwecke der Überweisung von Geld oder Vermögenswerten aus der Vollstreckung an den Entscheidungsstaat eingeholt werden sollen (Name, Titel/Dienstrang, Tel., Fax und — sofern vorhanden — E-Mail): ...

d) Im Falle der Benennung einer zentralen Behörde für die administrative Übermittlung und Entgegennahme von Einziehungsentscheidungen im Entscheidungsstaat:

Name der zentralen Behörde: ...

Ggf. zu kontaktierende Person (Titel/Dienstrang und Name): ...

Anschrift: ...

Aktenzeichen: ...

Tel. (Ländervorwahl) (Ortsnetzkennzahl): ...

Fax (Ländervorwahl) (Ortsnetzkennzahl): ...

E-Mail (sofern vorhanden): ...

EU-JZG

e) Behörde oder Behörden, die zu kontaktieren ist/sind (wenn Buchstabe c und/oder d ausgefüllt wurde(n)):

☐ Behörde unter Buchstabe b

Bei Fragen zu Folgendem: ....

☐ Behörde unter Buchstabe c

Bei Fragen zu Folgendem: ....

☐ Behörde unter Buchstabe d

Bei Fragen zu Folgendem: ....

f) Ergeht die Einziehungsentscheidung infolge einer Sicherstellungsentscheidung, die dem Vollstreckungsstaat gemäß dem Rahmenbeschluss 2003/577/JI des Rates vom 22. Juli 2003 über die Vollstreckung von Entscheidungen über die Sicherstellung von Vermögensgegenständen oder Beweismitteln in der Europäischen Union (¹) übermittelt wurde, machen Sie bitte Angaben, aus denen hervorgeht, um welche Sicherstellungsentscheidung es sich handelt (Datum, an dem die Sicherstellungsentscheidung erlassen wurde, und Datum ihrer Übermittlung, Behörde, der sie übermittelt wurde, ggf. Aktenzeichen): ....

....

....

g) Sofern die Einziehungsentscheidung an mehr als einen Vollstreckungsstaat übermittelt wurde, machen Sie bitte die folgenden Angaben:

1. Die Einziehungsentscheidung wurde an folgende(n) andere(n) Vollstreckungsstaat(en) (Land und Behörde) übermittelt: ....

....

....

2. Die Einziehungsentscheidung wurde aus folgendem Grund an mehr als einen Vollstreckungsstaat übermittelt (Zutreffendes bitte ankreuzen):

2.1. Sofern die Einziehungsentscheidung einen oder mehrere bestimmte Vermögensgegenstände betrifft:

☐ Es wird vermutet, dass verschiedene bestimmte Vermögensgegenstände, die von der Einziehungsentscheidung erfasst sind, sich in verschiedenen Vollstreckungsstaaten befinden.

☐ Die Einziehung eines bestimmten Vermögensgegenstands erfordert Maßnahmen in mehr als einem Vollstreckungsstaat.

☐ Es wird vermutet, dass ein von der Einziehungsentscheidung erfasster bestimmter Vermögensgegenstand sich in einem von zwei oder mehr ausdrücklich genannten Vollstreckungsstaaten befindet.

2.2. Sofern die Einziehungsentscheidung eine Geldsumme betrifft:

☐ Der betreffende Vermögensgegenstand ist nicht gemäß dem Rahmenbeschluss 2003/577/JI des Rates vom 22. Juli 2003 über die Vollstreckung von Entscheidungen über die Sicherstellung von Vermögensgegenständen oder Beweismitteln in der Europäischen Union sichergestellt worden.

☐ Der Wert des Vermögensgegenstands, der im Entscheidungsstaat und in jeweils einem Vollstreckungsstaat eingezogen werden kann, reicht voraussichtlich nicht zur Einziehung des gesamten von der Einziehungsentscheidung erfassten Geldbetrags aus.

☐ Sonstige Gründe (bitte angeben): ....

....

....

(¹) ABl. L 196 vom 2.8.2003, S. 45.

h) Angaben zu der natürlichen oder juristischen Person, gegen die die Einziehungsentscheidung ergangen ist:

1. **Im Falle einer natürlichen Person**

Familienname: ....

Vorname(n): ....

(Ggf.) Mädchenname: ....

(Ggf.) Aliasnamen: ....

Geschlecht: ....

Staatsangehörigkeit: ....

Kennnummer oder Sozialversicherungsnummer (falls möglich): ....

Geburtsdatum: ....

Geburtsort: ....

Letzte bekannte Anschrift: ....

....

Sprache oder Sprachen, die die betreffende Person versteht (sofern bekannt): ....

....

1.1. Falls die Einziehungsentscheidung eine Geldsumme betrifft:

Die Einziehungsentscheidung wird dem Vollstreckungsstaat übermittelt, weil (Zutreffendes bitte ankreuzen):

☐ a) der Entscheidungsstaat berechtigten Grund zu der Annahme hat, dass die Person, gegen die die Einziehungsentscheidung ergangen ist, im Vollstreckungsstaat über Vermögensgegenstände verfügt oder Einkommen bezieht. Bitte folgende Angaben hinzufügen:

Gründe für die Annahme, dass die Person über Vermögensgegenstände verfügt/ Einkommen bezieht: ....

....

Beschreibung der Vermögensgegenstände/Einkommensquelle der Person: ....

....

Ort, an dem sich die Vermögensgegenstände/Einkommensquelle der Person befinden/befindet (falls nicht bekannt, Angabe des letzten bekannten Ortes): ....

....

☐ b) es keinen berechtigten Grund im Sinne der Nummer 1.1.a gibt, der es dem Entscheidungsstaat erlauben würde, den Mitgliedstaat zu ermitteln, dem die Einziehungsentscheidung übermittelt werden kann, die Person, gegen die die Einziehungsentscheidung ergangen ist, jedoch ihren gewöhnlichen Wohnsitz im Vollstreckungsstaat hat. Bitte folgende Angaben hinzufügen:

Gewöhnlicher Wohnsitz im Vollstreckungsstaat: ....

....

....

1.2. Falls die Einziehungsentscheidung einen bestimmten Vermögensgegenstand/bestimmte Vermögensgegenstände betrifft:

Die Einziehungsentscheidung wird dem Vollstreckungsstaat übermittelt, weil (Zutreffendes bitte ankreuzen):

☐ a) der bestimmte Vermögensgegenstand/die bestimmten Vermögensgegenstände sich im Vollstreckungsstaat befinden/befindet (siehe Ziffer i);

☐ b) der Entscheidungsstaat berechtigten Grund zu der Annahme hat, dass der/die von der Einziehungsentscheidung erfasste(n) Vermögensgegenstand/Vermögensgegenstände sich ganz oder teilweise im Vollstreckungsstaat befinden/befindet. Bitte folgende Angaben hinzufügen:

Gründe für die Annahme, dass sich der Vermögensgegenstand/die Vermögensgegenstände im Vollstreckungsstaat befinden/befindet: ....

....

☐ c) es keinen berechtigten Grund im Sinne der Nummer 1.2.b gibt, der es dem Entscheidungsstaat erlauben würde, den Mitgliedstaat zu ermitteln, dem die Einziehungsentscheidung übermittelt werden kann, die Person, gegen die die Einziehungsentscheidung ergangen ist, jedoch ihren gewöhnlichen Wohnsitz im Vollstreckungsstaat hat. Bitte folgende Angaben hinzufügen:

Gewöhnlicher Wohnsitz im Vollstreckungsstaat: ....

....

....

2. **Im Falle einer juristischen Person**

Name: ....

Art der juristischen Person: ....

Registrierungsnummer (sofern vorhanden) (1): ....

Eingetragener Sitz (sofern vorhanden) (1): ....

Anschrift der juristischen Person: ....

2.1. Falls die Einziehungsentscheidung eine Geldsumme betrifft:

Die Einziehungsentscheidung wird dem Vollstreckungsstaat übermittelt, weil (Zutreffendes bitte ankreuzen):

☐ a) der Entscheidungsstaat berechtigten Grund zu der Annahme hat, dass die juristische Person, gegen die die Einziehungsentscheidung ergangen ist, im Vollstreckungsstaat über Vermögensgegenstände verfügt oder Einkommen bezieht. Bitte folgende Angaben hinzuzufügen:

Gründe für die Annahme, dass die juristische Person über Vermögensgegenstände verfügt/ Einkommen bezieht:

....

Beschreibung der Vermögensgegenstände/Einkommensquelle der juristischen Person: ....

....

Ort, an dem sich die Vermögensgegenstände/die Einkommensquelle der juristischen Person befinden/befindet (falls nicht bekannt, letzter bekannter Ort): ....

....

(1) Wird dem Vollstreckungsstaat eine Einziehungsentscheidung übermittelt, weil die juristische Person, gegen die sie ergangen ist, ihren eingetragenen Sitz in diesem Staat hat, so sind die Registrierungsnummer und der eingetragene Sitz auf jeden Fall anzugeben.

☐ b) es keinen berechtigten Grund im Sinne der Nummer 2.1.a gibt, der es dem Entscheidungsstaat erlauben würde, den Mitgliedstaat zu ermitteln, dem die Einziehungsentscheidung übermittelt werden kann, die juristische Person, gegen die die Einziehungsentscheidung ergangen ist, jedoch ihren eingetragenen Sitz im Vollstreckungsstaat hat. Bitte folgende Angaben hinzufügen:

Eingetragener Sitz im Vollstreckungsstaat: ....

....

....

2.2. Falls die Einziehungsentscheidung einen bestimmten Vermögensgegenstand/bestimmte Vermögensgegenstände betrifft:

Die Einziehungsentscheidung wird dem Vollstreckungsstaat übermittelt, weil (Zutreffendes bitte ankreuzen):

☐ a) sich der bestimmte Vermögensgegenstand/die bestimmten Vermögensgegenstände im Vollstreckungsstaat befinden/befindet (siehe Ziffer i);

☐ b) der Entscheidungsstaat berechtigten Grund zu der Annahme hat, dass sich der/die von der Einziehungsentscheidung erfasste(n) Vermögensgegenstand/Vermögensgegenstände ganz oder teilweise im Vollstreckungsstaat befinden/befindet. Bitte folgende Angaben hinzufügen:

Gründe für die Annahme, dass sich der Vermögensgegenstand/die Vermögensgegenstände im Vollstreckungsstaat befinden/befindet: ....

....

....

☐ c) es keinen berechtigten Grund im Sinne der Nummer 2.2.b gibt, der es dem Entscheidungsstaat erlauben würde, den Mitgliedstaat zu ermitteln, dem die Einziehungsentscheidung übermittelt werden kann, die juristische Person, gegen die die Einziehungsentscheidung ergangen ist, jedoch ihren eingetragenen Sitz im Vollstreckungsstaat hat. Bitte folgende Angaben hinzufügen:

Eingetragener Sitz im Vollstreckungsstaat: ....

....

....

i) Einziehungsentscheidung

Die Einziehungsentscheidung erging am (Datum): ....

....

Die Einziehungsentscheidung wurde rechtskräftig am (Datum): ....

Aktenzeichen der Einziehungsentscheidung (sofern vorhanden): ....

1. Angaben zur Art der Einziehungsentscheidung

1.1. Angabe (Zutreffendes bitte ankreuzen), ob die Einziehungsentscheidung Folgendes betrifft:

☐ eine Geldsumme

Im Vollstreckungsstaat einzuziehender Betrag unter Angabe der Währung (in Ziffern und in Buchstaben): ....

....

Von der Einziehungsentscheidung erfasster Gesamtbetrag unter Angabe der Währung (in Ziffern und in Buchstaben): ....

....

☐ einen bestimmten Vermögensgegenstand/bestimmte Vermögensgegenstände

Beschreibung des bestimmten Vermögensgegenstands/der bestimmten Vermögensgegenstände: ....

....

Ort, an dem sich der bestimmte Vermögensgegenstand/die bestimmten Vermögensgegenstände befinden/befindet (falls nicht bekannt, letzter bekannter Ort): ....

....

....

Falls die Einziehung des bestimmten Vermögensgegenstands/der bestimmten Vermögensgegenstände Maßnahmen in mehr als einem Vollstreckungsstaat erfordert, Beschreibung der zu ergreifenden Maßnahme: ....

....

1.2. Das Gericht hat in Bezug auf die erfassten Vermögensgegenstände entschieden (Zutreffendes bitte ankreuzen),

☐ i) dass es sich um den Ertrag aus einer Straftat oder einen Vermögensgegenstand, der ganz oder teilweise dem Wert dieses Ertrags entspricht, handelt,

☐ ii) dass sie das Tatwerkzeug einer Straftat darstellen,

☐ iii) dass sie aufgrund der im Entscheidungsstaat vorgesehenen Anwendung einer der Buchstaben a, b und c genannten erweiterten Einziehungsmöglichkeiten einziehbar sind. Grundlage für die Entscheidung ist die durch konkrete Tatsachen gestützte volle Überzeugung des Gerichts, dass die entsprechenden Vermögensgegenstände aus folgenden Straftaten stammen:

☐ a) Straftaten der verurteilten Person, die in einem vor der Verurteilung für die betreffende Straftat liegenden Zeitraum, der von dem Gericht entsprechend der Umstände des speziellen Falls für angemessen befunden wird, begangen wurden, oder

☐ b) ähnlichen Straftaten der verurteilten Person, die in einem vor der Verurteilung für die betreffende Straftat liegenden Zeitraum, der von dem Gericht entsprechend der Umstände des speziellen Falls für angemessen befunden wird, begangen wurden, oder

☐ c) der Straftat der verurteilten Person, wenn erwiesen ist, dass der Wert der Vermögensgegenstände in einem Missverhältnis zum rechtmäßigen Einkommen dieser Person steht;

☐ iv) dass sie aufgrund anderer Bestimmungen im Zusammenhang mit erweiterten Einziehungsmöglichkeiten nach dem Recht des Entscheidungsstaats einziehbar sind.

Falls zwei oder mehrere Kategorien der Einziehung betroffen sind, bitte angeben, welcher Vermögensgegenstand in Verbindung mit welcher Kategorie eingezogen wird: ....

....

2. Angaben zu der/den Zuwiderhandlung(en), die zu der Einziehungsentscheidung geführt hat/haben

2.1. Zusammenfassende Darstellung des Sachverhalts und Beschreibung der Umstände, unter denen die Zuwiderhandlung(en), die zu der Einziehungsentscheidung geführt hat/haben, begangen wurde(n), einschließlich der Angabe von Ort und Zeit:

....

....

....

....

....

2.2. Art und rechtliche Würdigung der Zuwiderhandlung(en), die zu der Einziehungsentscheidung geführt hat/haben, und anwendbare gesetzliche Bestimmungen, auf deren Grundlage die Entscheidung ergangen ist:

....

....

....

....

....

....

2.3. Sofern es sich bei der/den unter Nummer 2.2 genannten Zuwiderhandlung(en) um eine oder mehrere der nachstehenden Straftaten handelt, geben Sie bitte an, ob diese Straftat(en) im Entscheidungsstaat mit einer Freiheitsstrafe im Höchstmaß von mindestens drei Jahren bedroht ist/sind (Zutreffendes ankreuzen):

☐ Beteiligung an einer kriminellen Vereinigung

☐ Terrorismus

☐ Menschenhandel

☐ Sexuelle Ausbeutung von Kindern und Kinderpornografie

☐ Illegaler Handel mit Drogen und psychotropen Stoffen

☐ Illegaler Handel mit Waffen, Munition und Sprengstoffen

☐ Korruption

☐ Betrugsdelikte, einschließlich Betrug zum Nachteil der finanziellen Interessen der Europäischen Gemeinschaften im Sinne des Übereinkommens vom 26. Juli 1995 über den Schutz der finanziellen Interessen der Europäischen Gemeinschaften

- ☐ Wäsche von Erträgen aus Straftaten
- ☐ Geldfälschung, einschließlich der Euro-Fälschung
- ☐ Cyberkriminalität
- ☐ Umweltkriminalität einschließlich des illegalen Handels mit bedrohten Tierarten oder mit bedrohten Pflanzen- und Baumarten
- ☐ Beihilfe zur illegalen Einreise und zum illegalen Aufenthalt
- ☐ Vorsätzliche Tötung, schwere Körperverletzung
- ☐ Illegaler Handel mit menschlichen Organen und menschlichem Gewebe
- ☐ Entführung, Freiheitsberaubung und Geiselnahme
- ☐ Rassismus und Fremdenfeindlichkeit
- ☐ Diebstahl in organisierter Form oder mit Waffen
- ☐ Illegaler Handel mit Kulturgütern, einschließlich Antiquitäten und Kunstgegenständen
- ☐ Betrug
- ☐ Erpressung und Schutzgelderpressung
- ☐ Nachahmung und Produktpiraterie
- ☐ Fälschung von amtlichen Dokumenten und Handel damit
- ☐ Fälschung von Zahlungsmitteln
- ☐ Illegaler Handel mit Hormonen und anderen Wachstumsförderern
- ☐ Illegaler Handel mit nuklearen und radioaktiven Substanzen
- ☐ Handel mit gestohlenen Kraftfahrzeugen
- ☐ Vergewaltigung
- ☐ Brandstiftung
- ☐ Verbrechen, die in die Zuständigkeit des Internationalen Strafgerichtshofs fallen
- ☐ Flugzeug- und Schiffsentführung
- ☐ Sabotage

2.4. Sofern die unter Nummer 2.2 genannte(n) Zuwiderhandlung(en), die zu der Einziehungsentscheidung geführt hat/haben, nicht unter Nummer 2.3 aufgeführt ist/sind, geben Sie bitte eine vollständige Beschreibung der betreffenden Zuwiderhandlung(en) (diese sollte die Darstellung der tatsächlichen kriminellen Handlung im Gegensatz z. B. zur rechtlichen Einstufung umfassen):

....

....

....

....

....

....

j) Verfahren, das zu der Einziehungsentscheidung führte

Angaben zu dem Verfahren, das zu der Einziehungsentscheidung führte (Zutreffendes bitte ankreuzen):

☐ a) Die betreffende Person ist im Verfahren persönlich erschienen.

☐ b) Die betreffende Person ist im Verfahren nicht persönlich erschienen, wurde aber durch einen Rechtsbeistand vertreten.

☐ c) Die betreffende Person ist nicht persönlich im Verfahren erschienen und wurde auch nicht durch einen Rechtsbeistand vertreten. Es wird bestätigt, dass

☐ die betreffende Person persönlich oder über einen nach innerstaatlichem Recht befugten Vertreter gemäß den Rechtsvorschriften des Entscheidungsstaats über das Verfahren unterrichtet worden ist oder

☐ die betreffende Person angegeben hat, dass sie sich der Entscheidung nicht widersetzt.

k) Umwandlung und Übertragung von Vermögensgegenständen

1. Falls die Einziehungsentscheidung einen bestimmten Vermögensgegenstand betrifft, geben Sie bitte an, ob der Entscheidungsstaat zulässt, dass der Vollstreckungsstaat die Einziehung in Form eines zu bezahlenden Geldbetrags, der dem Wert des Vermögensgegenstands entspricht, vornehmen kann:

☐ ja

☐ nein

2. Falls die Einziehungsentscheidung eine Geldsumme betrifft, geben Sie bitte an, ob ein anderer Vermögensgegenstand als Geld, der durch die Vollstreckung der Einziehungsentscheidung erlangt wird, an den Entscheidungsstaat übermittelt werden kann:

☐ ja

☐ nein

EU-JZG

l) Ersatzmaßnahmen, einschließlich Freiheitsstrafen

1. Bitte geben Sie an, ob der Entscheidungsstaat zulässt, dass im Vollstreckungsstaat Ersatzmaßnahmen angeordnet werden, wenn die Einziehungsentscheidung nicht oder nur teilweise vollstreckt werden kann:

☐ ja

☐ nein

2. Wenn ja, welche Ersatzstrafen können angeordnet werden (Art und Höchstmaße der Strafen):

☐ Freiheitsstrafe. Höchstdauer: ……………………………………………

☐ Gemeinnützige Arbeit (oder Gleichwertiges). Höchstdauer: ……………………………………………

☐ Andere Strafen. Beschreibung: ……………………………………………

……………………………………………

m) Sonstige für den Fall relevante Umstände (fakultative Angaben): ……………………………………………

……………………………………………

……………………………………………

n) Die Einziehungsentscheidung ist der Bescheinigung beigefügt.

Unterschrift der ausstellenden Behörde und/oder ihres Vertreters zur Bestätigung der Richtigkeit des Inhalts der Bescheinigung: …….

……………………………………………

Name: ……………………………………………

Funktion (Titel/Dienstrang): ……………………………………………

Datum: ……………………………………………

(Gegebenenfalls) Amtlicher Stempel

Anhang VI

ANHANG

BESCHEINIGUNG

nach Artikel 4 des Rahmenbeschlusses 2005/214/JI des Rates über die Anwendung des Grundsatzes der gegenseitigen Anerkennung von Geldstrafen und Geldbußen

(Anm.: Anhang VI und die Änderung BGBl. I Nr. 134/2011 sind als PDF dokumentiert.)

33. In Anhang VI lautet das Kästchen h) Punkt 3 wie folgt:

„3. Geben Sie an, ob die betroffene Person zu der Verhandlung, die zu der Entscheidung geführt hat, persönlich erschienen ist:

1. ☐ Ja, die Person ist zu der Verhandlung, die zu der Entscheidung geführt hat, persönlich erschienen.

2. ☐ Nein, die Person ist zu der Verhandlung, die zu der Entscheidung geführt hat, nicht persönlich erschienen.

3. ☐ Bitte geben Sie zu der unter Nummer 2 angekreuzten Möglichkeit an, dass eine der folgenden Möglichkeiten zutrifft:

☐ 3.1 a Die Person wurde am …….. (Tag/Monat/Jahr) persönlich vorgeladen und dabei von dem vorgesehenen Termin und Ort der Verhandlung in Kenntnis gesetzt, die zu der Entscheidung geführt hat, sowie davon in Kenntnis gesetzt, dass eine Entscheidung auch ergehen kann, wenn sie zu der Verhandlung nicht erscheint;

ODER

☐ 3.1b die Person wurde nicht persönlich vorgeladen, aber auf andere Weise tatsächlich offiziell von dem vorgesehenen Termin und Ort der Verhandlung, die zu der Entscheidung geführt hat, in Kenntnis gesetzt, und zwar auf eine Weise, dass zweifelsfrei nachgewiesen wurde, dass sie von der anberaumten Verhandlung Kenntnis hatte, so wie davon in Kenntnis gesetzt wurde, dass eine Entscheidung auch dann ergehen kann, wenn sie zu der Verhandlung nicht erscheint;

ODER

☐ 3.2 die Person hat in Kenntnis der anberaumten Verhandlung ein Mandat an einen Rechtsbeistand, der entweder von der betroffenen Person oder vom Staat bestellt wurde, erteilt, sie bei der Verhandlung zu verteidigen, und ist bei der Verhandlung von diesem Rechtsbeistand tatsächlich verteidigt worden;

ODER

☐ 3.3 der Person wurde die Entscheidung am ….. (Tag/Monat/Jahr) zugestellt, und sie wurde ausdrücklich von ihrem Recht auf Wiederaufnahme des Verfahrens oder auf ein Berufungsverfahren in Kenntnis gesetzt, an dem die Person teilnehmen kann und bei dem der Sachverhalt, einschließlich neuer Beweismittel, erneut geprüft werden und die ursprünglich ergangene Entscheidung aufgehoben werden kann, und die Person hat ausdrücklich erklärt, dass sie diese Entscheidung nicht anficht;

ODER

die Person hat innerhalb der geltenden Frist keine Wiederaufnahme der Verfahrens bzw. kein Berufungsverfahren beantragt;

ODER

☐ 3.4 die betroffene Person hat nach ausdrücklicher Unterrichtung über das Verfahren und die Möglichkeit, bei der Verhandlung persönlich zu erscheinen, ausdrücklich erklärt, dass sie auf das Recht auf mündliche Anhörung verzichtet, und hat ausdrücklich mitgeteilt, dass sie die Entscheidung nicht

www.ris.bka.gv.at

EU-JZG

anficht.

4. Bitte geben Sie zu der unter Nummer 3.1b, 3.2, 3.3 oder 3.4 angekreuzten Möglichkeit an, wie die entsprechende Voraussetzung erfüllt wurde:

....
....
.................................“

ANHANG

BESCHEINIGUNG

nach Artikel 4 des Rahmenbeschlusses 2005/214/JI des Rates über die Anwendung des Grundsatzes der gegenseitigen Anerkennung von Geldstrafen und Geldbußen

a)

* Entscheidungsstaat ....

* Vollstreckungsstaat ....

b) Behörde, die die Entscheidung über die Zahlung einer Geldstrafe oder Geldbuße erlassen hat:

Offizielle Bezeichnung: ....

Anschrift: ....

....

Aktenzeichen (...) ....

Tel. Nr.: (Ländervorwahl) (Ortsnetzkennzahl) ....

Fax Nr.: (Ländervorwahl) (Ortsnetzkennzahl) ....

E-Mail (sofern vorhanden): ....

Sprachen, in denen mit der Behörde, die die Entscheidung erlassen hat, verkehrt werden kann: ....

....

Angaben zu der/den Person(en), die zu kontaktieren ist/sind, wenn zusätzliche Informationen für die Zwecke der Vollstreckung der Entscheidung oder gegebenenfalls der Überweisung an den Entscheidungsstaat von Geld aus der Vollstreckung eingeholt werden sollen (Name, Titel/Dienstrang, Tel.-Nr., Fax-Nr. und — sofern vorhanden — E-Mail) ....

....

....

c) Behörde, die im Entscheidungsstaat für die Vollstreckung der Entscheidung über die Zahlung einer Geldstrafe oder Geldbuße zuständig ist (falls es sich um eine andere als die unter Buchstabe b) genannte Behörde handelt):

Offizielle Bezeichnung: ....

....

Anschrift: ....

....

Tel. Nr.: (Ländervorwahl) (Ortsnetzkennzahl) ....

Fax Nr.: (Ländervorwahl) (Ortsnetzkennzahl) ....

E-Mail (sofern vorhanden): ....

Sprachen, in denen mit der für die Vollstreckung zuständigen Behörde verkehrt werden kann: ....

....

Angaben zu der/den Person(en), die zu kontaktieren ist/sind, wenn zusätzliche Informationen für die Zwecke der Vollstreckung der Entscheidung oder gegebenenfalls der Überweisung an den Entscheidungsstaat von Geld aus der Vollstreckung eingeholt werden sollen (Name, Titel/Dienstrang, Tel.-Nr., Fax-Nr. und — sofern vorhanden — E-Mail): ....

....

....

d) Im Falle der Benennung einer zentralen Behörde für die administrative Übermittlung der Entscheidungen über die Zahlung einer Geldstrafe oder Geldbuße im Entscheidungsstaat:

Name der zentralen Behörde: ....

....

Ggf. zu kontaktierende Person (Titel/Dienstrang und Name): ....

....

Anschrift: ....

....

Aktenzeichen: ....

Tel. Nr.: (Ländervorwahl) (Ortsnetzkennzahl) ....

Fax Nr.: (Ländervorwahl) (Ortsnetzkennzahl) ....

E-Mail (sofern vorhanden): ....

e) Behörde oder Behörden, die zu kontaktieren ist/sind (wenn Buchstabe c) und/oder d) ausgefüllt wurde):

◈ Behörde unter Buchstabe b)

Bei Fragen zu Folgendem: ....

◈ Behörde unter Buchstabe c)

Bei Fragen zu Folgendem: ....

◈ Behörde unter Buchstabe d)

Bei Fragen zu Folgendem: ....

f) Angaben zu der natürlichen oder juristischen Person, gegen die die Geldstrafe oder Geldbuße verhängt wurde:

1. Im Falle einer natürlichen Person

Familienname: ....

Vorname(n): ....

(ggf.) Mädchenname: ....

(ggf.) Aliasnamen: ....

Geschlecht: ....

Staatsangehörigkeit: ....

Kennnummer oder Sozialversicherungsnummer (sofern vorhanden): ....

Geburtsdatum: ....

Geburtsort: ....

letzte bekannte Anschrift: ....

....

Sprache oder Sprachen, die die betreffende Person versteht (sofern bekannt): ....

....

a) Falls die Entscheidung dem Vollstreckungsstaat übermittelt wird, weil die Person, gegen die die Entscheidung ergangen ist, sich in der Regel im Vollstreckungsstaat aufhält, sind folgende Angaben hinzuzufügen:

Gewöhnlicher Wohnsitz im Vollstreckungsstaat ....

....

....

b) Falls die Entscheidung dem Vollstreckungsstaat übermittelt wird, weil die Person, gegen die die Entscheidung ergangen ist, im Vollstreckungsstaat über Vermögensgegenstände verfügt, sind folgende Angaben hinzuzufügen:

Beschreibung der Vermögensgegenstände der Person: ....

Ort, an dem die Vermögensgegenstände der Person belegen sind: ....

c) Falls die Entscheidung dem Vollstreckungsstaat übermittelt wird, weil die Person, gegen die die Entscheidung ergangen ist, im Vollstreckungsstaat Einkommen bezieht, sind folgende Angaben hinzuzufügen:

Beschreibung der Einkommensquelle(n) der Person: ....

Ort, an dem die Einkommensquelle(n) der Person belegen ist (sind): ....

2. Im Falle einer juristischen Person

Name: ....

Art der juristischen Person: ....

Registrierungsnummer (sofern vorhanden) ([1]): ....

Eingetragener Sitz (sofern vorhanden) ([1]): ....

Anschrift der juristischen Person: ....

a) Falls die Entscheidung dem Vollstreckungsstaat übermittelt wird, weil die juristische Person, gegen die die Entscheidung ergangen ist, im Entscheidungsstaat über Vermögensgegenstände verfügt, sind folgende Angaben hinzuzufügen:

Beschreibung der Vermögensgegenstände der juristischen Person: ....

Ort, an dem die Vermögensgegenstände der juristischen Person belegen sind: ....

....

b) Falls die Entscheidung dem Vollstreckungsstaat übermittelt wird, weil die juristische Person, gegen die die Entscheidung ergangen ist, im Vollstreckungsstaat Einkommen bezieht, sind folgende Angaben hinzuzufügen:

Beschreibung der Einkommensquelle(n) der juristischen Person: ....

Ort, an dem die Einkommensquelle(n) der juristischen Person belegen ist (sind): ....

....

g) Entscheidung über die Zahlung einer Geldstrafe oder Geldbuße:

1. Art der Entscheidung über die Zahlung einer Geldstrafe oder Geldbuße (Zutreffendes ankreuzen):

◇ i) Entscheidung eines Gerichts des Entscheidungsstaats aufgrund einer nach dessen Recht strafbaren Handlung

◇ ii) Entscheidung einer nicht gerichtlichen Behörde des Entscheidungsstaats aufgrund einer nach dessen Recht strafbaren Handlung. Es wird bestätigt, dass die betreffende Person die Möglichkeit hatte, die Sache vor ein auch in Strafsachen zuständiges Gericht zu bringen.

◇ iii) Entscheidung einer nicht gerichtlichen Behörde des Entscheidungsstaats aufgrund von Handlungen, die nach dessen innerstaatlichem Recht als Zuwiderhandlung gegen Rechtsvorschriften geahndet werden. Es wird bestätigt, dass die betreffende Person die Möglichkeit hatte, die Sache vor ein auch in Strafsachen zuständiges Gericht zu bringen;

◇ iv) Entscheidung eines auch in Strafsachen zuständigen Gerichts, die sich auf eine unter Ziffer iii) fallende Entscheidung bezieht.

Die Entscheidung erging am (Datum) ....

([1]) Wird dem Vollstreckungsstaat eine Entscheidung übermittelt, weil die juristische Person, gegen die sie verhängt wurde, ihren eingetragenen Sitz in diesem Staat hat, so sind die Registrierungsnummer und der eingetragene Sitz auf jeden Fall anzugeben.

Die Entscheidung wurde rechtskräftig am (Datum) ....

Aktenzeichen der Entscheidung (sofern vorhanden) ....

Die Geldstrafe oder Geldbuße ist die Verpflichtung zur Zahlung (Zutreffendes ankreuzen und den Betrag zusammen mit der Währung angeben):

◇ i) eines in einer Entscheidung festgesetzten Geldbetrags aufgrund einer Verurteilung wegen einer Zuwiderhandlung;

Betrag: ....

◇ ii) einer in der gleichen Entscheidung festgesetzten Entschädigung für die Opfer, wenn das Opfer im Rahmen des Verfahrens keine zivilrechtlichen Ansprüche geltend machen darf und das Gericht in Ausübung seiner strafrechtlichen Zuständigkeit tätig wird;

Betrag: ....

◇ iii) von Geldbeträgen für die Kosten der zu der Entscheidung führenden Gerichts- und Verwaltungsverfahren;

Betrag: ....

◇ iv) von in der gleichen Entscheidung festgesetzten Geldbeträgen an eine öffentliche Kasse oder eine Organisation zur Unterstützung von Opfern;

Betrag: ....

Gesamtbetrag der Geldstrafe oder Geldbuße mit Angabe der Währung: ....

....

2. Zusammenfassende Darstellung des Sachverhalts und Beschreibung der Umstände, unter denen die Zuwiderhandlung(en) begangen wurde(n), einschließlich der Angabe von Ort und Zeit: ....

....

....

....

....

....

Art und rechtliche Würdigung der Zuwiderhandlung(en) und anwendbare gesetzliche Bestimmungen, auf deren Grundlage die Entscheidung ergangen ist: ....

....

....

....

3. Sofern es sich bei der/den unter Nummer 2 genannten Zuwiderhandlung(en) um eine oder mehrere der nachstehenden Straftaten oder Verwaltungsübertretungen (Ordnungswidrigkeiten) handelt, kreuzen Sie bitte Zutreffendes an:

◇ Beteiligung an einer kriminellen Vereinigung

◇ Terrorismus

◇ Menschenhandel

◇ Sexuelle Ausbeutung von Kindern und Kinderpornografie

◇ Illegaler Handel mit Drogen und psychotropen Stoffen

◇ Illegaler Handel mit Waffen, Munition und Sprengstoffen

- Korruption
- Betrugsdelikte, einschließlich Betrug zum Nachteil der finanziellen Interessen der Europäischen Gemeinschaften im Sinne des Übereinkommens vom 26. Juli 1995 über den Schutz der finanziellen Interessen der Europäischen Gemeinschaften
- Wäsche von Erträgen aus Straftaten
- Geldfälschung, einschließlich der Euro-Fälschung
- Cyberkriminalität
- Umweltkriminalität einschließlich des illegalen Handels mit bedrohten Tierarten oder mit bedrohten Pflanzen- und Baumarten
- Beihilfe zur illegalen Einreise und zum illegalen Aufenthalt
- Vorsätzliche Tötung, schwere Körperverletzung
- Illegaler Handel mit menschlichen Organen und menschlichem Gewebe
- Entführung, Freiheitsberaubung und Geiselnahme
- Rassismus und Fremdenfeindlichkeit
- Diebstahl in organisierter Form oder mit Waffen
- Illegaler Handel mit Kulturgütern, einschließlich Antiquitäten und Kunstgegenständen
- Betrug
- Erpressung und Schutzgelderpressung
- Nachahmung und Produktpiraterie
- Fälschung von amtlichen Dokumenten und Handel damit
- Fälschung von Zahlungsmitteln
- Illegaler Handel mit Hormonen und anderen Wachstumsförderern
- Illegaler Handel mit nuklearen und radioaktiven Substanzen
- Handel mit gestohlenen Kraftfahrzeugen
- Vergewaltigung
- Brandstiftung
- Verbrechen, die in die Zuständigkeit des Internationalen Strafgerichtshofs fallen
- Flugzeug- und Schiffsentführung
- Sabotage
- gegen die den Straßenverkehr regelnden Vorschriften verstoßende Verhaltensweise, einschließlich Verstößen gegen Vorschriften über Lenk- und Ruhezeiten und des Gefahrgutrechts
- Warenschmuggel
- Verletzung von Rechten an geistigem Eigentum
- Bedrohungen von Personen und Gewalttaten gegen sie, einschließlich Gewalttätigkeit bei Sportveranstaltungen
- Sachbeschädigung

EU-JZG

◇ Diebstahl

◇ Straftatbestände, die vom Entscheidungsstaat festgelegt wurden und durch Verpflichtungen abgedeckt sind, die sich aus im Rahmen des EG-Vertrags oder des Titels VI des EU-Vertrags erlassenen Rechtsakten ergeben.

Falls zutreffend, geben Sie bitte genau an, unter welche Bestimmungen der im Rahmen des EG-Vertrags oder des EU-Vertrags erlassenen Rechtsakte der Straftatbestand fällt: ....

....

....

4. Sofern die unter Nummer 2 genannte(n) Zuwiderhandlung(en) nicht unter Nummer 3 aufgeführt ist/sind, geben Sie bitte eine vollständige Beschreibung der betreffenden Zuwiderhandlung(en): ....

....

....

....

h) Art der Entscheidung über die Zahlung einer Geldstrafe oder Geldbuße

1. Bestätigung, dass (Zutreffendes ankreuzen)

◇ a) die Entscheidung rechtskräftig ist

◇ b) nach Kenntnis der die Bescheinigung ausstellenden Behörde eine Entscheidung gegen die gleiche Person wegen derselben Handlung im Vollstreckungsstaat nicht ergangen ist und dass keine solche in einem anderen Staat als dem Entscheidungs- oder Vollstreckungsstaat ergangene Entscheidung vollstreckt wurde.

2. Bitte geben Sie an, ob ein schriftliches Verfahren erfolgt ist:

◇ a) Nein, ist nicht erfolgt.

◇ b) Ja, ist erfolgt. Es wird bestätigt, dass die betreffende Person gemäß den Rechtsvorschriften des Entscheidungsstaats persönlich oder über einen nach innerstaatlichem Recht befugten Vertreter von ihrem Recht, die Entscheidung anzufechten, und von den Fristen, innerhalb deren ein Rechtsmittel einzulegen ist, unterrichtet worden ist.

3. Bitte geben Sie an, ob die betreffende Person im Verfahren persönlich erschienen ist:

◇ a) Ja, ist erschienen.

◇ b) Nein, ist nicht erschienen. Es wird bestätigt,

◇ dass die betreffende Person persönlich oder über einen nach innerstaatlichem Recht befugten Vertreter gemäß den Rechtsvorschriften des Entscheidungsstaats über das Verfahren unterrichtet worden ist

oder

◇ dass die betreffende Person angegeben hat, dass sie die Entscheidung nicht anficht.

4. Teilentrichtung der Geldstrafe oder Geldbuße

Wenn bereits ein Teil der Geldstrafe oder Geldbuße dem Entscheidungsstaat oder — soweit der die Bescheinigung ausstellenden Behörde bekannt — in einem anderen Staat entrichtet wurde, so geben Sie bitte die Höhe des entrichteten Betrags an:

....

i) Ersatzstrafen, einschließlich Freiheitsstrafen

1. Bitte geben Sie an, ob der Entscheidungsstaat zulässt, dass im Vollstreckungsstaat Ersatzstrafen angeordnet werden, wenn die Entscheidung über die Zahlung einer Geldstrafe oder Geldbuße nicht oder nur teilweise vollstreckt werden kann:

◇ ja

◇ nein

2. Wenn ja, welche Ersatzstrafen können angeordnet werden (Art und Höchstmaße der Strafen):

◇ Freiheitsstrafe. Höchstdauer: ....

◇ Gemeinnützige Arbeit (oder Gleichwertiges). Höchstdauer: ....

◇ Andere Strafen. Beschreibung: ....

....

j) Sonstige für den Fall relevante Umstände (fakultative Angaben): ....

....

....

k) Der Wortlaut der Entscheidung über die Zahlung einer Geldstrafe oder Geldbuße ist der Bescheinigung beigefügt.

Unterschrift der ausstellenden Behörde und/oder ihres Vertreters zur Bestätigung der Richtigkeit des Inhalts der Bescheinigung: ....

....

Name: ....

Funktion (Titel/Dienstrang): ....

Datum: ....

(Gegebenenfalls) Amtlicher Stempel

EU-JZG

Anhang VII

Bescheinigung nach Art. 4 des Rahmenbeschlusses 2008/909/JI des Rates über die Anwendung des Grundsatzes der gegenseitigen Anerkennung auf Urteile in Strafsachen, durch die eine freiheitsentziehende Strafe oder Maßnahme verhängt wird, für die Zwecke ihrer Vollstreckung in der Europäischen Union

(Anm.: Anhang VII ist als PDF dokumentiert.)

Anhang VII

BESCHEINIGUNG

nach Artikel 4 des Rahmenbeschlusses 2008/909/JI des Rates vom 27. November 2008 über die Anwendung des Grundsatzes der gegenseitigen Anerkennung auf Urteile in Strafsachen, durch die eine freiheitsentziehende Strafe oder Maßnahme verhängt wird, für die Zwecke ihrer Vollstreckung in der Europäischen Union[1]

a) * Ausstellungsstaat: ....

* Vollstreckungsstaat: ....

b) Gericht, das das Urteil über die Verhängung der Sanktion, das rechtskräftig geworden ist, erlassen hat:

Offizielle Bezeichnung: ....

Das Urteil erging am (Angabe des Datums: TT-MM-JJJJ) ....

Das Urteil wurde rechtskräftig am (Angabe des Datums: TT-MM-JJJJ): ....

Aktenzeichen des Urteils (sofern vorliegend): ....

1 "Diese Bescheinigung muss in einer der Amtssprachen des Vollstreckungsmitgliedstaats oder einer anderen Sprache, mit der sich dieser Staat einverstanden erklärt hat, abgefasst oder in eine dieser Sprachen übersetzt sein."

c) Angaben zu der Behörde, die zu Fragen im Zusammenhang mit der Bescheinigung kontaktiert werden kann:

1. Art der Behörde: Zutreffendes bitte ankreuzen:

□ Zentralbehörde ....

□ Gericht ....

□ Sonstige Behörde ....

2. Kontaktdaten der unter Buchstabe c Nummer 1 angegebenen Behörde:

Offizielle Bezeichnung: ....

....

Anschrift: ....

....

Tel.-Nr. (Ländervorwahl) (Ortsnetzkennzahl) ....

Fax-Nr. (Ländervorwahl) (Ortsnetzkennzahl) ....

E-Mail (sofern vorhanden): ....

3. Sprachen, in denen mit der Behörde verkehrt werden kann:

4. Angaben zu der/den Person(en), die zu kontaktieren ist/sind, wenn zusätzliche Informationen für die Zwecke der Vollstreckung des Urteils oder für die Vereinbarung der Überstellungsmodalitäten eingeholt werden sollen (Name, Titel/Dienstrang, Tel.-Nr., Fax-Nr. und E-Mail), falls abweichend von Nummer 2: ....

....

....

d) Angaben zu der Person, über die die Sanktion verhängt wurde:

Name: ....

Vorname(n): ....

(ggf.) Geburtsname:..

(ggf.) Aliasname(n): ....

Geschlecht: ....

Staatsangehörigkeit: ....

Kennnummer oder Sozialversicherungsnummer (sofern vorhanden): ....

Geburtsdatum: ....

Geburtsort:..

Letzte bekannte Anschriften/Wohnsitze:..

Sprache(n), die die betreffende Person versteht (sofern bekannt): ....

....

Die verurteilte Person befindet sich:

□ im Ausstellungsstaat und soll in den Vollstreckungsstaat überstellt werden.

□ im Vollstreckungsstaat und die Vollstreckung soll in diesem Staat erfolgen.

....

Gegebenenfalls zusätzliche Angaben, sofern verfügbar:

1. Lichtbild und Fingerabdrücke der Person und/oder Kontaktdaten der zur Erlangung dieser Angaben zu kontaktierenden Person:

   ....

2. Art und Nummer des Personalausweises oder Passes der verurteilten Person:

   ....

3. Art und Nummer des Aufenthaltstitels der verurteilten Person:

   ....

4. Sonstige sachdienliche Angaben über familiäre, soziale oder berufliche Bindungen der verurteilten Person zum Vollstreckungsstaat:

   ....

   ....

e) Ersuchen des Ausstellungsstaats um vorläufige Festnahme (sofern sich die verurteilte Person im Vollstreckungsstaat befindet):

□ Der Ausstellungsstaat ersucht den Vollstreckungsstaat, die verurteilte Person in Haft zu nehmen oder jede andere Maßnahme zu treffen, um sicherzustellen, dass die verurteilte Person bis zu der Entscheidung über die Anerkennung des Urteils und die Vollstreckung der Sanktion in seinem Hoheitsgebiet verbleibt.

□ Der Ausstellungsstaat hat den Vollstreckungsstaat bereits ersucht, die verurteilte Person in Haft zu nehmen oder jede andere Maßnahme zu treffen, um sicherzustellen, dass die verurteilte Person bis zu der Entscheidung über die Anerkennung des Urteils und die Vollstreckung der Sanktion in seinem Hoheitsgebiet verbleibt. Bitte geben Sie gegebenenfalls den Namen der Behörde im Vollstreckungsstaat an, die die Entscheidung über das Ersuchen um Festnahme der Person getroffen hat (sofern bekannt):

....

....

....

f) Zusammenhang mit einem früheren Europäischen Haftbefehl:

☐ Ein Europäischer Haftbefehl ist zur Vollstreckung einer Freiheitsstrafe oder einer freiheitsentziehenden Maßregel der Sicherung ausgestellt worden und der Vollstreckungsmitgliedstaat verpflichtet sich, die Strafe oder Maßregel der Sicherung zu vollstrecken (Artikel 4 Absatz 6 des Rahmenbeschlusses über den Europäischen Haftbefehl).

Ausstellungsdatum des Europäischen Haftbefehls und, sofern vorliegend, Aktenzeichen:

....

Bezeichnung der Behörde, die den Europäischen Haftbefehl ausgestellt hat:

....

Datum der Entscheidung über die Vollstreckung und, sofern vorliegend, Aktenzeichen:

....

Bezeichnung der Behörde, die die Entscheidung über die Vollstreckung der Sanktion getroffen hat:

....

☐ Ein Europäischer Haftbefehl wurde zwecks Strafverfolgung einer Person ausgestellt, die Staatangehöriger des Vollstreckungsstaats ist oder in diesem wohnhaft ist, und der Vollstreckungsstaat hat die Person unter der Voraussetzung übergeben, dass sie zur Verbüßung der Freiheitsstrafe oder der freiheitsentziehenden Maßregel der Sicherung, die im Ausstellungsmitgliedstaat gegen sie verhängt wird, in den Vollstreckungsstaat rücküberstellt wird (Artikel 5 Absatz 3 des Rahmenbeschlusses über den Europäischen Haftbefehl).

Datum der Entscheidung über die Übergabe der Person: ....

Bezeichnung der Behörde, die die Entscheidung über die Übergabe gefällt hat:

....

Aktenzeichen der Entscheidung (sofern vorliegend): ....

Datum der Übergabe der Person (sofern vorliegend): ....

g) Gründe für die Übermittlung des Urteils und der Bescheinigung (falls Sie Feld f ausgefüllt haben, brauchen Sie dieses Feld nicht auszufüllen):

Das Urteil und die Bescheinigung werden an den Vollstreckungsstaat übermittelt, da die ausstellende Behörde sich vergewissert hat, dass die Vollstreckung der verhängten Sanktion durch den Vollstreckungsstaat der Erleichterung der Resozialisierung der verurteilten Person dient und:

□ (a) Der Vollstreckungsstaat ist der Staat der Staatsangehörigkeit der verurteilten Person, in dem sie lebt.

□ (b) Der Vollstreckungsstaat ist der Staat der Staatsangehörigkeit der verurteilten Person, in den die verurteilte Person aufgrund einer Ausweisungs- oder Abschiebungsanordnung, die im Urteil oder in einer infolge des Urteils getroffenen gerichtlichen Entscheidung oder Verwaltungsentscheidung oder anderen Maßnahme enthalten ist, nach der Entlassung aus dem Strafvollzug abgeschoben werden wird. Ist die Ausweisungs- oder Abschiebungsanordnung nicht im Urteil enthalten, so geben Sie bitte die Bezeichnung der Behörde, die die Anordnung ausgestellt hat, das Ausstellungsdatum und – sofern vorliegend – das Aktenzeichen an: ………………...

□ (c) Der Vollstreckungsstaat ist ein Staat, auf den die Buchstaben a oder b nicht zutreffen und dessen zuständige Behörde der Übermittlung des Urteils und der Bescheinigung an diesen Staat zustimmt.

□ (d) Der Vollstreckungsstaat hat eine Erklärung nach Artikel 4 Absatz 7 des Rahmenbeschlusses abgegeben, und:

- □ es wird bestätigt, dass die verurteilte Person nach Kenntnis der zuständigen Behörde des Ausstellungsstaats im Vollstreckungsstaat lebt und dort seit mindestens fünf Jahren ununterbrochen ihren rechtmäßigen Aufenthalt hat und ihr Recht auf unbefristeten Aufenthalt in diesem Staat behalten wird, oder

- □ es wird bestätigt, dass die verurteilte Person die Staatsangehörigkeit des Vollstreckungsstaats besitzt.

EU-JZG

h) Urteil über die Verhängung der Sanktion:

1. Das Urteil umfasst insgesamt …. Straftaten.

Zusammenfassende Darstellung des Sachverhalts und Beschreibung der Umstände, unter denen die Straftat(en) begangen wurde(n), einschließlich Tatzeit und Tatort, und Art der Beteiligung der verurteilten Person:

……………………………………………………………………………………………

……………………………………………………………………………………………

……………………………………………………………………………………………

……………………………………………………………………………………………

Art und rechtliche Würdigung der Straftat(en) und anwendbare gesetzliche Bestimmungen, auf deren Grundlage das Urteil ergangen ist:

……………………………………………………………………………………………

……………………………………………………………………………………………

……………………………………………………………………………………………

2. Sofern es sich bei der/den unter Buchstabe h Nummer 1 genannten Straftat(en) um eine oder mehrere der folgenden Straftaten handelt, die im Ausstellungsstaat nach der Ausgestaltung in dessen Recht mit einer Freiheitsstrafe oder einer freiheitsentziehenden Maßregel der Sicherung im Höchstmaß von mindestens drei Jahren bedroht sind, kreuzen Sie bitte Zutreffendes an:

☐ Beteiligung an einer kriminellen Vereinigung;

☐ Terrorismus;

☐ Menschenhandel;

☐ sexuelle Ausbeutung von Kindern und Kinderpornografie;

☐ illegaler Handel mit Drogen und psychotropen Stoffen;

EU-JZG

- ☐ illegaler Handel mit Waffen, Munition und Sprengstoffen;
- ☐ Korruption;
- ☐ Betrugsdelikte, einschließlich Betrug zum Nachteil der finanziellen Interessen der Europäischen Gemeinschaften im Sinne des Übereinkommens vom 26. Juli 1995 über den Schutz der finanziellen Interessen der Europäischen Gemeinschaften;
- ☐ Wäsche von Erträgen aus Straftaten;
- ☐ Geldfälschung, einschließlich der Euro-Fälschung;
- ☐ Cyberkriminalität;
- ☐ Umweltkriminalität, einschließlich des illegalen Handels mit bedrohten Tierarten oder mit bedrohten Pflanzen- und Baumarten;
- ☐ Beihilfe zur illegalen Einreise und zum illegalen Aufenthalt;
- ☐ vorsätzliche Tötung, schwere Körperverletzung;
- ☐ illegaler Handel mit menschlichen Organen und menschlichem Gewebe;
- ☐ Entführung, Freiheitsberaubung und Geiselnahme;
- ☐ Rassismus und Fremdenfeindlichkeit;
- ☐ Diebstahl in organisierter Form oder mit Waffen;
- ☐ illegaler Handel mit Kulturgütern, einschließlich Antiquitäten und Kunstgegenständen;
- ☐ Betrug;
- ☐ Erpressung und Schutzgelderpressung;

- ☐ Nachahmung und Produktpiraterie;
- ☐ Fälschung von amtlichen Dokumenten und Handel damit;
- ☐ Fälschung von Zahlungsmitteln;
- ☐ illegaler Handel mit Hormonen und anderen Wachstumsförderern;
- ☐ illegaler Handel mit nuklearen und radioaktiven Substanzen;
- ☐ Handel mit gestohlenen Kraftfahrzeugen;
- ☐ Vergewaltigung;
- ☐ Brandstiftung;
- ☐ Verbrechen, die in die Zuständigkeit des Internationalen Strafgerichtshofs fallen;
- ☐ Flugzeug- und Schiffsentführung;
- ☐ Sabotage.

3. Sofern die unter Nummer 1 genannte(n) Straftat(en) nicht unter Nummer 2 aufgeführt ist/sind oder falls das Urteil und die Bescheinigung an einen Mitgliedstaat übermittelt werden, der erklärt hat, dass er die beiderseitige Strafbarkeit prüfen wird (Artikel 7 Absatz 4 des Rahmenbeschlusses), geben Sie bitte eine vollständige Beschreibung der betreffenden Straftat(en):

   ....

   ....

   ....

i) Information über das Urteil, mit dem die Sanktion verhängt wurde:

1. Geben Sie an, ob die Person zu der Verhandlung, die zu der Entscheidung geführt hat, persönlich erschienen ist:

1. ☐ Ja, die Person ist zu der Verhandlung, die zu der Entscheidung geführt hat, persönlich erschienen.

2. ☐ Nein, die Person ist zu der Verhandlung, die zu der Entscheidung geführt hat, nicht persönlich erschienen.

3. Bitte geben Sie zu der unter Nummer 2 angekreuzten Möglichkeit an, dass eine der folgenden Möglichkeiten zutrifft:

☐ 3.1a. die Person wurde am … (Tag/Monat/Jahr) persönlich vorgeladen und dabei von dem vorgesehenen Termin und Ort der Verhandlung in Kenntnis gesetzt, die zu der Entscheidung geführt hat, sowie davon in Kenntnis gesetzt, dass eine Entscheidung auch dann ergehen kann, wenn sie zu der Verhandlung nicht erscheint;

ODER

☐ 3.1b. die Person wurde nicht persönlich vorgeladen, aber auf andere Weise tatsächlich offiziell von dem vorgesehenen Termin und Ort der Verhandlung, die zu der Entscheidung geführt hat, in Kenntnis gesetzt, und zwar auf eine Weise, dass zweifelsfrei nachgewiesen wurde, dass sie von der anberaumten Verhandlung Kenntnis hatte, sowie davon in Kenntnis gesetzt, dass eine Entscheidung auch dann ergehen kann, wenn sie zu der Verhandlung nicht erscheint;

ODER

☐ 3.2. die Person hat in Kenntnis der anberaumten Verhandlung ein Mandat an einen Rechtsbeistand, der entweder von der betroffenen Person oder vom Staat bestellt wurde, erteilt, sie bei der Verhandlung zu verteidigen, und ist bei der Verhandlung von diesem Rechtsbeistand tatsächlich verteidigt worden;

ODER

☐ 3.3. der Person wurde die Entscheidung am … (Tag/Monat/Jahr) zugestellt und sie wurde ausdrücklich von ihrem Recht auf Wiederaufnahme des Verfahrens oder auf ein Berufungsverfahren in Kenntnis gesetzt, an dem die Person teilnehmen kann und bei dem der Sachverhalt, einschließlich neuer Beweismittel, erneut geprüft werden und die ursprünglich ergangene Entscheidung aufgehoben werden kann, und

☐ die Person hat ausdrücklich erklärt, dass sie die Entscheidung nicht anficht;

ODER

☐ die Person hat innerhalb der geltenden Frist keine Wiederaufnahme des Verfahrens bzw. kein Berufungsverfahren beantragt;

4. Bitte geben Sie zu der unter Nummer 3.1b, 3.2 oder 3.3 angekreuzten Möglichkeit an, wie die entsprechende Voraussetzung erfüllt wurde: ……

EU-JZG

2. Angaben zur Dauer der Sanktion:
2.1. Gesamtdauer der Sanktion (in Tagen): ……………………………………………
2.2. Gesamtzeit des Freiheitsentzugs, der im Zusammenhang mit der Sanktion, die mit dem Urteil verhängt wurde, bereits verbüßt wurde (in Tagen):
.... am (…) (Angabe des Tags, an dem die Berechnung erfolgt ist: TT MM JJJJ): ……………………
2.3. Anzahl der Tage, die von der Gesamtdauer der Sanktion aus anderen als den unter Nummer 2.2. genannten Gründen (z.B. Amnestie, Begnadigung oder Gnadenakte usw., die in Bezug auf die Sanktion bereits gewährt wurden) abzuziehen sind: ………… am (Angabe des Tags, an dem die Berechnung erfolgt ist: TT-MM-JJJJ) ……………………..
2.4. Datum, an dem die Sanktion im Ausstellungsstaat verbüßt sein wird:
☐ Nicht zutreffend, da sich die Person derzeit nicht in Haft befindet.
☐ Die Person befindet sich derzeit in Haft, und die Sanktion wird nach dem Recht des Ausstellungsstaats am …………………… (Angabe des Datums: TT-MM-JJJJ)[1] vollständig verbüßt sein. :……………………
3. Art der Sanktion:

1 "Bitte setzen Sie hier das Datum ein, an dem die Sanktion vollständig verbüßt wäre (ohne Berücksichtigung aller Formen der möglichen vorzeitigen und/oder bedingten Entlassung), sofern die Person im Ausstellungsstaat verbleibt."

☐ Freiheitsstrafe
☐ freiheitsentziehende Maßnahme (bitte angeben):
....

j) Angabe zur vorzeitigen oder bedingten Entlassung:
1. Die verurteilte Person hat nach dem Recht des Ausstellungsstaats Anspruch auf vorzeitige oder bedingte Entlassung nach Verbüßung:
☐ der Hälfte der Strafe
☐ von zwei Dritteln der Strafe
☐ eines sonstigen Teils der Strafe (bitte angeben):
2. Die zuständige Behörde des Ausstellungsstaats ersucht um Unterrichtung über Folgendes:
☐ geltende Bestimmungen des Rechts des Vollstreckungsstaats für eine vorzeitige oder bedingte Entlassung der verurteilten Person;
☐ Beginn und Ende des Zeitraums für die vorzeitige oder bedingte Entlassung.
k) Stellungnahme der verurteilten Person:
1. ☐ Die verurteilte Person konnte nicht gehört werden, weil sie sich bereits im Vollstreckungsstaat befindet.
2. ☐ Die verurteilte Person befindet sich im Ausstellungsstaat und
a. ☐ sie hat um Übermittlung des Urteils und der Bescheinigung ersucht
☐ sie hat der Übermittlung des Urteils und der Bescheinigung zugestimmt
☐ sie hat der Übermittlung des Urteils und der Bescheinigung nicht zugestimmt (bitte geben Sie die von der verurteilten Person genannten Gründe an):
....
....
b. ☐ Die Stellungnahme der verurteilten Person ist beigefügt.
☐ Die Stellungnahme der verurteilten Person wurde dem Vollstreckungsstaat bereits am (Angabe des Datums: TT-MM-JJJJ) übermittelt: ....
l) Sonstige für den Fall relevante Umstände (fakultative Angaben):
....
....
m) Abschließende Angaben:
Der Wortlaut des Urteils (der Urteile) ist der Bescheinigung beigefügt.[1]
Unterschrift der die Bescheinigung ausstellenden Behörde und/oder ihres Vertreters zur Bestätigung der Richtigkeit des Inhalts der Bescheinigung:
Name:
Funktion (Titel/Dienstrang):
Datum:

(Gegebenenfalls) Amtlicher Stempel

EU-JZG

1 Die zuständige Behörde des Ausstellungsstaats muss alle zu der Strafsache ergangenen Urteile beifügen, damit alle erforderlichen Angaben in Bezug auf das zu vollstreckende rechtskräftige Urteil vorliegen. Vorhandene Übersetzungen des Urteils bzw. der Urteile können ebenfalls beigefügt werden.

Anhang VIII

Formblatt zur Unterrichtung der verurteilten Person

(Anm.: Anhang VIII ist als PDF dokumentiert.)

BGBl. I - Ausgegeben am 27. Dezember 2011 - Nr. 134 1 von 1

Anhang VIII

UNTERRICHTUNG DER VERURTEILTEN PERSON

Sie werden hiermit von der Entscheidung des/der: ………………………………….. (zuständige Behörde des Ausstellungsstaats) unterrichtet, das Urteil des .... (zuständiges Gericht des Ausstellungsstaats) vom .... (Datum des Urteils), ... (Aktenzeichen, sofern vorliegend),

an .... (Vollstreckungsstaat) zu übermitteln zum Zwecke seiner Anerkennung und der Vollstreckung der darin verhängten Sanktion gemäß den einzelstaatlichen Rechtsvorschriften zur Umsetzung des Rahmenbeschlusses des Rates 2008/909/JI vom 27. November 2008 über die Anwendung des Grundsatzes der gegenseitigen Anerkennung von Urteilen in Strafsachen, durch die eine freiheitsentziehende Strafe oder Maßnahme verhängt wird, für die Zwecke ihrer Vollstreckung in der Europäischen Union.

Auf die Vollstreckung der Sanktion ist das Recht... (Vollstreckungsstaat) anwendbar. Die Behörden dieses Staates können über die Vollstreckungsverfahren entscheiden und die damit zusammenhängenden Maßnahmen bestimmen; dies gilt auch für die Gründe für die vorzeitige oder bedingte Entlassung.

Die zuständige Behörde in .... (Vollstreckungsstaat) muss die volle Dauer des Freiheitsentzugs, der im Zusammenhang mit der Sanktion bereits verbüßt wurde, auf die Gesamtdauer des Freiheitsentzugs, der zu verbüßen ist, anrechnen. Die zuständige Behörde in .... (Vollstreckungsstaat) kann eine Anpassung der Sanktion nur dann vornehmen, wenn sie hinsichtlich ihrer Dauer oder Art mit dem Recht dieses Staates unvereinbar ist. Die angepasste Sanktion darf Art oder Dauer der in .... (Ausstellungsstaat) verhängten Sanktion nicht verschärfen.

Anhang IX

Formblatt nach den Artikeln 6, 7, 8, 9 und 10 des Rahmenbeschlusses des Rates 2009/315/JI des Rates über die Durchführung und den Inhalt des Austauschs von Informationen aus dem Strafregister zwischen den Mitgliedstaaten

(Anm.: Anhang IX ist als PDF dokumentiert.

Die Novellierungsanweisung Art. 7 der Novelle BGBl. I Nr. 120/2016 konnte nicht eingearbeitet werden und lautet: „Soweit in Bundesgesetzen auf den Begriff „Nachname“ in der jeweiligen grammatikalischen Form Bezug genommen wird, tritt mit Wirkung vom 1. April 2017 an dessen Stelle der Begriff „Familienname“ in der jeweiligen grammatikalisch richtigen Form.“.)

Anhang IX

Formblatt nach den Artikeln 6, 7, 8, 9 und 10

des Rahmenbeschluss 2009/315/JI des Rates vom 26.2.2009 über die Durchführung und den Inhalt des Austauschs von Informationen aus dem Strafregister zwischen den Mitgliedstaaten, ABl. L 2009/93, 23.

Ersuchen von Informationen aus dem Strafregister

Zum ordnungsgemäßen Ausfüllen dieses Formblatts müssen die Mitgliedstaaten das Verfahrenshandbuch heranziehen.

a) Angaben zum ersuchenden Mitgliedstaat:

Mitgliedstaat:

Zentralbehörde(n):

Kontaktperson:

Telefon (mit Vorwahl):

Fax (mit Vorwahl):

E-Mail:

Postanschrift:

Aktenzeichen, soweit verfügbar:

b) Angaben zur Identität der Person, auf die sich das Ersuchen bezieht[1]:

Vollständiger Name (alle Vorname und alle Nachnamen):

Frühere Namen:

Pseudonym und/oder Aliasname, soweit vorhanden:

Geschlecht: M �F �

Staatsangehörigkeit:

Geburtsdatum (in Ziffern: TT/MM/JJJJ):

Geburtsort (Stadt und Staat):

Name des Vaters:

Name der Mutter:

Wohnsitz oder bekannte Anschrift:

Identitätsnummer der Person oder Art und Nummer des Identitätsdokuments der Person:

Fingerabdrücke:

Sonstige verfügbare Identifizierungsdaten:

c) Zweck des Ersuchens:

Zutreffendes bitte ankreuzen

1) �Strafverfahren (bitte Angabe der Behörde, vor der das Verfahren anhängig ist, und – soweit verfügbar – des Aktenzeichens der Strafsache)

....

....

2) �Ersuchen außerhalb des Kontextes eines Strafverfahrens (bitte Angabe der Behörde, vor der das Verfahren anhängig ist, und – soweit verfügbar – des Aktenzeichens der Strafsache; Zutreffendes bitte ankreuzen):

i) □ Ersuchen einer Justizbehörde

....

....

ii) □ Ersuchen einer zuständigen Verwaltungsbehörde

....

....

1 Zur leichteren Identifizierung der Person sollen so viele Informationen wie möglich bereitgestellt

www.ris.bka.gv.at

EU-JZG

iii) □ Ersuchen der betroffenen Person um Informationen aus dem eigenen Strafregister …………………………………………………………………………………… …………………………………………………………………………………… Zweck des Informationsersuchens: Ersuchende Behörde: � Die betroffene Person stimmt der Weitergabe der Informationen nicht zu (falls die betroffene Person nach dem Recht des ersuchenden Mitgliedstaats um Zustimmung ersucht wurde). Kontaktperson für etwaige erforderliche Zusatzinformationen: Name: Telefon: E-Mail: Sonstige Angaben (z.B. Dringlichkeit des Ersuchens):
Beantwortung des Ersuchens Angaben zu der betroffenen Person Zutreffendes bitte ankreuzen Die unterzeichnete Behörde bestätigt, dass � im Strafregister der betroffenen Person keine Informationen über Verurteilungen enthalten sind � im Strafregister der betroffenen Person Informationen über Verurteilungen enthalten sind; ein Strafregisterauszug ist beigefügt � dass im Strafregister der betroffenen Person weitere Informationen eingetragen sind; diese Informationen sind beigefügt (fakultativ) � dass im Strafregister der genannten Person Informationen über Verurteilungen enthalten sind, aber der Urteilsmitgliedstaat mitgeteilt hat, dass die diesbezüglichen Informationen nicht zu anderen Zwecken als einem Strafverfahren übermittelt werden dürfen. Ein Ersuchen um weitere Informationen kann direkt übermittelt werden an ………………… (bitte den Urteilsmitgliedstaat angeben) � ein Ersuchen, das zu anderen Zwecken als einem Strafverfahren gestellt wird, nach Maßgabe des innerstaatlichen Rechts des ersuchten Mitgliedstaats nicht bearbeitet werden darf. Kontaktperson für etwaige erforderliche Zusatzinformationen: Name: Telefon: E-Mail: Sonstige Angaben (Beschränkungen der Datennutzung bei Auskunftsersuchen außerhalb des Kontextes von Strafverfahren): ………………………………………………………….. Bitte geben Sie die Anzahl der dem Antwortformblatt beigefügten Seiten an: ………..… Ausgefertigt in am Unterschrift und (gegebenenfalls) Amtsstempel: Name und Funktion/ Organisation: Gegebenenfalls ist ein Strafregisterauszug beizufügen und dem ersuchenden Mitgliedstaat zusammen mit der Antwort zuzuleiten. Eine Übersetzung des Formblatts und des Strafregisterauszugs in die Sprache des ersuchenden Mitgliedstaats ist nicht erforderlich.

EU-JZG

Anhang X

Formblatt nach Artikel 6 des Rahmenbeschlusses 2008/947/JI des Rates über die Anwendung des Grundsatzes der gegenseitigen Anerkennung auf Urteile und Bewährungsentscheidungen im Hinblick auf die Überwachung von Bewährungsmaßnahmen und alternativen Sanktionen

(Anm.: Anhang X ist als PDF dokumentiert.)

ANHANG I

BESCHEINIGUNG

nach Artikel 6 des Rahmenbeschlusses 2008/947/JI des Rates vom 27. November 2008 über die Anwendung des Grundsatzes der gegenseitigen Anerkennung auf Urteile und Bewährungsentscheidungen im Hinblick auf die Überwachung von Bewährungsmaßnahmen und alternativen Sanktionen (1)

a) Ausstellungsstaat:
Vollstreckungsstaat:

b) Gericht, das das Urteil mit Bewährungsstrafe, bedingter Verurteilung oder alternativer Sanktion erlassen hat:
Offizielle Bezeichnung:
Bitte angeben, bei welcher der nachfolgenden Stellen zusätzliche Informationen zu dem Urteil eingeholt werden können:
☐ oben angegebenes Gericht
☐ Zentralbehörde; falls dieses Feld angekreuzt wurde, bitte die offizielle Bezeichnung der Zentralbehörde angeben:
☐ sonstige zuständige Behörde; falls dieses Feld angekreuzt wurde, bitte die offizielle Bezeichnung der Behörde angeben:
Kontaktdaten des Gerichts/der Zentralbehörde/der sonstigen zuständigen Behörde
Anschrift:
Tel.: (Ländervorwahl) (Ortsnetzkennzahl)
Fax: (Ländervorwahl) (Ortsnetzkennzahl)
Fax: (Ländervorwahl) (Ortsnetzkennzahl)
Familienname:
Vorname(n):
Funktion (Titel/Dienstrang):
Tel.: (Ländervorwahl) (Ortsnetzkennzahl)
Fax: (Ländervorwahl) (Ortsnetzkennzahl)
E-Mail (sofern vorhanden):
Sprachen, in denen verkehrt werden kann:

c) Behörde, die die Bewährungsentscheidung erlassen hat (sofern zutreffend)
Offizielle Bezeichnung:
Bitte angeben, bei welcher der nachfolgenden Stellen zusätzliche Informationen zu der Bewährungsentscheidung eingeholt werden können:
☐ oben angegebene Behörde
☐ Zentralbehörde; falls dieses Feld angekreuzt wurde, bitte die offizielle Bezeichnung der Zentralbehörde angeben, sofern diese Angabe nicht bereits unter Buchstabe b erfolgt ist:
☐ sonstige zuständige Behörde; falls dieses Feld angekreuzt wurde, bitte die offizielle Bezeichnung der Behörde angeben
Kontaktdaten der Behörde, Zentralbehörde oder sonstigen zuständigen Behörde, sofern diese Angaben nicht bereits unter Buchstabe b erfolgt sind
Anschrift:
Tel.: (Ländervorwahl) (Ortsnetzkennzahl)
Fax: (Ländervorwahl) (Ortsnetzkennzahl)
Angaben zu der/den Person(en), die zu kontaktieren ist/sind
Angaben zu der/den Person(en), die zu kontaktieren ist/sind
Vorname(n):
Funktion (Titel/Dienstrang):
Tel.: (Ländervorwahl) (Ortsnetzkennzahl)
Fax: (Ländervorwahl) (Ortsnetzkennzahl)
E-Mail (sofern vorhanden):
Sprachen, in denen verkehrt werden kann:

(1) Diese Bescheinigung muss in der Amtssprache oder einer der Amtssprachen des Vollstreckungsmitgliedstaats oder einer anderen Amtssprache der Organe der Europäischen Union, mit der sich dieser Staat einverstanden erklärt hat, abgefasst oder in eine dieser Sprachen übersetzt sein.

d) Zuständige Behörde für die Überwachung der Bewährungsmaßnahmen oder alternativen Sanktionen

Behörde, die im Ausstellungsstaat für die Überwachung der Bewährungsmaßnahmen oder der alternativen Sanktionen zuständig ist:

☐ Es handelt sich um das/die unter Buchstabe b genannte Gericht/Behörde.

☐ Es handelt sich um die unter Buchstabe c genannte Behörde

☐ Es handelt sich eine sonstige Behörde (bitte offizielle Bezeichnung angeben):

Bitte angeben, welche Behörde zu kontaktieren ist, wenn zusätzliche Informationen für die Zwecke der Überwachung der Bewährungsmaßnahmen oder alternativen Sanktionen eingeholt werden sollen:

☐ oben genannte Behörde

☐ Zentralbehörde; falls dieses Feld angekreuzt wurde, bitte die offizielle Bezeichnung der Zentralbehörde angeben, sofern diese Angabe nicht bereits unter Buchstabe b oder c erfolgt ist:

Kontaktdaten der Behörde oder der Zentralbehörde, sofern diese Angaben nicht bereits unter Buchstabe b oder c erfolgt sind

Anschrift:

Tel.: (Ländervorwahl) (Ortsnetzkennzahl)

Fax: (Ländervorwahl) (Ortsnetzkennzahl)

Angaben zu der/den Person(en), die zu kontaktieren ist/sind

Familienname:

Vorname(n):

Funktion (Titel/Dienstrang):

Tel.: (Ländervorwahl) (Ortsnetzkennzahl)

Fax: (Ländervorwahl) (Ortsnetzkennzahl)

E-Mail (sofern vorhanden):

Sprachen, in denen verkehrt werden kann:

e) Angaben zu der natürlichen Person, gegen die das Urteil oder gegebenenfalls die Bewährungsentscheidung ergangen ist

Familienname:

Vorname(n):

Ggf. Geburtsname:

Ggf. Aliasname(n):

Geschlecht:

Staatsangehörigkeit:

Kennnummer oder Sozialversicherungsnummer (sofern vorhanden):

Geburtsdatum:

Geburtsort:

Letzte bekannte Anschriften/Aufenthaltsorte (sofern vorhanden):

— im Ausstellungsstaat:

— im Vollstreckungsstaat:

— in sonstigen Staaten:

Sprache oder Sprachen, die die betreffende Person versteht (sofern bekannt):

Sofern vorhanden, bitte Folgendes angeben:

— Art und Nummer des Identitätsdokuments/der Identitätsdokumente der verurteilten Person (Personalausweis, Pass):

— Art und Nummer des Aufenthaltstitels der verurteilten Person im Vollstreckungsstaat:

f) Angaben zu dem Mitgliedstaat, an den das Urteil und gegebenenfalls die Bewährungsentscheidung sowie die Bescheinigung übermittelt werden

Das Urteil und gegebenenfalls die Bewährungsentscheidung sowie die Bescheinigung werden aus folgendem Grund an den unter Buchstabe a angegebenen Vollstreckungsstaat übermittelt:

☐ Die verurteilte Person hat im Vollstreckungsstaat ihren rechtmäßigen gewöhnlichen Aufenthalt und ist in diesen Staat zurückgekehrt oder beabsichtigt, in diesen Staat zurückzukehren

☐ die verurteilte Person ist aus dem/den folgenden Grund/Gründen in den Vollstreckungsstaat umgezogen oder strebt einen solchen Umzug an (Zutreffendes bitte ankreuzen):

- ☐ die verurteilte Person hat im Vollstreckungsstaat einen Arbeitsvertrag erhalten;
- ☐ die verurteilte Person ist Familienangehöriger einer Person mit rechtmäßigem gewöhnlichem Aufenthalt im Vollstreckungsstaat;
- ☐ die verurteilte Person beabsichtigt, im Vollstreckungsstaat ein Studium aufzunehmen oder eine Ausbildung zu beginnen;
- ☐ sonstiger Grund (bitte im Einzelnen angeben):

g) Angaben zu dem Urteil und gegebenenfalls der Bewährungsentscheidung

Das Urteil wurde erlassen am (Angabe des Datums: TT-MM-JJJJ):

Sofern zutreffend: Die Bewährungsentscheidung wurde erlassen am (Angabe des Datums: TT-MM-JJJJ):

Das Urteil wurde rechtskräftig am (Angabe des Datums: TT-MM-JJJJ):

Sofern zutreffend: Die Bewährungsentscheidung wurde rechtskräftig am (Angabe des Datums: TT-MM-JJJJ):

Die Vollstreckung des Urteils begann am (falls abweichend von dem Tag, an dem das Urteil rechtskräftig wurde) (Angabe des Datums: TT-MM-JJJJ):

Sofern zutreffend: Die Vollstreckung der Bewährungsentscheidung begann am (falls abweichend von dem Tag, an dem die Bewährungsentscheidung rechtskräftig wurde) (Angabe des Datums: TT-MM-JJJJ):

Aktenzeichen des Urteils (sofern vorhanden):

Sofern zutreffend: Aktenzeichen der Bewährungsentscheidung (sofern vorhanden):

1. Das Urteil umfasst insgesamt .... Straftaten.

   Zusammenfassung des Sachverhalts und Beschreibung der Umstände, unter denen die Straftat(en) begangen wurde(n), einschließlich Tatzeit und Tatort, und Art der Beteiligung der verurteilten Person:

   Art und rechtliche Würdigung der Straftat(en) und anwendbare gesetzliche Bestimmungen, auf deren Grundlage das Urteil erlassen wurde:

2. Sofern es sich bei der/den unter Nummer 1 genannten Straftat(en) um eine oder mehrere der folgenden — nach dem Recht des Ausstellungsstaats definierten — Straftaten handelt, die im Ausstellungsstaat mit einer freiheitsentziehenden Strafe oder Maßnahme der Sicherung im Höchstmaß von mindestens drei Jahren bedroht sind, kreuzen Sie bitte Zutreffendes an:

   - ☐ Beteiligung an einer kriminellen Vereinigung
   - ☐ Terrorismus
   - ☐ Menschenhandel
   - ☐ sexuelle Ausbeutung von Kindern und Kinderpornografie
   - ☐ illegaler Handel mit Drogen und psychotropen Stoffen
   - ☐ illegaler Handel mit Waffen, Munition und Sprengstoffen
   - ☐ Korruption
   - ☐ Betrugsdelikte, einschließlich Betrug zum Nachteil der finanziellen Interessen der Europäischen Gemeinschaften im Sinne des Übereinkommens vom 26. Juli 1995 über den Schutz der finanziellen Interessen der Europäischen Gemeinschaften
   - ☐ Wäsche von Erträgen aus Straftaten
   - ☐ Geldfälschung, einschließlich der Euro-Fälschung
   - ☐ Cyberkriminalität
   - ☐ Umweltkriminalität, einschließlich des illegalen Handels mit bedrohten Tierarten oder mit bedrohten Pflanzen- und Baumarten

- ☐ Beihilfe zur illegalen Einreise und zum illegalen Aufenthalt
- ☐ vorsätzliche Tötung, schwere Körperverletzung
- ☐ illegaler Handel mit menschlichen Organen und menschlichem Gewebe
- ☐ Entführung, Freiheitsberaubung und Geiselnahme
- ☐ Rassismus und Fremdenfeindlichkeit
- ☐ Diebstahl in organisierter Form oder mit Waffen
- ☐ illegaler Handel mit Kulturgütern, einschließlich Antiquitäten und Kunstgegenständen
- ☐ Betrug
- ☐ Erpressung und Schutzgelderpressung
- ☐ Nachahmung und Produktpiraterie
- ☐ Fälschung von amtlichen Dokumenten und Handel damit
- ☐ Fälschung von Zahlungsmitteln
- ☐ illegaler Handel mit Hormonen und anderen Wachstumsförderern
- ☐ illegaler Handel mit nuklearen und radioaktiven Substanzen
- ☐ Handel mit gestohlenen Kraftfahrzeugen
- ☐ Vergewaltigung
- ☐ Brandstiftung
- ☐ Verbrechen, die in die Zuständigkeit des Internationalen Strafgerichtshofs fallen
- ☐ Flugzeug- und Schiffsentführung
- ☐ Sabotage

3. Sofern die unter Nummer 1 genannte(n) Straftat(en) nicht unter Nummer 2 aufgeführt ist/sind oder falls das Urteil und gegebenenfalls die Bewährungsentscheidung sowie die Bescheinigung an einen Mitgliedstaat übermittelt werden, der erklärt hat, dass er die beiderseitige Strafbarkeit prüfen wird (Artikel 10 Absatz 4 des Rahmenbeschlusses), geben Sie bitte eine vollständige Beschreibung der betreffenden Straftat(en):

h) Information über den Status des Urteils

Bitte geben Sie an, ob die verurteilte Person im Verfahren, das zu dem Urteil geführt hat, persönlich erschienen ist:

☐ Ja, ist erschienen.

☐ Nein, ist nicht erschienen. Es wird bestätigt, dass

- ☐ die betreffende Person persönlich vorgeladen war oder über einen nach den nationalen Rechtsvorschriften des Ausstellungsstaats zuständigen Vertreter vom Termin und vom Ort der Verhandlung, die zu dem Abwesenheitsurteil geführt hat, unterrichtet worden ist; oder
- ☐ die betreffende Person gegenüber einer zuständigen Behörde angegeben hat, dass sie die Entscheidung nicht anficht.

EU-JZG

i) Angaben zur Art der Strafe oder gegebenenfalls der Bewährungsentscheidung

1. Die Bescheinigung bezieht sich auf eine:

☐ Bewährungsstrafe (= Freiheitsstrafe oder freiheitsentziehende Maßnahme, deren Vollstreckung anlässlich der Verurteilung ganz oder teilweise bedingt ausgesetzt wird)

☐ bedingte Verurteilung:

☐ die Straffestsetzung wurde dadurch bedingt zurückgestellt, dass eine oder mehrere Bewährungsmaßnahmen auferlegt wurden

☐ es wurden eine oder mehrere Bewährungsmaßnahmen statt einer Freiheitsstrafe oder einer freiheitsentziehenden Maßnahme auferlegt

☐ alternative Sanktion:

☐ das Urteil enthält eine Freiheitsstrafe oder freiheitsentziehende Maßnahme, die bei einem Verstoß gegen die betreffende(n) Auflage(n) oder Weisung(en) zu vollstrecken ist

☐ das Urteil enthält keine Freiheitsstrafe oder freiheitsentziehende Maßnahme, die bei einem Verstoß gegen die betreffende(n) Auflage(n) oder Weisung(en) zu vollstrecken ist

☐ bedingte Entlassung (= vorzeitige Entlassung einer verurteilten Person nach Verbüßung eines Teils einer Freiheitsstrafe oder freiheitsentziehenden Maßnahme)

2. Zusätzliche Informationen

2.1. Die verurteilte Person befand sich in folgendem Zeitraum in Untersuchungshaft:

2.2. Die Person befand sich in folgendem Zeitraum in Strafhaft oder im Vollzug einer freiheitsentziehenden Maßnahme (nur bei bedingter Entlassung auszufüllen):

2.3. Im Falle einer Bewährungsstrafe

— Dauer der verhängten Freiheitsstrafe, die bedingt ausgesetzt wurde:

— Dauer der Bewährungszeit:

2.4. Sofern bekannt, Dauer des zu verbüßenden Freiheitsentzugs nach

— Widerruf der Aussetzung der Vollstreckung des Urteils,

— Widerruf der Entscheidung über die bedingte Freilassung oder

— Verstoß gegen die alternative Sanktion (falls das Urteil eine Freiheitsstrafe oder freiheitsentziehende Maßnahme enthält, die bei einem solchen Verstoß zu vollstrecken ist):

EU-JZG

j) Angaben zur Dauer und Art der Bewährungsmaßnahme(n) oder alternativen Sanktion(en)

1. Gesamtdauer der Überwachung der Bewährungsmaßnahme(n) oder alternativen Sanktion(en):

2. Gegebenenfalls Dauer jeder einzelnen Verpflichtung, die als Teil der Bewährungsmaßnahme(n) oder alternativen Sanktion(en) auferlegt wurde:

3. Dauer der Bewährungszeit insgesamt (falls abweichend von der unter Nummer 1 angegebenen Dauer):

4. Art der Bewährungsmaßnahme(n) bzw. alternativen Sanktion(en) (Mehrfachnennungen möglich):

☐ Verpflichtung der verurteilten Person, einer bestimmten Behörde jeden Wohnsitzwechsel oder Arbeitsplatzwechsel mitzuteilen

☐ Verpflichtung, bestimmte Orte, Plätze oder festgelegte Gebiete im Ausstellungs- oder Vollstreckungsstaat nicht zu betreten

☐ Verpflichtung, die Beschränkungen für das Verlassen des Hoheitsgebiets des Vollstreckungsstaats beinhaltet

☐ Weisungen, die das Verhalten, den Aufenthalt, die Ausbildung und Schulung oder die Freizeitgestaltung betreffen oder die Beschränkungen oder Modalitäten der Ausübung einer beruflichen Tätigkeit beinhalten

☐ Verpflichtung, sich zu bestimmten Zeiten bei einer bestimmten Behörde zu melden

☐ Verpflichtung, den Kontakt mit bestimmten Personen zu meiden

☐ Verpflichtung, den Kontakt mit bestimmten Gegenständen, die von der verurteilten Person für die Begehung einer Straftat verwendet wurden oder verwendet werden könnten, zu meiden

☐ Verpflichtung, den durch die Tat verursachten Schaden finanziell wieder gutzumachen und/oder Verpflichtung, einen Nachweis über die Einhaltung dieser Verpflichtung zu erbringen

☐ Verpflichtung, eine gemeinnützige Leistung zu erbringen

☐ Verpflichtung, mit einem Bewährungshelfer oder einem Vertreter eines Sozialdienstes zusammenzuarbeiten, der für verurteilte Personen zuständig ist

☐ Verpflichtung, sich einer Heilbehandlung oder einer Entziehungskur zu unterziehen

☐ Weitere Maßnahmen, die der Vollstreckungsstaat gemäß einer Mitteilung nach Artikel 4 Absatz 2 des Rahmenbeschlusses zu überwachen bereit ist

5. Bitte beschreiben Sie die unter Nummer 4 angegebenen Bewährungsmaßnahme(n) bzw. alternativen Sanktion(en) im Einzelnen:

6. Bitte nachstehendes Feld ankreuzen, sofern einschlägige Bewährungsberichte verfügbar sind:

☐ Falls dieses Feld angekreuzt wurde, geben Sie bitte an, in welcher/welchen Sprache(n) diese Berichte verfasst sind ([1]):

k) Sonstige für den Fall relevante Umstände, auch sachdienliche Informationen über frühere Verurteilungen oder spezifische Gründe für die Verhängung der Bewährungsmaßnahme(n) bzw. alternativen Sanktion(en) (fakultative Angaben):

Der Wortlaut des Urteils und gegebenenfalls der Bewährungsentscheidung ist der Bescheinigung beigefügt.

Unterschrift der die Bescheinigung ausstellenden Behörde und/oder ihres Vertreters zur Bestätigung der Richtigkeit des Inhalts der Bescheinigung:

Name:

Funktion (Titel/Dienstrang):

Datum:

Aktenzeichen (sofern vorhanden):

(Gegebenenfalls) Amtlicher Stempel:

EU-JZG

([1]) „Der Ausstellungsstaat ist nicht verpflichtet, Übersetzungen dieser Berichte zu liefern."

Anhang XI

Formblatt nach Artikel 17 des Rahmenbeschlusses 2008/947/JI des Rates über die Anwendung des Grundsatzes der gegenseitigen Anerkennung auf Urteile und Bewährungsentscheidungen im Hinblick auf die Überwachung von Bewährungsmaßnahmen und alternativen Sanktionen

(Anm.: Anhang XI ist als PDF dokumentiert.)

BGBl. I - Ausgegeben am 6. August 2013 - Nr. 175 1 von 2
16.12.2008 DE Amtsblatt der Europäischen Union L 337/121

ANHANG II

FORMBLATT

nach Artikel 17 des Rahmenbeschlusses 2008/947/JI des Rates vom 27. November 2008 über die Anwendung des Grundsatzes der gegenseitigen Anerkennung auf Urteile und Bewährungsentscheidungen im Hinblick auf die Überwachung von Bewährungsmaßnahmen und alternativen Sanktionen

MELDUNG EINES VERSTOSSES GEGEN EINE BEWÄHRUNGSMASSNAHME ODER ALTERNATIVE SANKTION SOWIE WEITERER ERKENNTNISSE

a) Angaben zur Identität der der Überwachung unterstellten Person:

Familienname:

Vorname(n):

Ggf. Geburtsname:

Ggf. Aliasname(n):

Geschlecht:

Staatsangehörigkeit:

Kennnummer oder Sozialversicherungsnummer (sofern vorhanden):

Geburtsdatum:

Geburtsort:

Anschrift:

Sprache oder Sprachen, die die betreffende Person versteht (sofern bekannt):

b) Angaben zum Urteil und gegebenenfalls zur Bewährungsentscheidung betreffend die Bewährungsstrafe, bedingte Verurteilung, alternative Sanktion oder bedingte Entlassung:

Das Urteil wurde erlassen am:
Aktenzeichen (sofern vorhanden):

Gegebenenfalls Datum, an dem die Bewährungsentscheidung erging:
Aktenzeichen (sofern vorhanden):

Gericht, das das Urteil erlassen hat
Offizielle Bezeichnung:
Anschrift:

Gegebenenfalls Behörde, die die Bewährungsentscheidung erlassen hat
Offizielle Bezeichnung:
Anschrift:

Die Bescheinigung wurde ausgestellt am:
Behörde, die die Bescheinigung ausgestellt hat:
Aktenzeichen (sofern vorhanden):

EU-JZG

c) Angaben zur Behörde, die für die Überwachung der Bewährungsmaßnahme(n) oder alternativen Sanktion(en) zuständig ist:

Offizielle Bezeichnung der Behörde:

Name der Kontaktperson:

Funktion (Titel/Dienstrang):

Anschrift:

Tel. (Ländervorwahl) (Ortsnetzkennzahl):

Telefax (Ländervorwahl) (Ortsnetzkennzahl):

E-mail:

d) Bewährungsmaßnahme(n) bzw. alternative Sanktion(en):

Die unter Buchstabe a genannte Person hat gegen folgende Auflage(n) oder Weisung(en) verstoßen:

- ☐ Verpflichtung der verurteilten Person, einer bestimmten Behörde jeden Wohnsitzwechsel oder Arbeitsplatzwechsel mitzuteilen.
- ☐ Verpflichtung, bestimmte Orte, Plätze oder festgelegte Gebiete im Ausstellungs- oder Vollstreckungsstaat nicht zu betreten.
- ☐ Verpflichtung, die Beschränkungen für das Verlassen des Hoheitsgebiets des Vollstreckungsstaats beinhaltet.
- ☐ Weisungen, die das Verhalten, den Aufenthalt, die Ausbildung und Schulung oder die Freizeitgestaltung betreffen oder die Beschränkungen oder Modalitäten der Ausübung einer beruflichen Tätigkeit beinhalten.
- ☐ Verpflichtung, sich zu bestimmten Zeiten bei einer bestimmten Behörde zu melden.
- ☐ Verpflichtung, den Kontakt mit bestimmten Personen zu meiden.
- ☐ Verpflichtung, den Kontakt mit bestimmten Gegenständen, die von der verurteilten Person für die Begehung einer Straftat verwendet wurden oder verwendet werden könnten, zu meiden.
- ☐ Verpflichtung, den durch die Tat verursachten Schaden finanziell wieder gutzumachen und/oder Verpflichtung, einen Nachweis über die Einhaltung dieser Verpflichtung zu erbringen.
- ☐ Verpflichtung, eine gemeinnützige Leistung zu erbringen.
- ☐ Verpflichtung, mit einem Bewährungshelfer oder einem Vertreter eines Sozialdienstes zusammenzuarbeiten, der für verurteilte Personen zuständig ist.
- ☐ Verpflichtung, sich einer Heilbehandlung oder einer Entziehungskur zu unterziehen.
- ☐ Weitere Maßnahmen:

e) Beschreibung des Verstoßes/der Verstöße (Ort, Datum und nähere Umstände):

f) Sonstige Erkenntnisse (sofern vorhanden):

Beschreibung dieser Erkenntnisse:

g) Nähere Angaben zu der zu kontaktierenden Person, falls zusätzliche Informationen zu dem Verstoß eingeholt werden sollen:

Familienname:

Vorname(n):

Anschrift:

Tel. (Ländervorwahl) (Ortsnetzkennzahl):

Fax (Ländervorwahl) (Ortsnetzkennzahl):

E-Mail (sofern vorhanden):

Unterschrift der das Formblatt ausstellenden Behörde und/oder ihres Vertreters zur Bestätigung der Richtigkeit des Inhalts des Formblatts:

Name:

Funktion (Titel/Dienstrang):

Datum:

(Gegebenenfalls) Amtlicher Stempel:

EU-JZG

Anhang XII

Formblatt nach Artikel 10 des Rahmenbeschlusses 2009/829/JI des Rates über die Anwendung – zwischen den Mitgliedstaaten der Europäischen Union – des Grundsatzes der gegenseitigen Anerkennung auf Entscheidungen über Überwachungsmaßnahmen als Alternative zur Untersuchungshaft

(Anm.: Anhang XII ist als PDF dokumentiert.)

BGBl. I - Ausgegeben am 6. August 2013 - Nr. 175 1 von 6

11.11.2009 DE Amtsblatt der Europäischen Union L 294/31

ANHANG I

BESCHEINIGUNG

nach Artikel 10 des Rahmenbeschlusses 2009/829/JI des Rates vom 23. Oktober 2009 über die Anwendung — zwischen den Mitgliedstaaten der Europäischen Union — des Grundsatzes der gegenseitigen Anerkennung auf Entscheidungen über Überwachungsmaßnahmen als Alternative zur Untersuchungshaft (1)

a) Anordnungsstaat:

Vollstreckungsstaat:

b) Behörde, die die Entscheidung über Überwachungsmaßnahmen getroffen hat:

Offizielle Bezeichnung:

Bitte angeben, bei welcher der nachfolgenden Stellen zusätzliche Informationen zu der Entscheidung über Überwachungsmaßnahmen eingeholt werden können:

- oben angegebene Behörde
- Zentralbehörde; falls dieses Feld angekreuzt wurde, bitte die offizielle Bezeichnung der Zentralbehörde angeben:
- sonstige zuständige Behörde; falls dieses Feld angekreuzt wurde, bitte die offizielle Bezeichnung der Behörde angeben:

Kontaktdaten der ausstellenden Behörde/der Zentralbehörde/der sonstigen zuständigen Behörde:

Anschrift:

Tel. (Ländervorwahl) (Ortsnetzkennzahl):

Fax (Ländervorwahl) (Ortsnetzkennzahl):

Angaben zu der/den Person(en), die zu kontaktieren ist/sind:

Familienname:

Vorname(n):

Funktion (Titel/Dienstrang):

Tel. (Ländervorwahl) (Ortsnetzkennzahl):

Fax (Ländervorwahl) (Ortsnetzkennzahl):

E-Mail (sofern vorhanden):

Sprachen, in denen verkehrt werden kann:

(1) Diese Bescheinigung muss in der Amtssprache oder einer der Amtssprachen des Vollstreckungsmitgliedstaats oder einer anderen Amtssprache der Organe der Europäischen Union, mit der sich dieser Staat einverstanden erklärt hat, abgefasst oder in eine dieser Sprachen übersetzt sein.

c) Bitte angeben, welche Behörde zu kontaktieren ist, wenn zusätzliche Informationen für die Zwecke der Überwachung der Überwachungsmaßnahmen eingeholt werden sollen:

˅ die unter Buchstabe b genannte Behörde

˅ eine andere Behörde; falls dieses Feld angekreuzt wurde, bitte die offizielle Bezeichnung der Behörde angeben:

Kontaktdaten der Behörde, sofern diese Angaben nicht bereits unter Buchstabe b erfolgt sind:

Anschrift:

Tel. (Ländervorwahl) (Ortsnetzkennzahl):

Fax (Ländervorwahl) (Ortsnetzkennzahl):

Angaben zu der/den Person(en), die zu kontaktieren ist/sind:

Familienname:

Vorname(n):

Funktion (Titel/Dienstrang):

Tel. (Ländervorwahl) (Ortsnetzkennzahl):

Fax (Ländervorwahl) (Ortsnetzkennzahl):

E-Mail (sofern vorhanden):

Sprachen, in denen verkehrt werden kann:

d) Angaben zu der natürlichen Person, gegen die die Entscheidung über Überwachungsmaßnahmen erlassen worden ist:

Familienname:

Vorname(n):

Ggf. Geburtsname:

Ggf. Aliasname(n):

Geschlecht:

Staatsangehörigkeit:

Kennnummer oder Sozialversicherungsnummer (sofern vorhanden):

Geburtsdatum:

Geburtsort:

Anschriften/Aufenthaltsorte:

— im Anordnungsstaat:

EU-JZG

— im Vollstreckungsstaat:

— in sonstigen Staaten:

Sprache oder Sprachen, die die betroffene Person versteht (sofern bekannt):

Sofern vorhanden, bitte Folgendes angeben:

— Art und Nummer des Identitätsdokuments/der Identitätsdokumente der Person (Personalausweis, Pass):

— Art und Nummer des Aufenthaltstitels der Person im Vollstreckungsstaat:

e) Angaben zu dem Mitgliedstaat, an den die Entscheidung über Überwachungsmaßnahmen sowie die Bescheinigung übermittelt werden:

Die Entscheidung über Überwachungsmaßnahmen sowie die Bescheinigung werden aus folgendem Grund an den unter Buchstabe a angegebenen Vollstreckungsstaat übermittelt:

˅ Die Person hat im Vollstreckungsstaat ihren rechtmäßigen gewöhnlichen Aufenthalt und hat einer Rückkehr in diesen Mitgliedstaat zugestimmt, nachdem sie über die betreffenden Maßnahmen unterrichtet wurde.

˅ Die Person hat aus folgenden Gründen beantragt, dass die Entscheidung über Überwachungsmaßnahmen an einen anderen Mitgliedstaat als den Mitgliedstaat übermittelt wird, in dem die Person ihren rechtmäßigen gewöhnlichen Aufenthalt hat:

f) Angaben zur Entscheidung über Überwachungsmaßnahmen:

Die Entscheidung wurde erlassen am (Angabe des Datums: TT-MM-JJJJ):

Die Entscheidung wurde rechtskräftig am (Angabe des Datums: TT-MM-JJJJ):

Wenn zu dem Zeitpunkt der Übermittlung der Bescheinigung ein Rechtsbehelf eingelegt war, so ist dieses Feld anzukreuzen .... ˅

Aktenzeichen der Entscheidung (sofern vorhanden):

Die Person hat sich in folgendem Zeitraum in Untersuchungshaft befunden (sofern zutreffend):

1. Die Entscheidung umfasst insgesamt .... zur Last gelegte Straftaten.

   Zusammenfassung des Sachverhalts und Beschreibung der Umstände, unter denen die zur Last gelegte(n) Straftat(en) begangen wurde(n), einschließlich Tatzeit und Tatort, und Art der Beteiligung der betroffenen Person:

   Art und rechtliche Würdigung der zur Last gelegten Straftat(en) und anwendbare gesetzliche Bestimmungen, auf deren Grundlage die Entscheidung erlassen wurde:

2. Sofern es sich bei der/den unter Nummer 1 genannten zur Last gelegten Straftat(en) um eine oder mehrere der folgenden — nach dem Recht des Anordnungsstaats definierten — Straftaten handelt, die im Anordnungsstaat mit einer freiheitsentziehenden Strafe oder Maßnahme der Sicherung im Höchstmaß von mindestens drei Jahren bedroht sind, kreuzen Sie bitte Zutreffendes an:

   ˅ Beteiligung an einer kriminellen Vereinigung

   ˅ Terrorismus

   ˅ Menschenhandel

   ˅ sexuelle Ausbeutung von Kindern und Kinderpornografie

- illegaler Handel mit Drogen und psychotropen Stoffen
- illegaler Handel mit Waffen, Munition und Sprengstoffen
- Korruption
- Betrugsdelikte, einschließlich Betrug zum Nachteil der finanziellen Interessen der Europäischen Gemeinschaften im Sinne des Übereinkommens vom 26. Juli 1995 über den Schutz der finanziellen Interessen der Europäischen Gemeinschaften
- Wäsche von Erträgen aus Straftaten
- Geldfälschung, einschließlich der Euro-Fälschung
- Cyberkriminalität
- Umweltkriminalität, einschließlich des illegalen Handels mit bedrohten Tierarten oder mit bedrohten Pflanzen- und Baumarten
- Beihilfe zur illegalen Einreise und zum illegalen Aufenthalt
- vorsätzliche Tötung, schwere Körperverletzung
- illegaler Handel mit menschlichen Organen und menschlichem Gewebe
- Entführung, Freiheitsberaubung und Geiselnahme
- Rassismus und Fremdenfeindlichkeit
- Diebstahl in organisierter Form oder mit Waffen
- illegaler Handel mit Kulturgütern, einschließlich Antiquitäten und Kunstgegenständen
- Betrug
- Erpressung und Schutzgelderpressung
- Nachahmung und Produktpiraterie
- Fälschung von amtlichen Dokumenten und Handel damit
- Fälschung von Zahlungsmitteln
- illegaler Handel mit Hormonen und anderen Wachstumsförderern
- illegaler Handel mit nuklearen und radioaktiven Substanzen
- Handel mit gestohlenen Kraftfahrzeugen
- Vergewaltigung
- Brandstiftung
- Verbrechen, die in die Zuständigkeit des Internationalen Strafgerichtshofs fallen
- Flugzeug- und Schiffsentführung
- Sabotage.

3. Sofern die unter Nummer 1 genannte(n) zur Last gelegte(n) Straftat(en) nicht unter Nummer 2 aufgeführt ist/sind oder falls die Entscheidung sowie die Bescheinigung an einen Mitgliedstaat übermittelt werden, der erklärt hat, dass er die beiderseitige Strafbarkeit prüfen wird (Artikel 14 Absatz 4 des Rahmenbeschlusses), geben Sie bitte eine vollständige Beschreibung der betreffenden zur Last gelegten Straftat(en):

g) Angaben zur Dauer und Art der Überwachungsmaßnahme(n)

1. Zeitraum, für den die Entscheidung über Überwachungsmaßnahmen gilt, und Angaben dazu, ob eine Erneuerung dieser Entscheidung möglich ist (falls zutreffend):

2. Angabe, wie lange die Überwachung der Überwachungsmaßnahmen unter Berücksichtigung aller Umstände des Falles, die bei Übermittlung der Entscheidung über Überwachungsmaßnahmen bekannt sind, voraussichtlich erforderlich ist (unverbindliche Information):

3. Angabe der Überwachungsmaßnahme(n) (Mehrfachnennungen möglich):

- Verpflichtung der Person, der zuständigen Behörde im Vollstreckungsstaat jeden Wohnsitzwechsel mitzuteilen, und zwar insbesondere für die Entgegennahme von Ladungen zu einer Vernehmung oder Gerichtsverhandlung im Rahmen eines Strafverfahrens:
- Verpflichtung, bestimmte Orte, Plätze oder festgelegte Gebiete im Anordnungs- oder Vollstreckungsstaat nicht zu betreten;
- Verpflichtung, sich gegebenenfalls zu bestimmten Zeiten an einem bestimmten Ort aufzuhalten;
- Verpflichtung, mit der das Verlassen des Hoheitsgebiets des Vollstreckungsstaats eingeschränkt wird;
- Verpflichtung, sich zu bestimmten Zeiten bei einer bestimmten Behörde zu melden;
- Verpflichtung, den Kontakt mit bestimmten Personen, die mit der/den zur Last gelegte(n) Straftat(en) in Zusammenhang stehen, zu meiden;
- weitere Maßnahmen, die der Vollstreckungsstaat gemäß einer Mitteilung nach Artikel 8 Absatz 2 des Rahmenbeschlusses zu überwachen bereit ist:

Ist das Feld in Bezug auf „weitere Maßnahmen" angekreuzt worden, so ist durch Ankreuzen des/der entsprechenden Feldes/Felder anzugeben, um welche Maßnahme(n) es sich handelt:

- Verpflichtung, sich bestimmter Aktivitäten, die mit der bzw. den zur Last gelegte(n) Straftat(en) im Zusammenhang stehen, einschließlich bestimmter Berufe oder Beschäftigungen zu enthalten;
- Verpflichtung, kein Kraftfahrzeug zu führen;
- Verpflichtung, einen bestimmten Geldbetrag zu hinterlegen oder eine andere Sicherheitsleistung zu erbringen, entweder in festgelegten Raten oder als Gesamtbetrag;
- Verpflichtung, sich einer Heilbehandlung oder einer Entziehungskur zu unterziehen;
- Verpflichtung, den Kontakt mit bestimmten Gegenständen, die mit der/den zur Last gelegte(n) Straftat(en) in Zusammenhang stehen, zu meiden;
- sonstige Maßnahme (bitte im Einzelnen angeben):

4. Bitte beschreiben Sie die unter Nummer 3 angegebene(n) Überwachungsmaßnahme(n) im Einzelnen:

h) Sonstige für den Fall relevante Umstände, auch spezifische Gründe für die Anordnung der Überwachungsmaßnahme(n) (fakultative Angaben):

Der Wortlaut der Entscheidung ist der Bescheinigung beigefügt.

EU-JZG

Unterschrift der die Bescheinigung ausstellenden Behörde und/oder ihres Vertreters zur Bestätigung der Richtigkeit des Inhalts der Bescheinigung:

Name:

Funktion (Titel/Dienstrang):

Datum:

Aktenzeichen (sofern vorhanden):

(Gegebenenfalls) Amtlicher Stempel:

Anhang XIII

Formblatt nach Artikel 19 des Rahmenbeschlusses 2009/829/JI des Rates über die Anwendung – zwischen den Mitgliedstaaten der Europäischen Union – des Grundsatzes der gegenseitigen Anerkennung auf Entscheidungen über Überwachungsmaßnahmen als Alternative zur Untersuchungshaft

(Anm.: Anhang XIII ist als PDF dokumentiert.)

ANHANG II

FORMBLATT

nach Artikel 19 des Rahmenbeschlusses 2009/829/JI des Rates vom 23. Oktober 2009 über die Anwendung — zwischen den Mitgliedstaaten der Europäischen Union — des Grundsatzes der gegenseitigen Anerkennung auf Entscheidungen über Überwachungsmaßnahmen als Alternative zur Untersuchungshaft

MELDUNG EINES VERSTOSSES GEGEN EINE ÜBERWACHUNGSMASSNAHME UND/ODER SONSTIGER ERKENNTNISSE, DIE EINE WEITERE ENTSCHEIDUNG NACH SICH ZIEHEN KÖNNTEN

a) Angaben zur Identität der der Überwachung unterliegenden Person:

Familienname:

Vorname(n):

Ggf. Geburtsname:

Ggf. Aliasname(n):

Geschlecht:

Staatsangehörigkeit:

Kennnummer oder Sozialversicherungsnummer (sofern vorhanden):

Geburtsdatum:

Geburtsort:

Anschrift:

Sprache oder Sprachen, die die betroffene Person versteht (sofern bekannt):

b) Angaben zur Entscheidung über die Überwachungsmaßnahme(n):

Die Entscheidung wurde erlassen am:

Aktenzeichen (sofern vorhanden):

Behörde, die die Entscheidung erlassen hat:

Offizielle Bezeichnung:

Anschrift:

Die Bescheinigung wurde ausgestellt am:

Behörde, die die Bescheinigung ausgestellt hat:

Aktenzeichen (sofern vorhanden):

c) Angaben zu der Behörde, die für die Überwachung der Überwachungsmaßnahme(n) zuständig ist:

Offizielle Bezeichnung der Behörde:

Name der Kontaktperson:

Funktion (Titel/Dienstrang):

Anschrift:

Tel. (Ländervorwahl) (Ortsnetzkennzahl):

Telefax (Ländervorwahl) (Ortsnetzkennzahl):

E-Mail:

Sprachen, in denen verkehrt werden kann:

d) Verstoß gegen eine Überwachungsmaßnahme/Überwachungsmaßnahmen und/oder sonstige Erkenntnisse, die eine weitere Entscheidung nach sich ziehen könnten:

Die unter Buchstabe a genannte Person hat gegen folgende Überwachungsmaßnahme(n) verstoßen:

- Verpflichtung der Person, der zuständigen Behörde im Vollstreckungsstaat jeden Wohnsitzwechsel mitzuteilen, und zwar insbesondere für die Entgegennahme einer Ladung zu einer Vernehmung oder Gerichtsverhandlung im Rahmen eines Strafverfahrens;

- Verpflichtung, bestimmte Orte, Plätze oder festgelegte Gebiete im Anordnungs- oder Vollstreckungsstaat nicht zu betreten;

- Verpflichtung, sich gegebenenfalls zu bestimmten Zeiten an einem bestimmten Ort aufzuhalten;

- Verpflichtung, mit der das Verlassen des Hoheitsgebiets des Vollstreckungsstaats eingeschränkt wird;

- Verpflichtung, sich zu bestimmten Zeiten bei einer bestimmten Behörde zu melden;

- Verpflichtung, den Kontakt mit bestimmten Personen, die mit der/den zur Last gelegte(n) Straftat(en) in Zusammenhang stehen, zu meiden;

- sonstige Maßnahmen (bitte im Einzelnen angeben):

Beschreibung des Verstoßes/der Verstöße (Ort, Datum und nähere Umstände):

— sonstige Erkenntnisse, die eine weitere Entscheidung nach sich ziehen könnten:

Beschreibung dieser Erkenntnisse:

e) Nähere Angaben zu der zu kontaktierenden Person, falls zusätzliche Informationen zu dem Verstoß eingeholt werden sollen:

Familienname:

Vorname(n):

Vorname(n):

Tel. (Ländervorwahl) (Ortsnetzkennzahl):

Fax (Ländervorwahl) (Ortsnetzkennzahl):

E-Mail:

Sprachen, in denen verkehrt werden kann:

Unterschrift der das Formblatt ausstellenden Behörde und/oder ihres Vertreters zur Bestätigung der Richtigkeit des Inhalts des Formblatts:

Name:

Funktion (Titel/Dienstrang):

Datum:

(Gegebenenfalls) Amtlicher Stempel:

Anhang XV

Europäische Schutzanordnung nach Artikel 7 der Richtlinie 2011/99/EU des Europäischen Parlaments und des Rates vom 13. Dezember 2011 über die Europäische Schutzanordnung

(Anm.: Anhang XV ist als PDF dokumentiert)

ANHANG
XV

EUROPÄISCHE SCHUTZANORDNUNG

nach Artikel 7 der

RICHTLINIE 2011/99/EU DES EUROPÄISCHEN PARLAMENTS UND DES RATES VOM 13. DEZEMBER 2011 ÜBER DIE EUROPÄISCHE SCHUTZANORDNUNG

Die in diesem Formblatt enthaltenen Daten sind vertraulich zu behandeln

Anordnungsstaat: Vollstreckungsstaat:
a) Informationen zur geschützten Person: Familienname: Vorname(n): Ggf. Geburtsname oder früherer Name: Geschlecht: Staatsangehörigkeit: Kennnummer oder Sozialversicherungsnummer (sofern vorhanden): Geburtsdatum: Geburtsort: Anschriften/Wohnsitze: — im Anordnungsstaat: — im Vollstreckungsstaat: — in sonstigen Staaten: Sprache oder Sprachen, die die betroffene Person versteht (sofern bekannt):
Wurde der geschützten Person im anordnenden Staat Prozesskostenhilfe gewährt (sofern die Information ohne weitere Nachforschungen verfügbar ist)? ☐ Ja ☐ Nein ☐ Unbekannt Wenn die geschützte Person minderjährig oder geschäftsunfähig ist, Informationen zum Vormund oder Vertreter der Person: Familienname: Vorname(n): Ggf. Geburtsname oder früherer Name: Geschlecht: Staatsangehörigkeit: Büro/Anschrift:

EU-JZG

b) Die geschützte Person hat entschieden, ihren Wohnsitz in den vollstreckenden Staat zu verlegen beziehungsweise hat ihren Wohnsitz bereits dort oder die geschützte Person hat entschieden, sich im Hoheitsgebiet des vollstreckenden Staats aufzuhalten oder hält sich dort bereits auf. Tag, ab dem die geschützte Person ihren Wohnsitz im vollstreckenden Staat haben oder sich dort aufhalten möchte (sofern bekannt): Zeitraum oder Zeiträume des Aufenthalts (sofern bekannt):
c) Wurden der geschützten Person oder der gefährdenden Person als Mittel zur Vollstreckung der Schutzmaßnahme technische Vorrichtungen zur Verfügung gestellt? D Ja; bitte geben Sie eine kurze Beschreibung der verwendeten Vorrichtungen: D Nein
d) Zuständige Behörde, die die Europäische Schutzanordnung erlassen hat: Offizielle Bezeichnung: Vollständige Anschrift: Telefonnummer: (Ländervorwahl) (Regional-/Ortsnetzkennzahl) (Nummer) Faxnummer: (Ländervorwahl) (Regional-/Ortsnetzkennzahl) (Nummer) Angaben zu der/den Person(en), die zu kontaktieren ist/sind Familienname: Vorname(n): Funktion (Verwendungsbezeichnung/Dienstrang): Telefonnummer: (Ländervorwahl) (Regional-/Ortsnetzkennzahl) (Nummer) Faxnummer: (Ländervorwahl) (Regional-/Ortsnetzkennzahl) (Nummer) E-Mail (sofern vorhanden): Sprachen, die für die Verständigung genutzt werden können:
e) Angaben zu der Schutzmaßnahme, die dem Erlass der Europäischen Schutzanordnung zugrunde liegt: Die Schutzmaßnahme wurde angeordnet am (Angabe des Datums: TT-MM-JJJJ): Die Schutzmaßnahme wurde rechtskräftig am (Angabe des Datums: TT-MM-JJJJ): Aktenzeichen der Schutzmaßnahme (sofern vorhanden): Behörde, die die Schutzmaßnahme angeordnet hat:
f) Zusammenfassende Darstellung des Sachverhalts und Beschreibung der Umstände, gegebenenfalls einschließlich der rechtlichen Einordnung der strafbaren Handlung, die zur Anordnung der Schutzmaßnahme nach Buchstabe e geführt haben:

g) Angaben zu dem (den) Verbot(en) oder der (den) Beschränkung(en), die der gefährdenden Person durch die Schutzmaßnahme auferlegt wurden:

— Art der Auflage(n) oder Beschränkung(en): (es können mehrere Kästchen angekreuzt werden):

D ein Verbot des Betretens bestimmter Räumlichkeiten, Orte oder festgelegter Gebiete, in beziehungsweise an denen sich die geschützte Person aufhält, oder die sie aufsucht;

— wenn Sie dieses Kästchen angekreuzt haben, geben Sie bitte die Räumlichkeiten, Orte oder festgelegten Gebiete genau an, die die gefährdende Person nicht betreten darf:

D ein Verbot oder eine Regelung jeglicher Form der Kontaktaufnahme - auch telefonisch, auf elektronischem Weg oder per Post oder Fax oder mit anderen Mitteln- mit der geschützten Person;

— wenn Sie dieses Kästchen angekreuzt haben, geben Sie bitte alle relevanten Einzelheiten an:

D ein Verbot, sich der geschützten Person auf eine geringere als die festgelegte Entfernung zu nähern, oder eine Regelung dazu;

— wenn Sie dieses Kästchen angekreuzt haben, geben Sie bitte exakt die Entfernung an, die die gefährdende Person gegenüber der geschützten Person einzuhalten hat:

— Bitte geben Sie den Zeitraum an, für den der gefährdenden Person das/die genannte(n) Verbot(e) oder Beschränkung(en) auferlegt wurde(n):

— Angabe der Sanktion, die ein Verstoß gegen das Verbot oder die Beschränkung gegebenenfalls nach sich zieht:

h) Angaben zu der gefährdenden Person, der das/die Verbot(e) oder die Beschränkung(en) nach Buchstabe g auferlegt wurde(n):

Familienname:

Vorname(n):

Ggf. Geburtsname oder früherer Name:

Ggf. Aliasname(n):

Geschlecht:

Staatsangehörigkeit:

Kennnummer oder Sozialversicherungsnummer (sofern vorhanden):

Geburtsdatum:

Geburtsort:

Anschriften/Wohnsitze:

im Anordnungsstaat

im Vollstreckungsstaat

in sonstigen Staaten:

Sprache oder Sprachen, die die gefährdende Person versteht (sofern bekannt):

Sofern vorhanden, bitte Folgendes angeben:

— Art und Nummer des Identitätsdokuments/der Identitätsdokumente der Person (Personalausweis, Pass):

Wurde der gefährdenden Person im anordnenden Staat Prozesskostenhilfe gewährt (sofern die Information ohne weitere Nachforschungen verfügbar ist)?

D Ja

D Nein

D Unbekannt

d) Behörde, die für die Vollstreckung eines eventuellen Schutzmaßnahme zuständig ist, die im ausführenden Staat erlassen worden ist:

Offizielle Bezeichnung:

Name der zu kontaktierenden Person:

Funktion (Verwendungsbezeichnung/Dienstrang):

Vollständige Anschrift:

Telefonnummer: (Ländervorwahl) (Regional-/Ortsnetzkennzahl) (Nummer)

Faxnummer: (Ländervorwahl) (Regional-/Ortsnetzkennzahl) (Nummer)

E-Mail:

Sprachen, die für die Verständigung genutzt werden können:

e) Verstoß gegen die von den zuständigen Behörden des vollstreckenden Staats nach Anerkennung der Europäischen Schutzanordnung auferlegte(n) Verbot(e) oder Beschränkung(en) und/oder sonstige Erkenntnisse, die eine weitere Entscheidung nach sich ziehen könnten:

Der Verstoß betrifft die folgende(n) Verbot(e) oder Beschränkung(en) (Sie können mehr als ein Kästchen ankreuzen):

D ein Verbot des Betretens bestimmter Räumlichkeiten, Orte oder festgelegter Gebiete, in beziehungsweise an denen sich die geschützte Person aufhält, oder die sie aufsucht;

D ein Verbot oder eine Regelung jeglicher Form der Kontaktaufnahme — auch telefonisch, auf elektronischem Weg oder per Post oder Fax oder mit anderen Mitteln — mit der geschützten Person;

D ein Verbot, sich der geschützten Person auf eine geringere als die festgelegte Entfernung zu nähern, oder eine entsprechende Regelung;

D andere von den zuständigen Behörden des vollstreckenden Staats nach Anerkennung der Europäischen Schutzanordnung getroffene Maßnahmen, die sich auf die Schutzmaßnahme beziehen, die der Europäischen Schutzanordnung zugrunde liegt.

Beschreibung des Verstoßes/der Verstöße (Ort, Datum und nähere Umstände):

Gemäß Artikel 11 Absatz 2:

— Maßnahmen, die im vollstreckenden Staat infolge des Verstoßes ergriffen wurden:

— mögliche Rechtsfolgen des Verstoßes im Vollstreckungsstaat

Sonstige Erkenntnisse, die eine weitere Entscheidung nach sich ziehen könnten

Beschreibung dieser Erkenntnisse:

f) Nähere Angaben zu der zu kontaktierenden Person, falls zusätzliche Informationen zu dem Verstoß eingeholt werden sollen:

Familienname:

Vorname(n):

Anschrift:

Telefonnummer: (Ländervorwahl) (Regional-/Ortsnetzkennzahl) (Nummer)

Faxnummer: (Ländervorwahl) (Regional-/Ortsnetzkennzahl) (Nummer)

E-Mail:

Sprachen, die für die Verständigung genutzt werden können:

Unterschrift der das Formblatt ausstellenden Behörde und/oder ihres Vertreters zur Bestätigung der Richtigkeit des Inhalts des Formblatts:

Name:

Funktion (Verwendungsbezeichnung/Dienstrang):

Datum:

(Gegebenenfalls) Dienststempel:

Anhang XVI

Formblatt nach Artikel 12 der Richtlinie 2011/99/EU des Europäischen Parlaments und des Rates vom 13. Dezember 2011 über die Europäische Schutzanordnung (Meldung eines Verstoßes gegen die aufgrund der Europäischen Schutzanordnung erlassene Maßnahme)

(Anm.: Anhang XVI ist als PDF dokumentiert)

BGBl. I - Ausgegeben am 29. Dezember 2014 - Nr. 107 1 von 2

Amtsblatt der Europäischen Union L 338/17

ANHANG
XVI

FORMBLATT

nach Artikel 12 der

RICHTLINIE 2011/99/EU DES EUROPÄISCHEN PARLAMENTS UND DES RATES VOM 13. DEZEMBER ÜBER DIE EUROPÄISCHE SCHUTZANORDNUNG

MELDUNG EINES VERSTOSSES GEGEN DIE AUFGRUND DER EUROPÄISCHEN SCHUTZANORDNUNG ERLASSENE MASSNAHME

Die in diesem Formblatt enthaltenen Daten sind vertraulich zu behandeln

a) Nähere Angaben zu der gefährdenden Person:

- Familienname:
- Vorname(n):
- Ggf. Geburtsname oder früherer Name:
- Ggf. Aliasname(n):
- Geschlecht:
- Staatsangehörigkeit:
- Kennnummer oder Sozialversicherungsnummer (sofern vorhanden):
- Geburtsdatum:
- Geburtsort:
- Anschrift:
- Sprache oder Sprachen, die die gefährdende Person versteht (sofern bekannt):

b) Nähere Angaben zu der geschützten Person:

- Familienname:
- Vorname(n):
- Ggf. Geburtsname oder früherer Name:
- Geschlecht:
- Staatsangehörigkeit:
- Geburtsdatum:
- Geburtsort:
- Anschrift:
- Sprache oder Sprachen, die die geschützte Person versteht (sofern bekannt):

c) Nähere Angaben zu der Europäischen Schutzanordnung:

- Die Anordnung wurde erlassen am:
- Aktenzeichen (sofern vorhanden):
- Behörde, die die Anordnung erlassen hat:
- Offizielle Bezeichnung:
- Anschrift:

d) Behörde, die für die Vollstreckung eines eventuellen Schutzmaßnahme zuständig ist, die im ausführenden Staat erlassen worden ist:

Offizielle Bezeichnung:

Name der zu kontaktierenden Person:

Funktion (Verwendungsbezeichnung/Dienstrang):

Vollständige Anschrift:

Telefonnummer: (Ländervorwahl) (Regional-/Ortsnetzkennzahl) (Nummer)

Faxnummer: (Ländervorwahl) (Regional-/Ortsnetzkennzahl) (Nummer)

E-Mail:

Sprachen, die für die Verständigung genutzt werden können:

e) Verstoß gegen die von den zuständigen Behörden des vollstreckenden Staats nach Anerkennung der Europäischen Schutzanordnung auferlegte(n) Verbot(e) oder Beschränkung(en) und/oder sonstige Erkenntnisse, die eine weitere Entscheidung nach sich ziehen könnten:

Der Verstoß betrifft die folgende(n) Verbot(e) oder Beschränkung(en) (Sie können mehr als ein Kästchen ankreuzen):

D ein Verbot des Betretens bestimmter Räumlichkeiten, Orte oder festgelegter Gebiete, in beziehungsweise an denen sich die geschützte Person aufhält, oder die sie aufsucht;

D ein Verbot oder eine Regelung jeglicher Form der Kontaktaufnahme — auch telefonisch, auf elektronischem Weg oder per Post oder Fax oder mit anderen Mitteln — mit der geschützten Person;

D ein Verbot, sich der geschützten Person auf eine geringere als die festgelegte Entfernung zu nähern, oder eine entsprechende Regelung;

D andere von den zuständigen Behörden des vollstreckenden Staats nach Anerkennung der Europäischen Schutzanordnung getroffene Maßnahmen, die sich auf die Schutzmaßnahme beziehen, die der Europäischen Schutzanordnung zugrunde liegt.

Beschreibung des Verstoßes/der Verstöße (Ort, Datum und nähere Umstände):

Gemäß Artikel 11 Absatz 2:

— Maßnahmen, die im vollstreckenden Staat infolge des Verstoßes ergriffen wurden:

— mögliche Rechtsfolgen des Verstoßes im Vollstreckungsstaat

Sonstige Erkenntnisse, die eine weitere Entscheidung nach sich ziehen könnten

Beschreibung dieser Erkenntnisse:

f) Nähere Angaben zu der zu kontaktierenden Person, falls zusätzliche Informationen zu dem Verstoß eingeholt werden sollen:

Familienname:

Vorname(n):

Anschrift:

Telefonnummer: (Ländervorwahl) (Regional-/Ortsnetzkennzahl) (Nummer)

Faxnummer: (Ländervorwahl) (Regional-/Ortsnetzkennzahl) (Nummer)

E-Mail:

Sprachen, die für die Verständigung genutzt werden können:

Unterschrift der das Formblatt ausstellenden Behörde und/oder ihres Vertreters zur Bestätigung der Richtigkeit des Inhalts des Formblatts:

Name:

Funktion (Verwendungsbezeichnung/Dienstrang):

Datum:

(Gegebenenfalls) Dienststempel:

Anhang XVII

Formblatt nach Artikel 5 der Richtlinie 2014/41/EU des Europäischen Parlaments und des Rates vom 3. April 2014 über die Europäische Ermittlungsanordnung in Strafsachen (Europäische Ermittlungsanordnung)

[siehe Dokument Anhang XVII]

(Anm.: Anhang XVII als PDF dokumentiert)

ANHANG A

EUROPÄISCHE ERMITTLUNGSANORDNUNG (EEA)

Diese EEA wurde von einer zuständigen Behörde angeordnet. Die Anordnungsbehörde bescheinigt, dass der Erlass dieser EEA für die Zwecke des darin angegebenen Verfahrens unter Berücksichtigung der Rechte der verdächtigen oder beschuldigten Person notwendig und angemessen ist, und die Ermittlungsmaßnahmen, um die ersucht wird, unter den gleichen Bedingungen in einem ähnlichen innerstaatlichen Fall hätten angeordnet werden können. Ich ersuche um Durchführung der nachstehend angegebenen Ermittlungsmaßnahme(n) unter gebührender Berücksichtigung der Vertraulichkeit der Ermittlung und um Übermittlung der aufgrund der Vollstreckung der EEA erlangten Beweismittel.

ABSCHNITT A

Anordnungsstaat:...

Vollstreckungsstaat:..

ABSCHNITT B: **Dringlichkeit**

Geben Sie bitte an, ob eine Dringlichkeit gegeben ist aufgrund

☐ des Umstands, dass Beweismittel unterdrückt oder vernichtet werden

☐ des unmittelbar bevorstehenden Verhandlungstermins

☐ anderer Gründe.

Bitte unten näher ausführen:

Die Fristen für die Vollstreckung der EEA sind in Richtlinie 2014/41/EU festgelegt. Ist jedoch eine kürzere oder genau bestimmte Frist erforderlich, so geben Sie bitte das Datum und eine Begründung an:

....

....

....

ABSCHNITT C: Durchzuführende Ermittlungsmaßnahme(n)

1. Beschreiben Sie die Unterstützungs-/Ermittlungsmaßnahme(n), um deren Vollstreckung ersucht wird, UND geben Sie gegebenenfalls an, ob es sich um eine der folgenden Ermittlungsmaßnahmen handelt:

....

....

....

....

....

....

....

☐ Erlangung von Informationen oder Beweismitteln, die sich bereits im Besitz der Vollstreckungsbehörde befinden

☐ Erlangung von Informationen, die sich in den von Polizei- oder Justizbehörden geführten Datenbanken befinden

☐ Vernehmung als

- ☐ Zeuge
- ☐ Sachverständiger
- ☐ verdächtige oder beschuldigte Person
- ☐ Opfer
- ☐ Dritter

☐ Identifizierung von Inhabern eines bestimmten Telefonanschlusses oder einer bestimmten IP-Adresse

☐ Zeitweilige Überstellung einer inhaftierten Person in den Anordnungsstaat

☐ Zeitweilige Überstellung einer inhaftierten Person in den Vollstreckungsstaat

EU-JZG

- ☐ Vernehmung per sonstige audiovisuelle Übertragung — oder über andere Arten der audiovisuellen Übertragung — als
  - ☐ Zeuge
  - ☐ Sachverständiger
  - ☐ verdächtige oder beschuldigte Person
- ☐ Vernehmung per Telefonkonferenz als
  - ☐ Zeuge
  - ☐ Sachverständiger
- ☐ Informationen über Bank- und sonstige Finanzkonten
- ☐ Informationen über Bank- und sonstige Finanzgeschäfte
- ☐ Ermittlungsmaßnahme zur Erhebung von Beweismitteln in Echtzeit, fortlaufend oder über einen bestimmten Zeitraum
  - ☐ Überwachung von Bank- und sonstigen Finanzgeschäften
  - ☐ kontrollierte Lieferungen
  - ☐ Sonstiges
- ☐ Verdeckte Ermittlungen
- ☐ Überwachung des Telekommunikationsverkehrs
- ☐ Vorläufige Maßnahme(n) zur Verhinderung der Vernichtung, Veränderung, Verbringung, Übertragung oder Veräußerung potenzieller Beweismittel

ABSCHNITT D: Beziehung zu einer früheren EEA

Geben Sie bitte an, ob diese EEA eine frühere EEA ergänzt. Machen Sie gegebenenfalls bitte die zur Ermittlung der früheren EEA erforderlichen Angaben (Datum des Erlasses der EEA, Behörde, an die die Übermittlung erfolgte, und, soweit bekannt, Datum der Übermittlung der EEA und Aktenzeichen der Anordnungs- und der Vollstreckungsbehörden):

....

....

Geben Sie gegebenenfalls auch an, ob zum gleichen Fall bereits eine EEA an einen anderen Mitgliedstaat gerichtet wurde:

....

ABSCHNITT E: Identität der betroffenen Person

1. Geben Sie bitte alle Informationen — soweit bekannt —zur Identität des bzw. der i) von der Ermittlung betroffenen natürlichen oder ii) juristischen Person(en) an (ist mehr als eine Person betroffen, machen Sie bitte diese Angaben zu jeder dieser Personen):

i) Im Falle einer natürlichen Person/natürlicher Personen

Name: ....

Vorname(n): ....

Ggf. anderer relevanter Name/andere relevante Namen: ....

Ggf. Aliasnamen: ....

Geschlecht: ....

Staatsangehörigkeit: ....

Kennnummer oder Sozialversicherungsnummer: ....

Sofern verfügbar Art und Kennnummer der Identitätsdokumente (Personalausweis, Reisepass):

....

Geburtsdatum: ....

Geburtsort: ....

Wohnort und/oder bekannte Anschrift; falls die Anschrift nicht bekannt ist, die zuletzt bekannte Anschrift angeben:

....

Sprache(n), die die Person versteht:

....

Im Falle einer juristischen Person/juristischer Personen

Name: ...

Rechtsform der juristischen Person: ...

Ggf. Kurzbezeichnung, üblicher Name oder Handelsname:

...

Eingetragener Sitz: ...

Registriernummer: ...

Anschrift der juristischen Person: ...

Name des Vertreters der juristischen Person: ...

Beschreiben Sie bitte die Stellung der betreffenden Person in dem Verfahren:

☐ verdächtige oder beschuldigte Person

☐ Opfer

☐ Zeuge

☐ Sachverständiger

☐ Dritter

☐ Sonstiges (bitte angeben): ...

2. Falls die Anschrift von der oben angegebenen Anschrift abweicht, geben Sie bitte den Ort an, wo die Ermittlungsmaßnahme vollstreckt werden soll:

...

...

3. Bitte machen Sie alle sonstigen Angaben, die bei der Vollstreckung der EEA von Nutzen sein könnten:

...

...

ABSCHNITT F: Art des Verfahrens, für das die EEA erlassen wird:

☐ (a) Strafverfahren, das eine Justizbehörde wegen einer nach dem nationalen Recht des Anordnungsstaats strafbaren Handlung eingeleitet hat oder mit dem sie befasst werden kann, oder

☐ (b) Verfahren, das Verwaltungsbehörden wegen Handlungen eingeleitet haben, die nach dem nationalen Recht des Anordnungsstaats als Zuwiderhandlungen gegen Rechtsvorschriften geahndet werden, sofern gegen die Entscheidung ein insbesondere in Strafsachen zuständiges Gericht angerufen werden kann, oder

☐ (c) Verfahren, das Justizbehörden wegen Handlungen eingeleitet haben, die nach dem nationalen Recht des Anordnungsstaats als Zuwiderhandlungen gegen Rechtsvorschriften geahndet werden, sofern gegen die Entscheidung ein insbesondere in Strafsachen zuständiges Gericht angerufen werden kann, oder

☐ (d) Verfahren gemäß den Buchstaben a, b und c, das sich auf Straftaten oder Zuwiderhandlungen bezieht, für die im Anordnungsstaat eine juristische Person zur Verantwortung gezogen oder bestraft werden kann.

ABSCHNITT G: Gründe für den Erlass der EEA

1. Zusammenfassung des Sachverhalts

Legen Sie die Gründe dafür dar, weshalb die EEA erlassen wird, einschließlich einer Zusammenfassung des zugrunde liegenden Sachverhalts, einer Beschreibung der vorgeworfenen oder zu ermittelnden Straftaten, des aktuellen Stands der Ermittlungen, der Gründe für Risikofaktoren und aller anderen sachdienlichen Informationen:

...

...

...

2. Art und rechtliche Einstufung der Straftat(en), aufgrund deren die EEA erlassen wird, und anwendbare gesetzliche Bestimmungen:

....

....

....

3. Ist die Straftat, aufgrund deren die EEA erlassen wird, im Anordnungsstaat mit einer Freiheitsstrafe oder freiheitsentziehenden Maßregel der Sicherung im Höchstmaß von mindestens drei Jahren nach dem Recht des Anordnungsstaats bedroht und in der nachstehenden Auflistung von Straftaten enthalten? (Zutreffendes bitte ankreuzen)

☐ Beteiligung an einer kriminellen Vereinigung

☐ Terrorismus

☐ Menschenhandel

☐ Sexuelle Ausbeutung von Kindern und Kinderpornografie

☐ Illegaler Handel mit Drogen und psychotropen Stoffen

☐ Illegaler Handel mit Waffen, Munition und Sprengstoffen

☐ Korruption

☐ Betrugsdelikte, einschließlich des Betrugs zum Nachteil der finanziellen Interessen der Europäischen Union im Sinne des Übereinkommens vom 26. Juli 1995 über den Schutz der finanziellen Interessen der Europäischen Gemeinschaften

☐ Wäsche von Erträgen aus Straftaten

☐ Geldfälschung einschließlich der Euro-Fälschung

☐ Cyberkriminalität

☐ Umweltkriminalität, einschließlich des illegalen Handels mit bedrohten Tierarten oder mit bedrohten Pflanzen- und Baumarten

☐ Beihilfe zur illegalen Einreise und zum illegalen Aufenthalt

☐ vorsätzliche Tötung, schwere Körperverletzung

☐ Illegaler Handel mit menschlichen Organen und menschlichem Gewebe

☐ Entführung, Freiheitsberaubung und Geiselnahme

☐ Rassismus und Fremdenfeindlichkeit

☐ Raub in organisierter Form oder mit Waffen

☐ Illegaler Handel mit Kulturgütern, einschließlich Antiquitäten und Kunstgegenständen

☐ Betrug

☐ Erpressung und Schutzgelderpressung

☐ Nachahmung und Produktpiraterie

☐ Fälschung von amtlichen Dokumenten und Handel damit

☐ Fälschung von Zahlungsmitteln

☐ Illegaler Handel mit Hormonen und anderen Wachstumsförderern

☐ Illegaler Handel mit nuklearen und radioaktiven Substanzen

☐ Handel mit gestohlenen Kraftfahrzeugen

☐ Vergewaltigung

☐ Brandstiftung

☐ Verbrechen, die in die Zuständigkeit des Internationalen Strafgerichtshofs fallen

☐ Flugzeug- und Schiffsentführung

☐ Sabotage

ABSCHNITT H: Zusätzliche Anforderungen bei bestimmten Maßnahmen

Füllen Sie bitte die Abschnitte aus, die für die Ermittlungsmaßnahme(n), um die ersucht wird, relevant sind.

ABSCHNITT H1: Überstellung einer inhaftierten Person

(1) Falls um zeitweilige Überstellung einer inhaftierten Person in den Anordnungsstaat zu Ermittlungszwecken ersucht wird, geben Sie bitte an, ob die betreffende Person dieser Maßnahme zugestimmt hat:

☐ Ja ☐ Nein ☐ Ich ersuche darum, die Zustimmung der betreffenden Person einzuholen

(2) Falls um zeitweilige Überstellung einer inhaftierten Person in den Vollstreckungsstaat zu Ermittlungszwecken ersucht wird, geben Sie bitte an, ob die betreffende Person dieser Maßnahme zugestimmt hat:

☐ Ja ☐ Nein

ABSCHNITT H2: Video- oder Telefonkonferenz oder andere Arten der audiovisuellen Übertragung

Falls um Vernehmung per Videokonferenz oder Telefonkonferenz oder über andere Arten der audiovisuellen Übertragung ersucht wird:

Geben Sie bitte den Namen der Behörde an, die die Vernehmung durchführen wird (Kontaktangaben/Sprache):

....

Geben Sie bitte an, warum um diese Maßnahme ersucht wird: ....

....

☐ (a) Vernehmung per Videokonferenz oder über andere Arten der audiovisuellen Übertragung:

☐ Die verdächtige bzw. beschuldigte Person hat zugestimmt.

☐ (b) Vernehmung per Telefonkonferenz

ABSCHNITT H3: Vorläufige Maßnahmen

Wird um eine vorläufige Maßnahme zur Verhinderung der Vernichtung, Veränderung, Entfernung, Übertragung oder Veräußerung von Gegenständen, die als Beweismittel verwendet werden könnten, ersucht, so geben Sie bitte an, ob

☐ der Gegenstand dem Anordnungsstaat übermittelt werden soll;

☐ der Gegenstand im Vollstreckungsstaat verbleiben soll; geben Sie bitte an, wann voraussichtlich die vorläufige Maßnahme aufgehoben wird: ....

ein Anschlussersuchen betreffend den Gegenstand vorgelegt wird: ....

EU-JZG

ABSCHNITT H4: Informationen über Bankkonten und sonstige Finanzkonten

(1) Wird um Informationen über Bank- oder sonstige Finanzkonten ersucht, die von der betreffenden Person unterhalten oder kontrolliert werden, so geben Sie bitte für jedes dieser Konten die Gründe dafür an, weshalb Ihres Erachtens die Maßnahme für die Zwecke des Strafverfahrens relevant ist und aus welchen Gründen Sie vermuten, dass das betreffende Konto bei Banken im Vollstreckungsstaat geführt wird:

☐ Informationen über Bankkonten, deren Inhaber die betreffende Person ist oder für die sie über eine Vollmacht verfügt

☐ Informationen über sonstige Finanzkonten, deren Inhaber die betreffende Person ist oder für die sie über eine Vollmacht verfügt

....

....

....

....

(2) Wird um Informationen über Bank-oder sonstige Finanzgeschäfte ersucht, so geben Sie bitte für beide Arten von Geschäften die Gründe dafür an, weshalb die Maßnahme Ihres Erachtens für die Zwecke des Strafverfahrens relevant ist:

☐ Informationen über Bankgeschäfte

☐ Informationen über sonstige Finanzgeschäfte

....

....

....

....

Geben Sie bitte die betreffenden Zeiträume und die entsprechenden Konten an:

....

....

ABSCHNITT H5: Ermittlungsmaßnahmen zur Erhebung von Beweismitteln in Echtzeit, fortlaufend oder über einen bestimmten Zeitraum

Wird um derartige Ermittlungsmaßnahmen ersucht, so geben Sie bitte die Gründe dafür an, weshalb die Informationen, um die ersucht wird, Ihres Erachtens für die Zwecke des Strafverfahrens relevant sind:

....

....

ABSCHNITT H6: Verdeckte Ermittlungen

Wird um verdeckte Ermittlungen ersucht, so geben Sie bitte die Gründe dafür an, weshalb die Ermittlungsmaßnahme Ihres Erachtens für die Zwecke des Strafverfahrens relevant ist:

....

....

ABSCHNITT H7: Überwachung des Telekommunikationsverkehrs

(1) Wird um Überwachung des Telekommunikationsverkehrs ersucht, so geben Sie bitte die Gründe dafür an, weshalb die Ermittlungsmaßnahme Ihres Erachtens für die Zwecke des Strafverfahrens relevant ist:

....

....

(2) Machen Sie bitte folgende Angaben:

(a) Informationen zwecks Identifizierung der Zielperson der Überwachung:

....

(b) gewünschte Dauer der Überwachung:

....

(c) technische Daten (insbesondere die Zielkennung — wie etwa Mobiltelefon, Festnetztelefon, E-Mail-Adresse, IP-Anschluss), damit gewährleistet ist, dass die EEA vollstreckt werden kann:

....

(3) Geben Sie bitte die bevorzugte Vollstreckungsmethode an:

☐ unmittelbare Weiterleitung

☐ Aufzeichnung und anschließende Weiterleitung

Geben Sie bitte an, ob Sie auch die Transkription, Dekodierung oder Entschlüsselung des abgefangenen Materials wünschen*:

....

....

(*) Beachten Sie bitte, dass die Kosten für Transkription, Dekodierung oder Entschlüsselung vom Anordnungsstaat zu tragen sind.

ABSCHNITT I: Für die Vollstreckung einzuhaltende Formvorschriften und Verfahren

1. Falls zutreffend, bitte ankreuzen und ergänzen:

☐ Die vollstreckende Behörde wird ersucht, die folgenden Formvorschriften und Verfahren einzuhalten:

....

....

2. Falls zutreffend, bitte ankreuzen und ergänzen:

☐ Es wird darum gebeten, dass einer oder mehrere Beamte des Anordnungsstaats die zuständigen Behörden des Vollstreckungsstaats bei der Vollstreckung unterstützen.

Kontaktangaben der betreffenden Beamten:

....

....

Sprachen, in denen kommuniziert werden kann: ....

....

ABSCHNITT J: Rechtsbehelfe

1. Geben Sie bitte an, ob bereits Rechtsbehelfe gegen den Erlass einer EEA eingelegt wurden; wenn ja, geben Sie bitte weitere Einzelheiten an (Beschreibung des Rechtsbehelfs einschließlich der zu ergreifenden Maßnahmen und der einzuhaltenden Fristen):

....

....

2. Behörde im Anordnungsstaat, die weitere Auskünfte zu den Verfahren für die Einlegung von Rechtsbehelfen im Anordnungsstaat sowie zu etwaiger rechtlicher Unterstützung und Dolmetscherleistung und Übersetzung erteilen kann:

Name: ....

Ggf. Ansprechpartner: ....

Anschrift: ....

Tel.: (Landesvorwahl) (Gebiets-/Ortsnetzkennzahl) ....

Fax: (Landesvorwahl) (Gebiets-/Ortsnetzkennzahl) ....

E-Mail : ....

ABSCHNITT K: Angaben zu der Behörde, die die EEA erlassen hat

Bitte kreuzen Sie die Art der Behörde an, die die EEA erlassen hat:

☐ Justizbehörde

☐ (*) andere nach dem Recht des Anordnungsstaats zuständige Behörde

(*) Bitte auch Abschnitt L ausfüllen.

Name der Behörde:

....

Name des Vertreters/Ansprechpartners:

....

Aktenzeichen: ....

Anschrift: ....

Tel.: (Landesvorwahl) (Gebiets-/Ortsnetzkennzahl) ....

Fax: (Landesvorwahl) (Gebiets-/Ortsnetzkennzahl) ....

E-Mail: ....

Sprachen, in denen mit der Anordnungsbehörde verkehrt werden kann:

....

Kontaktangaben der Person(en), die für zusätzliche Informationen oder im Hinblick auf praktische Vorkehrungen für die Übermittlung von Beweismitteln kontaktiert werden kann bzw. können (sofern von den obigen Angaben abweichend)

Name/Titel/Organisation: ....

Anschrift: ....

E-Mail/Telefonnummer: ....

Unterschrift der Anordnungsbehörde und/oder ihres Vertreters zur Bestätigung der inhaltlichen Richtigkeit der EEA:

Name: ....

Funktion (Titel/Dienstrang): ....

Datum: ....

Ggf. Dienstsiegel:

ABSCHNITT L: Angaben zu der Justizbehörde, die die EEA validiert hat

Geben Sie bitte die Art der Justizbehörde an, die diese EEA validiert hat:

☐ (a) Richter oder Gericht

☐ (b) Ermittlungsrichter

☐ (c) Staatsanwalt

Offizielle Bezeichnung der zuständigen Behörde:

....

Name ihres Vertreters:

....

Funktion (Titel/Dienstrang):

....

Aktenzeichen: ....

Anschrift: ....

....

Tel.: (Landesvorwahl) (Gebiets-/Ortsnetzkennzahl) ....

Fax: (Landesvorwahl) (Gebiets-/Ortsnetzkennzahl) ....

E-Mail: ....

Sprachen, in denen mit der Validierungsbehörde verkehrt werden kann:

....

Geben Sie bitte an, welche der folgenden Behörden als Hauptansprechpartner fungieren sollte:

☐ Anordnungsbehördeâ

☐ Validierungsbehörde

Unterschrift und Angaben zur Validierungsbehörde

Name: ....

Funktion (Titel/Dienstrang): ....

Datum: ....

Ggf. Dienstsiegel:

Anhang XVIII

Formblatt nach Artikel 16 Absatz 1 der Richtlinie 2014/41/EU des Europäischen Parlaments und des Rates vom 3. April 2014 über die Europäische Ermittlungsanordnung in Strafsachen (Empfangsbestätigung für die Europäische Ermittlungsanordnung)

[siehe Dokument Anhang XVII]

(Anm.: Anhang XVIII als PDF dokumentiert)

BGBl. I - Ausgegeben am 15. Mai 2018 - Nr. 28 1 von 2

L 130/32 DE Amtsblatt der Europäischen Union 1.5.2014

ANHANG B

EMPFANGSBESTÄTIGUNG FÜR DIE EUROPÄISCHE ERMITTLUNGSANORDNUNG (EEA)

Dieses Formblatt ist von der Behörde des Vollstreckungsstaats auszufüllen, die die nachstehend bezeichnete EEA entgegengenommen hat.

(A) BETREFFENDE EEA

Zuständige Behörde, die die EEA erlassen hat:

....

Aktenzeichen: ....

Datum der Ausstellung: ....

Eingangsdatum: ....

(B) BEHÖRDE, DIE DIE EEA ENTGEGENGENOMMEN HAT [1]

Offizielle Bezeichnung der zuständigen Behörde:

....

Name ihres Vertreters:

....

Funktion (Titel/Dienstrang):

....

Anschrift:

....

....

....

Tel.: (Landesvorwahl) (Gebiets-/Ortsnetzkennzahl) ....

Fax: (Landesvorwahl) (Gebiets-/Ortsnetzkennzahl) ....

E-mail: ....

Aktenzeichen: ....

Sprachen, in denen mit der Behörde verkehrt werden kann:

....

(C) (GGF.) ZUSTÄNDIGE BEHÖRDE, DER DIE EEA VON DER UNTER ABSCHNITT B GENANNTEN BEHÖRDE ÜBERMITTELT WIRD

Offizielle Bezeichnung der Behörde:

....

Name ihres Vertreters:

....

Funktion (Titel/Dienstrang):

....

Anschrift:

....

....

Tel.: (Landesvorwahl) (Gebiets-/Ortsnetzkennzahl) ....

Fax: (Landesvorwahl) (Gebiets-/Ortsnetzkennzahl) ....

E-mail: ....

Datum der Übermittlung: ....

Aktenzeichen: ....

Sprache(n), in der bzw. denen kommuniziert werden kann:

....

[1] Dieser Abschnitt ist von jeder Behörde auszufüllen, die die EEA entgegengenommen hat. Diese Verpflichtung gilt für die Behörde, die für die Anerkennung und Vollstreckung der EEA zuständig ist, und, soweit zutreffend, für die zentrale Behörde oder die Behörde, die der zuständigen Behörde die EEA übermittelt hat.

(D) SONSTIGE FÜR DIE ANORDNUNGSBEHÖRDE MÖGLICHERWEISE RELEVANTE INFORMATIONEN

....

....

....

(E) UNTERSCHRIFT UND DATUM

Unterschrift:

Datum: ....

Ggf. Dienstsiegel:

Anhang XIX

Formblatt nach Artikel 31 der Richtlinie 2014/41/EU des Europäischen Parlaments und des Rates vom 3. April 2014 über die Europäische Ermittlungsanordnung in Strafsachen (Unterrichtung)

[siehe Dokument Anhang XIX]

(Anm.: Anhang XIX als PDF dokumentiert)

ANHANG C

UNTERRICHTUNG

Dieses Formblatt wird verwendet, um einen Mitgliedstaat über eine Überwachung des Telekommunikationsverkehrs zu unterrichten, die in seinem Hoheitsgebiet ohne seine technische Unterstützung bereits durchgeführt wurde, gegenwärtig durchgeführt wird oder in Zukunft durchgeführt werden soll. Hiermit unterrichte ich .... (unterrichteter Mitgliedstaat) über die Überwachung.

(A) ([1]) ZUSTÄNDIGE BEHÖRDE

Offizielle Bezeichnung der zuständigen Behörde des überwachenden Mitgliedstaates:

....

Name ihres Vertreters:

....

Funktion (Titel/Dienstrang):

....

Anschrift:

....

....

....

Tel.: (Landesvorwahl) (Gebiets-/Ortsnetzkennzahl) ....

Fax: (Landesvorwahl) (Gebiets-/Ortsnetzkennzahl ....

E-mail:...

Aktenzeichen: ....

Datum der Ausstellung: ....

Sprachen, in denen mit der Behörde verkehrt werden kann:

....

(B) INFORMATIONEN ZUR ÜBERWACHUNG

(I) Informationen zum Sachstand: Diese Unterrichtung erfolgt (Zutreffendes bitte ankreuzen)

☐ vor der Überwachung

☐ während der Überwachung

☐ nach der Überwachung

(II) (Voraussichtliche) Dauer der Überwachung (soweit der Anordnungsbehörde bekannt):

.... ab dem ....

(III) Ziel der Überwachung: (Telefonnummer, IP- oder E-Mail-Adresse)

....

(IV) Identität der betroffenen Personen

Bitte alle Angaben — soweit bekannt —zur Identität der i) natürlichen oder ii) juristischen Person(en), gegen die das Verfahren geführt wird/eingeleitet werden kann/läuft, aufführen:

(i) Im Falle einer natürlichen Person/natürlicher Personen

Name: ....

Vorname(n): ....

Ggf. anderer relevanter Name/andere relevante Namen:..

Ggf. Aliasnamen: ....

Geschlecht: ....

Staatsangehörigkeit: ....

Kennnummer oder Sozialversicherungsnummer:...

([1]) An die hier angegebene Behörde sollte der weitere Schriftverkehr mit dem Anordnungsstaat gerichtet werden.

Geburtsdatum: ....

Geburtsort: ....

Wohnort und/oder bekannte Anschrift; falls die Anschrift nicht bekannt ist, die zuletzt bekannte Anschrift angeben:

....

Sprache(n), die die Person versteht:

....

(ii) Im Falle einer juristischen Person/juristischer Personen

Name: ....

Rechtsform der juristischen Person: ....

Ggf. Kurzbezeichnung, üblicher Name oder Handelsname:

....

Eingetragener Sitz: ....

Registriernummer: ....

Anschrift der juristischen Person: ....

Name und Kontaktangaben des Vertreters der juristischen Person: ....

(V) V. Informationen zum Zweck der Überwachung:

Machen Sie bitte alle erforderlichen Angaben, einschließlich einer Beschreibung des Falles, der rechtlichen Würdigung der Straftat(en) und der anwendbaren gesetzlichen Bestimmungen, damit die unterrichtete Behörde bewerten kann,

☐ ob die Überwachung in einem ähnlichen innerstaatlichen Fall genehmigt würde und ob das dabei erlangte Material in einem Gerichtsverfahren verwendet werden kann;

☐ ob — falls die Überwachung bereits erfolgt ist — das betreffende Material in einem Gerichtsverfahren verwendet werden kann:.

....

....

....

....

....

....

Bitte beachten Sie, dass jeder Einspruch gegen die Überwachung oder die Verwendung von mit der Überwachung erlangtem Material spätestens 96 Stunden nach Eingang dieser Unterrichtung erfolgen muss.

EU-JZG

(C) UNTERSCHRIFT UND DATUM

Unterschrift:

Datum: ....

(Ggf.) Dienstsiegel:

Auslieferungs- und Rechtshilfegesetz

Bundesgesetz vom 4. Dezember 1979 über die Auslieferung und die Rechtshilfe in Strafsachen (Auslieferungs- und Rechtshilfegesetz – ARHG)
StF: BGBl. Nr. 529/1979 idF BGBl. I Nr. 182/2023

Inhaltsverzeichnis

Stichwortverzeichnis

I. HAUPTSTÜCK

Allgemeine Bestimmungen

Vorrang zwischenstaatlicher Vereinbarungen

§ 1. Die Bestimmungen dieses Bundesgesetzes finden nur insoweit Anwendung, als in zwischenstaatlichen Vereinbarungen nichts anderes bestimmt ist.

Allgemeiner Vorbehalt

§ 2. Einem ausländischen Ersuchen darf nur entsprochen werden, wenn die öffentliche Ordnung oder andere wesentliche Interessen der Republik Österreich nicht verletzt werden.

Gegenseitigkeit

§ 3. (1) Einem ausländischen Ersuchen darf nur entsprochen werden, wenn gewährleistet ist, daß auch der ersuchende Staat einem gleichartigen österreichischen Ersuchen entsprechen würde.

(2) Ein Ersuchen nach diesem Bundesgesetz darf von einer österreichischen Behörde nicht gestellt werden, wenn einem gleichartigen Ersuchen eines anderen Staates nicht entsprochen werden könnte, es sei denn, daß ein Ersuchen aus besonderen Gründen dringend geboten erscheint. In diesem Fall ist der ersuchte Staat auf das Fehlen der Gegenseitigkeit hinzuweisen.

(3) Ist die Einhaltung der Gegenseitigkeit zweifelhaft, so ist hierüber eine Auskunft des Bundesministers für Justiz einzuholen.

(4) Einem anderen Staat kann im Zusammenhang mit einem Ersuchen nach diesem Bundesgesetz die Gegenseitigkeit zugesichert werden, wenn eine zwischenstaatliche Vereinbarung nicht besteht und wenn es nach den Bestimmungen dieses Bundesgesetzes zulässig wäre, einem gleichartigen Ersuchen dieses Staates zu entsprechen.

Bedingungen

§ 4. Bedingungen, die ein anderer Staat anläßlich der Bewilligung einer Auslieferung, Durchlieferung oder Ausfolgung, der Leistung von Rechtshilfe oder im Zusammenhang mit der Übernahme der Strafverfolgung, der Überwachung oder der Vollstreckung gestellt hat und die nicht zurückgewiesen wurden, sind einzuhalten.

Kosten

§ 5. Kosten, die durch die Bewilligung einer Auslieferung oder Ausfolgung, durch die Leistung von Rechtshilfe oder im Zusammenhang mit der Übernahme der Strafverfolgung, der Überwachung oder der Vollstreckung im Inland entstanden sind, hat die Republik Österreich zu tragen, sofern auch insoweit die Gegenseitigkeit gewährleistet ist. Für die durch Leistung von Rechtshilfe entstandenen Sachverständigengebühren sowie für Kosten einer Durchlieferung ist stets Ersatz durch den ersuchenden Staat zu verlangen.

Vorschriften über die Einfuhr, Ausfuhr und Durchfuhr

§ 6. Die in zoll-, devisen- oder monopolrechtlichen Vorschriften oder in Vorschriften über den Warenverkehr enthaltenen Beschränkungen oder Verbote der Einfuhr, Ausfuhr und Durchfuhr von Gegenständen, einschließlich von Waren und Werten, stehen der nach den Bestimmungen dieses Bundesgesetzes zulässigen Ausfolgung, Durchbeförderung oder Übersendung von Gegenständen nicht entgegen.

Reisedokumente

§ 7. Personen, die nach den Bestimmungen dieses Bundesgesetzes einem anderen Staat übergeben oder von einem anderen Staat übernommen werden, benötigen für den Grenzübertritt weder ein Reisedokument (Reisepaß oder Paßersatz) noch einen Sichtvermerk.

Vorbeugende Maßnahmen

§ 8. Eine vorbeugende Maßnahme im Sinne dieses Bundesgesetzes ist eine mit Freiheitsentziehung verbundene Maßnahme, die durch eine in den Strafgesetzen vorgesehene gerichtliche Entscheidung neben oder an Stelle einer Strafe ausgesprochen wird. Ist die Dauer einer noch zu vollziehenden Maßnahme unbestimmt, so ist von dem gesetzlich zulässigen Höchstmaß auszugehen.

Anwendung der allgemeinen Vorschriften über das Strafverfahren; Einstellung des Ermittlungsverfahrens

§ 9. (1) Soweit sich aus den Bestimmungen dieses Bundesgesetzes nichts anderes ergibt, sind die allgemeinen Vorschriften über das Strafverfahren, insbesondere der Strafprozessordnung 1975, BGBl. Nr. 631/1975 (StPO), sinngemäß anzuwenden.

(2) Auf das Verfahren zur Auslieferung von Personen aus Österreich sind die §§ 64 bis 73 und 381 bis 391 StPO nicht, die §§ 51 bis 53 und § 59 Abs. 2 und 3 StPO aber nur mit der Maßgabe anzuwenden, daß an die Stelle des Einbringens der Anklage der Zeitpunkt der Vernehmung der betroffenen Person zum Auslieferungsersuchen (§ 31 Abs. 1) tritt.

(3) Von der Verfolgung einer Straftat kann die Staatsanwaltschaft absehen und das Ermittlungsverfahren insoweit einstellen, wenn sich die österreichische Strafgerichtsbarkeit nur auf § 65 Abs. 1 Z 2 des Strafgesetzbuches gründet und öffentliche Interessen dem Absehen von der Verfolgung nicht entgegenstehen, insbesondere eine Bestrafung nicht geboten ist, um der Begehung strafbarer Handlungen durch andere entgegenzuwirken.

(4) Soll die Überwachung eines von einem ausländischen Gericht Verurteilten übernommen oder die Entscheidung eines ausländischen Gerichtes vollstreckt werden, so kann die Staatsanwaltschaft von der Verfolgung der der ausländischen Verurteilung zu Grunde liegenden Straftat absehen und das Ermittlungsverfah-

ren insoweit einstellen, wenn anzunehmen ist, daß das inländische Gericht keine erheblich strengere Strafe oder vorbeugende Maßnahme als die vom ausländischen Gericht ausgesprochene verhängen würde.

Datenschutz

§ 9a. (1) Die Übermittlung personenbezogener Daten, die bereits verarbeitet wurden oder nach ihrer Übermittlung verarbeitet werden sollen, an einen Drittstaat oder eine internationale Organisation sowie deren Weiterübermittlung an einen anderen Drittstaat oder eine andere internationale Organisation ist zulässig, wenn

1. die Übermittlung zur Verhinderung, Untersuchung, Aufdeckung oder Verfolgung von Straftaten oder zur Strafvollstreckung erforderlich ist und an eine Behörde erfolgt, die für einen oder mehrere dieser Zwecke zuständig ist;

2. in Fällen, in denen personenbezogene Daten aus einem anderen Mitgliedstaat der Europäischen Union übermittelt oder zur Verfügung gestellt wurden, der Mitgliedstaat der Europäischen Union, der die personenbezogenen Daten übermittelt oder zur Verfügung gestellt hat, der Weiterleitung zugestimmt hat; und

3. die Europäische Kommission eine Entscheidung auf Grundlage von Art. 36 Abs. 3 der Richtlinie (EU) 2016/680 zum Schutz natürlicher Personen bei der Verarbeitung personenbezogener Daten durch die zuständigen Behörden zum Zwecke der Verhütung, Ermittlung, Aufdeckung oder Verfolgung von Straftaten oder der Strafvollstreckung sowie zum freien Datenverkehr und zur Aufhebung des Rahmenbeschlusses 2008/977/JI des Rates, ABl. Nr. L 119 vom 4.5.2016 S. 89 getroffen hat, wonach der betreffende Drittstaat oder die internationale Organisation ein angemessenes Datenschutzniveau bietet, oder, in Ermangelung einer solchen Entscheidung, angemessene Garantien für den Schutz personenbezogener Daten im betreffenden Drittstaat oder der internationalen Organisation bestehen;

(2) Die Zustimmung nach Abs. 1 Z 2 ist nicht erforderlich, wenn die Datenübermittlung zur Abwendung einer unmittelbaren und ernsthaften Gefahr für die öffentliche Sicherheit eines Mitgliedstaats der Europäischen Union oder eines Drittstaats oder für die wesentlichen Interessen eines Mitgliedstaats der Europäischen Union erforderlich ist und die Zustimmung nicht rechtzeitig eingeholt werden kann. In einem solchen Fall ist die für die Zustimmungserteilung zuständige Behörde unverzüglich in Kenntnis zu setzen.

(3) Die Aufsichtsbehörde ist von Datenübermittlungen nach Abs. 1 Z 3, zweiter Fall in Kenntnis zu setzen.

(4) Liegen die Voraussetzungen nach Abs. 1 Z 3 nicht vor, so ist die Datenübermittlung unter folgenden Voraussetzungen dennoch zulässig:

1. zum Schutz lebenswichtiger Interessen des Betroffenen oder einer anderen Person;

2. zur Wahrung berechtigter, gesetzlich vorgesehener Interessen des Betroffenen;

3. zur Abwehr einer unmittelbaren und ernsthaften Gefahr für die öffentliche Sicherheit eines Mitgliedstaats der Europäischen Union oder eines Drittstaats;

4. im Einzelfall zu den in Abs. 1 Z 1 angeführten Zwecken, es sei denn, dass die Grundrechte des Betroffenen das öffentliche Interesse an der Datenübermittlung überwiegen; oder

5. im Einzelfall zur Geltendmachung, Ausübung oder Verteidigung von Rechtsansprüchen im Zusammenhang mit den in Abs. 1 Z 1 angeführten Zwecken, es sei denn, dass die Grundrechte des Betroffenen das öffentliche Interesse an der Datenübermittlung überwiegen.

(5) Datenübermittlungen nach Abs. 4, einschließlich Datum und Uhrzeit der Übermittlung, Bezeichnung der empfangenden Behörde, Anführung der übermittelten personenbezogenen Daten und Begründung der Übermittlung, sind zu dokumentieren.

II. HAUPTSTÜCK

Auslieferung aus Österreich

ERSTER ABSCHNITT

Zulässigkeit der Auslieferung

Allgemeiner Grundsatz

§ 10. Eine Auslieferung von Personen an einen anderen Staat zur Verfolgung wegen einer mit gerichtlicher Strafe bedrohten Handlung oder zur Vollstreckung einer wegen einer solchen Handlung verhängten Freiheitsstrafe oder vorbeugenden Maßnahme ist auf Ersuchen eines anderen Staates nach den Bestimmungen dieses Bundesgesetzes zulässig.

Strafbare Handlungen, die der Auslieferung unterliegen

§ 11. (1) Eine Auslieferung zur Verfolgung ist wegen vorsätzlich begangener Handlungen zulässig, die nach dem Recht des ersuchenden Staates mit einer mehr als einjährigen Freiheitsstrafe oder mit einer vorbeugenden Maßnahme dieser Dauer und nach österreichischem Recht mit einer mehr als einjährigen Freiheitsstrafe bedroht sind. Bei der Beurteilung, ob eine strafbare Handlung zu einer Auslieferung Anlaß gibt, ist nicht von den durch § 5 Z 4 des Jugendgerichtsgesetzes 1988 geänderten Strafdrohungen auszugehen. Ob ein nach österreichischem Recht zur Verfolgung notwendiger Antrag oder eine solche Ermächtigung vorliegt, ist unbeachtlich.

(2) Eine Auslieferung zur Vollstreckung ist zulässig, wenn die Freiheitsstrafe oder vorbeugende Maßnahme

wegen einer oder mehrerer der in Abs. 1 angeführten strafbaren Handlungen ausgesprochen worden ist und noch mindestens vier Monate zu vollstrecken sind. Mehrere Freiheitsstrafen oder ihre zu vollstreckenden Reste sind zusammenzurechnen.

(3) Ist nach den Bestimmungen der Abs. 1 oder 2 eine Auslieferung zulässig, so darf zusätzlich auch zur Verfolgung wegen anderer strafbarer Handlungen oder zur Vollstreckung von anderen Freiheitsstrafen oder vorbeugenden Maßnahmen ausgeliefert werden, wenn sonst wegen der Höhe der Strafdrohung (Abs. 1) oder des Ausmaßes der Strafe oder Maßnahme (Abs. 2) nicht ausgeliefert werden dürfte.

Verbot der Auslieferung österreichischer Staatsbürger

§ 12. (Verfassungsbestimmung) (1) Eine Auslieferung österreichischer Staatsbürger ist unzulässig.

(2) Abs. 1 steht der Zurückstellung eines den österreichischen Behörden von einer ausländischen Behörde zur Durchführung bestimmter Verfahrenshandlungen oder im Zusammenhang mit der Leistung von Rechtshilfe nur vorläufig übergebenen österreichischen Staatsbürgers nicht entgegen.

Vorrang der Auslieferung

§ 13. Ist ein Auslieferungsverfahren gegen einen Ausländer anhängig oder liegen hinreichende Gründe für die Einleitung eines solchen Verfahrens vor, so ist es unzulässig, ihn auf Grund anderer gesetzlicher Bestimmungen außer Landes zu bringen.

Strafbare Handlungen politischen Charakters

§ 14. Eine Auslieferung ist unzulässig

1. wegen politischer strafbarer Handlungen,

2. wegen anderer strafbarer Handlungen, denen politische Beweggründe oder Ziele zugrunde liegen, es sei denn, daß unter Berücksichtigung aller Umstände des Einzelfalles, insbesondere der Art der Begehung, der angewendeten oder angedrohten Mittel oder der Schwere der eingetretenen oder beabsichtigten Folgen, der kriminelle Charakter der Tat den politischen überwiegt.

Militärische und fiskalische strafbare Handlungen

§ 15. Eine Auslieferung wegen strafbarer Handlungen, die nach österreichischem Recht ausschließlich

1. militärischer Art sind, oder

2. in der Verletzung von Abgaben-, Monopol-, Zoll- oder Devisenvorschriften oder von Vorschriften über die Warenbewirtschaftung oder über den Außenhandel bestehen,

ist unzulässig.

Österreichische Gerichtsbarkeit

§ 16. (1) Eine Auslieferung wegen strafbarer Handlungen, die der österreichischen Gerichtsbarkeit unterliegen, ist unzulässig.

(2) Abs. 1 steht einer Auslieferung jedoch nicht entgegen,

1. wenn die Gerichtsbarkeit nur stellvertretend für einen anderen Staat ausgeübt wird, oder

2. wenn der Durchführung des Strafverfahrens im ersuchenden Staat mit Rücksicht auf besondere Umstände, insbesondere aus Gründen der Wahrheitsfindung, der Strafbemessung oder der Vollstreckung der Vorzug zu geben ist.

(3) Auch unter den Voraussetzungen des Abs. 2 ist eine Auslieferung dann unzulässig, wenn die auszuliefernde Person im Inland bereits rechtskräftig verurteilt, rechtskräftig freigesprochen oder aus anderen als den im § 9 Abs. 3 angeführten Gründen außer Verfolgung gesetzt worden ist. Im Fall des Abs. 2 Z 2 ist eine Auslieferung überdies dann unzulässig, wenn zu besorgen ist, daß die auszuliefernde Person durch eine Verurteilung im anderen Staat in der Gesamtauswirkung erheblich schlechter gestellt wäre als nach österreichischem Recht.

Gerichtsbarkeit eines dritten Staates

§ 17. Eine Auslieferung ist unzulässig, wenn die auszuliefernde Person wegen der strafbaren Handlung

1. von einem Gericht des Tatortstaates rechtskräftig freigesprochen oder sonst außer Verfolgung gesetzt worden ist, oder

2. von einem Gericht eines dritten Staates rechtskräftig verurteilt worden ist und die Strafe ganz vollstreckt oder zur Gänze oder für den noch nicht vollstreckten Teil nachgesehen worden ist oder ihre Vollstreckbarkeit nach dem Recht des dritten Staates verjährt ist.

Verjährung

§ 18. Eine Auslieferung ist unzulässig, wenn die Verfolgung oder die Vollstreckung nach dem Recht des ersuchenden Staates oder nach österreichischem Recht verjährt ist.

Wahrung rechtsstaatlicher Grundsätze; Asyl

§ 19. Eine Auslieferung ist unzulässig, wenn zu besorgen ist, daß

1. das Strafverfahren im ersuchenden Staat den Grundsätzen der Art. 3 und 6 der Konvention zum Schutze der Menschenrechte und Grundfreiheiten, BGBl. Nr. 210/1958, nicht entsprechen werde oder nicht entsprochen habe,

2. die im ersuchenden Staat verhängte oder zu erwartende Strafe oder vorbeugende Maßnahme in einer den Erfordernissen des Art. 3 der Konvention zum

Schutze der Menschenrechte und Grundfreiheiten, BGBl. Nr. 210/1958, nicht entsprechenden Weise vollstreckt werden würde, oder

3. die auszuliefernde Person im ersuchenden Staat wegen ihrer Abstammung, Rasse, Religion, ihrer Zugehörigkeit zu einer bestimmten Volks- oder Gesellschaftsgruppe, ihrer Staatsangehörigkeit oder wegen ihrer politischen Anschauungen einer Verfolgung ausgesetzt wäre oder aus einem dieser Gründe andere schwerwiegende Nachteile zu erwarten hätte (Auslieferungsasyl).

Abwesenheitsurteile

§ 19a. (1) Die Auslieferung zur Vollstreckung einer in Abwesenheit verhängten Freiheitsstrafe oder zur Vollziehung einer in Abwesenheit angeordneten vorbeugenden Maßnahme, die mit Freiheitsentziehung verbunden ist, ist nur zulässig, wenn die auszuliefernde Person

1. fristgerecht durch persönliche Ladung oder auf andere Weise von Zeit und Ort der Verhandlung, die zu der Entscheidung geführt hat, Kenntnis erlangt hat und darüber belehrt worden ist, dass das Urteil in ihrer Abwesenheit ergehen kann;

2. in Kenntnis der anberaumten Verhandlung einen selbst gewählten oder vom Gericht beigegebenen Verteidiger mit ihrer Vertretung in der Verhandlung betraut hat und von diesem in der Verhandlung tatsächlich vertreten wurde; oder

3. nach Zustellung des in Abwesenheit ergangenen Urteils und nach Belehrung über das Recht, die Neudurchführung der Verhandlung zu beantragen oder ein Rechtsmittel zu ergreifen und auf diesem Weg eine neuerliche Prüfung des Sachverhalts, auch unter Berücksichtigung neuer Beweise, in seiner Anwesenheit und eine Aufhebung der Entscheidung zu erreichen,

a) ausdrücklich erklärt hat, keine Neudurchführung der Verhandlung zu beantragen oder kein Rechtsmittel zu ergreifen; oder

b) innerhalb der bestehenden Fristen keine Neudurchführung der Verhandlung beantragt oder kein Rechtsmittel ergriffen hat.

(2) Kann das Vorliegen der Voraussetzungen nach Abs. 1 nicht festgestellt werden, hat der Bundesminister für Justiz auf Antrag der Staatsanwaltschaft oder des Gerichts eine ausreichende Zusicherung des ersuchenden Staats einzuholen, wonach die auszuliefernde Person das Recht hat, die Neudurchführung der Verhandlung zu beantragen oder ein Rechtsmittel zu ergreifen und auf diesem Weg eine neuerliche Prüfung des Sachverhalts, auch unter Berücksichtigung neuer Beweise, in ihrer Anwesenheit und eine Aufhebung der Entscheidung zu erreichen.

Unzulässige Strafen oder vorbeugende Maßnahmen

§ 20. (1) Eine Auslieferung zur Verfolgung wegen einer nach dem Recht des ersuchenden Staates mit der Todesstrafe bedrohten strafbaren Handlung ist nur zulässig, wenn gewährleistet ist, daß die Todesstrafe nicht ausgesprochen werden wird.

(2) Eine Auslieferung zur Vollstreckung der Todesstrafe ist unzulässig.

(3) Die Bestimmungen der Abs. 1 und 2 sind auch auf Strafen oder vorbeugende Maßnahmen, die den Erfordernissen des Art. 3 der Konvention zum Schutze der Menschenrechte und Grundfreiheiten, BGBl. Nr. 210/1958, nicht entsprechen, sinngemäß anzuwenden.

Strafunmündige

§ 21. Eine Auslieferung von Personen, die nach österreichischem Recht oder nach dem Recht des ersuchenden Staates zur Zeit der Tat strafunmündig waren, ist unzulässig.

Härtefälle

§ 22. Eine Auslieferung ist unzulässig, wenn sie die auszuliefernde Person unter Berücksichtigung der Schwere der ihr zur Last gelegten strafbaren Handlung wegen ihres jugendlichen Alters (§ 1 Z 2 des Jugendgerichtsgesetzes 1988), wegen ihres seit langem bestehenden inländischen Wohnsitzes oder aus anderen schwerwiegenden, in ihren persönlichen Verhältnissen gelegenen Gründen offenbar unverhältnismäßig hart träfe.

Spezialität der Auslieferung

§ 23. (1) Eine Auslieferung ist nur zulässig, wenn gewährleistet ist, daß

1. die ausgelieferte Person im ersuchenden Staat weder wegen einer vor ihrer Übergabe begangenen Handlung, auf die sich die Auslieferungsbewilligung nicht erstreckt, noch ausschließlich wegen einer oder mehrerer für sich allein nicht der Auslieferung unterliegenden Handlungen (§ 11 Abs. 3) verfolgt, bestraft, in ihrer persönlichen Freiheit beschränkt oder an einen dritten Staat weitergeliefert wird,

2. bei einer Änderung der rechtlichen Würdigung der der Auslieferung zugrunde liegenden Handlung oder bei Anwendung anderer als der ursprünglich angenommenen strafgesetzlichen Bestimmungen die ausgelieferte Person nur insoweit verfolgt und bestraft wird, als die Auslieferung auch unter den neuen Gesichtspunkten zulässig wäre.

(2) Der Strafverfolgung oder der Vollstreckung einer Freiheitsstrafe oder vorbeugenden Maßnahme kann auf Ersuchen nach Durchführung der Auslieferung zugestimmt werden, wenn im Verhältnis zum ersuchenden Staat die Auslieferung wegen der dem Ersuchen zugrunde liegenden Handlung, wenn auch nur

im Zusammenhang mit einer früheren Bewilligung, zulässig wäre. Ebenso kann der Weiterlieferung an einen dritten Staat zugestimmt werden, wenn eine Auslieferung im Verhältnis zu diesem Staat zulässig wäre.

(3) Einer Zustimmung nach Abs. 2 bedarf es nicht, wenn

1. sich die ausgelieferte Person nach ihrer Freilassung länger als fünfundvierzig Tage auf dem Gebiet des ersuchenden Staates aufhält, obwohl sie es verlassen konnte und durfte,

2. die ausgelieferte Person das Gebiet des ersuchenden Staates verläßt und dorthin freiwillig zurückkehrt oder aus einem dritten Staat rechtmäßig dorthin zurückgebracht wird,

3. die Auslieferung nach § 32 erfolgt ist.

Auslieferungsersuchen mehrerer Staaten

§ 24. Ersuchen zwei oder mehrere Staaten um die Auslieferung derselben Person, so ist über den Vorrang zwischen den Auslieferungsersuchen unter Berücksichtigung aller Umstände, insbesondere der vertraglichen Verpflichtungen, des Tatortes, der zeitlichen Reihenfolge des Einlangens der Ersuchen, der Staatsangehörigkeit der auszuliefernden Person, der Möglichkeit ihrer Weiterlieferung und, wenn sich die Ersuchen auf verschiedene strafbare Handlungen beziehen, auch der Schwere der strafbaren Handlungen, zu entscheiden (§ 34 Abs. 2).

Ausfolgung von Gegenständen

§ 25. (1) Im Zusammenhang mit einer Auslieferung ist eine Ausfolgung von Gegenständen zulässig, die als Beweismittel dienen können oder welche die auszuliefernde Person durch die strafbare Handlung oder durch die Verwertung der daher stammenden Gegenstände erlangt hat.

ARHG

(2) Kann eine Auslieferung, die nach den Bestimmungen dieses Bundesgesetzes zulässig wäre, nicht bewilligt werden, weil die auszuliefernde Person geflüchtet oder gestorben ist oder im Inland nicht betreten werden konnte, so ist eine Ausfolgung auf Grund des Auslieferungsersuchens oder eines gesonderten Ersuchens dennoch zulässig.

(3) Eine Ausfolgung zu Beweiszwecken kann mit dem Vorbehalt bewilligt werden, daß die Gegenstände auf Verlangen unverzüglich zurückgegeben werden.

(4) Eine Ausfolgung ist jedenfalls unzulässig, wenn zu besorgen ist, daß durch sie die Verfolgung oder Verwirklichung der Rechte dritter Personen vereitelt oder unangemessen erschwert würde.

ZWEITER ABSCHNITT

Zuständigkeit und Verfahren

Sachliche und örtliche Zuständigkeit

§ 26. (1) Die Staatsanwaltschaft führt das Auslieferungsverfahren in sinngemäßer Anwendung der Bestimmungen des 1. und 2. Teils der StPO. Örtlich ist jene Staatsanwaltschaft zuständig, in deren Sprengel die betroffene Person ihren Wohnsitz oder Aufenthalt hat; fehlt es an einem solchen Ort, ist die Staatsanwaltschaft zuständig, in deren Sprengel die Person betreten wurde. Befindet sich die betroffene Person in gerichtlicher Haft, so ist der Haftort maßgebend. Ergibt sich nach diesen Bestimmungen keine Zuständigkeit einer bestimmten Staatsanwaltschaft, so ist die Staatsanwaltschaft Wien zuständig. Langen gegen dieselbe Person mehrere Ersuchen um Auslieferung oder um Zustimmung zur weiteren Strafverfolgung oder Strafvollstreckung (§ 40) ein, die in einem Spezialitätsverhältnis (§ 23) stehen, sind sie in einem gemeinsamen Auslieferungsverfahren zu führen.

(2) Im Auslieferungsverfahren obliegen gerichtliche Entscheidungen dem Einzelrichter des Landesgerichts (§ 31 Abs. 1 StPO), an dessen Sitz sich die Staatsanwaltschaft befindet, die das Auslieferungsverfahren führt.

(3) Die Bestimmungen der Abs. 1 und 2 gelten auch für die Ausfolgung von Gegenständen im Zusammenhang mit einer Auslieferung (Sachauslieferung). Zur Prüfung eines gesonderten Ersuchens um Sachauslieferung ist die Staatsanwaltschaft zuständig, in deren Sprengel sich der auszuliefernde Gegenstand befindet.

Fahndung

§ 27. (1) Einlangende Ersuchen um Verhängung der Auslieferungshaft sind von der Staatsanwaltschaft dahin zu prüfen, ob hinreichende Gründe für die Annahme vorliegen, daß die ihnen zugrunde liegende strafbare Handlung zu einer Auslieferung Anlaß gibt. Bei Vorliegen dieser Voraussetzungen hat die Staatsanwaltschaft die im 9. Hauptstück der StPO vorgesehenen Fahndungsmaßnahmen oder erforderlichenfalls die Festnahme der gesuchten Person anzuordnen.

(2) Die Befassung der Staatsanwaltschaft mit einem im Wege eines automationsunterstützt geführten Fahndungssystems, im Wege der Internationalen Kriminalpolizeilichen Organisation - INTERPOL - oder sonst im Wege der internationalen kriminalpolizeilichen Amtshilfe einlangenden Ersuchens kann unterbleiben, wenn kein Grund zur Annahme besteht, daß sich die gesuchte Person in Österreich aufhält und das Ersuchen nur zu Fahndungsmaßnahmen Anlaß gibt, die keine öffentliche Bekanntmachung (§ 169 Abs. 1 zweiter Satz StPO) erfordern.

Anbot der Auslieferung

§ 28. (1) Liegen hinreichende Gründe für die Annahme vor, daß eine im Inland betretene Person eine der Auslieferung unterliegende strafbare Handlung begangen habe, so hat die Staatsanwaltschaft zu prüfen, ob Anlaß zu einer Auslieferung besteht. Ist dies der Fall, so hat die Staatsanwaltschaft die Vernehmung der betroffenen Person und die Berichterstattung an den Bundesminister für Justiz durch das Gericht zu beantragen. Dieser hat den Staat, in dem die strafbare Handlung begangen worden ist, zu befragen, ob um die Auslieferung ersucht wird. Der Bundesminister für Justiz kann von der Befragung absehen, wenn angenommen werden muß, daß ein solches Ersuchen nicht gestellt werden wird, oder auf Grund der Unterlagen zu ersehen ist, daß eine Auslieferung aus einem der Gründe der §§ 2 und 3 Abs. 1, insbesondere weil dem Betroffenen völkerrechtlicher Schutz zukommt, abgelehnt werden müßte. Das Absehen von der Befragung und seine Gründe sind dem Gericht mitzuteilen. Für das Einlangen des Auslieferungsersuchens ist eine angemessene Frist zu bestimmen. Langt ein Auslieferungsersuchen nicht rechtzeitig ein, so hat dies der Bundesminister für Justiz dem Gericht mitzuteilen.

(2) Auf Grund der Mitteilung, daß von einer Befragung nach Abs. 1 abgesehen wird oder daß ein Auslieferungsersuchen nicht rechtzeitig eingelangt ist, hat das Gericht die in Auslieferungshaft befindliche Person unverzüglich zu enthaften, sofern nicht die Staatsanwaltschaft sogleich die Verhängung der Untersuchungshaft beantragt. Die Auslieferungshaft ist im Falle der Verurteilung durch ein inländisches Gericht nach § 38 des Strafgesetzbuches anzurechnen.

Auslieferungshaft

§ 29. (1) Die Auslieferungshaft darf nur verhängt oder fortgesetzt werden, wenn hinreichende Gründe für die Annahme vorliegen, daß eine im Inland betretene Person eine der Auslieferung unterliegende strafbare Handlung begangen habe. Auf die Auslieferungshaft sind, soweit sich aus den Bestimmungen dieses Bundesgesetzes nichts anderes ergibt, die Bestimmungen über die Untersuchungshaft, bei Jugendlichen auch jene des Jugendgerichtsgesetzes 1988, sinngemäß anzuwenden.

(2) Die Auslieferungshaft darf nicht verhängt oder aufrechterhalten werden, wenn die Haftzwecke durch eine gleichzeitige gerichtliche Untersuchungshaft oder Strafhaft erreicht werden können. Die Staatsanwaltschaft hat die Abweichungen vom Vollzug der Untersuchungshaft oder der Strafhaft zu verfügen, die für die Zwecke des Auslieferungsverfahrens unentbehrlich sind. Können die Haftzwecke durch eine gleichzeitige Strafhaft nicht erreicht werden oder würde das Auslieferungsverfahren durch die Aufrechterhaltung der Strafhaft wesentlich erschwert, so ist vom Gericht die Auslieferungshaft zu verhängen; damit tritt eine Unterbrechung des Strafvollzuges ein. Die Auslieferungshaft ist auf die durch sie unterbrochene Strafhaft anzurechnen.

(3) Vor der Entscheidung über die Verhängung der Auslieferungshaft ist die betroffene Person über die gegen sie erhobenen Anschuldigungen zu unterrichten und darauf hinzuweisen, daß es ihr freistehe, sich zu äußern oder nicht zur Sache auszusagen und sich zuvor mit einem Verteidiger zu verständigen. Sie ist auch über ihr Recht zu belehren, die Durchführung einer Verhandlung über die Zulässigkeit der Auslieferung zu beantragen. Wurde die Person festgenommen und hat sie noch keinen Verteidiger, so ist nach § 59 StPO vorzugehen; auch die Freistellung von der Tragung der Kosten eines Verteidigers in Bereitschaft (§ 59 Abs. 5 StPO) kommt der festgenommenen Person zugute.

(4) Wird über eine Person, die nicht durch einen Verteidiger vertreten ist, die Auslieferungshaft verhängt, oder ist die Person jugendlich, so ist ihr sogleich ein Verteidiger (§ 61 Abs. 1 Z 1 StPO) beizugeben. § 61 Abs. 2 bis 4 und § 62 der StPO sind sinngemäß anzuwenden.

(5) Die Wirksamkeit des zuletzt ergangenen Beschlusses auf Verhängung oder Fortsetzung der Auslieferungshaft ist durch die Haftfrist nicht mehr begrenzt, wenn und sobald sich die betroffene Person mit der vereinfachten Auslieferung einverstanden erklärt (§ 32) oder das Gericht beschließt, dass die Auslieferung zulässig sei (§ 31); Haftverhandlungen von Amts wegen finden danach nicht mehr statt.

(6) Die betroffene Person ist jedenfalls zu enthaften, wenn sie sich schon ein Jahr in Auslieferungshaft befindet, ohne dass der Bundesminister für Justiz die Auslieferung bewilligt oder abgelehnt hat (§ 34). Über sechs Monate hinaus darf die Auslieferungshaft nur dann aufrechterhalten werden, wenn dies wegen besonderer Schwierigkeiten oder besonderen Umfangs des Verfahrens unvermeidbar ist und es sich bei der der Auslieferung unterliegenden strafbaren Handlung um ein Verbrechen (§ 17 des Strafgesetzbuches) handelt.

Behandlung einlangender Ersuchen

§ 30. Auslieferungsersuchen sind vom Bundesministerium für Justiz unmittelbar der zuständigen Staatsanwaltschaft unter gleichzeitiger Unterrichtung der Oberstaatsanwaltschaft zur weiteren Verfügung zuzuleiten. Liegen Umstände zutage, die einer Auslieferung aus einem der in den §§ 2 und 3 Abs. 1 angeführten Gründe entgegenstehen, oder ist das Ersuchen zur gesetzmäßigen Behandlung ungeeignet, so hat der Bundesminister für Justiz das Ersuchen sogleich abzulehnen.

Verfahren über die Zulässigkeit der Auslieferung

§ 31. (1) Das Gericht hat die betroffene Person zum Auslieferungsersuchen zu vernehmen; § 29 Abs. 3 gilt sinngemäß. Ist die betroffene Person jugendlich, so ist dem gesetzlichen Vertreter (§ 38 Jugendgerichtsgesetz 1988) Gelegenheit zur Teilnahme an der Vernehmung und der Verhandlung zu geben, und es steht ihm das Recht der Äußerung zu. Über die Zulässigkeit der Auslieferung entscheidet das Gericht nach Maßgabe des § 33 mit Beschluss.

(1a) Für den Fall, dass es sich bei der betroffenen Person um einen Unionsbürger handelt und sie der vereinfachten Auslieferung nicht zustimmt, hat das Gericht ihren Heimatmitgliedstaat über das Auslieferungsverfahren zu verständigen und diesem eine Beschreibung der dem Auslieferungsersuchen zugrundeliegenden strafbaren Handlung, ihre rechtliche Würdigung, die ermittelnde Justizbehörde und das Aktenzeichen bekannt zu geben, zu dem das Strafverfahren geführt wird. Der Heimatmitgliedstaat ist um Mitteilung zu ersuchen, ob gegen die betroffene Person ein Europäischer Haftbefehl erlassen wird. Für die Erlassung eines solchen Haftbefehls ist eine angemessene Frist zu setzen.

(2) Der Beschluss hat auf Grund öffentlicher mündlicher Verhandlung zu ergehen, wenn die betroffene Person oder die Staatsanwaltschaft eine solche beantragt oder das Gericht sie zur Prüfung der Zulässigkeit der Auslieferung für notwendig erachtet. Befindet sich die betroffene Person in Auslieferungshaft, so hat die Verhandlung über die Zulässigkeit der Auslieferung im Rahmen einer Haftverhandlung nach Maßgabe der Bestimmungen des Abs. 3 stattzufinden. Ungeachtet eines Antrags auf Durchführung einer Verhandlung kann das Gericht die Auslieferung stets ohne eine solche für unzulässig erklären. Entscheidet das Gericht ohne Verhandlung, so muss in jedem Fall der betroffenen Person und ihrem Verteidiger sowie der Staatsanwaltschaft Gelegenheit geboten worden sein, zum Auslieferungsersuchen Stellung zu nehmen.

(3) Die betroffene Person muss in der Verhandlung durch einen Verteidiger vertreten sein (§ 61 Abs. 1 StPO). Ist die betroffene Person verhaftet, so ist ihre Vorführung zu veranlassen, es sei denn, sie hätte durch ihren Verteidiger auf die Anwesenheit ausdrücklich verzichtet. § 172 StPO ist sinngemäß anzuwenden.

(4) Die Öffentlichkeit der Verhandlung kann außer in den in § 229 StPO angeführten Fällen ausgeschlossen werden, wenn zwischenstaatliche Beziehungen beeinträchtigt werden könnten. In der Verhandlung hat der Einzelrichter zunächst den Inhalt der bei Gericht eingelangten Unterlagen und den bisherigen Gang des Verfahrens zusammen zu fassen. Hierauf erhält der Staatsanwalt das Wort. Danach ist der betroffenen Person und ihrem Verteidiger Gelegenheit zu geben, zum Auslieferungsersuchen und zu den Ausführungen des Staatsanwaltes Stellung zu nehmen. Der betroffenen Person und ihrem Verteidiger gebührt jedenfalls das Recht der letzten Äußerung.

(5) Der Beschluss über die Zulässigkeit der Auslieferung ist vom Einzelrichter zu verkünden und zu begründen. Er ist schriftlich auszufertigen und hat jedenfalls jene Sachverhalte zu bezeichnen, hinsichtlich deren die Auslieferung für zulässig oder unzulässig erklärt wird.

(6) Meldet im Fall einer mündlichen Verkündung des Beschlusses die betroffene Person oder die Staatsanwaltschaft binnen drei Tagen eine Beschwerde an, so kann der Beschwerdeführer diese binnen vierzehn Tagen nach Zustellung der schriftlichen Ausfertigung näher ausführen. Die Beschwerde hat aufschiebende Wirkung. Die Bestimmungen über das Verfahren vor dem Rechtsmittelgericht (§ 89 StPO) gelten mit der Maßgabe, dass das Oberlandesgericht über die Beschwerde in einer öffentlichen mündlichen Verhandlung unter sinngemäßer Anwendung des § 294 Abs. 5 StPO zu entscheiden hat, es sei denn, dass sie gemäß § 89 Abs. 2 StPO als unzulässig zurückzuweisen ist oder dass einer der in § 89 Abs. 2a Z 1 bis 3 StPO genannten Umstände vorliegt. Das Oberlandesgericht hat seinen Beschluss unter Anschluss der Akten dem Bundesministerium für Justiz vorzulegen.

(7) Wird eine Beschwerde nicht erhoben, so hat das Gericht die Akten unmittelbar dem Bundesministerium für Justiz vorzulegen.

Vereinfachte Auslieferung

§ 32. (1) Die betroffene Person kann sich auf Grund eines ausländischen Ersuchens um Auslieferung oder um Verhängung der Auslieferungshaft mit der Auslieferung einverstanden erklären und einwilligen, ohne Durchführung eines förmlichen Auslieferungsverfahrens übergeben zu werden. Liegen mehrere Ersuchen vor, so ist die Erklärung der Einwilligung nur wirksam, wenn sie alle Ersuchen umfasst. Die betroffene Person hat das Recht, sich vor Erklärung der Einwilligung mit einem Verteidiger zu beraten. Befindet sich die betroffene Person in Auslieferungshaft, so kann sie diese Einwilligung jedoch frühestens in der gemäß § 175 Abs. 2 Z 1 StPO durchzuführenden Haftverhandlung wirksam abgeben. Die Einwilligung wird jedenfalls nur dann rechtsgültig, wenn sie gerichtlich zu Protokoll gegeben wird.

(2) Das Gericht hat die betroffene Person zu belehren, dass sie das Recht auf Beratung mit einem Verteidiger habe, daß sie im Fall einer Auslieferung nach Abs. 1 keinen Anspruch auf den Schutz nach § 23 Abs. 1 und 2 oder nach entsprechenden Bestimmungen in zwischenstaatlichen Vereinbarungen habe, und daß sie ihre Einwilligung nicht widerrufen könne.

(3) Die vereinfachte Auslieferung eines Jugendlichen ist nur zulässig, wenn auch sein gesetzlicher Vertreter zustimmt oder er durch einen Verteidiger vertreten ist.

(4) Hat sich die betroffene Person mit der vereinfachten Auslieferung einverstanden erklärt, so hat das Gericht die Akten unmittelbar dem Bundesministerium für Justiz vorzulegen.

Prüfung des Auslieferungsersuchens durch das Gericht

§ 33. (1) Die Zulässigkeit der Auslieferung ist an Hand des Auslieferungsersuchens und seiner Unterlagen zu prüfen.

(2) Ob die betroffene Person der ihr zur Last gelegten strafbaren Handlung nach den Auslieferungsunterlagen hinreichend verdächtig ist, ist nur zu prüfen,

wenn insoweit erhebliche Bedenken bestehen, insbesondere wenn Beweise vorliegen oder angeboten werden, durch die der Verdacht ohne Verzug entkräftet werden könnte.

(3) Die Zulässigkeit der Auslieferung ist in rechtlicher Hinsicht einschließlich aller sich aus den zwischenstaatlichen Vereinbarungen ergebenden Voraussetzungen und Hindernisse für die Auslieferung der betroffenen Person, insbesondere auf dem Gebiet des Asylrechtes, umfassend unter dem Gesichtspunkt der der betroffenen Person nach Gesetz und Bundesverfassung zukommenden subjektiven Rechte zu prüfen.

Bewilligung und Ablehnung der Auslieferung

§ 34. (1) Über das Auslieferungsersuchen befindet der Bundesminister für Justiz nach Maßgabe zwischenstaatlicher Vereinbarungen und der Grundsätze des zwischenstaatlichen Rechtsverkehrs. Er nimmt dabei auf die Interessen und die völkerrechtlichen Verpflichtungen der Republik Österreich Bedacht. Er hat die Auslieferung abzulehnen, soweit sie rechtskräftig für unzulässig erklärt wurde.

(2) Ist die Auslieferung im Verhältnis zu mehreren Staaten zulässig, so hat der Bundesminister für Justiz auch darüber zu entscheiden, welchem Auslieferungsersuchen der Vorrang zukommt.

(3) Liegen die Voraussetzungen des § 32 vor, so hat der Bundesminister für Justiz die Übergabe der auszuliefernden Person anzuordnen. Bestehen jedoch aus einem der im ersten Abschnitt des II. Hauptstückes angeführten Gründe Bedenken gegen die Zulässigkeit der Auslieferung, so ist das Verfahren nach den §§ 31, 33 und 34 Abs. 1, 2 und 4 durchzuführen.

(4) Der Bundesminister für Justiz hat die Bewilligung oder Ablehnung der Auslieferung dem ersuchenden Staat und dem Gericht, im Fall einer Beschwerde nach § 31 Abs. 6 auch dem Oberlandesgericht, mitzuteilen. Besteht Anlass für einen Aufschub nach § 37, so hat er auf die gleiche Weise vorzugehen. Die Benachrichtigung der betroffenen Person und ihres Verteidigers hat durch das Gericht zu erfolgen.

Unterlagen

§ 35. (1) Die Auslieferungsunterlagen müssen jedenfalls die Ausfertigung oder die beglaubigte Abschrift oder Ablichtung einer gerichtlichen Entscheidung über die Festnahme, einer Urkunde von gleicher Wirksamkeit oder einer vollstreckbaren verurteilenden Entscheidung umfassen.

(2) Der Bundesminister für Justiz kann in jeder Lage des Verfahrens von sich aus oder auf Antrag der Staatsanwaltschaft, des Landesgerichts oder des Oberlandesgerichts von dem um die Auslieferung ersuchenden Staat eine Ergänzung der Unterlagen verlangen und hiefür eine angemessene Frist bestimmen. Bei fruchtlosem Ablauf dieser Frist ist auf Grund der vorhandenen Unterlagen zu entscheiden.

Übergabe

§ 36. (1) Das Gericht hat die Durchführung der Auslieferung zu veranlassen. Befindet sich die auszuliefernde Person auf freiem Fuß, so hat das Gericht auf Antrag der Staatsanwaltschaft die Festnahme anzuordnen, sofern die Durchführung der Auslieferung sonst nicht gewährleistet ist. Die Überstellung der auszuliefernden Person zu dem in Betracht kommenden Grenzübergang oder zu dem sonst vereinbarten Übergabeort hat durch Justizwachebeamte zu erfolgen. Persönliche Gegenstände, die verwahrt wurden, sind, sofern die auszuliefernde Person darüber nicht anders verfügt, ebenfalls zu übergeben.

(2) Die Übergabe eines Jugendlichen kann, wenn die Zwecke der Auslieferung dem nicht entgegenstehen, auch in der Weise geschehen, daß der Jugendliche dem Erziehungsberechtigten oder einer von diesem beauftragten Person übergeben wird.

(3) Ein Jugendlicher, dessen Auslieferung voraussichtlich zu bewilligen sein wird, kann schon vor der Entscheidung über das Auslieferungsersuchen übergeben werden, wenn das notwendig erscheint, um von ihm mit einem längeren Auslieferungsverfahren verbundene Nachteile abzuwenden, und die Beachtung des Grundsatzes der Spezialität gewährleistet ist. Über die vorzeitige Übergabe hat der Bundesminister für Justiz zu entscheiden.

Aufschub der Übergabe

§ 37. Das Gericht hat auf Antrag der betroffenen Person oder der Staatsanwaltschaft oder von Amts wegen die Übergabe aufzuschieben, wenn

1. die auszuliefernde Person nicht transportfähig ist oder

2. gegen die auszuliefernde Person ein Strafverfahren bei der Staatsanwaltschaft oder bei Gericht geführt wird, sie sich in finanzbehördlicher Untersuchungshaft befindet oder an ihr eine verhängte Freiheitsstrafe oder vorbeugende Maßnahme zu vollstrecken ist. Wird jedoch von der Verfolgung oder Vollstreckung wegen der Auslieferung abgesehen (§ 192 Abs. 1 Z 2 StPO; §§ 4 und 157 StVG), so hat das Gericht die Übergabe unverzüglich durchzuführen.

Vorläufige Übergabe

§ 38. (1) Ungeachtet des Aufschubes der Übergabe nach § 37 Z 2 kann eine Person, an der eine Freiheitsstrafe oder vorbeugende Maßnahme vollzogen wird, einem anderen Staat auf sein Ersuchen zur Durchführung bestimmter Verfahrenshandlungen, insbesondere der Hauptverhandlung und Urteilsfällung, vorläufig übergeben werden, wenn ihre Zurückstellung nach Durchführung dieser Verfahrenshandlungen gewährleistet ist. Die vorläufige Übergabe hat zu unterbleiben, wenn sie unangemessene Nachteile für die auszuliefernde Person zur Folge haben könnte.

(2) Die vorläufige Übergabe unterbricht den Vollzug der inländischen Freiheitsstrafe oder vorbeugenden Maßnahme nicht.

(3) Über das Ersuchen um vorläufige Übergabe entscheidet der Bundesminister für Justiz.

Wiederaufnahme des Auslieferungsverfahrens

§ 39. Das Auslieferungsverfahren ist auf Antrag der betroffenen Person oder der Staatsanwaltschaft oder von Amts wegen wiederaufzunehmen, wenn sich neue Tatsachen oder Beweismittel ergeben, die geeignet erscheinen, erhebliche Bedenken gegen die Richtigkeit des Beschlusses zu bewirken. Über die Wiederaufnahme entscheidet das Gericht (§ 43 Abs. 4 StPO) in sinngemäßer Anwendung der Bestimmungen des § 357 Abs. 2 zweiter bis fünfter Satz und Abs. 3 StPO. Für das weitere Verfahren nach einem Beschluss, durch den das Auslieferungsverfahren wiederaufgenommen wird, gelten die Bestimmungen des §§ 31, 33 und 34; § 43 Abs. 2 StPO ist sinngemäß anzuwenden.

Nachträgliches Auslieferungsverfahren

§ 40. Auf das Verfahren über Ersuchen nach § 23 Abs. 2 sind, wenn die betroffene Person nicht im Weg der vereinfachten Auslieferung Übergeben worden ist, die §§ 31, 33 und 34 mit der Maßgabe anzuwenden, dass das Gericht stets ohne Verhandlung entscheidet. Vor der Entscheidung muß der ausgelieferten Person Gelegenheit geboten worden sein, dass das Gericht ohne Verhandlung entscheidet, wenn die betroffene Person bereits übergeben wurde.

Verfahren bei der Ausfolgung von Gegenständen

§ 41. (1) Auf die Ausfolgung von Gegenständen sind die §§ 31 bis 35 sinngemäß anzuwenden. An die Stelle der im § 35 Abs. 1 bezeichneten Unterlagen kann im Fall eines gesonderten Ersuchens um Ausfolgung die Ausfertigung oder die beglaubigte Abschrift oder Ablichtung eines gerichtlichen Beschlagnahmebeschlusses oder einer Urkunde gleicher Wirksamkeit treten.

(2) Die Übergabe von Gegenständen ist aufzuschieben, solange diese für ein im Inland anhängiges Gerichts- oder Verwaltungsverfahren benötigt werden.

(3) Ein durch eine strafbare Handlung entzogener Gegenstand kann dem Berechtigten nach Maßgabe des § 367 der Strafprozeßordnung 1975 auch ohne Durchführung des Verfahrens nach Abs. 1 zurückgestellt werden.

III. HAUPTSTÜCK

Durchlieferung

ERSTER ABSCHNITT

Zulässigkeit

Allgemeiner Grundsatz

§ 42. (1) Eine Durchlieferung von Personen durch das Gebiet der Republik Österreich zur Verfolgung wegen einer mit gerichtlicher Strafe bedrohten Handlung oder zur Vollstreckung einer wegen einer solchen Handlung verhängten Strafe oder vorbeugenden Maßnahme ist auf Ersuchen eines Staates, an den die Personen von einem dritten Staat ausgeliefert werden sollen, nach den Bestimmungen dieses Bundesgesetzes zulässig.

(2) Die Bestimmungen dieses Hauptstückes sind sinngemäß auch auf Ersuchen um Durchbeförderung von Personen durch das Gebiet der Republik Österreich in einen dritten Staat zum Zweck der Übernahme der Strafverfolgung oder der Vollstreckung einer ausländischen gerichtlichen Entscheidung anzuwenden. Die Durchbeförderung ist auch zu bewilligen, wenn aus einem der im § 11 angeführten Gründe eine Auslieferung nicht zulässig wäre.

Zulässigkeit der Durchlieferung

§ 43. Eine Durchlieferung ist nur zulässig, wenn nach den §§ 11, 14, 15, 18 bis 21 und 23 eine Auslieferung zulässig wäre.

Verbot der Durchlieferung österreichischer Staatsbürger

§ 44. (Verfassungsbestimmung) Eine Durchlieferung österreichischer Staatsbürger durch das Gebiet der Republik Österreich ist unzulässig.

Österreichische Gerichtsbarkeit

§ 45. (1) Eine Durchlieferung wegen einer strafbaren Handlung, die der österreichischen Gerichtsbarkeit unterliegt, ist zulässig, sofern nicht wegen dieser strafbaren Handlung

1. die Auslieferung der durchzuliefernden Person an die Republik Österreich zu erwirken ist, oder

2. die durchzuliefernde Person im Inland bereits rechtskräftig verurteilt oder aus einem anderen Grund als wegen Fehlens der österreichischen Gerichtsbarkeit rechtskräftig freigesprochen oder sonst außer Verfolgung gesetzt worden ist.

(2) Ein inländischer Strafanspruch gegen die durchzuliefernde Person wegen einer vom Durchlieferungsersuchen nicht erfaßten strafbaren Handlung steht der Durchlieferung nur entgegen, wenn wegen dieser strafbaren Handlung die Auslieferung an die Republik Österreich zu erwirken ist.

Benützung des Luftweges

§ 46. (1) Der Bewilligung der Durchlieferung bedarf es nicht, wenn der Luftweg benützt werden soll und eine Zwischenlandung auf dem Gebiet der Republik Österreich nicht vorgesehen ist. In diesem Fall genügt es, wenn der ersuchende Staat bestätigt, daß die durchzuliefernde Person nicht österreichischer Staatsbürger ist, daß sie nicht wegen einer der in den §§ 14 und 15 Z 1 angeführten strafbaren Handlungen durchgeliefert werden soll und daß eine der im § 48 Abs. 1 bezeichneten Unterlagen vorhanden ist.

(2) Kann im Fall einer unvorhergesehenen Zwischenlandung der Flug nicht ohne Verzug fortgesetzt werden, so ist die Mitteilung über die Benützung des Luftweges als Ersuchen um Verhängung der Auslieferungshaft anzusehen.

ZWEITER ABSCHNITT

Zuständigkeit und Verfahren

Entscheidung

§ 47. (1) Über das Durchlieferungsersuchen hat der Bundesminister für Justiz im Einvernehmen mit dem Bundesminister für Inneres zu entscheiden. Er hat diese Entscheidung dem ersuchenden Staat auf dem vorgesehenen Weg mitzuteilen.

(2) Eine Mitteilung über die Benützung des Luftweges wird vom Bundesminister für Justiz im Einvernehmen mit dem Bundesminister für Inneres geprüft. Ist die Benützung des Luftweges unzulässig, so hat der Bundesminister für Justiz dies dem ersuchenden Staat auf dem vorgesehenen Weg bekanntzugeben.

Unterlagen

§ 48. (1) Die Zulässigkeit der Durchlieferung ist an Hand des Durchlieferungsersuchens und seiner Unterlagen zu prüfen. Diese Unterlagen müssen jedenfalls die Ausfertigung oder die beglaubigte Abschrift oder Ablichtung einer gerichtlichen Entscheidung über die Festnahme, einer Urkunde von gleicher Wirksamkeit oder einer vollstreckbaren verurteilenden Entscheidung umfassen.

(2) Der Bundesminister für Justiz kann im Einvernehmen mit dem Bundesminister für Inneres von dem um die Durchlieferung ersuchenden Staat eine Ergänzung der Unterlagen verlangen und hiefür eine angemessene Frist bestimmen. Bei fruchtlosem Ablauf dieser Frist ist auf Grund der vorhandenen Unterlagen zu entscheiden.

Übergabe

§ 49. (1) Bei Bewilligung der Durchlieferung sind die Grenzübergänge anzugeben, an denen die durchzuliefernde Person zu übernehmen und zu übergeben ist. Die durchzuliefernde Person darf nur übernommen werden, wenn ihre Durchlieferung bewilligt worden ist und wenn sie transportfähig ist.

(2) Der Vollzug der Durchlieferung obliegt den Sicherheitsbehörden. Im Zusammenhang mit der Durchlieferung sind auch Gegenstände zu befördern, die mit der durchzuliefernden Person übergeben worden sind.

(3) Der Vollzug der Durchlieferung ist zu unterbrechen, wenn

1. sich nach der Übernahme der durchzuliefernden Person neue Tatsachen oder Beweismittel ergeben, die allein oder in Verbindung mit den Durchlieferungsunterlagen und dem Ergebnis allfälliger Erhebungen erhebliche Bedenken gegen die Zulässigkeit der Durchlieferung begründen,

2. die durchzuliefernde Person während der Durchlieferung auf dem Gebiet der Republik Österreich eine von Amts wegen zu verfolgende gerichtlich strafbare Handlung begangen hat, es sei denn, daß in sinngemäßer Anwendung des § 192 Abs. 1 Z 2 StPO oder der §§ 4 und 157 des Strafvollzugsgesetzes von der Strafverfolgung oder vom Vollzug abgesehen wird, oder

3. die durchzuliefernde Person transportunfähig wird.

IV. HAUPTSTÜCK

Rechtshilfe für das Ausland

ERSTER ABSCHNITT

Voraussetzungen

Allgemeiner Grundsatz

§ 50. (1) In Strafsachen einschließlich der Verfahren zur Anordnung vorbeugender Maßnahmen und zum Ausspruch einer vermögensrechtlichen Anordnung sowie der Angelegenheiten der Tilgung und des Strafregisters, der Verfahren über die Entschädigung für strafgerichtliche Anhaltung und Verurteilung, der Gnadensachen und der Angelegenheiten des Straf- und Maßnahmenvollzuges kann nach den Bestimmungen dieses Bundesgesetzes auf Ersuchen einer ausländischen Behörde Rechtshilfe geleistet werden. Ohne ein solches Ersuchen ist eine Datenübermittlung an eine ausländische Behörde nach Maßgabe des § 59a zulässig.

(2) Als Behörde im Sinn des Abs. 1 ist ein Gericht, eine Staatsanwaltschaft oder eine in Angelegenheiten des Straf- oder Maßnahmenvollzuges tätige Behörde anzusehen.

(3) Rechtshilfe im Sinn des Abs. 1 ist jede Unterstützung, die für ein ausländisches Verfahren in einer strafrechtlichen Angelegenheit gewährt wird. Sie umfaßt auch die Genehmigung von Tätigkeiten im Rahmen von grenzüberschreitenden Observationen auf Grund zwischenstaatlicher Vereinbarungen.

Unzulässigkeit der Rechtshilfe

§ 51. (1) Die Leistung von Rechtshilfe ist insoweit unzulässig, als

1. die dem Ersuchen zugrunde liegende Handlung entweder nach österreichischem Recht nicht mit gerichtlicher Strafe bedroht ist oder nach den §§ 14 und 15 nicht der Auslieferung unterliegt,

2. für das dem Ersuchen zugrunde liegende Verfahren nach dem § 19 Z 1 und 2 die Auslieferung unzulässig wäre, oder

3. entweder die materiellen Voraussetzungen für die Vornahme bestimmter Ermittlungsmaßnahmen nach dem 8. Hauptstück der Strafprozessordnung nicht vorliegen oder die Leistung von Rechtshilfe die Verletzung einer nach den österreichischen Rechtsvorschriften auch den Strafgerichten gegenüber (§ 76 Abs. 2 StPO) zu wahrenden Geheimhaltungspflicht zur Folge hätte.

(2) Das Fehlen der Strafbarkeit nach österreichischem Recht steht der Zustellung von Schriftstücken nicht entgegen, wenn der Empfänger zur Annahme bereit ist.

Übersendung von Gegenständen und Akten

§ 52. (1) Gegenstände oder Akten dürfen nur übersendet werden, wenn gewährleistet ist, daß sie sobald wie möglich zurückgegeben werden. Auf die Rückgabe übersendeter Gegenstände kann verzichtet werden, wenn diese nicht mehr benötigt werden.

(2) Gegenstände, an denen Rechte der Republik Österreich oder Rechte dritter Personen bestehen, dürfen nur mit dem Vorbehalt übersendet werden, daß diese Rechte unberührt bleiben. Eine Übersendung ist unzulässig, wenn zu besorgen ist, daß durch sie die Verfolgung oder die Verwirklichung solcher Rechte vereitelt oder unangemessen erschwert würde.

ARHG

(3) Eine Übersendung von Gegenständen oder Akten ist aufzuschieben, solange diese für ein im Inland anhängiges Gerichts- oder Verwaltungsverfahren benötigt werden.

Vorladungen

§ 53. (1) Einer im Inland befindlichen Person darf eine Aufforderung, vor einer ausländischen Behörde zu erscheinen, nur zugestellt werden, wenn gewährleistet ist, daß sie wegen einer vor ihrer Ausreise aus der Republik Österreich begangenen Handlung nicht verfolgt, bestraft oder in ihrer persönlichen Freiheit beschränkt werden wird. Die Verfolgung, Bestrafung oder Beschränkung der persönlichen Freiheit ist aber zulässig

1. wegen einer strafbaren Handlung, die den Gegenstand der Vorladung einer Person als Beschuldigter bildet,

2. wenn sich die vorgeladene Person nach Abschluß der Vernehmung länger als fünfzehn Tage auf dem Gebiet des ersuchenden Staates aufhält, obwohl sie es verlassen konnte und durfte, oder

3. wenn sie nach Verlassen des Gebietes des ersuchenden Staates dorthin freiwillig zurückkehrt oder rechtmäßig dorthin zurückgebracht wird.

(2) Vorladungen, die Zwangsandrohungen für den Fall ihrer Nichtbefolgung enthalten, dürfen nur mit der Belehrung, daß die angedrohten Maßnahmen in Österreich nicht vollstreckt werden können, zugestellt werden.

(3) Zeugen und Sachverständigen ist auf ihr Verlangen ein angemessener Vorschuß auf die Reisekosten auszuzahlen, wenn der andere Staat darum ersucht hat und die Erstattung des Vorschusses durch den anderen Staat gewährleistet ist.

Überstellung verhafteter Personen zu Beweiszwecken

§ 54. (1) Eine Person, die sich im Inland in Untersuchungs- oder Strafhaft befindet oder im Maßnahmenvollzug angehalten wird, kann zur Vornahme wichtiger Ermittlungsmaßnahmen oder Beweisaufnahmen, insbesondere zum Zweck ihrer Vernehmung oder Gegenüberstellung, auf Ersuchen einer ausländischen Behörde in das Ausland überstellt werden, wenn

1. sie dieser Überstellung zustimmt,

2. ihre Anwesenheit für ein im Inland anhängiges Strafverfahren nicht erforderlich ist,

3. die Haft durch die Überstellung nicht verlängert wird, und

4. der ersuchende Staat zusichert, sie in Haft zu halten, nach Durchführung der Ermittlungsmaßnahme oder Beweisaufnahme unverzüglich zurückzustellen und sie wegen einer vor der Überstellung begangenen Handlung nicht zu verfolgen oder zu bestrafen.

(2) Die Überstellung unterbricht den Vollzug der Untersuchungs- oder Strafhaft oder der vorbeugenden Maßnahme nicht.

ZWEITER ABSCHNITT

Zuständigkeit und Verfahren

Zuständigkeit zur Erledigung eines Rechtshilfeersuchens

§ 55. (1) Zur Erledigung eines Rechtshilfeersuchens ist unbeschadet der Abs. 2 und 3 die Staatsanwaltschaft zuständig, in deren Sprengel die Rechtshilfehandlung vorzunehmen ist. Wird um Anordnung einer grenzüberschreitenden Observation ersucht, so ist die Staatsanwaltschaft zuständig, in deren Sprengel die Grenze voraussichtlich überschritten werden wird; im Fall einer Observation in einem nach Österreich fliegenden Luftfahrzeug aber die Staatsanwaltschaft, in deren Sprengel der Ort der Landung liegt. Ist eine Zuständigkeit nach diesen Bestimmungen nicht feststellbar, so ist die Staatsanwaltschaft Wien zuständig. Für die Erledigung des Rechtshilfeersuchens gelten die Bestimmungen des 7. Hauptstückes der StPO sinngemäß.

(1a) Auskünfte über ein Hauptverfahren sowie über die Vollstreckung einer Freiheitsstrafe oder vorbeugenden Maßnahme hat das erkennende Gericht zu erteilen; gleiches gilt für die Vernehmung von Personen und für die Überlassung von Akten, soweit im inländischen Verfahren bereits Anklage eingebracht worden ist und das Thema der Rechtshilfe mit dem inländischen Verfahren im Zusammenhang steht. Die Durchführung der Vernehmung obliegt in diesem Fall dem Einzelrichter (§ 31 Abs. 1 Z 1 StPO).

(2) Befindet sich eine zu überstellende Person in Strafhaft oder im Maßnahmenvollzug, so entscheidet über das Ersuchen um Überstellung das im § 16 des Strafvollzugsgesetzes bezeichnete Gericht durch einen Einzelrichter, ansonsten das Gericht, auf dessen Anordnung die Haft beruht. Die Entscheidung ist dem Bundesministerium für Justiz mitzuteilen. Der Bundesminister für Justiz hat die Überstellung abzulehnen, wenn einer der in den §§ 2 und 3 Abs. 1 angeführten Umstände vorliegt. Die Überstellung zu dem in Betracht kommenden Grenzübergang oder zu dem sonst vereinbarten Übergabeort hat durch Justizwachebeamte zu erfolgen.

(3) Soll eine in einem anderen Staat in Haft befindliche Person zur Vornahme wichtiger Ermittlungsmaßnahmen oder Beweisaufnahmen, insbesondere zum Zweck ihrer Vernehmung oder Gegenüberstellung, durch das Gebiet der Republik Österreich in einen dritten Staat überstellt werden, so sind die §§ 44, 47 und 49 sinngemäß anzuwenden.

(4) Liegt einem Rechtshilfeersuchen eine Handlung zugrunde, die nach innerstaatlichen Rechtsvorschriften als eine in die Zuständigkeit der Verwaltungsbehörden fallende Verwaltungsübertretung oder als ein in die Zuständigkeit der Finanzstrafbehörden fallendes Finanzvergehen zu beurteilen ist, so ist das Verfahren der nach den innerstaatlichen Rechtsvorschriften zuständigen Behörde abzutreten. Die ersuchende Behörde ist davon zu verständigen.

Form und Inhalt eines Rechtshilfeersuchens

§ 56. (1) Rechtshilfe darf nur geleistet werden, wenn dem Ersuchen der Sachverhalt und die rechtliche Beurteilung der dem Ersuchen zugrunde liegenden strafbaren Handlung entnommen werden kann. Bei Zustellersuchen genügt ein Hinweis auf die im ersuchenden Staat anzuwendenden oder angewendeten strafgesetzlichen Bestimmungen.

(2) Einem Ersuchen um Anordnung und Durchführung einer im 1. bis 8. Abschnitt des 8. Hauptstückes der StPO geregelten Ermittlungsmaßnahme muss die Ausfertigung, beglaubigte Abschrift oder Ablichtung der Anordnung der zuständigen Behörde beigefügt sein. Handelt es sich nicht um die Anordnung eines Gerichts, so muß eine Erklärung der um die Rechtshilfe ersuchenden Behörde vorliegen, daß die für diese Maßnahme erforderlichen Voraussetzungen nach dem im ersuchenden Staat geltenden Recht erfüllt sind.

Ablehnung der Rechtshilfe; Unzuständigkeit

§ 57. (1) Wird die Rechtshilfe ganz oder teilweise nicht geleistet, so ist die ersuchende ausländische Behörde hievon unter Angabe der Gründe auf dem vorgesehenen Weg zu benachrichtigen.

(2) Ist das ersuchte Gericht oder die ersuchte Staatsanwaltschaft zur Erledigung nicht zuständig, so ist das Rechtshilfeersuchen an das zuständige Gericht oder an die sonst zuständige Behörde weiterzuleiten.

Anzuwendende Verfahrensvorschriften

§ 58. Einem Rechtshilfeersuchen, das ein vom österreichischen Strafverfahrensrecht abweichendes Vorgehen erfordert, ist zu entsprechen, wenn dies mit dem Strafverfahren und seinen Grundsätzen gemäß den Bestimmungen des 1. Hauptstückes der StPO vereinbar ist. Wird Rechtshilfe durch Beschlagnahme, Auskünfte über Bankkonten und Bankgeschäfte oder eine im 4. oder 5. Abschnitt des 8. Hauptstückes der StPO geregelte Ermittlungsmaßnahme geleistet, so ist diese zu befristen, wovon die ersuchende ausländische Behörde auf dem vorgesehen Weg zu benachrichtigen ist.

Zustimmung zur Datenweiterleitung

§ 58a. Einem Ersuchen der zuständigen Behörde des ersuchenden Staates um Zustimmung zur Weiterleitung der in Erledigung eines Rechtshilfeersuchens übermittelten personenbezogenen Daten ist unter Berücksichtigung sämtlicher maßgeblicher Umstände, einschließlich der Schwere der strafbaren Handlung, des Zwecks der ursprünglichen Datenübermittlung und des Datenschutzniveaus im betreffenden Drittstaat zu entsprechen. Betrifft das Ersuchen personenbezogene Daten, die ursprünglich von einem anderen Mitgliedstaat der Europäischen Union übermittelt oder zur Verfügung gestellt wurden, gilt § 9a Abs. 1 Z 2 sinngemäß.

Zulassung ausländischer Organe und am Verfahren Beteiligter zu Rechtshilfehandlungen

§ 59. (1) Die Vornahme von Ermittlungen und Verfahrenshandlungen nach diesem Bundesgesetz durch ausländische Organe auf dem Gebiet der Republik Österreich ist unzulässig. Dem zuständigen ausländischen Richter, Staatsanwalt und anderen am Verfahren beteiligten Personen sowie ihren Rechtsbeiständen ist jedoch die Anwesenheit und Mitwirkung bei Rechtshilfehandlungen zu gestatten, wenn dies zur sachgemäßen Erledigung des Rechtshilfeersuchens erforderlich erscheint. Die hiezu erforderlichen Dienstverrichtungen ausländischer Organe bedürfen, außer im Fall grenzüberschreitender Observationen, der Bewilligung durch den Bundesminister für Justiz.

(2) Personen, welchen die Anwesenheit bei einer Rechtshilfehandlung nach Abs. 1 gestattet worden ist,

dürfen während ihres Aufenthaltes im Inland wegen einer vor ihrer Einreise begangenen Handlung nicht verfolgt, bestraft oder in ihrer persönlichen Freiheit beschränkt werden. Die Verfolgung, Bestrafung oder Beschränkung der persönlichen Freiheit ist aber zulässig,

1. wenn sich die zur Rechtshilfehandlung zugelassene Person nach Abschluß der Rechtshilfehandlung länger als fünfzehn Tage auf dem Gebiet der Republik Österreich aufhält, obwohl sie es verlassen konnte und durfte, oder

2. wenn sie nach Verlassen des Gebietes der Republik Österreich freiwillig zurückkehrt oder rechtmäßig zurückgebracht wird.

(3) Befindet sich eine zur Rechtshilfehandlung zugelassene Person im Ausland in Haft, so kann sie auf Ersuchen des anderen Staates übernommen werden, wenn die Haft auf der Verurteilung eines zuständigen Gerichtes beruht oder ein auch nach österreichischem Recht anerkannter Haftgrund besteht. Die überstellte Person ist im Inland in Haft zu halten und nach Durchführung der Rechtshilfehandlung unverzüglich zurückzustellen.

Datenübermittlung ohne Ersuchen

§ 59a. Gerichte und Staatsanwaltschaften können auch ohne Vorliegen eines Rechtshilfeersuchens personenbezogene Daten auf der Grundlage einer zwischenstaatlichen Vereinbarung an Justizbehörden eines anderen Staats übermitteln, soweit

1. die Informationen auslieferungsfähige Handlungen betreffen,

2. eine Übermittlung dieser Informationen an ein inländisches Gericht oder an eine inländische Staatsanwaltschaft auch ohne Ersuchen zulässig wäre, und

3. auf Grund bestimmter Tatsachen anzunehmen ist, dass durch den Inhalt der Informationen

ARHG

a) ein Strafverfahren in dem anderen Staat eingeleitet,

b) ein bereits eingeleitetes Strafverfahren gefördert oder

c) eine Straftat von erheblicher Bedeutung verhindert oder eine unmittelbare und ernsthafte Gefahr für die öffentliche Sicherheit abgewehrt werden kann.

Dritter Abschnitt

Besondere Ermittlungsmaßnahmen

Kontrollierte Lieferung

§ 59b. (1) Über ausländisches Ersuchen kann die Staatsanwaltschaft eine kontrollierte Lieferung durch Österreich bewilligen, wenn der kontrollierten Lieferung oder dem ausländischen Strafverfahren eine auslieferungsfähige Straftat zugrunde liegt.

(2) Eine kontrollierte Lieferung ist zu untersagen, wenn

1. ein Aufschub kriminalpolizeilicher Ermittlungen nicht zulässig ist (§ 99 Abs. 4 StPO), oder

2. die weitere Überwachung des Transports sowie ein Zugriff im anderen Staat nicht sichergestellt erscheint.

(3) Zur Entscheidung über eine kontrollierte Lieferung durch Österreich ist die Staatsanwaltschaft zuständig, in deren Sprengel die Grenze voraussichtlich überschritten wird oder von deren Sprengel die kontrollierte Lieferung ausgehen soll. Bestehen keine Anhaltspunkte im Hinblick auf den Ort des geplanten Grenzübertritts, so ist die Staatsanwaltschaft Wien zuständig. Die Kriminalpolizei hat die zuständige Staatsanwaltschaft unverzüglich von einer geplanten kontrollierten Lieferung zu verständigen.

(4) Die kontrollierte Lieferung durch das oder aus dem Bundesgebiet ist von österreichischen Behörden zu übernehmen und zu leiten. Sie ist so zu gestalten, dass ein Zugriff auf die Verdächtigen und die Waren jederzeit möglich ist. Die Durchführung einer kontrollierten Lieferung durch oder in Begleitung ausländischer Organe ist nur unter Beachtung der Grundsätze des § 5 Abs. 3 StPO zu bewilligen.

(5) Nach Abschluss der kontrollieren Lieferung hat die Staatsanwaltschaft zu prüfen, ob Anlass besteht, jenen Staat, in dem die Verdächtigen betreten wurden, um Übernahme der Strafverfolgung (§ 74) zu ersuchen.

Verdeckte Ermittlungen

§ 59c. (1) Der Einsatz eines verdeckt oder unter falscher Identität handelnden ausländischen Organes im Inland ist nur auf Grund des Ersuchens einer Justizbehörde eines anderen Staates zulässig, die diesen Einsatz in einem bereits eingeleiteten Straf- oder Ermittlungsverfahren bewilligt hat. Er bedarf vor Beginn des Einsatzes einer Anordnung jener Staatsanwaltschaft, in deren Sprengel der Einsatz voraussichtlich beginnen soll, die eine solche nur unter den Voraussetzungen nach § 131 StPO erteilen darf.

(2) Der Einsatz darf nur für jenen Zeitraum angeordnet werden, der zur Erreichung seines Zwecks voraussichtlich erforderlich ist, längstens jedoch für einen Monat. Eine neuerliche Anordnung ist nur zulässig, soweit die Voraussetzungen fortbestehen und aufgrund bestimmter Tatsachen anzunehmen ist, dass die weitere Durchführung Erfolg haben werde. Sobald die Voraussetzungen für die weitere Durchführung wegfallen oder der Zweck der Ermittlungshandlungen nicht mehr erreicht wird oder voraussichtlich nicht mehr erreicht werden kann, ist der Einsatz sofort zu beenden.

(3) Der ausländische verdeckte Ermittler ist ausschließlich durch das Bundesministerium für Inneres zu führen und zu überwachen; sein Einsatz richtet sich nach § 131 Abs. 3 StPO. Die Staatsanwaltschaft hat

dieser Behörde die Anordnung einer verdeckten Ermittlung nach den Bestimmungen der Verschlusssachenordnung, BGBl. II Nr. 256/1998, zu übermitteln.

(4) Für ausländische verdeckte Ermittler, die kriminalpolizeiliche Organe (§ 129 Z 2 StPO) sind, gelten die Bestimmungen der §§ 131 Abs. 2 letzter Satz, Abs. 4 und 132 StPO.

V. HAUPTSTÜCK

Übernahme der Strafverfolgung und der Überwachung; Vollstreckung ausländischer strafgerichtlicher Entscheidungen

ERSTER ABSCHNITT

Übernahme der Strafverfolgung

Zuständigkeit und Verfahren

§ 60. (1) Ersuchen um Übernahme der Strafverfolgung sind vom Bundesministerium für Justiz vorläufig zu prüfen. Kann das Ersuchen zu einer Strafverfolgung keinen Anlaß geben, so hat der Bundesminister für Justiz die weitere Behandlung des Ersuchens abzulehnen, andernfalls das Ersuchen der zuständigen Staatsanwaltschaft zu übersenden. Der Bundesminister für Justiz kann in jede Lage des Verfahrens von sich aus oder auf Antrag der Staatsanwaltschaft von dem um die Übernahme der Strafverfolgung ersuchenden Staat eine Ergänzung der Unterlagen verlangen. Er hat den ersuchenden Staat von den getroffenen Verfügungen und vom Ergebnis eines Strafverfahrens zu verständigen.

(2) Ist die Strafverfolgung zu übernehmen, eine örtliche Zuständigkeit aber nicht feststellbar, so ist die Staatsanwaltschaft Wien zuständig.

(3) Gründet sich die österreichische Gerichtsbarkeit ausschließlich auf eine zwischenstaatliche Vereinbarung, so hat die Staatsanwaltschaft die betroffene Person zu den Voraussetzungen für die Übernahme der Strafverfolgung zu vernehmen.

ZWEITER ABSCHNITT

Übernahme der Überwachung

Voraussetzungen

§ 61. Die Überwachung eines von einem ausländischen Gericht rechtskräftig Verurteilten, bei dem die Verhängung einer Strafe bedingt aufgeschoben wurde, dem eine Strafe oder vorbeugende Maßnahme bedingt nachgesehen wurde oder der aus einer Freiheitsstrafe oder einer mit Freiheitsentziehung verbundenen vorbeugenden Maßnahme bedingt entlassen wurde, ist auf Ersuchen eines anderen Staates zulässig, wenn

1. die Entscheidung des ausländischen Gerichtes in einem den Grundsätzen des Art. 6 der Konvention zum Schutze der Menschenrechte und Grundfreiheiten, BGBl. Nr. 210/1958, entsprechenden Verfahren ergangen ist,

2. die Verurteilung wegen einer Handlung erfolgt ist, die nach österreichischem Recht mit gerichtlicher Strafe bedroht ist,

3. die Verurteilung nicht wegen einer der in den §§ 14 und 15 bezeichneten strafbaren Handlungen erfolgt ist,

4. der Verurteilte nicht wegen der Tat im Inland verfolgt wird, rechtskräftig verurteilt oder aus einem anderen Grund als wegen Fehlens der österreichischen Gerichtsbarkeit rechtskräftig freigesprochen oder sonst außer Verfolgung gesetzt worden ist, und

5. der Verurteilte seinen Wohnsitz oder Aufenthalt im Inland hat.

Überwachungsmaßnahmen

§ 62. Die Überwachung soll den Rechtsbrecher von weiteren mit Strafe bedrohten Handlungen abhalten. Soweit es hiezu notwendig oder zweckmäßig ist, sind unter Bedachtnahme auf die ausländische Entscheidung die nach österreichischem Recht hiefür vorgesehenen Maßnahmen (§§ 51 und 52 des Strafgesetzbuches) anzuordnen.

Zuständigkeit und Verfahren

§ 63. (1) Ersuchen um Übernahme der Überwachung sind vom Bundesministerium für Justiz dem zuständigen Gericht (Abs. 2) zuzuleiten. Kann ein Ersuchen aus einem der in den §§ 2 und 3 Abs. 1 angeführten Gründe keinen Anlaß zu einer Überwachung geben oder ist das Ersuchen zur gesetzmäßigen Behandlung ungeeignet, so hat der Bundesminister für Justiz die weitere Behandlung des Ersuchens abzulehnen. Er kann in jeder Lage des Verfahrens von sich aus oder auf Antrag des Gerichtes von dem um die Übernahme der Überwachung ersuchenden Staat eine Ergänzung der Unterlagen verlangen.

(2) Zur Entscheidung über das Ersuchen um Überwachung sowie zur Anordnung der Überwachungsmaßnahmen ist das Gericht örtlich zuständig, in dessen Sprengel der Verurteilte seinen Wohnsitz oder Aufenthalt hat. Liegt der ausländischen Verurteilung eine nach österreichischem Recht in die Zuständigkeit der Bezirksgerichte fallende strafbare Handlung zugrunde, so ist für die Anordnung der erforderlichen Maßnahmen das Bezirksgericht, sonst der Einzelrichter des Landesgerichts zuständig.

(3) Der Bundesminister für Justiz hat dem ersuchenden Staat die Entscheidung über das Ersuchen um Übernahme der Überwachung auf dem vorgesehenen Weg mitzuteilen und ihn von den auf Grund dieses Ersuchens angeordneten Maßnahmen und deren Ergebnis zu verständigen.

DRITTER ABSCHNITT
Vollstreckung ausländischer strafgerichtlicher Entscheidungen

Voraussetzungen

§ 64. (1) Die Vollstreckung oder weitere Vollstreckung der Entscheidung eines ausländischen Gerichtes, mit der eine Geld- oder Freiheitsstrafe, eine mit Freiheitsentziehung verbundene vorbeugende Maßnahme oder eine vermögensrechtliche Anordnung rechtskräftig ausgesprochen worden ist, ist auf Ersuchen eines anderen Staates zulässig, wenn

1. die Entscheidung des ausländischen Gerichtes in einem den Grundsätzen des Art. 6 der Konvention zum Schutze der Menschenrechte und Grundfreiheiten, BGBl. Nr. 210/1958, entsprechenden Verfahren ergangen ist,

2. die Entscheidung wegen einer Handlung ergangen ist, die nach österreichischem Recht mit gerichtlicher Strafe bedroht ist,

3. die Entscheidung nicht wegen einer der in den §§ 14 und 15 angeführten strafbaren Handlungen ergangen ist,

4. nach österreichischem Recht noch keine Verjährung der Vollstreckbarkeit eingetreten wäre,

5. der durch die Entscheidung des ausländischen Gerichtes Betroffene nicht wegen der Tat im Inland verfolgt wird, rechtskräftig verurteilt oder freigesprochen oder sonst außer Verfolgung gesetzt worden ist.

(2) Die Vollstreckung der Entscheidung eines ausländischen Gerichtes, mit der eine Freiheitsstrafe oder mit Freiheitsentziehung verbundene vorbeugende Maßnahme ausgesprochen worden ist, ist nur zulässig, wenn der Verurteilte

1. österreichischer Staatsbürger ist,

ARHG

2. seinen Wohnsitz, Aufenthalt oder Bindungen im Inland hat, oder aufgrund bestimmter Umstände anzunehmen ist, dass die Vollstreckung im Inland der Erleichterung der Resozialisierung und der Wiedereingliederung des Verurteilten in die Gesellschaft dient, und

3. der Vollstreckung im Inland zugestimmt hat.

(3) Der Vollzug mit Freiheitsentziehung verbundener vorbeugender Maßnahmen ist nur zulässig, wenn das österreichische Recht eine gleichartige Maßnahme vorsieht.

(4) Die Vollstreckung der Entscheidung eines ausländischen Gerichtes, mit der vermögensrechtliche Anordnungen getroffen werden, ist nur zulässig, soweit nach österreichischem Recht die Voraussetzungen für eine Geldstrafe oder eine vermögensrechtliche Anordnung vorliegen und eine entsprechende inländische Anordnung noch nicht ergangen ist.

(5) Die Vollstreckung der Entscheidung eines ausländischen Gerichtes, mit der eine Geldstrafe oder Verfall ausgesprochen worden ist, ist überdies nur zulässig, wenn die Einbringung im Inland zu erwarten ist und der Betroffene gehört worden ist, sofern er erreichbar ist.

(6) Die Vollstreckung der Entscheidung eines ausländischen Gerichtes, mit der eine Konfiskation oder eine Einziehung rechtskräftig ausgesprochen worden ist, ist überdies nur zulässig, wenn sich von der Entscheidung erfaßte Gegenstände oder Vermögenswerte im Inland befinden und der Betroffene gehört worden ist, sofern er erreichbar ist.

(7) Geldstrafen, verfallene Vermögenswerte und eingezogene und konfiszierte Gegenstände fallen dem Bund zu.

(8) „Vermögensrechtliche Anordnung" bedeutet Konfiskation (§ 19a StGB), Verfall (§§ 20, 20b StGB), Einziehung (§ 26 StGB) und jede andere im Entzug eines Vermögenswertes oder Gegenstandes bestehende Strafe, vorbeugende Maßnahme oder Rechtsfolge, die nach Durchführung eines strafgerichtlichen Verfahrens im In- oder Ausland ausgesprochen wird, mit Ausnahme von Geldstrafen, Geldbußen, Opferentschädigungen und Verfahrenskosten.

Inländische Vollstreckungsentscheidung

§ 65. (1) Wird die Vollstreckung einer ausländischen gerichtlichen Entscheidung in Strafsachen übernommen, so ist unter Bedachtnahme auf die darin ausgesprochene Maßnahme nach österreichischem Recht die im Inland zu vollstreckende Strafe, mit Freiheitsentziehung verbundene vorbeugende Maßnahme oder vermögensrechtliche Anordnung zu bestimmen. Würde jedoch der Urteilsstaat unter diesen Voraussetzungen der Überstellung nicht zustimmen und den Verurteilten die weitere Vollstreckung der Haft im Urteilsstaat unverhältnismäßig hart treffen, so ist die Vollstreckung der gesamten noch zu vollstreckenden Strafe oder mit Freiheitsentziehung verbundenen vorbeugenden Maßnahme im Inland zulässig.

(2) Der von der Entscheidung Betroffene darf durch die Übernahme der Vollstreckung nicht ungünstiger gestellt werden als durch die Vollstreckung im anderen Staat.

(3) Die §§ 38 und 66 des Strafgesetzbuches sind sinngemäß anzuwenden.

Behandlung einlangender Ersuchen

§ 66. Ersuchen um Vollstreckung ausländischer strafgerichtlicher Entscheidungen sind vom Bundesministerium für Justiz dem zuständigen Landesgericht (§ 67 Abs. 1) zuzuleiten. Liegen bereits zum Zeitpunkt des Einlangens des Ersuchens Umstände zutage, die eine Übernahme der Vollstreckung aus einem der in den §§ 2 und 3 Abs. 1 angeführten Gründe unzulässig machen, oder ist das Ersuchen zur gesetzmäßigen Behandlung ungeeignet, so hat der Bundesminister für

Justiz das Ersuchen sogleich abzulehnen. Der Bundesminister für Justiz kann in jeder Lage des Verfahrens von sich aus oder auf Antrag des Gerichtshofes erster Instanz von dem um Übernahme der Vollstreckung ersuchenden Staat eine Ergänzung der Unterlagen verlangen.

Zuständigkeit und Verfahren

§ 67. (1) Für Ersuchen um Vollstreckung und die Anpassung der Strafe oder der mit Freiheitsentziehung verbundenen vorbeugenden Maßnahme ist das Landesgericht zuständig, in dessen Sprengel die betroffene Person ihren Wohnsitz oder Aufenthalt hat oder zuletzt hatte. Ergibt sich nach diesen Bestimmungen keine Zuständigkeit eines bestimmten Landesgerichts, so ist das Landesgericht für Strafsachen Wien zuständig. Bezieht sich das Ersuchen auf die Vollstreckung einer Freiheitsstrafe oder einer mit Freiheitsentziehung verbundenen vorbeugenden Maßnahme im Ausmaß von mindestens fünf Jahren, so entscheidet das Landesgericht als Senat von drei Richtern (§ 31 Abs. 6 StPO). Für Ersuchen um Vollstreckung einer Entscheidung über eine vermögensrechtliche Anordnung ist das Landesgericht zuständig, in dessen Sprengel sich der Vermögenswert oder Gegenstand befindet.

(2) Der Bundesminister für Justiz hat dem ersuchenden Staat die Entscheidung über das Ersuchen um Übernahme der Vollstreckung auf dem vorgesehenen Weg mitzuteilen und ihn von der Vollstreckung zu verständigen.

(3) Nach der Übernahme der Vollstreckung einer Strafe oder mit Freiheitsentziehung verbundenen vorbeugenden Maßnahme darf ein Strafverfahren wegen der dem Urteil zugrundeliegenden Tat nicht mehr eingeleitet werden.

(4) Auf den Vollzug, die bedingte Entlassung und das Gnadenrecht sind die Bestimmungen des österreichischen Rechts anzuwenden.

(5) Der Vollzug ist jedenfalls zu beenden, wenn die Vollstreckbarkeit der Strafe oder mit Freiheitsentziehung verbundenen vorbeugenden Maßnahme nach dem Recht des ersuchenden Staates erlischt.

VI. HAUPTSTÜCK

Erwirkung der Auslieferung, der Durchlieferung, der Ausfolgung, der Rechtshilfe sowie der Übernahme der Strafverfolgung, der Überwachung und der Vollstreckung

ERSTER ABSCHNITT

Erwirkung der Auslieferung, der Durchlieferung und der Ausfolgung

Zuständigkeit und Verfahren

§ 68. (1) Soll die Auslieferung einer im Ausland befindlichen Person zur

1. Strafverfolgung oder

2. Vollstreckung einer Freiheitsstrafe oder vorbeugenden Maßnahme

erwirkt werden, so hat das im inländischen Verfahren zuständige Gericht auf Antrag der Staatsanwaltschaft dem Bundesministerium für Justiz die zur Erwirkung der Auslieferung erforderlichen Unterlagen zu übermitteln.

(2) Der Bundesminister für Justiz kann von der Erwirkung der Auslieferung absehen, wenn

1. eine Auslieferung nicht zu erwarten ist,

2. voraussichtlich nur eine Geldstrafe oder eine geringfügige oder bedingt nachzusehende Freiheitsstrafe verhängt werden würde,

3. die zu vollstreckende Freiheitsstrafe geringfügig ist, oder

4. mit der Auslieferung für die Republik Österreich Nachteile oder Belastungen verbunden wären, die zu dem öffentlichen Interesse an der Strafverfolgung oder an der Vollstreckung in keinem angemessenen Verhältnis stehen.

(3) Für die Erwirkung der Durchlieferung und der Ausfolgung von Gegenständen sind die Bestimmungen der Abs. 1 und 2 sinngemäß anzuwenden.

Erwirkung der Auslieferungshaft

§ 69. Liegen die Voraussetzungen zur Erwirkung der Auslieferung vor, so kann das zuständige Gericht auf Antrag der Staatsanwaltschaft das zuständige ausländische Gericht auf dem vorgesehenen Weg um die Verhängung der Auslieferungshaft ersuchen. Dies ist dem Bundesministerium für Justiz unverzüglich mitzuteilen.

Spezialität der Auslieferung

§ 70. (1) Eine Person, die nach Österreich ausgeliefert wurde, darf ohne Zustimmung des ersuchten Staates weder wegen einer vor ihrer Übergabe begangenen Handlung, auf die sich die Auslieferungsbewilligung nicht erstreckt, noch ausschließlich wegen einer oder mehrerer für sich allein nicht der Auslieferung unterliegenden Handlungen verfolgt, bestraft, in ihrer persönlichen Freiheit beschränkt oder an einen dritten Staat weitergeliefert werden. Die Spezialität der Auslieferung steht solchen Maßnahmen jedoch nicht entgegen, wenn

1. sich die ausgelieferte Person nach ihrer Freilassung länger als fünfundvierzig Tage auf dem Gebiet der Republik Österreich aufhält, obwohl sie es verlassen konnte und durfte,

2. die ausgelieferte Person das Gebiet der Republik Österreich verläßt und freiwillig zurückkehrt oder aus einem dritten Staat rechtmäßig zurückgebracht wird, oder

3. der ersuchte Staat auf die Einhaltung der Spezialität verzichtet.

(2) Soll die der Auslieferung zugrunde liegende Handlung rechtlich anders als im Auslieferungsersuchen gewürdigt werden oder sollen andere als die ursprünglich angenommenen strafgesetzlichen Bestimmungen zur Anwendung kommen, so darf die ausgelieferte Person nur insoweit verfolgt und bestraft werden, als die Auslieferung auch unter den neuen Gesichtspunkten zulässig wäre.

(3) Wurde die Auslieferung einer wegen mehrerer zusammentreffender strafbarer Handlungen verurteilten Person nur zur Vollstreckung des auf einzelne dieser strafbaren Handlungen entfallenden Teiles der Strafe bewilligt, so darf nur dieser Teil vollstreckt werden. Das Ausmaß der zu vollstreckenden Strafe ist von dem Gericht, das in erster Instanz erkannt hat, durch Beschluß festzusetzen.

(4) Das im Abs. 3 genannte Gericht hat auf Antrag der Staatsanwaltschaft mit Beschluss festzustellen, welcher Teil einer verhängten Strafe auf die einzelnen einem Auslieferungsersuchen zugrundeliegenden strafbaren Handlungen entfällt.

(Anm.: Abs. 5 aufgehoben durch BGBl. I Nr. 112/2007)

(6) Die Bestimmungen der Abs. 1 bis 4 sind sinngemäß auch auf die Durchlieferung anzuwenden.

ZWEITER ABSCHNITT

Erwirkung der Rechtshilfe

Voraussetzungen und Verfahren

§ 71. (1) Ersuchen um Rechtshilfe sind auf dem vorgesehenen Weg an das ausländische Gericht, die ausländische Staatsanwaltschaft oder die im Straf- oder Maßnahmenvollzug tätige Behörde zu richten, in deren Sprengel die Rechtshilfehandlung vorgenommen werden soll. Das Ersuchen hat den dem Verfahren zugrunde liegenden Sachverhalt und die sonst zur sachgemäßen Erledigung erforderlichen Angaben zu enthalten.

(2) Soweit nicht unmittelbarer Rechtshilfeverkehr vorgesehen ist, kann der Bundesminister für Justiz von der Weiterleitung eines Rechtshilfeersuchens aus einem der in den §§ 2 und 3 Abs. 1 angeführten Gründe absehen.

Ersuchen an Private

§ 71a. (1) Abweichend von § 71 ARHG kann im Einzelfall ein Ersuchen um Übermittlung von Stammdaten (§ 134 Z 1a, § 135 Abs. 1a erster Fall StPO), von Zugangsdaten (§ 134 Z 1b, § 135 Abs. 1a zweiter Fall StPO), um Auskunft über Daten einer Nachrichtenübermittlung (§ 134 Z 2, § 135 Abs. 2 StPO) sowie um Sicherstellung (§ 110 StPO) unmittelbar an einen Anbieter (§ 134 Z 6 StPO) in einem anderen Staat übermittelt werden, wenn

1. die begehrten Informationen zur Verhinderung, Untersuchung, Aufdeckung oder Verfolgung von Straftaten oder zur Strafvollstreckung unbedingt erforderlich sind,

2. das öffentliche Interesse an der Übermittlung die Grundrechte des Betroffenen überwiegt und

3. die Übermittlung an die zuständige Behörde wirkungslos oder ungeeignet wäre.

(2) Die zuständige Behörde im ersuchten Staat ist unverzüglich über Ersuchen nach Abs. 1 in Kenntnis zu setzen.

(3) Datenübermittlungen nach Abs. 1, einschließlich Datum und Uhrzeit der Übermittlung, Bezeichnung des empfangenden Anbieters, Anführung der übermittelten personenbezogenen Daten und Begründung der Übermittlung, sind zu dokumentieren.

Vorladung von Personen aus dem Ausland

§ 72. (1) Erweist sich das persönliche Erscheinen einer zu vernehmenden Person vor Gericht als notwendig, so ist das zuständige ausländische Gericht auf dem vorgesehenen Weg um die Zustellung der Vorladung zu ersuchen. In dieser dürfen Zwangsandrohungen für den Fall ihrer Nichtbefolgung nicht enthalten sein.

(2) Die vorgeladene Person darf im Inland wegen einer vor ihrer Einreise begangenen Handlung nicht verfolgt, bestraft oder in ihrer persönlichen Freiheit beschränkt werden. Die Verfolgung, Bestrafung oder Beschränkung der persönlichen Freiheit ist aber zulässig,

1. wegen einer strafbaren Handlung, die den Gegenstand der Vorladung einer Person als Beschuldigter bildet,

2. wenn sich die vorgeladene Person nach Abschluß der Vernehmung länger als fünfzehn Tage auf dem Gebiet der Republik Österreich aufhält, obwohl sie es verlassen konnte und durfte, oder

3. wenn sie nach Verlassen des Gebietes der Republik Österreich freiwillig zurückkehrt oder rechtmäßig zurückgebracht wird.

Überstellung verhafteter Personen zu Beweiszwecken

§ 73. (1) Eine im Ausland in Haft befindliche Person kann zur Vornahme wichtiger Ermittlungsmaßnahmen oder Beweisaufnahmen, insbesondere zum Zweck ihrer Vernehmung oder Gegenüberstellung, nach Österreich überstellt werden. Die Bestimmungen des § 59 Abs. 2 und 3 sind sinngemäß anzuwenden.

(2) Soll eine im Inland in Untersuchungs- oder Strafhaft befindliche Person zum Zweck einer zu erwirkenden wichtigen Ermittlungsmaßnahme oder Beweisaufnahme, insbesondere einer Vernehmung oder

Gegenüberstellung, in das Ausland überstellt werden, so ist § 54 sinngemäß anzuwenden. Der Zustimmung der zu überstellenden Person (§ 54 Abs. 1 Z 1) bedarf es jedoch nicht.

DRITTER ABSCHNITT
Erwirkung der Übernahme der Strafverfolgung, der Überwachung sowie Vollstreckung inländischer strafgerichtlicher Verurteilungen im Ausland

Erwirkung der Übernahme der Strafverfolgung

§ 74. (1) Der Bundesminister für Justiz kann einen anderen Staat ersuchen, gegen eine Person wegen einer strafbaren Handlung, die der österreichischen Gerichtsbarkeit unterliegt, ein Strafverfahren einzuleiten, wenn die Gerichtsbarkeit dieses Staates begründet erscheint und

1. die Auslieferung einer im Ausland befindlichen Person nicht erwirkt werden kann oder von der Erwirkung der Auslieferung aus einem anderen Grund abgesehen wird, oder

2. die Aburteilung einer im Inland befindlichen Person im anderen Staat im Interesse der Wahrheitsfindung oder aus Gründen der Strafzumessung oder der Vollstreckung zweckmäßig ist und wenn diese Person wegen einer anderen strafbaren Handlung ausgeliefert wird oder sonst anzunehmen ist, daß das Strafverfahren im anderen Staat in Anwesenheit dieser Person durchgeführt werden wird.

(2) Soll die Übernahme der Strafverfolgung erwirkt werden, so hat die Staatsanwaltschaft dem Bundesministerium für Justiz unter Anschluss der erforderlichen Unterlagen zu berichten.

(3) Ein Ersuchen nach Abs. 1 ist unzulässig, wenn zu besorgen ist, daß die Person aus einem der im § 19 angeführten Gründe einem Nachteil ausgesetzt wäre, oder wenn die strafbare Handlung im ersuchten Staat mit der Todesstrafe bedroht ist.

(4) Nach Einlangen der Mitteilung, daß die Strafverfolgung im ersuchten Staat übernommen worden ist, hat das inländische Strafverfahren vorläufig auf sich zu beruhen. Ist der Täter von dem ausländischen Gericht rechtskräftig verurteilt und ist die Strafe ganz vollstreckt oder, soweit sie nicht vollstreckt wurde, erlassen worden, so ist das inländische Verfahren einzustellen.

(5) Vor einem Ersuchen um Übernahme der Strafverfolgung ist der Beschuldigte zu hören, wenn er sich im Inland befindet.

Erwirkung der Überwachung

§ 75. (1) Besteht Anlaß, einen anderen Staat um die Überwachung einer Person zu ersuchen, für die auf Grund der Entscheidung eines inländischen Gerichtes nach den §§ 43, 43a, 45, 46 oder 47 des Strafgesetzbuches oder § 13 des Jugendgerichtsgesetzes 1988 eine Probezeit bestimmt worden ist, so hat der Vorsitzende (Einzelrichter) des Gerichtes, das in erster Instanz diese Entscheidung gefällt hat, dem Bundesministerium für Justiz die zur Erwirkung der Überwachung erforderlichen Unterlagen zu übermitteln. Vor einem Ersuchen um Überwachung ist eine Äußerung der Staatsanwaltschaft einzuholen und der Verurteilte zu hören, wenn er sich im Inland befindet.

Erwirkung der Vollstreckung

§ 76. (1) Besteht Anlaß, einen anderen Staat um die Übernahme der Vollstreckung einer rechtskräftigen Entscheidung zu ersuchen, mit der eine Strafe oder mit Freiheitsentziehung verbundene vorbeugende Maßnahme ausgesprochen oder widerrufen oder eine vermögensrechtliche Anordnung angeordnet wurde, so hat der Vorsitzende (Einzelrichter) des Gerichtes, dessen Strafe gerade vollstreckt wird, dem Bundesministerium für Justiz die zur Erwirkung der Übernahme der Vollstreckung erforderlichen Unterlagen zu übermitteln. Der Bundesminister für Justiz hat von der Stellung des Ersuchens abzusehen, wenn anzunehmen ist, daß die Übernahme der Vollstreckung aus Gründen der in den §§ 2, 3 Abs. 1 oder in Abs. 3 Z. 2 und 3 genannten Art abgelehnt werden wird.

(2) Ein Ersuchen um Übernahme der Vollstreckung einer Freiheitsstrafe oder einer mit Freiheitsentziehung verbundenen vorbeugenden Maßnahme ist zulässig, wenn

1. sich der Verurteilte im ersuchten Staat befindet und seine Auslieferung nicht erwirkt werden kam oder von der Erwirkung der Auslieferung aus einem anderen Grund abgesehen wird, oder

2. die Vollzugszwecke durch die Vollstreckung oder weitere Vollstreckung im ersuchten Staat besser erreicht werden könnten.

(3) Um Übernahme der Vollstreckung einer Freiheitsstrafe oder einer mit Freiheitsentziehung verbundenen vorbeugenden Maßnahme darf nicht ersucht werden, wenn

1. der Verurteilte österreichischer Staatsbürger ist, es sei denn, daß er seinen Wohnsitz oder Aufenthalt im ersuchten Staat hat und sich dort befindet,

2. zu besorgen ist, daß die Strafe oder vorbeugende Maßnahme in einer den Erfordernissen des Art. 3 der Konvention zum Schutze der Menschenrechte und Grundfreiheiten, BGBl. Nr. 210/1958, nicht entsprechenden Weise vollstreckt würde,

3. zu besorgen ist, daß der Verurteilte im Fall seiner Überstellung in den ersuchten Staat dort eine Verfolgung oder Nachteile der im § 19 Z 3 bezeichneten Art zu erwarten hätte, oder

4. zu besorgen ist, daß der Verurteilte im anderen Staat in der Gesamtauswirkung erheblich schlechter gestellt wäre als durch die Vollstreckung oder weitere Vollstreckung im Inland.

(4) Ein Ersuchen um Übernahme der Vollstreckung einer Geldstrafe oder der Anordnung einer vermögensrechtlichen Anordnung ist zulässig, wenn die Einbringung im ersuchten Staat zu erwarten ist.

(5) Teilt der ersuchte Staat mit, daß er die Vollstreckung übernimmt, so hat diese im Inland vorläufig auf sich zu beruhen. Kehrt der Verurteilte in das Gebiet der Republik Österreich zurück, ohne daß die im ersuchten Staat auf Grund des Ersuchens um Übernahme der Vollstreckung angeordnete Strafe oder mit Freiheitsentziehung verbundene vorbeugende Maßnahme zur Gänze vollstreckt oder für den nicht vollstreckten Teil nachgesehen worden ist, so hat das Gericht den Rest der Strafe oder vorbeugenden Maßnahme vollstrecken zu lassen. Das Gericht hat jedoch von der nachträglichen Vollstreckung abzusehen und dem Verurteilten den Rest der Strafe bedingt oder unbedingt nachzusehen oder ihn aus der vorbeugenden Maßnahme bedingt oder unbedingt zu entlassen, soweit der Verurteilte durch die Vollstreckung in der Gesamtauswirkung ungünstiger gestellt wäre, als wenn die im Ausland stattgefundene Vollstreckung in Österreich stattgefunden hätte.

(6) Wurde die Vollstreckung einer wegen mehrerer zusammentreffender strafbarer Handlungen verhängten Strafe nur wegen des auf einzelne dieser strafbaren Handlungen entfallenden Teiles erwirkt und wird die Strafe nicht im ersuchten Staat geteilt, so ist § 70 Abs. 3 sinngemäß anzuwenden.

(7) Auf die im ersuchten Staat zu vollstreckende Strafe oder vermögensrechtliche Anordnung bleiben die Bestimmungen des österreichischen Gnadenrechtes weiterhin anwendbar.

(8) Die Übergabe des Verurteilten an die Behörden des ersuchten Staates hat der Vorsitzende (Abs. 1) in sinngemäßer Anwendung des § 36 Abs. 1 zu veranlassen.

ARHG

(9) Vor einem Ersuchen um Übernahme der Vollstreckung ist eine Äußerung der Staatsanwaltschaft einzuholen und der Betroffene zu hören, wenn er sich im Inland befindet. Der Betroffene hat keinen Anspruch auf die Stellung oder das Unterbleiben eines Ersuchens um Übernahme der Vollstreckung. Erteilt er seine Zustimmung zur Übertragung der Vollstreckung zu gerichtlichem Protokoll, so ist er zuvor darüber zu belehren, dass er diese Zustimmung nicht widerrufen kann.

VII. Hauptstück

Gemeinsame Ermittlungsgruppen

Bildung einer gemeinsamen Ermittlungsgruppe im Inland

§ 76a. (1) Erweist sich in einem inländischen Strafverfahren die Bildung einer gemeinsamen Ermittlungsgruppe (§ 60 EU-JZG) als erforderlich und sollen im Inland Ermittlungen durchgeführt werden, an denen die Beteiligung von Organen anderer Staaten zweckmäßig erscheint, so hat die Staatsanwaltschaft den in Betracht kommenden Justizbehörden dieser Staaten im Wege des Bundesministeriums für Justiz die Bildung einer gemeinsamen Ermittlungsgruppe vorzuschlagen. Dieser Vorschlag hat auch an die zuständige österreichische Sicherheitsbehörde zu ergehen, die weitere Mitglieder vorschlagen kann.

(2) Über ein Ersuchen eines anderen Staates um Bildung einer gemeinsamen Ermittlungsgruppe entscheidet die Staatsanwaltschaft.

(3) Eine im Inland tätig werdende gemeinsame Ermittlungsgruppe ist von der Staatsanwaltschaft zu leiten und organisatorisch zu unterstützen. Ihre Befugnisse richten sich nach den im Inland geltenden Vorschriften über das Strafverfahren. § 62 Abs. 1 EU-JZG ist sinngemäß anzuwenden.

(4) Der Leiter der Ermittlungsgruppe kann ausländische Organe von der Anwesenheit bei bestimmten Ermittlungshandlungen ausschließen, wenn die Durchführung ansonsten erheblich erschwert oder der Erfolg gefährdet wäre.

Bildung einer gemeinsamen Ermittlungsgruppe im Ausland

§ 76b. (1) Sind im Rahmen eines inländischen Strafverfahrens Ermittlungen in einem oder mehreren anderen Staaten durchzuführen, die Anlass zur Bildung einer gemeinsamen Ermittlungsgruppe geben, so kann die Staatsanwaltschaft die zuständigen Justizbehörden dieser Staaten im Wege des Bundesministeriums für Justiz um Bildung einer gemeinsamen Ermittlungsgruppe ersuchen.

(2) Eine Beteiligung österreichischer Justizbehörden an einer in einem anderen Staat gebildeten gemeinsamen Ermittlungsgruppe kann stattfinden, wenn die zugrunde liegenden Straftaten auch nach österreichischem Recht mit gerichtlicher Strafe bedroht sind und die Teilnahme auch der Aufklärung einer unter den Geltungsbereich der österreichischen Strafgesetze fallenden Straftat dient. § 62 Abs. 2 und 3 EU-JZG ist sinngemäß anzuwenden.

VIII. HAUPTSTÜCK

Schlußbestimmungen

Inkrafttretens- und Übergangsbestimmungen zur Stammfassung

§ 77. (1) Dieses Bundesgesetz tritt mit 1. Juli 1980 in Kraft.

(2) Verordnungen auf Grund dieses Bundesgesetzes dürfen bereits von dem seiner Kundmachung folgenden Tag an erlassen, aber frühestens mit 1. Juli 1980 in Kraft gesetzt werden.

(3) Mit Ablauf des 30. Juni 1980 verlieren ihre Wirksamkeit:

1. die §§ 59, 157 und 421 Abs. 3 der Strafprozeßordnung 1975, § 59 Abs. 1 der Strafprozeßordnung 1975 jedoch mit der Maßgabe, daß er auf Auslieferungsverfahren, die beim inländischen Gericht vor dem Inkrafttreten dieses Bundesgesetzes anhängig geworden sind, weiterhin anzuwenden ist;

2. die Verordnung des Justizministeriums vom 2. September 1891 betreffend die Durchlieferung von Verbrechern durch Österreich, JMVBl. Nr. 34/1891.

(Anm.: Abs. 4 jetzt § 78 Abs. 1)

Inkrafttretens- und Übergangsbestimmungen zu Novellen ab dem Jahr 2018

§ 78. (1) § 9a samt Überschrift, § 58a samt Überschrift, § 59a und § 71a treten mit 25. Mai 2018 in Kraft.

(2) § 9a findet keine Anwendung auf vor dem 6. Mai 2016 abgeschlossene und mit dem Unionsrecht vor diesem Zeitpunkt vereinbare völkerrechtliche Übereinkommen mit Drittstaaten oder internationalen Organisationen, die die Übermittlung personenbezogener Daten zum Gegenstand haben.

(3) § 9 Abs. 2, § 9a Abs. 1, 2 und 4 Z 3, § 29 Abs. 1, Abs. 3 und 4, § 31 Abs. 1 und 1a, §§ 40 und 55 Abs. 4, § 58a, § 76 Abs. 1 und § 79 samt Überschrift in der Fassung des Bundesgesetzes BGBl. I. Nr. 20/2020 treten mit 1. Juni 2020 in Kraft.

(4) § 26 Abs. 1, § 31 Abs. 1a, § 64 Abs. 2 und § 65 Abs. 1 in der Fassung des Bundesgesetzes BGBl. I Nr. 94/2021 treten mit dem der Kundmachung folgenden Tag in Kraft.

(5) § 9 Abs. 1 samt Überschrift, § 71a Abs. 1 und § 79 Abs. 3 in der Fassung des Bundesgesetzes BGBl. I Nr. 182/2023 treten mit 17. Februar 2024 in Kraft.

Umsetzung von Richtlinien der Europäischen Union

§ 79. (1) Die §§ 9a, 58a, 71a und 78 Abs. 1 und 2 dienen der Umsetzung der Richtlinie (EU) 2016/680 zum Schutz natürlicher Personen bei der Verarbeitung personenbezogener Daten durch die zuständigen Behörden zum Zwecke der Verhütung, Ermittlung, Aufdeckung oder Verfolgung von Straftaten oder der Strafvollstreckung sowie zum freien Datenverkehr und zur Aufhebung des Rahmenbeschlusses 2008/977/JI des Rates, ABl. Nr. L 119 vom 4.5.2016 S. 89.

(2) Die §§ 10 bis 41 dienen der Umsetzung der Richtlinie (EU) 2016/800 über Verfahrensgarantien in Strafverfahren für Kinder, die Verdächtige oder beschuldigte Personen in Strafverfahren sind, ABl. Nr. L 132 vom 21.5.2016 S. 1.

(3) § 29 Abs. 3 dient der Umsetzung der Richtlinie (EU) 2016/1919 über Prozesskostenhilfe für Verdächtige und beschuldigte Personen in Strafverfahren sowie für gesuchte Personen in Verfahren zur Vollstreckung eines Europäischen Haftbefehls, ABl. Nr. L 297 vom 4.11.2016 S. 1.

(4) § 9 Abs. 1 sowie §§ 29, 31 und 32 dienen der Umsetzung der Richtlinie 2013/48/EU über das Recht auf Zugang zu einem Rechtsbeistand in Strafverfahren und in Verfahren zur Vollstreckung des Europäischen Haftbefehls sowie über das Recht auf Benachrichtigung eines Dritten bei Freiheitsentzug und das Recht auf Kommunikation mit Dritten und mit Konsularbehörden während des Freiheitsentzugs, ABl. Nr. L 294 vom 6.11.2013, S. 1.

Vollziehung

§ 80. (1) Mit der Vollziehung dieses Bundesgesetzes, mit Ausnahme des § 6, ist der Bundesminister für Justiz, hinsichtlich der §§ 2 und 42 bis 49 im Einvernehmen mit dem Bundesminister für Inneres, hinsichtlich des § 6 die Bundesregierung betraut.

(2) Der Bundesminister für Justiz hat die zur Vollziehung dieses Bundesgesetzes erforderlichen Vorschriften, insbesondere über den im Verkehr mit ausländischen Behörden einzuhaltenden Geschäftsweg, über die geschäftsordnungsmäßige Behandlung, über Form und Inhalt von Ersuchen, Mitteilungen und Unterlagen im Auslieferungs- und Rechtshilfeverkehr und in Angelegenheiten der Übernahme der Strafverfolgung, der Überwachung und der Vollstreckung, über den Anschluß von Übersetzungen sowie über die Erledigung von Ersuchen ausländischer Behörden und die Durchführung einer Auslieferung oder Ausfolgung durch Verordnung zu erlassen.

Allgemeines bürgerliches Gesetzbuch

Allgemeines bürgerliches Gesetzbuch für die gesammten deutschen Erbländer der Oesterreichischen Monarchie
StF: JGS Nr. 946/1811 idF BGBl. I Nr. 25/2025

[...]

Erster Theil

Von dem Personen-Rechte

Erstes Hauptstück

Von den Rechten, welche sich auf persönliche Eigenschaften und Verhältnisse beziehen

[...]

I. Aus dem Charakter der Persönlichkeit.

Angeborne Rechte.

§ 16. Jeder Mensch hat angeborne, schon durch die Vernunft einleuchtende Rechte, und ist daher als eine Person zu betrachten. Sclaverey oder Leibeigenschaft, und die Ausübung einer darauf sich beziehenden Macht, wird in diesen Ländern nicht gestattet.

[...]

Erste Abtheilung des Sachenrechtes

Von den dinglichen Rechten

Erstes Hauptstück

Von dem Besitze

[...]

Rechtsmittel zur Erhaltung des Besitzstandes:

a) bey dringender Gefahr;

§ 344. Zu den Rechten des Besitzes gehört auch das Recht, sich in seinem Besitze zu schützen, und in dem Falle, daß die richterliche Hülfe zu spät kommen würde, Gewalt mit angemessener Gewalt abzutreiben (§. 19). Uebrigens hat die politische Behörde für die Erhaltung der öffentlichen Ruhe, so wie das Strafgericht für die Bestrafung öffentlicher Gewaltthätigkeiten zu sorgen.

[...]

Bundes-Verfassungsgesetz

Bundes-Verfassungsgesetz (B-VG)
StF: BGBl. Nr. 1/1930 (WV) idF BGBl. I Nr. 89/2024

[...]

Drittes Hauptstück

Vollziehung des Bundes

[...]

B. Ordentliche Gerichtsbarkeit

Artikel 82. (1) Die ordentliche Gerichtsbarkeit geht vom Bund aus.

(2) Die Urteile und Erkenntnisse werden im Namen der Republik verkündet und ausgefertigt.

Artikel 83. (1) Die Organisation und die Zuständigkeit der ordentlichen Gerichte werden durch Bundesgesetz geregelt. Die Sprengel der Bezirksgerichte sind durch Verordnung der Bundesregierung festzulegen.

(2) Niemand darf seinem gesetzlichen Richter entzogen werden.

(Anm.: Abs. 3 aufgehoben durch Art. I Z 1 BGBl. Nr. 73/1968)

Artikel 84. Die Militärgerichtsbarkeit ist - außer für Kriegszeiten - aufgehoben.

Artikel 85. Die Todesstrafe ist abgeschafft.

Artikel 86. (1) Die Richter werden, sofern nicht in diesem Gesetz anderes bestimmt ist, gemäß dem Antrag der Bundesregierung vom Bundespräsidenten oder auf Grund seiner Ermächtigung vom zuständigen Bundesminister ernannt; die Bundesregierung oder der Bundesminister hat Besetzungsvorschläge der durch Bundesgesetz hiezu berufenen Senate einzuholen.

(2) Der dem zuständigen Bundesminister vorzulegende und der von ihm an die Bundesregierung zu leitende Besetzungsvorschlag hat, wenn genügend Bewerber vorhanden sind, mindestens drei Personen, wenn aber mehr als eine Stelle zu besetzen ist, mindestens doppelt so viele Personen zu umfassen, als Richter zu ernennen sind.

Artikel 87. (1) Die Richter sind in Ausübung ihres richterlichen Amtes unabhängig.

(2) In Ausübung seines richterlichen Amtes befindet sich ein Richter bei Besorgung aller ihm nach dem Gesetz und der Geschäftsverteilung zustehenden gerichtlichen Geschäfte, mit Ausschluss der Justizverwaltungssachen, die nicht nach Vorschrift des Gesetzes durch Senate oder Kommissionen zu erledigen sind.

(3) Die Geschäfte sind auf die Richter des ordentlichen Gerichtes für die durch Bundesgesetz bestimmte Zeit im Voraus zu verteilen. Eine nach dieser Geschäftsverteilung einem Richter zufallende Sache darf ihm nur durch Verfügung des durch Bundesgesetz hiezu berufenen Senates und nur im Fall seiner Verhinderung oder dann abgenommen werden, wenn er wegen des Umfangs seiner Aufgaben an deren Erledigung innerhalb einer angemessenen Frist gehindert ist.

Artikel 87a. (1) Durch Bundesgesetz kann die Besorgung einzelner, genau zu bezeichnender Arten von Geschäften der Gerichtsbarkeit erster Instanz besonders ausgebildeten nichtrichterlichen Bundesbediensteten übertragen werden.

(2) Der nach der Geschäftsverteilung zuständige Richter kann jedoch jederzeit die Erledigung solcher Geschäfte sich vorbehalten oder an sich ziehen.

(3) Bei der Besorgung der im Abs. 1 bezeichneten Geschäfte sind die nichtrichterlichen Bundesbediensteten nur an die Weisungen des nach der Geschäftsverteilung zuständigen Richters gebunden. Art. 20 Abs. 1 dritter Satz ist anzuwenden.

Artikel 88. (1) Durch Bundesgesetz wird eine Altersgrenze bestimmt, mit deren Erreichung die Richter in den dauernden Ruhestand treten.

(2) Im Übrigen dürfen Richter nur in den vom Gesetz vorgeschriebenen Fällen und Formen und auf Grund eines förmlichen richterlichen Erkenntnisses ihres Amtes entsetzt oder wider ihren Willen an eine andere Stelle oder in den Ruhestand versetzt werden. Diese Bestimmungen finden jedoch auf Übersetzungen und Versetzungen in den Ruhestand keine Anwendung, die durch eine Änderung der Gerichtsorganisation nötig werden. In einem solchen Fall wird durch das Gesetz festgestellt, innerhalb welchen Zeitraumes Richter ohne die sonst vorgeschriebenen Förmlichkeiten übersetzt und in den Ruhestand versetzt werden können.

(3) Die zeitweise Enthebung der Richter vom Amt darf nur durch Verfügung des Gerichtsvorstehers oder Gerichtspräsidenten oder der übergeordneten Gerichtsbehörde bei gleichzeitiger Verweisung der Sache an das zuständige ordentliche Gericht stattfinden.

Artikel 88a. Durch Bundesgesetz kann bestimmt werden, dass bei einem übergeordneten ordentlichen Gericht Stellen für Sprengelrichter vorgesehen werden können. Die Zahl der Sprengelrichterstellen darf 3 vH der bei den nachgeordneten ordentlichen Gerichten bestehenden Richterstellen nicht übersteigen. Die Verwendung der Sprengelrichter bei den nachgeordneten ordentlichen Gerichten und gegebenenfalls bei dem übergeordneten ordentlichen Gericht selbst wird von dem durch Bundesgesetz hiezu berufenen Senat des übergeordneten ordentlichen Gerichtes bestimmt. Sprengelrichter dürfen nur mit der Vertretung von Richtern nachgeordneter ordentlicher Gerichte beziehungsweise von Richtern des übergeordneten ordentlichen Gerichtes selbst und nur im Falle der Verhinderung dieser Richter oder dann betraut werden, wenn diese Richter wegen des Umfangs ihrer Aufgaben an deren Erledigung innerhalb einer angemessenen Frist gehindert sind.

Artikel 89. (1) Die Prüfung der Gültigkeit gehörig kundgemachter Verordnungen, Kundmachungen über die Wiederverlautbarung eines Gesetzes (Staatsvertrages), Gesetze und Staatsverträge steht, soweit in den folgenden Absätzen nicht anderes bestimmt ist, den ordentlichen Gerichten nicht zu.

(2) Hat ein ordentliches Gericht gegen die Anwendung einer Verordnung aus dem Grund der Gesetzwidrigkeit, einer Kundmachung über die Wiederverlautbarung eines Gesetzes (Staatsvertrages) aus dem Grund der Gesetzwidrigkeit, eines Gesetzes aus dem Grund der Verfassungswidrigkeit oder eines Staatsvertrages aus dem Grund der Rechtswidrigkeit Bedenken, so hat es den Antrag auf Aufhebung dieser Rechtsvorschrift beim Verfassungsgerichtshof zu stellen.

(3) Ist die vom ordentlichen Gericht anzuwendende Rechtsvorschrift bereits außer Kraft getreten, so hat der Antrag des ordentlichen Gerichtes an den Verfassungsgerichtshof die Entscheidung zu begehren, dass die Rechtsvorschrift gesetzwidrig, verfassungswidrig oder rechtswidrig war.

(4) Durch Bundesgesetz ist zu bestimmen, welche Wirkungen ein Antrag gemäß Abs. 2 oder 3 für das beim ordentlichen Gericht anhängige Verfahren hat.

Artikel 90. (1) Die Verhandlungen in Zivil- und Strafrechtssachen vor dem erkennenden ordentlichen Gericht sind mündlich und öffentlich. Ausnahmen bestimmt das Gesetz.

(2) Im Strafverfahren gilt der Anklageprozess.

Artikel 90a. Staatsanwälte sind Organe der ordentlichen Gerichtsbarkeit. In Verfahren wegen mit gerichtlicher Strafe bedrohter Handlungen nehmen sie Ermittlungs- und Anklagefunktionen wahr. Durch Bundesgesetz werden die näheren Regelungen über ihre Bindung an die Weisungen der ihnen vorgesetzten Organe getroffen.

Artikel 91. (1) Das Volk hat an der Rechtsprechung mitzuwirken.

(2) Bei den mit schweren Strafen bedrohten Verbrechen, die das Gesetz zu bezeichnen hat, sowie bei allen politischen Verbrechen und Vergehen entscheiden Geschworene über die Schuld des Angeklagten.

(3) Im Strafverfahren wegen anderer strafbarer Handlungen nehmen Schöffen an der Rechtsprechung teil, wenn die zu verhängende Strafe ein vom Gesetz zu bestimmendes Maß überschreitet.

Artikel 92. (1) Oberste Instanz in Zivil- und Strafrechtssachen ist der Oberste Gerichtshof.

(2) Dem Obersten Gerichtshof können Mitglieder der Bundesregierung, einer Landesregierung, eines allgemeinen Vertretungskörpers oder des Europäischen Parlaments nicht angehören; für Mitglieder eines allgemeinen Vertretungskörpers oder des Europäischen Parlaments, die auf eine bestimmte Gesetzgebungs- oder Funktionsperiode gewählt wurden, dauert die Unvereinbarkeit auch bei vorzeitigem Verzicht auf das Mandat bis zum Ablauf der Gesetzgebungs- oder Funktionsperiode fort. Zum Präsidenten oder Vizepräsidenten des Obersten Gerichtshofes kann nicht ernannt werden, wer eine der eben erwähnten Funktionen in den letzten fünf Jahren ausgeübt hat.

Artikel 93. Amnestien wegen gerichtlich strafbarer Handlungen werden durch Bundesgesetz erteilt.

Artikel 94. (1) Die Justiz ist von der Verwaltung in allen Instanzen getrennt.

(2) Durch Bundes- oder Landesgesetz kann in einzelnen Angelegenheiten anstelle der Erhebung einer Beschwerde beim Verwaltungsgericht ein Instanzenzug von der Verwaltungsbehörde an die ordentlichen Gerichte vorgesehen werden. In den Angelegenheiten der Vollziehung des Bundes, die nicht unmittelbar von Bundesbehörden besorgt werden, sowie in den Angelegenheiten der Art. 11, 12, 14 Abs. 2 und 3 und 14a Abs. 3 und 4 dürfen Bundesgesetze gemäß dem ersten Satz nur mit Zustimmung der Länder kundgemacht werden. Für Landesgesetze gemäß dem ersten Satz gilt Art. 97 Abs. 2 sinngemäß.

[...]

Schutz der persönlichen Freiheit

Bundesverfassungsgesetz vom 29. November 1988 über den Schutz der persönlichen Freiheit
StF: BGBl. Nr. 684/1988 idF BGBl. I Nr. 2/2008

Artikel 1

(1) Jedermann hat das Recht auf Freiheit und Sicherheit (persönliche Freiheit).

(2) Niemand darf aus anderen als den in diesem Bundesverfassungsgesetz genannten Gründen oder auf eine andere als die gesetzlich vorgeschriebene Weise festgenommen oder angehalten werden.

(3) Der Entzug der persönlichen Freiheit darf nur gesetzlich vorgesehen werden, wenn dies nach dem Zweck der Maßnahme notwendig ist; die persönliche Freiheit darf jeweils nur entzogen werden, wenn und soweit dies nicht zum Zweck der Maßnahme außer Verhältnis steht.

(4) Wer festgenommen oder angehalten wird, ist unter Achtung der Menschenwürde und mit möglichster Schonung der Person zu behandeln und darf nur solchen Beschränkungen unterworfen werden, die dem Zweck der Anhaltung angemessen oder zur Wahrung von Sicherheit und Ordnung am Ort seiner Anhaltung notwendig sind.

Artikel 2

(1) Die persönliche Freiheit darf einem Menschen in folgenden Fällen auf die gesetzlich vorgeschriebene Weise entzogen werden:

1. wenn auf Grund einer mit Strafe bedrohten Handlung auf Freiheitsentzug erkannt worden ist;

2. wenn er einer bestimmten, mit gerichtlicher oder finanzbehördlicher Strafe bedrohten Handlung verdächtig ist,

a) zum Zwecke der Beendigung des Angriffes oder zur sofortigen Feststellung des Sachverhalts, sofern der Verdacht im engen zeitlichen Zusammenhang mit der Tat oder dadurch entsteht, daß er einen bestimmten Gegenstand innehat,

b) um ihn daran zu hindern, sich dem Verfahren zu entziehen oder Beweismittel zu beeinträchtigen, oder

c) um ihn bei einer mit beträchtlicher Strafe bedrohten Handlung an der Begehung einer gleichartigen Handlung oder an der Ausführung zu hindern;

3. zum Zweck seiner Vorführung vor die zuständige Behörde wegen des Verdachtes einer Verwaltungsübertretung, bei der er auf frischer Tat betreten wird, sofern die Festnahme zur Sicherung der Strafverfolgung oder zur Verhinderung weiteren gleichartigen strafbaren Handelns erforderlich ist;

4. um die Befolgung einer rechtmäßigen Gerichtsentscheidung oder die Erfüllung einer durch das Gesetz vorgeschriebenen Verpflichtung zu erzwingen;

5. wenn Grund zur Annahme besteht, daß er eine Gefahrenquelle für die Ausbreitung ansteckender Krankheiten sei oder wegen psychischer Erkrankung sich oder andere gefährde;

6. zum Zweck notwendiger Erziehungsmaßnahmen bei einem Minderjährigen;

7. wenn dies notwendig ist, um eine beabsichtigte Ausweisung oder Auslieferung zu sichern.

(2) Niemand darf allein deshalb festgenommen oder angehalten werden, weil er nicht in der Lage ist, eine vertragliche Verpflichtung zu erfüllen.

Artikel 3

(1) Auf Grund einer mit Strafe bedrohten Handlung darf nur ein Gericht auf Freiheitsentzug erkennen.

(2) Die Verhängung einer Freiheitsstrafe und die Festsetzung von Ersatzfreiheitsstrafen durch Verwaltungsbehörden dürfen jedoch vorgesehen werden, wenn das Ausmaß des angedrohten Freiheitsentzuges je sechs Wochen, soweit die Entscheidung einer unabhängigen Behörde obliegt, je drei Monate nicht übersteigt.

(3) Wird eine Freiheitsstrafe nicht von einer unabhängigen Behörde verhängt oder eine Ersatzfreiheitsstrafe nicht von ihr festgesetzt, so muß die Anfechtung der Entscheidung bei einer solchen Behörde in vollem Umfang und mit aufschiebender Wirkung gewährleistet sein.

Artikel 4

(1) Eine Festnahme aus den Gründen des Art. 2 Abs. 1 Z 2 lit. b und c ist nur in Vollziehung eines begründeten richterlichen Befehls zulässig, der dem Betroffenen bei der Festnahme, spätestens aber innerhalb von 24 Stunden zuzustellen ist.

(2) Bei Gefahr im Verzug sowie im Fall des Art. 2 Abs. 1 Z 2 lit. a darf eine Person auch ohne richterlichen Befehl festgenommen werden. Sie ist freizulassen, sobald sich ergibt, daß kein Grund zu ihrer weiteren Anhaltung vorhanden sei, sonst ohne unnötigen Aufschub, spätestens aber vor Ablauf von 48 Stunden, dem zuständigen Gericht zu übergeben.

(3) Eine dem Gericht übergebene Person ist ohne Verzug vom Richter zur Sache und zu den Voraussetzungen der Anhaltung zu vernehmen.

(4) Eine Festnahme aus den Gründen des Art. 2 Abs. 1 Z 2 lit. b und c wegen des Verdachtes einer mit finanzbehördlicher Strafe bedrohten Handlung ist nur in Vollziehung einer begründeten Anordnung eines gesetzlich zur Ausübung richterlicher Funktionen ermächtigten Beamten zulässig. Jedoch darf bei Gefahr im Verzug sowie im Falle des Art. 2 Abs. 1 Z 2 lit. a eine Person auch ohne eine solche Anordnung festgenommen werden. Im übrigen gelten die Abs. 1 bis 3 mit der Maßgabe sinngemäß, daß der Festgenommene unverzüglich der zuständigen Finanzstrafbehörde zu übergeben ist.

(5) Ein aus dem Grund des Art. 2 Abs. 1 Z 3 Festgenommener ist, wenn der Grund für die Festnahme nicht schon vorher wegfällt, unverzüglich der zuständigen Behörde zu übergeben. Er darf keinesfalls länger als 24 Stunden angehalten werden.

(6) Jeder Festgenommene ist ehestens, womöglich bei seiner Festnahme, in einer ihm verständlichen Sprache über die Gründe seiner Festnahme und die gegen ihn erhobenen Anschuldigungen zu unterrichten. Den sprachlichen Minderheiten bundesgesetzlich eingeräumte Rechte bleiben unberührt.

(7) Jeder Festgenommene hat das Recht, daß auf sein Verlangen ohne unnötigen Aufschub und nach seiner Wahl ein Angehöriger und ein Rechtsbeistand von der Festnahme verständigt werden.

Artikel 5

(1) Wer auf Grund des Verdachtes einer mit gerichtlicher oder finanzbehördlicher Strafe bedrohten Handlung angehalten wird, hat das Recht auf Beendigung des Verfahrens, das wegen der gegen ihn erhobenen Anschuldigung eingeleitet worden ist, innerhalb angemessener Frist oder auf Freilassung während des Verfahrens.

(2) Wenn gelindere Mittel ausreichen, ist vom Freiheitsentzug abzusehen. Wer wegen einer nicht mit schwerer Strafe bedrohten Handlung angehalten wird, um ihn daran zu hindern, sich dem Verfahren zu entziehen, ist jedenfalls freizulassen, wenn er eine vom Gericht oder von den gesetzlich zur Ausübung richterlicher Funktionen ermächtigten Beamten unter Bedachtnahme auf das Gewicht der ihm zur Last gelegten strafbaren Handlung, seine persönlichen Verhältnisse und das Vermögen des die Sicherheit Leistenden festgesetzte Sicherheit beistellt; zusätzliche gelindere Mittel zur Sicherung des Verfahrens sind zulässig.

Artikel 6

(1) Jedermann, der festgenommen oder angehalten wird, hat das Recht auf ein Verfahren, in dem durch ein Gericht oder durch eine andere unabhängige Behörde über die Rechtmäßigkeit des Freiheitsentzuges entschieden und im Falle der Rechtswidrigkeit seine Freilassung angeordnet wird. Die Entscheidung hat binnen einer Woche zu ergehen, es sei denn, die Anhaltung hätte vorher geendet.

(2) Im Fall einer Anhaltung von unbestimmter Dauer ist deren Notwendigkeit in angemessenen Abständen durch ein Gericht oder durch eine andere unabhängige Behörde zu überprüfen.

Artikel 7

Jedermann, der rechtswidrig festgenommen oder angehalten wurde, hat Anspruch auf volle Genugtuung einschließlich des Ersatzes nicht vermögensrechtlichen Schadens.

Artikel 8

(Anm.: Abs. 1 durch Art. 2 § 1 Abs. 2 Z 20, BGBl. I Nr. 2/2008, als nicht mehr geltend festgestellt)

(Anm.: Abs. 2 durch Art. 2 § 1 Abs. 1 Z 14, BGBl. I Nr. 2/2008, als nicht mehr geltend festgestellt)

(3) Die Konvention zum Schutze der Menschenrechte und Grundfreiheiten, BGBl. Nr. 210/1958, bleibt unberührt.

(Anm.: Abs. 4 durch Art. 2 § 1 Abs. 3 Z 16, BGBl. I Nr. 2/2008, als nicht mehr geltend festgestellt)

(5) Mit der Vollziehung dieses Bundesverfassungsgesetzes ist die Bundesregierung betraut.

Europäische Menschenrechtskonvention

(Übersetzung)
Konvention zum Schutze der Menschenrechte und Grundfreiheiten
StF: BGBl. Nr. 210/1958 idF BGBl. III Nr. 116/2025

Inhaltsverzeichnis

23. EMRK

Stichwortverzeichnis

Artikel 1 – Verpflichtung zur Achtung der Menschenrechte

Die Hohen Vertragschließenden Teile sichern allen ihrer Jurisdiktion unterstehenden Personen die in Abschnitt I dieser Konvention niedergelegten Rechte und Freiheiten zu.

ABSCHNITT I – Rechte und Freiheiten

Artikel 2 – Recht auf Leben

(1) Das Recht jedes Menschen auf das Leben wird gesetzlich geschützt. Abgesehen von der Vollstreckung eines Todesurteils, das von einem Gericht im Falle eines durch Gesetz mit der Todesstrafe bedrohten Verbrechens ausgesprochen worden ist, darf eine absichtliche Tötung nicht vorgenommen werden.

(2) Die Tötung wird nicht als Verletzung dieses Artikels betrachtet, wenn sie sich aus einer unbedingt erforderlichen Gewaltanwendung ergibt:

a) um die Verteidigung eines Menschen gegenüber rechtswidriger Gewaltanwendung sicherzustellen;

b) um eine ordnungsgemäße Festnahme durchzuführen oder das Entkommen einer ordnungsgemäß festgehaltenen Person zu verhindern;

c) um im Rahmen der Gesetze einen Aufruhr oder einen Aufstand zu unterdrücken.

Artikel 3 – Verbot der Folter

Niemand darf der Folter oder unmenschlicher oder erniedrigender Strafe oder Behandlung unterworfen werden.

Artikel 4 – Verbot der Sklaverei und der Zwangsarbeit

(1) Niemand darf in Sklaverei oder Leibeigenschaft gehalten werden.

(2) Niemand darf gezwungen werden, Zwangs- oder Pflichtarbeit zu verrichten.

(3) Als „Zwangs- oder Pflichtarbeit" im Sinne dieses Artikels gilt nicht:

a) jede Arbeit, die normalerweise von einer Person verlangt wird, die unter den von Artikel 5 der vorliegenden Konvention vorgesehenen Bedingungen in Haft gehalten oder bedingt freigelassen worden ist;

b) jede Dienstleistung militärischen Charakters, oder im Falle der Verweigerung aus Gewissensgründen in Ländern, wo diese als berechtigt anerkannt ist, eine sonstige an Stelle der militärischen Dienstpflicht tretende Dienstleistung;

c) jede Dienstleistung im Falle von Notständen und Katastrophen, die das Leben oder das Wohl der Gemeinschaft bedrohen;

d) jede Arbeit oder Dienstleistung, die zu den normalen Bürgerpflichten gehört.

Artikel 5 – Recht auf Freiheit und Sicherheit

(1) Jedermann hat ein Recht auf Freiheit und Sicherheit. Die Freiheit darf einem Menschen nur in den folgenden Fällen und nur auf die gesetzlich vorgeschriebene Weise entzogen werden:

a) wenn er rechtmäßig nach Verurteilung durch ein zuständiges Gericht in Haft gehalten wird;

b) wenn er rechtmäßig festgenommen worden ist oder in Haft gehalten wird wegen Nichtbefolgung eines rechtmäßigen Gerichtsbeschlusses oder zur Erzwingung der Erfüllung einer durch das Gesetz vorgeschriebenen Verpflichtung;

c) wenn er rechtmäßig festgenommen worden ist oder in Haft gehalten wird zum Zwecke seiner Vorführung vor die zuständige Gerichtsbehörde, sofern hinreichender Verdacht dafür besteht, daß der Betreffende eine strafbare Handlung begangen hat, oder begründeter Anlaß zu der Annahme besteht, daß es notwendig ist, den Betreffenden an der Begehung einer strafbaren Handlung oder an der Flucht nach Begehung einer solchen zu hindern;

d) wenn es sich um die rechtmäßige Haft eines Minderjährigen handelt, die zum Zwecke überwachter Erziehung angeordnet ist, oder um die rechtmäßige Haft eines solchen, die zum Zwecke seiner Vorführung vor die zuständige Behörde verhängt ist;

e) wenn er sich in rechtmäßiger Haft befindet, weil er eine Gefahrenquelle für die Ausbreitung ansteckender Krankheiten bildet, oder weil er geisteskrank, Alkoholiker, rauschgiftsüchtig oder Landstreicher ist;

f) wenn er rechtmäßig festgenommen worden ist oder in Haft gehalten wird, um ihn daran zu hindern, unberechtigt in das Staatsgebiet einzudringen oder weil er von einem gegen ihn schwebenden Ausweisungs- oder Auslieferungsverfahren betroffen ist.

(2) Jeder Festgenommene muß in möglichst kurzer Frist und in einer ihm verständlichen Sprache über die Gründe seiner Festnahme und über die gegen ihn erhobenen Beschuldigungen unterrichtet werden.

(3) Jede nach der Vorschrift des Abs. 1c dieses Artikels festgenommene oder in Haft gehaltene Person muß unverzüglich einem Richter oder einem anderen, gesetzlich zur Ausübung richterlicher Funktionen ermächtigten Beamten vorgeführt werden. Er hat Anspruch auf Aburteilung innerhalb einer angemessenen Frist oder auf Haftentlassung während des Verfahrens. Die Freilassung kann von der Leistung einer Sicherheit für das Erscheinen vor Gericht abhängig gemacht werden.

(4) Jedermann, dem seine Freiheit durch Festnahme oder Haft entzogen wird, hat das Recht, ein Verfahren zu beantragen, in dem von einem Gericht ehetunlich über die Rechtmäßigkeit der Haft entschieden wird

und im Falle der Widerrechtlichkeit seine Entlassung angeordnet wird.

(5) Jeder, der entgegen den Bestimmungen dieses Artikels von Festnahme oder Haft betroffen worden ist, hat Anspruch auf Schadenersatz.

Artikel 6 – Recht auf ein faires Verfahren

(1) Jedermann hat Anspruch darauf, daß seine Sache in billiger Weise öffentlich und innerhalb einer angemessenen Frist gehört wird, und zwar von einem unabhängigen und unparteiischen, auf Gesetz beruhenden Gericht, das über zivilrechtliche Ansprüche und Verpflichtungen oder über die Stichhaltigkeit der gegen ihn erhobenen strafrechtlichen Anklage zu entscheiden hat. Das Urteil muß öffentlich verkündet werden, jedoch kann die Presse und die Öffentlichkeit während der gesamten Verhandlung oder eines Teiles derselben im Interesse der Sittlichkeit, der öffentlichen Ordnung oder der nationalen Sicherheit in einem demokratischen Staat ausgeschlossen werden, oder wenn die Interessen von Jugendlichen oder der Schutz des Privatlebens der Prozeßparteien es verlangen, oder, und zwar unter besonderen Umständen, wenn die öffentliche Verhandlung die Interessen der Rechtspflege beeinträchtigen würde, in diesem Fall jedoch nur in dem nach Auffassung des Gerichts erforderlichen Umfang.

(2) Bis zum gesetzlichen Nachweis seiner Schuld wird vermutet, daß der wegen einer strafbaren Handlung Angeklagte unschuldig ist.

(3) Jeder Angeklagte hat mindestens (englischer Text) insbesondere (französischer Text) die folgenden Rechte:

a) in möglichst kurzer Frist in einer für ihn verständlichen Sprache in allen Einzelheiten über die Art und den Grund der gegen ihn erhobenen Beschuldigung in Kenntnis gesetzt zu werden;

b) über ausreichende Zeit und Gelegenheit zur Vorbereitung seiner Verteidigung zu verfügen;

c) sich selbst zu verteidigen oder den Beistand eines Verteidigers seiner Wahl zu erhalten und, falls er nicht über die Mittel zur Bezahlung eines Verteidigers verfügt, unentgeltlich den Beistand eines Pflichtverteidigers zu erhalten, wenn dies im Interesse der Rechtspflege erforderlich ist;

d) Fragen an die Belastungszeugen zu stellen oder stellen zu lassen und die Ladung und Vernehmung der Entlastungszeugen unter denselben Bedingungen wie die der Belastungszeugen zu erwirken;

e) die unentgeltliche Beiziehung eines Dolmetschers zu verlangen, wenn der Angeklagte die Verhandlungssprache des Gerichts nicht versteht oder sich nicht darin ausdrücken kann.

Artikel 7 – Keine Strafe ohne Gesetz

(1) Niemand kann wegen einer Handlung oder Unterlassung verurteilt werden, die zur Zeit ihrer Begehung nach inländischem oder internationalem Recht nicht strafbar war. Ebenso darf keine höhere Strafe als die im Zeitpunkt der Begehung der strafbaren Handlung angedrohte Strafe verhängt werden.

(2) Durch diesen Artikel darf die Verurteilung oder Bestrafung einer Person nicht ausgeschlossen werden, die sich einer Handlung oder Unterlassung schuldig gemacht hat, welche im Zeitpunkt ihrer Begehung nach den von den zivilisierten Völkern allgemein anerkannten Rechtsgrundsätzen strafbar war.

Artikel 8 – Recht auf Achtung des Privat- und Familienlebens

(1) Jedermann hat Anspruch auf Achtung seines Privat- und Familienlebens, seiner Wohnung und seines Briefverkehrs.

(2) Der Eingriff einer öffentlichen Behörde in die Ausübung dieses Rechts ist nur statthaft, insoweit dieser Eingriff gesetzlich vorgesehen ist und eine Maßnahme darstellt, die in einer demokratischen Gesellschaft für die nationale Sicherheit, die öffentliche Ruhe und Ordnung, das wirtschaftliche Wohl des Landes, die Verteidigung der Ordnung und zur Verhinderung von strafbaren Handlungen, zum Schutz der Gesundheit und der Moral oder zum Schutz der Rechte und Freiheiten anderer notwendig ist.

Artikel 9 – Gedanken-, Gewissens- und Religionsfreiheit

(1) Jedermann hat Anspruch auf Gedanken-, Gewissens- und Religionsfreiheit; dieses Recht umfaßt die Freiheit des einzelnen zum Wechsel der Religion oder der Weltanschauung sowie die Freiheit, seine Religion oder Weltanschauung einzeln oder in Gemeinschaft mit anderen öffentlich oder privat, durch Gottesdienst, Unterricht, Andachten und Beachtung religiöser Gebräuche auszuüben.

(2) Die Religions- und Bekenntnisfreiheit darf nicht Gegenstand anderer als vom Gesetz vorgesehener Beschränkungen sein, die in einer demokratischen Gesellschaft notwendige Maßnahmen im Interesse der öffentlichen Sicherheit, der öffentlichen Ordnung, Gesundheit und Moral oder für den Schutz der Rechte und Freiheiten anderer sind.

Artikel 10 – Freiheit der Meinungsäußerung

(1) Jedermann hat Anspruch auf freie Meinungsäußerung. Dieses Recht schließt die Freiheit der Meinung und die Freiheit zum Empfang und zur Mitteilung von Nachrichten oder Ideen ohne Eingriffe öffentlicher Behörden und ohne Rücksicht auf Landesgrenzen ein. Dieser Artikel schließt nicht aus, daß die Staaten Rundfunk-, Lichtspiel- oder Fernsehunternehmen einem Genehmigungsverfahren unterwerfen.

(2) Da die Ausübung dieser Freiheiten Pflichten und Verantwortung mit sich bringt, kann sie bestimmten, vom Gesetz vorgesehenen Formvorschriften, Bedingungen, Einschränkungen oder Strafdrohungen unter-

worfen werden, wie sie in einer demokratischen Gesellschaft im Interesse der nationalen Sicherheit, der territorialen Unversehrtheit oder der öffentlichen Sicherheit, der Aufrechterhaltung der Ordnung und der Verbrechensverhütung, des Schutzes der Gesundheit und der Moral, des Schutzes des guten Rufes oder der Rechte anderer unentbehrlich sind, um die Verbreitung von vertraulichen Nachrichten zu verhindern oder das Ansehen und die Unparteilichkeit der Rechtsprechung zu gewährleisten.

Artikel 11 – Versammlungs- und Vereinigungsfreiheit

(1) Alle Menschen haben das Recht, sich friedlich zu versammeln und sich frei mit anderen zusammenzuschließen, einschließlich des Rechts, zum Schutze ihrer Interessen Gewerkschaften zu bilden und diesen beizutreten.

(2) Die Ausübung dieser Rechte darf keinen anderen Einschränkungen unterworfen werden als den vom Gesetz vorgesehenen, die in einer demokratischen Gesellschaft im Interesse der nationalen und öffentlichen Sicherheit, der Aufrechterhaltung der Ordnung und der Verbrechensverhütung, des Schutzes der Gesundheit und der Moral oder des Schutzes der Rechte und Freiheiten anderer notwendig sind. Dieser Artikel verbietet nicht, daß die Ausübung dieser Rechte durch Mitglieder der Streitkräfte, der Polizei oder der Staatsverwaltung gesetzlichen Einschränkungen unterworfen wird.

Artikel 12 – Recht auf Eheschließung

Mit Erreichung des heiratsfähigen Alters haben Männer und Frauen gemäß den einschlägigen nationalen Gesetzen das Recht, eine Ehe einzugehen und eine Familie zu gründen.

Artikel 13 – Recht auf wirksame Beschwerde

Sind die in der vorliegenden Konvention festgelegten Rechte und Freiheiten verletzt worden, so hat der Verletzte das Recht, eine wirksame Beschwerde bei einer nationalen Instanz einzulegen, selbst wenn die Verletzung von Personen begangen worden ist, die in amtlicher Eigenschaft gehandelt haben.

Artikel 14 – Verbot der Benachteiligung

Der Genuß der in der vorliegenden Konvention festgelegten Rechte und Freiheiten ist ohne Benachteiligung zu gewährleisten, die insbesondere im Geschlecht, in der Rasse, Hautfarbe, Sprache, Religion, in den politischen oder sonstigen Anschauungen, in nationaler oder sozialer Herkunft, in der Zugehörigkeit zu einer nationalen Minderheit, im Vermögen, in der Geburt oder im sonstigen Status begründet ist.

Artikel 15 – Außerkraftsetzen im Notstandsfall

(1) Im Falle eines Krieges oder eines anderen öffentlichen Notstandes, der das Leben der Nation bedroht, kann jeder der Hohen Vertragschließenden Teile Maßnahmen ergreifen, welche die in dieser Konvention vorgesehenen Verpflichtungen in dem Umfang, den die Lage unbedingt erfordert, und unter der Bedingung außer Kraft setzen, daß diese Maßnahmen nicht in Widerspruch zu den sonstigen völkerrechtlichen Verpflichtungen stehen.

(2) Die vorstehende Bestimmung gestattet kein Außerkraftsetzen des Artikels 2 außer bei Todesfällen, die auf rechtmäßige Kriegshandlungen zurückzuführen sind, oder der Artikel 3, 4, Abs. 1, und 7.

(3) Jeder Hohe Vertragschließende Teil, der dieses Recht der Außerkraftsetzung ausübt, hat den Generalsekretär des Europarats eingehend über die getroffenen Maßnahmen und deren Gründe zu unterrichten. Er muß den Generalsekretär des Europarats auch über den Zeitpunkt in Kenntnis setzen, in dem diese Maßnahmen außer Kraft getreten sind und die Vorschriften der Konvention wieder volle Anwendung finden.

Artikel 16 – Beschränkungen der politischen Tätigkeit von Ausländern

Keine der Bestimmungen der Artikel 10, 11 und 14 darf so ausgelegt werden, daß sie den Hohen Vertragschließenden Parteien verbietet, die politische Tätigkeit von Ausländern Beschränkungen zu unterwerfen.

Artikel 17 – Verbot des Mißbrauchs der Rechte

Keine Bestimmung dieser Konvention darf dahin ausgelegt werden, daß sie für einen Staat, eine Gruppe oder eine Person das Recht begründet, eine Tätigkeit auszuüben oder eine Handlung zu begehen, die auf die Abschaffung der in der vorliegenden Konvention festgelegten Rechte und Freiheiten oder auf weitergehende Beschränkungen dieser Rechte und Freiheiten, als in der Konvention vorgesehen, hinzielt.

Artikel 18 – Begrenzung der Rechtseinschränkungen

Die nach der vorliegenden Konvention gestatteten Einschränkungen dieser Rechte und Freiheiten dürfen nicht für andere Zwecke als die vorgesehenen angewendet werden.

ABSCHNITT II – EUROPÄISCHER GERICHTSHOF FÜR MENSCHENRECHTE

Artikel 19 – Errichtung des Gerichtshofs

Um die Einhaltung der Verpflichtungen sicherzustellen, welche die Hohen Vertragschließenden Teile in dieser Konvention und den Protokollen dazu übernommen haben, wird ein Europäischer Gerichtshof für Menschenrechte, im folgenden als „Gerichtshof" bezeichnet, errichtet. Er nimmt seine Aufgaben als ständiger Gerichtshof wahr.

Artikel 20 – Zahl der Richter

Die Zahl der Richter des Gerichtshofs entspricht derjenigen der Hohen Vertragschließenden Teile.

Artikel 21 – Voraussetzungen für das Amt

(1) Die Richter müssen hohes sittliches Ansehen genießen und entweder die für die Ausübung hoher richterlicher Ämter erforderlichen Voraussetzungen erfüllen oder Rechtsgelehrte von anerkanntem Ruf sein.

(2) Die Kandidaten dürfen zu dem Zeitpunkt, zu dem die Liste von drei Kandidaten nach Artikel 22 bei der Parlamentarischen Versammlung eingehen soll, das 65. Lebensjahr nicht vollendet haben.

(3) Die Richter gehören dem Gerichtshof in ihrer persönlichen Eigenschaft an.

(4) Während ihrer Amtszeit dürfen die Richter keine Tätigkeit ausüben, die mit ihrer Unabhängigkeit, ihrer Unparteilichkeit oder mit den Erfordernissen der Vollzeitbeschäftigung in diesem Amt unvereinbar ist; alle Fragen, die sich aus der Anwendung dieses Absatzes ergeben, werden vom Gerichtshof entschieden.

Artikel 22 – Wahl der Richter

(1) Die Richter werden von der Parlamentarischen Versammlung für jeden Hohen Vertragschließenden Teil mit Stimmenmehrheit aus einer Liste von drei Kandidaten gewählt, die von dem Hohen Vertragschließenden Teil vorgeschlagen werden.

(Anm.: Abs. 2 aufgehoben durch BGBl. III Nr. 47/2010)

Artikel 23 – Amtszeit und Entlassung

(1) Die Richter werden für neun Jahre gewählt. Ihre Wiederwahl ist nicht zulässig.

(2) Die Richter bleiben bis zum Amtsantritt ihrer Nachfolger im Amt. Sie bleiben jedoch in den Rechtssachen tätig, mit denen sie bereits befasst sind.

(3) Ein Richter kann nur entlassen werden, wenn die anderen Richter mit Zweidrittelmehrheit entscheiden, dass er die erforderlichen Voraussetzungen nicht mehr erfüllt.

Artikel 24 – Kanzlei und Berichterstatter

(1) Der Gerichtshof hat eine Kanzlei, deren Aufgaben und Organisation in der Verfahrensordnung des Gerichtshofs festgelegt werden.

(2) Wenn der Gerichtshof in Einzelrichterbesetzung tagt, wird er von Berichterstattern unterstützt, die ihre Aufgaben unter der Aufsicht des Präsidenten des Gerichtshofs ausüben. Sie gehören der Kanzlei des Gerichtshofs an.

Artikel 25 – Plenum des Gerichtshofs

Das Plenum des Gerichtshofs

a) wählt seinen Präsidenten und einen oder zwei Vizepräsidenten für drei Jahre; ihre Wiederwahl ist zulässig;

b) bildet Kammern für einen bestimmten Zeitraum;

c) wählt die Präsidenten der Kammern des Gerichtshofs; ihre Wiederwahl ist zulässig;

d) beschließt die Verfahrensordnung des Gerichtshofs;

e) wählt den Kanzler und einen oder mehrere stellvertretende Kanzler;

f) stellt Anträge nach Artikel 26 Absatz 2.

Artikel 26 – Einzelrichterbesetzung, Ausschüsse, Kammern und Grosse Kammer

(1) Zur Prüfung der Rechtssachen, die bei ihm anhängig gemacht werden, tagt der Gerichtshof in Einzelrichterbesetzung, in Ausschüssen mit drei Richtern, in Kammern mit sieben Richtern und in einer Grossen Kammer mit siebzehn Richtern. Die Kammern des Gerichtshofs bilden die Ausschüsse für einen bestimmten Zeitraum.

(2) Auf Antrag des Plenums des Gerichtshofs kann die Anzahl Richter je Kammer für einen bestimmten Zeitraum durch einstimmigen Beschluss des Ministerkomitees auf fünf herabgesetzt werden.

(3) Ein Richter, der als Einzelrichter tagt, prüft keine Beschwerde gegen die Hohe Vertragspartei, für die er gewählt worden ist.

(4) Der Kammer und der Grossen Kammer gehört von Amts wegen der für eine als Partei beteiligte Hohe Vertragspartei gewählte Richter an. Wenn ein solcher nicht vorhanden ist oder er an den Sitzungen nicht teilnehmen kann, nimmt eine Person in der Eigenschaft eines Richters an den Sitzungen teil, die der Präsident des Gerichtshofs aus einer Liste auswählt, welche ihm die betreffende Vertragspartei vorab unterbreitet hat.

(5) Der Grossen Kammer gehören ferner der Präsident des Gerichtshofs, die Vizepräsidenten, die Präsidenten der Kammern und andere nach der Verfahrensordnung des Gerichtshofs ausgewählte Richter an. Wird eine Rechtssache nach Artikel 43 an die Grosse Kammer verwiesen, so dürfen Richter der Kammer, die das Urteil gefällt hat, der Grossen Kammer nicht angehören; das gilt nicht für den Präsidenten der Kammer und den Richter, welcher in der Kammer für die als Partei beteiligte Hohe Vertragspartei mitgewirkt hat.

Artikel 27 –Befugnisse des Einzelrichters

(1) Ein Einzelrichter kann eine nach Artikel 34 erhobene Beschwerde für unzulässig erklären oder im Register streichen, wenn eine solche Entscheidung ohne weitere Prüfung getroffen werden kann.

(2) Die Entscheidung ist endgültig.

(3) Erklärt der Einzelrichter eine Beschwerde nicht für unzulässig und streicht er sie auch nicht im Register des Gerichtshofs, so übermittelt er sie zur weiteren Prüfung an einen Ausschuss oder eine Kammer.

Artikel 28 – Befugnisse der Ausschüsse

(1) Ein Ausschuss, der mit einer nach Artikel 34 erhobenen Beschwerde befasst wird, kann diese durch einstimmigen Beschluss

a) für unzulässig erklären oder im Register streichen, wenn eine solche Entscheidung ohne weitere Prüfung getroffen werden kann, oder

b) für zulässig erklären und zugleich ein Urteil über die Begründetheit fällen, sofern die der Rechtssache zugrunde liegende Frage der Auslegung oder Anwendung dieser Konvention oder der Protokolle dazu Gegenstand einer gefestigten Rechtsprechung des Gerichtshofs ist.

(2) Die Entscheidungen und Urteile nach Absatz 1 sind endgültig.

(3) Ist der für die als Partei beteiligte Hohe Vertragspartei gewählte Richter nicht Mitglied des Ausschusses, so kann er von Letzterem jederzeit während des Verfahrens eingeladen werden, den Sitz eines Mitglieds im Ausschuss einzunehmen; der Ausschuss hat dabei alle erheblichen Umstände einschliesslich der Frage, ob diese Vertragspartei der Anwendung des Verfahrens nach Absatz 1 Buchstabe b entgegengetreten ist, zu berücksichtigen.

Artikel 29 – Entscheidungen der Kammern über die Zulässigkeit und Begründetheit

(1) Ergeht weder eine Entscheidung nach Artikel 27 oder 28 noch ein Urteil nach Artikel 28, so entscheidet eine Kammer über die Zulässigkeit und Begründetheit der nach Artikel 34 erhobenen Beschwerden. Die Entscheidung über die Zulässigkeit kann gesondert ergehen.

(2) Eine Kammer entscheidet über die Zulässigkeit und Begründetheit der nach Artikel 33 erhobenen Staatenbeschwerden. Die Entscheidung über die Zulässigkeit ergeht gesondert, sofern der Gerichtshof in Ausnahmefällen nicht anders entscheidet.

(Anm.: Abs. 3 aufgehoben durch BGBl. III Nr. 47/2010)

Artikel 30 – Abgabe der Rechtssache an die Große Kammer

Wirft eine bei einer Kammer anhängige Rechtssache eine schwerwiegende Frage der Auslegung dieser Konvention oder der Protokolle dazu auf oder kann die Entscheidung einer ihr vorliegenden Frage zu einer Abweichung von einem früheren Urteil des Gerichtshofs führen, so kann die Kammer diese Sache jederzeit, bevor sie ihr Urteil gefällt hat, an die Große Kammer abgeben.

Artikel 31 – Befugnisse der Großen Kammer

Die Große Kammer

a) entscheidet über nach Artikel 33 oder Artikel 34 erhobene Beschwerden, wenn eine Kammer die Rechtssache nach Artikel 30 an sie abgegeben hat oder wenn die Sache nach Artikel 43 an sie verwiesen worden ist,

b) entscheidet über Fragen, mit denen der Gerichtshof durch das Ministerkomitee nach Artikel 46 Absatz 4 befasst wird, und

c) behandelt Anträge nach Artikel 47 auf Erstattung von Gutachten.

Artikel 32 – Zuständigkeit des Gerichtshofs

(1) Die Zuständigkeit des Gerichtshofs umfaßt alle die Auslegung und Anwendung dieser Konvention und der Protokolle dazu betreffenden Angelegenheiten, mit denen er nach den Artikeln 33, 34, 46 und 47 befaßt wird.

(2) Besteht Streit über die Zuständigkeit des Gerichtshofs, so entscheidet der Gerichtshof.

Artikel 33 – Staatenbeschwerden

Jeder Hohe Vertragschließende Teil kann den Gerichtshof wegen jeder behaupteten Verletzung dieser Konvention und der Protokolle dazu durch einen anderen Hohen Vertragschließenden Teil anrufen.

Artikel 34 – Individualbeschwerden

Der Gerichtshof kann von jeder natürlichen Person, nichtstaatlichen Organisation oder Personengruppe, die behauptet, durch einen der Hohen Vertragschließenden Teile in einem der in dieser Konvention oder den Protokollen dazu anerkannten Rechte verletzt zu sein, mit einer Beschwerde befaßt werden. Die Hohen Vertragschließenden Teile verpflichten sich, die wirksame Ausübung dieses Rechts nicht zu behindern.

Artikel 35 – Zulässigkeitsvoraussetzungen

(1) Der Gerichtshof kann sich mit einer Angelegenheit erst nach Erschöpfung aller innerstaatlichen Rechtsbehelfe in Übereinstimmung mit den allgemein anerkannten Grundsätzen des Völkerrechts und nur innerhalb einer Frist von vier Monaten nach der endgültigen innerstaatlichen Entscheidung befassen.

(2) Der Gerichtshof befaßt sich nicht mit einer nach Artikel 34 erhobenen Individualbeschwerde, die

a) anonym ist oder

b) im wesentlichen mit einer schon vorher vom Gerichtshof geprüften Beschwerde übereinstimmt oder schon einer anderen internationalen Untersuchungs- oder Vergleichsinstanz unterbreitet worden ist und keine neuen Tatsachen enthält.

(3) Der Gerichtshof erklärt eine nach Artikel 34 erhobene Individualbeschwerde für unzulässig,

a) wenn er sie für unvereinbar mit dieser Konvention oder den Protokollen dazu, für offensichtlich unbegründet oder für missbräuchlich hält oder

b) wenn er der Ansicht ist, dass dem Beschwerdeführer kein erheblicher Nachteil entstanden ist, es sei denn, die Achtung der Menschenrechte, wie sie in dieser Konvention und den Protokollen dazu anerkannt sind, erfordert eine Prüfung der Begründetheit der Beschwerde.

(4) Der Gerichtshof weist eine Beschwerde zurück, die er nach diesem Artikel für unzulässig hält. Er kann dies in jedem Stadium des Verfahrens tun.

Artikel 36 – Beteiligung Dritter

(1) In allen bei einer Kammer oder der Großen Kammer anhängigen Rechtssachen ist der Hohe Vertragschließende Teil, dessen Staatsangehörigkeit der Beschwerdeführer besitzt, berechtigt, schriftliche Stellungnahmen abzugeben und an den mündlichen Verhandlungen teilzunehmen.

(2) Im Interesse der Rechtspflege kann der Präsident des Gerichtshofs jedem Hohen Vertragschließenden Teil, der in dem Verfahren nicht Partei ist, oder jeder betroffenen Person, die nicht Beschwerdeführer ist, Gelegenheit geben, schriftlich Stellung zu nehmen oder an den mündlichen Verhandlungen teilzunehmen.

(3) In allen bei einer Kammer oder der Grossen Kammer anhängigen Rechtssachen kann der Kommissar für Menschenrechte des Europarats schriftliche Stellungnahmen abgeben und an den mündlichen Verhandlungen teilnehmen.

Artikel 37 – Streichung von Beschwerden

(1) Der Gerichtshof kann jederzeit während des Verfahrens entscheiden, eine Beschwerde in seinem Register zu streichen, wenn die Umstände Grund zur Annahme geben, daß

a) der Beschwerdeführer seine Beschwerde nicht weiterzuverfolgen beabsichtigt,

b) die Streitigkeit einer Lösung zugeführt worden ist oder

c) eine weitere Prüfung der Beschwerde aus anderen vom Gerichtshof festgestellten Gründen nicht gerechtfertigt ist.

Der Gerichtshof setzt jedoch die Prüfung der Beschwerde fort, wenn die Achtung der Menschenrechte, wie sie in dieser Konvention und den Protokollen dazu anerkannt sind, dies erfordert.

(2) Der Gerichtshof kann die Wiedereintragung einer Beschwerde in sein Register anordnen, wenn er dies den Umständen nach für gerechtfertigt hält.

Artikel 38 – Prüfung der Rechtssache

Der Gerichtshof prüft die Rechtssache mit den Vertretern der Parteien und nimmt, falls erforderlich, Ermittlungen vor; die betreffenden Hohen Vertragsparteien haben alle zur wirksamen Durchführung der Ermittlungen erforderlichen Erleichterungen zu gewähren.

Artikel 39 – Gütliche Einigung

(1) Der Gerichtshof kann sich jederzeit während des Verfahrens zur Verfügung der Parteien halten mit dem Ziel, eine gütliche Einigung auf der Grundlage der Achtung der Menschenrechte, wie sie in dieser Konvention und den Protokollen dazu anerkannt sind, zu erreichen.

(2) Das Verfahren nach Absatz 1 ist vertraulich.

(3) Im Fall einer gütlichen Einigung streicht der Gerichtshof durch eine Entscheidung, die sich auf eine kurze Angabe des Sachverhalts und der erzielten Lösung beschränkt, die Rechtssache in seinem Register.

(4) Diese Entscheidung ist dem Ministerkomitee zuzuleiten; dieses überwacht die Durchführung der gütlichen Einigung, wie sie in der Entscheidung festgehalten wird.

Artikel 40 – Öffentliche Verhandlung und Akteneinsicht

(1) Die Verhandlung ist öffentlich, soweit nicht der Gerichtshof auf Grund besonderer Umstände anders entscheidet.

(2) Die beim Kanzler verwahrten Schriftstücke sind der Öffentlichkeit zugänglich, soweit nicht der Präsident des Gerichtshofs anders entscheidet.

Artikel 41 – Gerechte Entschädigung

Stellt der Gerichtshof fest, daß diese Konvention oder die Protokolle dazu verletzt worden sind, und gestattet das innerstaatliche Recht des beteiligten Hohen Vertragschließenden Teiles nur eine unvollkommene Wiedergutmachung für die Folgen dieser Verletzung, so spricht der Gerichtshof der verletzten Partei eine gerechte Entschädigung zu, wenn dies notwendig ist.

Artikel 42 – Urteile der Kammern

Urteile der Kammern werden nach Maßgabe des Artikels 44 Absatz 2 endgültig.

Artikel 43 – Verweisung an die Große Kammer

(1) Innerhalb von drei Monaten nach dem Datum des Urteils der Kammer kann jede Partei in Ausnahmefällen die Verweisung der Rechtssache an die Große Kammer beantragen.

(2) Ein Ausschuß von fünf Richtern der Großen Kammer nimmt den Antrag an, wenn die Rechtssache eine schwerwiegende Frage der Auslegung oder Anwendung dieser Konvention oder der Protokolle dazu oder eine schwerwiegende Frage von allgemeiner Bedeutung aufwirft.

(3) Nimmt der Ausschuß den Antrag an, so entscheidet die Große Kammer die Sache durch Urteil.

Artikel 44 – Endgültige Urteile

(1) Das Urteil der Großen Kammer ist endgültig.

(2) Das Urteil einer Kammer wird endgültig,

a) wenn die Parteien erklären, daß sie die Verweisung der Rechtssache an die Große Kammer nicht beantragen werden,

b) drei Monate nach dem Datum des Urteils, wenn nicht die Verweisung der Rechtssache an die Große Kammer beantragt worden ist, oder

c) wenn der Ausschuß der Großen Kammer den Antrag auf Verweisung nach Artikel 43 abgelehnt hat.

(3) Das endgültige Urteil wird veröffentlicht.

Artikel 45 – Begründung der Urteile und Entscheidungen

(1) Urteile sowie Entscheidungen, mit denen Beschwerden für zulässig oder für unzulässig erklärt werden, werden begründet.

(2) Bringt ein Urteil ganz oder teilweise nicht die übereinstimmende Meinung der Richter zum Ausdruck, so ist jeder Richter berechtigt, seine abweichende Meinung darzulegen.

Artikel 46 – Verbindlichkeit und Durchführung der Urteile

(1) Die Hohen Vertragsparteien verpflichten sich, in allen Rechtssachen, in denen sie Partei sind, das endgültige Urteil des Gerichtshofs zu befolgen.

(2) Das endgültige Urteil des Gerichtshofs ist dem Ministerkomitee zuzuleiten; dieses überwacht seine Durchführung.

(3) Wird die Überwachung der Durchführung eines endgültigen Urteils nach Auffassung des Ministerkomitees durch eine Frage betreffend die Auslegung dieses Urteils behindert, so kann das Ministerkomitee den Gerichtshof anrufen, damit er über diese Auslegungsfrage entscheidet. Der Beschluss des Ministerkomitees, den Gerichtshof anzurufen, bedarf der Zweidrittelmehrheit der Stimmen der zur Teilnahme an den Sitzungen des Komitees berechtigten Mitglieder.

(4) Weigert sich eine Hohe Vertragspartei nach Auffassung des Ministerkomitees, in einer Rechtssache, in der sie Partei ist, ein endgültiges Urteil des Gerichtshofs zu befolgen, so kann das Ministerkomitee, nachdem es die betreffende Partei gemahnt hat, durch einen mit Zweidrittelmehrheit der Stimmen der zur Teilnahme an den Sitzungen des Komitees berechtigten Mitglieder gefassten Beschluss den Gerichtshof mit der Frage befassen, ob diese Partei ihrer Verpflichtung nach Absatz 1 nachgekommen ist.

(5) Stellt der Gerichtshof eine Verletzung des Absatzes 1 fest, so weist er die Rechtssache zur Prüfung der zu treffenden Massnahmen an das Ministerkomitee zurück. Stellt der Gerichtshof fest, dass keine Verletzung des Absatzes 1 vorliegt, so weist er die Rechtssache an das Ministerkomitee zurück; dieses beschliesst die Einstellung seiner Prüfung.

Artikel 47 – Gutachten

(1) Der Gerichtshof kann auf Antrag des Ministerkomitees Gutachten über Rechtsfragen erstatten, welche die Auslegung dieser Konvention und der Protokolle dazu betreffen.

(2) Diese Gutachten dürfen keine Fragen zum Gegenstand haben, die sich auf den Inhalt oder das Ausmaß der in Abschnitt I dieser Konvention und in den Protokollen dazu anerkannten Rechte und Freiheiten beziehen, noch andere Fragen, über die der Gerichtshof oder das Ministerkomitee auf Grund eines nach dieser Konvention eingeleiteten Verfahrens zu entscheiden haben könnte.

(3) Der Beschluß des Ministerkomitees, ein Gutachten beim Gerichtshof zu beantragen, bedarf der Stimmenmehrheit der zur Teilnahme an den Sitzungen des Komitees berechtigten Mitglieder.

Artikel 48 – Gutachterliche Zuständigkeit des Gerichtshofs

Der Gerichtshof entscheidet, ob ein vom Ministerkomitee gestellter Antrag auf Erstattung eines Gutachtens in seine Zuständigkeit nach Artikel 47 fällt.

Artikel 49 – Begründung der Gutachten

(1) Die Gutachten des Gerichtshofs werden begründet.

(2) Bringt das Gutachten ganz oder teilweise nicht die übereinstimmende Meinung der Richter zum Ausdruck, so ist jeder Richter berechtigt, seine abweichende Meinung darzulegen.

(3) Die Gutachten des Gerichtshofs werden dem Ministerkomitee übermittelt.

Artikel 50 – Kosten des Gerichtshofs

Die Kosten des Gerichtshofs werden vom Europarat getragen.

Artikel 51 – Privilegien und Immunitäten der Richter

Die Richter genießen bei der Ausübung ihres Amtes die Vorrechte und Immunitäten, die in Artikel 40 der Satzung des Europarats und den auf Grund jenes Artikels geschlossenen Übereinkünften vorgesehen sind.

ABSCHNITT III – Verschiedene Bestimmungen

Artikel 52 – Anfragen des Generalsekretärs

Nach Empfang einer entsprechenden Aufforderung durch den Generalsekretär des Europarats hat jeder Hohe Vertragschließende Teil die erforderlichen Erklärungen abzugeben, in welcher Weise sein internes

Recht die wirksame Anwendung aller Bestimmungen dieser Konvention gewährleistet.

Artikel 53 – Wahrung anerkannter Menschenrechte

Keine Bestimmung dieser Konvention darf als Beschränkung oder Minderung eines der Menschenrechte und Grundfreiheiten ausgelegt werden, die in den Gesetzen eines Hohen Vertragschließenden Teils oder einer anderen Vereinbarung, an der er beteiligt ist, festgelegt sind.

Artikel 54 – Befugnisse des Ministerkomitees

Keine Bestimmung dieser Konvention beschränkt die durch die Satzung des Europarats dem Ministerkomitee übertragenen Vollmachten.

Artikel 55 – Ausschluß anderer Verfahren zur Streitbeilegung

Die Hohen Vertragschließenden Teile kommen überein, daß sie, es sei denn auf Grund besonderer Vereinbarungen, keinen Gebrauch von zwischen ihnen geltenden Verträgen, Übereinkommen oder Erklärungen machen werden, um von sich aus einen Streit um die Auslegung oder Anwendung dieser Konvention einem anderen Verfahren zu unterwerfen als in der Konvention vorgesehen ist.

Artikel 56 – Räumlicher Geltungsbereich

(1) Jeder Staat kann im Zeitpunkt der Ratifizierung oder in der Folge zu jedem anderen Zeitpunkt durch eine an den Generalsekretär des Europarats gerichtete Mitteilung erklären, daß diese Konvention vorbehaltlich des Absatzes 4 auf alle oder einzelne Gebiete Anwendung findet, für deren internationale Beziehungen er verantwortlich ist.

(2) Die Konvention findet auf das oder die in der Erklärung bezeichneten Gebiete vom dreißigsten Tage an Anwendung, gerechnet vom Eingang der Erklärung beim Generalsekretär des Europarates.

(3) In den genannten Gebieten werden die Bestimmungen dieser Konvention unter Berücksichtigung der örtlichen Notwendigkeiten angewendet.

(4) Jeder Staat, der eine Erklärung gemäß Absatz 1 dieses Artikels abgegeben hat, kann zu jedem späteren Zeitpunkt für ein oder mehrere der in einer solchen Erklärung bezeichneten Gebiete erklären, daß er die Zuständigkeit des Gerichtshofs für die Entgegennahme von Beschwerden von natürlichen Personen, nichtstaatlichen Organisationen oder Personengruppen gemäß Artikel 34 annimmt.

Artikel 57 – Vorbehalte

(1) Jeder Staat kann bei Unterzeichnung dieser Konvention oder bei Hinterlegung seiner Ratifikationsurkunde bezüglich bestimmter Vorschriften der Konvention einen Vorbehalt machen, soweit ein zu dieser Zeit in seinem Gebiet geltendes Gesetz nicht mit der betreffenden Vorschrift übereinstimmt. Vorbehalte allgemeiner Art sind nach diesem Artikel nicht zulässig.

(2) Jeder nach diesem Artikel gemachte Vorbehalt muß mit einer kurzen Inhaltsangabe des betreffenden Gesetzes verbunden sein.

Artikel 58 – Kündigung

(1) Ein Hoher Vertragschließender Teil kann diese Konvention nicht vor Ablauf von fünf Jahren nach dem Tage, an dem die Konvention für ihn wirksam wird, und nur nach einer sechs Monate vorher an den Generalsekretär des Europarats gerichteten Mitteilung kündigen; der Generalsekretär hat den anderen Hohen Vertragschließenden Teilen von der Kündigung Kenntnis zu geben.

(2) Eine derartige Kündigung bewirkt nicht, daß der betreffende Hohe Vertragschließende Teil in bezug auf irgendeine Handlung, welche eine Verletzung dieser Verpflichtungen darstellen könnte, und von dem Hohen Vertragschließenden Teil vor dem Datum seines rechtswirksamen Ausscheidens vorgenommen wurde, von seinen Verpflichtungen nach dieser Konvention befreit wird.

(3) Unter dem gleichen Vorbehalt scheidet ein Vertragschließender Teil aus dieser Konvention aus, der aus dem Europarat ausscheidet.

(4) Entsprechend den Bestimmungen der vorstehenden Absätze kann die Konvention auch für ein Gebiet gekündigt werden, auf das sie nach Artikel 56 ausgedehnt worden ist.

Artikel 59 – Unterzeichnung und Ratifikation

(1) Diese Konvention steht den Mitgliedern des Europarats zur Unterzeichnung offen; sie bedarf der Ratifikation. Die Ratifikationsurkunden sind beim Generalsekretär des Europarats zu hinterlegen.

(2) Die Europäische Union kann dieser Konvention beitreten.

(3) Diese Konvention tritt nach der Hinterlegung von zehn Ratifikationsurkunden in Kraft.

(4) Für jeden Unterzeichnerstaat, dessen Ratifikation später erfolgt, tritt die Konvention am Tage der Hinterlegung seiner Ratifikationsurkunde in Kraft.

(5) Der Generalsekretär des Europarats hat allen Mitgliedern des Europarats das Inkrafttreten der Konvention, die Namen der Hohen Vertragschließenden Teile, die sie ratifiziert haben, sowie die Hinterlegung jeder später eingehenden Ratifikationsurkunde mitzuteilen.

GESCHEHEN zu Rom, am 4. November 1950, in englischer und französischer Sprache, wobei die beiden Texte in gleicher Weise authentisch sind, in einer einzigen Ausfertigung, die in den Archiven des Europarats hinterlegt wird. Der Generalsekretär wird allen Signatarstaaten beglaubigte Abschriften übermitteln.

Artikel 5

(Anm.: aus BGBl. III Nr. 30/1998, zu BGBl. Nr. 210/1958)

(1) Unbeschadet der Absätze 3 und 4 endet die Amtszeit der Richter, der Kommissionsmitglieder, des Kanzlers und des stellvertretenden Kanzlers am Tag des Inkrafttretens dieses Protokolls.

(2) Bei der Kommission anhängige Beschwerden, die bis zum Tag des Inkrafttretens dieses Protokolls noch nicht für zulässig erklärt worden sind, werden vom Gerichtshof nach Maßgabe dieses Protokolls geprüft.

(3) Beschwerden, die bis zum Tag des Inkrafttretens dieses Protokolls für zulässig erklärt worden sind, werden innerhalb eines Jahres von den Mitgliedern der Kommission weiter bearbeitet. Beschwerden, deren Prüfung von der Kommission innerhalb des genannten Zeitraums nicht abgeschlossen worden ist, werden dem Gerichtshof zugeleitet; dieser prüft sie nach Maßgabe dieses Protokolls als zulässige Beschwerden.

(4) Bei Beschwerden, zu denen die Kommission nach Inkrafttreten dieses Protokolls nach dem bisherigen Artikel 31 der Konvention einen Bericht angenommen hat, wird der Bericht den Parteien übermittelt, die nicht das Recht haben, ihn zu veröffentlichen. Die Rechtssache kann nach den vor Inkrafttreten dieses Protokolls geltenden Bestimmungen dem Gerichtshof vorgelegt werden. Der Ausschuß der Großen Kammer bestimmt, ob eine der Kammern oder die Große Kammer die Sache entscheidet. Wird die Sache von einer Kammer entschieden, so ist ihre Entscheidung endgültig. Sachen, die nicht dem Gerichtshof vorgelegt werden, behandelt das Ministerkomitee nach dem bisherigen Artikel 32 der Konvention.

(5) Beim Gerichtshof anhängige Rechtssachen, die bis zum Tag des Inkrafttretens dieses Protokolls noch nicht entschieden sind, werden der Großen Kammer des Gerichtshofs vorgelegt; diese prüft sie nach Maßgabe dieses Protokolls.

(6) Beim Ministerkomitee anhängige Rechtssachen, die bis zum Tag des Inkrafttretens dieses Protokolls noch nicht nach dem bisherigen Artikel 32 der Konvention entschieden sind, werden vom Ministerkomitee nach jenem Artikel abgeschlossen.

Artikel 6

(Anm.: aus BGBl. III Nr. 30/1998, zu BGBl. Nr. 210/1958)

Hat ein Hoher Vertragschließender Teil eine Erklärung abgegeben, mit der er nach den bisherigen Artikeln 25 oder 46 der Konvention die Zuständigkeit der Kommission oder die Gerichtsbarkeit des Gerichtshofs nur für Angelegenheiten anerkennt, die sich nach dieser Erklärung ergeben oder auf Sachverhalten beruhen, die nach dieser Erklärung eintreten, so bleibt diese Beschränkung für die Gerichtsbarkeit des Gerichtshofs nach diesem Protokoll gültig.

Artikel 20

(Anm.: aus BGBl. III Nr. 47/2010, zu BGBl. Nr. 210/1958)

(1) Mit Inkrafttreten dieses Protokolls sind seine Bestimmungen auf alle beim Gerichtshof anhängigen Beschwerden und auf alle Urteile, deren Durchführung das Ministerkomitee überwacht, anzuwenden.

(2) Auf Beschwerden, die vor Inkrafttreten dieses Protokolls für zulässig erklärt worden sind, ist die neue Zulässigkeitsvoraussetzung, die durch Artikel 12 dieses Protokolls in Artikel 35 Absatz 3 Buchstabe b der Konvention eingefügt wird, nicht anzuwenden. In den ersten zwei Jahren nach Inkrafttreten dieses Protokolls darf die neue Zulässigkeitsvoraussetzung nur von Kammern und der Grossen Kammer des Gerichtshofs angewendet werden.

Artikel 21

(Anm.: aus BGBl. III Nr. 47/2010, zu BGBl. Nr. 210/1958)

Mit Inkrafttreten dieses Protokolls verlängert sich die Amtszeit der Richter, deren erste Amtszeit zu jenem Zeitpunkt noch nicht abgelaufen ist, ohne weiteres auf insgesamt neun Jahre. Die übrigen Richter bleiben für ihre restliche Amtszeit, die sich ohne weiteres um zwei Jahre verlängert, im Amt.

1. Zusatzprotokoll zur EMRK

1. Zusatzprotokoll zur Konvention zum Schutz der Menschenrechte und Grundfreiheiten

Die Unterzeichnerregierungen, Mitglieder des Europarats –

entschlossen, Maßnahmen zur kollektiven Gewährleistung gewisser Rechte und Freiheiten zu treffen, die in Abschnitt I der am 4. November 1950 in Rom unterzeichneten Konvention zum Schutz der Menschenrechte und Grundfreiheiten (im Folgenden als „Konvention" bezeichnet) noch nicht enthalten sind –

haben Folgendes vereinbart:

Artikel 1
Schutz des Eigentums

1. Jede natürliche oder juristische Person hat das Recht auf Achtung ihres Eigentums. Niemandem darf sein Eigentum entzogen werden, es sei denn, dass das öffentliche Interesse es verlangt, und nur unter den durch Gesetz und durch die allgemeinen Grundsätze des Völkerrechts vorgesehenen Bedingungen.

2. Absatz 1 beeinträchtigt jedoch nicht das Recht des Staates, diejenigen Gesetze anzuwenden, die er für die Regelung der Benutzung des Eigentums im Einklang mit dem Allgemeininteresse oder zur Sicherung der Zahlung der Steuern oder sonstigen Abgaben oder von Geldstrafen für erforderlich hält.

Artikel 2
Recht auf Bildung

Niemandem darf das Recht auf Bildung verwehrt werden. Der Staat hat bei Ausübung der von ihm auf dem Gebiet der Erziehung und des Unterrichts übernommenen Aufgaben das Recht der Eltern zu achten, die Erziehung und den Unterricht entsprechend ihren eigenen religiösen und weltanschaulichen Überzeugungen sicherzustellen.

Artikel 3
Recht auf freie Wahlen

Die Hohen Vertragsparteien verpflichten sich, in angemessenen Zeitabständen freie und geheime Wahlen unter Bedingungen abzuhalten, welche die freie Äußerung der Meinung des Volkes bei der Wahl der gesetzgebenden Körperschaften gewährleisten.

Artikel 4
Räumlicher Geltungsbereich

1. Jede Hohe Vertragspartei kann im Zeitpunkt der Unterzeichnung oder Ratifikation dieses Protokolls oder zu jedem späteren Zeitpunkt an den Generalsekretär des Europarats eine Erklärung darüber richten, in welchem Umfang sie sich zur Anwendung dieses Protokolls auf die in der Erklärung angegebenen Hoheitsgebiete verpflichtet, für deren internationale Beziehungen sie verantwortlich ist.

2. Jede Hohe Vertragspartei, die eine Erklärung nach Absatz 1 abgegeben hat, kann jederzeit eine weitere Erklärung abgeben, die den Inhalt einer früheren Erklärung ändert oder die Anwendung der Bestimmungen dieses Protokolls auf irgendein Hoheitsgebiet beendet.

3. Eine nach diesem Artikel abgegebene Erklärung gilt als eine Erklärung im Sinne des Artikels 56 Absatz 1 der Konvention.

Artikel 5
Verhältnis zur Konvention

Die Hohen Vertragsparteien betrachten die Artikel 1, 2, 3 und 4 dieses Protokolls als Zusatzartikel zur Konvention; alle Bestimmungen der Konvention sind dementsprechend anzuwenden.

Artikel 6
Unterzeichnung und Ratifikation

1. Dieses Protokoll liegt für die Mitglieder des Europarats, die Unterzeichner der Konvention sind, zur Unterzeichnung auf; es wird gleichzeitig mit der Konvention oder zu einem späteren Zeitpunkt ratifiziert. Es tritt nach Hinterlegung von zehn Ratifikationsurkunden in Kraft. Für jeden Unterzeichner, der das Protokoll später ratifiziert, tritt es mit der Hinterlegung seiner Ratifikationsurkunde in Kraft.

2. Die Ratifikationsurkunden werden beim Generalsekretär des Europarats hinterlegt, der allen Mitgliedern die Namen derjenigen Staaten, die das Protokoll ratifiziert haben, notifiziert.

Geschehen zu Paris am 20. März 1952 in englischer und französischer Sprache, wobei jeder Wortlaut gleichermaßen verbindlich ist, in einer Urschrift, die im Archiv des Europarats hinterlegt wird. Der Generalsekretär übermittelt allen Unterzeichnerregierungen beglaubigte Abschriften.

4. Zusatzprotokoll zur EMRK

(Übersetzung)
Protokoll Nr. 4 zur Konvention zum Schutze der Menschenrechte und Grundfreiheiten, durch das gewisse Rechte und Freiheiten gewährleistet werden, die nicht bereits in der Konvention oder im ersten Zusatzprotokoll enthalten sind
StF: BGBl. Nr. 434/1969 idF BGBl. III Nr. 30/1998

Artikel 1 – Verbot der Freiheitsentziehung wegen Schulden

Niemandem darf die Freiheit allein deshalb entzogen werden, weil er nicht in der Lage ist, eine vertragliche Verpflichtung zu erfüllen.

Artikel 2 – Freizügigkeit

(1) Jedermann, der sich rechtmäßig im Hoheitsgebiet eines Staates aufhält, hat das Recht, sich dort frei zu bewegen und seinen Wohnsitz frei zu wählen.

(2) Jedermann steht es frei, jedes Land einschließlich seines eigenen zu verlassen.

(3) Die Ausübung dieser Rechte darf keinen anderen Einschränkungen unterworfen werden als denen, die gesetzlich vorgesehen und in einer demokratischen Gesellschaft im Interesse der nationalen oder der öffentlichen Sicherheit, der Aufrechterhaltung des „ordre public", der Verhütung von Straftaten, des Schutzes der Gesundheit oder der Moral oder des Schutzes der Rechte und Freiheiten anderer notwendig sind.

(4) Die in Absatz 1 anerkannten Rechte können ferner für den Bereich bestimmter Gebiete Einschränkungen unterworfen werden, die gesetzlich vorgesehen und in einer demokratischen Gesellschaft durch das öffentliche Interesse gerechtfertigt sind.

Artikel 3 – Verbot der Ausweisung eigener Staatsangehöriger

(1) Niemand darf aus dem Hoheitsgebiet des Staates, dessen Staatsangehöriger er ist, durch eine Einzel- oder eine Kollektivmaßnahme ausgewiesen werden.

(2) Niemandem darf das Recht entzogen werden, in das Hoheitsgebiet des Staates einzureisen, dessen Staatsangehöriger er ist.

Artikel 4 – Verbot der Kollektivausweisung von Ausländern

Kollektivausweisungen von Fremden sind nicht zulässig.

Artikel 5 – Räumlicher Geltungsbereich

(1) Jede Hohe Vertragschließende Partei kann im Zeitpunkt der Unterzeichnung oder Ratifikation dieses Protokolls oder zu jedem späteren Zeitpunkt an den Generalsekretär des Europarates eine Erklärung darüber richten, in welchem Umfang sie sich zur Anwendung der Bestimmungen dieses Protokolls auf die in der Erklärung angegebenen Hoheitsgebiete, für deren internationale Beziehungen sie verantwortlich ist, verpflichtet.

(2) Jede Hohe Vertragschließende Partei, die eine Erklärung gemäß Absatz 1 abgegeben hat, kann jederzeit eine weitere Erklärung abgeben, die den Inhalt einer früheren Erklärung ändert oder die Anwendung der Bestimmungen dieses Protokolls auf irgendein Hoheitsgebiet beendet.

(3) Eine gemäß diesem Artikel abgegebene Erklärung gilt als eine Erklärung im Sinne des Artikels 56 Absatz 1 der Konvention.

(4) Das Hoheitsgebiet eines Staates, auf das dieses Protokoll auf Grund der Ratifikation oder Annahme durch diesen Staat Anwendung findet, und jedes Hoheitsgebiet, auf das das Protokoll auf Grund einer von diesem Staat nach diesem Artikel abgegebenen Erklärung Anwendung findet, werden als getrennte Hoheitsgebiete betrachtet, soweit die Artikel 2 und 3 auf das Hoheitsgebiet eines Staates Bezug nehmen.

(5) Jeder Staat, der eine Erklärung nach Absatz 1 oder 2 abgegeben hat, kann jederzeit danach für eines oder mehrere der in der Erklärung bezeichneten Hoheitsgebiete erklären, daß er die Zuständigkeit des Gerichtshofs, Beschwerden von natürlichen Personen, nichtstaatlichen Organisationen oder Personengruppen nach Artikel 34 der Konvention entgegenzunehmen, für die Artikel 1 bis 4 dieses Protokolls insgesamt oder für einzelne dieser Artikel annimmt.

Artikel 6 – Verhältnis zur Konvention

Die Hohen Vertragschließenden Parteien betrachten die Artikel 1 bis 5 dieses Protokolls als Zusatzartikel zur Konvention; alle Bestimmungen der Konvention sind dementsprechend anzuwenden.

Artikel 7 – Unterzeichnung und Ratifikation

(1) Dieses Protokoll steht den Mitgliedern des Europarates, die Unterzeichner der Konvention sind, zur Unterzeichnung offen; es wird gleichzeitig mit der Konvention oder nach deren Ratifizierung ratifiziert. Es tritt nach der Hinterlegung von fünf Ratifikationsurkunden in Kraft. Für jeden Unterzeichner, der nachträglich ratifiziert, tritt das Protokoll zum Zeitpunkt der Hinterlegung der Ratifikationsurkunde in Kraft.

(2) Die Ratifikationsurkunden werden beim Generalsekretär des Europarates hinterlegt, der allen Mitgliedern die Namen jener mitteilen wird, die ratifiziert haben.

Zu Urkund dessen haben die hierzu gehörig befugten Unterzeichneten dieses Protokoll unterzeichnet.

Geschehen zu Straßburg am 16. September 1963 in englischer und französischer Sprache, wobei jeder Wortlaut gleichermaßen verbindlich ist, in einer Urschrift, die im Archiv des Europarates hinterlegt wird. Der Generalsekretär übermittelt allen Unterzeichnerstaaten beglaubigte Abschriften.

6. Zusatzprotokoll zur EMRK

Protokoll Nr. 6 zur Konvention zum Schutze der Menschenrechte und Grundfreiheiten über die Abschaffung der Todesstrafe
StF: BGBl. Nr. 138/1985 idF BGBl. III Nr. 30/1998

Artikel 1 – Abschaffung der Todesstrafe

Die Todesstrafe ist abgeschafft. Niemand darf zu dieser Strafe verurteilt oder hingerichtet werden.

Artikel 2 – Todesstrafe in Kriegszeiten

Ein Staat kann durch Gesetz die Todesstrafe für Taten vorsehen, welche in Kriegszeiten oder bei unmittelbarer Kriegsgefahr begangen werden; diese Strafe darf nur in den Fällen, die im Gesetz vorgesehen sind und in Übereinstimmung mit dessen Bestimmungen angewendet werden. Der Staat übermittelt dem Generalsekretär des Europarates die einschlägigen Rechtsvorschriften.

Artikel 3 – Verbot des Außerkraftsetzens

Die Bestimmungen dieses Protokolls dürfen nicht nach Art. 15 der Konvention außer Kraft gesetzt werden.

Artikel 4 – Verbot von Vorbehalten

Vorbehalte nach Artikel 57 der Konvention zu Bestimmungen dieses Protokolls sind nicht zulässig.

Artikel 5 – Räumlicher Geltungsbereich

1. Jeder Staat kann bei der Unterzeichnung oder bei der Hinterlegung der Ratifikations-, Annahme- oder Genehmigungsurkunde einzelne oder mehrere Hoheitsgebiete bezeichnen, auf die dieses Protokoll Anwendung findet.

2. Jeder Staat kann jederzeit danach durch eine an den Generalsekretär des Europarates gerichtete Erklärung dieses Protokoll auf jedes weitere in der Erklärung bezeichnete Hoheitsgebiet erstrecken. Das Protokoll tritt für dieses Hoheitsgebiet am ersten Tag des Monats in Kraft, der dem Eingang der Erklärung durch den Generalsekretär folgt.

3. Jede gemäß den zwei vorangegangenen Absätzen abgegebene Erklärung kann durch eine Notifikation an den Generalsekretär hinsichtlich jenes Hoheitsgebietes, das in einer solchen Erklärung bezeichnet ist, zurückgenommen werden. Die Zurücknahme wird mit dem ersten Tag des dem Eingang einer solchen Notifikation beim Generalsekretär folgenden Monates wirksam.

Artikel 6 – Verhältnis zur Konvention

Die Vertragsstaaten betrachten die Art. 1 bis 5 dieses Protokolles als Zusatzartikel zur Konvention; alle Bestimmungen der Konvention sind dementsprechend anzuwenden.

Artikel 7 – Unterzeichnung und Ratifikation

Dieses Protokoll liegt für die Mitgliedstaaten des Europarates, die die Konvention unterzeichnet haben, zur Unterzeichnung auf. Es bedarf der Ratifikation, Annahme oder Genehmigung. Ein Mitgliedstaat des Europarates kann dieses Protokoll nur ratifizieren, annehmen oder genehmigen, wenn gleichzeitig oder früher die Konvention ratifiziert wurde. Die Ratifikations-, Annahme- oder Genehmigungsurkunden werden beim Generalsekretär des Europarates hinterlegt.

Artikel 8 – Inkrafttreten

1. Dieses Protokoll tritt am ersten Tag des Monats in Kraft, der auf den Tag folgt, an dem fünf Mitgliedstaaten des Europarates nach Art. 7 ihre Zustimmung ausgedrückt haben, durch das Protokoll gebunden zu sein.

2. Jedem Mitgliedstaat, der später seine Zustimmung ausdrückt, durch das Protokoll gebunden zu sein, tritt es am ersten Tag des Monats in Kraft, der auf die Hinterlegung der Ratifikations-, Annahme- oder Genehmigungsurkunde folgt.

Artikel 9 – Aufgaben des Verwahrers

Der Generalsekretär des Europarates notifiziert den Mitgliedstaaten des Europarates

a) jede Unterzeichnung;

b) jede Hinterlegung einer Ratifikations-, Annahme- oder Genehmigungsurkunde;

c) jeden Zeitpunkt des Inkrafttretens dieses Protokolls nach Art. 5 und 8;

d) jeden anderen Rechtsakt, jede Notifikation oder Mitteilung, die sich auf dieses Protokoll bezieht.

Zu Urkund dessen haben die hiezu gehörig befugten Unterzeichneten dieses Protokoll unterschrieben.

Geschehen zu Straßburg am 28. April 1983 in englischer und französischer Sprache, wobei jeder Wortlaut gleichermaßen authentisch ist, in einer Urschrift, die in den Archiven des Europarates hinterlegt wird. Der Generalsekretär des Europarates übermittelt allen Mitgliedstaaten des Europarates beglaubigte Abschriften.

7. Zusatzprotokoll zur EMRK

(Übersetzung)
Protokoll Nr. 7 zur Konvention zum Schutze der Menschenrechte und Grundfreiheiten
StF: BGBl. Nr. 628/1988 idF BGBl. III Nr. 179/2002

Artikel 1 – Verfahrensrechtliche Schutzvorschriften in bezug auf die Ausweisung von Ausländern

1. Ein Ausländer, der seinen rechtmäßigen Aufenthalt im Hoheitsgebiet eines Staates hat, darf aus diesem nur auf Grund einer rechtmäßig ergangenen Entscheidung ausgewiesen werden; ihm muß gestattet werden,

a) Gründe vorzubringen, die gegen seine Ausweisung sprechen,

b) seinen Fall prüfen zu lassen und

c) sich zu diesem Zweck vor der zuständigen Behörde oder vor einer oder mehreren von dieser Behörde bestimmten Personen vertreten zu lassen.

2. Ein Ausländer kann vor Ausübung der im Abs. 1 lit. a, b und c genannten Rechte ausgewiesen werden, wenn die Ausweisung im Interesse der öffentlichen Ordnung erforderlich ist oder aus Gründen der nationalen Sicherheit erfolgt.

Artikel 2 – Rechtsmittel in Strafsachen

1. Wer von einem Gericht wegen einer strafbaren Handlung verurteilt worden ist, hat das Recht, das Urteil von einem übergeordneten Gericht nachprüfen zu lassen. Die Ausübung dieses Rechts, einschließlich der Gründe, aus denen es ausgeübt werden kann, richtet sich nach dem Gesetz.

2. Ausnahmen von diesem Recht sind für strafbare Handlungen geringfügiger Art, wie sie durch Gesetz näher bestimmt sind, oder in Fällen möglich, in denen das Verfahren gegen eine Person in erster Instanz vor dem obersten Gericht stattgefunden hat oder in denen sie nach einem gegen ihren Freispruch eingelegten Rechtsmittel verurteilt worden ist.

Artikel 3 – Recht auf Entschädigung bei Fehlurteilen

Ist jemand wegen einer strafbaren Handlung rechtskräftig verurteilt und ist das Urteil später aufgehoben oder der Verurteilte begnadigt worden, weil eine neue oder eine neu bekannt gewordene Tatsache schlüssig beweist, daß ein Fehlurteil vorlag, so ist derjenige, der auf Grund eines solchen Urteils eine Strafe verbüßt hat, entsprechend dem Gesetz oder der Übung des betreffenden Staates zu entschädigen, sofern nicht nachgewiesen wird, daß das nicht rechtzeitige Bekanntwerden der betreffenden Tatsache ganz oder teilweise ihm zuzuschreiben ist.

Artikel 4 – Recht, wegen derselben Sache nicht zweimal vor Gericht gestellt oder bestraft zu werden

1. Niemand darf wegen einer strafbaren Handlung, wegen der er bereits nach dem Gesetz und dem Strafverfahrensrecht eines Staates rechtskräftig verurteilt oder freigesprochen worden ist, in einem Strafverfahren desselben Staates erneut vor Gericht gestellt oder bestraft werden.

2. Abs. 1 schließt die Wiederaufnahme des Verfahrens nach dem Gesetz und dem Strafverfahrensrecht des betreffenden Staates nicht aus, falls neue oder neu bekannt gewordene Tatsachen vorliegen oder das vorausgegangene Verfahren schwere, den Ausgang des Verfahrens berührende Mängel aufweist.

3. Dieser Artikel darf nicht nach Art. 15 der Konvention außer Kraft gesetzt werden.

Artikel 5 – Gleichberechtigung der Ehegatten

Ehegatten haben untereinander und in ihren Beziehungen zu ihren Kindern gleiche Rechte und Pflichten privatrechtlicher Art hinsichtlich der Eheschließung, während der Ehe und bei Auflösung der Ehe. Dieser Artikel verwehrt es den Staaten nicht, die im Interesse der Kinder notwendigen Maßnahmen zu treffen.

Artikel 6 – Räumlicher Geltungsbereich

1. Jeder Staat kann bei der Unterzeichnung oder bei der Hinterlegung seiner Ratifikations-, Annahme- oder Genehmigungsurkunde einzelne oder mehrere Hoheitsgebiete bezeichnen, auf die dieses Protokoll Anwendung findet, und erklären, in welchem Umfang er sich zur Anwendung dieses Protokolls auf diese Hoheitsgebiete verpflichtet.

2. Jeder Staat kann jederzeit danach durch eine an den Generalsekretär des Europarates gerichtete Erklärung die Anwendung dieses Protokolls auf jedes weitere in der Erklärung bezeichnete Hoheitsgebiet erstrecken. Das Protokoll tritt für dieses Hoheitsgebiet am ersten Tag des Monates in Kraft, der auf einen Zeitabschnitt von zwei Monaten nach Eingang der Erklärung beim Generalsekretär folgt.

3. Jede nach den Abs. 1 und 2 abgegebene Erklärung kann in bezug auf jedes darin bezeichnete Hoheitsgebiet durch eine an den Generalsekretär gerichtete Notifikation zurückgenommen oder geändert werden. Die Rücknahme oder Änderung wird am ersten Tag des Monates wirksam, der auf einen Zeitabschnitt von

zwei Monaten nach Eingang der Notifikation beim Generalsekretär folgt.

4. Eine nach diesem Artikel abgegebene Erklärung gilt als eine Erklärung im Sinne des Artikels 56 Abs. 1 der Konvention.

5. Das Hoheitsgebiet eines Staates, auf das dieses Protokoll auf Grund der Ratifikation, Annahme oder Genehmigung durch diesen Staat Anwendung findet, und jedes Hoheitsgebiet, auf welches das Protokoll auf Grund einer von diesem Staat nach diesem Artikel abgegebenen Erklärung Anwendung findet, können als getrennte Hoheitsgebiete betrachtet werden, soweit Art. 1 auf das Hoheitsgebiet eines Staates Bezug nimmt.

6. Jeder Staat, der eine Erklärung nach Absatz 1 oder 2 abgegeben hat, kann jederzeit danach für eines oder mehrere der in der Erklärung bezeichneten Hoheitsgebiete erklären, daß er die Zuständigkeit des Gerichtshofs, Beschwerden von natürlichen Personen, nichtstaatlichen Organisationen oder Personengruppen nach Artikel 34 der Konvention entgegenzunehmen, für die Artikel 1 bis 5 dieses Protokolls annimmt.

Artikel 7 – Verhältnis zur Konvention

Die Vertragsstaaten betrachten die Art. 1 bis 6 dieses Protokolls als Zusatzartikel zur Konvention; alle Bestimmungen der Konvention sind dementsprechend anzuwenden.

Artikel 8 – Unterzeichnung und Ratifikation

Dieses Protokoll liegt für die Mitgliedstaaten des Europarates, welche die Konvention unterzeichnet haben, zur Unterzeichnung auf. Es bedarf der Ratifikation, Annahme oder Genehmigung. Ein Mitgliedstaat des Europarates kann dieses Protokoll nicht ratifizieren, annehmen oder genehmigen, ohne die Konvention früher ratifiziert zu haben oder sie gleichzeitig zu ratifizieren. Die Ratifikations-, Annahme- oder Genehmigungsurkunden werden beim Generalsekretär des Europarates hinterlegt.

Artikel 9 – Inkrafttreten

1. Dieses Protokoll tritt am ersten Tag des Monates in Kraft, der auf einen Zeitabschnitt von zwei Monaten nach dem Tag folgt, an dem sieben Mitgliedstaaten des Europarates nach Art. 8 ihre Zustimmung ausgedrückt haben, durch das Protokoll gebunden zu sein.

2. Für jeden Mitgliedstaat, der später seine Zustimmung ausdrückt, durch das Protokoll gebunden zu sein, tritt es am ersten Tag des Monates in Kraft, der auf einen Zeitabschnitt von zwei Monaten nach Hinterlegung der Ratifikations-, Annahme- oder Genehmigungsurkunde folgt.

Artikel 10 – Aufgaben des Verwahrers

Der Generalsekretär des Europarates notifiziert allen Mitgliedstaaten des Europarates

a) jede Unterzeichnung;

b) jede Hinterlegung einer Ratifikations-, Annahme- oder Genehmigungsurkunde;

c) jeden Zeitpunkt des Inkrafttretens dieses Protokolls nach den Art. 6 und 9;

d) jede andere Handlung, Notifikation oder Erklärung im Zusammenhang mit diesem Protokoll.

Zu Urkund dessen haben die hiezu gehörig befugten Unterzeichneten dieses Protokoll unterschrieben.

Geschehen zu Straßburg am 22. November 1984 in englischer und französischer Sprache, wobei jeder Wortlaut gleichermaßen verbindlich ist, in einer Urschrift, die im Archiv des Europarates hinterlegt wird. Der Generalsekretär des Europarates übermittelt allen Mitgliedstaaten des Europarates beglaubigte Abschriften.

Oberster Gerichtshof

Bundesgesetz vom 19. Juni 1968 über den Obersten Gerichtshof
StF: BGBl. Nr. 328/1968 idF BGBl. I Nr. 112/2007

Inhaltsverzeichnis

Stichwortverzeichnis

Aufgabenbereich und Zusammensetzung

§ 1. (1) Der Oberste Gerichtshof (Art. 92 Abs. 1 B-VG) ist das oberste Organ der ordentlichen Gerichtsbarkeit.

(2) Er besteht aus einem Präsidenten, zwei Vizepräsidenten sowie der erforderlichen Anzahl von sonstigen Mitgliedern (Senatspräsidenten und Hofräten).

Siegel

§ 2. Das Siegel des Obersten Gerichtshofes zeigt das österreichische Staatswappen mit der Umschrift „Oberster Gerichtshof der Republik Österreich“.

Leitung und Dienstaufsicht

§ 3. (1) Der Präsident leitet den Obersten Gerichtshof, er übt die Dienstaufsicht über das gesamte Personal des Gerichtshofes aus und führt die anderen Justizverwaltungsgeschäfte für den Gerichtshof, soweit diese nicht auf Grund des Gesetzes durch Senate zu erledigen sind. Insbesondere nimmt er auch die ihm übertragenen dienstbehördlichen Aufgaben wahr.

(2) Der Präsident wird bei seinen Aufgaben durch die Vizepräsidenten und durch andere Mitglieder des Obersten Gerichtshofes unterstützt.

(3) Sonstige Mitglieder dürfen nur mit ihrer Zustimmung in die Geschäftseinteilung für Justizverwaltungssachen einbezogen werden.

(4) Nach Maßgabe der Vorgaben des jährlichen Stellenplans hat der Bundesminister für Justiz Richter und/oder Staatsanwälte aus dem Bereich der Justizbehörden in den Ländern dem Präsidenten des Obersten Gerichtshofes zur Wahrnehmung von Justizverwaltungsaufgaben zuzuteilen (§ 78 RDG). Unter den gleichen Voraussetzungen können für das Evidenzbüro allenfalls auch andere Bundesbedienstete mit einem abgeschlossenen rechtswissenschaftlichen Studium (Diplomstudium nach dem Bundesgesetz über das Studium der Rechtswissenschaften, BGBl. Nr. 140/1978, oder rechts- und staatswissenschaftliche Studien nach der juristischen Studien- und Staatsprüfungsordnung, StGBl. Nr. 164/1945) zugeteilt werden.

(5) Falls der Präsident verhindert ist, seinen Aufgaben nach Abs. 1 nachzukommen, oder falls die Planstelle des Präsidenten nicht besetzt ist, obliegen die Aufgaben nach Abs. 1 dem Vizepräsidenten, der über die längere Dienstzeit als Vizepräsident, bei gleichlanger Dienstzeit der über die längere für die Vorrückung in höhere Bezüge maßgebende Dienstzeit verfügt. Sind auch die Vizepräsidenten verhindert, vertreten die nach der Geschäftseinteilung für Justizverwaltungssachen hiezu berufenen Mitglieder des Obersten Gerichtshofes.

Erholungsurlaub des Präsidenten

§ 4. Der Präsident setzt die Zeit seines Erholungsurlaubes selbst fest. Er gibt den Zeitpunkt des Antrittes oder der Fortsetzung seines Erholungsurlaubes der Präsidentschaftskanzlei und dem Bundesministerium für Justiz bekannt.

Senate

§ 5. (1) Der Oberste Gerichtshof wird, soweit sich nicht aus diesem Bundesgesetz etwas anderes ergibt, in Senaten tätig. Die den Senatsvorsitzenden nach den Verfahrensvorschriften zustehenden Befugnisse, die nur den Gang der Verfahren betreffen oder der Vorbereitung von Entscheidungen dienen, bleiben davon unberührt. Über das Recht auf Akteneinsicht entscheidet der Senatsvorsitzende allein. § 89i des Gerichtsorganisationsgesetzes, RGBl. Nr. 217/1896, ist anzuwenden.

(2) Bei der Abstimmung hat der Berichterstatter seine Stimme zuerst, der Vorsitzende seine Stimme zuletzt abzugeben. Die anderen Senatsmitglieder stimmen nach der Dienstzeit beim Obersten Gerichtshof, bei gleicher Dienstzeit nach der für die Vorrückung in höhere Bezüge maßgebenden Dienstzeit, und zwar die Älteren vor den Jüngeren ab. Die Bestimmungen über die Abstimmung in Senaten, in denen fachkundige Laienrichter mitwirken, bleiben unberührt (§ 13 Arbeits- und Sozialgerichtsgesetz, BGBl. Nr. 104/1985, und § 93 Kartellgesetz 1988, BGBl. Nr. 600).

Einfache Senate

§ 6. Soweit gesetzlich nichts anderes bestimmt ist, setzt sich ein Senat aus dem Vorsitzenden und vier weiteren Mitgliedern des Obersten Gerichtshofes, von denen einer als Berichterstatter fungiert, zusammen (einfacher Senat).

Dreiersenate

§ 7. (1) In folgenden Fällen setzt sich ein Senat aus dem Vorsitzenden und zwei weiteren Mitgliedern des Obersten Gerichtshofes zusammen (Dreiersenat):

1. Bestimmung des örtlich zuständigen Gerichtes gemäß § 28 der Jurisdiktionsnorm, RGBl. Nr. 111/1895;

2. Delegierungssachen;

3. Verweisungen gemäß § 334 Abs. 2 der Strafprozessordnung 1975;

4. Genehmigungen der Übertragung der Zuständigkeit in Pflegschaftssachen nach § 111 Abs. 2 der Jurisdiktionsnorm;

5. Bestimmung des Gerichtes nach § 9 Abs. 4 des Amtshaftungsgesetzes, BGBl. Nr. 20/1949;

6. Übertragung der Zuständigkeit in Dienstgerichts- und Disziplinarsachen gemäß den §§ 93 und 116 des Richterdienstgesetzes, BGBl. Nr. 305/1961;

7. Stellungnahmen zu Gnadengesuchen (§ 509 Z 2 der Strafprozessordnung 1975);

(Anm.: Z 8 aufgehoben durch BGBl. I Nr. 112/2007)

9. Entscheidungen nach § 11a Abs. 3 des Arbeits- und Sozialgerichtsgesetzes, BGBl. Nr. 104/1985;

10. Behandlung von Entscheidungsanträgen, die in der Rechtsordnung nicht vorgesehen sind.

(2) In den in Abs. 1 Z 1 bis 7 genannten Fällen hat auf Verlangen nur eines Mitgliedes des Dreiersenates der einfache Senat die Entscheidung oder die Erledigung zu treffen.

Verstärkte Senate

§ 8. (1) Ein einfacher Senat ist nach Maßgabe der Geschäftsverteilung – vorbehaltlich des § 11 Abs. 2 des Arbeits- und Sozialgerichtsgesetzes – durch sechs weitere Mitglieder des Obersten Gerichtshofes zu verstärken (verstärkter Senat), wenn er nach Erstattung des Berichtes mit Beschluss ausspricht,

1. dass die Entscheidung einer Rechtsfrage von grundsätzlicher Bedeutung ein Abgehen von der ständigen Rechtsprechung des Obersten Gerichtshofes oder von der in dieser Rechtsfrage zuletzt ergangenen Entscheidung eines verstärkten Senates des Gerichtshofes bedeuten würde oder

2. dass eine zu lösende Rechtsfrage von grundsätzlicher Bedeutung in der Rechtsprechung des Obersten Gerichtshofes nicht einheitlich beantwortet worden ist.

(2) Ein Beschluss nach Abs. 1 ist in nichtöffentlicher Sitzung (§ 509 Abs. 1 der Zivilprozessordnung, RGBl. Nr. 113/1895, § 285c Abs. 1 der Strafprozessordnung 1975) zu fassen, und zwar vor einer allfälligen mündlichen Verhandlung (§ 509 Abs. 2 der Zivilprozessordnung) oder vor dem Gerichtstag zur öffentlichen Verhandlung (§ 285c Abs. 2 der Strafprozessordnung 1975). Ergibt sich die Notwendigkeit, einen solchen Beschluss zu fassen, erst im Zuge der mündlichen Verhandlung oder des Gerichtstages zur öffentlichen Verhandlung, so ist der Beschluss zu verkünden. Der verstärkte Senat hat die mündliche Verhandlung oder den Gerichtstag zur öffentlichen Verhandlung neu durchzuführen.

(3) Neben dem für den einfachen Senat bestimmten Berichterstatter hat im verstärkten Senat ein weiteres Mitglied den Bericht zu erstatten.

Vollversammlung

§ 9. (1) Die Mitglieder des Obersten Gerichtshofes (§ 1 Abs. 2) bilden die Vollversammlung.

(2) Der Vollversammlung obliegt die Beschlussfassung über den Tätigkeitsbericht.

(3) Die Vollversammlung ist vom Präsidenten einzuberufen.

§ 10. (1) Zur Beschlussfähigkeit der Vollversammlung ist die Anwesenheit von mindestens zwei Dritteln der Mitglieder des Obersten Gerichtshofes erforderlich.

(2) In der Vollversammlung führt der Präsident den Vorsitz. Er bestimmt einen oder mehrere Berichterstatter; diese haben den Bericht schriftlich zu erstatten und mündlich vorzutragen. Bei der Abstimmung ist § 5 Abs. 2 anzuwenden, bei Stimmengleichheit entscheidet die Stimme des Vorsitzenden.

(3) Die Sitzungen der Vollversammlung sind nicht öffentlich.

Begutachtungssenate

§ 11. Im Rahmen der Geschäftsverteilung sind Begutachtungssenate zu bilden, die sich aus dem Präsidenten und sechs weiteren Mitgliedern des Obersten Gerichtshofes zusammensetzen, die in den jeweils angesprochenen Geschäftssparten des Gerichtshofes tätig sein sollen. Aufgabe dieser Senate ist es, auf Ersuchen des Bundesministers für Justiz oder des Präsidenten des Obersten Gerichtshofes zu Gesetzes- oder Verordnungsentwürfen Gutachten abzugeben.

Tätigkeitsbericht

§ 12. Der Oberste Gerichtshof verfasst nach Schluss jedes Jahres einen Bericht über seine Tätigkeit und die hiebei gesammelten Erfahrungen und teilt diesen Bericht unter Anschluss der Geschäftsausweise dem Bundesminister für Justiz mit. Der Bericht kann darüber hinaus an den Präsidenten des Nationalrates, die Präsidenten des Verfassungsgerichtshofes und des Verwaltungsgerichtshofes, andere Bundesminister und die Landeshauptleute übermittelt werden. In den Bericht können auch Anregungen betreffend Maßnahmen der Gesetzgebung oder die Erlassung von Verordnungen aufgenommen werden.

Geschäftsverteilung

§ 13. (1) Die nach den gesetzlich festgelegten Zuständigkeiten dem Obersten Gerichtshof zufallenden gerichtlichen Geschäfte sind vom Personalsenat des Obersten Gerichtshofes für die Dauer des nächsten Jahres unter die Mitglieder des Obersten Gerichtshofes zu verteilen. Er hat Zivilsenate und Strafsenate, Senate für Dienstgerichts- und Disziplinarsachen, Begutachtungssenate und – soweit zweckmäßig – Fachsenate zu bilden. Er hat die Vorsitzenden und deren Stellvertreter, die übrigen Mitglieder, die Ersatzmitglieder und die Berichterstatter der Senate zu bestimmen sowie die Reihenfolge festzulegen, in der die Stellvertreter, die Ersatzmitglieder und die Berichterstatter herangezogen werden. Jedes Mitglied des Obersten Gerichtshofes kann auch mehreren Senaten angehören. Die Verteilung ist insgesamt so vorzunehmen, dass eine möglichst gleichmäßige Auslastung der einzelnen Senatsmitglieder erreicht wird, wobei Vertretungsaufgaben oder Aufgaben der Justizverwaltung entsprechend zu berücksichtigen sind. § 26a des Gerichtsorganisationsgesetzes ist sinngemäß anzuwenden.

(2) Der Präsident und die Vizepräsidenten dürfen nur in einem solchen Ausmaß in die Geschäftsvertei-

lung einbezogen werden, das sie in der Wahrnehmung ihrer Justizverwaltungsaufgaben nicht beeinträchtigt.

(3) Der Präsident des Obersten Gerichtshofes hat den Entwurf der Geschäftsverteilung für das nächste Jahr vom 15. bis 30. November zur Einsicht aufzulegen (Einsichtsfrist). Jedes von der Geschäftsverteilung betroffene Mitglied des Obersten Gerichtshofes ist berechtigt, während der Einsichtsfrist schriftlich Einwendungen gegen den Entwurf zu erheben. Die Einwendungen sollen eine Begründung und einen Abänderungsantrag enthalten. Der Personalsenat hat vor dem Geschäftsverteilungsbeschluss über diese Einwendungen zu beraten.

(4) Soweit dies für den ordnungsgemäßen Geschäftsgang notwendig ist, kann der Personalsenat von Amts wegen oder auf Antrag die Geschäftsverteilung ändern, wenn Veränderungen im Personalstand der Mitglieder des Obersten Gerichtshofes eingetreten sind oder dies wegen Überlastung eines Senates oder eines einzelnen Mitglieds notwendig ist.

Evidenzbüro

§ 14. (1) Dem Evidenzbüro des Obersten Gerichtshofes obliegt die Erfassung und Aufbereitung der Entscheidungen des Obersten Gerichtshofes sowie der für den Obersten Gerichtshof allenfalls bedeutsamen Entscheidungen anderer Gerichte.

(2) Die Erfassung und Aufbereitung der Entscheidungen hat im Rahmen einer allgemein zugänglichen Datenbank (Entscheidungsdokumentation Justiz-JUDOK, § 15) zu erfolgen.

(3) Das Evidenzbüro gibt den Mitgliedern des Obersten Gerichtshofes und der Generalprokuratur die erforderliche Unterstützung bei der Sammlung der für ihre Tätigkeit erforderlichen rechtlichen Grundlagen. Den rechtskundigen Beamten des Bundesministeriums für Justiz steht das Recht auf Einsicht in sämtliche Entscheidungen des Obersten Gerichtshofes zu.

(4) Das Evidenzbüro besteht aus seinem Leiter, dessen Stellvertreter, den dem Präsidenten des Obersten Gerichtshofes aus dem Bereich der Justizbehörden in den Ländern zugeteilten Richtern und/oder Staatsanwälten und allenfalls anderen zugeteilten Bundesbediensteten mit einem abgeschlossenen rechtswissenschaftlichem Studium (§ 3 Abs. 4).

(5) Der Leiter des Evidenzbüros und sein Stellvertreter werden vom Präsidenten des Obersten Gerichtshofes aus dem Kreis der Mitglieder des Obersten Gerichtshofes bestimmt. Die Bestellung kann vom Präsidenten des Obersten Gerichtshofes jederzeit widerrufen werden.

(6) Die Bestellung eines Mitgliedes des Obersten Gerichtshofes zum Leiter oder Stellvertreter des Leiters des Evidenzbüros bedarf seiner Zustimmung.

(7) Dem Leiter des Evidenzbüros obliegt nach Maßgabe der Vorgaben des Präsidenten die Organisation sowie die Überwachung der Tätigkeit des Evidenzbüros.

(8) Die dem Präsidenten des Obersten Gerichtshofes zugeteilten Richter und anderen rechtskundigen Bediensteten können bei Sitzungen und Verhandlungen als Schriftführer eingesetzt werden.

Entscheidungsdokumentation Justiz

§ 15. (1) Der Bundesminister für Justiz hat eine allgemein zugängliche Datenbank (Entscheidungsdokumentation Justiz) einzurichten, in die

1. Entscheidungen des Obersten Gerichtshofes (Volltexte), die sich nicht in einer begründungslosen Zurückweisung eines Rechtsmittels erschöpfen, sowie

2. nach § 14 Abs. 1 aufbereitete Entscheidungen (Rechtssätze) und andere Texte

aufzunehmen sind. In Zweifelsfällen entscheidet bei Rechtssätzen der jeweilige Senatsvorsitzende, ansonsten der Leiter des Evidenzbüros.

(2) Der erkennende Senat kann bei der Beschlussfassung in Rechtssachen, in denen das Verfahren in allen Instanzen ohne Durchführung einer öffentlichen Verhandlung zu führen war, anordnen, dass die Entscheidung (Volltext) in der Datenbank nicht zu veröffentlichen ist, wenn ansonst die Anonymität der Betroffenen nicht sichergestellt ist.

(3) Der Bundesminister für Justiz wird ermächtigt, nach Maßgabe der technischen und personellen Möglichkeiten sowie unter Bedachtnahme auf eine einfache und sparsame Verwaltung und auf eine Sicherung vor Missbrauch durch Verordnung insbesondere festzulegen,

1. welche Übermittlungsstellen für die Abfrage einzurichten und

2. welche Bedingungen für einen sicheren Betrieb der Entscheidungsdokumentation Justiz einzuhalten

sind.

(4) In der Entscheidungsdokumentation Justiz sind Namen, Anschriften und erforderlichenfalls auch sonstige Orts- und Gebietsbezeichnungen, die Rückschlüsse auf die betreffende Rechtssache zulassen, durch Buchstaben, Ziffern oder Abkürzungen so zu anonymisieren, dass die Nachvollziehbarkeit der Entscheidung nicht verloren geht.

(5) Anordnungen nach dem Abs. 4 hat der erkennende Senat bei der Beschlussfassung, bei vor dem 1. Jänner 1991 beschlossenen Entscheidungen der Präsident des Obersten Gerichtshofes zu treffen.

(6) Für die durch den Einsatz der automationsunterstützten Datenverarbeitung verursachten Schäden aus Fehlern bei der Führung der Entscheidungsdokumentation Justiz haftet der Bund. Die Haftung ist ausgeschlossen, wenn der Schaden durch ein unabwendbares Ereignis verursacht wird, das weder auf einen Feh-

ler in der Beschaffenheit noch auf einem Versagen der Mittel der automationsunterstützten Datenverarbeitung beruht. Im Übrigen ist das Amtshaftungsgesetz anzuwenden.

Zugänglichkeit der Entscheidungen

§ 15a. (1) Die für die Entscheidungsdokumentation Justiz (§ 15) erstellten Daten sind nach Maßgabe der technischen und dokumentalistischen Möglichkeiten im Internet bereitzustellen.

(2) Nach Maßgabe der personellen und technischen Voraussetzungen ist vom Evidenzbüro des Obersten Gerichtshofes durch Erteilung anonymisierter Ausdrucke (§ 15 Abs. 4) gegen Kostenersatz Einsicht in die Entscheidungsdokumentation Justiz zu gewähren.

Geschäftsstelle

§ 16. (1) Die Beamten und Vertragsbediensteten der Geschäftsstelle besorgen die Kanzleigeschäfte.

(2) Die Geschäftsstelle umfaßt folgende Abteilungen und besondere Dienste:

a) den Vorsteher der Geschäftsstelle,

b) die Geschäftsabteilung des Präsidenten,

c) die Geschäftsabteilungen für die Zivil- und die Strafsenate,

d) die Geschäftsabteilungen für die Senate in Dienstgerichts- und in Disziplinarsachen sowie für die Begutachtungssenate,

e) die Geschäftsabteilung für das Evidenzbüro,

f) den Rechnungsführer oder die Zahlstelle (§ 6 Abs. 4 Bundeshaushaltsgesetz, BGBl. Nr. 213/1986),

g) die Einlaufstelle,

h) die Zustellabteilung,

i) das Aktenlager,

j) die Amtswirtschaftsstelle.

(3) Der Vorsteher der Geschäftsstelle hat nach den Weisungen des Präsidenten den gesamten Dienst in der Geschäftsstelle zu leiten und den Präsidenten in der Aufsicht über deren Bedienstete zu unterstützen.

(4) In der Geschäftsstelle sind alle Behelfe, insbesondere Register und Ausweise zu führen, die für eine einfache Kanzleigebarung, zur Bezeichnung von Akten, deren Bildung und Behandlung sowie für statistische Feststellungen erforderlich sind.

Einlaufstelle

§ 17. (1) Der Bedienstete der Einlaufstelle hat alle für den Obersten Gerichtshof bestimmten Schriftstücke und sonstigen Sendungen entgegenzunehmen, soweit nicht im folgenden Ausnahmen verfügt werden. Der Bedienstete der Einlaufstelle hat dem Überbringer auf Verlangen den Empfang zu bestätigen. Er hat die Abgabescheine für eingeschriebene Sendungen und die den Sendungen allenfalls angeschlossenen Rückscheine zu unterfertigen. Geld- und Wertgegenstände dürfen in der Einlaufstelle nicht übernommen werden.

(2) In der Einlaufstelle sind alle Schriftstücke mit dem Eingangsvermerk zu versehen, der die Bezeichnung des Gerichtes sowie Tag, Monat und Jahr des Einlangens enthält.

(3) Der Bedienstete der Einlaufstelle hat die Geschäftsstücke nach den Geschäftsabteilungen, zu deren Geschäftskreis sie gehören, zu ordnen und diesen einmal täglich zu übergeben. Als dringlich erkennbare Geschäftsstücke sind sofort der zuständigen Geschäftsabteilung zu übergeben.

(4) Die an den Präsidenten oder an das Präsidium des Obersten Gerichtshofes gerichteten Eingaben und alle Schriftstücke in Präsidialsachen hat der Leiter der Geschäftsabteilung des Präsidenten zu übernehmen und mit dem Eingangsvermerk zu versehen. Dieser Eingangsvermerk muß sich durch Form und Farbe vom Eingangsvermerk der Einlaufstelle unterscheiden.

Ausfertigungen

§ 18. (1) Die Ausfertigungen der Erledigungen hat der Leiter der Geschäftsabteilung unter dem Vermerk „Für die Richtigkeit der Ausfertigung" zu unterschreiben.

(2) Schreiben an österreichische Vertretungsbehörden im Ausland, an ausländische Vertretungsbehörden im Inland, an andere ausländische Behörden oder zwischenstaatliche Organisationen sowie internationale Gerichtshöfe hat der Vorsitzende des Senates, der die Erledigung beschlossen hat, in Justizverwaltungssachen der Präsident zu unterschreiben. Das Gerichtssiegel ist beizusetzen.

(3) Die Geschäftsabteilungen haben auch die für die Akten der ersten und zweiten Instanz, für die Parteien und Behörden erforderlichen Ausfertigungen herzustellen und der ersten Instanz im Wege der Rechtsmittelinstanz, oder wenn es in den Verfahrensordnungen vorgesehen ist, unmittelbar zu übersenden.

Aktenaufbewahrung

§ 19. Akten sowie die händisch geführten Register und Namensverzeichnisse werden dauernd aufbewahrt. Ab dem Zeitpunkt der Umstellung auf die automationsunterstützte Registerführung sind die Verfahrensdaten auf Dauer verfügbar zu halten.

Auskunftserteilung

§ 20. In der Geschäftsstelle darf Parteien nur darüber Auskunft erteilt werden, ob und zu welcher Zeit ein Geschäftsstück eingegangen oder abgesendet und mit welchem Aktenzeichen es versehen worden ist. Der Name des Berichterstatters darf den Parteien nicht bekanntgegeben werden.

Amtsbibliothek

§ 21. Die Aufsicht über die Führung der Geschäfte der Bibliothek des Obersten Gerichtshofes (Zentralbibliothek im Justizpalast) obliegt dem Präsidenten. Er wird hiebei von einer Bibliothekskommission unterstützt, die er aus Mitgliedern des Obersten Gerichtshofes mit deren Zustimmung bestellt. Der Präsident bestellt den Leiter der Bibliothek.

Geschäftsordnung

§ 22. (1) Der Präsident hat durch Verwaltungsverordnung eine Geschäftsordnung über den inneren Geschäftsbetrieb des Obersten Gerichtshofes zu erlassen. Die Geschäftsordnung hat insbesondere zu regeln:

a) die Register, die Verzeichnisse und die sonstigen Geschäftsbehelfe, die zu führen sind, um die für die Erledigung der einzelnen Rechtssachen nötige Übersicht zu erhalten und zugleich eine Überwachung des Geschäftsganges zu sichern,

b) die Bezeichnung, die Form und die Einrichtung der Geschäftsbehelfe und deren laufende Kontrolle,

c) die Grundsätze der Aktenbildung,

d) die Amtswirtschaft und die Materialverrechnung,

e) die Verwaltung der Amtsbibliothek.

(2) Der Präsident hat weiters den Zugang zum Evidenzbüro (§ 14 Abs. 3), die Höhe des Kostenersatzes (§ 15a Abs. 2) sowie unter Bedachtnahme auf die technischen und wirtschaftlichen Voraussetzungen die Möglichkeiten zu regeln, Abdrucke aller Entscheidungen des Obersten Gerichtshofes oder der Entscheidungen bestimmter Sachgebiete gegen Kostenersatz laufend zu beziehen (Abonnement); diese Regelungen sind durch Anschlag beim Obersten Gerichtshof kundzumachen.

Schlußbestimmungen

§ 23. (1) Vorschriften, die mit diesem Bundesgesetz in Widerspruch stehen oder denselben Gegenstand betreffen, werden aufgehoben.

(2) Insbesondere werden aufgehoben:

1. Das Kaiserliche Patent vom 7. August 1850, RGBl. Nr. 325 (Statut des Obersten Gerichtshofes), in der Fassung des § 3 Z 5 des Gerichtsorganisationsgesetzes 1945, StGBl. Nr. 47,

2. § 70 zweiter Satz des Kaiserlichen Patentes vom 3. Mai 1853, RGBl. Nr. 81 (Gerichtsinstruktion),

3. die Kaiserliche Entschließung vom 3. Oktober 1854, betreffend die Einführung eines Judikatenbuches,

4. die mit Kaiserlicher Entschließung vom 7. August 1872 genehmigte Instruktion zur Führung eines Spruchrepertoriums und des Judikatenbuches in Zivilsachen,

5. die den Obersten Gerichtshof betreffenden Bestimmungen des Gesetzes vom 24. Februar 1907, RGBl. Nr. 41, über die Ausübung der Gerichtsbarkeit bei den Oberlandesgerichten und beim Obersten Gerichts- und Kassationshof,

6. das Gesetz vom 25. Jänner 1919, StGBl. Nr. 41, betreffend die Errichtung eines Obersten Gerichtshofes, in der Fassung des § 3 Z 4 des Gerichtsorganisationsgesetzes 1945.

(3) Durch die Bestimmungen dieses Bundesgesetzes werden Rechtsvorschriften, auf Grund deren Auszüge von Entscheidungen laufend einer Stelle abgegeben werden, nicht berührt.

(4) Die in diesem Bundesgesetz verwendeten personenbezogenen Ausdrücke umfassen Frauen und Männer gleichermaßen.

(5) Soweit in diesem Gesetz auf Bundesgesetze verwiesen wird, sind diese in der jeweils geltenden Fassung anzuwenden.

Inkrafttreten

§ 24. (1) Dieses Bundesgesetz tritt mit dem 1. Jänner 1969 in Kraft.

(2) Durchführungsverordnungen können von dem der Kundmachung dieses Bundesgesetzes folgenden Tag an erlassen werden. Sie treten frühestens mit diesem Bundesgesetz in Kraft.

(3) Der Personalsenat des Obersten Gerichtshofes hat bei der Beschlußfassung über die ab 1. Jänner 1969 wirksame Geschäftsverteilung auf die Bestimmungen dieses Bundesgesetzes Bedacht zu nehmen.

(4) Die §§ 1, 3, 5 bis 15a, 16 Abs. 2 lit. f, 18 Abs. 2 und 3, 19, 21 zweiter Satz, 22 Abs. 2 sowie 23 Abs. 4 und 5 in der Fassung des Bundesgesetzes BGBl. I Nr. 95/2001 treten mit 1. September 2001 in Kraft. Soweit diese Bestimmungen die Geschäftsverteilung betreffen, sind sie erstmals auf die Geschäftsverteilung für das Jahr 2002 anzuwenden.

Vollziehung

§ 25. Mit der Vollziehung dieses Bundesgesetzes ist der Bundesminister für Justiz betraut.